證主21世紀聖經新釋

福音證主協會

英文版顧問編輯：D. A. Carson
R. T. France
J. A. Motyer
G. J. Wenham

 證主21世紀聖經新釋 I

督　　印	鄧兆柏
策　　劃	池麗華
主　　編	陳惠榮　胡問憲
副 主 編	李秀芳
翻　　譯	潘趙任君　高陳寶嬋　邵尹妙珍　葉裕波
助理編輯	蒲天穎
製作統籌	黃耀民
美術設計	袁玉芬
出 版 者	福音證主協會
	香港九龍青山道128號威利商業大廈三字樓
承 印 者	福音證主協會承印部
	香港九龍青山道128號威利商業大廈五字樓
版　　次	一九九九年一月初版
	二〇〇〇年五月再版
	©福音證主協會 一九九九年
編　　號	100016
國際書號	962-202-933-7
版權所有	

New Bible Commentary (21st Century Edition) vol. I

Executive director	Thomas TANG
Project director	Rebecca CHEE
Chief editors	Wai-Wing CHAN　Job W. H. HU
Deputy editor	Loretta LI
Translators	Gwen PUN　Iris C. KO　Miu-chun SAO　James IP
Assistant editor	Tin-wing PO
Production Coordinator	Daniel WONG
Designer	Maggie YUEN
Publisher	Christian Communications Ltd.
	3/F, Wai Lee Commercial Building, 128 Castle Peak Road, Kowloon, Hong Kong.
Printer	Printing Service Dept., Christian Communications Ltd.
	5/F, Wai Lee Commercial Building, 128 Castle Peak Road, Kowloon, Hong Kong.
Edition	First edition, January 1999
	Second edition, May 2000
	©1999 Christian Communications Ltd.
	Chinese copyright permitted by Universities and Colleges Christian Fellowship
	©1994 Universities and Colleges Christian Fellowship
Cat.No	100016
ISBN	962-202-933-7
All Rights Reserved	

經文取自《國語和合本聖經》，標點符號引用《新標點和合本聖經》，香港聖經公會
版權所有，承蒙允許使用。

各地發行者資料請參閱第二冊末頁。
List of distributors is printed on the last page of vol II.

目　錄

新 約

地圖、圖表

獻 詞

不同類型的聖經註釋書(commentary)和隨想式解經書(exposition)，都有它們的強處與缺欠。舉例來說，一部專就某一聖經書卷而寫作的長篇註釋，可幫助我們透徹地理解該書卷。釋經家可用較長的篇幅去評述各種詮釋經文的方法，仔細稽查某字某詞在上文下理的意義，更可闡述某節經文與其他各個段落的關連等。相對來說，專為某一書卷或其中數章而寫作的隨想式解經書，不會像長篇註釋那麼精細，甚至偶爾會遊離主題。這些釋經家並不著重於鑽研字詞的細枝末節；他們多會傾向以默想的形式去領會神的話語，且會細細地思想與反省，要看出該段經文如何適用於當今的教會及每個信徒中。

可是，正如你現在捧讀的這部單冊本聖經註釋書（中文版分兩冊出版），它不能鉅細無遺地闡述各種註釋，也不能詳述默想性的反省信息，但它卻有其獨特且不可取替的特色。首先，它對聖經的各書卷和各章節，均提供了全面而扼要簡明的評述。對那些未能付出高價去購買套裝註釋書的信徒來說，這是結集了屢經精挑細選而得的聖經註釋書。

而且，對於那些沒有能耐看完數十本分冊註釋書的信徒來說，這部簡明的註釋書將會是一個好助手。千萬不要一口氣匆匆地讀完它；你必須一邊讀聖經，一邊看這部註釋書，還要配合認真而有系統的讀經計劃，這部註釋書就會自然成為你忠實的助手，助你更透徹地理解聖經，更欣賞聖經精妙之處，且能培養你對聖經尊崇備至、戀戀不捨的感情。

感謝神！讓這部聖經註釋書為世界各國所使用，更讓我可為此中文版《證主21世紀聖經新釋》，寫下誠摯的推薦文，本人實感榮幸。祈求主賜福這部註釋書，得以成為信徒不可或缺的幫助，堅立他們的屬靈生命，並在這時代堅固「從前一次交付聖徒的真道」（猶3）。

D. A. Carson
一九九八年十一月

中文版序

我們快將邁進二十一世紀,開始公元二千年的生活。對於我來說,二十一世紀有兩個重大的意義。

第一,它是百年才一次的世紀交接時刻。在過往的一百年,整個世界都經歷巨大的變化,世界秩序不斷經歷破壞及整合的過程。科技的突飛猛進,讓人得以突破地域的界限,使客觀環境的距離漸漸拉近;可惜,亦正因如此,人與人的關係卻變得更加疏離,彼此之間的隔膜更大,而心靈和個人空間也愈見狹窄。

在這一個世紀,中國經歷數個不同的治理時代,從封閉的思想模式,到不斷掙扎卻離不開現實世界,發展至與整個世界並肩前進。華人因著種種緣故,更廣闊地分佈到世界各地,他們從早期的自命悲情坎坷,到後來的主動投入社區,落地生根,為世界各地的社區作出良好而深遠的貢獻。感謝神!祂在這一個世紀,為中華大地施行了奇妙的作為。從世紀初只有少數華人基督徒,到今天已達數千萬信徒;神也親自興起祂的工人,把福音傳到中國的多個民族,使信徒分佈世界每一個角落,為主作美好的見證。

第二,這更是千年才一次的交接時刻。我們不應只把人生的重點放在世界的轉變、生命的延續,以及生活的策略等微觀而功利的事情上,我們理應專心渴求等候救主基督的再來。當我們渴望且積極等待耶穌再來,自然就會把生命的焦點,放在為主而作的各樣工作上。

從二十世紀進到二十一世紀,我們不敢推斷是一個怎樣的局面;但我們關心的,不再是如何延續過去的成就,我們所關心的,是普世的人在這個瞬息萬變的世代,如何重新歸到神那裏去。這些人就是那些還未認識神,要藉福音得救的失喪靈魂;這些人更是那些已得蒙救贖,卻因信仰根基浮淺,以致身不由己,任由周遭環境搖動心志,甚至偏離正軌,過著有名無實之基督徒生活的人。

在這個關鍵且嚴肅的交接時刻,「回到聖經去」就是我們唯一的出路,讓我們在這個時候,重新想一想如何為神做好當行的事情。

神在聖經裏的話語,已清楚地把福音帶給每一個失喪的靈魂。人可以撥開雲霧,不再依賴任何理性、感情、信念、經驗或學說,只要專心藉著主耶穌的拯救,直接進到永遠的生命裏。而信徒也可藉著重新學習、認識神的話語,從而明白神的心意,重尋生命的方向,清楚地為整個人生定位。聖經能幫助我們掌握神在我們生命中的心意,釐定清晰的個人目標,義無反顧地向著標竿直跑。

從籌備到正式出版這部《證主21世紀聖經新釋》的4年多裏,我們得著多方面的支持,包括原出版社Inter-Varsity Press的允准和鼓勵、神學院學者在翻譯問題上的提點、牧長對內容的回應,及「證主」文字事工部的各同工,在翻譯、編輯、校對、

美術及製作上的同心協力，讓我們能為信徒獻上這部《證主21世紀聖經新釋》，作為獻給全球華人信徒邁進二十一世紀的禮物。在此我們特別要感謝：

薛孔奇會長倡導這項事工

陳惠榮牧師、胡問憲牧師擔任主編

池麗華社長督導整項工作

編輯主任李秀芳小姐負責編輯上的統籌

製作經理黃耀民先生負責製作統籌

並且感謝百多位弟兄姊妹在出版費用上的奉獻支持，讓我們能減輕負擔，更快完成此出版工作，在此謹向他們致萬二分的謝意。

福音證主協會成立的目的之一，是藉著文字事工服侍華人教會和信徒，「證主」的「證」字，就是來自「內地會」(現稱海外基督使團)的「證道出版社」；在過去28年來，「證主」致力出版大型而普及的聖經工具書，主要包括：

50年代出版的《(海萊) 聖經手冊》

60年代出版的《聖經新釋》

70年代出版的《證主聖經手冊》

80年代出版的《聖經——串珠·註釋本》

90年代出版的《證主聖經百科全書》

到了1999年，我們為迎接二十一世紀的來臨，出版《證主21世紀聖經新釋》。這部研經工具書，自1953年英文版面世，中文版亦於1958年由「證主」出版。這20多年來，這書一直深受華人教會和信徒歡迎及樂意使用，而中國基督教協會亦於1998年底在大陸正式出版發行此書。《證主21世紀聖經新釋》是根據1994年的英文修訂版翻譯出來的，原書的內容已百分百重新撰寫，並且採用新國際譯本聖經，而編寫班子仍然是神學圈中備受尊崇的福音派學者。

最後，求主悅納和使用《證主21世紀聖經新釋》，使它成為世界各地華人喜愛的研經工具書，讓更多人熱愛明白聖經，憑堅定不移的信心、常存的盼望和踴躍的愛，欣然踏進二十一世紀，掌握更多事奉的機會，面對時代嚴峻的挑戰。

福音證主協會總幹事
鄧兆柏
一九九九年一月

英文版序

3年多以來，我們親身參與及見證著如此繁忙而重要的編務工作，實在叫我們一群編輯深感榮幸之極。藉著前人努力不懈地工作的成果，讓我們可以承接下去。感謝神！讓我們與眾多蒙神選召的資深聖經學者，一起參與神的聖工。我們首先衷心地感激他們對神完全的奉獻，並在我們各樣的建議與延誤下，以及偶爾需要請求他們重撰文稿時，所表現的包容與忍耐，我們在此謹致以無盡的感激。

在編撰本書時，一群傑出的專家為我們提供了適切而完備的支援，這正正秉承了Inter-Varsity Press在出版工作上所持守的優良傳統。我們在此謹向策劃編輯Derek Wood和統籌編輯Sue Rebis，並所有直接或間接地促使這部註釋書得以面世的各位同工，致以萬二分的謝意。他們不斷鼓勵我們加快進度、回應讀者需求及寫作得更加簡明扼要的時候，仍然存著高度的忍耐，實在叫我們銘感於心。

要編撰一部單冊本的聖經註釋書（中文版分兩冊出版），最關鍵的是如何挑選最精煉的內容，所以我們必須制定嚴格的標準，來決定甚麼應該包括進去，甚麼應該省略。我們最終決定專注於聖經各書卷和段落的流暢，務求令讀者可從最基礎的層面去理解聖經。大部分信徒都為如何綜覽聖經而不失其精義而感到苦惱，因此，深信這部矢志幫助信徒綜覽聖經且得其精義的註釋書，定能為讀者帶來莫大的裨益。

而且，我們在有限的篇幅下，盡可能不忽略一些艱深的問題。除此以外，我們亦為讀者提供了「進深閱讀」的書目，這書目是由淺入深地排列的，這樣，讀者便可首先領會註釋書內容的精義，然後透過研讀所推薦的書籍，更加細細地咀嚼經文裏蘊藏的精髓。我們深信在現今的世代裏，沒有比喚起所有信徒和普世教會，誠心誠意地去認識、喜愛和遵從聖經——神的話語，來得更加寶貴了。本著這個目標與異象，我們以禱告感恩的心，獻上這部註釋書。

自1953年《聖經新釋》(New Bible Commentary)初版首度面世以來，這已是第二次重要的修訂。我們有機會承接這項深具歷史傳統意義的編輯工作，感到萬分榮幸。我們謹向已辭世的 Francis Davidson, Ernest Kevan, Alan Stibbs 和Donald Guthrie 致以最崇高的敬意，他們確實是研讀神話語的專家。我們於1970年編撰New Bible Commentary (Revised)時，感謝 Donald Wiseman發揮了極其重要的指導與敦促的角色，並感謝上述眾位極富貢獻的人士，與全球數以百萬計的讀者一起，欣然地分享從神而來的恩賜。在這部最新的版本裏，不再有1953年的內容，1970年版的內容也只有極少保留下來。聖經譯本方面，我們採用新國際譯本，而不再是修訂標準譯本。神更為我們呼召了世界各地的專家；即使有部分註釋的作者與1970年版的《聖經新釋》是同一位，他們也會修改有關的內容，甚或是重新撰寫。

時代或許變幻不定，但神本身及祂話語的力量，卻是永恆不變，從亙古直到永

遠。我們不求與歷史上的偉人相比擬，但我們仰望神的恩典，使用這部最新版本的
《聖經新釋》，成為祂子民的祝福，將最高的榮耀歸與神。

D.A. Carson
R.T. France
J.A. Motyer
G.J. Wenham
一九九四年四月

使用說明

----

1. 聖經版本

除特別標明外，本書經文引自《新標點和合本聖經》，但聖經人名及地名，則沿用《國語和合本聖經》的名稱。

2. 名詞翻譯

除少數熟悉的名稱 (例如：馬丁路德) 外，有些名詞的翻譯尚未有統一的標準，故英文原名皆附於括弧內，方便讀者。

為求一致，"God" 一律譯作「神」，"baptism" 譯作「洗禮」。

在每卷書的註釋末出現的作者名字及「進深閱讀」概不翻譯成中文。

3. 顏色及字款

紫色字 表示該段導論或經文註釋的重點，方便讀者迅速查閱。

紫色網 表示生活應用部分，幫助讀者針對現今的處境引發今天的應用。

克體字 經文或字詞表示作者正解釋該節經文或該字詞的意思或有關的原文、校勘學和翻譯的問題，方便讀者搜尋某些字詞的準確解釋。

4. 進深閱讀

每卷書的註釋末皆有「進深閱讀」書目，供讀者參考。排列次序由淺入深，中文書則不依此次序排列，一律放在書目之末。英文書系列名稱採用簡寫 (例如：BST，TOTC等)，全名可參「進深閱讀」參考書簡寫表。

5. 聖經主題索引

第二冊末特別編有聖經主題索引，包含聖經專題和信徒生活兩大類，共三十多項，方便讀者按主題查閱有關經文的註釋。

聖經譯本中英對照

英王欽定本	Authorized (King James) Version	新國際譯本	New International Version
佳音譯本	Good News Bible	修訂英語譯本	Revised English Bible
耶路撒冷聖經	Jerusalem Bible	修訂標準譯本	Revised Standard Version
新耶路撒冷聖經	New Jerusalem Bible	新修訂標準譯本	New Revised Standard Version
美國標準譯本	American Standard Bible	修訂譯本	Revised Version
新美國標準譯本	New American Standard Bible	七十士譯本	Septuagint (LXX)
新英語譯本	New English Bible	馬所拉抄本	Massoretic Text

聖經書卷簡寫表

(本書聖經章數用漢字，節數用阿拉伯字表示。)

舊約

創	創世記
出	出埃及記
利	利未記
民	民數記
申	申命記
書	約書亞記
士	士師記
得	路得記
撒上	撒母耳記上
撒下	撒母耳記下
王上	列王紀上
王下	列王紀下
代上	歷代志上
代下	歷代志下
拉	以斯拉記
尼	尼希米記
斯	以斯帖記
伯	約伯記
詩	詩篇
箴	箴言
傳	傳道書
歌	雅歌
賽	以賽亞書
耶	耶利米書
哀	耶利米哀歌
結	以西結書
但	但以理書
何	何西阿書
珥	約珥書
摩	阿摩司書
俄	俄巴底亞書
拿	約拿書
彌	彌迦書
鴻	那鴻書

哈	哈巴谷書
番	西番雅書
該	哈該書
亞	撒迦利亞書
瑪	瑪拉基書

新約

太	馬太福音
可	馬可福音
路	路加福音
約	約翰福音
徒	使徒行傳
羅	羅馬書
林前	哥林多前書
林後	哥林多後書
加	加拉太書
弗	以弗所書
腓	腓立比書
西	歌羅西書
帖前	帖撒羅尼迦前書
帖後	帖撒羅尼迦後書
提前	提摩太前書
提後	提摩太後書
多	提多書
門	腓利門書
來	希伯來書
雅	雅各書
彼前	彼得前書
彼後	彼得後書
約壹	約翰一書
約貳	約翰二書
約叄	約翰三書
猶	猶大書
啟	啟示錄

原文音譯對照

希伯來文

א = '	ד = ḏ	י = y	ס = s	ר = r
ב = b	ה = h	כ = k	פ = ˚	שׂ = ś
בּ = ḇ	ו = w	ךּ = ḵ	פ = p	שׁ = š
ג = g	ז = z	ל = l	פּ = p̄	תּ = t
ג = ḡ	ח = ḥ	מ = m	צ = ṣ	ת = ṯ
ד = d	ט = ṭ	נ = n	ק = q	

長母音		短母音	極短母音
(ה)ָ = â	ָ = ā	ֲ = a	ֲ = ᵃ
ֵי = ê	ֵ = ē	ֶ = e	ֱ = ᵉ
ִי = î		ִ = i	ְ = ᵉ （如為響音）
וֹ = ô	ֹ = ō	ָ = o	ֳ = ᵒ
וּ = û		ֻ = u	

希臘文

α = a	ι = i	ρ = r	ῥ = rh
β = b	κ = k	σ, ς = s	῾ = h
γ = g	λ = l	τ = t	γξ = nx
δ = d	μ = m	υ = y	γγ = ng
ε = e	ν = n	φ = ph	αυ = au
ζ = z	ξ = x	χ = ch	ευ = eu
η = ē	ο = o	ψ = ps	ου = ou
θ = th	π = p	ω = ō	υι = yi

「進深閱讀」參考書簡寫表

AB	Anchor Bible	**NICOT**	The New International Commentary on the Old Testament
BBC	Broadman Bible Commentary		
BNTC	Black's New Testament Commentaries	**NIGTC**	New International Greek Testament Commentary
BST	Bible Speaks Today		
CC	The Communicator's Commentary	**OTL**	Old Testament Library
DSB	Daily Study Bible （中譯：每日研經叢書，基督教文藝出版社）	**QRBT**	Quick Reference Bible Topics
		TBC	Torch Bible Commentaries
EBC	Expositor's Bible Commentary	**TNTC**	Tyndale New Testament Commentary （中譯：丁道爾新約聖經註釋系列，校園書房出版社）
ITC	International Theological Commentary		
IVPNTC	IVP New Testament Commentary		
NCB	New Century Bible	**TOTC**	Tyndale Old Testament Commentary （中譯：丁道爾舊約聖經註釋系列，校園書房出版社）
NIBC	New International Bible Commentary		
NICNT	The New International Commentary on the New Testament		
		WBC	Word Biblical Commentary

撰述人名單

順姓氏英文字母排列，有*者為顧問編輯(Consulting Editor)，資料以一九九四年為準。

T. Desmond Alexander, B.A., Ph.D., Lecturer in Semitic Studies, The Queen's University of Belfast, UK.

出埃及記

Leslie C. Allen, M.A., Ph.D., D.D., Professor of Old Testament, Fuller Theological Seminary, Pasadena, California, USA.

約珥書

David W. Baker, A.B., M.C.S., M.Phil., Ph.D., Professor of Old Testament and Semitic Languages, Ashland Theological Seminary, Ashland, Ohio, USA.

俄巴底亞書、哈巴谷書、西番雅書

John A. Balchin, M.A., B.D., Senior Minister of the First Presbyterian Church, Papakura, New Zealand.

雅歌

Joyce G. Baldwin, B.A., B.D., formerly Principal, Trinity College, Bristol, UK.

路得記、以斯帖記

George R. Beasley-Murray, M.A., Ph.D., D.D., D.Litt., Senior Professor of New Testament Interpretation, Southern Baptist Theological Seminary, Louisville, Kentucky, USA.

啓示錄

Roger T. Beckwith, B.D., D.D., M.A., Warden of Latimer House, Oxford, and Lecturer, Wycliffe Hall, Oxford, UK.

次經與啓示文學

John J. Bimson, B.A., Ph.D., Lecturer in Old Testament and Hebrew, Trinity College, Bristol, UK.

列王紀上、下

G. Michael Butterworth, B.Sc., B.D., M.Phil., Ph.D., Lecturer, Oak Hill College, and Director, Oak Hill Extension College, London, UK.

何西阿書、那鴻書、撒迦利亞書

*Donald A. Carson, B.Sc., M.Div., Ph.D., Research Professor of New Testament, Trinity Evangelical Divinity School, Deerfield, Illinois, USA.

讀經要訣、書信的研讀

David J.A. Clines, M.A., Professor of Biblical Studies, University of Sheffield, UK.

約伯記

R. Alan Cole, Ph.D., formerly Lecturer in Old Testament, Moore Theological College, Sydney, Australia, and Trinity Theological College, Singapore.

馬可福音

Peter H. Davids, B.A., M.Div., Ph.D., Researcher and Theological Teacher, Langley Vineyard Christian Fellowship, Langley, British Columbia, Canada.

雅各書

Michael A. Eaton, B.D., B.Th., M.Th., D.Th., Pastor-at-Large, Chrisco Fellowship of Nairobi, and Lecturer, Nairobi Evangelical Graduate School of Theology, Nairobi, Kenya.

傳道書

Sinclair B. Ferguson, M.A., B.D., Ph.D., Professor of Systematic Theology, Westminster Theological Seminary, Philadelphia, Pennsylvania, USA.

但以理書

Francis Foulkes, B.A., B.D., M.A., M.Sc., formerly Warden, St John's Theological College, Auckland, New Zealand.

腓立比書

*Richard T. France, M.A., B.D., Ph.D., Principal, Wycliffe Hall, Oxford, UK.

福音書的研讀、馬太福音

Conrad Gempf, Ph.D., Senior Lecturer, London Bible College, UK.

使徒行傳

John E. Goldingay, B.A., Ph.D., Principal, St John's College, Nottingham, UK.

箴言

The late **Donald Guthrie**, B.D., M.Th, Ph.D., formerly Vice-Principal, London Bible College, UK.

約翰福音、教牧書信

Gordon P. Hugenberger, M.Div., Ph.D., Associate Professor of Old Testament, Gordon-Conwell Theological Seminary, South Hamilton, Massachusetts, and Senior Pastor, Lanesville Congregational Church, Gloucester, Massachusetts, USA.

瑪拉基書

Philip P. Jenson, M.A., M.A., S.T.M., Ph.D., Lecturer in Old Testament and Hebrew, Trinity College, Bristol, UK.

詩歌書的研讀

F. Derek Kidner, M.A., A.R.C.M., formerly Warden, Tyndale House, Cambridge, UK.

以賽亞書

Colin G. Kruse, B.D., Th.L., M.Phil., Ph.D., Senior Lecturer in New Testament, Ridley College, University of Melbourne, Australia.

哥林多後書

I. Howard Marshall, M.A., B.D., Ph.D., Professor of New Testament Exegesis, University of Aberdeen, UK.

路加福音、帖撒羅尼迦前、後書

J. Gordon McConville, M.A., B.D., Ph.D., Lecturer in Old Testament, Wycliffe Hall, Oxford, UK.

聖經歷史、申命記、耶利米書、耶利米哀歌

L. John McGregor, B.A., Ph.D., Computer Programmer and Analyst, East Grinstead, UK.

以西結書

Douglas J. Moo, Ph.D., Professor of New Testament, Trinity Evangelical Divinity School, Deerfield, Illinois, USA.

羅馬書

Leon L. Morris, B.Sc., M.Th., Ph.D., M.Sc., formerly Principal, Ridley College, Melbourne, Australia.

約翰一、二、三書

*J.A. Motyer, M.A., B.D., formerly Principal, Trinity College, Bristol, U.K.

詩篇、阿摩司書

Peter J.Naylor, B.A., D.Phil., A.C.A., Chartered Accountant, Cardiff, UK.

民數記

Peter T. O'Brien, Ph.D., Vice-Principal, Moore Theological College, Sydney, Australia.

歌羅西書、腓利門書

David F. Payne, M.A., Academic Dean, London Bible College, UK.

撒母耳記上、下

David F. Pennant, M.A., B.D., Ph.D., Director of Music, St Andrew's School, Horsell, Woking, Surrey; formerly Curate in Charge, St Saviour's Church, Brookwood, UK.

哈該書

David G. Peterson, M.A., B.D., Ph.D., Th.Schol., Head of the Department of Ministry, Lecturer in New Testament, Moore Theological College, Sydney, Australia.

希伯來書

Moisés Silva, A.B., B.D., Th.M., Ph.D., Professor of New Testament, Westminster Theological Seminary, Philadelphia, USA.

加拉太書

Douglas Stuart, Ph.D., Professor of Old Testament, and Chair, Division of Biblical Studies, Gordon-Conwell Theological Seminary, South Hamilton, Massachusetts, USA.

約拿書

Max Turner, M.A., Ph.D., Director of Research, and Lecturer in New Testament, London Bible College; formerly Lecturer in New Testament, King's College, Aberdeen, UK.

以弗所書

Bruce Waltke, Th.D., Ph.D., Professor of Old Testament, Regent College, Vancouver, Canada.

約書亞記、彌迦書

Barry G. Webb, B.A., B.D, Ph.D., Head of the Department of Hebrew and Old Testament, Moore Theological College, Sydney, Australia.

士師記

*Gordon J. Wenham, M.A., Ph.D., Senior Lecturer in Religious Studies, Cheltenham and Gloucester College of Higher Education, Cheltenham. UK.

摩西五經的研讀、創世記

David H. Wheaton, M.A., B.D., Vicar of Christ Church, Ware; Honorary Canon of St Albans Cathedral; Honorary Chaplain to the Queen; formerly Principal, Oak Hill College, London, UK.

彼得前、後書、猶大書

Michael J. Wilcock, B.A., Vicar of St Nicholas' Church, Durham; formerly Director of Pastoral Studies, Trinity College, Bristol, UK.

歷代志上、下

H.G.M. Williamson, M.A., Ph.D., D.D., F.B.A., Regius Professor of Hebrew, University of Oxford, and Student of Christ Church, Oxford, UK.

以斯拉記、尼希米記

Bruce Winter, B.A., M.Th., Ph.D., Warden, Tyndale House, Cambridge, UK.

哥林多前書

Christopher J.H. Wright, M.A., Ph.D., Principal, All Nations Christian College, Ware, UK.

利未記

讀經要訣

聖經是甚麼？

啟 示

聖經神學組成一個有系統有條理的整體。這不單表示我們可以從某個主題的任何一點入手，查考該主題的任何部分（雖然從某些有利位置入手明顯會比較容易），而且，這亦表示我們若把聖經神學的某些組成部分，當作彷彿一個完全獨立存在的重點來處理，便嚴重地扭曲了整幅圖畫。

在眾多的主題中，有關聖經的教義，在這方面的特色就更為明顯了。在這個懷疑主義高漲的世代，我們若沒有同時間掌握到聖經的神觀、人觀、罪觀、救贖觀，以及歷史急速邁向的最終目標，能否清晰而全面地了解聖經的性質及解釋聖經的方法，實在頗成疑問。

例如，即使聖經的確已把神的事情——尤其是神的屬性——告訴我們，但除非神確實是那樣的神，否則我們不可能同意聖經的內容。我們要正確地理解聖經，就必須對聖經背後的神有基本的認識。

神一方面是超越凡塵（即超越空間和時間的限制），另一方面卻又能夠與人建立個人的關係。祂是至高無上和全能的創造者，整個宇宙都靠賴祂存在，然而，祂又是那位充滿恩慈、甘願紆尊降貴與我們這些按著祂形象被造的人類相交。由於我們都受著時間和空間的限制，神便親自降世與我們相會；祂是一位願意與人建立關係的神，祂喜愛與人相交——祂造人的本意，正是要人榮耀祂和永遠享受祂與人同在的關係。

簡言之，是神選擇向我們啟示祂自己，否則，我們對祂的認識，只是一鱗半爪。誠然，祂的存在和能力已經彰顯在創造的秩序中，縱使這秩序已遭人類的悖逆和悖逆所帶來的後果破壞了（創三18；羅八19-22；參詩十九1-2；羅一19-20）。同樣真確的，是人的良心隱約反映出神道德屬性的形象（羅二14-16）。可是，這認知不足以引導人獲得救恩。況且，人類的罪惡是那麼層出不窮，即使有這樣的啟示，也不能夠輕易將罪一筆勾銷。但因著神那無法測度的恩典，祂甘願主動介入祂所創造的世界，向人類啟示祂自己。

即使在人類墮落之前，神也是這樣待人。神將某些責任分派給按照祂形象造出來的人（此舉本身已是一種啟示），繼而在祂為人類所設的園子中與他們會面。當神揀選亞伯拉罕的時候，祂與他立約，啟示自己為「他的」神（創十五、十七）。當神拯救以色列人脫離為奴之地的時候，祂不單與摩西交談，更藉著可怕的災難及雷電來顯示祂自己。雖然全地都屬乎祂，祂卻揀選以色列成為與祂立約的子民，使他們作祭司的國度，為聖潔的國民（出十九5-6）。祂向他們顯明自己的方式，不僅是藉著展示其能力的作為，更是藉著祂的「妥拉」（直譯是「訓誨」），當中除了包含日常生活的規範之外，還有宗教禮儀（會幕/聖殿、獻祭、祭司制度）。

在舊約所涵蓋的整段時期，神顯明自己的方式，包括藉著祂的引導（例如帶領約瑟到埃及的種種安排，創三十七至五十，五十19-20；薛西斯王一個不能入寐的晚上，帖六1及其後經文；古列和大利烏王的詔令，影響被擄之後某些希伯來人歸回耶路撒冷）、神蹟性的事件（例如燃燒的荊棘，出三；迦密山上的降火，王上十八）、先知的預言（「主的話」不斷「臨到」先知的口中），以及詩章和頌歌（例如詩篇）。但縱然舊約的信徒知道神已經向與祂立約的子民顯明祂自己，他們也知道神應許在將來會有更明確的啟示。神應許到了指定的時間，從大衛的嫡系中會冒出一條新枝（賽十一），有一人會坐在大衛的寶

1

座上，但祂又稱為全能的神、永在的父、和平之君（賽九）。神會親自降臨，開展新天新地（賽六十五）。祂將會把祂的靈澆灌下來（珥二），訂立新約（耶三十一；結三十六），使死人復活（結三十七）等。

新約作者深信，他們一直引頸以待神的自我顯現和祂的救恩，已經藉著神的兒子耶穌基督顯明出來。過去，神主要是藉著眾先知來啟示祂自己，但如今，在這末後的日子，則出現祂最極至和最高峰的啟示，就是藉著祂兒子來顯明自己（來一2）。子是父神的完美形象（林後四4；西一15；來一3）；神一切的豐盛都住在祂裏面（西一19，二9）。祂的生命就是神自我彰顯的形式；祂是成了肉身的神的道（約一1、14、18）。

這種以子為中心的啟示，除了在耶穌本人身上，還同時可以藉著祂的工作看到。不單是透過祂的教訓、講論和治病，更重要的，是因著祂在十字架上的受死和復活，將神顯明出來，並且成就了神的救贖計劃。藉著被高舉的基督留下來的聖靈（約十四至十六），神審判世界（約十六7-11），幫助信徒作見證（約十五27），而最重要的，是向他們顯明神，並住在他們裏面（約十四19-26）。因此，神藉著聖靈啟示自己，而聖靈便是那應許基業的憑據和訂金（弗一13-14）。終有一天，將會出現最終極的自我顯現，眾膝將跪拜，眾口皆承認耶穌是主，使榮耀歸予父神（腓二11；參啟十九至二十二）。

要強調的是，基督徒要真正明白聖經，就需要先假定聖經的神是真實存在的。這位神藉著很多不同的方法來讓人認識祂，以致人可以知道他們受造的目的——是為了認識神、愛神和敬拜神；在享受這關係的同時，讓神得著榮耀，而他們亦獲得相應的好處，就是滿足神在他們身上的計劃。人類所有關於神的真正知識，都基於神主動的自我啟示。

神的話

我們絕對不可忽略神是一位會說話的神。毫無疑問，祂透過很多途徑來向我們顯明祂自己，但祂的話語卻不是無足輕重的。

「啟示」一詞可以理解為主動和被動兩方面：一方面是神顯明祂自己的行動，另一方面是祂所啟示的內容。當它用來說明神藉著

話語來啟示自己，主動的含義便是期望神會透過言語來啟示自己，而被動的含義則是將焦點放在言語之上，只要它們是出於神的心意，是祂選擇傳遞給人的信息。

對於神的說話，作為祂自我揭示的一種基本途徑，我們是絕對不能掉以輕心的。創造本身便已經是神說話的成果：神說要有，世界的萬物便存在（創一）。神的啟示中許多極富戲劇性的作為，若沒有輔以神的說話，人便無法理解。摩西把燒著的荊棘視為一件怪事，直至有聲音吩咐他脫去鞋子，並要他負上新的責任。若非因著神親口表明祂的心意，亞伯拉罕便絕對沒有理由要離開吾珥。眾先知一次又一次地負起向百姓傳遞「主如此說」的責任。即使在主耶穌身上，言語的啟示也是同樣重要：祂在世的日子，教師是祂最重要的身分。此外，我們若沒有那些保留在福音書和書信中，對耶穌的受死和復活之意義作出的解釋，即使是這些重要事件，也只會令人費解，以致難以忍受和引為憾事。由於神的說話對於祂顯明自己是如此重要，所以，當福音書的作者約翰搜索枯腸地要尋找一個能完全涵蓋其意義的方式，來說明神最終藉著祂兒子顯明祂自己，他便用「太初有道，道與神同在，道就是神……道成了肉身」（約一1、14）來形容祂。那位在啟示錄十九章出現的騎士，也被稱為「誠信真實……他穿著濺了血的衣服；他的名稱為神之道」（十九11、13）。

當然，即使肯定神是一位會說話的神，而祂的說話構成了祂恩慈地向我們顯明祂自己的基本元素，也並不能證明聖經是神主動啟示的產品——並從被動的含義來說，聖經本身就是啟示。事實上，「神的道」這個表達方式，在聖經中有很廣泛的用途，全都預先假定神是會說話的，祂並非只是一個沒有位格的「存在基礎」（ground of Being），或是一位神祕的「他者」（other）；不過，它的不同用法也值得我們注意。例如，眾先知經常說「神的話」或「主的話」「臨到」他們（例如耶一2；結三十1；何一1；路三2）。這「話」或「信息」如何臨到，卻通常沒有解釋。但明顯地，即使這些事例，也足以證明：在聖經裏，「神的話」不一定等同於聖經。

有些留意到這點的人會進一步地推演，並且反駁說，將聖經說成是神的話並不恰

當。不然，他們堅稱如果「神的話」是指聖經，那一定是某些廣泛的含義，即聖經的信息，或神以概括性的措辭顯示給見證人知道的東西。它絕不可以用來指經卷中實在的話語。

但從另一方面來看，這種說法肯定不對。耶穌指斥那些攻擊祂的人，將他們的傳統看得比「神的道」更重要（可七13），而祂先前已說明祂所想的「神的道」就是聖經。倘若某些來自神的信息是由最常用的措辭表達，那麼，還有很大部分是由神本身發出的神諭和說話組成。因此，阿摩司先知謙遜地以「阿摩司說」作為開始，但全書一個接一個的神諭，卻是用類似「耶和華如此說」（二6）或「主耶和華如此說」（三11）的表達方式作為引語。耶利米將神的啟示形容為以近乎所寫的方式臨到，所以，當原稿被毀，神恩慈地再次將信息傳給他（耶三十二2，三十六27-32）。大衛堅稱「耶和華的言語（希伯來文表示「言詞」或「說話」，而非修訂標準譯本所譯的「應許」）是純淨的言語，如同銀子在泥爐中煉過七次」（詩十二6）。當我們擴大查究新約的範圍，我們便發現一個接一個的作者在引用某正典書卷的內容時，都會說那是「神說」的。儘管新約作者經常提及摩西，或以賽亞，或其他人所說的話（例如羅九29，十19），他們在提到舊約書卷的作者時，亦同時可以指到那是神自己說的（例如羅九15、25）。而且，甚至當他們引用連舊約作者實際上也沒有提到是神說的經文，他們也可以說是「神說」或「聖靈說」（例如來七21，十15）。有些時候，聖經作者又會採用一些較長的表達方式，例如「主藉先知所說的話」（太一22），「聖靈藉大衛的口，在聖經上預言」（徒一16）。

以上的簡單概述，是嘗試指出**神曾藉著很多方式來顯明祂自己，但最主要的是藉著口述言語的啟示。**我們已經瞥見這是連於聖經本身的證據，但我們還未曾朝那方向作進一步的探究。在繼續探討之前，我們必須扼要地提到一個與聖經啟示相關的元素。

人的話

即使粗略地翻閱聖經一遍，也會發現它並非逐字將神的說話默寫出來，更休說經卷是放在一個金盤子裏，從天而降。**儘管聖經**當中有許多地方宣稱是出於神的啟示和神的權威，但它卻是一本令人驚訝的人類文獻——或更準確地說，是66本令人驚訝的人類文獻。正典中的後期作者會指名道姓地引用前期作者的著作，把許多文獻視作歷史名人類手筆，完全沒有暗示這種人類參與寫作的層面會削弱該文獻的權威。事實上，某些引用舊約典故的地方，不拘小節得令人出奇，例如：「但有人在經上某處證明說」（來二6）。倘若我們要徹底地揣摩基督徒該如何讀聖經這個問題，那麼，無論我們是多麼肯定聖經各書卷構成了神的話（這點仍有待爭論），這個斷定是屬乎人的層面，也絕對不可以置諸不理。

它有很多重要的含義。聖經並非一下子便來到我們手中，卻是歷經了大約1,500年的時間，出自很多不同人的手筆，當中有些身分不詳。因此，**第一個含義是聖經乃深深植根於歷史之中。**不同的作者反映著不同的文化、語言、歷史事件、思想前設和意識形態。有一個明顯而經常人提起的類比，就是道成肉身。那位自有永有的神子，在創世之前已存在的道，成為血肉之軀的人。祂既是神，又是人。傳統的表達方式仍然是最完美的：永生的神子在歷史中成為血肉之軀，具有兩種本質、一個位格。假若耶穌基督的神性或人性任何一方遭到否定或忽略，我們將不能真正認識和相信祂。**聖經的本源也頗為類似：它亦是同時擁有神和人兩方面的本源。它是神的啟示，但也是人的著作。當中的信息——引伸到每一個字——都是屬神的，都是源於永生的真神，然而，它也是深深地植根於人類歷史中，由人所寫成；它是一本同時具有兩種本質的書。**當然，我們絕不應將這個類比推演得太遠。耶穌基督本身同時是神和人，但沒有人可以肯定聖經本身是神和人；它只是那位願意揭示自己的神手中的工具。耶穌基督配受人的敬拜，但聖經卻絕不。不過，在適當的規範下，只要它能夠為我們提供某些分類，這比較對我們仍然是有幫助的，有助我們明白聖經的性質，同時又能誘導我們在讀經的時候懂得謙卑。我們在努力探究聖經同時，絕不可以失去謙卑的美德——在那位滿有恩慈，顧慮到我們的需要，而藉著成為肉身的道和寫成的話來清楚顯明自己的神面前，必須保持應有的謙卑。

第二個含義是保存在聖經裏面的啟示——當中無論涉及哲學、倫理或神學範疇，都不是抽象的體系。佛教只是一個思想體系：即使有人證明佛祖釋迦牟尼是個虛構人物，也不會危害這個以他的名字命名的宗教。基督教卻不然。儘管聖經中有極多的文學類別，但它整體上是講述一個故事，而那個故事是在真實的時空之中發生。縱使某些學者嘗試用各種理由來爭辯，聲稱建立在聖經上的信心，絕對不應該受到歷史研究所威脅，但神那因著恩慈而作的自我彰顯，是在一般歷史中發生的，這個事實所包含的深遠意義（不管那啟示的其中一些元素可能是異乎尋常或不可思議），便肯定無法逃避歷史的審查。如果耶穌基督是個虛構人物，基督教便會被摧毀；如果祂根本沒有死在十字架上，基督教也會被摧毀；如果祂根本沒有從死裏復活，基督教亦同樣會被摧毀。儘管基督教信仰所指向最終極的對象是神，人若只能確定對聖經中的神有信心，而不能對根據聖經那位在歷史中顯明自己的神有信心——這後者是更容易讓人理解和驗證的主要部分——那麼，這信仰便是前後不一致。**簡言之，聖經中眾多故事的各個元素，都是基督教信息之可信性的關鍵。**

第三，由於聖經是那麼無可置疑地屬乎人，因此，它包含的不單是神向我們出於恩慈的自我啟示，更同時是人為神所作的見證。例如，使徒行傳記載了許多事件，是關乎眾使徒如何勇敢地面對那些試圖制止他們發言的當權者，以及這些初期信徒那種毫不動搖的信心，是如何與他們堅定地確信耶穌已經從死裏復活息息相關。他們曾見過祂；事實上，根據保羅所說，超過500人曾經親眼見過祂（林前十五）。多篇詩篇提供了感人的見證，講述那些相信永生神的人，如何面對坎坷的遭遇和人生的風浪。在更廣的層面，聖經所記述的許多人或聖經的作者，都是與他們同時代的人有緊密的關係。他們不單是執筆默寫的文書。舉例說，當我們讀到保羅寫哥林多後書十至十三章時內心的激動，或阿摩司的義憤，或在耶利米哀歌或哈巴谷書所反映的深刻創傷，或猶大在面對神學偏差時的掛慮，或馬太和約翰竭誠盡忠的見證，或保羅在腓立比書明顯流露的感情，就不得不承認聖經描繪的是真正的人，也確實是由凡

人所寫。他們不僅被神重用，向後來的世代傳遞神的真理，同時亦是為本身對神的深刻經歷作出見證。

這3種含義加起來便得出第四方面。我們在上面已經提過，聖經的作者均與歷史融為一體；他們講述他們那部分的故事；他們為自己所看見的作見證。我們所發現的，是後期的聖經作者不單承擔了記載關乎救贖歷史事件的責任（例如人類的墮落、神對亞伯拉罕的呼召和神與他立約、出埃及和頒佈律法、先知的興起、大衛王國的建立，以及耶穌的事奉、受死和復活），而且，聖經即使引述一些相對地微不足道的歷史事件，也假定它們是真實無訛的。南方的女王拜候所羅門（太十二42；路十一31-32）、大衛吃了陳設餅（可二25-26）、摩西在曠野舉蛇（約三14）、亞伯拉罕將自己所得來的十分一獻給麥基洗德（來七2）、有8人在方舟中獲救（彼前三20）、巴蘭的驢會說話（彼後二16），這些只是極少數的例子。其中一個最饒有趣味的例子，是出自耶穌口中（太二十二41-46；可十二35-37）。耶穌當時引用了詩篇一一〇篇，根據該詩的小字標註，它是一首大衛的詩。我們必須留意的，是耶穌在這裏的論據，完全在於祂假定那標註是正確無誤的。假如這詩篇並非由大衛所寫，那麼，大衛便沒有說到彌賽亞是他的主，而詩中出現的「我主」，便是另有其人。舉例說，這詩篇若是由一位侍臣所寫，那麼，「我主」便很容易理解為指到大衛本人，或是某位繼位的君王（正如許多近代批判家所倡議的）。但如果我們像耶穌一樣，視該標註所記的是確鑿的事實，把這詩篇解釋為有關彌賽亞的某種形式，便幾乎是無可避免。總括而言，歷史的資料不但非常豐富和互相緊扣，而且，後期的聖經作者每當引用早期聖經著作的例子時，亦從來不曾帶有絲毫懷疑，擔心該事件的記載有誤導成分，或與歷史不符，或只在神學的層面上是正確的。

最後，**鑑於聖經是由眾多作者，歷經多個世紀寫成，所以，對於它包含許多不同的文學體裁，我們一點也不應感到奇怪。**詩體和散文、敘事和講論、神諭和哀歌、比喻和寓言、歷史和神學、家譜和啟示文學、箴言和詩篇、福音書和書信、律法和智慧文學、公函和講章、對句和史詩——聖經是由凡此

證主21世紀聖經新釋

種種或是更多不同的體裁組成。聖經出現的立約模式，與赫人的條約頗為近似；有關各項家庭責任的要求，亦與希臘世界的行為準則出奇地相似。這一切事實，正是聖經出自人手的副產品，當然會無可避免地影響我們如何正確地解釋聖經。

聖經與正典

倘若我們接受神是一位會說話的神，祂的自我揭示包括口頭的啟示，而祂經常使用人類為祂傳話，那麼，我們首先必須問，我們如何從一個基本上似乎是屬於個人和口頭的過程，跳到一本已公開成文的聖經（此乃本部分的主題）；其次要問的，是我們如何能推想出神所說的和人所說的內容之間的關係（此乃下一部分的主題）。

雖然聖經描述神是透過人說話，但明顯地，聖經是唯一的途徑，讓我們看明這種在聖經涵蓋的歷史時期中的現象。例如，當耶穌反問：「難道你們沒有讀過神的話嗎……？」（太二十二31），祂已經預先假設了以上的觀念。於是，隨之而來的便似乎是以下兩個解釋：一就是聖經不過是對神這種語言啟示的（錯誤）見證，另一就是聖經是這種啟示下的產物。就前者而言，解釋聖經的人必須盡他們的努力，去分辨聖經中哪些部分是忠實地見證那位藉著作為和言語來顯明自己的神，哪些部分是不忠實或不可靠的見證——並且說明其作出這些判斷的理由。至於後者，**聖經就不單理解為對神那出於恩慈，藉著言語和作為顯明自己的忠實見證，它本身就是神給人的口述啟示。**我們對聖經的性質持哪一種看法，當然會影響我們讀經的方式。

對於後期經卷引用早期經卷的方式，應該絕少令人產生質疑；我們在許許多多的經文中，都可以清楚看見，對這些後期作者而言，經卷上無論說甚麼，都是神的話。當然，這樣的公式考慮到撒但和各類惡人所說的話，也會記錄在經卷裏；但上文下理總是會清楚交代記錄這些話語的目的，是要讓人從更闊的層面，了解神在某件事中或是明確表述，或是暗中隱含的觀點。不過，我們亦必須非常小心地準確分辨，某章經文是採用甚麼文學體裁，並要傳遞甚麼信息，最終得出的結果，將會是神在某件事上的心意。

因此，馬太福音十九章5節在引用創世記二章24節的話時，雖然根據創世記的敘述，那句話並不是出自神的口，但耶穌在陳述時卻仍然當作是神「說」的。神親自藉著聖先知的口說話（例如路一70）。倘若門徒被稱為無知，是因為他們沒有相信「先知所說的一切話」（路二十四25），那麼門徒應該早已明白的內容，以及耶穌其後向他們講解的，正是「凡經上所指著自己的話」（路二十四27）。至於「福音」，其實便是神「從前藉眾先知在聖經上有關他兒子的應許」（羅一2-3；自新國際譯本）。聖經的說話既等同神的說話，所以，保羅便能夠將聖經擬人化：「因為聖經向法老說」（羅九17；新國際譯本）；「並且聖經既然預先看明，神要叫外邦人因信稱義」（加三8）；「但聖經把眾人都圈在罪裏」（加三22）。除非保羅預先假定聖經說就等於神說，否則這些句子便完全沒有意義。提摩太後書三章16節明確地說明了這個重點：「聖經（經的原文是 *graphe*）都是神所默示的……都是有益的」。這裏所指的確是舊約聖經〔留意前一節經文：提摩太從小明白「聖經」（*hiera grammata*）〕；而且，這節經文完全沒有為聖經正式宣佈一個清楚的界限，用以確立一部被認可的正典。這節經文所要肯定的，是某卷著作如果被納入「聖經」裏，我們就必須肯定它是「神所默示」（下面會作更詳細的討論），並以應有的態度去查考它。

根據福音書作者所記，主耶穌自己也是預先假設了同一個立場。祂堅稱「經上的話是不能廢的」（約十35）。當耶穌提到摩西，所祂想的是摩西所寫的東西——亦即是聖經：「有一位告你們的，就是你們所仰賴的摩西。你們如果信摩西，也必信我，因為他書上有指著我寫的話。你們若不信他的書，怎能信我的話呢？」（約五45-47）。儘管馬太福音五章17至20節可能甚為難解，又或是對「成全」所指的準確意義，可能仍有爭論，但當耶穌說：「我實在告訴你們，就是到天地都廢去了，律法的一點一畫也不能廢去，都要成全」（太五18）的時候，祂顯然是假定「律法」是真實和可靠的（根據上下文，「律法」是指到全部經卷；參五17和七12的「律法」和「先知」），因為它是包含在聖經裏。耶穌和最初跟從他的門徒，賦予聖經的神聖

權威所構成的力量，從他們經常用「經上記著說」來帶出引用的經文（例如太四4；羅九33），便可見一斑；經文如此說——這便足夠了。

這裏只是列舉其中小部分的證據，但它們足以表明對耶穌和新約作者來說，當時已存在的經卷，不單被視為是對神啟示的成文見證，這些經卷本身同時是人的作品和神話語的啟示。聖經所說的東西，便是神說的。不管聖經的權威從何而來，聖經所說的話都蓋有神的權威，因為它的話就是神的話。

聖經正典

這討論本身並沒有談及聖經的範圍，即是對聖經的性質達成一致意見，甚麼經卷構成聖經這個問題，仍有待回答。究竟是甚麼構成聖經的正典，我們如何知道這是實情，是一個複雜的問題，有關的論著多不勝數。在此謹作出簡略的概述。

1. 不少人認為，舊約聖經是經過3個階段才成為正典的（即一份被確認，不會加增的書卷名單）：第一，是「妥拉」（這裏把此名稱的含義理解為我們稱為「五經」的頭5卷書）；第二，是先知書；第三，是聖卷。一般認為最後的階段要等到主後第一世紀末的央尼亞會議才圓滿結束。不過，愈來愈多學者承認，就確立正典的問題而言，央尼亞會議所做的僅限於重新考慮支持聖卷中兩卷書（傳道書和雅歌）的論據——即如路德在後來要重新審視支持雅各書列入正典的論據一樣。對於這兩種情況，其實都早已假定備受質疑的經卷是屬於正典，問題是這假定是否繼續有效。

2. 有關肯定舊約經卷地位的間接證據，是來自新約聖經。根據路加福音二十四章44節，耶穌親口指稱聖經是「摩西的律法、先知的書和詩篇」——這裏所提到的，正是希伯來正典3大分類的傳統標題。更廣泛的支持是，新約所引用的舊約經文，來自每一個大分類和大多數的經卷，而且，還把這些引句視為「經上」的話來處理。並非每一部古代著作者被視作「經書」，因此，把某些書卷列為「經書」而否定另外一些，便假定了那些引用此等「經書」之人，腦海中已存有一份「經書」的名單。於是，使徒行傳十七章28節引自《克里安提》（Cleanthes），哥林多前書十

五章33節引自《文拿達》（Menander），提多書一章12節引自《伊皮麥尼德》（Epimenides），或猶大書14至15節引自《以諾一書》等，都沒有用「經書記著說」來帶出。有趣的是，引用次經的地方同樣沒有當作經書來處理。雖然七十士譯本（舊約的希臘文譯本）某些從主後第四和五世紀流傳下來的抄本，包括了大部分次經，但學者都廣泛認為，這些抄本為第一世紀巴勒斯坦地猶太人的觀點提供的證據十分有限，而且，甚至未能證明猶太人曾持有一部較廣的猶太人正典，就如所謂亞歷山太正典。

3. 顯然，我們不能用同一種方法來探究新約正典的完成（即是到了一個地步，大多數人都普遍同意不會在一份被確定的權威經卷書目中加添任何一本著作），因為這等於要求後來另有一份資料來證實它的真確性，這樣便會變成無休止地往後退。縱使如此，新約某些較後期的作品如何引用較前期的作品為「經書」，也是值得我們注意的（例如提前五18；彼後三16）。

4. 或許，最重要的，是許多以基督為中心的經卷，成為了新約的正典。尤其是希伯來書開頭的幾節經文，將神「在古時藉著眾先知多次多方地曉諭列祖」，與「就在這末世藉著他兒子曉諭我們」作一對比（來一1-2）。子是啟示的顛峰；按照約翰的說法，耶穌本身——正如我們所看見的——是終極的「道」，是神的自我彰顯，是道成肉身。因此，任何人想到新約正典，都會立即將它與祂連上關係。耶穌肯定預先裝備了一小群使徒，讓他們在祂復活和聖靈降臨之後，愈來愈加增對祂的認識（約十四26，十六12-15）。同樣可以肯定的是，有證據證明十二使徒和保羅雖然都會犯錯，他們也確實犯過錯（例如加二11-14），但他們有時會非常清楚地意識到他們所寫的，就是主的命令，甚至新約提到有些先知對此作出質疑，也被視為不能構成絲毫影響（林前十四37-38）。

5. 有些人有錯誤的印象，以為初期教會要經過一段極長的時間，才能確認新約文獻的權威。其實，我們必須將承認這些文獻的權威，跟普遍承認它們是構成新約的書卷名單，分為兩回事：新約的書卷在後者出現之前已流傳了一段很長時間，當中大部分已獲各地承認擁有神的權威，幾乎大部分教會都

全部接納它們。事實上，大部分新約文獻在極早期便被當作權威引用；這包括了四福音、使徒行傳、保羅13封書信、彼得前書和約翰一書。新約正典的其他部分輪廓，在第四世紀初，即優西比烏的時期便大致成形。

6.初期教會在確認某卷書的權威時，基本上是依據3個準則。第一，**教父會查究它是否擁有使徒的權威**，亦即是該文獻必須由使徒或某位與使徒有直接關係的人所寫。因此，一般認為馬可的背後有彼得的見證；而路加則與保羅關係密切。教父們若覺得某卷書有可能是偽作，便會立即拒絕接受。第二，成為正典的一個基本要求，是要符合「信仰的準則」，亦即是要與教會承認為標準的基本、正統基督教一致。第三，同樣重要的是，該文獻必須被眾教會廣泛和經常引用。順帶一提，這準則要求有長時間的應用，因此解釋了為何在確立正典之前（即幾乎所有教會都普遍認同新約27卷書的地位），要經歷這麼長的一段時間。希伯來書在早期不像某些書信那樣被西方教會接納的其中一個原因，是因為它隱藏了作者姓名（並非冒名），而它那麼迅速地獲東方教會的接納，其實是因為她們（錯誤地）以為它是出於保羅手筆。

7.也許我們要留意最重要的一件事情，是當時雖然沒有任何類似中世紀教廷的教會性組織或科層架構來執行決議，但普世教會最終幾乎都不謀而合地承認相同的27卷書。換句話說，這不大屬於「官式的」承認，它只是來自許多不同地方的神的百姓，他們都不約而同地承認別處其他信徒亦同樣認為是真實的東西。這是一個必須經常加以強調的重點。「每當我們想到，整體教會在沒有經過共同參議的情況下，仍能基本上一致地承認相同的27卷書作為正典，便會感到這個事實簡直是不可思議。遍佈羅馬帝國各地的眾教會所能做的，就是用這些書卷來驗證本身的經驗，以及將他們對這些書卷的來源和性質的有關知識互相分享。當人考慮到文化背景的差異，以及眾教會之間對基督教信仰基本要點的不同定位時，對於她們能一致地認同某些書卷屬於新約聖經，便不能不使人想到，這個最終的決定，並非單從人的層面產生出來的」〔Glenn W. Barker, William L. Lane, and J. Ramsey Michaels, *The New Testament Speaks* (Harper & Row, 1969), p.29〕。

因此，教會沒有給予有關書卷某些原來屬於它們的地位，彷彿教會是一個建制，擁有獨立於聖經的權威，或是與聖經平起平坐。反之，聖約各書卷之成為聖經，完全因為它是出於神的啟示；在神的帶領下，教會愈來愈認識到神藉著祂的兒子，成就祂最高峰的自我啟示，並且藉著這些書卷，見證和記述祂兒子的啟示。

默示和權威

倘若聖經同時是神口頭的啟示和人的著作，我們就必然要求至少就兩者之間的關係作出交代。至少在過去數百年，最常用來形容這關係的專有名詞是「默示」(inspiration)。像「三位一體」一樣，「默示」這個字詞並非一個聖經的用詞，它只是用來概括某些聖經真理的重要部分。「默示」一詞通常被界定為（至少在復原派的圈子）神的聖靈臨到聖經作者身上的超自然作為，以致他們能按照神的心意，準確地寫出神要他們寫下的東西，藉此傳達祂的真理。

對這個定義的某些觀察，將有助澄清此定義，標示它的用處，並反駁對它的一般誤解。

1.這定義同時指到神藉著祂的靈在聖經作者身上的作為，以及在這作為之下產生之經文的性質。這種雙重的強調，是嘗試去捕捉在聖經概述那些發生的事情中，明顯可見的兩種元素。一方面，我們知道「經上所有的預言沒有可隨私意解說的」（新國際譯本：「經上所有的預言沒有來自先知本人的解釋」）；事實上，「預言（按照上下文，這裏所指的當然是成為聖經的預言）從來沒有出於人意的，乃是人被聖靈感動，說出神的話來」（彼後一20-21）。另一方面，不單聖經的作者是「被聖靈感動」，寫出的聖經更是「神的默示」（提後三16），這字詞的希臘文可以譯為「神吹入氣息」。值得注意的，是這詞所形容的是聖經的經文本身，而非聖經的作者。倘若我們選擇採用「默示」這個字詞，不用「神吹入氣息」，那麼，我們必須表明（根據這段經文），默示的是經文本身，而非作者受默示。又或者，如果我們將「默示」這個術語，與作者「被聖靈感動」這個事實

連接起來，那麼，那便是聖經的作者受默示。無論在任何一種情況，這定義的措辭都可以同時涵蓋聖靈在聖經作者身上的作為，以及聖經經文本身最終的地位。

2. 定義中沒有任何地方指定某個特別的默示模式。毫無疑問，默示可能是透過人類思想中，某個異乎尋常的狀態來運作，例如，異象、類似催眠狀態的異夢、聽見聲音或其他。但這定義卻沒有要求這種種現象是必然的；事實上，從聖經的經文來判斷，幾乎一點也不察覺到所有聖經作者都經常自覺自己所寫的是聖經正典。我們也沒有任何理由去貶低路加所形容自己的寫作，是經過研究和小心篩選資料（路一1-4）。其實，「默示」這個術語，只能算是一個便於解說的標記，附帶在神用以使聖經產生的過程上，而這個過程在前面的幾頁已清楚地描述為：語言的啟示、歷史的見證、人的言語和神的言語、神撰擇傳遞給人的真理，以及個別作者選擇傳遞的某個特別形式。

3. 我們必須將「默示」的這種用途，與另外兩種用途作出區分。第一種用途是沿自現代的藝術圈子。我們會說作曲家、作家、畫家、雕刻家、音樂家和其他藝術家是充滿「靈感」（inspiration）。如果我們完全不去思想這種用法，我們可能會假定這些藝術家是被繆斯（Muse）所「感動」（譯註：繆斯是希臘或羅馬神話中的9位女神，均為丟斯或朱庇特之女，專營詩歌、音樂、舞蹈、歷史及其他文藝科目），較多從神學角度去想的人，則可能會將這種「靈感」視為神的「普遍恩典」（comman grace）。除去這種想法，我們的意思很可能只是想指出他們的作品卓越絕倫，是第一流的精英。結果，我們可能會下結論說：他們的作品是「靈感的泉源」，亦即是它會使那些凝神於它的人眼界提昇，或啟發創新意念，又或是使人感到自己品味高尚。我們一般不會用這個字詞的這種用途去解釋至高無上的神，將其真理以永久性的方式傳遞給立約的百姓。

教父對「默示」的用法，絕不可與我們對它的定義混淆。一直以來，教父從不將「默示」視為考慮某卷經書列為正典的標準。這並非因為教父否定聖經是出於默示，反之他們確實這樣認為；那是因為按照他們對此字詞的用法，默示所包含的意思，並非只局限於聖經的範圍。因此，在優西比烏認為是出於康士坦丁大帝的一篇講章中（不管優西比烏的推論正確與否），講者一開始便說：「願父神和祂兒子那大能的默示……在我談論這些事情時與我同在」。在奧古斯丁寫給耶柔米的一封信中，奧古斯丁甚至表示耶利米是在聖靈的口授下逐字筆錄。尼撒的貴格利（譯註：他是東方教會四大教父之一，332至395年）可以採用提摩太後書這個譯為「神吹進氣息」（「默示」）的字詞，來指到其兄巴西流有關六日創造的註釋。簡單地說，不少教父都會運用各種不同的表達方法——包括「默示」——來統稱今天許多神學家分為「默示」與「亮光」的兩個類別。後者承認聖靈會在無數信徒的思想中施行祂的作為，尤其是傳道人、基督徒作者和教師，不過卻否定他們的思想、說話和著作擁有那種將各地信徒連繫起來，和今天與「默示」這個字詞直接有關的普世性權威。當然，教父暗地裏也會作出同樣的分類（即使他們可能有不同的分類），最低限度，他們也只會承認某些書卷是正典，亦即一份不會再加添的經卷書目，其組成的正典聖經對全體教會都具有約束力的權威。

因此，就我們所探討的範圍，「靈感」這字詞的用法不會像藝術界，或教父圈子一樣，卻是根據它在過去多個世紀以來逐漸成形的神學解釋。

4. 不少作者試圖削弱「默示」一詞按此界定所獲得的權威，於是言之成理地指出，一些像提摩太後書三章16至17節的經文，已將神默示聖經之目的告訴我們：聖經對「教訓、督責、使人歸正、教導人學義都是有益的，叫屬神的人得以完全，預備行各種的善事」。他們反駁，如果這是聖經的用途，那麼，將默示與真實和權威連在一起，也是毫無意義的。其實，這是分類上的錯誤。我們必須將啟示的媒介（異夢、異象、口述等），與默示的表現方式（採用不同的文學技巧和體裁），與默示的結果（聖經所說的，都是出於神的話），以及默示的目的（讓我們有得救的智慧）作出區分，不能混為一談。

5. 不少人暗地裏以下列事例所提供的途徑，來企圖削弱聖經的權威。我們在這裏只能提出其中幾個途徑。首先，有人認為，我們必須建立一套聖經教義，不單是依據那些

聖經評審聖經的經文，更要依據那些聖經來實際引用聖經，卻出現明顯的矛盾，難以作出妥協，令人在最初讀起來時感到相當驚訝。明顯地，這兩個取向應該並行不悖。然而，在實踐上，那些從第二個途徑入手的人，通常不會很認真地處理第一類經文；至於那些從第一種方法入手的，如果他們小心查究，通常也會發現一些合理的釋經和神學理由，來解釋那些奇特的現象。另一個與上述大同小異的論點，堅稱聖經所展示的圖畫——例如有關神的描述——有著眾多的差異，說甚麼「聖經」神學或「合符聖經的基督教」，也毫無意義。根據這個論點，聖經包含了互相衝突的神學觀念，同時又反映了各種不同卻彼此矛盾的基督教思想。一本禁止人穿著用多過一種布料來縫製之衣服的書（利十九19），又怎能聲稱是神所默示和帶有權威的呢？但我們必須溫柔地指出，這些批判性的作品雖然在一般讀者和根深蒂固的懷疑論者中間大獲好評，卻完全沒有嘗試去細讀一些最優秀的認信文獻。例如，有關不同布料的問題，在這類文獻中絕非不常討論，但那些批判性的作品卻窮追猛打，彷彿從來沒有人認真思想舊約的立約規條，如何在生活於新約之下的信徒身上應用。

其次，不少人指出，神恩慈地俯就人類，透過人的說話來顯明自己，這行動所帶來的結果，必然是衍生錯謬。犯錯是人之常情；聖經的文獻是出自人手，所以，它們便肯定像人類本身那樣不可靠。這種對聖經的評價不單與耶穌和新約作者的見證相違，而且它的立論邏輯亦有待商榷。無疑，人類墮落之後，犯錯便變成「人之常情」，但這並不表示人必然會在任何情況和每句話上犯錯。至高無上、超越萬有的神甘願恩慈地俯就人類，借用人的說話來表達自己，這是一個非常奇妙的真理。正是這種俯就人類的言語，被形容為神的「純淨」言語（詩十二6），也被耶穌視作不能廢棄的聖經。

第三，傳統的羅馬天主教雖然承認聖經的默示和權威，卻否定聖經已足以成為信仰和行事的原則。在聖經成文之前，是先有口頭的傳統，而這種傳統在羅馬教會擁有權威性官職的神職人員當中，仍然與成文的話語具有同等分量。這會帶來非常實質的影響：像馬利亞無原罪成胎的教義，雖然聖經沒有

教導，卻被奉為所有忠心的天主教徒必須相信的東西。反之，對於大多數非天主教徒都能在聖經中發現的教義，卻可能會被教會當局棄之一旁或予以刪略。由於這問題極之複雜，我們很難在這裏作出詳細的討論。

第四，某些新正統派神學家在被稱為新正統派之父的巴特所擁護的觀點下，堅稱聖經——就其體裁而言——只不過是另一本宗教書籍，雖是一本重要的著作，卻依然無法避免出現大小的錯誤。所謂聖經是真理，意思並非聖經所說的一切都是神的話。聖經之為真理，只存在於當神透過它向個人顯明祂自己的指定範圍內。每當聖靈向個人照亮聖經的話，它才變成為神的話。於是，默示和亮光再次混為一談；或更準確地說，前者被後者所吞併。誠然，新正統派對既不能改變人的生命，又不能賜人生命的死字句持否定的態度，是正確的。可是，它的解決方法卻來得過於激烈，最終變成否定耶穌和最早期信徒對聖經的理解。

第五，某幾種形式的古典自由主義直截了當地否定聖經具有任何特殊的地位。其中最激進的看法，是完全否定有一位有位格而超越一切的神，更否定曾經有這樣的一位神進入人類的歷史中。一切超自然事物都被視為無中生有；神被還原為自然神論或泛神論的一部分。聖經的信仰必須在宗教研究或宗教比較的架構內成為一門學科，而且僅此而已。要對這實存的看法作出深入的回應，將超越本文的討論範圍。不過，這觀點顯然很快便將聖經歸類，並且最終還是把某些現代的觀念強加在聖經之上。結果，爭論點不單在於聖經的本質，更在於神的本質和屬性。

最後，「新詮釋學」的興起，促使許多研究聖經的學者索性迴避有關啟示和權威的爭論。然而，由於這觀點直接與如何解釋聖經有關，我們還是留待下一部分才再作討論。

最後的反省

有些人可能質疑這整個討論只是無休止地循環論證。如果我們以神觀作為起點，再從這個角度來逐步思想聖經的本質，那麼，我們就必須在此承認我們的神觀（以基督徒的角度來看）是從聖經而來的。倘若我們是用另一個起點——例如，是用耶穌對聖經權

威的評估——那麼，這評估本身也是引自聖經。這個建構聖經教義的計劃便會充滿漏洞。

這個指控觸及我們如何「知道」某些事情，以及它們是否「真確」等複雜問題的某些核心。雖然這裏很難對這些問題作出詳盡的探討，不過，以下一些分析或許可以帶來一點啟迪。

首先，從某個深奧的層面來說，人類的一切思想（也許除了在一致認同的邏輯規範和建立在指定標準內的觀念，就如數學的大部分分支），在某種意義上都是循環論證的。我們是有限的人類，沒有全知的能力，我們沒有絕對肯定的依據來建立知識。對基督徒來說，全知的神為我們提供了這個認知的基礎——但這當然意味著我們必須憑信心來接受此基礎（一切有限的生物都只有這個選擇）。按照這個看法，「信心」並非某些主觀控制的意見，要自己將「信心」投注在某件事情上，反之，卻是神賜予的能力，讓人能夠對神和對祂的真理至少有少許的認知，從而能夠信靠祂。這絕對不是要否定任何一種論據，都可以用來維護基督教信仰——包括對神和聖經的信念——的合理性。它其實是要承認，這些論據絕對不能說服每一個人。

第二，雖然我們承認這論點有某程度的循環論證，並且堅持人類的一切思想幾乎也有某程度的循環論證，這卻非暗示循環論證本身有任何本質上的錯謬。我們不是要從聖經中找出某些有關聖經本質的證據，我們只是想從中獲得資料。倘若聖經完全沒有就聖經的本質作出任何言論，我們就難有理由再堅持這裏所勾畫的聖經教義。此外，有知識的基督徒可能會據理力爭聖經是完全真實可靠；可是，他們卻不會同樣為到他們的聖經教義是真實可靠而據理力爭。從方法論的角度來說，他們建立聖經教義的方法，就跟他們建立基督的教義一樣。兩者均隨著人更多明白神在聖經中恩慈地作出的自我啟示，而隨時作出修正。

第三，思考縝密的基督徒將會一馬當先地承認，在建立一套合乎理性的聖經教義之過程中，一定會有未知的因素和重重的困難。但我們不會因此而氣餒；任何聖經教義都會遇到同樣的問題，無論是神的本質、代贖的核心、聖靈的工作，或從死裏復活。這並不表示我們不能為這些事情找出任何真理；反之，它表示我們所要探求的，既是一位無法被有限而悖逆的人類所能悉透、有位格而超越萬有的神，那就無可避免地保留著神祕和不可知之處。

第四，在我們清楚思考這些事情的過程中，我們絕不可低估罪對我們這種思考能力的衝擊。導致人類最初墮落的一個基本因素，就是那種不受控制、要追求自我滿足和有獨立主見的慾望。我們想成為宇宙的中心——這正是一切拜偶像行為的核心。約翰福音八章45節記載耶穌向那些攻擊祂的人，說出以下這句驚人的話：「我將真理告訴你們，你們就因此不信我。」若是真理本身使我們不信，我們的失喪是何等的深，也是何等的可悲和可憎！於是，有些人會奇怪，神怎麼不用我們自覺可以控制祂的方式來展示祂自己。那些要求神蹟的人一定會遭到耶穌嚴厲的斥責，因為祂知道祂若向這些要求妥協，就會逐步向別人的期望屈服。祂會立刻大受歡迎，卻只能夠成為一個會變魔法的神仙。

同一道理，屬世的智慧——為各項事情提供現成答案的思想系統——不可能明白基督十字架的道理（林前一18-31）。當神從天上發聲說話的時候，總會有些人只聽見雷聲（約十二29）。同樣地，神在聖經中的自我啟示，亦絕對不能被那些堅持要有獨立主見的人全面評估：因為在神的設計中，祂的啟示若要滿足人這個慾望，就只會挑起福音本是要救我們脫離的罪性。滿有憐憫的神絕不會迎合我們這種無休止要變成神的慾望。祂已經確保祂的自我啟示能夠讓那些靠著恩典、有眼可見、有耳可聽的人充分明白，卻絕非如數學理論般精確的自我分析，讓人類可以掌握一切的輪廓，和各種關係的原則。

我們行走這條路，是要憑信心，而非靠眼見。

如何詮釋聖經？

詮釋學的新貌

當保羅吩咐提摩太要竭力「按著正意分解真理的道」（提後二15），背後是假設了一個可能會出現的危險，就是有人不按正意分解真理的道。這引發了該如何解釋聖經的連串重要問題。要有智慧地查考聖經，不單只需要知道聖經是甚麼，還要知道如何入手處理它。

傳統上一直用「詮釋學」（hermeneutics）這個專有名詞來指到對經文的解釋。然而，詮釋學本身近年來亦經歷了重大的變化，所以，我們在這裏值得用小小篇幅，嘗試探視一下詮釋學這門學科所經歷的改變。我們可以將它分為3個階段（雖然它們所達致的結果會有重疊）。

首先，**詮釋學曾經一度被理解為解釋聖經的科學和藝術**：它是科學，因為在解釋的過程中，可以運用某些重要的規章和原則；它是藝術，因為它同時需要有許多按照經驗和能力而作出的成熟判斷。解經者的責任是去明白經文說些甚麼；它假定如果有兩位具有相同能力，又充分掌握釋經原則的解經者，他們對某段經文的理解，便應該有很大程度上的相同。在這種看法之下的詮釋學，便會將很多注意力放在文法、比喻和其他文學體裁、研究用字的原則上，及如何將聖經的主題連接起來等。

到了第二個階段，**詮釋學愈來愈多用來指到懂得有效地運用一系列文學評鑑（criticism)的「工具」**，包括來源評鑑、形式評鑑、傳統評鑑、編修評鑑，和較近期不同形式的敘事評鑑。這種取向雖然有得，但亦有失：**這些技巧的主要目的，是要重新建構經文背後某個信仰社群的歷史和信仰架構，而不是聆聽經文的信息。**

這兩個取向的重要性，都在第三波──「新詮釋學」──的興起後，大為黯然失色。根據新詮釋學，**人類將其本身的偏見與限制帶入釋經工作中**。在某一個層面來說，這個觀察所得是完全具有正面意義的。我們都無可避免地帶著本身的解釋「架構」，所謂「完全開放的思想」就根本不存在。這套新詮釋學提醒我們：聖經的權威絕不可以轉移成為解經者的權威；我們慣常地將新的資料放入固有的思想「架構」中（當中混雜了合理和

不合理的成分）；我們原以為正確的事情，也很可能要作出修改、更正或放棄，我們還有更多需要學習，我們的思想模式，因時間、地理、語言和文化上的阻隔，跟聖經的作者有很大的距離。

但與此同時，許多新詮釋學的支持者卻踰越了這個界限。他們指出，由於每一個人的解釋都會與另一個人的解釋有某程度上的差異，我們不能言之鑿鑿地談及某段經文的含義（彷彿那是客觀存在的）。他們認為，**意義並非藏於經文裏，而是在乎讀者和解經者對經文的解釋**。倘若不同的解釋都是合理的，那麼，某人不能表示某個解釋才是正確或真實的；他們認為，在肯定個人選擇的前提下，不應該存著這種講法。倘若任何的解釋都不正確，那麼，所有解釋都同樣地沒有意義（這引致詮釋上的虛無主義，稱為「解構主義」），或是所有解釋都同樣「正確」──亦即是都好或都壞，就它們能否滿足或符合某人或某社群或某文化的需要，又或合乎某個主觀的標準。基於這種方式，這些新詮釋學的支持者便孕育了對聖經的不同「解讀」（readings），例如：次撒哈拉非洲黑人解讀、解放神學解讀、女性主義解讀、操英語的白種男性新教解讀、「同志」解讀等等。這套新詮釋學跟現代西方文化給予多元主義的極度尊重如出一轍，不會否定任何一個解釋，除非某人堅持他的解釋是正確，而排擠其他解釋。

新詮釋學所牽涉的問題是那麼複雜，我們不可能在這裏作出令人滿意的探討。我們必須認識到，這種解釋的方法，不單在現代對聖經的解釋上，同時更在歷史、文學、政治和其他各學科上，控制了大部分討論的議程。儘管新詮釋學為我們提供了很多寶貴的見解，但當中亦有很多觀點是我們必須加以反駁的。**從閱讀所獲得的一切知識而得出的結論，都只屬於相對性的知識**，但若由此產生大量著作，堅持這觀點是正確無誤，直覺上總令人覺得它有點兒不妥當。若然它堅持所有意義均是由閱讀者衍生出來，不在於文稿本身，那麼，任何書寫文稿來證明這點的行動，都幾乎是難以置信的自我矛盾。更糟的是，這形式依據的理論假定作者的原意不可能準確地在文稿中表達出來。它在作者和讀者之間築起一道無法穿越的樊籬，這道樊

籠便稱為「文本」(text)。諷刺的是，寫出這些觀念的作者，正正是那些期望讀者能明白他們的說話，又將其意思寫下來，盼望讀者能被他們的理據說服的人。我們衷心盼望這些作者能同樣客氣地對待摩西、以賽亞和保羅。

即使有限的人類不可能對某文本（或對某件事的其他詳情）獲得徹底而全面的知識，也很難明白為何他們不能獲得某部分的正確知識。而且，對於我們每個人都各有不同這個事實，亦因著我們擁有共同文化遺產的背景，而變得較容易互相體諒和包容；我們每個人都是按照神的形象被創造，只有祂才擁有完全的知識。我們若假定自己能像祂那樣獲得一切的知識，那將會是偶像崇拜，然而，我們亦沒有理由認為自己完全不可能獲得客觀的知識。

事實上，有很多不同的思想方式可以幫助我們稍為明白，我們是如何從文本中獲得知識的。誠然，當某位讀者首次翻閱聖經（我們這裏所關注的「文本」）時，他可能大大地受制於個人的偏見和既定的概念，因而在經文當中「找出」作者（和最終極的那位「作者」）原意所沒有的各種東西；又或者，他未能看見其實已包含在經文裏的許多東西。這讀者的整個思想包袱——現代經常稱為讀者的「思想領域」——可能與作者在經文所表達的思想領域相去甚遠，以致非常嚴重地曲解了經文。可是，這位讀者可能會一遍又一遍地重讀經文，對作者的語言和文化加深認識，明白到自己必須拋棄哪一些「包袱」，並逐漸與經文的思想領域融合為一。另一些人則稱為「螺旋式的詮釋學」(hermeneutical spiral)：解經者「螺旋式地」鑽探經文的含義。

倘若我們以這種方式來處理新詮釋學，教會將會獲益良多。它提醒我們，神在聖經中給予我們的口頭啟示，不單是套用了屬於某些歷史文化的語言和習語，而且，若要增進我們對經文所啟示之客觀真理的理解，我們必須盡最大努力去認識過往的文化，以致將曲解的可能性減至最低。它亦提醒我們，即使某位解經者對某段經文有真確而客觀的理解，卻沒有人可以透徹了解它，而另一些解經者亦可能發現新的亮光，是該段經文原本有的，同時也是我們原先忽略的。例如，非洲的信徒可能很快便掌握到保羅書信中有關教會團體性的比喻，但許多西方教會的信徒，卻因為本身有著個人主義的傳統意識形態，較難發現這點。基督徒是需要互相配搭的，無論在解經或其他方面都是一樣。假若我們都深深委身於順服神啟示的權威，而非那些想批評聖經的人所抱持的短暫狂熱和目標（學術或其他方面），那麼，我們認知我們每一個人都不能透徹認識聖經，將激發我們培養一顆謙卑和受教的心。

事實上，只要應用得宜，新詮釋學的其中一些見解提醒我們認識到，人類將文化和概念上的巨大包袱，帶進他們要去解釋的聖經之中；這事實再加上聖經所堅稱我們的罪，以及那等同於拜偶像的自我中心，驅使我們遠離真正的亮光（例如約三19-20）；這種認知可以使我們懂得謙卑地承認——雖然是稍遲了一點，對神話語的解釋不單是理性的思考，更是道德和屬靈上的考慮。根據聖經對神和祂百姓之間關係的看法，我們無論在明白真理和實踐真理上，都同樣需要聖靈的幫助。不管聖靈的幫助是如何臨到我們，有思想的基督徒最終的目標，終究不是要成為聖經的主人，而是為著神的榮耀和祂百姓的好處，讓聖經成為主人。

解釋聖經的原則

以下的釋經原則，是供那些不單想初步認識聖經，還希望更仔細地研讀和明白它的人參考。

重視聖經原文

原文永遠是首要。這是客觀事實的自然結果：這本啟示的著作是透過明確的個人，在具體的歷史環境裏，運用真實而特定時間的語言寫成。誠然，語言學已充分證明，某一種語言所能表達的任何事情，都應該可以用其他任何一種語言翻譯過來。可是，它亦同時證明，並非所有屬於原文的含義，都可以在同一時間和同一空間的容量下表達出來。況且，所有翻譯都牽涉到解釋，翻譯不是一個機械化的過程。因此，**為了愈能夠貼近作者在原文所表達的原意，我們最好盡可能減少採用作中間解釋的譯本。**當然，倘若不懂得原文，有譯本便值得慶幸；而且，即使懂得原文，卻不擅解經，可能會比許多譯本犯上更多釋經上的錯誤，因為優秀的譯本

均是出自出色的釋經家的譯筆。

對於那些忙碌的傳道人或聖經教師來說，這點觀察有兩個具體的含義。首先，假如只有某個譯本以罕有的表達方式來帶出某篇講章或教訓的重點，那麼，它大多數不是該段經文的重點，也可能解釋得完全不合理。其次，在選擇註釋書和其他釋經工具書時，要優先考慮它們是用原文進行研究，即使其出版主要是供沒有受過正式神學訓練的讀者使用。

字詞研究

我們在進行字詞研究時，必須小心審慎，絕對不可離開字詞如何在短語、句子、講論，或某種特定體裁中應用等範圍較廣的問題。原文字典能夠提供經過眾多學者研究出來的字詞解釋，不過，在某些指定範圍內，決定某個字詞的解釋最重要的因素，是它在該段上下文的用法。根據某字詞的字源來決定其意思，是很容易出錯的（正如在英文中，識別出"pineapple"這個字是由"pine"和"apple"這兩個字組成，對瞭解它的意思是毫無幫助的）；惟有當某個字詞在很罕有和背景含糊的情況下出現，其含義再無其他途徑可尋，字源的研究才變成值得優先考慮的方法。任何人若試圖根據一個單字或它的用法來建立一整套神學，結果肯定是靠不住的。若傳講「反向字源學」──即按照某個字後來演變出來的含義，或其同源的意思，來解釋該字詞的原意〔例如有人聲稱希臘文的 *dynamis* 這個字詞（意即「能力」），很容易會令人聯想到英文 dynamite 這個字詞（意即「炸藥」）──後者在新約作者執筆寫他們的書時，根本還未發明出來〕，說得客氣些，就是年代誤植(anachronistic)；說得不客氣，則是荒謬至極。再者，若嘗試將每字的全部語義，在它每次出現的時候都臚列出來（正如 Amplified Bible 所做的），就是不明白語言運用的方式。

儘管要小心留意以上的提醒，但仔細的釋經仍會將很多注意力放在個別的聖經作者，以及其他聖經書卷如何運用字詞的方法上。正如眾多句子和話語的含義模塑了字詞的意義，同樣地，字詞的含義亦塑造了句子和話語的意義；在語言的表達上，所有東西都結合在一起。我們嘗試為聖經中的某些字詞，找出其希伯來文或希臘文的原意，是十分有意思的，特別是那些在傳統上包含豐富神學含義的字詞，如：代贖、彌賽亞（基督）、真理、使徒、罪、頭、復活、靈、肉體、律法等等。即使研究的結果只能引證某些二手資料的解釋，但研究的過程本身也是十分珍貴的體驗。基督徒用這種方法研究聖經，不單可更熟悉聖經，而且還可提醒他，是神親自選擇用話語、句子和字詞來啟示祂自己。

做個好讀者

我們必須培養自己對文字的敏感度──換句話說，要掌握閱讀的技巧。

在微觀的層面，不少文學技巧是提醒讀者的指標。「首尾呼應」的方法，是採用近似甚或相同的字詞來開始和結束一個部分，目的是強調某些主題的重要性。因此，馬太福音五章3至10節的開首和結尾都提到同一個賞賜（「因為天國是他們的」），從而可以肯定這段「登山寶訓」所提到的是天國的標準。「登山寶訓」的核心講論部分，用「莫想我來要廢掉律法和先知」（太五17）這句話開始，最後則以「所以，無論何事，你們願意人怎樣待你們，你們也要怎樣待人，因為這就是律法和先知的道理」（太七12）這句話作結。這種「首尾呼應」的寫作方式，暗示這段穿插在其他各事件中間的「登山寶訓」，是從耶穌的降世和事奉、祂對「成全」舊約的委身，以及這對於跟從祂的人的生命所構成的意義等角度，來闡釋舊約聖經（「律法和先知」）。希伯來的詩歌較少著重押韻；即使有押韻，也不及對不同平行體的重視（可參「詩歌書的研讀」一文）。在詩篇七十三篇21至22節，詩人這樣說：

> 「因而，我心裏發酸，
> 肺腑被刺。
> 我這樣愚昧無知，
> 在你面前如畜類一般。」

第二行重複了第一行的內容，只是換了不同的字眼；第四行也同樣重複了第三行。這幾句是「同義平行體」(synonymous parallelism)的例子。第三、四行若繼續引伸第一、二行的思想，則稱為「梯級平行體」

(step parallelism)。我們亦可以在其他地方找到「反義平行體」(antithetic parallelism)（例如箴十四31）。

「欺壓貧寒的，是辱沒造他的主；
憐憫窮乏的，乃是尊敬主。」

當然還有一些結構更為複雜的平行體。例如「交叉平行體」(chiasms)；有些可以很簡單，但有些卻可以像馬太福音十三章這個例子那樣複雜：

1. 撒種的比喻（十三3下-9）
2. 中間的片斷（十三10-23）
(a)對比喻的理解（十三10-17）
(b)對撒種的比喻之解釋（十三18-23）
3. 稗子的比喻（十三24-30）
4. 芥菜種的比喻（十三31-32）
5. 麵酵的比喻（十三33）
停頓（十三34-43）
—比喻是要應驗先知的話（十三34-35）
—對稗子的比喻之解釋（十三36-43）
5'. 藏寶的比喻（十三44）
4'. 尋珠的比喻（十三45-46）
3'. 撒網的比喻（十三47-48）
2'. 中間片段（十三49-51）
(b'.)對撒網的比喻之解釋（十三49-50）
(a'.)對比喻的理解（十三51）
1'. 教法師的比喻（十三52）

我們必須同意，對於這種交叉平行體的格式，按照人意強行「找」出來的例子，比經文真正採用的實況為多。倘若所牽涉的部分過於複雜，或平行的格式明顯是出於勉強堆砌，我們就可以有足夠理由去反問究竟所謂的交叉平行是否真正存在。但另一方面，有些釋經家卻因為被一連串難以令人信服的交叉平行例子弄得光火，很快便把真正存在的交叉平行完全否定。我們經常聽見別人指出，那些操閃族語言的人習慣將擬定的交叉平行作為他們的說話模式，所以，我們不應對此過分懷疑。當然，當中亦有很多邊緣情況；其實，許多釋經家將不會接受剛才提出的例子。因此，我們也許值得提出一個稍為

簡單的例子，它是根據馬太福音二十三章13至32節而得出的：

1. 第一個禍（13節）——不承認耶穌是彌賽亞
2. 第二個禍（15節）——徒有敬虔的外表，但其實做傷害人的事多於做好事
3. 第三個禍（16至22節）——錯誤運用聖經
4. 第四個禍（23至24節）——不明白聖經的要旨
3'. 第五個禍（25至26節）——錯誤運用聖經
2'. 第六個禍（27至28節）——徒有敬虔的外表，但其實做傷害人的事多於做好事
1'. 第七個禍（29至32節）——那些不承認眾先知者的子孫。

當然，這種交叉平行體所要達致的，是使讀者將注意力放在中心點——不明白聖經的要旨，這正是馬太福音一個重要的主題。

或許，更重要的，是能夠明白較大的架構如何發揮作用，尤其是文學體裁的性質。智慧文學並非律法；例如：閱讀箴言的時候，若然以為它是提供判例作審判之用，就會使它變得非常荒謬（比較箴二十六4和二十六5）。在新約，「比喻」一詞可以用來指到一句俗語（路四23）、一句深奧或含糊的說話（可十三35）、一個非言語的表象或象徵（來九9，十一19）、一個用以說明或暗示的對比，不論是否具有故事的形式（太十五15，二十四32）（太十三3-9所謂的「敘事性比喻」）。大多數探討比喻的人，都只想到敘事性比喻，尤其是因為它們在頭3卷福音書中經常出現，並且為解釋（這些）比喻立下一些原則。所有人都肯定同意，當我們碰到敘事性的比喻，就無需追問該故事是否在現實中發生。

同樣道理，我們必須追問如何理解啟示文學和書信在第一世紀如何發揮其作用。約阿施講了一個寓言（王下十四9）；然則，現代的釋經家把約拿書視為一個「寓言」，是否也正確？不，這是一個錯誤的文學分類。寓言是講述動物或人類以外其他東西的自然生態故事，目的是引出一個道德教訓；它並不

與人類互相融混在一起。約阿施所講的，確實是一個寓言；但約拿書則不然。隨著我們擁有愈來愈多的知識，我們可能會問及《米大示》（Midrash，古猶太人對聖經的評析集），和其他第一世紀文學分類的含義。所有聖經學院的學生都會苦苦思索像加拉太書四章24至31節這類經文的意義。重點在於真理是透過不同文學體裁以不同方式表達出來。那些認為耶利米在耶利米書二十章14至18節所說的話，應按字面直解的人，將會發覺當中有些地方是非常難解的。我們最好能夠聽到悲嘆中那種特殊的憤慨之情。

最重要的，是好的讀者能緊貼作者的思路。雖然個別的字詞和短語（尤其是在話語中出現的），都值得我們細心默想，但縱使如此，那些字詞的含義都會受上文下理的影響。勤力的讀者會用心理解論據的思路。（若遇到類似箴言的體裁，則作法將有所不同，不過，它們當中大部分也會按照主題而作出編排。）這對敘事情況的真確性，跟在話語中的情況一樣。許多隨隨便便的讀者在翻閱福音書的時候，都會以為它們或多或少只屬於沒有連貫性的事件。當我們用心細讀，就會發現不同的主題其實是緊扣相連的。例如，有人可能會問，路加福音十章38節至十一章13節是如何連在一起。當我們經過反覆閱讀，我們將發現這幾節經文對於人為何欠缺禱告的心——正是今天所稱的「屬靈操練」，綜合了一些分析：弄錯了生命中的優先次序和價值觀（十38-42）、缺乏知識和良好的榜樣（十一1-4）、缺乏信心與堅忍（十一5-13）。同樣地，這整個部分有助路加闡釋經文中更廣層面的思路。

留意遠近上下文

一般來說，緊接的上下文，比相隔較遠的上下文和純粹字眼上相近的經文，更具參考價值。舉例說，耶穌在馬太福音六章7節提醒祂的門徒，不要「像外邦人，用許多重複話，他們以為話多了必蒙垂聽」；但在路加福音十八章1至8節，耶穌則講了一個比喻來教導門徒，要「常常禱告，不可灰心」。即使引用另一段經文，也不應削弱其中一段經文的影響力。馬太福音那句提醒，是非常吻合其上文下理的；它對徒具形式的宗教，或任何人以為努力一點就可以博取神給予更多利益的想法，提出質疑。至於路加，他對探討禱告的興趣是眾所周知的，他對於記述耶穌的禱告生活也特別不遺餘力；第十八章所記載的，是耶穌一些有關禱告的教訓，為的是要鼓勵那些在信仰上既沒有熱誠，也沒有耐性的人。

耶穌在約翰福音三章5節告訴尼哥底母，他若要承受神的國，就必須從「水和聖靈」生。在對耶穌這句話的眾多解釋中，最常見的便是引到提多書三章5至6節：「神——我們的救主……藉著重生的洗和聖靈的更新」救了我們，「聖靈就是神藉著耶穌基督我們救主厚厚澆灌在我們身上的」。沒有人會否定這兩處經文在觀念和語言上都十分近似。然而，約翰福音三章5節不僅出自另一位作者的手筆，而且還記述耶穌的生平事蹟。更重要的，是依據緊接的上下文，我們知道尼哥底母因為不明白耶穌說話的含義而遭受耶穌的輕責（三10），照道理，他身為受人敬重的聖經教師，應該早已明白聖經的教導。將這些和其他因素加起來，便使許多釋經家得出一個合理的結論，就是認為約翰福音三章5節是應驗了以西結書三十六章25至27節的預言。這是與約翰福音先前預言耶穌將會用聖靈給人施洗的話貫徹一致的（參約一26-33）。

當然，任何一段經文都有一層接一層可以擴闊的中心上下文。究竟哪個範圍才是真正的界限，並不容易決定。字詞的研究則當然要從經文入手（例如，首先了解馬可怎樣運用某個字詞，然後才查究路加、保羅、新約聖經，和最終的希羅世界怎樣運用該字詞）。

有時，由一章轉到另一章的時候，某些上文下理便成了重要的指標。例如，根據馬太福音，施洗約翰和耶穌在開始傳道時，兩人第一句說的話都是一樣（「天國近了，你們應當悔改！」；太三2，四7），然而，在出現這兩句說話的上下文，卻為它們提供了不同的背景。施洗約翰的那句話，是帶著以賽亞昔日曾說之話的影子，表明施洗約翰是要給另一位預備道路；耶穌的話雖然同樣有著以賽亞昔日預言的影子，卻是表明耶穌應驗了把光帶給外邦人的應許。因此，施洗約翰基本上只是宣佈天國快將臨到；耶穌則正式宣佈天國已經開展。這與馬太福音全書的主旨貫徹一致（同樣是符類福音的主題）。但與此

同時，在別的一些情況下，將正典中不同經文的主題和專有名詞貫串起來，也是很有得益的——但更要注意下列這一點。

小心使用「信仰類比」

訴諸「信仰類比」雖然有用，卻要十分小心。按照更正教的神學觀念，假如某段經文含有不只一種意思，就應該選擇那與建立聖經的基督教有關的重要信念一致之解釋，而絕不應該選擇會使這些信念動搖的解釋。在某個層面，這個建議肯定是合理的，因為相信全部經文的背後，最終是屬於神的思想。然而，**若不假思索便運用信仰類比，很容易會出現幾個危險。首先，解經者可能會把年代誤植**。神並非把聖經的全部內容一下子給予祂的子民。祂的啟示是漸進的，若嘗試從最早期的部分去了解全部，便可能會嚴重地扭曲那部分，使它在救贖歷史過程中的真正意義變得迷糊不清。例如，要在詩篇每處出現神的「靈」的地方，都以保羅有關聖靈的教義來理解，肯定會產生一些解釋上的錯誤。

第二，**解經者在神學上的領悟——屬於他本人的「系統神學」**（我們每個人在閱讀和教導聖經的時候，都建立了某套對神學的綜合看法，不管我們稱之為「系統神學」與否）**——可能會有不少錯誤之處**，但要找出錯處，卻可能非常困難。原因在於**這套綜合的看法——這套系統神學——在作為信仰類比的掩飾下，本身已變成用以解釋聖經的主導思想。**

第三，許多基督徒都有本身所喜愛的經文，它們便變成了某種「正典中的正典」（canon within the canon），用作處理其他經文的基準。對這些基督徒而言，這「正典中的正典」成了「信仰」的最佳總綱。例如，他們可能會對雅各書二章14至16節作出某些希奇古怪的解釋，因為相對保羅在羅馬書四章和加拉太書三章所說的，表面上與雅各書那段經文所講的有矛盾，而保羅的觀點則獲優先重視。

歷史和考古背景的資料

由於聖經的文本中涉及許多歷史資料，因此，認識作者和當時讀者的有關背景資料，是完全正確的入手方法。這同時亦正是

聖經記載歷史事實的作用。當以賽亞記下：「當烏西雅王崩的時候……」，若嘗試從列王紀和歷代志找出有關烏西雅王的資料，是很有用的，因為它們有助我們了解以賽亞書——畢竟，無論對以賽亞和他當時的讀者，都應該擁有同樣的資料（即使並非同一個形式）。對於高升了的基督對老底嘉教會所說的話：「我知道你的行為，你也不冷也不熱；我巴不得你或冷或熱」（啟三15），有人曾作出無稽的解釋，認為這表示神寧願人「屬靈冷淡」，多過人像「屬靈的溫水」，雖然祂最希望的，肯定是人「屬靈火熱」。於是，他們便提出層出不窮的解釋，來支持屬靈冷淡勝過如溫水狀態的說法。

只要作出認真的考古研究，這一切謬誤就可以輕易地一掃而空。老底嘉與新約曾經提及的其他兩座城都在呂吉斯谷附近。哥羅西是3座城中，唯一能享受清新、冰涼泉水的；希拉波立則以熱溫泉著名，更成為人們希望透過浸溫泉來治病的度假勝地。對比之下，老底嘉所得的水既非冰涼而有用，又非燙熱而有用；它是溫水，沉澱著各種礦物，其令人噁心的程度可謂人所共知。這讓我們理解到耶穌對當地基督徒的評價：他們一點用處也沒有，只是令人噁心，所以祂想把他們吐出來。對任何一個住近呂吉斯谷的人來說，這個解釋完全是清楚易明的；今天亦只需對背景資料稍作查究，便能明白這句話的重點。同樣地，對古代的社會習俗有某程度上的認識，便能夠大大地幫助我們對經文的理解，如十個童女的比喻（太二十五1-13）。

當解經者和譯經者反問自己，當初的讀者如何理解某段經文時，他們所問的，並非一個不可能找到答案的假設性問題（因為我們沒有辦法明白他們的思想）。反之，這只是**掌握一連串次要問題的途徑，它們包括：當時怎樣理解這些字詞？一再重申了甚麼問題和主題的重要性？聖經的經文是質疑哪類觀念架構？**提出這類問題，並非肯定我們一定可以找出圓滿的答案。有時，我們可以透過對經文本身的「反像閱讀」（mirror-reading），來得出可靠的答案。例如，保羅在加拉太書中，顯然是在攻擊某些人，而有關那些人的特點也相當明顯。有些時候，有關的證據較難掌握，但仍然值得再三反思。例如，不管約翰一書可以如何有效地應用在現代的某一

證主 21世紀聖經新釋

間教會，但它最初寫作的原意，是要加強第一世紀末那群信徒的信心，他們正面對不同形式的困擾，以致造成信仰上的疑惑，部分原因是因為製造分裂的一群人最近離開了教會（約壹二19）。倘若我們得知這群人信奉某種形式的諾斯底主義原型（proto-Gnosticism，我們可以從聖經以外的資料，更詳盡的認識這主義），那麼，信中很多別的事情便一目了然。

這一切都不會使人質疑聖經是否有欠詳盡或不夠清晰，因為聖經的主要目的不會因這些批評而改變。可是，聖經既是神透過一段漫長的歷史，在具體的處境中恩慈地賜予我們，只要我們細心查究當中一些背景，就會獲得重要的亮光去了解某段經文。

學習發問

懂得環繞某段經文提出多方面的問題，是很重要的，而且，還得知道不該問哪些不適當的問題。

在積極方面，對敘事的經文提出最基本的問題，包括：何時、何地、對象、如何、為何、多久等，幾乎是永遠值得的。最重要的，就是追問該段經文的主題和要旨是甚麼，以及經文的不同部分如何構成整體的主旨和重點。經文是否還有其他次要主題存在，通常也是值得追問的。有時，我們亦必須了解某位作者對某個特別的字詞或表達方式的運用方法，例如，為何保羅在這段上下文會採用這個字詞，而不用另一個？

不過，我們很容易會問一些不適當的問題。舉例說，如果某人問：「這段經文對基督徒的確據有何看法？」其實，它充其量只是稍微涉及這個主題，那人可能「找到」的答案，是並不存在於經文中。最能反映出一個人有足夠的成熟程度去處理釋經工作的，是擁有自我批判和反省由經文引伸之問題的能力，一方面能「聆聽」聖經的話，另一方面則愈來愈懂得提出尖銳的問題，懂得把不適當的問題丟棄，並懂得修正問題。這是在鑽研經文含義的過程中，一個非常重要的步驟。

將聖經湊合起來

我們必須為每段經文找出它在救贖歷史中的位置。當然，那些認為所有經卷都應獨立處理，不認為整本聖經背後有連貫思想的學者，便傾向以冷淡的態度來對待此原則。但是，對於那些支持用此態度來查究經聖的人而言，這才是負責任的讀經方法。這不單表示要將聖經的歷史資料按年代次序排列——這只是最基本要做的事——它還表示要明白事件出現次序的神學本質。

在這方面進行研究的其中一個最有效的途徑，就是了解後來的聖經作者如何引用早期作者的著作。例如，在馬太福音中，作者給予耶穌的一個重要稱號是「神的兒子」。當耶穌受洗的時候，天上有聲音宣認：「這是我的愛子……」（三17）。耶穌旋即被聖靈引到曠野受試探。祂在曠野禁食40晝夜。魔鬼第一個攻擊，就是嘲弄祂「你若是神的兒子……」（四3）。耶穌引用了申命記第八章那句最初應用在以色列人身上的經文，來回應魔鬼。在那一刻，不禁令人想起早於出埃及記第四章，神稱以色列為祂的兒子。作為神兒子的以色列，雖在曠野40年接受神的教訓，卻一直學不會「人活著不是單靠食物，乃是靠耶和華口裏所出的一切話」（申八3；太四4）這道理；如今，神的兒子耶穌在曠野40天，卻已清楚證明祂深明此理。事實上，整段經文的主題，都跟出埃及那時期的主題相互交錯；綜觀耶穌作為「兒子」的表現，是以色列從來不曾達到的：順服、堅忍、聽從神的話——簡單地說，就是真以色列的綜合體。這成了馬太福音的一個重要主題。

同樣地，基督徒讀者很快便留意到保羅對律法的看法，希伯來書所提及的獻祭制度，和末世啟示經常引用但以理書和以西結書的典故，都只不過是舊約和新約書卷之間帶有文本關係的其中一些例子。**我們必須經常緊記從救贖歷史的角度去看聖經。**因此，當我們處理某段經文——舉例說，出埃及記第四章——的時候，除了按照它本身的上下文來解釋，基督徒教師和傳道人就應該自覺有責任提出「神的兒子」這個主題，是沿著神自我啟示的軸線一路發展的。如此，基督徒便可避免犯上年代誤植（將後期的資料讀進早期的資料中），或資料割裂（不願意考慮正典之間存在任何關連）的危險，他們將會渴望明白——正如約翰福音所堅持的——聖經怎樣論及基督。

解釋福音書是整合聖經的最大挑戰。表

面上，福音書記述了耶穌的生平、事奉、受死和復活、升天之前的顯現、聖靈的降臨，並那跨越國界、擁有多元文化和超越種族界限的教會之建立。另一方面，我們清楚知道，福音書是在這些事件發生之後的幾十年間，由一群虔誠的基督徒寫成的。這些作者的寫作動機，不單是為了見證這些事情的真確性，還為了滿足當代讀者的好奇心和解答他們的疑問。4位福音書的作者都有很多途徑來同時表達他們對歷史和神學上的關注點，以及在避免出現年代錯誤的前提下，見證初期的教會如何接受耶穌的教訓。例如，約翰在第四卷福音書經常讓讀者留意到，甚至連門徒在當時也對耶穌的教訓不甚了了。惟有當耶穌在死裏復活之後，祂其中的一些教訓，以及它們與聖經之間的關係，才逐漸清晰可辨（例如約二19-22）。約翰提出這個事實，反映出他同時關注到要忠實地記錄當時所發生的事，以及事件對後來信徒的意義。

故此，所謂要對福音書作合理的解釋，**其中一點就是表示我們不要以為最初的門徒，像今天的信徒一樣，認知完整的基督教信仰。**對初期的門徒而言，他們一直要等到救贖歷史的下一次重要事件——主耶穌被釘十字架和復活——發生之後，才完整地明白基督教信仰。因此，他們在信仰上的腳步，絕對不會跟我們一樣，因為我們是回顧這一切事件，他們卻是等候它們發生。這表示我們絕不可以在引用福音書的內容作教導和傳講時，彷彿它們的寫作動機，純粹是為了提供門徒訓練的人物心理寫照，或彷彿它們是一本教導「如何」過基督徒生活的指南（雖然它們肯定為這方面的教導提供豐富的參考資料）。它們較像一些幫助我們「追本溯源」的書；它最首要的重點，是介紹耶穌是誰；祂為何來到世間；祂為何遭到如此廣泛的誤解，當中的過程如何；祂的教導和生平事蹟，如何以被釘十字架和復活作終結；祂為何值得人信靠；祂使命的目的等等。隨著我們把焦點放在耶穌基督身上，聖經便要求我們去相信祂，作祂忠心的門徒。

當然，關鍵是在於如何將聖經整合起來。我們無意暗示這是一件輕而易舉的事。各個解釋聖經的不同派別，都是根據不同的綱要建立起來，當中包含某些不可簡化的原則，它們已成為調節其餘證據的支點。然

而，這事實應該提醒我們——不是灰心失望，卻是以更寬容的心去承認——聖經各書卷之間，有著眾多細微的關連，透過研讀神的話語，我們將會發掘更多新的洞見。

平衡的聖經整體觀

神學上的綜論是很重要的，但言不符實的綜論，卻只會帶來誤導和危險。據我們一般的觀察，正統信仰的神學有很大部分都是建基於經文與經文之間、真理與真理之間的適當關係串連。這項觀察提醒我們，一方面要作仔細的研究，另一方面則要避免還原主義(reductionism)的出現。合乎聖經的平衡是一個重要的目標。首先，**我們要避免只從某段含糊和獨立應用的經文（例如林前十五29），抽取某個難明的重點，來建立解經的基本架構。**倘若今天的群眾是喜歡單一議題的政治，也喜歡單一議題的基督教，那麼，認真讀聖經的人，就必須做得更全面。他們願意強調聖經所強調的，並將注意力集中在神恩慈的自我啟示中最偉大和較清晰的主題上。

言不符實、強行整合聖經的綜論，倒不如在論及一些主題時，也坦誠表示它是屬於奧祕，不能解明的。我們不可能明白有關神的一切事情；若然我們能夠，我們就可以成為神；即使假設自己擁有這樣的權利，也只是暴露自己的失喪和極度的自我中心。神較重視的，是我們對祂的愛、信心的順服和敬拜，而非我們的智能。因此，當我們遇到類似約翰福音五章16至30節那樣清晰表達神子耶穌與父神之間的關係，或羅馬書九章那樣絕不含糊地採用有關預定論的強硬措辭之經文，明白到此等證據的有限，和承認自己對此等經文的了解更加有限，正是在釋經過程中必備的重要條件。

為了將問題簡化，我們很少會談及有關教會在整段歷史時期，如何處理探究此等主題的所得。事實上，我們極之需要明白，正如解經者不能在一個真空狀態查考聖經，因而必須留意本身的偏見；同樣真確卻又諷刺的是，**最能幫助我們擺脫被本身偏見牢籠的方法，就是仔細閱讀歷史中有關某段經文的解釋。**這類閱讀不可褫奪閱讀聖經的位置；我們可能會成為這些二手見解的專家，卻從來不思考聖經本身的文本。但只要我們留意到這個危機，我們就必須竭盡所能，去了解

在我們之前的基督徒如何鑽研聖經，尤其是最富爭論性的主題和經文。這種訓練會促使我們變得更謙卑，同時清除我們思想中那些毫無理由的假設，揭示一些長久以來（和自然地）不予理會的誤解，並且提醒我們，要對聖經作出認真、正確的解釋，就絕不可以閉門造車。

判別聖經各主題的功用

特別是對於那些複雜和糾纏不清的聖經主題，我們更必須審慎留意聖經對它們的用法，小心判別它們的特殊作用，並且在我們的神學反省中堅持遵照聖經所立下的模式。例如，聖經從來不會推論，由於神是至高無上的，因此祂在背後掌管罪惡，就如祂掌管美善一樣；或是人的一切努力盡皆徒然；或是人應該順應天命。事實剛好相反。聖經由神的至高無上推論到神的恩典永存（羅九），即使我們看不見前面的路，仍可放心信靠神（羅八28）。從神創造我們這個事實，我們通常推論神是我們眾人的父，我們都是「弟兄姊妹」；在某種意義上這無疑是真實的。然而，事實卻是聖經中將以「父」稱神的權利，保留給那些與祂進入立約關係的人；在新約之下，信徒才彼此為「弟兄」。倘若我們一開始應用這些措辭的時候，已經將它們與一些有別於聖經用法的思想架構扯上關係，那麼，我們很快就會將聖經原本沒有的東西帶進聖經，同時更可能對清楚記載在聖經中的事實視若無睹。

在此引用一個性質稍有不同的例子，它是有關希伯來書的作者對我們的提醒：「耶穌基督昨日、今日、一直到永遠，是一樣的」（十三8）。有些熱心的基督徒會得出一些類似的推論：「耶穌在世上活著的時候，會醫治所有來到祂面前的人；祂是昨日、今日、一直到永遠都是一樣；因此，只要我來到祂面前，我便會得著祂的醫治。」耶穌今天可以施行醫治，也可以不施行醫治，但無論如何，上述的推論非常不合理。為何不可以同樣地推論說：「耶穌在世的時候曾經在水面上行走；耶穌昨日、今日、一直到永遠都是一樣的；因此，祂今天也可以在水面上行走」？重點是在於希伯來書的作者並非提出一個可以應用在耶穌生平中每一方面的原則。希伯來書十三章的上下文已經清楚表明

作者提出此真理的目的。

解經與應用的分別

當我們懷著恭敬的態度來查考聖經，我們就必須緊記，要將合理的解經，與個人或群體的應用作出區分。當然，對於一些提出勸勉的經文，兩者之間的界線便不太明顯；或是換上另一個更貼切的說法，我們很容易會從一邊跳到另一邊。但除非我們有一個判別的原則，否則，我們便會在不知不覺間，接受了某些可能對我們構成傷害的解釋。

例如，我們可能很快便會追問：「聖經要對我說些甚麼」，由於非常重視「對我」，因而完全忽略了我們與經文之間的距離，不理會聖經是記載明確的歷史事件，最終等於漠視神所給予口頭啟示的性質。更糟的是，憂鬱的人會無休止地自省，悶悶不樂地將焦點放在所有論及人類罪惡的經文上；至於抱著勝利主義心態的性格開朗者，則會抓緊聖經中一切高呼勝利的經文；自我中心的享樂主義者便會找出聖經中所有談及享受人生和保持喜樂的經文。其實，每個基督徒都應該細讀聖經的每一部分，理解當中的含義，設法弄清楚它對全本正典的意義，然後才反問這些真理如何應用在他們自己身上，並在教會和社會中。

敬虔的重要

聖經既是神的話，我們在讀經的時候，必須抱著謙卑的態度；在思想和研究的時候，必須培養一種默然的祈禱心態；在努力明白和遵從的時候，必須尋求聖靈的幫助；隨著我們對聖經的知識增長，我們更必須隨時省察自己的罪，追求一顆清潔的心，保持純正的動機，並與人保持純潔的關係。若在這些方面做得不好，我們或者可成學者，但肯定不是成熟的基督徒。

最重要的，是我們必須緊記，我們終有一天要向神交代，祂曾經說過：「我所看顧的，就是虛心痛悔，因我話而戰兢的人」（賽六十六2）。

D . A . Carson

進深閱讀
S. Motyer, *Unlock the Bible* (Scripture Union, 1990).

G.D Fee and D. Stuart, *How to read the Bible for all its Worth* (Zondervan, 1981).

L. Morris, *I Believe in Revelation* (Hodder and Stoughton/Eerdmans, 1976).

G.R. Osborne, *The Hermeneutical Spiral* (IVP/USA, 1991).

D.A. Carson and J.D. Woodbridge (eds.), *Scripture and Truth* (Baker Book House, 1992).

——, *Hermeneutics, Authority and Canon* (Zondervan, 1986).

證主
21世紀聖經新釋

聖經歷史

前言

所謂聖經歷史，是指聖經上記載之事件和言論的歷史背景，即是從人類歷史開始，直至新約聖經時代結束的一段漫長時期。由於這個原因，聖經可算是揭露歷史實況的第一手資料，不過若我們要對古代社會有更全面的認識，則不能缺乏其他可供歷史研究的資料，例如考古發現、聖經時代的著作與文獻等，這些資料對於研究聖經時期的歷史實況尤其重要。其實聖經最終目的並非記錄歷史的實況，即使我們可以從聖經獲得很多這方面的資料，但編寫聖經的作者卻非為提供歷史而記載歷史，聖經所記錄的歷史是有其宗教目的。

把兩者結合來看，就會清楚明白聖經和歷史之間的關係是十分重要的。有不少聖經書卷都曾講及歷史事件，而且告訴我們，神曾經在歷史中不斷出現。聖經的真偽與否全在於所記錄的歷史是否確實。推而論之，一般的歷史研究與聖經的真偽確實存著關係。所以，倘若歷史學家可以證實聖經所記載有關神及其子民的重大事件是虛構的話，則聖經裏有關神的教義便再難維繫下去。

相反，很多人有個錯誤的見解，以為聖經可以通過世俗的歷史研究方法來決定其真確性，但是歷史的研究不斷在變，我們不可能永無止境地等待歷史學家下結論的一天。因此，運用信心和審慎研究是同時需要的。不過，聖經的權威並非建立在真偽的研究上，因為聖經裏很多重要的事件都不能只靠研究及考察便可證實。**研究聖經歷史（可參考上述的定義）其實是要憑著信心。聖經歷史研究並不在於要「證明」聖經，乃在於藉著瞭解當代的處境和聖經的教導，使信仰得著堅固。**

以下是聖經所涵蓋的時代概略，同時亦顯示信仰的發展經過。

舊約時代
起源

聖經所描述的世界，集中於人類文化搖籃一帶。神所揀選的民族聚居於地中海以東的一片土地，這片土地的幅員由東面的米所波大米直到西南面的埃及，因此是位於兩大文明之間。主前4000多年前，生活在米所波大米的蘇默人（Sumerians）建立了城邦國家的社會結構，隨後更發展出農業、貿易和文字。同一時期，埃及文化亦開始發展成熟。後來蘇默人和繼之興起的巴比倫人都先後發展出相當完備的治國法典，較著名的是主前2000至1500年制定的《漢模拉比法典》。當時國與國之間的關係，無論是平等，還是藩屬關係，都普遍以條約加以規範。例如主前1000至2000年期間，來自亞拿多利亞（即今日之土耳其）的赫人，分別在敘利亞和巴勒斯坦建立勢力，並以條約的形式與屬民制定關係，與主前1060年左右的亞述人略同。在當時的文化發展中，宗教生活扮演了一個非常重要的角色，而政治與宗教的關係亦十分密切。當時人民的生活都因為各種宗教信仰，而受到不同程度的影響。而各國的君王亦普遍在決定軍國大事之前，會藉祭司向各種神祇求卜問卦。總之，對神明的恐懼均影響著每個人的生活，由於神有能力隨時摧毀世上的一切，而且往往不加以解釋，所以人人必須事奉神。古代的宗教即以不同的方法來面對這種不可預知的神明力量。

以色列及後來猶太人的歷史，甚至早期基督教會史，皆與上述的歷史背景緊密相連。從地理角度來看，以色列需要跟鄰邦發展交往關係。當時，以色列一帶的土地相繼為列強所侵佔，造成人命的傷亡。但另一方面，它的戰略性位置亦帶來好處，正如所羅門時代所顯示的。由於以色列居於重要的地理位置，他們可從鄰邦學習到不同的思想概

21

念和制度文化，例如對神的尊崇和祭祀、遊牧和村落聚群的生活，甚至征戰和締定條約等。

這些都可以從聖經第一部分（創一至十一）找到。在古代以色列鄰邦的思想和生活裏，創造和洪水都是極其重要的歷史大事。而創世記和巴比倫故事的相同是街知巷聞的（參創世記的導論）。在聖經與及其他古代文獻的記錄中，人類早期歷史的輪廓，都有一個共通點，就是世界起源於神的創造，隨後神與人的關係破裂，接著是洪水的到來（《伊呂瑪以利殊》講創世；《吉加墨斯史詩》講洪水。它們是其中兩個廣泛於巴比倫流傳的史詩式故事）。在洪水時期，有部分先民能夠存活下來（如舊約中的挪亞與及《吉加墨斯史詩》的烏納比士廷）；其後，世界進入了列國互相爭峙的局面〔在聖經中，則是巴別塔的故事（創十一）〕。這個故事的巴比倫版本，目的是要指出巴比倫城的優越。

關於創世和洪水這兩件重大的歷史事件，聖經文獻的觀點與其他古代民族的，都不盡相同。聖經指出神只有一位，而不是多位，祂以救贖人類脫離始祖犯罪的影響為目的。這樣的救贖目的在神與挪亞立約的時候開始啟示出來（創六18，九17）。創世記所描述的早期人類歷史，顯示了世界各地的民族都因著語言和種族的不同而出現分裂（創十至十一），並發展出不同的文化（創四17-26）。但這種文化卻帶有瑕疵，因為人對神的認識嚴重不足。創世記四章26節說：「那時候，人才求告耶和華的名」，表示人對神僅有相當原始的認識。到了亞伯拉罕的時代（創十二），多神論已成為普遍的宗教思想了。

列祖時代

聖經的列祖是指亞伯拉罕、以撒、雅各和雅各的12個兒子，即是以色列十二支派的先祖。列祖時代所發生的事蹟都記載在創世記十二至五十章內，而時間則可追溯至主前2000至1500年，即是考古學家所稱的中青銅器時代。至於準確年代，則在乎人怎樣詮釋考古的發現和聖經的記載（尤其是出埃及事件；參下文）。

廣義來說，列祖時代與剛提及的古近東歷史吻合。當蘇默文明在米所波大米沒落後，巴比倫文化就在此刻興起。此時，亞伯拉罕由「迦勒底的吾珥」（創十一31）起行，即南米所波大米的一個城市（位於今天伊拉克南部），經過北部一帶及哈蘭，而抵達巴勒斯坦。亞伯拉罕就是這樣橫跨了「肥沃新月」——古文明的搖籃和人口密集的區域，從米所波大米到埃及。有學者解釋亞伯拉罕所經過的路，就是當時古代近東民族遷徙的主要路線，例如亞摩利人西遷至巴勒斯坦地。不過，這解釋並不理想，我們亦不能因為亞伯拉罕的輾轉遷徙，而認為這是出於遊牧民族的現實需要，或是基於商業的原因。我們只能說，亞伯拉罕是出於神的感召而離開他熟悉的家鄉，甚至捨棄可能的富裕生活，而轉到一處新的土地，開始新的生活。

考古學能幫助我們，查證聖經所記載有關亞伯拉罕的事蹟，瞭解哪些是與當時的近東歷史符合。從米所波大米一帶，特別是努斯城（主前十五世紀胡利人所建的城市）裏，發現了一些古代經文，證實了創世記所記載的事蹟，與當時古代社會的習俗極為符合。例如，在古代的近東社會裏，每家頭生的男嬰，都會得到額外的特權（創二十五5-6，三十二至三十四章），這種傳統習俗在當時來說，是十分普遍的；另外，又如亞伯拉罕收養僕人以利以謝為其養子，亦與古代近東地區的習俗相符。可是，考古學的查證方法，只能為我們提供一個梗概的背景支持，以證實舊約聖經所記載列祖時代的事蹟是可靠的。

亞伯拉罕與他的大批家庭成員在各民族的土地上隨處往來，其中例子是來自希伯崙的赫人，該民族可能與北方的強國亞拿多利亞的國民有血統關係。當時與亞伯拉罕有交往的人，均款待他如親王貴族一般，甚至如「王子」（創二十三6）。亞伯拉罕甚至被捲入當地的戰爭中（創十四）。亞伯拉罕居於迦南地，但這塊土地並非他所擁有，他只能預嘗神為將來的以色列人所預備的福祉。

舊約和新約的年代表

右邊的年代表，記載了古代近東歷史事件發生的相對年份及時序，它並非作為古代近東國家興衰及征討的歷史年表。關於出埃及和迦南戰役的其他年日論，可參第242頁。

右表所使用的主前數字，只是大概年份，因為在主前2000至1000年間，其誤差

有時可能大至一個世紀或以上；到主前1000年之後，誤差可縮少至10年。希伯來君王在位紀年，會以兩種數字表示，例如：亞撒是主前911/10-870/69年，因為希伯來的曆法，與我們的公曆1月至12月，並不對稱吻合。

至於其他近東統治者的在位紀年，則由於篇幅所限，不能在此提供有關這方面的大量文獻，來說明推算的理由，但從主前900年開始，亞述人、巴比倫人與波斯人的紀年計算，已大抵確定。

有＊者代表先知

舊約時期		埃及	米所波大米
主前2000年　創世記一至十一章所發生的事件		中王國時期	
		主前2134-1991年　第十一王朝	
列祖時代		主前1991-1786年　第十二王朝	
？主前2000-1825年　亞伯拉罕			？主前1894-1595年　巴比倫第一王朝
？主前1900-1720年　以撒			
？主前1800-1700年　雅各		新王國時期	
？主前1750-1640年　約瑟		？主前1710-1540年　許克所斯統治期	？主前1792-1750年　漢模拉比
		主前1552-1305年　（或1294年）	卡施（Kassite）王朝
以色列人在埃及時期		第十八王朝	主前1500年　巴納布拉殊一世
？主前1350-1230年　摩西		主前1390-1353年（或1394-1357年）	(Burnaburiash I)
		亞門諾斐斯三世	主前1350年　庫利加勒祖一世
以色列人在迦南時期		主前1361-1345年（或1365-1349年）	主前1345-1329年　庫利加勒祖二世
？主前1300-1190年　約書亞		亞門諾斐斯四世或亞肯亞頓	
		主前1305-1198年（或1294-1187年）	
		第十九王朝	
		主前1305-1304年（或1294-1293年）	
約主前1280年（或1260年）　出埃及		蘭塞一世	
		主前1304-1290年（或1293-1279年）	亞述
約主前1240年（或1220年）　過約但河		塞都斯一世	
主前1220（1200）-1050年（或1045年）　士師時代		主前1290-1224年（或1279-1213年）	主前1274-1245年　撒緱以色一世
		蘭塞二世	
		主前1224-1214年（或1213-1203年）	
		每納他	
？主前1125年　底波拉與巴拉		主前1220年（或1209年）　「以色列石碑」	主前1244-1208年　杜庫提寧努他一世
？主前1115-1075年　以利作士師的時代		主前1198-1069年（或1187-1069年）	主前1224-1219年　亞達舒馬伊典（Adad-Shuma-iddina）
		第二十王朝：色納（Setnakht）及蘭塞三世至十一世	主前1124-1103年　尼布甲尼撒一世（巴比倫帝國）
？主前1075-1035年　士師及先知撒母耳		末代時期	主前1115-1077年　提革拉毘列色一世
		主前1069-945年　第二十一王朝	
王國統一時期		舒山一世（Psusennes I）	
主前1050（1045）-1011/10年　掃羅		阿曼民摩比	
主前1011/10-971/70年　大衛		西亞門	
主前971/70-931/30年　所羅門		舒山二世（Psusennes II）	
		主前945-715年　第二十二王朝	主前933年　亞述旦二世
		主前945-924年　示爽一世（示撒）	
王國分裂時期			

以色列	猶大	主前924-889年　奧梭岡一世	
主前931/30-910/09年　耶羅波安一世	主前931/30-913年　羅波安		
	主前925年　示爽入侵巴勒斯坦		
主前910/09-909/08年　拿答	主前913-911/10年　亞比央	主前889-874年　提克洛特一世	
主前908/09年-836/85年　巴沙	主前911/10-870/69年　亞撒		
主前886/85-885/84年　以拉			
主前885/84年　心利			
主前885/84年　提比尼			
主前885/84-874/72年　暗利			
主前874/73-853年　亞哈　以利亞＊	主前870/69-848年　約沙法（主前873/72年開始攝政）	主前874-850年　奧梭岡二世	主前883-859年　亞述那斯保二世
主前853-852年　亞哈謝	主前848-841年　約蘭（主前853年開始攝政）		
主前852-841年　約蘭			
主前841-814/13年　耶戶　以利沙＊	主前841年　亞哈謝		主前859-824年　撒緱以色三世
	主前841-835年　亞他利雅		主前853年　夸夸（Qarqar）戰役
主前814/13-798年　約哈斯			

主前798-782/81年　約阿施 主前782/81-753年　耶羅波安二世 （主前793/92年開始攝政） 約主前760年　阿摩司* 約主前760年　約拿* 約主前755-722年　何西亞* 主前753-752年　撒迦利雅 主前752年　沙龍 主前752-742/41年　米拿現 主前742/41-704/39年　比加轄 主前740/39-732/31年　比加 主前732/31-723/22年　何細亞 主前722年　撒瑪利亞陷落	主前835-796年　約阿施 主前810-750年　約耳* 主前796-767年　亞瑪謝 主前767-740/39年　亞撒利雅（烏西雅）（791/90年開始攝政） 約主前742-687年　彌迦* 約主前740-700年　以賽亞* 主前740/39-732/31年　約坦（主前750年開始攝政） 主前732/31-716/15年　亞哈斯（主前744/43年開始攝政；主前735年開始攝正） 主前716/15-687/86年　希西家	主前767-730年　示爽五世 主前730-715年　奧梭岡四世 主前716-664年　第二十五王朝 主前716-702年　沙包谷 主前702-690年　沙必谷 (Shebitku) 主前690-664年　塔哈卡（特哈加）	主前745-727年　提革拉毘列色三世 主前732年　大馬色陷落 主前727-722年　撒縵以色五世 主前722-705年　撒耳根二世 主前705-681年　西拿基立 主前681-669年　以撒哈頓 主前669-627年　亞述巴尼帕
猶大 主前687/86-642/41年　瑪拿西（主前696/95年開始攝政） 約主前664-612年　那鴻* 約主前640年　西番雅* 主前642/41-640/39年　亞們 主前640/39-609年　約西亞 約主前621-580年　耶利米* 主前609年　約哈斯 主前609-597年　約雅敬 主前605年　迦基米施戰役（但以理與同伴被擄至巴比倫） 約主前605年　哈巴谷* 主前597年　約雅斤 主前597年　亞達月二日（即3月15/16日），尼布甲尼撒二世攻陷耶路撒冷，約雅斤及以西結等猶太人被擄 主前597-587年　西底家 俄巴底亞* 主前587年　耶路撒冷陷落，更多猶太人被擄		主前664-525年　第二十六王朝 主前664-656年　塔老他們 (Tanutamen) 主前664-610年　森美武庫一世 主前610-595年　尼哥二世 主前595-589年　森美武庫二世 主前589-570年　亞庇里庫（合弗拉） 主前570-526年　亞馬西士（亞模西士二世）	主前612年　尼尼微陷落 主前609-08年　亞述覆亡 **巴比倫** 主前626-605年　尼布普拉撒 主前605-562年　尼布甲尼撒二世 約主前604-535年　但以理* 主前595-570年　約雅斤被擄至巴比倫（尼布甲尼撒二世第十至三十五年間） 約主前593-570年　以西結* 主前562-560年　亞妙爾瑪杜克（以未米羅達） 主前562年　約雅斤獲亞妙爾瑪杜克恩待 主前560-556年　尼力里沙 主前556年　立巴瑪杜（Labashi-Marduk） 主前556-539年　拿波尼度（伯沙撒在巴比倫城主政時期） 主前539年　巴比倫陷落
被擄歸回時期 主前538年　所羅巴伯、設巴薩並眾被擄的猶太人回歸耶路撒冷 主前537年　聖殿開始重建 約主前520年　哈該* 約主前520年　撒迦利亞* 主前520年　聖殿工程重開 主前516年　亞達月三日（即3月10日），聖殿竣工 約主前460年　瑪拉基* 主前458年　以斯拉回耶路撒冷 主前445-433年　尼希米在耶路撒冷 波斯帝國統治時期（迄主前332年止） 亞歷山大大帝（主前332-323年） 埃及統治時期（主前320-198年） 敘利亞統治時期（主前198-63年）		主前526-525年　森美武庫三世 **希臘時期** 主前323/05-282年　托勒玫一世蘇他 主前320年　托勒玫一世佔領猶大 主前285/82-245年　托勒玫二世非拉鐵非	**波斯帝國** 主前539-530年　古列 主前530-522年　剛比西斯 主前522-486年　大利烏一世 主前486-465/64年　薛西斯一世（亞哈隨魯） 主前464-423年　亞達薛西一世 主前423-404年　大利烏二世 主前404-359年　亞達薛西二世馬尼望 主前359/58-338/37年　亞達薛西三世奧古士 主前338/37-336/35年　亞悉斯 主前336/35-331年　大利烏三世可多曼奴斯 主前331-323年　馬其頓人亞歷山大 **敘利亞** 主前312-28年　西流基一世尼加鐸 主前281-26年　安提阿古一世蘇他 (Soter)

主前261-246年　安提阿古二世腓奧斯（Theos）
主前246-226/25年　西流基二世
主前226/25-223年　西流基三世蘇他
主前223-187年　安提阿古三世大帝
主前187-175年　西流基四世
主前175-163年　安提阿古四世伊彼芬尼
主前163-162年　安提阿古五世
主前162-150年　底米丟一世
主前139/8-129年　安提阿古七世薛得斯（Sidetes）

主前246-222年　托勒玫三世尤雅基提
主前222-205年　托勒玫四世腓羅彼得（Philopator）
主前204-180年　托勒玫五世伊彼芬尼

主前167年　瑪他提亞在摩丁率眾起義
主前167-40年　猶大的馬加比／哈斯摩寧家族
主前166-161年　猶大馬加比
主前160-143年　約拿單馬加比
主前150-主後70年　死海古卷時代
主前143-135年　西門馬加比
主前135-104年　約翰許爾堪一世
主前104/03年　亞利多布一世
主前103-76年　亞歷山大楊紐
主前76-67年　撒羅米亞歷山大女皇及許爾堪二世
主前67-40年　許爾堪二世及亞利多布二世
主前63年　龐培建立羅馬附庸國
主前40-4年　猶大王大希律
主前4-主後6年　猶大護督亞基老
主前4-主後39年　加利利的分封王希律安提伯
主前4-主後34年　以土利亞分封王希律腓力

基督和使徒時代
？主前8/7年　施洗約翰＊出生
耶穌出生

羅馬帝國
主前27-主後4年　該撒亞古士督

？主後29年　耶穌受浸
施洗約翰被殺
主後14-37年　提庇留

主後30年　（逾越節）耶穌在耶路撒冷（約二13）
主後30/31年（12/1月）　耶穌在撒瑪利亞（約四35）
主後31年（住棚節）耶穌在耶路撒冷（約五1）
主後32年（逾越節）以五餅二魚餵飽5,000人（約六4）
（住棚節）耶穌在耶路撒冷（約七2）
（修殿節）耶穌在耶路撒冷（約十22）
主後33年　（逾越節）耶穌被釘十字架
耶穌復活和五旬節

主後26-36年　羅馬巡撫彼拉多

主後34-35年　保羅歸主
主後37或38年　保羅第一次探訪耶路撒冷教會
主後37-41年　卡里古拉
主後41-54年　革老丟

主後46-47年　保羅第一次宣教旅程
主後41-44年　猶大王希律亞基帕一世

主後48年　在耶路撒冷的使徒會議
主後48-51年　保羅第二次宣教旅程
主後50年　保羅抵達哥林多

主後50-約93年　北部的分封王希律亞基帕二世

主後53年　保羅第三次宣教旅程開始
主後54-57年　保羅在以弗所
主後54-68年　尼祿
主後57年　保羅往特羅亞
主後約52-60年　羅馬巡撫腓力斯
主後58年　保羅在歐洲與提多會面
主後58-59年　保羅在馬其頓和亞該亞（和以利尼亞？）
主後59年　保羅回耶路撒冷
主後59-61年　保羅被囚在該撒利亞
主後61年　保羅向凱撒上訴並被押解往羅馬
約主後60-62年　羅馬巡撫非斯都
主後62年　保羅抵達羅馬
主後62-64年　保羅被囚在羅馬
？主後62年　耶穌的親兄弟雅各殉道
主後66年　猶太人判亂
主後70年　提多攻陷耶路撒冷
主後74年　奮銳黨人被殲於馬薩他
主後81-96年　多米田的逼迫
約翰殉道

主後68-69年　蓋爾巴
主後69年　威特留
主後69-79年　維斯帕先
主後79-81年　提多
主後81-98年　多米田
主後96-98年　尼法（Nerva）
主後98-117年　他雅努

列祖時代和其後的以色列民，在宗教信仰上存在很多分歧。亞伯拉罕及父親他拉是來自米所波大米，而這一帶盛行多神敬拜（創十一31；參書二十四2）。創世記記載亞伯拉罕曾經遇見神，但很明顯，神在亞伯拉罕以後的世代中，才更多啟示自己，特別是當以色列人在摩西帶領下，在西乃山與神立約的時候（參下文；出六3）。

亞伯拉罕認識神的多個名稱，其中最普遍使用的是「伊勒」（El），如「伊勒以羅安」（El Elyon），這是撒冷祭司及王麥基洗德事奉之神的名字（創十四18-20）。「伊勒」的名字其實是迦南人信奉的主要神祇之名字，這個稱號一直沿用到主前1500年，巴力取而代之為止。有不少學者認為，以色列人先祖信奉的應該是這位迦南神祇。聖經的文獻亦很清楚指出，在此時期，聖經所啟示神的性情已開始有別於其他一般的神祇。另外，獻上以撒一事（創二十二），可能是對迦南人童祭儀式的批判。但在這時還未有像在申命記及其後的先知書中，全面譴責迦南宗教的情形出現。可能與當時巴力在迦南宗教裏還未冒起有關，因為舊約聖經最譴責的，莫過於迦南人的巴力信仰。

從創世記的記載中得知，以色列人的先祖漸漸認識神，這位神逐漸和他們建立關係。神首先應許亞伯拉罕、以撒和雅各（創十二1-3，十五5，二十六3-5，二十八13-15），他們的子孫將會成為大國，而他們的子孫亦將會在迦南地居住。這種關係是以立約的方式來建立的（創十五18，十七2），而為未來以色列的歷史鋪路，也定下了日後以色列人在迦南地生活的模式。這是挪亞與神立約後的新發展，這個關係日後亦會在摩西的時期再推進一步。

亞伯拉罕是神與他和他的家立約的中保。因此，亞伯拉罕不需要祭司代他獻祭。相反，他帶領全家向神敬拜，包括獻祭、什一奉獻，並向神祈求。這也是神的子民在這階段的一個功用。

先祖曾經在很多不同的地方建造祭壇，例如幔利（創十三18）和伯特利（創三十五6-7）。他們建造自己的祭壇，突出他們與鄰邦的宗教不同。不過，當時以色列人的先祖還未有指定崇拜地點的意識，這意識後來在耶路撒冷建聖殿中顯露出來。未有耶路撒冷

之名的記載（只有撒冷；創十四），證明先祖故事的古遠。耶路撒冷此刻還未曾出現。

列祖時代始自神呼召亞伯拉罕，一直到以撒、雅各、雅各眾子及雅各全家進入埃及為止。在埃及這一片土地上，雅各的後裔及其宗族逐漸發展成日後進入迦南地的以色列國。此段時期為以色列其後的歷史奠下基礎，這基礎會在偉大的領袖摩西的帶領下繼續趨向成熟。

出埃及和西乃山

正如在我們的討論中所見，對列祖時代的年代有不同說法（參第242頁的圖表）。故此，約瑟和出埃及事件的年代推算也有早期和晚期的，早的是主前十九世紀，晚的則是許克所斯時代（主前1700至1580年）。在許克所斯時代，閃族人得到了埃及地，沿用現存的政體，他們的王也稱為法老，故此，出埃及事件如定於較晚時期，身為閃族人的約瑟被委任一事，則較為可信，但是我們仍不能確定是否屬實。

我們都知道以色列人到了埃及的遭遇變化很大，他們失去了歌珊地的特權，換來重建比東和蘭塞城的苦役，以及艱苦的奴隸生活（出一8-11）。這就是聖經裏在埃及寄居生活的寫照，成為以色列人的永不忘懷的經歷（申四20，十五15）。在出埃及記的頭幾章，詳盡記載了以色列人在埃及的災難和痛苦，例如：殺盡希伯來男嬰的法令（出一22）、以色列人因受苦而產生的憤懣，甚至連「王子」摩西也險遭不測（出二14-15）。在這處境下，希伯來接生婦的勇氣可嘉（出一15-21），記載顯示她們不單為希伯來人，也為埃及人接生，反映某程度上，希伯來人已融入了當時的埃及社會；也可參出埃及記十二章35至36節。

此時，希伯來人的數目已相當多，引致了法老和他們之間的衝突（出一12）。希伯來人究竟有多少？確實數字難以斷定，但依據幾處經文的記載，當時希伯來成年男子的人口約超過60萬（出三十八26；民一46，二十六51）。不過，不少學者認為此數字出奇地高。有些學者試圖在數字的字面意思以外尋找答案，例如韋漢在他的研究上〔Numbers, TOTC (IVP,1981) pp60-66〕，傾向用天文學裏象徵數字的解釋。他指出，當時的人口數

目，象徵了神對亞伯拉罕的應許（創十五5）已得到應驗，以色列人已如繁星一樣數之不盡了。

就在這背景下，摩西蒙神呼召，帶領以色列人脫離奴隸生涯，前往神應許之地（實現了神給予亞伯拉罕的部分應許）。在神感召摩西一事中，祂與所揀選的子民之間的關係，出現重大的突破：神要世人更認識祂，祂便啟示祂的名字——雅巍（*Yahweh*，和合本：「耶和華」；出三14-15，六3），也為日後在西乃山立約掀起序幕。

接著是摩西與法老之間的對抗，神降下十災懲罰埃及（雖然有人以十災為自然災害，但這看法與神的主權並無牴觸）。逾越節及全體以色列人的離開（即出埃及），最高潮是橫渡蘆葦海(Reed Sea，可能是三角洲一帶的水域；出七至十五)。出埃及事件大約在杜得模西士三世（較早推算），或者蘭塞二世（較晚推算）在位期間發生。在摩西的帶領下，以色列人往西乃進發（出十六至十八）。

在聖經神學裏，出埃及和在西乃山（有時稱為何烈山；出三1；在申命記中稱何烈山）與神相遇，是十分重要的歷史事件。出埃及常被視為神偉大及典型的救贖行動（申四20；詩一○六6-12；賽四十三16-17）。而在西乃山上的相遇，是始於創世記立約故事的高潮。有關以色列人與神立約，記載於出埃及記十九至二十四章，當以色列人在西乃山聚集，神在民眾面前顯現，並正式與以色列人建立約的關係。神告訴以色列人，祂過往所作的一切都是為他們而作的。同時，神亦再次肯定祂與以色列人的關係（出十九4-6），而以色列民則應允神遵守所有的誡命（出十九8，二十四3、7）。有關立約的內容，詳見於十誡（出二十2-17）和其後詳盡的誡命中（出二十一1至二十三33）。

在申命記裏，更詳盡的記載西乃之約。有關五經之間的關係，可參考「摩西五經的研讀」專文。準確地說，申命記的約是以色列人在西乃山與神立約後的更新，這次對約的更新，是在以色列人進入迦南地前，在摩押平原上發生的（申二十九1）。在這裏，約法的條文較以前更為清晰、明確（可參考申命記的導論）：它重溫了神與以色列人過往的關係，並確立那規範以色列人未來與神的關係的條文，最後亦記載了守約和違約的嚴

重後果。正如很多人已指出，申命記之約的結構和當時古代近東的國際條約很相似，其中又以主前1000至2000年赫人的藩屬條約最為接近。這點亦是學者用以支持申命記乃成於主前1000至2000年的論據。

然而，更重要的是新的約告訴我們早期以色列人的生活形態。重要的是以色列人已從暴虐政權下的奴隸生涯中解放出來，以致與神建立約的關係。這位神就是他們的王，而非地上的暴君。這就是西乃之約的重點文獻（申命記），也是它為何以藩屬條約形式編寫的原因。這種體裁的目的是要體現神是上主。另外，在申命記三十三章5節裏，更是明文道出了神是以色列的王。故此，以色列人是一個被神所解放的民族，只受神所管轄及準備進入迦南地。這是當代政治思想的全新觀念。

在兩次立約（出埃及記和申命記）之間的時期，五經記載以色列人在加低斯巴尼亞（民二十1）及曠野飄流的漫長歲月。在曠野飄流之後，以色列人最後到達了迦南地的邊陲，摩西對以色列人作出訓示，這些都記於申命記（參「摩西五經的研讀」專文和第108頁的地圖）。

征服迦南

以色列人征服迦南的事蹟，都記載在約書亞記和士師記裏。這段歷史是以征討的角度寫的，從某個角度看，是迅速及徹底的征服（書十一23，二十一45）。但若認真研究，則可發現這段歷史在聖經裏既漫長又艱鉅（書九，十一22，十三1，十五63，十七12-13，十九47；士一）。迦南的完全征服，是要應驗神的應許。然而，這要待大衛時代才能真正實現（撒下七1）。所以，事實上，以色列開頭的征服並不完全，在之後數個世紀的漫長歲月裏，以色列只不過是定居迦南的眾多民族之一。

聖經以外的文獻，如亞馬拿書信(Amarna Letters)，為以色列人在迦南地早期的生活記下不少歷史片斷。亞馬拿書信於埃及首都亞馬拿（約主前1385至1360年）出土。書中談及當時迦南地的統治者對動盪的政局相當不滿。我們由此可以知道，當時埃及對迦南地的控制已大不如前。另外，它亦提到當時有一個稱為亞皮魯(Apiru)的民族，有些學者曾

認為這就是希伯來人。若果這是真的,這書就是以色列人在主前十四世紀早期已居住在迦南地的證據了。今天很少人再持這理論,然而亞馬拿書信仍是證明以色列人此時已進入迦南地的證據。

每納他柱銘(Merenptah Stele)提供了更多證據。該碑柱是由法老每納他為紀念迦南地的戰爭而樹立的。碑上刻著法老所征服的民族名稱,其中包括了「以色列」之名。每納他柱銘建於主前1207年,顯示了以色列人最遲於青銅器時代晚期,已在迦南地一帶生活。

上述有關的考古資料的意義還有待研究。不少學者對以色列人進入迦南地的日期和情況,都存著分歧,其中有些學者甚至質疑以色列人「征服」迦南的真確性。

大多認為迦南是在主前十五或十三世紀時,為以色列人所征伐(這又影響族長的年代表)。關鍵是聖經及考古資料的詮釋。舊約聖經從出埃及到所羅門王建殿(王上六1)的歷史,提供了確實的年份和日期。由於聖殿是主前966年建成,所以可追溯以色列人出埃及的時間為主前1446年。表面看來,較早的年份較具聖經支持。但一般的理解是,這裏的聖經文獻的紀元及時序(與士師記的整體年代數字符合),都只是綱要,而士師記中的40年歷史,有可能是重疊的,正如埃及和米所波大米的文獻一樣。所以,列王紀上六章1節(參創十五13;出十二40)的記載,並非決定性的。

考古研究證實在主前十三世紀的時候,迦南的一些城鎮曾經被毀,其中包括了聖經記載約書亞征伐迦南時所攻取的伯特利、夏瑣、底璧和拉吉。這些資料的發現,使不少學者認為,約書亞的征服迦南,是在主前十三至十二世紀前期發生的。但問題是約書亞所攻取的其他迦南城,卻仍未有相同的考古發現。而且,著名的耶利哥城在這個時代似乎已是無人居住的。我們必須記著,考古不可能提供古代歷史的全部真相。有人更認為,考古發現與更傳統的出埃及日期(主前十五世紀)更吻合。從約書亞佔領的迦南地獲得的考古資料顯示,它們在主前十五世紀末期遭到毀滅(參第242頁)。

以色列支派的聯盟

我們提過當以色列人進入迦南地之後,有一段時間是與外邦人共處的。驅逐外邦人的誡命(申七2)並未完全遵行,聖經形容這是缺乏信心和順服的表現(士二2-3)。此外,以色列人只聚居在南至北伸延的山嶺中,就是這地的山脊(士一34)。至於迦南地最肥沃的土地,即沿岸一帶的平原,則由迦南地的原住民所控制,其中較著名的,是西南面的非利士人。參孫與非利士人的較量,就是在平原及山地發生。有關他的故事(士十三至十六)清楚反映了當時以色列人的狀況。

這段時期的以色列是一個組織鬆懈的聯盟,稱為支派聯盟。(參第238頁的地圖。)以色列還未發展至一個類似日後在大衛王,尤其是所羅門王統治下的中央集權國家。這時以色列人的情況,記載在士師記第五章,底波拉慶祝以色列人戰勝由西西拉統領的夏瑣軍隊之詩歌中,更唱出當時的情況。詩中提過不少支派,這些支派聯合起來,抵抗西西拉的威脅。底波拉詩同時對於未有派兵參戰的支派(士五17,地區名字和支派名稱同時出現)予以嚴厲斥責。這是饒有意義的,反映出作者認為在面對共同敵人的威脅下,當時各自為政的支派,應當團結一起,合力抗敵。士師其實是「拯救者」,這是士師這個希伯來字詞的意思,亦是聖經予人的印象。

究竟這種狀態維持了多久?這要看以色列人出埃及的年份了。若把後者定於主前十五世紀中期,直計算至大衛時代(約主前1010年),則士師時代約有400年;但假若出埃及的年份定於主前十三世紀,則士師時代只不過是200年而已。從士師記本身很難找到答案。倘若把所有士師的年份加起來,年份則更長(例如士三11)。一些學者則認為,這裏不乏年代重疊的情形。儘管如此,之前已提過,在亞馬拿時代,以色列人可能已經在迦南地生活(主前十四世紀初期)。夏瑣戰役(士五)基本上證實了亞馬拿書信內所描述的圖畫。

這段時期的以色列歷史,有兩點必須注意:第一是權力分散,第二是國家統一。首先,以色列人的支派特點很重要,使它與迦南地的外邦人不同,就是以色列人沒有其他民族所擁有的王。以色列人因極之渴望有

證主21世紀聖經新釋

王，遂產生一種急欲改變這個情況的心態。因此基甸需要拒絕作王（士八23），而其子亞比米勒則嘗試作王（士九）。從基甸拒絕作王及約坦的寓言（士九7-15）中，可以知道，聖經作者強烈認為以色列學效其他民族立王是錯的，因為這違反神作以色列王的原則。

以色列人在家庭和族裔上的複雜組織，以及相應的司法制度，都是為了神所有的子民都能在迦南地上，享有一個美好和自由的生活（出十八24-27）。以色列人能享受地土，全賴與神的立約。以色列人並不擁有迦南，迦南是屬於神的（利二十五23）。以色列人得著迦南作為「產業」（申四21）。因此，以色列人的社會組織，是為了維繫和體現以色列人、土地和神之間的緊密關係。

最低層次的組織是「父家」，這是社會最基本的經濟單位，是一種延伸的家庭。在這個層次，他們「擁有」及耕種土地。之上則是宗族，宗族由多個家庭所組成，宗族內的所有成員皆有血緣關係，並同住在一個地區內。這個層次主要是負責保衛成員的生命、財產和土地。在生活的多個範疇內，包括行政、戰爭、婚嫁和繼承，都是屬於宗族的層次（例如西羅非哈的女兒的繼承問題，就是在宗族層面獲得解決；民二十七11，三十六）。

以色列的社會組織和結構，是根據聖約的理念而制定的。在以色列這樣一個權力分散的社會裏，沒有任何人是王：只有以色列的神雅巍，祂是以色列的王。土地使用的原則表達了聖約中的弟兄關係；每個以色列人在約中都是參與者。釋放奴隸、豁免債務和禧年（利二十五；申十五1-19）等社會制度，都是為保障平等使用土地和得享聖約的祝福。正確地處理土地問題，是向神和宗族、父家應有的義務。因此，在這個原則下，拿伯拒絕把土地賣給亞哈，而亞哈以武力侵佔拿伯的土地時，他受到嚴厲的譴責（王上二十一1-16）。

要瞭解古代以色列人，我們需要對上述的重點有所認識。可以說，這種思想使以色列成為以色列。這方面的疏忽也是列王時代的先知嚴厲批評的要點。在士師時代，以色列人已不能活出聖約要求的生活，他們已和外邦人同流合污了。禧年究竟有否實行（利二十五），我們並不清楚。這個問題同樣亦存在於奴隸解放和豁免債務等事情上。

儘管以色列在當時是一個權力分散的群體，但他們仍可算是一個凝聚力極高的民族。舉例說，以色列人在面對外來的侵略時，會團結一致，共同抵禦敵人（士五）。同樣重要的，是他們在宗教上的合一。眾支派由埃及出來，一起與神立約。最大意義者莫過於約櫃，它成了以色列人崇拜的焦點。在士師時代，約櫃隨地而遷，沒有固定的放置地方〔包括伯特利（士二十26-27）及示羅（撒上三3）〕。但示羅曾經成為以色列人向神敬拜的中央地方（書二十二19、29；撒上一至三；參耶七12）。以色列的支派聯盟，基本上是宗教性質的。這個聯盟的核心是所有以色列人都曾一起與神立約。

與社會結構一樣，以色列人的合一不乏隱憂。約但河東支派建造祭壇事件（書二十二）反映以色列內部出現分裂傾向。便雅憫支派和其他以色列支派的內戰（士二十）也是一例。這些分裂傾向在列王時期就更明顯了。

以色列與猶大王：掃羅、大衛和所羅門

在士師時代之後，以色列的歷史便進入了列王時代。這時代約由掃羅於主前1050年被膏立為王開始，直到主前586年，巴比倫王尼布甲尼撒滅猶大及猶大人被擄為止。在這段時間裏，以色列人曾經擁有極其輝煌燦爛的歷史，但也同時經歷了最慘痛的屈辱。

我們看到，以色列人立王的傾向，認為這樣會提高安全感。在撒母耳的時代，這種需要更為迫切。撒母耳治下的以色列，無論軍事或者宗教方面，都形勢不利。以利和其眾子的故事刻劃了當時以色列可憐的宗教光景（撒上二12至四22）；非利士人不斷犯境（撒上四至六）。在這樣的背景下，以色列人遂向撒母耳要求立王（撒上八5-7）。

撒母耳是以色列歷史中的巨人，他集士師、先知及祭司的職分於一身。作為士師，撒母耳帶領以色列人與非利士人作戰（撒上七）；但同時間，他又執行祭司的功能（撒上七10，十8）。當以色列人要求立王的時候，撒母耳便擔當了先知的角色（撒上八10，十二20-25）。但撒母耳在士師的職分上，卻未能稱職。撒母耳把士師的職位傳其子，似乎違反了以色列固有的傳統，而兩

個兒子都不行他的道（撒上八1-3）。

因此，撒母耳是一個富爭議性的人物，一方面，他見證了作為以色列統治模式的士師制度日漸衰落。另一方面，要求立王的心願被視為是厭棄神作以色列王（撒上八7）。以色列人的支派及宗族結構，與立約的基本原則非常符合。立王可預見的結果是，以色列將會成為一個中央集權的國家。這個改變對聖約精神及以色列的本質不利。撒母耳對這要求大概反映國內對這問題的爭論。儘管如此，通過一次儀式，王國制度終於納入聖約之內（撒上十一4）。同時，掃羅亦被膏立為神所認可的以色列王。

掃羅有點像士師，他曾多次帶領以色列人作戰（撒上十四47-48），他亦沒有為自己建立王朝，在他死後，其子未能繼承其位。在他的統治期間，以色列仍未發展成為一個具有完備統治機制的國家。

在掃羅的時代，以色列的疆界還停留在士師時代的階段，即使在其統治的黃金時期，以色列人仍偏處一隅，屈居迦南的山地。在耶路撒冷和伯珊，仍盤據著不少迦南部族。根據考古發現，掃羅時代的伯珊是在非利士人佔領之下，估計非利士人當時是埃及人的藩屬。由於這個原因，掃羅死後，其屍體曾遭受極大的羞辱（撒上三十一8-13）。

掃羅不單只未能完成征服迦南的使命，他的統治長期在大衛受人愛戴的陰影之下（撒上十八7）。掃羅與大衛之間的權力鬥爭（自掃羅死後，其部眾仍與大衛為敵；撒下三1），反映了當時以色列的內部緊張，而這種內爭的局面，早在士師時代已出現（掃羅屬便雅憫支派，而大衛則是猶大支派）。

當掃羅被非利士人打敗，死於基利波山之後，以色列形勢極其嚴峻。然而，其後局勢急劇變化。大衛成就了掃羅未竟之功，為以色列人帶來了輝煌的治績。此時埃及勢力衰退，而近東一帶成了權力真空，這一切造就大衛一個黃金機會，憑其軍事才能，大衛終於為以色列人在巴勒斯坦建立了一個勢力強大的小帝國。大衛的成就主要有兩方面：第一，儘管掃羅的部眾仍有不滿，但他畢竟統一了以色列全國，其中最矚目的政績，就是奪取了耶路撒冷（撒下五6-10）。據考古發現，大衛曾擴建這個耶布斯人的城。此時大衛把首都由希伯崙（位於猶大中部），遷至耶路撒冷（位於猶大與便雅憫支派交界之地），以加強南北兩地的統治。以耶路撒冷為中心，大衛開始對內部進行改革和建立典章制度，使以色列切切實實發展成一個國家（撒下八15-18）。而一般認為，這些發展要到所羅門的時代，才徹底完成。

大衛的第二項治績，就是征服鄰邦。在大衛治內，不單西面的非利士人向以色列歸順，甚至東方的亞捫人、摩押人和以東人都被制服，北方大片敘利亞土地亦被佔有（撒下八，十，十二26-31）。在大衛治內，直到其子所羅門在位期間，以色列的國土擴張至其歷史的最遠範圍，直達申命記十一章24節所記應許地之邊界。大衛的成就，可視為實現了以色列與神立約中，神應許以色列人得享「安息」的應許（撒下七1；申十二9）。在神的應許下，大衛是以色列偉大王朝之父（撒下七8-17）。自始，以色列人與神的立約關係便進入了劃時代的新一頁。

大衛統治以色列的時期，是由主前1010年開始，下迄至主前970年。他死後，其子所羅門繼位，統治亦長達40年，直至主前930年止。所羅門享受其父成果。所羅門的時代可以以「和平」和「榮華」來形容。由於藩國上貢，加上貿易發達，從貿易徵收的稅款甚為豐厚，國庫非常充裕。在以色列歷史上，只有在所羅門這段全盛時期，商路上的優越位置，能為以色列人帶來極大的經濟利益。以色列的外貿遠至西面的地中海與奇異的南方（王上九26至十29）。就在這背景下，示巴（亞拉伯）女王到訪，盛讚所羅門之富裕。就是在這經濟實力下，所羅門有能力興建一所極華美的聖殿，以遂其父之志（歷代志指出，大衛曾為聖殿制定詳盡圖則，並囑咐所羅門為有關的興建工程做好準備；代上二十八11至二十九9）。所羅門的財富亦可從這時期以色列人大興土木反映出來。考古學亦特別指出，所羅門時代的建築文化，更盛於其父大衛的時期。在米吉多、基色、夏瑣、伯示麥和拉吉等地方出土的古代碉堡和倉庫，都是所羅門時代的歷史遺蹟。

在以色列歷史中，聖殿的興建是其中一項重大事件。列王紀的作者，明顯地非常看重這事；他花了不少篇幅描述工程的始末（王上五至八）。列王紀令人感到建聖殿，是以色列自出埃及後的歷史高峰（王上六1）。歷代志的

作者對此事亦給予極高的評價（代下二至七）。除了主前六世紀的一段時間外，在耶路撒冷的聖殿屹立超過一千年。

無論從聖殿的固定性，或是從建築的特色來看，以色列歷史進入了新時代，而神也彷彿限制了自己的自由（撒下七5-7）。從所羅門獻殿的禱告中，可見他亦明白這點，也按此作回應（王上八27）。今後，一切都改變了。在所羅門的統治下，以色列已由一個族裔的支派聯盟社會，過渡成為一個政制完備的中央集權國家，而且，以色列人的宗教生活已全面集中在首都裏。大衛把約櫃遷到耶路撒冷（撒下二6）。所羅門把約櫃安放在聖殿內，其尊榮與所羅門的名字緊密連繫一起。儘管耶和華允許及監督這種發展，但以色列在外表上已比從前更近似迦南的原居民了。

隨著聖殿的建造，詩歌成為了敬拜神的重點。雖然詩篇是再後期收錄成書的，但不少詩篇可追溯至王國時代，其中有很多更追溯自大衛手筆。崇拜禮制亦是如此，包括音樂的編排（代上二十五）。一個永久性的聖殿需要永久性的崇拜制度來配合。大衛所創立的制度，與主前2000年的迦南城邦烏加列有不少近似的地方。

到了所羅門時代，以色列人在宗教方面的發展到達了一個「啟蒙時期」。這與所羅門聞名的「智慧」拉上關係，並以箴言（箴一1）為表表者。他被稱為遠超東方所有的智慧人，並在列國中至為聞名（王上四29-34）。有趣的是，所羅門的「智慧」深具普世性。不少箴言的經文與其他民族的文獻，都有相同之處（參箴言的註釋）。雖然來自東方的智慧始終要服於對立約的神的敬拜之下（箴一7），但不能否定，箴言加上約伯記和傳道書，在舊約時代代表了一派思想學說，這派學說又與古代學術界非常相容。所羅門是一位備受稱譽的開明君主，他對各種文化和學問，都採取一種開放的態度，在所羅門的宮殿裏，不乏受過高深教育的有識之士，負責國家的行政和外交事務。

不過，所羅門卻不能視為以色列教育制度之父。在所羅門之前，智慧傳統已根植於以色列（撒下十四2，二十18），在以色列的統治階層裏，智慧人的地位僅次於先知和祭司（耶十八18）。另外，傳統的崇拜生活也以

教導和學習摩西的律法為主要任務（申三十一9-13）。

所羅門不啻把以色列提昇至強國的地位，他的統治也是以色列盛極而衰的轉捩點。權力過度集中不利於以色列傳統的生活方式，只適合聖約的維持。撒母耳曾表明，立王會削弱以色列人與生俱來的自由（撒上八8-17）。雖然列王紀的作者指出，所羅門並沒有奴役以色列人。但所羅門確曾因其宮殿裏的浩繁事務，浩用大量民力（王上二十至二十二）。總的來說，所羅門顯赫的生活，尤其是他和埃及進行的馬匹貿易，事實上與申命記提倡的君主理想產生衝突（王上十26-29；參申十七14-17）。

列王紀的作者進而描寫，所羅門到了晚期，如何墮入背道之境。後宮不斷擴展，作者更大加鞭撻他與法老女兒的婚事（王上十一1-2）。這些婚事導致在耶路撒冷安放偶像（王上十一4-8；參三1，九24）。所羅門的背道行為令大衛所建立的秩序危在旦夕（王上十一14、23）。所羅門事奉外邦神祇的行為，為不少後人所仿效。

以色列和猶大列王時代：從羅波安到被擄

所羅門死後，以色列便立即分裂為南北二國，南國稱猶大，北國稱以色列。原本為所羅門臣子的耶羅波安（王上十一26）成為了以色列國的耶羅波安一世，得到以色列的10個支派；但只剩餘猶大支派由所羅門的兒子羅波安統治（王上十一30-32）。在十二支派變成十一支派背後有甚為複雜的歷史原因。首先，猶大此時已兼併了西緬支派；其次，由於利未支派未有任何領土管轄，故不被計算。另一方面，位於北國的約瑟後裔在很早以前已分為以法蓮支派和瑪拿西支派。至於便雅憫支派在南北兩國的投向問題上，遊移不定，但在列王紀上十二章21節中，它被算入猶大國內。這情況與列王紀上十一章31至32節所記載的支派數目，並不協調。此外，在亞希雅預言的十二支派圖畫，看來是理想多於現實。無論如何，自所羅門死後，以色列分裂成兩個大小不一的國家，已是不爭的事實，也不能逆轉了。

考其原因，自士師時代以來，以色列已蘊含內部張力，再加上所羅門的中央集權帝

制，對以色列的政治產生了巨大影響。耶羅波安曾問其同鄉：「我們與大衛有甚麼份兒呢？」（王上十二16），這話反映了以色列的傳統權力分散思想，這話也針對北以色列對猶大統治的不滿。因為當時以耶路撒冷為首都的猶大王（即羅波安）控制了聖殿——一個與以色列人過去歷史息息相關的強力象徵，耶羅波安為了抗衡，故在伯特利和但（王上十二26-29）分別興建了新的聖所。這個政策很富緬懷過去的味道，尤其是當人想起伯特利與以色列的先祖生平有密切關係（創二十八17，三十一13）。

所羅門統治所帶來的結果，最終是與其「智慧」完全相反：就是強盛統一的以色列國一分為二，成為兩個弱小的國家。自此，以色列和猶大成為鄰邦小國（例如敘利亞）的一員，國運反覆不定。以色列多次與敘利亞發生戰爭（王上二十）。猶大與以色列國也是如此（王上十五32），偶然則為共同利益而合作（王上二十二；王下三）。羅波安在遭受法老示撒（王上十四25-28）入侵後，很快便意識到國運已今非昔比。在米吉多發現的一塊古代銘文，刻有法老的名字，另外位於底比斯的亞孟神殿亦有碑文提及巴勒斯坦城邑的名稱，這些資料都為當時猶大遭受埃及的侵略，提供了獨立的歷史證據。

至於北國以色列，則斷斷續續仍能駕馭鄰邦（例如摩押）。到了暗利時期，（著名的亞哈王卓越的父親），他建立了北國歷史上唯一的王朝，並遷都撒瑪利亞。從著名的摩押石碑，我們得知其國勢在主前九世紀曾經一度強盛。考摩押石碑上的銘文是由摩押王米沙撰寫的，內容記載暗利王如何征服摩押。接著米沙的銘文又稱讚自己如何背叛亞哈之子約蘭，這事件也記錄在列王紀下三章4至5節。儘管在猶大王約沙法的協助下，約蘭對摩押的征伐（王下三）取得有限的成果，但在道德層面上，以色列似乎已徹底的失敗。所以主前九世紀的以色列史可謂極之反覆。

主前八世紀開始，以色列和猶大分別在耶羅波安二世（主前793至753年）和烏西雅（或稱亞撒利亞，主前791至740年）治下，得享一段頗為昇平繁榮的日子。期間，由於敘利亞衰弱，耶羅波安遂收復了部分疆土，並因此應驗了約拿的預言（王下十四25）。

但是這昇平局面只是暴風雨前夕的寧靜。在主前八世紀中葉以後，亞述王提革拉毘列色三世崛起，並開始侵略鄰國，直到建立輝煌的亞述帝國，其國祚下迄至主前七世紀。主前722年，撒瑪利亞城為撒縵以色五世所攻陷，自此，北國在歷史中消失，以色列人被擄至各處，永不歸回（王下十七3-6、24-28）。其後於主前701年，西拿基立使猶大大部分的國土變為荒地（王下十八13）。從拉吉的出土發現及西拿基立在尼尼微宮殿的碑文中，可證實當時這個猶大南疆的邊陲重鎮遭圍困而陷落。在這次戰爭中，只有耶路撒冷奇蹟地倖免於難（王下十九35-37）。但根據亞述的史書記載，西拿基立曾自誇此戰役迫使「猶大王希西家困於城中，如籠中鳥」。這卻印證了聖經的記載：西拿基立的大軍只圍困耶路撒冷，而不能攻陷她。然而，在此役之後，猶大已淪為亞述帝國之附庸。到了主前612年，當亞述帝國為新興的巴比倫所滅，猶大的末日也臨近了。主前586年，猶大終於被擄。

綜觀列王紀和歷代志的記載，以色列的王國歷史可以以「失敗」兩個字來形容。耶羅波安脫離耶路撒冷作王，本質上是叛逆神，違反了與耶和華立的約，因此被視為北國列王罪孽之源（王上十二28-33；參十六26）。歷代志更完全略過北國的歷史，否定其合法性。

以色列和猶大列王時代：宗教

列王時代的宗教情況，於敬拜耶和華和偶像崇拜之間反覆不定。所羅門時期所興建的聖殿，未能保證以色列人事奉真神，南北兩地的以色列人都在環境脅迫下，求問耶和華以外的其他神祇。這種情況其實由來已久（參士八27）。只是在這個時期，異教影響日益嚴重。在亞哈的統治時期，自從他娶了腓尼基的耶洗別為妻，而她隨行的眾巴力先知進駐撒瑪利亞城（王上十八19），巴力信仰成了以色列的國教。當時的先知以利亞，須冒著生命危險來對抗巴力信仰（王上十八，十九1-3）。

以利亞在迦密山的勝利為時不久，因為一個世紀之後，先知何西阿要斥責以色列人對神不忠。從何西阿的說話可見，當時的以色列人信奉迦南的農神，而這個宗教崇拜多神，並以性活動為祭祀儀式的中心內容。從

何西阿書及阿摩司書可知，以色列人在不同的「聖地」拜偶像，其中特別提及的伯特利、吉甲（何四15；摩四4）和別是巴（摩五5），最為著名。其他「聖地」更是不勝枚舉。在米吉多與別是巴發現了不少石壇。它們外形像以色列的矮祭壇，頂部成角狀（出二十七2）。但是，這些石都是切割過的，而這種建築方法是明文禁止的（出二十24-25）。可見，就在這些石壇上，以色列人行阿摩司所責備的惡事。另外，在米斯巴發現的亞斯他女神小雕像，以及其他眾多的古代製品，都證實何西阿當時對以色列人的譴責是有根據的。

以色列人的拜偶像風尚，並不限於此，亦不限於北國境內。主前七世紀，北國覆亡後，已成為亞述藩屬的猶大王瑪拿西（此名字刻在以撒哈頓王的土製稜鏡上，與當時朝貢國的國君名字並列）把有亞述特色的宗教習俗引入聖殿（王下二十一）。他的所作所為，為日後先知耶利米的勸誡埋下伏筆。

在以色列最墮落的這段時間裏，先知活動也最為活躍。這也難怪，因為古代近東的先知，通常在統治者的身旁作出嚴厲勸諫。除了以利亞的例子外，還有大衛時代的拿單、亞哈斯時代的以賽亞、耶羅波安二世時代的阿摩司及約雅敬和西底家時代的耶利米。先知的職責可以說是呼籲王好好領導聖民。所以，雖然這些先知可以在朝影響甚大（例如以賽亞），但在統治者的眼中，也可以是眼中釘，被刻意孤立（耶利米就是明顯的例子；耶二十六）。

先知對國家體制的態度會隨著局勢而改變。我們可預計，他們批評北國諸王偏離耶路撒冷的崇拜。何西阿和阿摩司卻沒有這樣做（令人更驚奇的是阿摩司本是來自猶大的）。相反，這兩位先知特別關注偶像崇拜和社會不公的問題。與以賽亞同時代的先知彌迦曾警告，若猶大的統治者仍不悔改所行的，耶路撒冷聖殿終有一天會遭毀滅（彌三9-12）。事實上，有聖殿並不保證有真信仰。其後，耶利米繼承這種思想（耶二十六2-6；參18節）。但先知似乎對南北兩國都有一個共識：猶大的王朝是繼承大衛的正統，而以色列則是用武力來建立的政權（賽七13；何八4）。

當時有人認為，要拯救以色列，只有從

耶路撒冷的宗教改革著手。所以在希西家和約西亞的時代（王下十八至二十三），即主前七世紀的時候，出現了兩次宗教改革。希西家的改革，曾為耶路撒冷從西拿基立蹂躪猶大，帶來了短暫的舒緩，然而猶大仍離不開成為亞述屬邦的命運。至於約西亞的宗教改革，在舊約的歷史中，是一件重要的事件，其規模較大，影響更深廣。

從主前628年（代下三十四3）開始，正值亞述開始沒落，約西亞恢復了在耶路撒冷敬拜耶和華（瑪拿西的長期統治建立了外邦神祇的崇拜）。改革甚至擴展至長久以來受亞述人控制的昔日北國國土上，毀壞當地的外邦神祇（王下二十三15-20）。約西亞的改革，也奇妙地應驗了多年前的一個預言（王上十三2）。主前621年，隨著「律法書」意外地在聖殿發現後，加速了改革，方向也更清晰（王下二十二8）。所發現的「律法書」，一般認為就是申命記，它從前存放在會幕裏的約櫃旁，讓人在更新聖約的莊嚴儀式中，大聲宣讀（申三十一9-13）。在瑪拿西時代，這書已不復見，也不再使用。改革的重點配合了申命記的教導，尤其是其中反對異教崇拜與重視敬拜耶和華純正的經文（申十二1-5）。列王紀的作者看約西亞的改革，是古舊聖約的一次更新（王下二十三1-3）。

可惜，約西亞的改革到最後也未能帶來恆久的福澤。先是約西亞在米吉多一役中，由於戰略錯誤而被殺；其後的嗣君則推翻他所有的改革措施。有人質疑約西亞的動機，認為他的北進政策是一種擴張主義的行動。這樣的批評其實並不公平，因為迦南全地的征服，是實現神的立約應許。然而，高尚的動機往往會變質（馬加比家族後期的軍事活動也是一例）。無論如何，耶利米（當時最重要的先知）甚少提及這個改革，似乎反映他對改革的看法：這些改革並未觸及猶大在宗教上的核心問題。耶利米預言若果以色列人仍不悔改歸向神，終有一天，他們將會為新興強國巴比倫所滅。在主前610年起（但一1），尼布甲尼撒開始進兵巴勒斯坦。主前597年，大量猶大人被擄。主前586年，耶路撒冷淪陷，聖城和聖殿被毀，全國便只剩下民中最窮的（王下二十四至二十五；耶三十七至四十四，五十二）。

被擄時期

猶大人被擄至巴比倫的日期，通常定為始自主前597年尼布甲尼撒首次帶俘虜回國時起計。在被擄的人中，先知以西結是其中一位，他向當時希望不久即能返回故土的猶大人說話（結四至五）。尼布甲尼撒在主前597年設立西底家為傀儡，這並未能改變猶大自希西家以來已是巴比倫屬國的性質。最後一擊於主前586年發生。這一年聖殿被毀，是以西結的先知職事重要的時刻——被擄的猶大人速回故土的夢想幻滅（結三十三21）。被擄的最佳表象是聖殿器皿被掠；這意味外邦人（及他們的神祇）明顯優於耶和華（王下二十五13-18）。伯沙撒王褻瀆器具，才招致神的懲罰（但五1-4）。其後，古列王允許猶大人歸回故土的同時，他也送回聖殿的器皿（拉一7-11）。

主前562年，尼布甲尼撒王之死，是被擄猶大人的轉捩點。此時，亞妙爾瑪杜克（聖經稱為以未米羅達）繼位，他善待被擄的猶大王約雅斤，允許他在巴比倫享有特權（王下二十五27-30）。直到瑪代人古列王在主前539年發動一次不流血的政變，推翻巴比倫的政權，猶大人的被擄才告終結。當時，宗教狂熱的拿波尼度王正在遠方的亞拉伯退修。在當時來說，古列的行動受到人民支持，原因是他恢復了在巴比倫的瑪爾杜克崇拜。另外，他允許各族人民自由崇拜的政策是被擄歸回的一個主因。一根黏土柱子（即「古列柱子」）記下了古列的話：「朕使其（被擄至巴比倫的各國神像）復歸本位，賜以恆久之居所，並召集各族人民，許其各歸故土。」猶太人明顯是這個政策的受惠者。這也記載在以斯帖記一章2至4節。

巴比倫城是猶大人被擄往之地的帝國首都，其面積和華麗令人讚歎。其地幅蓋甚廣，外圍以兩層城牆穩固防守。城門方面，則共有8處，皆以巴比倫神祇之名稱之，當中最為著名的是極大的伊施他爾門，門後是全長985碼（900米），兩旁上了油釉的磚牆大道。這條大道直抵瑪爾杜克和依撒基拉神廟，以及其他神祇的神廟。巴比倫城的中央矗立著巴別塔。另外，王宮亦以宏偉見稱，其中著名的「空中花園」反映當時的奢華生活。

自從聖殿被毀，備受打擊的猶大餘民便被擄到這種地方去。在這種情況下，以色列的傳統彷彿已死；彷彿真神和真正的力量是在巴比倫。被擄的經歷對以色列人造成不可磨滅的影響。應許的內容——土地、聖殿和皇室——都失去了，這種打擊至為沉重。

不過，當時的人希望在思想上調節，有效地解釋所遭受的境遇。最重要的是審判的觀念。列王紀的作者刻意指出以色列和其後的猶大，是因拜偶像而國破家亡。在悲痛中，他們知道罪是主因（哀一20、22）。但對這樣的審判，他們仍然困惑（哀二20）。他們問：聖約是否被廢？神是否不再憐憫選民？

在漫長的被擄生涯中，生活是難以預測的。他們的首要任務是學習如何適應新的生活環境。被擄的以色列人定居於巴比倫附近一帶的地方（迦巴魯河，參結一1，惟位置不詳）。當時有長老曾在以西結的家中聚會（結八），這些聚會可能暗示一種新的宗教組織的產生，甚至可能是日後猶太人會堂的前身（此時，被擄的以色列人可冠以「猶太人」的稱號了）。在聖殿被毀前及猶太人被擄初期，耶利米曾寫信勉勵猶太人展開新的生活（耶二十九4-7），可以想象，有不少猶太人在巴比倫開始發跡。從歷史可知，其後雖有機會重返故土，但大部分猶太人選擇留在巴比倫繼續生活，而這類猶太社區，在巴比倫延續幾個世紀。從以斯帖記可見，猶太人甚至向更東的地方遷移。有些猶太人則在巴比倫後期的侵略中，遷至埃及（耶四十至四十四），這種移民潮往後續有發生〔在尼羅河中的伊里芬丁島上曾是一個猶太社區，他們在那裏生活了近兩個世紀之久（約主前590至410年），並建有一座供奉耶和華的殿宇〕。這類離開家園的猶太人，顯不是事事順利的，從但以理書（及其後的以斯帖記）中可見，當時居於異地的猶太人有時會面臨險境，而這是他們在外邦異教的環境裏，仍忠於獨一神的一種無可避免的結果。

在這種狀況中，他們嘗試對被擄的原因及生活的前景找尋答案。以西結所見的異象就包括耶和華——以色列的神，祂在巴比倫作王掌權（結一）。他看到耶和華是全地的王，並指出聖殿的被毀，無損於神的王權，而祂只不過暫時讓這世界繼續運作下去。與耶利米一樣（耶三十至三十一），以西結論到被擄歸回（結三十四，三十六），也論到重建聖殿（結四十至四十

八）。神與祂的子民重新立約（耶三十一31-34；結十一19-20）。列王紀的作者在記載古時所羅門的祈禱時（王上八46-53），也必定曉得憐恤的日子終會再臨。

以賽亞書的部分內容（四十至五十五章）曾論到這些日子。（不少學者認為，以賽亞書四十至五十五章乃出自一位被擄之人的手筆。但無論是否如此，這些經文都對被擄的人異常適切。）此部分的舊約聖經，主要駁斥了巴比倫人所供奉的外邦神祇是優於耶和華的謬論。只有耶和華是大有能力的（賽四十18-20、25-26），只有祂創造萬物和掌管歷史（賽四十三14-19）；猶太人的被擄是出於神定意要懲罰祂的子民。受罰的日子很快便要過去（賽四十2）。巴比倫可怕的神祇將會在獨一的神面前，顯為無有（賽四十六1）；偶像只不過是木頭和金屬（賽四十四9-20）。耶和華的子民終有一天，會以得勝的姿態歸回故土（賽五十五）。這些應許對猶太人及日後基督徒的盼望，具深遠的影響。

歸回故土

主前537年，古列頒令，猶太人開始歸回故土（拉一2-4）。在其後的數十年，猶太人陸續歸回故土。在古列的一個世紀後（主前458年），以斯拉仍帶同一批新移民回國（拉七6-7）。在第一代的猶太領袖中，有一位名叫所羅巴伯，他是約雅斤王的孫（拉三2；太一12）。有些人對他抱有復辟大衛王朝的希望，但這個希望最終不能實現。所羅巴伯與祭司約書亞一起，為新聖殿立下根基（拉三）。但聖殿要到主前516年才完成，因為已居住在巴勒斯坦的人對這批猶太新移民懷有敵意，害怕後者要來奪回他們的土地。在先知哈該和撒迦利亞（拉五1-2，六15）的鼓勵下，聖殿才告完成。

對新移民的敵意從未消減。當以斯拉記載首宗反對猶太人重建聖殿的事件，他加插兩個不同的插曲（它們並非按年序記述）；第一次發生在亞哈隨魯王（薛西斯；主前486至465年）在位期間；第二次則發生在亞達薛西一世（主前464至423年；拉四6-23）在位期間。在亞達薛西一世的另一段時期，似乎曾經發生另一次反對猶太人的事件，當時的猶太人領袖是尼希米（尼四，六）。

他們歸回耶路撒冷及猶大後，先知的應許並未即時應驗。當以斯拉在主前458年到達後，他發現不少猶太人已和外邦人通婚，漸漸失去原有的猶太人身分。主前445年，尼希米的事工乃源於耶路撒冷城牆日久失修。在猶太人被擄歸回之前，撒瑪利亞一直都控制著耶路撒冷。所以，當古列委任一位省長駐守耶路撒冷，撒瑪利亞便甚感不安，於是不斷試圖重振雄風。故此初期的猶太人，形勢是十分險峻的。

以斯拉和尼希米的使命，是要為百姓重振律法及重建耶路撒冷城牆。根據以斯拉的分析，猶太人的貧苦（拉七至八），與先知過去所預言的大相逕庭，乃由於無視聖約，而和外邦人通婚，是最嚴重的過錯。他的改革帶來聖約的大復興，而首要條件則是宣告所有異族通婚無效（拉十；尼十三）。隨著宗教上的革新及耶路撒冷城牆的修葺完畢（尼六15），猶太人得到新生。儘管如此，他們心中仍深感殖民統治的屈辱。他們亦感到神復興舊約的偉大應許（耶三十至三十一；結三十，三十六），還未實現（尼九32-37）。

歸回的猶太社群在宗教上與被擄之前有所不同。儘管聖殿已獲重建，但猶太人的領袖深諳美好的將來，有賴於全心全意地遵守聖約。因此，教授「妥拉」（律法書）是當務之急。這就是以斯拉職事的重點（拉七6）。在他推動的復興中，律法的宣讀和解釋是主要的內容（尼八1-8）。所謂解釋，其實是指翻譯，因為當時有不少猶太人由於長期在巴比倫生活，故此已慣用了亞蘭文，反而對希伯來文漸感陌生，不甚明白。

此時的宗教發展，形成了今天猶太教的雛形。高舉聖經是其特色。我們不知道今天的舊約聖經，有多少是以斯拉所接納的，因為舊約「正典」的成書過程仍是個謎。逐漸地，摩西五經形成猶太教的「妥拉」，以斯拉所宣讀的，可能就是五經。廣義而言，「妥拉」也是全本舊約聖經的同義詞。當時正在發展階段的猶太會堂，亦選取過往的先知著作及其他書卷，如詩篇、箴言和但以理書等。希伯來聖經最終有3個部分：妥拉、先知書和聖卷。這已廣泛流傳的宗教作品，今天得到新的意義，它們成為猶太人崇拜時經常誦讀和講解的經卷。詩篇就是最佳例子。個別的詩可追溯至被擄之前的時代，甚至是大衛的時代。但詩篇收錄成一本由5卷組成的

「書」，乃是被擄之後的事。而此時，作為聖經的一部分，詩篇成了公開誦讀，可能也是個人默想的內容。

聖經研讀亦導致不同形式的釋經著作出現。例如，他珥根是亞蘭文的聖經譯本，當中也常有意譯的傾向。他珥根始自主前二世紀，且一直在巴勒斯坦出版，直至基督教初期。可見，**這個猶太宗教傳統源遠流長，可追溯至以斯拉的時期**。

舊約時代的終結

自以斯拉和尼希米之後，直至主前二世紀前，有關猶太人的歷史甚少記載。瑪拉基可能是同期的作品，書中描繪了宗教的衰落及可能的貧困生活實況。歷代志約在主前400至200年間編撰完成，內容主要透過記載以色列的歷史，勸勉當時的猶太人對神忠心，以便得蒙賜福。此書對大衛和所羅門的重視，可能反映作者對王位復興、國家獨立的盼望。

希伯來文聖經特意以歷代志作為終結，明顯表達了猶太人渴望國家重拾主權。基督徒的舊約聖經則以瑪拉基書作結，遂以一位先知的出現作為新約聖經的預告，兩個傳統都建基於盼望。整本舊約都指向人類歷史的新一頁。

新約時代
兩約中間的歷史

新約聖經緊接著舊約，但在兩約之間，有一段所謂「兩約中間」(inter-testamental)的時代。儘管在這段期間並未產生聖經正典，但對於瞭解新約來說，這段期間的歷史是頂重要的。**在兩約中間的時期，出現過3個古代近東的帝國：波斯（主前539至331年）、希臘（主前331至63年）及羅馬（新約歷史就在此帝國時期發生）。**

猶太人自被擄歸回後，在波斯人統治之下，生活一直處處受制肘。雖然猶太人在主前四世紀的歷史甚少記載，但估計他們當時正處於一個局勢動盪的時代。**主前331年，隨著亞歷山大大帝東征西討，波斯帝國最後為希臘所滅。**大約就在亞歷山大時期，撒瑪利亞人的宗教開始萌芽，惟其具體的發展情況不詳。撒瑪利亞人的特殊宗教，其實是來自前以色列國的示劍城一批信奉耶和華的以色列人。到底是甚麼原因導致他們從耶路撒冷

的群體中分裂出來，我們並不知曉。但是在以斯拉和尼希米的時代，猶太人和其他民族之間，以及猶太人社群中間都出現張力。（部分歸回者的敵人出奇地是信奉耶和華的。尼希米書四章7節中的多比雅，他名字的最後一個字就是「耶和華」的意思。）撒瑪利亞人在基利心山建造神殿（可由此俯視示劍），明顯與耶路撒冷對壘，並自稱為真正的以色列人。此外，撒瑪利亞人又編撰他們的聖經版本，當中只包括五經。這部撒瑪利亞版的五經，直到今天，仍為研究希伯來聖經的學者，視為古代聖經文本的重要文獻參考。

亞歷山大於主前323年死後，其帝國迅即分裂，由其屬下將領各據一方。最後終於形成3個王國：埃及的多利買王朝；馬其頓的安提柯王朝；亞細亞和巴勒斯坦的西流基王朝。這3大王朝仍以希臘文化為本，所以**自亞歷山大始，這段歷史時期便稱為希臘時代**。在這段期間，希臘的語言、文化及思想，都支配著當時的西方文明世界。其後，羅馬帝國東征西討，亦未能動搖希臘文化的領導地位，反而結合了羅馬本身的文化，而更益穩固，那就是所謂「希羅文化」了。從此，猶太教和早期基督教便要與這種文化周旋。居住在埃及亞歷山太的猶太人，採用了希臘語為母語後，很快就感到需要有一本希臘文的聖經。因此，在主前三世紀，他們**把舊約聖經翻譯成希臘文（七十士譯本），因為當時的希臘語在希臘和羅馬時代，都是有識之士共通的語言，所以新約聖經也是用希臘文寫成的。**

主前三世紀時期，埃及的多利買王朝採用懷柔政策，控制著耶路撒冷和猶大。偶然西流基王朝會來挑戰。到了主前二世紀初期，西流基王朝奪取了耶路撒冷的控制權，猶太人自始要面對一位新的君主了。其後，西流基家與羅馬人發生戰爭，西流基戰敗，要向羅馬人繳納龐大貢物。

因此，西流基軍隊對國內的神殿進行搶掠。這樣，在主前168年，西流基的安提阿古伊彼芬尼四世犯下了褻瀆神的行徑，闖入耶路撒冷的聖殿，並搶掠一空。翌年，他以為耶路撒冷人作亂，故下令拆毀城牆，並屠殺大批猶太人。同時，他又把聖殿改為供奉希臘神祇丟斯的神廟（《馬加比一書》一章；參《馬加比二書》六1-2）。這些事件對那些虔誠

的猶太人來說，是沉重的打擊，而但以理書十一章所預言「那行毀壞可憎的」（31節），就是那尊神像。

西流基在宗教上的壓迫，導致猶太人社群不同的反應。主前200年的大祭司是安尼亞二世（Onias II）之子西門二世。由於忠於猶太傳統，他成為了猶太教的傳奇人物（《傳道經》五十1-21）。其他猶太領袖卻積極地參與文化改革運動，接受都會希臘主義的影響。部分為新政府效勞，成為稅吏，這個現象一直持續到羅馬帝國時代。不久，大祭司的職銜亦變成價高者得了。主前174年，安尼亞三世的兄弟雅遜（Jason），從西流基王安提阿古三世非法奪得大祭司的職銜，在耶路撒冷引進希臘的傳統習俗，例如希臘的體育運動。雅遜為門尼老斯（Menelaus）所逐，儘管後者並非祭司家族之後，但他成功賄賂了安提阿古四世。雅遜逃亡，安尼亞三世被殺，門尼老斯甚至有份參參安提阿古四世首次的掠奪聖殿之舉。

主前二世紀初期，這批對他們的希臘化領袖氣憤不平的虔誠猶太人，稱為哈西典（Hasidim）。他們的抵抗堅決而沉實。自安提阿古四世把聖殿改為供奉丟斯（《馬加比一書》二29-38）後，他執意推行希臘化政策。對很多猶太人來說，哈西典式的反抗已變得過於柔弱，他們決定實行武力反抗。隨後，祭司瑪他提亞及他的兒子們揭竿起義，史家稱之為馬加比（或哈斯摩尼）起義（「馬加比」是瑪他提亞之子猶大的綽號，意思是大鎚手；「哈斯摩尼」則源自瑪他提亞家族的姓氏）。起義始於主前167年，地點是離耶路撒冷不遠的一個名為摩丁的小鎮。這次事件的發生，是由於當時有一名猶太人向外邦神獻祭，馬氏兄弟把他連同這次祭典的西流基監督一併殺了（《馬加比一書》二15-28）。在猶大領導下，該次起義意外地空前成功，結果西流基家被迫接受猶大的要求，允許猶太人重新敬拜，時為主前164年。猶大拆毀聖殿內所有偶像的飾物，並重新獻殿。今天的猶太人仍為紀念這事件，每年都慶祝哈努卡節期。

可是，事情並非就此完滿結束。一方面，西流基王仍堅持直接委任大祭司；而這位繼任人是希臘主義者，觸發傳統猶太人和希臘化猶太人之間的舊恩怨（也觸發哈斯摩尼強硬派及哈西典溫和派之間的水火不容），

終於導致另一次內亂的爆發。西流基的軍隊進入巴勒斯坦平亂。主前161年，猶大戰死，他的親兄弟約拿單接續其位，領導猶太人打游擊戰，繼續抵抗西流基軍隊，結果勝敗參半。

主前152年，約拿單和一位篡奪西流基王位的人談判，結果達成協議，他竟成了大祭司。他和兄弟西門共同執行大祭司的職務。在羅馬人的保護下，西門由主前142年開始，迅即享有決策自由。他受猶太人擁戴為大祭司和都督（ethnarch）。這就是所謂哈斯摩尼王朝之始，因為儘管西門不用這個稱號，他和其後的繼任者都擁有王的權力和地位。西門的繼任人許爾堪一世（主前134至104年）擊敗了南方的以土買人，強令他們歸化成猶太人。他又把領土擴張至外約但及北方一帶，並搗毀了在基利心山的撒瑪利亞神廟。亞利多布一世（主前104至103年）繼任為大祭司之後，改號稱王。其後的繼任者亞歷山大楊紐（主前103至76年），是歷史上最殘暴的哈斯摩尼王，繼承許爾堪一世的擴張政策。哈斯摩尼起初的高尚理想就這樣墮落成磨拳擦掌的權力慾。不少猶太人認為，哈斯摩尼王朝已走入歧途。

羅馬時代

哈斯摩尼王朝持續至羅馬帝國時代，即在主前63年龐培的征討後還存在。羅馬的東進政策令她擔當起聖經歷史的其中一個角色。羅馬的政策是要把佔領地劃為行省，並且（至少起初是如此）極力保存當地的傳統制度。主前64年，龐培設置敘利亞行省，並在翌年揮軍攻佔猶大，並把此地歸屬敘利亞省的管治範圍。但大祭司（在哈斯摩尼時代，大祭司兼王）在猶大（除耶路撒冷附近的地區外，也包括加利利、約但河以東的比利亞及其他傳統猶太人的聚居點）的司法管轄權獲得承認。因此，哈斯摩尼王朝仍可持續至羅馬統治時期，直到最後一任的安提柯被廢（主前38年被處死），才告覆亡。

哈斯摩尼王朝傾覆後，猶大出現了權力真空，這真空將由一位最著名的領袖所填補。大希律的父親為以土買裔的猶太人，後來在羅馬治下官運高升。在羅馬蔭庇下，大希律登位作王。考這位希律王的背景，他曾經在羅馬接受教育，與哈斯摩尼的皇室亦有

姻親關係（因此，在猶太人的眼中，大希律勉強可算是哈斯摩尼王朝的正統繼承人）。他在加利利政績卓越，在軍事和行政上嶄露頭角，而在推翻安提柯的行動中，他亦是策劃人之一。

大希律統治至主前4年，即很可能是耶穌出生後3年。他的管治正是耶穌生平的時代背景。此外，希律的統治亦為當地的景緻造成永久的影響：他為了確立希臘文化，大興土木，興建具有希臘特色的建築物，其中最著名的就是聖殿和該撒利亞港。在修葺聖殿時，希律把舊聖殿的高臺大加擴展，把聖殿自所羅巴伯期間的細小規模改建得更大，更宏偉，使聖殿成為耶路撒冷最突出的地方。這兩項工程反映了希律的親羅馬和拉攏猶太人的政策。他為新港口命名為該撒利亞，來討好前者，並藉擴建聖殿來取悅後者（可是因他的以土買血統，猶太人從未完全接納他）。由於他疑心甚大，不時害怕失去權力和生命，一生生活在恐懼中。這可解釋日後發生的屠殺嬰孩事件（太二16-18）。

自大希律死後，王國隨即四分五裂，並各為其子所統治。繼任都督（並非王）的是亞基老，他在主後6年被廢。自此，猶大由羅馬巡撫直接統治，完全成為羅馬的一個行省。自亞基老被廢後，猶太人放棄了地方管治的企圖〔在希律亞基帕一世的時期（主後41至44年），他曾一度復辟帝制〕。猶大前所未有地直接成為羅馬帝國的一部分。羅馬巡撫包括：彼拉多（主後26至36年）、腓力斯（主後52至60年）及非斯都（主後60至62年），後兩位在使徒行傳中（徒二十四）出現過。羅馬巡撫是以貪婪和殘忍著稱，尤其是彼拉多，他被當時的史家約瑟夫描寫為最典型的暴君。

前希律王所管治的領土中，仍有部分地區享有自治權。從主前4年至主後39年，希律安提帕管治加利利；由主前4年至主後34年，希律腓力則管治加利利海以東和以北的以土利亞（路三1）。在希律安提帕管治的區域，耶穌開始祂早期的傳道生涯。就是這位希律處死施洗約翰（可六14-28），並在彼拉多的轉介後，盤問耶穌（路二十三6-12）。

羅馬人在猶大的統治，為猶太人的生活帶來了重大影響。例如，在稅制方面，法例規定所有省份須向該撒上稅，貨物買賣，以致物業，都須抽稅。儘管我們並不清楚瞭解當時人民的稅項負擔，但可以確定的是，稅項是愈來愈重的。羅馬政府甚至出售徵稅權予商人；雖有巡撫監管，濫收稅款的情況仍非常普遍。加上傳統的聖殿稅收，在羅馬人的統治下，猶太人的生活極度艱苦。

羅馬駐兵亦對猶太人的生活帶來影響。位於耶路撒冷的一個馬加比要塞，經過希律修葺後，成為了俯視聖殿的安東尼亞堡。因此，軍人隨處可見，對於滋事分子亦毫不姑息。在平民百姓的眼中，他們的生活被羅馬政權和自己的腐敗領袖所支配著。故此在耶穌的審訊和被釘十字架這些事件中，這兩股勢力皆牽涉在其中。不過羅馬兵偶爾也有行善的（路七2-5）。

在耶穌時代，猶太人對於昔日成功反抗暴君（即馬加比戰勝西流基的事蹟），仍未遺忘。因此，他們都憧憬著羅馬人亦終有一天被逐離應許之地。福音書讓我們看到強硬派猶太人暴力行動的片斷，例如巴拉巴的記載（路二十三18-25）。奮銳黨在首位巡撫被委的時代就已經出現，此時，加利利人猶大於主後6年率眾起義，反抗羅馬。30多年後，其子亦仿效之。耶穌在世時，人們對羅馬的不滿情緒暫被壓制了。在耶穌死後數十年，這不滿終於爆發了，時為主後66至73年。在主後70年，羅馬大軍圍困耶路撒冷，在極可怖的情況下，耶路撒冷陷落，而在馬薩他的猶太人則多撐了3年。

耶穌時期的猶太教

上文提到，由西流基王朝統治巴勒斯坦地開始（約主前200年），猶太教已明顯分為兩大勢力：一派親希臘文化，另一派則維護律法和傳統。隨著散居各地的猶太人在巴勒斯坦以外的地方發展其文化，猶太教變得愈來愈多元化。散居外地的猶太人的會堂，在基督教早期的發展上，擔當了一定的角色。在主前後一世紀，巴勒斯坦出現了4個猶太人的派別（根據約瑟夫的分類）：法利賽、撒都該、愛色尼和奮銳黨。

撒都該和法利賽可追溯至許爾堪一世的時期（主前134至104年）。當時所謂哈西典的猶太人，對於許爾堪執掌大祭司之位頗有微言，這種不滿擴大至一個反對哈斯摩尼王朝的傳統（在早期，哈西典和馬加比家族本是

同路人），最終產生了法利賽教派。（「法利賽人」的意思就是寡合者，但確實的意義則不詳；法利賽人是否這樣稱呼自己，亦不能確定。）法利賽主義是一種民間的運動，在當時不滿哈斯摩尼王朝高壓政策的猶太人中，十分受歡迎。到了亞歷山大楊紐時期（主前103至76年），不少法利賽人甚至因為反抗暴政而犧牲。雖然法利賽人在莎樂美時代（主前76至67年）再度得勢，但基本上他們長期扮演著反對黨的角色。法利賽人強調妥拉的研習，亦重視禮儀上的潔淨。在神學上，法利賽人較強調自由意志，這無疑是與他們重視守律法有關。

法利賽人對律法的重視，除妥拉外，也顯於口傳律法上。口傳律法即是對律法的闡釋。這個過程始自主前一世紀中葉以後（參太十五2；可七3、5），在主後二世紀才編撰成為明文的米示拿。法利賽人和撒都該人的分別是，前者接受口傳律法的權威，認為它的重要性不亞於妥拉（口傳律法又分兩類：哈勒迦是道德上的律法，在法利賽人的眼中，哈勒迦適用於所有猶太人；哈加達是教導和思想，並不適用於所有人）。

近年趨向研究法利賽運動起初崇高的理想、勇氣和真正的敬虔，這是一個好現象，也令耶穌的譴責更富震撼。

至於撒都該人，在支持許爾堪的過程中，他們成為一個明顯的勢力。考撒都該人的出處，他們原是公會（哈斯摩尼王朝的內閣）的貴族，由於法利賽人失勢，他們遂支配了整個公會。他們當中有祭司，在大希律和耶穌在世的時代，部分甚至是大祭司。撒都該人與法利賽人不同，並不重視口傳律法，也不相信復活（徒四1-2，二十三8）。

愛色尼派則是一個苦修的教派。他們住在死海極北的昆蘭，與外界隔絕。但有部分散住猶太地的愛色尼人是過著比較「正常」的生活。著名的死海古卷就是愛色尼派編撰的。他們的起源不詳。有人認為愛色尼派乃源自馬加比時代的哈西典人，他們唾棄接受妥協的猶太新領袖，並選擇了避世一途。另外有人則認為他們是主前二世紀由巴比倫歸回巴勒斯坦的猶太人，他們在途經大馬色（愛色尼派存世的著作中，有一部稱為《大馬色的文獻》），回到耶路撒冷的時候，發覺這裏的生活腐敗不堪，遂選擇過刻苦的生活，

作為抗議。

愛色尼派最難忍受的，是哈斯摩尼家族竟然接受大祭司的職務，因為哈家的血統和大祭司嫡系相距十萬八千里。愛色尼派的著作中經常出現一個邪惡祭司的人物，估計他是一位大祭司，並有一位公義師傅作對頭，這位公義師傅的靈感可能來自派裏的創辦人。

無論他們源自何方，愛色尼派至少在主前二世紀晚期（甚至更早的時間），已明顯聚居於昆蘭。他們相信，由於耶路撒冷的腐敗，末日審判將為期不遠，而他們則是公義的餘民。

死海古卷包含舊約聖經的大部分經文，亦加上愛色尼派自己的著作。後者包括了聖經書卷的註釋、社團的規則及關於末日的作品。

最後一個重要的派別是奮銳黨。考奮銳黨人的興起，他們是受馬加比早期的愛國事蹟所鼓舞。他們代表了草根階層，痛恨外邦人的異教統治。他們的不滿終於在主後66至73年達到頂點，爆發了猶太人的叛亂，縱然該次的叛亂有整體猶太教作為背景。

神學和詮釋

所有猶太教的派別，都認為自己代表正統的猶太教。因此，它們的差異反映它們對猶太教傳統的不同詮釋。在主前最後兩個世紀至主後一世紀期間，湧現了大量宗教作品，反映出當代猶太人對信仰本質有很激烈的辯論。在這些歲月中，猶太教正處於信仰的尋索階段。而當時著作的百花齊放思想未能歸於一個系統。撒都該人與法利賽人對於復活的問題就是一例（徒二十三8）。

這些典籍作品種類繁多，例如曾經提及過的「口傳律法」，在這時，逐漸被筆錄下來，其後終於成為米示拿（主後二世紀），到最後，更發展成更完備的他勒目（主後五世紀）。他勒目和法利賽人有特殊的關係，尤其是和主前一世紀的兩位拉比—— 沙買和希列。沙買和希列的爭論，記載在米示拿，而拉比們多傾向接受希列較窄的釋經法則。這成為今天的正統猶太教，反映了在主後一世紀得勢的法利賽派的思想。

當時也不乏其他派別的聖經詮釋方向。在昆蘭的社團中，有人寫聖經註釋。哈巴谷

書一至二章的註釋（pesher），就是一個好例子：他們相信書上的預言已在昆蘭應驗。昆蘭的註釋書遂成為他珥根的雛型（參上文有關以斯拉的部分）。

除了聖經註釋外，在創作方面也有長足的發展。此時出現了次經，其中的表表者是《傳道經》（或稱《便西拉智訓》），它可追溯至主前180年，並以箴言為藍本。有人認為這書蘊藏了撒都該（否定復活，熱愛聖殿）和法利賽人重視律法，強調勝罪的思想。另一部智慧文學的著作是《所羅門智訓》。這書與《傳道經》不同，嘗試融合正統的猶太教思想和當時流行於亞歷山太的希臘哲學。記載馬加比時代史蹟的《馬比加書》，不僅是歷史文獻，也是神學著作。《馬加比一書》被視為撒都該派的作品，因為這書缺少了復活的信念，至於《馬加比二書》，則稱許人為忠於律法而殉道，反映出復活的信念（《馬加比二書》七9）。故此，這書與法利賽人的思想較為接近。

其他的次經作品，則包括了不同類別的宗教訓言。其中最著名的算是《以斯德拉二書》。它是一系列以以斯德拉（即正典中的以斯拉）為名的作品之一（包括正典裏的一卷）。它現存的模樣有濃厚的基督教色彩，但當中第三至十四章則記載了猶太人的末世異象，部分古版本把這些章節列為《以斯德拉四書》。《以斯德拉二書》表達了虔敬的猶太群體，在主後70年，耶路撒冷陷落後，所出現的苦惱和困惑，他們質疑：公義的神為何使祂的子民蒙受如斯的災難？這部次經著作以新奇、詭異的啟示文學風格，討論這個歷久不衰的神學問題。

除了次經外，還有大量稱為偽經的作品。它們借用聖經及猶太歷史中偉大人物之名編撰而成。其中大部分是以啟示文學的風格成書的。通常認為屬於這類書種的聖經書卷，是但以理書和啟示錄，除此之外，還有很多其他的書卷。啟示文學的特點是通過天使或夢境和異象，個別人物得著特殊啟示。這些異象滿了詭異的圖畫和象徵，並聲稱是神對未來的啟示。

啟示文學的出現，往往與時局動盪有關。但以理書就是在猶太人被擄至巴比倫期間出現。其他的作品則於西流基的壓迫浪潮中湧現。典型的啟示文學（像《以諾一書》）不離復活和末世的描繪。起初，這是出於猶太人對西流基王朝之壓迫的回應。它們其實也有其他不同的思想。到了《以斯德拉二書》的時期，啟示文學不再以末世論為其唯一的重點，這書在風格上更接近過去的智慧文學作品（參「次經與啟示文學」的專文）。

彌賽亞

從新約聖經，我們可明顯看到，**彌賽亞盼望是耶穌時代的猶太人對解放的渴望。然而從當時的著作中，我們未能把有關彌賽亞的教義系統化地加以整理。**在提及神在未來施行拯救的著作中，並非全部都明確地論及彌賽亞。在有提及彌賽亞盼望的作品裏，有3個源自舊約的彌賽亞形象：作王的大衛後裔（結三十四23）、受苦僕人（賽五十三）與但以理書的人子。這些形象以不同的形式在兩約間的著作中出現。

愛色尼派期望一位彌賽亞能帶領他們在末日戰爭中擊敗那惡者。他們似是期待著兩位彌賽亞，一位作王，一位作祭司。在主前一世紀和主後一世紀期間所編撰的《所羅門詩篇》裏，作者盼望一位如大衛的勇士式君王帶領散居的以色列人重回故土，以公義治理，並臣服所有外邦人（《所羅門詩篇》十七21-46，十八）。這個人物並不是神。相反，但以理書七章那位來自天上的人子，在《以諾一書》四十五至五十七章再度出現。這位人子是超於人類的先存個體，他將會統治並審判萬國，故此，認識耶穌的猶太人對彌賽亞的觀念是一個集大成的體系。在福音書中，爭戰的王的形象似乎較為突出（太二十二42；約六15）。耶穌對接受彌賽亞的稱號有所保留（太九30），但祂對自己身分的認識則充滿了舊約應許的典故。

耶穌

要瞭解耶穌的生平，我們必須讀入上文所述的猶太世界背景。**耶穌早期的傳道重點是加利利，而加利利人則傾向猶太思想中的傳統一面，而非希臘化那一面。**在加利利，耶穌揀選祂的門徒，這些門徒接觸過很多不同的思想。其中有一位是奮銳黨人（路六15）。其他的門徒肯定不乏受到戰士式彌賽亞君王思想影響的人，他們都相信，彌賽亞會憑武力建立國度（可十35-45；徒一6）。門徒

馬太曾經當過稅吏，為羅馬人服務。可以想象這12個人最初是如何相處的！

耶穌的教訓都是與當時社會的重大問題息息相關：律法的詮釋、獻祭的問題、安息日、與羅馬的關係及以色列的解放。以上種種問題，都在猶太人之間造成分裂。對於渴望彌賽亞來臨的人，耶穌顯然令他們深感著迷。然而祂從不讓人把自己的形象規範為一個模式，很多門徒都漸漸發現到這一點——可能這就是後來猶大失去耐性的原因。對於安息日，耶穌強調祂有絕對的自由（太十二8）；對於恪守禮儀（法利賽人所愛的），祂則強調「憐憫」（太九13，十二12）；對於律法，祂說祂是來成全（太五17）；但對於守表面的規條，但無視律法精義的人，祂的斥責則毫不留情（太二十三23）。祂宣告國度降臨的同時，並非著重以色列人打勝仗的應許，而是嚴厲警告神在古時已揀選之民（太十三1-51；可十二1-12）。即使是著重聖殿，亦非神聖不可侵犯。對於聖殿和聖職人員，祂的態度並非十分清晰。一方面在日常生活中，耶穌承認聖殿官員的權柄（太八4）；但祂也曾自稱：「在這裏有一人比殿更大」（太十二6）。在其他經文中，耶穌甚至說自己就是真正的「聖殿」（約二19-22；可十四58）。

就這樣，耶穌把困難的處境擺在猶太人面前。祂的信息可以說是重新討論整個民族的意識形態和聖約的本質。自此以後，要打破神子民狹隘的國家觀念（太八10-12）。使徒（特別是保羅的教導）都傳承自耶穌的思想。（關於律法——羅三21-22；關於以色列——羅九至十一；關於猶太人與外邦人——加三27-29；關於把聖殿比作教會的全新演繹——林前三16；關於耶穌同時是大祭司及祭牲的教導——來十11-18）。

教會和猶太教

教會從猶太會堂中分出來的過程是十分緩慢和艱鉅的。最初，猶太人的領袖對教會的看法並不一致。首股反對教會的勢力來自撒都該人，他們反對有關復活及彌賽亞降臨的思想（徒四1-3，五17-18）。對於這個問題，法利賽人中竟有一位稱為迦瑪列的，為門徒說話（徒五33-39）。這可能因為門徒早期的講論並沒有否定聖殿及禮儀的地位，所以當司提反公然質疑這些思想的時候，猶太領袖都團結一致，把司提反處死（徒七42-60）。一開始，猶太人領袖已視基督徒為異類。到了希律亞基帕一世（猶太的王，主後41至44年）統治時，為了取悅「猶太人」，他帶頭逼迫基督徒（徒十二1-2）。當基督徒沒有參與猶太人於主後66至73年的起義，兩者的關係進一步惡化。猶太人向基督徒作出攻擊和報復，迫使耶路撒冷的教會遷至外約但的珀拉。然而，教會與猶太會堂的正式決裂，要到主後132至135年巴柯巴叛亂的時候才出現。

主後70年的事件對二者產生很不同的影響。對猶太人而言，耶路撒冷的陷落刺激他們自省，以及喚起猶太人以往被外邦人統治的痛苦回憶。《以斯德拉二書》記載了這方面的尋索。另一方面，對於教會來說，目前的處境雖然艱苦，但是他們認為這些事件只不過是應驗了耶穌的話（太二十四1-2）。雖然成書日期及作者不詳，希伯來書讓我們知道，早期教會如何逐漸領受聖殿或「會幕」禮儀，對在基督裏的人已不再適切了。

在這些日子裏，律法的地位和猶太基督徒的定位是兩個令人頭痛的問題。很明顯，不少耶路撒冷教會的信徒不願放棄根深蒂固的猶太傳統。從出席耶路撒冷會議之法利賽人的人數上，便可瞥見這種情況（徒十五5）。儘管他們在會議上被使徒彼得的發言打退，他們仍有一定的影響力。當保羅在第三次宣教旅程後回到耶路撒冷，當時儼然是耶路撒冷教會領袖的雅各（耶穌的親兄弟）表達了部分信徒的憂慮，他們擔心保羅的初信者傳達廢除禮儀的思想（徒二十一20-26）。很明顯，對信徒來說，重返猶太教的試探仍然很大。保羅指出，甚至彼得亦曾在安提阿對此讓步（加二11-12）。在巴勒斯坦，這是早期教會所面對的最大難題。部分未深受猶太傳統所約束的基督徒，可能在統治者的壓力下被迫離開。這也可能是向外邦宣教的主因。

外邦宣教

外邦宣教的原動力乃來自使徒保羅的幾次旅程。因著保羅在亞細亞及希臘的宣教旅程，基督教會在地中海一帶蓬勃發展。居比路和亞細亞是第一次宣教旅程的目的地；而第二次旅程的目的地則是馬其頓；第三次旅

程則更深入及廣泛地覆蓋亞細亞（參使徒行傳註釋中的地圖）。使徒保羅的3次宣教旅程在主後58年完成。保羅在探訪羅馬之前，曾在主後57年修書給羅馬教會，可見當地的教會在較早時間已經存在，甚至已有長足的發展。

保羅的宣教策略是先到猶太人會堂。他一生的宣教對象顯然是外邦人。在他所建立的教會中，有猶太人又有外邦人。在這裏，禮儀律法很快也成了要面對的問題之一。部分起因是保羅先到猶太人會堂的策略。在當時的教會內，有部分人熱衷於發掘福音的猶太元素。保羅在加拉太書裏（加三1-5，五2-12）不遺餘力地反對這種做法。保羅曾因為要得著猶太人而使提摩太受割禮（徒十六3）。然而保羅很明白，割禮本身並無價值（林前七19）。就保羅所傳的福音本質來說，救贖是藉著在基督裏的恩典才能得著，而不是靠律法。對於分散各地的猶太人來說，正如在巴勒斯坦一樣，這種福音信仰對他們的傳統信仰構成很大的威脅，故此，除非他們接受這新信息，不然，他們的敵意是不可估量的（徒十四19）。

羅馬政府很快亦認識到，在這裏是一股新勢力。例如，在主後64年發生的羅馬大火中，尼祿皇帝可以把基督徒從猶太人中分別出來，作為代罪羔羊。對於教會的發展，這無異是轉捩點，因為這意味著基督教自此不能隱藏於猶太教中，享受羅馬帝國保護「合法宗教」的宗教政策。到了多米田統治時期（主後81至96年），又出現了另一次逼迫。而在這次，猶太人亦不能倖免。對於這類較為「不開明」的羅馬皇帝，我們可從啟示錄中找到他們兇殘面貌的一些蛛絲馬跡，而啟示錄則視羅馬帝國為從前壓迫以色列的巴比倫帝國的翻版。

政權對早期教會的敵意，也讓我們瞭解教會此時的一些情況。在巴勒斯坦及世界其他地方的教會，都要面對根深蒂固的異教文化。羅馬帝國本身有包含帝皇崇拜的國教。當認真執行這國教思想，就導致大型的逼迫。異教思想滲透到平民百姓中。在路司得（徒十四11-12），保羅和巴拿巴就曾被誤為外邦神祇丟斯和希耳米(Hermes)。後來在雅典（徒十七），保羅再一次與異教周旋，只是這次後者以更有「教養」的形式出現，與過往跟猶太教的同胞辯論是完全不同的，而使徒行傳記載了使徒如何適應這種轉變。

新約聖經就是在這錯綜複雜的背景下編撰而成。基督教會就是在五旬節當日得著聖靈的能力，宣講耶穌復活的消息。教會在福音書、書信和約翰的啟示錄中，都是傳遞這個信息，在過程中駁斥了異教的思想和試圖帶領異教徒歸信基督。每一卷新約書卷，都有其各自的背景、寫作目的和特定的受書群體。在這方面，新約聖經是異常多元化的。然而，新約聖經與基督福音的唇齒關係，使人感到聖經時代的歷史至此完結，但教會此後的發展，則只是剛剛開始罷了。

Gordon McConville

進深閱讀

J.J. Bimson, *The World of the Old Testament* (Scripture Union, 1988).
____(ed.), *New Bible Atlas* (IVP, 1985).
F.F. Bruce, *Israel and the Nations* (Paternoster/Eerdmans, 1975).
____, *New Testament History* (Marshall Pickering/Doubleday, 1982).
P.R.S. Moorey, *The Bible and Recent Archaeology* (British Museum, 1987).
W.S La Sor, D.A. Hubbard, F.W. Bush, *Old Testament Survey* (Eerdmans, 1982).
R.W.J. Dumbrell, *The Faith of Israel* (Baker Book House/Apollos, 1989).

舊約

13 你們若留意聽從我今日所吩咐的誡命，愛耶和華你們的神，盡心盡性
14 他（註：原文 　　　　　　　　　雨春雨在你們的地上，　　　　　　中。
15 也必使 　　　　心中受迷惑， 　　　　青草。
16 你們 　　　　　　　　　　　　　　　去侍奉 　　
17 耶 　　　　　　向你們發作，就使天閉 　　　　　地 　　
18 　　　　　　我這話存在心內，留在意中，　　　　　　在額上為經文，
19 也 　　　　你們的兒女，無論坐在家裏，　　　　，都要談論；
20 又 　　　　　的門框上，並城門上，
21 使你 　　　　　　子孫的日子，在耶和 　　　　子那樣多。
22 你們若留意 　　　　　　　　　誡命，愛耶和華你們的神
23 他必從你們面前趕出這一切國民，就是比你們更大更強的國民，你們也要得他們的地。

摩西五經的研讀

在舊約的書卷中，創世記、出埃及記、利未記、民數記和申命記不單出現在聖經之首，它們也是最重要的。它們描寫以色列人立國的起源、創立這國家的啟示內容，以及如何透過律法去決定他們的整個生活方式。這5卷書形成了希伯來聖經中的第一部分，而在新約之中（例如路二十四44），它們只簡稱為「律法書」，這名稱至今仍被猶太人採用。「摩西五經」的名稱出自一個希臘名詞，意思為「5卷書軸」。

本文的目的是要解釋「摩西五經」的結構和它的中心主題；分別指出每卷書在整個主題中特有的貢獻；最後，考察「五經」的歷史源起和它所引用的文獻（sources）、背景和作者。

卡大衛（David Clines）合宜地綜合「五經」的主題為對列祖之應許的「部分應驗」，暗指還有「未應驗的部分」〔*The Theme of the Pentateuch* (JSOT Press; 1978), p.29〕。對列祖的應許包括地土、後裔、立約的關係和列國因他們得福，這些最早在創世記十二章1至3節中宣告了。當時神呼召亞伯拉罕離開他的家鄉，到神將來會指示他的地方去。創世記在後來神多次的信息中都是在闡述和加強這些應許。例如：事情逐漸明朗，迦南地就是那應許之地，它將會永遠歸亞伯拉罕的後裔所有（例如創十三14-17，十七8）。對後裔的應許則更加精確，它顯明了神所應許的後裔中，第一位後裔不是羅得（創十三），不是以利以謝（創十五），也不是以實瑪利（創十七），而是亞伯拉罕年老之妻撒拉所生的獨生子以撒。

與「五經」的主題有關的不只是那些應許，其實每一件歷史事件和在律法中的每一項條例，都有助解釋這主題。例如，對聖潔所提出的嚴格要求，就是關乎這應許的兩方面——神所賜的地和與神立約的關係。神要求以色列人像神一樣聖潔，因為聖潔是祂的特性，以色列人既是與神立約的夥伴，他們就要傚效他們的神（利十一45）。再者，若要神繼續同在，並以色列人能住在這應許之地中，就全賴後者的公義表現了。兇暴的罪惡會污染地土，使神無法居住其中，那地也因而會將其上的居民吐出來（利十八25-28）。

雖然創世記第一章啟示了神是一位全能的創造主，祂創造和掌管著整個世界，但是那些給予亞伯拉罕之應許，卻沒有在「五經」內完全實現。當亞伯拉罕的孫子雅各離開迦南的時候，他的後裔人數大約是70人（創四十六27），再過了幾代之後，他們的人數卻引起埃及的法老王關注（出一10）；但無論如何，他們的人數仍是不多，不足以在摩西的時代就遍佈迦南地（參申七17-22）。同樣地，雖然全地都是神應許要賜給亞伯拉罕的，但他卻只能購買一塊地去埋葬撒拉（創二三）。其後雅各再多買了一些地（創三十三19）。但是「五經」在結束時所描寫的，卻是摩西在摩押一座山頂上遙望全地，而以色列百姓準備渡過約但河和進入迦南（申三十四）。這些應許在「五經」內只是部分地應驗。這5卷書遙望著將來那應許的最終實現。在這些書卷中，充斥著應驗的即時性和應驗尚未完全實現的張力。

創世記一至二章描繪世界的創造在創造主的手中是那麼完美。人類所需要的都得到供應：男人、女人和神十分和諧地一起生活。他們彼此信任和欣賞，在涼風中一同在那翠綠的伊甸園中行走。這黃金年代卻因著人類的不順從——亞當和夏娃吃了禁果——而突然結束，隨後他們被逐離開伊甸園，意味著那時代的結束，這時代是人類無法再恢復的。不過，因著神採取主動的緣故，「五經」瞻望著這理想年代的部分重現。迦南地將是神在祂百姓中間居住的地方，一如祂曾

45

住在伊甸園中一樣。不錯，在會幕和聖殿中，神在他們中間行走，正如在伊甸園中一樣（利二十六12；民三十五34）。給亞伯拉罕的應許，說他將會有眾多後裔，是一種保證，這保證就是藉著神的能力，實現祂當日頒給那第一對夫婦的命令，就是「要生養眾多」。創世記二章所記述亞當和夏娃的婚姻，描繪了在利未記十八和二十章，以及申命記二十二和二十四章設想的理想婚姻，主耶穌和保羅也曾引用這些經文，認為這是自基督來臨後引進的新世代中，神所訂立的婚姻模式和應有的男女關係(太十九3-12；弗五22-33)。這一新世代也同樣地有神在他們中間行走。但是，正如「五經」一樣，新約也是瞻望著一個完全的應驗，就是在新耶路撒冷中，「神的帳幕在人間，他要與人同住，他們要作他的子民，神要親自與他們同在，作他們的神」（啟二十一3）。

內容和主題

概略地提過「五經」的整體主題是對列祖之應許的部分應驗後，我們現在要逐一處理創世記至申命記每一卷書了。

創世記

創世記原文意思為「開始」、「起源」，是解釋世界的起源和以色列人在其中的角色。為了能夠欣賞開始的這幾章聖經，現代的讀者一定要將自己設身在3,000年前的古代近東之中。這樣，便能熟悉許多在巴比倫和埃及有關宇宙來源的故事。首次讀創世記的時候，古代的迦南人或巴比倫人必定感到驚奇。雖然從創世記一至十一章的結構中，可以找到一些相似的古代文獻，但創世記所顯示那位全能神的能力及對道德的關切，與那些相信眾多無能的神祇的人相比，必定感到驚訝！

創世記和其後4卷書的主題都是闡述神對列祖應許的應驗。在創世記十二章1至3節中，神應許亞伯拉罕賜予他土地、無數的後裔，以及與神建立親密的關係（立約），並藉著他，使萬國得福。

創世記的其他部分便詳細解釋這些應許（特別在創十五，十七，二十二，二十八和四十六章），且顯示出這些應許是逐漸地應驗。經過多年的等候，亞伯拉罕和撒拉終於生了

他們的兒子以撒（創二十一1-7）。撒拉死的時候，亞伯拉罕便購買了迦南一小塊地來埋葬他的妻子（創二十三）。藉著亞伯拉罕、麥基洗德和亞比米勒得到祝福（創十四，二十）；也因著約瑟的緣故，埃及和許多鄰近的國家得著拯救，使他們免受饑荒（創四十二至四十七）。

總括而言，神應許說祂是亞伯拉罕的神，必定保護他。事情果然是這樣，即使在多次事件中，亞伯拉罕的信心軟弱，表現愚昧（例如創十二10-20，十六和二十章）。但無論如何，神都與亞伯拉罕、以撒、雅各和約瑟同在，保護他們，並使他們富足（例如創二十六3，二十八15，三十九2、21）。

貫穿創世記的主題是神的恩惠，即使人失敗犯罪，神的憐憫卻持續不變。本書在起首的數章中，顯示神在伊甸園中設立了一個完美的環境，但因著叛逆，人被趕逐離開，更糟糕的是罪惡的延展招致洪水毀滅全人類；但是神卻再次重新開始，造出一個新的族類，這族類是以挪亞為首的。但不幸地，挪亞也失敗，他的兒子含亦然（創九20-27），於是罪惡又再開始蔓延，籠罩全人類，直到巴別塔的事件中，萬國被神所分散（創十一1-9）。

神又從以色列人的先祖亞伯拉罕重新開始，創世記敘述了神如何透過他和他的後裔去恢復整個人類，但到創世記結束的時候，神的計劃明顯地尚未完成，因而驅使我們繼續讀下去，看神的目的是如何至終得到實現。

出埃及記

出埃及記（「出路」"Way Out"）是記敘以色列民如何離開埃及和到達西乃山，在那裏神向他們顯現，與他們立約，作他們的神，並頒賜律法給他們。

以色列人的先祖進入埃及，是應約瑟之邀，那時大約是主前1700年。隨後埃及的王朝轉換，以色列人被壓迫和淪為奴僕。但因著摩西的領導，他們約在主前1300年逃離埃及，時間或許是再早一個世紀（考古學在這方面的證據不能確定，參第242頁）。正如「五經」中的其他書卷一樣，要了解出埃及記，一定要閱讀此書卷的內容，而不是依靠外來的資料。

出埃及記繼續發展那在創世記中已開始的主題，它在一開始（出一7）就提及以色列人已經生養眾多，他們不久將變成一個大國，正如創世記十二章所應許的一樣。不久之後，神在火燒的荊棘中向摩西顯現，並向他保證說祂將會帶領以色列人進入迦南，就是那應許給亞伯拉罕的地方。但是出埃及記的焦點是神與以色列人在西乃山上的立約。故此這書卷的上半部是朝這方面進展的，下半部卻是這事的回顧。神給亞伯拉罕的應許再一次得到確定，神要與亞伯拉罕的後裔訂立永約（創十七7）。在這些事上，神不單證明了祂的信實，更顯出祂的全能、聖潔和祂寬容的愛。

出埃及記一至十五章記載神和摩西與埃及的法老相鬥。埃及當時是古代近東的一個超級強國。摩西受了神的囑咐，要求法老准許他帶領以色列人到聖山去敬拜神。儘管一連串的可怕災難（十災）降臨，法老王卻一直拒絕。最後一個災難逼使法老王讓以色列人離開，但不久他反悔，並且追趕以色列人直到紅海中間，埃及人就在此被淹沒，顯示神的主權勝過了最強壯的人。

出埃及記十九至二十四章的焦點是記述神在西乃山上頒下可畏的律法。神的顯現使人驚懼；山上的火、煙和雷轟使以色列人感到害怕和不敢近前來。所以摩西便被選作中保，代替神去頒發約上的條文，其中包括十誡（出二十）和許多誡命（出二十一至二十三）。百姓因著接納了這些條文（出二十四），神便永遠居住在他們中間，就是在那神聖的帳幕或會幕之中（出二十五至三十一）。

以色列人很快就顯出他們完全不配接受這些榮耀，這一點顯明在他們製造和敬拜金牛犢的事上（出三十二）。他們違反了十誡中的首兩條，這樣明顯地忽視立約的規定，本應招致全國滅亡的刑罰，但因著摩西懇切的代求，他提醒神昔日對列祖的應許，才使神轉意不如此行。神要利未人處決了一部分背約的人後，聖約才被重新恢復。本書結束的時候，展示神的恩慈明顯臨在。祂的榮耀充滿了那新立的會幕（出四十34-45）。

利未記

利未記（「關於利未人的」）主要是關乎敬拜的事。由祭司們、利未人和一般信徒在那稱為「會幕」的帳幕中舉行。本書基本上是繼續出埃及記中記載的事件和律法，所有在利未記中提及的事件，都是隨著這個民族到達西乃山後緊接著發生的。

利未記用了很多篇幅去描述祭祀和其他儀式，使這卷書不容易了解和解釋。因著大多數的現代讀者未曾見過獻祭，這些篇章常被看為是含糊難懂和無關重要的。但是人類學家卻不以為然，他們堅持認為宗教儀式是明白一個社會最深層之價值觀的鑰匙。所以利未記就是這條鑰匙，可以透過它了解聖經中最重要的神學思想，尤其是關乎罪和贖罪的事。人若要使利未記的資料重新活現，欣賞它在古時的影響，他們就不能單單讀這書的內文，而要盡量把這些儀式實行出來。

利未記繼續表明神對列祖應許的實現，而當中最重要的，便是那確實的保證，耶和華是以色列人的神，他們是祂的子民。這個關係曾因金牛犢的事件一度近於破裂，摩西的代禱使他們保持神子民的身分。神的賜福便藉著祂的榮耀充滿了會幕顯示出來（出四十），並且又一次在亞倫和他的兒子們受按立為祭司的時候顯現了（利九23）。另外利未記二十六章繪畫了一幅圖畫，其中描繪神極豐裕的賜福、大量的豐收、平安和財富，遍滿了全地。但比這些物質的好處更為重要的，卻是神的同在，祂住在以色列人中間（利二十六11）。

但是在另一方面，一位聖潔的神不可能住在罪人中間，而不毀滅他們。這一點就生動地在亞倫新受按立的兒子們身上表明出來。他們因為沒有得到授命而擅自進入聖所，招致刑罰，二人突然暴斃（利十）。因此，利未記中的律法使神與以色列人之間的相交得以繼續，使之不因為人的罪惡而受到影響。

利未記一開始便解釋5種不同的祭祀。每一種祭祀都描繪著以色列人（用動物的祭牲作為代表）與神之間建立的關係（用祭壇和其上的火為代表）。例如，對神完全的奉獻，便被描寫為一個全牲的燔祭，整個祭牲全獻給神（利一）。罪惡的潔淨和得到赦免，是要藉著贖罪祭（利四），如此，獻祭使神能夠繼續居住在以色列人中間。

以色列人的責任是務要離開罪惡，並要成為聖潔，像神一樣（參利十一45），故此這

書卷包含了許多律法，其要旨是保證以色列人的潔淨。某些食物歸入被禁止之列，人在某些疾病和情況下，不可敬拜神（利十一至十五）。這些條例背後的原因不容易掌握，但其中主要的觀念就是，因著神是完美的生命，而各種不潔的情況包含著死亡，正是與生命相違。因此，人若要接近神，就一定要逃避那些事情。

利未記在結尾的數章強調，成為聖潔不單是一連串的「不」，避免那些「不像神」的情況；它也包括許多的「要」，要活出像神一樣。利未記十八至二十五章就是涵括了一整套正面的教訓，如照顧那些負債的貧窮人（利二十五），慶祝那些偉大的節期（利二十三），看顧外來的移民、瞎眼的、耳聾的和孤兒，而命令的總結就是「愛人如己」（利十九18）。這樣，以色列人便反映出神愛那些受欺壓者和沒有地位的人，因為聖潔就是像神一樣。

民數記

民數記接續以色列人由埃及遷移至迦南（以色列人之地）的故事。根據一般出埃及的日期計算，這段日子，由主前1290年至1250年，約有40年之久。所以本書是出埃及記和利未記的延續，出埃及記主要是記載他們從埃及到達西乃山，利未記記述他們在西乃山接受律法，而民數記則是有關他們從西乃到迦南的旅程。

民數記把這旅程分述為3大階段。由第一至十四章記載他們在西乃曠野的第一段旅程，它告訴我們以色列人如何缺乏信心，這段記載一直到迦南的邊界為止。十五至十九章簡要地記述他們在西乃半島飄流的40年。這段飄流的日子是因著他們缺乏信心所招致的刑罰。最後，二十至三十六章便敘述他們成功地經由外約但到達迦南地的後門。本書結束時，以色列人正準備要橫渡約但河，進入那應許之地。

本書的內容與「五經」的主題緊連在一起，便是對列祖應許的部分應驗。在創世記十二章1至3節中，神曾應許亞伯拉罕，要使他的後裔成為大國和賜予他們迦南美地。但是，這應許卻等待了很長的日子才實現；而在民數記中，這些應許似乎就要實現了。以色列人已經變成一個強大的民族，他們甚至

令摩押王大為吃驚，他便差使當時最偉大的先知巴蘭去咒詛以色列人。可是巴蘭至終卻祝福這個國民，並預言他們在未來會更強大，威武的君王會在他們中間興起來（民二十二至二十四）。

這卷書尤其注重有關土地的事情。一至九章描寫以色列人組織起來，並要從西乃進軍迦南，他們便數算人口，根據在第一和第二十六章的人口統計，本書便因此而得名。他們到達前方的時候，就派遣12個探子去偵察迦南全地。探子們回來後，生動的描述那土地的肥美，但他們卻認為他們不可能攻取那地，因為那地的居民很強壯高大。這是一種不信、不順從的表現，正好與出埃及記三十二章金牛犢的事件相似。再一次地，藉著摩西的代禱，使這國民免於滅亡。但征服迦南便因此被耽擱下來，那些叛逆的人被罰終生不得進入那地和被迫在曠野飄流40年（民十三及十四）。

最後，經過了數次反抗摩西的權柄，他們繼續前行。他們擊敗了約但河外的幾個國家（民二十一至三十一），全以色列被組織起來，準備要過約但河去攻取那些城邑，而流便、迦得和瑪拿西支派要求在外約但的地方定居。他們得到准許，條件是他們也差遣軍隊參與迦南的戰事（民二十二）。這書在結束時提及一連串的條例，目的是要確定迦南地的疆界，並如何將那地分配給各支派和祭司支派的利未人（民三十四，三十五）。另一方面，本書又特別記述設立逃城一事，供那些因殺人而蒙罪要逃走的人可避難。這地不只是以色列人的家園，它也是神選擇要住在其中的地方。所以，它是一個聖潔的土地，必須保持它的潔淨，以免那地因兇殺的事情而被污染（民三十五）。此外，為使這地永遠成為以色列人的土地，這書在結束時更明文規定，屬於每支派的土地，必須留在同宗支派內（民三十六）。

申命記

申命記（「第二部律法書」）是摩西對以色列國民的臨別話。它包括了摩西去世前的3篇演辭、兩篇詩章和一個簡短的訃聞。從某方面來說，本書總括了在它之前記敘過的事，故此稱為「第二部律法書」。出埃及記至民數記是記載神頒佈律法予以色列人，但在

申命記中，有摩西的演辭，內容是將律法應用於以色列人將來在迦南地要體驗的情況。

不過，這卷書不只是過去的摘要，它更是瞭望未來的事。它是預言性的書卷，描寫摩西作為以色列人中最偉大的先知，展示以色列人未來在迦南地的前途。他請他們作出抉擇：跟隨神的律法，這是富足和蒙福的途徑；或是跟隨自己的心意，至終趨向敗亡之路！

在主題方面，申命記編織了一塊瑰麗的緞錦，其中貫注著神學的思想。首要的強調是神恩慈的慷慨，這在實現對亞伯拉罕、以撒、雅各的應許上表現出來。以色列人已經被救出埃及，經歷到神在西乃山上的臨在，如今他們正行近那應許之地，就是那流奶與蜜之地，其中充滿著美好的房屋，準備給他們居住。這就是神要賜予他們的地土，不是因為他們配得，而是因著神守了祂的諾言（申七至八）。

第二方面，申命記強調以色列人的不配，尤其是指他們頑固的罪行。他們製造金牛犢；當探子嚇怕他們時，他們便拒絕進入迦南。他們為食物和水而埋怨，甚至令摩西發怒，並且因為不遵從神而喪失了進入迦南的權利。故此，摩西害怕以色列人會重蹈覆轍，離棄神，去敬拜迦南的諸神。假若他們真是如此，他們便會被驅逐離開迦南地，像那些迦南人一樣（申九至十一）。

第三方面，以色列人必須全心守約。「你要盡心、盡性、盡力，愛耶和華你的神」（申六5），總括了摩西整個信息。這包括了要守神在西乃山所頒佈的十誡（五章），並且在生活的每一方面應用了神的誡命。在摩西第二篇和最長的演辭中，它包括了一段歷史的回顧，接下來是將神的誡命延伸和應用在以色列人日後在迦南生活的每一方面。第十二至二十五章中的律法，大致是順著誡命的次序，並在當中延伸和解釋。以色列人必定要熱衷地回應神的律法，因為神已經向他們顯示了祂自己，並賜予他們地土和律法。

最後，以色列人的未來全賴他們對律法的回應。順從誡命會帶給他們在家庭、農作和國家上的富足；不順從則會敗亡，最後被趕逐離開那地（二十八章）。如果真是這樣，以色列人與神之間的關係也不會就此終結；他們的悔改歸回可恢復聖約的福祉，也因此

而恢復國家的富強（二十九至三十，三十二章）。

摩西五經的組成

在上文的簡述中，很多學者都總括地贊同「摩西五經」的主題，但至於它的組成，卻有極大的分歧。不過並非一直以來都如此。其實在將近2,000年來，普遍都承認摩西是「五經」的主要作者。故此我們最好是將「五經」形成的問題，分開3方面去討論：1. 以摩西為作者的傳統理論；2.底本學說（Documentary Hypothesis），這理論從1880至1980年便一直流行，沒有受到挑戰；3.近代的理論。

傳統觀點

從基督教時代還未開始之前，直至十九世紀的初葉，幾乎每一個人都相信摩西是整本「摩西五經」的主要作者。這看法是直接閱讀創世記至申命記之後的自然結論。從出埃及記第二章開始，摩西是故事的主角，神在燃燒的荊棘中向摩西顯現（出三），之後摩西與法老爭議，要求釋放以色列人，並帶他們經過紅海，進入西乃。在那裏他親自接受了十誡、其他的律法和有關建造會幕的指示。在這些記敘中，都強調許多律法不是公開地向全國宣佈的，因為神在山上的顯現，實在令人敬畏。故此這些律法只讓摩西一人知道（出二十19-21；申五5），然後再由他傳給百姓。

摩西作為中保的角色，是在五經中一直強調的。在多次的記載中，律法常用以下的聲明作引言：「耶和華對摩西說」。這意味著摩西與神之間有一種特別的親密關係，表示如果神是律法的至終來源，摩西即或不是那寫作的人，也是神啟示的渠道。申命記尤其大大加強了這種印象，這書記述摩西用他自己的話向全國發表演說，解釋在西乃山接受的律法，並敦促以色列人在進入那應許之地時要堅守律法。

申命記中記述摩西臨終前最後的說話，摩西用第一身的方式講及他自己：「這話我以為美」（申一23）。有時他會與以色列人認同，如「我們照著耶和華我們神所吩咐的，我們便起行」（申一19）。另有一些時候，他卻與他們對立：「我就告訴了你們，你們卻

不聽從」（申一43）。申命記一至十一章記述了由出埃及記至民數記的大部分事件，關乎由出埃及至征服外約但；但二者不同之處，就是後者是從一個局外人的角度去記述，而申命記卻用摩西親身的體驗去描寫那些事情。故此我們順理成章地承認摩西就是本書的講者。

如果申命記是在三十一章8節結束，我們就有可能假定是摩西宣佈那些律法，可是，或許是在較後期，另有人將他的想法著作成書。但申命記三十一章9節說：「摩西將這律法寫出來，交給祭司。」又在三十一章24節中說：「摩西將這律法的話寫在書上，及至寫完了。」這些記述似乎排除了不以摩西為作者的看法。如果摩西寫成了申命記，出埃及記至民數記便很可能是他在事業初期寫成的，至於創世記，這個不可缺少的五經導論，便很可能也是他本人編纂而成了。

以上就是那些認為摩西是五經作者的理由。這些論據是早年的猶太作者、新約作者，以及幾乎每一個讀聖經的人所贊同的。這看法一直流傳到1800年止。因此，創世記就常被稱為摩西所寫的第一卷書，其他各卷如此類推。但到了十九世紀，這個古代一致的看法開始崩潰，我們以下就轉移討論在這方面的不同看法。

底本學說

這學說在1753年開始，一位名叫阿斯突（J. Astruc）的法國醫生寫了一本有趣的書。他觀察到在創世記開頭的數章中，神的名字有時稱為「神」，但有時卻稱為「耶和華」。他便認為摩西寫創世記時，至少引用了兩種不同的來源。此外，他在創世記發現一些重複敍述的材料，便以此為進一步支持他的看法（例如在第一及第二章中，重複記載創造的故事）。

其實阿斯突並無意否定摩西是五經的作者，他只是在探討究竟摩西曾採用了甚麼文獻。但是他的來源分析卻成了後來批判學中一個主要的因素，在十九世紀的時候，他的分析受到改良，某些學者且認為這些資料是在摩西以後才出現的。

自阿斯突之後約過了50年，德維提（W.M.L. de Wette）提出一個更激進的提議。他在1805年寫成的論文和在1806至1807年另

外一個著作中，主張申命記是在約西亞王的時候寫成的（大約在摩西之後7個世紀），而且歷代志所描寫有關以色列人的敬拜情形是不可靠的。這兩方面的意見在五經的來源上成了重要的論據，尤其在這世紀的後期。因此我們在這裏要留意為甚麼德維提會得出這樣的結論，這理論對於後來評鑑學的一致意見起了關鍵性的作用，形成了我們所謂的「底本學說」（Documentary Hypothesis）。

德維提留意到，縱然歷代志和列王記都是處理相同的歷史時期，但歷代志記載關於敬拜的事情，比列王紀更多。至今學者們都認為歷代志的詳盡記述，是對列王紀一個準確的補充，但是德維提卻認為由於歷代志是於列王紀之後成書，故此這書不可信。他既然能否決歷代志書中的證據，因而他也能輕易地認為申命記也是後來的一部作品了。

申命記所用的語言和處境雖然與前面各書不同，但這不能決定該書是何時寫成。德維提所抓緊的是申命記堅持所有敬拜都要在神所揀選的地方進行，申命記禁止在各地的神廟中敬拜，也禁止在山上和樹下的邱壇舉行敬拜。它堅持獻祭，尤其是全國性的節期，如逾越節、七七節和住棚節，都要在神所揀選的中央聖所中舉行（申十六）。在撒母耳記和列王紀中，我們得知那些嚴厲的條例要到主前第七世紀時才開始實行。到了大約主前622年，約西亞王廢棄了各城邑的神廟，並吩咐一定要在耶路撒冷舉行敬拜（王下二十二及二十三）。如果申命記中對敬拜的原則不是在約西亞王的時候執行，至少這些原則是在那時候發明的。這看法若與那認為申命記的律法是摩西時代一封臨終的書信比較起來，豈不是較為容易了解嗎？德維提遂將約西亞時代中央敬拜的事，與申命記連起來，這理論為這個世紀末的「威爾浩生綜合理論」（Wellhausen Synthesis）鋪了路。

其實威爾浩生大多數的意見早已有其他學者提出過，但是他藉著在1878年出版的一本書，將舊約的研究翻轉過來，將五經來源的傳統理論推翻。縱然威氏理論內容是獨特創新的，但他的表達方式卻是一流的，在當代大受歡迎——這時進化論方興未艾，許多人都相信進化論不單可以解釋生物的進化，甚至可以應用在歷史的進程中。

威氏為以色列人的宗教發展繪畫了一幅

圖畫，其間的道路似乎是那麼自然和必然地發生，甚至不需要神蹟和神的啟示。他在早時的理論中，認為以色列人的宗教大致上是沒有嚴格規定的。人民可以照他們喜歡的，隨時或隨地獻祭，沒有任何祭司的阻隔。這就是威氏認為在撒母耳記和列王紀所反映的情形；直至王國的末期，約西亞王限定所有敬拜都要在耶路撒冷舉行，因而大大地加強了祭司們的勢力，使他們可以控制敬拜中的各項細節。一旦祭司們得到了這些權力，他們便更加鞏固起來，到了被擄的時候（主前587至537年），他們發明各類的條例和規矩，其中包括敬拜的詳細內容、祭司的地位、和他們在什一奉獻及祭牲供品上所應得之分。

威氏接著便指出這幅以色列人宗教進化的圖畫，如何與五經的文獻結連一起。這是阿斯突首先發現的。威氏認為可以分辨出4個主要的文獻，它們可以用字母去代表，就是英文字母的J、E、P和D。J代表耶典(Yahwistic source)，它常用「耶和華」(Yahweh)這個神聖的名字。它的範圍包括了大約半部的創世記及小部分的出埃及記和民數記。「神典」(Elohistic source)只用「神」(Elohim)這個統稱，它包括大約三分之一的創世記及小部分的出埃及記和民數記。「祭典」(Priestly source)也像神典一樣，用「神」這個統稱。它包括了大約六分之一的創世記（主要部分在創一，十七，二十三章和不同的族譜），以及由出埃及記二十五章至民數記三十六章中的大部分。「申典」就是申命記一書。

威氏認為申命記只知道耶典和神典中的資料，但是祭典卻知道耶典、神典和申典中的資料。這樣大致可以把五經中的資料列出先後的次序，就是：耶、神、申、祭各典。他又認為耶典和神典中所敘述的敬拜，與王朝時代的相符，因那時一般人民可以照他們所喜好的隨時隨地敬拜神。申命記的圖畫與約西亞王宗教統一和改革的目的吻合，而祭典卻集中注意敬拜的仔細內容，這便符合了祭司等級的獨裁主義。威氏猜測這是在被擄時期和其後的年日發生的。因此，他提議耶典的年代約在主前850年，神典約在主前750年，申典約在主前622年，祭典則約在主前500年。這些文獻一旦記錄下來以後，便相繼地混合起來。到了最後，形成今日的五經，

這正是以斯拉的時候（主前五世紀）。

這個對五經的理論帶來影響深遠的意義。如果那些最早的文獻，如耶典和神典，是在摩西之後6個世紀才寫成，它們就難以準確地記敘那時代的情況了，這樣，對列祖的記載就更不用說了。假如耶典和神典是不可靠的話，那些更晚期寫成的申典和祭典就更不可靠了。威氏深知道他這評鑑立場帶來的後果，那就是耶典和神典沒有給予我們關於列祖時代的歷史報告，反之，它們是把當時王國時代的宗教情況投射回遠古時代中，好像一個輝煌的屋景一樣。同樣地，申典和祭典也是這樣，它們的組成反映著它們當時所關心的事情，而不是摩西的時代。

威氏對五經歷史價值的消極判語，在起初的時候，引起反對的回應，但他的方法受到更正教評鑑學界廣泛的接納，天主教和猶太教的學者只在往後的日子才接納這理論。

這理論被接納，有幾方面因素。首先，它受到以下的學者們採納和提倡，例如德來維爾(S.R. Driver)，他不像威氏一般，他相信聖經的靈感和認為五經文獻較晚的寫作日期並不影響它們的屬靈價值，仍可以接納威氏的評鑑理論而沒有出賣基督教信仰或變成一個無神論者。

其次，長遠來說，一個更重要的因素就是這文獻理論的修正。這是因著「形式評鑑」(Form Criticism)學派的功勞，這學派的學者如庚克(Gunkel)、阿爾特(Alt)、諾夫(Noth)和賴德(von Rad)等人。他們認為在這些較晚的文獻（J、E、D、P）中，背後隱藏著那古遠的傳統（某些部分甚至可以追溯到摩西或更古的年代）。從某一方面來說，這些評鑑學派恢復了對五經歷史價值的信任。五經畢竟告訴了我們一些關於該時期發生過的事情，內容雖然不多，但總比威氏所提議的好多了。例如，在庚克的創世記註釋（1901年）中，他提出列祖故事的最初形式，是在以色列人定居迦南地之前出現。同樣，在1913年革斯曼(H. Gressmann)認為十誡的原始形式是出現在摩西時代的。

之後，另有一個更重要和肯定的意見，認為接納底本學說並不表示與列祖時代的知識相悖，這便是阿爾特(A. Alt, 1929)的工作。他認為在創世記中數次描繪列祖宗教的情況（創三十一5、29-53，四十六3，四十九25），

是真實的描寫他們的遊牧民族生活方式，其中包括了一個主要的思想，就是他們相信一位部族的神，祂會保護那在飄泊的部族，並賜他們後裔。雖然阿爾特的說法只是依靠幾處經文，但他所繪畫的列祖宗教圖畫，若與一般傳統讀者所能了解的情況比較，就非常接近了。

同樣，諾夫(M. Noth, 1930)透過集中注意耶典和神典中相同的地方，建造了以色列在王國之前的一幅圖畫，它包括了藉著盟約支派結盟起來，一同打聖戰、並在一個中央神龕中敬拜。雖然諾夫沒有在五經中找到許多歷史，他再次為以色列人的宗教組織建立了一個簡單的輪廓，這對一般不存著評鑑學態度去讀出埃及記至士師記的人而言，兩者所能掌握的歷史部分，是沒有甚麼不同的。同樣地，賴德(G. von Rad, 1938)認為申命記二十六章中最早的聖經信條，是慢慢地發展成今天的五經。這些學者們藉著確定五經中一些最早期的元素，以及今天已經完成的五經，從兩者之間的連續性，找出了當中的歷史要點，使底本學說更易於被接受。

美國的奧伯萊特(W.F. Albright)和他的學派用考古學的方法進一步加深了對五經的信任，即或它所組成的文獻是後來寫成的。他們認為列祖的名字是主前2000年早期的典型名字，列祖們的遷徙和半遊牧民族的生活方式，也迎合這個時期，還有許多在創世記中法律上的儀節和家庭習俗（例如贈送嫁妝），也在一些古舊的非聖經文獻中得到證實，這一切都表示了創世記的歷史基本上是可靠的。戴克斯(R. de Vaux)著作的《以色列早期的歷史》(*The Early History of Israel*, 1971)可能是這個方法的偉大成果，他結合了考古學的發現和那些評鑑的方法（如阿爾特、諾夫和威爾浩生），產生了一個十分積極可信的以色列發展史。

因此，學術界一致認同五經包含4個主要的文獻（J、E、D、P），這些文獻大都在過了主前1000年許久才寫成；可是，雖然它們是年代較晚的作品，仍能幫助我們充份地認識以色列人的歷史，這期間所記述的史蹟是在主前2000到1300年之間的。

底本學說的崩潰

1970年間出版了幾部啟發性的著作，這

給五經的研究帶來了一段混亂的時期。在1974年湯臣(T.L. Thompson)發表了一篇詳盡的研究，內容涉及經常提及的考古學爭論有關列祖記載的歷史特色，他表示許多的爭論其實證明不了它所宣稱的，許多時候聖經或一些非聖經的文獻都被錯誤地解釋，來支持人對創世記的信任。其中有些要素似乎看來是屬於早期的年代，例如列祖的名字；但如果某人相信創世記是主前1000年之後才寫成的（正如湯臣的看法一樣），這些要素卻可以有不同的解釋了。

范色特(J. Van Seters, 1975)再進一步質疑評鑑學派的意見，他認為那些列祖故事的年代並非難以確定，正如湯臣研究的結果，那些故事其實是更接近，主前第六世紀中的情況和法律體系。此外，他懷疑過去200年來人們以神的名字（「耶和華」或「神」）和用重複的故事（例如創十二和二十），來作為不同作者或文獻的必然證據。其實范色特本人更是盡力的要將「神典」從創世記十二至二十六章中排除，因為他認為它不是一個連貫的實體，它只是耶典所收集的一些早期要素，耶典才是創世記這段落中的主要作者。

仁托爾夫(R. Rendtorff, 1977)也像范色特一樣，反對那些用來分別各文獻的一般準則，並譏諷那些贊同文獻分析的學者們所提出的理由。他認為創世記的寫成是與別不同的，故事中有某一些是關於亞伯拉罕的，另外一些是關乎雅各，又有另一些是屬於約瑟的。這眾多的故事本來是單獨地經過一段很長時間的發展，後來才由一位編者組成，他將那些原本是獨立的故事連繫起來，形成一個連貫的長篇敘述。

最後，還有威斯曼(C. Westermann)偉大的創世記註釋，分別於1968至1982年陸續出版。威斯曼研究的成果和觀點大致上與戴克斯相似，他們二人卻不同於那些較年輕的激進派，如湯臣、范色特和仁托爾夫等，而威斯曼的研究大概還比他們所作的來得重要。不過，威斯曼仍然認為耶典是屬於主前十世紀的作品（不像范色特所認為的主前六世紀），也大致上免除了神典的地位。他看列祖的故事為一個有實質的結合體，經由耶典，再在若干場合裏加插更晚的祭典資料。

在1970年代，聖經研究開始了一個新的趨勢，就是鼓勵學者們視五經為一個結合

體。這個新的文學評鑑學派主要是關心如何去了解現存的經文內容,而不是尋求它們過去的組成過程。這學派所著重的是把現存的經文看為一個整體,留意它的主題、敘述者所採用的方法,如重複的描寫、模仿(真實情況的描寫)、對話、人物的塑造和敘事文內的動機等。在舊的評鑑學而言,他們注重的是作者、成書年代、文獻,以及經文寫成時的歷史情況。但新的文學評鑑帶領我們傾向於欣賞聖經作者的技巧,也因而反對那些用來分別文獻的準則。例如,舊的釋經家視經文的重複敘述為眾多文獻的一個記號,但新的釋經家則看為一個重要的敘事方法,是經由一位作者用來表達戲劇化的效果。新的文學評鑑學者沒有攻擊底本學說,但除了亞特(R. Alter, 1981)和史坦堡(M. Sternberg, 1985)以外,他們對標準的文獻評鑑學表示不滿,後來的學者如卡大衛(Clines,參書目)和惠布鋭(Whybray)便是受惠於這些新的釋經家,而對五經提出了一個綜合的解釋。

這些研究五經的新方向打破了100年前對評鑑學説的一致看法,但它們卻沒有為自己建立一個新的正統派,他們大概是代表著一小群敢言者的觀點,至於那大部分的沉默者卻仍然是持守著一個較溫和的底本學説中某個適度的形式,正如戴克斯所護衛的一樣。

我們可以將主要的評鑑學觀點表列如下:

舊的底本學説

耶典(J):屬於主前十世紀,包含摩西和
　　　　 列祖們的真實片斷。

神典(E):主前八世紀

申典(D):主前七世紀

祭典(P):主前六世紀或稍後時期

新的評鑑學觀點

耶典(J):主前六世紀,反映出王國末期
　　　　 和被擄時的情形

神典(E):不是一個明顯的文獻

申典(D):主前七世紀

祭典(P):主前六世紀或稍後時期

這個新的評鑑學觀點保持底本學説,認為申典和祭典是晚期的作品,但同時卻否認耶典和神典之間的區別。它主張那被擴大了的耶典(大約是由古舊的耶典和神典合成)並

沒有增加我們對古代歷史的認識(例如在列祖、摩西或士師的時代),它只是告訴我們,猶太人在被擄時期中所持守的信念而已。

至今我們只討論了主流的基督教評鑑學者的看法,猶太教的評鑑學者於近年來對五經有關禮儀的經文作了巨大的貢獻(例如出二十五至民三十六),那就是通常被喻為的祭典。舉例説,米格林(Milgrom)認為把祭典看為被擄時期的作品是錯誤的,利未記中那些關於敬拜的律例,並不與被擄後聖殿重建時所作的配合;如果那些文獻真是後期作品,他們的敬拜事宜就應該與那些文獻吻合。這些祭典作品的用語也是屬於古代的,且比以西結書所用的古舊,而以西結是約在主前600年作傳道的祭司和先知。在出埃及記至民數記中描述的敬拜,所用的設備和祭司們的責任都與主前2000年之前其他古代近東的敬拜儀節相倣,這些讓學者們知道祭典(出二十五至民三十六)至少是被擄前的作品,其中所描寫的是在第一個聖殿中,或許也是在會幕中敬拜的情景。但無論如何,很少基督教的學者會去理會這些理由,他們大多數都仍然把祭典看為是被擄後期的作品。

保守派的回應

既然現存的評鑑學也自相混亂,我們可以如何肯定五經的來源呢?它對於摩西和列祖時代的描寫可以信任嗎?或者那些戰事和律法只是在被擄時創作出來,並對未來表達的希望?五經到底是否一個真實和諧的單元,或是其中負載著各類互相衝突的文獻?

對於五經現存的爭議,有人這樣回應:「那些評鑑學者的混亂,使他們自己也證明不了甚麼,所以我們還是回到五經中,讓它把內容告訴我們,並接受摩西是它主要的作者。」但是,這樣的回應卻沒有公平地去處理那些誠懇的辯論和其中所提出的真正問題。為了嘗試對這爭議作出一個合理而又保守的回應,我們要討論到4方面的問題。首先,我們可以在五經中找出多少個文獻呢?那些分辨文獻的傳統準則有效嗎?其二,耶典是屬於哪一個時期?被擄時期(約主前550年)?王國早期(約主前950年)?或是摩西時代(約主前1250年)?列祖的故事真含有歷史成分嗎?創世記開始的數章是何時組成的?其

三，祭典和耶典可以準確地確定至甚麼程度？祭司的資料是何時形成的？最後，申命記真是主前622年組成，並用來支持約西亞王的改革嗎？當然，這些問題都非常複雜，有關它們的討論已寫成許多本書！所以就讓我們在這裏只概述一個思想方向。

第一方面是文獻的分析。過往是因著阿斯突的提議，他認為經文中神的名字（「耶和華」和「神」）顯示出不同的文獻。但時至今日，我們已知道這個準則不能十分有效地分析耶典和神典的資料，所以許多人就下結論說沒有神典的存在。但是祭典和耶典二者之間的分別，卻仍沿用著神的名字之區別和準則，加上因著不同文獻所表現的各種風格。基於此，洪水的故事（創六至九）常被分為耶典和祭典的版本，但儘管如此，近代有數位作者已經看到這個方法是不能證實的；其他人也指出其他古代文獻也使用不同的名字來稱同一位神，那麼為甚麼在希伯來聖經中的這個現象，卻被認為是基於眾多的文獻呢？其實很明顯的，創世記在許多時候用不同名字來稱呼神，是基於一個神學理由：每當描述到神是這個世界的創造者，或是祂被稱為外族人和以色列人的神時，就會用「神」這個名字。但是，當提到祂是聖約的夥伴，尤其是指祂與以色列的關係時，「耶和華」這名字就是最為常用的了。

因此，以神的名字為準則來分辨文獻，是存在疑問的，但這不是說創世記便是一個完整的作品，完全出自一位作者的全新構想。作者肯定是使用了不同種類的資料，如族譜、詩章和記敘文，來完成他的作品，但神的名字本身卻不是分辨文獻的可靠指標。

第二方面的主要問題是關乎耶典的範圍和它的寫作年代。我們在此只簡短的討論創世記一書。因為在以後的書卷中，耶典文件的不完整，使人很難確定它的出現。但是在創世記中，若根據傳統的底本學說，耶典佔了全部經文的50%。若是根據現代作者的計算，耶典更佔了85%，因為神典不列為另一種文獻。又假如祭典是於耶典之前成書，被耶典所合併，耶典就佔了全書的100%了。

故此，耶典的範圍仍然是爭論的題目，它的日期亦是一樣。底本學說認為耶典反映了王國早期的理想，例如那應許之地的疆界（創十五18-21）、大衛王朝興起的暗示（創三

十八，四十九10）等等。近來，那些比較激進的評鑑學家如范色特等，認為耶典反映了在被擄時期，以色列人期盼回歸迦南，故此在創世記中充滿著神賜予亞伯拉罕和他的後裔土地的應許。這個觀察當然是耶典所關心，而且也是在不同時代中的相關題目，但這卻不一定能證明它是出自哪一個時代。其實，在創世記的3大部分：古史（創一至十一）、族長故事（創十二至三十五）和約瑟的故事（創三十七至五十），每一部分都可能是出自早期的。與創世記一至十一章最相似的古代近東文獻，包括《雅特拉哈西斯史詩》（*Atrahasis Epic*）、《吉加墨斯史詩》（*Gilgamesh Epic*）第十一塊泥板、《蘇默人的洪水故事》（*Sumerian Flood Story*）和《蘇默人的列王譜》（*Sumerian King List*），這些文獻都是在主前2000年早期的作品。同樣地，在創世記十二至二十五章內，對列祖生活和宗教的描繪就與摩西時代和其後的日子截然不同。在創世記這些篇章中提及的名字、宗教習慣和法律習俗，也可以在主前2000年的時代找到相似的例子。最後，約瑟故事中的特色也可能是源自蘭塞的年代(Ramesside era)，大概是在摩西的時代。

可是，創世記中充滿了足夠的提示，指出本書若不是源於王國時代之前，便至少是在王國時代重新修訂的。一些名詞如「但」（創十四14）、迦勒底（十五7）、非利士人（二十一32、34）和約瑟的名銜「全家的主」（四十五8），都像是經過了現代化，使王國時期的讀者更能了解那些故事。列祖的宗教也同樣是從一個較晚的觀點去描述。「耶和華」這名字是最先向摩西啟示的，列祖所敬拜的神稱為「全能的神」（出三13-14，六3）。不過，創世記卻表示那對摩西說話的神便是列祖所認識的神，其中只不過是名字上交換使用而已。在神的說話中，經常是用那些古舊的名稱〔「全能的神」（*El Shaddai*）、伊勒(*El*)或伊羅欣(*Elohim*)，即「神」在希伯來文的音譯〕，但每當作者提及神的時候，則選用「耶和華」這個較後期的名詞。

第三方面，舊的底本學說以至新的激進派都把祭典的作品定為不能早於被擄時期出現的。我們在這裏暫不討論那在創世記中屬於祭典的兩個殘篇（創十七及二十三）。正好與那些評鑑學家的理論相反的，這些篇章看

來是屬於創世記中較古舊的部分。我們要關注的是在出埃及記二十五章與民數記三十六章之間有關敬拜的一大批律法條例。這一部分資料所用的詞語和內容，顯出祭典是比被擄時期早多了。正如米格林所相信的，它們所反映的，是所羅門王時候，或第一聖殿時期。另外，哈蘭(Haran)也追溯某些敬拜的儀節甚至是屬於更早期的會幕時代。它表示這些資料是有可能源於摩西的。米格林和麥康威爾(McConville)仔細研讀了申命記，證明申命記作者知道祭典的文獻；與威爾浩生和他的底本學說正好相反，申命記是於祭典之後成書，正如在聖經中排列的次序。

我們現在來到最後一個問題，就是關乎申命記的寫作年代。過去100多年來，在評鑑學的爭論中，申命記的日期曾被看為一個基點，五經中的其他部分都因申命記的緣故而相應確定它們的日期。現代的評鑑學甚少考察這個理論背後的假設。文獻的分析曾受到一些學者質疑，另一些學者則另定耶典和祭典的日期，但那認為申命記是源於主前第七世紀末期的看法卻鮮有人質疑。大家很容易就接受了這個理論，並且認為申命記的風格與耶利米書和列王紀十分相似，而且本書含有為約西亞王的改革而設的計劃，因而證明該書屬於那一個時代。

我們在這裏不能全面地處理這些理論，我們只能指出它們不確定的地方。首先，在希伯來文風格上的相似，並不能證明申命記、耶利米書和列王紀出於相近的日期，文學上的風格在古代近東的改變是很緩慢的，更有可能的是耶利米書和列王紀引用了比他們還早的申命記，為的是要給它們的信息增加可信性。耶利米書看來是引用了申命記的各部分，但它卻從不提及那所謂的「申命記學派的歷史」(deuteronomic history)，這個包括了從約書亞記到列王紀下等書。其次，申命記並沒有推崇約西亞王改革的目標，就是要限定所有敬拜都要在耶路撒冷舉行；相反地，它堅持要設立一個祭壇，並在以巴路山上獻祭，就是約西亞王稱為「高處」的地方(申二十七5-7)。這使本書難以用來作為約西亞王改革的計劃書，或作為改革的因由。第三方面，申命記似乎並沒有留意王國末期所面對的宗教政治問題，也沒有注意以色列國已分為兩個國家，它沒有記錄巴力和迦南人的宗教，而只是籠統地指斥它們。另一方面，它要求要將迦南人除滅，但在主前第七世紀的時候，迦南人早已消失，不再是一個可以辨別的群體。

這些觀察破壞了那認為申命記是屬於主前第七世紀的理論。該書有某些特色反而證明它更有可能是出自較早的年代。首先，本書曾被最早期寫作的先知，如阿摩司和何西阿在主前第八世紀引用過。其次，本書的結構安排與主前十六到十三世紀的赫人盟約和更早的漢模拉比（Hammurabi，約主前1750年）的律法相似，而不是與主前1000年的盟約相同。第三方面，有些婚姻的律法似乎更像主前2000年的記載，過於主前1000年的。這些要點並不確定摩西必是該書的作者，但它們提出了申命記是出於早期的可能性。

結語

「那時以色列中沒有王，各人任意而行。」這是士師記對當時混亂時代的尖刻評語。這與今天對於五經的爭辯缺乏一致意見的情況十分相似，學者們的爭論反反覆覆，當中隱藏了一些假設。例如，我們應該把經文看為連貫性的整體，或是一些殘篇的收集？我們當看聖經是真實的，除非找到相反的證據；或先認定聖經是不真實的，直至我們找到證明才去平反？主耶穌和使徒們的教訓，可以決定我們對這些書卷所含的默示及其作者的看法嗎？不同的學者對這些問題有不同的答案，但我們必須欽佩他們的誠實態度。

以上所提出的理由，讓我們看見五經是前後連貫的，而非文獻評鑑學家所說的那樣缺乏統一，這些論據也幫助我們接受這些書卷基本的歷史真確性。但那些人若不同樣地相信這些經文基本上是連貫的，又或他們是先評定聖經是謬誤的，他們就會毫無困難地去排除我們提出的論據了。無疑地，這些辯論將會繼續好一段日子，但舊約讀者必須緊記「從前所寫的聖經（包括五經），都是為教訓我們寫的（不是為了作者的辯論），叫我們……可以得著盼望。」（羅十五4）這個盼望是首先向亞伯拉罕顯明，在摩西的時候應驗了一部分，以後更完全地實現出來。如果我們把聖經的神聖目的（「教導人學義」──提後三16）作為我們最關注的事情，我們便可

以持合宜的觀點去看這些評鑑學的爭議。

G.J. Wenham

進深閱讀

D.J.A Clines, *The Theme of the Pentateuch* (JSOT Press, 1978).

R.W.L. Moberly, *The Old Testament of the Old Testament* (Fortress, 1992).

R.K. Harrison, *Introduction to the the Old Testament* (Eerdmans/IVP/UK, 1970).

J.H. Sailhammer, *The Pentateuch as Narrative* (Zondervan, 1992).

G.J. Wenham, '*Method in Pentateuch Source Criticism*', in *Vetus Testamentum* 41 (1991), pp.84-109.

——, 'The Date of Deuteronomy: Linch-Pin of Old Testament Criticism,' *Themelios* 10/3 (1985), pp.15-20; 11/1 (1985), pp.15-18.

導論

書名

創世記(Genesis)這個書名來自希臘文的舊約聖經（七十士譯本），意思是「起源」、「源頭」、「創造」等，而希伯來文聖經的書名（根據這卷書起首的字）則是「起初」。這兩個書名都恰當地表達了本書的內容，因為本書是描述一切事物的來源，例如宇宙、世界、人類、人類的制度（如婚姻）、國家和至為重要的以色列人。創世記集中記載神如何藉著創造，使這一切都出現。

另外一個比較少用的書名是「摩西的第一卷書」。這書名強調創世記是摩西五經的第一卷。傳統認為摩西是這些書卷的作者，所以它們又稱為「律法書」。創世記為西乃山的頒佈律法（出埃及記至申命記的內容）提供了一個歷史背景，又為解釋這些書卷的律法和故事提供了神學上的鑰匙。

性質和內容

正如聖經中的其他書卷一樣，創世記基本上是神學性的：它描述神是誰，並祂的作為和背後的原因，以及祂如何對待人類。很多時候，神在人類中間的作為是不明顯的，這可見於我們的日常生活中，或是在聖經中的某些部分（例如以斯帖記）。但在創世記中，尤其在開首的篇章中，神的角色至為突出。祂經常說話和行事，顯示出祂的能力和屬性。現代的基督徒讀者有些自幼就相信一位全能聖潔的神，可能不會因創世記中的宗教內容而感到驚訝，但古代的讀者都是異教的多神主義者，就會因本書而深感詫異了。

創世記描述的神不是眾多地方神明中的一位；那些神明的知識和能力有限，而這位卻是整個宇宙的全能創造者，以及萬物的主宰和審判者。這位神創造了人類，關懷他們

和審判他們的罪行。祂曾對亞伯拉罕說話，引導他離開家園、定居迦南（以色列人之地），並在那裏生養眾多，建立他的家庭。神應許亞伯拉罕說，他的後裔將會住在迦南，而創世記記載了這些應許如何經過種種波折，最後終於漸漸實現。跟著的書卷會描寫這些應許完全應驗。這些觀點使用神的角度，成了創世記一貫的主旨，也是作者的重點。每當我們想瞭解創世記的故事與歷史的關係時，我們就必須把這點緊記於心。創世記並非純為記載一些歷史事件，而是要揭示神的性情和祂的計劃。

創世記與歷史

無數人出現在創世記裏的歷史舞台，但所記錄的事情大多數都是與他們的家庭有關，而不是國家或國際間的事。他們關心的是生與死、家庭糾紛、畜牧和喪葬的權利等等。這些故事的特色明顯地說明了創世記的作者所記載的人物是真實的歷史人物，而不是部族的擬人化，或是作者所虛構的。

但是，我們可以肯定創世記中的故事是真正的歷史嗎？到目前為止，我們沒有列祖婚姻的文獻或證據，例如雅各出訪巴旦亞蘭或約瑟擔任埃及的大官等，我們沒有發現聖經以外的證據。這情形不足為奇，因為在古代中只有極小部分的資料會被記錄成文，再加上考古學家所發現的，也只有極小部分的文獻留存下來，令到我們除了在聖經記載以外，很難去證明某一位列祖的真實性。儘管如此，我們在創世記中仍有很多的指標，指出這些古代傳統極其古遠，讓我們知道這些故事並不像一些學者所提議的，以為這些傳統是某些晚期宗教小說家的創作，編寫一些純屬臆測的遠古人類歷史。

首先，列祖的名字是主前2000年的早期常用的名字，其後便非常罕見了。名字如雅

各、以撒和以實瑪利是早期亞摩利人的標準名字（約主前1800年），以後便不再流行了。其他在列祖的記載中提及的名字如西鹿、拿鶴和他拉都證明了列祖是來自哈蘭一帶的地方。

其次，列祖的社會風俗合乎古代近東文獻中所形容的。有一些習俗（例如當女兒出嫁時給予她嫁妝）在2000年內改變得很少，所以不能幫助我們去確定列祖故事的年代。不論它們是何時寫成，它們只表示出那些故事是生活中實際發生的事。但另一些風俗卻會隨著時間而改變，例如收養奴隸作後嗣（創十五）或是稱呼長子為「大的」（譯者註：此處用了希伯來文的一個不常用的詞語rab，創二十五23），這便把聖經的故事推置在極早的年代了。同樣地，許多在約瑟故事中的特色可以在主前2000年的埃及文獻中找到相似的例子，相似的程度較之晚期的情形更甚，這便再一次支持了約瑟故事的古遠性。

最後，列祖的宗教和道德情況看來比五經中其他的書卷更早期，列祖的習俗和信念有時與後期律法所要求的大相逕庭，例如，亞伯拉罕娶了他同父異母的妹子（創二十12；參利十八9），雅各同時娶了兩姊妹（例如二十九21-30；參利十八18），以及雅各立了一根石柱（創二十八18；比較利二十六1；申十六21-22）。在創世記中，神經常自稱為伊勒(El)，例如「全能的神」（El Shaddai，創十七1）、「至高的神」（El Elyon，創十四19）。但及後（自出埃及記六章3節之後），「耶和華」（Yahweh)便成了以色列人對神的標準稱號。

雖然我們顯然永不能證實列祖事件的詳細內容，但這些觀察有利於確定列祖的故事是具有歷史性的。但當讀到第一至十一章的時候，情況就不同了。這些故事大都關乎一個遠古的時代，那時文字還沒有發明，所以不能嚴格稱為「歷史」，也甚難用聖經以外的證據去驗證。然而，創世記是根據年代的先後去排列故事，並照著事情的因果關係作出解釋，這就是歷史著作的本色。所以雅各臣(T. Jacobsen)創造了「神話式的歷史」(mytho-historical)這個名詞去形容這類作品〔JBL 100 (1981), p.528〕。但「神話」帶有消極的含義，所以用「原始歷史」（proto-history)這個

名稱形容創世記一至十一章可能會更合宜。在現有的知識中，我們不容易懂得如何協調這些篇章和近代科學的發現。以古代近東人的思想作為背景來讀這些篇章，會對我們更有幫助（參下文有關創世記的神學和註釋部分）。這樣，我們就會看見這些篇章對多神的信仰提出了有力的批判。創世記的作者似乎假定了亞當、夏娃和他們後裔的歷史性，並把他們放在一個很長的家譜中串連起來，由亞當至亞伯拉罕為止，這表示作者把亞當看為一個真實的人，一如亞伯拉罕和以撒一樣。

作者

創世記的作者問題一直是聖經研究中一個最多人討論的題目，若要知道有關這問題更詳盡的解釋，可參閱前文有關五經的專文。這裏會將本註釋所持的主要觀點和立場表明出來：

傳統上，摩西（約主前1300年）是被公認為創世記和接著4卷書的主要作者。但一般都同意書內有一些評語（如創十二6，三十六31）顯示出本書有一些部分是後來加上的。況且創世記本書也沒有明文指出摩西是作者。

從十九世紀開始，主流的評鑑學界貶低了摩西在五經成書過程中的地位，最廣泛接納的看法是認為創世記是由3組文獻所合成：耶典（主前十世紀）、神典（主前九世紀）和祭典（主前六世紀），而全書也經過了一連串的修改，在每一次的修訂中都加上了新的資料。

自1970年以後，人對底本學說的不同文獻發出疑問，有些學者爭辯那些文獻的日期，有人甚至懷疑底本的存在。到目前為止，仍沒有一個理論可以取代來源評鑑學者的傳統共識，故此在許多教科書和註釋書中仍假定這個理論的真確性。

當這個評鑑學的爭辯仍繼續下去的時候，大家都同意註釋書的首要任務是要解釋經文的現存形式，不論創世記的作者是採用了多種或只是一種的文獻來源，最重要的是本書的現存面貌。創世記是一個構造美麗的整體，充滿生動的故事，告訴我們有關神和祂的真理，這都是聖經中其他書卷所認定的。故此本註釋書注重的是經文在今天的最

證主21世紀聖經新釋

後形式。本書的成書日期大概比一般人所以為的較早（參前文有關五經更詳細的討論），無論是誰寫創世記或它是在哪一個時候寫成，聖經的作者最關心的是要將神的事情告訴我們，而非向讀者提供透露他身分的線索。

🌡 主題

創世記可以分為兩個不平均的段落，第一至十一章是原始歷史，集中講述人類民族的起源。第十二至五十章是列祖的時代，詳述以色列人的始源。由於大部分的注意力都集中於列祖的記載方面，由此可見此乃作者主要關心的。因此，考慮到創世記的首要神學主題，我們將先討論十二至五十章，然後才回到一至十一章中，那裏給我們提供了有關揀選亞伯拉罕及其後裔的背景。

應許與它的逐步應驗

創世記十二至五十章的主題（其實同樣是整部五經的主題）在十二章1至3節中陳明出來：「你要離開本地、本族、父家，往我所要指示你的地去。我必叫你成為大國，我必賜福給你，叫你的名為大，你也要叫別人得福。為你祝福的，我必賜福與他；那咒詛你的，我必咒詛他，地上的萬族都要因你得福。」神在這裏給亞伯拉罕4個應許：1. 祂會賜他土地；2. 他將會成為「大國」；3. 他會享受與神之間的一種特殊（聖約）關係；4. 萬國也必因他得福。在創世記中，每逢神向列祖說話的時候，祂都提到這些應許，而且很多時是將它們詳述，或是講述得更明確。例如，「一塊土地」（十二1）變成了「這地」（十二7）、「凡你所看的一切地……自到永遠」（十三15）和「迦南全地……，賜給你和你的後裔，永遠為業」（十七8）。

若要掌握創世記中那些應許的重要性，讀者必須察看全書所記載神的說話，並留意經文之間神在用語上的轉變（十二1-3、7，十三14-17，十五1-7、13-21，十六11-12，十七1-21，十八10-32，二十一12-13、17，二十二11-18，二十五23，二十六2-5、24，二十八13-15，三十一3，三十二27-29，三十五1、9-12，四十六3-4）。這些轉變顯示每當列祖以信心和順服回應的時候，神便使祂的應許變得更明確和決斷。即使列祖的不當行為，都不能使這些應許失效，頂多使它們的實現延遲而已。

不單神作了這些應許，列祖也常提及它們，甚至他們的朋友或仇敵都間接援引它們（十五2、8，十六2，十七17-18，二十一6-7，二十四7-8、35-40、60，二十六22、28-29，二十七27-29，二十八2-4、20-22，二十九32至三十24、27，三十一5-16、29、42、49-50，三十二9-12，三十三5、10-11，三十四10、21，三十五3，四十一52，四十五5-11，四十八3-22，五十5、19-21、24-25）。這些對應許的引用或暗示，表明了它們對故事中的人物和創世記的作者是何等重要。

再者，創世記所記錄的列祖生活插曲說明了這些應許的實現。而且我們可以假定，創世記的作者（一如福音書中的約翰，參約二十30-31）知道更多有關列祖的事情，不過他只揀選了一些告訴我們，他挑了這些插曲用來表明應許是如何（雖然緩慢地）的應驗。卡大衛(D.J.A. Clines)在他的《五經的主題》(*The Theme of the Pentateuch*)一書內很合宜地認定五經的主題便是對列祖應許的部分應驗。故此，讀創世記時，我們要向每個事件發問：這件事情對實現應許中的地、國家、聖約關係，以及和對列國的賜福，到底有甚麼影響？

明顯地，這不是說應許中的每一方面都是這些插曲的要點，也不是說應驗會直截了當地發生，因為其中有許多的打岔和倒退。創世記是明晰地關注應許中的後裔，就是亞伯拉罕的後代要成為大國，但是在創世記十一章10節提到撒拉不生育之後，要到二十一章1節（25年後）那應許之子以撒才誕生。照樣，以撒的妻子利百加是在以撒求子之後20年才懷孕（二十五20、26）。同樣地，雅各真正所愛和在他眼中唯一真正的妻子——拉結——也驚愕地眼見她的對頭利亞和雅各的奴婢妻妾們接二連三的生子，之後她才生了一個兒子（三十23），其後更在第二次的生產中死去（三十五16-19）。到創世記結束的時候（四十六27），亞伯拉罕後裔的數目只有70人，這絕不可能是一個大國！雖然到了他們在埃及為奴的時候，人數戲劇性地增加，但那個無數後裔的應許似乎仍未實現，到了出埃及記的時候也未完全應驗。

至於土地的應許，亞伯拉罕只得到了一塊墳地安葬他的妻子（二十三1-20），以撒獲准可以飲用一些水井（二十六22-23），雅各則買了靠近示劍的一片地（三十三19；參四十八22）。到創世記結束時，沒有一個亞伯拉罕的後裔居住在迦南那應許之地，他們都已遷徙到埃及去。事實上，進入那地雖然是出埃及記至申命記所最注重的，但這竟要到約書亞記時才能成真。

應許過了很久才成就，部分原因是因為列祖不信和不順服（例如十二10-20，十六1-14，二十七1-45），但不論他們作了甚麼，應許中有一件事卻重複地證實是真的，那就是神與列祖同在，賜福予那些祝福他們的人，咒詛那些咒詛他們的（十二3）。因此，雖然亞拍拉罕身處埃及和基拉耳，並以為已身陷險境，也因著他的不信和害怕，致使他的妻子陷入危險，但亞伯拉罕和撒拉最終都平安渡過，甚至因著居住在外邦之地而致富（十二10-20，二十1-15）。同樣地，以撒面對不懷好意的非利士人仍能昌盛（創二十六）。當雅各逃命到巴旦亞蘭的時候，他知道神與他同去，更藉著神的幫助，使他能夠避過他岳父的詐取，平安回鄉，並與那本來計劃要殺他的兄弟和好（二十八20-21，三十一42，三十三11）。尤有甚者，約瑟一生的遭遇也表明了神與他同在，使他從因牢中被擢升為法老的宰相（三十九5、23，四十一39）。

但至此這應許只是部分應驗，神雖然與亞伯拉罕立約（十五18），再堅立這約（十七7），並加上保證（二十二15-18），這些仍只不過是以後那更大的西乃之約的序曲和預嘗，而西乃之約乃是與亞伯拉罕的後裔所要建立的。

最後，還有那關乎萬國的應許的部分應驗。透過亞伯拉罕的努力，所多瑪的王得到拯救（十四17），藉著他的祈禱，在基拉耳的不育婦人可以懷孕（二十17）。其中最戲劇化的，就是約瑟被神所用去拯救了多人的性命，不單是他自己的家人，更包括埃及人和他國的人（四十一57）。他本人也指出這是出於神的部分計劃（四十五5-7，五十20-21）。

宣佈神對人類的旨意

神為甚麼一定要揀選亞伯拉罕？發出這些應許的神到底是誰？亞伯拉罕是如何出現在世界的歷史中？創世記一至十一章就是討論這些問題。

創世記十二至五十章說明12個支派就是雅各的12個兒子或孫子（二十九32至三十24，三十五18，四十八16）。以色列人最近的鄰舍是出自雅各兄弟的後人（以東從以掃而出，二十五26，三十六1）或遠親（摩押和亞們，十九36-38）。創世記第十章的列國誌顯示了以色列人與其他70個民族的關係，這情況是當時創世記的作者所知道的。以色列也像其他的部族，如敘利亞人和亞拉伯人，他們源自閃——挪亞的一個兒子（十21-28）。那些離以色列國最遠而又認識的國家包括瑪代、希臘和其他地中海一帶的民族，他們都可追溯至雅弗——挪亞的另一個兒子（十2-5）。至於含——挪亞的蒙羞之子，也被記敘為以色列人由來已久之敵人的先祖，這些民族包括埃及、巴比倫和迦南（十6-20）。因此，**透過這個列國誌，以色列人在古代近東列國之中的地位就被確定了。**

創世記開始的篇章也確定了以色列人對神的看法，這看法是與當時的古代東方所流行相信的諸神大不相同。聖經中由創造至洪水的人類歷史雖然在其他古代文獻中也找到相似的資料（就如《雅特拉哈西斯史詩》（Atrahasis）、《吉加墨斯史詩》（Gilgamesh）和《蘇默人的洪水故事》），但其中最重要的是創世記如何向它當代的人重講這些熟悉的故事，而且是以一個嶄新和革命性的觀點去描繪神，並祂與世界及人類之間的關係。

古代的東方諸神只具有限的能力、知識和道德水準，所以宗教像賭博：你永不能確定到底是否選上了那位真正的神明，又或他/她會否帶給你健康和拯救。但創世記中的神是獨特和無與倫比的。全能的祂以一句簡單的命令創造了整個宇宙（太陽、月亮和眾星本身也常被當作神明）。祂降下又停止洪水，祂因挪亞的義救了他的一家，而非因著偏愛。創世記的神極之關心人類的安危，這與米所波大米的神話截然不同，那些神明創造人類只是一個事後才想起來的主意，為的是叫人類供奉他們，但創世記卻宣言人類是神創造的目標，而且神為他們提供食物（一26-29）。

雖然人類的被造是神最完美的成就，但根據創世記所言，人類卻是滿有缺陷，「在

人的心中終日所思想的盡都是惡」（六5）。人類的罪惡（而不是人類的繁衍，如《亞特拉哈西斯史詩》中所說的）招致洪水的來臨。就是這種對人性和社會深具的消極感，使創世記的神學與其他古代東方的思想分別出來。例如，米所波大米人（像今天許多的現代思想家）相信進步，他們認為巴比倫的文明是繼往開來最先進和最富啟迪性的。但創世記卻宣稱人類的完全敗壞（六1-4，十一1-9）。創世記追溯人類的罪惡如雪崩般傾瀉，由亞當的不順從開始，加上該隱的兇殺而劇增，至終到非法的婚姻（六1-4）而達到高峰，接著洪水滅世。這洪水把受造物完全摧毀，其後新的創造出現，新的土地從水中顯現，而挪亞就像第二個亞當一般，重新耕種土地。但他也如第一個亞當般失敗，他的兒子含表現更差；後來人要建造一座通天塔——巴別塔，人類的罪惡再一次達到頂峰，遂引至另一次的普世性審判，而將各國分散在全球之上。

　　但有一個出自吾珥（該處為腐敗文明的中心）的人，神呼召他離開家園，到一個新的地方建立一個新的國家，以致世界的萬國都因而得福。因此，創世記雖然對人類的罪惡滿了灰暗的看法，它基本上仍是一本積極的書卷，宣佈了神對人類的旨意，最先是顯於祂的創造（第一及第二章）中，最後藉著亞伯拉罕的子孫而完成。

應用綱要

　　神的創造顯明神對人的看顧，而祂創造人類的目的，是叫人彰顯祂的榮耀。然而人犯罪墮落，引出神救恩的主題。而且透過列祖的生平事蹟，我們一方面看見神奇妙的作為，認識神是全能、看顧、供應的神；另一方面，列祖表現的信心、順服、敬虔，成為我們學效的榜樣；而他們生命中的軟弱、倒退，及人性的詭詐，亦成為我們的鑑戒。

📖 大　綱

一1至二3	**序言：神創造世界**
一1-2	創造的起頭
一3-23	創造萬有
一24-31	創造動物和人類
二1-3	第七日聖日
二4至四26	**天地的由來**
二4至三24	伊甸園
四1-26	第一個人類家庭
五1至六8	**亞當的後代**
五1-32	亞當的家譜
六1-8	人類與神靈的婚姻及其後果
六9至九29	**挪亞的後代**
六9至八22	洪水
九1-17	神與挪亞立約
九18-29	含的罪惡
十1至十一9	**閃、含、雅弗的後代**
十1-32	列國誌
十一1-9	巴別塔
十一10-26	**閃的後代**
十一27至二十五11	**他拉的後代和亞伯拉罕的故事**
十一27至十二9	亞伯蘭蒙召
十二10-20	亞伯蘭在埃及
十三1-18	亞伯蘭與羅得分開
十四1-24	亞伯蘭拯救羅得
十五1-21	立約的應許
十六1-16	以實瑪利的誕生
十七1-27	割禮的約
十八1至十九38	所多瑪的覆滅
二十1-18	撒拉與亞比米勒
二十一1-21	以撒與以實瑪利分開
二十一22-34	與亞比米勒立約
二十二1-24	獻以撒為祭
二十三1-20	埋葬撒拉
二十四1-67	利百加與以撒成婚
二十五1-11	亞伯拉罕的晚年
二十五12-18	**以實瑪利的後代**
二十五19至三十五29	**以撒的後代：雅各和以掃的故事**

　　本註釋的大綱結構是根據經文本身所提示的分段，故此它不與中世紀時所定的章數分段相同。創世記是顯著地分成10大段落，每一段都以「這是某某的後代」（"this is the account of"，二4，五1，六9等）開始，在記述這10個「後代」〔譯註：或稱為「來歷」（二4）和「記略」（三十2），在原文都是同一個詞語〕之前有一個序言，這個序言描寫神6日的創造和在第七日安息。這些後代的記載有時是很長的敘事文（例如六9至九29「挪亞的後代」），有時卻是比較短的家譜（例如十一10-26「閃的後代」）。在本書最詳盡的部分（就是亞伯拉罕後裔之列祖故事），那沒有被神揀選的家族往往是先用一個家譜來作撮要（例如以實瑪利，二十五12-18；以掃，三十六1至三十七1），然後再詳細記述那被揀選的兄弟和他家庭的故事（例如以撒，二十五19至三十五29；雅各，三十七2至五十26）。

📖 註　釋

一1至二3　序言：神創造世界

　　這一段位於本書10大標題（「這是……的後代」，二4等，參大綱解釋）的主要結構之外，表示本段落是全書其他部分的序言，展示出神是誰和祂與世界的關係。所以它即或不是關乎到整部聖經，也至少為創世記的解釋提供了一條鑰匙。而且，這序言不單是一個神學的宣告，它更是一篇對創造者歌頌的讚美詩，因為藉著祂和為了祂，萬物才因此存在。

　　這序言是精心設計的。神在6日之內一共有10個命令，並產生了8個創造行動。因此第一日至第三日與以後的第四日至第六日，是互相呼應的。在第一日，神創造了「光」，而在第四日則創造「光體」（太陽、月亮和眾星）；在第二日，祂創造了天空和海，第五日則創造了在天空和海中的生物（飛鳥和魚）；到第三日，祂創造了地，而第六日便創造在地上的居民（動物和人類），給植物予他們作食物。到最後第七日（安息日），神便安息了。

　　男人和女人在第六日的受造，乃創造的頂峰，因為在這事之後，緊接著一段強調和冗長的論述，說明人類被造的角色（一26-29），這論述比其他被造之物記敘得更詳盡。確實，前5日的工作似乎是為人類創造一個家，就是創造中對人類最具影響的部分（如植物、動物、太陽、月亮），有更詳盡的描述，遠遠勝於其餘的創造工作，如光、地，和海，後者相對地屬於次要。神對人類的關心顯明在祂為人類預備了植物作食物。

　　聖經似乎是故意強調神在6日之內創造而在第七日休息，神工作的方式便成了人類活動的模式。人是照著神形象而造的，故此在聖經內常強調人要做效神，一如神6日作工和在第七日休息，人類也照樣工作6日，而在第七日休息（出二十8-11）。

　　把這些記敘與其他古代東方的創造記載作一比較，明顯看見創世記對人類在地上生活的關懷。創世記顯著否定其他對諸神的看法和他們與世界的關係等記載，在這裏沒有諸神間相爭的故事，也沒有諸神間的結合和生養兒女等事。聖經中只有一位神，祂超越時間和性別，祂從太初就存在。祂創造了一

證主21世紀聖經新釋

切,包括太陽、月亮和眾星,就是其他人尚且以為是神的東西。祂不需要魔法去作這一切,祂的話語本身已有足夠的能力。根據創世記的記載,只有一位神,祂是至高的創造主,全宇宙因祂而存在,並要順服祂。在這個受造的宇宙中,男人和女人都享有一個尊貴的地位,因為他們是照神的形象造成的,我們反映神的特性,也在地上作祂的代表。

一1-2　創造的起頭

新國際譯本接納傳統對這些經文的了解,認為這是形容開頭的第一個創造行動,神從無有中創造了萬物(「天地」)。但在創造之初,地是「空虛混沌」,是不毛之地和不能居住的。所以那故事繼而講述神如何在6日中將混亂組織成我們今天所看見有秩序的世界。

有些現代的譯本和釋經家對**第1節**有不同的解釋,有些聖經譯本(例如新英語譯本)認為第1節只是在形容神開始創造時的情形:「起初當神創造……地是空虛……」。其他則只看第1節是第一章的摘要標題。但二者都不如新國際譯本所採納的看法。「創造」是只有神才能夠做的事情(在舊約中這動詞只用在神的身上)。藉著創造奇異的和人不能預料的事情,祂顯出祂的能力來(民十六30),例如大魚(一21)、男人、女人和高山(摩四13)。

第2節描繪這世界是黑暗和荒蕪的,被水遮蓋,並有奇異的「靈」(或「風」)從神而來,「運行」在海面上。這裏提示一種從神而來的能力,後來在箴言八章12至31節和約翰福音一章1至3節有進一步的說明,指出這是「智慧」和「道」在參與創造的工作。

一3-23　創造萬有

一3-5　光的創造　當神說「要有光」,這黑暗的世界被照亮起來。更精確地說,晝、夜的分開是因著光的被造。光是能源的一種形式,它可以藉不同的方法被製造出來,而不是單源自太陽和眾星(它們要到第四日才被造)。現代的宇宙論學者認為宇宙是起源於一個熾熱的大爆炸,這一定產生了很大的光芒。秩序開始出現,並代替了黑暗和混亂。那重複的短句「**神看著是好的**」(參一10、12、18、21、25、31)肯定了創造和其創造

者在本質上的美善。

附註　很可能那「晚上和早晨」的次序(「有晚上、有早晨,這是頭一日」,參一8、13、19、23、31)是反映希伯來人對「日」的觀念,就是從一日的日落起計算至翌日的日落。但無論如何,創世記認為最重要的是神在6「日」內工作,然後休息。期間是神活動的日子而不是人的工作,所以一日不大可能定為24小時。其實希伯來文用「日」一字來代表各類不同的期間:有陽光的時候(創二十九7)、二十四小時(創七4),或一段不確定的時期(創三十五3)。這裏所提及的「日」並不同於一般的「日」,這可從日頭要到第四天才被造一事上顯明出來。另外暗示創造不是按照字面解釋在6日完成的原因,就是在第1節才提及「天地」(還未組織的宇宙)的創造,這事發生在6日的計算還未開始之先。最後,我們留意到創世記一章1節至二章3節不像創世記的其他部分,它的起頭沒有「這是某人的後代」為標題,這標題把原始歷史(二4至十一26)和列祖歷史(十一27至五十26)連接在一起。這些不同之處表示一章1節至二章3節是本書其他部分的序曲,所以它可能不須像後文般,要按字面定義去了解。無論如何,神在6日內作工和在第七日休息(不論人計算那些「日子」有多長),便成了人類效法的模式。

一6-8　分開諸水　神再一次顯示祂的能力,限定水的界限(伯三十八8-11),這些水至今仍覆蓋著地球。一些水被限定在海洋中,其餘則在天上,在上面的水便因著在中間的「天空」(和合本:「空氣」)而保留在那裏。由地上到天上(天空)仿似有一個圓頂的東西防止雲層中的水降落在地上(比較七11)。

一9-13　創造旱地和植物　對人類尤其重要的是第三日旱地和植物的出現,使人類可以在其上生活和維持生命(參一29-30)。這些植物的不同種類(11-12節)見證了神的組織能力,種類之間不可以混淆(參利十九19;申二十二9-11)。

一14-19　創造天上的光體　一個對神創造能力更強的證明,也是和人類生存有關的,就

是太陽、月亮和眾星的被造。在創世記時代的外邦人中，認為那些天體就是神，為了避免有人產生誤會，故此創世記說明它們只不過是神所創造之物，而且只稱它們為「光體」。它們被安排用來調節人類生活的基本規律，就是劃分晝夜和一年4季。

一20-23 創造飛鳥和魚 對比神在頭3日的工作和後3日所作的，二者在此就十分顯明了。在第一日是光的被造，而第四日是天上光體的被造；在第二日是天空和海洋，而第五日是飛鳥和魚。再一次，創世記強調神對次序的關心。「**大魚**」（原文為「大的海洋生物」）在一些古代神話中被認為是有神性的，但創世記堅持認為牠們不過是神所造的一些生物。神繼而要海洋和空中充滿祂的創造，並且用祂的命令和賜福來保證牠們的繁殖，其中並不需要一些魔法或生殖的儀式去達成。

一24-31 創造動物和人類 創造的記載到第六日達到高峰，在這一天，神工作的記載比之前的任何一天都更詳盡，而用來描寫這日的詞語也與第三日（旱地外露）成一對比。

創世記在這裏將人類在神計劃中的目的和地位下一個定義。神說：「**我們要照著我們的形象，按著我們的樣式造人**」，意味人類，包括男人和女人，在地上作神的代表。古代東方的王常被視為帶有神明的形象，但創世記卻肯定每一個人都是如此。新約更肯定基督是「那不能看見之神的像」（西一15），是「神榮耀所發的光輝，是神本體的真象」（來一3）。這種對神形象的了解超過了創世記的作者所能了解的，但是「**我們要照著我們的形象造人**」（26節）也暗示另一件事：本處是形容神與天使們說話，也是本章內有關其他超自然本體的唯一暗示。這記載表示「人」同時有神和天使的樣式。（在傳統上，基督徒看「我們」和「我們的」是暗示三位一體中的其他位格，雖然這是一個頗合理的解釋，但不是本處的首要意思。）

第二方面，因著人類是按照神形象造的，他們便在這世作神的代表，並要「**管理……全地**」（26節）。詩篇八篇4至8節精采地以詩歌形式講述這觀念。「管理」表示統治權，但不是剝削，人既是神的代表，就一定要管理他的事物如同神管理世界一般，是為了這個自然界的好處。神讓人類合法地享用世上的資源，卻不允准我們濫用祂的受造之物。

第三方面，神特意創造了人類的兩性，為使他們能生養眾多，故此祂賜福男女的交合，並表明這事在祂計劃中的重要。但在其他古代的故事中，尤其是那些來自米所波大米的地區（他們擔憂人口的增長），它告訴我們諸神千方百計抑制人類的繁殖，降下災難、饑荒、洪水和令人流產。創世記的神再三鼓勵早期的人類要大量繁衍（一28，八17，九1、7），並且應許列祖說他們將會生養無數的子女，因此男女交合被看為在神美好的創造中一個重要的部分（31節）。

第四方面，神給人類結種子的菜蔬和果樹作為食物（29節），肉食要到洪水以後才獲得批准（九1-3）。不過，創世記主要的旨趣不是在於人類最初是否素食者，它的重點乃在於神供應人類食物。在米所波大米的神話中，諸神造人，為要人類供應他們食物；但創世記所肯定的卻剛好相反，就是神餵養人類（比較詩六十五，五十7-15）。

二1-3 第七日聖日

藉著戲劇化的風格，聖經突出了安息日的獨特性，第七日雖未稱為安息日，但已有此暗示，因為那句「**他安息了**」的話也可以意譯為「他守安息日」。此外，第七日的重要性更因著神賜福這日和定它為聖日而被強調。安息日通常稱為「聖日」，但只有在尼希米記八章9及11節中其他的節日，也被稱為「聖日」。這裏描寫神在第七日休息了，但那敘述者明顯是暗示人類既然是照神形象造的，也當效法他的創造者。這裏的上下文暗示了一星期中有一日休息，是人類生存所必需的，正如性（一27-28）和食物（一29）一樣。今天似乎遺忘了這一點，包括基督徒在內。

附註 創世記第一章與科學 創世記和現代科學是回答不同的問題。創世記解釋神是誰和祂如何與這個被造的世界有密切的關係。科學是在闡明神所賜有關自然現象的定律，而從這些定律，科學家可以追溯到宇宙發展的過程。科學使我們感受到創造主無限的力量和智慧，但它不能解釋神創造宇宙的

目的和祂的本性。創世記不是要處理二十世紀科學所提出的問題，而是那些在3,000年前在古代東方流行的思想。與多神的世界觀剛好相反，也和那許多有智慧和能力的男神和女神不同，創世記宣告只有一位神，並宣告祂有絕對的能力和聖潔。創世記反對古代民族認為人類的被造只是偶發的一個主意，甚至那些神後來也後悔他們所造的；創世記肯定了人是創造的目標，而且這位神絕對為人的好處著想。這個道理在整本聖經中不斷重複地肯定，在創世記第一章中的宣告成了一個典範，這典範對作者所要講述的是非常重要。現代的讀者應當集中注意創世記這些原來的目的，而不是把科學問題帶到這些經文中，因為那些問題與本書的目的是沒有關連的。

二4至四26 天地的由來

本段落描寫人類社會如何從開始的完美狀況（一31）墮落的3個階段，由第一個公然反抗神的命令（三6）到第一次的兇殺（四8），及後來拉麥77倍的報復（四24）。這些罪行是獨特而具代表性的，每一次的罪行都有相似的因素和後果，也因它們是發生在歷史的起頭，所以帶給整個人類可怕的結果。

二4至三24 伊甸園

如果這世界被造時極好，為甚麼在其中有這麼多的痛苦、艱難、憤怒和憎恨？此段經文就是用一個簡單卻又深奧的方法去解釋罪的來源和影響。故事開始時，那第一對夫妻純樸安詳地生活，由此勾劃出神給人類二性之間應有的關係和模式。後來它告訴我們如何因著一個表面上微小的不順從行為，情況急轉直下，人類也被逐出樂園。

「耶和華神」（二4）是在第二和第三章中常用的片語，但在舊約其他地方卻很少使用。

它總括了在這些篇章中兩個重要的信息，就是神同時是人類的創造主（「神」是第一章的專用名詞），也是他們的朋友和立約的盟友（「耶和華」是神的名字，只向以色列人啟示，參出三14，六3）。

二4-7 第一個被造的人

作者倒敘在第六日人類被造之前的情形（一26-28），並描寫一個在中東的典型沙漠，那裏需要人力去灌溉和使它繁殖。那位偉大的陶匠（神）便在那地方用塵土造成第一個人，並且將生氣吹進他裏面。藉著這個傳統觀念，創世記暗示人類的本質不單是物質的，更具有屬靈和神吹氣的元素。

二8-17 神為人預備園子

神對人類的關懷在一章29節提過，在這裏再一次強調。一個充滿果樹、河流、金子和寶石的可愛園子，是預備給人類居住的，這個地方叫作「伊甸」（就是「愉快」、「可愛」的意思）。樹木、水、金子、寶石和基路伯等，也是用來裝飾那後來的會幕（出二十五至二十七）和聖殿（王上七；結四十一至四十七），而這些物件象徵這園子最重要的事情——神的同在。祂常在晚涼之時行在其中，並與亞當和夏娃有親密的交談（三8）。「生命樹」給予人永遠的生命；「分別善惡的樹」則給予人智慧，後者卻是禁止人類食用，因為這樹的果子所給予人的智慧，會引致人離開神而自立，但是真正的智慧，卻應該源於「敬畏耶和華」（箴一7）。

附註 第10-14節伊甸園有兩條河是很有名的：「希底結」河和「伯拉」河流經現代的伊拉克而進入波斯灣。「基訓」河和「比遜」河不能確定，故此伊甸園的位置不能確定。米所波大米的神話說有一個樂園島坐落在波斯灣的上端，所以最有可能的解釋便是伊甸園！但是這個看法可能過於字面，因為在下文三章23至24節明確表示人類今天再也不能進入伊甸園。

二18-24 女人的被造

儘管環境恬靜怡人，當中仍有所缺，神說：「那人獨居不好」（18節）。之前神對所創造的都有高度的評價，認為是「好」的（例如一10、31），故此這次的評語頗使人驚訝，帶出下一步的創造行動。

首先，動物成了男人的同伴，牠們是在人類的權下（在20節那人給牠們起名），但人不可以剝削牠們（比較一24-31）。可是動物不是那人最完美的同伴，只有一個被造的女人才能完全滿足他。

神用亞當的肋骨創造夏娃，帶她到他的跟前，這是一個動人的故事，就如一個婚

禮，美妙地總括了有關婚姻的許多重要教訓。在這裏和一章27至28節中，神為兩性之間建立了標準的關係，一章28節強調生育的重要，但在一章20至24節卻探討婚姻中的同伴之誼。首先，夫妻二人互相補足，「合適的幫助者」（新國際譯本）翻譯為「匹配的幫助者」更佳，就是供應他所缺乏的。她是那失去的肋骨。亨利馬太(Matthew Henry)對於神選擇一根肋骨去創造夏娃，如此說：「不是出自他的頭來壓制他，不是出自他的腳，以免被他踐踏，乃是出自他的身旁，與他同等，在他的膀臂下受到保護，靠近他的心房而被疼愛。」或許這些話賦予那肋骨過多的意義，但是它對聖經中理想的婚姻卻表達得十分美好。

第二方面，男人與妻子的連合應是永久的：一個男人**「與妻子連合**（原文直譯為「黏合」），**二人成為一體」**。主耶穌（太十九5）和保羅（弗五31）引用這經文來反對離婚。

第三方面，男人必須將他妻子的利益置於其他人之上，甚至他的雙親之上。他**「要離開父母」**不是說要到別的地方居住，而是把照顧他們的重要責任（出二十12）看成次於照顧他的妻子的責任（比較弗五25-29）。

第四方面，妻子是在她丈夫的權柄之下，因為他稱她為「女人」（二23），後來又稱她為「夏娃」（三20），正如早時他給動物起名（二19）。這種以男人為首的觀念在聖經其他地方都是理所當然的（例如林前十一3；彼前三1-6）。

最後，我們要留意神是為亞當創造了一個夏娃，而不是數個夏娃或另一個亞當，因而表示了神不贊成多妻（參利十八18；申十七17）或同性戀行為（利十八22；羅一26-27）。

三1-8 墮落 伊甸園的和諧純真被罪的入侵破壞了。亞當和夏娃的錯誤是所有罪的典型，他們既然是整個人類的先祖，他們的行為帶來了最嚴重的後果。試探是經由一條蛇而來，後來牠被形容為不潔的生物（利十一31），故此牠是罪惡的理想象徵。蛇在開始時過分強調神律法的嚴厲（留意：神只在眾多樹中放置一棵分別善惡樹）和懷疑神對人類的善意（在第二章的敘述中，神的善意是毋

庸置疑的）。夏娃反駁牠，雖然內容不甚準確（「也不可摸」不是原本禁令的一部分，參二17）。蛇繼而向神的審判挑戰：「你們不一定死」，並且承諾他們將得著智慧（他們的「眼睛就明亮了」）和靈性的躍升（「你們便如神」）。

夏娃因著即時滿足（她「見那果子好作食物」）和信以為真的神奇效果，她突然服了引誘，並唆擺她的丈夫也一起吃，這樣，他接納蛇的意見過於遵守神的命令了（在整本聖經中，罪的本質就是看人的判斷過於神的命令）。罪疚和羞恥隨即抓緊了他們，明亮了的眼睛看見自己赤身露體，他們便企圖躲藏起來，逃避對方和逃避神。

三9-20 審訊和判決 男人、女人和蛇受到神的質問和判決，神的問題特意要引發他們認罪，而不是要瞭解真相，祂完全知道他們作了甚麼。

由罪而來的長期影響開始出現，蛇被判在地上爬行，並與人類，就是女人的後裔，彼此為仇（15節）。女人的後裔會傷蛇的頭，而後者在這長期的鬥爭中最終會失敗。雖然這是對蛇的審判，但它也同時是對人類的應許，所以在傳統上，猶太人和基督徒都看三章15節為第一次暗示人類的救主的觀念，本節常被人稱為「原始的福音」(protevangelion)或「第一個福音」。在新約中，此處的經文包括羅馬書十六章20節、希伯來書二章14節、啟示錄十二章等。在創世記裏，當神應許亞伯拉罕「地上萬國都必因你的後裔得福」（二十二18），三章15節中那模糊的應許更加明確了。我們也該留意到這第一次對罪的審判，是含有希望的。這情形貫穿整本聖經（參六5-8），因為神的憐憫大過祂的憤怒（參出二十5-6）。

夏娃的懲罰使她作為母親的召命蒙上陰影。作為「多子的樂母」是舊約中每一個女人的盼望（創三十1；詩一一三9），但是生產的苦楚卻時常提醒人第一位母親的罪過。此外，婚姻不再是相互間的照顧關係，張力潛伏其中。「你必戀慕」可能是一種對性交的慾望或是尋求自主獨立，但至終卻被丈夫的領導所勝。「他要管轄你」可能表示苛刻的管治，也可能只是重申權柄的次序（神——男人——女人），這是在創造的時候建立的，

但在人類墮落的時候倒轉過來（三6）。後者的解釋似乎更有可能，因為在亞當之判決的引言中，神說：「你既聽從妻子的話」（17節）。神跟著下令男人要在他的工作中受到挫折（作園藝工作的人和農夫要與野草搏鬥才能出產食物），勞苦的工作使他可以存活，但至終會離世，這是暗示他將會被逐出伊甸園，並失去了吃生命樹果子的權利。

三21-24　審判　被逐出伊甸園證明了蛇應許「他們不一定死」乃空洞不實（三4）。雖然亞當和夏娃在園外繼續某一程度的生命，但這只是在園內完全生命的影兒，在園內他們本可享有與神親密的團契。現在罪的代價是十分明顯了，它不只產生一個不安的良知（7-8節）、使人與最親愛的配偶起了爭吵（12節）、造成皮肉之苦（16節），或每天工作的辛勞（17-19節），更甚的是與神隔離和至終身體的死亡（羅六23）。「**基路伯**」後來用作裝飾約櫃、會幕和聖殿（出二十五18-22，二十六31；王上六23-28），它們是帶有翅膀的獅子和人臉（結四十一18）。

四1-26　第一個人類家庭

在勾劃該隱的故事和他的後裔時，創世記顯示出罪惡對人類的捆鎖越發加增。

四1-16　該隱與亞伯　第三章指出罪如何破壞了神與人和夫妻間的關係，第四章卻指出兄弟間的手足之情如何被破壞。該隱被描繪為一個比亞當更頑梗的罪人，他殺害自己的兄弟，此罪確是比吃禁果重大得多，亞當是被教唆而犯罪，但該隱卻有神親自的勸誡而仍犯罪（四6-7）。罪被擬人化地形容為一隻獵物等候突襲的機會（四7；參彼前五8）。當神查問亞當的罪，他雖然是莽撞地回答，但到底他說了實話；該隱卻以玩笑口胛說謊（三9-11；比較四9）。亞當在沉默中接受神的審判，該隱卻猛烈地抗議（四13-14），結果他被趕逐到離開伊甸園更遠之地（四16）。

第5節神不接受該隱祭物的原因，並不容易瞭解，但該隱的「地裏的出產」和亞伯的「脂油……羊群中頭生的」二者之間的對立可能提供了線索，亞伯可能獻上羊群中最好的部分，但該隱卻隨隨便便地獻上。獻祭是要完全和貴重，才能蒙神的悅納（利二十二20-

22；撒下二十四24），神不滿足於那些次好的供物（瑪一6-14；羅十二1）。

第15節到底給該隱的「**記號**」是一個刺花、他「該隱」的名字、一頭狗或其他，這裏不甚清楚。就如在三章21節中神給予亞當和夏娃衣服，給該隱的記號也帶有雙重的作用，它提醒該隱他的罪，並同時保證神保護他免受可能的攻擊。故此，他反抗的祈禱也蒙垂聽（13、14節），甚至頑梗的罪人如該隱，也可以求憐憫而獲得垂聽。

四17-26　該隱的後裔　該隱的幾個後裔（該隱的妻子可能是亞當和夏娃的女兒）有重要的文化和科技上的成就：建造城市（17節）、遊牧的生活（20節）、音樂（21節），和金屬的製造（22節）。這些成就都為該隱的後裔所擁有，而不屬於塞特那更純潔的族裔（第五章），這顯示全人類的進步都在某一方面受到了罪的感染。

大多數的注意力都集中在拉麥的身上，這裏對他的描寫是染滿血污的。他是一個情慾的奴隸，娶了兩個可愛的妻子——「亞大」（珠寶）和「洗拉」（韻律）。他的一夫二妻情況代表了神原初在伊甸園建立的一夫一妻制度的倒退，但更重要的是拉麥渴望流人血，因他說會報復77倍，這表明了一個人不顧公義而隨時準備要摧毀他不喜悅的人，由是社會便日漸瓦解和趨向被審判的邊緣了。

第25-26節預告了第五章塞特的家譜，很多時候在創世記一個段落的結尾部分會引進另一個事件的開始（比較六5-8期待著六9至九7，九18-27期待著第十章）。

「**求告耶和華的名**」顯示對神的敬拜亦在這時代開始了。

五1至六8　亞當的後代

這包括兩個部分。第一部分（五1-32）列出了10代，由亞當經他的第三個兒子塞特到挪亞，這是創世記中被揀選之後代的開始，人類救恩便是藉著他們而至終臨到（挪亞的家庭是在洪水中唯一的生存者）。第二部分（六1-8）集中在洪水之前其中一樣最差劣的罪——神的兒子和人的女兒結合，招致神降下洪水。不過在本段結束前，暗示了挪亞將會蒙拯救（六8）。

五1-32　亞當的譜系

這重複的家譜強調了每一個先祖4方面的事情：在第一個兒子誕生時的歲數、在此之後的壽命、「生兒養女」的事實和死時的歲數。列祖完成了神的命令：「要生養眾多」（一28），人類也逐漸在地上繁衍。他們的長壽表示他們生存在很久以前的時代，因罪而退化，引致壽命的減短，只是緩緩地出現。

我們不容易明白人在洪水之前的長壽，一個類似的文獻，如《蘇默人的王譜》列出了洪水前的8個王，他們統治的年日一共是241,000年。這與第五章所包含的1,500年比較起來，本處是適度得多。但這仍然無法解釋亞當是如何活了930年。在此有不同的解釋方法。第一，他們的「年」比我們的短很多，但是洪水的年代計算（七11至八14）卻表示創世記是假定一年包括了360天的。第二，那些在列祖一生中的年數不是代表他自己生命的長度，而是他所建立的宗族。換言之，其中有若干代被省略了。這個說法難以證實，因為從這表列的開始，塞特便明顯是亞當的親子，而在結尾時，拉麥——挪亞——閃、含和雅弗形成了一個連續的次序。第三，那些年數是象徵性的，代表天文學上的時期，例如以諾的365年相似於陽曆中一年的日子。第四，那些數字是象徵性的，其中的推算是根據在米所波大米以60為單位的數字系統。巴比倫的算術表作了很多60的因數（30、20、15等），以及這些因數的平方數或倍數。所以在創世記第五章和《蘇默人王譜》中的許多數字，對受過這系統訓練的人而言，就顯得很熟悉了，例如930（亞當的歲數）是 $30^2 + 30$。不過並非所有的數字都可以這樣解釋，假若它們是代表象徵性意義的話，我們也不能解釋為甚麼某些數字與一些人連在一起。到目前，我們只能說他們的長壽告訴我們這些人是活在許久以前，**數字的精確性表示他們是真實的人，曾經活過又死了。**〔要知道詳細的討論，請參 G.J. Wenham, *Genesis 1-5* (Word Books, 1987) pp. 130-134。〕

因著以諾的敬虔（「他與神同行」），他可能沒有死便被接升天（「**神將他取去**」，比較以利亞，王下二11-12）。

六1-8　人類與神靈的婚姻及其後果

古代世界的故事常提及諸神與人類的交合，而那些因交合而生的半神半人的後裔被認為是具有超常的氣力和其他的能力。在米所波大米和迦南，神和人的婚姻是在廟宇中舉行的，這些儀式是確保土地和女人的多產，其中包括父親們將他們未嫁的女兒獻到廟宇中作事奉，包括作廟妓，供祭司們和富有的拜神者享用。

第1、2及4節描寫這些習俗。「**神的兒子們**」是指那些神靈（在伯一6，二1雖譯為「天使」，在這裏和在約伯記他們均非善良的）。有時在舊約中以色列人（申十四1）或王（撒下七）被稱為「神的兒子」，但這兩方面的意思都不適用在這裏。「**人的女兒們**」是指普通的人類女子。「**偉人**」是古代的超人類，大概是這些神靈與人結合而生的後裔，有些「偉人」在以色列人入侵迦南時尚住在那裏（民十三33）。

根據創世記的看法，這些在神廟中的賣淫習俗是不必要（第1節說：「人在世上多起來」）和神所憎惡的（六5）。結果，人類生命的正常壽數被減至120年（六3），神並且宣佈一個要除滅人類和其他生物的計劃（六7）。

神廟中的賣淫被看為一連串罪惡中的頂峰，始自亞當吃禁果，繼而是該隱殺了他的兄弟，最後拉麥放肆的復仇。環顧人類，神的結論是他們邪惡得無藥可救，每一個人的思想都趨向罪，**第5節**直率得令人震驚，說明了人類敗壞的定義，相似的看法也出現在詩人、先知、耶穌和保羅的話中（詩五十一3-6；耶十七9-10；可七15；羅一18至三20）。再者，人類的罪惡迫使神作出一個猛烈的回應——痛苦的義憤（「心中憂傷」），類似妹妹被污辱後兄弟們所感受的（創三十四7），或是一個父親知道兒子戰死沙場的心境（撒下十九2）。所以，神作出決定，要毀滅祂所創造的，但儘管如此，正如早時的判決一般（三15，四15），其中還有一線希望——「挪亞在耶和華眼前蒙恩」（六8）。

六9至九29　挪亞的後代

全世界很多古代民族都流傳一個洪水的故事，講述只有一個家庭建造了一艘船而逃過大難。但是，一如所料，與聖經的記載最相近的記錄來自米所波大米，在《雅特拉哈西斯史詩》（*Atrahasis*）和《吉加墨斯史詩》（*Gilgamesh*）中，這兩個文獻都可以溯源到

大約主前1600年。與聖經的故事一樣，一個人〔亞他哈斯或烏拿庇斯汀(Utnapishtim)〕受到神的勸告去建造一隻方舟，逃脫了洪水的災難。他建船後，載上了貨物和動物，在洪水之上漂浮了一段短時間，便放雀鳥出去察看洪水有沒有減退。最後那方舟登陸在一山頂上，生還者便出來獻上祭品，這事令神明大大喜悦，於是賞賜永遠的生命。聖經和巴比倫記載洪水的相似之處，顯示洪水滅世是在古代近東一個很著名的故事。

可是，二者之間也有許多的分別，顯示它們不是互相抄襲。它們在細節上有分歧，如方舟的大小和形狀、洪水在地上的持續時間，和他們派出去察看洪水的飛鳥種類等。但這些只是不大重要的分別，重要者乃是二者之間在神學上的不同，而這些不同之處相當大，由此可以推測聖經的作者是特意要改正和駁斥那在東方普遍流行的洪水故事。創世記尤其著意要說明真神到底是怎樣，祂如何對待這個世界。

在巴比倫故事的版本中，那些神明同意要用洪水來歇止人類的繁殖增長，但其中一位卻不同意，他警告拜他的亞他哈斯（相等於挪亞）。當洪水暴發的時候，諸神在洪水前恐懼非常，完全對場面失控。洪水過去之後，諸神又因飢餓而蜂湧前來要吃祭牲，因為洪水使獻祭停止。最後，其中一位高等級的神又因著發現一個人在洪水中生存而大大感到驚奇（明顯地這位神不是全能和全知的）。

創世記的整個神學和道德看法迥然不同。首先，洪水來臨不是為了要平息人類的噪音和繁殖，而是因著人類的敗壞和罪惡（六11-12）。第二，挪亞獲救不是因他僥倖膜拜一位不同意洪水降臨的神明，而是因為「他是個義人，在當時的世代是個完全人」。在整個洪水的故事中，挪亞願行「神所吩咐他的」（例如六22，七9，八18）。第三，創世記的神是全能和全知的，祂完全掌管著洪水和整個場面。當「神記念挪亞」的時候，洪水便開始下降（八1-2）。洪水後的獻祭並非給神充飢（不同米所波大米的諸神，祂不需要人類的食物），而是為平息祂的怒氣。雖然人類的罪惡仍然持續（參八21和六5），神應許全地再不會被洪水毀滅，天虹便是神承諾保存這個世界的憑據（八22-九16）。最後，《雅特拉哈西斯史詩》結束時，記述諸神想出用流產和女性的不育來壓制人口增長，但挪亞卻3次獲吩咐「要生養眾多，遍滿了地」（九1；比較八17，九7）。儘管人犯罪，神仍是為人著想和關注人類的福祉。這個好意更因挪亞的獻祭和基督更美的獻祭而得著了保證。

六9至八22　洪水

創世記視洪水為世界歷史的分水嶺，洪水的浩大將神的創造翻轉過來，使全地回復到神在一章3節開始說話之先那種原始的混沌境界。生命被毀滅，水遮蓋了一切，甚至是最高的山嶺，地球看來像神起先創造它時一樣（一2）。後來當神記念挪亞，神叫風吹地（比較在一2那盤旋的靈或是神的風），新創造的過程便開始，世界再獲新生，旱地和海洋被分開。挪亞這人類的新先祖從方舟出來，如亞當般，神吩咐他「要生養眾多」（九1；參一28），故此挪亞活像第二個亞當。

洪水尤如「創造的被毀」（de-creation），和後來洪水之後「創造的重建」（re-creation）形成一個平衡的對比。創世記使用文學技巧，將這方面表現出來，它的手法如同「鏡子反照模式」，或稱為「延展的交叉格式」（extended chiasmus）和「重演詩句」（palistrophe），用來強調故事中前後部分的勻稱。我們在這裏只列出這結構中最明顯的部分（詳細的討論請參Wenham, *Genesis 1-15*, pp. 155-158）。

A 挪亞的兒子（六10）	A' 挪亞的兒子（九18-27）
B 進入方舟（七1）	B' 離開方舟（八16）
C 七日（七4）	C' 七日（八12）
D 七日（七10）	D' 七日（八10）
E 四十日（七17）	E' 四十日（八6）
F 淹沒高山（七20）	F' 山頂現出來（八5）
G 洪水在地上150日（七24）	G' 洪水消退150日（八3）
H 神記念挪亞（八1）	

這個結構不單集中注意神降洪水的毀滅工作，和祂在第二次創造中的作為二者之間的平衡，它更顯示出轉捩點在於祂記念挪亞。**創世記的神並不像巴比倫的神明，在洪**

水面前顯得無能，祂是完全掌權，不論審判或施恩都具有無上的權柄。

六9-22 命令建造方舟 那些為方舟繪圖和造模型的人，要在創世記以外尋找額外的資料才行，但這些額外資料是否正確則使人懷疑。尤其不清楚的是第16節提及的頂蓋。但創世記最關心的是建造方舟的目的，就是要讓各類的生物「保全生命」，因此，各類動物一對對的被帶上方舟，為要保證牠們繼續的繁殖。

七1-5 命令進入方舟 每樣一對不潔淨的畜類（不能作獻祭和食用）被保全了生命，但潔淨的畜類（可作獻祭和食用）卻要每樣保留7隻（或7對），作為洪水以後獻祭之用，使其得留餘種。

七26-24 進入方舟和洪水的來臨 洪水的每一個階段都有準確的日子計算（例如七11-12，八13-14）。這是非常恰當的做法，因為洪水結束了舊的世界，新的世界也因而誕生。

附註　洪水的年代和範圍 《蘇默人王譜》中記述洪水的發生是緊接在早期王朝之前，這表示洪水大約出現在主前3000年的時候。毫無疑問，考古學家在這段時期發現了許多地區性洪水的證明，但完全沒有提到整個地區的氾濫。另一個可能性是洪水與冰河時期之末是在同一時期（約主前10000年），這包括了極大的雨量降在本來乾燥的地區，再加上冰的溶解，引致海洋的水平線上升300呎（100米），使先前適於居住之地變成了沼澤（詳細的討論請參*Illustrated Bible Dictionary, pp.510-512*）。根據現代地理學知識，我們會直覺把經文解讀成一個全球性的洪水故事。可是在地理知識有限的挪亞眼中看來，一個地區性的洪水事件也可以等同於全球性的洪水滅世。

八1-22 洪水減退 第1節說神記念挪亞（神因思想而引致行動），這促使了新的創造來臨。然後土地、植物、飛鳥、動物和人類逐漸重現地上（比較一章）。「亞拉臘」（八4）不是特指現代的亞拉臘山，而是古代烏拉圖（Urartu）地區，就是大約在現今的亞美尼亞

及土耳其和伊朗鄰近的區域。**第21節**含有與六章5節十分相近的用語。神不是因著挪亞的獻祭而改變對他的態度，而是基於祂對人類的整體態度。不過義人挪亞——這位第二個亞當——所獻上的祭品，卻保證了人類未來不再受到如洪水一般的災難性審判。

九1-17　神與挪亞立約

雖然洪水之後的新紀元與本來的創造在某方面有相似之處，但其中也有不同的地方。挪亞像亞當一樣蒙神賜福和接受命令「要生養眾多」（九1），但從現在開始神准許人可以吃肉（九3）。雖然亞伯（四2）和雅八（四20）牧養牲畜，但神只將植物給予亞當作食物（一30）。但如今挪亞獲准吃肉，只是要先將血流出來，這是對在血中含有神所賜的生命表示尊敬。禁止吃血是舊約中一個最主要的食物禁令（參利三17；申十二16-25；撒上十四32-34）。

洪水前的歷史充滿著兇暴（六11）：亞伯被殺而沒有報復，拉麥卻反應過度（四23-24）。現今一條有關報應的嚴厲律法被提出來：「凡流人血的，他的血也必被人所流」（九6）。刑罰要與所犯的罪相配，這在舊約的律法（出二十一23-25）和現代的公正觀念中是十分基本的。雖然「以其人之道還治其人之身」的原則和死刑觀吻合，**第6節**給了我們受報應的具體原因。每一個人都是照著神的形象造的（就是在地上作神的代表），所以為了保護人類生命的獨特性，必須執行死刑。神的目的是要這世界充滿了人類和動物的生命（九7-9），因為那用彩虹作象徵的約是與每一個生物建立的。創世記不是說天虹是在洪水以後才第一次出現，而是說天虹從此成了一個「記號」——神善意的承諾。

九18-29　含的罪

公義和完全的挪亞竟然醉酒，並在睡覺中赤著身子。相對地說，他所犯的小罪（比較三6的亞當），卻招致他最小的兒子含犯上更嚴重的罪（比較四8中的該隱）。創世記藉著這些連續事件再一次說明歷史不斷在重演，那以挪亞為首的新人類也像先前的那位一樣失敗了。

現代的讀者很難瞭解含所犯的罪的嚴重性，說父母的閒話，並以此與兄弟開玩笑，

究竟有甚麼不對？因此人嘗試解釋含所犯的是亂倫或其他性方面的不當行為。但這些見解是錯誤的，忽略了舊約和其他古代文化是如何嚴肅的看孝道。「當孝敬父母」的命令在出埃及記第二十章中是緊接著上文對神尊崇的誡命。「凡打父母的」或「咒罵父母的」都被判處死罪（出二十一15、17，在可七10中被耶穌所引用）。

在創世記所記載挪亞僅有的說話（九25-27），就是他讚揚閃和雅弗，卻咒詛含（或至少是他的後代——迦南）的幾句話。他說的話近乎那在臨終前的以撒（二十七27-29）和雅各（四十九2-27）所作預言性的祝福，預言有關人士的未來。在這裏挪亞預告閃和雅弗的崛起（在第十章指出他們的身分）和迦南被壓制，這些經文成了下一章的預告（參四25-26，六1-8）。

為甚麼迦南要承受他父親含所犯之罪的咒詛？這裏沒有清楚的答案。他可能牽涉他父親所犯的罪過。也可能這是一個反照的刑罰，正如挪亞最小的兒子含得罪了他的父親，同樣地，含最小的兒子迦南便受到刑罰。另一個可能是因為含的罪預示了日後迦南人的所作所為，後者的不道德行為在舊約中是惡名遠播的（利十八3）。

十1至十一9　閃、含、雅弗的後代

本段落包括兩個部分：列國誌（十1-32）和巴別塔的故事（十一1-9），並有3方面的目的：第一，它說明了以色列人與列國的關係。第二，解釋言語不通的由來。第三，表明列國繼續犯罪及招致神更多的審判。故此本段落預備了神另一次的嘗試，藉著對亞伯拉罕的呼召去拯救人類。

十1-32　列國誌

這個不平常的文件將以色列國置於舊約作者所知道的世界列國之中。它列出70個國家（可能是象徵性的整數，比較雅各的70個兒子下埃及，創四十六27），它們代表了世界上所有的人，其實這列表沒有徹底列出古以色列國所知道的每一個國家。它的內容看似一個家族的譜系，但是其中所記述的關係不都全是屬同一譜系的。在古代的世界，和約和盟約使列國自稱為盟友的兄弟或兒子。無論列國是怎樣在歷史上出現的，列國誌描寫

的是不同人民之間的關係。

再一次，創世記在這裏不是談論歷史地理的課題，這名冊是為著一個神學的原因而存在的——為要將閃那被揀選的後代與其他沒有被選上的連起來。那沒有被選上的後代經常記載在被揀選者之先：該隱在塞特之先（創四至五）、以實瑪利在以撒之先（創二十五）、以掃在雅各之先（創三十六至三十七）。揀選閃和排斥含，已經提及（九25-27），而且在本章中獲得證實。在閃的一族中有亞蘭人，列祖與他們有很密切的關係，並從他們中間為兒子尋找妻子。在含的一族中，不單有住在迦南的人，並包括以色列人的其他強敵如埃及（麥西）、巴比倫和亞述。雅弗一族包括一些居住得比較遠的人，如在地中海東北的沿岸地區，以色列人與他們少有往來（不論對敵或友善的關係）。我們要留意聖經分別的3類人——閃、含和雅弗族，他們並不像今天按照語言的區別來分辨的不同國民。在含的一族中（例如迦南人），也有說閃族語言的，而在閃族中卻包括了以攔，他們說的是一種非閃族的語言。聖經上的族類劃分反映另一種區別的原則，就是分別出哪些是以色列的盟友，哪些是她的仇敵。

十2-5　雅弗的後代

在這裏所提及的民族不都能鑑定，我們在此只討論那些能確定的。但這些被確定的民族似乎在地理上離開以色列人甚遠，他們是住在北方或西方的遠處，詳細身分請參 *Illustrated Bible Dictionary* 或是撒拿（Sarna）及韋漢（Wenham）的註釋。

「歌篾」代表森美里人，「瑪各」是在北方的某處（結三十八2），「瑪代」是伊朗以北的瑪代人，「雅完」是伊奧尼亞的希臘人，而「土巴」、「米設」和「提拉」是指土耳其。第3節的「亞實基拿」代表西古提人，「陀迦瑪」是在迦基米施以北的地區。第4節的「以利沙」大概是在克里特島，「他施」是一個地中海的城市，可能是迦太基，「基提」是指塞浦路斯，「多單」是羅德島或指愛琴海一帶的地方。

第5節遙指十一章1至9節提及的列國分散。

十6-20　含的後代

本段落篇幅之長表明其重要性。含的後代包含以色列人的鄰國和最

兇猛的敵人。

第6節的「古實」是在埃及以南的區域，「麥西」被指認為埃及，「弗」是利比亞。「迦南」在15至19節再詳細記載。第7節的「古實的兒子」看來是屬於亞拉伯以南的一帶地域。

第8-12節米所波大米的文化追溯到含和他的兒子古實身上來，這譜系的追溯不是一個恭維的記述，因為這裏遙指十一章1至9節對巴比倫自負表現的公開批評。雖然我們不能精確地肯定「寧錄」的身分，但他的善戰和愛好狩獵是許多偉大的米所波大米君王的特徵，他所建立的眾城市大都在那一帶區域中享負盛名。

第13-14節這些部族很難確定。「帕斯魯細人」是指埃及南方的人，「非利士人」是以色列人的對頭，跟他們爭奪迦南地（撒上四至三十一），「迦斐託人」是克里特人。

第15-19節迦南的居民獲得特別注意，這些人是以色列人將來要驅趕取代的。「西頓」是腓尼基人最古老的沿岸城市。「赫人」（比較二十三2-20）並非土耳其著名的赫特人。「耶布斯人」是耶路撒冷的居民。「亞摩利人」、「革迦撒人」和「希未人」常被稱為迦南人。「亞基人……哈馬人」是敘利亞著名城市的居民。

迦南地的邊界是由北方的西頓伸延至南方的迦薩，東達所多瑪（靠近死海）。迦南地邊界更準確的劃分是在民數記三十四章2至12節。

十21-31　閃的後代　因著亞伯拉罕是從閃而出，以色列人對這些人感覺特別親切，不過其中少有能確定身分的。然而，有許多人似乎是亞蘭人或亞拉伯人的部族。

含肯定是挪亞最小的兒子（九24），但到底雅弗和閃誰是長子卻要看如何翻譯這一節經文了（參新國際譯本對十21的旁註）。「以攔」是在伊朗的西南，「亞述」（Asshur）應不同於亞述國（Assyria），它可能只是一個西乃半島的部族（民二十四22）。亞蘭人居住在敘利亞，可以被假定為居住那一帶其中的一個旁支部族。閃的後代中能夠確定的是「約坍」和他的後裔，他們似乎是居住在亞拉伯的南方。

十一1-9　巴別塔

這個短短的故事講述列祖之前的一段歷史及其可怕的結局。人類的新開始已經因挪亞的醉酒和含的行為不檢而陷入險境，列國誌已顯示了含之後裔受到咒詛。其實，十章5節、18至20和31至32節已經預指語言的變亂和列國的分散，在本處則更明白地交代此事。當人試圖要闖入神的領域而建造一座高聳入天的廟宇時，人類的罪惡已昭彰。此事更招來另一次影響全人類的大審判，人類被分散在全地上，語言變亂，於是人與人之間的合作受到障礙，因而制止了人類企圖闖進天庭的計劃。在此，另一個人類新開始的時機已至，就是以後神對亞伯拉罕的呼召。

可是，巴別塔的事件不單是創世記一至十一章另一次罪與罰的故事。在這些篇章中，我們可以看見對以色列同時代的人的多神世界觀隱含的批評。創世記重述創造和洪水的歷史，也提出了一個與古代近東神話完全不同的神觀和祂與世界的關係。但到此為止，這些批評都只是暗示性的，到第十一章才明顯地提出來。

巴比倫以她的廟塔而聞名，他們相信這些塔的根基在陰間，而它們的塔頂直達天庭。但創世記指出此說之荒謬；它們離天還遠，神在天上看不見它們，故此耶和華要下來看它們（十一5）。「巴別」的意思是「天的門」，所以巴比倫自詡比地上任何一個地方更靠近神。她看自己是古代世界宗教、知識和文化的首都，是人類文明的樣版。但第9節指出這是個廢話，巴別的意思並不是「天的門」，而是「混亂」和「愚昧」，完全談不上是人類的智慧，已毀壞的巴比倫廟塔只顯示出人類在神審判下的無能。用現代的術語來說，建造城和塔在科技上或可視為人類自我成就安全感的一個指標，但人自以為榮的，神卻棄之如履。

十一10-26　閃的後代

閃的簡短家譜與第五章十分相似，但在這裏先祖的年歲較短，也沒有明確的說明每一位的一生年歲。這家譜將亞伯拉罕的歷史與世界的歷史連接起來，並且為創世記一至十一章的原始歷史和創世記十二至五十章的列祖故事建立了一道橋樑。雖然我們對這名冊上的人認識不多，路加福音三章34至36節

提醒我們有關他們的重要性，因為亞伯拉罕的後裔是由他們而來的，並且地上的各族都因此得福。

他拉 ┬ 亞伯蘭（妻子撒萊）
　　├ 拿鶴（妻子密迦）
　　└ 哈蘭 ┬ 密迦
　　　　　├ 亦迦
　　　　　└ 羅得

十一27至二十五11　他拉的後代和亞伯拉罕的故事

亞伯拉罕的父親他拉在十二至二十三章所記載的大多數事件中仍存活著，故此本段落是因他而取名的（參二十五19，三十七2）。這段冗長的篇幅表示它在本書中的重要性，亞伯拉罕不單只是猶太人的祖先，神更藉他使救恩歷史可以開始。亞當的不順服引致罪行的氾濫和洪水滅世，那本來是人類新先祖的挪亞也繼而失敗，最後導致巴別事件的自負和驕傲，全體人類再一次受到刑罰。但現在從亞伯拉罕開始，神又再重新做起，並在這回應許「地上的萬族都要因你得福」（創十二3）。

十一27至十二9　亞伯蘭蒙召

本段落簡要地介紹亞伯蘭、他的家庭、家鄉，並記載他的蒙召，而且概述他整個信心旅程。

十一27-30　在吾珥的家族　本段落記述的家譜，可以用圖表展示如下：

他拉和亞伯蘭的家庭

要注意兩件事。第一，撒萊不育，這事在古代的世界對一個女人來說是大災禍。第二，羅得是亞伯蘭的姪兒，他因父母雙亡而被亞伯蘭收養及跟隨著叔父。若不是撒萊有孩子，羅得便會成為亞伯蘭的繼承人。

十一31-32　從吾珥到哈蘭　整個家庭由吾珥遷移到敘利亞東邊的哈蘭，吾珥在南伊拉克，當時是一個重要的文化中心。在那裏他拉壽終，死時205歲，亞伯蘭當時是135歲（參26節），亞伯蘭一定是在他拉死前60年便已經離開在哈蘭的父親他拉（十二4）。

十二1-9　從哈蘭到迦南　在古時傳統的社會中，相對今天的講求流動性和個人主義的文化，要離開自己的家鄉和家族是一件艱難的事。亞伯蘭就是為了響應神的呼召而冒險地拋棄了一切。基督也同樣向人發出挑戰，叫

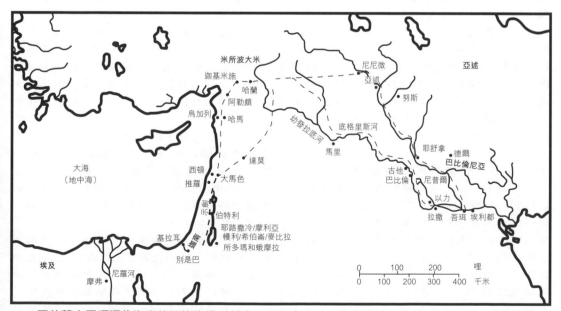

亞伯蘭由吾珥遷往迦南的可能路線（創十一31至十二6）。南往哈蘭之路（粗虛線）的可能性較大。

人放下一切去跟隨祂（太十37-39；腓三8）。

第2-3節概說了創世記的神學，並在此提供了一個解釋的鑰匙（參導論創十二至五十章的主題）。十二章4節指出神是在哈蘭呼召亞伯蘭，而不是在吾珥。迦南地包括了以色列國現今統管的地土、黎巴嫩和敘利亞以南的部分地方。因著順服，亞伯蘭得著了賞賜，那本來是「我所要指示你的地」（十二1）的應許便進一步地被稱為「這地」（參導論中應許與它的逐步應驗）。神恩慈的應許使亞伯蘭不斷地向神發出感謝的敬拜，「他築了一座壇」（十二7-8）。

十二10-20 亞伯蘭在埃及

當迦南地出現饑荒時，亞伯蘭本來的宗教熱忱便受到打擊，於是他被迫遷移到埃及去。這時害怕代替了信心，他對人說撒萊是他的妹子，這是個半真半假的謊話（參二十12），為的是要推卻追求撒萊的人（參二十四55）。可能亞伯蘭一方面想盡量拖延任何人對他妻子的成婚要求，另一方面也設法在事情發生前逃離埃及。但王族的求婚是不可能被否決的，最後撒萊被帶進法老的宮中（十二15）。

從這個故事的描述中，亞伯蘭的行為明顯得不到神的稱許。但無論如何，耶和華干預了此事，並藉著降災予法老而拯救了亞伯蘭，因此如他的後代一樣，他逃脫了埃及，並因此而致富（比較出十二35-36）。這個小型的出埃及故事正好預示了日後那更大的事件（比較出十二至十四；路九31）。這事件顯出即使亞伯蘭不信，神仍然成就祂的應許，並救護他（十二3）。神的恩慈遠遠超過他所呼召之人的缺點，而且帶來長遠的果效（參四十五5-8；羅八28）。

十三1-18 亞伯蘭與羅得分開

經過了埃及一役的懲戒後，亞伯蘭回到伯特利，他曾在那地遇見神，他便再在此向神祈禱。現在一個新的問題產生了，神所賜富裕的福祉引起亞伯蘭和羅得雙方的牧人的爭執。這一回，亞伯蘭不再為自己的利益而試圖控制情況，他尋求和睦並以身作則地表現出他的慷慨，他讓姪兒羅得先行選擇地土。

約但河平原雖然看來像伊甸園（十三10），但其上的居民是邪惡的，在神面前罪大惡極（十三13）。一個簡樸的鄉下農人常因城市的富足感到目眩，但未能體察其中隱藏著的敗壞。

亞伯蘭對他姪兒的慷慨，得到神應許更豐富的說明，「這地」（十二1）變成了「一切地」（十三15），而且要賜給亞伯蘭的後裔，「直到永遠」，他的後裔不單「成為大國」（十二2），且要成了「地上的塵沙那樣多」（十三16）。亞伯蘭提議和平地平分地土，並讓羅得先選擇，表示出他愛好和平及願意犧牲自己的利益，這一切都是聖經常常讚許的（參詩一三三；太五9；腓二1-15）。

第10節「所多瑪」、「蛾摩拉」和「瑣珥」是這平原上的3個城市，它們的位置不能確定。在死海東岸有5處地點是在略早於主前2000年被毀滅的，這些地方可能就是上述城市的所在。

十四1-24 亞伯蘭拯救羅得

羅得富裕的生活被一場戰爭打擾了，以攔（現今伊朗的一部分）王基大老瑪率領其他3個王攻佔了約但河平原。13年後，在這平原上的城市因反叛而招致同一批的東方聯盟國的另一次入侵，所多瑪和蛾摩拉的軍隊被打敗，城市被劫掠，羅得也成了俘虜。

亞伯蘭率領318人便打敗這些外來的軍隊，拯救所有的戰俘，並得回他們被掠奪的財產，這是神站在亞伯蘭一方的明證。但不是每一個人都了解此事，所多瑪王本應是最感謝亞伯蘭的，他卻沒有說半句感謝的話，只是要求把人口歸還他，亞伯蘭發出抗議，表示他並無意從所多瑪的不幸中得益（十四21-24）。

撒冷（大概是耶路撒冷）的祭司兼君王麥基洗德卻以接待君王的形式去接待亞伯蘭，而且為他擺設筵席。然後麥基洗德奉「天地的主，至高的神」之名祝福亞伯蘭。亞伯蘭回報麥基洗德的厚待，把所得的掠物十分之一給予他（十四20）。

聖經作者刻意突出麥基洗德和所多瑪王的不同態度。他倆代表了十二章3節給亞伯蘭的預言中兩種不同的反應。麥基洗德是那祝福亞伯蘭的，而所多瑪王卻明顯地輕視他。因此麥基洗德得到神的賜福，所多瑪王卻得到咒詛，所多瑪城的命運（創十九）其實已

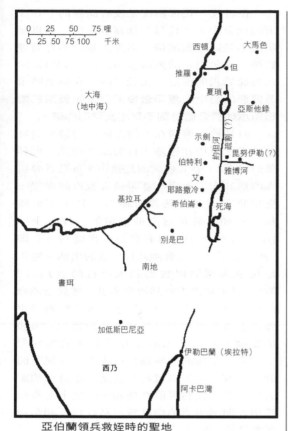

亞伯蘭領兵救姪時的聖地

的證據卻難以準確地辨別它們。「示拿」是巴比倫，「以拉撒」可能在土耳其東邊，「以攔」是在現今的伊拉克，「戈印」可能是指赫人。**第2節**這些城鎮的名稱和君王的資料極少（它們的位置請參十三10註釋）。**第3節**「西訂谷」指死海附近的平原，這用法只出現在這裏和第8及第10節，可能是指南端的地方。**第5-7節**根據所能確定的地方和民族，那東方的入侵者進攻的路線似乎是由北向南，他們經過現在的約但，由北方的「亞特律加寧」到「伊勒巴蘭」（可能是以拉他，申二8，又稱以祿，王上九26），就是在亞拉巴灣的上端，然後再由此處轉向西北方，橫過西乃半島而達加低斯巴尼亞。**第10節**「石漆坑」：石油滲出到死海以南一帶的路面上，而且可以被挖掘成坑。**第13節**「幔利」和「以實各」是亞伯蘭的盟友，同是靠近希伯崙的地名。**第14節**「但」是以色列人在最北的城市，但族人居於此處（士十八29）。

第15節「何把」是不知名的地點，「大馬色」是敘利亞的首都。**第17節**「沙微谷」可能就是王谷，在耶路撒冷以南（撒下十八18）。

十五1-21　立約的應許

亞伯蘭打敗了東方諸王並沒有給他多大的好處，雖然有神的應許，但他仍未擁有任何的土地或得著一個兒子。他的姪兒羅得本來可望繼承他，但羅得卻住在所多瑪，在所應許之地以外。最有可能繼承他的人似乎便是他的僕人以利以謝。

因此，神與在失望中的亞伯蘭談話：**「亞伯蘭，你不要懼怕，我是……必大大的賞賜你。」**這事提醒亞伯蘭應該將他的失望和挫折告知神，亞伯蘭的坦誠不但沒有激怒神，反而從神得到再次的保證，並加強祂原有的應許。他自己將會生一個兒子（十五4），他的後裔將要如眾星一般數不勝數（十五5）。

亞伯蘭接受了神再次的保證，他**「相信耶和華」**（十五6），「相信」這動詞表示一個不斷發生的行動，就是他會繼續相信那應許並倚靠耶和華，所以神就「以此為他的義」。義本是因著人完全地遵從律法而來的一種被神接納的狀況。在創世記中，亞伯蘭很明顯沒有完全達到律法的要求，但是因著他相信

埋下伏筆了（參十三13）。

創世記沒有解釋麥基洗德為亞伯蘭祝福後得著了甚麼福氣作為報酬，但在詩篇一一〇篇4節記載神向大衛起誓說：「你是照著麥基洗德的等次，永遠為祭司。」其中暗示麥基洗德在耶路撒冷人中受到崇敬，並以他為大衛譜系的先驅。新約看麥基洗德為基督的預表、彌賽亞的先驅（來五至七）。他崇高的身分被亞伯蘭所承認，亞伯蘭更將他所得的獻上十分之一。除了這些經文外，麥基洗德再沒有在創世記出現，**他的故事彷彿告訴我們，那些承認神與亞伯蘭同在的人必定得到神的賜福。**

附註　本章中有許多古舊的特色（參Wenham, *Genesis 1-15,* pp.318-20）表示它們出於一個古老的資料，但亦因此使人難以了解其中一些細節。**第1節**那些王的名字（「暗拉非」、「亞略」、「基大老瑪」和「提達」）是主前2000年時的真實名稱，但近代考古學

神賜他兒子，他就在此事上被稱為義。在保羅而言，這表示信心，不是因著行為，才是蒙神接納的首要條件（加三6-14）。雅各書二章18至24節和希伯來書十一章8至9節指出亞伯蘭的信心是因著他的好行為而被證實為真確的，這種「有行為的信心」對基督徒明白救恩和義行的關係至為重要。

當然，亞伯蘭的信心不是被動的，他再次要求保證：「我怎能知道呢？」聖經從沒有責難人發出真誠的問題或是誠懇地尋求保證，在此事上，亞伯蘭得到了一個有關他後裔未來命運的深邃異象。首先，他宰了5隻用作獻祭的動物，它們代表以色列人，然後他驅走了那些獵食的飛鳥，不讓牠們吃那些祭牲。日落的時候，他看見有冒煙的爐和燒著的火從那些肉塊中經過，象徵神的榮耀會與以色列人同在，正如他們從埃及進迦南時，有雲柱和火柱相隨著他們（出十四24）。這個祭牲禮儀的解釋得到13至16節的證明，因為那些經文是預言以色列人在埃及為奴和日後出埃及。現在是神首次明確表示，應許的應驗是要經過一段漫長的日子。自從神第一次發出應許之後，其間已過了10年（參十二4，十六3），事情一點也沒有成就，亞伯蘭已失去了他的耐性，但神卻是期待著400年後發生的事情（十五13）。彼得後書三章3至10節警告基督徒不要因為某些應許不按照他們期待迅速應驗而感到驚奇。

第2節「要承受我家業的是大馬色人……」是一句難解的經文（和合本的翻譯值得參考）。**第16節**這裏的「**亞摩利人**」包括了迦南所有的居民，以色列人的迦南戰役還未能開始，因為亞摩利人的罪孽還沒有滿盈，若在這時候賜地土與亞伯蘭便會產生不公義的情況，應許的成就必須與完全的公義配合（參利十八24-27；申九4-5）。**第19-21節**這是最長的迦南地原居民名單，其中只有部分能夠被鑑別（參十15-19的註釋）。

十六1-16　以實瑪利的誕生

亞伯蘭大概願意等候神應許的應驗，但是撒萊卻不然，她已確定不能生育，所以決定要利用一個「代母」的習俗，這做法在當時古代近東文化是完全可以接受的。妻子若不能生育，丈夫可以娶僕婢而生子，那生下來的兒子可以視為妻子所生的。

在古代，代母制度是沒有問題的，在今天的社會中，「代母」卻富爭論性。創世記明顯不贊同這個風俗。撒萊因她的不育而埋怨神，表示出她的動機並不正確。3至4節叫人想起始祖的墮落（比較三6），在這裏暗示著罪惡的發生，夏甲最後的自大和撒萊的憤怒顯示他們這個計劃不是出於神的心意。

但是神的憐憫在人的愚昧中仍帶來美好的結果，夏甲在逃離主母的路上遇見「耶和華的使者」。在人極大的危機中，神時常會以人的形狀向人顯現，並帶給人救恩的保證。夏甲獲保證她的後裔會極多，甚至不可勝數，一如早時神告訴亞伯蘭的一樣（十三16）。她的孩子可以起名為以實瑪利（意即「神聽見了」），他會過遊牧民族的生活，這正是後來典型的以實瑪利人所行的（11-12節）。夏甲被勸告回到撒萊那裏，她於是聽命而行，日後並生下一個兒子。雖然撒萊希望那孩子被算為她自己所生的，但**第15-16節**清楚地表示以實瑪利是夏甲和亞伯蘭的兒子，而不是她的，她為自己謀求一個兒子的計劃失敗了。但以實瑪利就是那應許亞伯蘭的兒子嗎？我們可能在揣測，但是十七章18節卻表明至少亞伯蘭已經認為以實瑪利是神所應許他的兒子了。

第7節「**書珥**」的地點引起爭議，「**書珥的路上**」則是從西乃半島到埃及的其中一條路線，夏甲就是沿這路線回到她的家鄉埃及（十六1）。

第13節「**我也看見那看顧我的**」的原文甚難解，引致很多的經文校訂和不同翻譯，和合本的翻譯頗為合宜，顯示這句經文是在人意外地得著神的照顧而發出一個驚訝的感謝（參詩一三九1-12）。**第14節**「**加低斯**」可參十四7，但巴列的位置則不詳。

十七1-27　割禮的約

本章是亞伯拉罕故事中的分水嶺，是亞伯拉罕一生的轉捩點。作者盡力強調本章的重要性，例如，此處十分準確地記載一連串的日期（十六16，十七1、17、24），正如洪水故事一樣。另一個特點就是人名的改變，亞伯蘭和撒萊改名為我們所熟悉的亞伯拉罕和撒拉。本章包含有5篇神講話的長文（1-2、4-8、9-14、15-16、19-21節），它們被安排成一個A-B-C-B-A的模式，為的是要詳細地

說明那立約的應許，使本章在亞伯拉罕的故事中顯得更為突出。在此以後，有關神與人的談話，在本書的記載便變得稀少了。但這些講詞不單是擴大地說明立約的應許，它們更是神確認立約一事的記載（7，9節），並且引進割禮的記號，成為一個立約中不可除滅的證據（9-14節）。

本段落首先追溯自從以實瑪利誕生後，13年已過（參十六16，十七1），在這段期間撒萊已失去為人母的希望（參十八11），亞伯蘭亦已視以實瑪利為應許之子（十七18），但是，出乎意料地，神開始擴大那些應許，亞伯蘭不單要成為大國（十二2），且要成為「多國的父」（十七5），因著這個承諾，他的名字要略為修改，由本來意思是「父親被高舉」的亞伯蘭（Abram）改為一個變異的讀法，而成為亞伯拉罕（Abraham）。雖然 raham 這個字未必能解釋為「眾多」，但在閃族文字中必定有某個字含有此意，使亞伯拉罕這名具相關語的作用。

神進一步應許亞伯拉罕，說他的約是永遠的，他的後裔將會擁有「迦南全地」（十七8），這是頭一次清楚說明神要賜的應許之地（參十二5）。在這裏立約的性質也最精確：「我要作你和你後裔的神」，亞伯拉罕和他的後裔與神之間有一個特殊的關係。在本處加入亞伯拉罕的後裔作為立約一方，也是本章的另一個創舉。

割禮乃是除去男性的包皮，它成了立約的記號，在亞伯拉罕家中的所有男丁，不論是自由的或奴僕，都要受割禮。凡不受割禮的男子必從民中「剪除」（十七14），意即會早死或無緣無故暴斃。割禮在古代近東是一個頗普遍的風俗，但只有舊約賦予它那麼大的重要性，並使它成為以色列人立約身分的證據。

這些應許絕不平常，如今更變得令人驚訝萬分。撒萊的名字改為撒拉（兩個字詞同樣是「公主」的意思），並且宣佈她將會高齡生子。〔即或亞伯拉罕和撒拉（二人分別是100歲和90歲）的年歲不是按照經文的字面解釋，但至少表示了他們的年齡是超過了一般人的正常生育時期，參十八11。〕一臉狐疑的亞伯拉罕請求將以實瑪利看作那應許之子，但是神卻堅持那被揀選的孩子要由撒拉而生，而且他的名字要稱為以撒，不過以實瑪利也不會因此而被忽視。

結果，經過神前所未有地透露了祂的目的後，亞伯拉罕作出回應，並即時為自己、以實瑪利和全家的男丁行割禮，在這裏（正如在十二4-9），他雖然要接受一些痛楚，他卻徹底遵守神的召命。以後還有另外一次痛苦的順服，會要求他一勞永逸地在立約的事情上作出回應，使之堅定不移（參創二十二）。

第1節 「全能的神」（希伯來原文是 *El Shaddai*）也如「至高的神」（原文為 *El Elyon*，十四19）一般，是神的古舊名字。它確實的意思尚待查證，但是它每次都與神賜孩子的應許連在一起（二十八3，三十五11，四十三14，四十八3）。**第19節** 「以撒」的意思是「他（即神）笑」（參十七17「他笑」）。這名字表達了父母弄璋之樂，以撒的名字也像以實瑪利和雅各，是屬於主前2000年早期的典型名字。

十八1至十九38　所多瑪的覆滅

在亞伯拉罕的一生中，沒有一天比這天描寫得那麼詳盡，顯示作者非常重視此段插曲，縱然所多瑪的毀滅表面上對亞伯拉罕的應許沒有甚麼相干。此事開始時提及天使探訪亞伯拉罕和撒拉，並對她間接地宣告她將會生一個兒子，但此後本故事明顯地沒有為那應許加添甚麼。

明顯的是此處與洪水事件頗為相似。兩個故事都是講一個義人和他的家庭因著神的干預而免於大難；兩個故事之後都有一個短短的附錄，記載醉酒的父親被兒子或女兒所羞辱（九20-27，十九30-38）；兩個故事的結構都是冗長的「重演的詩句」或「鏡子反照模式」（參六9至九29的註釋）。

A 亞伯拉罕觀看所多瑪（十八16）	A' 亞伯拉罕觀看所多瑪（十九27-28）
B 神責備所多瑪（十八17-21）	B' 所多瑪被毀（十九23-26）
C 亞伯拉罕為所多瑪代求（十八22-33）	C' 羅得為瑣珥代求（十九17-22）
D 天使到達所多瑪（十九1-13）	D' 離開所多瑪（十九15-16）
E 羅得和天使被襲（十九4-11）	E' 羅得的女婿不聽勸誡（十九14）
F 宣告所多瑪的被毀（十九12-13）	

所多瑪之覆亡如何與創世記的主題——亞伯拉罕應許的應驗——相配合呢？答案是：第一，它反映出亞伯拉罕與神的親密關係，耶和華讓亞伯拉罕知道祂想向所多瑪作的事，由此引起亞伯拉罕為那城中的義人代求。耶和華接納這個請求，但條件是如果能夠在其中找到10個義人，祂便會赦免整個城。非常不幸，所多瑪城只有羅得一個義人，其他居民的罪惡顯於合城的人，連老帶少齊心來攻擊羅得的家（十九4）。無論如何，耶和華聽了亞伯拉罕的祈求，並因他的緣故而救了羅得（十九29）。所多瑪城本來可以有機會因亞伯拉罕而得福（參十二3），但是因著惡行而使自己與神的憐憫絕緣。第二，所多瑪的命運在十四章21節已經暗示出來，在那裏，所多瑪王輕視亞伯拉罕，十二章3節警告說，凡輕視亞伯拉罕的便會受到咒詛。凡不承認神揀選亞伯拉罕的，都會招致災禍（參可三22-30）。雖然羅得因著亞伯拉罕的祈求而被救離所多瑪，他的結局是悲哀的，他當日決定要離開亞伯拉罕和選上了所多瑪城誘人的生活，至終引致了他今日的結局。創世記描繪選擇自我沉溺，而不是全心跟從神和祂所揀選的僕人，會帶來如何可怕的後果。

最後，所多瑪的毀滅，說明迦南居民繼續惡行的話，他們會有甚麼結局。舊約聖經重複地說，迦南地人民的罪惡致使他們被以色列人所征服和取代（創十五16；利十八24-28，二十22-24）。因此，所多瑪的毀滅是迦南地將來被征服和亞伯拉罕賜地應許的應驗的證據。新約視所多瑪的毀滅如同洪水的故事一般，看它們具有普世性的重要意義。耶穌警告那些城鄉的人說，他們若不接受祂的教訓（太十一20-24），所遭遇的會比所多瑪更恐怖。啟示錄也大量借用了創世記十九章的意象去形容神的審判，要降在那些敵對基督的邦國和城邑中（例如啟十一8）。

十八1-5　向撒拉宣告以撒的誕生　重複應許以撒誕生不是多餘的，在十七章19節只有亞伯拉罕知道，現在也要讓撒拉知道（十八10），因為顯然亞伯拉罕沒有將此事告訴她。這個消息的重複敘述如同後來的一個夢境的重敘（四十一32），表明了其迅速並確實的應驗：「到明年這時候」（十八10）。

第1節「幔利」靠近希伯崙，在耶路撒冷以南約20哩（32千米）。**第2-8節**亞伯拉罕對客旅的關懷是東方人好客的一個典範，也是所有屬神之人應有的特性（來十三2）。在聖經中，天使常以人的形狀出現，他們的說話和行動卻將他們顯露出來。在這裏，其中的一位天使似乎是那位神的使者，就是「耶和華」本身（十八22）。至於其他兩位，他們繼續上路要去所多瑪（十九1），他倆是耶和華的僕役。

十八16-33　亞伯拉罕為所多瑪代求　神自己選擇了要向亞伯拉罕揭露祂的計劃（十八17-20）。亞伯拉罕在這裏被描繪為一位偉大的先知，他得聞神的祕密而將他所知的作為百姓的代求（參撒上十二23；摩三7）。但亞伯拉罕不單為他的人祈禱，也為了那些對他不友善的人代求（參太五44）。

第21節天使到所多瑪的查訪（十九1-13）證實了它的惡名。

十九1-26　羅得一家被救離所多瑪　**第1-3節**雖然比較簡略描繪羅得的好客，他對客旅的熱情一如亞伯拉罕（十八2-8），但只有羅得一人而無其他人招呼客旅，這事似乎帶有不祥預兆。

第4-11節所多瑪的惡名很快就被證實，所多瑪人（注意「城裏各處的人」都參與）不歡迎他們的訪客，反倒要強姦他們。他們要強迫訪客作同性戀的行為，這是對東方傳統上好客的態度一個極大的蔑視，絕對不可思議的。古代社會多接受兩個成人自願的同性戀行為，但是強姦，尤其作在客人身上，永遠是錯的。羅得對訪客的態度是全心全意的，這點可以在他願意交出女兒一事上顯明出來。可是，這個提議被群眾拒絕，天使伸手擊打他們，使他們暫時失明。

第14節正如和合本的小字所指出的，在這裏「女婿」一詞的原文沒有明確說明到底他們已經與羅得的女兒成婚或只是訂親。這些所多瑪人再一次證明自己是自取滅亡，因為他們拒絕了羅得叫他們一同逃走的呼籲。

第16-26節甚至羅得和他的家人也未了解情況緊急，以致天使們要拉著他們逃離那城。到今天，死海一帶地區仍然瀰漫著硫磺

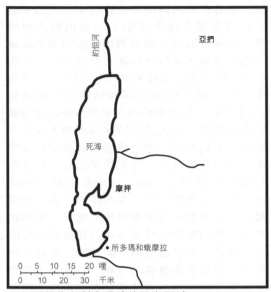

羅得住在所多瑪時的死海區域

的味道,在那裏,巖石的奇怪形狀提醒我們
有關羅得妻子的命運,她似乎比羅得更加捨
不得那城(路十七32)。

十九30-38 羅得的女兒們 這些經文描寫出
一個悲慘的結局,就是一個義人與世界妥協
所引致的。羅得的女兒渴求生育兒女過於一
切(她們的行為干犯了亂倫的條例和孝道)。
她們設法要與父親交合,從此便生下了後來
的摩押人和亞捫人——兩個以色列人的近
鄰。亞捫人住在約但河東,摩押人則在死海
的東北方(參民二十一24)。

二十1-18 撒拉與亞比米勒

亞伯拉罕在第十八章所表現的崇高行徑
比較這裏的欺騙和懦怯,准會令每一位讀者
感到震驚。他從前在埃及時的害怕雖然不
對,卻可以理解,而這回在基拉耳(迦南地
東南角落的一個小鎮,參十19),他向妻子所
作一模一樣的錯事,我們又可如何解釋呢?
經過了在第十八章與神親密的關係之後,為
甚麼他驟然放棄神的保護而依靠自己的詭詐
行為?另一方面,基拉耳人與所多瑪人大不
相同,亞比米勒理直氣壯說出他純潔和渴望
討悅神的動機,所以我們知道亞伯拉罕可能
不是創世記十八章所說的那麼崇高,而所有
迦南人也不如所多瑪人那麼邪惡。真實的人
生時常都是矛盾的混合——完全的純潔和絕

對的邪惡只有在虛構故事中才存在。

但無論如何,雖然亞伯拉罕失敗了,神
卻仍保護他和撒拉,並使他們致富和得著牧
場(二十15)。更甚者,神聽了亞伯拉罕為亞
比米勒和他眾妻子的祈禱,醫治了他們短暫
的不育(二十17-18)。亞伯拉罕雖然失敗,
那些應許依然應驗,但如果神能夠垂聽亞伯
拉罕為亞比米勒不育的妻子們的祈禱,那麼
撒拉又如何呢?她是否會得到那應許的兒
子?

第1節「從那裏」是指從幔利起行(參
十八1)。「加低斯」,參十四章7節。「書
珥」,參十六章7節。**第3節**在整個古代東方
中,姦淫是足以被判死罪的(參利二十10;
申二十二22)。**第5節**領袖所犯的罪會產生可
怕的後果,影響他的人民(參撒下二十四)。
第12節後來聖經的律法禁止人與自己的妹
子,或是同父異母(或同母異父)的妹子成
婚(利十八9、11)。

二十一1-21 以撒與以實瑪利分開

以撒的誕生若比起有關撒拉不育的篇
幅,是出奇地簡略,但「耶和華⋯⋯照他所
說的⋯⋯成就」一語在1至2節中共出現了3次
(譯者按:這是在新國際譯本出現的次數),
由此可見其強調以撒誕生的重要。若果沒有
一個兒子,那一連串對亞伯拉罕的應許都不
能實現,這些應許包括了土地、無數的後裔
和使萬國得福等。以撒藉一對極高齡的夫婦
出生,證明神應許的可靠和「在耶和華沒有
難成的事」(十八14)。亞伯拉罕便按照指示
(十七12),在以撒出生後的第八天為他行割
禮。

撒拉的喜笑表示她為以撒的出生而欣
喜,同時也顯出他名字的貼切(「以撒」就是
「他喜笑」的意思,參十七19)。很不幸,她
看見以實瑪利戲弄(原文也是「喜笑」
Isaacing)以撒,她的喜笑便變樣了。那較年
長的孩子作了甚麼,我們不大清楚(以實瑪
利當時至少已15歲了,在聖經的時代,嬰孩
通常要到2至3歲才斷奶),但很可能以實瑪利
嘲笑以撒是亞伯拉罕的繼承人,因此他便犯
了「藐視」亞伯拉罕和他繼承人的罪。而在
這故事中,正如所多瑪王的例子,這是一個
嚴重的問題(十二3,十四21)。所以神准許
撒拉急躁地趕逐以實瑪利(二十一10-12)。

可是，亞伯拉罕十分喜悅以實瑪利（參十七18），他甚至因著撒拉的提議而發怒（「憂愁」的語氣太輕了，二十一12）。但因著神再次保證以實瑪利也將會成為大國，亞伯拉罕便願意將夏甲和以實瑪利驅逐，並給予他們食物和水。

不久，食物用盡，他們甚至迷失方向而瀕臨死亡。以實瑪利開始禱告，大概是後悔他的行為使他們被趕逐。神聽了他的禱告，一位天使呼叫夏甲（參十六7-11），向她重申那些應許（二十一18）並向她指示一口井，於是他們便獲救。再一次，以實瑪利名字的意思（「神聽見」）顯明出來，而神也願意垂聽愚昧人的禱告，即使他們的愚昧使自己身陷窘境，當他們悔改歸向神，神便拯救他們。事到如今，以撒無可避免地成為亞伯拉罕所生，唯一能夠使應許實現的兒子了。

第14節「別是巴」大約在耶路撒冷以南50哩（80千米）。**第21節**「巴蘭的曠野」是迦南地以南最大的曠野，其中包括大部分的西乃半島、南地和亞拉巴。

二十一22-34 與亞比米勒立約

與亞比米勒的立約（參創二十）是另一個細小但卻是決定性的一步，邁向應許的實現。根據這個條約，亞伯拉罕獲得合法的權利，在別是巴擁有一口井。因為牧人完全依靠水源的供應，以飼養他們的牲畜，故此這是一個至為重要的供給。這是亞伯拉罕在迦南地獲得的第一個立足點。亞伯拉罕便在那裏栽上一棵垂絲柳樹，敬拜神，以表示對神的感謝。

第22節這裏沒有清楚說明事件是否緊隨著二十章18節、二十一章7節或二十一章21節。**第23節**亞比米勒提議與亞伯拉罕立約，接下來（25-30節）亞伯拉罕便利用這個機會為他的牧人所挖之水井索取永久的權利。**第31節**「別是巴」，正如在新國際譯本的旁註所指出，這名字的意思是「七之井」或「盟誓的井」。

二十二1-24 獻以撒為祭

在創世記中，本章是其中一個最戲劇性和最富神學意義的插曲。要求將以撒獻上為祭的殘忍命令，亞伯拉罕和他的兒子前往那獻祭之地時，二人孤寂而行的哀婉動人，以及捆綁以撒，把他擺放在祭壇上的痛苦過程，還有在最後關頭那從神而來的干預，這一切使它成為世界文學上一個最動人的故事。更重要的是，**這是對亞伯拉罕信心最後一個大考驗**，可以比擬起初亞伯拉罕要順從呼召，離開他的家鄉和家人（比較二十二2和十二1）。雖然這裏告訴我們這是一個試驗（二十二1），但對亞伯拉罕來說，神的命令是完全真實的。在人的感情和在神學上而言，這命令是駭人的，因為神賜福之應許的應驗都繫在以撒的身上，亞伯拉罕處於愛兒之心和聽命於神兩者之間，他面對著痛苦的抉擇。信心和希望一步一步地勝過了害怕和懷疑，直至他舉起刀來要殺他的兒子。他藉此顯示了他順服神的呼召，過於任何責任和情感的連繫，於是就在那一剎那間，試驗便終止了。他出色地通過了考驗。一隻公羊代替了以撒被獻為祭，天使並宣布亞伯拉罕聽從神的行為使神的應許得進一步的演化，神為此起誓並保證亞伯拉罕會得著無數的後裔、地土的擄獲、自己要蒙福、並且藉著他，地上的萬國也因此得福。

二十二16-18這是在創世記中，神與亞伯拉罕的最後談話，決不可輕視其重要性。從現在開始，應許的實現是無庸置疑了，亞伯拉罕的順從驅使神起誓來保證祂的應許。

但從新約看來，以撒的獻祭不單是人完全順從神的最高表現（來十一17-19），它更是一幅神犧牲之愛的圖畫。正如亞伯拉罕將他的獨生子獻上為祭，同樣地，天父為世人的緣故「不愛惜自己的兒子」（羅八32；約三16）。在以撒對亞伯拉罕的立時順從中，我們可以看見一個神的兒子的形象，並聽見祂說：「父阿，不要成就我的意思，只要成就你的意思。」（路二十二42）

二十二20-24記述了神保證以撒的未來後（二十二17），經文便簡略地向前瞻望，告訴我們那未來的新娘利百加的譜系。正如創世記二十四章所清楚表示的，神已經預備了一切。這個小小的家譜顯示當我們還未曾知道那些需要之先，神已經為我們作好預備了（太六25-34）。

附註　第1節神試驗人是要揭露人真實的本性（參申八2、16）。**第2節**「摩利亞山」

通常被認為就是耶路撒冷山上聖殿被立之處（代下三1）；故此，亞伯拉罕獻公羊為祭預表後來聖殿中的獻祭和那至高無上的「神的羔羊」（約一29）。正如亞伯拉罕後來所發現的，摩利亞山意即「耶和華必預備」（二十二8、14），他的兒子本要去世之處，卻成了神供給的所在。獻人為祭並不是神對祂子民的心意。「燔祭」是一種常見的獻祭，祭牲要整個獻在祭壇上（參利一）。第9節獻祭之前通常先將祭牲捆綁，在舊約中只有此處提及捆綁，由此強調以撒甘願被獻上為祭。

二十三1-20　埋葬撒拉

以色列（雅各）的祖母配得一個貴重的墳墓，但這裏所描寫的不僅是購買一塊合宜的墳地而已，亞伯拉罕決定要在他未死之先擁有一片應許之地，並用來埋葬他的妻子。這裏所描寫的冗長談判表示他以安葬撒拉為理由而謀求土地。

那外表客氣其實困難的談判分3個步驟進行。首先，亞伯拉罕向赫人請求給他（新國際譯本說「賣」是過於精確了）一些地土來作墳地，他們立刻提議以他們的一些墳墓（大概是「山洞」）來埋葬撒拉（二十三3-6）。第二，他們仁慈的回答促使亞伯拉罕請求以弗崙把麥比拉洞賣給他，然後以弗崙提出將那洞和那塊田都送給他（二十三7-11）。但是由於送贈的禮物不如購買那麼能確保擁有權，因此到了最後，亞伯拉罕堅持要購買那塊田地。於是他催使以弗崙提出價錢，可能是標價過高，400舍客勒本可以買一大片土地，但是亞伯拉罕沒有為此而爭辯（二十三12-16）。現在那地和山洞毫無疑問是屬於他的了，於是他把撒拉埋葬在那裏。由此，在亞伯拉罕去世之先，他成為了一小部分迦南地的合法持有人，同時，應許已經部分應驗了。

第1節「希伯崙」靠近幔利（參十八1），在那裏亞伯拉罕得了許多的應許（十三8，十八1）。第3節「赫人」擁有閃族的名字，證明他們不可能與小亞細亞的赫人有任何的連繫，他們只是在迦南地許多種族之一族（參十五19-21）。第9節今天在希伯崙的回教寺是在主前一世紀時奠基的，這表示有關這回教寺蓋在列祖的墳墓之上的聲稱是相當古老的。

二十四 1-67　利百加與以撒成婚

撒拉去世與埋葬後，不久便到亞伯拉罕謝世，至少這是創世記二十四章的提示，但是二十五章7節暗示二人去世之間有一段較長的時間距離。在二十四章1節，亞伯拉罕看來是在床上垂危，到他的僕人帶利百加回來時，以撒是孤獨一人，而且是一家的主人（二十四65）。既然亞伯拉罕的一生都是為了要成就這些應許，故此他臨終前的說話也表示出他的關心，認為這也是在他去世後家庭的首要任務。他使他的僕人向他起誓要為以撒尋找一個妻子，假如那無數的後裔之應許要實現，僕人的誓便是先決的條件了。她不能夠來自迦南人中間，她必須是來自亞伯拉罕的親族，並且像亞伯拉罕一樣願意居住在迦南（二十四5-9）。

這僕人是忠心的模範，而且具備說服力，他用言語和行為將他主人所關心的事情表達出來。他的說話獲得接納，並且說服利百加的家人願意將她嫁給他們不認識的以撒為妻（二十四34-39）。到第二天，他們想多作挽留，勸他們不用立刻起程時，僕人婉拒並堅決要離開（二十四54-58）。除了那些厚禮以外，僕人是一個祈禱的人，他依靠神而不是謀求機會，或是靠自己的能力。當他到達水井的時候，他禱告說：「耶和華啊……使我今日遇見好機會。」就這樣正如往常一樣，他的祈禱迅速（他的禱告還未完畢）得到應允，結果也甚為完美（「彼土利的女兒……容貌極其俊美」），遠超過他所期望的（參賽六十五24；弗三20）。

利百加不單是超過那僕人所期望的，她被描繪成以撒理想的妻子（參箴三十一10-30）：精力充沛（跑去打水給10隻駱駝喝——20節）、慷慨好客（誠懇地歡迎那僕人到她的家——28節），她更是一個有信心的女子（像亞伯拉罕一樣，願意離開家鄉和家人到那應許之地——57節；參太十九29）。

第10節「米所波大米」原文是「亞蘭拿哈林」（Aram Naharaim），是在今日敘利亞的北方、幼發拉底河以東的地區。「拿鶴的城」大概是哈蘭（參十一31）或是鄰近的城。第15節更詳盡的家譜，可參二十二章20至24節。第53節這些送給家庭的禮物，在其他地方稱為聘禮（修訂標準譯本，出二十二16-17），是用來成交聘約的。第62節「庇耳拉

海萊」，請參十六章14節。

二十五1-11 亞伯拉罕的晚年

今天的讀者很自然地假定本段落是描述亞伯拉罕在撒拉去世後再娶，但這個假設無法證實。更可能的是他在較早時娶了基土拉，可能就在與夏甲離婚之後。

創世記二十五章2至4節的家譜將以色列人（藉亞伯拉罕）和那些住在迦南地邊緣的不同部族和人民連起來〔例如米甸是經商的部落（三十七28、36），他們居住在西乃的沙漠（出三1）和外約但（民二十五）；士七至八〕，這家譜表示以色列人和這些人的親密關係，並顯出亞伯拉罕成為多國之父的應許（十七4-6）部分地應驗了。

第8節「歸到他列祖那裏」的意思不單是亞伯拉罕的身體與他的親人一同安息在家族的墳墓中，而且是他的靈魂此時與他們會合。第9節「麥比拉洞」，參創世記二十三章。

二十五12-18 以實瑪利的後代

創世記講述以色列人先祖的歷史，包括詳述那些被選上的主要人如亞伯拉罕（十二至二十五章）、以撒（二十五至三十五章）和雅各（三十七至五十章），在其中再加插一些簡短的旁支譜系如以實瑪利（二十五12-18）和以掃（三十六1至三十七1）。以實瑪利是亞伯拉罕的長子，是以實瑪利族的先祖，這族共有12支派的人居住在以色列人東西和南面的沙漠，在13及14節記載的名字似乎是在阿拉伯或西乃的地方或部族名字。

但創世記不單是有興趣於歷史和地理，以實瑪利的母親夏甲已得知「他必住在眾弟兄的東邊與他們為敵」（十六12），他的父親亞伯拉罕也得著保證，以實瑪利日後將會衍生12個族長（十七20）。本處的記載顯示了這兩個預言是如何應驗的（二十五16、18）。如果耶和華能夠實現這些較小的應許，關乎那蒙揀選的亞伯拉罕之兒子以撒更大的應許，神將如何更確實的使它們應驗哩！

二十五19至三十五29 以撒的後代：
雅各和以掃的故事

正如記載他拉的後代，內容大都是關乎他拉的兒子亞伯拉罕，而以撒的後代，內容也講述以撒兩個兒子——雅各及以掃——的故事。故事開始時，兩個孩子在母親的腹內相爭，繼而雅各騙取了以掃的長子名分和祝福。雅各因而生命受到威脅，於是他便離開家庭遷居到親屬的家，最後重回迦南與兄弟和好。一如他拉的後代所記載的，創世記這個特長段落所關心的是追溯以色列人（雅各）和鄰國（以掃代表以東人）之間的關係，並且那些關乎土地、祝福和後裔的偉大應許如何得著應驗。本段落也有一些次要的主題，其中包括雅各勝過以掃和神對雅各的保護及同在。這故事是關乎一個家庭因夙怨而破裂，家人在困苦中遇見神，最後家人言歸於好。

二十五19-35 雅各和以掃的首次相爭

故事一開始時，用兩個簡短的描述來介紹雅各和以掃。利百加經過20年，仍沒有生下孩子（二十五20、26，比較撒拉），後來終於懷孕，並且懷有雙胞胎。那兩個胎兒在母親的胎中彼此碰撞（新國際譯本用「擁擠」是太溫和了，和合本的「相爭」實在貼一切），他們在出生前的戰鬥預示了他們之間一生的相爭。

利百加在困苦中便去求問先知，結果得著一個隱祕的解釋：「兩國在你腹內……將來大的要服侍小的。」甚至到他們出生的時候，他們之間的相爭仍沒有減少，雅各後生，卻抓住他兄弟的腳跟。以掃身體發紅（原文是*admoni*）和渾身有毛（原文為*sear*），這便預告了他未來的家族以東和西珥。同樣地，雅各的名字也是按照他出生時的行為而起的。雅各是主前2000年的一個古老名字（正如以實瑪利和以撒），學者們認為它的意思是「（神）賞賜或保護」）但在這裏有如在舊約中經常出現的情況一樣，一個傳統的名字被賦予新的意義。雅各這名字與「腳跟」一字（原文*eqeb*）關連，所以它大概的意思是「他抓住腳跟」（就是一味攫取和欺騙人的競爭者）。

他們雖然是雙胞胎，二人的性格發展得大不相同，雅各為人安靜，善於計算和常留在家中。以掃則是一個魯莽、活躍的獵人。有一天，雅各趁著他兄弟飢餓而乘機用扁豆湯換取了他的長子名分，就是得到了本來屬

於家中長子的權利。敘述者沒有明顯地評論雅各對兄弟的不義，和以掃對長子名分的輕視，但這事件卻顯示了那預言的應驗，將來大的要服侍小的。

第20節 巴旦亞蘭是在米所波大米以北，靠近哈蘭的地方。

二十六1-33　以撒與非利士人

以撒的一生的光采被他的父親和兒子們遮蔽，除本章以外談及他的事情不多。在這裏收集了他一生中的一些片斷，在其中顯示以撒雖然為人膽怯和道德上軟弱，他仍然得著了特殊的應許，也經驗到特別的賜福，而且在某方面來說，他得著的比亞伯拉罕更多。

二十六章1節明顯地與亞伯拉罕的遭遇作一個比較，因為這裏提及在亞伯拉罕時代那一次的饑荒（參十二10）。在創世記二十二章16至18節裏，因著亞伯拉罕對神的順從，應許變成了神必定會實現的保證，但在這裏，神給以撒的應許甚至超乎祂給予亞伯拉罕的，因為這些應許是給以撒本人和他的後裔的，並且神所賜給他的不單是迦南地，而是「這一切的地」。

以撒一如他的父親亞伯拉罕，假裝妻子為自己的妹子。可幸地，利百加沒有如撒拉般被接到宮裏去，但以撒的哄騙行為也如他父親的一樣（二十六10-11）。但無論如何，以撒也像他的父親一樣享受到非常的財富，耕種得到一百倍的收成（二十六12）。

他的財富引來了別人的妒忌，非利士人不准他使用亞伯拉罕所挖的眾水井（這些水井的擁有權是亞伯拉罕在迦南獲得的第一項權益，參二十一22-34）。以撒在此忍受非利士人的欺負，創世記沒有明說這到底是由於他的懦弱抑或他是一個愛好和平的人。

但耶和華再次向他保證說：「不要懼怕，因為我與你同在」，並再確定賜他後裔的應許。事情的發生好像是神要確立這些應許，從基拉耳派來了一隊代表團，要求以撒與他們訂立一個和約，因為他們說：「我們明明的看見耶和華與你同在。」如今以撒至少可以在應許之地享受到安全的水源供應。

由此，透過這些事件，我們看見神原先對亞伯拉罕的應許是如何更豐富的應驗在以撒的生命中。再者，這不是因為他的德行而得的結果，反而是神在人的失敗中施恩。怯

懦的也能經驗到神同樣的賜福，一如那些對神的呼召表現出偉大信心的人。不錯，神的恩典在軟弱的器皿中顯得更完全（林前一27-31；林後四7）。

第1節 在創世記中的「非利士人」不同於那些在士師記中所記載的，後者約於主前1200年到達迦南，他們來自小亞細亞和愛琴海一帶地區，至於前者大概也來自同一地方。第7-11節 大概此事件發生於雅各和以掃出生以先（二十五26）。第26節 「他的朋友」更準確的翻譯應為「牧人的領袖」，這人的責任是負責監管畜牧的權利，他擁有警衛的權力去執行決定，如同警長一般。第33節 這裏指出別是巴的另一個解釋（參二十一30-31）。

二十六34至二十八9　雅各騙取以掃的祝福

這是創世記內其中一個最扣人心弦的故事。雅各的偽裝能騙過他的父親嗎？他能在以掃回來之前得到祝福嗎？它也引起了有關道德的神學問題：神會同意雅各的欺騙行為嗎？祂會認可那藉欺謊而得的祝福嗎？

驟眼看來，我們準會看利百加和雅各如流氓一般，因為他們利用以撒的眼瞎而奪取以掃的名分，但其實情形並不是那麼的黑白分明。以掃娶了兩個妻子，這事已經是不對了（比較拉麥，四19-24）。更甚的是，她們是赫人，即迦南人（參二十三3）。亞伯拉罕最關心的是以撒不可娶迦南的女子（二十四3），那麼以撒為甚麼不堅持這個原則，甚至為以掃安排一個合適的婚姻？更糟的是，以撒在病危時，一反常規地顯出他對以掃極度偏愛。當列祖知道自己死期將至，他們應召集所有兒子前來，並為他們每一個人祝福（參創四十八至五十）。現在以撒躺在床上，佯作不知道自己哪一天會死（二十七2），只召喚他偏愛的以掃，難怪那素來愛雅各的利百加（二十五28）憤怒極了。

這裏沒有清楚交代到底雅各是否同意利百加的計謀，去欺騙以撒和得著祝福。雅各的猶疑可能部分出自害怕事情被揭穿，也可能是因著良心的譴責（二十七11-12）。敘述者也沒有即時明顯的評論。以撒清楚知道他的祝福是不能改變的：既然已為雅各祝了福，福氣便是他的了（二十七37）。

但從長遠的角度來看，雅各的哄騙行為很明顯帶給他和利百加報應，以掃對雅各的行為表示憤怒，致使後者要離開家庭。儘管利百加盼望雅各只是離開數天（「些日子」，二十七44），她卻永遠不能再見他了。至於雅各，他欺哄父親，不久之後便被岳父拉班所欺騙，強迫在拉結之外也娶利亞為妻，這便形成了雅各日後長久困苦的因由。到後來，利亞的兒子們用一隻山羊羔來欺騙雅各有關約瑟的命運，正如當日雅各向他父親所作的（三十七31-35，二十七9、16）。再者，雅各後來也承認他的過錯，當他返回迦南時，他把大量的牲畜送給以掃，要求他接受，並且說：「請收我帶來給你的祝福（『禮物』是不準確的）。」（三十三11）藉這友善的表示，他試圖還給以掃他當日所騙來的祝福。

無論如何，雖然雅各是用欺瞞的手法奪得祝福，祝福還是有效的。以撒最後的說話預言雅各（以色列人）和以掃（以東人）二人的未來關係，以色列國會管治以東，以色列人可以享受安居的農耕生活，但以東人卻多半在乾旱的曠野地帶過一種遊牧民族的生活（二十七28-29、39-40）。更而，那首先給予亞伯拉罕的應許，在以撒身上重複的出現，如今將會藉著雅各而實現了（二十八3-4）。

在這裏，正如在創世記中時常出現的，救恩歷史有新的進程，襯托著的卻是列祖的失德行為。再一次，藉著神的恩慈，而不是人的功勞，造成救贖的至終盼望（參羅九10-18）。

二十八2 「巴旦亞蘭」，參二十五章20節註釋。

二十八10-22 雅各在伯特利遇見神

人生中的危機常是體會屬靈經驗的時刻，對雅各而言便是如此。雅各離家出走到異地，在晚間星空之下躺下作夢。在夢中，耶和華向他複述那些關乎土地、後裔和使萬國得福的應許，這些應許是先給亞伯拉罕，再給予以撒，到如今更加上新的內涵。「我也與你同在……領你歸回這地。」（二十八15）神同在的應許曾向許多以色列領袖說過（參出三12；書一5；士六16），基督也照樣地應許祂的門徒（太二十八20；來十三5-6）；與別不同的是，雅各有幸看見他的保護天使（參太十八10，二十六53）。

翌日醒來，雅各堆起石頭，作為一條神聖的柱石，象徵神的同在，澆油在上面使它成聖，然後許願說：「神若使我平平安安的回來，我必獻上所有的十分之一。」這一類的許願古往今來都很普遍，尤其是當人在困苦的時候（參撒上一11）。只要那許願者還他的願，舊約聖經沒有斥責這種行為（參申二十三21-23；傳五4-6）。許願不一定是與神討價還價，而是可以表示我們對神的依靠。雅各在這裏的許願也不是表示他不信任神的應許（二十八15），因為一切禱告祈求都是依據神供應我們需要的應許（參太六11，六25-34）。

第19節 「伯特利」（「神的家」）大約在耶路撒冷以北12哩（19千米）的地方。

二十九1-30 雅各娶拉結和利亞

神應許會保護雅各，這事不久便實現，如同多年前亞伯拉罕僕人的遭遇（創二十四）。雅各來到敘利亞的北方，並在那裏的一個井旁遇見他未來的新娘。他也如亞伯拉罕的僕人一樣停留在他親屬的家中，但不同的是那僕人載滿亞伯拉罕的財富而來，雅各卻身無分文，尤其在拉班的勢利眼中，雅各半點兒都不起眼。

但雅各愛上了拉結（這是在舊約中一個稀有的浪漫婚姻），再加上拉班的催使，雅各要求與拉結成婚。一般正常婚約的訂立需要男方的家庭給予女子的家人（參二十四53註）聘禮（結婚禮物），雅各因為沒有家庭的支持而無法付出款項，遂提出甘願為拉結服事7年。

7年已過，拉班似乎不願為他們完婚，雅各甚至要催促他（二十九21）。我們對聖經時代的婚禮程序知道的不多，只能夠從本處和士師記十四章中去推測。為親友舉行的7日筵宴是主要的項目，但無疑也包括誓約和承諾的交換（參二、16）。在第一個晚上，新娘蓋著面紗被送到她丈夫的地方，很可能因著那面紗，再加上黑暗和酒精的影響下，雅各無法認出利亞替換了拉結作新娘。

雅各的憤慨只是簡略地提及（參二十九31至三十24註釋）。雖然有人的罪惡，但神的計劃仍然向前邁進，因為藉著利亞的緣故，以色列的6個支派，包括猶大被生下來。拉班與雅各達成了一個協議，他准許雅各立即與

拉結成婚，但他要求雅各為拉結再服侍他7年，這第二個7年便沒有先前的那麼易過了（二十九20；比較二十九30下）。

第24節 在東方，這是一個普遍的習俗，就是新娘出嫁時，她的父親要給她一份大禮物，這禮物就是嫁妝。通常不會特別提及這事，但在這裏，利亞得了一份特別的嫁妝，包括一個婢女名叫「悉帕」。悉帕和辟拉（29節）都成了以色列支派的母親（三十3-13）。

二十九31至三十24 雅各眾子的誕生

神從來都不願意人實行多妻的習俗，因為祂只給予亞當一個妻子，並且創世記四章19至24節讓我們瞥見一個殘暴的多妻者。但在這裏，我們可從妻子們的角度看這悲劇：雅各是因被騙而與利亞成婚的，他從來沒有真正愛過她和她的孩子們，他甚至也沒有把她看為妻子。但利亞卻極渴望他的愛，這在她為每一個孩子起名的事上可以看出來，她最深的渴望就是「如今我的丈夫必愛我」（二十九32；比較二十九33-35，三十18-20）；可是她的努力從沒有成功。另一方面，拉結卻是充滿著嫉妒，因為利亞不斷的生養孩子，而她卻仍然沒有所出。雅各不錯是愛她，但她需要的是一個孩子，她央求雅各說：「你給我孩子，不然我就死了。」（三十1）

創世記三十3至16節進一步顯示這兩個妻子何等可憐。首先，拉結藉著她的婢女辟拉作為代母（這方法已在創十六中受到批評，那就是撒拉催使夏甲代她受孕）。上次的代母事件產生的影響一直延續到創世記二十一章，在這裏利亞為了報復拉結所作的，也用她的婢女悉帕作為第二個代母。但這並不就此結束她們之間的爭執，因為流便（利亞的長子）得到一些風茄──一種在古代能使人生育的藥物，跟著便引來一個古怪的協議，就是拉結為那些風茄的緣故讓利亞與雅各同寢。透過這個交易，利亞希望得到雅各的愛情，而拉結卻盼望能夠生育。

結果是利亞再生了3個孩子，拉結卻毫無進展，直至「神顧念拉結，使她能生育」（三十22-23）。是恩典，而不是藥物滿足了她的需要。就這樣，從這些不快樂的婚姻中，以色列各支派的先祖出生了。流便、西緬、利未等便是那些支派的名字。（那些名字的意思請參考新國際譯本旁註，它們大都是語帶

雙關的詞語，字源意義並不是那麼重要。）因著這些兒子的出生，給亞伯拉罕的應許又進一步應驗。再一次，因著神的慈悲，而不是人的努力，這世界救恩才有希望。

第14節 「風茄」是古代很著名的植物，它有催情作用，可增進生育能力（參歌七13）。第21節 族譜中少有提及女兒的事，但在創世記三十四章底拿佔了一個重要的角色（比較利百加，創二十二23）。第24節 拉結的禱告最後得著應允，可是生產便雅憫時，她便死了（三十五16-20）。

三十25至三十一1 雅各智勝拉班

古代的讀者看到創世記本段的記載時一定樂極了，因為這裏講述那個吝嗇的老騙子拉班，如何在雙方的協議中，被他的姪兒雅各欺騙。

拉結生了一個兒子，雅各想到要回鄉了──要回到應許之地。他請求拉班讓他離去，但拉班卻假借好話來掩飾他的拒絕，說捨不得他離去，因為神賜福給他，是為著雅各的緣故（三十27）。故此，雅各提出一個辦法，不會花費拉班分文：通常綿羊是白色的，而山羊卻是黑色的，雅各說：「凡是羊群中有兩樣顏色的，你可以拿去，我將為你照顧那些純色的綿羊和山羊。但這些羊群將來若生下雜色的後代，牠們便歸我了。」拉班考慮過白綿羊生雜色的羊羔或黑山羊生雜色的小山羊兩者的機會不會很多，於是同意了。

到了交配的季節，雅各將斑點的（「剝了皮的」）樹枝放在那些較強壯的牲口前面，藉此使牠們生下雜色的羊羔和小山羊。在科學上來說，這是難以解釋的，除非我們假定那些較強壯的牲口本身有產生雜種的能力，導致牠們產下雙色的後代。不過這解釋不是創世記所能理解的，它看雅各的成功是因為雅各的狡猾和神與他同在（二十八15）。這插曲顯示了神干預並幫助雅各，所以雅各變得「極其發大」（三十43）。雖然拉班的兒子們知道雅各欺騙了他們（三十一1），故事卻清楚地表示雅各絕對遵守了他與拉班的協定。

第27節 新國際譯本旁註譯為「我變得富足」（和合本：「我已算定」）比「我從占卜中知道」為佳。

三十一2至三十二2　雅各離開拉班

另外一個家庭危機正在醞釀，今次不是雅各的兄弟要謀害他，而是他妻子的兄弟們對他不滿。再一次，就在雅各陷於人生的低谷時，神與他說話，並吩咐他回鄉，又再次向他保證說：「我必與你同在」（三十一3；參二十八13-15）。

脫離拉班的掌握不像逃避以掃般容易，因為這時的雅各已有4個妻子、12個兒女和大群的牲畜，他現在是屬於拉班親族的一分子，要脫離並不容易。本章就是講述他最後如何與拉班分手，回到家園。

首先，他要說服他的妻子們離開自己的父親，注意他省略了某些會使她們猶疑的事（例如：以掃的仇恨、她們不愉快的婚姻），卻強調神是如何幫助他經過這一切困難（三十一4-16）。第二，雅各趁著拉班忙於剪羊毛，便溜之大吉，直到第三天，他的岳父才知曉！

最後拉班趕上了雅各，當時可以想象是一個怎樣爭鬧的場面。假若神不是預先在夢中向拉班顯現，警告他不可傷害雅各，廝殺便很可能發生（三十一24）。這再次顯出神與雅各同在，實踐應許，要將他帶回迦南地（二十八15）。後來經過了雙方的控辯，他們至終同意訂立和約，並且友好地分手。到後來，雅各行近迦南並遇上他的兄弟，他又再次看見天使，並提醒他，他們如何在他的整個旅程中保護他（參二十八12）。

第10節這個夢並沒有在三十章31至43節中提及。**第21節**「大河」是幼發拉底河，「基列」是在約但以東的山區，在加利利海和死海的中間。

第32-34節我們不大清楚為甚麼拉結想要那些家中的「神像」，這些大概是某類的偶像（參撒下十九13、16），一般學者都假設佔有這些偶像，便可以得到領受遺產的權利，但更可能旳是拉結看這些偶像為某種護身符，可以在異地一路保護她。

第39節通常牧羊人不需要為羊群的失落而賠償，尤其是那些被野獸殺害的（出二十二13），但雅各卻賠償了，所以拉班在雅各身上獲得超過正常的服務。**第50節**拉班曾經迫使雅各變成多妻者，但在這裏他卻警告雅各不可再娶妻子，確是一個諷刺。**三十二2**「瑪哈念」是在雅博河北方的某處。

三十二3至三十三20　雅各與以掃復和

現今我們竟又回到故事的開首，雅各回家便要與以掃相會，雖然有神的鼓勵，這樣的團聚畢竟太危險了。以掃已經饒恕了他嗎？他會趁這機會殺雅各嗎？這些便是雅各回程上心中的焦慮。故此他盡了一切的方法去減輕可能發生的危險，他先打發人去作初步接觸（三十二3-5），他們回來時向他警告說，以掃正帶著400人而來，他們沒有說這些人是否存著敵意，雅各便更加擔心。

這事催使他去禱告，這是一個模範的祈禱，他先提及神吩咐他回來（三十二9），再說明神如何慷慨向他實踐過去的應許（三十二10），然後才說出現今的困境，並求神救他和他的家，使那些應許可以應驗。在這裏，雅各的祈求是建基在神應許的信實上。但誠懇的禱告並不表示毋須預備，雅各將他的群畜和僕人分成數隊，並且送給以掃一連串的厚禮，因為他希望「或者他容納我」（三十二20）。

事情竟夜不斷在進行中，雅各讓他的家人過了雅博河。然後，雅各絲毫沒有準備地與一個人摔跤。那人不肯告訴雅各他是誰，但對雅各而言，那人很明顯是神。那人只摸了雅各的大腿一下，便使它脫臼，他為雅各改名為「以色列，因為你與神與人較力，都得了勝」（三十二28）。整個事件都充滿了神祕色彩，不單只事情發生在晚上，而更是神究竟向雅各作了甚麼事情？祂為何不能和不願意勝過他？在此，聖經把人生境況中的窘境生動地作了一個總結。一方面，神容許，甚至將人放在困難或不可能的情況中，但同一位神也將他們救出來。我們禱告說：「不叫我們遇見試探，救我們脫離兇惡。」雅各在雅博渡口的經驗正好為他的人生作了一個說明，神放他在這個危機當中，要面對以掃，但同一位神將會成功地使他經過這一切。他在雅博渡口的成功掙扎是一個保證，預告他將來與以掃的敵對也會有一個愉快的結果。他變成一個新的人，正如他的新名「以色列」所代表的，不論神和人，他都勝過了。

次日，雅各充滿信心地跛行著去見以掃，他在他的妻兒前頭先過去（三十三1-3），以掃突然出現，並「跑來迎接他，將他抱住，又摟著他的頸項與他親嘴」（三十三

4）。這種徹底的饒恕簡直令雅各不可置信，他將他兄弟所作的與神的饒恕作一比較（三十三1）。（耶穌可能也是從這個故事中取材，描述那浪子的父親，參路十五20。）雅各要將他以前所騙取的祝福（三十三11）還給以掃，以掃勉強接受了，並且邀請雅各到以東與他同住。雅各禮貌地拒絕（到底是因著要對神的命令忠心抑或是暗藏著對以掃的懷疑？）於是他們二人便分手。雅各進入迦南，並在那裏買了一塊地，這便是列祖在迦南購置的第二塊地。雖然事情是逐漸發生，卻可見那些應許確實得著應驗，這一切催使雅各去敬拜神（三十三20）。

三十二3「**西珥**」是在死海東南方的山區。**第22節**「**雅博河**」（今阿拉伯語稱為ez-Zerqa）是約但河的支流，在死海以北約25哩（40千米）流入約但河。**第26節**為了使他的身分保持神祕，「那人」要求在黎明前離去。**第28節**雅各的舊名使人想起他骯髒的過去（二十七36），他的新名以色列指向一個將來勝利的應許。**第32節**「**大腿窩的筋**」是指坐骨神經，它看來似腱，不吃這肉的習俗在舊約中只有此處提及。

三十三3「**俯伏**」大概不單表示一個尊重對方的動作，雅各可能是象徵性地試圖做出如以撒祝福中所説的：「你母親的兒子向你跪拜」（二十七29）。**第17節**「**疏割**」是在約但平原的某處（參士八5-6）。**第18節**新國際譯本旁註指出此處的原文本為「他到了沙幔，示劍的城」，但其他譯本及和合本作「他平平安安的到了示劍城」。

三十四1-31　底拿的兄弟復仇

雅各與哈抹子孫原有的和平共處（三十三19）一下子被以下駭人的事件所粉碎。過去20多年，雅各在巴旦亞蘭艱苦地生活，好不容易才逃脫了拉班的操縱；後來出乎意料地與以掃言好，可以回到應許之地迦南，他本應可以輕輕鬆鬆地安頓下來了，但如今他兒子們的殘暴行為卻使他的未來危在旦夕。

誰應該為此負責？單單雅各的兒子們嗎？創世記認為誰該負責呢？在這段插曲中，神的目的如何表現出來？祂的應許又怎樣繼續應驗？正如創世記所表示的，這情況十分複雜，責任是雙方面的，底拿本不應該與當地的婦女混在一起，因為與迦南人交往會引致混婚（二十八7-8）。但這比起示劍所犯的過失，簡直是微不足道。**在舊約和新約中，婚前性行為是受譴責的。**這裏的行為更糟，因為它等於強姦。但無論如何，也不能完全怪責示劍，他對底拿的慾念變成了愛情。雅各和他的兒子們可能都不知道詳情，究竟底拿是自願或非自願地留在示劍的家中呢？（三十四26）

使人奇怪的是，雅各好像對底拿的命運漠不關心，可能因為她只不過是利亞的女兒！但是她的兄弟們卻大為震驚，不單是因為底拿的遭遇，且是為了他們父親的冷漠。故此他們的反應是「若果父親不維護我們的妹子，我們就自己採取行動」。

接下來便是從詳計議，他們的狡猾是毋庸置疑的，但若果將哈抹和示劍對雅各兒子們的談話（三十四8-12），和他們後來對本城人的談話（三十四21-23）作出比較，顯示哈抹和示劍也並非善類。儘管如此，雅各眾子濫殺無辜始終是不對的，雅各在此及日後（四十九5-7）對他們的評語也很中肯。但這裏的教訓還不止於此，雅各批評他們的行為危害了他的安全（三十四30），但是人若果不能為公義挺身而出，道德標準就永遠不能維持了。示劍待底拿如同妓女一樣，而雅各願意接受賠款了事，顯出他也是同樣對待底拿。雅各兒子的行動間接顯示他們父親的所作所為和淫媒沒有兩樣！

但雅各和他的家庭卻因而致富。殺敗示劍人一事預示了將來的征服迦南，迦南人的滅亡是因為他們的不道德性行為（利十八24-25）。但這是否暗示以色列人配得他們所征服之地？根據申命記所言：「你進去得他們的地，並不是因你的義，也不是因你心裏正直，乃是因這些國民的惡……因耶和華要堅定他向你列祖亞伯拉罕、以撒、雅各起誓所應許的話。」（申九5）神選民的罪可能會延遲了神的工作，但它們至終不能破壞祂的應許成就。

第2節希未人常出現在迦南的北方（參十17）。**第12節**關乎婚前的性行為，舊約的律法堅持要賠償聘禮予女方的父親，通常相等於數年的工資，若果女子的父親同意，雙方就可結合（出二十二16-17；申二十二28-29；參創二十四53）。

三十五1-29 以撒壽終

雅各害怕迦南人可能會報復，神此刻吩咐他上伯特利去，就是他當初離家逃亡時向神許願的地方（二十八10-22）。伯特利（「神的家」）是一個神聖的地方，那些因打仗而被玷污的人（參民三十一）和因拜偶像以致污穢的，都要自潔，才可以前去。於是他們便出發，竟然沒有人襲擊他們，原來神使周圍城邑的人都甚驚懼（參出二十三27），神的應許「我必與你同在和保佑你」（二十八15）再一次得著應驗。

正如亞伯拉罕到摩利亞地的3日旅程中，得著了他經驗中最豐厚的應許（二十二16-18），雅各到伯特利的旅程亦是一樣。這裏所應許的（三十五11-12）總括了，也超過了他以往所得的：他將會成為多國的父，君王要從他而出，他的後裔要承受那本來要賜給他父親和祖父之地為業。這裏沒有重提神與他同在的應許了，因為這已經因他平安到達伯特利而明顯應驗了。

但家庭悲劇卻隨著靈性復興接踵而來：雅各最心愛的妻子拉結因著生產她所渴想的第二個兒子而死亡（參三十24）。然後，他的長子與辟拉同寢，原因可能是為了阻止她取代拉結成為雅各的新寵，也為了奪取家中的領導地位。根據利未記二十章11節（比較利十八8），這種亂倫行為要被判死罪。雅各沒有評論此事，他一直沉默，直至多年之後（四十九3-4），但毫無疑問，此事破壞了利亞兒子們和父親之間的關係，他們彼此的對立，在三十四章已經很明顯（底拿、西緬和利未是利亞的兒女），往後在三十七章起所記載雅各的晚年日子，也滿了傷痕。但正如雅各眾子的名字提醒我們的，他們的出生都是應驗了神的應許。雅各不接納他們，並不影響他們的地位。至於雅各和以掃的敵對，雙方似乎已經和解，因為他們二人一起把他們的父親埋葬在麥比拉洞的祖墳中（參四十九31）。

第8節這是唯一提及底波拉的地方。**第10節**這裏再次提起雅各的新名字（三十二28）的重要性。**第16節**「**離以法他還有一段路程**」應該譯為「離以法他還有約兩小時的路程」，就是在以法他以北約7哩（11千米）的地方，是伯利恆附近的地區（彌五2）。這表示拉結是葬在耶路撒冷以北，靠近拉瑪的某處（耶三十一15），而不是在靠近伯利恆根據她的名字而起的一個較現代的墳墓。**第21節**「**以得臺**」大概是靠近所羅門的池子，在伯利恆西南約3哩（5千米）。

三十六1至三十七1 以掃的後代

之前提過，創世記交替記載兩類不同的家譜，先是那不被揀選之列祖的後代，如以實瑪利和以掃，然後是那被揀選的——他拉和亞伯拉罕（十二至二十五章）、以撒（二十五至三十五章）和雅各（三十至五十章）。正如以實瑪利一樣，以掃的後代除了譜系以外，其他方面的記載不多（比較三十六1-8和二十五12-18）。

像羅得一樣，在以掃事業之始，記載他因著經濟理由，搬離了迦南（三十六6-8，比較十三5-12）。

與二十五章12至18節比較，我們以為聖經會簡短地記載以掃的家庭，但我們從第9節起卻另有一個標題，接著是記載一連串的名字，其中包括以掃的兒子們（10-14節）、以掃子孫中作族長的（15-19節）、西珥的子孫（20-28節）、何利人所出的族長（29-30節）、在以東地作王的（31-39節）和其他的族長（40-43節）。 在這些名錄中，有很多重複之處，其中有許多名字在不同名錄中重複出現。威斯曼〔C. Westerman, *Genesis 12-36* (SPCK, 1986)〕提出在10至43節的名錄大概是來自以東人的歷史檔案，在大衛征服以東之後（撒下八13-14）帶回耶路撒冷的。雖然這只是一個猜想，但可以說明本章中明顯地重複的原因。

再一次，本段落顯示那些應許是如何應驗。以掃的遷離讓雅各留在迦南（三十七1）。神曾經告訴利百加，兩國在她的腹中，並且「將來大的要服侍小的」（二十五23）。這裏記載以東變成了一個國家，在日後被以色列人所征服，應驗了古時的預言。若果這些較小的預言能實現，那些賜給亞伯拉罕、以撒和雅各更主要的應許，會何等地更確實應驗哩！

第12節「**亞瑪力**」是以色列人其中一個死敵（參出十七8-15）。**第20節**有關「**西珥**」（一個區域的名字，三十二3）和它最早期居民的關係，及它日後的居民以東人，請參申命記二章12節。

第31節以束的諸王似乎沒有組成一個中央化的王朝，他們似乎像以色列人的士師般，在不同時代統治著不同的地區。

三十七2至五十26　雅各的後代

人們通常把雅各的後代誤稱為「約瑟的故事」，是講述一家之首雅各的大家庭。故此，像他拉的後代（十二至二十五章）和以撒的後代（二十五至三十五章）一樣，其中大部分是關乎列祖子孫的故事。因此**雅各的後代不單關乎約瑟，而是他所有兒子的事，追溯約瑟與兄弟們，尤其是猶大的關係。在本故事中，除了約瑟和雅各以外，猶大是最重要的人物。**

雅各的後代講述他的兒子們彼此爭吵，利亞和兩個妾侍的兒子們也如他們的母親一樣，不為雅各所愛。雅各只疼愛他的愛妻拉結所生的約瑟和便雅憫。在三十四及三十五章中，我們已經看見利亞的孩子們與父親雅各之間的矛盾，現在這家庭破裂了。利亞的兒子將約瑟賣落埃及，他們向父親訛稱約瑟被殺害，使雅各的心破碎。但約瑟在被賣為奴和被囚之後，竟擢升為法老的得力助手，最後這破裂的家庭重新復合。

雅各的後代不單是記述一個破碎的家庭重新復和，它更顯示了神如何使用有罪之人的行為去挽救這個世界，正如約瑟對他的兄弟們說：「從前你們的意思是要害我，但神的意思原是好的，要保全許多人的性命，成就……」（五十20）。從雅各的後代，可追溯更多應許成就之蹤跡。雅各的家庭生養眾多，到創世記的末了，他有70個子孫，他和兒子們享受到神的保佑和賜福，因約瑟的緣故，許多人在饑荒中得到養活和祝福。應許中唯一沒有進展的是土地方面，原因是整個雅各家離開了迦南，進入埃及。但雅各和約瑟在臨終時，都堅持要把他們埋葬在麥比拉洞的祖墳中，因為「神必定……領你們從這地上去，到他起誓所應許給亞伯拉罕、以撒、雅各之地。」（五十24）

三十七2-36　約瑟被他的兄弟賣到埃及

父親的偏愛和約瑟的童言無忌，使他的兄弟們受不了，故事開始便描述雅各的家庭逐漸瓦解。首先，約瑟告訴父親有關他兄弟的惡行（三十七2），然後是雅各送給約瑟一

件特別的袍子，表示對他的疼愛，最後是神在約瑟的兩個夢中預言，說約瑟有一天會管轄他的兄弟們。

根據四十一章22節，重複出現的夢被視為必然和迅速地應驗的證據。但約瑟的兄弟們卻定意要證明這些夢是錯的，他們原要殺害他，只是一個即時的利益使他們改變了主意。「二十舍客勒銀子」（一個牧人的3年工資）是一個很吸引的賞金，所以約瑟被賣給商旅，再而轉賣為奴予一個埃及官員。當約瑟的死訊傳來，雅各的心碎了，孩子們的安慰起不到作用，他而且宣告他會繼續哀傷下去，直到死的日子。這個不和之家彷彿解體了，似乎一切都完了，但是那些夢依然是有效的。創世記的作者期望讀者看見所發生的事件是神所安排的，並且想到如今約瑟被賣為奴和那些異夢之間的分歧，要如何解決。

第3節「**袍子**」（和合本：「衣」）是一件簡單的外袍，一件長的「圓領汗衫」，長及膝部和腳踝。第10節這裏提及「**你母親**」並不一定暗示拉結仍然活著。第12節示劍，參十二章6節。第14節「**希伯崙**」，參二十三章1節，十八章1節。第17節「**多坍**」在示劍北方約14哩（22千米）。第20節「**坑**」是從石灰石中鑿出來的貯水池，是用來在旱季中貯水的。第25節「**以實瑪利人**」亦被稱為米甸人（三十七28、36；比較三十九1），這些名稱在這裏和士師記八章24節似乎是可以互用的，可能以實瑪利人是那些遊牧民族的商旅，米甸人是其中的一族；又或米甸人是以實瑪利族的其中一個支派部族。第29節明顯地，當以實瑪利人買約瑟的時候，流便是在閒逛而不在場。第31節請看神的公義追上了雅各，他在年輕的時候曾經用一隻羊羔欺騙了他的父親（二十七9-16）。

三十八1-30　他瑪智服猶大

這個突而其來的事件中斷了約瑟的故事，讀者處於懸疑之中，要等一會才能知道約瑟在埃及的情形。他瑪和猶大的故事並沒有離題，本章的主題和不少用詞都與三十七至五十章相連，涉及列祖後裔的應許如何能夠應驗，顯出硬心的猶大如何在人生的路上被迫停下來，讓我們預備接受第四十四章那位煥然一新、富同情心的猶大。此外，它也告訴我們另一對雙子的出生，當中小的勝

過那大的（三十八27-30）。

現代的讀者會對本章人物的怪行感到詫異，敘述者果真贊同他瑪所行的嗎？為甚麼猶大和他兒子們有這些表現？在三十七章36節和三十九章2節之間有足夠的時間讓第三十八章中的事件發生嗎？在聖經時代，人通常到達青春期之後不久便成婚，這便可假定三十八章內的一切事情都在20年內發生。根據三十七章2節，四十一章46至47節和四十五章6節，約瑟被賣至埃及和後來兄弟重逢，其間相隔了22年。

在很多的社會中，不論是古代或現代的，弟續兄嬻的婚姻習俗並不稀奇。根據當時舊約提出的其中一種規定，死者若無後嗣，他的兄弟要娶那寡婦為妻來為兄長生子立後。申命記二十五章5至10節稱許這種婚姻，但卻不要求嚴格執行。但是在猶大和他瑪那段較早的時代，兄弟們是負有絕對的責任，要娶守寡的嫂嫂為妻，而寡婦的家翁也有責任促成此事。

猶大和他的兒子們都不願意盡他們的責任，且俄南實行一種避孕的方法，這樣做違反了一章28節的精神，以及弟續兄嬻習俗的明文規定，並列祖的應許，即有無數後裔的應許。所以俄南死了（三十八10），因為他違反神所宣告的旨意，而猶大本應讓他的另一個兒子示拉履行他的法律責任和確保應許的成就，但他竟然完全不管。

作為寡婦的他瑪，沒法以正途去對抗家翁的不公態度，所以她設下圈套，結果智勝了家翁，在這弟續兄嬻的法律下獲得了她的權益，並且在雅各的家族中得了兩個兒子。她其中一個的兒子更是大衛和耶穌的祖先，在這過程中，她愚弄了猶大，並顯出他的偽善，故此最後他不得不承認說：「**她比我更有義**」（三十八26）。這不是說與家翁同寢是對的，「**從此猶大不再與她同寢了**」（三十八26；參利十八15），指出這行為不當。但他瑪的不當行為卻顯為有理，因為她家翁所犯的錯更嚴重，忽略了應盡的義和神的計劃。她超乎常規的行動使猶大醒悟過來。

第1-5節「**亞杜蘭和基悉**」都靠近希伯崙。**第2節**「**亭拿**」在伯示麥以西約4哩（6千米）的地方。**第13節**剪羊毛是一個很忙碌和多姿多采的節期（參三十一19；撒上二十五2-37）。**第18節**「**印**」通常是用一條帶子穿過其中間的孔而繫著的。

第24節「**行淫**」是不大精確的翻譯，更合宜的翻譯是「不合法的性行為」。猶大大概認為他瑪是本該許配給示拉的，所以她是犯了通姦的罪，這情形可招致死刑，但不是用火燒，因這刑罰是為更大的罪行而設的（申二十二21；利二十一9）。**第29節**法勒斯的家譜記載在路得記四章18至22節。

三十九1至四十七31　約瑟在埃及

猶大的枝節過後，故事回到約瑟的身上，記載他在埃及的3個人生階段：在波提乏的家（三十九1-23）、在因牢（三十九21至四十23）和在王宮中（四十一1-57）。起首的兩個時期都有一個評語作為開始，就是「耶和華與約瑟同在」（三十九2、23），且都是以約瑟的落難為結尾，記載他被禁在因牢（三十九20），或在那裏被人所遺忘（四十23）。第三個時期則完全相反：開始時約瑟在牢獄中，結束時他卻成了埃及的大官。

這3段插曲主要集中在約瑟本人，以後便記載他如何與家人重聚，重聚事件也是分開3次的記述：約瑟的家人3次到訪埃及（四十二1-38，四十三1至四十五28，四十六1至四十七31）。在每一次的旅程中，更多的約瑟親屬下到埃及，而在最後一次旅程中，全家都一起去了。

三十九1-20　約瑟在波提乏的家　約瑟初到埃及，被波提乏買為家僕，波是埃及一個高級官員，聖經形容他為「護衛長」，這職位賦予他權力看守因牢中的皇家因犯（參四十3-4），他也可能負責守衛王宮。

約瑟很快便從一個普通奴隸的戶外工作擢升為室內工作，「在他主人的家中」（三十九2），後來被委任為波提乏的私人侍從（三十九4），到最後甚至被派管理波提乏全家一切事務（三十九4-5）。約瑟的成功不單是反映出他的才幹，而是因為「耶和華與他同在」，而且藉著他，波提乏也享到神的賜福（三十九5）。

波提乏的妻子試圖引誘約瑟的時候，約瑟對他主人的忠心便高度的顯明了，他堅決反對這種不正常的關係，並說：「我怎能作這大惡，得罪神呢？」（三十九9）這是聖經中一貫的情操（參箴五至七；太五27-32）。

但那絕望的婦人至終尋著了報復的機會，她趁著約瑟一人在屋裏，便扯脫了他的一件衣服（新國際譯本的「斗篷」表示它是一件外衣，但更可能是他的緊身內衣或短褲），然後她在其他奴隸和後來在她丈夫眼前揮舞這衣物，指出約瑟曾試圖要強姦她。雖然她故意歪曲事實（參三十九11-13，三十九14-15、17-18），但已足夠使波提乏相信——還是他尚有懷疑？他始終沒有如一般的強姦案件那樣處死約瑟。像約瑟這樣一個忠心的僕人，因被誣告而監禁在皇家牢獄中，是悲慘的命運。雖然他不是最後一個為義受苦的人（參太五10-12；彼前二21-25），約瑟常被認為是基督的預表，這位完美的僕人受到不公平的審判，那些跟隨基督的人也可能發現自己是走在約瑟和耶穌的足跡之中。

第6節 在舊約中另一個被形容為「秀雅俊美」的人是拉結（參二十九17），所以這是一個「有其母，必有其子」的例子。「秀雅」一詞更準確的翻譯是「美好的身材」，我們不知道在舊約中，肌肉發達是否理想的身型！

三十九21至四十23　約瑟被囚

希望出現又幻滅本是人生常有的經驗，但約瑟的遭遇最令人傷痛的，是他的被賣為奴和下在獄裏都是不公平的（四十15）。他給了酒政勸告之後，以為可以得著報酬而獲釋，結果令他再一次失望。

他在皇家因牢中的經歷也類似他在波提乏家的經歷一樣，他很快就被擢升為酒政和膳長的私人侍從。這些人不單是管理皇家的藏酒窖和廚房，他們同時也是法老的顧問。約瑟有理由期望酒政會同情他，可是酒政獲釋便忘記了他。再一次，「耶和華與約瑟同在」（三十九23）的事實，和約瑟在獄中的苦惱，兩者之間有明顯的矛盾，約瑟能夠解夢的技巧便是神仍與他同在的一個明證（參四十18），後來他得著拯救，更是神的同在至終的證明，但是後者卻沒有立時發生，故此，他的受苦便成了日後得榮耀的階梯，這事要在後來才被顯明（參腓二5-11）。

四十19 更好的翻譯是「把你刺穿並掛在柱子上」（參新國際譯本旁註），約瑟預言膳長會受到殘酷的死刑，就是處決後，再被曝曬，目的是不讓他的靈魂在死後得到安息（參申二十一22）。

四十一1-57　約瑟在宮中

13年的奴隸和因牢生涯突然結束了，約瑟在牢獄中被提取出來，帶到法老面前，此時不單是環境改變了，約瑟的為人也變了，那一度是輕率的少年，曾經惹惱他的家人，如今變得機智和有智慧。流淚谷被證明是靈魂操練的所在。它至少開始顯明約瑟過去為甚麼要受這些痛苦。神對處境的掌管也變得明顯不過，祂給予自滿的法老兩個不安的夢，後來酒政向法老提議請約瑟解夢時，約瑟說：「神必給法老一個答案」（四十一16），最後法老委任約瑟作他的宰相時說：「像這樣的人，有神的靈在他裏頭，我們豈能找得著呢？」（四十一38）

由此，約瑟成了有先知恩賜和智慧之統治者的縮影，他有神的智慧，能知道未來，並且藉著神的靈管治埃及，以致埃及和鄰近的國家都在饑荒中獲救（參詩七十二16；賽十一2）。再一次，他在這方面成了基督的預表，他是最偉大的先知和君王，他也是受苦的僕人，藉著他世界得著拯救，萬膝要向他跪拜（腓二10；參創四十一43），基督在受苦後得著榮耀，成了所有要跟隨他的基督徒的楷模（彼前五6）。

在創世記的觀點中，本插曲令人禁不住問：在連續兩次的事件中，約瑟先後解釋了兩個夢，而且他在這裏認為兩次作夢的原因是「因神命定這事，而且必速速成就。」（四十一32）那麼他自己的兩次作夢又如何理解呢（三十七5-11）？它們被應驗嗎？他為兩個兒子起名瑪拿西和以法蓮，豈非透露了他的心跡，就是他沒有忘掉他的父家？約瑟被委任為埃及的至高決策者，並不是故事的高潮，下面還有神更多的作為要顯露出來。

第17-24節 比較法老重述的夢和他先前所夢見的（1-7節），由此可見這些夢留在他腦海中的印象。第33-36節 知道神的目的為要激勵人付諸行動，而不是給人不作事的藉口。第39-43節 對約瑟的工作和他就職的描述，表示他是被委任為埃及的大臣。第43節「跪下」（英譯作「讓路」）是很好的翻譯（參新國際譯本旁註）。第57節「天下」指靠近埃及的所有國家。

四十二1-38　約瑟的兄弟第一次下埃及

約瑟的兄弟第一次下埃及，可分為7個情節，與

第二次下埃及時所描述的作一個對比：雅各的兒子們被派到埃及（1-4節；參四十三1-14），他們到達埃及（5節；參四十三15-25），第一次謁見約瑟（6-16節；參四十三26-34），被收押（17節；參四十四1-13），第二次謁見約瑟（18-24節；參四十四14至四十五15），離開埃及（25-28節；參四十五16-24），回來向雅各報告（29-38節；參四十五25-28）。

約瑟說「神使我忘了我父的全家」（四十一51）之後不久，他的兄弟們便來到埃及。令人驚奇的是當時眾多到訪埃及的人中，約瑟竟看見他們，而且認出他們來，他們卻當然認不出他。

這是約瑟的兄弟們3訪埃及的第一次，而每一次都比上一次更為重要。當約瑟看見他的兄弟們，他便記起了他的夢（9節；參三十七5-11），10個弟兄在埃及向他下拜；但在夢中所顯示的是11個兄弟和他的雙親都跪拜他，那麼沒有在其中的兄弟和父親在哪裏呢？預言和真實境況的不同，再加上極度的關切，催使約瑟嚴厲的追問兄弟們。

約瑟甚至設法重演當日他們如何把他販賣到埃及，不管他的死活而自己回家去。他抓住了西緬作人質，要看他們是否會為食物而出賣兄弟，正如當日他們為了銀子出賣約瑟一樣。兄弟們似乎感受到這個處境的巧合，良知使他們看見這是神的報應，他們並且憶述當初犯罪的經過，這是以前從未提過的（21-22節）。

他們後來發現銀子竟在其中一個人的口袋中，他們便越來越懺悔（28節）。回家後，他們把20年前的舊事重提，再一次，他們要向父親雅各解釋為何失去了他一個兒子。他們要求將便雅憫帶到埃及以換取西緬獲釋一事，完全不為雅各所接受，因為便雅憫已經代替了約瑟，成了他所寵愛的。雅各懷疑兒子們所講的，後來這事果然可怕地被證實出來。當他們倒口袋的時候，所有的銀錢都滾出來，雅各想他們一定是出賣了西緬。他間接地提出了他的控訴，說：「你們使我喪失我的兒子，約瑟沒有了，西緬也沒有了。」（36節）然後他宣佈：「我的兒子便雅憫不可與你們一同下去。」（38節）過去20年的苦澀和悲痛再次浮現出來，這個破碎的家庭如何能夠復合？約瑟的夢會如何應驗？第一次的

到訪埃及在讀者的腦海中留下了許多未解答的問題。

第30-34節注意那些兄弟們沒有告訴雅各，他們在埃及時所遇到最壞的事情，例如他們被監禁或受到死亡的恐嚇（四十二17、20）。儘管如此，雅各也沒有被說服！

四十三1至四十五28　第二次到埃及　作者有意把第二次下埃及的記載和先前的一次作出比較，要全面理解這個記載，我們要很小心去比較這兩次的經歷。這第二次的到訪不單是總結第一次，它更預示了第三次的旅程，那時全家都搬到埃及去居住。

雅各仍是一家之首，要等到他不再反對再下埃及，他的兒子們才能動身。最後，因著飢餓和猶大願為便雅憫的安全作保，雅各才回心轉意。正如上一回雅各要面對和以掃重聚一樣，現今他寄望於禱告及送厚禮予在埃及的那個人（比較三十二7-21）。雅各的禱告顯示他信心微弱，但神的憐憫超過了雅各所期望的。他祈求：「他釋放你們的那弟兄和便雅憫回來」（四十三14），雅各指的「那弟兄」本是西緬，但他卻將同時與約瑟重聚。

雅各非常擔心便雅憫；他的兒子們卻是擔心上天會向他們討罪。若有甚麼突發事情，他們就立即驚慌得很（四十三18、23；參33節）。不安的良心令他們不由自主地將每件事情的發展，都解釋為神審判的記號。

當他們再見約瑟，他充滿著仁慈，溫柔地詢問：「你們的父親……平安嗎？」，也為便雅憫祝福（「小兒啊，願神賜恩給你」），最後請他們吃了一頓豐富的筵席。這情形與他們上回在他手下忍受苛刻的查問（參四十二6-16）成了強烈的對比，這令他們更加不明所以。這埃及的大臣怎麼知道他們「長幼的次序」（四十三33）？不過他們接納了事情是這樣，就「飲酒，和約瑟一同宴樂」。

次日早上，正當他們慶幸可以帶著西緬、便雅憫和糧食平安地離開埃及時，晴天霹靂，便雅憫因為偷取了銀杯而被捕，他們所有的人都要被帶返約瑟的宮中。他們原本建造在仇恨和謊言上的世界終於瓦解，顯示出他們的真我。尤其是那硬心的猶大，他曾提議賣約瑟為奴隸，也曾要求將他的媳婦燒死（三十七27，三十八24），這時候卻顯出他

的改變。在創世記這篇最長的講辭中，猶大情理兼備地請求釋放便雅憫，感人地道出，便雅憫不回去，對年老的父親的影響，最後還提出自願代替他的兄弟受罰。到如今，利亞的兒子們（例如猶大）和拉結的兒子們（約瑟和便雅憫）之間長久以來的仇恨顯然已成過去了。雖然雅各只認拉結和她的兒子們是他真正的家人，他其他的兒子們卻寧願留在埃及為奴，而不願傷害父親的心（四十四33-34）。

猶大情願為他的兄弟和父親犧牲自己，這使約瑟不能不顯露他的身分，也不能不說出在他受苦的背後有神的旨意。神藉著他兄弟們的惡行去拯救他們的性命（參四十五7）。「差我到這裏來的不是你們，乃是神」（四十五8）總結了約瑟故事的整個目的。神越過了人的行為，不論是好或壞的事情，來達成祂拯救的目的。耶和華對亞伯拉罕宣告說，藉著他的後裔，「地上萬國要得著祝福」（二十二18），透過約瑟和他的賑災工作，這應許也部分應驗了。

在堅守神的主權之餘，創世記沒有否定人要為他們的行為負責。聖經透過強調兄弟們所造成的傷害、雅各無法止息的痛苦、約瑟為奴和不公平地下獄，甚至兄弟們罪疚的良知等情節，肯定了這兩方面的真理。這種對於人類的罪咎和責任等信念，深藏在約瑟苛待他兄弟的背後（四十四14-15和四十二章）。直至猶大承認他們的罪過（四十四16，「神已經查出僕人的罪孽了」指的是他們出賣約瑟的罪），並自願代替便雅憫，顯出真正的悔意後，才有饒恕和復和。到了此時，約瑟立即表現他的慷慨，並為家人預備回程所需的一切。

回家後，雅各為這消息而大為「震驚」（26節，新國際譯本），也不相信兒子們所說的話。但至終他被說服，經過了20年的哀痛，現再露希望的曙光，他說：「我的兒子約瑟還在，趁我未死以先，我要去見他一面。」

四十三26 這只是部分應驗了約瑟的夢（參三十七9-10，四十二6）。**第32節** 埃及人不喜歡與外國人一起吃飯，這常在古典的作品中提及。**四十四5** 無論那杯是否真的用來「占卜」，這說法令偷竊的控罪更懾人。**第28節** 這是約瑟首次知道雅各對於他失蹤後的反應（參三十七33）。**四十五8** 「如法老的父」就是作他的首席顧問。**第10節** 「歌珊」在尼羅河三角洲的東邊。

四十六1至四十七31 雅各下到埃及 與前面兩個段落比較，這部分似乎緩和得多了。這裏記載了冗長的名錄，也籠罩著雅各將要死亡的陰暗。這是第三次到埃及，也是最決定性的旅程，雅各離開迦南那應許之地，進入埃及那將來的為奴之家，是一個重大的錯誤嗎？不是的。**雅各的遷移不單因為受了約瑟邀請的催使，更是神所命定的。** 四十六章3至4節記載了約瑟故事中的唯一一個異象，在其中雅各得著指示：「你下埃及去」，並得到神的保證：「我要和你同去，也必定帶你上來。」（參二十八15）在埃及的居留只是暫時的，它確實是神的目的之一部分（參十五13-15）。本段落結束時記述雅各吩咐約瑟，要把他埋葬於他先祖們在迦南的墓地（四十七29-30），神的應許始終要得著應驗。

神的應許實在是已經逐步應驗，雅各的家庭已有70人，這是一個神聖的數目（比較十2-31記載有70個國家）。以色列人正按著曾經給亞伯拉罕的應許（十二2）和向雅各的保證（四十六3），演變成一個「大國」。這名冊上的大多數人名，都是古以色列國的支派和部族的先祖，古代的讀者一定立刻就認出這些應許是如何應驗。

故事很快又回到雅各家裏，約瑟充滿尊榮地出現，對雅各而言，好像處身異象中。當他擁抱約瑟時，便感受到約瑟仍然真正活著。雅各與他以為已死去的兒子會面，改變了雅各對死亡的看法，他現在已準備好平安去世（參路二29），猶如那「比約瑟更大的那位」復活的時候，使許多人離世時也存著希望（彼前一3）。

與約瑟團聚是雅各最大的心願，但約瑟卻想得更遠——他是神所派來，為要救多人性命的，他也要確保他的兄弟們在埃及的生活。因此他教導他們如何向法老說話，就是說他們不是來謀求工作和糧食，他們是畜牧的人，而且帶了他們的群畜同來，他們只需要一些放牧的土地，因此他們不會加添埃及人的負擔（四十七1-6）。這策略非常成功，法老樂意給予他們在埃及最好的草場，並且邀請他們管理他的皇家牧場。再一次，我們

看到神無形的手在人當中工作（參三十九3、21，四十一37-38）。

後來約瑟領父親會見法老，年老的雅各被抬進宮廷，並由人攙扶著進到法老的面前（這是四十七7的字面意思）。雅各是一個可憐的人，但法老向他表示尊敬，並問及他的高齡，雅各在此為法老作了兩次祝福。儘管雅各的一生充滿那麼多的悲劇（四十七9），他仍然是最卓越的祝福者，「地上萬族必因〔他〕得福」（二十八14）。

藉著約瑟在饑荒中供應埃及人糧食，神對埃及的賜福便非常明顯。現代的讀者在本段落看見約瑟如何對待飢餓的埃及人時，一定覺得約瑟很殘酷地剝削別人。為甚麼他不是毫無條件地給予他們食物，而要求他們用牲畜、土地和自由來換取糧食？這不是舊約對此事的看法，利未記二十五章14至43節表示買那些荒地和賃用他們作僱員（「奴隸」），是慈惠的行為。事實上，一些受僱於好僱主的奴僕，被視為更勝於那些因自由（自己作僱主）而犯險的人。在某些情形下，主人若讓奴隸自由離去，奴隸反而拒絕（出二十一5-6；申十五16-17）。聖經時代中的畜奴，與苛刻地剝削奴隸是不一樣的。舊約中最美的畜奴圖畫，便是終生服侍一位恩慈的主人，這就是埃及人對約瑟的看法，因為他們說：「你救了我們的性命……我們就作法老的僕人」（四十七25）。

本段結束時，我們瞥見那些應許的成就，因為以色列「生育甚多」（比較十七2、6，二十八3），它同時亦預示了下一段關乎雅各的死和埋葬（四十八至五十章）。一個段落的結束，預示下一個段落事情的發生，這在創世記經常出現（例如六5-8，九18-27，三十七36，三十九20，四十一57，四十五28）。

四十六1「別是巴」，參二十一章14節。**第4節**「約瑟必將手按在你的眼睛上」（參和合本小字）是應許雅各必平安去世。**第12節**希斯倫和哈母勒是法勒斯的兒子（三十八29），他們也假定如約瑟的兒子般（四十六27），在埃及出生，便雅憫的兒子們也可能在埃及出生（四十六21）。**第34節**「凡牧羊的都被埃及人所厭惡」大概是反映了一般城市人對遊牧民族的不信任（比較現代社會對吉卜賽人的態度）。**四十七11**「蘭塞境內的地」就是靠近蘭塞城的地方（出一11，十二37），

明顯是歌珊的另一個名稱。

四十八1至五十26 雅各和約瑟的晚年

有關雅各的死亡和埋葬的描述，看來像一齣病態的煽情劇，但其實這是慶祝應許的應驗。在伯特利（路斯），神曾經應許雅各，祂會使他生養眾多和賜給他土地（比較二十五11-12），現在雅各回想這些應許到底已實現了多少。他從來沒有希望能再見約瑟，但他連他的孫兒也看見了（四十八11）。他也在迦南擁有土地：一塊在幔利的墳地（四十九29-32），並從亞摩利人獲得的山脊之地（四十八21-22）。

但這些只是將來應驗的預嘗，雅各領養以法蓮和瑪拿西為自己的孩子，預示他們在將來要成為以色列其中兩個最大的支派，相等於雅各的兒子西緬和流便的支派（四十八5）。到第四十九章，雅各瞻望將來和預見他所有的兒子們成了眾支派，並安頓在迦南的不同地方。猶大將會因釀酒而聞名，西布倫專長航海，亞設出產肥美的糧食（四十九11、13、20）。當雅各說完了以色列人在迦南未來的榮耀景象之後，他再次強調自己要埋葬在那裏，於是他便去世了。創世記四十九章被稱為「雅各的祝福」，但其中的內容不全都是祝福（例如四十九3-7）。它是舊約內其中一首最古老的詩歌，當中有很多是對創世記事件的評論，這些內容似乎原本已是一個單元，而不是個別說話的蒐集。雅各在此表達了他的兒子們在過去和將來的成就，大致上是按著他們出生的次序，所以**這是舊約中一篇最早期的先知文獻**。但正如在先知的詩歌中常見的，它的內容含有某些含糊難解的詞語，因此亦引致翻譯上的困難。

經過一個大型的埃及式葬禮之後，雅各的遺體在莊嚴的行列下被帶回迦南，他的兒子們達成了他的遺願，不單如此，這事更是用行動來預言將來出埃及的事件，就是他的後裔會離開埃及和回到那應許之地。這殯葬的行列甚至選上了一個不尋常的路線，沿著死海的邊緣從東面進入迦南，一切都似乎預示了將來摩西和約書亞帶領以色列人所行的路線。後來約瑟去世的時候，他同樣吩咐人起誓：「要把我的骸骨從這裏搬上去」（五十25）。到此，創世記結束時，留下一個盼望的信息，肯定地表示這些應許一定會應驗。這

些應許首先是給予亞伯拉罕，後來又重複地向他的子孫講述。

但得著土地只是給亞伯拉罕的部分應許，這些完結篇章也關乎其他的問題。雅各的去世再次引起約瑟與兄弟們的關係出現問題，他們擔心約瑟會否趁這機會對他們施行報復。約瑟知道他們的心意後大為驚訝，於是複述他對此事的看法：「從前你們的意思是要害我，但神的意思原是好的，要保存許多人的性命，成就……。」（五十20；參四十五5-8）藉著亞伯拉罕的後裔，萬國要得著祝福，這已部分應驗在約瑟的賑災工作上，但雅各的祝福所延及的更為遙遠。一位萬國的統治者將會出自猶大，他的年代是那麼的豐裕，甚至「把小驢拴在葡萄樹上和在葡萄酒中洗了衣服」（四十九11），這預言初步在大衛和所羅門的富裕時代中應驗，但更豐富的應驗是在我們的主第一次降臨這世界時，祂第二次的降臨便完完全全應驗了預言（參下文附註）。因此雅各和約瑟是存著希望而離世——「他們並沒有得著所應許的，卻從遠處望見，且歡喜迎接……他們卻羨慕一個更美的家鄉，就是在天上的。」（來十一13、16、40）這應許的祝福，是凡相信神的人，都可與他們同享的。

四十八5-6領養孫兒並把他們當為自己的兒子，這習俗在古代近東並不陌生。第8節雅各的問題「這是誰？」可能是由於他的眼瞎，又或許這是在領養儀式中的一個法定對話。第11節雅各悲哀的禱告（四十三14）得蒙應允，超過他的想望（參弗三20）。第13-20節在聖經時代，右手是榮譽和祝福的象徵（參申十一29；太二十五33），雅各特意抬舉年輕的以法蓮過於頭生的瑪拿西，這是在創世記中經常出現的模式（參四1-8，二十七，三十八27-30）。第22節這似乎是指雅各的兒子們所征服的示劍城（三十四25-29），雅各也曾買了鄰近那地的地方（三十三18-19），後來約瑟埋葬在那處（書二十四32）。

四十九3-4像其他的長子（該隱、以實瑪利和以掃）一樣，流便因他的罪（參三十五22）而失了他的權利和地位。第5-7節這是指三十四章24至29節所記載的攻擊事件。第6節在迦南的文獻中，領袖有時稱為「公牛」，所以砍斷牛腿的大筋可能指那些領袖如哈抹和示劍的被殺，或是形容因著那次攻擊事件而

帶給雅各的不便（參三十四30）。第7節利未人沒有自己的土地，他們只有48個利未族的城邑。西緬支派的土地被猶大支派吸納了若干（書十九1-9、21）。第8-12節雖然這祝福的大意很清楚（它預言猶大在各支派中間的至高地位），很多的細節卻未能確定。第8節「你的手必掐住仇敵的頸項」表示你一定會戰勝他們。第9節猶大如獅子守著牠的獵物般危險，誰敢惹怒他！這便是「猶大的獅子」一語的來源。第10節猶大會永遠有一位後裔（「兩腳之間」的意思）在國中掌權（圭和杖是權力的象徵）。「直等細羅來到」經過稍微的經文修改便變成「自等到將貢物獻給他」（參新國際譯本旁註），這句話相當難解，但幾乎所有學者都認為這是預言大衛的王國，那時萬國都聽命於那從猶大來的君王（詩七十二8-11）。這君王便是大衛之子的先驅，萬國都要向祂跪拜（參腓二10-11）。第11節在那些日子中，葡萄大大的豐收，以致在大衛王朝中的君王，不管那被拴在美好葡萄樹上的驢駒吞吃了他的葡萄。「他在葡萄酒中洗了衣服」是另一幅描繪大量產酒的圖畫（參利二十六5）。第12節這大概是形容那領袖的美貌。第13節西布倫支派得了加利利海內陸的領土，我們不知道他們在何時和在那沿岸居住了多久。第14-15節這裏似乎是描寫以薩迦一段過去的歷史，他們曾經是迦南人的奴僕。第16-17節此處是預示但支派的未來軍事成就，使以色列國因而獲益（例如參孫的勳業，士十五至十六；以及拉億的戰績，士十八27）。第18節雖然士師記描寫以色列人少許的成就，但這段征服後的日子是全國的困難時期，所以雅各為他們祈禱。第19節迦得是在前線的支派，經常捲入戰事之中。第20節亞設肥沃的土地出產君王的食物。第21節這大概是形容拿弗他利逐漸在迦南定居下來。第22節不論這形象是指一隻野驢（新國際譯本旁註）或是一棵茂盛的葡萄樹（可能性較低），它的意思都是指出約瑟支派的強大和鼎盛。第23-24節本處大致指出在約瑟一生中所面對的反對勢力，但至終他的對頭被神所壓服。第25-26節這裏提到「祝福」和「福」一共有6次之多，這是創世記其中一個鑰詞，在這裏，神的賜福特別顯明在充足的水源供應上，就如雨水（「天上的」）和泉水（中譯「地裏的」，在原文為「深淵」）、眾

多的子女（「生產乳養」）和肥沃的山嶺。**第27節**這大概是指便雅憫的戰士們在軍事上的勳業（士三15-30，五14），也可能是指掃羅（撒上十至十四）。**第31節**只有此處提及利百加和利亞的埋葬（參二十三19，二十五9，三十五29）。

　　五十2-3薰屍顯出雅各在埃及中的崇高地位。**第10節**「亞達的禾場」是在靠近迦南邊境的某處，大概靠近迦薩或耶利哥。若是後者，這暗示殯葬的行列採用了與以色列人出埃及相似的路線。**第15-17節**一般都假設約瑟的兄弟們編造了雅各這個遺言，但我們不能確定。

G. J. Wenham

進深閱讀

F.D. Kidner, *Genesis,* TOTC (IVP, 1967).

D. Atkinson, *The Message of Genesis 1-11,* BST (IVP, 1990).

J.G. Baldwin, *The Message of Genesis 12-50,* BST (IVP, 1986).

J.H. Sailhammer, *Genesis,* EBC (Zondervan, 1990).

G.J. Wenham, *Genesis 1-15,* WBC (Word, 1987).

——, *Genesis 16-50,* WBC (Word, 1994).

出埃及記

☼ 導論

書名

「出埃及記」這書名，沿用古希臘文聖經譯者給這書的名字。希臘文 *Exodos* 是「出去」、「離去」的意思。這名字反映本書特別講述以色列人離開埃及的事蹟。

文學的性質

出埃及記是聖經中的第二卷書，記載的範圍更廣闊。這一部分的體裁由創世記直至申命記都沿用。這些段落在傳統上被視為一個單元，稱為五經（參「摩西五經的研讀」專文）。出埃及記是這大段落中一個主要的部分，創世記為本書提供了重要背景資料（例如神與亞伯拉罕、以撒和雅各等列祖立約；神保證他們的後裔擁有迦南地；再加上細說雅各的家族如何進入埃及），並為在利未記中記載的事件鋪路（例如亞倫和他的眾子分別為聖作祭司）。雖然出埃及記、創世記和利未記有很多一貫之處，但是我們在下文將看見出埃及記特別的主題。

驟眼看來，出埃及記像零散的個別事件的組合，其實卻是精心組合而成的。它技巧地將不同體裁的資料揉合在一起，例如散文、詩歌、家譜、講辭、規條、律法，全被收集起來，形成一個統一的作品。作者無意完完本本的把這時期內發生的一切事情全都記下；相反地，他的記述是有選擇性的。故此，本書時常省略了某些資料，因為作者認為這些資料與他的寫作目的無關（例如本書沒有詳細記載摩西在米甸的生活）。

出埃及記是由許多單元的資料組成，每一組通常都清楚註明它的開始和結束。聖經中現有的篇章對這些單元提供了很不準確的指標，因此可以不理。各種不同的事件很少單獨地存在，它們假定對先前的資料有充分掌握，也能預期將要發生的事。要明白出埃及記，必須了解整個記載的發展，明白情節如何連繫一起，例如在十九章記載以色列人在西乃山與神會面，這事情是與第三章摩西首次與神在何烈山（或西乃山）相會，形成了緊密的對比。

寫作年代

出埃及記沒有說明是誰編寫本書的內容，由於書中某些篇幅是摩西所記錄的（十七14，二十四4，三十四27），故此傳統的看法認為是摩西寫成了整卷書（例如可十二26）。書中甚少內證能提供出埃及記成書的日期，因而我們沒有絕對的理由，正如許多學者所假定的，去相信本書一定是在所記述的事件之後一段很長的時間才寫成。唯一能夠提供成書時間的資料，是在十六章35節，那裏提及以色列人吃嗎哪共40年之久，直至抵達迦南地。

在過去100多年中，學者們詳細地討論出埃及記的資料來源，最新的研究顯示，五經來自4個來源，這個理論有很多疑點。這說法認為五經是由4個不同的底本所組成，通常稱為 J、E、D 和 P（參「摩西五經的研讀」專文）。由於難以考究現有的經文背後的資料來源，所以下文的註釋集中於現有的經文內容上。

歷史背景

有幾個因素使我們難以確定出埃及記中的歷史背景。**第一方面，我們要處理的事件，發生在主前2000年**。根據列王紀上六章1節，出埃及的事件是發生在「所羅門作以色列王第四年」之前的480年。若根據這個計算，以色列人約在主前1446年離開埃及。但有學者不同意，他們將出埃及放在主前十三世紀下半葉（參下文）。無論哪種算法，要處理的這段歷史時期，是我們有限的知識所難

以確定的。

第二方面，出埃及記其中一個明顯的特色，是缺乏歷史的參考資料。例如，埃及的王只按照他們的頭銜稱為法老，而沒有提及他們的名字。這樣安排似是故意的，要將沒有記名的埃及王，與以色列的至高神作一對比。這位神的名字便是耶和華（或譯為「雅巍」），祂曾向摩西和以色列人顯現。因此我們難以確定出埃及是屬於埃及史中的哪一段時期。一個可能的線索，是根據其中一座積貨城蘭塞的名字，這城大概是建於蘭塞二世在位的時候（主前十三世紀）。但這地名也可能是屬於更早的時期，並且在以色列人開始定居於埃及時已經使用（參創四十七11）。另一個可能的看法，是這名字悠來更早，它在創世記四十七章11節和出埃及記一章11節的出現，大概是作者使用了當代的名稱。

第三方面，除聖經以外，沒有發現其他文獻特別提到以色列人在埃及的歷史。由於時代古遠，事件的性質又特別，這結果是不足為奇的。埃及的編年史家似乎難以暢所欲言，會詳細地描述這些事件，因其中涵括了埃及王的戰敗和本國軍隊的覆沒。即或他們曾經收錄，也不會熱衷保存這些文獻。

第四方面，雖然出埃及記的作者對這些史料十分關注，但他寫作的態度主要是從神學，而不是從歷史的立場下筆，著眼點在這些事件中讓人看見一位人所共見的神，而不是史實本身。最後，由於出埃及的傳統在以色列人的思想中佔了很重要的地位，我們很有理由推斷它們是源自真材實料。雖然未能為本書內容提出確證，但我們也沒有理由視其為虛構的故事。某些學者否定本書記述的歷史性，其實是沒有充分地考慮到這些因素。

出埃及的路線

若有困難確定出埃及的歷史背景，要重新構想以色列出埃及的準確路線，也會遇上類似的困難。除了數個地名以外，書中沒有留下多少的線索，說明逃離埃及的方向，而只提及他們沒有採取前往迦南的直接路線。還有，對於這些地名的可靠性，意見紛紜，也難確認位置。許多學者贊成以色列人是採用了經西乃半島南方的路線，但新近的研究趨向支持一條較為近北方的路線。

主　題

出埃及記的作者先關注神學方面的事，因此他寫作的目的，便是要闡明神。為了欣賞和明白本書每段落如何構成這個整體的目的，認識本書中的重要題旨，是很重要的，其他較次要的題旨，也會在註釋部分中提及。

出埃及記一書主要是記述透過個人的經歷去認識神，書中的情節集中在神與以色列人的關係上，始於神在火燒的荊棘中戲劇性地與摩西會面（三1至四17），至後來耶和華的榮耀充滿了會幕（四十34-38）。在這一切的事上，摩西擔任了中保的角色，他首先使百姓認識耶和華，並且後來在建立聖約的關係上擔當重任，因而耶和華可以居住在以色列人中間。在本書中，一件重要的事情是神常常採取主動，祂向人啟示自己，不單用言語，更透過神蹟和奇事。在出埃及記中，神說話和行動；而且祂說的都會發生。

本書的上半部集中在認識神的主題上，開始的時候，摩西在火燒的荊棘中遇見神，隨後的談話中發現許多關乎神的特性，包括祂的聖名「耶和華」（三1至四17）。主題其後再次出現，法老表示他對耶和華一無所知，他說：「耶和華是誰，使我聽他的話，容以色列人去呢？我不認識耶和華，也不容以色列人去！」（五2）從後來發生的各種神蹟，埃及人漸漸知道耶和華的權能。到最後，神使法老和他的軍隊在紅海中敗亡，以致「埃及人就知道我是耶和華」（十四4、8）。擊敗法老之後，以色列人用詩歌來慶祝並讚美神：「耶和華啊！眾神之中，誰能像你？誰能像你，至聖至榮！可頌可畏！施行奇事。」（十五11）

出埃及記的下半部分，繼續展開「認識神」這主題，焦點在耶和華與以色列之間建立一個緊密和永久的關係。因此，特別提及兩個題目，並且詳盡地描述，那就是立約和建造會幕。第一個題目如同人簽約或在婚禮中所許的願，說明以色列必需遵守的條件，好讓他們能與神保持美好的關係。這些條件記載在十誡和約書之中。百姓們若要得到神繼續的賜福和同在，便有義務守神的標準。這些事不僅記載在開始時的立約上（十九至二十四章），它同樣也記載那金牛犢的事，那事件幾乎使他們突然斷絕了與神的關係（三

證主21世紀聖經新釋

十二至三十四章）。會幕的建造很自然地接續著聖約的建立。他們照著神的指示建造會幕，會幕便成了耶和華在百姓中間同在的焦點，並且更因著會幕建造的材料和結構，提醒了他們有關神的權能和聖潔的特性。明顯地，出埃及記結束時，記述會幕立起來之後，耶和華便居住在以色列人的帳幕中間（四十34-38）。

與認識耶和華的主題緊連在一起的，便是順服的要求。整個出埃及記強調順從耶和華，這是非常重要的。在本書起首時，我們發現摩西不願順命，法老愚昧地拒絕遵從神命。但後來以色列為要平安地從埃及被拯救出來，要嚴格地依從耶和華的指示，守逾越節。他們除去了埃及人加給他們的奴役枷鎖之後，便要學習順從新的主人。順從神明顯是立約關係的核心（參十九8，二十四3、7）。但出埃及記所強調的，是因神採取了主動，不是人先順從才締造這特殊的立約關係，人所要作的只是盡力保持它。後來，以色列人製造並敬拜金牛犢，他們便因不順從而受罰，並且他們與神立約的關係也破壞了。

另一個重要的主題是聖潔。出埃及記顯明只有神的本性是聖潔的，人類卻因著犯罪的本性，只能在某種情形下才能夠進到祂的面前。當摩西在火燒的荊棘中遇見神的時候，他要脫下鞋子，因為那地是聖潔的（三5）。後來，以色列人也不准上西乃山，免得因看見神而死亡（十九12-13、21-24；參來十二14）。因著神的聖潔和人的罪性二者不能並存，就要採取某些特殊的措施，然後耶和華才可以住在以色列人中間。特別設計的帳幕便應運而生，其中的特色是為了神的聖潔而設（例如那幕幔成了神和百姓之間的一個保護幕）。

在另一方面，出埃及記強調以色列人應該效法神的聖潔，所以他們稱為「聖潔的國民」（十九6）。為這緣故，十誡和約書上的法例及律法，表達了神的聖潔特性，也表明選民應有的品格。聖潔在這裏主要是聯於道德上的純潔和可堪效法的行為。但是完美人格世間少有，出埃及記便強調獻祭的重要，因為可以贖罪和潔淨不潔的人和物。這事情多方表達出來，我們可從逾越節和在西乃山上立約時的祭祀看到。同樣地，在祭司分別為

聖的事上，獻祭佔了主要的部分（二十九1-46）。再者，為了象徵人只能藉著獻上蒙悅納的祭物，才可以前去親近神，故此在會幕院子的入口和聖所中間設有巨大的銅祭壇。

此外，本書也特別注重神的憐憫和公義的特性。這方面在本書的上半部顯明了，尤其當神流露出對以色列人的關懷，並且神因為埃及人苦待以色列人而刑罰他們。這兩方面的素質，在律法和道德的條例上是十分顯著的，這些條例正是西乃之約的主要部分。以色列人不單要保持公義的標準，更要對社會中弱勢的人施憐憫。最後，在金牛犢的事件上，又再顯明神的憐憫和公義，神的公義表現於祂因以色列人的悖逆而刑罰他們，但是，因著祂的憐憫，摩西為百姓代求時，神便更新與他們立的約。

應用綱要

出埃及記是一卷「救贖」之書，清楚說明了人類歷史的希望是在乎神的救贖。神也是歷史的神，祂掌管人類的歷史；祂亦是立約的神，與以色列人立約，並訂明要過守律法和合乎道德的生活。所以神的子民要聖潔，並專心敬拜事奉神。

📑 大 綱

📖 **註 釋**

一1至二25　以色列人在埃及

出埃及記起首的兩章，內容歷經數個世紀，為本書的故事提供了不可缺少的導言，故事的主體繼而在本書以後的部分展示出來。從一開始，我們知道以色列人身處埃及（一1至6），並且因他們繁殖興旺，引致埃及人害怕（一7至22）。就在為了抑制以色列人繁衍的不人道事件中，摩西這位領袖便出場了（二1-22）。雖然法老一心要消滅所有希伯來人的男嬰，摩西卻因他母親的巧計而得保性命，更諷刺的是在接著的巧合事件中，他竟在埃及的皇宮中長大。經過多年之後，因他看見一個埃及人打一個希伯來人，他殺了那埃及人，因此逃命至米甸，過著被放逐的生活（二11-22）。引言結束時，提及神關懷以色列人（二23-25），為本書的下文提供了重要的伏筆。

一1-6　以色列人抵達埃及　出埃及記開始時，輕描淡寫地列出了以色列（又稱為雅各；參創三十二28）12個兒子的名字。這裏提及他們到達埃及時，全家族的人數為70人。這個資料是出埃及記和前書創世記之間一度重要的橋樑。此處大概假定了讀者已經熟悉在創世記四十六章1至27節的細節。在那裏記載下到埃及去的人（但出埃及記所記錄的名字，次序卻依循三十五23-26的排列）。在一章6節提及約瑟逝世一事，暗示了創世記五十章22至26的記載 。

附註　第5節在使徒行傳七章14節指出，雅各後人的數為七十五人，這是跟隨古希臘譯本的記載（見創四十六27的註釋）。

的希伯來文強調色列人的後裔劇增，其中用了4個有關增長的動詞（修訂標準譯本的翻譯：「他們生養眾多和大大加增；他們增多和極其強盛」），並加上評語說：「他們充滿了那地。」不尋常的增長，部分應驗了神對亞伯拉罕、以撒和雅各的應許（參創十二2，十三16，十五5，十七2、6，二十二17，二十六4，二十八14，三十五11，四十六13，四十八4），這是神賜福以色列人的明證。

新王登位，並不認識約瑟，新君當然帶來轉變，大大影響以色列人和埃及人的命運。新的法老看以色列人的增長會對國家的長遠的安全帶來重大威脅。埃及人要明智地行動，一心對抗這潛在的危機（一9-10）。故此，以色列人被逼為法老建造積貨城（一11）。法老的行動是冷酷的事實，它讓我們看見一個國家會怎樣統治和剝削另一個國家。但矛盾得很，埃及人越發欺壓以色列人，後者卻反而越發增多（一12）。神要使以色列成為大國，不會被無情的人事所妨礙。

面對著以色列人口的繼續增長，法老尋求另外的方法去控制人口：按照他的命令，希伯來人的收生婆施弗拉和普阿要殺害一切新生的男嬰（一16）。但她們因敬畏神而不遵命，神賜福她們，叫她們生育兒女（一21）。神在今天仍然賞賜那些將祂放在首位的人。

法老決意對付以色列人，於是吩咐百姓將所有以色列人新生的男嬰丟在尼羅河中（一22）。這事為摩西的誕生和奇妙的獲救鋪路。諷刺地，他不單在河中為法老的女兒所救（二5-6），更在那威嚇他性命的人的保護下長大（二9-10）。

附註　第8節出埃及記沒有說明是哪一位埃及王（法老）。雖然他們位高權重，本書卻視他們為無名氏。這方面與出埃及記把耶和華與埃及諸王對比的作法相符。第11節比東和蘭塞的準確地點未能確定。蘭塞的名字經常連繫到偉大的法老蘭塞二世（主前1290至1224年），但這地名可能是出自較早的時期，也有可能是由作者後來改成當代名字（參創四十七11）。「法老」是皇室的頭銜，不是私人的名字。第19節由於以色列人口急增，法老很可能接納收生婆的解釋，認為希伯來婦人健壯，在收生婆未到以先已經生產了。

二11-22　摩西逃奔至米甸　從二章11節開始，作者隨即說到摩西長大成人；根據後來的傳統記載，他當時是40歲（參徒七23）。3件緊密關連的事件相繼發生。第一，摩西殺死一位正在打希伯來人的埃及人（二11-12）。第二，他干涉兩個爭鬥的希伯來人，申斥那錯誤的一方（二13-14）。最後，他逃離埃及，救助了流珥的眾女兒（二16-19）。在每件事中，摩西是弱者的保護人。其間充滿了諷刺意味，摩西雖然殺害那埃及人，在此前後，他都企圖避免惹人注目，但他的行動不久便被公開了（二12-13）。那位強硬的希伯來人回答摩西說：「誰立你作我們的首領和審判官呢？」（二14）。這話不知覺不覺為本書的發展寫下伏筆，摩西成了以色列人的首領和審判官（參十八13-26）。因著他反對埃及人欺凌弱小，他逃離了埃及。但摩西卻被流珥的女兒們視為埃及人（二19）。雖然摩西的行動流露對弱者和受欺壓者的關懷，但他仍未有資格作民族救星。相反地，他被逼放棄了埃及皇室的身分，變成了在外邦寄居的人（二22）。同樣地，在充滿不義的世界中，基督徒面臨反對，必需經常為貧苦和無助的人出力。

附註　第15節摩西逃往東面的米甸，這地區環繞著阿卡巴灣（Gulf of Aqabah），可能是根據亞伯拉罕年幼的孩子們命名（參創二十五2）。

二23-25　神關懷以色列人　法老的死訊引出一個簡短，卻是極其重要的段落，其重點是記述以色列人在埃及的困苦。按主題而言，這事與上文是連在一起的；神也像摩西一樣關懷那些受欺壓的人。雖然前面經文曾扼要的暗示神關懷祂的百姓，但至此才詳細又顯明的道出，祂原來曉得以色列人所受的苦難：神聽見、記念、看顧和知道（二24-25）。這裏提及神與亞伯拉罕、以撒和雅各所立的聖約，尤其重要。這約的中心，是神應許列祖的後裔要承受迦南地為業（參創十七8，二十六3，二十八13，四十八4）。亞伯拉罕曾經得著一個更明確的應許：「你要的確知道，你的後裔必寄居別人的地，又服事那

地的人，那地的人要苦待他們400年；並且他們所要服事的那國，我要懲罰，後來他們必帶著許多財物，從那裏出來。」（創十五13-14）拯救亞伯拉罕的後裔，使他們從埃及的捆鎖和欺壓出來，這個重要的時刻已經來到了。

三1至十五21　脫離埃及
三1至四23　摩西在米甸

前面兩章包括了一段很長的時間，但從這段落開始卻不同了，記敘的步伐顯著地放慢下來。在這裏，神啟示祂要如何拯救被欺壓的以色列人：神要選召摩西去帶領百姓出埃及。由於這事關係重大，經文詳記神與摩西的相遇，並且把焦點放在他們的談話上。顯然地，整個事件對摩西產生重大的影響。

神與摩西會面，有幾個特色是值得注意的。第一，摩西在火燒的荊棘中遇見神，在整個出埃及的故事中，時常都用火和煙來象徵神的顯現（出十三21-22，十九18，二十四17，四十38；參利九24，十2；民十一1-3；申九3，十八16）。第二，由於神是可畏的，人接近神要鄭重其事。摩西曉得神的聖潔，脫下了他的鞋。神的聖潔這個觀念，在出埃及記中是重複出現的主題。摩西領他岳父的羊群經過曠野到何烈山（三1），後來摩西也領以色列人來到同一個地方（參三12，十九1-2），在那裏他們也同樣遇見那藉著火來顯現的那一位，就是神聖潔的臨在。

這裏詳細的背景資料是值得注意的，但是記載卻集中在神隨後與摩西的談話。從一開始，摩西最需要是知道那位與他說話的是誰：「我是你父親的神，是亞伯拉罕的神、以撒的神和雅各的神。」（三6）其後，神告訴摩西一些讀者已經知道的事，就是祂熱心地關懷百姓在埃及所受的苦難（三7-9；參二23-25）。現在是行動的時候了，祂要藉著摩西，拯救他們離開那欺壓之地——埃及，帶他們到迦南那充滿生機的地方。摩西的回答在意料之中：「我是甚麼人，竟能去見法老，將以色列人從埃及領出來呢？」（三11）摩西有甚麼資格可以承擔這任務？一個從埃及逃亡出來的人，怎能去面對法老？神的回答十分乾脆：「我必與你同在。」（三12）神同時應許他一個證據，但神沒有應許摩西一個即時的神蹟；摩西首先要操練信心，看見事情的成就。

摩西提出進一步的問題，他怎能令以色列人相信他是神差派來的呢？三章13至15節的經文特意要說明神的身分，這經文頗為費解。摩西詢問神的名字是重要的，因為以色列人相信名字反映一個人的本質。在創世記中，神的各方面特性，藉著祂的不同名字強調出來：*El Elyon*（「至高的神」；創十四18-20），*El Roi*（「看顧我的神」，創十六13），*El Shaddai*（「全能的神」；創十七1），*El Olam*（「永生神」；創二十一33）。神在這裏用「耶和華」這名字去介紹自己，這名字在大多數英文譯本中譯作「主」（the LORD）。這個希伯來文的神聖名字——「耶和華」——是與三章14節的片語緊連在一起的，那片語有不同的翻譯：「我是那我是」（'I AM WHO I AM'），「我永遠是那永遠的我是」（'I will be who I will be'）。和合本作「**我是自有永有的**」。這片語的縮寫格式在第15節的宣言出現：「『我是』打發我到你們這裏來」（和合本：「**那自有的打發……**」）。這名字與以往的名字不同，「耶和華」沒有將神的本性限制在任何特別的性質之下：「祂是祂的本是」（He is what He is）。再者，祂的本性不會改變，祂是歷代所敬拜的神（亞伯拉罕的神、以撒的神和雅各的神），也是後來世代所敬拜的同一位神（「這是我的名，直到永遠，這也是我的記念，直到萬代」）。

摩西回到埃及，他招聚以色列的長老，一同求法老准許他們領以色列人走3天的路程往曠野去，為要祭祀耶和華他們的神（三18）。法老拒絕這小小的請求，態度強硬，原因不是因著他們求得過分，其實大概是懷疑一旦放行，他們便會一去不回。在七至十五章重複這過程。除非神用大能的手逼使他，法老不會改變主意。（三19）。神的手催逼埃及人，他們便毫不遲疑地把財物交給以色列人，為要以色列人離開。這些禮物是以色列人忍受過去苦難的補償。

雖然有不少從神而來的保證，摩西仍遲延，發出另外的問題。若果以色列人不相信的話，他該怎麼辦？他怎麼可以使大家相信神確實向他顯現？神回答摩西，並給他3個記號，其中包括了神蹟帶來的改變能力，好叫摩西能向百姓交代：他的杖變成一條蛇（四2-4）；他的手長了大痲瘋（四6-7）；尼羅河的水變成血（四9）。摩西本人即時見證了起

首兩個記號，至於第三個記號，在當時他便要憑信心去接受了。後來向以色列人顯示那3個記號，他們便相信神的確差派了摩西（四30-31）。

摩西仍然猶疑，他又提出另一個藉口去推卻神的呼召：他不是能言的人（四10）。神於是發出一連串的問題，表示祂的能力可以克服任何使摩西感到無能的事。當摩西求神差派別人時，神便發怒了（四13）。摩西怎能繼續拒絕呢？神彰顯出最後的忍耐，應許摩西的兄弟亞倫作他的幫助。至此摩西便起程回埃及去。他沒有向岳父透露回埃及的真相，這可能表示他仍未確信，仍未肯定神的能力足可完成祂的計劃。神對摩西的呼召，提醒我們是如何蒙召，去事奉那位永活的神。摩西遲延回應，也是我們所熟悉的態度。

摩西回埃及的旅程，特別提及他帶著「神的杖」（四20）。正如在以後所顯示的，摩西使用這杖，在法老面前行出神給他的諸般神蹟（例如七10、20，八5、17，九23，十13）。摩西是神的使者，領受神的能力去執行神的權柄（參三20）。這杖是神的權柄的象徵，而不是一根魔杖。但神警告他，說法老會頑固地拒絕，不讓以色列人離開。故此，神透過殺埃及人的長子來刑罰埃及人，這是回應埃及人如何對待神的長子以色列人，這預表在十一章1節至十二章30節應驗了。

附註 第1節葉忒羅亦稱流珥（二18）。神的山何烈山又稱西乃山（其地點請參導論並108頁的地圖）。第8節流奶與蜜之地是形容迦南地的肥美。第15節英文聖經翻譯「主」(the Lord)沒有表達出「雅巍」(Yahweh)是個人的名字。在過去這字詞錯誤地音譯為「耶和華」(Jehovah)。

四24-31 摩西與亞倫會面

第24-26節記述摩西在路上住宿的地方，在這裏有一個簡短而神祕的記載，提及神想殺摩西（四24-26）。但因著他的妻子西坡拉為他們的兒子革舜行割禮（參二22），摩西才倖免於難。事件並不尋常，大概是由於摩西對自己的受命始終缺乏信心。神曾向他保證，因祂與亞伯拉罕所立的約，祂會拯救以色列人離開埃及，他的兒子未行割禮，沒有神所要求的立約記號（參創十七10-14）。

這事情提醒我們，若不認真對待神，是十分危險的。

隨後簡略地記述摩西會晤亞倫和以色列的眾長老，與摩西和神冗長的對話成了尖銳的對比。

與摩西所期望的剛好相反，他受到群眾的歡迎。以色列人知道神關心他們，領袖們便低頭下拜。從先前摩西與神的對話可見，他從沒有預料到這樣的一個情景。事情都似乎預備好了，為要成就一個使命。

附註 第25節「血郎」一詞的確實意思不詳。

五1至六13 摩西第一次會見法老

五1-23 摩西和亞倫初步的成功，頗得鼓勵，於是與法老會面。但法老卻表現出極度藐視，針對著摩西、亞倫，尤其是對神：「耶和華是誰，使我聽從他的話，容以色列人去呢？我不認識耶和華，也不容以色列人去」（五2）。雖然法老在這時候對神沒有任何親身體驗，但情況不久卻戲劇性地改變過來。本書的重要主題——認識耶和華——經常在以後的記載中出現（例如六7，九14、16、29，十2）。神已經向摩西、亞倫和以色列的長老啟示祂自己，現在祂以大能大力，向法老和埃及人啟示祂自己。

正如神所啟示的（三18），摩西和亞倫求法老讓以色列人走3日的路程，到曠野去獻祭給他們的神。有趣的是，摩西指出如果他們不遵從，神便會用瘟疫或刀兵擊打以色列人（五3）。這其實是向法老的警告，提醒他敬畏神。法老反應激烈，下令要加增以色列人造磚的難度。埃及人不再供給作磚用的草料（參一14），以色列人的官長認為摩西和亞倫似乎給法老好機會，去擴大他要滅絕以色列人的行動。故此，他們極度厭惡摩西和亞倫。摩西被拒絕之後，失望地回到神面前——為甚麼祂容讓事情發展到如此地步呢？

六1-13 神的旨意現在啟示出來：法老將屈服在神大能的手下（六1）。神再向摩西保證，提醒他那應許是約的一部分，這約是先前與亞伯拉罕、以撒和雅各所立的（六2-8）。以色列人被救離開埃及，他們便知道耶和華真是他們的神，他們是祂的百姓（六

7）。3次複述的片語「我是耶和華」，在六章2、6和8節出現，強調是耶和華成就此事。可是，當摩西將這話告訴以色列人，他們不肯聽從（六9）。法老的權勢高高在上，這似乎是不能動搖的了。結果甚至摩西也開始相信請求釋放以色列人是枉然的（六12）。

附註 第3節 這節經文提出一個重要的問題：在摩西之前，「耶和華」的名字為人所認識嗎？學者們對這問題的回答是分歧的，有些人指出這名字在創世記中經常被引用，有些人卻提出這名字在創世記出現，是後來加上去的。在創世記中某些地方，「耶和華」這名字是有可能取代了神較早時的一個名銜（例如創十六11、13），但這卻非時常如此（例如十五7，二十二14）。但是很明顯的，神其他的名字，尤其是El Shaddai（「全能的神」），這些名字是在列祖時很流行的。出埃及記六章3節的正確解釋仍然是一個謎。

六14-27　摩西與亞倫的家譜

至此，情節的發展因一個家譜而中斷了，家譜把主線放在利未的家族，亞倫和摩西便是從這家族而出的（六14-25）。這家譜依照一章2節所記載雅各眾子的次序：流便（14節）、西緬（15節）、利未(16節)。但在這裏集中於利未的後裔身上，而不是記述雅各的其餘眾子。這家譜有兩個作用：第一，它提供關於摩西和亞倫的家庭詳細的資料，這資料沒有記在出埃及記別的地方。第二，在這重要的關頭中斷了情節的發展，使讀者產生懸疑，等候另一件事情發生。

六28至七7　神向摩西再三保證

故事在六章28至30節繼續下去，上文重複六章10至13節已經記載的。如果以色列人不信摩西，法老王會如何呢？在神的回答中，神向摩西保證祂的能力可以勝過法老，也必能領百姓出埃及。祂甚至說摩西在法老面前像神一般，並有亞倫替他說話（七1-2）。摩西得著這樣的保證，便深信必會成功。神的說話更預期了神蹟和奇事，這是在七至十四章記載的重點。此外，這裏也提及法老的心剛硬與神的重罰，也提及以色列離開埃及，因而「埃及人就要知道我是耶和華」（七5）。至此，佈局已準備妥當，迎接下面七

章8節至十一章10節一連串事件的來臨。

七8至十一10　在埃及的神蹟奇事

出埃及記用了很長的篇幅記載在埃及發生的神蹟奇事，雖然它們通常稱為「災」，但這不是完全的講法。第一，雖然經文；稱其中數個事件為「災」（九3、14-15，十一1，參八2），但整體來說，它們更常稱為「神蹟」（'signs'，七3，八23，十1-2）或「奇事」（'wonders'，四21，七3，十一9-10；參七9的「神蹟」）。第二，在七至十二章中，其實記載有11個神蹟，而第一個「變杖為蛇」通常不包括在「瘟疫」之列（七8-13）。這第一個神蹟是非常重要的，也是神給摩西，藉此讓以色列人相信耶和華的確向他顯明。這是第一個神蹟（四2-5）。摩西在法老面前行的第二個神蹟是使水變成血（七14-15），這也是摩西向以色列人顯出神蹟，證明自己從神而來的呼召（四8-9）。但是，以色列人因這些神蹟信了摩西（四30-31），法老卻全不在意；他自己的術士也能夠行同樣的奇事（七11、13、22）。

每一個神蹟事件的記載，都依隨相同的模式，但其中有一些變化，以避免千篇一律。有幾個值得留意的特色，是全部11件事件所共有的。第一，每一個神蹟事件的記載都用這片語作開始：「耶和華對摩西說」。每一個神蹟都是神採取主動的，在摩西與法老對抗的每一個階段中，也是神所掌管的。第二，每件事都回應四章21節和七章3至4節的預言，在結束時都提及法老的心剛硬。法老的心剛硬，與下文發生的事情成了一個強烈的對比，這是很重要的。雖然埃及的術士開始時能夠模倣行摩西和亞倫的神蹟，但不久他們的能力用盡了。他們便告訴法老說：「這是神的手段」（八19）。後來又特別記述他們「在摩西面前站立不住，因為在他們身上……都有這瘡」（九11）。同樣，甚至法老的臣僕也漸漸被神的能力所折服。摩西預言「重大的冰雹降下，是埃及從來沒有的」（九18），他們便及早預防（九20）。其後，摩西警告蝗災來臨，法老的臣僕請求法老容許以色列人離去（十7；參十一3）。但法老周圍的人雖然承認神的能力，他本人卻頑固依然，拒絕摩西的要求。

多次提及法老的心剛硬，正是主題所強

調的，在兩方面形容這事。雖然在開始的階段，記述法老使自己的心剛硬，但後來卻說是神使法老的心剛硬，正如四章21節和七章3節所預言的。用這方式來形容以上的事，強調了法老的罪過和神的權能。

有人提出在出埃及記所記述的災，是與古埃及發生的一連串自然現象有關連，例如尼羅河的水變為血，可以解釋為每年七、八月間通常發生的河水泛濫。河水變成血一般，是因為從藍尼羅河(Blue Nile)和阿特巴拉支流(Atbara)之流域沖下來的紅土。但這解釋並未能說明為何這血也出現在埃及全地的木器和石器中（七19），它也不能說明摩西早些時在以色列人面前行的神蹟（四30），或是埃及術士所行的（七22）。再者，經文中強調這些事出自神的作為。例如，經文多次提及摩西或亞倫伸出他們的手或杖，為要行出這些神蹟。雖然某些神蹟可能與自然的現象有關，但它們的出現明顯是神的干預。

雖然七章8節至十一章10節中的這11件事件是循著相同的基本模式，但若將它們個別比較時，會發現在情節中出現某些有趣的發展。我們已經指出，術士們在摩西和亞倫的面前漸漸變得無能為力。同樣，法老臣僕的態度也逐漸轉變，法老也有類似的轉變。他答應如果摩西求神使青蛙離開，他便讓百姓離去（八8）。但其後他要以色列人留在埃及，只允許他們走一段短路程到曠野去（八25-28）。雖然他曾說過，雹災過去之後，他們便可以離去（九28），但這事卻從未應驗。摩西威嚇以蝗蟲侵襲，法老便準備讓以色列的男丁去敬拜耶和華，婦人和孩子卻不准離開（十8-11）。最後，他容讓男人、女人和孩童離去，但要留下羊群和牛群（十24）。神蹟和奇事不斷出現，表面上法老雖然願意向摩西和亞倫妥協，其實他繼續拒絕讓百姓離開。

當情節有細微的改變，故事中某些方面是會用重複的手法去加強，其中有兩個特別地方是值得注意的。第一，以色列人和埃及人是明顯地分開（參八22-23，九4、26，十23，十一7）。第二，法老數次請求摩西為他祈禱（參八8-12、28-30，九28-29、33，十17-18）。聖經描寫摩西是神和眾人之間的中間人，這主題在出埃及記往後的部分重複出現。

雖然在七章8節至十一章10節中，11件事件有著相同的基本格式，但每件事件都對整體的故事提供了特殊的資料。

七8-13 變杖為蛇　有趣的是，摩西和法老之間的對立，在開始的時候，是埃及王要求行一個神蹟開始的（七9），同一個希伯來字在四章21節、七章3節和十一章9至10節被譯為「奇事」。明顯地，法老以為藉著術士施展法力，足可擊敗摩西。但是，他們雖然仿效亞倫的變杖為蛇，能力卻是有限；亞倫的杖吞了他們的杖（七12）。

七14-25 水變血　藉著4次重複記載水變成血，經文強調摩西和亞倫合力行出奇事，事情重大，影響也非常嚴重：埃及遍地都滿了血（七21）。

八1-15 蛙災　法老請求摩西：「求耶和華使這青蛙離開我和我的民」。本段落中介紹了一個主題，這主題在後來多個事件中出現。法老承認摩西的能力，可以作神的中保，也能恢復埃及的正常狀態（參八28-31，九28-29、33，十17-18）。

八16-19 塵土變虱　此處簡略地表達在別的事件中出現的格式，這個簡短的段落，集中注意埃及的術士對虱災的反應。他們無法仿效摩西的作為，於是向法老承認說「這是神的手段」（八19）。

八20-32 蠅災　這事件的細節，集中在法老和摩西的協議上——爭論以色列人可以在甚麼地方獻祭給他們的神。經文強調法老的虛謊行為，當摩西為他禱告之後，他便阻止百姓離去。同樣的虛謊行為也出現在九章34節和十章16至17節。

九1-7 牲畜死亡　本段落的特色，是以色列人和埃及人之間的分別。降在牲畜身上的瘟疫，只令埃及的動物死亡；以色列人的牲畜一頭都沒有死去（九7）。

九8-12 瘡災　簡短的記載類似八章16至19節，埃及的術士在摩西面前站立不住，正是神蹟的高峰。雖然他們當初可以向摩西和亞倫挑戰，現今術士們在這些神蹟奇事面前，

卻變得軟弱無助。

九13-35 雹災 與上回的事件相反，這次記錄較詳盡。多次的提及「耶和華」，使讀者明白經文強調神的能力。它提醒我們摩西只不過是神的使者，各類的奇事為要顯明神的權能。

十1-20 蝗災 本事件的最大特色，是法老臣僕的觀點。摩西宣告要使蝗蟲入侵，他們說服法老，檢討他的決定。此時臣僕們已確信，不准以色列人敬拜神會引起嚴重的後果。但法老只准許男人離去；女人和孩童要留下來。除了九章20至21節的簡述以外，此處第一次提到法老和他的臣僕們，對以色列人各有不同的態度。

十21-29 黑暗之災 這事件的最大特色，是它的結論。其他事件幾乎都提及法老的心剛硬，以此來結束每件事件。但這回卻不一樣，此處加上數節經文，用來帶出情節中的新發展。在其他事件中，這話是用來表示摩西已經離開法老。在這裏，法老命令摩西離開（十28），顯示他仍在王的面前。經文也強調法老對摩西的痛恨，這是沒有在其他地方提及的；若果摩西再見他的面，他必死了。事情到此達到高峰，這一連串事件的最後一幕已準備妥當了。

十一1-10 宣告長子的死亡 摩西仍在法老的面前時，從神得到進一步的啟示。還有最後的一個災難，催使法老讓百姓離去。摩西即時向法老宣告這災難：在埃及所有的長子都必死去（十一5）。摩西作了這最後的宣佈後，便憤怒地離開法老。因著法老不願順從，埃及會經歷到神的能力，十分可怕！這事之後，以色列人便會離去。雖然十一章10節是一連串事件的結束，而它是從七章8節開始的，不過在這最後事件中，情節的發展已在意料之中。

十二1-41 逾越節

正如上文提及，前面一連串事件結束時留下戲劇性的宣告：在埃及所有頭生的都必死亡（十一5）。現在便集中描述這預言的應驗。以色列人的長子希奇地免除了死亡，引

進了不尋常的事件，稱為「逾越節」（參十二11、23、27），以後的世代會從3方面記念這事：第一，他們會在每年慶祝那7日的無酵節（十二14-20，十三3-10），有數處經文著重無酵節和逾越節的緊密關係（十二34、39）。由於以色列人要迅速離開埃及，他們無法守這節，直至出埃及後的第一個周年紀念日（參民九1-14）。第二，因著與無酵節相連，以色列人紀念逾越節時便吃一隻一歲大的羊羔（十二24-27）。他們是在每年頭一個月的14日晚上慶祝，逾越節是由除酵節開始，一直延續至該月的21日（參十二18）。第三，以色列人為了記念他們的長子倖存，將所有頭生的雄性獻給神（十三11-16）。不同的行動是繼續不斷的見證，記念神曾用祂大能的手，拯救他們離開埃及（參十三3、9、16）。

第一次逾越節禮儀的主要部分，是要宰殺一隻羊羔，將牠的血塗在門框上，並吃羊羔的肉。細節類似獻祭，在第27節中證實：「這是獻給耶和華逾越節的祭。」這事雖然與其他的獻祭相似，但逾越節的儀式獨特，反映它特殊的歷史背景。因為屬亞倫嗣系的祭司制度並未建立（利八1至九24），所以摩西吩咐全以色列的長老宰殺逾越節的羊羔（十二21）。同樣，這裏沒有提及中央的聖所或祭壇，這些在出埃及後在西乃山才首次設立（二十24-26，二十四4，二十七1-8）。其他的獻祭通常都在日間，逾越節的祭卻在黃昏舉行，因為以色列人每日被逼工作很長的時間，這是唯一方便的時間。最後，逾越節是在那月的第十四日，正是月圓，是在那月中離開埃及最合宜的晚上。

記述特別集中在那動物的血上：那血被塗在房屋左右的門框上和門楣上（十二7-22），有些學者強調是保護那在屋內的人免於屋外的敵對勢力（參十二13、23）。另有學者提出這血是用來潔淨以色列的房屋，後者因文中提及牛膝草（十二22）而得到支持，這草在其他地方與禮儀上的潔淨連在一起（例如利十四4；民十九6、18）。但正如我們將在下文中發現，這灑血的事大概是任職聖禮的禮儀之一。

逾越節禮儀中，吃那牲畜是同樣重要，每個在以色列社群中的人，都一同參與（十二47），並且在宰殺每一隻牲畜後，都一定要有足夠的人數去吃那肉。神也給他們特別的

條例去烹煮那肉：整頭牲畜要用火烤，不可用水煮（十二9）；他們要在房子裏吃，動物的骨頭不可折斷（十二46）；任何剩下的肉，若留到早晨，要用火燒了（十二10）。

有一點十分重要，就是逾越節的筵席，十分近似亞倫嗣系的祭司，在任職聖禮時所提到，記載在出埃及記二十九章和利未記第八章。在這裏，宰殺一隻公羊，再加上灑血和吃牠的肉，形成了任職聖禮儀式中的主要環節。雖然二者有些細節上的分別，但相同的要素隱藏在逾越節的禮儀之中。藉著有份參與逾越節，以色列人將自己分別為聖，那牲畜獻為祭，為百姓贖罪，塗在門框上的血潔淨屋內的人，吃祭肉使那些吃的人分別為聖。藉著逾越節的禮儀，百姓將自己分別為聖，成了一個屬神的聖潔國度（參十九6）。

十二1-28　逾越節的條例　這段包括兩個條例，雖然放在一起，卻是在不同的時候發生。第一段說話（十二1-20）是在以色列人守第一次逾越節以前，神告訴摩西的；十二章3節提及要在逾越節之前4日選擇逾越節的羊羔。在第二段說話是（十二21-27）摩西在逾越節那天向以色列的長者說的。藉著這兩段說話，作者強調這事，並引帶出在該月14日的半夜，神擊殺埃及人的長子（十二29）。有趣地，**兩段說話都在結束時提及將來紀念逾越節**（十二14-20、24-27）。還有，第二段的說話補充了第一段，提供了有關慶祝逾越節各方面的額外資料。由於讀者可以想象在這兩次說話中所發生的事情，作者便省卻了記述這些條例的應驗；他只是說：「耶和華怎樣吩咐摩西、亞倫，以色列人就怎樣行」（十二28）。

逾越節預表了在新約中，耶穌基督死亡的意義。根據馬太福音、馬可福音和路加福音，最後的晚餐後來被記念為主餐（林前十一23-33），這其實是一個逾越節的筵席（太二十六17；可十四12；路二十二7-8）。藉著強調耶穌的骨頭沒有被折斷，約翰暗示耶穌的死正類似逾越節的祭（約十九36）。哥林多前書五章7節明顯地將此事連在一起：「因為我們逾越節的羔羊（原文為我們逾越節）基督，已經被殺獻祭了。」彼得前書一章18至19節大概也提及逾越節的祭。

附註　第3節希伯來文 *śeh* 是指羊羔或山羊。第15節無酵餅亦描述為沒有發酵的餅，餅中沒有酵，表示他們缺乏時間好好預備（十二39；參十二11）。第18節「從十四日晚上到二十一日晚上」，是包括逾越節和無酵節的時間。為要明白這話的意思，我們假定一日是從日出時開始算起，而不是從日落開始。由主前六世紀開始，猶太人計算一日的開始，是從日落算起。第23節「滅命的」一詞的真義沒有在出埃及記中透露。根據詩篇七十八篇49節，這可能是指「一群降災的使者」。

十二29-36　埃及人長子的死　十一章1至10節的各種預言，在本段落中應驗了。在半夜，神擊殺埃及人的長子，使百姓大聲哀號（十二29-30；參十一4-6）。法老最後一次召見摩西，准許以色列人無條件地離去（十二31-32；參十一1）。以色列人照著所指示的（十一2），向埃及人要「金器、銀器和衣服」（十二35）。因為「耶和華叫百姓在埃及人眼前蒙恩，以致埃及人給他們所要的」（十二36；參十一3）。埃及被掠奪，在此被視為應得的懲罰，因為埃及人曾經奴役以色列人（參創十五14）。

十二37-41　出埃及開始　以色列人得到法老批准後，開始旅程，從蘭塞起行往疏割去。他們的匆忙，從他們只能預備沒有酵的餅一事上可見一班。最後，經過了430年，百姓終能離開埃及，這是因著神施行的大能奇事。

附註　第40節創世記十五章13節提及亞伯拉罕的子孫為奴和被虐待400年（參徒七6）。在這裏記載是430年，時間較長，可能包括了在埃及一段和平的日子，就是他們剛抵達埃及時所享有的平安。

十二42-50　逾越節的規則

以色列人出埃及之事，被逾越節的規則所中斷。明顯地，那些規則同時應用在第一次逾越節和以後的紀念之中（十二42）。本段落在結束時，提及以色列人的順服，十二章50節與上文的第28節緊密地前後呼應，大概表示條例是屬於時間上的次序。作者將這些資料如此編排，將十二章42節至十三章16節

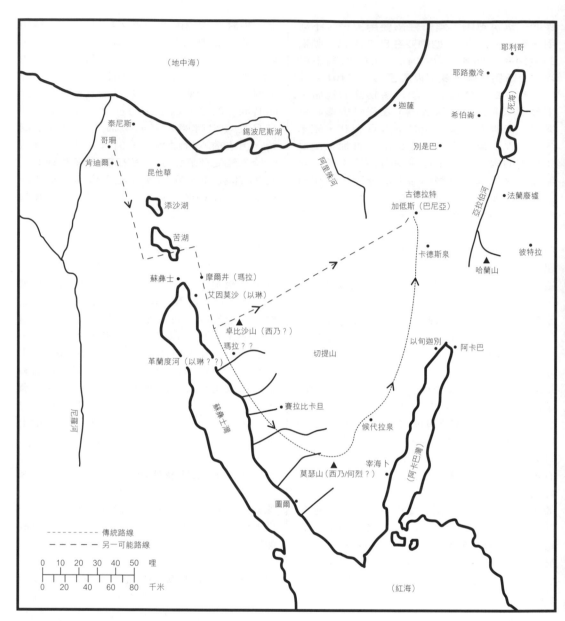

出埃及的可能路線

地圖標籤（從上到下、左到右）：
（地中海）、耶利哥、耶路撒冷、迦薩、希伯崙、別是巴、（死海）、泰尼斯、錫波尼斯湖、哥珊、肯迪爾、昆他華、阿里琳河、法蘭廢墟、添沙湖、古德拉特 加低斯（巴尼亞）、亞拉伯河、彼特拉、苦湖、卡德斯泉、哈蘭山、蘇彝士、摩爾井（瑪拉）、艾因莫沙（以琳）、卓比沙山（西乃？）、瑪拉？？、切提山、以旬迦別、阿卡巴、革蘭度河（以琳？？）、尼羅河、蘇彝士灣、賽拉比卡旦、候代拉泉、（阿卡巴灣）、莫瑟山（西乃/何烈？）、宰海卜、圖爾、（紅海）

圖例：
- - - - - 傳統路線
— — — 另一可能路線

比例尺：
0 10 20 30 40 50 哩
0 20 40 60 80 千米

出埃及的可能路線

放在一起，表示以色列人以3方面來慶祝離開埃及，重演逾越節（十二43-49），守除酵節（十三3-10），將每一個頭生的男孩歸神為聖（十二11-16）。

十二51至十三16　更多有關紀念逾越節的條例

經文在十二章51節複述同章41節的各項細節（例如「在那一日」，「軍隊」；新國際譯本的翻譯不甚明顯）。埃及長子被殺的翌日，神吩咐摩西說：「以色列中凡頭生的，無論是人是牲畜……要分別為聖歸神」（十三2）。摩西便將這訓令告訴以色列人（十三11-16），在訓令以先，此處先提及慶祝無酵節的條例（十三3-10）。雖然摩西和亞倫已得知守這節的詳情（十二14-20），但直到現在，百姓才得知此事。摩西對百姓的說話，平均地分為兩半，互相對照。兩者在開始時都提及

證主21世紀聖經新釋

攻取迦南地是應驗了神對列祖的盟約（十三5、11），跟著是有關紀念以色列人離開埃及的條例（十三6-7、12-13），並要向子孫們解釋這事（十三8、14-15）。最後，兩者都有類似的結語，提及「耶和華用大能的手將你從埃及領出來」（十三9；參16節）。

十三17-22　開始離開埃及的旅程

神宣告祂要領以色列人歸回迦南地的心意之後，便領他們前往。為了他們的安全，祂引導他們走一條較長和較安全的路線。祂帶領他們繞過曠野，向紅海前進。為要履行以色列的眾子對約瑟所起的誓（創五十24-25），摩西把約瑟用香料薰過的遺體一同帶去。作者特別記載神不斷的與百姓同在，在日間用雲柱，夜間用火柱作為記號。正如以後的記載，神繼續與以色列人親近，表明祂與百姓的特殊關係。

附註　第18節紅海（希伯來文為 *yam sûp*；原意為「蘆葦海」）大概是指紅海以北的部分，就是阿卡巴灣（東北的支流）和蘇彝士灣（西北的交流），涵蓋的地區在今天稱為苦湖（在古代這一帶地區可能曾經與紅海直接相連）。以色列人渡海的地方不能確定，但大多數學者贊成在苦湖地區。以色列人出埃及的可能路線請參閱地圖。

十四1-31　埃及軍隊的毀滅

本段與上文一連串引到逾越節的事件，有許多相同之處。我們再次看見熟悉的主題：法老的心剛硬（十四4、17），摩西舉手伸杖（十四16；參21及26-27節），以及神使埃及人和以色列人分開（十四19-20、28-29）。當我們讀到以色列人離開埃及，並法老與埃及軍隊被毀滅時，我們已來到出埃及記前半部的高峰。

雖然長子死後，法老讓以色列人離開，但神仍要最後一次顯明祂的能力。故此神推遲了以色列人前往迦南的時間，他們仍然停留在埃及，在紅海西面的地方（參十三18，十五4）。當法老和他的軍隊追上他從前的奴僕，以色列人以為自己被困，就甚懼怕（十四10-12）。但摩西伸出他的杖，分開海水，為百姓提供了一條安全的逃生路線。埃及人跟蹤而至，摩西再向海伸出他的手，這回法

老和他的軍隊連一個也沒有剩下（十四28）。第4和18節重複著一句說話，特別集中於神毀滅埃及軍隊的主要動機：「埃及人就知道我是耶和華。」在較早的時候，法老故意拒絕摩西的請求，不容百姓離去，他並且宣告：「耶和華是誰，使我聽他的話，容以色列人去呢？」（五2）現在他才發現他為甚麼要聽從耶和華。經文亦強調以色列人態度的轉變，他們在埃及人的威嚇下表現出不信和害怕（十四10-12），到後來神拯救他們時，他們便相信和順服神（十四31）。

十五1-21　以色列人稱頌神的能力

上文記述，神拯救為奴的以色列人脫離埃及的控制之後，跟著是一個恰當的結語，就是摩西和百姓用詩歌來歌頌耶和華的尊榮和能力（十五1-18）。**這裏的記敘，從散文體轉為詩歌體，是十分重要的。**詩歌的修辭高雅，比散文更能表達以色列人的想法和感受，他們敬拜那位憐憫他們，救他們脫離暴君勢力的神。藉著複述散文中記載過的內容，讀者也受鼓勵參與以色列人的歌頌。百姓敬拜和讚美神所作的事情，充滿信心，瞻望將來。故此，**他們的詩歌在結束時，將焦點放在神將來要為他們成就的事上**（十五13-18）。本段落就在過去的歷史和未來的期望輝映之下結束，我們看到米利暗和所有婦女歡愉地擊鼓和跳舞，自然不足為奇了。

附註　第21節這節經文記載了米利暗詩歌中的序曲，經文幾乎與在十五章1節摩西的詩歌開始時完全相同；兩處經文合起來成了本段落的一個架構，說明這段的開始和結束。

十五22至十八27　神統治下的以色列人
十五22至十七7　百姓為水和食物埋怨神

雖然以色列人從為奴中被神拯救出來，但埃及的生活仍然吸引。以下的幾件事件，記述他們在新的環境中，因為缺乏供給而埋怨，顯出他們不願意相信和順服神（參十五24，十六2-12，十七1-7）。這3次事件都在缺糧缺水的情況下發生，但無論如何，神仍然看顧祂的百姓。

十五22-27 瑪拉的水源 簡短地記載摩西使苦水變甜，是把以色列人從埃及轉移到出埃及後的情形十分合宜的，這事可以作為例證，說明以色列人所經歷到的改變，就是他們在埃及「痛苦」的生活，現在轉為享受全新的自由。此處亦強調，如果他們對神的忠誠矢志不渝，福氣是屬於以色列人的。順從耶和華的命令和法則這主題，在出埃及記的餘下部分經常出現，尤其是與西乃山上所立的約連在一起。另一個有關的主題，是神試驗祂的百姓，培養他們順服的心志（十五25；參十六4，十七2、7，二十20）。

十六1-36 百姓為食物而埋怨 培養以色列人經過曠野，進到苦湖的東南方，百姓們飢餓起來，很快便忘記了在埃及的痛苦，甚至提出「巴不得我們早死在埃及地耶和華的手下」，比在曠野中餓死還好（十六3-4）。神以恩慈回應他們，在黃昏時差來鵪鶉（十六13），並在早晨賜他們一種如同餅的食物，稱為嗎哪。因為百姓說：「這是甚麼（希伯來文 man）呢？」（15節）神列出收集和貯藏嗎哪的條件，為要試驗以色列人（十六4-5、16、23）。百姓為表示對神供應的信心，不可以存留嗎哪至翌日（十六19）。但是在一星期中的第六天，即星期五那天，他們要收藏和預備雙份的嗎哪，因為第二天（安息日）是休息的日子。有百姓不聽從指示（十六20、28），雖然他們藉神的大能從埃及人中被救出來，仍然有人缺乏對神的委身和忠誠。正如出埃及的故事所顯示的，以色列人經常表現出對神的悖逆頑梗。但無論如何，神卻供應他們嗎哪達40年之久；直到百姓進入迦南地之後，嗎哪才停止（十六35-36）。他們把一俄梅珥的嗎哪存放在一個罐中，向將來的世代作見證（十六33）。

在新約中，耶穌將自己比作那在曠野中神所給人的嗎哪：「我是從天上降下來生命的糧，人若吃這糧，就必永遠活著，我所要賜的糧，就是我的肉，為世人之生命所賜的。」（約六51；參六48-58）

十七1-7 百姓為水而埋怨 以色列人與摩西在利非訂起了另一次爭鬧，因為他們缺乏水。摩西依照神的指示，用他的杖使磐石流出水，爭吵便平息了（十七6）。在上次事件中，神試驗過以色列人（十六4），現在他們試探神，因為他們缺乏信心（十七2、7）。因著他們的行為，這地被稱為「瑪撒」和「米利巴」，就是「試探和爭鬧」的意思（十七7；參2節）。保羅在哥林多前書十章3至4節中提及這事件，指出那先存的基督，便是那供給百姓水和食物的那一位。

十七8-16 戰敗亞瑪力人

亞瑪力人的入侵慈起以色列人與他們交戰，在摩西手中的杖，再一次在此扮演象徵性的角色，帶給以色列人勝利。摩西的手舉起來時，約書亞和以色列的軍隊就得勝亞瑪力人。藉著這些在逃離埃及後立即發生的事件，神證明了祂的能力是遠超百姓所求的。

十八1-27 葉忒羅到訪

有兩個因素，顯示本章事件可能是在後來才發生的。第一，在第5節提及的「神的山」，表示以色列人已經到達西乃山（參十九1-2）。第二，葉忒羅鼓勵摩西選立法官一事，可能假定神已經賜下律法和典章給祂的百姓（參申一9-18）。但這並不是結論，因為十八章的事件也可能在以色列人到達西乃山之前發生。

無論如何，這記敘的主題，與環繞它的篇章有關。第一，葉忒羅的到訪，與上文亞瑪力人的入侵一事，成了強烈的對比。葉忒羅可作米甸人的代表，他對以色列人採取正面態度，承認神的權能（十八10-11）。第二，這事件藉著強調一些要點，預備了下文，這些要點是：1.神拯救以色列人出埃及，行了大能，2.神的典章和律法的重要。後者預設在二十一至二十三章頒發法律資料，前者強調在十九至二十四章中建立聖約關係的基礎（參十九4-6，二十2）。藉著葉忒羅的話，直接地強調神拯救以色列人一事。摩西第二個兒子的名字以利以謝，亦間接由摩西的談話證明它的意思：「因為他說：『我父親的神幫助了我，救我脫離法老的刀』」（十八4）。

本章的下半部分描述摩西處理在以色列人中間的糾紛。葉忒羅勸告摩西，需要分派權力，建立一個架構來解決紛爭的事情（十八25-26）。摩西分派權力給別人，給我們很好的提醒，就是在社會的生活中，我們需要

分擔不同的工作，免得讓一個人過於承擔。那些在領導地位上的人，應該裝備別人擔任要職。

十九1至二十四11　聖約的建立
十九1-15　立約的預備

神起先呼召摩西去見法老，給他一個應許，便是百姓會「在這山上事奉我」（三12）。十九章2節記載他們抵達西乃山。從主前四世紀開始，傳統認為西乃山是在西乃半島的南方，並且確認這山便是摩西山（Jebel Musa）。這個推斷頗有疑問；另一個可能的地點是西乃山較北的蘇珥特河（Wadi Sudr），而認為西乃山就是辛比沙山（Jebel Sin Bisher）。

十九至二十四章記述了重大和全新的發展，就是神與以色列人立約。這協定的基本形式見於4至6節。如果以色列人被拯救離開埃及，聽從耶和華，她便是「屬神的子民，祭司的國度和聖潔的國民」。「祭司的國度」這個詞也可以譯作「祭司君王」，表示以色列人可以同時享受屬於祭司和君王的權利，這是指對列國而言。這表明以色列在神未來的計劃中所擔當的重要角色，但他們的特殊身分卻是有條件的——在乎他們對神的順服。「君尊的祭司」的觀念，在新約中再次出現，這是所有信徒的身分（彼前二9；啟一6，五10，二十6）。

立約之前所發生的事，明顯是要強調那約的嚴肅性。百姓要用3天來預備自己（十九10-11、14-15），神在山上給百姓定下界限，任何人都不可臨近，免得死亡（十九12-13）。摩西先前在西乃山與神相遇時，那山被稱為聖地（十九23；參三5）。與這事相關的，便是神吩咐摩西要百姓「自潔」（或是「分別為聖」；參十九10、14）。

十九16-25　神在西乃山上向以色列人顯現

第三天出現一件戲劇性的事情，雲彩籠罩著山頂，並且有雷轟和閃電。神降於山上，煙氣上騰（十九18）。神的臨在再一次地用火來作象徵（參三2，二十四17），神的來臨也藉著吹響長長的角聲，宣佈出來，而且聲音愈來愈大（十九16、19）。

附註　第22節本節和24節提及祭司，他們是在亞倫和他兒子們上任之前作祭司之職務的（參二十八1）。

二十1-21　神直接向百姓說話
二十1-2　導言

百姓存著畏懼的心站在山的前面，他們聽見神親自發聲，向他們自我介紹說：「我是耶和華你的神，曾將你從埃及地為奴之家領出來」（出二十2；參申四12-13，五4）。跟著是一系列的條款，這是以色列與神立約之關係的基礎（二十3-17）。這些條款後來稱為「十條誡命」（出三十四28；申四13，十4），後來我們給它們命名為「十誡」。神至終將十誡刻在兩塊石版上，其重要性便進一步顯明了（二十四12，三十一18，三十四1、28）。

神立下的條款，是用來管理以色列與祂的關係。它們代表重要的要求，為要使以色列的百姓建立和保持這約的關係。百姓們要專一的歸向這位救他們出埃及的神，要單單敬拜祂（二十3）。此外，**他們在社會上的行為要依循一個模式，就是要尊重每個人的生命、婚姻和財產的權利，他們守這些命令是出於愛神的緣故**（二十6）。

嚴格來說，十誡並不是法律的集成，其中有幾個因素，使它與五經中的其他法律集成有所分別。第一，十誡是由神直接向百姓頒佈的，摩西沒有作中介者（二十1、19；參申四12-13，五4-5、22-27）。第二，只有十誡是神用指頭刻在石版上（三十一18；參二十四12，三十二15-16，三十四1、28），其他的規條和條例，都是經由摩西寫成的（二十四4，三十四27-28，參三十四28註）。第三，十誡並不是詳細的規範，因為其中沒有列明刑罰。雖然第二和第五條命令包含刑罰，其實是警剔的話，目的是要使人遵守神的條例。最後，第十誡禁止人貪心，這在人類的法庭中可以怎樣執行呢？

在第二十章中的立約條款，是按照優先的次序而編排的，集中在以色列人與神和人的關係上。耶穌將它們攝為兩部分，就是愛神和愛鄰舍（太二十二37-39；可十二29-31）。**愛神在先，但必須與愛鄰舍放在一起；愛神是因，愛人是果。**

二十3　第一條誡命　專一的對耶和華效忠，是立約關係的中心，是其他事情得以建立的

基礎。百姓要實行一神的敬拜，只事奉一位神。正如在五經中所顯明，敬拜別神會被判死刑（民二十五1-18；申十三1-18）。

二十4-6 第二條誡命　以色列人與當代的人迥異，他們不可製造和敬拜有形的東西來代替神。在埃及和迦南的地方，人和動物的形狀有重要的作用，用來代表神的特性。以色列人若試圖製造任何代表神的形象，都會損毀神的真正本質。金牛犢的事件（三十二章）顯示必須有這禁令，好防止百姓製造耶和華可見的形象，違反這命令會帶來嚴重的後果。

二十7 第三條誡命　第二條誡命是禁止人製造有形的事物去取代神，第三條誡命集中於人在言語上代表神。作為對神尊敬的表徵，百姓在談及神、提起神的名字時，要十分小心，不可以說甚麼話來減損神的本質和本性。

二十8-11 第四條誡命　第七日是安息日，百姓要停止一切的工作。根據二十一章12至18節，安息日是在西乃山開始，作為立約關係的表徵，作用就如同在前面的割禮，作為約的表徵（創十七9-14）。任何人若不遵守安息日，表示他們輕視神和以色列建立的特殊關係。到後來由耶穌基督所開始的新約，安息日（星期六）便被主日（星期日）所取代。守安息日的嚴格規定也如割禮一樣，不再在基督徒身上具有約束力。

二十12 第五條誡命　尊敬的觀念通常是應用在神和祂的代表身上，如先知和君王，也可能像父母一樣，孩童的心中假想父母如同代表神一般；一個家庭的單位正如一個國家的縮影。這誡命嚴厲，反映出一個事實，就是兒女若果故意不尊敬父母，會被判死罪（出二十一15、17）。若果父母——一個家庭中權威的代表——受到兒女的尊敬，那在社會中普遍尊敬權威的態度，便形成了。

二十13 第六條誡命　這誡命禁止人謀殺或兇殺，表示神十分尊重人的生命。沒有人有權力奪取別人的生命，因為人人都是照著神的形象造的（參創一27，九6）。在五經中，

殺人的刑罰是死亡，但這命令並不包括死刑，或是在戰事中的喪亡。我們更要留心在舊約的法律中，預謀的和意外的死亡，二者之間有很嚴謹的分別（參二十一1至二十二20，這段落稱為「生命的神聖」）。

二十14 第七條誡命　在神所安排的優先次序中，在人類生命的神聖和尊貴之後，接著是婚姻關係的重要。姦淫在這裏的意思，是指一個已婚婦人和一個不是她丈夫的男人發生性關係。那些在行淫中被捉拿的，要被處決（利二十10；申二十二22）。但一個已婚男人和一個未婚女子的性關係，並不構成姦淫，所以多妻並沒有因這誡命便自動取締，雖然這事在舊約中是少有的。同樣地，離婚是可以的，卻不鼓勵。新約對婚姻要求更高，它更緊密地反映出創世記二章24節所表達，神對人類婚姻的理想；多妻、丈夫行淫和甚至再婚是被禁止的（參太十九3-12；可十2-12；路十六18）。整體說來，聖經啟示神渴望建立和諧的婚姻關係，任何一方都不應該損害它。

二十15 第八條誡命　另一個約制以色列人與神之關係的原則，是尊重別人的財產。任何人犯了侵奪別人的罪，要按照那被偷之物的價值受罰，受損的一方要得到合宜的補償。在其他古代近東文化中，偷盜有時會招致死罪。但舊約一直反對這種立場，清楚地表示神看重人的生命和婚姻的關係，過於人的財產。

二十16 第九條誡命　在最後的兩條誡命中，我們從行動上的禁誡進至言語和思想上的禁誡。這包括了我們的優先次序，是由上而下的。第九條誡命強調真誠，禁止作假見證。雖然是用在法庭上的法律，也可延伸，包括任何的情形，禁止用不真實的說話來傷害別人。

二十17 第十條誡命　最後的誡命禁止人貪戀別人的東西。與別的命令不同，它是針對內裏的感覺和思想，例如妒忌和貪婪。如果以色列人要享受與神和諧的立約關係，他們生活上的每一方面都要依從祂的旨意。他們的內心必需跟從神道德的原則，這包含在十

誠之內。正如耶穌提醒我們，若單依照象徵式的順從，去解釋律法，那便是不明白其真正目的（太五17-48）。

二十18-21　百姓的即時回應　因著神的顯現，百姓們心中懼怕，甚至在神向他們說話之前，盡都發顫（十九16）。當神說話的時候，他們更是害怕（二十18-19），但摩西知道他們被試驗，「叫〔他們〕時常敬畏他，不至犯罪」（二十20）。百姓因為仍是害怕，便要求摩西作他們與神之間的中保（二十21）。

二十22-26　獻祭的條例　這段落是很長的講辭，這是第一部分，摩西單獨聽見耶和華的話，並且記錄下來。在下文將看見神說話的內容，主要是在二十四章3至11節的立約。

雖然很多註釋家認為第一段包括約書詳細的法律部分，但也有理由看它為獨立的。我們不知如何解釋為甚麼詳細的法律會放在二十一章1節的標題之前；而本段的表達形式，並不與二十一章1節至二十二章20節所用的模式相符。這些特點最好解釋為二十章22至26節是記載神有關建造一座祭壇和獻祭的指示，而不是詳細的法律記載。這些行動形成了立約儀式中的主要部分。這儀式記載在二十四章4至8節，兩處經文中都提及燔祭和平安祭，加強了它們的關係。無論如何，它們雖然是與二十四章有關，但也可以應用建造壇的指示。

附註　第26節後來，神吩咐摩西要為亞倫和他的兒子製造細麻布的內衣，使他們不會在神的面前露體（否則會招致死亡；參二十八42-43）。

二十一1至二十三33　約書　根據二十四章4節，摩西記錄了神說過的一切話，這文件可稱為「約書」（二十四7）。文件內容的大部分（即或不是全部）保存在二十一章1節至二十三章33節之內，一共包含4部分。第一，有一系列的法律是關乎日常生活的各方面（二十一1至二十二20）。第二部分包括道德的命令，強調神盼望百姓流露出模範的行為，尤其是對待貧困的人（二十二21至二十三9）。第三，神吩咐他們守安息日和宗教節期（二十三10-19）。最後，神說明

祂會使以色列人得著迦南地（二十三20-33）。

書中強調神熱切地關懷公義，因此神將以色列人從埃及中拯救出來，我們不會對於公義的要求支配著神與以色列人所建立的約感到驚詫，尤其在約書中起首兩部分詳細的法律和道德命令更為明顯。

二十一1至二十二20　詳細的法律　本段落的資料只代表一部分古代以色列法律中的某些法規。這裏列出的法律很可能是被挑選出來，因為它們與神從埃及為奴之家拯救以色列人出來一事符合。開始時，那建立的原則是奴隸經過一段固定的服役時間後，有權利獲得釋放（二十一1-4）。這暗示埃及人不合法地苦待以色列人，使他們長久服役。相反地，一些法規是關乎奴隸和他的主人（二十一5-6），並如何對待婢女（二十一7-11），這些法規特意強調以色列與耶和華在立約關係上的不同方面：以色列人事奉神，因為他們愛神；神揀選以色列，並且會保持對她的忠信。另一組法律集中在補償的原則上，這是為了那些在身體上受到傷殘的人（二十一18-27），特別是那些在他／她的主人手下受到嚴重傷害的人，要立即獲得釋放（二十一26-27）。這些事情正好對比以色列人在埃及受苦待（參出二11，五14-16），這些法律間接地辯明神釋放以色列人的事。又有另一組的法律集中在賠償上（二十二1-15），這事也同樣可以看見在先前提及以色列人如何向埃及人索取金銀和衣物（三21-22，十一2，十二35-36），這些物件補償了以色列人過去在埃及所受的剝削。

除了這些在出埃及記早期發生的事件外，這段落中的法律也是十分重要的，因為在其中滲透著種種理想和價值。下列提出一些最重要的事情：

1.道德的相稱：聖經中的法律是根據一個原則，就是刑罰要與所犯的罪相符。最清楚說明這方面的，莫過於那著名並常被人誤解的經文：「以命償命，以眼還眼，以牙還牙，以手還手，以腳還腳，以烙還烙，以傷還傷，以打還打」（二十一23-25；參利二十四17-21；申十九21）。驟眼看來，這法令似乎是以野蠻的方法來求取公平，但在古代近東法律發展的過程中，它標誌著重要的進

步。在最早為人知曉的法律中，傷害和令身體損傷的案件，是規定要以金錢作賠償。這些懲罰的不足之處，是沒有顧慮到人償付的能力（對一個失業的勞工來說，一千鎊的罰金是重擔；但對一個百萬富翁而言，這只是九牛一毛）。「以牙還牙」的刑罰原則，除去了這些不合理的地方，可確保刑罰與罪行相等，一點不少也不多。

但這法令卻不是常常按照字面意思來實施的。在約書中，在這法令之前曾記載一個受傷的案件，其中提及的刑罰是醫療費用和損失工資的補償（二十一18-19）。同樣，在這法令之後，也記載了一條法律，就是一個奴僕因為失去了一雙眼或一顆牙，而獲釋作為補償（二十一26-27）。明顯地，在這些例子中，「以牙還牙」的法令並沒有按照字面意思來實施。

2.生命的神聖。許多現代的讀者看見聖經的法律用死刑來處理各類的罪行，而感到費解。這些罪行包括兇殺、綁架、對父母在身體上或言語上的攻擊、行邪術、與獸淫合和拜偶像（二十一12-17，二十二18-20）。它們的刑罰與現代公義的標準不同，看來十分嚴厲，但它卻反映其中的價值觀，就是以色列人看重個人的生命、家庭中的輩分和敬拜的純淨。在兇殺的案件中，死罪的刑罰不是出於對人類生命的漠不關心；反之，它是看重每個人生命的極高價值（參創九6）。以命償命不表示復仇心理，它是表達奪去人生命的唯一代價，就是人的生命。這甚至實施在牲畜殺人的事上（二十一28）。

當我們將聖經的法律與別的古代近東的法律比較，聖經法律的特色便很明顯了。在較早期的漢模拉比法典中，兇手只需向被害者的家庭付出經濟上的補償，這與聖經中以命償命的規定相反。但另一方面，聖經以外的法律，卻判處入屋爆竊、火災中搶掠和盜竊的人死刑。這些例子顯示，在其他文化中，經濟上的損失有時被視為比生命的損失更嚴重。**聖經中的法律一直強調人的生命比物質財產的價值更大。**

由此可見，似乎基督徒是應該贊成對兇殺的罪行施以死刑。但其他方面的因素也要顧及。第一，古代的以色列人沒有其他的選擇，也難把謀殺者終身監禁，他們沒有設施去囚禁某人一段長時期。值得注意的是，因

禁從來沒有用來作為任何罪行的刑罰，這方面明顯地限制了刑罰的選擇。第二，很可能死刑是鮮有執行的，因此死刑的使用並沒有減低人類生命的價值。如果經常將死刑看作不尊重人類的生命，便否決施行死刑。無論我們贊成哪一種刑罰，作為一個基督徒，我們一定要時常確保不會損害人類生命的神聖。

3.**防止法律制度的濫用。**安全措施納入法律中，防止法律被濫用或誤用。在任何的社會中，時常都會出現毫無操守的人用法律來侵害無辜一方的危險。這大概解釋了為何對一個賊人之死有各種不同的審判（二十二2-3）。若他在晚間被殺害，屋主便算為無罪。若那事件發生在日間，屋主便有流血的罪。不同的審判似乎是用來防止殺害別人之後，便宣稱受害人是賊。若沒有這些安全措施，法律便會偏向有罪的一方。這審判表示一個賊人也受到法律的保護。

附註　第6節「在審判官之前」在原文是「在神面前」（亦見二十二8-9和二十二28）。在二十二章8至9節的審判，可能是根據烏陵和土明（參二十八15-30）。

二十二21至二十三9　道德的命令　這段落中的資料，通常被視為是詳細的法規，但有一些因素，顯示它們是不同於二十一章1節至二十二章20節的規範。第一，這部分以二十二章21節和二十三章9節為架構。兩節經文不單禁止虐待寄居者，更藉提醒以色列人，並強調他們也曾在埃及作過寄居的。第二，在這裏的資料，表達方式有別於上一部分所用的兩種不同形式；本部分近似十誡的形式。第三，除了在二十二章24節的一般評論外（「用刀殺你們」），這裏沒有提及法庭的判刑，也未提及任何用來規範犯了以上條例的人。第四，這部分的題材是不同的，它鼓勵以關懷的態度，去對待社會上弱小和脆弱的人（例如寄居的、寡婦、孤兒、有需要的和貧窮的人），同時也關心到執行法律制度的人大公無私，不會因接受賄賂而偏袒富有的人（二十三8），也不袒護窮人（二十三3）。每一個人，無論是何等級，都受到相同對待（二十三6、9）。見證人不可以因社會的壓力而隨眾偏行（二十三2），一定要確保他／她的見

證是真實的（二十三1、7）。這裏提示我們這是處理道德的命令，而不是講述一些詳細的法律。

這裏的命令是鼓勵一種行為的標準，它是超過法律條文的。法庭不可能起訴某人不將那迷失的牲畜還給仇敵；但無論如何，神要求祂的百姓要以善勝惡（二十三4-5；參太五43-48；羅十二19-21）。神既與百姓建立了特殊的關係，所以在這部分出現了這個命令：「你們要在我面前為聖潔的人」（二十二31），當然十分重要。我們在這裏看見神聖潔的百姓該如何生活。

二十三10-19　關乎安息日和宗教節期的條例

這部分的資料經過謹慎組織，其中分為兩半，並以二十三章13節為中心；在每一半又再分成兩個部分。上一半關乎第七年（二十三10-11）和第七日（二十三12）。14至19節是關乎3個主要的節期，是以色列人在每年中慶祝的除酵節、收割節和收藏節。在二十三章17至19節的條例，是呼應上文14至16節所列出的3個節期（尤其注意17節與14節的對照）。

有3方面的特色值得留意。第一，在這部分中，幾乎所有的資料都預期以色列人享受在迦南地的安居和收成。對一個逃亡的奴隸而言，這些條例暗示了前面興盛的日子。第二，守安息日格外重要，因為它是神與以色列立約的記號（三十一12-17）。任何人干犯安息日，要算為有罪，因為他棄絕這種與神的特殊關係，他的結局便是死亡（三十一14-15）。第三，提醒以色列人要單一敬拜神：「別神的名你不可題，也不可從你口中傳說」（二十三13）。這樣的敬拜態度，是每年3個節期的中心，在其中他們慶祝神對以色列人的恩惠。

附註　第15節慶祝除酵節，是在春季開始收成的時候（約由5月中至6月中），並紀念逾越節（參十二14-20）。第16節收割節又稱為「七七節」，因為它在除酵節過後7個星期舉行。在新約時代，它稱為「五旬節」（原文為「五十」的意思），因為它在除酵節之後的第五十天舉行（參徒二1，二十16；林前十六8）。收藏節又稱為「住棚節」。

第19節「不可用山羊羔母的奶煮山羊羔」這禁令是猶太人在不同時間吃奶類和肉的習俗根據。它的起源大概是與收藏節有關，目的可能是要叫以色列人的慶祝與鄰國有別。另一方面也反映一個原則，就是那本來給予生命的，不應該變成一個致死的工具。

二十三20-33　神對迦南地的應許和誓言

約書的最後部分，強調神與以色列人立約的相互性質，如果以色列人聽從耶和華他們的神，他們便會得迦南地為業（二十三22-23）。還有，神的賜福會保證他們將來生活舒適（二十三25-26）和安全（二十三27-28）。因著他們與神的關係，以色列人必須遠離別神，毀滅所有外邦人的偶像和敬拜的地方（二十三24）。為了相同的原因，他們不能與迦南的居民立約，免得他們妥協，失去對神的絕對忠誠（二十三 32-33）。這樣的警告是必需的，因為神雖然應許將那地的列國趕逐，但他們是逐漸地被驅逐離開，以免那地變為荒涼（二十三29-30）。

二十四1-2　神邀請眾領袖登西乃山

聖經的篇章分段暗示神邀請摩西、亞倫、拿答、亞比戶和70位以色列長老上山一事，是與二十一至二十三章所記載神的話是分開的。但希伯來文的經卷，顯示本章是接續神的話，唯一的分別是現在神單單給予摩西特別的條例，並不包括以色列人在內（參二十22）。

二十四3-11　訂立聖約

摩西下山，將神的話告訴百姓，他們再一次表示願意遵行神一切的命令（二十四3；參十九8）。跟著是簡略地記述耶和華與以色列立約的儀式（二十四4-11）。很有趣的，這裏記載的事，反映神與摩西說話的3個主要部分（二十24至二十四2）。建造祭壇和獻祭，對照著二十章24至26節的條例。然後摩西將約書念給百姓聽（二十四7），這是神訓令中的主要部分（二十一1至二十三33）。由此摩西提醒他們，要如何過神聖潔子民的生活，並提及那約的相互性質。以色列人再次承諾願聽從神之後（二十四7），那約便藉著灑血在百姓身上而訂立了（二十四8），最後，神邀請摩西和眾長老上到山上，得見神榮耀的

異象（二十四9-11）。只有神所邀請的人，才可以臨近祂的聖潔跟前，別人若如此行，必會死亡（參十九21-22、24）。

二十四12至三十一18　建造聖所的指示

以下是本書另一個重要部分，在開始時，神吩咐摩西上西乃山接受石版，其上刻有「我所寫的律法和誡命……使你可以教訓百姓」（二十四12），這是指十誡，而不是約書。把兩塊石版交給摩西（三十一18），刻劃了本部分的結束，並且它以二十四章12節為本，構成了一個基本架構。

除了一個簡短的導言和結語外，這部分主要是記述一篇很長的神諭，其中概述建造一座特別的聖所和設立祭司所需的準備（二十五1至三十一17）。這裏強調聖所的重要性，可以見諸下文所用的篇幅，它記錄了神對會幕的描述和其中物件該如何製作，也記下後來的實際建造過程（三十五4至三十九43）。除了關乎祭司就職的細節以外（它一共佔了出埃及記五分之一的篇幅），餘下用來記述建造神的居所。儘管如此，這裏的記述並不能提供足夠的資料，使我們重新建造那原來的帳幕或會幕。製造這會幕的計劃，與所羅門的聖殿，和被擄後重建的聖殿頗相似，但聖殿的大小面積卻是會幕的兩倍。若要知道早期教會如何將耶穌的死聯繫於會幕和它的禮儀，請參希伯來書九章1節至十章18節。

二十四12-18　神召喚摩西

雖然摩西曾經上山與神談話，但並沒有記述他逗留了多久。今次他被邀上山，並且在山上40晝夜（二十四18）。摩西作好準備，分派亞倫和戶珥負責處理在百姓中發生的任何爭論。這裏沒有解釋為何摩西要等候7天才被召到神的面前，但記述了摩西難於接近神。

二十五1至二十七21　會幕的詳細說明

二十五1-9　為建造會幕的奉獻

聖約訂立後，神吩咐摩西，叫他命以色列人奉獻，好承認神在他們中間的主權（二十五1-7）。摩西為神接納百姓甘心奉獻的禮物，每人要「甘心樂意的」奉獻（二十五2），然後神宣告祂要居住在百姓中間的心意（二十五8；參二

十九45-46）。這是出埃及記最後部分中重要的主題，用了相當多的篇幅記載完成所需的預備。神像祂的百姓一般，住在一個帳幕中，但在禮物清單上所記錄的貴重金屬和藍色的織物，表示它不是一個普通的帳幕，它是為皇室所使用的。

附註　第5節我們不能確定海狗皮是甚麼，但很有理由相信它可能是來自儒艮（一種類似鯨的海獸），這是一種很大的海洋哺乳動物，長大起來有三米長，在阿卡巴灣中數量甚多。

二十五10-22　造約櫃的法則

起初神吩咐摩西製造帳幕中的3件「傢具」。第一件是長方形的木櫃（箱，傳統上稱為「約櫃」），裏外都包上精金（二十五10-11）。為了方便運輸旁邊設有金環和杠（二十五12-15）。在這個櫃內，摩西後來存放兩塊石版，就是那「法版」，是神與以色列人立約的協議條件（二十五16、21；申十8稱這櫃為「約櫃」）。櫃的蓋用精金製成，稱為施恩座（二十五17；參來九5）。利未記十六章1至34節（尤其是11至17節）形容在每年舉行的禮儀中，大祭司灑血在那櫃蓋上，為「以色列人諸般的污穢、過犯，就是他們一切的罪愆」而贖罪（利十六16）。在蓋的兩頭接連兩個金的基路伯，二基路伯要臉對臉和高張翅膀。在二基路伯的中間，神與摩西會晤，為要將祂的吩咐告訴百姓（二十五22，三十36；參利十六2）。故此，法櫃除了是一個容器以外，也用來作座位（有時稱為施恩座），或特別指定為基路伯守衛的寶座（參撒上四4；撒下六2；王下十九15；詩八十2，九十九1；賽三十七16）。由於神的寶座是那麼重要，所以在此先提及約櫃的建造。

附註　第18節基路伯是古代近東聖所的傳統守衛，除了在這裏提及的以外，還有繡在幔子上的基路伯，這幔子是包圍著會幕，並分隔聖所與至聖所的（二十六1、31）。我們不要把這些基路伯與現代藝術中那有翼的小天使混為一談。

二十五23-40　造桌和燈臺的法則

第二件的傢具，是一個包上精金的木桌，配上金環和

杠（二十五23-28）。盤、碟和別的器具都用精金製作，又在桌子上擺著陳設餅（二十五29-30）。第三件主要的裝置是有7個燈盞的金燈臺（二十五31-40）。這燈臺的製法，是依照一棵生長中的樹的模樣，其上裝飾著杯、球和花（二十五31）。在主幹兩邊各有3個枝子，幹和枝子的頂用來托著燈盞。這裏沒有解釋為何燈臺要造成一棵樹的模樣，但可能暗示在創世記三章22節的生命樹，象徵神給人生命的能力。一個桌子和燈臺，再加上一個櫃或座位，合成了在家庭中的主要傢具。它們清楚地表示神居住在帳幕之中。大量使用金子，強調居住者的重要性，餅（二十五30）和燈（二十七21）的設立，是一個象徵性的提醒，表示神常在那裏，不論晝夜。

附註 第30節有關陳設餅的進一步資料，請參利未記二十四章5至9節的註釋。

二十六1-37 造會幕的法則 接著是記述建造帳幕或會幕的詳細法則，我們不大清楚這些不同的幔子和木板如何配合在一起。由於整個構造是為了方便攜帶的緣故，所以它的製造大概是與其他帳幕相似。藍色的織物和金的裝置，表示它們皇室一般供尊貴的人物使用。長方形的結構用一個幔幕分成兩個房間，其中一間約為另一間的兩倍（二十六31-33）。在那較小的房間中（朝西方的會幕部分）存放著法櫃。因為神坐在那裏的基路伯中間的寶座上，這部分稱為最聖潔的地方或至聖所（二十六34）。較大的房間（在東邊）稱為聖所，用來放置金桌和燈臺（二十六35）。那分隔著這兩個房間的幔子上繡有基路伯，提醒我們那通往神之路，是不容許罪人進入的（參創三24）。（有關會幕的重新構造，請參在*IBD*，1506-1511頁「會幕」一文。）

附註 第11節金鉤是用在會幕內的幔子上，銅鉤是用於外邊的幔子。第33節「這幔子要將聖所和至聖所隔開」，那是以色列人與神之間的最後障礙物。馬太福音二十七章51節記載當耶穌死的時候，聖殿中一個相似的幔子由上至下裂為兩半。藉著基督在十字架上的死亡，祂除去了在神和人中間的屬靈障礙。

二十七1-19 造祭壇和院子的法則 摩西在會幕的周圍立起一個用幔子作成的圍欄，造成院子。在製造圍欄的詳細說明之前（二十七9-19），神先指示要製造一個可以攜帶的、包著銅的祭壇。這壇要放在院子中會幕的入口處（二十七1-8）。從它的大小尺寸來看，一定佔據了會幕前面的地方，它的闊度是2.5米（會幕闊度的一半），高1.5米。形成了一個中空的正方形結構，用皂莢木製成，並用銅包裹。在焚化祭牲時需要有通風的地方，在祭壇每一邊的下方都有銅造的爐格子，位置是在院子入口和會幕的中間，這表示敬拜的人要先獻祭贖罪，才能接近神。利未記一章1節至七章38節詳細記載各類的獻祭，是神期望人獻上的。

長方形狀的院子，長度是它闊度的兩倍，大小約為50米長和25米闊，用高2.5米的幔子所包圍。東邊和西邊較短。敬拜者從東邊的門口進入，先看見一個大銅祭壇，然後才接近那在院子西邊的會幕。包圍著院子的圍欄，和那懸掛在會幕入口的幔子，不讓人從旁邊看見院子。院子與以色列人的營帳分開。它是分別出來，成為一個聖潔的地方；只有神居住的會幕，才被視為神聖的。院子和會幕之聖潔，反映在它們所用的建築材料上。金子通常用在會幕之內，而院子用的主要金屬為銀子和銅。正如百姓被阻止臨近西乃山神顯現的地方（十九12-13、21-24），院子的圍欄也阻止他們輕忽地接近神。出埃及記經常強調，只有聖潔的人，才能活在神的面前，否則招致死亡的後果。若沒有院子作為一個緩衝區，以色列人便不可能安全地靠近神而居住。

二十七20-21 橄欖油的準備 提過建造會幕和院子的法則後，跟著是一項簡短的法令，吩咐以色列人要預備橄欖油，為會幕中的燈臺之用。亞倫和他的眾子被委派，使燈日夜常明（二十七21）。在這裏提及他們跟下列一連串指示的關係，其中提及祭司在聖所事奉是分別為聖的（二十八1）。

附註 第27節從上下文中，「會幕」明顯是披著帳幕，這是指一般的意思。但在三十三章7節中，這詞語卻代表一個不同的帳幕，是在會幕未被建立以先，用作神與摩西

會面之用的。

二十八1至二十九46　祭司的詳細說明

二十八1-43　大祭司的衣服　既然那在院子內的地方是聖地，那些被委派在那裏服侍的人，也必須聖潔。為了表明聖潔，亞倫和他的眾子要穿著聖衣。這聖衣用的材料是金線和藍色、紫色、朱紅色線，以及撚的細麻（二十八5）。它們不單強調授予亞倫和他眾子的榮耀和華美，更清楚地表明這是製造會幕所用的類似材料。亞倫作為大祭司，穿上胸牌、以弗得、外袍、雜色的內袍、冠冕和腰帶（二十八4）。他的眾子有內袍、腰帶和裹頭巾（二十八40）。這裏沒有提及腳上穿用之物，可能表示祭司們事奉時是赤足的（當神在火燒的荊棘中顯現時，神吩咐摩西將腳上的鞋脫下來，因為那地是聖地；參出三5）。焦點集中在大祭司所穿的那些特別的物件上，尤其是以弗得和胸牌。

第6-14節　因為經文太過簡略，我們不容易去繪畫以弗得的模樣。它大概像一件背心，穿在其他聖衣之上（二十八4）。此處特別提及兩塊寶石，其上刻有以色列十二支派的名字。兩塊寶石要鑲在金槽上（二十八11），並且要在以弗得的兩條肩帶上，為以色列人作紀念石（二十八12）。這是一個提醒，亞倫作大祭司事奉神，並不是為了自己，而是為了全以色列人。

第15-30節　另一個物件是胸牌，從有關它的描述看來，它是一個正方形的小包，掛在大祭司的胸前。這小包所用的材料與以弗得相似，並且與後者連在一起。小包的外面是4行的寶石，每一行有3塊寶石，每塊寶石代表一個以色列支派。雖然亞倫出自利未支派，但他作為大祭司，在他的胸前穿上十二支派的名字，代表所有百姓事奉神。寶石象徵神看重祂的百姓以色列人。最後，神吩咐要將烏陵和土明放在胸牌裏（二十八30），烏陵和土明的確實形狀並不明確，但它們是用來求問神的審判（參二十二8-9）。

第31-43節　那繡有石榴和金鈴鐺裝飾的藍色外袍，大概是穿在以弗得和胸牌的下面。金鈴鐺的響聲，是用來確定那進入和離開至聖所的人，使大祭司可以安全地接近神，其他人若冒犯神，將會招致死亡（參十九12-13、21-22、24）。為了進一步提醒祭司

事奉的神聖，亞倫的冠冕前面有一個金牌，其上刻著「歸耶和華為聖」（二十八36），因為他被分別為聖。亞倫作為大祭司，可以為以色列人作中保，確保他們的獻祭蒙神悅納（二十八38）。除了以上提及的物件以外，亞倫要穿上內袍、冠冕和腰帶（二十八39；這內袍是穿在以弗得的外袍之下；參二十九5），因為它們沒有直接地表達祭司的榮耀和華美（二十八2），內衣的法則是外加的。祭司們要穿戴細麻布褲子，免得他們不慎地在聖地露出下體（參二十26）。這樣的赤身，在神面前明顯是不合宜的（參創三7、10、21）。再者，由於只有祭司們可以進入會幕，那吩咐要穿上內衣的命令便給那些在外面的人一個保證，在會幕中沒有發生任何不合體統的事情。

附註　第41節希伯來文的動詞在新國際譯本中譯作「按立」（譯註：中文和合本省略了）。這詞的原意為「放在他們的手中」，它的意思不是指按立，而是指供應祭司們的需要（參二十九22-28）。

二十九1-46　祭司的分別為聖　有關亞倫和他的眾子分別為聖的吩咐，是接續上一章，因為祭司要在神的聖潔面前服侍，他們必須聖潔。正如在出埃及記中顯示在不同的場合中，只有神才是聖潔的，人若要聖潔，就必須採取各樣方法。本文是反映二十八章41節提及的不同步驟，從而引進祭司的分別為聖：衣服、膏、「放在手上」和分別為聖。

當所需的物件齊集之後（二十九1-3），摩西給亞倫和他的眾子穿上祭司的衣服（二十九5-9）。然後要獻上3種不同的祭，其中包括一隻公牛和兩隻公綿羊。第一個祭是一個潔淨的祭（10-14節），要獻上那公牛，是按照後來記載在利未記四章3至12節的指示。它是關乎一位受膏的祭司誤犯的罪。但在這裏，要將血抹在院子中那大銅祭壇的角上，而不是抹在會幕內金製的香壇上（二十九12；參利四7）。這血潔淨了祭壇，這壇因為與被認為不潔的人接觸過，因而變成不潔。

第二個祭是按照後來在利未記一章10至13節的指示，要獻上一隻公綿羊。這全燒的燔祭，是為亞倫和他的眾子贖罪。一頭牲畜全然被毀滅，是一個生動的提醒，就是罪人

不能接近一位聖潔的神。那牲畜的死是一個代贖，代替那些藉按手在牠的頭上，把罪歸給牠的人。第三個祭（19-34節）極似平安祭，特別是為感恩而獻上（參利三6-11，七12-15）。

可是，雖然它與一般的獻祭相似，這裏所描述的禮儀有不同的特色，正符合這特殊的場合。第一，亞倫和他的眾子，以及他們的衣服，都用祭牲的血分別為聖（二十九19-21），這血接觸的一切，都變成聖潔。「祭司必須要有聖潔的耳朵去聽神聖潔的聲音；隨時要有聖潔的手去作聖工；要有聖潔的腳永遠行在聖潔的道上。」[A. Dillmann, *Exodus and Leviticus*, 2nd edn (Hirzel, 1880), p.465.] 第二，22至35節集中在亞倫和他的眾子作祭司所得的報酬。新國際譯本錯誤地以為這是「承接聖職所獻的羊」（中譯本亦如是，二十九22；參二十九26、27、31、34），它的原文是「放在（手中）的羊」，「放在手中」是指祭司們在獻上各類的祭後，他們手中所收的份（參利六14-18、25-29，七1-38）。摩西所行的禮儀，是將那祭牲的右腿和胸分別為聖歸給祭司。胸和腿之間有一個分別，前者是搖祭，後者是舉祭（二十九27）。在這個例子中，胸歸給摩西作獻祭的報酬（二十九26）。腿要和一些餅同燒在祭壇上（二十九25）。當祭司分別為聖之後，平安祭的胸要給予所有祭司，腿歸予那獻祭的祭司（利七28-36）。除了胸、腿和各類的脂油，羊的其他部分連同餘下的餅，要在會幕的門口烹調和吃用。只有祭司才可以吃這聖物。

在1至34節所陳述的禮儀，對祭司的分別為聖是十分重要的。大多數的註釋家相信，根據第35節所說，這個禮儀要連續7日舉行。但另一個可能性是36至41節所提及的祭，可能是在那其餘6日內舉行，亞倫和他的眾子要嚴格地接受吩咐，留在會幕的院子中（參利八33-35）。無論是哪一個說法，分別為聖的過程是頗費時日的。

神接著指示摩西要潔淨祭壇（二十九36-37）。獻祭的公牛是一個贖罪祭，類似在10至14節記載的獻祭。那牲畜的死藉贖罪而潔淨了祭壇，用血來膏祭壇，使它成聖（二十九36），這事情要重複作7天。最後，神再吩咐每日獻上兩隻羊羔作為全燒的燔祭。一隻在早上獻上，另一隻在黃昏，這是經常的獻祭，在祭司和祭壇被完全分別為聖之後，每日繼續舉行。42至43節強調這些法則的目的：這些獻祭禮儀的建立，是讓神可以與以色列人會面的必需步驟。正如神確定的說：「我要在那裏與以色列人相會，會幕就要因我的榮耀成為聖」（二十九43）。第46節清楚的說，神拯救以色列人出埃及，最終目的是要住在他們中間。吩咐亞倫和他的眾子分別為聖，記載在利未記八章1至36節。

附註　　第4節潔淨和清潔，是與成為聖潔息息相關的（參十九10、14）。**第14節**贖罪祭最好被視為潔淨的獻祭（參四1至五13，六24-30）。

三十1至三十一18　會幕和安息日的附加法則

三十1-38　會幕設備的附加法則　另一件要製造的傢具，是在會幕內的香壇（三十1-10），用皂莢木作成，並用精金包裹，連同金的桌子和燈臺一起放在聖所。亞倫要一日兩次在其上燒馥郁的香（三十7-8），一年一次（大概在贖罪日；參利十六15-19），他要在壇的角上行贖罪的禮（三十10）。它的用途有清楚的說明，除了一日兩次燒香外，不能用作其他用途。

第10節提及的贖罪，接連到下一個給摩西的訓令，他要數算在百姓中凡滿20歲及以上的以色列人，要從他們中間收取半舍客勒作為贖罪銀（三十11-16）。藉這繳納，以色列人被買贖或救贖，他們的生命免受災禍的刑罰（三十12）。有趣地，富人和窮人並沒有分別，都同樣需要贖罪。

摩西繼續受命造一個銅盆，它要放在會幕和銅祭壇中間，以便亞倫和他的眾子在會幕和院子中事奉的時候，可以用來洗手洗腳（三十17-21）。祭司要洗濯，象徵他們需要保持聖潔和潔淨（參十九14，二十九4）。

還要製造特別的膏油，用來膏抹會幕和它的傢具，並在其中事奉的祭司（三十22-30）。因為凡經這特別的油接觸的便會成聖，這是神設下禁令，不許人私自製造和使用（三十31-33）。那用來在會幕中燒的香，神也設立類似的禁令，不許人製造和使用（三十34-38）。

三十一1-11　神賜靈感的匠人　概述了會幕和院子的傢具之後，神告訴摩西，祂已經選立和裝備某些有技能的人，去製造這些物件（三十一1-11），特別提及的是比撒列和亞何利亞伯。**這些人擁有特殊能力，是因為他們被神的靈所充滿**（三十一3）。**這可能是有關屬靈恩賜最早的例子，這觀念在新約有更詳盡的發展**（參羅十二4-8；林前十二1-31；弗四7-13）。

三十一12-18　安息日的法則　說明了建造會幕和祭司分別為聖所需的預備後，神繼而強調安息日的重要。聖潔的觀念在上文是明顯的，在這段落中也同樣重要。安息日是神與以色列立約的記號，神提醒百姓，是使他們成為聖（三十一13）。由於安息日是向耶和華守為聖的，一切的工作都得禁止（參二十8-11）。任何人在安息日工作便干犯這日，必要把他治死。以色列人藉著守安息日，確定和保持了他們與神的特殊關係，成為祂聖潔的子民。

三十二1至三十四35　約的毀壞和更新
三十二1至三十三6　在營幕中的背叛
神與以色列人立約的一個重要條件，是完全的順服（二十四3、7）。但本文主要記述百姓的背叛，並如何觸怒神，損害了那剛剛建立的立約關係。他們的罪是那麼嚴重，甚至摩西不能為他們贖罪，直到3,000人被殺後，情形仍沒有改變。神表示關切祂居住在百姓中間的後果，會幕的建造陷於癱瘓。

三十二1-6　製造金牛犢　摩西遲延不下山（共40晝夜；二十四18），在以色列的營中瀰蔓著懸疑、恐懼的氣氛。以色列人可能害怕神向摩西作了甚麼事情（參二十19），他們藉著製造偶像，來保證神在他們中間。他們到亞倫那裏，求他製造一些神像（或較好譯作單數，正如新國際譯本的旁註），在他們前面引路（三十二1）。有幾個因素表示這金牛犢的偶像，是用來代表耶和華的。第一，根據第4節下，這牛犢代表那位救百姓出埃及的神，這裏沒有提及別的神明。第二，百姓熱烈地慶祝，被亞倫形容為「向耶和華守節」（三十二5）。而且，這慶典中的活動類似二十四章所記有關神與以色列人立約的情景。雖

然以色列人沒有拒絕耶和華為他們的神，但他們企圖模造一隻金牛犢代表神，便嚴重地違反了他們在早時所接受的立約條款（參二十4-6，二十23）。這樣明顯地違背了神的法則，招致了嚴重的定罪（參三十二7-10），甚至作者也藉著在第1、4和8節中的希伯來文名詞 ’elōhîm（神明或眾神明），間接地暗示出來。正如在這裏的情形，當 ’elōhîm 與複數的動詞連用的時候，通常是指外邦的神明；但當它與單數的動詞連用，它指的是耶和華。

按照上面所記載的事情，百姓現在渴求一個神同在的象徵，這是一件很諷刺的事情。摩西剛接受了神的吩咐，要建造一個帳幕，讓神居住在百姓中間。會幕和它的精金傢具表示神是尊貴顯赫的，金牛犢卻明顯相反地將神視為一隻野獸。雖然百姓獻上合宜的祭，他們卻轉拜牛犢，貶抑了那位救他們脫離埃及奴役的神。真實的敬拜，必須根據對神正確的認識。出埃及記強調要認識神到底是誰，這才是最要緊的，而不是依憑我們對神的想象。

　　附註　第2節亞倫吩咐百姓「摘下你們的金耳環」可能應該按字面翻譯（參三十二3），那金牛犢是從百姓所穿戴的金耳環模造的。百姓無疑擁有別的耳環，未有穿戴起來，後來它們被用來建造會幕（三十五22）。

　　第4節這牛犢其實是一隻年輕的公牛，公牛的形象廣泛地出現在古代近東的敬拜中。

三十二7-14　摩西為百姓代求　神厭惡所發生的事情，祂吩咐摩西回到營中（三十二7）。這事引起神的憤怒，因為以色列人那麼快便離棄祂的命令。雖然他們曾經再三地許諾會遵行神的一切命令（十九8，二十四3、7）。這種對神的不敬引來嚴屬的刑罰——死亡。但神仍保證摩西會成為大國，回應了神對亞伯拉罕早時的應許（創十二3）。令人驚異的，是摩西不肯，並為百姓求憐，重新提及他們出埃及時經歷的奇異拯救，也提到在更早時候，神與亞伯拉罕、以撒和雅各所立的約（三十二11-13）。他的請求全部是建基於神的屬性和榮耀，而且他沒有試圖為百姓的犯罪行為找藉口。他的代求大有力量，以致神轉意不即時毀滅百姓（三十二14）。但正如在後來的記載所顯示的，百姓並未得免刑

罰（三十二28、35）。

三十二15-29 摩西回到營中 摩西後來看見在營中發生的事，他也發起烈怒來，特意摔碎神所刻的石版，並其上有約的條款，這表示神與以色列人立約的關係已經完結。摩西焚燒金牛犢之後，他從亞倫那裏得不到滿意的解釋。最後，為了恢復營中的秩序，他呼召那些跟隨耶和華的人（三十二26）。從摩西所命令的激烈行動中可見情況的嚴重：「你們各人把刀跨在腰間，在營中往來，從這門到那門，各人殺他的弟兄，與同伴、並鄰舍」（三十二27）。利未人因著他們對神忠誠的表現，得著回報。

附註 第21節「大罪」一詞（參三十二30-31）大概是指破壞一個協議或合約（參創二九9；王下十七21）。**第27節**約3,000以色列人在利未人的手下死亡，表示金牛犢事件的嚴重性，並且百姓的受罰是其中一個對付的方法。**第29節**「你已被分別為聖帶耶和華」在原文是「為耶和華今天放在你的手上」。

三十二30-35 摩西再次為百姓代求 雖然已有百姓被刑罰，但他們的死並沒有為其他人的罪代贖。摩西曉得以色列人的罪重大，於是在神面前為百姓贖罪（三十二30）。他的要求遭到拒絕，每一個人都要擔當自己的罪的刑罰。為了要強調這個真理，第35節記載「耶和華殺百姓」。但是，雖然神定意要刑罰百姓，摩西仍得著保證，他們的旅程會繼續下去，這事情接連到下一個段落。

附註 第31節「金像」一詞使人想起二十章23節。

三十三1-6 神拒絕與民偕往 百姓對神不忠，其後果繼續在這段記述中蔓延。神雖然吩咐摩西領以色列人進入迦南，並且應許會成就祂對亞伯拉罕、以撒和雅各先前的應許，但祂卻不會與他們同去，因為恐怕百姓進一步背叛，使祂在途中毀滅他們。摩西將這事告訴百姓，他們就大大的哀哭。神更給他們一個記號，表示祂不喜悅他們的行為，神吩咐他們要除去在出埃及時所得的飾物（參三22，十一2，十二35）。在這時候，這些

飾物無疑成了一個有力的提醒，就是神是如何地賜福他們。他們除去飾物，就如人摒棄訂婚或結婚的指環，象徵神與百姓之間如今的破裂關係。

附註 第2節「我要差遣使者在你前面」，這是神的應許，要征服迦南的居民。三十三章23節卻未必暗示神會住在百姓的中間。

第3節「那流奶與蜜之地」，參三章8節。

三十三7至三十四35 摩西為百姓作保
這一部分的內容，夾在兩個簡短段落中間（三十三7-11和三十四34-35），這兩個段落的記載，明顯是在過去一段時間所發生的，而不是限於某個特定時候。這些事件大約發生於10個月內，由以色列人到達西乃山，至會幕立起來（參十九1，四十1）。相反地，夾在中間的主要段落，卻記述下一個重要的發展，就是神與以色列人重新立約。

上一章的內容主要是談及以色列人的背叛，並神對百姓的刑罰，現在焦點轉到摩西身上，他是那忠心的僕人，與神有親密的關係。摩西與神的獨特關係，使他可以為百姓代求，結果重新立約，那不是由於百姓們戲劇性地回心轉意，而是出於神的憐憫和恩典。

三十三7-11 會幕 這段記述摩西素常在營外支搭他的帳幕，在此與神會面，由於這帳幕的特殊功用，它被稱為「**會幕**」（三十三7）。我們不要將它與那亦稱為「會幕」（例如四十2、6）的帳幕（tabernacle）混淆，後者是後來才建造（三十六8-38），立在以色列人的營內（民一53，二2、17），與營外有一段距離的地方（三十三7）。在這裏，摩西享受與神的特殊和個人關係：「耶和華與摩西面對面談話，好像人與朋友說話一般」（三十三11）。親密的關係使摩西可以求神恢復與以色列人立約的關係。雖然神與摩西是那麼的接近，但甚至忠心如摩西也不可直接地看見神。**第9節**暗示帳幕的幔子遮蓋著在帳幕內的摩西，隔離了在外邊的神，這再一次提醒我們，在神和人之間存著障礙。

三十三12至三十四33　約的更新　在這段落開始時，記載了會幕中的談話，集中在數項重要的主題上。**第一**，雖然神先前已宣告（參三十三3、5），摩西仍尋求神保證，答允與百姓同去那應許之地。在這個要求的背後，摩西害怕如果神不與百姓同去，他便不能再面對面會見神。當神應許說「我必親自與你（單數）同去」的時候，摩西堅持這應許要包括其餘的百姓。神最後答允，因為祂喜悅摩西。

後來，摩西要求見神的榮耀（三十三18）。從神的回答中，祂明顯地將祂的榮耀等同於「我一切的恩慈」（三十三19）。為要向摩西確保祂的身分，神宣告祂的名字「耶和華」。當神在先前向摩西啟示祂的名字時，「摩西蒙上臉，因為怕看神」（三6）。現在因著他往後的經驗，表現了更大的信心。雖然摩西獲准看見神，這是前無古人的經歷，但摩西也不能看見神的面。

摩西在見證耶和華的榮耀之前，神吩咐他攜帶兩塊石版上山，代替那在先前摔碎的（三十四1）。當神在山頂上向摩西顯現，祂強調不單是祂的恩典和憐憫「赦免罪孽、過犯和罪惡」（三十四7；參三十三19），也強調祂的公義，「不以有罪的為無罪」（三十四7；參三十二34）。神向摩西啟示的這些屬性非常重要，所以這番說話在舊約6處別的場合中得到回應（尼九17；詩八十六15，一〇三8，一四五8；珥二13；拿四2）。在此富戲劇性的情形下，已經申明了神的本性中兩個最重要的特色，就是已經透過神拯救以色列人出埃及的行動，從中顯明同樣的性質。再者，它們是深藏在新約基督的死和復活的中心，我們經歷到神的赦免，因為基督已經為我們背負了刑罰。

摩西回應神屬性的特殊啟示，他要求神與百姓同行，赦免他們的罪，並以他們為祂的產業（三十四9）。神答應他，並重訂祂與百姓的立約關係。約的條件（三十四11-26）與於約書中的最後兩個部分十分相似（二十三14-33），但那次序是倒轉的。摩西再一次寫下約的要求（三十四27；參二十四4），最後，神將十條誡命寫在石版上（三十四28；參二十3-17）。

摩西會見神之後便下山，他的臉孔發光（三十四29），百姓因此害怕，摩西要重複向他們保證，先向長老，繼而向全會眾說話。最後，當他向他們說完了神的命令，他便用手帕蒙臉（三十四33）。

附註　第9節這是以色列人第一次直接被稱為神的「產業」。第28節雖然「寫」這動詞的主語沒有在這裏清楚交代，這可以從三十四章1節中推想出來，在那裏提及神刻在版上（參三十二16）。在希伯來文的記述中，動詞的主語在沒有清楚交代下被替換，是很普遍的（譯註：在中文合和本中，本節下半部的「耶和華」在原文是沒有的）。

三十四34-35　摩西用帕子蒙臉　這些經文與三十四章30至33節緊連在一起，描述摩西與神交談時的情形。摩西會見神之後出來，他將神的話告訴百姓，然後用帕子蒙上臉。他發光的臉是給百姓一個記號——他真的曾與神會晤。

三十五1至四十38　會幕的建造和豎立
三十五1至三十六7　建造會幕的預備

約被更新之後，摩西招聚百姓，提醒他們守安息日的重要（三十五2-3；參三十一15）。這是他們與神之間立約的記號，以色列人必須在一星期中的第七日停止工作。現在摩西可以將先前所領受有關會幕的建造和設立祭司的指示實行出來。

接下來，摩西吩咐百姓奉獻禮物給耶和華，提供所需的材料，去建造會幕和有關的物件（三十五4-9）。這事應驗了神給摩西的指示（二十五1-7）。然後是尋找匠人執行工作（三十五10），隨後是總括各項需要建造的物件（三十五11-19）。三十五章20至29節記述百姓慷慨回應（參三十五4-9）。這裏特別提及婦女的工作，如紡線（三十五25-26），她們貢獻自己特別的能力和才幹來事奉神。眾百姓是那麼的慷慨，以致後來要停止過多的奉獻（三十六3-7）。

比撒烈和亞何利亞伯聽從神在先前的吩咐，運用特殊的知識和技能，負責建造的工作（三十五30至三十六2）。他們不單是熟巧的匠人，更有才幹去教導別人（三十五34）。

三十六8至三十九31　會幕和祭司衣服

三十六8至三十九31　會幕和祭司衣服的完成

這段落大部分緊密地對應著出埃及記先前的記載。我們在這裏可以找到幾乎完全相同的記載，描述摩西第一次逗留在山上時，神給他的法則之應驗（二十五1至三十一18；參以下的圖表）。這些法則和它們的應驗相同，表示百姓「按著每一個字」聽從神。每一件事都正如神所吩咐摩西的，在神的吩咐中（但較少出現在應驗的部分），間中有附加的資料，關乎某些特殊物件的使用（例如三十6-10，三十18-21）。

除了表示每件事情都按照神的吩咐被造之外，**重述細節強調了會幕是神的居所，極其重要**。複述對某些讀者可能是沉悶的，卻是古代作者的方法，用來吸引人對重要事物的注意。

物件	法則	應驗
會幕	二十六1-11、14-29、31-32、36-37	三十六8-38
法櫃	二十五10-14、17-20	三十七1-9
桌子	二十五23-29	三十七10-16
燈臺	二十五31-39	三十七17-24
香壇	三十1-5	三十七25-28
膏油	三十25	三十七29
銅祭壇	二十七1-8	三十八1-7
銅盆	三十18	二十八8
院子	二十七9-19	三十八9-20
以弗得	二十八6-12	三十九2-7
胸牌	二十八15-28	三十九8-21
外袍	二十八31-34	三十九22-26
內袍、冠冕、腰帶	二十八39	三十九27-29
金牌	二十八36-37	三十九30-31

在這裏列出之物件的次序，與神第一次吩咐摩西時稍為不同（二十五至三十章）。先前的次序是先列出較重要的物件，此處的排列反映出一個次序，就是在會幕被立起來時那些物件的組合（參四十2-8、12-14，四十17-33）。所列出的貴重金屬，數量看來甚大（約為一噸黃金、四噸銀子和兩噸半銅），但若與古代世界的風俗比較，情形不是罕有的。

三十九32-43　摩西檢閱工作

工作完成後，各式物件要送到摩西那裏作檢查。這些物件的記錄，與那在三十一章7至11節和三十五章11至19節的相似。摩西看見每一件事情都按照神所吩咐的作成了，他就給他們祝福（三十九43）。一切準備妥當，摩西可以把會幕立起來了。

四十1-33　會幕的豎立

神給摩西最後的指示，是關乎會幕和其中器具的設立及分別為聖（四十1-11），以及亞倫和他的眾子就任祭司的事（四十12-15）。經文記載摩西立即依從指示的第一部分而行（至於祭司的分別為聖，記載在利未記八章1至36節）。**透過那重複使用的句子「耶和華照所吩咐他的」**（四十16、19、21、23、25、29、32）**強調了摩西的順服**。會幕是在第二年正月初一日被立起來（四十17），正好讓百姓慶祝脫離埃及的第一周年紀念（參民九1-5）。

四十34-38　耶和華的榮耀充滿會幕

一切都已準備，雲彩遮蓋會幕，耶和華的榮耀充滿其中（四十34）。神如今住在百姓中間，帳幕成了會幕（四十35），代替了摩西早時所用的帳幕（參三十三7-11）。二者有所不同，現在神住在帳幕裏，而摩西則留在外面（四十35）；而先前的會幕，摩西是在帳幕裏，神卻留在外面（三十三9）。神藉著雲彩和火停留在會幕，讓人可以看見祂的同在。**在這裏神指引他們的旅程**（四十36-38）；出埃及記來到一個圓滿的結局，它記述全能之神的榮耀同在，居住在以色列民中間。

T. D. Alexander

進深閱讀
R.A. Cole, *Exodus,* TOTC (IVP, 1973).
B.L. Ramm, *His Way Out, A Fresh Look at Exodus* (Regal, 1974).
H.L. Ellison, *Exodus* (St. Andrew Press / Westminster/ John Knox Press, 1982).
W.C. Kaiser, *Exodus,* EBC (Zondervan, 1990).
J.I. Durham, *Exodus,* WBC (Word, 1987).

世紀聖經新釋

利未記

✤ 導 論

書名

在希伯來文聖經中，本書的名字就是書中第一個字*wayyiqrā'*，意思是「他〔耶和華〕呼叫」。利未記一名源於古代的希臘文和拉丁文譯本。此名字的由來，無疑是由於書中包含許多關乎利未祭司工作的指引。然而，此名也並非完全適切，原因有二。第一，因為並非所有利未支派的人都是祭司，而只有一個利未家族的人才是祭司。第二，由於書中許多地方都針對一般的以色列人，而並非只針對祭司；書中解答了他們生活中有關敬拜、家庭倫理、社會及團體生活、經濟貿易等問題。本書對「平信徒」和「神職人員」，都同樣重要。

作者與寫作年代

本書陳述的方法，像是神向摩西啟示的部分紀錄；當時以色列人離開埃及不久，正在西乃安營。書中沒有明明地指出，本書是由摩西親自撰寫的（比較聖經其他書卷怎樣稱摩西為作者，例如出二十四4、7；民三十三2）。然而，那些贊同傳統寫作日期之看法的人，會認為本書若非由摩西所寫，就必定是由一些與他接近的人所編撰。書中確實表現出其細心與聰明的組織編排。

然而，長久以來，批判性的聖經學者都堅稱本書來自一些祭司團體，並且代表了他們被擄歸回後之第二聖殿的規條。與聖經其他書卷並列時，利未記就歸入那稱為P典的材料，這P典是假設之聖經資料來源的最後一部分。然而，那些廣泛地採取這觀點的人，認為P典包括各種材料，而其來源可能比被擄時期早得多。一段經文的最後編輯日期，並不能確切地指出其內容的最初日期。此外，把所謂祭司材料定於較晚的日期的一些原因，已不再那麼使人信服。我們從遠早於摩西時代的古代近東社會，已可認識祭祀敬拜之條例和聖所的詳細描述，因此並不需要把資料歸入以色列後期的發展。若把利未記中的律法與申命記和舊約其他部分之相關律法相比較，結果往往會顯示利未記的經文是較早期的。要是利未記的寫作日期確實比其實際背景遲了1,000年，它在避免時代錯誤上便很成功，而且能成功地使用一些在後期不再流行的用語。因此，再加上別的原因，一些學者認為利未記的寫作材料是遠早於被擄時期的，但不一定是摩西時期的材料。

內容結構

我們從下文的內容大綱，即時可以看見利未記是一份經過細心編排的文件。其中有明確的邏輯進展。出埃及記書末已敘述了會幕的建立，以及以色列人祭祀崇拜所需用的一切。因此，利未記一開始就像一本獻祭的手冊，首先從平信徒的角度解釋，所有參與崇拜程序的人，在敬拜中扮演著甚麼角色，哪些牲畜適宜用作哪些用途，以及要怎樣處理這些牲畜等。然後經文指出一些關乎祭司利益的額外條例。這部分之後，又有按立祭司的敘述，而祭司就是負責祭祀的人。但祭司也有其他職責，主要是負責教導一般以色列人，聖潔與凡俗的分別，及潔淨與不潔淨的分別。因此下一部分是處理這個問題。以色列人在約中的生活決不止於正確的敬拜和禮儀上的潔淨，因此本書餘下的部分繼續列出各種個人、家庭、社會和經濟上的責任，這一切責任都為要使以色列保持其民族的獨特性（聖潔），而神就是為此而創造他們。書末的焦點則集中於土地和財產這些經濟範疇，因而讓讀者在進入民數記與申命記的內容之前得著一個前瞻，跟隨著以色列人向應許地進發。因此，利未記本身有其文學寫作

上的平衡，同時也恰如其分地配合五經整體的主旨。

我們可以從另一個角度看見本書的平衡。在出埃及記十九章4至6節中，即使在立約和頒佈律法之前，神已給予以色列人一個在列國中的身分與責任。他們要作一個聖潔的國度，一群像祭司的子民。我們可以說，利未記分了兩部分來反映這兩個主題。第一至十七章主要是關乎祭司的責任，而十八至二十七章則有許多給以色列的呼召，呼召她在實際生活的各方面都要聖潔（十七至二十六章甚至被稱為「聖潔法典」（the Holiness Code），或以評鑑學用詞，稱作H）。有些人認為本書的兩部分反映了愛神和愛鄰舍這兩個命令。本書上半部引往贖罪日的高潮（十六章），以色列民與神在這日恢復了應有的關係。下半部以禧年為高峰（二十五章），那時在以色列人中間恢復了正常的關係。上半部與下半部分別有一個實地教材，都是關乎藐視神的後果（十，二十四章）。

🌡 主 題

神曾給予亞伯拉罕一個應許，其中包括3個獨特的要點和一個普世的目標（創十二1-3、15）。祂應許賜亞伯拉罕一群子民、一個蒙聖約祝福的關係和一片土地。其最終目的是萬民得著祝福。利未記談及了所有這些要點，但卻特別集中於3個特別應許中的第二個。第一部分已在得著應驗的進程中；以色列實在已成了一個大國（出一7）。第三部分——得著應許地——則仍是未來的事，並且是民數記和申命記的焦點所在。利未記的重要課題是如何保持神與以色列的關係，這關係已透過出埃及和立約得以建立（出二十四章）。答案是神親自提供方法——藉著祂的恩典。那靠著神（在出埃及）救贖之恩設立的關係，只能藉著祂赦罪之恩（如以色列自從金牛犢事件所認識的，出三十二至三十四章）來維持。獻祭的制度並不是提供換取恩寵的方法，而是接受恩典的方法。其後各章所提出需遵守的律法，並不是指達致聖潔，而是活出神已給予以色列的獨特性。以色列只有適切地回應神的恩典，才可以繼續享受他們最大的福祉，那就是神住在他們中間，祂象徵性地住在會幕中，但人卻在日常生活

的每一方面都可以感覺到祂的存在。任何威脅神同在或玷污祂住所的事情，都要嚴厲地對付。我們要記得，在某些部分那嚴酷的氣氛背後，有這正面的目的。

應用綱要

對基督徒來說，利未記中透過獻祭制度所提供的恩典，如果在耶穌基督裏已可全都找到，而這些獻祭，則給予新約作者豐富的意象，去詮釋十字架的重要意義。同樣地，聖潔的要求——在利未記中，是以色列從列邦分別出來的記號——在新約中已轉化為一個呼召，呼召基督徒要從世界中分別出來。但利未記中，在道德方面的要求，正如整個舊約律法一樣，並不限於教會之內。神創造了以色列，要她作列邦的榜樣。他們的獨特之處，是使他們能作道德標準和生活方向的典範，而那些標準和方向是神最終希望所有人都能達到的。因此，在了解救恩、個人的聖潔和社會倫理方面，本書都提供了重要的教訓。利未記是保羅所謂使我們有得救的智慧，和教導我們如何生活的聖經書卷之一（提後三15-17）。

📄 大 綱

註　釋

一1至七38　獻祭的條例
一1-2　引言

利未記所給予的獻祭指示，以聖經中的故事為背景。這些指引由神主動賜下，賜給那在出埃及時已經歷神救贖之恩的民族。獻祭並非人類藉以安撫神明，取得救恩，或換取恩寵的方法。獻祭是為了保持神與人的關係，這關係已藉著神救贖的行動而建立，而獻祭是提供一個處理罪和恢復相交的方法。其中所教導的，跟人類對獻祭的直覺看法一致——取得饒恕和恢復相交並不是廉價的。

「獻供物」（*qorbān*「各耳板」）一詞常用來指人帶到神面前的禮物和祭物（比較可七11）。供獻包括以下所列的各種祭。此處一開始就說明獻祭的牲畜必須是飼養的牛或羊，即野生動物不被接受。這要求的原因可能有兩個。首先，野生動物並不屬於任何人，因此不像家裏飼養的牛羊一樣，可以代表獻祭的人。其次，只有獻上家畜，才會使獻祭者付出實際的代價。正如大衛的看法，白白得來的東西就算不得祭物（撒下二十四24）。另一方面，我們發覺那些十分貧困的人，也可以獻上一隻雀鳥。因此，獻祭的功效也並非主要在乎祭物的價值。

「你們中間若有人獻供物」這句話的意義並不明確，因為經文沒有指出一般以色列家庭多久獻祭一次，而且他們是自願獻祭的（最少頭3項獻祭是如此）。在某些情況下，贖罪祭和贖愆祭是強制性的，但燔祭、素祭和平安祭通常是自願的，每當獻祭者想獻這些祭，他便可以去做。因此，明顯地祭物的物質價值，並非神的主要關注點，祂關注的是敬拜者的動機。

舊約本身在許多地方都加強這概念，而耶穌後來更強調這一點。雖然是神主動指示以色列人如何把祭物獻給祂，但祂在祂與以色列人的關係中，正尋找一些更重要的東西，尤其是出埃及時，在聖約之律法中已定下的道德生活、順服神和公平社會等素質，這些要求在會幕建立前，在利未記所給予的獻祭指示之下已定下了（參撒上十五22；詩五十13；何六6；摩五21-24；太五23及以下；可十二33）。因此，我們應按該時代的歷史背景和整個聖經啟示來看利未記。

以下的指示，是神藉著摩西賜給所有以色列人的。這指出了首7章經文的另一個特點。關乎獻祭的指示，首先是為了敬拜者本身的利益，而敬拜者就是一般平民百姓。他們是把牲畜帶來作祭物的人，他們宰殺牲畜，接受罪得贖的話語，並恢復與神相交。這是一章1節至六章7節的焦點，跟著是一個比較短的段落，其中再次列出相同的獻祭，但重點卻在祭司的職責和利益；祭司會從不同的祭物中取得某些部分，作為主要的生計（六8至七38）。

一3-17　燔祭

在一系列的獻祭中，以燔祭領先，大概因為燔祭是最普遍的。民數記二十八章指示祭司每天早晚都要獻燔祭。那是一種最完全的獻祭，在過程中牲畜要全然燒毀（除了給

予祭司的皮，七8）。在別的獻祭中，祭牲某部分的肉可留給祭司或敬拜者或兩者去食用。

「燔祭」（'ōlâ）一名意思大概是「那上升的」，即整個供獻會在煙霧中「上升」至耶和華那裏。祭牲必須是「沒有殘疾的公牛」。雄性牲畜有較大的獻祭價值，雖然實際上牠們是較為可以犧牲或放棄的，因為負責產奶和繁殖的是雌性。牲畜必須是沒有瑕疵的。惟有最好的才配得獻上給神。因此，獻祭是在乎價值與品質，縱然那是相對於敬拜者的環境而言。獻上品質差的牲畜，是對神無禮，那並不是因為神非要這些牲畜不可，而是因為敬拜者的心態——漠不關心及對神缺乏感恩或委身，好像祂不配得更好的禮物一樣。這正是瑪拉基所指責的情況（瑪一6-14）。

燔祭的指引分為3部分，分牛（牛群，3-9節）、綿羊或山羊（羊群，10-13節）和鳥（14-17節）。然而，每一部分都以完全相同的句子來結束，描述那供獻為 **「獻與耶和華為馨香的火祭」**。這再強調在神眼中，祭物的物質價值並不是主要的考慮。祂對窮人的雀鳥和富人的公牛同樣悅納。許多昂貴的祭牲，也不會增加牠們對神的真正價值。祂悅納人的獻祭，並不看所獻之多寡，而看獻祭者是否存著順服的心（參彌六6-8；何五6）。

敬拜者要把牲畜帶到 **「會幕門口」**。這是在會幕內之院子的西端，約櫃和其他用以供奉的家具都放在那裏，那裏並且有神的同在，門口大概指「會幕」以外，院子裏的任何地方，在大祭壇附近。敬拜者會把他的祭牲交給祭司，然後有一個宣告他的獻祭蒙耶和華悅納的儀式。獻祭者要 **「按手在燔祭牲的頭上」**（4節）。那並非只是輕拍一下，而是認真地按下去或伏下去。聖經沒有說這動作有否伴隨著任何說話。獻祭者可能會認罪（如五5和十六21所要求的），或從4節下看來，會有要求贖罪的禱告。又或許敬拜者在這時會向祭司和其他在場的人，說出他獻祭的原因，如我們在詩篇中某些章節所見的（例如詩一一六）。

聖經沒有說明這動作的意義。根據上下文和其他有解釋這動作的情況來看，這按手可能有雙重意義。首先，那可能是表明牲畜由誰擁有和代表誰。我們要記得會幕必定是一個頗為嘈雜和混亂的地方，其中有許多牲畜和敬拜者混雜在一起。當敬拜者，並可能還有他全家人，最後得到祭司注意時，他們要清楚指出他們要獻上甚麼牲畜，和為何獻上。按手在牲畜頭上就是說：「這是我們的牲畜，我們為了自己特別的原因而獻上——為罪得赦，或為感恩，或獻身。我們要求得著這祭牲所帶來的好處和祝福，並祈求牠蒙悅納。」

其次，**第4節**說：**「燔祭便蒙悅納，為他贖罪」**，似乎按手在祭牲頭上，有代表和代替的成分，即牲畜是作為敬拜者的替身而獻上的。他要把自己的罪按在祭牲頭上，以致祭牲之死可以把罪從敬拜者身上清除。祭牲會背負那人的罪，並代替他而死。這樣，祭牲便是為他贖罪。這意義在全國之贖罪日的禮儀中清楚表明，那時眾民的罪會歸到其中一隻山羊頭上。在那情況下，人不會宰殺那羊，卻會把牠趕走，以「帶走」以色列民的罪（利十六20-22）。

按手和宣告蒙悅納的儀式後，餘下的程序便由獻祭者和負責的祭司分擔。獻祭者要負責多半的工作。他要把牲畜宰殺（5節），把牠的血放盡；並剝去牠的皮（6節，然後把皮交給祭司，七8）；把祭牲切成塊子（6節）；並把污穢的部分洗淨（9節）（污穢的部分即有泥或排泄物的部分），以致祭司把屍體取過來時不會被沾污。祭司要負責奉上血，把血灑在壇的周圍。正如利未記後來所解釋的，這做法是把祭牲的生命獻給神，因為血代表生命，一個現已藉死亡而獻上的生命（十七10-12）。最後，祭司要從敬拜者手上，把已切成塊子的祭牲取過來，擺放在祭壇上；敬拜者及其家人要看著祭牲焚燒，直至全都燒盡。

敬拜者與祭司整個行動，就是使祭牲 **「獻與耶和華為馨香的火祭」**。這句子表達了實際的意思，就是煙和伴隨著的香氣一起上升，但此句子當然也有象徵的意義。此處採取了擬人的手法（即以人類的用語來描寫神的反應，好像香氣真的使祂愉快喜悅），但其要點是神學性的。獻祭取悅了神，因而達到期望的目的，那就是贖罪（4節）。

「贖罪」（kipper）是涉及血之禮儀的主要重點（參十七11）。此「贖罪」可以有兩種意義。它可指「抹乾淨、潔淨和淨化」，也可指「付上贖價」，以致懲罰得以避免，或重刑得

以減輕〔例如出二十一30；代下二十九24；箴六35；民三十五31-33（反面的）〕。在贖罪祭彈血的儀式中，所包含的似是第一個意思，藉這禮儀，聖所中某些部分和其中的陳設，都得以除去污穢，得著潔淨（四章）。在某些情況下，贖罪祭和燔祭會為了潔淨的代贖而一併獻上（十四19及以下）。但在燔祭中，主要包含的意義似乎是贖罪。它有避開或減少神之憤怒的效果，以致敬拜者毋須為自己的罪而受罰。好幾個舊約的例子都支持這解釋，因在例子中，燔祭能有效地轉離或安撫神的憤怒（創八21；士十三23；撒上七9；撒下二十四25；代下二十九7-8；伯一5，四十二8）。

我們必須視燔祭的主要目的為贖罪，雖然明顯地，獻燔祭也和其他表達人對神有關，尤其是為了某些祝福或釋放而感恩的回應，和一些表示順服的許願。有時詩篇提及獻燔祭時，焦點就在於此（例如詩五十8-15，六十六13-15）。然而，詩人十分明白，只有基於神先前的恩典和赦罪，人才得以獻上感恩和表示順服。

燔祭象徵出埃及記二十四章3至8節中聖約之諾言，但頗為明顯的是，從以色列人的角度看，聖約的中心是在於他們誓言順服，而不在於他們在獻祭上的表現（詩四十6與撒上十五22已清楚說出這種優先性）。值得留意的是，新約直接提及燔祭時，就是引述這兩節經文，其中明確地把順服的價值置於獻祭之上（可十二33；來十6-8）。在本部分結尾時，會再思想新約其他地方對獻祭象徵性的使用。

二1-16　素祭

這供獻只是簡單地稱為一份禮物（*minḥâ*）。這字通常指到一些用以表達敬意（創三十二14，四十三11；士六19；撒上十27）、謝意（詩九十六8）、或忠順（撒下八2；代下十七11）的禮物。這字詞在此顯然是指一種用五穀所作的供獻。素祭常與別的祭一起獻上，尤其是燔祭（例如民十五1-16，二十八1-10，那裏也詳述了用酒來獻的奠祭，那是利未記沒有提及的），但素祭也可以單獨獻上，如窮人以素祭代替各種牲畜之祭。在這情況下，獻素祭像獻牲畜一樣，有相同的代表和替代作用。

只有當所供獻的是初熟之物（14-16節），人才可把全粒的穗子獻上。否則，穀粒要加工，最少要製成麵粉。因此，所供獻給神的，是祂首先創造和供應的（五穀），以及人從五穀所製成的。所以，素祭表示把神所造的禮物和人手所作的工奉獻給神。

本章分為3部分：第1至3節談及未煮之細麵的供獻；第4至10節談及烤好之細麵的供獻；而第11至16節則加上其他一般的指引。在每種情況下，主要的材料都是「**細麵**」和「**油**」。那象徵聖潔和神同在和人向神禱告（詩一四一2），或只是象徵敬拜之喜樂（箴二十七9）的「**乳香**」，會加在那燒在壇上的一把細麵上（2節）。在舊約中，油有時用以象徵神的靈（如在膏立的儀式中，如撒上十六13），但此處並沒有指出它有這意義。油也代表生命中的喜樂和祝福（詩四十五7；傳九7及以下；詩一〇四15，二十三5），而油和乳香混在一起，可能是為了賦予供獻一種珍貴、喜樂和神聖的意義。

素祭中實際上只有一小部分（「一把」，2節）會燒在壇上。「**作為記念**」（'*azkārâ*），意指一個提醒，但到底是誰提醒誰則不得而知。有人認為其意思是要提醒獻祭者，那燒在壇上的小部分，只是為記念一個事實，即全部他所有的都是從神而來（比較代上二十九14）。有些人則認為那是要提醒神，祂曾在約中應許要賜福和保護祂的子民，當然也包括獻這祭的人。第二種解釋跟第2節末較為吻合，該處指這供獻像燔祭一樣，「是獻與耶和華為馨香的火祭」。

這一小部分焚燒獻上後，餘下的五穀便屬於祭司，無論是未煮的細麵，或細麵餅和各種薄餅（10節）。這樣，素祭便是祭司生活的主要來源，因為他們沒有屬於自己土地，所以不能種植自己的田產。那是「至聖的」部分，因為那是給祭司分別出來的。換句話說，那些仍舊是普通的麵粉或麵餅，卻要從家庭日常的食用中分別出來。那是為耶和華的僕人預備的。「**神聖**」並不是指一些神祕，或只是宗教性的東西；那是指一些分別出來作不同用途的東西。這意義在本書較後部分會更清晰，尤其是在其道德和實際意義之上。細麵在供獻之前可有不同的烹煮方法（4-10節）。它可以放在爐中烤（4節），或在鐵鏊上炊（5節），或用煎盤來煎（7節）。祭

司無疑會喜歡這麼多樣化的食品！

最後，是一些被禁止和一些規定之材料的指示。素祭中「不可有酵」，也不可有「蜜」（11節），但卻必須有「鹽」（13節）。經文並沒有解釋這樣做的原因，因此，我們在猜測時必須十分小心。酵和蜜都可以當作初熟之物獻給神（利二十三17；代下三十一5），因此，此處禁止使用酵和蜜，不可能是因為它們是不潔的。可能因為酵和蜜都用於發酵的過程，因而是腐敗的象徵。要加上「鹽」的命令加強這看法，因為鹽在古代世界中，是一種防腐的用品。鹽不單象徵制止腐敗，並且也象徵耐久不變。鹽使人想起民數記十八章19節和歷代志下十三章5節中聖約的應許。此處在初熟之物的素祭中提及鹽，可能作為挪亞之約和神對其創造不止息之信實的迴響（創八20-22）。至於素祭與基督徒進一步的關係，參本部分末。

三1-17　平安祭

這祭的希伯來名字(šelāmîm)，從字根šalēm而來，意思是「完全或完整」，因而與šâlôm——意指完全、幸福和平安——一詞有關。它作為這祭的確實意思並不明確。「平安祭」（peace offering）一名仍廣泛使用，並暗示其目的為建立或保持和平，即敬拜者與神之間的良好關係。譯作「相交祭」（fellowship offering，新國際譯本、佳音譯本；比較「分享祭」shared-offering，新英語譯本）則較指向獻祭者彼此間有健康的關係，並基於獻這祭時，一家人難得有機會共享一頓有肉可吃的筵席。

獻平安祭的個人原因列於七章11至18節，包括感恩、還願，或任何出於自願的獻祭（如撒上一）。獻這祭的公眾理由包括立約或更新聖約（出二十四5；申二十七7）、立王（撒上十一15）和獻殿（王上八63-66）。所羅門在獻殿時獻上極多的祭牲，並非為了打動神的心，而是為了供應大量免費肉食，讓百姓慶祝獻殿的喜樂。

本章分為3部分，而劃分的方法是根據用來獻祭之祭牲的種類：牛（1-5節）、綿羊（6-11節）、山羊（12-17節）。儀式的實質部分跟燔祭相同（參一3-17）。它跟燔祭的主要分別在於：第一，祭牲無論公或母（必須沒有殘疾）都被接納；第二，只有祭牲的脂油會燒在壇上（即脂油、腰子、肝上的脂油，和綿羊的肥尾巴，3節及其後經文、9節及其後經文、15節）。

祭肉會分給祭司——他會取得祭牲的胸和右腿（七28-34），和敬拜者的家人——他們會取得餘下的部分。因此對祭司來說，平安祭是他們汲取蛋白質的主要來源。對敬拜者來說，那是在神面前慶祝歡宴的機會，而城裏的人都可參與（申十二7、12、19）。平安祭中沒有獻雀鳥的規定，可能由於獻祭後會有分享的筵宴，而在以色列中，並沒有雀鳥大得足以供一家人享用。雖然這裏沒有說明（但在申十二章暗示了），但我們可以假定，那些不能負擔一次平安祭筵席的窮人，會獲邀參加城中其他人的筵席。

嚴禁食用脂油（17節），而把脂油在火中獻予神，正如獻血一樣（十七10-12），其原因並沒有解明。然而，脂油象徵最好和最肥美的部分（創四十五18；詩八十一16「麥子」在希伯來文中的字面意思是「脂油」；詩六十三5），因此，其含義可能是祭牲最好的部分必須獻給神。因健康的理由而贊同第17節做法的現代飲食的考慮，當然並非為以色列人所知曉。但由於這觀念並非創造我們身體的神所不知道的，所以，我們若願意，也可以在這層面上感受到神奇妙的安排。

四1至五13　贖罪祭

跟著的兩種祭跟先前3種有所不同。從敬拜者的角度看，先前的祭是出於自願的，尤其是平安祭，贖罪祭和贖愆祭是因應情況而獻，但在某些特定的情況下，則是必須的。第二個不同之處是，燔祭和平安祭是根據所獻的牲畜來描述，但贖罪祭的描述，則根據那需要獻祭者犯罪的情況和程度來編排。

第四章的主要分段跟灑血的位置有關。若所犯的罪涉及大祭司（3-12節）或全會眾（13-21節），祭牲的血會灑在會幕內的聖所裏面。若所犯的罪涉及一個官長（22-26節）或庶民（27-35節），祭牲的血便會灑在會幕以外、獻祭的主要祭壇。五章1至4節說明一些非故意的（或疏忽的）罪，一個人可能會因而感到內疚為此獻上贖罪祭。最後，五章5至13節提供一些連最貧窮的人也能負擔的祭，這使他們能得著贖罪祭的潔淨能力。

四1-2 贖罪祭的目的 「若有人在……不可行的甚麼事上，誤犯了一件」（1節）這句子引出了支配整章的兩個鑰字。第一，此處的「罪」（ḥaṭā‘）意指「不中的、失敗或犯錯」。本章中某一個祭的名稱從這動詞的加強語意形式演變出來的，而其意思是「除罪，潔淨罪」。那個祭稱為 ḥaṭṭā‘t 通常譯作「贖罪祭」。然而，其目的較不在於處理罪本身（雖然它也像所有流血的祭一樣，有贖罪的功能），卻在除去罪的影響，即罪所引致的污穢。燔祭的主要目的是贖罪、補償，其用意是安撫神的憤怒，贖罪祭則主要為了潔淨聖所和祭壇，以致神可以繼續住在祂的子民當中。神不可以住在不潔之中，因此這祭是為了潔淨祂居住的地方。因此，有些學者把這祭譯作「潔淨祭」。

第二，「誤犯」（biše gāgâ）一詞的字根含義為「迷路」，像羊一樣。因此，全章都以此字詞來包括那些並非故意叛逆或違抗神的罪，而是由於日常生活中的懦弱或錯失而犯的罪。它可指非故意的、意外的、疏忽的。希伯來律法十分小心地把意外的行為和刻意的行為分別出來。它用「專橫地犯罪」來表達那些蓄心積慮的、故意行惡的行為。在律法中，這些行為必須以嚴刑峻法來對待（這種區別的最佳例子在民三十五章殺人的律法中找到），而在獻祭的制度中，並沒有祭為這種罪而設（民十五27-31）。

贖罪祭也用來潔淨一個在禮儀上不潔，卻沒有罪的人，如產後的婦人（十二6-8）或患了皮膚病的人（十四19），或患漏症的人（十五15）。一般來說，那是一個為潔淨而設的供獻，跟赦罪不同，雖然也有關連（十五31）。

四3-12 為了大祭司的罪 在這經文內，「受膏的祭司」幾乎肯定是大祭司（參民三十五25）。由於他有代表性，所以他犯了罪，全民就因他的罪而被玷污。由於他身負重任，故此要潔淨他所犯的罪，所付上的代價也是最高昂的——一隻公牛犢。又由於他在神面前，並在神的聖所工作，故此他的罪使神居住的地方也變得污穢。因此，潔淨必須「在會幕內」進行。

公牛犢帶來後，祭司要「按手在牛的頭上」（4節），就如一般敬拜者把祭牲帶來祭司面前時所作的。意義也相同。公牛會帶著他的罪。牠會代替他而死。公牛的血會為祭司的性命而流，會潔淨他事奉的所在，並會除去他所代表之眾民身上的威脅。

此處處理血的方法（5-7節）跟別的祭有所不同。在燔祭和平安祭中，血會灑在壇的周圍，買贖敬拜者的罪。在贖罪祭中，一些血會盛在器皿中，帶進「會幕」，但並不會進入「聖所」（那只會在贖罪日出現，利十六章）。在那裏，有些血會彈在把會幕分為兩部分，並隱藏著神的至聖所的「幔子」上（出二十六31-37），有些血則會彈在「香壇的四角上」，那裏常有香在燃燒（出三十1-10）。這些角是從壇的四角向上垂直突起的部分。其後，所有餘下的血會倒在外面主祭壇的腳那裏。祭牲的脂油會燒在壇上（像平安祭一樣，8-10節），但祭牲整個屍體會「搬到營外」，用火焚燒（11-12節）。由於這祭是為大祭司的罪，並間接為整體以色列民而獻上，所以祭司和眾民都不可吃祭牲的肉。

四13-21 為全會眾的罪 經文中用了兩個不同的字來指整個社群。第一個是 ‘ēḏâ，可能是指會中的長老，他們作為法律和社交的代表團體。第二個是 qāhāl，可能指聚集敬拜的更大社群。這些用字的確實意義不能肯定。但此處可見的是，當他們犯了一個錯誤（可能是一個錯誤的判決，或其他社群方面的決定），而後來才發現，則每當敬拜的群體察覺這事，又感到內疚，便要把贖罪祭獻上。「若行了……不可行的甚麼事，誤犯了罪」（13、22、27節）可能譯作「感到內疚」更好。明顯地，任何人「行了耶和華所吩咐不可行的甚麼事」，都是有罪的。重點是他們起初並不知道。因此，惟有當他們知道自己的錯處，並感到內疚，他們才需要獻上贖罪祭。在以色列人生活中每一個層面，「長老」（15節）都是全會眾的代表（比較出二十四1、9；民十一16及以下）。

在儀式上，為全民所獻的祭，跟為大祭司所獻的祭一樣。一方面，這證明了祭司是代表眾民的，如我們在上文所見。另一方面，這表明以色列全體，都給視為祭司。因此，他們也必須聖潔和潔淨，而他們的罪，即使是不知不覺間所犯的罪，也會玷污神的居所。神子民犯罪的嚴重性，無論是古時或

現今，在於破壞他們在世人中間為神所作的見證。若整個教會都偏離了正路，列國還能在那裏看見神的居所呢？

在以下兩種較不嚴重的情況下，血不用彈在會幕裏，而在會幕以外，「祭壇的四角上」。祭牲也不及那為大祭司和眾民獻的公牛犢那麼昂貴。首兩種情況和其後兩種情況的另一個主要分別在於祭牲的屍體不會在營外焚燒。把祭牲的脂油獻上後，其餘的祭肉會留給祭司吃（六24-30），但卻不會給敬拜者吃。

四22-26 為官長的罪 官長（*nāśî'*）一字，在以色列人立王之前，常用來指以色列中的掌權者。這字可指族長或支派首領。那是一個尊榮和要負責任的崗位，並受到嚴厲之律例的保護（比較出二十二28）。在這情況下，所獻上的祭牲是公山羊。

四27至五13 為庶民的罪 在這情況下，標準的祭牲是母山羊或母綿羊。至於較貧窮的人，獻雀鳥或素祭都可以接受。

庶民所獻之贖罪祭的祭肉，只有祭司可以吃，因此這些供獻，是祭司之肉食的主要來源，正如素祭是他們五穀的主要來源。這就是何西阿責備他那時之祭司「喫我民的罪」（何四8）的假借意義。由於罪和贖罪祭的用字相同，故此祭司們那扭曲了的觀念是：「更多人犯罪，我們便有更多肉可吃」。

五1-4 典型的罪 這4節經文列出了3種典型的罪，人必須為這些罪而獻上贖罪祭。第一，人有確實的證據而不作見證（1節）。以色列律法看司法制度中的公正不阿為極之重要的事，因此對誠實的見證十分重視，以致把它包括在十誡之中（出二十16；參出二十三1-9；箴十二17，十四5，二十四28）。刻意作假見證是一項嚴重的罪行，會受到嚴厲的處分（申十九15-21）。

第二，意外沾染不潔（3節）。舊約對潔淨與不潔淨的區別，我們會在稍後再討論。我們應留意，雖然新約取消了物質上潔與不潔之區分（可七1-23；徒十9-16），但使徒仍不鬆懈地鼓勵基督徒追求聖潔的生活，避免道德和靈性上的污穢（參雅一27）。

第三，一個人冒失發誓而沒有履行誓言（4節）。善或惡大概是指任何事（參賽四十一23）。一言既出，四馬難追，縱然只是一時不慎所說的話。因此，冒失發誓而不履行應許，是一個罪，也需要加以潔淨，尤其是當人用了神的名來起誓的時候。以色列中智慧的導師多次警告人說話要謹慎（箴六1-5，十二18，十五2；傳五2-7），而耶穌和雅各都曾指出，我們說話要誠實真確，因此並不需要起誓來加以支持（太五34-36；雅三5-6）。

他必須「承認所犯的罪」（5節）。即使是失敗、怠慢、疏忽或大意，這些也是罪，必須承認，好使犯罪者得潔淨和救贖。對我們當中許多人來說，日常所犯的罪可能大多數屬於這些類別。我們可能並非一開始就刻意要背叛神和犯罪，但在生活的壓力和人性的懦弱下，我們發覺在一天過去後，我們不得不像公禱書裏的認罪文一樣，承認：「我們犯了罪，如像走迷，我們只按著自己的心思意念去行，應該作的事，我們沒有作，不應作的，我們反去作。」

這正是贖罪祭的定義中叫我們想起的行為。因此，我們不應讓這些每天所犯的過失，積壓成一股陰霾和使人懦弱無助的罪咎感，卻應認罪而得赦免，這是十分重要的。藉著基督的獻上，我們得著的贖罪和赦免（五6、10、13），比以色列人藉著祭司在壇上獻祭的贖罪更確定，這對我們來說，是多麼叫人安心的信息。

五7-13 「他的力量若不夠……」 這幾節經文為民中較貧困的人提供另一些可獻的祭，可以取代贖罪祭的素祭（11-13節），只是所獻的分量極少。「伊法十分之一」約相等於一公升細麵，但準確的分量卻不得而知。祭物上不可加上油和乳香，以顯出其獨特的目的（11節）。祭物反而要與燒在壇上的祭牲混和，以表示它代表和算為一個血祭：「是贖罪祭」（12節）。

聖經提供另一些可採用的祭，清楚顯示了神最想要的，並不是人帶著許多祭物前來，而是無論他們所能負擔的是多麼有限，只要他們到來，親自接受祂寬宏的赦罪。救贖和赦罪的確證並不會減少（10、13節），因為神看人的內心，並因為所有赦罪，最終都是根據基督所獻上的那永恆的祭，而不是根據罪人可負擔的任何祭物的相對價值。一個

證主21世紀聖經新釋

人知道他可以只帶著一杯麵粉和一顆認罪的心來到神面前，仍然能夠得到赦罪，他就開始認識到一些關乎神恩典的基本真理。認識了這樣的恩典，就是國中最有勢力的人，也知道神不會因極多的祭物而動心，若他所犯的罪是刻意且嚴重的罪。在這樣的情況下，唯一的希望是帶著一個破碎和痛悔的心，奔跑來到這恩典中，根據神那愛和憐憫人的本性，祈求得著潔淨（詩五十一1-2、16-17）。

五14至六7　贖愆祭

在傳統上，這祭('āšām)在許多譯本中都稱為贖愆祭。然而，所有血祭都有除罪的功效，而燔祭尤其能達致這功效。這部分所描述的祭之獨特處，在於它有歸還、賠償的用意；人必須因霸佔了別人的財產或在物質上犯了罪，而必須償還。因此，一些學者稱之為「賠償祭」。像平安祭一樣，它考慮到罪的橫向影響。這些罪行使鄰舍蒙受損失，敬拜者必須為這些事情作出補救，並且尋求神親自的赦免。

此處也用了另一個希伯來文的罪字(ma'al)，並且譯作「過犯」（五15）和「干犯」（六2）。其意思是背信，因此切合此處列出的罪，即犯罪者因與祭司或鄰舍相交時缺乏誠信。以下列出3類這方面的罪。

第一，「在聖物上」犯罪（五14-16）。聖物是指到神聖的財產，即任何獻給神或為了祭司的供職和聖所而獻的物件。那包括了所有的供獻，因而也包括祭司從獻祭者得到的食物，以及祭司的房屋和別的財產，以及眾民應作的什一奉獻（參利二十七）。因此，這以含糊的字眼所指出的過犯，可包括取去和吃了屬於祭司的食物，或不能付上當付的供獻和什一奉獻（例如出三十11-16；王下十二16）。所要求的是獻上一頭「公綿羊」，及按他所取用之物件的價值來「償還」，並「另外加五分之一」。

第二種過犯（五17-19）用了更含糊的字眼來表達（五17-19）。根據上下文，那可能指任何與聖所、聖物或人有關的過犯。重點在於那人「不知道」，卻感到「有罪」。若有人良心不安，懷疑自己干犯了聖物，但卻不能具體確切地說出怎樣違犯，他們可以獻上贖愆祭，但卻不用付上百分之一百二十的賠償，他們可因得著赦罪的確證而心裏有平安

（18節）。

第三個類別（六1-7），從聖物轉移至一般人與人的關係，以及包括在產業上背信的罪。此處指出了4種情況（六2-3）：在受託的產業上行詭詐、搶奪人的財物、欺壓鄰舍，和撿獲失物而說謊。出埃及記二十二章7至15節也談及相類似的爭執，在出埃及記中，所作出的賠償是物件價值的雙倍，而不是此處要求的另加五分之一。原因也許是出埃及記律法中所處理的個案是犯罪者已被帶上法庭，並且有證據證明他犯了罪，而此處所處理的是人自願認罪，並獻上相應的祭物。此處較輕的刑罰能鼓勵人自己坦白地招認，而不是等到被擒拿或指控並證實有罪。

我們可注意，人在獻祭之前，必須先作出全數再加上五分之一的賠償。人在向受損的一方作出彌補之前，決不能得到神的赦免。我們在處理一件過犯的縱向影響之前，應先顧及其橫向的影響。本章一開始，已提到這種罪的兩個層面：一個人欺騙了鄰舍，也就是「干犯耶和華」（六2）。耶穌絕不是看見第一和第二個誡命之間的連繫的第一個人（參利十九13、18；太五23及其後經文、43及其後經文，二十九19；羅十三8-10；加五14；雅二8）。

這樣，贖愆祭便完全了以色列人及其家庭要獻上之祭的清單。我們應停下來思想一下其中所蘊含的象徵意義。舊約中關乎罪的字彙包羅很廣，正因為它要傳達它對人類困境之了解的深度和多樣性。4種血祭描繪了4種不同的罪，雖然它們顯然是相關和重疊的，並且提供一些適切於那些不同層面的補救方法。燔祭看人的罪為在神面前實在的過犯，而這祭可用作主要的贖罪祭，它安撫神的憤怒，使這震怒不在罪人身上爆發，藉以提供救贖。平安祭認為罪使人與人之間的關係破裂，造成障礙，這祭強調重建關係和分享喜樂的需要和祝福，但在神方面仍提供救贖。贖罪祭看罪為污穢和污染，它無可避免地冒犯了聖潔之神的同在，因此這祭提供潔淨和除罪的方法，以致神可繼續住在其子民中間。贖愆祭看罪為一種過失或負債，人必須為此而償還，因此，這祭要求人作出完全的賠償，並要獻祭。新約在各方面確定這些真理，並且在最後一隻祭牲獻在以色列人的祭壇上很久以後，這些真理仍然有著重大的

神學價值。

六8至七38　給祭司的指引

　　驟眼看來，這部分好像只是重複先前各章。然而，兩部分的分別在開始的一句話可見：「你要吩咐亞倫和他的子孫」（六9）。其後是主要給祭司的指引，內容關乎他們在每一種獻祭中的責任，以及他們在其中可享有的祭物。先前各章主要是給庶民的指引。

六8-13　燔祭

此處記錄了兩件主要的事項。第一，主祭「壇上的火，要常常燒著，不可熄滅」。經文多次強調這一點（9、12-13節）。除了以色列人獻上的燔祭外，聖經多次指出，祭司必須早晚獻上燔祭（出二十九38-42）。晚上的燔祭是一日中最後的獻祭，因此，當夜更的祭司要負責確保壇上有火常常燒著（比較代上九33；詩一三四1）。

　　聖經沒有指出這樣做的原因，因此我們解釋時必須十分小心。火必然與神的同在有關，兩者都是一種有保護作用的指引（出十三21及其後經文），並且火也用來消滅罪和罪人（比較利十1-3）。因此，壇上要常常有火，可能暗指神永遠的同在，或人不斷需要贖罪和奉獻生命，或同時指這兩項。

　　第二，縱使執行清理灰燼等卑下的工作，當值的祭司也必須穿著合宜的衣服。那就是祭司所特有的「細麻布衣服」（10節）。但當他要把灰從祭壇「拿到營外」，他就必須換上平常的衣服（11節）。舊約律法一直關注要把神聖的和普通的劃分清楚。關乎祭司和聖所之各項物件的獨特性，不斷用作實物教材，讓以色列知道她作為一個聖潔的國度時，在世人中間的獨特性。在一個使人難忘的象徵性行動中，耶利米指出，神一直希望把以色列穿在身上，像祭司的細麻布衣裳一樣，好使祂顯示自己的榮耀。然而，由於以色列人拜偶像，他們變得污穢，不能穿著（耶十三1-11）。一群與世人妥協的民，已失去了他們作祭司的使命，並且像耶利米的腰帶一樣，對神已「完全無用」了。

六14-23　素祭

所有祭司都可吃以色列民帶來的素祭，但要在取出記念性的一把，燒在壇上之後，並且他們要在會幕的院子裏吃。「是至聖的」意思是只可供祭司享用。

贖罪祭和贖愆祭也有這特徵（六25；七6），跟平安祭不同，因平安祭是供敬拜者與家人朋友分享的。祭司自受膏按立那天起（20節），便要天天獻上素祭（19-23節），「要全燒給耶和華」，不可吃用。希伯來書作者把這祭對比於耶穌基督只一次最後的獻上（來七27）。

六24-30　贖罪祭

聖潔有一種「蔓延」的特質。任何人或物件與聖物接觸了，都會受其影響，而需要按著聖物的規條來處理（比較六18）。這使那人或物件與神接近，而那可能是危險的，因此這些東西必須洗淨（27節）或打碎（28節）。

七1-10　贖愆祭

這部分說出贖愆祭禮儀的細則，而這是先前的贖愆祭部分所沒有的。其儀式與贖罪祭相若。本部分也指出祭司可取得燔祭祭牲的皮（8節），以及各種不同的素祭（9-10節）。

七11-36　平安祭

第12-18節指出，在3種不同的情況下，人可以獻上平安祭：「為感謝獻上」（12節）、「為還願」或「甘心獻的」（16節）。第一種平安祭有獨特的規定（12-15節），但其後兩種的處理方法則相同（16-18節）。

　　「這人必從民中剪除」這句話引起許多爭議，而這個表達法在本書後期常常出現。「從民中剪除」意思大概不是把他打死（用於死刑的說法有所不同）。有些人認為意思是把他逐出，即把他與敬拜的群體割離。但對於某些罪行來說，這卻看來過於寬大（如二十章）。最有可能的解釋是，那是一種從神而來的咒詛。一個在某些方面犯了罪的人，按其本質可能不會被帶到法庭上作公開審訊，但他在神直接的懲罰性行動之下，卻會顯露出來。神的懲罰可能是死亡，但也可能是其他形式的判決。例如，在第二十章中，經文指出，縱然人不能審判某些犯了罪的人，但神會親自「把他們剪除」，這暗示祂會直接介入干預。

　　第28-36節表明在平安祭中，祭司可取得的部分——「胸」（30節）和「右腿」（33節；沒有指明是前腿還是後腿，但較可能是前腿，或肩膊部分）。胸要作為「搖祭」，可

能指祭血要在祭壇上作前後的搖擺，也許是象徵把祭血獻給神，後再取回。腿要作為「舉祭」（34節）。此處的用字意義不明，古時猶太解經家認為那是指「挺舉」，即也許是一種上下搖動的動作。然而，其中實際的動作及其重要性已不清楚。重要的是，這些祭肉的部分要歸給祭司，作為他們「受膏的分」（35節），即因他們被按立（受膏，36節）而有的權利。

來到敬拜者和祭司獻祭手冊的結尾部分，內容似乎變得極端複雜和儀式化。然而，那可能只是一種錯覺，大概由於整件事對我們來說，都十分陌生。事實上，若與其他可知的古代祭儀作一比較，以色列人的制度已相對地簡單和直接。我們所研讀的律法，是藉著給予平民和祭司一些清楚簡單的律例去依循，來保存一些威嚴和有意思的象徵行動，因這些很容易會變質而成為嘈雜混亂的儀式。正如保羅指出，基督徒的崇拜活動需要端正和有規矩（林前十一至十四）。

我們也可從反面去看以色列獻祭制度的獨特性。這制度不容許有占卜，即從祭牲的內臟來觀兆，預測吉凶。神給我們更好的途徑去認識祂的旨意（參申十八9-20）。其中不容許獻人為祭，或甚至自殘身體或使用人的血來獻祭。交合的儀式完全不存在，而為死人獻祭及其他邪術也同樣不容許。

人藉著獻祭而從神得著的，就只有赦罪的宣告。人絕不可從神那裏贏得或賄買別的好處。為了其他原因而獻的祭，只是「回應」神的賜福或保護，而不是為了「收買」神的福祉。獻祭不會按所獻的數量來分等級，因此有財有勢者不會特別有利。相反地，制度中也有規定為最窮困的人而設，而他們也像其他罪人一樣，得到「同等」的赦罪。以色列人的制度實在是獨特的，其中沒有特別的祭，只供皇室獻上。像以色列的其他制度一樣，獻祭制度是配合一般平民的需要。社會經濟的研究指出，以色列的獻祭禮儀，不會在一般家庭的資源中，作出過分的要求。他們若要獻祭，就必須把最好的獻上，但他們不用在一種宗教重擔之下，為了獻祭而傾家蕩產，而他們的獻祭，也不會製造出一群有權有勢的宗教分子。

附註　利未記的獻祭、新約與基督徒

我們已留意到各種獻祭怎樣使我們看見罪的影響和神不同的補救方法。我們若翻開新約，會發現當中很少提及這些祭的名字，但其主旨卻好像在舊約一樣豐富和多樣化，無論是應用於基督本身的工作，還是我們作為信徒和敬拜者的回應。上文提及的所有主要重點，在新約中都有相應的迴響。

贖罪祭是處理罪的污穢和污染，方法是使用祭牲的血來潔淨神居住的地方。新約同樣強調基督寶血的潔淨能力。這祭不但除去罪垢，也滌除它的污染。希伯來書談及神在天上的住所時，也指出了這一點（來十23及其後經文），並把它應用在潔淨信徒的良心上，經過潔淨，使他們有信心地親近神（來九11-14，十19-22）。約翰一書也強調這真理。耶穌的死（祂的血）是只一次和最後的，但其潔淨的能力，卻可以藉著我們的認罪，常常應用在我們生命中（約壹一6至二2）。

贖愆祭堅持人得罪了鄰舍，就必須作出相應的賠償，來恢復健康友好的關係，這是人恢復與神的正常關係的一部分。正如我們在上文所見，這對基督徒來說也是一樣。「免我們的債，如同我們免了人的債」這句話，大概是耶穌有意作出一個具體的應用，而並非只是顧及感受或態度。祂藉著可怕的警告和相關的比喻，加強了這事的重要性（太六12-15，十八21-35）。但贖愆祭本身的性質，主要作為一種賠償或補償，也暗指犯罪本身，就是我們欠了神的債。我們要為罪付上代價。這思想深藏在人對過犯和行惡的觀念中。我們仍會談到要罪犯為其罪行「付上代價」。這觀念若在社會的法律架構中正確地得到控制和了解，就跟個人的報復，宣稱：「以其人之道，還治其人之身」，很不相同。贖愆祭提供一種途徑，讓我們把犯罪所要作出的賠償，可藉這祭「償還」給神，這就好像人向受虧損的一方，作出物質上的賠償一樣。

在以賽亞書五十三章，耶和華僕人之死是用獻祭的用詞來表達。祂是代替別人受苦和受死的那一位，「他像羊羔被牽到宰殺之地」（賽五十三5-7）。**第10節**具體地指祂的死為一個贖愆祭（和合本譯作「贖罪祭」），為別人所犯的錯而作出賠償，以致他們可以得稱為義（11節）。以賽亞書五十三章的詩歌，對於新約神學中關乎基督的死方面，有極深

的影響（參太八17；路二十二37；彼前二24-25）。基督犧牲的代死，不單救贖了我們的過犯，和潔淨了我們的罪污，而且還償付了我們的罪債。這種說法當然是有隱喻成分，而我們不能追問這贖價是怎樣繳付和付給誰的。新約和舊約聖經，都只是使用這些不同的模範樣式，去探索我們那深不可測的救恩。我們最終的任務，並不是用理論去說明救恩，而是憑信心進入救恩的祝福之中。

平安祭是引進分享筵席的獻祭。因此，它包含了縱向的角度（因它像燔祭一樣有救贖的血祭）和橫向的角度（因它鞏固了人與人之間的關係）。因此，平安祭最適合用來表達以色列人與神之立約關係的中心要點。在某種意義上，它是一個聖筵，跟新約的中心筵席—— 主的晚餐—— 有相似的特徵。耶穌說那晚餐是「用我的血所立的新約」，叫人想起出埃及記二十四章8節，其中平安祭也是確證了西乃之約的獻祭之一。

基督徒的敬拜，尤其是聖餐崇拜，應該是喜樂和互相關懷的。因此，當希伯來書作者提醒信徒說：「不可忘記行善，和捐輸的事（與別人分享），因為這樣的祭，是神所喜悅的」（來十三16），他所想著的，可能就是平安祭。我們也可留意，**保羅強調預備聖餐時，人要省察自己**（正如以色列人參加平安祭之筵席時，也必須在禮儀上是潔淨的；林前十一27-31；比較利七20），**也要保持社群中的和諧，以及為較貧窮的肢體著想**（林前十一18-22）。

素祭代表神的恩賜和人為神所作之工的一種奉獻。素祭似乎是與別的祭一起獻上的（也許素祭也一樣）。整個禮儀因而有一種雙向的動作：救贖和赦罪從神而來，以回應祭牲所流的血，而生命與工作、讚美、感謝和敬拜都由敬拜者及其家人獻上給神。同樣地，在新約中，**雖然主要的祭是耶穌在十字架上把自己獻上了，作為我們與神和好的最後和全備的基礎，但信徒向神的回應，也以獻祭的用語來表達。我們所能呈獻給神的，包括我們的身體、心思、讚美，和物質的供獻**（羅十二1-2；腓四18；來十三15-16）。

最後，舊約制度中還有一方面，就是給予事奉神者物質上的支持，在新約中也有相同之處。祭司收入的主要部分，來自供獻的祭物，包括素祭、平安祭祭牲的胸和腿及細麵餅，贖罪祭和贖愆祭的祭肉，燔祭祭牲的皮，可能還包括一些贖愆祭中價銀。這看來好像很多，但那是極之需要的，因為利未支派並沒有份地，因而除此以外，並沒有其他的收入。他們的生活全賴眾民的誠實，正如其他孤寡軟弱的人一樣（申十四28-29，十八1-8）。

在新約中，牧者不會稱為祭司，但以事奉神及其子民作為主要職業者，應得到適當的報酬和關顧，這原則是神所贊同的。耶穌曾這樣說（路十7），而保羅也明明地教導信徒（林前九章）。可是，有時人卻以保羅為例子，支持基督徒工作者必須憑信心生活，或靠自己的勞力生活的說法。有些基督徒——他們自己在俗世的工作中有不錯的收入——便利用這觀點，來指稱一些牧師、傳道人和其他教會工作者那近乎可恥的貧窮，是合理的。但保羅在哥林多前書第九章的整個要點是說，他自己只是一個例外，而他的教導是，基督徒工作者「有權柄」接受教會的支持去過活，還要足以養活一個妻子（4-5節）。他從俗世的工作來作類比（7節），並引伸舊約中有關作工之牲畜的律法（8-10節；參申二十五4），又從屬靈與物質祝福之平衡（11節）、從正常公平的對待（12節）、從祭司所得的分（13節）和耶穌直接的命令（14節），來建立他的論點。他沒有別的論據，較此論據更加有力！因此，他個人選擇因自己的理由而放棄他的權柄（15-18節），就必須被看為例外的，而不是正常的標準。保羅在其他地方也同樣強調這一點（加六6；提前五17-18）。

八1至十20　祭司制度的設立

這三章聖經轉回去敍述西乃山上的事件，這事件在出埃及記早已有記述，但被利未記一至七章有關獻祭的指引中斷了。此處記述以色列人把出埃及記二十八至二十九章的指引實行出來的實際情況。因此第八章一開始便談及聖衣、膏油、祭牲和盛載無酵餅的筐子。這些東西是特別的，因為出埃及記中已有詳盡的描述。

這三章聖經中所敍述的繁複儀式之目的，在出埃及記二十九章44至46節已指出，而我們在閱讀時必須謹記。目的就是這位已把子民從埃及為奴之地救贖出來的神，應為他們

所認識，而當祂住在他們中間時，祂要藉著與他們立約的親密關係被他們認識。作為以色列人，有神住在他們當中是最主要的祝福。沒有了神的同在，他們就不再獨特，並且可能就此停留在曠野裏（出三十三14-16）。神的同在，一方面可見於祭司聖袍的光芒中，另一方面可見於神在會幕中的榮耀裏（出四十34及其後經文；利九23-24）。

這三章經文應一併閱讀。經文首先敘述摩西為亞倫及其子進入祭司聖職所作的準備（八章），跟著是他們怎樣接任聖職，和進入有祝福、火與榮光的高潮（九章）。最後，經文指出這事件怎樣因不順服和審判的悲劇而被破壞（十章）。因此，3章聖經也就與其他聖經故事一起，強調順服的重要性、不順服的危險，及怎樣在神子民生活中最歡樂或嚴肅的時刻裏，也難免有人為的叛變或愚不可及的事情發生（例如出三十二至三十四；書七；撒上十五17-23；撒下六1-7；代下二十六16-20；徒五1-11）。

八1-36 亞倫及其子的按立

八1-5 準備 所有指定的材料都已集齊，又招聚了「全會眾」，那可能指作代表的眾長老，他們代表全體會眾在會幕的院子裏見證這事（參九1）（但無疑許多人都會嘗試找尋有利位置，一睹事件的進行）。「**照耶和華所吩咐的**」（4-5節）這句話在第八至九章常有出現，強調摩西和亞倫都表現得對神的話作出絕對的順服，但也使十章1節的打擊來得更猛烈。

八6-9 亞倫的聖衣 經過潔淨的禮儀後，亞倫便穿上特別為他作大祭司的職分而縫製的衣服。這套聖衣包括外袍、腰帶（或寬帶）、以弗得（用肩帶繫著斗篷）、胸牌，內有烏陵和土明（一些神聖的「骰子」或籤，用來作出各樣決定，以回應人的求問），還有一個冠冕，冠冕前釘著金牌，上面寫上「歸耶和華為聖」。這些東西的詳細描述可見於出埃及記二十八章，在那裏可見這聖衣是色彩斑斕的，並有細緻的刺繡和裝飾。即使每項物件有其特別的象徵意義，我們現在也不得而知，因為經文中並沒有記載（除了胸牌，胸牌上有以色列十二支派的名字，因而清楚指出祭司那代表性的角色；參出二十八21、

29）。因此，我們毋須刻意去猜測。然而，聖衣給人整體的印象是華麗和榮美。這不單突顯了亞倫及其繼承者此聖職的權柄和尊嚴，也反映了道德和靈命之聖潔有其可見的獨特性。

八10-13 膏立 如出埃及記四十章9至11節所規定的，摩西要用油來膏抹所有參與敬拜神的物件和人。膏抹象徵分別出來，奉獻為神作特別的工作。君王要被膏立（比較撒上十1及其後經文，十六13），有些先知也要被膏立，但在那些情況下，除了實際意義外，還有隱喻的含意（王上十九16；比較賽六十一1）。此三者（祭司、君王與先知）在新約中併合而成為人對耶穌的了解——「基督」、「被膏立者」。

八14-30 獻祭 跟著是3種獻祭，準確如出埃及記二十九章10至34節所規定的。首先，宰殺「贖罪祭的公牛」（14-17節），好以牠的血來潔淨祭壇，免得供獻被玷污，那是一件嚴重的事（比較瑪一7）。然後是「燔祭的公綿羊」（18-21節），而最後是「第二隻公綿羊，就是承接聖職之禮的羊」，那實際上是一個平安祭（22-30節）。從這最後的祭中，取一些血來抹在亞倫的「在耳垂上，和右手的大拇指上，並在腳的大拇指上」，又抹在他兒子身上相同的位置（23-24節）。意思可能是祭司也像其他人一樣有罪，需要完全的潔淨，要像經文所記載的，從頭至腳都得潔淨。在上述每一種獻祭，亞倫和他的兒子都按手在祭牲頭上，這做法也支持以上的論點，因為按手是認罪和把罪轉移的象徵。若這血主要是為了分別為聖（如在30節），則這行動是象徵祭司要全然成聖去聽神的話並遵從，執行所交付的職責，並行在神的路上（耳朵、手和腳）。在這兩方面，基督作為我們的大祭司，都超越了利未的眾祭司。基督不需要為自己的罪而獻祭，而祂的順服更是完全的（來四14至五9，七27，十5-10）。

八31-36 授任 整個聖職的授任需時「七天」，期間亞倫和他的兒子不可以離開聖所。本章以再次強調順服來結束，「免得你們死亡」（35-36節），是對十章2節那事件另一個嚴厲的警告。

九1-24　亞倫及其子開始供職

本章的模式跟第八章很相似。主要的分別是在第八章，摩西履行祭司的職責（同時也作為先知，因為神的命令都由他傳達），而亞倫和他的兒子則扮演一般的敬拜者，但在第九章，亞倫因授任已完成，便接過祭司的職責，而眾民也憑著他們的權利，在敬拜中有所參與。

九1-7　預備　摩西命亞倫取一隻「公牛犢」來，作為他當大祭司的第一個贖罪祭，此舉可能是有意要挖苦他，因為在故事中，亞倫上一次擔當重要角色的背景，是他與眾民一起背叛神；當時摩西正在山上，而亞倫則造了一隻金牛犢來敬拜（出三十二）。事實上，全因為神的憐憫，亞倫才倖存至今天，更休說他要承受擔任大祭司的權利。許多人都已在那次事件中死去。也許因為這事件記憶猶新，所以亞倫在兩個兒子遭逢厄運時，也只有啞口無言。

神的「榮光」（4、6節）指祂可見和可感受到的同在，在別處以煙和火來顯明。經歷神的同在是那一天的目的，也是以色列人繼續獻祭敬拜的目的。禮儀本身並不是一個目標，而是一個途徑，讓人經歷神在榮光中與人同在，及人以喜樂之敬拜回應（24節）。基督徒的崇拜禮儀跟以色列人在祭壇上獻燔祭有天淵之別，但最終目標卻相同（參來十二28-29）。

在此值得重提兩件相似的事，就是以色列的祭司要為其餘以色列人所作的工，及以色列人作為神的祭司，要在其餘各國各民中所扮演的角色。以色列祭司的事奉使神的榮耀被人看見和加以回應。同樣地，神希望透過祂的子民，祂的榮光能被世人看見。據眾先知所說，這正是神創造和呼召以色列人的原因（賽四十三7、21，四十九3）。因為祭司的工作能使人看見神的榮耀，所以它有一種外展、宣教的意義，而神的榮耀有一天會充滿全地（哈二14）。

九8-21　供獻　此處的供獻分為兩組。首先，是為祭司自己而獻的贖罪祭和燔祭（8-14節）；其後，是為眾民，即代表全體以色列民的眾長老（參出二十四10-11）而獻的贖罪祭、燔祭、素祭和平安祭（15-21節）。第二組供獻的次序是重要的，這次序顯示敬拜時的正確次序：潔淨、贖罪、分別為聖和團契相交。分享平安祭之筵席，是給予嚴肅的一週一個喜樂的結束，並且也提供合宜的氣氛，來預備隨後發生的事情。

九22-24　祝福、榮光、火與歡呼敬拜　無論亞倫是否在這場合為眾民祝福，他祝福的話已記錄在民數記六章23至27節。至於「榮光」所指為何，請參4節、6節和出埃及記四十章34節。從神面前出來燒盡燔祭的「火」，可能是一些像閃電的情況。這火並沒有點著祭物，因祭物已一直在燃燒著，火卻是即時把餘下的祭物燒盡了（參士十三15-21；王上十八38；根據代下七1，把那取代會幕的聖殿獻上時，也有類似的事件發生）。眾民對神喜悅和同在的回應是喜樂地歡呼，並俯伏在地敬拜（參來十二28-29）。

十1-20　審判拿答和亞比戶

十1-7　從耶和華出來的火　本章開始時那種氣氛的忽然轉變，使人深深感受到從喜樂變為害怕的突如其來。第八至九章不斷重複說，每一件事情都是「照著耶和華的吩咐」去做，但在這時，亞倫的兩個兒子拿答和亞比戶，卻忽然做出了一件神並沒有吩咐的事。一種不順服的態度悄悄地溜了進來。經文並沒有解釋何謂「凡火」（1節）。其希伯來文(zārâ)意指「陌生的」、「從外面而來的」。也許他們是從聖所外取火，而不從壇上取火（參十六12），好像要說：「任何火都可以的。」這樣的火是不神聖、不潔淨、不合法的，因此，跟上述小心翼翼地執行的各步驟比較起來，這行徑是荒唐、無理和可惡的。他們用凡火所作出的行動，也侵奪了大祭司的職權，因而是放肆的，也許有嫉妒和不耐煩的成分。他們的行為並非在禮儀的細節上偶然的錯漏，而是傲慢地漠視事件中最嚴肅的意義；他們在按立祭司聖職這事件中是有份的。這就好像一位牧師在舉行聖餐時，加插了一些與其他神祕宗教有關的禮儀或物件一樣。

神以祂憤怒的真火回應他們的凡火。那可能只是像閃電般的情況，而不是一場大火，因為他們的衣服並沒有燒毀，只是變成他們的壽衣而已（5節）。**第2節**是刻意地對應

著九章24節。此處出現的並不是帶來歡呼喜樂的祝福之火，而是使人震驚無言的審判之火。亞倫「默默不言」（3節）。只有摩西在寂靜中說話，他的話應使眾祭司此後加倍小心和殷勤，但可惜並沒有（3節）。「我要顯為聖」一句，可能更好的譯法是「我必須得到神聖的對待」（新英語譯本）。一個人愈親近神，他就要愈小心留意祂的聖潔。否則，他會使神在眾民面前蒙上羞辱（3節下）。自己輕視屬神的東西已經不好，若使其他人也這樣做，情況就更壞（參撒上二12-17、29-30，三13；路十七1-2）。

神在此的審判仍叫我們震驚，而其嚴重性也跟拿單和亞比戶所擁有的權利和責任有關。他們的審判有一個警告和作鑑戒的目的。這是一個常在聖經出現的原則，即人有更大的權利，便要受更嚴厲的教訓。摩西自己也因為一個同樣被指為輕視神之神聖的行為（民二十12），而永遠不能得見應許美地。這原則也應用在以色列民整體之上；他們受罰，也正因為他們與神有獨特的立約關係（摩三2）。若我們仍覺得這即時審判的舊約故事難以接受，我們應記得新約中也有同樣嚴厲的警告，談到那些曾見證神的工作者，或領袖應有的責任（路十12-15；比較十二48；來六4-6，十26-31；彼前四17；雅三1）。

十8-11　祭司的職責　第一，祭司在執行聖所中的工作前，酒「不可喝」（9節）。許久以前已有人認為這命令放在這裏，是因為拿答和亞比戶是在醉酒的狀態下犯罪。那是有可能的，但經文並沒有這樣說。原因更有可能在於以下有關祭司的職責中，因祭司執行任務時必須頭腦清晰。在舊約中，酒是神給予世人的恩賜和祝福，可用作慶祝歡宴（詩一〇四15），也可減輕痛苦（如死別時；參箴三十一7）。然而，喝酒過量，卻會使人神志不清和放蕩淫逸（箴二十三20-21、29-35），因此那些身負重任，需要決斷英明的人，就必須滴酒不沾（箴三十一4-5）。祭司並非任何時候也不能喝酒（那只是拿細耳人之願的一部分，而且通常是暫時性的，參民六1-20；摩二12），只是在執行職務時不能喝酒。祭司習慣性地醉酒，會特別受到先知指責，因為這會損害他們教導的能力，而眾民便會缺乏道德指引，或不認識神（賽二十八7-10；何

四章，特別是第11節）。在新約中，基督徒必須同樣有節制和清醒冷靜，尤其是那些負責教導和作牧人監督的人（弗五18；提前三2-3、8；多二2-3）。

第二，祭司需要知道和讓以色列人明白那支撐他們整體生活的各種事物的主要區分，即「聖的、俗的，潔淨的、不潔淨的」（10節）。至於這些用詞的意義，請參看第十一章註釋。

第三，祭司是以色列人的教師（11節）。祭司這方面的職責常被忽視，因為我們傾向集中在他們獻祭的職責上。但這是祭司職任的一個重要部分。藉著祭司，以色列中的庶民也能認識律法，因而認識祂的性情、價值觀，處事之次序和旨意。聖經各處都強調這一點，既在正面加以強調，也當他們失敗時，在反面加以強調（申十七9-13，三十三8-10；何四；瑪二1-9）。在以色列歷史中的主要改革裏，祭司和利未人的教導是顯著的（代下十七7-9，十九4-11；尼八7-8）。祭司要負責教導以色列人，而以色列人也要作為神的工具，把神的律法教導列國（賽二3，四十二1-7，五十一4）。

十12-20　結語　經過由罪及其懲罰引致的割裂後，這故事又再返回其模式中，繼續敘述餘下的禮儀和善後工作。亞倫及其餘下的兩個兒子當天因家裏的喪事，而不能吃贖罪祭的祭肉，這事被摩西接納了（19-20節），因此本段也以同樣積極的話來結束，像八章和九章一樣。

十一1至十七16　分辨和處理不潔

本部分接續十章10節給祭司的指引，仔細地指出潔淨與不潔淨的分別，並列出處理不潔的方法。本段處理了食物和觸摸動物之不潔（十一章），還有生產的不潔（十二章）、皮膚病和染菌之不潔（十三至十四章），及患漏症的不潔（十五章）。其後又敘述贖罪日這大日子（十六章），這日要在神面前潔淨聖所和全體以色列民。結束是一篇關乎神聖與「凡俗」之肉的後記（十七章）。

我們必須在這裏澄清這些類別的意義，它們在以色列人的世界觀之中，是很基本的，但在我們的世界觀裏，卻是十分陌生。十章10節列出了兩對相反的事物：「聖的、

俗的，潔淨的、不潔淨的」。第二對是俗物的劃分。對以色列人來說，**實存之物分為聖的**（即神自己和所有分別為聖給神的或與祂有密切聯繫的東西）和俗的（即其餘各樣事物）。我們必須留意，神聖的相反並不是「有罪」，而是「凡俗」的。「凡俗的」基本上是指普通的、日常的，即我們身處之世界中各事物的正常狀態。第二組類別裏又由潔淨和不潔淨的物組成。人和事物的正常狀態是凡俗的、潔淨的，但各種污染可使它們變得不潔。有些東西和狀態已被界定為不潔，而且永不可得潔淨（如某些動物、死亡等），但一般來說，那些成為了不潔的，都可以藉著適切的禮儀，恢復「正常狀態」（即潔淨和凡俗的狀態）。

類似地，只有神的本質是聖的，但某些人和物件，也可透過適當的禮儀，而成為聖（聖潔的）。相反地，錯誤的行為或接觸，可使聖的變回俗的。一般來說，罪、軟弱和各種異常，都會褻瀆神聖的和污染潔淨的。相反地，祭牲之血的主要功用，是潔淨那不潔的，和使凡俗的變得聖潔。凡俗／潔淨是正常的狀態，而聖潔和不潔則是在相反之極端的「異常」狀態。

唯一一件不容許發生，而且有許多利未人規條防止其發生的事，就是神聖的與不潔的接觸。這事造成一種神學和屬靈上的短路，而那種衝擊可以是致命的，正如拿答和亞比戶並不是第一個，也不是最後一個去發現的。最後，在十字架上，那不可思議的事發生了——就是那全然神聖的，把自己交給那全然不潔的（死亡）——以致那唯一真正有效的、基督自己捨身所流的血，使這個不潔的世界和人類，得以與其神聖的創造者和好。稍為改寫保羅的話，可作：祂——那位神聖的——成為了不潔，以致藉著祂的血，我們這些不潔的人，可以得潔淨和成聖，分

享祂的聖潔。

祭司的任務是教導和堅持這些區別，以致一般人可以保持在正常潔淨的狀態，或當他們在家或在農場的日常生活裏，遇事而成為不潔時，可以盡快恢復潔淨。這大體的目的在整個部分的結束時簡潔地表達出來了（十五31）。我們已看見利未記主要關注的事，是神可以繼續住在潔淨的子民中，而本部分目的，也跟這關注吻合。我們必須看其後的律例，是達到那目的之途徑，而這些律例本身並不是目的之所在。

十一1-47　潔淨與不潔淨的食物和動物

本章分為兩大部分：1至23節談及可吃和不可吃的動物，而24至45節則談及因觸摸某些動物而導致的不潔淨。我們要注意，本章列出的許多種類，都不可確實地知道是甚麼，因此歷來有各種不同的翻譯和註釋。

十一1-23　關乎食物的問題　動物界再按創造故事而細分為3個主要範疇：陸地（2-8節）、海洋（9-12節）和天空（13-23節）。在每個範疇中，經文都指示甚麼動物可以吃，和甚麼動物是不潔淨或「可憎」的（這個是與飲食有關的專門用詞，並沒有對該種動物作出評價的意思）。至於陸地上的動物，只有那些分蹄和倒嚼的才可以食用。這些主要是家畜。缺了一項或兩項特徵的牲畜，都不可以吃。至於水裏的生物，只有那些有翅有鱗的才可以吃。某些雀鳥，主要是那些肉食鳥或吃腐肉的鳥，是不可以吃的；有翅膀的昆蟲也不可以吃，除了那些有足有腿在地上蹦跳的以外。

十一24-45　關乎觸摸的問題　在務農生活裏，人與動物接觸是常有和不可避免的。此處給予指引，說明那些接觸是使人在禮儀上

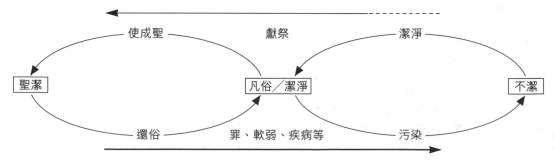

不潔的。也許由於其頻密性和不可避免的本質，這樣染上的不潔相對上是輕微的，只維持在當天，並且只需要一般的洗濯，而不需要獻祭來作出補救。值得注意的是，觸摸活物是不會使人沾染不潔的，即使是那些被界定為不潔和不可吃的動物。你可以騎在駱駝或驢子上，而仍然是潔淨的（禮儀上來說！）人只有觸摸或拿取動物的屍體，才會沾染不潔淨，或牠們死了而掉在器皿上，器皿也會變得不潔淨。摸了潔淨的（39-40節，除了獻祭的時候外），和不潔淨的動物屍體，都是這樣。死亡總是不潔淨的。另一類主要的動物，當其屍體觸及人或器皿時，會使他們不潔的，被描述為「地上的爬物」（29-42節）。「在地上爬行」的表達法嫌太含糊。這詞似乎是指一種活物，牠的行動是蜿蜒矯捷地滑行，或（從人的角度看）是不正常的！

本章結束時（44-47節），指出了這些條例的目的，及遵行這些條例的歷史性動機，那就是說，以色列人是神從埃及救贖出來的民，因此他們必須是與別不同的（聖潔的）。「你們要聖潔，因為我是聖潔的」這句話幾乎是利未記的座右銘（參十九2，二十26）。既是對整個民族來說的，這聖潔的要求就不是指他們必須全都像祭司一樣，而是正如他們的祭司從眾民中分別出來，他們作為一國一民，也當從別的民族中分別出來。這種民族獨特性的要求（比較十八3；二十24、26），給了我們主要的提示，去了解本章所談及潔淨與不潔淨的分別。

關乎這些律例，有4個問題可能會被問及：

1. 在這些分類背後，是否有一個理論的根據呢？　對於某些品種何以潔淨，別的又何以不潔淨，許多人嘗試作出不同的解釋。有些人認為這些區分純粹是獨斷的，為的是考驗人是否單純順服。有些人又指出，與外邦宗教有關的動物是不潔的，但在許多情況下卻又不然，如公牛在迦南巴力崇拜中也是神聖的。一個流行的看法認為衛生和健康是主要的考慮因素。一些不潔的動物（如豬和吃腐肉的雀鳥）較可能會傳播污穢和寄生蟲，那是真確的。許多針對屍體所採取的預防措施（尤其是徹底的清洗），也是很合理的（例如十三至十五章中許多公眾衛生要求一樣）。然而，我們雖可讚賞創造主在這些細節

上的智慧，但這理論也遠遠未能解釋當中的區分，而在經文中也沒有這樣的提示。

近期從人類學角度所作的最佳解釋，留意到3種主要分類（陸地、海洋和天空），及每一類的活動形態。聖經對於在廣義上的所謂「正常」，首先有了一種選擇。以色列祭司對聖潔與潔淨的理解，是基於要保存事物的整全性，避免不同類別的混和或混淆。這正反映了創世時的事件，那就是清楚地劃分光與暗、天與地、陸地與海洋等。這種劃分引進了動物的分類中，動物要順應一幅簡單的圖畫，而每一範疇都有所謂「標準」。分蹄倒嚼的動物是「標準的」家畜，適合獻祭。翅和鱗是海洋生物的「標準」裝備。食肉的鳥類明顯是吃帶血的肉，因而是「不潔的」。那些以混合的方式來移動，因而越了界限，或其動作狡猾和不可預期的生物，牠們是「不正常」的。這些只是大概的分類，是從一般人的角度——如一個廚師，而不是生物學家——來劃分。聖經所處理的問題是某一種動物是否適合食用。因那目的而劃分為不潔，並不表示要拒絕該等生物，也不是漠視牠們在神那值得稱頌的奇妙創造中的位置，正如詩人和其他人常常聲明的。

2. 神為何在食物上設下這些限制呢？我們已從十一章44至47節中，留意到以色列人被召作為一個聖潔群體的意義。以色列人獨有的食物條例，要作為他們是一個獨特之國民的記號或象徵（比較申十四2、21）。正如神在地上各民族中，只揀選了以色列，以色列人也必須限制他們食用動物的選擇。這樣，不潔淨與潔淨生物的分別，便象徵性地反映了其餘各國與以色列的分別。因此，這些食物條例，是為了提醒以色列人，叫他們常常記得聖潔和與列國有別的重要性。那不是由於以色列人的優越性（潔淨的動物也不比其他動物「優越」），而是由於神在以色列歷史中的救贖工作，以及神為他們未來而定下的救贖計劃。又由於食物的條例只是整全律法的一部分，而整全律法在利未記中，也包括了全部道德與靈性、個人與社會的要求，所以，食物條例就像一個襟章或一套制服，表明穿著這制服的人願意在行為上達到某些預期的標準。聖潔因而交織在日常的生活中。每一頓飯、每一次面對日常的工作，都提醒以色列的家庭，神怎樣拯救祂的子

民，以及他們要有怎樣的道德價值觀。

　　3.基督徒仍受這些食物條例所規限嗎？簡單的答案是不。但我們必須明白其中的原因。耶穌明確地廢除了這種潔淨與不潔淨食物的劃分，祂指出真正有價值的，是條例中所表明的道德方面的特質。這樣，「潔淨」和「不潔淨」，就不再是吃進肚子裏的，而是從心發出來的（可七14-23）。道德真諦比純禮儀行為更重要，這真理在舊約已有充份教導，故此，導致新約中食物條例的廢除，就並非單是這種認知。

　　耶穌說出這番關乎「潔淨」與「不潔淨」的話後，立即前往推羅去，與一個外邦婦人見面，並治好了她的女兒。這行動指出了除去潔淨與不潔淨食物之劃分的主要原因，那就是除去猶太人與外邦人的區分，耶穌的行動已預示了這一點（耶穌在世時不常這樣作，那是一次例外）。使徒行傳第十章證明了這意義，當中彼得的異象——他從而曉得動物界的劃分已不再有效——正是為他探訪外邦人哥尼流作準備。耶穌這樣把猶太人與外邦人的障礙消除，是開創了一個新紀元，而其意義是，猶太人從外邦人中分別出來的這個標記，在多種族的神子民的新群體中，已不再有其神學上的重要性（加三26-29；弗二11-22）。因此，反映這種分別為聖的動物區別，也就被廢除了。

　　4.基督徒可從這些條例中學到甚麼教訓？第一，是作為神子民，我們要從世人中分別出來的意義。即使是舊約的以色列，禮儀上的潔淨——從廚房到至聖所——都要象徵神在道德純全、社會公義和忠於聖約上有更高的要求。事實上，正如眾先知（和主耶穌）嚴厲地指出，若人忽略這些事情，則即使他們在各方面都能一絲不苟地保持禮儀上的潔淨，也是沒有用的。若基督徒能在道德的獨特性上，好像以色列人在禮儀的潔淨上那麼嚴謹，我們在世上作鹽作光，就會有更大的效力。

　　第二，食物仍有其道德上的重要性。你吃甚麼、怎樣吃、跟誰一塊吃，在我們較廣的文化習慣中，仍佔著重要的部分。這些問題連同在某特定文化中的其他要素，可以引來爭論、攻擊和誤解。因此，保羅曾詳盡地討論與食物有關的問題（羅十四章；林前八章）；雖然那主要是在一個猶太人與外邦人

的背景，但他的討論在基督徒間意見相左的整個論題上，都有著強大的道德影響力。廢除食物方面的條例，不代表廢除愛、接納和體諒的需要。雖然基督徒甚麼都可以吃，但有些時候，某些食物卻不應吃（羅十四14-21）。基督徒也受利未記中有關食物的條例限制嗎？是！但並非受第十一章的條例限制，而所受的限制是：十九章18節「要愛人如己」（參羅十三9-10）。

十二1-8　生產所引致的不潔

　　第十一章談及因外在因素——吃用或觸摸動物——而引致的不潔。第十二至十五章主要談及因人體功能或狀況而引致的不潔（關於居所或衣服沾染不潔的部分除外）。我們必須知道，禮儀上的不潔不一定暗指或假設道德上的犯罪。所有罪行都使人變成不潔，但並非各種不潔，皆由於犯罪或道德上的過失。第十一章中被稱不潔的動物，在本質上並不是有罪。同樣地，月經或身體潰瘍在道德上也沒有問題。然而，從祭司的角度看，身體上的排泄，尤其是帶血的，都是不完美。血就是生命，因而血的流失，就是正常健康的一種破壞，並可以是致死的原因。因此，這等排泄使人暫時不宜參與聖所的敬拜，也不宜站在聖物和已分別為聖的人面前。不潔的不應面對聖潔的。不潔是一種禮儀上或宗教上的隔離狀態，而不是道德上犯罪的狀態（除非在全都是罪人的範圍裏，即無論潔淨與不潔淨的，都是罪人）。

　　這論點在第十二章尤其適切。舊約既指出生兒育女是神的命令（創一28），是祂一份上好的禮物（詩一二七3，一二八3-6），並且是人類極大的喜樂，我們又怎能想象生產所導致的不潔，會意指生產本身是有罪的呢？又根據創世記二章24節，雅歌更不用說，我們也不可解釋說，生產之不潔，是因為夫婦間的性交是被視為犯罪。大衛在詩篇五十一篇5節所說的話，並非評論他母親的道德或使他成胎的行為，而是他深深地確知自己的罪，即他從來沒有一刻是「無罪的」。經文本身指出不潔的原因是婦女在生產時流血，及其後2至6星期內漸漸減少的流血（醫學術上稱為惡露）。這段不潔的日子便比正常的月經長（十五19-24）。經文沒有解釋為何生男孩不潔40天，生女孩則不潔80天。有些人認為

證主21世紀聖經新釋

那是鑑於女孩日後也會有月經。

這律例雖歸入我們不熟悉的類別中，即禮儀上的不潔，但在社交上也有良好的效果，它為產婦提供一段產後隱退，休養生息的日子。

不潔的日子結束後，通常社會和宗教活動都會恢復，但必先獻上贖罪和潔淨的祭。贖罪祭是為一般性的罪而獻上，因為任何敬拜者來到神面前，都必須得蒙赦免，而不是如我們所注意到的，是由於與生產有關的任何罪。路加記載了耶穌出生後，這些禮儀如何進行，期間並有先知的預言和致賀（路二21-39）。

附註　第3節 至於割禮，參創世記十七章之註釋。

十三1至十四57　傳染而導致的不潔

在舊約的以色列中，祭司是十分忙碌的人！除了在聖所的供職和教導律法的職責外，他們也要兼任公眾的健康檢查員。這兩章是談及皮膚傳染病、衣物和房屋「感染」的探查和斷症，還有決定每個情況中所應有的行動。雖然這三類感染在學術上明顯是不同的，但其外在表現有相似之處，可同被視為引致不潔，並需要小心處理。兩章經文分為3個主要部分，每部分以「耶和華曉諭摩西……」來開始，「這就是……的條例」來結束：皮膚病和衣物感染的斷症和相應行動（十三1-59）；皮膚病痊愈後的禮儀性潔淨（十四1-32）；房屋「受感染」的斷症、相應行動和潔淨（十四33-57）。

用於所有3種情況的希伯來文是 ṣāraʻat。這字通常譯作「大痲瘋」，因經文中所描述的病癥是否屬於正式的痲瘋病（漢森氏病），則備受質疑，而無論如何，痲瘋病也沒有可能發生在衣物或建築物上。似乎這用詞是涵蓋一些紅腫、變色、像鱗片或成薄片剝落、發霉腐臭等狀況。

十三1-59　傳染性皮膚病和受污染的衣服

按著經文所描述的病癥，我們不能確定其中所指的是甚麼病症。有人認為這些病症包括乾癬（2-17節）、頭部鱗癬（一種金錢癬，29-37節）和白癬（38-40節），以及長瘡（18-23節）和火傷（24-28節）所造成的傷疤。這些描述可能也包括濕疹、庖疹，和某些種類的痲瘋病。神給予祭司簡單的指引去作初步的檢查，然後把患者禁錮一段特定的時間後，再加以查驗，察看其狀況是穩定或逐漸痊愈（因而在禮儀上是潔淨的），還是繼續擴散和易傳染的（因而在禮儀上是不潔的）。祭司要負責判別那是嚴重的皮膚病還是很快會痊愈的輕微疾病（如平常的皮疹）。判定那是皮膚病的標準，是那傳染病必須是慢性的（「舊」，11節）或持續超過一至兩個星期（4-8、26-28、33-34節），並且是「深於肉上的皮」（3、20、25、30節）。感染的位置上有「紅肉」或變白的「毛」，也顯示那是不潔的（10、14-15、20-24、25、30-37節）。至於衣服的感染，它必須持續超過一星期（50-58節），並且不是單靠清洗就可以除去（55節）。

把患者隔離，最初是在診斷期間，若發現是嚴重的疾病，再隔離更久的時間；隔離對於防止疾病在社群中互相傳染，是一個有效的做法。然而，從利未人的角度看，其主要目的是盡可能避免不潔的與聖潔的有所接觸。換句話說，其決定性因素是宗教上的，雖然這做法對公眾健康有一定的貢獻。至於針對受感染之衣物所作出的行動，其目的也相同（47-58節）。從健康的角度看，把染菌或有其他傳染病的衣物毀滅（尤其是焚燒），顯然是聰明的做法，但其主因卻是避免衣物污染那穿著或使用的人，因為若以不潔之身去敬拜，這些人便會有危險，同時也使別人冒著同樣的危險。

祭司若宣佈某人因嚴重的皮膚病而不潔淨，這個不幸的人便要做一些相當於哀悼儀式的事，包含了「撕裂」衣服、「蓬頭散髮」和「蒙著上唇」（45-46節）。在某種意義上，他實際上已被看為「死去了」，因為那疾病使死亡入侵一個仍然活著的身體；他也被判要過一種與社群和敬拜之所隔離的生活（比較代下二十六21）。患者要住在「營外」，即遠離在社群中的家，後來則指住在城牆或城門以外（參王下七3-11）。那是一個悲慘的景況。在此再一次指出，我們必須記得，這不潔本身並非由於個人的罪。但在舊約觀念中，疾病和罪是相連的，那並非完全指患病的人，是在償還自己的罪（但約伯記顯出這等常有的誤解確實存在，並且需要改正），而是指一個事實，即普世人類最終難逃死亡的

命運，那是普世人類犯罪的結果（創三章），而任何一種病，都是事先警告人他必定要死，並且標誌著死亡的迫近。

在一般性的意義上，疾病與其他自然的災難，都可以是神對以色列在聖約上不忠之審判的結果（參利二十六16），但也有例外事件，顯示身體的疾病是神懲罰一個人的表徵（例如民十二10-15；代下二十六16-23）。然而，本章所指那些患皮膚病的人，要從群眾中隔離，是由於他們的不潔有可見和傳染性的本質，而不是只因患病，他們就被視為罪人。其他疾病並不會用這種方法來處理。例如，瞎眼的和耳聾的並不會被排拒於敬拜群體之外（由於人對病與罪之關係的誤解，一個瞎子在得到耶穌醫治後，卻被逐出會堂；約九章；我們按此處的原則，就更可見該事件的諷刺性）。這是重要的，因為眼瞎和耳聾都用來暗喻罪在人靈性和道德上的影響，但「大痲瘋」在舊約卻從沒有這種喻意。這樣，「大痲瘋」就似乎跟罪沒有特別的連繫了。

無論「大痲瘋」是否被視作用以指出或象徵罪，其後果在社交和宗教上都是災難性的。這就是耶穌慈悲地接觸這等患病者的故事，越發引人注目之處。祂不但不理會他們是被社會排斥的而接觸他們（正如他接觸其他處於邊緣的人一樣），祂更做出一個摸他們的強調動作（可一40-45），因而斷然否定了他們是不潔的源頭，正如祂否定不潔之食物的觀念一樣。祂把通往神國的門向「罪人」打開，祂也使有病的、外貌難看的和失喪的人，可以跟拯救人和醫治人的神相交。基督教醫療宣教和關懷病者的事工（特別包括那些患上對社會極具破壞力之病的人，如痲瘋病人和近年的愛滋病人），一直都有力地象徵著神的治理，正因為這些事工彰顯了基督的治理，祂本身就是「被藐視，被人厭棄，多受痛苦，常經憂患……被人掩面不看的」（賽五十三3）。

十四1-32　皮膚病得痊愈者的潔淨禮儀

本章所規定的禮儀，是為了把那曾因嚴重皮膚病之不潔而被拒，後來得著痊愈的人，重新接納返回社群中。因此，這些禮儀的目的並非醫治，而是承認那病已得著醫治（3節；因此，耶穌吩咐10個患大痲瘋的去把身體給祭司察看，是要求他們作出一個信心的行動；他們在途中已得著了醫治，路十七11-19）。

以色列中的祭司並不是有神祕力量的神醫。這幾章經文裏的指引、行動和禮儀，都是向庶民開放的，在某個意義上，他們可以核對祭司的診斷。這些東西並非由一群宗教精英所擁有，並不是其他人所不能理解的。我們可以留意，所有這些條例，都無意要藉著神祕或不可思議的方法，去操縱著疾病的治療，其中也沒有提及任何出於鬼魔的原因。那並非由於疾病是被視為不可治愈的，而是由於一切醫治都是在神手中，而人應該倚靠的，是禱告和神的話（申三十二39；民十二13；王下五章，二十章）。我們在讀這段經文時可以留意，這數章所假設的有些在神子民中的人會生病，並非由於不順服或顯而易見的罪，並且可能得不到醫治，已經否定了出埃及記十五章26節和申命記七章15節可能出現的解釋，那就是，神已把疾病的咒詛從袖子民中除去，並且常常會醫治他們。

潔淨的禮儀是冗長、重要和公開的。這些禮儀不單給患病者主觀的確據，即現在一切已復原，同時也對於他重返群體，尤其是返回群體的敬拜中，提供客觀的合法性。這些禮儀等同於一個新生的慶祝，因為那人是從實際的死亡中挽回過來，到達活人之地，並且能與神相交。在此再次指出，我們應記得所獻的祭是關乎所有人都會有的罪惡和過失，而不是特別為了那認為是致病的罪得蒙赦免而獻上。無可置疑地，現在已痊愈的患病者，若以為他們的痛苦是由於神對某項罪的憤怒，則隨著這些獻祭而來的醫治，會使他們主觀地得到保證，他們已蒙赦免，也在禮儀上得潔淨。然而，此處所宣告的贖罪，在技術上是與污穢得以潔除（不一定是個人之罪的污穢）有關，正如婦人生產之後的情況（十二8），也正如受感染之房屋得潔淨的情況（十四53），因為三處用字的形式都是相同的。

十四33-53　受感染之房屋的處理

此處所描述的情況，也是使用相同的字眼：ṣāraʿat。其中大概包括了菌類的滋生、發霉、腐蝕或白蟻群襲。處理方法跟人和衣物的處理相似。經過初步的檢查和一星期的觀察後，受感染的部分要挪去，再用良好的材料來修補

（36-42節）。若這樣做也不能阻止房屋的腐蝕，整幢房子便要拆毀（43-47節），反正任何腐蝕都總會對房子造成危險，不宜居住的。然而，「手術」若是成功的話，房子便可以藉著那與潔淨人的禮儀相同的做法來潔淨，除了在祭壇獻祭一項之外（48-53節）。

房子必須是清潔的，但它與神卻沒有個人的相交。雖然如此，除了上述完全個人和道德的因素外，那些為房屋而規定的禮儀竟與人規定要執行的一樣，那是十分有趣的。舊約的整全觀念裏是包括環境和人的。神的目的是要潔淨的人住在一個清潔的世界中。利未記中的禮儀，是試圖在以色列人所能觸及的範圍裏做到這一點。只有神在基督裏的救贖工作，最終可以使祂創造的整個宇宙達到這目標，到時神會在一個潔淨的地上與子民同住（啟二十一1-8、27）。

十五1-33　身體排泄所引致的不潔

本章所描述的不潔，是由男性和女性生殖器官的排泄所引致的。其中把慢性的和不正常的排泄；與間歇性的、正常的排泄分別出來。然而，兩種排泄都會造成禮儀上的不潔。正如其他關乎各種不潔的經文一樣，我們必須記得，此處的不潔本身並非由於罪，雖然也可以與罪惡的行為有關。本章所包含的各種不潔，都是由於完全合法的行為和自然的功能。不潔只會妨礙一個人參與敬拜。除了針對患上嚴重的皮膚病（十三章）以外，律法不會不當地把一個人與群體隔離，但卻對於他或她的身體接觸加以限制。

十五1-18　男性的排泄　「身患瘡症」（2節）的「身」，字面意思是「肉體」，這字在某些經文中可指生殖器。在本章裏，由於各種情況都牽涉性器官，所以這字極可能指陰莖的排泄，而不是肛門的排泄，如痔瘡。

第2-15節談及慢性的排泄。其中所描述的情況可能是淋病，這病會引致感染性的分泌，而且會持續數月。不潔淨不單是在病者身上，而且還會影響任何會觸及他受感染之器官的東西。我們可留意那預防續發性之感染的衛生措施，尤其是關乎小滴和唾液的感染（8節），但此處主要關注的也是宗教上的問題，因為相同的條例也應用於接觸經期排泄上，而此類接觸並沒有感染疾病的危險。

這類排泄停止後，其潔淨之禮儀與嚴重皮膚病的潔淨禮儀比較，是較為簡單和廉宜（13-15節）。

第16-18節談及間歇性的排泄。正常的射精，無論是在性交時射精（18節）還是自然的夢遺（比較申二十三10），也會使人不潔淨一天。簡單的清洗已可達到潔淨的效果。

十五19-33　女性的排泄　經文以相反的次序談及女性的排泄，那是一種反照式的安排，顯出兩部分的平衡和同等。

經文先處理間歇性的排泄（19-24節）。正常月經的排泄持續約一星期，因此在那段期間，女人就算為禮儀上不潔淨。人若直接或間接與她接觸，就會不潔淨一天，但若男人與她行房，就會不潔淨7天。這最後的規定（24節）大概是處理無心的接觸，即男人與妻子行房時，她的經期剛開始，他因而發覺自己染了血。月經一旦明顯已來潮，性交就被禁止（十八19）。像男性的遺精一樣，女性的經期不需要獻祭來潔淨，而只需要簡單的清洗。

經文跟著談及慢性的排泄。許多不同的臨床因素都會使經血的時間延長，而只要流血情況持續，患者便仍算為不潔。雖然律法只列明患者的床鋪會「感染」不潔，但她也必須小心不要觸及任何物件或任何人。耶穌在世時，曾有一個患血漏的女人冒著受群眾敵視的危險，也要摸耶穌（可五24-34）；從上述條例，我們越發可見這婦人的勇敢。為潔淨而作出的獻祭，跟為潔淨男性的慢性病而獻的完全一樣（28-30節）。

第31節是一節重要的經文，它概括了本章各條例的原因，並且也概括了第十一至十五章關乎潔淨與不潔淨之條例的原因。不潔會玷污神在以色列人中的「帳幕」。因此，不潔不但會使有關的人冒著危險（像拿答和亞比戶一樣，會因藐視神的聖潔而死亡），並且也會使整個群體犯險；神若因祂居所被玷污而極之不悅，祂可能會把它全然棄絕。

雖然現代的想法會覺得這些條例繁瑣和束縛，但我們也可從其中指出一些積極的要點。首先，本章有趣地彰顯了男女的平等。性交使雙方都變得禮儀上不潔（18節），而不正常的排泄後，所需要的潔淨禮儀，對男人和女人來說都是一樣的。

其次，人類學家指出，在許多傳統社會裏，月經期間的限制都為婦女提供一個離群獨處和休息的機會。嚴禁在行經期間行房，必定是為了教育男性敏感於伴侶的感受。在人類認識荷爾蒙或激素的存在之前，創造主已清楚知道其影響。

第三，雖然我們不應以為本章的律例，是指性、性交或性器官多少被視為罪惡的，但卻是對性行為加上了一些限制。在任何文化裏，都有一些東西本身是良好和正確的，但在某些場合之下，卻是不合宜和令人生厭的（如在隆重的場合中穿著便服，或在安息禮拜中說笑話）。在以色列中，性交在婚姻生活裏是美好和有益的，但在戰爭（撒上二十一4-5；撒下十一11）或崇拜（出十九14-15）等嚴肅的時候，卻是不適當的。因此，十五章18節一個最重要的實際效果，是使性交祭儀和廟妓在敬拜耶和華的會中，是沒有可能出現的。在生殖的崇拜中，性交有一個神聖和禮儀性的意義，但在耶和華的敬拜中則被拒絕。同樣地，由於妓女長期處於不潔淨的狀態（且不說其行為有違道德），所以不能合法地參與以色列的崇拜。

十六1-34　贖罪日

本章似是全卷利未記的關鍵。本章把先前各章關乎祭司在獻祭中的職責，以及診斷與處理各種不潔的職責，帶往一個高潮。贖罪日(yôm kippûrîm；這是二十三章26至27節給予這天的名字) 是一年一度的機會，藉著潔淨聖所，和潔淨眾民所有未留意和未處理的污穢，把過去一筆勾銷。贖罪日定於每年的逾越節後6個月，而逾越節是紀念以色列蒙救贖的歷史事件，贖罪日不斷提供途徑，去潔淨神所救贖的民，以致他可以繼續住在他們中間。

初次讀本章時，會因它的重複而弄得混淆。然而，我們一旦明白希伯來文章的結構，是先在引言中概述重點，然後再把細節填補，這樣內文讀起來便會變得清晰。本章開始時是一個故事體的引言（1-2節），其後列出了贖罪、禮儀的基本要求（3-5節），再簡單概述最重要的行動（6-10節），然後才詳盡地描述禮儀的各個階段（11-22節）。跟著，經文列出參與潔淨者的禮儀（23-28節）、給眾民的指引（29-31節）和一個結束全章的概要（32-34節）。

十六1-2　引言　這兩節經文把贖罪日的設立與按立祭司和拿答、亞比戶之死聯繫起來（八至十章），再次叫我們想起利未記背後的故事綱要。神的同在被強力地局限於裏面的聖所，即「幔子內」的至聖所，這幔子把會幕分為兩部分（參第176頁的會幕陳設圖）。至聖所內有約「櫃」（參出二十五10-22），櫃上有「贖罪蓋」(atonement cover, 新國際譯本)。這蓋(kappōret)是約櫃的蓋子，其上有兩個用金製成的基路伯。古老的翻譯作「**施恩座**」（英王欽定本、修訂標準譯本、和合本），那是不貼切的，因為這並非一個座位，除非指其隱喻的意思（參詩九十九1）。但這翻譯也確實保存一個觀念，即那是一個無限聖潔，也有無限恩典的地方，因為神會在那裏會見摩西（出二十五22）。這字大概與kipper（「贖罪」）有關，因而新國際譯本譯為「贖罪蓋」。因於那裏有神同在的聖潔，因此沒有人可以進入幔子之內，就連亞倫也不可以，除了在贖罪日按所規定的方式之外。

十六3-5　所需的祭牲和衣著　需要獻上的祭牲是：一隻公牛犢、兩隻公山羊和兩隻公綿羊。大祭司在贖罪日所穿著的衣服極之簡單樸素。他在眾民面前代表神的時候，要穿著顏色奪目華麗的聖袍。但他在神面前代表眾民時，則只作仿似奴隸的打扮：細麻布袍子、褲子、腰帶和頭巾。

十六6-10　概要　此處列出了當日的主要程序。獻公牛犢作祭司的贖罪祭後，便為兩隻公山羊拈鬮，一隻獻作眾民的贖罪祭，另一隻要送到曠野去。

十六11-22　主要禮儀之詳述　在這套禮儀中，主要有4個動作，首3個都涉及彈血，那是禮儀性潔淨的主要方法。

首先，公牛犢要獻上，作為眾祭司的贖罪祭，其中包括大祭司自己（11-14節）。沒有人可免除潔淨的需要。其後大祭司第一次進入幔子後面的至聖所，他要在自己前面升上一層香霧，免得直接看見約櫃。他跟著在約櫃的贖罪蓋／施恩座前彈上潔淨的血。

其次，大祭司從會幕出來後（會幕外的

群眾必因而鬆一口氣），便獻作所揀選的公山羊作眾民的贖罪祭，然後帶著祭牲的血回到至聖所，並重複彈血的動作。這動作的目的是把眾民過去一年的任何污穢、過犯、罪愆，從聖所中潔除（16節）。「會幕……也要照樣而行」（16節下）的指示，大概是指會幕中所有其他物件，也照樣用彈血的方法來潔淨（比較來九21-22）。在這一切之中，大祭司是單獨行動的（17節）。新約取用了有一個中保這要點，將它與基督聯繫起來（提前二5）。

其三，大祭司第二次從會幕出來後，要用公牛犢和公山羊混和的血，在祭壇上作出相同的潔淨禮儀。這表示祭司和眾民，都可能曾因偶然的不潔玷污了祭壇。

最後，來到儀式的高潮，並且從以色列民的角度看，是最能看清楚的部分，那就是把代罪的山羊趕出去。代罪的山羊字面義作「**歸與阿撒瀉勒**」的山羊（8、10、26節）。阿撒瀉勒的意義不詳。根據十七章7節，這字幾乎可肯定不是一些鬼魔或曠野中幽靈的名字。新英語譯本把這字譯作「懸崖」，反映在後期猶太傳統中，山羊會被帶到曠野的一個懸崖，然後被推下去。有些人也在「無人之地」（22節）——字面意思是「一個切開的地方」——中看見這個意義。這些都只是臆測而已。可以確定的是這禮儀的重要性，因為21至22節的經文異常清晰和強調地加上了解釋。以色列人「一切的罪孽」都象徵性地歸到山羊的頭上，其後派人把羊帶到遠處去。神不但赦免人的罪和潔淨其罪污，祂更把罪從人眼前和記憶中除去（參詩一○三12；彌七19）。

十六23-28　結束的禮儀　主要的行動結束後，留下來的是一些善後工作。大祭司要洗身和穿上平常的衣服，然後獻上兩隻公綿羊（3、5節），作為眾祭司和眾民的燔祭。其他助手在接觸了代罪的羊或獻祭的屍體後，也要進行相同的潔淨禮儀。

十六29-34　給眾民的指示　此處定下了一年一度的日子。（陰曆）「七月」大概是陽曆的九月底至十月初。這是一個極之嚴肅的日子，因此不但要守為安息日，並且也要視為一個憂傷的日子。「**刻苦己心**」的命令大概

是指認罪悔改和禁食（比較賽五十八3、5；詩三十五13）。

附註　希伯來書中的贖罪日意象　我們已注意到，新約一般會用獻祭的意象來解釋基督的死，但希伯來書作者則使用了很多贖罪日的禮儀，來比較基督的釘死。尤其在希伯來書九章1節至十章22節，他指出了兩者的比較和差異。他論點的高潮是在基督逝世時，那把至聖所隔開的幔子裂為兩半（路二十三45），象徵性地表明一個屬靈真理，就是基督藉著祂的血，闖開了通往神所在的路。祂所獻的祭並不是為了自己，這祭永不需要再次獻上，並且有永遠的功效。因此，每一個信徒都不但可以，而且應該憑著信心，常常來到大祭司只能一年一度進入的這個地方（來十19-22）。雖然早期的基督教著作曾認為代罪的羊是預表基督，但新約本身並未明確地把兩者扯上關係。然而，基督為我們「成為罪」（林後五21）和祂「擔當了我們的罪」（彼前二24）的雙重意象，卻符合了贖罪日兩隻公山羊的角色——一隻獻作贖罪祭，一隻帶走了眾民所承認的所有罪。這是因為藉著祂的死，「耶和華使我們眾人的罪孽都歸在他身上」（賽五十三6）。

十七1-16　獻祭和吃肉的附加條例
本章結束了利未記的上半部，而內容是附加一些關乎獻祭和吃肉的條例，以弄清一些可能會在庶民中間造成混淆的地方。由於這是關乎給眾民的指示，而不是祭司所負責的禮儀，所以有些人把本章歸入利未記的下半部。但本章似乎較自然地連於一至十六章，而十八章1至5節是清楚和顯著地要介紹一個新的部分。

十七3-7　那些適合獻祭的家畜（公牛、綿羊和山羊）不可在會幕以外屠宰。若某個家庭想吃肉，他們必須先把牲畜帶到會幕獻為「平安祭」（5節），其後他們可把祭肉帶回家吃用（七12-18）。當以色列人在曠野中作為一個緊密的群體時，他們必須遵守這條例。他們定居在應許地上之後，這條例便廢除了，因為到時這做法已不可行（申十二15、20-22）。**第5-7節**解釋了這律例的因由，其中指出這樣做並非只為維持會幕的權利或祭司

的額外補貼（也不是為鼓勵素食），而是為了一個重要的目的——杜絕他們敬拜偶像（7節）。「**鬼魔／公山羊**」可能指郊野的邪靈，那是以雄山羊的形狀（半人半獸的森林之神）出現。敬拜雄山羊是埃及宗教的一部分，並且埃及的偶像崇拜似乎仍存在於以色列人中間好一段時間（參書二十四14；結二十7，二十三章及其後經文）。「**獻祭給他們行邪淫所隨從的鬼魔**」這句話是暗指拜偶像（出三十四15-16；利二十5-6），但也可以指實際的淫合禮儀或與獸淫合（參出二十二19-20；利十八23，二十15-16；何四10-14）。為防止以色列民假裝舉行家庭宴會，而繼續這等拜偶像的行為，所有牲畜的屠宰都要在會幕進行。

十七8-9 大概為了相同的原因（即防止人把牲畜誤用來拜偶像），以色列人在會幕以外不可獻祭，因為在會幕之內，清楚是「獻給耶和華」以色列人之神的。這條例（及以下的各條例）適用於「寄居在他們中間的外人」，也適用於以色列人。在舊約律法中，這些外人得到許多權利和關注，但他們決不可繼續那些會引誘以色列人進入偶像敬拜中的祭儀和禮儀。至於「外人」是指哪些人，請參第二十五章的註釋。

十七10-12 經文較早前已表明禁止吃血的規定（即禁止吃那未放血的肉；三17，七26-27），但此處為了加倍強調而再重複解釋（比較14節：「一切活物的血，就是他的生命」）。血把「生命」帶到身體各部分，及嚴重失血會導致死亡這些生理上的事實，現在也提升到一個道德和屬靈的原則。牲畜所流的血代表牠的生命已在死亡中獻上，在獻祭的處境中，牠的生命已救贖和潔淨有罪之人的生命，牠是為這人而被殺的。因此，嚴禁吃血的主要原因，就在於血的神聖本質，是祭儀中主要的要素。次要的原因可能在於這做法教人對生命有基本的尊重，生命不可以輕率地毀掉，也不可輕蔑地對待。這是以色列中一個十分古老的原則，是與挪亞之約有關的（創九4-6）。

十七13-14 這兩節經文處理非獻祭用的動物，那是打獵所得潔淨的動物（潔淨即適合食用的）。這些動物可以未經獻祭便宰殺食用，但血卻要「放出」和「用土掩蓋」。雖然沒有獻在壇上，但血仍是神聖的，仍要看為「生命」來尊重。

十七15-16 「**自死**」的動物，即並非用來獻祭，也不是獵得而宰殺的，事實上是一個不潔的屍體（除了在衛生上也值得懷疑以外）。因此，吃這肉會使人成為不潔。其他律例實際上是嚴禁以色列人故意吃這樣的肉。這肉可給狗（出二十二31）或非以色列人（申十四21）食用。因此，這裏是指有人無意中吃了這些肉，後來才發現那是未經宰殺和放血的。他的不潔可以用水清洗，否則這人就要受責備（16節）。

在某些文化裏，基督徒仍因血與拜偶像禮儀的關連而禁戒吃或飲血。這似是符合本章基本原意而又合理的預防措施。同樣道理，有些基督徒認為即使較為無害的賭博也應避免，因為這會叫人聯想起那較嚴重的「貪婪就是拜偶像」的罪。這原則可向幾方面推演，但我們必須小心執行，否則會墮進律法主義的捆綁，或形成論斷別人的態度。耶路撒冷議會判定歸信主的外邦人無須行割禮和守摩西的全體律法，但卻要求他們遵守本章的要點，這也許是為了顧及猶太基督徒的敏感反應。這是保羅所奉行的原則（參徒十五29及註釋；比較羅十四14-23；林前九19-23）。

十八1至二十七34　生活各方面的聖潔

利未記前半部主要談及祭司的職責，這後半部則主要論及其餘的以色列人。即使那些應用於祭司的篇章（二十一至二十二章），所處理的問題也較偏重祭司家庭在社群中的生活，過於眾祭司在會幕中的職責。這部分驟眼看來好像全是多方面的律例。然而，其中卻有一條主線串連著，那就是要求神子民必須聖潔，以反映神的聖潔。正如上文已指出，聖潔是指獨特性，因此本部分開始的經文，清清楚楚地指出以色列人的獨特性（十八1-3）。以色列民要跟四周的異教民族有所不同。這基本的要求有時可以解釋那似乎令人費解的條例。經文先談婚姻、家庭生活和性關係上的聖潔（十八章和二十章大部分經

文）。其後談及那管理著十分實際的社群生活的各種律例（十九章）。對祭司及其家庭來說，他們在聖潔方面要符合特別的要求（二十一至二十二章），而這些也給編進每年的年曆裏（二十三章）。當中一件歷史事件突顯了這些律法的嚴肅要求（二十四10-23），這事件與本書上半部拿答和亞比戶的事件相似。安息日的原則引伸至安息年和禧年，可見聖潔也需佔用時間，並因而衝擊整個經濟範疇（二十五章）。禧年（那是始於贖罪日的）把本書的下半部帶進高潮，正如贖罪日是上半部的高潮一樣。跟著是特有地列出順服的祝福和不順服的咒詛（二十六章），並最後加上關乎許願和奉獻的附記（二十七章），好像第十七章補充了其前文的資料一樣。

十八1-29　性關係的規例
十八1-5　一群與別不同的民　「我是耶和華你們的神」
這句話在其後各章多次出現，這顯出了本部分與上半部有所不同；這句話在上半部只見於十一章44至45節。這句話有力地概括了神與以色列民立約的關係。它指著神最初在出埃及的救贖上所彰顯的恩典（十一45），及以色列人為符合他們作為世上一個聖潔國度的角色，而要達到的要求（比較出十九3-6）。

關乎這種獨特性，此處作出了回顧和前瞻。以色列人不可效法埃及人或迦南人。埃及和迦南文化與宗教中的偶像崇拜和邪僻行為，在考古文獻中已有記載，並且是下面許多禁令的背景。神的子民要從周圍文化的罪惡和偶像崇拜清楚劃分出來，這在新約中有許多的教導，是對基督徒的要求，像舊約對以色列人的要求一樣（例如太五13-16；路二十二24-26；林前六9-11；弗四17-24；彼前二11-12）。在道德方面，以色列人作為一個社群的主要意義，是他們的被造，正是要在古代世界的文化背景中，樹立一個獨特的榜樣。我們觀察到那些不同之處及其原因，便可以在現今世界中，定出基督徒生活的道德優先次序和目標。

第5節不可看為以守律法得救的教導。在舊約中，「活著」一詞最圓滿的意義是完全享受與神立約之關係中的祝福和福祉。那是神藉著祂的救贖已設立了的（3節）。這等生活來自遵守神的律法，那是對救恩的回應；

救恩並不是人所能達到或賺取的。

十八6-18　性的界限
第6節概括了這部分之律例的基本原則，同時涵蓋了婚姻之內、之外的所有性行為。「骨肉之親」不但包括有血源關係的親屬（如親生父母或兄弟姊妹），也包括婚姻關係上的親屬（姻親和繼父、繼母的親屬）。因此，這些禁令並不止於亂倫，而其目的是在延伸家庭的結構中，確保人際關係上的清晰純一；延伸家庭是以色列社會的特徵。

以色列家庭比現今以兩代為一個單位的核心家庭大得多。那包括從一個男性家主所生的3至4代（即他的眾兒媳，及他們的家庭和僕人），他們全都住在附近。但這些大家庭不是因隨便的關係苟合而成的。**這些律法保持合法婚姻和核心家庭的界限和確保其完整性。**我們可能很欣賞這些限制所帶來遺傳上的益處（如不潔之條例中的衛生），但這些益處的醫學意義，卻不是他們所知道的。一個與上下文較為相關的效果，是埃及和米所波大米王室中那些亂倫行為，在以色列中得以明文刑事化。古代近東法典中，對某程度的亂倫也加以禁止，但其範圍及嚴重性則不及舊約的律法。他瑪和暗嫩的故事（撒下十三章，特別是12-13節）表明了這些律例被違犯的罕有性及其對社會的震撼。另一個效果，也是其他舊約律法的特徵，是保護婦女，免致她們在一個緊密結連的社群中被傷害和剝削。這等保護的相關原則，在現今社會中也十分適用，尤其是父母對子女的性虐待、兒童之家中的性虐待，和婦女在工作上受到性騷擾的事件時有所聞。

十八19-23　其他禁例
獻子女為祭（21節；「摩洛」是在迦南和其他地方之神）、男人與男人肛交（22節），及人獸交合（23節），都是埃及、迦南和其他地方之異教崇拜的部分。聖經可能因此而把這些集合在這裏。但每一節結尾所加上的句子，顯示這些行為遭禁止，是基於核心的道德原因，而不單因為它們與異教有關。經文指出這些行為是「褻瀆你神的名」（使耶和華在列國中名聲受辱），「是可憎惡的」（這用詞在舊約中表示極強烈的反感，用於神憎惡或痛恨的事），「是逆性的事」（字面意思是：「混亂的

事」；即把神自創造以來已分開的東西，不自然地混和起來）。

十八24-30　警告和實物教授　神說以色列人若隨從迦南人的惡行，也必得著他們的命運，這威脅顯出他們是被召去作一群與別不同的民。那可怕的命運是連地也「吐出他的居民」。這生動的意象配合了神極度的反感。這幾節經文對於正確地看迦南的征服是重要的。毀滅迦南不是由於神偏袒某一民族，而是對於一個墮落的、偏邪的和欺壓人的社會——那是聖經的描述，也有考古學作證——作道德上的審判。此外，神不但藉著指出相同的罪有相同的審判來威嚇以色列人，也實際上在他們的歷史中施行審判，這樣，祂便顯出了祂在道德上的一貫性。新約以色列人的歷史來提出警告，像舊約在此以迦南人的歷史來提出警告一樣。基督徒也必須小心，當面對頑固的罪時，千萬不可自滿和驕傲自恃（林前十1-12；提後二11-19；來十26-31）。

十九1-37　以色列的社會憲章

這偉大的篇章位於舊約倫理最肥沃土層的其中一部分，而與別的經文，如申命記二十三至二十五章；詩篇十五篇；阿摩司書五章；彌迦書六章6至8節；約伯記三十一章、以西結書十八章和以賽亞書五十八章等量齊觀。我們使用串珠聖經作仔細研讀，定會獲益良多，因為其中許多律例都在申命記加以闡述，並在詩篇、箴言和先知書中作出迴響。此處多方包括和引伸十誡，並把十誡濃縮為耶穌稱為第二個大誡命，和保羅視為誡命之精髓的：「愛人如己」（18節；比較太二十二37-40；羅十三8-10）。本章有一個定義性的開頭（2節）、涵蓋性的結尾（37節），加上其簡潔有力，易於記憶的寫作風格，大概可用作一份易教易學的，關乎家庭和社會責任的教理問答。本章聖經對耶穌在道德的教導有極大的影響，並且是雅各書的某些部分所根據的要理。

十九2　本章以利未記下半部的箴言：「你們要聖潔，因為我耶和華你們的神是聖潔的」來開始。本章排除任何認為舊約中的聖潔只是禮儀上之潔淨的觀念。聖潔要表現於實際

生活的每個角落——從鬍鬚的周圍到田園的周圍。因此，你並非從日常生活中隱退，進入一些宗教聖所便可尋得聖潔。聖潔意指改變日常生活的行為素質，以致跟世人的行為全然不同。

十九3-4　這兩節經文結合了第五、第四和第二條誡命。對尊重父母的強調顯出家庭在以色列社會生活的中心位置（注意母親並不是包括在內，而是放在首位）。我們從申命記二十七章15至16節可見不同的價值觀都有這種比例。在談及子女對父母應盡的義務（3節），和父母對子女應有的責任（29-30節）時，也同時談及安息日的律法，反映了安息日律法給予普遍家庭生活一定的益處。那並不只是一種宗教規條，而是一個十分重要的社會和經濟保護制度。聖經把藐視或忽略這安息日和停止一切經濟活動，與貪婪和剝削窮人——那對家庭生活尤其造成破壞（彌二1-2、9）——相提並論。這種社會罪惡與偶像崇拜總是如影隨形（4節），無論是在迦南的巴力崇拜或是現代的消費主義中。

十九5-8　這好像是本書較早前論及獻祭事宜時，遺漏了的一條律例一樣。然而，在主要談及社會關懷的一章聖經中重提這律例，大概是因為「平安祭」是各種獻祭中最具社會性的一種。祭肉必須在兩天內吃，因此會是家人、朋友和鄰舍共享的筵席。它因而教以一種在群體中慷慨分享的精神，而這精神與隨後談及的律法互相胸合。

十九9-10　拾遺的權利（參二十三22；申二十四19-22）是以色列中，為窮人（即缺乏家庭保障的人，如寡婦和孤兒）和那些沒有田產，而出賣勞力或技能的人（外邦人、利未人、僱工）而設的福利制度。除了這每年的幫助外，他們也可從3年一次的土產什一奉獻中得到利益——這土產的十分一會積存起來，以分配為窮苦的人（申十四28-29），並可在安息年（第七年）自由享用土地的出產（出二十三10-11）。

所以，以色列中的救貧行動，是包含在經濟和法律架構中，而不是當作私人的慈善工作去看待。這律例——作為舊約律法的特色——不是從權利的角度來談及這問題，而

證主 21 世紀聖經新釋

是從責任的角度來談。那就是說，它已假定了拾遺的權利，但卻吩咐地主確保田裏有遺下來的田產可以拾取。波阿斯就是這做法的典範（得二章）。

那些擁有土地田產的人不一定要為窮人的困苦負上責任（雖然眾先知銳利地觀察到他們的貪婪和剝削可能是造成別人貧困的原因），但神卻要求他們緩和這種現象。因此，這律法把資源的擁有設於向神與別人負責的體制中，並否定私有財產是一種絕對權利的觀念，防止人肆無忌憚地從其資產中榨取最後一滴收入或利益。若以為在現今的農業經濟中，此律法是禁止人享用集體收割機器的效益，那是滑稽的說法。其重點是，無論採用何種經濟體系，人也必須給予窮人足夠的供應。擁有權予人責任，而不只是權利。這就是聖潔的實際意義。

十九11-18 為鄰舍向神負責也是本段的主題。其中涵蓋廣泛的社會背景，但卻以重複的「我是耶和華」（12、14、16、18節）來維繫起來。這清楚地顯示，愛你的鄰舍這條「第二大誡命」，必然是第一條誡命：「愛神與敬畏神」的表現。約翰一書四章20至21節準確地掌握了本段的要點。

並非只有耶穌指出律法更深一層的意義。第八、第九和第三條誡命濃縮為此處的**第11-12節**，並顯示與各種形式的欺騙有關，尤其是與僱傭間的關係有關。六章2至7節已視此等行為為「干犯耶和華」。在以色列中，以神的名字來起誓，是用來作保證、簽訂合約和其他承諾。因此，不尊重這些安排，就是不尊重神，同時也是欺騙對方。使人付出了勞力，卻又不給予足夠的工錢，或不即時給予工錢，也等同於搶劫（13節；比較耶二十二13）。

在世界上的許多地方，日薪工人仍是經濟體系中最容易受害和受剝削的一群。執行像第13節下的最低限度的法令，已能改變過百萬人的生活，因為最少這些工人可以用他們的工資來預備晚餐，而不至於餓著肚子上床去。申命記二十四章14至15節堅持這律例也應該應用於寄居的人——「外勞」——在古時和現今，他們都是最容易受剝削的人。耶穌用了這些人的工作合約，來解明慷慨寬大的更高標準，那是超乎法律要求的（太二十

1-6）。舊約再次一貫地把權利（此處是工人的權利）放置在責任裏，或以責任的形式來表達這些權利。同樣地，傷殘人士的人權，也在於不可取笑、戲弄或利用他們的命令中（參申二十七18；箴十七5）。這也是聖潔。

在本地社區的層面，聖潔要求有公平和公正（15-18節）。在古代的以色列中，公平公正是掌握在眾長老手裏，因此，他們不可對人妄加同情或過分順從（15節），也不可在一般民眾中間心懷惡意或作假見證（16節），以致破壞他們的誠信。「不可與鄰舍為敵，置之死地」是指在法庭上，以可處死的控罪來指控另一方。因此，一個社群的和諧，並非只有靠「專業人士」，而是在於眾人正面的行為，以避免毀謗、憎恨、報復，或甚至怨恨。（有人誤以為舊約律法只關注外在行為，而基督是首先指責內心之罪的人；第17節上應可掃除這種誤解。）現今社會總是把所有罪惡歸咎於法庭、警察，或社會工作者的失職與無能，而漠視其病態的真正根源在於社會上的種種鬱結。因此，第二大誡命的內容顯示，「愛你的鄰舍如同自己」，並非只在於個人的感受或人與人之間的慷慨寬容，也是官式層面，包括司法程序的實際社會倫理。這也是聖潔。

十九19 聖潔除了在社會的範疇中以相當突出的形態出現外，它亦同時帶來象徵性的反思。我們已在潔淨與不潔淨之牲畜的律法上，看見避免以各種形式不自然地把不同的類別混和，是祭司優先要處理的事。本節的3個條例，也是出於同樣的關注。以色列人在日常生活中實行一些實際上的分離，就反映出他們宗教上的分離。這些條例的有效性，對基督徒來說，是與食物的條例同時停止效用的，即在猶太人與外邦人的分別於基督裏被廢掉了的時候（參上文第十一章）。

十九20-22 在以色列中，行淫是指一個男人跟一個已婚或已許配丈夫的女人交合（申二十二22-24）。若那訂了婚的女人是未被贖（即未得釋放）的，她理論上仍是主人的產業，仍未得著妻子或已配婚之自由人的身分。因此，所犯的罪在律法之下並不是姦淫。然而，贖愆祭的要求，已顯出這行為在道德上的邪惡；贖愆祭在定義上也要求犯罪

者向受傷害的一方作出賠償。這樣，所犯的罪在縱向和橫向的層面都被招認出來了。

十九23-25 聖潔要求人把生命、財產、資源和行動，全然奉獻給神。在物質上，這包括獻上產物的十分之一，把初熟的果子奉獻給神（出二十三19；申二十六1-15）及把頭生的牲畜奉獻（出三十四19-20；申十五19-23）。這條例把原則引伸至果樹，而果樹要經數年才能結果子。第四年的果子要看為「初熟的果子」。

十九26-31 本部分的焦點主要集中於排斥那些與外邦迦南宗教有關的行為，尤其是那些對身體或道德有損的行為。以宗教的名義殘害身體是人類常有的做法。舊約因著看身體的美善為神創造的一部分，而不容許上述行為。新約則進一步強調此原則，宣稱基督徒的身體是聖靈的殿（林前六19-20）。

十九32 「尊敬老人」的命令，是由於舊約律法關注那些容易被社會苦待的人，如孩童（比較29節）、寄居者或外邦人（32-33節）、傷殘的（14節）和無家可歸者（寡婦與孤兒）。一個社會若失去對神的尊重（32節下），很快也會失去那份對人類生命深切和神聖的尊重，那些可以被看為棄亦不覺可惜的人（如未出生的、極年幼和極年老的），便是在這份尊重下得著保護。在約伯記悲劇中，部分諷刺的地方，也在於他這個一直小心地維護孤苦無依者的人，卻由於病患而自己成為了被排斥的受害者（參伯二十九7-17，三十1、9-10）。

十九33-34 相同的原則應用於這個影響深遠的律例。舊約常遭詆毀，是由於它對以色列以外的外邦人抱著排斥和負面的態度，及其對以色列人與外邦分隔的堅持。但我們很容易忽略了以色列律法是強調對待那些住在以色列當中的外人，要公平和心存憐憫。這律法只是許多律法中的一條（出十二48及其後經文，二十二21，二十三9；申十18及其後經文，十四29，二十四14、17，二十七19；比較詩一四六9；伯二十九16）。律法面對人人平等的原則，包括了在獻祭制度上（民十五15及以下、26）和每年節期中（申十六

11、14）的各種好處，但也包括對過犯負責任（二十四16、22；民十五27-31）。

外邦人在法律上平等的規定，在現今各國中是沒有的，直至頗為近期才出現，但在古代以色列的律法中，我們已明確地看見這種平等的對待，那是值得注意的。即使種族平等的法例確實存在，但社會和官員卻可能極少實踐。這條律例跟迫切的人權問題，和對待少數民族、難民、外勞和尋求庇護者等問題，有極高的道德適切性。事實上，其道德力量，跟律法中第二條大誡命在程度上是相同的，因為「要愛他（外邦人）如己」的命令（34節），在用字上與第18節幾乎完全一樣。與它同時出現的是一個類似的約束力（「我是耶和華」），並以以色列本身受壓迫和蒙釋放的經歷，來加強其推動力。這也是聖潔。

十九35-36 最後，有關聖潔的真理也適用於貿易和市場上的運作。神對公平經濟和誠實從商的關注，跟祂對法律制度上的誠實不偏私的關注脗合。這兩種關注是有緊密連繫的，因為在以色列中（正如仍然在世界上許多地方），那些壟斷市場的人，也可以使法庭腐敗。那些在營商上欺騙的人，也是那些可以收買有關的權力控制者——無論是本地的貪污警察，或有關的財政或法律組織。各種形式的不誠實——從本地市場至國際貿易——都是神所「憎惡」的（申二十五13-15）；談到逆性的事和虐待兒童時（也參摩八5；彌六10；耶五1；箴二十10、23），所用的也是這個字。按著這種理念，基督徒便應該關注世界經濟和第三世界負債的不公平和失衡情況。

本章值得我們注意的地方，是在其展示的道德眼光之廣度和深度。它涉及內心的思想和身體的行動、私人和公眾的行為，以及幾乎包括社群生活的每一個重要的部分。若能應用其中一些律例，今天過百萬人的生活將得到改變。我們愈深入去思想，就愈覺得許多基督徒離開這個在基督降世以前多個世紀便訂立的標準極遠（基督在登山寶訓中所訂立的標準就更不用說了）。

二十1-27 嚴重的罪過與懲罰

本章的內容大部分重複了第十八章，分

別在於本章指出了各種過犯的懲罰。對於干犯神和在敬拜神的事上不聖潔（2-6、25-27節），和破壞家庭的權力和完整性的罪（9-21節），本章都再三地強調。在這方面，我們可以看見十誡那兩塊法版的影響力。這是各種罪過的根本本質（即干犯神和家庭），解釋了懲罰何以如此嚴重。

由於以色列作為一個建基於與耶和華所立之聖約上的社會，所以破壞聖約關係的罪過，就等同於犯罪，可以奉國中最高權力——神——的名字來加以懲罰。由於家庭在經歷、保存和傳達那立約關係上扮演主要的角色，所以破壞家庭的各種行動，無論是嚴重地漠視父母的權威，或性關係的偏差和混亂，本質上也破壞了作為社會制度之根基的聖約。因此，對此等罪行施加死刑，並不是由於原始的報復心理，而是顯出以色列人何等重視聖約〔比較C.J.H. Wright, *God's People in God's Land* （Paternoster Press, 1990）〕。在新約裏，聖約不再是一個國邦的憲法基礎，所以犯罪的本質和刑罰的根據，不再受制於以色列的律例。然而，姦淫、亂倫和侮辱父母在俗世社會中，雖不再是死罪，但新約仍視之為嚴重的道德罪惡（參太十五4；羅一29-32；林前五）。

本章中的刑罰分為由社會執行的（受法律制裁）；交在神手中的（「剪除」大概指人預期神親自審判犯罪者，而那罪行按其本質，可能從未曝光；參七25）；和對於兩種亂倫罪，其懲罰是不能生育。我們若認為這些懲罰的嚴重程度使人費解，我們應要記得，這些懲罰只應用在某些指定的罪行上。可能聖經所說的是最高的刑罰，犯罪者或許會被判較輕的刑罰。至於蓄意謀殺，律法規定其死刑不可減免至其他形式的刑罰（如金錢的補償；民三十五31），這表示在其他情況下，以其他形式來代替受刑可能是容許的。在此值得一提的是，若與其他在同期社會法典中發現的殘酷刑罰來比較，以色列的律法在許多方面無疑已是極之人道的了。〔對於以色列刑法制度之原則的詳細討論，請參看G.J. Wenham, *The Book of Leviticus* （Eerdmans, 1979），頁281及其後〕。

在此背後的推動力，正如以色列律法的各個方面一樣，是以色列民應在列邦之中顯出他們的獨特性。聖潔的基本要求重複了兩

次（7-8、25-26節），而在兩個情況下，神都是主語：「我是耶和華你們的神……我是叫你們成聖的」，「並叫你們與萬民有份別」。聖潔並不是靠我們的努力去得著的。聖潔是神已創造和賜予人的狀態。神的子民要保持神已賜給他們的聖潔，祂是藉著應許的恩典和救贖賜給他們的（24節）。這部分的主旨是：「要過分別為聖的生活，因為我已使你們與眾不同。要活出你們原來的樣子。」

二十一至二十二31　對祭司的聖潔要求

「你們要自潔成聖，因為我是耶和華你們的神」（二十7）這句話在這數章裏出現了6次之多，並且用作一個分段的語句（二十一8、15、23；二十二9、16、32）。神呼召所有以色列民要自潔成聖，即從列國中分別出來，但祭司的聖潔，則有一個獨特的內在意義，即從其餘的以色列人中分別出來。以色列人要從列國中分別為聖；祭司要從以色列人中分別為聖。因此，正如以色列人要達到的標準比列國高，祭司也要比一般庶民達到更嚴格的要求。

二十一1-15　祭司參與喪禮哀悼（因為與死人接觸會沾染不潔）和選擇結婚的對象，都受到一定的限制。本段再分為給予一般祭司的律例（1-9節），和給予大祭司的更嚴格的條例（10-15節）。

二十一16-24　在以色列人眾多的象徵使用中，屬靈和道德的完全是以身體的健全表達出來，因此，那些屬於祭司家族，卻有身體殘缺的人，並不能往祭壇獻祭。然而，他們仍可享用祭司所應得的收入和生活所需，他們可以吃給祭司的那份「聖物」。

二十二1-9　然而，一個祭司若為了任何原因而成為「不潔淨」，他就不可以吃聖物，因為主要原則是聖潔的與不潔淨的必須分開（參上文第十一章之註釋）。這種不潔淨可以是輕微的，如因某些接觸而禮儀上被視為不潔一天；也可以是嚴重的，如因嚴重的皮膚病而變得不潔淨，要待至疾病得著痊愈為止。

二十二10-15　這幾節經文界定誰可算為祭

司家庭的一分子，可以吃用聖物。

二十二17-33 我們已在第十一章看見，潔淨與不潔淨之牲畜的分別，怎樣反映出以色列人與其他民族的分別。這裏再作進一步的談論。正如以色列人分為祭司和庶民，潔淨的牲畜也再分為用作獻祭的和用作食用的。這樣，相似的象徵就是：祭司／獻祭的牲畜：其他以色列人／其他潔淨的牲畜：外邦人／不潔淨的牲畜。這模式解釋了二十一章17至21節與二十二章18至24節之字彙的類同。正如殘缺使人不能參與祭司職務，殘缺也使牲畜不能用來獻祭。

在新約裏，所有這些分別都廢棄了。在基督裏，不但沒有猶太人和外邦人之分，而只有一個透過基督與神和好和彼此和好的新人類，而且，由於基督已完成了祭司獻祭的功能，所以在基督的教會裏，也不像以色列中有延續不斷的祭司等級。聖殿裏的幔子已裂開。藉著基督犧牲的血，通往神那裏的路已打開（參彼前一19），而祂也為其子民，永久地站在神面前供大祭司之職。在基督裏的全體神的子民，現在都稱為祂聖潔的祭司，而瘸腿的、瞎眼的、長大痲瘋的，和所有從前被拒於祭司職任以外的人，現在都被邀請進入這群體中（參路十四13-21）。即使是太監（在20-21節被排斥），也得到確認，他不但可以進入神的聖所，而且他的獻祭也必蒙悅納（賽五十六3-8）。

不過，雖然那些在教會中作道德和屬靈監督的人，在新約中從未稱為祭司，但他們要擔負教導的職責，而這也是舊約祭司的職責。正因如此，新約對那些蒙召擔負此等職責的人，在個人和家庭生活上也給予較高的標準。因此，在長老、監督和執事的資歷要求中（提前三1-13；多一5-9；參雅三1），也可看見這兩章經文的迴響（雖然語氣頗為不同）。

二十三1-44　指定的節期和集會

在社會和經濟生活各方面所要求的聖潔，也編進了每一段時間之中。本章列出了每年節期的次序，以色列人藉此標示出每年農耕的季節，同時也紀念他們救贖的歷史。先列出的是每星期的安息日（3節），部分原因是其他節期會有額外的安息日，部分則由於所有節期都共享安息日的原則，那就是把

時間和勞力奉獻給神。本章像申命記十六章一樣，是一個平民的日曆。祭司所需要的詳細獻祭禮儀列於民數記二十八至二十九章。同樣地，逾越節禮儀的詳情則在出埃及記十二至十三章。

二十三4-22　春天的節期　「逾越節」和「無酵節」 實際上是兩個不同的節期，但由於逾越節後隨即是無酵節，所以兩節期便被合併起來（4-8節）。這個雙重的大節期當然是紀念出埃及的事蹟。以色列人記念他們立國的歷史之初的偉大的救贖事件時，這節期是他們主要的節期，現在仍是這樣。以色列曆法（陰曆）的「正月」是從3月中至4月中。這個月是在冬來的雨季，並且是收割季節之始，而收割由大麥開始，因那是最早熟透的農作物。因此，獻「初熟的莊稼」（9-14節）是在逾越節和無酵節的時候，而不是另外一個節期。事實上，獻初熟的莊稼、獻素祭和獻頭生的牲畜、是3個不同節期的一部分，這3個節期標誌著每年農耕的日子——逾越節和無酵節、五旬節、住棚節（比較出二十三15，三十四18-20）。

七七節（15-21節），或稱為五旬節（「五十」的意思），是在無酵節和獻初熟的莊稼後50日舉行。因此，那是快樂地慶祝五穀收割的日子。

第22節並非只是多餘地重複十九章9至10節。這節經文提醒以色列人，叫他們在熱鬧歡宴的當兒，不要在收割的日子忽略了群體中的窮乏人。素祭和平安祭為祭司提供了食物。拾麥穗的權利也為窮人提供食物。以色列人宗教生活裏這種憐憫和惠及全社群的本質，在申命記十六章11節和14節以更強的語氣表明出來。

二十三23-44　秋天的節期　「七月」（約9月中至10月中）是整個農耕年度之末，有橄欖和葡萄的收成。這就完成了五穀、油與酒3項主要食糧的收割，並平衡了春季的大節期。這個月的重要性（也許只是承認「七」這個神聖的象徵數字），可見於「初一」日以「吹角」來召集一個特別的聖會（23-25節；新國際譯本之「吹角節」標題由此而來，雖然經文沒有說出這個名字）。

贖罪日的禮儀細節在第十六章交代了。

在這行事曆中所需要的是提醒以色列民這天的屬靈準備——尤其是要「刻苦己心」——的重要性，其中可能包括禁食和其他禁戒。

正如基督徒年曆中，降臨節和四旬大齋期那嚴肅的悔罪季節，不及聖誕節和復活節的歡樂慶祝，在以色列的年曆中，贖罪日之後不久，也有全年慶典的高潮——住棚節。住棚節在橄欖和葡萄的收成之後，因而標誌著每年農耕週期的完成。基督教的收割節期的日子與他們大致相同，但只是矇矓地反映以色列人賦予這節期的歷史深意。以色列人要用樹枝搭建臨時的住處（因而稱為「住棚節」），並在其中居住7天。這是要令以色列人想起他們離開埃及及經過曠野時那種四處飄零的感覺，藉以提醒他們，即使以為自己已安頓和安穩，也別忘記要完全倚靠神（參申六10-11，八10-18，二十六1-11）。

基督教的聖曆從古時的以色列節期取得其雛型。耶穌是在逾越節釘十字架的，保羅在哥林多前書五章7至8節便是引用了逾越節和相關連的無酵節。聖週遂以復活日為高峯，而保羅又在哥林多前書十五章20至23節把基督的復活與初熟的果子相提並論。聖靈降臨在門徒身上，是在五旬節當天（徒二1），而這事蹟是在聖靈降臨節慶祝。至此，我們可見基督徒的信仰也像舊約一樣，把主要的節期不單連於季節的週期，更是連於獨特的歷史事件。然而，住棚節這個歷史層面，並未保存在基督徒的收割節期中。無論如何，它們不久就因那慶祝基督降生的新節期——聖誕節，而變得黯然失色。

二十四1-9　會幕的管理

在「聖處」（即會幕的外室，參第176頁的會幕陳設圖）有3件家具：香壇、金燈臺和金桌子。金燈臺在出埃及記二十五章31至39節，二十七章20至21節，四十章25至26節有詳盡的描述。祭司要確保燈要常常整理和點著（參撒上三3）。這做法有一個實際的作用，因為沒有燈，會幕就會漆黑一片，但可能也有一個象徵意義，那就是神同在和救恩之光（參詩二十七1），又或許是象徵以色列人的角色，是在列邦中發光（參亞四；路二32）。在桌子上，放著12個餅，分為兩行，每行6個。每一個安息日都換上新鮮的餅，而取下來的，則給予祭司吃用。12個餅大概是代表十二支派。祭司亞比米勒因大衛急切的需要而讓大衛吃的就是這聖餅，耶穌曾引用這故事有力地表達祂的意思（撒上二十一1-6；太十二3-4）。

二十四10-23　褻瀆神者之死

這事件強調了有關之律法的嚴重性（比較第十章）。有關這人身份的詳細資料，顯示這並不單是一個模糊的故事，而是一件為人所緊記的事件。他所犯的罪是藉「咒詛」，「褻瀆了聖名」（即神的名字——耶和華；11節）。誤用神的名和咒詛神是嚴格地禁止的，並且是嚴重地冒犯了聖約本身（出二十7，二十二28）。我們從先前各章可見，這種冒犯，並不只是隨便說一些粗言，像今天我們在公眾場所和傳媒上所聽見、那些無意識地加插在日常談話中的粗話。耶和華的名字幾乎在每一段律例中都重複出現。使以色列整個社會制度成型的是祂的性情，而祂的權威則驗准了他們約中的律法。這樣，褻瀆和咒詛祂，實際上就是藐視祂的權威和拒絕祂的律法。這是冒犯了整個社群的罪行，因整個社群都倚靠神在聖約下不斷的保護，因此這罪要使犯罪者被逐出社群以外。在某個意義上，死刑是出於犯罪者自己的決定。

這案件表達了一個法律原則，就是所謂 *lex talionis*（16下、22節）或報復之律。現今許多人用「以眼還眼」這句話來代表那似是原始、嗜血的舊約倫理。這是一個最不恰當的諷刺，因為「以眼還眼」的做法，在法律觀念上是一個頗大的進步，因為它消除了無止境的私人恩怨，而採取法律的行動，把懲罰限制於完全等同的報復。嚴重的罪行（如殺人等）不會受到輕判（如當犯罪者是有錢有勢的時候），而比較輕微的過犯，也不會過分的懲罰。此外，正如我們在上文已看見，種族或血統不會使判決有所不同（16、22節）。社群中的所有人，都要按相同的司法標準，得到同等的對待。第20節那句話，極可能是要透過生動的說明來表達一個原則，而不是要按字面意義來解釋。懲罰和補償要與所犯的罪行配合。其他律法顯示，有些使別人受傷的情況，可用賠償來作出彌補（例如出二十一18-19），而在奴隸的情況下，身體的受傷可用給予自由來作補償——在古代世界中，是一個頗為獨特的律法（出二十一26-

雖然這律法——嚴格地應用於公開法律行動的範疇——叫人小心留意對各種罪行施加適當和同等的懲罰（任何社會都應常常關注這一點），但利未記已清楚說明，社群中的聖潔，是指眾民不應為每一個過犯而魯莽地尋求報復（十九17-18；比較申三十二35；箴二十五21-22）。因此，耶穌指出適用於法庭程序的律法，不應是其門徒個人行為的準則（太五38-42；參羅十二17-21）。我們不要誤會（像常有的情況），以為耶穌的言論是要批評或否定舊約整體的道德標準，祂其實是批評人以最低限度的法律權利，作為與人交往——甚至與那些算為敵人的人交往——的條件。在這件事上，正如在許多事情上一樣，耶穌恢復了舊約律法應有的真正聲音、意圖和平衡〔比較C.J.H. Wright, *Knowing Jesus through the Old Testament* (Marshall Pickering, 1992)，第五章〕。

二十五1-55　安息年和禧年

繼第十九章後，本章大概是利未記中最具影響力的一章，因為它關注經濟和社會上的公平，它影響關乎末世和耶穌的預言，並且它被某些基督教社會倫理的學說所採用。正如第十九章一樣，本章有力地提醒我們，以色列人對聖潔的熱情，並不限於禮儀和宗教事宜上，而是滲進了生活中整個經濟架構之內。這是一章複合的經文，其中3個不同的經濟習慣都緊密地相扣著，同時也有一些插段和特殊的句子。那3個經濟習慣就是：安息年（第七年）；禧年（第五十年）；和贖回的程序（任何時候）。

二十五1-7　安息年

這是把出埃及記二十三章10至11節那休耕年的律例加以擴展。在第七年，田地要有「休息」，好像人類每週的安息日一樣。出埃及記所指出的人道主義動機，已在利未記（十九9-10，二十三22）所規定一年一度的拾穗權利中擴張了。在申命記十五章1至2節，安息年再進一步發展成這年裏所有債項（或較可能是貸款的抵押）都要取消。（至於安息日各條例之間的關係，參Wright, *God's People in God's Land*，頁141-151, 249-259）

二十五8-55　禧年

聖經介紹禧年為第七個安息年之後的那年，即第五十年，但有些學者認為那實際就是第四十九年。也有人指出那是只維持49天的短「年」，是加插在第四十九年的7月，好使以色列人的陰曆再與陽曆同步。（參Wenham, *Leviticus*，頁302, 319）。**第10節**表達出整個制度的兩個基本概念，就是「自由」和「歸回」。那些負債的，不用再還（舊約律法假定人會盡力去清還債項），而因債項而受轄制的，會得到釋放。這樣，他們貸款時必須抵押給債主的土地，但可以再次完全歸回他們所有。因此，這律法能使家族重獲祖先土地的屬權，因而此等債項，不會超過兩代。先知和後來新約思想中的禧年，所表達的就是這兩種成分——自由和歸還。

第13-17節這數節經文詳細地說明了循環的禧年在財政上的含義。一塊土地的售賣實際上只是出售土地的使用權。因此，愈接近禧年，土地的價值便愈低，因為買地者是購買土地在禧年之前收成的次數，而到了禧年，土地便要歸還原主。「彼此不可虧負」顯出這宗買賣實際上是一個債權人與一個債務人之間的協定，而債務人是以出售土地作為擔保來尋求貸款。這樣，貸款的數目就在乎得到土地回報的年數，直至下一個禧年為止。債權人所定出貸款的數目，要能在禧年之前從土地得回全部或大部分的款項。到了禧年，任何未清還的債項便會一筆勾銷，土地則歸還原主，即債務人。這種安排是為了保障雙方的利益，要他們小心留意借貸的數目，免得不謹慎的過分貸款變得不上算。

第18-22節這是一個叫人守安息年條例的鼓勵，應許他們在之前一年會得到特別的祝福；這句話回答了一個十分自然的問題（20節）。此處的神學原則是，以色列要有信心去遵守這經濟條例，他們必須相信，耶和華有能力透過祂對大自然和歷史的控制，去供應他們的所需。

第23-24節本章這兩節中心經文構成了餘下各段的標題，而其後的段落主要是關乎土地和人的贖回，與禧年交織在一起。**第23節**說出了兩個主要的大原則：

第一是土地的神學。作為地主，神決定土地應如何劃分和使用，那表示以色列制度裏的土地保有權有兩個顯著的特徵：公平分

配和不能讓予。在迦南，土地一直由諸王和貴族所擁有，而大部分人口是納稅的佃農。在以色列，土地最初的分配明確地是給予各支派中的部族和家庭，而各家各族是按人數和需要而分得土地（民二十六52-56；書十三至二十一）。目的是土地要盡量分配給所有有血統關係的人。為了保障這種分地的制度，家族所擁有的土地不可當作商品來買賣。土地要盡可能保留在同祖宗的家庭中，或最少要保留在本族人之中。就是基於這個原則，拿伯拒絕把他的世襲財產賣給亞哈（王上二十一章）。

第二個原則是，以色列人的身分是「客旅」和「寄居的」。**「客旅和寄居的」**原用來描述那些在迦南地裏，住在以色列人中間卻不是以色列族的人（參弗二19）。他們沒有自己的土地，而只是為擁有土地的以色列家庭工作（作勞工、匠人等），以維持生計。只要那家庭在經濟上沒有缺乏，他們家裏的寄居僱工就能享受保障和安穩。反之，他們的境況就會變得岌岌可危。因此，以色列律法經常要求以色列人公平寬大地對待他們。

以色列人要看他們在神面前的身分，與那些在家中靠他們維生的人相似。因此，**他們並不擁有土地的最終屬權——土地是神所擁有的。**雖然如此，他們卻可在神的保護，和在他們對神的倚靠中，享有不會失去的好處。因此這說法並不是要否定他們的權利，而是肯定一種受保護之從屬的關係。以色列人與神這種關係的實際效果可見於35、40和53節。若所有以色列人在神面前都抱有這種身分，他們對待貧窮和負債之弟兄的態度，便要好像神看待所有以色列人一樣，即有寬大和救贖的行動。

第25-55節這部分交待了贖回和禧年的詳情。其中描述了3種程度的窮乏和要作出的回應，每種情況都以「你的弟兄若漸漸窮乏」這句子來開始（25-28、35-38、39-43、47-53節）。其中加插了城中的住宅和利未人的產業（29-34節），以及以色列人之奴隸（44-46節）的處理。

第一種回應是贖回（25-28節）。起初那在經濟上有困難的以色列地主會出售或提出要出售部分土地。為了把產業保留在家族中，他的至近親屬首先有責任把地買過來（若仍未售出，例如耶三十二），或贖回（若

已賣給別人，例如得四）。第二，賣地者若後來經濟好轉，便有權贖回土地。第三，無論如何，到了禧年，無論那產業是賣給了親屬，還是由親屬贖回，都要歸還原來的家庭。城內的住宅不在正常的買賣和禧年的條例之內，因為房子並不是一個家庭收入的來源。這例外不能應用於利未人的產業，因為他們並沒有支派的分地（29-34節）。

若那窮乏的弟兄困境惡化，即使在多次賣地之後，他的親屬便有責任收留他作僱工，並給他免息的貸款（35-38節）。

若那窮乏的弟兄到了經濟完全崩潰的地步，再沒有土地可賣，也沒有借貸的抵押，他和全家可把自己賣給富有的親屬，即訂立作奴僕的契約。他的親屬不可把這負債的以色列人當作奴隸，而要像家中的僱工一樣待他。這種令人不快的做法只會持續至下一個禧年，即不會超過兩代。其後，這債務人及／或他的兒女（原來的債務人可能已逝世，但他的下一代可以享受禧年的利益；41、54節）要領回祖先的產業，以致能重新開始。這律例是為了保存以色列的土地擁有者的生存能力，因此並不適用於外邦的奴隸，他們並不是保有土地之制度下的一分子（44-46節）。但舊約有許多別的律法去保障這些奴隸的利益。

一個人若因債務賣身給本族以外的人，整個部族便要盡其義務（48-49節），為免失去這個家庭而行使他們的責任去把他贖回。他們也有責任保證非以色列族的債權人，要好像以色列人一樣對待這以色列的債務人，並且雙方最終也要按禧年的規定去處理。

這樣，買賣的主要目標就是保存同族的土地和親屬；而禧年的主要受益人是同祖宗的家庭。因此，**禧年是一種機制，以避免土地積聚在少數富有的以色列人手中，並且要確保多項家庭土地保有權的社會經濟結構，同時讓最細小的家庭及土地單位，有比較平等和獨立的生存能力。**在今天這個講究收購、合併、專營的跨國大企業的世界裏，利未記當中的智慧，更是顯而易見的。

禧年的神學和倫理學發展

在舊約中　雖然我們並不知道古代以色列有沒有把禧年實行出來（歷史敘述中並沒有關於禧年的記載，但也同樣沒有守贖罪日的記

載），但禧年的兩個主題——自由和復興——都很容易從禧年本身全屬經濟方面的規定，轉為更廣泛的喻意性應用。在以賽亞書三十五章有關未來的異象中，把贖回和歸還的觀念揉合併起來，但在本質上作出了變化。以賽亞書中，耶和華僕人的使命有大部分是關乎神為祂子民所定的復興計劃，特別是針對軟弱和受欺壓的人（賽四十二1-7）。以賽亞書五十八章攻擊異教規條沒有顧及社會公平和釋放被欺壓的人（6節），特別集中於一個人作為親屬的義務（7節）。最清楚不過的是，以賽亞書六十一章使用禧年的意象，來描述那位受膏者是耶和華的使者，要「傳福音」給貧窮的人，宣告被擄的得釋放，和報告耶和華的恩年——幾乎可確定是暗指禧年。因此，**在舊約本身，禧年常有一個關乎未來的意象，但並沒有失卻在當代社會裏為受欺壓者尋求公義的挑戰。**

在新約中　耶穌宣告在祂的事工裏，有神治權的介入。「拿撒勒宣告」（路四16-30）是最清楚關乎這一點的語句，並且是直接從以賽亞書六十一章引述過來的；該處受了禧年概念極強的影響。幾乎可以確定的是，耶穌在祂的日子，並沒有叫人真的去守禧年，但卻有禧年意象的迴響，如在登山寶訓中，回應施洗約翰的時候（太十一2-6），在筵席的比喻中（路十四12-24），和在關乎饒恕和處理債務的片段裏（太十八21-35）。在使徒行傳，有關最後之復興的禧年觀念，可見於使徒行傳一章6節和三章21節。值得注意的是，早期教會在經濟方面互相幫助的層面上，回應了這個盼望（徒四34；參申十五4）。

現代的應用　在編製基督教的聖經倫理時，禧年仍是一個很好的模範。它主要的假設和方針，可在今日的世界中，用作我們在倫理討論方面的指引和標準。

在經濟方面，禧年保障了某種形式的土地保有權。那是基於公平和普及的分配，並防止擁有權累積在少數的有錢人手中。這與創造的原則相呼應，在創造中，神把全地交給所有人，使他們共同管理其上的資源。利未記二十五章23節與詩篇二十四篇1節有類似之處，利未記對以色列人說：「地是我的」，而詩篇對全人類說：「地和其中所充滿的，

世界和住在其間的，都屬耶和華」。因此，禧年的道德原則是按著神在道德上的一貫性作為基礎，應用在所有人身上。原則上，祂對以色列人的要求，反映了祂對全人類的要求——地上資源要廣泛公平地分配（尤其是土地），並且約束人不可藉欺壓和割讓來囤積土地。這樣，禧年所批評的，不單是私人大量囤積土地和相關的財富，並且也批評大規模的集體主義或企業國營主義，因為這會破壞私有產權或家族式擁有權的精神。

在社會方面，禧年體現了對家庭單元的實際關注。在以色列的情況裏，那是指延伸大家庭——「父家」，這是繫於一個在生的男性長輩，由他繁衍的男丁所產生的多個核心家庭，包括3至4代所組成的。這是以色列人之血緣架構中最細小的單位，而那是每個以色列人的身分、地位、責任和保障的焦點所在。這就是禧年要保障的體系，並且如情況需要下，予以定期的恢復。值得注意的是，這種做法並不是只靠「道德」的途徑（即訴諸較緊密的家庭聯繫，或勸勉父母和子女），而是也藉著制定各種特有的結構機制來控制債項在經濟方面的影響。若家庭為經濟壓力而解體所有權被剝奪，變得無力反抗，則談論家庭道德是沒有意義的（參尼五1-5）。禧年藉著保持或恢復他們在經濟上的生存能力，來恢復這些家庭在社會上的尊嚴和參與。一個家庭在某一代的經濟崩潰，並不注定後來所有世代都受終身的債項所捆綁。這等原則和目標，當然適切現代福利制度，或任何有社會經濟含意的制度的討論。

在神學方面，禧年是基於以色列人信仰的的幾項重要確認，而我們評估禧年與基督教倫理和使命的關係時，不應忽略這些確認的重要性。像其他安息日的規定一樣，禧年宣告神在時間和大自然裏的主權，而守禧年，人必須順服那主權，因而禧年被稱為「聖」，人要存著「敬畏耶和華」的心來守這年（12-17節）。此外，實行休耕年也需要對神的供應有信心，相信祂能在大自然的規律中賜下祝福（18-22節）。另外，刺激以色列人守這律例的方法，是多次提及神把他們從埃及拯救出來的歷史行動，及這行動對他們的意義（38、42、55節）。

在這歷史層面之上，又加上了不斷饒恕的經歷，因為以色列人是在贖罪日宣告禧年

的（9節）。要表明你知道自己蒙神赦免，是要以實際行動去豁免以色列同胞的債項和捆綁。而正如我們在上文已看見，禧年裏隱含的未來盼望，跟來世的盼望——盼望神最終恢復祂起初給人類和大自然的目的——已經混然為一。那麼，應用禧年的做法，便要求人面對神的主權、信靠祂的供應、認識祂救贖的行動、經歷祂的贖罪、在祂的應許中行出祂的公義和盼望。這個整全的做法包括教會的傳福音使命、教會的個人和社會倫理，以及教會對未來的盼望。

二十六1-46　祝福、咒詛和應許

按照古代世界標準的做法，在重要的法律文件如國際條約裏，總會列出守約的好處，以及毀約所帶來的咒詛。這常見的形式在此處和在申命記二十八章也可看見。作者向以色列人重提律法的要求後（1-2節），便談及順從神的賜福（3-13節），不順從神的災禍（14-39節），以及得到復興的長遠展望，甚至遠至審判之後（40-45節）。

二十六3-13　順從與祝福　我們不要以為本章的祝福與咒詛是「獎賞」和「懲罰」（新國際譯本的標題有所誤導）。聖經並沒有說好行為會「賺得」祝福作為獎賞，同樣地災難也不一定是由於審判。以色列人不必賺取神的祝福。祝福早已存在，那是立約的關係中所應許和固有的——可以說是在以色列的權狀裏，而由神與亞伯拉罕立約時已開始。但惟有當以色列人按約上的要求去生活，他們才能完全經歷那祝福，否則，祝福便會收回。神若收回祝福，以色列人便處於受咒詛的地和人類邪惡的行為之中，要面對各樣的危險。

那應許中的祝福包括4個要素：降雨和豐收（3-5節）；平安和穩妥（6-8節）；生養眾多（9節）；以及神在以色列人中居住（11-13節）。這些祝福實在跟亞伯拉罕之約當中的祝福相同（創十二1-3），只是多了一些地方色彩。神曾應許亞伯拉罕賜他眾多的後裔；他們會得著一片土地（但若沒有雨、沒有收成和安穩，擁有土地也是無益的）；而最重要的是，他們會享受神賜福的關係。這幾節經文不單與亞伯拉罕的約互相呼應，並且也與挪亞的約（創八21至九17），甚至叫人想起

伊甸園。「我要在你們中間行走」這句話，使用了不常見的字詞，跟描述神與亞當夏娃同行的用字一樣（創三8；比較創五22-24，六9，十七1）。就是為了挽回與神這樣的親密關係，為了以色列人在神的美地上快樂地與神同住，神便在偉大的出埃及事件中救贖了他們；這事件本身證明了神守約的信實（13節）。

二十六14-39　不順服與咒詛　正如其他此類文件的習慣性做法，所列出的咒詛是較長的。此處大體上是描述神祝福的相反或收回，並有災難性的結果。接連發生的恐怖事件，在古代世界中是人所共知的：疾病（16節）、戰敗（17節）、旱災（18-20節）、野獸的襲擊（21-22節）、戰爭、瘟疫與饑荒（23-31節）、土地荒廢，人被驅散和逐出原處（27-39節）。這等事件在天然和人為的災難中是常有的。但在以色列人與神立約的背景下，他們是神施行刑罰的工具（比較25節）。眾先知就是按這基礎解釋他們那日子的事件，那些事件正好像是聖約被毀和神震怒的明證。但眾先知也知道這些懲罰的目的，最終是使以色列人悔改歸向神（比較摩四6-12），也知道他們從這類的經文所得著的盼望。

二十六40-45　悔改與復興　在聖經中，「但若是」的表達法往往有豐富的意義，而此處是其中一個有極深遠影響的「但若是」。雖然有罪，有審判和被擄，但未來並非就此完結（比較申三十1-10）。縱然以色列人站在自己叛逆不忠與失敗的廢墟之中，他們惟一的盼望，正如他們自從金牛犢事件後已知曉的（出三十二至三十四），是在於神在祂自己約上的信實。神已為他們安排了未來，賜他們盼望，而那是眾先知在被擄時期所談及的（參耶二十九10-14，三十至三十一；結三十四25-31，三十六24-38，三十七24-28）。神這樣做，是因為以色列人是神的工具，神要藉著他們完成偉大的救贖計劃，祝福所有的人；但這裏並沒有直接說明，而只是在亞伯拉罕之約中暗示。祂向以色列人作出承諾，是因著祂向列國所作出的承諾。祂不會把「他們」全然毀滅，是因為祂不會取消拯救「世人」的使命。就是為了神向以色列人守

約，及救恩延及外邦這兩個觀念的連繫，保羅在羅馬書九至十一章深入地思想本段及其他關乎復興或挽回的經文（特別是申三十二章）。我們也要按著這較廣闊的背景，來解釋神的三重應許：祂會「記念」與亞伯拉罕所立的約（42節），記念「這地」（42下-43節）及西乃之約（45節）。神並沒有「忘記」他們。而是正如祂記念亞伯拉罕，把以色列從埃及地領出來一樣（出二24），祂也會再次拯救祂的民。施洗約翰的父親撒迦利亞，站在神救贖行動之高潮的邊緣時，把這樣的思想轉變成一首讚美的頌歌（路一67-79）。

二十七1-34　許願與奉獻之物的估價

舊的律法從沒有吩咐人要許願或把人或物件奉獻給神（除了定期的什一奉獻和初熟果子與頭生兒子的奉獻外）。特別的許願完全是出於自願的。然而，律法所強調的是人不可魯莽許願，然後卻不守諾言。神是輕慢不得的，人向祂所作出的承諾，必須好像對待向人所作的承諾一樣，要認真地履行。申命記二十三章21至23節已扼要說明了許願的原則。不許願不會招致譴責；但許了願卻不履行卻會招來罪愆（參傳五2-7；箴二十25）。

本章知道人承諾過聖潔生活，和努力按著先前各章的指引去生活時，也許會向神作出過分熱心或不切實際的諾言，因而以冷靜的現實來緩和這種熱心。人許願，必先完全知道還願的代價高昂。人可以把願「贖回」，即買贖自己，不用承擔許願的後果，但此處的條例顯出，那是一個十分昂貴的做法。在某些情況下，人若改變心意，他便要按原定奉獻之東西的價值，作出附加五分之一的賠償。

本章處理一切涉及人（2-8節）、牲畜（9-13節）、房屋（14-15節）、田地（16-25節）的許願，然後以一些相關的條例來結束（26-33節）。許願或奉獻的基本後果是那人或物件要歸神所有。一般來說，是指他／她或它要供祭司和聖所之用。這樣，人把自己或家人奉獻的話，被奉獻的也許要協助祭司，去執行一些不用直接觸獻祭的職務。至於牲畜、房屋或土地，則會成為祭司收入的一部分，尤其這些東西轉換為相等於其價值的現金奉獻。撒母耳的故事大抵就是這等許願的一個例子，並且說明了誘發此種許願的處境（撒上一至二）。若被獻上的人不願作出這樣的事

奉，他／她可以交給祭司一定的價銀，把自己贖回。**第3-7節**的數目是實際的價銀，而不只是象徵性的價值。這些定價可能反映了當時估定奴隸工作能力的市價。那就是說，我們不應以為人本身的價值會用金錢來衡量，所衡量的是他們可以完成之工作的估計。好像在獻祭條例中一樣，此處也顧及貧窮者的處境（8節）。

至於土地（16-25節），人可以把自己部分的產業奉獻給神，而他們後來若沒有把地贖回，到了禧年，土地便永歸祭司所有。無論如何，神才是真正的土地擁有者。然而，人不可把一塊從別人買來的地（可能是貸款的抵押）永遠獻給神，因為按第二十五章的條例，這土地不會永遠屬於購地的人。到了禧年，這地必須歸還其原來的地主。

雖然本章好像是在第二十六章的高潮以後的一個附篇，但其中談及的許願、奉獻和獻身，卻並非完全與上文不相稱。要作出特別的奉獻，必先有委身於神的生活。許願不會使人更聖潔，而只是代表一種特別的承諾，是認真地回應這位神；祂的性情、祂對人的要求和賜人的福祉，已在本書其餘的部分清楚地描述了。在基督徒的處境裏，這樣的承諾或委身可以有十分不同的形式，但當然可以包括人、財產、物業和土地。許願並不是強制性的，但我們一旦作出了承諾，神便不接受我們任何欺騙的行為（徒四32至五11；參林後九7）。歸根究柢，任何特別的許願或奉獻，只是流露出我們是把生命完全奉獻於對神的事奉上，而那是每一個真正基督門徒應有的標記（羅十二1-2）。

> 「我一生求主管理
> 願獻身心為活祭
> 我光陰全歸主用
> 一生頌揚主恩寵」
> (Frances Ridley Havergal)

Christopher J.H. Wright

進深閱讀

G.J. Wenham, *The Book of Leviticus*, NICOT (Eerdmans, 1979).

C.J.H. Wright, *Living as the People of God* (IVP/UK, 1983)，美國版本作 *An Eye for an Eye* (IVP/USA, 1983).

——, *Knowing Jesus through the Old Testament* (Marshall Pickering, 1992).

J.E. Hartley, *Leviticus*, WBC (Word, 1992.)

民數記

✳ 導 論

書名

「民數記」這名稱是來自拉丁文和希臘文譯本所取的書名。在主前二世紀或更早之前，便已有此名稱出現。它反映出本書在開始和結束時，均記載了以色列民與祭司人數的統計（一至四章，二十六章）。猶太人的傳統則採用了別的名稱，他們以本書希伯來文的最初幾個字來作為書名。這些名稱包括：「在曠野中」（指出他們在曠野中飄流了40年的事實）、「他曉諭說」（某些早期的教父較喜歡這書名，因為它強調了整卷書都是與神的話有關，以色列人不肯相信神的話，但神卻一直忠於自己的話），以及「摩西的第四卷書」（即創世記至申命記的五經之一）。

結構大綱

民數記可分為3個部分：

為進入應許之地作準備（一至十章）　這部分記錄了摩西為以色列民所作的準備。各支派都數點了民數，編配妥當和潔淨自己；祭司制度也建立起來；為會幕進行了奉獻禮；眾民亦守了逾越節。每項準備的細節都是按照神的吩咐而行，為了要達致兩個目標：要以色列民作好準備，與主同行，以及預備他們去佔領神昔日與亞伯拉罕所立的約中，應許賜給他們作為產業的土地。作好這全面的準備以後，百姓便開始向迦南進發，神用雲柱和火柱遮蓋約櫃，親自引導他們。

前往應許之地（十一至二十五章）　一段原本應該充滿喜樂的朝聖旅程，卻變成了充滿不滿的苦路。百姓一開始起行便不斷抱怨。當他們得知住在迦南地的都是強大的國民，便堅決拒入美地。他們因著不信而拒絕神的應許。結果，他們的有生之年都要在曠野中渡過。大約在40年後，以色列人才再次向迦

圖表一　結構大綱

章 數	敘 事	神 學	地 理
一至十章	作好承受迦南地的準備	應許（土地） 神的說話確證了祂的應許。	西乃（一1至十10）
十一至二十五章	前行直往迦南放棄進入 （在十九至二十章之間，相隔了38年） 第四十年：飄流歲月的結束	不信（曠野） 以色列人不肯相信。 他們失去了所應許的。 死在曠野中。	往巴蘭曠野之路（十11至十二16） 在那裏發生的連串事件（十三1至十九22） 相隔了38年（在三十三19-35中概述） 第四十年：往摩押平原（二十一至二十一35）
二十六至三十六章	再次作好準備承受土地	應許（土地） 神的說話重新肯定祂的應許。	摩押平原（二十二1至三十六13）

南地進發。

為承受應許之地作產業而重張旗鼓（二十六至三十六章） 40年後，以色列民來到摩押平原。這段落的重點是在於承受產業。新一代的以色列人重新數點人數，又聽從有關如何分配土地和獻祭的吩咐。他們這樣便為承受應許之地作好一切的準備。最後的準備包括吩咐各支派要守住自己的產業；這樣便確保了產業繼承權。以色列人縱然犯過不信的罪，但神卻一直信守自己立約的計劃。

文學體裁

理解民數記屬於哪類作品是十分重要的。事實上，這是一項詮釋的原則：我們必須辨認出聖經各書卷的文學類別和它們各自的內容。聖經每卷書都各有不同。它們屬於不同的文學類別：律法、歷史、詩篇、福音書、書信等等。我們要用不同的閱讀方式來讀不同類別的書。例如，歷史有別於教義。使徒行傳（歷史性質）記述了保羅「因那些地方的猶太人」而為提摩太行了割禮（徒十六3）。但保羅在書信（教義性質）中卻教導信徒，無須行割禮（加二3，五2，六12-16）。要明白兩者的分別是十分重要的，因為我們必須遵行教義，卻不一定要依從歷史中的例子。

我們在民數記中可找出4個主要的書寫類別：敘事、律法、行政紀錄和講辭。如果我們將「敘事」的部分選取出來，我們會讀到所發生的連串事件，例如，我們若略去人口統計的細節，和有關獻祭與節期的律例，留下的便是以色列人在西乃、在曠野中和摩押平原上所發生的事件。這是本書的「架構」（參圖表二）。至於「律法」的主要內容包括了祭司制度（四4-33，八6-26，十八1至十九22）、潔淨禮（五5至六21）、獻祭和節期（九11下-14，十1-10，十五1-41，二十八1至三十16），和有關承受迦南地為產業的吩咐（二十七8-11，三十一21-24，三十四1至三十五34，三十六7-10）。「行政紀錄」包括領袖的名單（一5-16，十三4-16，三十四19-29）、家譜和人口統計（一20-46，三1-4、17-29，四34-49，二十六4-51、57-62）、營地紀錄（二3-33，三十三1-49）、各支派的奉獻和供物（七12-88，三十一32-40、42-47）、外交聯絡（二

十14-20，二十二5-6、16-17），以及土地邊界的紀錄（三十四3-12）。書中所提到的講辭包括有禱文（十35-36）、祝福（六24-27）、預言（二十三7-10、17-24，二十四3-9、15-24）、許願（二十一2）、誓言（五19-22，十四20-25、27-35）、詩篇、歌詞和古人的說話（二十一14-15、17-18、27-30）。這些講辭通常將敘事部分所記述事件的含義引帶出來，因此，它們在解釋事件上，具有非常重大的價值。

敘事架構

律法、行政紀錄和講辭均套入那提供全書架構的敘事部分。行政紀錄自然地成為敘事的一部分，例如，以東和以色列之間的信息傳送（二十14-20），正好道明以東如何拒絕讓以色列人經過其領土進入迦南。事實上，那些行政紀錄令民數記的敘事部分極具特色。

律法如何套入敘事部分則沒有那麼清晰易明。不少讀者對於某些律法為何被放置在某處，感到大惑不解。然而，當中必定有關連的，否則本書便難以被人適當理解。這裏可提出兩個例子。第一，在記述利未人可拉發動叛變，攻擊亞倫之後（十六至十七章），便立即提出強調亞倫作大祭司高於其他利未人的律例（十八至十九章）。第二，當記述以色列人因不信而不能進入迦南，神誓言那代以色列人將不得進入應許地之後（十三至十四章），緊接提出的律例，便暗示以色列人將來終有一天能佔領該地（十五章）。在提出那些律例之前，是以「你們到了我所賜給你們居住的地」作為序言，而神要百姓獻上的祭品，則是從地上出產的細麵、油和酒。因此，這些律例表明了縱然以色列人犯罪，神依然以恩慈待他們。敘事與律法之間的關係，在圖表二作了更全面的闡釋。

敘事的焦點在於「重要的講辭」。希伯來人敘事方式習慣引用領袖的說話。很多時候，故事的高潮是用一篇意味深長的講辭來表現的。例如，記述亞伯拉罕經歷信心考驗的故事（當時他聽從神的吩咐將以撒獻上），便以神的誓言作為事件的高潮（創二十二15-18）。這類的重要講辭表達了事件的重點。民數記就跟創世記一樣，在敘事的重要關頭引用了重要的講辭。讀者可從圖表三清楚看見。

經　　文	敘　事　架　構	經　　文	律　　法
一至二 三至四 五1-4	**1.準備** 各支派數點人數和依序安營。 利未人的人數統計和被派作祭司。 不潔淨的要出營外去：除去帶來污穢的因素。	{四4-33} 五5至六21	利未祭司事奉的條例。 免去污穢的律例：應用在社會上（偷竊財物）； 婚姻關係上（淫亂）； 在生命上（拿細耳人的願）。
七1至八5	膏抹會幕和祭壇，把它們分別為聖；安置燈臺。	八6-26	利未人在會幕事奉的律例。
九1-11上	守逾越節。	九11下-14	逾越節的律例。
九15-23	雲彩遮蓋會幕，它將帶領以色列人的行程。	十1-10	吹銀號來招聚會眾聚集和起行。
十11-36	以色列人啟程。		
十一至十四	**2.行程** 以色列人起行前往迦南，途中不斷抱怨，最終不肯進入迦南。因著他們蓄意背逆，神誓言他們決不能進入迦南。	十五	吩咐以色列人進入迦南地後要獻的祭。區別蓄意和無意所犯的罪。
十六至十七	可拉叛變，攻擊亞倫作大祭司的職任。主確認祂對亞倫的揀選。	十八至十九	律法確認亞倫作大祭司的職任高於利未人；亞倫家必須用水灑除以色列人的不潔。
二十至二十五	行畢全程。連串事件在摩押平原發生。巴蘭的祝福；以色列人與米甸人一同犯罪。		
二十六至二十七	**3.為承受應許地重新作好準備** 各支派數點民數，作為佔領與分配土地的基礎。	{二十七8-10} 二十八至三十	承受產業的律例。 獻祭和許願，在應許之地要守的節期。
三十一至三十二	向米甸人報仇。在約但河東安營。	三十四至三十五	迦南地的境界；分配產業；利未人的城邑和為保持應許之地潔淨而設的逃城。
（三十三	摩西的行程記錄。）		
三十六1-13	西羅非哈眾女兒的婚事和她們的產業。	{三十六7-10}	產業的律例：不可將產業從這支派歸到那支派。

民數記

敘事紀錄的重要特點

我們可從敘事的方式和性質看到很多特點。

敘事的經過並非完全按照時序

民數記大體上是按照時序記述。不過，當中也有一些地方並沒有按照歷史時序。第一至十章記述出埃及之後第二年頭兩個月的連串事件，此10章就明顯沒有按照時序編寫。倘若我們將經文的次序重新編排，其時序將會如下：在頭一天立起會幕（九15-23），接著的12天，各支派將他們的奉獻祭物帶來，使其成聖（七1至八26）；第十四日守逾越節（九1-14）；兩週後，在第二個月的頭一天，進行了人口統計，和潔淨了營地（一1至六27）；到了第二十日，以色列人便啟程前往迦南（十1-36）。民數記並不是聖經中唯一一卷不按時序編排的書，福音書似乎也有類似的例子。碰到這種情況，總有某些理由驅

章　　數	經　　文	重　要　講　辭
一至十章	六24-27	祭司的祝福。祭司在安排各營，建立了祭司制度和潔淨了各營後，才給予祝福。
	十35-36	摩西的祈禱。「耶和華啊！求你興起！願你的仇敵四散！願恨你的人從你面前逃跑！耶和華啊，求你回到以色列的千萬人中！」此求助的禱文總結了一至十章的重點。神在以色列眾民中間，祂帶領他們前往應許賜給他們作為產業的迦南地。
十一至二十五章	十四20-25、28-35	神的誓言。以色列人因不信神的應許，不肯進入迦南地，以致神起誓，要他們接受最可怕的結局：「他們斷不得看見我向他們的祖宗所起誓應許之地。」
	二十三7-10、18-24，二十四3-9、15-19、20-24	給以色列的祝福。雖然是出自巴蘭的口，但經文清楚指出祝福是神要他講出來的。神的話不會改變，也不會撤回。現在正是以色列人要進入迦南前的一刻，所以，這些祝福語便更見意味深長。
	二十五12-13	永遠當祭司職任的約。這約是極之重要的：以色列人已戰勝他們的仇敵，卻因本身的罪而跌倒。藉著神的恩典，神為他們確立了勝過罪惡的途徑，那就是透過祭司的贖罪。
二十六至三十六章	二十六52-56，三十三50-56，三十四2（3-12）、29	一再吩咐要將土地分配給以色列人作為產業。
	三十六7、9（二十七7-11）	最後的吩咐：「以色列人的產業就不從這支派歸到那支派，因為以色列人要各守各祖宗支派的產業。」這項吩咐體現了神的計劃：「凡你所看見的一切地，我都要賜給你和你的後裔」（創十三15）。神向亞伯拉罕所作的應許，便帶來了不可轉讓的產業繼承權。

使作者不按歷史時序編寫。我們若能找出當中的理由，就能明白作者的寫作目的。

　　本書作者似乎是按照營區的編配方式來寫出第一至十章。營區的安排是分為兩個圈：外圈屬於眾支派，而內圈屬於祭司，會幕則放在中央（參二1-34）。這種安排是要教導以色列人，他們的思想和生活都要以神為中心。對以色列人來說，最重要的，就是有神住在他們中間（出三十三3-16）。他們渴慕

祂的同在，勝過任何一切（詩四十二1-3）。作者按照此次序：眾支派的營（外圈）、祭司的營和會幕（內圈中心），帶領讀者進入此中心。他一連用了3次這種表達方式。首先，數點眾支派的人數（一至二章），然後是利未人的人數（三至四章）；接著，將營分別為聖（五至六章），然後到會幕和祭司（七至八章）。最後，到了快將啟程的時候，以色列人先在全營守逾越節（九1-14），其後雲彩便出

現在會幕之上（九15-23），以色列人便開始起行。於是，最重要的事件——神在其他事件發生之前顯明祂的同在——便留待到最後一刻。這種推延製造了一種高潮感，指出最重要的是甚麼。以色列人的渴望一直要留待到最後一刻才能滿足，到了最後，雲彩降下，神向百姓顯明祂將永遠與他們同在（九15-23）。到了這一刻，他們才可以起行前往迦南（十章）。

將出埃及記和民數記互相對比是相當有趣的（出四十的記載與民九15-23十分近似）。出埃及記帶領我們由在埃及的為奴之地去到西乃，神同在的榮光充滿了會幕和雲彩（出四十）。高潮是在於神按照祂賜給亞伯拉罕的應許，住在百姓中間（創十七7）。民數記超越這點，進到一個新的關注點，就是承受迦南地為產業。神帶領以色列人前往祂與亞伯拉罕立約中之應許祂（民十29）。民數記的其餘部分記載這一代的以色列人失去了承受此產業的機會，但這產業卻保留給他們的下一代。

敘事部分略去了眾多細節

民數記的內容涵蓋了大約40年的時間，不過，它並沒有記錄在這40年中所發生的一切事。在第十九至二十章之間，有一段長達38年的時間空隙（申二14；民二十一12）。本書所記錄的，集中在第二年的其中幾個月，和第四十年的最後一段日子；在這期間的片段，作者幾乎是隻字不提的。

摩西記錄了在各個安營的地點（三十三章）。但敘事部分只提及他們在路上所過的少數地點（例如一1，九1，十二16，二十1，22-23，三十三50，三十六13）。若與摩西所列出的安營地點互相對比，可以肯定敘事部分之中，有一段空隙時間是沒有記錄的。其中有兩件事可能是發生在這段曠野飄流時期的：用石頭打死違反安息日的人（十五32-36）和可拉的叛變（十六1-50）。第一件事發生在「曠野」中，不過，所指的卻似乎是巴蘭曠野（十五32）。第二件事沒有記載發生的日期，但它卻似乎是因為不能佔領迦南地而引起（十六14），而我們有理由相信叛變是在不能進入迦南地後不久便發生（可參十六41為例）。以色列在加低斯繼續逗留了多天，有足夠時間讓這些事情發生（申一46）。即使這些

事的確是發生在路上的較後時期，作者亦未必覺得有需要告訴我們，反之，他將它們歸為背逆的表現。因此，從利提瑪到加低斯的一段，是全無紀錄的（三十三19、36）。

這裏要指出的，是作者將記述的焦點放在3個重要階段上：準備（一至十章）；背逆（十三至十九章）；和行程結束時的再作準備（二十至二十五章，二十六至三十六章）。此外，他對在曠野飄流的歲月隻字不提，更是表明這段歲月根本是平白浪費的最有力證據。對於本書要記述甚麼內容，顯然是經過作者非常小心的選擇。他希望我們注意他所記錄的事情，而無須理會所沒有記載的。

敘事部分輪流穿插在神的話和人的話之間

兩者構成了鮮明的對比：神向百姓說話，他們若聽從便帶來極大的進展；但是，當以色列人為自己說話，我們所聽見的便是種種怨言、訴苦和悖逆的話，因而激起神的審判。

由第一至十章，神的話帶領著百姓。我們重複讀到「耶和華曉諭說」（一1，二1，三1等）。「曉諭」的希伯來字，在這裏含有頒佈命令的意思，換言之，各事都要「照耶和華吩咐」的去完成（三39、42，九18-23）。結果帶來了進展與和平。綜觀全書，我們要留意那些「耶和華曉諭說」的句子，它們所指的，是神發出用來引導百姓的說話。

第十一至二十五章卻轉為一幅截然不同的圖畫。當百姓開口發言，他們便不斷地埋怨神。整段路程都充滿了怨言，我們重複看到「眾百姓發怨言」這幾個字。他們抱怨辛苦（十一1）、沒有肉吃（十一4）和進入迦南之後的可見命運（十四1-4）。米利暗和亞倫都起來攻擊摩西（十二1）；可拉和他們同黨亦攻擊摩西和亞倫（十六2-3）；隨後全會眾也都群起攻擊摩西和亞倫（十六41-42）。多年之後，他們仍然抱怨，這次是因為沒有水喝（二十2-3）；而到了僅餘6個月就整整40年都過去之際（二十一4以下），他們還沒有停止發怨言。在民數記的整個中心部分（十一至二十五章），神都有用祂的話語來回應百姓的惡言。我們讀到「耶和華聽見了」（十一1、18，十二2）。雖然審判要降到百姓身上，但神的話卻重新肯定祂的旨意和繼續賜福。

到了二十六至三十六章，神的話再次帶

領以色列人，又肯定他們將要承受產業。

這種輪流交替的結構，顯示了民數記所包含的基本神學元素：儘管以色列人一再在信心上跌倒，神仍然忠於祂立約的計劃。那些激怒祂的人最終失去了他們的產業，也失去了他們的生命。然而，神仍是信實的，祂的話語亦一再肯定祂的計劃不會改變。全本聖經都不斷重申這點。保羅寫道：「我們縱然失信，他仍是可信的，因為他不能背乎自己」（提後二13），以及「即便有不信的，這

曠野和摩押來劃分本書（參圖表一和有關的地圖）。然而，地理卻不能決定本書的架構。我們剛才已經指出，書中將大部分行程的經過都略去。倘若我們將過多注意力放在地理上，結果可能導致我們看不清經文的神學架構。

不過，地理卻的確成為支持神學架構的背後要素。西乃是神啟示百姓的山（和神話語發出指引的山，一至十章）。百姓在應許產業以外虛度一生的曠野，正是一處浪費歲月、在屬靈上毫無意義和死亡的地方（十一

圖表四　神的話與人的話交替對比

	神 的 話	摩 西 的 回 應
一至十章	耶和華向摩西説話，吩咐以色列人準備啟程往迦南。	摩西按照耶和華的吩咐，作好一切準備。
十一至十二章	**人敵擋神的話（不信）** 在路上發怨言。 百姓寧願留在埃及。 （米利暗和亞倫攻擊摩西。）	**回應：神的話（信實）** 十三章　吩咐他們窺探迦南地，準備進入。
十四章	抱怨把他們帶到迦南，他們寧願留在曠野。	（十二6-8　神為摩西講説話。） ｛十四20-35　誓言不准他們進入｝ 十五章　吩咐：為非蓄意犯的罪在迦南地獻祭，做一根藍細帶子來提醒以色列人不可再犯罪。（神的計劃沒有改變。）
十六章 二十至二十一章	可拉攻擊摩西和亞倫。 攻擊摩西。面對敵人的阻礙時失去忍耐。	十七至十九章　確認亞倫作祭司的吩咐。 二十二至二十四章　神甚至透過巴蘭這個敵人的口，來發出祂那絕不撤回的賜福。
二十五章	以色列人與摩押人一同犯罪（公然的悖逆）。	二十五10-18　亞倫繼續作祭司，此約確保了贖罪的途徑。
二十六至三十六章	**神的話** 重新準備，包括分配和保證產業權、制定曆法和其他為到迦南地而設的命令。	**摩西的回應** 摩西依照耶和華的吩咐去行，甚至記錄了行程的每一個階段。

有何妨呢？難道他們的不信就廢掉神的信嗎？斷乎不能！不如説，神是真實的，人都是虛謊的」（羅三3-4）。

地理資料

民數記記載了以色列人由西乃行至摩押這段路程的資料（三十三章）。因此，許多釋經家便按照地理上的3個主要位置，即西乃、

至二十五章）。摩押在迦南的邊境，以色列人在那裏再次準備去接收其產業。然而，**民數記所搜羅的並非個別事件，也非因它們發生在同一次路程上，或在同一個地點而滙集起來。反之，本書展示了一套清楚的神學，是作者刻意運用地理上的資料來作為背後的支持。**

還有一點值得注意，就是愈接近本書的

結尾，就愈多提及以色列人安營的地點。這傳達了一種急速向目標邁進的感覺，以色列人等待到達目標那天，已等得太久了。他們加快步伐向前邁進，因為40年的飄流期即將告終。每遷一個營址，都進一步逼近迦南地。隨著迦南地逐漸逼近眼前，百姓的情緒便愈加緊張和高漲（二十1至二十二1，三十三1-50）。

在五經中的位置

民數記是構成五經整體的一個部分。它在兩個重要方面與其餘4卷書合而為一。首先是歷史上的延續。民數記接續出埃及記，繼而帶領讀者進入申命記。出埃及記記載以色列人由埃及出來，直至一年後到達西乃；民數記的內容則涵蓋了接著約40年，以色列人由西乃行至摩押（在申一6至三29進行窺探）；申命記則記述了百姓在摩押平原與神重新立約。這種延續和發展亦涵蓋了律法和建制的層面。出埃及記記錄了會幕的建造（出二十五至四十）；民數記在立起會幕一事上重複了出埃及記的記載，卻又加入了有關運送會幕方面的指示（四4-33）。其他共有的主題包括祭司、獻祭、節期、許願和潔淨方面的吩咐。

其次，在神學上也是連成一體、合而為一的。那使它們合而為一的主因，是神與亞伯拉罕所立的約（創十一至二十二）。這是創世記所提供的基礎，繼而由出埃及記、利未記、民數和申命記所共用。神正是為了此約而拯救以色列人離開埃及，在西乃與他們同在，帶領他們經過曠野，到達摩押平原。會幕和祭司制度也是為此而設立。我們在「主題」部分會嘗試透過對民數記的神學和它的主要教義進行初步探究，將這些重要基礎發掘出來。

作者

按照傳統的看法，民數記是五經的一部分，一直視摩西為作者。摩西是書中的重要人物，當中所記載的事件都發生在他的有生之年，而律法也是藉著他頒佈給百姓的。然而，書中有某些地方卻清楚顯示出，經文的最後文稿並非出於摩西。請留意以下有關民數記的各點，當中亦已考慮到五經其他書卷的證據。

1. 經文中提及摩西的地方，都好像是出自別人手筆（一1指出「耶和華曉諭摩西」，而不是說「耶和華曉諭我」）。此外，經文還對摩西大加稱許（十二3）。難道摩西會自己稱讚自己？

2. 五經包含了一些資料，證明它是寫於摩西死後。它記述了摩西的死，和為他哀哭了30天（申三十四5-8），又將他與後來的眾先知作出比較（申三十四10）。民數記所提及的某些城市名稱已跟以前不一樣，但這種改動相信是在迦南地定居之後才作出的（三十二38、42）。

3. 聖經不曾在任何地方指稱創世記至申命記的全部內容均是由摩西所寫。它卻曾指出摩西確實寫了某些部分（出十七14，二十四4，三十四27-28；民三十三2；申三十一9、19、22）。其後，聖經提到「摩西的律法書」（王上二3；王下十四6；結七6；尼八1，十三1；但九11、13）。新約視律法是從摩西而來，又將五經稱為「摩西的話」（路十六29、31；約一17）。聖經又說摩西曾寫過關於基督的事（約一45，五46）。因此，聖經明確指出，摩西曾寫過律法，他記錄過以色列人的行程，也寫了一首歌和有關基督的預言（例如申十八15）。因此，這些部分是有明確的聖經根據去證明是摩西所寫。但今天我們所見的經卷，卻可能是由摩西的後人將他所寫的結集而成。其他聖經書卷似乎也經過類似的成書過程（參賽八16；約二十一24-25；羅十六22），例如希伯來書便是由那些聽了眾使徒教訓的人所寫的（來二3）。

學者們推斷出不同的理論去說明五經如何成了今天正典的形式。在「摩西五經」的文章中已作了簡單介紹。我們要處理這個問題，最重要的是分辨出哪些理論是有聖經的明確證據，哪些是由學者們引用聖經的證據而推論出來的。

🌡 主 題

民數記的基本教義——亞伯拉罕的約——貫串了全書。其他值得注意的教義有：神的話、信心、背道、聖潔和祭司。它們都以亞伯拉罕的約為中心而滙集起來。

亞伯拉罕的約

神給亞伯拉罕的應許是以立約的形式建立，再以誓言來確認的（創十二1-3、7，十三14-17，十五1-16，十七1-21，二十二15-18）。因著起誓的緣故，神不可能背棄自己立約的應許（來六13-18）。這立誓的約比天地還要堅定（尼九6-7；賽四十8；耶三十一36-37，三十三25-26；太二十四35；彼前一23-25）。神與以撒和雅各重新訂立的也是同一個約（創二十六3-5，二十八13-15）。隨著神一再重申這約，我們發現它蘊含了四個重要應許。

1.與神的關係 「我要與你並你世世代代的後裔堅立我的約，作永遠的約，是要作你和你後裔的神」（創十七7；參創十五1，二十六3，二十八13、15）。神藉著一個永遠的約，使亞伯拉罕和他的後裔與自己建立關係（路二十37-38；羅八35-39）。聖經用許多名稱來形容這種關係：相交、兒子的名分、成為神的子民和得著永生（約壹一3、6-10；羅九4-6；彼前二9-10）。神是我們的天父。**在整個救贖歷史中，建立這種關係是根本的目標；它也是全本聖經最根本關注的問題。**

2.土地 「你起來，縱橫走遍這地，因為我必把這地賜給你」（創十三17）。有些時候，神會清楚指明迦南的地界（創十五18-21），但另一些時候，神只是籠統地形容它為「我所要指示你的地」（創十二1），或「仇敵的城門」（創二十二17）。**無人會質疑神所指的正是迦南地**。雅各和約瑟臨終吩咐人要將他們葬在迦南（創五十5、12-14、24-25）。因此，出現在創世記結尾的說話，是指到迦南的應許。然而，迦南又豈是如此廣大，竟讓亞伯拉罕的後裔活在大地上如同地上的塵沙那樣多（創十三14-17）？新約聖經指出這應許是涵蓋更廣的：「因為神應許亞伯拉罕和他後裔，必得承受世界」（羅四13）。創世記亦支持這點。神在創世的時候，讓人類管治大地。人類墮落之後，人才因著咒詛和死亡失去了管治權。神的立約，就是祂為了救贖其創造的計劃（羅八18-23），而迦南只是初熟的果子。眾先知和使徒都提到將來會有新地和新耶路撒路降臨到地上。因此，亞伯拉罕是「等候那座有根基的城，就是神所經營所建造的」（來十一10），而舊約的眾聖徒都「羨慕一個更美的家鄉」（來十一16；參約十四1-4；來四1-6）。

3.國民 亞伯拉罕的後裔將繁衍無數。「我也要使你的後裔如同地上的塵沙那樣多」（創十三16），「我必叫你成為大國」（創十二2），「我必叫你的子孫多起來，如同天上的星，海邊的沙」（創二十二17）。這極其繁多的人數象徵了從全人類中被救贖出來的人（創十七4）。約翰目睹這事將會在末時成就，情況就如神應許亞伯拉罕的：「我觀看，見有許多的人，沒有人能數過來，是從各國、各族、各民、各方來的，站在寶座和羔羊面前」（啟七9）。這約再一次是涵蓋普世的，與每個國家都有關連，然而並非每一個人都在約中。

4.萬國都因亞伯拉罕的後裔得福 「後裔」的希伯來文（創二十二18，請參新國際譯本旁註），可同時指到所有後裔或只是某一個子孫。萬國都分享到神應許賜給亞伯拉罕的福氣；他的後裔將使其實現。這裏是指到基督耶穌的應許，祂是亞伯拉罕的後裔和世界的光（約一9，九5；加三16）。祂的生平和工作都是為了帶領人來到神面前（約三14-16，十二32）。但更進一步的是，亞伯拉罕的所有後裔，同時也是基督的弟兄，都必須參與祂的工作；他們都成了從這國出去祝福其他人的媒介。這正是基督所言「你們是世上的光」和「你們是地上的鹽」的意思（太五13-16）。

整卷民數記基本上是與以上第一、二個應許有關：神要與祂的百姓同在，也要把他們帶進迦南地。第一至十章首先帶出神與祂的百姓同在。這是摩西的祈禱〔「耶和華啊，求你回到以色列的千萬人中！」（十36）〕，也是亞倫的祝福（六22-27）。百姓要藉著整理和潔淨帳棚來作好準備。神不能與任何不潔的東西同居（詩十五；啟二十一27）。祭司制度各按其職地建立起來，讓以色列人得以事奉神。會幕被立起，成為神的居所。當一切均按照神的吩咐做妥之後，神便顯明祂的同在：雲彩出現在會幕之上，帶領以色列人前進。這些準備都是為著第一個應許而作：讓神得以與祂的百姓相交。

第二個重要關注點是來自應許之地。「我們要行路,往耶和華所應許之地去;他曾說:『我要將這地賜給你們。』」(十29)。他們要前往迦南,因為神曾起誓要將它賜給他們。雖然他們因為背逆神而不能進入(14節),但本書的後半部卻清楚指出神沒有放棄祂的計劃。40年之後,神再次預備他們去承受該地。事實上,第二十六至三十六章的重點就是產業。然而,那塊土地並不是目標,它乃是神可以住在祂百姓中間的地方。這地若沒有神的同在,就完全稱不上是產業。因此,一切都與立約的主要目標有關:以色列人要成為神的百姓,與祂建立穩固的相交關係。

其餘兩個應許則較為次要(參二十三1至二十四25)。我們要注意的重點是亞伯拉罕的約規範了民數記的神學;如果我們不明白此約,民數記便始終是一本不解的書。

神的話

民數記的其中一個主要教義是神的話。第一至十章強調一切都要按照神的話而行。以色列人若做到這點,便能享受神的賜福(六22-27)和同在(九15-23,十35-36)。神的話有某些顯著的特點。首先,**神的話是不會改變的**。這是摩西從西乃啟程時所懷的信心(十29),也是他遇到困難時的避難所(十四17-19)。約書亞和迦勒也是因著神親口說過要將那地賜給他們,才有勇氣去面對那些令人聞風喪膽的敵人(十四7-9)。其次,**神的話是不容抗拒的**。最初以色列人不肯進入迦南,後來卻回心轉意,他們這種行為就是抗拒神的說話。他們的愚昧使他們自取滅亡(十四41-45)。其後,巴蘭亦無法抗拒神賜福的說話。他不能咒詛以色列,反倒說出:「巴勒就是將他滿屋的金銀給我,我也不得越過耶和華的命,憑自己的心意行好行歹。耶和華說甚麼,我就要說甚麼」(二十四13)。當神的話是以起誓的形式發出時,就更加強調了那話是不會改變和不可抗拒的(十四20-35)。

背道

「背道」這個名詞很少在聖經中出現,但背逆的罪卻清晰地成了第十四至十五章的焦點。這兩章經文連成一體,這樣做就是闡述和警告人提防背道的行為;它先記述以色列人的悖逆(十四章),隨後分別列出無意和蓄意所犯的罪(十五22-31)。「背道」一詞的字面意思是「離開」。背道的人,就是「離開」他與神的立約關係。因此,由此推論,只有那些在約的範圍以內的人,才會出現背道的行為。當以掃「把自己長子的名分賣了」的時候,他所做的就是這種背道的行為(來十二16)。經文本身提供了一個對背道行為的分析,我們可注意到以下幾點。

1. 背道涉及知識 以色列人曾經見過神的榮耀和祂的神蹟(十四22)。他們知道神應許將那地賜給他們(十四3)。探子們又曾親眼見過該地,知道它果然如應許所言,是「流奶與蜜之地」(十三27,十四8)。

2. 背道涉及抗拒 以色列人不肯聽從神的話(十四22)。他們背叛神(十四9),又厭棄應許地(十四31)。他們否定探子們為他們帶來的好消息(來四1-2、6)。

3. 背道的行為是無可代贖的 那些在明知故犯的情況下背棄神立約應許的,必然要遭到懲罰。雖然神的赦免會讓這個國家存留,但對於那些「藐視他的人」(十四23),祂必要追究他們的罪。他們的罪是無法代贖的;在這種情況下,代為求情也無補於事。祂定然要讓有罪的人接受當得的懲罰(十四18、22-23)。

4. 背道導致不能承受產業 神起誓不讓百姓進入那地(十四23、28-30)。十四章12節記載了神說「要用瘟疫擊殺他們」之後,接著更指出「使他們不得承受那地」。這裏的重點是表明他們再不能擁有產業,他們再不能承受立約的產業。只有迦勒和約書亞能得那地為業(十四24)。

究竟是甚麼原因導致這種可怕的後果呢?是因為百姓的不信。他們雖然認識神,卻不肯信祂。「我在他們中間行了這一切神蹟,他們還不信我要到幾時呢?」(十四11)。行為上的背叛,是源自內心的不信,這種不信連充分的客觀證據也視而不見。他們這樣做就是藐視神(十四11、23)。在十五章22至31節所記的律法中也有提到類似的問題,只是在誤犯和故犯的罪之間作出對比時表達出來。

因此，民數記為這種可怕的背道之罪提供了一個完整的個案分析。整個同代的人都因著本身的罪而不能進入迦南。背道的本質就是人因著不信而輕看立約的地位。以色列人雖然知道神起誓確立祂的應許，也親眼目睹神的能力，卻不肯相信。他們既藐視神，便作出背逆的行為。之後，他們已不能回轉。罪已鑄成，就不能擦去再重新開始。他們在有生之年都不能進入應許地。他們至終都不能承受產業，都要死在應許地之外。作者用「把他們殺退了，直到何珥瑪」（十四45），這句話來作為記錄他們背道行為的總

配（十八8-32）。以色列人將所得的十分之一給利未人，而利未人接著便將其所得的十分之一給亞倫家。**祭司制度的觀念是一個憑藉，要讓人認識神的聖潔和憐憫。** 在某方面來看，神的聖潔從祂與人——甚至與大部分的祭司——保持距離一事中顯明出來。它強調了人與神之間需要有一位中保。在另一方面來看，神設立這些中保是要顯明祂的憐憫。祂為人提供了贖罪的途徑。以色列因此才能繼續作祂的百姓。

當反對者攻擊亞倫作大祭司（以及摩西作領袖）的資格時，神便起來維護祂的僕人

圖表五　誤犯與故犯之對比

誤犯（十五22-29）	故犯（十五30-31）
1. 對所誤犯的事全不知曉。雖然百姓已知律法的條文，但百姓卻不知道自己誤行（22-24節）。「誤犯」的希伯來字重複了10次。	1. 對所犯的事是心知肚明的。犯事的人清楚知道主的吩咐，犯罪那刻也知道所行的是違背了主的話。
2. 沒有違抗神的意思。誤犯的人並非想違抗神的命令，他所行的只是一時的錯失。	2. 存心違抗神。犯事的人是明知故犯的。他藐視神；他的行為正是褻瀆神（30節）。他公然違抗神的命令，表現出對神話語和作為的藐視。
3. 可以透過獻祭贖罪。祭司要為百姓贖罪（25-26、28節）。	3. 沒有贖罪之法。反之，「他的罪孽要歸到他身上」（31節）。
4. 必蒙赦免。神重申祂的應許：無論會眾或個人都必蒙赦免。	4. 必被剪除。犯罪的人必從民中剪除。這句話出現了兩次；而第二次則更加強了語氣：「那人總要剪除」（30-31節）。

結，這完全不令人感到意外。這個地方是後來才取名叫「何珥瑪」的（二十一3），但作者在此時便採用它，是因為它的意思就是「完全毀滅」。這個名稱象徵了立約關係之反面結局。作者的重點是，這些以色列人是完完全全被剪除，正如其後的迦南人一樣。

祭司制度

民數記記載了神對設立祭司制度的吩咐。當中最重要的似乎是等級制度。亞倫是大祭司，他的兒子與他一同作祭司，而利未人則在他們之下作事奉（三1-10）。他們的事奉崗位是按照等級制度而編配（四1-33），祭司負責最神聖的職責（當中也只有一個可以進入至聖所，也並非在任何時間都可以進入）。什一奉獻的制度亦按照此等級劃分而分

（十六至十七章）。當中的原因非常明顯。他們的攻擊是直接挑戰神的權威，因為是神親自揀選祂的僕人的。

對新約的影響

民數記對新約的影響是十分深遠的。

1.它提供了原則，直接影響了教會的秩序和事奉。 從營地井然有序的安排（二1-34），便可表明神要求教會也要有秩序，而不要混亂（林前十四33）。祭司和利未人的組織架構（三1至四49，十七1-13），則表明參與事奉的人不能在沒有權威下發揮其作用，同時又不可高估自己的能力，反倒要彼此順服（羅十二3-8；參二十七12-23；林前十四32）。從利未人本身並沒有產業這事實中（二十六57-

62），表明服侍神的人不可讓世務纏身，卻要專心事奉神（提後二4）。什一奉獻的制度（十八8-32），是投身福音工作的人有權獲得經濟供應的背後理據（林前九3-14；加六6；提前五17-18）。70個長老的設立（十一16-30），成了日後的教會議會、本地教會之間的聯繫、處事方法的統一，以及互相幫助的一個參考模式（西四15-16；林前十一16；林後八至九）。可拉的叛變（十六16-35）亦成了一個引以為誡的提醒（雅五9；猶11）。每天例常的祭（二十八1-8）則成了不住禱告的範例（帖前五17）。

2.新約作者經常將往迦南的路程，比作基督徒的生命之旅（這是林前十1-13；林後五1-10；來三1至四13的背後依據）。例如，對基督和應許的共同經驗（林前十3-4；來四2）；對天糧的抱怨（十一4-15；參約六1-65，特別是41節）；不信神的說話，以神為說謊者（十四11；參約壹五10）；蓄意犯罪，不能得著赦免（十五22-31；參太十二22-32）；不可能叫他們從新懊悔（十四39-45；參來六4-20，十二17）；以及我們不當為這罪祈求（約壹五16）等。這些都是迦南旅程作為新約信徒靈程寫照的重點。事實上，新約作者經常引用死在曠野中的那一代以色列人作為一個鑑誠的例子，嚴肅警告人不可犯背道的罪。

3.將基督作大祭司與亞倫作大祭司互相對比（來四14至五10，六13至八13）。希伯來書若脫離了民數記的背景，是很難去明白的。同樣地，基督獻己為祭也是借助奉獻會幕的背景來作闡釋（來九1至十18），例如，兩處都提到紅母牛的灰（十九1-22；參來九13-14）。

4.新約引用了幾個出自民數記的象徵：被舉起的蛇（二十一4-9；參約三14）、號筒吹出大聲（十1-10；參太二十四31；林前十四8；十五52；帖前四16；來十二19）、雲彩和會幕（九15-23；參約一14）和獻羊羔的祭（二十八1-8；參約一29）。

5.3個重要的節期（二十八16至二十九38）為救恩過程中3件主要事件提供了一個參照

的架構。逾越節、七七節和住棚節與復活節、五旬節和主再來是互相呼應的。因此，住棚節預表了末世時的豐收（參二十九12-38）。約翰福音背後亦有一個以節期為時間表的架構。

6.新約的一些教導顯然是深受民數記影響。在住棚節之前幾天舉行的贖罪日（二十九7-11），強調了贖罪的重要性，否則犯罪的人便要被剪除。同樣地，在基督到來之前，人必須悔改，「你們若不悔改，都要如此滅亡」（路十三5；參可一1-8）。巴蘭（二十二至二十四章）被引用為一個實例，提醒人不要貪不義工價（彼後二15-16；猶11；啟二14）。潔淨營地表明了教會亦需要聖潔（參五1-4）。亞倫的祝福對保羅所有書信的問安和啟示錄的結尾都產生了一定的影響（參六22-27）。

7.希伯來書似乎採納了一個近似民數記的架構，包括踏上朝聖之路進入應許地，也包括對比立約的應許與相信或不信之間的關係。希伯來書亦十分關注其他有關的教義，例如祭司和背道。

📋 **大　綱**

證主 21 世紀聖經新釋

📖 註　釋

一1至十36　準備前往應許之地

民數記的第一部分記載了以色列人在離開西乃,啟程往迦南前所作的最後準備。我們必須將這10章經文放在五經的上文下理中來理解。以色列人在西乃停留了大約一年(十11;出十九1)。在這段期間,他們與神立約(出二十1至二十四18),又造了會幕(出二十五至三十一,三十五至四十章)。到了第二年初,更進行了連串活動:立起了會幕(出四十34-38;民七1),按立了祭司(利八至十),然後各支派在接連的12天將祭物帶來奉獻(七1-89)。在第十四天守逾越節(一連7天,九1-14),再進行了一次人口統計,各支派被編配圍繞著會幕安營(一至四章)。在這段期間,摩西領受了律法(利一至七,十一至二十七章),又潔淨了營地(五1-4)。經過了約50日之後,以色列人便作好準備,可以啟程前往迦南(十11-12)。

我們必須從這個背景,帶出以下各點。打從出埃及開始,這塊應許之地便是以色列人心目中要追求的目標(出十三11)。他們從埃及地被帶領出來,就是為了進入此地和事

奉神(出六6-8)。當以色列人犯了拜金牛犢的罪後,神告誡摩西祂不會與他們一同前往迦南(出三十三3)。倘若摩西在那關鍵時刻自行帶百姓前往迦南,歷史上就不會有利未記和民數記。以色列人將會在沒有任何準備、沒有會幕、沒有祭司、沒有誡命的情況下出發。簡言之,他們將會在「無神」的情況下前進,進入迦南(或許不能成功!),成了一個世俗化的國家。由此,我們得知第一至十章所敘述的連串準備工夫,是為了一個目的:讓神可以與祂的百姓一同離開西乃。這點便足以使以色列與所有其他國家分別出來。他們若在沒有神的情況下離開西乃,便會為他們帶來無可估量的咒詛;他們將會變成了外邦人、「可怒之子」、「在世上沒有指望、沒有神」(弗二3、12)。

因此,所有準備便逐漸邁向高潮。當以色列人離開西乃向迦南進發,摩西便總結當前的情況:「耶和華啊,求你興起!願你的仇敵四散!願恨你的人從你面前逃跑……耶和華啊,求你回到以色列的千萬人中!」(十35-36)。神與祂的百姓同在,帶領他們在旋凱聲中向祂曾起誓應許賜給他們的迦南地進發。勝利的感覺在眾民的心中澎湃。

這部分的內容並不是完全按照時序的(參導論)。其結構是參照第二章列出的營地編配表。首先,是數點和編配以色列民(一至二章),然後輪到祭司(三至四章);其次,使以色列的營地分別為聖(五至六章),再到祭司的營地(七至八章);最後,便是作最終的準備和啟程(九至十章)。我們必須透過這個跨跳式的寫法,來了解經文所表達的各項細節。

一1至二34　數點和編配以色列人(首次人口統計)

一1-3　主吩咐摩西數點百姓　從本書一開始便出現「耶和華……曉諭說」這句話,正好表明百姓為行程所作的一切準備,都是出自神的直接吩咐(參四49,七89,九18-23)。前面的引言已說明本書如何將神的話和人的話輪流穿插。只要以色列民專心遵行神的話,一切事情便進展順利。他們一旦開始說話,便將他們內心的不信和不滿表露無遺,麻煩的事亦接踵而來(十一1-3)。出埃及記二十五至三十一章和三十五至四十章詳

列了建造「會幕」的各項細節（參四1-33）。這是神住在祂百姓中間的居所（出二十五8）。

　　據我們所知，除了婦女兒童和跟他們一同上路的外邦人以外，步行出埃及的男人為數大約有60萬（出十二37-38）。如今，以色列人要進行一次徹底的人口統計。此次統計需要依照某幾項原則來進行。它尊重支派和家庭結構的傳統。只有年齡超過20歲的男性才列入統計範圍。當時的男性似乎到了20歲便算成年（3節）。婦女不需要數點，因為她們沒有獨立的身分，只歸屬父親或丈夫的權威下（參三十章）。由此可以相當清楚地顯示出，當時的男權肯定是凌駕於女權之上的。兒童亦是附屬於父母之下。以色列並不是一個平等的社會；平等的觀念對聖經時代的人來說是完全陌生的。在男性中間挑選出領袖；而在利未人之中，則設有一個等級的制度。神要百姓尊重祂在他們中間所制定的差異。今天的教會也面對相同的情況：神按照祂恩典的美意將各樣不同的恩賜分給每位信徒（羅十二3-8）。然而，我們卻不可以將它變成一個藉口，按照人而並非神的心意，強行將人劃分等級。

　　出埃及記三十章12至16節讓我們大概知道當時的以色列人是如此進行人口統計的：被數過的人，要越過一條界線，歸予被數點過的神的百姓之行列（亦參出三十八25-28）。這是一幅生動的圖畫。這個人口統計與摩西所提及的生命冊有某幾方面的近似。自己的名字若在神百姓的名冊上遭到塗抹，是何等可怕的事（出三十二32-33；詩六十九28）。聖經並非經常提及生命冊。它後來被稱為羔羊的生命冊。任何人的名字若沒有記在生命冊中的，都不能進到神的同在中，卻要永遠被扔在外面（啟十三8，二十11-15）。以色列人準備進入迦南，與今天神的百姓準備進入那永不動搖的國度，兩者之間是有一個類比的關係的。正如營地要除去一切的不潔淨（五1-4），同樣地，只有潔淨的人才配得記在生命冊上，和得以進入天上的城（啟三5，二十一27）。人口統計的其中一個目的，是為了徵召軍隊。這是帶領百姓承受應許之地為產業的一個途徑。因此，這次人口統計帶出了民數記因著神的應許而訂立的最終目標。「軍隊」這個字詞亦包含「人數眾多」

的意思，它進一步提醒人，神是信守自己應許的，祂要使亞伯拉罕的後裔繁多。以色列人的人數已經眾多，以致埃及人也害怕他們。神曾應許他們的人數要多得無法數點。因此，這次人口統計顯示出應許還未實現。這裏預言了將來會有另一次更大規模的人口統計；那時，神的所有百姓均會齊集在祂面前（啟七4、9）。

一4-16 眾支派的領袖　被派去數點百姓的是各支派領袖，即各支派的族長（4節）。以色列的支派是由「家室、宗族」組成（20節）。神透過揀選這些人來進行人口統計，表明祂對自己先前設立的社會秩序之尊重。雖然神會按照各人的身分來個別處理百姓的問題（例如，教師要面對更嚴格的審判），可是，祂的態度始終是不偏不倚的。聖經已經明確地提醒人，神是不會偏待人的，有些人須要冒上性命的危險才能明白這點（十六至十七章；利十）。出現在領袖名單上的名字是相當有趣的。其中有8個名字包含了 '*El*' 這個字，它的意思是「神」（例如第5節的以利蓿，意思就是「我的神是磐石」）；另一些則包含了神的名字 '*Shaddai*'（例如第12節的「亞米沙代」）。當中沒有人採用神在燃燒的荊棘叢中向摩西所透露的名字；相對來說，其後便出現近似的名字，如約沙法（*Yeho*-shaphat）或耶利米（Jeremi-*Yah*）。神在出埃及記三章13至15節向摩西透露的名字，是用希伯來文 YHWH 這四個字寫成。由於沒有人能確定這個名字的拼音，大部分聖經都選擇將它翻譯為「主」（和合本譯為耶和華）。本書沒有一個領袖的名字是用「耶和華」的名字來組成，顯示出這張名單確實是非常古老的。還有值得留意的，是其後將各支派的祭物帶到會幕前奉獻的，便是這些領袖（七1-89）。

一17-46 人口統計　龐大的人口數目實在令人感到詫異。昔日只有70人到埃及定居（出一1-5），他們卻不斷繁衍，甚至連法老也害怕他們（出一7-9）。即使在成為奴隸的艱苦日子中，神仍然信守祂對亞伯拉罕所立的應許，使其後裔如天上的星那樣眾多，甚至無法數點。然而，40年之後，第二次的人口統計顯示出百姓的人數已由603,550人下降至601,730人（一46，二十六51）。這或許表示

神已經從死在曠野敗壞的一代以色列人中收回祂的賜福。然而，他們並沒有全然被棄絕，當摩西回顧歷史的時候，還可以這樣提醒以色列人：「耶和華——你的神在你手裏所辦的一切事上已賜福與你。你走這大曠野，他都知道了。這四十年，耶和華——你的神常與你同在，故此你一無所缺」（申二7）。事實上，自他們出埃及的那一天起，他們便獲得從天降下的嗎哪作為食物（出十六35）。還有值得留意的，是某些支派的人數在銳減的同時，卻有另一些支派的人數卻不斷加增，不過，猶大支派的人數始終最多。綜觀以色列的歷史，猶大一直深得神的喜愛。彌賽亞最終亦是出自這支派（參二1-34）。這次人口統計是依照同一個公式來證錄，每一個支派都是重複採用相同的字詞。每一次，我們都會讀到「凡能出去打仗」的男丁。它提醒人當盡的義務。聖經經常將權利與義務連在一起。進入迦南地是一項特權，但每個男丁都要經過數點和跨越一條界線，他知道自己要成為一位士兵（出二十三20-33）。同樣地，新約教會也要承擔屬靈爭戰的責任（弗六10-17；提前六12；來四11）。每一分子都不能免除責任。通往神國的道路是既狹窄，又難行的（太七14）。

圖表六　兩次人口統計

支派	第一次統計人數	第二次統計人數
	（一20-46）	（二十六5-51）
流便	46,500	43,730
西緬	59,300	22,200
迦得	45,650	40,500
猶大	74,600	76,500
以薩迦	54,400	64,300
西布倫	57,400	60,500
以法蓮	40,500	32,500*
瑪拿西	32,200	52,700*
便雅憫	35,400	45,600
但	62,700	64,400
亞設	41,500	53,400
拿弗他利	53,400	45,400
總數	603,550	601,730

＊在第二次人口統計記錄中，次序倒轉了。

　　學者們對於經文所記錄的龐大人數，提

出了4方面的質疑。

1.人口多得難以置信。倘若凡能夠出去打仗的男丁人口已超過60萬，那麼，整個群體的總人數便必然超逾200萬。這麼龐大的人口怎可能在曠野中生活40年？其實，以色列人一開始便面對這個現實的問題（出十六3），而在以色列人的歷史中，亦一直記念神將嗎哪供給他們的事實（申二十九5-6；約六31）。此外，他們離開埃及時所帶的羊群和牛群，其數目亦龐大到足以獻出許多祭牲（出十二32；民三十二16，七1-89）。他們飲用從磐石流出來的水，同時不斷遷移到新的地點。他們也從戰爭中，獲得戰利品（三十一25-54；出十七8-16）。

2.聖經中出現前後不一致的表述。某些經文指出他們的人數寡少，是眾民中最少的（出二十三29-30；申七7）。其實，這些講法一則沒有輔以實質數據作支持，二則其目的是為了教導以色列人要謙卑——他們並沒有任何優勝之處，足以讓他們賺取到神的愛。反之，卻有證據支持以色列人確實是極其強盛（出一7）。

3.統計得來的全是十位或百位的整數，因此，這個總數似乎並不真實。經文清楚指出被數點的都是「能出去打仗」的男丁。當時有可能將男丁分成一個軍團，多出的便撥歸一旁，不過，我們應該避免過分臆測。經文沒有告訴我們為何得出的會是整數。但有一點是十分清晰的：摩西在當時曾編配以色列人作「千夫長、百夫長、五十夫長、十夫長」（出十八21）。也許，這是統計上為何得出最接近百位、五十位和十位總數最清晰的原因。

4.頭生的兒子相對地太少。頭生的男子共有22,273人（三43），但成年男子的人數卻有603,550，比例即是1比27。倘若頭生女兒的人數大致相同，那麼，依據這個數字來推論，每家人便有50個或更多的兒女，而只有一個是「頭生」的。不少人提出許多不同的意見來化解這個問題，例如，只數點了在逾越節之後才出生的頭生男子；或是家庭成員可能包括了兒子、奴僕所生的孩子和用錢買

回來的僕人（例如亞伯拉罕的家庭便包含了這些成員，但只有以撒是他的後嗣，參創十四14，十五2，十七13）。「頭生的」這個名稱，可能是指到在當期時繼其父親作為一家之主的那一個兒子。其他意見可能還包括埃及王下令殺害初生男嬰的政策，不過，這已經是發生在多年前的事，理應不會減少以色列人的人口（出一22）。

由於有些人對於這個龐大的人口數目所引發出來的種種難題感到困擾，於是，他們認為這個數目並非實數，需要另作解釋，例如，「千」這個字詞可能表示一個家室或群體，而並非確實的1,000人。然而，出埃乃記三十八章25至28節卻不支持這種看法，因為它肯定總數是603,550人。此外，在民數記的其他地方也有列出數目和度量衡，而引用這些數字的目的，似乎都是為了在數學上表達出準確和一致（三21-22，三十一32-47，三十五4-5）。那麼，我們應否接受統計的數目為實質的人數？這是理解一項統計（按人頭數點）的自然態度，除非我們發現了充分的反面理據。對於以上4項異議的合理性，我們不應該過分高估。第一、二項的理據並不足以推翻我們對經文的字面理解。我們不能確定總數是否整數，不過，這個特點卻可以提醒我們去尋找背後的某些假設，是在古代的以色列中理所當然地接受，而我們卻不明所以的。出埃及記十八章20節的證據亦直接指向這點。至於第四項異議指出頭生的兒子在人數比例上太少，也可能是出於同一原因。我們必須審慎，避免因對事情未完全了解，便斷然否定字面上的解釋。有一件事是十分明顯的，經文並沒有嘗試協調這些數字。對作者來說，以上各點都似乎不是問題。

一47-54　利未支派　雅各有12個兒子，利未是其中之一（創二十九34），他為人兇殘，這是人皆共知的事（創三十四25-31，四十九5-7）。利未人的本性兇殘，正是神特別揀選他們出來作祭司的真正理由。他們昔日犯了拜金牛犢的罪，便要遵照神的吩咐用刀殺死他們3,000名親屬（出三十二25-29）。他們如今被分別出來作祭司一職。在人口統計中不用數點他們的人數，他們也毋須參軍。反而，們要負責管理會幕。這是一項重要的任務，他們不能再兼顧任何別的職責。使徒保羅將

同一項原則應用在基督徒的事奉上（提後二1-7）。利未人的帳幕並不是與其他支派連在一起，而是豎立在會幕的四圍（53節）。此會幕又稱為「法櫃的帳幕」（指到法版，參出三十四29）。

雖然以色列人被呼召作一個祭司的國度，但並非所有以色列人都可以接近會幕。惟獨利未人被召作此事奉。其他任何人（希伯來文形容為「外人」）膽敢近前來的，都必被處死（51節）。神不會容讓自己的聖潔，被人輕率地遺忘。袖的百姓無論在任何時間，都要以虔誠和戰兢的態度來敬畏祂。用輕率的態度來對待神，肯定是極大的愚妄和罪過。因此，人不可以接近西乃山（出十九11-13、21-24），而摩西也必須在燃燒的荊棘叢邊脫下他的鞋子（出三5-6）。幾乎所有以色列人都無緣親眼目睹聖所的華美，對此我們可能會感到奇怪。即使是祭司群中，也只有大祭司能進入至聖所，而且僅限每年一次（利十六2）。新約聖經引用此點來表明基督作大祭司遠遠超越亞倫作大祭司；基督開啟了通天的道路。然而，這卻沒有除去人對神的敬畏；反之，更加倍強調敬畏（來十19-22，十二18-29）。不過，將利未支派分別出來，並沒有減少支派的數目。約瑟的兩個兒子——以法蓮和瑪拿西——分別成為兩個獨立的支派，使支派的數目仍然保持12個。

二1-34　帳幕的編排　以色列人的帳幕安排，亦是全能的神所關注的。眾使徒都沒有忽略神是講求秩序，而不要混亂的事實（林前十四33）。帳幕的安排讓我們明白到3件事。第一，**會幕是立在中央**，表明了神與祂的百姓同在。神信守祂向列祖所許下的承諾，要作他們後裔的神。所有人的眼目都要對準祂。這是聖經一貫的主題（例如詩四十六5、7、10-11），也是最終的目標（啟二十一3、22-23，二十二1-5）。主耶穌成肉身，也是居住在祂的百姓中間。當約翰說，耶穌「住」在他們中間（約一14），他便是在引用帳幕立在以色列人中間的圖畫為比喻。主曾親口應許祂的門徒：「我就常與你們同在，直到世界的末了」（太二十八20）。

第二，為了讓百姓謹記神的聖潔，各支派都要與會幕保持距離。我們不知道這距離有多遠，但當中必然有足夠的空間去容納整

個利未支派。其後，當以色列人過約但河時，他們要尾隨約櫃，保持約1千米的距離（書三4）。

　　第三，會幕的東邊是一個尊榮的位置；摩西和亞倫正是安營在這邊，面對著入口（三38）。在東邊豎立帳幕的是猶大，而並非雅各的長子流便。這意味著由西乃至迦南的整個行程都會由猶大帶領。在上路的途中，會幕被抬著，走在頭6個支派之後，即整個行列的正中間（十17），但約櫃卻在最前頭（十33-36）。經文敘述了帳幕的編排後，便概括地總結說：以色列人都被數點，共有603,550人，但不包括利未人在內，一切都是照耶和華所吩咐的進行。

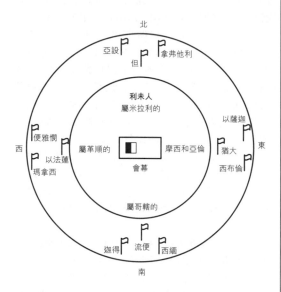

帳幕的編排

　　附註　十二支派　聖經曾經有好幾次列出眾支派的名稱（例如創二十九至三十，四十九；申三十三；書十三至二十一；啟七5-8）。這些名單引發了不少有趣的問題。例如，它們有不同的排列次序，有時又會遺漏了某個支派（例如啟七5-8沒有提到但支派，這是愛任紐在主後第二世紀留意到的）。我們在約瑟夫的著作、死海古卷和其他某些如《十二列祖遺訓》的古老經卷中，也找到另外一些名單。在以西結書有關復興以色列國的異象中，也包含了一張列出眾支派的名單（結四十八），而新耶路撒冷將有12扇城門，

每支派各佔一門（結四十八30-35；啟二十一10-21）。「昆蘭古卷」的「戰爭卷」為「光明之子對黑暗之子的同黨進行猛烈的攻擊」提供指示。這顯示出陣營組織的影響力。為這場戰爭所作的準備，有好幾方面是十分近似在西乃所作的準備。

　　猶大的位置　在人口統計的次序排列中，流便排在第一位（一20），但雅各卻曾經指出，流便將失去尊榮的位置，猶大則要獲得弟兄們的讚美，彌賽亞也會出自猶大（創四十九4、8-12）。隨著歷史的進程，猶大的地位真的不斷提昇。猶大的帳幕位於會幕的東邊。當會幕進行奉獻的時候，猶大在第一日便將祭物帶來（七12）。猶大是帶頭進入戰場，與迦南人爭戰的（士一1）。猶大首先獲得它的產業（書十五1），而流便的產業則是在約但河的另一面。大衛王出自猶大支派，耶路撒冷是屬於猶大國的領土。以色列的10個支派在主前721年被擄，猶大卻倖免於難（參四34-39）。我們的主是出自猶大：「猶大支派中的獅子，大衛的根」（啟五5）。

三1至四49　數點和編配祭司

三1-4　亞倫和摩西的家　祭司制度是全書的一個關注點。亞倫和他的兒子，「都是受膏的祭司……承接聖職供祭司職分的」（3節），他們在利未人中任最高的職位（出二十八至二十九；利八至九）。有火從神面前出來，燒盡他們首次獻上的祭物，作為接納他們事奉的標記（利九23-24）。後來，以利亞亦祈求同一個異象，要顯明神仍然是以色列的神，並證明以利亞確實是祂的僕人（王上十八36-39）。雖然亞倫和他兒子所擔任的位分有著極大的尊榮，可是，我們卻不可忘記，亞倫的兩個兒子卻因為獻上「凡火」而被燒死（利十1-4）。這使我們留意到神的權威的重要性，它正是民數記的一個重要課題。

　　神的心意是要在以色列人中間建立一個「承接聖職」的祭司制度。在曠野飄流的期間，百姓曾數度挑戰摩西和亞倫的權威。每一次，神都支持他們和否定其他人（十二，十六至十八章）。由於作祭司的人絕對需要有神的權威，所以，希伯來書的作者便強調基督作大祭司是完全合乎法理的，因為「這大祭司的尊榮沒有人自取。惟要蒙神所召，像

亞倫一樣」（來五4）。基督並非私自設立自己，而是按照律法由神所選立的，當然這需要在律法上作出變更，因為基督並不是出自利未支派（來七12）。故此，要認識到基督是由神選立為大祭司的，這點便極為重要。而且，基督更為超越：祂是起誓立約的（亞倫卻不是起誓立約），祂的祭司職任也是永遠有效的，因為祂是永遠活著。

亞倫兒子的死，讓我們進一步明白到權利是帶有責任的。服侍神的人要比一般的百姓負上更大的責任。當亞倫的兩個兒子被殺後，摩西對亞倫說：「這就是耶和華所說：『我在親近我的人中要顯為聖；在眾民面前，我要得榮耀』」（利十3）。同樣的，雅各也提醒信徒說：「不要多人作師傅，因為曉得我們要受更重的判斷」（雅三1）。因此，聖經便一再提醒人，侍立在神面可以惹來殺身之禍，祂的僕人更要在凡事上審慎遵從祂的指示（參撒上十五19；王上二十二28；賽六1-7；徒五1-11；林前十一27-34）。根據馬丁路德的教導，所有信徒皆是祭司，所以，每位基督徒都要盡其一生去事奉神（羅十二1-8；彼前二9）。信徒在參與事奉上，必須審慎地作出適當的判別，因為聖經並沒有抹煞作傳道人和領袖的人需要有正式的蒙召和選立。他們必須按照主的授命去專心事奉祂（羅十15），避免他日要面對這樣的控訴：「我沒有打發那些先知，他們竟自奔跑；我沒有對他們說話，他們竟自預言」（耶二十三21）。更甚的是，那些聲稱自己在事奉基督，但實質上卻不是那樣的人，將來更要遭到審判：「當那日必有許多人對我說：『主啊，主啊，我們不是奉你的名傳道，奉你的名趕鬼，奉你的名行許多異能嗎？』我就明明地告訴他們說：『我從來不認識你們，你們這些作惡的人，離開我去吧！』」（太七22-23）。

三5-10 將利未人歸予亞倫 整個利未支派都要前來協助亞倫參與會幕的事奉。這是一項非常實務性的措施；要搬運會幕和其中的器具必須大量人手去協助。祭司（亞倫的家族）和利未人之間有著嚴謹的劃分（10節）。只有祭司才能接近聖所；其他任何人近前來的都必被處死。這個等級的劃分為的是高舉神的榮耀。當某些利未人竟敢挑戰這項禁令的時候，他們便性命不保了（十六1-33）。在初期教會的新約時代，使徒選立來協助他們的7個人，後來被確認為執事（徒六）。因此，很多人會將長老和執事，與祭司和利未人互相類比。**第9節**將利未人的架構概括地列出來。

三11-13 利未人代替了一切頭生的 縱使利未人要歸給亞倫和他的兒子，他們卻是屬於主的。當時有一項原則，就是凡頭生的人（和農作物，即初熟的果子），都是屬於主的（13節）。在逾越節的晚上，神已經宣稱凡頭生的都是屬祂的（出十三1-16）。如今，利未人要代替了一切頭生的位置。這種替代可能有助於從家庭為單位的獻祭，轉變為國家性的敬拜。在列祖的時代，一家之主（正如挪亞和約伯等）便成為家庭中的祭司（創八20，伯一5），或許，到了時候，便由長子接替此職責。如今，以色列已成了一個國家，雖然某些信仰上的節慶仍然保留在家庭中進行（例如逾越節），但百姓還需要一個整體的、有組織性的敬拜（參申十二5-14）。

三14-39 利未人的首次人口統計 利未人由3個宗族組成，他們分別是革順、哥轄和米拉利，每個宗族各有自己的家室。凡一個月或以上的男丁都要數點，為的是將利未人配合頭生的人數（40-51節）。每個宗族的職責都有概括地列出，其後還加上進一步的指示（四4-33）。

利未人還要按照吩咐在指定地點安營。亞倫和他的兒子的帳幕要在東邊，面對會幕的門口。除了他們這些作祭司的，其他一干人等都不准接近聖所（38節）。在利未人中，哥轄人負上最神聖的職責。他們要聽從「眾首領的領袖」（希伯來文是「眾君之君」，32節）以利亞撒的指示。他最終會接續亞倫成為大祭司（二十26-28）。其他利未人則要成為以他瑪的手下（參四28、33）。利未人3個宗族的總數合共起來是22,300人，而並非22,000人（39節）。然而，22,000並不是一個約數，因為它要配合頭生的22,273人，共少了273人（43節）。許多學者都相信經文的些微失誤可能是在非常早期的希伯來文抄本中出現，當中遺留了希伯來文的字母 "l"（即是將sh-l-sh「3」變成了sh-sh「6」），因此，哥轄人便由8,300人變成了8,600人。

三40-51 人口統計和贖出頭生的　頭生的男子比利未人多出273人。他們每個人都可以用5舍客勒銀子贖出，這個數額大概相等於工人6個月的工資。用贖銀來贖出東西是當時的慣常做法（利二十五）。價錢要用正式的重量——聖所的舍客勒——來秤定（47節；參出三十13）。祭司可能將一個標準的秤放置在聖所之內，確保所用的是公正的量器（利十九32-36）。這種發乎愛心對待鄰舍的具體行動，成了以色列人日後的信念：「詭詐的天平為耶和華所憎惡；公平的法碼為他所喜悅」（箴十一1；參箴十六11，二十23；結四十五10）。《加爾文循道會（或稱威爾斯長老會）之紀律守則》（在1823年正式採用）亦為其會友訂下了相同的原則：「他們在進行買賣時要盡量寡言，……不可因別人的無知而佔人便宜，不可給同一件貨品定兩個不同的價格；反之，他們應按照自己對該物品價值和市場情況的認識，來為所有物品作出合宜的索價和付款」（XIV）。由於利未人是歸給亞倫的，

所以，贖銀也是給予亞倫和他的兒子。

四1-33 利未人的職責　每個30歲至50歲的利未人都要前來任職，他們先前都已數點了。「所辦的事」（4節）可以表示戰爭、苦工，甚或是磨練。因此，年齡規限是一個切合實際的考慮；神的僕人必須要有合適的體格來作神的工作。由於哥轄人負責看守至聖之物（三31），所以，他們如今便排在革順人之前。他們現在所接受的教導，是有關如何看守約櫃（要用至聖所的幔子遮蓋）、陳設餅的桌子、燈臺和金壇的每項細節。這些物件——包括它們的器具和器皿——都是金造的。在哥轄人進來之前，亞倫和他的兒子必須用顏色的毯子將它們蓋上。在抬會幕的時候，哥轄人也不可觀看或觸摸聖物，免得他們死亡（15、20節）。

那些用作遮蓋的毯子之顏色也值得我們注意。每件聖物都要用藍布蓋著。也許，天藍色會讓我們很容易想到神的同在。神昔日

圖表七　利未人的職責概要

革順人（三21-26） （在以他瑪手下）	哥轄人（三27-32） （在以利亞撒手下）	米拉利人（三33-37） （在以他瑪手下）
會幕罩棚的蓋、門簾、繩子等。	聖所：約櫃、燈臺、祭壇、有關的器皿和簾子。	會幕和院子：板、門、柱子、帶卯的座、橛子和繩子。

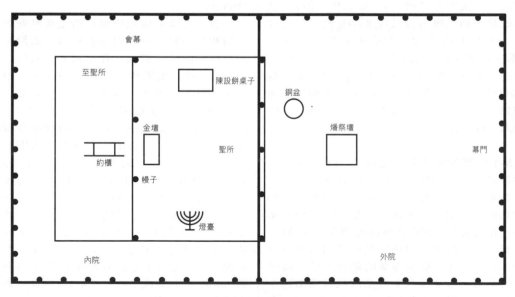

會幕的陳設

在西乃山向以色列眾領袖顯現的時候，聖經記載說：「摩西、亞倫、拿答、亞比戶，並以色列長老中的七十人，都上了山。他們看見以色列的神，他腳下彷彿有平鋪的藍寶石，如同天色明淨」（出二十四9-10）。選擇採用藍色的布也有其實際的作用。它可以將至聖之物與其他用朱紅色或紫色布蓋著的物件作出區分（四8、13）。只需驟眼一瞥，人們便曉得用藍色毯子蓋著的是聖物。任何人若觀看或觸摸它便再不能砌詞解釋，結局便只有死亡。

利未人所受的指示；是為了教導他們懂得去敬畏神。每個人都要履行指定的責任，不可逾越本身的職權。神在服侍他的人中間，便得著榮耀和敬畏。有人可能質疑：「我們該如何將這種要求與神的慈愛互相協調？事實上，這種可怕的事為何不會在今天發生？」有人會將這問題再推前一步，將它變成：「舊約豈不是相當不完全？」「此神與我們主耶穌基督的父神，豈能是同一位？」這些問題反映了人在理解神的屬性上出現了根本的錯誤。舊約和新約是完全一致的：我們的神是忌邪的神；他是輕慢不得的（徒五1-11；加六7；來十二29）。雖然神的慈愛和赦免是無可限量，他卻不容許人藐視他。他的榮耀為先；人的好處為次。這兩方面能夠同時透過基督的工作得以滿足，正是他恩典的神蹟。我們可以在鍾馬田博士傳記的第二冊中〔I.H. Murray, *David Martyn Lloyd-Jones. The Fight of Faith* (1939-1981, Banner of Truth Trust, 1990), vol. 2, p. 319〕，找到有關這方面的一個有趣討論。這信息導致愛主的人「存戰兢而快樂」（詩二11）。它還教導我們認識另一個教訓。當神的百姓按照神的吩咐井然有序地運用其恩賜時，各恩賜便能適得其所地得以發揮。每人都各盡其位地服侍他的群體。使徒保羅曾向哥林多教會說明這點。教會就像一個身體，各個不同的部分都互相協調合作，不可缺少當中的任何一個（林前十二至十四；弗四7-16）。

四34-49　完成數點　被派去參與事奉的利未人，總數有8,580。由此反映出抬會幕和器具明顯是一項重要的任務。

附註　在曠野路上度過一生的第一代利未人，一直要遵照上述的吩咐去進行他們的職責。然而，當以色列人在迦南定居之後，他們的角色便有所加增。他們分散在以色列各地居住（參三十五6-34）。當耶路撒冷成了放置會幕的永久地點（後來成了聖殿的所在地），利未人的家族便需要承擔新的任務。大衛派他們負責主理音樂和會幕的其他職責；亞倫家的祭司仍然負責獻祭（代上六31-49）。

五1至六27　分別以色列人的營為聖

這兩章經文包含了民數記最先提出的兩組律例。驟眼看來，這些律例似乎相當不同和毫無關係：皮膚病、詐騙、淫亂、拿細耳人的願和祭司的祝福。然而，它們卻在一個共通的主題下彼此串連，而且它們亦完全配合當時的處境。**這個共通的主題就是分別出來——從不潔淨中分別出來歸給主——為的是讓全以色列能獲得主的祝福。**如今，以色列人和祭司都已數點完畢和編配妥當，接著便要進行下一步：以色列人必須潔淨，才能得到神的賜福和顯明他的同在。以色列人要依從兩個步驟來分別為聖：首先，全營都要潔淨（五至六章）；其次，會幕和祭司都要分別為聖（七至八章）。這裏所列出的律例（五5至六27）強調百姓要有徹底的潔淨和完全的奉獻，然後，極大的祝福便會隨之而來。

五1-4　驅走不潔淨的　這總括了第五至六章的關注點：全營必須潔淨，來預備主的同在。當以色列人最初來到西乃山的時候，便清楚知道要潔淨自己（出十九10、14-15）。律法說明了甚麼帶來不潔，例如，傳染性皮膚病（利十三至十四）、漏症（利十五2-25）和觸摸屍體（利十一39，二十一1-4）。按照傳統的解釋，傳染性的皮膚病一般都被認為是等同痲瘋病，但近代學者則認為它所指的是牛皮癬或類似的疾病。動物被分為潔淨的和不潔淨的，只有潔淨的才可以吃（利十一；參徒十9-16、28-29）。「潔淨」和「不潔淨」是律法上的措辭，象徵屬靈上的潔淨和污穢。因此，神的聖潔要求潔淨，「免得（他們）污穢他們的營；這營是我所住的」（3節）。值得留意的是，此吩咐是全面性的：根據原文，「一切」這個字重複了3次，只是沒有翻譯出來。

聖潔和污穢的鴻溝一直伸延至整個宇宙。光明和黑暗這兩個範疇——天國和邪惡的國——一直在爭戰之中。亞伯拉罕的約將聖潔的民和不潔的國劃分起來，後者不認識立約的應許、不認識神，在世間也沒有盼望。兩國的對立始自創世記第三章（神因著亞當和夏娃的罪污而趕逐他們），而結局也會顯明這點：「凡不潔淨的」總不得進入新耶路撒冷（啟二十一27）。因此，五章1至4節提出了一個嚴肅的預告：那些仍然生活在罪中的人，最終只能被排拒在門外（參太二十五4；帖後一9-10）。

將那些患病的以色列人趕離營外，似乎是過於嚴厲和缺乏愛心。然而，我們從中認識到神不會降低祂的標準去遷就人。祂當然同情我們的軟弱，但卻絕不因此而降低自己的標準。祂要保持本身的聖潔和公義。祂不會容讓祂與人的相交關係中，滲入任何不潔淨的東西（約壹一5-7）。神的尊榮是最大的考慮，因此便要將他們逐出。這種絕對的聖潔如何能與神對罪人、窮人和被遺棄的人所表述出的憐憫互相協調呢？神為人提供了除去不潔的途徑，讓他們無需被逐，這便顯明了祂的憐憫了。神所提供的途徑就是基督。

這件事例亦突顯了另一項原則：**群體利益重要過個人利益**。我們不可容讓個人的利益，危害國家的未來，倘若不潔淨的沒有除去，那麼，全以色列都會被玷污，神就不可能住在他們中間。這項吩咐也提醒了現代教會不可以藏污納垢。教會不可以容忍罪惡，或包容少數分子堅持我行我素的罪行，哪管是在所謂愛心包容的虛偽託辭下！

要留意的是，昔日的外邦人也被視為不潔淨，但到了新約時代，便再沒有保留這種看法。彼得看見的異象，表示了外邦人如今也可以進入教會（徒十章）。保羅還指出，父母中只有一位信主，他們的兒女也是潔淨的（林前七14）。這種潔淨——無論是對猶太人或外邦人而言——都是藉著基督而獲得的（來九11-14）。祂正是為此緣故，要在「城門外」被釘十字架（來十三12-14）。

五5-10　承認和賠償虧負人的罪　偷去別人的財物就必須如數賠償（參利六1-7），而且還得另加五分之一作為罪過的補償。這條律例背後所隱藏的思想是，偷竊的財物會污穢

持有的人。我們可以從兩種途徑來得出這種解釋。首先，這裏的上下文將不忠的不潔相連起來（12-31節），其次，我們有亞干犯罪的例子，他因著「取了當滅的物」，而犯了「當滅的罪」（書七）。經文沒有討論虧負的罪會帶來哪些具體影響，但毫無疑問，這種虧負的行為會使神的百姓互相之間產生嚴重的紛爭，破壞了他們中間的和睦。先知以賽亞其後描述這種爭吵，就如滿身傷口那樣不潔（賽一5-6）。民數記在這裏所要強調的，是犯罪在本性上不單只是對不住人，更是對神不忠。我們需要明白到虧負或盜竊罪在屬靈方面的本質。凡偷取弟兄的東西，就是將神賜給那人的東西偷去，這反映出偷竊者不肯信靠神的美善，神會在他欠缺的時候，從祂的豐盛中供給他，使他富足。他的不信會導致他憎恨他的弟兄，貪求他所擁有的，然後便將之偷取過來。這亦顯示了他的內心；他所愛的並非神，而是物質。透過分析可顯示出偷竊者內心深處的罪惡。最後，我們還應緊記基督的教訓：如果人與人之間仍有未疏解的嫌隙，獻祭也不會蒙神悅納（太五23-24）。經文告訴我們，祭司必須履行其職責來處理此罪，犯罪者亦必須認罪。

五11-31　被懷疑不貞的妻子　這是另一種的背信，今次所牽涉的是夫婦之間的信約。例子中的丈夫懷疑自己的妻子紅杏出牆，這種不貞帶來了不潔，也破壞了與神的相交。倘若有見證人，那名淫婦便要立即被處死（創二十3；利二十10；申二十二22）。若是沒有證人，則無人能單憑丈夫的疑心而定那妻子有罪。若對事實疑惑，就要將事情交在那位知透萬事的神的手中。祭司必須按照一個儀式，要那名被丈夫懷疑的婦人起誓。婦人要回答說：「阿們，阿們」，這表示「願所起的誓如實應驗」（參申二十七14-26）。倘若有罪，她便成了一個咒詛。**第21節**說：「耶和華⋯⋯使你在民中被人咒詛，成了誓語」。這個使她變成咒詛的觀念，在儀式中表達了出來（23-28節）——祭司要在書卷上寫下咒詛的話，將所寫的抹在水中，讓婦人喝下。這並非魔法，寫字的墨水也沒有任何有害的物質。寫字的材料大概是一塊皮卷，和用燈黑或黑煙灰混以膠水造成的墨水，它們都是在曠野很容易找到的現成材料。咒詛之所以有

能力，因為它是「站在耶和華面前」說出（16節），神深知人的內心，那名婦人若是有罪，祂就會使咒詛應驗。

附註 第23節的用語可以幫助我們明白後來某些經文的含義。我們念到：「基督既為我們成了咒詛，就贖出我們脫離律法的咒詛」（加三13）；基督雖然無罪，卻以自己的身體受了咒詛。同樣地，以賽亞預言耶和華的僕人將會作「眾民的約」（賽四十二6，四十九8）。即使成了約的僕人，保羅仍然深信神一切的應許，「在基督」都是是的（林後一20）。

六1-21 拿細耳人的願 拿細耳人的願是一個「特別的願」（2節），亦即是一個不可輕率而許的願。我們假定這願會維持一段特定的時間。拿細耳人的離俗有三個標記：戒絕清酒濃酒和用葡萄製成的食品（3-4節；以色列人後來因著供拿細耳人飲酒而犯罪，摩二11-12）；不可挨近死屍（6-8節）；和不可剃頭（5節）。頭兩項要求就像祭司供職時要遵守的律例。祭司不可飲酒，因為這會削弱他們在遵行和教導律法時的警覺性（利十6-11）。大祭司甚至不可行近有死屍擺放的地方，即使是自己的父母也不行；但一般的祭司則可以接近近親的屍體（利二十一1-4、11）。不剃頭的要求，卻是拿細耳人所獨有的，「因為那離俗歸神的憑據是在他頭上」（7節）。「拿細耳」這個字，與希伯來文中*nēzer*這個字有關，它有兩個含義，分別是「許願」和「冠冕」。因此，這節的希伯來文是「他的神之*nēzer*是在他的頭上」。這可能是要特意指出，長髮是許願(*nēzer*)的標記，它也像一個冠冕(*nēzer*)。倘若違背了所許的願（例如「在他旁邊忽然有人死了」），他就須要付上贖價，重新再開始（9-12節）。當滿了離俗的日子，他便要剃頭，把離俗頭上的髮放在平安祭下的火上（13-21節）。參孫一出生就作拿細耳人（士十三；參十六17-20），保羅似乎也經曾許過這願（徒十八18，二十一20-26）。**除了祭司之外，拿細耳人表達了離俗歸主的最高形式。**他是以色列人奉獻給神的標記。律法清楚記明，所許的願必須償還（申二十三21-23；參士十一30-39；詩五十六12，六十五1，一一六18；參太五33-37）。

六22-27 祭司的祝福 將祝福放在這裏是十分合宜的。以色列人已經按序編配好，分別為聖歸給主，如今神便因著他們的遵從而賜下福祉。這裏的賜福並不是順口拈來的空洞陳詞；反之，它充滿了意義。它可分為6個部分。

1.**「耶和華賜福給你」** 祝福將神展示給百姓知道的各種立約好處概括起來（申二十八1-14）。作兒子的都期望獲得父親的祝福（例如創二十七27-29、38，四十九1-28）。神將祝福賜給亞當，路加稱亞當為「神的兒子」（創一28，五1-3；路三38）。因著亞當的墮落，咒詛進入世界（創三14-19），但神應許再將福祉賜給亞伯拉罕和他的後裔（創十二1-3）。神的福祉包含了纍纍的碩果（後裔、羊群、豐收），但這些益處只是外在標記，真正的福氣在於與主的關係。惟有當神成了我們的父，我們才是真正蒙福（創十七16，二十二17-18；利二十六3-13；申二十八2-14）。

2.**保護你** 保護的目標，是要保守以色列人維持與神的立約關係。耶和華是以色列的守護者（詩一二一7-8；參來十三6）。基督是好牧人，他看守祂的羊群，除了加略人猶大之外，一隻也不失落（約六37-40，十一11-16，十八9）。

3.**「願耶和華使他的臉光照你」** 「他的臉」表示祂的同在，從雲彩中顯現出來（出四十34及以下）。**「照你」**表示神喜悅祂的百姓和拯救他們（箴十六15；詩三十一16、六十七1及以下，八十3、7、19）。

4.**「賜恩給你」** 得神的喜悅，就自然會得著神的恩典，和祂立約的憐憫。救恩的基礎就是神的白白恩典。人在任何一方面都不配得獲此恩典；反而是神因著本身的慈愛和忠於本身的誓言，於是便顯示祂的憐憫（申七7-8）。全本聖經都見證著這個原則（結十六1及以下；羅五1-11，九10-13、18，十一5；林前一26及其後經文）。

5.**「願耶和華向你仰臉」** 這句話以更加強烈的語氣來表達，要求神關注以色列。這能反映出一個事實，就是神揀選了他們而不是

其他國家。神若掩面不顧他們，以色列人就會受苦和滅亡（詩三十7，四十四24，一〇四29）。

6.「賜你平安」 「平安」表示圓滿和幸福。長久以來，它一直被視作立約的用語。立約是為了讓雙方達致正常的關係，進而確保和平。但神所賜的平安，卻涵蓋所有有生命的，甚至人數眾多的敵人也都安靜下來（利二十六6；箴十六7）。這些說話其後被視為彌賽亞的應許——祂要成為「和平之子」（賽九6）——我們在基督的身上將找到它的真正含義（約十四27；弗二14-18）。

對於以上祝福的格式，還有兩點是值得留意的。首先，它是屬於詩體，全部3行分為兩個部分。每行都比前一行長，使祝福的語氣更強和更有力。其次，它採用重複的手法。它兩次提到神的「面」（同在）；我們能進入與神同在的光景，是一切救贖的目標。它重複神的名字——耶和華——3次。有人認為這預言了神的三位一體（參羅十9；林後三17）。學者們視它為最古老的詩篇。在1979年，兩卷寫於主前7世紀的細小銀書卷在耶路撒冷出土。後來發現當中記載了民數記六章24至26節的字詞，在形式上幾乎與希伯來原文是完全一致的。

這些字詞的影響力延及整本聖經（詩六十7，一二一，一二二，一二四，一二八）。保羅的書信在信首問安時，都經常採用「恩惠」和「平安」這兩個字詞（例如羅一7；林前一3和提後一2更加上「憐憫」）。在大部分的例子中，保羅都指出恩惠和平安是來自神我們的父和主耶穌基督，而且，毫無疑問地，他是採用了祭司的祝福。

神說：「他們要如此奉我的名為以色列人祝福」（27節），這是一種擁有主權的標記。此觀念在聖經中的兩個重要地方亦曾再次出現。首先，它出現在以賽亞預言以色列的復國時：「這個要說：我是屬耶和華的……又一個要親手寫：歸耶和華的」（賽四十四5）。當猶大和以色列被擄歸回的時候，實在是一個極大的祝福。第二，根據啟示錄的預言，當神的百姓到了最終聚集的時候：他們「也要見他的面。他的名字必寫在他們的額上」（啟二十二4；參二17，十四1）。聖經在

作結之前，讓我們一瞥聖徒最終蒙福的光景（啟二十二1-5），預言中的用語反映出祭司的祝福：「以後再沒有咒詛」（啟二十二3；參民六24、27）；「主神要光照他們」，他們不再需要日光或燈光（啟二十二5；參民六25）。因此，這些古老的字詞所包含的應許，是立約所帶來最豐富的福祉，是每個世代神的兒女所渴慕的，神將會在祂所預定的日子，將它豐豐富富地賜予祂的眾兒女。

七1至八26　分別會幕和祭司為聖

這兩章的重點是在於聖潔和潔淨。會幕要分別為聖，而祭司也要潔淨自己。這一切都要經過大量流血才得以成就。

七1-89　會幕分別為聖　這裏所用的言詞非常簡潔：摩西使會幕「成聖」，行「奉獻壇」的禮（1、10-11節）。「奉獻」（dedication）這個字詞在聖經中只出現過很少次。所羅門將聖殿前院子當中分別為聖，行奉獻壇的禮（代下七7、9），但這個儀式卻稱為聖殿的「奉獻之禮」（代下七5）。次經中的《馬加比二書》二章19節有這段文字：「猶大馬加比和他的兄弟的事蹟、偉大聖殿的潔淨禮、奉獻壇的禮。」這典禮是在12月25日的修殿節前舉行慶祝的；約翰福音十章22節也有提及這節期。會幕的分別為聖是這類慶典的起源。以色列眾領袖將禮物、贖罪祭和平安祭帶來。經文沒有道出眾領袖的姓名，但卻指出他們是管理那些被數的人的（2節）。人口統計實際上是在會幕立起之後一個月才進行（一1），但作者已在前面將統計的詳情告訴我們。同樣的預告也出現在6至7節：車和牛都交給了利未人，但他們卻仍未被膏立（3-4節，八5-26）。百姓分兩個階段將禮物和祭物帶來。首先，車和牛是奉獻給會幕（3-9節）；接著，便是那些銀盤子、銀碗、金盂等的禮物和獻到祭壇的祭物（10-88節）。車和牛都沒有交給哥轄人，因為這些禮物都只是供帳幕而並非用作聖物，而哥轄人是負責辦聖所之事的（9節）。當大衛將約櫃抬到耶路撒冷時，它是放在一輛新車上（撒下六3-4）。但當烏撒死後，我們再聽不到有車，只有「抬神約櫃的利未人也一同來了」（撒下六13，十五24）。烏撒的死導致他們重新發現律法究竟有甚麼要求（代上十五11-15）。各支

派奉獻祭物的記錄（10-88節）顯示聖經是可以如此的重複（也許這是要提醒我們，聖經的目的不是在供我們消閒之用，而是用以教導我們）。

在奉獻的過程中，我們可以留意到猶大再次排在第一位（參二1-34）。從經文列出每支派在奉獻當日各自帶來的供物，我們看到他們的奉獻都是出於自願和平等的。當使徒保羅為耶路撒冷的眾聖徒收集捐獻的時候，他對馬其頓的眾教會也是要求同樣的平等：「我原不是要別人輕省，你們受累，乃要均平」（林後八13-14上）。

第84-88節詳列了為獻壇禮所獻上的供物總數。在那12日中，祭牲的血要血流成河。若不流血，就不能潔淨（來九22）。在那12日中，還有其他的獻祭（例如，當亞倫被膏立的時候；利八至九）。在那12天當中，他們還要揀出逾越節的羔羊，等到在第14天的逾越節中宰殺。

奉獻禮的結果，分別在3段類似的記載中，用了3種不同的方式表達出來（七89；出四十34-35；利八至九），每一段記載都反映了該書的主要關注點。出埃及記第四十章34至35節記述了雲彩遮蓋會幕，主的榮光持續充滿了會幕，反映出它的主題是神的榮光與祂的百姓同在。利未記九章23至24節告訴我們，摩西和亞倫如何祝福百姓，如何有火出來燒盡祭物，反映出它的主題是蒙神悅納的祭司。此處（89節），耶和華對摩西說話，反映出民數記的主題是神的話。不過，民數記也沒有忽略了其他方面。事實上，利未人作祭司就是它接著所提到的（八5-26），然後便是雲彩（九15-23）。

本書頭10章的焦點是在於神的話，經文暗示出擁有神的話是極大的特權。神特別喜愛摩西，要與他面對面說話（十二6-8）。事實上，希伯來原文甚至沒有在89節直接稱呼神，只是說摩西進入會幕「與他」說話（和合本是運用解釋而加上「耶和華」）。神的聲音從約櫃的施恩座出來，顯出祂的話是帶有一種立約的殊榮，表明了祂的極大憐憫。此外，神在二基路伯中間說話，他們便是在創世之初，為神把守通往樂園和生命樹道路的天使（創三24）。神的話就是生命；這種真理的話與永生之間的聯繫，是永不會失落的，而且，在福音書有關基督的教訓中，更能將它清晰地顯明出來（例如約一4，六63）。

八1-4　7盞燈　這7盞燈是按耶和華指示摩西的樣式造出來的（4節；出二十五31-40；參來八5），燈要向前發光，照亮燈臺前面。按照這種位置，他們就能照亮陳設餅的枱和上面那12個餅。這燈要常常點著（利二十四2-4）。約翰在異象中亦看見7個金燈臺，它們在那裏是代表7間教會（啟一12及以下）。

八5-26　利未人的潔淨和分派工作　利未人要在禮儀上用「除罪水」（7節）潔淨自己。以色列人按手在利未人的頭上（10節），然後，利未人則要按手在贖罪祭上（10節）。這樣做的時候，通常要獻一隻祭牲作為代贖來表明認罪（12節）。**「按手」**的基本意義，似乎是「轉移」一項權利或身分到一個替代物身上：將福氣轉移到繼承人（創四十八14）；透過按立轉移權力（民二十七23）；將罪轉移到祭牲身上。新約教會也有進行按手禮（徒六6，十三3；亦參可五23；徒八15-18；來六2）。按手禮似乎是暗示與別人一起同工，所以，保羅提醒信徒不可急促（提前五22）。第八章的上文下理顯示出利未人是以色列獻給主的祭（11、15節）。他們是分別出來歸給主（14、16節），代替了一切頭生的（17節及以下）。除了強調這點之外，我們不可遺忘的，是利未人亦是當作賞賜給亞倫的（19、22節）。最後還提到了年齡限制——從25歲起便要前來任職，到50歲才停工退任（24-26節）。人口統計只數點了由30至50歲的男性（四3；但七十士譯本卻說是由25歲起）。在大衛的時代，當會幕安放在錫安的時候，年齡限制下降至20歲（代上二十三24-27），雖然大衛亦只數點了30歲以上的人數。後來的世代也依從了這種做法（代下三十一17；結三8）。退任並非表示免除職務。即使到了50歲，利未人還繼續服侍他的弟兄。一般來說，神的僕人似乎一直不間斷地事奉神，直至終老，視乎神賜給他的力量（申三十四7；撒上四14以下，十二2；提後四6-8；彼後一13-15）。

九1至十36　神與百姓同在，親自帶領他們啟程前往應許之地

九1-14　逾越節　第一個逾越節標示了以色

列人離開埃及。如今，他們在離開西乃之前，先守第二個逾越節。我們在前面已經提過，敍事部分並不是按照事件發生的時序；作者在這裏便是有意將逾越節放在啟程之前。他希望藉此提醒我們，神仍然在拯救和帶領祂的百姓。那妨礙人守逾越節的不潔淨問題要先處理（6-13節；參約十八28）。這問題是非常嚴重的，有人因觸摸過屍體而不潔淨，不能與百姓一起將供物獻給主。他們著實恐懼自己因此而要從百姓中被剪除。因此，神給予一條附加的律例，要他們在一個月後才守逾越節。然而，逾越節的重要性卻沒有削減，因為他們必須照樣守一切律例（11-12節）。不過，假如某人在沒有合理的理由下不守逾越節，他就要從民中剪除。他那種故意漠視神律法的行為，是不能獲得赦免的。弱者應予以援助；背逆者卻絕不能寬容。寄居的外地人也可以參與一同守節，但不可輕率而行，他必須先行割禮（出十二48-49）。如此，聖經便預告了外邦人在救恩中有份。我們可以從中認識到，聖經是如何重視逾越節。約翰亦深明此理，他將基督的死，解釋為在各個方面應驗了逾越節的預表（參約十九17-37）。事實上，約翰福音將逾越節的神的羔羊，要除去世人的罪之事實，清楚地勾劃了出來（約一29；參林前五7）。

九15-23 雲彩 根據出埃及記的記載，雲柱代表了主的榮光充滿了會幕（出四十34-38）。然而，民數記不提到榮光，卻熱衷於描寫雲彩帶領以色列人前進的事實。經文不斷重複指出，以色列人藉著雲彩移動的指示，知道主的吩咐，在哪時起行，在哪時安營。而且，這種重複亦表達了思想上的推進：雲彩在開始的時候便出現（15節）；它夜間形狀如火（16節）；它帶領以色列（17-18節）；住營的時間由幾天至一整年，預告了以色列人將會有一段長時間留在曠野（19-22節）；經文完結的時候，還強調了以色列人如何依從主的吩咐（23節）。後來，當所羅門獻殿的時候，雲彩也出現過（王上八10-12）。基督耶穌在登山變像（路九34）和升天時（徒一9），都曾經進入雲彩。「雲彩」代表神同在和聖殿的象徵，在基督的身上得以結合起來。祂是聖殿（啟二十一22），神豐盛的榮光在祂裏面居住（約十七21；西一19）。

藉著聖靈的同在，信徒成了聖殿中的活石（約七37-39；林前六19；彼前二4-5）。如此，神才會在屬靈建造的教會中彰顯祂的榮光（弗二22，三10-11、21）。

十1-10 銀號 這是西乃出發前的最後準備。兩枝號是用銀子錘出來的。（在這之前的數百年已懂得將銀子熔掉和製成器具。）約瑟夫形容這些號是狹長的管，長約18吋（即45厘米），末端呈喇叭狀；在羅馬的提多凱旋拱門上有它們的圖像。它們有別於一般的公羊角，能吹出較為清晰的音調。不同的號聲是用來召集不同的聚會（眾領袖、全會眾、各支派起程），在戰爭和大節期的開始時亦會吹號。銀號是交由有權作帶領的祭司保管（他們亦以教導作帶領）。當以色列人按照神的命吹號，他們的安全便可以獲得保證。因此，這種吹號的形式便一直在歷史中沿用（王下十一14；結三10；詩九十八6）。使徒保羅將它視為一個傳福音的象徵，指出傳道者必須發出清晰的呼召（林前十四8），否則人便不能作好準備面對屬靈的戰爭。即如銀號是付託予祭司，傳福音的責任便是託付給神的僕人，尤其是教會的長老（徒二十17-35；多一5；來十三17；彼前五1-4）。倘若銀號落入冒名頂替的人手中，他們定然會損害基督的教會，正如惡狼不會顧惜羊群一樣。新約還引用此銀號作了第二個有力的比喻：即如吹響銀號招聚以色列人守節期，同樣地，將來要吹響號筒的大聲，招聚死人復活（太二十四31；林前十五52；帖前四16；啟八至九）。招聚人守節的是歡樂的聲音（詩九十八6）；因此，這比喻傳達了由復活到永生和在基督國度裏預備筵席的喜樂。

十11-34 以色列人離開西乃 這是民數記第一部分的高潮（一至十章）。在西乃所作的一切準備，目的都是為了讓神能夠與祂的百姓同在，帶領他們前往迦南。這裏提供了一些新的資料，讓我們認識到整個行程隊伍的排列次序：抬帳幕的人走在第一批分組的支派之後，而不是與聖物在一起走在隊伍中間。這措施也許是為了配合實際的需要，讓帳幕在聖物被抬進營地之前便先行支好。約櫃在前頭帶領（33節），猶大是第一個先行的支派（14節），而但支派則行在最後（25節）。摩西

希望何巴——即流珥的兒子，他本人的岳父——與他們同去，因為他認識曠野的地形。摩西對他所講的話，說明了以色列人現在所行的事：他們起行的因由緣自亞伯拉罕的應許，他們的目標則是應許之地。

十35-36　總結　摩西的話道出了兩個重要的聖經要旨：神要戰勝祂的仇敵，也要永遠與祂的百姓同在。這兩個要旨在約櫃開始往前行和再次停放在營中央的時候，清晰地表達出來。由於這是經過幾乎一整年的準備工夫才達致的最高潮（出十九1），我們必須小心細看。

聖經經常談到神克勝祂的仇敵。神在伊甸園曾應許說，那成為人類死敵的蛇，最終要被擊敗（創三15）。巴比倫（與「巴別」為同一個字）成了神的仇敵之「首都」，巴別塔則成了人集體悖逆至高者的象徵（創十一1-9）。後來，神的百姓被擄到巴比倫。它是他們所痛恨的仇敵（詩一三七），也是註定要滅亡的地方（賽十三至十四）。在啟示錄中，神的勝利被描述為巴比倫的傾倒，它亦成了人發出極大頌讚的理由（啟十二7-17，十四8，十七4-6，十八1至十九5）。

神曾經誓言萬膝要向祂跪拜（賽四十五23）。這將包括了一切的仇敵，儘管他們並非懷著崇敬的心謙卑下跪，而是在惶恐中蜷縮，但他們卻始終要屈膝跪下。這世界的國度終要傾倒，此乃三一神在創世之前的永恆計劃中所決定的。因此，歷史的進程早已註定，當中包括了天上的屬靈爭戰。神要藉著此計劃來得著榮耀，並要顯明祂是宇宙至高的全能統治者。父要將子升高，賜祂最高之名，而子則要尊榮父。這一切的目的是要顯明神是萬有之主。這計劃牽涉到創造、人的墮落和救贖。它並沒有在開始的時候顯明，卻是透過歷史性的立約和救贖歷史的進程逐漸地揭示。在這世代的終局臨到之時，它將會完完全全地顯露出來，那時，萬物都要讚歎神的智慧和憐憫是何等的深廣。

摩西的話所表達的第二個要旨是神的憐憫和恩典：神要在數以10萬計的以色列民中居住。這是歷代以來每位聖徒所渴慕的與神相交。這正是神的國。華菲德這樣寫道：「神國的建立和發展……很可以稱得上是舊約的基本要旨」[B.B. Warfield, *Biblical Doctrines*

(Banner of Truth Trust, 1988, first published 1929), p.11]。因此，民數記第一部分的結語，帶領我們進入聖經信息的核心。第二和第三部分基本上是與這個相同的要旨有關，內容則涉及神的百姓要進入應許之地。

十一1至二十五18　往應許地之路

本書的中間部分（十一至二十五章）包含了由西乃前行到迦南邊境的路程、以色列人失去佔領該地的機會和在曠野飄流的歲月。首先，我們看到以色列人的反叛（十一至十九章）；然後，我們直接跳到飄流時期的尾聲，以色列人再次接近迦南，快要展開行動佔領該地（二十至二十五章）。這個中間部分與第一部分形成了鮮明的對比。我們從神預備百姓的話，轉移到百姓所發出的怨言、對神的不信和不願進入應許地。

十一1至十二16　埋怨

我們若剛剛讀完上面的結語（十35-36），然後便立即讀到十一章1節，必然會感到其轉變是非常的戲劇性。摩西剛呼求神擊退祂的仇敵，繼續與祂的百姓同在，接著——當中完全沒有間斷的片刻——我們卻讀到「眾百姓發怨言，他們的惡語達到耶和華耳中」（1節）。這種對比，顯出剛才為他們所作的一切美善的事，都已完全落空。希伯來文所用的字詞是要刻意作出對比：他們為所遭遇的「惡事」抱怨，但其實，他們已得著很美好的。「抱怨」明顯是十一至二十五章的主題。希伯來文的抄本採用了幾個不同的字詞；但希臘文的七十士譯本則只用了 *gonguzō* 這一個字（和合本譯為「發怨言」），約翰和保羅亦經常意味深長地運用這個字詞（參十一4-15的註釋）。

十一1-3　在他備拉初次發怨言　在這第一則的簡短記述中，便已經建立了日後發生同類型事件的模式：百姓發怨言；主聽見和大大被激怒；摩西代百姓求情，於是神停止了祂的審判。摩西經常為百姓求情（正如他在何烈山為百姓拜金牛犢的罪求情，出三十二）。神所施行的懲罰再次使我們記起神是烈火。聖經經常用火來象徵神的同在和行事（參創十五17-18，當中記載了有燒著的火把從肉塊中經過；出三，神在荊棘裏的火焰中顯現，

參來十二29）。以色列人更曾經付出沉重的代價來認識這點——那就是亞倫的兩個兒子拿答和亞比戶被神的火燒死（利十）。

十一4-15　第二次埋怨

那個可以翻為「民眾」的希伯來字，給人一種閒雜人的觀念，而它的希臘文翻譯（*epimiktos*）則含有一群混雜人的意思。它所指的，大概是那些外邦人寄居者。因此，經文再加上「以色列人又哭號」這句話。這裏提供了一個客觀的事例，說明神的百姓會受周遭的人所影響，逐步踏上犯罪之途。他們的話顯出他們對神的藐視：「誰給我們肉吃？」接著的經文立時變成了好像一張餐單——「魚」、「黃瓜」、「西瓜」（5節）——因為以色列人將神賜予的嗎哪，跟埃及所供應的各種食物作出對比。他們已經混然忘記了神將他們從火煉般的痛苦中拯救出來，同時也輕視神由天上降下的美好供應。詩篇七十八篇詳細地描述了以色列人的罪（參出十六3）；他們沒有信心，又不記念神的作為，而且還向神說謊（詩七十八22、32、36、42）。問題的核心是在於他們的不信和忘本，引致他們產生不滿和經常抱怨。民數記清晰地記錄了他們的行為表現。他們各人走回自己的家，在家人中間散播抱怨的情緒（10節），這種行為完完全全是摧毀性的。他們在家人中間搧動了不滿的情緒，至終只能帶領他們步向死亡。我們可能留意到「發怨言」這個字詞在新約中並不常見，但約翰卻在某個獨特的情況中特意採用它——就是當基督告訴猶太人，祂就是從天上降下來的生命之糧，遠遠勝過從前的嗎哪（約六35、41-61）。這些猶太人為祂所爭論的話，正重蹈了民數記所記載他們祖宗所犯的覆轍，而且，犯罪也是基於相同的原因——不信（約六64）。這些例子理應成為今天教會的鑑戒（林前十10-11）。這種發怨言的態度會使人跌倒，而且還會損害別人的信心。也許，不少年輕人之所以背棄教會，甚至最終踏上滅亡的道路，都是因為他們在自己的家中經常聽見家人向神發怨言。惡毒的言語肯定會對聽見的人構成損害。民數記如今便將摩西所感受到的沉重擔子展示出來（11節），那就是以色列人如同嬰兒，必須靠人餵奶的。

十一16-35　設立長老和讓百姓有肉吃

眼前的問題得到了兩方面的回應。首先，要選立70位長老來協助摩西。葉忒羅先前已發覺摩西需要有助手去協助他的工作，於是便選立了官員（出十八13-26）。如今這70位長老要建立一個管治的議會。這些長老可能就是昔日與摩西一同上西乃山的百姓領袖（出二十四9-11）。在後來的歷史中，我們也看見類似的管治組織，例如福音書所提及的公會。後來的基督教教會也同樣地召開議會來商討關乎普世教會的問題（自使徒行傳十五章開始）。因此，以色列人由長老管治的淵源，可追溯至很早期。這可能是一個以父親為一家之主，而家庭成員則包括了他的兒女和僕人自然發展所產生的結果。整個舊約時期都一直維持這種長老的管治（參得四2；箴三十一23）；在基督時代的猶太人當中仍繼續保存（太十六21；路七3）；眾使徒亦在地方教會的運作中採納了這個模式（徒二十17；提前四14，五17；多一5；雅五14；彼前五1）；而且，它似乎要持續至現今世代的終結（啟四4，十九4）。在摩西的時代，這些被選立出來的人，要與摩西一同為神擔任牧人的角色。新約稱長老為牧人，他們是那位大牧人的僕人（彼前五1-4），必須向祂交賬（來十三17）。為此緣故，他們必須聽從神的吩咐。長老的設立，是為了確保摩西不用獨立承擔重任，這似乎成了後來各世代所參照的模式，因此，在新約時代，使徒便很自然地會想到教會要由長老團（或監督）去帶領（腓一1）。主將祂的靈降在那些協助摩西的長老身上（24-30節）。聖靈降臨的記號就是說預言，正如在其他時間所出現的例子一樣（撒上十6-13；珥二28；徒二4；林前十二10）。綜觀全本聖經，作神百姓的領袖，都只有藉著聖靈的能力才能真正地為神作工。眾多士師、掃羅、大衛、眾先知、使徒和以弗所教會的長老都是明顯的例子。

神除了設立屬靈的長老來協助摩西之外，還從另一方面處理百姓所抱怨的問題。在曠野中顯然無法找到足夠的肉來滿足百姓的慾望。〔「步行的男人有60萬」（十一21，這裏肯定了人口統計所記錄的龐大數字是準確的；參一17-46。）〕摩西的反應與門徒要為5,000人預備食物時相類似（約六7）。每當面對在人來說是不可能的事情時，聖經都會

提供相同的答案：主的膀臂沒有縮短！（創十八14；賽五十2，五十九1；耶三十二17、27）。在神來說，沒有事情是不可能的。掌管天地之至高者的大能，永遠是信靠祂的人之避難所（參但一至六）。神會顯示祂的能力來證明祂的話（23節）。神賜「鵪鶉」，正是祂掌管其創造的一個例子。牠們屬於野雞和山鶉科的雀鳥。牠們在非洲過冬，然後通常在3、4月間向北方遷移。那一年，大風將極多的鵪鶉颳到以色列。然而，在神賜肉回應百姓的貪慾之後，祂的憤怒亦隨之而來。當百姓吃肉之後，便死於瘟疫。因此，以色列人所到的頭兩個地方，被稱為「他備拉」（「火燒」，十一3），和「基博多哈他瓦」（「貪慾之人的墳墓」；十一34）。這次行程便變成了死亡之路。我們不知道這兩個地點的準確位置，只能夠肯定它們是位於西乃山和哈洗錄中間（參民三十三）。

十二1-16　米利暗和亞倫攻擊摩西　在下一個營址哈洗錄，發生了第三件叛變的事。摩西娶了一個古實的女子（創十6，古實即埃塞俄比亞），她可能是他的第二任妻子（他的第一任妻子是米甸女子西坡拉；出二16-21）。米利暗和亞倫以此為藉口，齊聲攻擊摩西。他們其實想與他看齊，作以色列人的領袖。米利暗似乎是始作俑者，因此，她須要承擔責罰。我們可能會感到奇怪，她身為婦女，竟敢挑戰她弟弟的權威。然而，她本身其實是一位女先知和以色列婦女的領袖（出十五20-21）。

聖經再次告訴我們，主聽見他們所講的毀謗說話。祂作的回應，就是確認祂對摩西的揀選（6-8節），然後審判米利暗和亞倫（9-10節）。米利暗的叛變和以色列人貪求吃肉這兩件事，當中有許多類似之處（十一4-35）。在這兩次情況中，神的供應（嗎哪；摩西的領導地位）都遭到人的拒絕，神的回應便是肯定摩西的位分（選立長老協助他和用祂的說話作出肯定），以及施行審判（瘟疫；米利暗長大痲瘋）。作者更稱許摩西為人的謙和（3節）。真正的謙卑含有決心遵行神的旨意，甚至到了自我否定的地步之意思。這種自我犧牲的精神，會使人失去保護自己的能力，逼使他要全然倚靠神的保護和支持。而且，當他努力事奉神之際，他會發現本身的弱點

和過失，如此便能逐漸建立一個正確的自我觀。謙卑並非一種消極的表現（自貶），卻是對事奉的積極委身，基督正為我們樹立了最佳的榜樣（腓二3-8）。摩西在其後帶領以色列人越過曠野的40年光景中，雖然是一項沉重的責任，但仍表現出極其的謙卑。他沒有為自己辯護，只去尋求那位為謙卑人辯屈和施恩的神（詩一四七6，一四九4；太五5；彼前五6）。在這種情況下，主既然要維護祂的僕人摩西，當然要離棄米利暗和亞倫。至此，在以色列人前往迦南的路上還未行至一半，民數記就已經記載了3件抱怨的事。

十三1至十四45　以色列人拒絕進入應許之地

「巴蘭曠野」應於迦南的南面，以色列人的探子便是由此地出發前去偵察迦南地。整個行程其實已經充滿埋怨，不過，當探子偵察回來，以色列人的悖逆終於釀成災難性的結局。

十三1-16　12個探子　這段經文是以神的話作為開始的。在祂吩咐派人去窺探該地的話中，已經包含了祂要將那地賜給他們和時候將到的提醒。每個支派都選出一個領袖作代表。他們並非先前協助人口統計，或者在奉獻會幕時帶來供物的那些人。他們應該是屬於較年輕的一輩。例如，約書亞是他們當中的一位，他是摩西的幫手，也是一位年輕人（出三十三11；民十一28）。摩西將他的名字由原來的何西阿，改為約書亞，即將原來的意義由「他拯救」改為「主拯救」（16節）。這可能是首個用上主的名的以色列人名字。「約書亞」的希臘字就是「耶穌」。

十三17-25　窺探40日　探子們奉派去窺探迦南的兩個地區——南地和上山到北面地區（17節）。他們所到之處，遠至北面的邊界，涵蓋了神在應許中所指出的土地（21節）。經文表示「那時正是葡萄初熟的時候」（即7月底），顯出百姓離開西乃大約已有兩個月。探子向北行了約250哩（即400千米），一直待到9月中才折回。他們到過希伯崙（22節），是列祖被埋葬的地方（創二十三17-20，四十九29-33，五十13）。民數記告訴我們，希伯崙城的建造比瑣安城早7年，後者是埃及許克所

斯人(Hyksos)的首都，約於主前1700年被建成（22節）。也許，民數記的作者知道埃及人建造瑣安城一事，是因為以色列人也有份參與興建。希伯崙能給人一個有力的提醒，讓人記起神的應許。但此處——以色列人目標中的腹地——卻住著有名的戰士亞衲族人（申九2）。甚至在埃及人於主前1800至1700年的文本也有提及他們。最終擊敗了他們的人是迦勒（書十五14；士一10）。

十三26-33　惡訊　探子劈頭的第一句話便暴露了他們的想法。「我們到了你所打發我們去的那地」這句話，完全沒有提及是主差派他們去，也沒有對神的應許表示絲毫的感恩（參十29）。他們展示了豐富的果子，又確認那地「果然是流奶與蜜之地」。〔這種對土產豐富的描述，是一本埃及人故事書《辛奴亥的故事》（Story of Sinuhe）用來形容加利利地區的。〕這肯定了神對應許之地所作的每一句描述（出三8、17）。然而，探子卻將注意力放在堅固的城邑和當中強壯、有些近似巨人的居民身上，並且堅稱絕無取勝的可能。迦勒上前安撫百姓（30節）。我們後來知道約書亞也站在迦勒那一邊（十四6）。百姓又再開始發怨言。令人感到可悲的諷刺是，探子所描述的，正是神早已在應許中清楚指出要賜給亞伯拉罕的列國之地（創十五18）。神亦已經明言，亞摩利人正積聚本身的罪孽直至滿盈，他們將來要遭受神的審判，而以色列人便成為執行刑法的工具（創十五16）。

十四1-10　百姓叛變　以色列人「大聲喧嚷」，這其實與背叛無異（9節）。他們的罪性在本章表露得愈來愈激烈：對主發怨言（27、29、36節）；厭棄那地，即等於厭棄主的約（31節）；不跟從主（43節）。他們質疑神的心意（3節），又抗拒摩西的帶領（4節）。值得留意的是，他們那個寧願死在曠野的愚蠢願望（2節），最後竟獲得神的照准（28節）。這提醒我們緊記新約的一項警告，就是人必須為到他無心說出的每一句話負責（太十二36-37）。約書亞和迦勒兩人保持著清晰的頭腦，他們明白到以色列人是罪大滔天；他們撕裂衣服，表示出悲痛和憤怒。他們的表現就好像為死人哀哭。他們重新肯定他們的信念，深信神會照著祂的應許而行，

帶領他們進入那地（8節）。

十四11-25　主的憐憫和審判　主的說話首先準確地分析了以色列人的罪——不信的罪。他們不肯信神，還以藐視的態度來對祂（11節）。「不信神的，就是將神當作說謊的」（約壹五10）。以色列人真正的錯誤在於不信神能夠信守祂本身的說話。真實的信心，就是能夠認定神言出必行。以色列人此刻的不信，正與他們的祖宗亞伯拉罕的信心形成強烈的對比（創十五6）。神的回應可分為兩方面：「我要用瘟疫擊殺他們，使他們不得承受那地」。摩西是憑著神的約（16節）和神的憐憫（18至19節）來為百姓求情。昔日以色列人在何烈山下犯了造金牛犢的罪，摩西也是根據相同的理由來向神求情（出三十二11-14）。這就是禱告的真諦：依據神的應許，並求神成就祂的話。這正是憑著信心祈求的含義；我們是按照神的旨意祈求（約壹五14）。神在全地的榮耀，是藉著祂的約和約的應驗來彰顯。主回答摩西的話，讓我們認識到許多有關聖經神學的核心。首先，神有寬恕，因為神仍然將以色列視為祂的百姓，祂會在年輕的一代實現祂的應許（24節）。其次，神亦有審判。神在考慮施予祂的赦免時，絕不會專橫武斷，但也不會以祂的榮耀作為代價。祂所起的誓（21-25節），表明祂將本身的榮耀視為祂最關注的。因此，凡藐視祂的人，都絕不能得見那地。到了明天，他們便要從原路折回，再次回到紅海。以色列人頓時打回原形。

十四26-38　死在曠野中　神接著起了第二個誓（28節）。凡在西乃被數點，又曾經向主發怨言的，都要如他們先前所願，死在曠野中。他們的兒女要忍受在曠野飄流40年。我們在這裏看見一個父母的罪禍延下一代的實例。他們要等40年才能進入應許之地。這章全章一再提到立約的計劃要在他們兒女的身上實現（31節），因為神要將那地賜給他們。最後，那些頂撞主的會眾，如今將要經歷祂的報應（34節）。懲罰迅速臨到，那10個報惡訊給以色列人的探子，都立時遭瘟疫死去。

十四39-45　部分百姓後悔，寧願進入應許之地　百姓還要學習另一個教訓。他們覺悟

得太遲，他們此刻希望保住自己原來的權利，繼續攻佔該地。首先，問題在於他們悔悟得太遲了。這事讓我們想起昔日以掃在出賣了自己的長子名分和失去父親的祝福後，才懂得哀哭，可惜已經為時太晚了（來十二17）。其次，他們又再藐視神的說話。神已經吩咐他們要回到曠野（25節）。因此，當他們要進入迦南，他們是獨自前往，主不會與他們同去，約櫃也不會出營（42、44節）。他們那句真心話：「我們……情願上耶和華所應許的地方去」（40節），顯出他們缺乏信心，完全沒有想到神向列祖所起的誓。經文指出他們被擊退直到南地的何珥瑪（它的準確位置仍在爭論之中）。這個地名與 *hērem* 這個希伯來字有關（此字的意思是「徹底毀滅」），如此的一個結局，正好配合這個醜惡的片段（參導論的「主題：背道」）。

十五1-41　為應許之地而設的律例：獻祭和赦免

叛逆者遭到毀滅之後，我們再次讀到主的說話，我們就立時得到安慰。雖然神的誓言已經關閉了進入迦南的大門達40年之久，但以色列人至終會在迦南居住的應許仍獲得肯定：「你們到了我所賜給你們居住的地……」（2節）。因此，接著的律法便是與到了迦南地居住後有關的。

十五1-21　獻上地上的出產為祭
所有在壇上用火獻上的供物，都要用細麵混以油調和，再奠上酒。不同的祭牲要獻上指定的不同數量。一伊法大約相等於5加侖（22公升），一欣則大約是6品脫（3.6公升）。在這律法的條文之中，明顯會有保證。它一再提到討神喜悅的馨香之祭，暗示神會再次接納以色列。獻祭所用的3樣主要物品——細麵、油和酒——是迦南出產的主要農作物。事實上，由於探子剛窺探該地，如今大約是9月中，因此，以色列人大概已經知道當地的居民正要收成橄欖的果子，將來便是用這些橄欖榨油。這些律例亦包含一個感恩的原則。以色列人將來所居住的土地，是神賜予的，所以，他們必須將地的出產拿來獻祭歸給神。這正是律法的精神，與發牢騷和怨言是恰好相反的兩回事。

律法的最後一部分也是值得我們留意的

（13-16節）。它提醒我們想起以色列民中住有外族人，它提供了空間讓他們可以與以色列人一同獻祭。他們必須遵守相同的條例和律法。這反映出神與亞伯拉罕立約的目的，就是要讓列國因他的後裔而得福（創十二3，十七12）。因此，律法中有不少地方是涵蓋了外族人的，而律法便藉此顯示了對神應許的尊重。提出這點之後，神便吩咐以色列人從初熟的麥子中獻出舉祭（17-21節）。這又得出了另一項原則，就是神的百姓必須在滿足自己之前，先獻祭給神。神的百姓世代代都要遵行這些定例（15、21節）。

十五22-31　錯失和蓄意犯罪
前面的律法肯定了神賜迦南的應許，而這部分則關係到罪的問題。無意誤犯的過失（錯誤）和蓄意所犯的罪（希伯來習語中所謂的"sinning with a high hand"），兩者之間有著極之重要的分別。無心之失是在無意間所犯的罪，是整體二社會（24節）或當中某個個人（27節）在「不知道」的情況下誤犯的。在這種情況下犯了罪的人，是可以得著赦免的，而且，這也同時適用在外族人身上。只要人不是故意犯罪，就必蒙赦免。但任何人若蓄意犯罪，則絕對沒有獲得赦免的可能（30-31節）。

這種把罪分為兩類的二分法，是整本聖經的一貫立場。褻瀆聖靈的罪無論是今生來世都不得赦免（太十二22-32）。此罪牽涉到抗拒聖靈為基督所作的見證。事實上，基督耶穌曾向那些不信祂的猶太人提出警告，指出他們的罪還在，因為他們聲稱自己知道（約九39-41）。他們的罪是在於不信——不肯信神的兒子。在希伯來書還可找到其他有關不可能再被挽回的警告（來六4-8），約翰更禁止我們為這種「至於死」的罪代求（約壹五13-17）。這整個主題對每個世代屬神的百姓來說都是極其重要的。它催逼我們要在信心上成長，要除去舊人本性中那種抱怨和不信的傾向。

十五32-36　違反安息日的人
這件事被放置在這裏，是要作為一個蓄意犯罪的例子。經文沒有明確指出那人是故意違反安息日的律例，不過，當所有人都在守安息日之際，那人的行為難有其他合理的解釋。他必然知道安息日的律例，而身邊其他人的表現，他也

一定留意得到。他當然該受被治死的刑罰（35節）。行刑的地方是在營外。會眾將他帶出去，這可能是將他從以色列民中除掉（從民中被剪除）的象徵性行動。

十五37-41 藍細帶子 它的作用是提醒人遵守誡命。以色列人要在外衣上四圍做繸子（申二十二12），再在繸子上釘一根藍細帶子。神再次選擇用藍色。會幕用以遮蓋約櫃的幔子是藍色的，這可能也是帶子要用藍色的原因。

在大衛王生平中有一件有趣的事是與此有關的。大衛因被掃羅追殺，藏於隱基底的山洞裏，後來，大衛趁機會悄悄地割下掃羅的衣襟（撒上二十四1-15）。大衛這樣做，是為了證明自己並非想殺害掃羅。他選擇割下衣襟可能是具有象徵意義。有人認為這是奪去王位的象徵。倘若掃羅大衣的衣襟邊繫著藍帶子，這可能是一種勸告掃羅的方式，讓他知道他若要殺害大衛，就是背棄了神的律法。大衣繫有帶子或繸子變成了猶太人生活的固定特徵，法利賽人喜歡將衣裳的繸子做長了，來表示自己的敬虔，和贏取人的稱讚（太二十三5）。

作結的那句話，重申了律法的基本目的：**主將律法賜予以色列人，因為祂是以色列的神，祂要百姓遵行律法，以致成為祂真正的國民**（41節）。

十六1至十七13 可拉的叛變及亞倫的祭司職任獲得確認

經文沒有指出這次叛變是在何時和何地發生，然而，當中暗示叛變者是因為摩西未能帶領他們進入迦南而產生不滿（14節）。因此，**這次對摩西和亞倫的新一輪攻擊，可能是在他們不能進入迦南後的不久便發生**。第十六至十九章的主角是作大祭司的亞倫。

十六1-15 針對摩西和亞倫的叛變 叛變者是由一群地位崇高的人所帶領。可拉是一個哥轄族的利未人，該族人負責管理約櫃和聖所的器具。與他一黨的流便人也是屬於有名望的家族。他們的同夥人還有會眾中的250個首領，這些曾經被選入會中的，都是百姓所熟悉的人物。他們對權力架構極度不滿；他們要與摩西和亞倫的地位看齊。因此，這其

實是挑戰神在西乃所頒示的命令（三至四章）。他們還要求祭司的職任（10節）。摩西那句「**你和你一黨的人聚集**」（11節），其實是相關語。「聚集」的希伯來字與利未這個名字有關。當摩西召他們前來，他們終於露出引起他們反抗的核心。他們在兩方面反駁神立約的應許（13-14節）：他們將埃及形容為流奶與蜜之地（這是神對迦南地的描述），又埋怨摩西和亞倫沒有帶領他們進入應許中的產業。

十六16-35 對叛變者的審判 祭司的選立只是為了神自己。上香的行動象徵來到神面前祈求祂的允許。聖經用香來比喻聖徒的祈禱（詩一四一2；啟八3）。當會幕被立起，亞倫的兩個兒子拿答和亞比戶在沒有神的吩咐下上香，得不到神的接納而終於被燒死（利十）。因此，當可拉和跟隨他的人在拿著他們的香爐走近的時候，必然認識到情況的嚴重性。到了主的榮光顯現在會幕門前，正是要施行審判的不祥預告，他們處境之危險就更顯而易見了（參十二5，十四10）。這個意象可能深深地影響了雅各，以致他警告信徒說：「你們不要彼此埋怨，免得受審判。看哪，審判的主站在門前了！」（雅五9）

主並沒有與可拉一黨的人說話。祂只曉諭摩西和亞倫。我們其後從經文的記載中得知，眾長老也站在摩西那邊（25節）。摩西吩咐會眾離開叛逆者的帳棚，否則「你們陷在他們的罪中，與他們一同消滅」（26節）。但是，當審判真正臨到的時候，百姓便明顯表現出單是保持距離是不足夠的；他們在驚惶中逃跑（34節），就好像羅得要在所多瑪和蛾摩拉遭毀滅時逃命一樣（創十九17）。

神對可拉和追隨他的一黨人作出即時的審判。作者記錄他們被消滅時，帶出了一個重點，就是他們的靈性已經死亡。陰間活活地吞滅他們。陰間被視作死人在地下的居所。他們的財物與他們一同被消滅，正如亞干擅取了耶利哥城當滅之掠物後所受的懲罰一樣（書七）。**最後，經文總結說，他們從會中滅亡**，暗示他們已失去了在神百姓中的地位（33節）。那250個支持者也像拿答和亞比戶那樣被燒滅。有些學者認為地裂是一個自然現象，指到曠野某些部分會出現某些情況導致此事的發生。這種解釋——姑勿論有甚

麼實質的證據——也絕不能混淆真理，神確實藉此法來審判與祂僕人摩西和亞倫敵對的人。

十六36-40 用銅包壇 如今，經文的焦點從摩西移到亞倫身上。由此處直至十九章尾，都是以亞倫的祭司職任為主題。那些被滅之人的銅香爐，被錘成片子，用以包壇，讓人記得只有亞倫的兒子可以燒香（參三1-4）。

十六41-50 百姓發怨言 次日，百姓表現出他們的內心其實是支持可拉的。他們將可拉一黨人稱為「耶和華的百姓」（41節）。他們是如此快速地忘記了昨天神所降下的可怕審判。事實上，這比善忘更差；他們不肯相信是神施行審判。他們指責是摩西殺死他們。這是那代以色列人不信的另一件事例。正如過往一樣，榮光在雲彩中顯現，象徵了神即將降臨的憤怒。雖然摩西似乎再度為百姓求情（45節），但卻是亞倫的贖罪才能使瘟疫止住。亞倫因此作了以色列的大祭司。瘟疫止住這個事實，進一步顯出神已經揀選了他。經文生動地描繪了亞倫站在活人和死人中間的圖畫，這點是神的所有百姓都必須緊記的，因為亞倫預表了基督，基督是我們的大祭司，站在我們與永死之間。我們因著祂的代求和代贖而得救。這段經文的主要教訓，是提醒我們要忠於神所揀選的僕人。我們可以跟初期教會作出比較，當時的信徒是那麼熱切地投入使徒的團契（徒二42；提前四16）。當中的理由很明顯：他們透過與使徒的相交，得以進入與神和基督的相交（約壹一1-4）。今天的情況也是一樣——我們必須憑著信心進入同一個相交的團契中（參約十七20-23）。

十七1-13 神藉著一個兆頭來確認祂對亞倫的揀選 神透過一個兆頭來回應以色列人的頑梗不信和經常抱怨的行為。神蹟似乎並不是為信徒而設，卻是為不信和背叛的人而行（10節）。舉例說，這正是說方言的恩賜（林前十四22），和基督行神蹟的目的（約六30）；亞哈斯不肯求一個兆頭，因為他不想試探主（賽七10-14）。如今此兆頭的目的，是要止住百姓不斷向亞倫發怨言。這其實是第二個兆頭，第一個兆頭是用銅包壇，但這

第二個則具神蹟性。12根杖代表了12支派（希伯來文中「杖、分支或支派」是同一個字詞）。杖上先寫了各支派領袖的名字，然後放在法櫃的帳幕內，即在神的面前。第二天，亞倫的杖竟冒出生命，發了芽，生了花苞，開了花，結了熟杏。這不單表明了神的揀選，而且，這兆頭更表達了生命的豐盛。當中要傳達的信息是：藉著我所揀選的僕人，你就能找到生命。當亞倫站在死人和活人中間時（十六48），已體驗了這點。這發過芽的杖要歷世歷代地保存下去（來九4）。它成了一件證物，證明神會證實自己的話語。也許，其後的經文提到公義的苗裔（耶二十三5，三十三15-16；亞三8，六12），也是暗含此兆頭的典故。第十七章結尾時，描述了以色人非常懼怕自己要死，因為他們不能趨近主。這是一個省悟：他們需要一個中保（正如在西乃山一樣；出二十18-21），而接著的律法（十八至十九章）便是對此呼求的回應。我們每個人也同樣需要一位中保，而最終，只有藉著基督耶穌才能滿足這需要。希伯來書清楚表明了這點。

第十六至十七章的信息是要鄭重地提出，百姓必須尊重亞倫作大祭司的職任。首先，這表明了神的聖潔——惟有獲得祂召命的人，才能進到祂面前。這點直接指向新約——我們只能藉著神所選立的基督、我們的大祭司，才能靠近神。其次，我們認識到，神不會容讓祂的僕人遭受人的厭棄；祂會維護他們。在新約的時代，祂同樣選立不同的人去事奉祂。這些人不是作群羊的主人，卻是作看管群羊的僕人。他們是作長老的（與監督的職責一樣，例如，可參看J. Calvin, *Institutes of the Christian Religion*, IV.3.8；多一5-7）。教會必須因著尊重設立這些領袖的基督，而尊重那些作領袖的。領袖的唯一使命就是服侍基督，除了神的話語之外，他們再不能憑藉任何的權威。他們惟有以聖潔、忠誠和愛心才能履行所肩負的重任。雖然新約在這方面有極多的教導，但其根源卻可一直追溯至舊約這些經文。

十八1至十九22 祭司的職責

接著的兩章是回應以色列人問摩西：「我們都要死亡嗎？」這問題。答案在於祭司的職責（十八章），並其職責如何潔淨以色列

191

人（十九章）。

十八1-7 祭司和利未人的職責 職任和職責是合而為一的。亞倫的家族要承擔任何干犯會幕和事奉上的罪。利未人是歸予祭司，成為祭司助手的，所以，他們要一同承擔任何違規的罪（3節）。這裏說利未人是與亞倫「聯合」。「**聯合**」的希伯來文與利未這名字來自相同的字根。主將他們成為禮物歸給亞倫。與此同時，卻仍保持祭司和利未人之間的分別（7節）。

十八8-32 十分之一的奉獻 當可拉、大坍和亞比蘭試圖奪取摩西的領導地位之際，摩西堅稱他不曾專橫地管轄他們，特別指出他沒有奪過他們任何東西，連「一匹驢」也沒有（六15）。如今，主卻吩咐亞倫，他應當得著以色列人一切供物的其中一部分。這是一項永遠的約（19節）。**這命令同時是公義的和具實用性的**。工人得工價是應當的。即使牛在場上踹穀的時候，也不該籠住牠的咀；這就是神對祂創造物的看顧（申二十五4）。另一方面，這也是顧及實際需要的，**它確保祭司可以專心全時間執行其職任，而毋須為食物憂慮**。什一奉獻的制度是十分合理的。利未人不用在迦南擁有本身的土地來開墾耕耘。取而代之，神將要成為他們的產業，他們可以靠著從什一奉獻得來的糧食而生活，在無後顧之憂的情況下專心事奉神。12個支派（男丁人口60萬）都將什一奉獻和供物帶來，便能養活大概22,000個利未人（26節）。百姓是從神那裏白白得到土地，因此，他們便應當從神先賜給他們的東西中，交出十分之一。至於利未人本身，也必須從他們所得到的取十分之一歸給主。亞倫的家族便從他們的十分之一中得到他們的份（28節）。藉著這種方法，眾祭司便能生有所養。

　　什一奉獻的原則並不是用律法的形式來頒佈。早在律法頒佈之前，亞伯拉罕就已經知道這項責任。這是一項公義的原則，要將本來均是出於神賜予的一切東西，把一些歸還給神（創十四20；來七4）。在歷史中其後的一段時間，利未人的需要被忽略了，而尼希米所進行的其中一項改革，就是重建什一奉獻的制度（尼十35-39）。瑪拉基責備以色列人因著不信而奪取神的東西。他鼓勵他們將當納的十分之一全然送入倉庫，以致神傾大福與他們，甚至「無處可容」（瑪三6-12）。什一奉獻的原則便成了永遠的定例。因此，亞倫的祭司職任既成就在基督身上，教會的什一奉獻當然也是歸給祂。在新約中也得以繼續延續。保羅指出自己有權靠福音養生（林前九3-14）。人若輕看此命令，結果就會導致輕視事奉，最終造成靈性衰落（太十9-10；加六6-7；提前五17-18）。

十九1-22 用以潔淨的水 律法要求潔淨和聖潔。離開西乃之前，以色列人要將所有不潔淨的人驅逐出營。此刻，神提供了一個除罪和除污穢的潔淨法。我們可以在第20節找到設立此律例的原因：某人若不潔，他就是玷污了聖所。因此，重點就跟十八章一樣：干犯聖所就是冒犯了神的聖潔，會使神降怒予以色列。紅母牛的灰要用水調和，然後那水便用來潔淨。這其實並不是新的方法。摩西也曾經用牛犢、山羊的血，混以朱紅色絨、牛膝草和水灑在百姓和立約的書上（出二十四6-8；參來九19-22）。希伯來書教導我們，若不流血，罪就不得赦免（來九22）。然而，用紅母牛灰的水灑在身上，只能潔淨人的肉體；用基督的血則能潔淨人的良心（來九13-14）。任何人若忽略了用此水潔淨，他就要從百姓中被剪除。他既然故意拒絕神所提供的方法，就是犯了蓄意的罪——在清楚認識神律法之後仍繼續犯罪。對於基督的犧牲也是用上相同的原則。任何人若不肯相信祂，他的罪就已經定了，因為他沒有相信神的兒子（約三18）。他已經拒絕接受神賜給他除去罪的唯一途徑。

二十1至二十一35 再次起行到迦南

　　「正月間」大概是指到3月中。當中略去了38年的時間，如今已經快踏進第四十年。經文並沒有直接告訴我們省略的事實，不過，我們若將摩西所列出的營址（二十一，與三十三36相比，留意第38節），我們就能夠察覺作者已經跳越了在曠野飄流的大約38年時光——無聲地見證了他們已虛度了光陰。到了大約10月，以色列人從巴蘭曠野的加低斯巴尼亞折回後的第三十八年，終於快要過撒烈溪（申二14；參民十四25）。摩西和後來的耶弗他都曾重溫這段歷史（申二2-15；士十

一15-27）。

二十1　米利暗逝世　亞倫和摩西亦相繼在這同一年內離世。這標誌著不能進入迦南地的那一代人已全部去世。

二十2-13　在米利巴發怨言　曠野飄流歲月的尾聲，就如昔日開始時一樣，都是充滿了百姓的怨言。第二代的以色列人如今很可能已模仿了上一代的處事方式。申命記記載了摩西如何警告他們，他們其實是硬心的，可能會很快便離棄神。正如往昔一樣，主的榮光顯現，要攻擊那些背叛的人。摩西和亞倫取了那根發了芽的杖，就是神顯出兆頭證明祂選立亞倫的杖（十七1-13）。但摩西並沒有完全遵照主的吩咐去做。他沒有吩咐磐石流出水，反而用杖擊打磐石兩下，而且，他言下之意表示是自己使水從磐石中流出來的（10節）。由於他沒有將榮耀歸給主，他便失去了帶領以色人進入應許地的機會。

二十14-21　以東不容以色列人通過　以色列人開始要接觸迦南的鄰國。此次的接觸，深深地影響了這兩國其後數百年在外交關係和戰爭方面的歷史。加低斯位於以東的邊界。以色列人若要從南面進入迦南，就要經過以東。我們要留意經文如何記錄兩國之間互相傳達的信息。以色列人的要求遭到以東王的拒絕。

二十22-29　亞倫逝世（參三十三37-39）　我們並不清楚何珥山的位置，只知道它在以東的邊界（申十6將該地稱為摩西拉）。亞倫在米利暗死後4個月逝世，當時大約是第四十年的7月中（三十三38）。陸續的死訊表示了第一代以色列人的消逝。眼見親人一個個地去世，剩下自己一人的摩西，很快也要離世了，因為40年的歲月已無聲逝去，他們都不能進入即將可攻佔的迦南地。這章雖然充滿了悲哀的調子，但它卻預報了以色列人即將進入應許地的信息。以利亞撒接續了亞倫的祭司之職。

二十一1-3　亞拉得被毀　亞拉得是迦南地的一個城。亞拉得人和亞瑪力人就曾經在38年前的同一個地點何珥瑪殺滅了不少以色列人（十四45）。如今，他們又再攻擊以色列人。但以色列人在這次卻懂得倚靠神。以色列人

發願說，要將他們「盡行毀滅」，這願也跟神的應許一致。這些迦南人終於被盡行毀滅。

二十一4-9　銅製的蛇　以色列人既不獲准經過以東的領土，便只有繞過以東地，要折回往紅海那條路走（這時正值第四十年中）。百姓的內心煩躁再次變成公然的背叛，他們又再出言表示厭棄神所賜下的嗎哪。那些兇惡的蛇，可能是出沒於西乃荒蕪之地其中一種著名的毒蛇，最劇毒無比。至於解毒的方法，就是仰望一條掛在桿子上的銅蛇。後來，希西家打碎了這條銅蛇，因為它成了以色列人敬奉的偶像（王下十八4）。基督被舉起便與這件發生在曠野的事件互相比照，因為凡仰望祂的人都會得著生命（約三14-15）。在上述兩件事例中，得救似乎都只有信心一途。

二十一10-20　前往摩押　故事的節奏明顯轉快。眾支派起行，迅速步向迦南的邊界。這是行程中的最後一程，作者只作了簡略和快速的描繪。希伯來文用的都是重複性的言詞。希伯來文不斷重複「他們起行」和「他們安營」（二十一10、11、12、13）。反觀前面的經文，也用「他們從……起行」這句相同的片語來敘述前段的行程（二十22，二十一4）。這種重複的表達方式，是一種製造匆促感的手法。以色列人正迅速趕路，希望早日到達應許地。這段行程紀錄包含了兩段引文。第一段是來自一本名為《耶和華戰記》的古代紀錄（14-15節；參書十13和撒下一18所提到的《雅煞珥書》）。根據新國際譯本的翻譯，這段引文是一份不完整的地名名單。然而，希伯來文的經文卻能和其他的翻譯融合（例如參英王欽定本）。七十士譯本的記載是：「所以在《耶和華戰記》一書上說，耶和華焚燒蘇法和亞嫩河。祂又使用亞嫩河令亞珥住在那裏；亞珥是靠近摩押的海岸。」

第二段引文是一首歌。以色列人如今因喜樂而唱歌，因為主在他們的路程中一直幫助他們。它與作者力圖營造一種迅速前赴目標的感覺配合得非常完美。

二十一21-35　戰勝西宏和噩　以色列人已經夾在摩押和亞摩利中間（二十一13）。通往迦南的路已被擋住。使者傳達給亞摩利王西宏的信息，與傳給以東王的信息相類似（二十

二章，二十17），而所得回覆也是一樣：招聚軍隊來趕逐他們。這一次，以色列人沒有轉身折回，反而擊敗了這個首先發動攻擊的王，佔領了他們的全城。經文再一次引用了一段古老的話來記錄這次勝利。**「那些作詩歌的」**（27節），直譯的意思是「那些喜用箴言的人」，所指的大概是以色列的智者，他們擅用深奧的言語來概括事情。他們的説話預言了摩押將被擊敗，摩押所敬奉的偶像是基抹（29節；王上十一33）。下一個被擊敗的敵人就是巴珊王噩（32-35節；申三1-11有更詳盡的記述）。贏得兩次勝利之後，以色列人就住在所佔領的土地（25、31和35節）。後面的經文會更詳盡地記述兩個半支派如何定居約但河東（三十二章）。

第四十年：重組各事件的可能發生過程

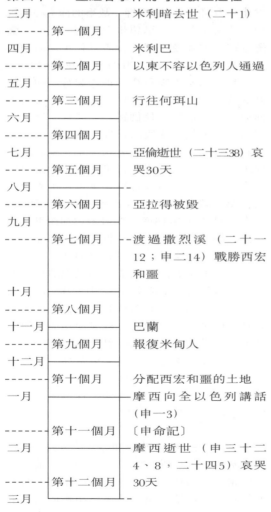

三月		──米利暗去世（二十1）
	第一個月	
四月		──米利巴
	第二個月	以東不容以色列人通過
五月		
	第三個月	行往何珥山
六月		
	第四個月	
七月		──亞倫逝世（二十三38）哀
	第五個月	哭30天
八月		─
	第六個月	亞拉得被毀
九月		
	第七個月	──渡過撒烈溪（二十一12；申二14）戰勝西宏和噩
十月		
	第八個月	
十一月		巴蘭
	第九個月	報復米甸人
十二月		
	第十個月	分配西宏和噩的土地
一月		──摩西向全以色列講話（申一3）〔申命記〕
	第十一個月	
二月		──摩西逝世（申三十二4、8，二十四5）哀哭30天
	第十二個月	
三月		─

二十二1至二十四25　　巴蘭的預言

由這部分開始便是整個行程最後階段的記錄，當時的以色列人已在耶利哥對面約但河安營，準備要進入迦南地（1節，三十三48）。耶利哥是第一個攻取的目標（書五13-六27）。在摩押平原上所發生的連串事件，已大概佔去了第四十年最後5個月的全部時間（10月中至3月中），都記錄在民數記餘下的部分和申命記之中。對於巴蘭説預言這件事，申命記只是非常簡略地順帶提及（申四3，二十三4-5）。

二十二1-20　巴蘭奉召　摩押與住在西乃和約但河東的米甸人組成聯盟（出二15-17；士六）。他們一同召喚住在河邊（幼發拉底河）毗奪的巴蘭前來，為他們咒詛以色列民。以色列人如今正處於一個重要的關頭，他們在曠野飄流的40年歲月，還有大概4個月的時間便告終結。當他們這名死敵被召之際，他們正作好準備，隨時攻佔迦南地。第二十二至二十四章所傳達的重要信息是：神定然會祝福祂的百姓，並證明祂與他們的立約應許。在巴勒召巴蘭的記載中，從3方面引證了這點。

首先，巴勒的話宣示了正待定奪的問題核心：以色列要得著祝福抑或咒詛？他對巴蘭所説的話：「因為我知道，你為誰祝福，誰就得福，你咒詛誰，誰就受咒詛」（6節），令人想起神賜給亞伯拉罕的應許：「我必賜福給你……為你祝福的，我必賜福與他；那咒詛你的，我必咒詛他」（創十二2-3；參創二十七33）。因此，巴勒的話便令我們醒覺到，神的立約計劃現正面臨考驗。巴勒要召來的是一位假先知，他以發出咒詛、破壞神的賜福見稱。這幾章經文的主要信息最終便為我們帶來極大的安慰：神的賜福是不可改變的。整件事之所以顯得重要，只因為一個理由：從一名可惡的敵人口中，也肯定了神的賜福（12節）。

其次，神禁止巴蘭去，也不准他咒詛以色列（12節），或説出任何違背祂吩咐的話。當巴蘭騎驢往巴勒那裏的時候，「耶和華的使者」便站在路上敵擋他（21-35節）。

第三，甚至連以色列的敵人，也認識到神賜福的事實（3-5、11節）。換言之，以色列已經蒙神福祉，人數極其眾多──就正如神所應許的。因此，整件事更證明了神立約

的福祉是絕不能動搖的。聖經視巴蘭為一個作惡的人。使徒彼得對他的判語是：「巴蘭就是那貪愛不義之工價的先知」（彼後二15-16；猶11）。他貪愛錢財的心驅使他與神和神的百姓對敵。經文一再提及他說預言的酬金（二十二7、17-18，二十四11）。當以色列人向米甸人報復的時候，巴蘭也與他們同遭殺滅（三十一8）。

二十二21-41　巴蘭受命只說神的話　驢竟然開口說話，使這件事變得更為特殊。驢子天生當然不懂說話，但神卻使牠開口斥責這個愚蠢之極的先知。而且，因著兩者之間的對比，驢更成了巴蘭的一個活生生譴責。驢看見神的使者站在他們的路上，所以便明智地作出迴避；巴蘭卻甚麼也看不見，於是便用盡各種惡毒的方法來驅使驢向前走。驢對巴蘭忠心耿耿，救了他一命；他卻毫不留情地打牠（參箴十二10）。巴蘭後來才發現與他對敵的是神。這次不尋常事件所要表明的重點，是要向巴蘭再次重申，他必須只說神所吩咐的話（35、38節）。巴勒這切渴望巴蘭幫助的心情，已從經文的字裏行間清晰地浮現出來。他來到邊境迎接他，對他的遲誤發出微言，而且還再次表明自己將會如何厚厚回報他（36-37節）。翌日早晨，他們二人便雙雙登上巴力的高處，準備發出咒詛（41節）。

二十三1至二十四25　巴蘭說預言祝福以色列　巴蘭談了4次有關以色列的預言和3次有關列國的預言。經文清楚指出神將話傳給巴蘭（二十三5、12、16、17、26，二十四2、13、16）關於這些神傳送的預言，有一件事是我們必須明白的。那4次有關以色列的預言，每次均提到神與亞伯拉罕立約的其中一個應許，並且對它予以肯定。第一個預言（二十三7-10）強調神沒有咒詛以色列，肯定以色列的人口將會如地上的塵土那樣無可計算。誰能數點雅各的塵土？誰能計算以色列的四分之一（二十三10）？第二個預言（二十三18-24）強調神沒有改變祂的應許，肯定神與祂的百姓同在（清楚提到與神建立關係的應許）。「耶和華——他的神和他同在」（二十三21）。第三次預言（二十四3-9）是全能者的異象，此乃神向亞伯拉罕顯現時所用的名，肯定以色列將要承受應許之地（二十四

5、6）。當中預言要勝過亞瑪力王亞甲，表明這裏所針對的就是迦南（參撒上十五8）。最後，預言以色列要吞吃敵國（二十四8），就是應驗了他們將攻佔仇敵城門的應許（創二十二17）。**第9節**的最後幾句話，進一步表明了預言是以亞伯拉罕的約為中心：「凡給你祝福的，願他蒙福；凡咒詛你的，願他受咒詛！」（參創十二3）

第四次預言也許是最值得留意的（二十四15-19）。這是從「至高者」而來的意旨（二十四16），昔日麥基洗德是奉此名來祝福亞伯拉罕（創十四18-20）。新約是將麥基洗德與基督耶穌相提並論的（來七1-17；參詩一一○4）。這預言應許在遙遠的將來一位王會興起擊敗以色列的仇敵（17-19節）。他「必打破摩押的四角」（17節）這句話，似乎是預言大衛的勝利（撒下八2）。然而，亞伯拉罕的應許（創十二3，二十二18），以及聖經的其餘部分，卻教導我們認識到在大衛寶座的應許中，有將來連外邦人也會歸順的彌賽亞應許（創四十九10）。因此，巴蘭肯定了神賜給亞伯拉罕的應許。

當巴勒聽見巴蘭接連發出的預言，便愈來愈生氣，但先知其實是無法自己。他被逼要祝福以色列。接著，他還在未被邀請下，繼續預言其他列國的將來，當中包括了亞瑪力（20節）、基尼（21-22節）、亞述和希伯（24節）。亞瑪力人一直是以色列人的強敵，他們在希西家的時候被消滅（代上四43）。以色列人中混了一些基尼人，但迦南原來是他們的國土，而在攻佔的名單中，他們是排在最先的國家（創十五19）。亞述通常是指到亞述帝國。希伯可能是指到巴比倫和基提（即希臘）。若然如此，巴蘭正遙望以色列的將來。

二十五1-18　以色列人被摩押女子誘感行淫

以色列人雖然不被別人咒詛，因為神的話語是充滿大能的，可是，他們卻因著本身的軟弱而被誘感。我們再次留意到民數記的一個特點：它將神的話與人的背逆互相對照。神的話已經賜予福祉；但如今背叛的卻是以色列人自己。民數記雖然沒有告訴我們，但我們在其後的經文中得知，那是巴蘭出主意，要誘惑以色列人去拜偶像和行淫亂的（彼後二13-16；啟二14）。這兩種罪是有

關連的。可能是拜巴力的宗教藉詞要其信徒進行一種生育的禮儀而牽涉行淫的活動，亦可能是摩押婦女誘惑以色列人後，再慫恿他們一同拜她們的偶像。 以色列人在這次事件中，初次體驗了迦南的危險，可惜他們後來卻又在同一情況下跌倒。神一再告誡祂的百姓，不可與鄰國的人通婚，因為他們會誘使以色列人離棄神。

當以色列人在西乃犯了拜金牛犢的罪後，利未人為了表明自己要事奉神而殺掉自己的親屬（出三十二25-29）。這次，亞倫的孫子非尼哈為了神的榮耀而大發熱心，成了一個矚目的人物。他看見一個以色列人帶了米甸領袖的女兒進入帳幕中，於是，他便尾隨他們，用槍刺透他們兩人。他們公然不理會以色列人的哀哭，蓄意犯了違抗神話語的罪。非尼哈的行動止息了已奪去24,000條人命的瘟疫（保羅說在一日之間死了23,000人，林前十8；參亞倫在許多年前的行動，十六47-48）。神讚賞他的熱心，於是，便在一個永遠的約中確立他的祭司職任（二十五13，參尼十三29）。神賜下此約其實是顯示了祂的憐憫，因為它保證將來會有祭司為以色列民代贖。新約指出，亞倫的祭司職任因基督的工作而更改（來七11-22）。這裏是沒有衝突的。藉著眾先知的工作，已經清楚表明祭司的職任最終會在基督的身上成就。

最後，神在曠野中吩咐以色列人要因此事而與米甸人為仇。後者就迅速遭到消滅（三十一章）。

二十六1至三十六13　重新作好準備去承受應許之地

本書第三部分的主題是在於承受產業。曠野飄流的歲月即將告終，以色列人已來到最後的一個營地。他們要重新作好準備，去佔領這塊神誓言賜給他們的土地。此刻的注意力都集中在如何分配土地，如何在安頓後遵行神的律法。

二十六1至二十七23　數點以色列人（第二次人口統計）和土地的分配

二十六1-4　吩咐進行第二次人口統計　這是第一項準備工作的開始。新一次的人口統計表明了審判期已經結束，現在是時候重新作好準備進入應許地。這次人口統計是按照第一次統計的相同模式進行（二十六2簡略地複述了一2）。

二十六5-51　以色列人按著家族被數點　這次人口統計有3個值得留意的特點：以色列人的總數在這40年間稍微下降（參一17-46）；有些支派的人數加增了，但另一些支派的人數則下降；這次每個支派內的每個家族都有提名列出。記錄中還有提及可拉的叛變（作為一個警戒，10節；參林前十6、11）、猶大兩個兒子的死（19節）和瑪拿西的西羅非哈只有女兒，沒有兒子（33節）。

我們必須明白為何要用這種方式來記錄人口。首先，人口總數的稍微下降，標記著神不再祝福那一代在曠野中背逆跌倒的以色列人。人口加增是神的一個祝福。但這段歲月卻只是平白浪費，以色列人只不過是原地踏步。其他的特點則反映出作者的主要關注點是在第二十六至三十六章：承受產業。每項特點的出現，都關乎以色列人將要佔領該地。隨著民數記展開它的第三部分，這點就會顯得愈來愈清晰。尤其是**各支派會根據其人口數目來分配土地**，而這點亦將會影響其日後在經濟和人口上的發展。還有值得注意的是，其後再有兩段經文提到西羅非哈女兒的承繼權問題，這是引起重要關注的一件事情，因為產業一般是傳給兒子的（二十七1-11，三十六1-13）。

二十六52-56　土地的分配　民數記進入了第三部分，重點便是承受迦南的產業。各支派都會按其人口，用掣籤的方法來獲得土地的分配。這並不表示是靠運氣來分配。百姓都知道，神能夠決定掣籤的結果（箴十六33）。

二十六57-62　數點利未人　在第一次人口統計中，利未人是分開來數點的，因為他們要作祭司而不用參軍。到了這一次，在主要的人口統計中也沒有包括他們，因為他們不會獲得分配產業。百姓很早以前已經知道當中的理由。如果他們像其他支派那樣獲得分配土地，他們就會為了田耕的工作而在事奉神的事上分心（參十八8-32）。這反映了一項原

則，就是事奉神的人不應被世務所纏繞，卻要在神的工作上全然盡忠（提後二4）。

二十六63-65　第一代以色列人中沒有一個存留　這正是神要以色列人進行人口統計的原因。它是一個嚴肅的提醒：神的審判是確切和肯定的。如今的情況就正如神起的誓一樣，除了約書亞和迦勒之外，那背逆的一代沒有一個人能存留下來。神是言出必行的，我們絕不可對此掉以輕心。尤其是神所起的誓從來都沒有落空，將來也不會落空。

二十七1-11　西羅非哈眾女兒的產業　按照傳統習俗，產業通常是傳給兒子的（例如創二十七；申二十一15-17；路十五11-32）。家譜極少提到女性（太一3-5是一個例外）。女性明顯沒有獨立的地位，一生都是以父親或丈夫作主（參三十章）。眾使徒將以男性為主的領導原則保留在教會中（林前十一2-16，十四34-37；提前二9-15；彼前三1-6）。因此，西羅非哈的眾女兒便害怕她們得不到產業，因為他們沒有兄弟，而她們的父親又已經死了。她們所採取的行動非常意味深長。她們站在會幕門口（2節）。這是會眾首領聚集、審斷事情的地方，更重要的是，這是審判全地的主所站立之處（參十六16-35）。因此，她們是向那位願意為無力爭辯者、孤兒和寡婦辯屈的神提出申訴（雅一27）。神一直關注要維護祂的百姓在國內保存自己土地的權益（可參王上二十一；賽五8）。

西羅非哈眾女兒所提出的申訴為她們贏得公義的判決，而且，神還將一條永遠的定例頒予以色列人，要維護將來遇到同樣情況的人（6-11節）。這並不是發生在以色列人生活中的偶發性事件。西羅非哈眾女兒的情況早已在二十六章33節埋下伏筆，同時，作者更以此事作為全書的總結（三十六1-13）。這事件具有重大的屬靈意義。迦南地是神將要與祂的百姓建立相交關係的國土。任何人若遭到排擠，就等同被拒於與神相交的門外。迦南不單是一個居住的地方，也不僅是新地和新耶路撒冷的標記。在歷史上，它是神的國，和世上唯一一處知道有神的地方（申四7）。人可以藉著在這裏所獲得的訓令，得以進入神的國。因此，這絕非一件微不足道的小事。

二十七12-23　選立約書亞為摩西的繼任人　摩西不久便要上尼波山，然後死在那裏（申三十二48-52，三十四1-12）。他最後的工作，就是要選立約書亞，並向米甸人報仇，以及再次頒佈神的律法。即使是神所重用的這位僕人，他在「神的全家盡忠」（來三2），也會因著在某次場合沒有尊神為聖而不可進入迦南。神的百姓必須從這事例中吸取教訓，知道要敬畏神的聖名（賽六1-5）。神的聖潔是絕對性的，它不能作出絲毫的改動來遷就有罪的人。這裏給予我們一個嚴肅的勸告：我們必須鉅細無遺地聽從神的話。不過，即使如此，人也似乎無法進入神的國，因此，我們更有理由為到基督耶穌代表我們進到天上去而歡喜快樂（來九24）。祂進入了無人能到的地方。

自知離世日子將近的摩西，仍對百姓表現出一貫的關懷。他們不可以「如同沒有牧人的羊群一般」（參王上二十二17；結三十四5；太九36）。他請求神親自選立一位新領袖，因為只有神認識人的內心，祂是「萬人之靈的神」（16節；參十六22）。當眾使徒要另選一個人來取代加略人猶大的位分時，也是懷著同一心情（徒一24）。神的百姓需要由一位神所認可的人來帶領。神所揀選的領袖通常都會費盡苦心去弄清楚自己正在行神的旨意（參撒上三十7-8；徒十六6-10）。約書亞是被人公認「心中有聖靈的」（18節）。以色列的領袖只可以倚靠聖靈的帶領（參十一25；撒上十六1-13；徒二十28）。按手在頭上是將約書亞分別為聖的象徵性行動（參八5-26）。

二十八1至三十16　獻祭和許願

二十八1-8　每天例行的燔祭　這裏重述了出埃及記二十九章38至43節所頒佈的律法。這部分亦將其他的一些律法歸納在一起（利一至七，二十三；民十五）。每天的早晨和晚上都要獻一隻羊羔。此舉有著非常重要的目的：「我要住在以色列人中間，作他們的神。他們必知道我是耶和華——他們的神」（出二十九45-46）。以利亞在迦密山上獻祭，正值晚上獻祭的時間，而他祈求能成就的結果，就正如律法上所記明的：「亞伯拉罕、以撒、以色列的神，耶和華啊，求你今日使人知道你是以色列的神」（王上十八36）。此

刻又再重申這些律法，因為其重點是關係到產業。這產業之所以能夠成為真正理想居所的唯一原因，是因為神與祂的百姓同住。作者一直將他的目光放在亞伯拉罕的約的應驗上。神的目標是要這民佔領此土地，成為一個大國，以致祂能建立一群頌讚祂的子民。因此，獻上羊羔便是達致這偉大目標的途徑。

新約教導我們，這些獻祭只是「影兒」，預表基督的受死。祂是無瑕疵的羊羔，要除去世人的罪（約一29）。事實上，祂亦是在晚上獻祭的時間受死，就在逾越節的羊羔被殺的那一刻。祂的死廢掉了這些獻祭，不久之後，當聖殿在主後70年被毀，獻祭便完全停止了。

獻祭所牽涉的龐大祭牲數目，表明了人要來到神面前之前，先要清除的罪孽是何等的深重。它們亦顯明了神恩典的浩大，因為祂將財富、數目龐大的羊群和牛群賜給以色列人，以致他們能將祭物帶來獻給祂。他們只是在神賜給他們的東西中，抽取其中一部分獻給神。現今基督徒奉獻的情況也是一樣；他們只是將自己得到的其中一小部分歸回給神。在早晨和晚上獻祭的模式，已經成了教會舉行祈禱會時間的一個參照。明顯地，在新約初期的教會時代，使徒是守聖殿的禱告時間的（徒三1）。聖經沒有告訴我們教會是否一直保留這種習慣，不過，我們卻清楚知道，使徒教導眾教會要恒切禱告（帖前五17）。

二十八9-10　安息日獻的燔祭　這是在每天常獻的祭以外，再要獻上的祭。安息日是要分別為聖歸給主的（出二十8-11；申五12-15）。

二十八11-15　月初獻的燔祭　以色列人所用的是陰曆，所以，月曆是以月亮的周期來算定的。每月大約有29或30天，因此，一年就大概比陽曆所算出的一年少了11天。為了這個緣故，每隔一段時間，就要加插多一個月來使兩個曆法回復一致。每月朔都要守為安息日。在這天，要獻上兩隻公牛犢、一隻公綿羊和7隻公羊羔為燔祭，再獻上一隻公山羊為贖罪祭，象徵每個月都要在有祭物的遮蓋下開始。

二十八16-25　逾越節的燔祭　逾越節的獻祭跟月朔所獻的一樣，除了是要獻一連7天之外。吃無酵餅亦是逾越節的標記。百姓是在他們的第一個月尼散月（或亞筆月），即我們的3、4月間守此節（出十二；民九1-14；申十六；書五10；王下二十三21）。這正是基督耶穌作為逾越節的羔羊受死的時間（約十九17-37；林前五7）。

二十八26-31　七七節獻的燔祭　這是第二個重要節期，又稱為初熟節，是慶祝大麥收割完畢的日子（出二十三16；利二十三15-21；申十六9-12）。此節是在逾越節之後，接近5月底（西彎月頭）的時間，為時7週（50天），亦被稱作五旬節。聖靈是在這個節期中被差派降臨在基督首批門徒身上，他們就像福音禾場的初熟果子（徒二）。

二十九1-6　吹角節獻的燔祭　餘下的3個節期都是在第七個月（提斯利月，即我們的9、10月之間）慶祝。在這月的頭一天要吹角（參利二十三23-25）。獻上的祭跟頭兩個節期所獻的一樣，除了只獻一隻公牛犢。吹角這行動亦是意味深長的。它招聚百姓和求神記念祂的百姓（參十1-10）。

二十九7-11　贖罪日　七月初十日是贖罪日，所有的罪都要在這天除掉（利十六1-34，二十三26-32）。這是全年中唯一一次大祭司可以進入至聖所的日子。神的聖潔和人的罪惡是絕對互不相容的（利十六；來九7）。在這一天，以色列人要「刻苦己心」。這希伯來字是表示「謙卑自己」，似乎還暗含禁食的意思。當天的獻禮是要將祭牲燒盡，不會留下來吃（逾越節的羔羊是用來吃的），並將代罪的羔羊趕進曠野。後來，當以賽亞論到禁食的日子時，所指的可能就是這點（賽五十八1-14）。以色列人要刻苦己心的主要原因，是為了思過和悔罪。

二十九12-38　住棚節的燔祭　「住棚節」這個名稱是來自利未記二十三章32至43節，但在這裏卻沒有提及。這是一年當中最後的一個重要節期，是在每年的7月15日舉行慶祝。在節期的首天，要獻上13隻公牛犢、2隻公綿羊和14隻公羊羔。然後，在一連7天的節期

中，獻上的公牛犢每天遞減一隻。到了第八天，所獻的祭牲就像其他節期所獻的一樣。民數記關注的是所獻的祭。我們可以透過利未記和申命記十六章13至17節（亦參尼八13-18），對會幕的重要性有更多的認識。這是最後收割的日子，是充滿喜樂的時光，以色列人可以甘心樂意地帶來各式的獻祭（39節）。這亦是所羅門為聖殿舉行奉獻禮的日子，他在14天中，共獻了牛22,000隻，羊12萬隻（王上八2、62-66）。

這些節期中蘊含了重要的屬靈類比。逾越節（記念神拯救他們離開埃及和死亡）與基督被釘十字架互相呼應，七七節或五旬節（莊稼初熟的日子）則與聖靈降臨和收割福音的初熟果子（徒二）互相呼應。同樣地，住棚節使人聯想到基督會在這世代終結時再來，標誌著收穫的完結。在七七節與住棚節之間是一段忙碌的日子，以色列人要為到未來的收穫勤勞作工。同樣地，在五旬節和主再來之間的這段時間，主亦打發工人出去在外邦人中間收割莊稼（太九37-38，十三30-39；路十2；約四35）。到了世界末了的時候，所收割的就要被聚在一起，稗子將被丟在火爐中（太十三39；可四29；啟十四15）。

收割的日子，亦正好記念神昔日帶領他們進入應許地，和在那裏豐豐富富地祝福他們（這正是他們為何要住在棚中，回想他們前往應許地的路程）。同樣地，到了世界的末了，神的百姓會為到神帶領他們進入永恆的國度而歡喜快樂。因此，住棚節是為了產業而慶祝，這亦是第二十六至三十六章的主題。最後還有另一個類比。即如吹角是用以招聚百姓來守此最重要的一個節期，同樣地，到了末後，也會吹角來招聚百姓在審判活人和死人的神面前聚集。

二十九39-40 額外的獻祭 這一切燔祭都是在甘心並許願所獻的以外。眾多的祭牲是為了表達數之不盡的感恩。新約的一句經文可概括了獻祭的核心——「捐得樂意的人是神所喜愛的」（林後九7）。即使我們做了這一切，我們仍是沒有功勞可誇的僕人，因為我們只是做了我們的本分（路十七10）。

三十1-16 有關許願的條例 講完獻祭的條例就很自然會接續許願的條例（二十九39）。

許願就必須償還，這是根本的原則（申二十三21-23；傳五4）。聖經中有很多許願的例子，其中更有一些是非常極端的（士十一30-40）。利未記二十七章說明了倘若許願未能償還，要作的補償是甚麼。然而，這裏卻關係到女子所許的願。重點在於女性是在父親或丈夫的權威之下，他有權把她許的願作廢。她在此事上沒有絕對的主權。可是，寡婦則不是在男性的權威下，她將要被自己的願所約束。新約要求作妻子的，要在主裏順服自己的丈夫，正如撒拉順服亞伯拉罕一樣，稱他為「主」（弗五24；彼前三1-7）。今天的情況卻與此大相逕庭，但正好引證了聖經的真理（提後四3；參箴三十一10；傳七28），也為現今世代的可悲境況提供了有力的反面例證（提後三1-9）。新約聖經在這方面作出了合理的教導，不容許作丈夫的變得專橫霸道。反之，它吩咐丈夫要以最深的愛和自我犧牲的精神來對待自己的妻子，但卻要在聖經所設的適當範圍內，絕不可演變到一個地步，就是放棄聖經賦予他本身的權柄（弗五25-33）。

三十一1至三十二42 報復米甸人及二支派半定居在約但河東

我們要認識到，第三十一章的最主要重點，並非在於記錄一場戰爭的實況〔讀者可比較約書亞記八章（艾城之戰），或撒母耳記上十四章（約拿單攻擊非利士人）〕。作者對描述這類的戰爭場面並不感興趣，他只是用一節經文輕輕略過（7節）。相反地，作者卻對3方面感興趣：戰爭中所奪和所擄的（由第9-54節，共用了46節經文）；打仗的次序（正如他在前面關注步行的次序；十11-36）；和潔淨的條例（19-24節）。這些其實是民數記由始至終的關注點，跟神聖潔的屬性，也跟祂是一位講求秩序而不愛混亂的神有關（參林前十四33）。神在進行報復、編排軍隊的次序、奪取擄物和要求兵丁自潔的事上，顯明祂的聖潔。

三十一1-24 報復米甸人 記載這件事的開始是一個嚴肅的提醒：神有權取去人的性命。消滅米甸人是一次公義的報復行動，為報應他們先前對神的百姓所做的惡事，誘使

他們不尊神為聖（參民二十五）。與此同時，神亦提醒摩西，他將不久於人世。這也顯出神是完全公義的。他不單要向祂的仇敵報仇，亦不會對祂摯愛僕人的罪視而不見。這是因為祂的聖潔和榮耀比人的性命更為重要。摩西教導以色列人要認識神是「不以貌取人，也不受賄賂」（申十七；結十八；參徒十34-35）。

打仗的次序是按照清楚的原則來建立，反映出神是聖潔和講求秩序的。每支派都要同樣的參與。大祭司的兒子非尼哈要跟12,000人的軍隊同去。非尼哈先前的表現已經十分突出（二十五6-13），他成為軍中一分子，必然能夠給全軍加添勇氣，因為神已經誓言他的祭司職任將持續至永遠（二十五10-13）。他吹著號筒去率領軍隊，求神紀念祂在戰爭中的百姓（十9），又拿著聖所的器皿，象徵神的同在（6節）。經文告訴我們，他們大獲全勝。以色列人殺滅了米甸人的所有男性，當中包括了一手造成他們滅亡的巴蘭（8節）。後來，米甸人再次興起，與以色列人為仇（士六至八），但對於此次勝利的歷史真實性，卻並未構成影響。反之，米甸人似乎是一個散居的部落聯盟，與亞瑪力人、摩押人、以實瑪利人和其他人等有緊密的聯繫。這些米甸人是那些與摩押人同居的一群。

摩西不准軍隊將俘虜帶回營中。對於他們保留了婦女的性命，摩西感到非常生氣，因為正是她們引誘以色列人拜偶像和犯姦淫的。於是，他下令只可以讓沒有出嫁的婦女存留活命，成為他們當中的一分子。要明白這種殺絕婦女和男童的確實原因是極之重要的。這種實質上的完全滅絕，並非亞拉得人（二十一1-3）或後來的耶利哥人（書七）和亞瑪力人（撒上十五3）所遭的「盡行毀滅」（這個主題在十四31-45已討論過）。「盡行毀滅」是要殺盡一切生物，包括各種動物，而城邑和財物不是燒盡，就是放置在聖所的庫裏。可是，對米甸人的攻擊卻是完全不同；這是一種「報仇」或報應（3節）。因此，擄物無須完全毀滅。只要經過潔淨，就可以將擄物平分（參書六21、24，七1-26；撒上十五13-33）。婦女和男孩都要殺掉，因為那些婦女先前曾使以色列人離棄主，如果還繼續讓她們活命，將會對以色列人向主的忠心構成威脅（參二十五1-18）。這些婦女正是導致

所羅門墮落的原因（王上十一1-13）。

軍兵因接觸過死屍而不潔淨，要過7日才可以進營（19-24節）。摩西最關注的，是營內的潔淨。他絕對不容米甸的婦女進營（13節）。

附註　「報復」（retribution）含有公義的意思，而「**報仇**」（vengeance）則暗含著神本身的憤怒。對許多現代人來說，神的憤怒和報仇是令人困擾的觀念，因為他們假定了神的憤怒和報仇是沒有理性、難以捉摸和不受控制的。然而，聖經教導我們，神會對人的罪顯明祂的憤怒（羅一18）；主曾說過：「伸冤在我，我必報應」（羅十二19）。祂的憤怒和「報仇」，是要彰顯祂公義的憤慨，而並非因脾氣暴躁所造成的結果。

三十一25-54 分戰利品　作者對戰利品的興趣大過對戰爭的興趣，因為戰利品是約旦河東產業的一部分。分配戰利品（包括羊、牛、驢群和年輕的女子）的方法，既能對祭司表達了尊重，又能獎勵在戰爭中勞役的軍兵。軍兵獲得一半戰利品，他們將所得的取五百分之一，作為貢物交給大祭司。其餘的一半分給會眾，他們則將五十分之一交給利未人。因此，以利亞撒的一家獲得675隻羊，有份打仗的每位士兵（12,000人）約分得28隻羊，利未人（23,000人）則每4人約分得1隻羊，而會眾（589,730人，已除去打仗的12,000人）約兩人分得一隻羊。經文沒有記錄奪來的金銀總數。每個兵丁都拿了自己的分（53節）。由於沒有任何軍兵在戰爭中陣亡，他們便將金器獻予主來表示感恩（49-50節）。這亦是用來為自己贖罪。他們殺了人，而戰爭的傷亡使他們變成不潔淨（19-24節）。許多學者都對人數的問題感到疑惑。他們質疑12,000人如何能打敗米甸人，因為從擄去32,000名童女這確實數目去判斷，他們的戰士必定為數不少。有人認為這個人數是虛擬出來的。然而，我們若忽略神的百姓在歷史中曾打過不少漂亮的勝仗（例如士七；撒上三十），顯然是不當的。只有一個理由能解釋這種事情發生的原因：因為主按著祂所應許的，為他們爭戰（申二十八7，三十二23）。

三十二1-42　在約但河東定居　雅謝地和基列地是位於約但河東。它們都是高地（超過2,000呎），長年雨水充足，適宜羊和牛群的畜牧（4節）。可是，它們都是在神應許賜給亞伯拉罕的土地以外。因此，有支派想在這兩地定居，實在是令人感到非常詫異的。摩西顯然是大吃一驚，立時回想到早在40年前在加低斯巴尼亞所發生的叛變（11-12節，參十四21-35）。他害怕他們會破壞全國百姓要進入迦南地的士氣。摩西的確看透人性。人很自然會看身邊的人，而不會將目光專注在神和神的話語上（參約二十一20-21）。當發生這種事情的時候，百姓對神的服從性就會隨之下降。

流便人和迦得人於是便承諾自己必先過約旦河，甚至走在其他支派的前頭，讓以色列人得以肯定佔領應許之地。摩西就許了他們，並囑咐約書亞和以利亞撒，他們若不守諾言，就不可將產業給予他們（28-30節）。任何失實的承諾都是罪：「要知道你們的罪必追上你們」（23節）。這句話已經成了英語中的諺語。於此，大家便同意流便和迦得人可以在約旦河東定居，瑪拿西半個支派亦與他們住在一起（33節），因為他們有份攻佔這些土地（39-42節）。段落結束前簡單地記述了他們所建造的地方。

倘若我們接納第二十至三十六章的事件，即由米利暗逝世開始，已相隔了40年的時間，那麼，在約旦河東定居的問題，便大約在12月間發生（即他們的第九個月）。這正是早雨過後的日子，茂密的草原肯定是非常吸引人的（1-4節）。在年終之前，在第十一個月初一日（申一3），摩西招聚全以色列人再次聽他講解律法，然後他便上尼波山，死在那裏。這當中便留有大約一個月的空際時間，讓這幾個支派安排他們定居的事宜。他們沒有足夠的時間去做任何龐大的建造工程。因此，最後那幾節經文（34-42節），可能是指到日後所進行的工作（在書十三1-33，二十二章及其後經文）。事實上，這些城邑可能是在他們定居之後才改名的。作者將它記錄在此處，似乎是要暗示在各支派在自己的土地上定居之後的一段時間內，事件的過程最終都被記下來。這裏並非唯一一處顯出在摩西死後不久，五經的整個寫作過程最終都能完成（參導論）。

三十三1-49　　行程摘要
此行程沿途所安營的地點，是摩西記下的其中一部分經文（2節）。名單中所列出的地名已很難辨認。因此，按照我們目前的知識，似乎不可能將行程準確地繪畫出來。此名單的格式是不斷重複的，只間中加插了一些解說（4、8、9、14、38、40節）。作者將此行程紀錄放置在這裏的理由是相當明顯的：它是要作為整個過程的摘要總結的引子。民數記餘下的部分，將特別與產業有關：佔領、分配土地和趕出原住民（三十三50-56）；定立地界（三十四1-15）；選出負責分地的首領（三十四16-29）；將城邑分給利未人（三十五1-34）；定出產業不可轉易的條例（三十六1-13）。

此紀錄只是一張安營地點的名單，而並非一分簡史，因此，它只簡略提到出埃及（3-4節）和過紅海（8節）一事，完全沒有提及在西乃停留了一段長時間（15-16節）。這行程紀錄填補了第十九和二十章之間的空白，指出以色列人所行的路線（19-35節）。亞倫在第四十年五月初一日去世的日子，對於推斷事件發生的日期是十分重要的（38節）。紀錄由第一次逾越節開始，涵蓋了40年的時間，最後所展示的圖畫，是以色列人以佔領者的身分，分佈在伯耶施末〔現代之阿澤美廢丘(Tell el-Azeimeh)〕和亞伯什亭〔現代之基夫艾因廢丘(Tell Kefrain)〕這兩個約旦河沿岸相隔若干哩的地方。範圍遼闊的營區暗示了百姓人口的龐大。數以十萬計的以色列人在自己產業的邊緣候命。在他們進入之前，他們必須先聽從律法的訓示。

三十三50至三十六13　有關產業的吩咐

這些律法和申命記的全部內容，都是在耶利哥對面的摩押平原藉著摩西而吩咐百姓的（三十六13）。

三十三50-56　要趕出迦南的原有居民　進佔迦南地的吩咐包含了3方面：按照神與亞伯拉罕的立約應許，此地要賜給以色列人（創十五18-21）；簡述分配土地的方法（重複二十六52-56）；和吩咐他們趕出列國的居民、拆毀他們的偶像和邱壇。此吩咐可在出埃及記、利未記和申命記中找到（出二十三23-

33，三十四 11-17；利二十一 1-5、22-26；申七 1-5，十二 29-30，十三 6-18，二十九 16-28）。

三十四 1-15　迦南地的境界　神應許亞伯拉罕，地要從埃及河伸展至幼發拉底河，是「基尼人、基尼洗人、甲摩尼人、赫人之地」（創十五 18-21；參申十一 24）。這裏所描述之境界，與我們從主前 2000 年埃及人文本所獲得的資料完全吻合，顯出此處所描述的迦南地界，確是有悠久的歷史。當以色列人來到摩押的時候，四面的境界可以用某些城邑和地方來界定，而約書亞亦參照相同的邊界（書十五至十九）。這片土地要分給九個半支派，因為有兩個半支派已經在約旦河東定居（32 節）。然而，以色列人似乎從未擁有過應許中的整幅土地。在大衛和所羅門王統治期間的一個短暫時期，以色列人擁有從幼發拉底河至迦薩，或即由但至別是巴的全地（王上四 24-25），但不久之後，領土就縮減了。然而，應許中的理想卻並沒有被遺忘（結四十七 15-20）。即使今天，以色列人仍繼續宣稱擁有這片領土——當然，範圍已大大的縮減。以色列經過數百年被別國佔領了她的國土後，終於在 1948 年 5 月 14 日的午夜，正式宣佈復國，這是近代史上的一件矚目大事。但神給亞伯拉罕的應許仍有待成就。

三十四 16-29　分配土地的首領　分地的權是交給約書亞和以利亞撒（17 節），他們的工作記載在約書亞記十四至十九章裏。各支派亦選出首領來協助他們的工作（18-29 節）。名單中許多首領的名字都含有 '*EI*'（神）這個字。這可證明這是一分古老的名單，因為後來的名字都包含「耶和華」這個名字（參一 4-16）。此外，它還顯出眾首領的年紀都相當老邁，例如，迦勒已經約有 80 歲（參書十四 10）。雖然他們都是各支派的首領，但是他們卻要絕對服從約書亞和以利亞撒，例如，大約在 5 年後，迦勒請求約書亞將應許賜給給他的產業分給他。設立這種更高的權威是必需的，這可避免各支派產生領土上的紛爭。眾人都要明白到，土地是按照神的旨意，藉著祂選立的僕人來分配的，而且地界是不可更改的（參箴二十二 28，二十三 10）。

三十五 1-5　利未人的城邑　亞倫家和利未人不會分得任何產業（十八 20-24）。他們的生活要倚靠其他支派所納的十分之一。然而，為了保留他們在以色列中的身分，他們將分得某些城邑供他們居住。各支派分得土地後，便要從中分配一些城邑給利未人居住（書二十一）。各城的外圍，都要有可供畜牧的郊野，其周界是由城牆往外量 1,500 呎（即 450 米，和合本：「一千肘」）（4 節）每邊長約為 3,000 呎（即 900 米，和合本「二千肘」）的平方（5 節）。這個幾何計算出現了一個小問題。若邊界的長度是 3,000 呎，4 面的邊界由城牆量出為 1,500 呎，4 條邊便不能接連起來。此尺寸只有從一個中心點來量度才能畫出一個完整的正方形。考古學的證據指出，其中一個揀出來的城邑伯示麥（書二十一 16），佔地約 7 畝（即相等於 3 公頃）。要解釋這個幾何上的問題，確實考驗了不少學者的聰明才智。根據推斷，地界可能是先在城牆四周畫出一個正方形或長方形的輪廓，然後從它的 4 角量出 1,500 呎，來確立地界。無論如何，原則是非常清楚的，利未人所住的城邑，四圍都有一個指定範圍的草場。

利未城邑平面圖

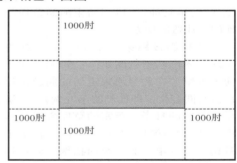

三十五 6-34　逃城　各支派要按所得土地之比例分城給利未人，於是利未人的城便分散在全地（8 節）。這可確保所有支派都有律法的教導（申三十一 9；瑪二 6-7）。利未人的城總共有 48 座，是在若干年後按闖來分配的（書二十一 1-42）。當我們從長遠來看，就會發現亞倫家的祭司定居在猶大（以及西緬和便雅憫）的地業中，而哥轄人、革順人和米拉利人則住在其他支派之中，而這個安排是意義深遠的。神寵愛猶大，讓祂最好的僕人住在其中。也許，正是因著這個主要理由，猶大並沒有像北國以色列那樣，在短瞬間便

離棄了律法，因而逃離了亞述人在主前721年傾覆撒瑪利亞之禍患。亞倫的後人——其中有像耶利米的——曾經力挽狂瀾，阻止猶大的衰落。可惜，猶大最終仍在主前586年遭到被擄之苦。這段歷史讓我們認識到，當教會獲得忠心的傳道人，就是得到神寵愛的明證。教會應經常祈求神興起忠心的事奉者，並讓他們穿上救恩的軍裝。

利未人的城邑中要有6座用作逃城（6節），約但河的兩邊各佔一半（14節）。某人若殺了人，便可以逃到其中一座逃城中尋求庇護。他可以逃避那「報血仇的」。「報仇人」的希伯來字詞是*gō'ēl*，即「親屬、救贖者」（12、19、21、24、25、27節）。按照古老的習俗，遭人謀殺的受害者，其親人會親自為他報仇。這就會導致一連串的冤冤相報。我們可以從押尼珥的身上找到一個活生生的例子（撒下二8-28，三19-39）。其中為押尼珥的悲劇加上一筆的，是他就死在希伯崙這逃城的城門口。逃城為殺人者提供了安全的避難所，直至他獲得正式審訊。

設立逃城這觀念，表明神喜愛公義。神藉著此途經，為報血仇的習俗制定了律例。倘若為了報血仇，那殺人者即使是因意外誤殺某人，也可能會遭到被殺。因此，神要將謀殺和誤殺作出區分。謀殺是出於預先計劃的，是在敵意下伏擊（16-21節）。誤殺則是在無意中錯手殺人（22-24節）。這與蓄意犯罪和無意誤犯的過失之間的差別有相近之處（參十五22-31）。犯了誤殺罪的人，雖然是失去了自由，卻可以避去報血仇的危險（28、32節）。相反地，殺人者卻必被治死（21、31節）。謀殺犯不可用贖價來償命，正如蓄意犯的罪也不可以為他贖罪（十五30-31）。律法沒有阻止親屬在合法的情況下報仇。更有甚者，對寡婦來說，由於她沒有親屬，神便會親自擔當此角色（出二十二22-24）。新約吩咐信徒不要為自己進行報復，要留給主為他們伸冤（羅十二19），神會報應他們（路十八7-8；啟六10，十九2）。

公義更因律法要求有兩個或以上的見證人而得到保證（30節；參申十七6，十九15；太十八16；林後十三1；來十28）。這是基督一直所強調的原則（約八16-18，五32-41；約壹五6-8）。也許正是這個原因，使徒不是單獨出去，而是兩個兩個的，因為他們是基督

的見證人，而他們所作的見證在法理上是完全可以成立的（路十1；徒十三2；留意徒二32，十23的複數；太十1-4門徒是兩個兩個出去的）。

設立逃城的根本理由可以在亞伯拉罕的約中找到（在33-34節中暗示），因為「血是污穢地的」。以色列人不可污穢地，因神居住在他們中間。為了同一個理由，以色列人在40年前，便曾經需要潔淨西乃的營地（五3）。因此，最終的理由不是單單為了公義。反之，它是為了維護神在亞伯拉罕的約中所確立的目的。這些目的首先是包括要維持以色列與神的相交，神是眼目清潔、不看邪僻的（哈一12-13）；其次，就是要讓以色列得以長久住在這地上。在設立逃城的事上，已將這兩個應許的成就合而為一了（34節）。

設立逃城的意念並不是一件碰巧而成的。它極具關鍵性和實用性，也配合神救贖計劃心意的。而且，我們也必須要明白當中律法的精意。律法的總綱可概括在愛神和愛人的道理上（太二十二34-40）。謀殺通常是出於憎恨，正與愛背道而馳（約壹三11-15）。

三十六1-13　產業的保存　這些律法是在摩押平原囑咐以色列人的（13節），最後的總結是有關以色列人保存產業的命令。接著的申命記是從另一個角度來談論同一件事，也是教導以色列人在生活上如何遵行神的話，以致在所要承受的地上得以長久。

西羅非哈的眾女兒該可以得其父的產業（二十七章）。不過，她們若嫁給其他支派的人，將她們所有的產業帶到丈夫支派，那麼，便會對她們所屬的瑪拿西支派造成威脅（3節）。於是，這裏便提出了兩個解決此問題的方案。首先是處理當前的情況：女性要嫁給同支派的人（6節）。我們必須留意，選擇結婚對象的自由不是絕對的，卻是要在神旨意所定的範圍內物色對象。這些女子若要爭論她們所愛的是另一個支派的人，便顯得十分荒謬。她們的表現完全不是這樣！她們遵照主的吩咐而行（10-12節）。這也是今天信徒應守的原則：基督徒在許下婚姻承諾時，必須順服神所顯明的旨意。

接著的經文為以色列人建立了一個一般性原則：產業不可從這支派歸到那支派（7節）。之後還再重複強調（9節）。對民數記來

說，這是一個適當的結論。主的吩咐，是要
人將產業保存至永遠。這話對信徒來說是具
有無限的價值。因為迦南的產業是預表了神
的國將豐盛地降臨，這律例亦向人提出保
證，神不會讓百姓的產業被奪去。神為祂每
個百姓都預留了地方。這信息是來自基督的
教訓（路十二32；約六37、40，十28）。甚麼
能為應許的產業作永恆的保證呢？它就是神
賜給亞伯拉罕的約和所起的誓，它亦已經藉
著主耶穌基督獲得永遠的確認了。

Peter John Naylor

進深閱讀

G.J. Wenham, *Numbers,* TOTC (IVP, 1981).
J. Philip, *Numbers,* CC (Word, 1987).
R.B. Allen, *Numbers,* EBC (Zondervan, 1990)
J. Milgrom, *Numbers,* The JPS Torah Commentary
　　(Jewish Publication Society, 1990).

證主 21 世紀聖經新釋

申命記

✵ 導 論

申命記

申命記是五經中的第五卷，也是最後一卷（參考「摩西五經的研讀專文」關於聖經的介紹），傳統認為摩西是本書作者。本書名字取自十七章18節的希臘文翻譯，但此譯文是把希伯來文的「此律法的抄本」誤譯作「第二律法」。希伯來聖經的書名，則來自本書開首的一句：「以下所記的話」，即是在以色列人進入應許地前，摩西吩咐他們的話。從這角度理解本書是比較適合的。本書的性質是宣講或重新應用聖經首數卷書的律法，而不是「第二卷律法書」（譯按：因此和合本之譯名較為貼切）。

寫作背景

聖經故事發展至此，神的應許即將應驗。神曾應許亞伯拉罕，他要成為一個大國的父（創十二1-3）。這國之民要住在一片「流奶與蜜」的肥沃之地（出三17）。這民在埃及作奴隸時漸漸壯大，直至神施行神蹟，拯救他們離開埃及地（出十四）。神其後在西乃山與他們見面，正式與他們立約，而這約包括他們必須遵守的各種律例（出十九至二十四）。下一步是像大軍一樣操進應許地，但他們不能直接進入這地，因為他們被路上遇到的障礙嚇怕了。由於他們缺乏信心，耶和華就定意不讓這一代的人進入應許地，而只讓第二代的人進入。這時，他們要受責罰，在西乃的曠野過飄泊無定的生活40年（民十三至十四；特別參十四20-35）。

申命記開始時，摩西向新一代說話；但他自己也不能進入應許地。他提醒新的一代，叫他們知道是甚麼使他們來到這地步，並吩咐他們過了約但河，得神應許賜他們的產業後，要忠心遵守與神所立的約。

作者與寫作年代

由於本書大部分是由摩西的話組成，因此傳統認為他就是本書作者。然而，本書最後的形式顯然由另一個人編排，因為在許多地方（例如一1），摩西均以「他」來表示（而不是自稱為「我」）；這些地方包括摩西之死的記載（申三十四）。本書是摩西死後，後人忠實地把他的話記錄下來的一份記載；這是最合理的看法。

那麼，本書是何時寫成的呢？許多學者認為申命記可能遲至摩西死後6個世紀才寫成，即在主前第七世紀。這觀點是根據約西亞王的事蹟而產生的。記載說，約西亞王在位期間進行宗教改革，消滅多年的偶像崇拜時（王下二十二8），在耶路撒冷聖殿發現一本所謂「律法書」（主前621年；參申二十八61中「律法書」是指申命記；比較三十一24）。若接受這個看法，則一般不會認為本書是將摩西的教導忠實地記錄下來，而是認為本書表達了一些約西亞時期所關心的事，並且借用摩西的名字作這些話語的權威。一些預設了定居和務農之生活方式的律例（例如二十四19-22），有時被認為是本書寫於進入應許地後的證據。又有人認為一些預料以色列人會被放逐至巴比倫（主前586-539年）的經文，如四章25至31節，二十八章64至68節和三十章1至10節，是遲至被擄後才寫成的。

在某程度上，如何判斷寫作日期，在乎學者認為聖經作者是否能預知以色列歷史中的各種情況和事件。然而，也有一些個別的原因，使學者認為申命記其實是寫於接近摩西在世的日子。

首先，申命記並沒有顯示它認識列王期間，以色列人政治和宗教生活的主要制度——帝制與耶路撒冷聖殿。「耶和華你們的神從你們各支派中，選擇何處為立他名的居

所」（十二5；比較十二11、14，十四24）這片語，常被認為是暗指耶路撒冷。這與申命記寫於約西亞時代的看法一致，因為他確實摧毀了其他敬拜的地方，只剩下耶路撒冷聖殿。然而，我們並沒有充足證據證明那個「何處」就是耶路撒冷。例如，示劍在第二十七章的重要性就與上述論點相反。

申命記對於立王一點也不熱衷（十七14-20），只是容許這種事發生而已，並且要盡量確保王不會成為暴君。這律法似乎不可能是來自約西亞時代的。

第二，申命記只認識一個單一、聯合的以色列：似乎對主前930年左右，在所羅門之後以色列的分裂一無所知（王上十二）。

第三，本書多次警告以色列人，叫他們留心迦南宗教的危險性（例如七、十三章）。以色列人剛踏足迦南的土地，便遇到停止敬拜真神而去隨從迦南諸神的引誘。因此，我們可以知道，申命記所關注的事，是以色列早期歷史上的問題，雖然這問題自進入迦南至被擄期間一直存在。

第四，若以快將（或剛剛）取得迦南為背境，某些律例會顯得較合理。例如十二章15至25節，該處容許以色列人在祭祀以外，宰牲吃肉。這律例與利未記十七章矛盾；利未記堅持所有屠宰都必須為了獻祭，並且要在會幕進行（在所羅門建聖殿之前，會幕一直是獻祭和敬拜的地方）。申命記容許非獻祭的屠宰，只是因為以色列人在應許地定居後，若要為吃肉而往敬拜的地方宰殺牲畜，對許多人來說，路程是太遙遠了。

第五，申命記跟眾先知所關心的事情相同，就是要有一個內心性的宗教，要喜愛公義和尊重窮人的權利（十四28-29）。然而，申命記與先知書的不同之處，在於前者並沒有針對某些個別事件或人物。申命記似乎是為了未來而作出安排。事實上，眾先知似乎是從申命記去學習，也從聖經的其他部分去學習。例如，阿摩司指出神怎樣賜地給不同的民族（摩九7；參申二19-23），及神藉著他鼓勵以色列人說：「你們要尋求我，就必存活」（摩五4；參申四1，四29，三十19，三十二46-47）的時候，阿摩司可能心中正存記著申命記。

最後，有人指出申命記在形式上跟某些林人君王與較弱小國家所立的條約相似，也跟一些古代的法典，如著名的巴比倫王兼立法者漢模拉比(Hammurabi)的法典相似。我認為條約的類比較為重要，因為申命記與這類條約都著重關係與忠誠。

林人條約的各部分如下：1.前言，宣佈立約及立約的各方；2.歷史方面的序言，記下立約雙方先前的關係；3.一般的條文，定下雙方日後關係的性質；4.特別的條文，對弱勢一方的要求；5.見證人（神明會被邀作條約的見證人）；6.祝福與咒詛（忠心者蒙祝福，不忠者受咒詛）。

雖然申命記跟這些條約的格式並非完全相同，但也有類似的地方，那就是：1.前言（一1-5）；2.歷史序言（一6至四49）；3.一般條例（五至十一章）；4.特別條例（十二至二十六章）；5.祝福與咒詛（二十七至二十八章）；6.見證人。第三十二章指出了條約的見證人。三十二章1節呼求天和地見證神向以色列人所說的話，這跟別的條約的見證人部分有所不同，因為以色列人是一神論的。

申命記跟古代的條約並非完全吻合。例如，申命記的咒詛部分不尋常地冗長。若第三十二章就是見證部分，這次序跟其他條約也不相同。此外，對於條約之不同部分應怎樣準確地描述，眾學者有不同的意見，因而在申命記怎樣與之相配，也有不同意見。最重要的，是申命記並不是一個政治條約，而是耶和華與其子民立約的一份文件。條約形式的使用，只是顯出耶和華是以色列的「王」（參三十三5）。

在斷定日期方面，重要的一點是，這類條約流行於主前2000至1000年的時候。這些條約是否跟主前1000年或再後期的條約有很大分別，以致可證明申命記是寫於主前2000至1000年呢？學者對此也意見分歧。這問題仍未得到最終的解決。然而，申命記跟林人條約的相似是明顯的，而且仍是一個重要的論點，支持申命記寫於主前1000年之前的說法。

總括來說，這些資料仍未能確實證明哪一個是申命記的寫作日期。但這些證據符合申命記寫於摩西死後的說法。準確日期可能是摩西死後不久，或頂多是在兩三代之內。

🌡 主 題

即使在我們談及申命記的寫作背景和年代時，申命記的神學已開始變得明顯。我們應記著，本書常宣講關乎神的真理，跟其他民族所相信的很不相同。申命記是為了一個蒙救贖而出埃及的民族而寫的，因為神希望這民族跟其他民族不同（或「歸神為聖潔的」；七6），要跟他們即將進入之迦南地的民族不同（十二31），也跟埃及人不同（二十九16-17）。申命記是一本訓誨的書，並且要為這目的而世代存留。正是如此，它有一種特別的風格，而其主要的特色是常常重複一些鑰字和鑰句。

申命記像一些訓誡一樣，是說教性的！重點在於以色列人應常常記得他們跟別的民族不同，及為何不同。

這是申命記談及「揀選」，即神選擇了以色列人的原因（七6-7，十四2）。神呼召亞伯拉罕的時候，祂的心意顯然是要亞伯拉罕的後裔為列國帶來祝福（創十二3）。因此，神揀選了以色列，並不表示祂不愛其他民族。然而，申命記並沒有多提其他民族的救恩。本書首要關注的是：神的子民必須認識祂，並且成為忠心的立約伙伴。

「約」是神與祂所揀選之民的關係。自從神應許挪亞說要與他立約，並且不會再有洪水出現時（創六18，九9-17）開始，這觀念已存在。這觀念在亞伯拉罕之約（創十五18，十七2）和西乃之約漸漸發展；在西乃山上，神表示他們必須「遵守」這約（出十九5），然後頒賜十誡（出二十1-17）。對於在每卷「摩西書卷」都出現的約，申命記詳盡地說出這約的兩面，就是神的應許和以色列人必須遵守祂的命令。一方面，本書經常提到神給亞伯拉罕、以撒、雅各（「列祖」；例如一8）的應許；另一方面，本書重複十誡（五6-21），作為其他律法的引子。

在啟示神的約時，申命記也說明了關乎神的基本概念。首先，神是「獨一的」（六4）。以色列人不可敬拜別的神，也不可在敬拜神以外，再敬拜別的神（五7）。然而，以色列人極有理由要全心全意（六5）明白耶和華是「獨一的」。首先是，這道理明顯是真確的。此外，並沒有別的神稱以色列人為自己的子民。諸神之間在享受以色列人的事奉上並沒有競爭。知道這一點是一個極大的自由，是一個能夠服侍那獨一全能之神的自由。

第二，神是可以知道和認識的。神在西乃山（申命記常稱之為何烈山）與以色列民相會時，曾向他們說話，而祂是以言語向他們說話的，好叫他們能認識、了解祂。申命記極強調神讓人認識祂的話。在約中，人可以與這位活的神建立關係，並且可以相信祂所說的話。

第三，神是靈。我們不可為祂製作任何形象，因為祂不可能倒退至祂所創造的物質層面，而受敬拜祂的人所控制（五8-10）。祂也不以任何迷信形式，住在祂受敬拜的地方；祂的「名」卻住在那裏（十二5；並參王上八27-30）。

第四，祂掌管歷史，也掌管大自然。以色列人知道迦南諸神主要是轄管大自然的神，並常以為他們在自然界內掌握實在的權力。申命記表示，耶和華不單帶領以色列人離開埃及，並且祂也轄管生產和季節（七13），而兩件事實在是不可分割的（十六9-12）。

第五，在神面前過有規律和快樂的生活是有可能的。申命記堅持在事物的規律裏，「義」（忠於與神立約的標準）與「好處」（六24-25）之間，是有一個平衡點的。這概念在第二十八章的「咒詛與祝福」之中，闡釋得最清楚。本書讀者自然會問，這樣理解道德倫理會不會太機械化呢？然而，申命記在這方面的見解，比我們驟眼看來更精妙；下文將會加以解釋。

申命記肯定是一卷談及神恩典的書。它強調以色列人有賴神才得以存在，因為神曾帶領他們離開埃及，並引領他們進入一片蒙福之地（例如八7-10）。即使祂的誡命，也是恩典的一部分，因為以色列人守誡命，就會經歷真正的自由。申命記中的律例，是要確保每一個以色列人都能充分享受這片土地的恩賜，並保障每一個人，免得他們被別人剝削欺凌。以色列人在神的組織中，彼此是「兄弟姊妹」。從君王（若他們決意要立王；十七14-20）至奴僕（十五12），每一個人在以色列中都是一位「弟兄」。在當日來說，這樣一種社會觀念跟別的民族是完全不同的，在其他群體中，多半人都不過是農奴。因

此，申命記有一個和諧社會的異象，在其中，人若認識神，就可以融洽地相處。

然而，沒有以色列人的忠心，這異象就不能實現。他們會否有屬靈活力和道德氣魄去守約呢？在短期來說，似乎所有人都要犧牲，即交出自己的「權利」。申命記十分認識人類的軟弱。這些選民的軟弱在過往的事件裏已很明顯（一26-46）。得著應許地之恩賜的，實在是一群「頑梗」的民（九4-6）。因此，申命記一開始就問，這些（或任何）民能否遵守與神所立的約。這問題到了書末（三十章）才得到答案；第三十章斷定，在出現最後的拯救之前，「咒詛」極可能會臨到。

應用綱要

申命記的主題及神學概念適用於現今的基督徒，但我們必須小心地按耶穌基督已降臨的角度去理解本書。基督徒看自己為神的選民（彼前二9），不過他們跟古代的以色列人有所不同。他們並不是一個國家，活在列國之中；他們也不需要一片屬於自己的土地、一套刑法，或帶領他們在和平與爭戰日子中過活的領袖。他們也不再需要尋找一個較多神同在的敬拜地方。現在，時代不同，這些事情已經不再重要了。自耶穌降世後，神的子民已變得國際化了，他們活在不同的政治體制之下，並積極尋求在世界各地拓展神的國度。當然，他們也不再為贖罪而獻祭了。

然而，申命記的神學主線仍是與他們相關的。本書告訴我們有關神使我們成為祂子民的恩典，也談到我們需要全心全意，以愛和順服來回應祂。神也使我們能認識祂，不過現在是藉著基督，而基督就是神與我們相遇之處。我們的約是在基督裏的一個新約，在這約中，雖然我們仍像以色列人一樣軟弱，但祂使我們能保持忠心。而神的賜福不再以物質豐富來衡量，乃是今世和來世的層面。

申命記實在不可作為所謂「成功神學」的根據，雖然大意地研讀此書，會使人以為那是它所提倡的。申命記確實表示世上的美物能使人喜悅，並且明白人類需要享有這些生活上的基本需要。對我們和對世人來說，這些東西一直都是重要的。但申命記排拒任

何以致富為目的宗教，它要求人從心底裏去愛神，並且愛鄰舍。這態度與自私自利是水火不容的。而事實上，利己主義就是拜偶像，這在申命記也是主要的罪。

📄 大　綱

📖 註　釋

一1至四43　摩西第一次講話
一1-5　簡介本書

這幾節開首語說出了本書的背景。事實

上，在希伯來文聖經中，本書的書名就是「以下所記的是……的話」。這書名是適切的，因為申命記主要包含摩西在約但河東所說的話，就在以色列人準備進入神要賜給他們的地之前。這句開首語也叫我們明白申命記的主題，那就是解釋「律法」（5節）。這「律法」指十誡和神在西乃山上頒賜的其他律例（出二十至二十三），而西乃山在申命記中常稱為「何烈山」（2節）。「話」一字在申命記中一般指神的話。摩西只宣講神起初曉諭他的話（3節）。他後來被冠以「先知」之名（十八18），就是出於這個原因。

這導論也暗示神會命令人以爭戰的方式取得應許地。「他已經擊殺了……西宏」（4節）強調在以色列人先前之戰爭中得勝的是耶和華。（關於這些勝利的戰爭，參民二十一至三十，三十三至三十五，並參下文二26至三22）。在申命記中，神親自為祂的子民爭戰（聖戰）的觀念是很重要的（參第七章的註釋）。正如過去一樣，祂也會打贏未來對抗迦南地居民的戰爭。

附註　地方名顯示了從「何烈山」至「摩押地」的路線。「亞拉巴」包括約但河谷、死海及以南的地區。「約但河東」也是也指這個地區，但它大概不能作為申命記寫於約但河西的證據（即取得迦南地之後）。

一6至三29　回顧與前言

一6-8　進入應許地的命令
出埃及記十九章至民數記十章13節都是講述以色列人停留在「何烈山」的故事。神現在吩咐祂的子民進入屬於他們的地去。在他們的歷史中，這是一個重要時刻，是給「列祖」之應許（8節）得應驗的時刻。關於這地的描述，叫人想起創世記十五章18至21節。這地從西延伸向東面（中部的山脈、西部的山腳，和沿海的平原）；並從南至北〔從南地至沿海平原，再向北至利巴嫩，甚至更遠至伯拉大河（幼發拉底）〕。這地區並不是一次過可以取得的，而是最後由大衛征服，由所羅門管轄。

一9-18　委任領袖
民數的增加（10節）應驗了神給亞伯拉罕的應許（創十五5）。然而，民數增加了，也就需要一些制度去帶領和組織眾民。摩西需要幫助（9節；並參出十

八17-27）。然而，本段的含義不止於此。以色列民要受神的律法管轄。因此，所需要的制度必須能讓一個屬神的政府去運作。權力的分散（15節），表示神的律法可以在所有爭執中公正地應用，無論是以色列人之間的爭執，還是以色列人與其他民族之間的爭執。

眾領袖受委任去「審判」。他們並非單憑自己的智慧去審判，而是作為神的用人，他們要解釋祂的律法。這就是「審判」（17節）的性質。神的審判確保一切都合乎祂的標準，那是為了每一個以色列人的好處。所有人都有權得到公平的審訊。

在這種按神的律法來治理——公平地保護每一個人——的觀念裏，以色列人跟鄰近的列國有很大的分別。

一19-25　派遣探子
離開了何烈山，以色列人很快便到達了應許地的邊境（19-20節）。摩西跟著重複進入這地的命令（21節）。我們必須留意，神已賜下這地。擁有這地是肯定的——但他們仍得去爭取。奇怪地，這應許也是一個命令。他們必須有信心和勇氣去相信，神所說的並不是虛言，並且必能做到。不要懼怕、不要驚惶的命令（21節）是基於他們對神的認識，因為祂已帶領他們，排除萬難，離開了埃及。以色列民極有理由去信靠祂。然而，他們若缺乏信心和勇氣，便不能得到那本應屬於他們的產業。

雖然摩西也同意這樣做，但派遣探子的做法顯出了他們的膽怯（23節）。若以色列人相信神給他們的好意，便不需要派探子去確定那是一片「美地」（25節）。

一26-33　眾民畏懼
探子看見了一片美地，但也看見了住在那裏的人，在他們看來就像巨人一樣（28節）。他們的反應是懼怕和驚惶，而那正是摩西警告他們要避免的（21節），正如他現在也這樣做（29節）。這種畏懼是源於缺乏信心。如以往一樣，他們感到神從來不會給他們任何好處，他們一直飄流至此，都只見神要加害於他們（27節；參出十七1-3）。摩西回應他們的時候，只有再次提醒他們，神已顯出祂的大能（30節），以及對以色列民的愛（31節）。

然而，這民寧願按著眼所見的而行。他們首先派出探子，然後讓自己因探子的回報

而驚惶。奇怪地，這使他們看不見明顯的事實，就是神能夠勝過任何障礙。摩西痛苦地指出他們這種態度是不合理的（32-33節）。

一34-40 神的宣判 在一章8節，我們讀到神曾「起誓」把這地賜給以色列人。祂在此再次起誓（34-35節），說「這惡世代的人」不會看見這應許的應驗。例外的是迦勒（36節），其中一位探子（參民十三6），因為他有的是信心，而不是懼怕的心（民十四24）。

雖然迦勒和摩西的繼承人約書亞（38節；參民十四30）——他們那世代中惟獨他們二人——能看見應許地，但摩西自己卻不能看見（37節）。在民數記中，是這樣解釋對摩西的這個宣判：他在「米利巴水」不能正確地帶領以色列人（民二十2-5、12，二十七14）。這裏的宣判可能是因為那事件，也可能是因為摩西也有份差遣探子（23節）。

這應許要待下一個世代才得到應驗，而這一代的人當時仍是孩童。由於他們仍然年幼（「不知善惡的」，39節），所以不必分擔他們父母因膽怯而受的責備。然而，**第40節**的命令，使眾民離開他們得獎賞的邊緣，轉而進入一段漫長的曠野飄流的日子。

一41-46 後悔已太遲 以色列民族的決定（41節）似是要把他們不信的罪更正過來，但時機已經過去了。雖然他們說得很有道理，但現在卻只是靠著自己的能力上去取得那地，以為那是容易的（41節，新國際譯本翻出此意）。因此，耶和華決定不讓他們進去，並且阻止他們上去爭戰（42節）。諷刺的是，當神叫他們去，他們不去，而當他們決定嘗試，卻也是違抗神的命令。他們去了，並且被重重地擊敗（44節）。因此他們發覺，事實上，除非神賜予他們，他們不能擁有那地。神「不聽」他們的哭號（45節），是因為他們首先不聽神的命令。新約也教導我們，救恩是神的恩賜，我們不能強迫祂賜下救恩（徒八9-24）。

跟著的兩章聖經敘述以色列人怎樣從加低斯（迦南地以南的曠野地區）起程，並佔據了約但河以東的應許地。本段叫我們想起民數記二十章14節至二十一章35節的故事，但此處沒有民數記那麼詳盡。

二1-8上 繞過以東 按著神的命令（1節），眾民首先向南，然後向東遷移，向著西珥進發，西珥是死海以南的山區。這路線看來似是走錯了方向，直至神再吩咐他們「經過」此地向北行，終於向著迦南進發（4節）。這地屬於「以掃的子孫」，而摩西稱他們為「你們（的）弟兄」（4節），因為以掃是以色列的祖先雅各的哥哥（創二十五25-26）。以掃的地在別處稱為以東（參創二十五30）。

由於雅各和以掃曾經不和（創二十七41-45），所以他們的後裔也互相為敵（參摩一11；俄巴底亞全書）。在民數記二十章18至20節，我們看見以色列和以東此次相會，也顯出了敵意來。然而，申命記在此要強調，神已把此地賜給以東，正如祂把迦南地賜給以色列一樣（也參三十二8-9；摩九7）。因此，此處實際上並沒有說以色列人不能經過以東，只是說要繞過以東而行（民二十一4）。亞拉巴（8節）是從約但河谷伸延出去，位於死海以南；此地雖然乾旱，但也是以東天然的西界。以色列人大概是從此地向東行。不過，他們得到保證，知道神在這曠野旅程上會繼續供應他們的需要（7節）。

二8下-15 繞過摩押 以色列人向北行的時候，跟著來到摩押地，此地位於死海南半部以東。摩押也是從耶和華得著這地，因此以色列不可佔領他們的地。摩押人也透過亞伯拉罕的姪兒羅得而與以色列人有關（創十九36-38）。摩押人同樣抵擋以色列人（民二十二至二十四；並參申二十三3），但本段經文並沒有提及此事。「撒烈溪」是摩押南面的邊界；以色列人又從這裏往摩押的北界去，即他們與亞摩人交界之處。

第10-12節交代了摩押和以東怎樣勝過了極大的攔阻，而取得他們的地。因此，神的大能也會使祂的子民能勝過他們生命中的障礙。

那些離開埃及時已是成年的人都死去（14-15節），標誌著新階段的開始。他們就是那些想憑自己的力量進入應許地，但卻被打敗的人（一44）。相反地，現在神會得著勝利。（至於在曠野的日子，比較民十四34-40的40年。申命記可能加上往西乃的旅程和逗留在那裏的兩年）。

證主21世紀聖經新釋

二16-25 **「聖戰」開始** 關於亞捫人的事蹟（19-23節），好像是一項附加資料一樣。亞捫人也與以色列人有關（創十九36-38）。亞捫人的地位於摩押地之東北面。同樣地，以色列人必須尊重他們的屬地。

亞嫩河（摩押地之北界）是以色列人可稱為他們的國土的開始。摩押以北的地區（仍在死海邊界）為亞摩利王西宏所有，西宏是迦南其中一族的王，耶和華曾應許要把這些民族在以色列人面前趕出去（參七1）。**第24節**的命令與第5、9、19節的命令很不相同。留意使各族懼怕以色列人的是耶和華（25節）。

二26-37 **西宏戰敗** 以色列人向西宏提議和平相交（26-29節），顯出西宏是因自己的態度而使自己蒙受厄運。申命記敘述這事的態度，使以東、摩押、亞捫三者，與西宏形成強烈對比，並強調了西宏的過失。聖經說耶和華**「使他心中剛硬，性情頑梗」**（30節），使我們想起了法老（出八15、32）。這句話不表示西宏（或法老）真的沒有選擇的餘地。事實上，這是要指出他們確實在神為祂子民而設的計劃上違抗了神。

以色列人現在有另一個機會去遵從神，並去得祂所賜的地為業，但他們必須相信並付諸行動（31節；參一8）。這次他們成功了。這次成功與先前對抗亞摩利人之失敗（一44）的主要分別，在於這次他們在神的時間裏、按著神的命令去行。

申命記認為神是藉著聖戰，把土地賜予以色列人的（也參七1-5；比較書六至八）。在聖戰裏，耶和華有時會把整個民族「盡都毀滅」，或把他們逐出（34節）。對現代的讀者來說，這觀念是奇怪的，並似乎是野蠻無道的。對於這一點，我們要了解兩件事。首先，各民族若要爭戰，那麼神希望以色列人知道，祂會掌管他們生活的這部分，像其他部分一樣。（只有當神的子民是一個獨立的民族，在世界舞臺上的其他民族中擔當其應有的角色，聖戰的觀念才是合理和有意義的。以色列人在申命記的時代正是這樣，但基督徒相信神的子民——教會——是完全不同的，因此聖戰的觀念在現今世界中並不適用）。

其次，神是全地的主，並且如我們所

見，是祂把土地賜給祂所揀選的人。然而，祂的選擇並不是沒有意義的。因為神是全地的審判者，而申命記也堅持被逐出的列國確實是有罪的。雖然有上述的理由，但神對列國審判的嚴酷，仍是很難理解的。我們在以下會進一步探討（七章）。

得勝西宏一事表示以色列人進入神應許賜給她的地時，不需要停下來抵抗爭戰。得勝「亞摩利人」是重要的，因為以色列人初次嘗試攻取應許地時，是亞摩利人把他們擊退的（一44）。現在事實已證明，沒有一座城是（照字面解）高得不能攻取的（36節），以色列人早期因探子的回報而失去信心的反應，已顯出是愚蠢的（一28）。

三1-11 **噩的戰敗** 以色列人繼續向北方進發，並與另一個亞摩利王——巴珊王噩——爭戰。同樣地，他們得到了迅速和完全的勝利（3-4、6節）。**我們現已熟悉本書的主要信息，就是耶和華已把勝利交在以色列人手中，他們只需要按著祂的話去行**（2節）。

巴珊地（亞珥歌伯，4節，必是其中一部分）位於約但河東北部，加利利海（「基尼烈」，17節）以東。以得來位於較東面，在雅穆河上。戰敗西宏後，以色列人也取得巴珊以南的基列。兩處土地都是肥沃（參摩四1，那裏巴珊代表富裕）和具戰略性的（現在以色列人不用擔心他們進攻約但河西之地時，會從後受襲）。現在以色列人取得的土地總面積也很大，從流進死海的亞嫩河，一直伸展至敘利亞邊境的黑門山（8節）。

經文談及噩的鐵床（11節）是暗示他在本地有大名聲。這也指出了他國中之技術的發展。這鐵床結果被放在亞捫的博物館，正表示噩和他偉大的事蹟都已經成為過去。

三12-17 **佔領那地** 分地的工作在主要的征戰後，落在約書亞身上（書十二至二十二；書十二1-6再次簡略地交代了本段的細節）。然而，分地在這裏已開始了。流便和迦得兩支派是雅各兩個兒子的後裔（創二十九32，三十11）。約瑟這個大支派再分為兩支派，按約瑟兩個兒子瑪拿西和以法蓮來命名（參創四十八8-16）。而在分地上，瑪拿西又再分成兩部分，一部分取得約但河東之地，而另一部分則分得約但河西之地（書十七7-

18）。

以色列人在該地實際定居後，其部分地區開始叫人想起某些家族的群集（14-15節），那是由於他們在征服這地時所扮演的角色或擔當的任務（參民三十二39-42）。後來，瑪吉成了瑪拿西的代表（士五14）。

附註 這裏的「亞拉巴」（17節）指約但河谷（比較二8之註釋）。「基尼烈」是加利利海，而「亞拉巴海」或「鹽海」，就是死海。

三18-22 繼續征戰 摩西現在向那些剛分得自己土地的支派說話（18-20節）。他提醒他們說，在征服整片應許地的工作結束之前，他們的任務尚未完成。在神的子民裏，沒有人可以只顧自己的利益；這是作為「弟兄」（18節）的真義。征服應許地的目標是全體以色列民都「得享平安」（20節；參十二9）。這是指平平安安地活在一片土地上，並且所有需要都得著滿足。約但河東各支派的婦女和孩童現在得以定居在自己的城中；然而，全以色列中的勇士則要在全民都贏得這祝福後，才可以返回本地定居。歷史顯示他們並非常常都能盡此責任（士五15下-17上）。

摩西向約書亞說的話（21-22節），也談到繼續這項任務的需要。正如耶和華直至此刻仍信實不變，祂在未來的任務上，也會這樣幫助以色列人，縱使未來所遇到的困難可能更大。

三23-29 摩西與約書亞 就在應許地的邊緣（進入應許地是摩西畢生的目標），摩西鼓起勇氣，儘管神已跟他談及此事，仍向神表達他盼望踏在這片土地上（一37）。在申命記中，我們的焦點多半不在摩西身上，縱然他常常出現。這是他忠於神的事奉的標誌——他大可稱自己為神的「僕人」（24節）。我們在這裏可以瞥見摩西的為人。

他的禱告顯出他與神的關係是何等親密，縱然他是祈求一件已被神拒絕的事。這禱告是一個敬拜；摩西深信神作事的方法是沒有別的神能作的（24節），因為他在出埃及時，並在約但河東看見了神的作為，得著了證據。（他這句話並非說別的神確實存在；

他的問題只是一種修辭形式。）神的答案像先前一樣（26節）；摩西也帶著不信的罪，與那在曠野飄流的世代相同（參一37之註釋）。他從毘斯迦山眺望應許地必已得著滿足；毘斯迦是接近死海北端的一座高山（27節）。摩西所登的山，在三十四章1節更準確地稱為尼波山。

在神智慧的安排下，以色列歷史中一個新的階段需要一位新的領袖。摩西委任約書亞，是申命記一個重要的主題，並且對增強以色列民的信心是重要的。我們在這裏看見，摩西差遣約書亞，需要付上極大的代價。他放下自己最深切的盼望，正顯出他對主的忠誠。

四1-40 宣講神的律法

自本書的開始，我們一直等待著在立約關係中，神對以色列人的實際要求（一1、3、18）。直至這裏，都只有那基本的命令，就是要有充足的信心去進入應許地（二31，三2、22）。此處開始的一個新段落（四1-40），雖然仍在摩西第一次講話中，即仍是本書的前言，但已開始指出神期望以色列人在約中應盡的責任。

四1-8 「律例典章」 申命記中有許多關乎「律法」的用字。在第1-2節中已出現了3個（「律例」、「典章」、「命令」）——其實「話」（「所吩咐你們的話」）一字也有律法的意思。第1節指出遵守律法就會得著生命。這是申命記中一個重要的觀念（參三十19-20）。

對於那些熟悉新約教導：得救不是出於行律法，乃是出於信心（羅九31-32）的讀者來說，這觀念可能顯得奇怪。保羅甚至似乎在羅馬書十章5節中，否定了本節和利未記十八章5節（若要了解羅馬書的經文，請參考羅馬書的註釋，及下文申三十11-14之註釋）。然而，我們必須記著，申命記要求人從心裏順服（六5，十16）。這與枯燥的律法主義是不同的。

摩西繼而指出，在以色列人的經歷中可見，向神忠心的，已得著了生命，而行惡的，則被除滅（3-4節）。若按正意去理解，遵守神之律法的，會得著自由和歡欣（參詩一一九45、47）。這是以色列人在應許地上真正

的命運。其他民族有他們自己的「智慧」，但他們會羨慕以色列人的智慧，而以色列人的律法就是智慧（6節）。以色列人的律法與別的不同，正如他們的神與別神不同（參三24）。律法的「公義」（8節）暗示它能帶來救恩。律法與生命有密不可分的關係。

四9-14　持守信心　此處的主要觀念是「學習」和「教訓」（10-14節）。與神相會片刻，聆聽祂的話是一回事；能持守信心又是另一回事。以色列民常處於「忘記」神的作為的危險中（9節）。因為忘記與否是屬於心和靈的事，所以他們必須鞭策自己和子孫，勤於學習和教訓神的話（10、12-14節）。本段經文提到兩塊寫著十誡的石版（13節）；寫下十誡，是要見證神的啟示，以致眾民可以常常記得神在約中對他們的要求。

四15-24　單單敬拜神　使以色列人的宗教從列國宗教分別出來的，唯一最重要的是以色列人不可為神造像（參12節及五8-9）。任何活物，或天上眾星的形象，都不足以代表神（16-19節）。我們不可以把神創造的任何部分跟神混淆起來；藉著這些命令，神小心地保護自己屬靈的本質。祂稱自己是「忌邪」的（23-24節），那是因為祂熱切期望祂的子民正確地認識祂，因而得以存活（22下——至於他們與摩西的不同之處，參一37，三25-26）。

四25-31　預言被擄　在後來的歷史中，以色列人並不能守住這基本的真敬拜，因而難逃被擄的命運（25-27節；並參王下十七9-12，二十一11-12；耶八2）。這就像把應許倒轉過來（26-27節；並參二十八64-68）。諷刺的是，他們在被擄期間，可以盡情敬拜偶像，卻發現它們是無能的（28節；並參賽四十四9-20），並且不久就再次尋找神（29-30節）。申命記顯示，不履行聖約，不會使神與以色列人的關係就此結束；這種對神的認識是很具啟發性的。若他們真心悔改去尋找神，神因著自己憐憫的心，會再次接納他們的（30-31節；並參三十1-10）。

四32-40　神對以色列人的愛　摩西以總結他的主題重點來結束他的第一次講話：沒有別的神像以色列人的神，祂向以色列人啟示自己；也沒有別的民像以色列民，因他們蒙這位神揀選，從列國中分別出來（參三24，四7）。祂奇妙地把以色列民從埃及為奴之地拯救出來，為要使他們在應許地上得生命和自由，而在這應許地上，只有祂作他們的王。在這事上，祂顯出了祂的愛（37節）和管教（36節）。愛與管教是不可分割的；當以色列人謹慎遵守神那愛的話語，他們就會得著生命（40節）。

四41-43　逃城

得地以後，保護那些無心殺人，但卻被追討流血之債的人，被視為迫切的。在這裏每一個在河東得地的支派中，都有一座逃城。（並參民三十五；書二十一，即在分地之後。）

四44至二十八68　摩西第二次講話
四44-49　簡介律法

「律法」（44節）一詞是指其後五至二十六章中所有的律例典章。跟著是形容這些律例的典型用語（45節，並參1節及註釋）。其中加上一個新的用詞：「法度」（這希伯來字詞含有見證之意）。不同的用字並非指不同種類的律法。這些用字卻組成一幅關乎律法之本質的圖畫，把見證神的性情、永恆法則和公正審判的基礎等觀念，連結起來。

這些律例並不是新的，而是跟出埃及後神在何烈山所頒賜的一樣（45節）。在摩西於摩押地教導群眾時，他再次陳明這些律例（46節）。地理上的細節（46-49節）是從三章8至17節濃縮而來的。

五1-21　十誡

摩西第二次講話，以呼籲以色列人注意律法這基本的呼召開始（1節）。他強調聖約必須在此時此刻成為真實，並以誇張的說法來表現此重點（2-3節）。聖約確實是與先前的世代所立的——這世代已被判定要在曠野飄流，不得看見應許之地（一35）。然而，每一個世代都必須視之為一件新的事情。「今日」（1節）一詞概述了這新的委身的需要；就像這世代是親自站在何烈山上一樣（4節）。

「面對面」這說法與四章12和15節相比，似乎有點奇怪。然而，兩者並沒有矛盾，本

節只是指出神如何直接與他們說話。即使如此，摩西也要站在神與眾民之間，充當中間人，那是由於以色列人的懼怕（5節），以及他自己與神有特殊的關係（參出三十三11）。

十誡首次在出埃及記二十章2至17節出現。（至於十誡的詳細解說，請參看該處的註釋。）十誡在申命記中再次以顯著的位置出現，正因為那是立約關係的基礎。十誡也位於申命記所有誡命的起頭，因為十誡正是**這些誡命的源頭**。所有其他律例都是從十誡而來的。

我們留意到此處跟出埃及記的十誡有兩處些微的差異，而這些差異正好幫助我們了解申命記特別關注的地方。在第四誡中，申命記強調安息日的「安息」，是為了家中僕婢的好處，也是主人的利益（14節；比較出二十10）。這只是顯出本誡命的重點，並與申命記堅持的主張一致，即全以色列都有平等的權利去享受聖約的祝福。此外，**安息日是基於從埃及得釋放，而不是神創造的工作，這再次強調神與其子民的特殊關係**（15節；比較出二十11）。

五22至十一32　基本的勸勉
五22-33　接受十誡　十誡是神從山上的火和雲中直接授予以色列民的（出十九16-18）。神會藉著摩西把其他誡命賜給以色列民，但這十誡是特別的，並且沒有別的像這十誡一樣（22節）。至於那兩塊石版，請參看四章13節及註釋。

在古代以色列中，許多人以為人看見神便會死（參士十三22；賽六5）。因此，眾民因著自己仍然存活感到驚訝（24節），但他們仍然懼怕與神那麼接近（25-26節）。奇怪地，他們竟然害怕聽見神的聲音，就會死亡。事實上，**只有神的話能給予他們生命**（四1）！然而，摩西若肯充當中間人，他們也願意聽從神的話（27節；並參出二十四3；他們接受立約的條款）。

耶和華因著他們願意的心而喜樂（28-29節）。神在這裏的話顯出祂並不是一個高高在上的賜律法者，祂卻是深愛著祂的子民；祂最深切的盼望是他們的安好。摩西作為中間人的角色得到確定（30-31節）。**忠於聖約能帶來生命和福祉，並且以色列民可長久得享平安。**

六1-9　把教訓代代相傳　摩西其後說出一些耶和華藉著他賜給以色列人的，在十誡以外，或進一步解釋十誡的教訓。把這教訓介紹出來的時候，摩西再次提醒眾民，這些誡命是引向生命的路徑，並延展至遙遠的未來（2節下）。這遙遠的眼光再次指出把教訓傳下去的需要——因此他說「好叫你和你子子孫孫……」（2節）。以色列人在應許地上的異象（3節），是有眾多人（應驗那給亞伯拉罕的應許，創十五5），和流奶與蜜之地（應驗那呼召摩西時的應許，出三17）的異象。

下一段成為了猶太教中一個重要的禱告〔稱為示瑪（Shema），即「聽啊」，是本段開始的一個字詞〕，因為它以極少的字，表達了舊約宗教中最重要的概念。首先，**只有耶和華是以色列的神**。

事實上，祂是獨一的神，因為祂的大能遍及萬民（三十二8-9）。以色列人必須單單敬拜祂。第二，以色列本身是一體的。在希伯來文中，本段的「你」和「你的」（如申命記常有的情況）是向單一的個體說話時所用的字眼。以色列民的一體性包括那些站在摩西面前的人，以及世世代代的以色列人。意思是他們必須敬拜和遵從神，如同一人，他們之間也不可有任何區分（參下文關乎奴隸制度的註釋，十五12-18）。也為著這個原因，他們必須把關乎神和他們自己的真理教導每一代的人（7節）。

第三，神的子民若只在生活和敬拜中作出一些行動上的回應，是不足夠的。他們必須真心愛神，把整個生命奉獻給祂（5節）。**「盡心、盡性、盡力」**這說法，是指整個人。在聖經的觀念中，「心」包括我們的心思和意志，因此當耶穌複述這段經文時，祂用了稍微不同的字眼，但意思卻沒有改變（太二十二37；可十二30）。真正的敬虔是指我們的才幹，以及我們所擁有的，全都獻給神。

神的話要常常出現在祂子民面前（6-9節），成為日常生活，以及各項正常活動的一部分。這個不是只為安息日（或禮拜日）而設的宗教。生活的每一部分，以及人所作的每一個決定，都有神的話語作指引。這就是我們從十二章開始所見各項律例的重點；這些律例表達了神對人整個生命的管理，包括個別和整體——縱使我們活在不同的時空之

下，我們也必須努力把它們應用在我們身上。**第8-9節**的指示要按字面意義還是寓意去理解，仍難以確定；重要的是，神的話必須「記在心上」（6節）。愛神的人自會樂於遵守神的誡命（約十四15）。

六10-19　應許地上的生活　摩西不厭煩地提醒以色列民，他們即將享有的土地，是神所賜，是祂在多年前應許以色列人的先祖要賜給他們的（10節；比較一8）。跟著摩西停下來，指出這地有多好（10-11節），充滿了住曠野的民所渴求的東西。這地的豐饒不是自然而有的（出三8），而是住在其中的居民管理和發展之下而有的。摩西要強調的一個事實，就是這片豐饒的土地確實是以色列人所得著的恩賜。他們必須為豐足的生活而感謝神，而不是自滿（12節）。正如現今西方社會所顯出的，物質的豐富往往會導致屬靈的冷漠。

在申命記中，基本的應許常帶著基本的命令。這恩賜帶來一個選擇，在此以類似首3個誡命的用語說出來（13-15節；比較五7-11）。神既賜予這地，這地的民就必須單單敬拜祂；在祂地上的，就是祂的子民。指著祂的名（而不是別神的名）起誓，是表示祂有獨特的權利去得著他們忠誠的委身。祂的「忌邪」（參五9）是祂定意不容許有任何競爭對手，而在神方面，祂當然也在祂與子民的關係上全然守約。

重申基本的命令後，摩西再次指出眾民必須遵守十誡（五6-21），而這些誡命仍要詳細述明。這些誡命在此是伴隨著取得應許地的命令的（是一至三章的重要主題）。眾民過一種神「看為正、看為善」的生活，是神要讓他們享受「那美地」（18節）之盼望的另一方面。然而，摩西需要在**第16節**提醒以色列民，他們一向沒有願意順服的心——即使是耶和華正在幫助、帶領他們的時候（參出十七7；詩九十五8）。

撒但曾引誘耶穌去使用宗教的力量，而不向神作出真正的敬拜，耶穌則以此處第13和16節的話回應他（太四7、10；路四12）。耶穌看自己40晝夜在曠野的經歷為重新感受以色列人在那裏40年所受的試驗。同樣地，祂的跟隨者要在困難的時候，學習更完全地倚靠神。

六20-25　教導兒女　摩西繼而把命令擴展至教導兒女之上，告訴他們有關信仰的事實（20-25節；參7節）。兒女的問題跟父母的回應，叫我們想起逾越節慶祝的模式（出十二26-28）。當兒女問及「法度、律例、典章」（20節）時，父母的答案是告訴他們，神怎樣奇妙地把以色列人從埃及地拯救出來，應驗了古時的應許（21-23節）。誡命是隨著應許而來，並且是神賜福袖子民的其中一部分（24節下）。這裏的「義」意指神與子民間一種真正的關係，不單包括子民持守神的標準，也包括神拯救和保守他們的諾言。

七1-26　一群聖潔的民　接著摩西的講話集中於以色列人需要從現在的居民手中取得應許地。神揀選以色列人並把迦南地賜給他們的時候，也表示袖要拒絕當時住在這地上的人，要奪回他們居住在那裏的權利。這一點一直暗示在應許中（出三17，二十三23）。

列國的名單顯示迦南地上住著的並不是一國的民，而是遍佈各處的不同民族，也許還有許多堅固城。對於比利洗人、希未人和革迦撒人，我們所知不多（但從書十一3；士三3可見他們分佈的位置）。「**亞摩利人**」和「**迦南人**」可有更廣泛或更狹窄的意義，一方面是泛指迦南地上的各族（如創十五16），另一方面是指某些特別的民族（參書五1，十一3）。主前第十五和十四世紀控制著安那托利亞和敘利亞帝國的赫人，顯然是一群常常遷居的人（參創二十三）。耶布斯人控制著耶路撒冷（參書十五63）。

神命令以色列人除滅迦南人，部分原因是迦南人本身要因著自己的罪而接受神的審判。他們在聖經中的故事可追溯至他們的祖先，挪亞的兒子含（創十6、15-18）。含的兒子迦南受到咒詛，因為含並沒有像兒子一樣尊重他的父親（創九20-25）。當神應許把迦南地賜給亞伯拉罕的後裔時，袖並沒有立即直接賜給他們，「因為亞摩利人的罪孽，還沒有滿盈」（創十五16）。根據申命記，這些民顯然已罪大惡極，已到了審判他們的時候（九5）。

除滅這些民的命令是絕對的。我們留意到那是基於神是以色列和普世的主和審判者（參二34及該處的註釋）。經文（1-6節）進一步解釋這命令。神的子民以色列要保守自

己，遠離迦南人的罪惡和宗教，以及生活上的腐敗。神要一群認識祂的人看見這異象，並要他們因著認識祂而建立一個獨特的社群。以色列人要住在這些民中卻仍要忠於聖約是困難和不可能的。無可避免地（部分是由於與異族通婚的緣故，3節），聖民會變得不再獨特；耶和華的敬拜會被巴力的敬拜壓倒（4節）。若真的發生了這樣的事情，神把以色列人從埃及地拯救出來，成為一個獨特的民族的整個計劃便會落空。除滅迦南人的首要目的是把他們所奉行的虛假宗教根除（5節）。

因此，除滅迦南人，也可算是真假宗教之間的爭戰（參弗六12）。像洪水給世人的審判一樣，這樣的事只會發生一次（創九15下），並且在以色列人的生活中，顯出神是完全抗拒以色列人敬拜別神的，因為這些神祇只會帶來各種罪惡。

談到神為何棄絕迦南人的時候，我們看見祂為何揀選以色列人。第6-11節進一步解釋神的這個選擇。首先，說以色列人是蒙「揀選」，就等於說她是「聖潔」的（6節）。兩個字的意思都是把這民分別出來，特別歸祂之意（作祂寶貴的產業，即君王個人的珍寶；參出十九5）。

其次，那並非憑著以色列人本身的勢力（7節）；神的子民不應以為可以因此誇口（參八17）。他們並沒有作甚麼，配得神這樣愛他們，把他們從埃及拯救出來（8節）。

第三，以色列人的揀選也附帶著約的責任。神立這約是出於祂的愛，祂會在約中顯出祂的信實，但祂也期望約民以願意順服的心去作出愛的回應（9節）。神說出驅逐迦南人的計劃後，立即嚴厲地警告以色列人，不要以為他們與神的關係是理所當然的。表示這關係之實在的記號，並不是「以色列」這名字，也不是任何外在的標記，而是一個願意遵守神誡命的心（10-11節）。這是「聖潔」的另一面。這警告仍在新約中迴響著（如羅九30-32），而今日不單給予猶太人，也給予基督徒。

第四，揀選以色列人而棄絕迦南人，並不是單單為了以色列人的緣故。雖然在申命記中並不明顯，但我們不可忘記，揀選以色列人的長遠目的，是要把福祉帶給地上的萬民（創十二3）。神帶領以色列人進入應許

地，就是踏上這長遠目標的一步。在神聖約中的以色列人可以向世人表明神是怎樣的——若她是忠心的話。

下一個段落（12-15節）讓我們瞥見一群順服的子民蒙神祝福的境況。根據申命記的描述，這些祝福是「今生」的。神因而證實祂所創造的世界是好的（參創一），人可以享受其美好。然而，此處提及的祝福，可以看為神對後世子民的心意，也是對今世子民的心意。

摩西最後再回頭談到本章開首的主題，就是人必須遠離迦南人罪惡的行徑（16-26節）。同時，他再次勸導以色列人不要懼怕敵人，要記著他們過往失敗的經驗（一26-28），並要知道神有能力打敗迦南人，正如祂擊退埃及人一樣（參一29）。他強調真正的勝利者是神。（第20節譯作「黃蜂」一詞的意義含糊，可能是一個惶恐和狼狽的意象，比較出二十三28；書二十四12；但此處的要點是清晰的：耶和華要行出自己的計劃，祂自有一個方法。）第22節暗示征服迦南地不會是快速和容易的事，如以色列民後來所發現的（書十三1）。但他們若是忠心，這事必會成就。趕出迦南人必須做得完全；就是從前各族（以他們的「君王」來代表）的名字，也必須「滅絕」（24節）。

最後的命令（25-26節）要求以色列人把偽信仰的裝置和神像一同除滅，並顯出申命記對偶像的憎惡。以色列人不應因為偶像上的金銀而受引誘（25節）。即使觸摸這些物件也像玩火一樣危險。因此，這些物件要像它們的主人一樣要被毀滅（二34，七2）。

八1-9　曠野中的管教　直至現在，以色列人在曠野飄流的時期，都被看為他們不按神的命令進入應許地而有的刑罰（一35、46）。作者在此加上另一角度，就是藉此提供他們一個信心增長的機會。耶利米後來提起曠野時期時，視之為忠心跟隨神的時期（耶二2；並參何二14）。然而，此處的重點在於管教（2、5節），那是神對以色列之愛的另一方面（七6）。

開首的經節再次把誡命與生命聯繫起來（參四1的註釋）。「謹守」（1節）是申命記中典型的命令（參七12，十一16）。此處以呼籲他們「記念」神在曠野的帶領來支持這命令

證主21世紀聖經新釋

（2節）。順服神不單在於知識，也在於心思和意志（參六5的註釋）；而人的心卻傾向憑己意而行。申命記對人類這方面的軟弱的強烈感覺，解釋了這樣的命令，及本書重複又重複的教導風格。

在曠野中，以色列人忽然離開了熟悉的環境，不知道怎樣取得生活所需。即使在埃及為奴時，他們也知道下一頓飯從何而來。他們本不是過曠野生活的人，而曠野中艱難的生活似乎叫他們時刻面對死亡的威脅（出十六3）。這些正是試驗他們對神的信心的時候。他們的飢餓證明他們沒有神的供應，便不能存活；嗎哪的神蹟和其他不尋常的奇事，表明神足有能力滿足他們的需要（3-4節；參出十六4）。稍後耶穌用來反駁撒但的話（太四4；比較六13之註釋）：「人活著不是單靠食物，乃是靠耶和華口裏所出的一切話」（3節），並不是把屬靈和肉體的生命作對照；相反，這句話要指出生命的一切都來自神。祂的「話」是創造性和賜生命的（參創一），並且是帶著命令的。

迦南地本身代表了美夢成真（7-10節）。此處是本書給迦南地最可愛的描繪。要欣賞這段話，我們必須記得，它是向那些認識曠野中艱苦生活的人說的（參六10-11）。充足的水源、各種不同的農作物，甚至奢侈品如橄欖油和蜜糖——神給人類恩賜的美好，是在缺乏之後最能得到了解和欣賞。

八10-20　不要忘記！　這部分的主題跟上一部分十分相似。然而，現在以色列人忘記神的傾向則更加明顯。在曠野中，當一切食用都得來不易，並且常有死亡威脅時，人自然會仰望神。但到了食用充足時，人類本性會使他們較難恰當地對待神。這正是申命記所面對著的問題：神願意祝福祂的子民，把祂創造中一切美物賜給他們；但他們得到了這些美物後，很可能就會轉而離棄神，以為自己不再需要祂。豐厚的財富會使人陷入自滿的迷惑（17節）。

這問題深種於人類與神的關係之中。有些人認為財富是從神而來的直接祝福，是得到神認許的象徵。人有時甚至以為貧窮就是得不到神的讚許，是出於神的憤怒。其實道理並不是那麼簡單。我們所擁有的一切確實是從神而來的；然而在舒適安泰時，人會看不見他們需要神；在缺乏或失去財富時（或失去健康）卻能喚醒人的信心。我們若感受到神的賜福，那就是尋求祂的時候，要為祂的信實而讚美祂（10節）。

在得應許地之恩賜前，先有曠野的經歷，就是為了叫人謙卑。曠野的經歷雖然艱苦（15節），但它本身卻是一個恩賜，目的是使經歷的人終久得著賜福（16節下）。並且這經歷是要留在以色列民的記憶中，以致他們一旦完成了旅程，來到應許之地，也不會忘記，他們一切的好處都是從神而來（14、18節）。

瀕臨危險的是聖約本身（18節）。本段以一個現已熟悉的警告結束，就是不要敬拜別的神。對以色列人來說，「忘記神」極可能指轉向別的神。所有錯誤罪惡的行為都源於虛假的概念。現代人的拜偶像行為，表現於他們認為「美善」不是出於獨一神。

九1-6　硬著頸項的百姓　以色列人甚至曾拒絕嘗試進入應許地，因為看見那地的人又高又大，孔武有力，其中包括亞衲族人（申一28；民十三22；書十一22）。耶和華現在向他們保證，祂會勝過這些可怕的敵人（正如祂曾在約但河東擊敗西宏和噩，二24至三10）。然而，以色列民本身也必須有所行動。請留意「耶和華要滅絕他們」和「你就要……趕出他們」之間的平衡（3節下）。

在第八章，摩西談及從貧窮至富裕的改變，及這改變會帶來的道德危險。現在他轉而談論以色列人生活中另一個轉變，就是從被壓制的民變為得勝者。這轉變會帶來的引誘是以色列人以為神把這地賜給他們，因為他們比別的民族更好（更「公義」）（4節）。這種信念也出於忘恩，忘記神的美善、神的賜福。因此，摩西指出（4-6節），他們會得勝迦南地的各國，並非因他們的義，卻是由於兩個不同的原因：為了神給他們列祖的應許，及為了列國的惡行。為了加強這一點，摩西又說，事實上，以色列人遠遠稱不上「義」；相反地，他們過往的紀錄顯示，他們是「硬著頸項」，及抗拒神為他們所安排的道路。

九7-29　金牛犢　跟著頗長的一段證明了摩西的論點，即以色列人天性是頑梗的。此處

叫我們想起他們多次悖逆神，而情況最壞的一次，是他們製造了金牛犢（出三十二）。他們也必須「記念」這事（7節；連同神在曠野的帶領，八2，及祂的誡命，八11）。為了能繼續走在順服聖約這艱難的路上，他們不單要認識神的美善，也要知道自己的軟弱。為此，摩西要他們面對那痛苦的記憶，就是他們曾在何烈山所作的事。

他首先說出金牛犢的故事（8-17節）。那是人可以想象的最大的罪惡。當聖約仍在何烈山上簽署蓋印時，這事就發生了。聖約訂定了，百姓也同意其中的條款（出二十四7）。摩西返回山上，要接受神寫上十誡的法版（9節；出二十四12）。就在這時候，十誡仍清晰鮮明地在百姓心中，而他們在雷聲、火與雲中與神相會的可怕情景，仍活現眼前時（出十九16-19），他們卻要求亞倫為他們製造偶像（16節上；出三十二1）。這樣，他們便破壞了首兩條重要的誡命，在聖約還在制定階段時，便已違背了這約（12下、16節下）。

那時，耶和華曾想到要與子民脫離關係〔留意祂怎樣稱他們為摩西的百姓，又說摩西（「你」）曾帶領他們離開埃及；12節〕。祂甚至幾乎要毀滅他們，然後使摩西的後裔成為一個新的國度（14節下就像起初給亞伯拉罕的應許；創十二2）。摩西摔碎法版時，聖約就好像變成了荒廢的一樣（17節）。

然而，摩西並沒有尋求培育新的國民的榮譽。他卻為那些他一生服侍的百姓禱告，顯出先知的職責既是代求，也是傳達神的話。因著他的摯誠和恆切，神垂聽他的禱告，百姓得以倖免一死（19節下）。在禱告中（26-29節），摩西訴諸3件事。首先，他提出了神給列祖的應許，那是神自己極之強調的（27節；並參一8）。其次，他數算神至今曾為百姓所作的事，包括帶領他們離開埃及，並使他們成為祂的子民（26、29節）。他們既是神的「產業」，神若把他們毀滅，便是挫敗自己的計劃。第三，他辯說神自己的聲譽也會不保，因為列國會把祂給子民的審判看為神無力拯救他們（28節）。摩西說服神的這些論點似是他禱告之能力的一個重要部分。

附註　第22-24節這3節就像一個插段，摩西在此提及以色列人前往應許地的路上，

其悖逆神的事件。這段話的目的是指出以色列人第一項和最大的罪並不是一件獨立事件，而是以色列民心裏充滿了反叛。

十1-11　重立聖約　以下部分是直接延續前一部分。神吩咐摩西另外造兩塊石版，那就是祂給予摩西為眾民代禱（九26-29）的回應。首兩塊法版被摔碎時（九17），聖約的故事似乎在該處結束。新的法版表示聖約重新訂立。這在申命記的神學中是重要的。神與以色列人之間的約，最後可以勝過以色列人的罪，那是由於神的饒恕和施恩。

兩塊新法版像舊的一樣，寫著十條誡命（參四13），那就是聖約的基本要求。這兩塊法版要放在一個特別製造的「木櫃」中，而摩西也是為了這個目的而造出木櫃的（1、3節）；這木櫃在申命記其他地方稱為「耶和華約櫃」（三十一9、25）。申命記特別強調這約櫃。在出埃及記中，我們得悉那是一個華美而細緻的陳設，是會幕的中心，耶和華從約櫃向子民說話（出二十五10-22）。申命記強調它盛載著法版的功能。在申命記中，為了強調約櫃盛載法版的功用，事件的次序甚至被壓縮了。（在出埃及記中，比撒列造約櫃跟新法版並沒有直接的關係；出三十七1-9；並參三十四1-4）。

第10-11節結束了毀約和在何烈山重新立約的故事，並重複神決意不毀滅祂子民的決定。以色列人現在可以繼續作神的約民，踏上前往應許地的路。

第6-9節似乎中斷了這故事。然而，亞倫逝世的事件表示他並非死在何烈山，雖然他在何烈山的罪中要負很大的責任（九16-21），因此，我們可見摩西為亞倫而作的禱告（九20）已蒙應允（正如他為以色列民作的禱告一樣）。至於文中的地方名字，請參民數記三十三章31至33節。這些地方大概極接近何珥山（民二十27-28）。

文中提起亞倫（屬於利未支派），似乎為要提起一件關乎利未人的事。在本段中，「利未人」是廣泛地包括祭司和等次較低的聖職人員，雖然利未人可以單指後者。亞倫死後，他的祭司職位由其子孫承繼。（亞倫的兒子與他一樣是分別為聖的祭司，出二十八至二十九。）由於利未人擔任祭司之職，所以利未支派在以色列中，不會像其他支派

一樣，擁有屬於自己的土地。他們要從祭司工作中得著生計。

十12-22　心靈的宗教　本章餘下部分，以及第十一章，都是關乎刺激以色列人忠於那重新訂立的聖約。首先，摩西回到申命記的基本命令，就是全心全意去愛耶和華（12節；比較六5）。「敬畏」耶和華（12節）就是向祂作出祂配得的敬拜，承認祂在全地上的主權。那是愛神的人自然地從心發出的。**第12-13節**的命令強調人要遵從神的話。「耶和華你神向你所要的是甚麼呢？」這句話跟彌迦書六章8節很相似。兩段經文目的都是指出宗教及其行為都是死的，除非那是由心發出。

摩西繼而提到神揀選以色列民（14-15節），嘗試藉著思想這事的奇妙而挑起他們感恩的心（參七7-8；九6）。跟著他使用一個新的比喻來激勵以色列民，使他們從昔日的頑梗中改變過來（16節；比較九6）。「**將心裏的污穢除掉**」（新國際譯本：「為心行割禮」）是一種修辭，指出外表的記號和禮儀本身是毫無價值的，縱使行割禮是神的吩咐，作為代表祂與以色列民之間特殊關係的記號（創十七9-14）。申命記無意要摒棄割禮或其他禮儀（如獻祭），只是要帶出這些禮儀的真義。

摩西的思想跟著轉向神另一種性情，就是祂喜愛公平。真正愛神的子民會像祂一樣，為那無依的尋求好處，甚至犧牲自身利益（17-19節）。這正是十二至二十六章所列出的所有律例背後的原則。

摩西最後呼籲人要單單敬拜神，並指出祂如何信實守約後（參創十五5），便結束了本章聖經（20-22節）。

十一1-7　耶和華的管教　正如上述所提及，這一代不需要為錯失第一次進入應許地的機會而負責（一39；比較二14-15）。再者，摩西已強調神正直接與他們立約（五3）。並提醒他們應從離開埃及後神如何與他們相處中去學習。他們有一個特別的責任，就是明瞭他們在曠野飄流的經歷。他們的兒女可能太幼小，不能明白那事，或他們仍未出生，因此要倚靠父母，才能得悉神以往的作為（2節；比較19-21節）。

以色列民從前所見的，稱為神的「管教」（2節）；這管教是出於祂的愛。摩西用兩種方法說明這一點。首先，摩西叫他們想起埃及人怎樣被擊敗，既藉著各種災難（3節；比較出七14至十二30），也是在法老容許以色列人離開埃及後，他們後來擊退了埃及的追兵（4節；比較出十四5-31）。這「管教」證明了神的大能，也證明了祂對選民的愛。

跟著，摩西又提到大坍和亞比蘭的命運，他們曾挑戰摩西和亞倫的領導地位，並且特別想得著祭司的職分，而不安分於自己作「利未人」的身分（民十六3、8-10）。（至於利未人在狹義上的職責，參民三1-37及申十6-9的註釋）。

「管教」在此顯出其負面的一面，即神在人不守約時所施行的審判，尤其是當人傲慢自持地拒絕祂的安排的時候。

十一8-25　神所眷顧的土地　摩西再次把順服神與在應許地上得生連繫起來（比較四1）。此處把應許地與埃及作一對比，因為大坍和亞比蘭曾說埃及是流奶與蜜之地，應許地則仍未有農地田園（民十六12-14）。事實上，埃及地之肥沃是有賴人力灌溉，而應許地的肥沃，則由於神所賜的雨露（10-11節）。**第12節**暗示神揀選和眷顧應許地，與神愛顧祂的選民之間的平衡。

正如申命記一貫的作風，應許往往與命令緊密地連繫著。惟有守約之民，才能享受應許地上的豐盛。**第14-15節**描繪了一幅美麗的圖畫，是守約之民可以享受到的生活；這地上有秋雨和春雨，而這兩種氣候對農作物的收成都是重要的。「**五穀、新酒和油**」（14節）是申命記論到土地出產的一種獨特用語（比較七13，十二17）。

相反，民若轉向敬拜別神，則不要期望豐收（16-17節；並參王上十七1）。這兩種選擇在別處稱為「祝福」與「咒詛」（參26節之註釋）。

以色列民若忠心地把約的要求教導下一代，作為他們生活的一部分，就不只這一代可以享有福祉，而是世代相傳（19-21節；比較六5-9）。然而，為免讀者以為神與以色列人之間的關係只是基於遵守律法，摩西又回到應許的概念上。惟有藉著神的恩賜，這地才能成為以色列人的土地（22-23、25節）。這地的範圍（24節）跟神給亞伯拉罕的應許

一樣（創十五18）。

十一26-32　兩條路　冗長的前言即將結束。本段經文連繫了前言與本書餘下的部分。祝福與咒詛（14-17節所暗示的）是擺在以色列人面前的兩條路（26-28節）。以下經文列出了各項律例以後，便會把這祝福和咒詛明白地述說出來（申二十八）。將會在以巴路山和基利心山——位於應許地中心的示劍城附近——舉行的典禮，讓以色列人感受到他們必須嚴肅地在兩者中作出抉擇（29-30節）。取得示劍是慶祝他們必定能征服整片應許地（也暗示征服迦南人）。這命令在第二十七章再次重複和詳述，並將由約書亞實行出來（書八30-35）。最後（32節），摩西用了一句熟悉的話，勸勉以色列人遵守聖約的要求。這句話直接引進第十二章，開始詳述各種律例；這些律例管理著以色列人在應許地上的生活。

十二1至二十六15　特殊的律例

十二1-12　敬拜的地方　各種特殊的律例在此開始敘述。**第1節**把這部分與先前的一般指引連繫起來。第十二章的誡命是關乎對耶和華正確的敬拜，並且是以色列人單要敬拜祂這基本要求的結果（五7）。這裏（2-4節）重複先前那毀滅所有關乎迦南人之敬拜的誡命（七5、25）。要毀壞他們敬拜的「各地方」（2節），原因是那些地方正是紀念諸神名字的所在（3節）。古老的閃族觀念是，任何人的名字都蘊含著他的存有和能力。**第3節**列出了迦南地拜偶像之宗教的裝飾陳設。（石）柱像大概是一種繁殖力的象徵；「**木偶**」（直譯：亞舍拉）是女神亞舍拉，可能是刻有她形象的一根木柱。

相對於這虛假的敬拜，耶和華選擇了一個地方，人應在那地記念祂的「名」（5節）。經文沒有指出這地方的所在。位置本身並不重要，重要的是那是屬於耶和華的地方。在以色列的歷史中，那可能是一個接一個的地方，特別是示羅（耶七12）和耶路撒冷（王下二十一4）。

往那地方去的命令（5節）包含了以色列人要定期敬拜神的意思。**第6節**列出一些祭和祭品，那是定期敬拜的一部分。這裏的清單並不是全備的，只是以色列敬拜的一種概述

（關於各種祭的詳盡敘述，參利一至七的註釋）。燔祭要全然燒在壇上，獻給耶和華（利一9）；其他祭則大部分留給敬拜者和祭司享用。獻祭的原因可能有多種（例如利七11-18）。

在敬拜中要歡樂。事實上，**第7節**讓我們看見了申命記的異象：一群合一的子民，在其獨一的神面前，歡樂地敬拜。

第8-10節叫人想起以色列人目前的境況。他們因習慣了曠野中的生活模式，現在仍未能作出他們在應許地上應有的生活行為。所應許的「**安息**」，即免受仇敵侵擾（參三20之註釋），則要在所有以色列人都安居在所分配的地上，才得以實現；到時一切戰爭都要結束。

第11-12節重複第6至7節的命令，包括呼籲他們要歡樂，但也定出了一個指示，就是在敬拜中，要包括群體中貧苦軟弱的人。我們已知道那是暗示神的屬性，要在祂的子民中活現出來（參十17-19）。這一點現又在敬拜的背景下重提，申命記知道敬拜若沒有喜樂和愛，就是死的。

十二13-28　一個例外情況　本段是前一項命令的限制條件。以色列人最終在他們的土地上定居後，許多人會住在遠離獻祭的地方。雖然他們有時也要長途跋涉地前往敬拜神（參出二十三17），但他們不會經常這樣做。因此，現今的律例容許他們在沒有獻祭的情況下，宰牲吃肉（參利十七1-7的規定，當時以色列民仍在曠野）。在這些情況下，那些適合獻祭的牲畜與其他不能用來獻祭的牲畜一樣（如羚羊與鹿，15節）。唯一的限制是他們必須正確地處理牲畜的血，因為血是不可吃的（創九4；利十七10-12）。掃羅在撒母耳記上十四章32至35節曾禁止這樣「褻瀆神的宰殺牲畜」。

第15-19節與**第20-28節**是兩段關乎這許可的平行經文。每段均先提出許可的行為，繼而重述在敬拜的地方獻祭時的基本規定。

十二29-31　敬拜的純淨　第十二章在多方面與第七章相似。兩處在開始和結束時，都警告以色列人不要被迦南宗教迷惑。**第29-31節**重拾1至4節的主題，在結束本章時，提醒讀者要記著所定下之律例的基本目的。

十三1-18　拜偶像的試探　像前章一樣，本章誡命所關注的主要是第一條誡命（只可忠於耶和華，五7）。此處考慮到以色列人會被引誘去敬拜假神的3個途徑。

第一個有可能的引誘來自假先知。有時以色列人要認出假先知，也不容易，因為他們會說先知的話，並自稱有各種啟示，而這些都是不容易試驗出來的。

真先知的第一個試驗是他是否忠於耶和華（最少還有另一個試驗；參十八20-22）。沒有任何經歷或動聽的話語可以補償這樣根本的錯誤。這樣的人會使以色列整個呼召落在危險中——因此，回想他們怎樣從埃及地被救贖出來，可以給予他們動力，去拒絕拜偶像的人（5節），此外，摩西也再次叫他們去愛耶和華（3節）。以色列人必須嚴厲地對待假先知（第3節的「試驗」並不是耶和華刻意構想出來的；然而，假先知確實提供了識別的試驗）。

第二，轉向假宗教的引誘也可能來自以色列群體中的任何一個成員（6-11節）。在這情況下，最親密的家人和朋友就有重大的責任，要把身體上的毒瘤顯露出來，並主動把它切除。

最後，在那些拜偶像的行為已根深蒂固的城中，以色列人也要對整座城採取同樣嚴厲的行動（12-18節）。在整座城的悖逆中，可能有政治的取向，因為宗教與政治是緊密相連的。那就是說，一座城若追隨巴力，則他們可能是不欲成為「以色列」的一分子——摩西之約中所指的以色列。這些城必須被「咒詛」，像以色列人初次進入應許地時所佔領的迦南城邑一樣（15-16節；比較二34，七1-5）。它們的命運是永為荒堆（16節），這是後來這些城落在約書亞手中要遭遇的命運（書八28；這情況顯出神所憎惡的是虛假的宗教，而不是應許地上的民族）。

此處所命令的處理方法確實是嚴厲的，但那些強烈的引誘，在以色列人居於迦南地的歷史中，實在出現了。列王紀正好記載了這方面的失敗。偶像崇拜確實破壞了神揀選以色列人的目的——這目的最終是普世的拯救。

十四1-21　聖民分別出來　下一套律例主要關乎食物。本段開始時再提起以色列民是

「聖潔」，是神所「揀選」的（2節），我們在七章6節也曾看見這兩個詞的組合（參該處的註釋）。現在以色列民也稱為「神的兒女」（直譯：「眾子」；參一31；出四22；何十一1以單數來表達相同的觀念）。神與子民這種親密的關係，現在成為一些律法的基礎，而這些律法是要把他們從其他人明顯地分別出來。第1節下所禁止的做法，屬於迦南人舉哀的儀式（參王上十八28）。

本段大部分經文（3-20節）是把那些可以食用的動物跟不可食用的作出區分。所用的字眼是「潔淨」與「不潔淨」。至於這兩個詞語的確實意思，學者仍未有一致的意見。最大的可能性是一些動物因健康理由而不可食用，或因宗教理由而被拒絕。（在新國際譯本中，第7節的「不潔淨」之前加上了「禮儀上」一字，但希伯來原文中卻沒有這個形容詞。）

許多動物本身根本不能確定是指甚麼，因此要解釋「潔淨」與「不潔淨」的含義就更困難了。也許這些動物被接納或拒絕，根本不止因為單一的原因。然而，有時動物本身已暗示了被拒絕的原因。在擇食腐肉的動物，如禿鷹（「狗頭鵰」，12節）的情況下，其不潔淨大概是由於他們喫的是自然死亡的動物。這在禮儀上是不能接受的，因為牠們的血並沒有放出棄掉（利十七15-16；並參21節上，及十二16）。食肉鳥不潔淨的原因也相同（12-16節）。在別的情況下，一種動物被視為不潔淨，也許因為牠在一些非以色列的宗教禮儀中被使用。

人類學家德格莉（Mary Douglas）在其著作《潔淨與危險》（*Purity and Danger*, Routledge and Kegan Paul, 1966）中提出一套很有說服力的解釋，指出這些飲食律例的原則；她的見解被韋漢(G.J. Wenham, *Leviticus*, Eerdmans,1979)所採納。德格莉認為，**聖經禮儀中的「聖潔」，含有完整與完全的意思**。無論人、動物，甚至物質，只要他們順應所屬的種類，就是「完全」的（參利十八23，十九19，二十一17-21）。這樣，那些確實屬於一個種類，而沒有一些「混淆」之特徵的動物，就被視為適合分別作聖潔用途的（即獻祭）。

第21節的條例也以以色列的「聖潔」來解釋（雖然在最後的指示中沒有明確的證據

支持)。由於外邦人並不是選民,所以不受選民的特別條例所限制。

十四22-29 什一奉獻 以色列人的什一奉獻是田產的奉獻。在一個農業社會裏,農產物是神直接即時的恩賜,因而是敬拜中一個不可或缺的部分。什一奉獻實際上佔以色列人之財富的多少,實在很難確定(縱然其字面意思是「十分之一」);再者,在許多祭物中,以色列人只需要帶來一種祭物。聖經中對什一奉獻列出不同的條例,這使什一奉獻的理解更形複雜。在民數記十八章21至29節,什一奉獻似是為了利未人的利益(他們靠賴奉獻的祭物維生)。在這裏,則是獻祭者與家人共享的筵席,雖然利未人並沒有被忘記(27節)。

綜合不同的律例來看,也許得窺全貌。在敬拜的地方舉行的筵席會留下大量的食物,足以供應利未人應得的分量。然而,第三年的什一奉獻(28-29節),似乎是有特別用途,因而積存在城中,而不是帶往敬拜的地方,並且供應那些生活困難的人需用(也供應住在各地的利未人;民二十五1-8)。

然而,此處的什一奉獻是申命記主題的象徵。所有以色列人在敬拜的中心地點一起慶祝。慶典中有因為敬拜獨一神而產生的喜樂,而所有人一齊分享筵席,也象徵了以色列民的合一。其中顯出一群既是順服(把什一奉獻帶來),也蒙福得著豐富土產(奉獻的祭品足以供應筵席所需)的民。

附註 第24-26節 這裏包含實際的指引,因為了解到一些人的居所與敬拜的地方相距很遠。這律法與容許人非因祭祀而宰殺牲畜有相同的原則(十二13-28)。

十五1-18 豁免債項與釋放奴婢 從借貸與奴隸制度,可見以色列人在應許地上的生活已進一步調節了。這兩種做法都可理解為社群中的強者幫助弱者的方法。以色列人的弟兄情誼在此處顯得最為強烈(2-3節)。

我們再次看見以色列人與以色列人相處,跟以色列人與外邦人相處是有所不同的(參十四21)。因此,律法仍是按著以色列人是聖潔的民來制定,在這民中要顯出神的標準。(因此,他們對待外邦人的態度,不可按現今的觀念理解為種族歧視,也不可因而視種族歧視為正確的。那只是因為以色列人在救贖歷史的這一點有其特別的身分。這並不是一個永久的原則。)

每逢7年的最後一年,所有債項必須豁免。借貸不可以計算利息(二十三19-20;出二十二25),因此這做法只是幫助那些陷於困境的人(可能由於農田失收),而不是賺錢的途徑。借貸的動機在於以色列民的本質。這群與神立約的民必須活出其兄弟情誼,並且顯出他們已認識到得著應許之地,不是靠著自己的力量(參八17),卻是神的恩賜。這樣做的結果是「在你們中間沒有窮人」(4節),實際上那是一個命令。惟有以色列人這樣負起行公義的責任,他們才可繼續感受到這地實在是神的恩賜,並知道神仍然賜福他們(4-6節)。

以色列人必須慷慨的呼籲在**第7-11節**有進一步的發展。在人類計劃中,律法亦顧及人自身的利益,因此在豁免年將至時,借貸可能會遭拒絕。那是因為借貸者在債主必須豁免貸款之前,可能沒有時間(或不打算)還債。(到底貸款是要全然取消,還是暫擱置,直至第七年過去,則不得而知了。無論如何,債主都必須作出一定程度的犧牲。)對於施予者的慷慨程度,在新約並沒有設定任何上限(羅十二8;林後九7)。

申命記的律法似乎是一套予人因時制宜,酌情處理的開放式律法,這種彈性處事的法律精神並不容易條文化。(比較利十九18,此處勉勵以色列人「愛鄰舍如同自己」時,似乎也是表達這觀念。)這些事情很難放在法庭上審訊。然而,**第9節下**表明這些義務是十分實在的,似乎是可以被別人驗證,當然更可以被神驗證。

以色列中的奴隸制度,跟我們一向所了解的奴隸制度頗不相同。一個人若落在困境中,他可以為別人提供服務來度過這個緊急關頭。這個並不是永久的情況(但奴僕可以選擇終身為奴;16-17節)。「奴僕」(也可譯「僕人」)肯定不是為主人所擁有的。**第12節**所說的「賣給你」是指在一段時期內提供僕人的服務。期限結束(也是第七年),主人為報答他的服務,必需給他工錢或物資,使他可以再次過獨立的生活。再一次,這種慷慨的行為,是繼續享有耶和華在約中所賜之福

的途徑（18節下）。

十五19-23 頭生的幼畜　所有頭生的，無論是人還是牲畜，都要特別獻給耶和華。若是牲畜，就要用作祭牲；若是人，則以牲畜之奉獻來代替（出十三2、13、15）。

像什一奉獻一樣，頭生的幼畜在敬拜的地方也用作一年一度筵席的食物。至於有殘疾的牲畜，即不適宜獻祭的，則可按非獻祭的規定來食用（21-23節）。此處的條例就像一般非獻祭的屠宰（十二13-28），主要關注的是要正確地棄置牲畜的血。

頭生幼畜的條例（像一般獻祭一樣）強調，獻祭者必須願意獻上他可能覺得應該屬於自己的那些祭物。因此，這律例跟上述有關豁免債項和釋放奴僕的命令，有一些相同的地方。在每一個情況下，以色列人要知道他們所擁有的一切，都是神的恩賜。

十六1-17 主要的節期　在有關祭物和獻祭的律例之後，繼續談到3個一年一度節期的條例（也參出二十三14-17；利二十三）。申命記不及利未記那麼詳盡，但可以看為一個概述，其中有些獨特的強調點。

第一個節期在3、4月間（「亞筆月」，被擄後稱為尼散月）舉行，而實際上是把兩個節期合併，就是逾越節（在第十四日）和無酵節（在第十五至二十一日；參利二十三5-8）。這合併似乎是刻意的，如「不可喫有酵的餅，七日之內要吃無酵餅」這句話所暗示的。此外，文中也沒有分別逾越節的羔羊和在那7日內所獻的其他牲畜（2節）。

這個合併之節期有兩個目的。第一，是要讓以色列人想起他們怎樣奇妙地逃出埃及，那是由於神的大能和神對他們的愛（3節；比較出十二至十三）。在申命記中，記念神怎樣眷顧祂的子民是十分重要的（六4-12，八10-18），而逾越節的事件，比任何事件更值得記念。這跟基督徒的各種紀念活動相似，尤其是復活節，我們在當中想起基督藉著自己的復活，為我們帶來拯救；此外還有聖餐的紀念。其中的相同之處帶來基督是「逾越節羔羊」的概念（林前五7）。

第二，申命記所描述的節期，指向本書所一直期待在應許地上的生活。此外，吃無酵餅後的「第七日」（8節），就像是安息日的

安息，讓我們想起在應許地上的生活是一種安息（十二9）。以色列民後來進入應許地後，他們慶祝逾越節，然後立即吃無酵餅，那是應許地上的出產（書五10-12）。申命記把逾越節和無酵節連繫起來，目的可能是一方面記念神昔日的美善，另一方面鼓勵以色列人確信神在那將要賜給他們的土地上，必然繼續賜福他們。

逾越節主要是一個家庭筵席。因此，要在敬拜的地方舉行逾越節似乎頗為奇怪。然而，在獻祭以後，晚餐卻實在是在家裏舉行的；大概是在臨時搭建在敬拜之所周圍的「帳棚」內舉行（7節）。

全以色列在敬拜的地方舉行的第二個節期是「七七」節（9-12節），也稱為收割節（出二十三16）或五旬節。這節期舉行的日子，是在奉獻當年初次收割的禾稼，即無酵節（利二十三15）後七個星期（更準確地說是50日，利二十三15-16）。申命記持守這節期的命令，是要在敬拜中喜樂、關懷貧苦，以及記念從埃及地得拯救。

最後，「住棚節」是在夏末慶祝禾稼的收藏。住棚節這名字是源於他們在守節期間，要暫時住在帳棚中，以記念他們逃離埃及時，也以帳棚為臨時的居所（利二十三42-43）。那是第七個月（約是9月）所舉行的連串活動之一，可見於利未記（二十三23-43），但申命記卻略而不提。

雖然古時的民族常有大型的農耕節期，但以色列人是與別不同的，因為他們把節期連繫於從埃及地得拯救的事蹟。因此，應許地上定時的福祉，常叫他們想起，他們得享今日之福，全在乎那最初的拯救。

第16-17節概要表達了申命記一個獨特的關注，就是以色列民應帶著禮物敬拜朝見神，因為祂一直向他們施恩賜福。

十六18-20 審判官與官長　此小小的段落，重拾了本書起頭的一個主題，就是審判官和輔助的官長均有責任使神的誡命得以實行（一9-18）。他們要在以色列各城中執行職務，但難斷的案件則要帶往敬拜中心加以處理（十七8）。「正直」、「公……義」（19-20節）指正確地對待以色列民，那是他們在律法下當得的對待，而審判官不可為了個人利益而妄顧律法。這些指引放在許多關乎各

種官員之條例中，這些官員包括：審判官（十七8-13）、君王（十七14-20）、祭司（十八1-8）和先知（十八14-21）。這些官員在執行律法上都有一定的責任。

此處第一個「宗教」命令（十六21-22），重申了申命記強烈反對迦南地敬拜偶像之風（比較七5）；只有以色列的神才可受敬拜。第二個命令（十七1）包含另一個關乎真敬拜的基本原則，就是只有無殘疾的牲畜才可以奉獻給神（比較十五21）。獻上有殘疾的牲畜根本不算是奉獻（或犧牲），因為這些牲畜對敬拜者來說，價值很低微。**真敬拜是真正的自我犧牲**（參瑪一6-8）。第三（2-7節），經文重申，以色列人要把任何引誘他們信奉虛假宗教的人根除。這律法實質上與第十三章相似，但此處是強調司法上的程序（5-7節）。「城門」（5節）是審判官坐席的地方。刑罰嚴厲的，因為此罪是違反了第一條誡命，會破壞整個民族與神的立約關係。

十七8-13　難斷的案件　難斷的案件不一定是最差的罪行，而是很難確定犯罪者是有心還是意外、不小心地違犯了律法。最高法院是在敬拜的地方，並由祭司與審判官一起主持。此處的審判官可能是像撒母耳一樣，後來會在不同地方執行任務（撒上七15-17）。審判官與祭司在審訊上怎樣分工，我們不得而知。然而，律法再次顯示，在古代以色列中，宗教與民事法律是緊密地結連在一起的。

最高法院所作的是最後裁決，若拒絕這裁判，懲罰就是死刑（12節）。這懲罰也許與原本的罪行並不相稱，甚至受罰者會是原訴人！然而，這做法的目的是要保存律法本身的程序，是聖約的另一項基本保障（13節）。

十七14-20　關乎君王的律法　這律法是預期以色列人想立一個王，像列國一樣（14節），而他們後來確實有這要求（撒上八5）。申命記以神為以色列的王。三十三章5節表達了這立場，而本書的條約結構也暗示了這一點。基甸（士八23）和約坦的寓言（士九7-15）也清楚指出，立人為王並不是神為以色列人而設的理想計劃。耶和華說以色列的要求是表明要拒絕祂作王（撒上八7）時，祂可能只是批評這要求的精神，因而為他揀選的

王（大衛）提供機會。雖然如此，申命記似乎並不是要設立人類的君主，只是容許這事發生，並確保以色列人的王是某類型的王。

根據申命記，以色列的君王絕對不像列國的君王。他是由神所揀選的（15節上），因此，並不是按自己的能力而被揀選出來的。他是以色列人中的一個「弟兄」（15節下），因此，在本質上與其他以色列人同等。他不可濫用職權，為自己積蓄財富、軍隊或妻妾。以色列人不應脫離了埃及的暴君，卻為自己設立一個「小法老」。這幅昏庸之君的畫像，竟又與後來不忠於神的所羅門是何等相似（王上十26至十一8）。

相反地，一位理想的君王應是勤習神律法的人（18-20節）。因此，他承認神是以色列人真正的王，並且不會在君王的職務上顯出驕傲和野心。

十八1-8　祭司與利未人的權利　祭司階層在申命記中並不顯著，因為申命記看以色列人為一個整體，而不是按其內部劃分看待之。然而，本段經文是要確保一個重要的原則：**那些在敬拜之所事奉的人，是有權靠著應許地上豐饒之物產維生的**。

在利未支派中，只有亞倫及其後人可以任祭司（出二十八1）。支派中其餘的人——「利未人」——則負責會幕和聖殿中的輔助工作（民三5-10）。申命記所關注的並不是不同種類之「聖職人員」的分別，它看利未支派為一個整體。利未這個支派，跟其他以色列人所得的待遇不同，他們是「沒有產業」的（2節）——即得不著支派的分地。

然而，他們絕對不是不能享有生活的權利，因為他們也是以色列人的弟兄（2節），像其他支派一樣。作為「弟兄」，他們也有「產業」。然而，實際上，他們的生計，卻來自分享其他以色列弟兄在敬拜之所獻上的祭物。「**耶和華是他們的產業**」（2節；並參十8-9）正是這個意思。因此，他們生活豐裕與否，全在乎以色列人是否在敬拜神方面盡忠。（並參民十八，該處更詳盡地列出祭司和利未人當得的分）。這裏應用於利未人的原則，或可普遍地應用在所有受僱於教會或基督教機構，參與各種不同事奉的人。這暗指教會成員應適當地為這些人提供生活所需。而何謂「適當」，則在乎教會本身的財產，及

證主21世紀聖經新釋

教會中有否遵守「弟兄情誼」的原則。

第6-8節的要點是住在應許地上不同地方的利未人——在每個支派分地中提供給他們的城（民三十五1-8）——有權按他們所願，到敬拜中心來事奉，並在那裏得到事奉的報酬。第8節上的意義較含糊，但可能暗示利未人可以利用他們的城四周的牧場建立一定的財富。

十八9-22 認識神的旨意 古時的人強烈地感到在一些特別的時刻（如戰爭時），亟需知道神的心意為何。以色列四圍的列國發明了許多不同的魔術，去尋求神明的心意。這些方法包括查看雀鳥和牲畜的內臟來卜吉凶，求問死人（11節），甚至把兒女獻在祭壇之上（10節）。他們可以利用邪術去影響事件的發生，也可以只用來取得資料。

在本段經文中，這些做法一概受到譴責。它們與一般迦南宗教行為一樣，被視為「可憎惡的事」（七25-26，十二31）。使用邪術強調「精通邪術者」的功力，涉及神定為權限以外的範圍，並使人有機會受到破壞力量的影響。相反地，在神的子民中，只要知道神所清楚說明的話就足夠了。祂已透過祂的話，表明祂的心意，並會繼續這樣做；在特別的境況下，祂會藉著先知說話。（申命記強調藉著神的話去認識神，參四6-8、9-14）。

第一位和最先的以色列先知是摩西自己。聖約起初在何烈山上訂立時，就是他傳達神的話。以色列人在恐懼中，曾要求神人之間有這樣一位中間人（16節；比較五23-27）。然而，此時有一個問題產生了，就是摩西的職任如何能在以色列中延續呢？神給他們的保證是，雖然摩西稍後必會逝世，但他會有繼承者（18節）。

從第20-22節可見，作者認為將來會有許多先知（而不是只有一個），而該處的問題是，人怎能分辨真先知與假先知呢？不過，把十八章18節的先知解釋為「彌賽亞」是正確的，因為祂以一個全新並帶著權威的方法來傳達神的話（參徒三22-23），而根據這節經文，耶穌就是那位應許要來的「先知」。

最後3節經文（20-22節）論及真假先知如何分辨。第22節提供的答案是，假先知的話不會得著應驗。這答案本身產生了一些難

題。耶利米曾面對得不到認可的問題，而他的話卻在他傳道多年後才得著應驗。然而實際上，在許多情況下，一個人是否為真先知，在他傳道一段時間後便可以看出（留意耶二十八的試驗個案）。神的信息會向那些願意傾聽的人表明，這是一個重要的觀念。

十九1-14 逃城 除約但河東的3座逃城（四41-43）外，此處在河西再加上3座（2節），若有需要，可另加3座（9節）。逃城的目的是讓那些意外殺人者，可以找到一個安全的避難所；無論事件在何處發生，誤殺者都可以在應許地上找到避難所（3節）。當然，其他人不可即時便知道逃入城者是否真的無辜。因此，逃城並不是要為所有來者提供無條件的保護。然而，「**報血仇的**」（可能是死者的親屬，或他城中的長老），都會斷定那殺人者為有罪的。因此，逃城的目的是確保任何被控謀殺的人，都可受到公平的審判，而不是任由死者的親屬加以報復。第11-12節假定逃城會執行一些法律程序去斷定被控者是否有罪（並參民三十五12）。

若被控者判定為有罪，他的罪行就當處以極刑，因為殺人是破壞了約中基本的律法（五17）。為了把這種蔑視聖約的事從應許地和以色列民中除掉，死刑必需執行（13節）。

挪移地界的法例（14節）似乎與上下文並無關連。然而，在沒有籬笆或圍欄的地上，並當土地就是生計時，這是一項嚴重的罪行。貪婪的地主若違反這法例，很容易會使窮困的鄰舍變得更貧窮，甚至要賣身為奴。

十九15-21 作見證 作見證的條例自然是跟隨著先前的事例，因該情況必須採取審訊的程序。這顯出第九條誡命（五20）所警告的危險所在。作假見證誣害一個被控有罪的人，會帶來不公平的懲罰，而在嚴重的罪行之下，就是死刑。防止不公平判決的基本方法，就是要求最少兩個證人作出相同的證供（15節）。

這法例是要防止人刻意作假見證。無論被告要為何種罪受罰，人若發現見證人說謊，他就要承受被告判定應受的刑罰（19節）。見證人在當受死刑的案件上作假見證，他就使自己落在極刑之中。這就是所謂「以

「牙還牙」的律法（*lex talionis*，21節；比較出二十一23-25）的一個例子。這並非一種報復的認許，而是一個法律原則，限制了所施的刑罰，必須與所犯的罪行相稱。

二十1-20 戰爭的指引 本章包含一些作戰的原則。這些原則包括一般的作戰規則（10-15節），也有特別戰事的規則，即對抗那些佔有神賜以色列人之地的民的戰事（16-18節）。不過，本章開首的命令，是應用於所有戰爭的。

第1-4節的要點是，所有以色列人的戰爭實際上也是神的戰爭。祂勝過所有不可能的處境，把以色列人從埃及地拯救出來的大能，證明敵人表面看來較強的勢力，並非決定勝負的根據。縱使並非所有戰爭都是「聖戰」——因在應許地上的戰爭才是聖戰（16-18節）——但以色列人所作的每一件事，都有宗教意義的，因為他們的王是神。因此，軍隊出戰之前，有祭司向他們說話。祭司主要的信息是叫以色列民不要懼怕，因為神的大能常與他們同在。

律法中顯然沒有命令以色列人組織常備軍（像所羅門後來所組織的；王上十26）。此處所指的卻是一隊平民組成的軍隊。這觀念從第9節清楚可見，因為軍隊已準備出戰，才有軍長的委任。也因為第5-9節假設以色列人要放下日常的工作而出征。在此段經文中，某些人會獲得豁免出征。人若建了新屋而尚未入住，就不用出征；那些要栽培新葡萄園直至結果子的，也不用出征（參利十九23-25）；訂了親而尚未迎娶的，也不用出戰（並參二十四5）。這些豁免事例跟申命記的主題也十分配合，那就是神要賜子民一片土地，讓他們在其上享用出產，並生兒育女，以致後代得以繁衍增多（七13）。當然，那是因為神親自為子民作戰，這些情況才變得有可能。這是一群信靠神的子民，這位神敢於在重要戰事上，容許一些精壯的人不入伍出征。

這在最後一項豁免中至為明顯，就是豁免一些膽怯的人（8節）！神的軍隊必定不可膽怯，因為勝利在乎信靠那位能得勝任何險阻的神。一個膽怯的士兵很容易把這種情緒擴散開去，而影響整隊軍隊的士氣和軍心。

在應許地以外作戰的條例也略述了（10-15節）。這些條例在當日來說是較有人情的。言「和」的提議使對方有機會跟以色列人立約，而在約中，落敗的城要降服於以色列人，但他們是受保護的，並且在某程度上，是自由的。

對付應許地上的城則頗為不同（16-18節）。這幾節經文是一個插段。此處概述了要首先取得應許地的命令（七1-5、17-26），而在此處重提，是要清楚表明上述的規則只適用於應許地以外的爭戰。

最後的各項吩咐再次是關乎所有戰爭的。以色列人要限制著戰爭給周圍環境帶來的損害。保護果樹的命令是不難明白的，尤其是關乎應許之地，因為奪取這些地的目的，就是使以色列民可以享用其上的果子。戰爭永遠不可破壞其原有的目的。雖然使用不結果子的樹來築壘是容許的，但似乎也是限於作戰情況的嚴格需要。這樣，地上的環境——神的創造——是受到尊重和關注的。

進行現代戰爭時若要尋求一些原則，第二十章關乎戰爭的條例需要小心使用。第一個要求是把聖戰與別的戰爭分辨出來，即使在以色列也如是。聖戰的觀念只應用一次，就是以色列攻佔神所賜的應許地時。即使以色列一般的戰爭也是特別的，因為在那段神與人類交往的歷史時期，祂的子民是一個國家，一個政體。現在祂的子民是一個教會，而教會不會再這樣爭戰，沒有一個國家曾得到授命，可以假設神會在她參與的戰爭中，並進駐於她的軍隊——縱使那些戰爭被看為公義的。同一道理，基督徒那「公義之戰」的理論，不可以本章作為應許，去打一場形勢極差的戰爭。

另一方面，在所有戰爭中，人仍要保持克制，要運用外交策略，並且對非戰鬥員要憐憫和尊重。而根據第19-20節，任何大規模破壞生態的戰爭，應予以反對。

二十一1-9 不能解決的謀殺案 我們已經看過懲罰殺人者的條例（十九4-13）。在謀殺案件中，問題不單在於把有罪的人處罰，也在於整片土地和其上的民要作宗教性的潔淨（十九13），以致聖約可以延續。殺人者若不能尋查出來（而此處的條例似乎假設這是一宗謀殺事件），這地便不能按正常程序得到潔淨，即把殺人者處死（並參創九6）。因此，

這律法提供另一個潔淨的方法。

潔淨的程序由最接近的事發現場之城中的長者負責（2節）。他們在禮儀中要宰殺一頭母牛犢。無論母牛犢或用來進行這儀式的地方，都要未曾用來耕種（3-4節）。因此，這儀式好像一次獻祭，而其中受害的母牛犢和進行儀式的地方，都好像是特別為這目的而設的——但這儀式並非真的是一次獻祭（因為牲畜的血並沒有放出棄掉）。這也像是為被殺者所流的血贖罪的一次獻祭（利十七11）。

最接近現場之城的長老代表全以色列進行這贖罪的行動（8節）。然而，他們本身並沒有犯罪，正如洗手的儀式所表示的（7節）。

二十一10-14　娶被擄的婦女為妻　這律法隨著對待外地戰敗國的律法而定立（二十10-14，尤其是14節）。一個人經過某些儀式之後，就可以娶被擄的婦女為妻。剃頭髮、剪指甲和換過衣服，是「父母」哀哭的象徵。這做法是指她為離開家人和本地而哀哭。因此，這些儀式代表她離開了父家，過渡至作為一個以色列人。

儀式一旦完成，他們便可以完婚。若丈夫為了任何理由，後來決定把她休棄，就必須視她為妻子去待她，不可待她如奴婢，這樣，她便成了一個自由人。譯作「玷污」（14節）的原文可能只是完婚的一種表達法，藉這行為，她得著了自由。

二十一15-17　長子的權利　這律法叫我們想起雅各和兩個妻子利亞與拉結的故事；拉結是較年輕和得寵的妻子，而利亞則是首先懷孕的（創二十九21-35）。這個關乎長子權利的律例並不是新的，也不限於以色列人，這律例卻是保障長子的權利，為免父親按他的愛惡來對待他的孩子（參創四十九3-4）。

二十一18-21　悖逆的兒子　悖逆父母的人要受到嚴厲的懲治，因為這行為違背了聖約的基本誡命（五16），而家庭是以色列人持守聖約的一個主要單位（六7、21-25；比較可七10）。大概所談及的是一種嚴重的悖逆；第20節指出那種放任的生活方式，可能只是他父母要糾正他的悖逆神之態度的一種表現

（18節）。

這種表面上不自然的律法，目的是要強調父母有責任維持聖約。原則上，若因兒子妄顧聖約的標準，而危害整個社群的安定，父母便有責任向兒子採取法律行動。在新約也一樣，對神的愛和天國的熱望，必須過於對家人的忠誠（太十37；參可七9-13）。

二十一22至二十二12　各種不同的律例

第22-23節「掛在木頭上」可能指釘在木架上，那是在處死後把屍首示眾（參撒上三十一10）。這大概是古時的一種習慣，目的是在人死後，繼續使他蒙受羞辱。這樣，可表示一個破壞聖約的人，是受神咒詛的。不埋葬假設是防止死人在死後，靈魂會得到休息。律法在此處這種限制，也許是由於殺人者的咒詛或多或少會玷污整個民族（23節下）。加拉太書三章13節說，基督為眾人的罪受律法的咒詛，其基礎就是這律法。因此，祂被處死之方法的可怖，不單在於其痛楚，也由於當中的羞辱。

二十二1-4律法不單說「你不要」，也說「你要」。這是因為律法是要確使全體都得到好處。以色列人若真的是弟兄姊妹，他們就有責任為彼此的好處設想。這些義務是要保障以色列同胞的生計。申命記至此最能表達律法中愛鄰舍的觀念，無論這要付出任何代價（參利十九17-18）。

第5節不單指衣著方面，也關乎某些歪曲的性行為，其表現就是穿著異性的服裝。這律法所針對的可能是同性戀（參利十八22，二十13）。也可能是一些非以色列宗教儀式中顛倒性別行為，因此這做法受到責備。

第6-7節關注的顧像戰時保護結果子的樹免受破壞一樣（二十19），那就是保持應許地之肥沃多產。母鳥要放生，因為她可以繼續生產。此處可能也是對大自然的尊重和愛護，以及保護食物的來源。

第8節築欄杆的律例目的是保障生命安全。像1至4節的指引一樣，此律例顯示律法不止防止人以暴力和貪婪的行為傷害別人；律法也要求人盡其所能去確保別人的安好。

第9-11節這些禁令背後的原因，在我們看來已不再清晰。那可能是對不同種類之創造物的尊重（例如創一11：「各從其類」），也可能由於這樣的混雜在埃及中是著名的。

在第二種情況中，此律法能標示出聖民以色列人的獨特性，因此是他們全心歸向神的外在表徵。若這些外在表徵被濫用（太二十三5），他們就要常常彼此勉勵，去過聖潔的生活。

第12節繼子的用意是使佩帶者常常想起神的律法（民十五37-41；並參申六8-9，此中有類似的觀念）。

二十二13-30　關乎性關係的律法　第13-21節的問題是新婚女子是否處女。此律法所考慮的情況是，丈夫在與新婚妻子行房後，才指責她不貞。這指責本質上是很難證明其真假的。然而，此事可進行審訊，並假設證據是可以取得的。

「貞潔的憑據」可能指洞房時在床上染了血的床布，又或是一塊顯示女子最近之經期的血布，從而證明她在結婚時並沒有懷孕。後者較有可能是女子父母可以提供的證據。

指控若證明是虛假的，那人就要受鞭打，並要對妻子的父親作出賠償，以彌補其名譽之受損。若發現女子實在有罪，她就要被處死刑，因為她犯了姦淫的罪（比較23-24節）。

第22節犯姦淫的懲罰是男女雙方都要治死，因為犯姦淫破壞了聖約基本的律法（五18）。這律法是否執行視乎被冒犯之丈夫的決定（箴六32-35）。惟有犯罪者當場被捕，才會判以死刑；這是整個古代近東一帶共有的觀念。

第23-29節續談犯姦淫的律法，因為當中所關注的，是一個男人與一個已許配別人的女子行淫。至於案件是強姦還是通姦，則在乎女方是否默許此事。在城裏，她若不叫喊，則被視為默許（23-24節）；若發生在郊外，人往往對可疑之處作有利於她的解釋，因而只有男方被處死（25-27節）。

律法對已訂婚的女子和未訂婚的女子有不同的處理，這對現代讀者來說是奇怪的（28-29節）。這是因為關乎婚姻的律法，在以色列中跟關乎家庭與產業的律法有密切的關係。人要為其新婦而把一筆為數不少的聘禮交給女子的父親（出二十二16-17）。一個人若強姦或引誘一個還未訂婚的女子，補救方法就很簡單：他必須娶她為妻，並交出聘禮

（29節）。

第30節正如二十一章15至18節顯示，當時的社會並非嚴格奉行一夫一妻制。本節所指的淫行是特別要受譴責的（縱使假設那人的父親已離世），因為這破壞了人要孝敬父母的誡命（五16；比較二十七20；利十八8，二十11）。

二十三1-8　不可參加聖會的條例　「耶和華的會」是一群在會幕或聖殿敬拜耶和華的以色列人。在敬拜中屬乎以色列的群體，就是全然屬於她。古代也像現今一樣，人常常遷往新的地方居住。以色列人在他們的應許地落地生根後，他們面對的一個問題，就是基於甚麼條件容許住在他們中間的外邦人可以有效地成為以色列的一分子？

第1-2節被排拒的人，極可能是由於他們參與別神的敬拜而受排斥。**第1節**所談及的殘缺，可能是因人參與偶像崇拜，也許是女神伊施他爾(lshtar)，而傷害自己的身體。「**私生子**」（2節）可能指與廟妓交合所生的子女。

亞捫人與摩押人永遠被拒於以色列的聖會，因為他們在以色列人前往應許地時，堅決拒絕讓他們經過。摩押嘗試以邪術防止以色列人到來，卻無可避免地得著惡報，因為耶和華有更大的能力（民二十二至二十四）。雖然如此，他們的敵意至此仍被提起。亞捫人大概也是這樣抵擋以色列人（參民二十一24），雖然聖經沒有記載他們與以色列人交戰（比較二37）。

另一方面，以東人和埃及人則得到較寬鬆的對待。事實上，兩者都曾阻擋以色列人前往應許地，開始時有埃及（出七至十四），而在途中則有以東（民二十18-21）。然而，這兩國的情況下，其他因素顯得較為重要：以色列人是在埃及得以繁衍，成為一個民族；而以東則在某種意義上，是以色列人的「弟兄」，因為以東人的祖先以掃，是雅各的兄長（創二十五21-26）。

二十三9-14　營中的不潔　許多自然的生理狀況，包括身體的排泄（利十五），都可以使一個人暫時在禮儀上算為「不潔淨」，即不適宜參與集體敬拜。**第9-14節**所指的是一般的結合，特別應用在軍營中。營外有便溺的地

方。以色列人的營必須是適合耶和華行走的地方（袖的同在可能是以約櫃來作象徵），因此，營內不容許任何不體面的事。

二十三15-24　各種不同的律法　第15-16節的律例是關乎一個從外地逃難至以色列的奴隸。以色列本身關於奴隸制度的律法，表示舊約反對以這種制度欺壓人；以色列本身實在也是一群逃難的奴隸。因此，以色列人必須為逃走了的奴僕提供庇護。

第17-18節指出迦南和巴比倫的宗教儀式中，包含有社會領袖與聖所的男女廟妓交合。他們以為這樣做可誘發諸神降雨，使土地肥沃。這在以色列的神看來是討厭的行為；袖使土地肥沃是出於袖對子民的愛，袖不會被這些邪術所操縱。

第19-20節的律法跟十五章1至18節相關（參該處的註釋），那是豁免債項和釋放奴僕條例。以色列中不可有貧富懸殊的現象，卻要促進以色列人的兄弟之情。因此，以色列人不可收取利息，因為這與應許地為共有產業的精神相違。因於兄弟情誼的觀念只應用於以色列，所以與外邦人交易時取利是被容許的。

第21-23節的向神許願是自願的行動，通常以獻祭來還願（利七16-18；詩二十二25）。此處的律法是基於在申命記中，言語和應許都有極大的重要性；整個聖約也基於此，因此，以色列人若隨意或無誠意地許願，在神看來是一種罪。

第24-25節的要點是容許人取地上的出產來充飢。律法把這做法與盜竊，或剝削鄰舍分別出來；鄰舍的生計就是倚靠自己的收成。

二十四1至二十五16　其他律法　第1-4節的律法容許以色列人離婚，雖然耶和華恨惡這事，如別處所載的（瑪二16）。（然而，請留意男人在兩種情況下不可把妻子休棄；二十二19、29。）此律法無意視離婚為合理的。人休妻的理由（「見他有甚麼不合理的事」）是不清晰的；那可能是一些禮儀上的不潔淨，或不孕，或荒淫。無論如何，經文沒有說那是休妻的充分理由。這條律法的重點只是防止被休棄的婦人在第二段婚姻結束後，再返回第一任丈夫的家（耶三1-5以這一

點為前提）。此律法的目的是使休妻的事顯得嚴肅和難以易轉，以免人輕草率行事。

第5節的律法與二十章5至7節的律法有關，那是豁免從軍的一些條例。此處進一步說明新婚者可豁免所有公務。此律法的重點在於要生養兒女，但使妻子快活的目的，也是申命記特有的重點；申命記強調應許地能使整個民族得著祝福。

第6-7節說明為貸款而拿取抵押品是可容許的（並參10-13節）。然而，此抵押品必須不影響借款人基本生活的權利，或賺取生計的能力（比較二十三17）。保障所有以色列人的生命也是第7節的基礎，這精神也在不可殺人的禁令中（五17），也在那關乎奴隸制度的律法中（十五12-18）。沒有一個以色列人可以完全控制另一個以色列人的生命。

第8-9節是關乎皮膚病的律例（大痲瘋所指的，可能是範圍更廣的皮膚病）是參照別處的律法，如利未記十三至十四章的律法。該處為患病者提供禮儀上得潔淨的方法。此律例只要求人留心遵守那些律法中的指引。

第10-13節的律法與第6節的律法有關。此處再次指出，拿取抵押品的原則是，不可藉此欺壓貧窮人，或使他陷入艱苦的生活中。第11節的命令是在一個人陷於困境時，人也要尊重他的自由和尊嚴。第13節下提醒人，貸款給別人應是慷慨的行為，要取悅神，並要嘗試使貸款的人復興起來。

第14-15節延遲付工價可以使窮苦的人陷入不必要的困境中。相反地，公平地對付工人，是把聖約的理想付諸實行的另一種方法（參太二十1-6）。在現今的環境中，這律法可指公平的僱傭條件，也許亦譴責不良的生意手法，如刻意延遲清還債項。

第16節的律法肯定每一個人在律法上的責任（這觀念在結十八逐漸顯示）。這與五章9節並沒有矛盾，該處是關乎神的公義，而要點是罪的影響會延伸至後代。

第17-22節的律法是關懷那些不能自謀生計的人，就是寡婦、孤兒，和寄居的人（即新移民）。別處經文也吩咐以色列人要特別關懷這些人（十四29）。此處清楚指出他們得到律法的完全保障。給寡婦的恩待比平常的抵押條例更寬鬆（17節；比較二十四12-13）。以色列人本身在埃及時也是無助的，他們需要神的幫助，才得以自由和昌盛（18

節）；此處再指出以色列人的過去，給她現在的行為提供了模式。

關乎收割的律例，包含了二十三章24至25節的觀念，只是從相反方面去看。田地的主人在收割時應刻意留下一些農作物，給那些沒有農產資源的人。這樣，以色列中每一個人都能享用應許地上之出產的權利，再次得到肯定（比較路得記）。

二十五1-3此律法並非關乎審判的程序，這在別處已談及了（十七8-13），而是關乎笞刑的執行（若這是必須施行時，如二十二18）。問題在於一個人的尊嚴，而他雖然犯了罪，仍是「**你的弟兄**」。這片語暗示那受刑的人仍是以色列社群的一分子。（林後十一24反映後來只打三十九下的做法，原因是惟恐此律例因數算錯誤而遭破壞。）

第4節雖然保羅在供應福音使者上應用此律法（林前九9-10），此處卻是指牛隻，並且要對牠們的福利表示真正的關心：**牲畜可供人使用，卻不可濫用或虐待**。

第5-10節在古代以色列中，有兒子為他留名和承受他的產業，是非常重要的。因此，一個人死時若沒有兒子，是很嚴重的事。現在這律法（古代近東也有相似的律法）是使死人的某個兄弟作寡婦的丈夫，目的是要生一個兒子，算為死者的兒子。

兄弟有權拒絕履行此義務（7-10節）。他若這樣做，則暗示他希望繼承死者的產業，而不是傳給死者的「兒子」（民二十七9）。因此他拒絕履行義務會使他和他的家在以色列人眼中成為羞辱。

第11-12節在眾多以慈悲為懷和關注個人身體之完整的律法中（比較二十五1-3），這個使人肢體殘缺的獨有例子是很突出的。這或許意味婦人的行動會使那人失去傳宗接代的能力。「**眼不可顧惜他**」這句話，很像「以牙還牙」律法的字眼（十九21）。這懲罰是很直接地應用「以眼還眼」等條文。縱然如此，使身體殘缺的刑罰在以色列中是異常的，而在此個案中，可能反映傳宗接代在聖經觀念中是非常重要的（比較創一28；詩一二七）。

第13-16節的律法與申命記一向關注避免剝削以色列同胞，卻要為他們的好處著想的旨趣相同。

二十五17-19　記念亞瑪力人的作為　這個對亞瑪力人嚴厲的判決，叫人想起他們怎樣在以色列人離開埃及的路上攻擊他們（出十七8-16）。他們阻止以色列人到達應許地的意圖，使他們與摩押和亞捫相似，而摩押和亞捫也為了這個原因，而永遠不得進入以色列人的聖會（二十三3-5）。由於亞瑪力人所使用的方法，他們的罪似更嚴重。耶和華對他們的仇恨是永遠的。到了適當的時候，神指示掃羅執行這個對付他們的判決（撒上十五2-3）。

這命令也許是要結束自十二章開始的一系列律法；其中「得享平安」（19節）這句話，叫人想起十二章9節。

二十六1-15　初熟的土產與第三年的什一奉獻　我們看見由十二章開始的律法，已經在塗抹亞瑪力名號的命令中結束了（二十五17-19）。本章正式結束整個部分，內容是有關兩個禮儀的指引。這些都不是新的指引，但安排在此處，卻有一個特別的原因。

第一個禮儀是關乎「初熟的土產」，即在初夏把初熟的農產品獻給神。這禮儀正常是在七七節進行的（利二十三15、20；民二十八26）。申命記中關乎七七節的律例（十六9-12）並沒有清楚地提到初熟的土產，無疑因為此段經文是刻意地放在本書的這個地方。

獻初熟土產之例留至現在才說明的原因，是因為在一片新的土地上，第一次把初熟土產獻上，有著特殊的意義和重要性。此處之律法主要是想到以色列民第一次把應許地上的收成獻給神，而他們因著神把他們從為奴之地釋放出來，經過曠野飄流，至成為一群擁有自己土地的民。雖然以色列人在往後的日子也要定期把初熟的土產獻上，但此處這個禮儀有一些特別感人之處，就是他們以這儀式作為神確實成就了應許的證據。

禮儀中包含一種認信，以色列人在其中承認神的信實，並述說以色列民族之形成的故事骨幹。開始時提到以色列人的先祖雅各，在此稱為「**一個將亡的亞蘭人**」（5節）。這句話是指那不安定的生活和移居埃及的事，也指他在亞蘭或敘利亞度過的一段日子，他在那裏娶了亞蘭人拉班的女兒拉結和利亞為妻（創二十八5，二十九）。這認信繼續回想到移居埃及的事蹟，當時雅各家「人

口稀少」（創四十六8-27）；又想到他們遭受埃及人欺壓，後蒙神以大能的作為把他們拯救出來，最後到達應許之地（5-9節）。此處並沒有提到在何烈山上所立的聖約，似乎有點奇怪。然而，重點正放在應許的故事上，可追溯至以色列的列祖（創十二1），而現在這應許已光榮地得著成就。儀式在敬拜神的中心地舉行（2節），而此處也像往常一樣，提到以色列人的歡樂，和給窮乏人的幫助（11節）。

現在再看第二個儀式（12-15節），就是第三年的什一奉獻；我們在十四章28至29節已看過（參該處的註釋）。像獻初熟之土產一樣，什一奉獻也不是一個新的命令。此處重提也許是鑑於它是第一次在應許地上執行，並且由於它象徵了律法的精神。那就是以色列人的生活，包括敬拜的禮儀，是以慈悲和公義為念。事實上，本章內的兩種儀式，都涉及對窮苦人的關懷。

在第三年的什一奉獻中，敬拜者要宣告他已完成了他的責任，首先是把什一奉獻（此處稱為「聖物」）帶來，然後是遵守神的一切命令（13節）。**第14節**上的重點是確保什一奉獻的食物是按禮儀上正確的方法來處理的。食物會因著與死人接觸而成為「不潔淨」，即使是非直接的接觸；而由守喪者吃這食物，也算為與死人接觸。**「為死人送去」**的意思並不明確；那可能指迦南宗教上一種習慣，也許是向巴力奉獻，又或只是出於同情而給守喪者一點食物（耶十六7），這樣做會因著上述原因而使食物變得不潔淨。

這禮儀以一個禱告來結束，在禱告中承認兩個事實，而這兩個事實在申命記的神學中都是重要的。第一，神是靈，祂並非真的居於祂所選擇在地上為祂興建的聖所裏（並參王上八27-30）。第二，以色列人在應許地上所享受的一切好處，全是神的恩賜，而不是靠他們自己的力量而得（參八17-18）。這個關乎律法的冗長部分，適切地以強調應許地是一個恩賜來結束。

二十六16-19　約之協議

這段簡短的經文概述了立約雙方應有的責任。「今日」一詞是本書教導的特徵，它在此處指的是在摩押平原的日子，即以色列民正式接受摩西所說的話時。耶和華吩咐

（16節），眾民答應謹守遵行（17節），而耶和華則保證他們會是祂特別揀選的子民（18-19節；比較七6）。此處帶出的觀念沒有特別的約束力；它們在第七章的表達則頗為不同。此外，以色列人蒙揀選，是為了作聖潔的民，在世上彰顯神；最終這民是蒙揀選去把基督帶到世上來——雖然是，吊詭地，因他們沒有遵守這約。無論如何，這聖約的要素是：神和祂的子民雙方衷心地守約，是為了神名字的榮耀，以及以色列民的利益（比較利二十六12）。

二十七1-26　筆錄律法

二十七1-8　以巴路山上的祭壇　此處是兩個儀式的指引，而這些儀式要在以巴路山舉行，而在第二個情況下，也在基利心山舉行。這兩座山在示劍附近，接近應許地的中心，而以色列民要在進入應許地後不久，即舉行這些禮儀。第一個禮儀（已在十一26-32預示）是在以巴路山上豎立幾塊大石頭，上面寫上「這律法的一切話」，可能指一至二十六章全部的內容。因此，這些寫上律法的石頭，要永遠作以色列人的提醒。

豎立石頭後要嚴肅地獻祭，並要為獻祭而另立石壇。示劍似乎並非耶和華所選擇及以色列人所尋找的敬拜中心（十二5）；以巴路山上這敬拜的行動是一件獨特的事件，標示著以色列人開始在應許地上生活之始，先確定與神所立之約。關於築壇的條例，參看出埃及記二十章24至25節。

在整個儀式中，申命記再次像古代的條約般，立約每一方的神廟裏均備一份條款，而儀式也伴以獻祭。事實上，這儀式後來由約書亞來執行（書八30-35）。

二十七9-26　從以巴路山發出的咒詛　摩西和祭司聚集眾支派，準備他們在示劍的山上進行第二個禮儀。古代的條約常伴隨著嚴肅地宣告祝福和咒詛。眾支派要分為兩組，在兩座山上（12-13節）宣佈祝福和咒詛。本段經文只記錄了事件中所宣佈的咒詛，並且宣告者並非在以巴路山上的支派，而是「利未人」——可能是特別負責這項任務的利未人，他們可能是駐於兩座山之間，在約櫃周圍（這利未支派聚集在基利心山準備發出祝福。）約書亞記八章33節描述了這儀式。我

們必須假設與這些咒詛相應的祝福，也會宣讀出來。

咒詛本身是基於五經所記載的律法，並非只基於申命記。例如，使瞎子走差路（18節），與獸淫合和某些違反自然之性關係的咒詛（21-23節），均來自利未記（利十九14，十八9、17、23）。因此那些咒詛就不是申命記之律例的撮要，雖然其中也多有迴響著申命記所關注的事情（例如15、19、26節）。然而，咒詛全都或多或少與十誡接近：第15、16、24節的咒詛明顯是這樣；第17、18、20至23、25節的咒詛，正如許多舊約律法一樣，是從十誡推論而來的。暗中犯罪的觀念進一步把這些咒詛結合起來；縱使有人暗中違反神的律法，並且顯然不能按律法程序加以審訊，但神也會找到犯罪的人，並施予懲罰（留意「暗中」一詞；15、24節）。

此處所記載的咒詛跟第二十八章並不相同。第一，這些咒詛是針對那些犯了各種不同律例的人，並且使他們與眾民隔離。它們像律法的作用一樣，目的是把惡從眾民和應許地中除掉，以致聖約得以繼續（二十二21下）。在牽涉暗中犯罪時，它們就像處理懸疑的兇案一樣（二十一1-9）。第二，這些咒詛集中於罪或罪惡的本質。然而，第二十八章的咒詛與祝福，則並非關乎個人的罪，而是關乎以色列民整體的悖逆，（因著這樣的悖逆）焦點集中於懲罰本身。第三，這些咒詛是特別在以巴路和基利心山的儀式上宣告出來的，而後來的咒詛與祝福，則是摩西於摩押平原上有關聖約教導的一部分。

二十八1-68　祝福與咒詛

二十八1-14　約之祝福
摩西繼續在摩押傳講聖約，述說守約所得到的祝福，及違約之咒詛。此處再次根據古代盟約的模式，以這些祝福和咒詛（實質上是頗為相似的）來激勵人忠於聖約。

祝福跟書中一些熟悉的主題相關：以色列是神的選民（1、9-10、13節；比較七6，二十六19），脫離仇敵，得享安息（7節；比較十二9），及繁榮昌盛（3-6、8、11-12節）。此中所看見的圖畫，是一群人得到神全面的祝福。其中關心的事，是無論何時何地，每個人都會著意的事。

然而，這些東西在古代地中海一帶並不

是當然會有的。政治上的不穩是正常的，農作物失收、長久的憂慮，可以使許多人落入貧困和滅亡之中。所有古代宗教，均以農作物得以滋長，仇敵得以驅除為中心。許多人相信巴力是確保農作物之收成的神（參何二5、8）。

申命記在其祝福（及咒詛）中，表示供應這些東西的是耶和華，而不是巴力。此外，在關乎生與死的事情上，確信法術、禮儀性的淫合和拜偶像，並不能給人帶來安穩。正確的做法是安靜地遵守聽從那獨一公義之神的話，神的心願是祝福人，而不是折磨他們。申命記教導我們，神的宇宙是理性和合乎道德的，而祝福與咒詛就是這教導的重要部分。人類並不是漂浮在充滿疑慮和危險的大海上。對於生活上的基本需要，他們可以安心，因為他們知道神是怎樣的一位神；他們甚至可以和神建立關係！

二十八15-68　約之咒詛
經文中談及咒詛的篇幅比談及祝福的還要多，大概是為了強調不守聖約的嚴重性。此處主要是上述祝福之圖畫的反面，是關乎所有人類災禍的大膽畫像。

第一組咒詛（15-19節）是3至6節之祝福的迴響。這裏是關乎日常生活的痛苦，這些苦難影響著生活的基本需要，和不同家庭的福祉——人生的每一部分、每一時刻。

生活上一切的不確定都被描繪出來（20-24節）：生活隨時會遇到突然的損害、疾病和乾旱缺乏。人若不遵守聖約，神「永久的膀臂」（三十三27）就不會保護，免受這些事物之侵害。他們也不能免受敵人之侵擾（那是聖約中一個極大的應許，十二9）；相反地，悖逆的民會嘗受被擊敗的滋味（比較25節與7節；以色列人在第26節的光景，可能是戰敗的結果）。耶和華不但不會撫養祂的子民，如同父親撫養兒子一般（一31），現在似乎更向他們懷恨，把祂曾拯救他們脫離的災病加諸他們身上（27-29節）。第30-35節集中指出人不能享受律法已為他們作出的保證。人本來得以豁免服兵役，是為了讓他建立穩定的家庭生活，並享受神的各種賜福，現在妻子、兒女、房屋、葡萄園、牛羊牲畜為他帶來的歡樂，都一一溜走，均落在別人手上了。這是六章10至11節那白白得到之財富的

相反。

上述列舉的痛苦那麼可怕，主要由於當中並沒有得拯救的盼望。人若在神裏面有盼望，則許多痛苦都能忍受。然而，這裏那冷酷的事實是，祂已把祂的幫助撤回。至於那些已離棄聖約的人，他們並沒有約中的盼望。

悖逆之民的前景，是一片荒涼。經文從那些普遍悲慘的圖畫，把焦點收窄至未來的歷史事件上，這些事件會帶來以色列民的衰亡。這些事件中摻雜著其他較常有的損失（如38-44節）。把那關乎「首與尾」的俗語（43-44節）與13節和二十六章19節作一對比，並留意以色列從前之勝利中的「神蹟與奇事」，現在怎樣反過來要對付他們（46節；比較二十六8）。經文現在集中在以色列人戰敗與被擄的圖畫上。**第36-37節**大致地宣告這事；**第49-57節**描繪圍城的可怖景象，眾民在那裏竟淪落至作出最野蠻的行徑。最後，是被擄之痛苦經歷的描述（64-68節）。作者以假借的筆法，把此事喻為返回埃及（68節）。但事實上，這是摩西死後數個世紀，北部以色列被亞述擄去，而稍後，猶大被巴比倫的尼布甲尼撒王擄去。

被擄是約中最壞的咒詛。事實上，**第58-63節**視被擄為把聖約所應許的祝福完全倒轉過來，完全抹煞掉，而耶和華為祂子民贏取的東西也全然失去。留意那些曾臨到埃及身上的災難怎樣臨到以色列（59節）；那一度離開他們的「埃及的惡疾」（七15），現又再重現（60節）。那使他們在自己的地上繁衍眾多的應許也取消了（62-63節；比較創十五5、7）。以色列人在耶和華面前的生活，緊緊繫於應許之地。應許地之失去，是以色列人受咒詛的極點。當這咒詛臨到，人或許會問：這以色列民還有前途嗎？

以各樣祝福和咒詛來刺激以色列人守約，似乎有點粗野。然而，它們確肯定了一些重要事情。以色列四圍的列國認為宇宙是不可預知的，其中有許多神在不同的事件上運用其影響力，並且能任意專橫地行事，不管甚麼道德原則。以色列人在獨一神的約中，知道惟有祂掌管著各樣事情，並且祂常常按著向我們所啟示的性情來行事。上述的咒詛展示一個知識，或是一個恐懼，是關乎人類社會中可能發生的最壞的事情。但神掌

管著人類生活中的一切，給人帶來盼望，那是不認識祂的人不可能得到的。

以獎勵和懲罰來激勵人的方法，並不限於舊約之內，它也深植於耶穌的教訓中（太五17-30，二十五31-46）。

二十九1至三十20　摩西第三次講話
二十九1-29　聖約被毀

下面兩章聖經有自己的引言，常被看為摩西的第三次講話。然而，這部分並非完全與先前冗長的講話劃分出來（即自四44開始的講話）。正如本書開首的話（一1-5）前瞻摩西有關聖約的教導，現在這新的開始（二十九1）則回顧這教導。在五章2至3節中，何烈山上的聖約，被視為在這第二代的生活裏已開始生效；在這裏，摩西的講道實際上被視為進一步的聖約，加在何烈山之聖約上，但也從屬於它。這樣，**申命記不單是一份重述聖約的記載，它本身就是一份更新聖約的文件。沒有一個世代可以把這與耶和華立的聖約看為理所當然的，而是必須常常以重新承諾和委身，來使聖約真真正正成為自己那世代的約。**

第二十九章中的講話，又提及那些現已耳熟能詳的主題。第一（2-8節），摩西重述耶和華帶領以色列人進入應許地時，給他們的一切眷顧關懷。本章是第一至三章的撮要，記載著以色列人一路來到應許地邊緣的行程。**第5-6節**（比較二十六8）提到神帶領以色列人離開埃及時，在路上向他們彰顯的超凡大能；**第7-8節**則提到他們攻取約但河東之地的事蹟，這事蹟在二章26節至三章28節有更詳盡的記載。

第4節發出了一句警告的話。以色列人已看見和聽見許多事情，應足以讓他們明白和接受這約。摩西給予他們的一切律例，應足以使他們有智慧（四6）。然而，摩西知道他們仍未有智慧。他這句話的意思可能只是說，他們需要多一點時間去認識、領會神的律法有多好，對於完全的生活是必須的，以及遵守這些律法是多麼重要。然而，我們不能不懷疑——並非第一次了——以色列人是否有那種特質，去作忠心的守約者（並參九4-6及註釋）。

第9-15節所考慮的，是神昔日所有與祂子民相處的事情，從給列祖的應許開始（13

節）。然而，重點加強於現今守約的需要（10、14-15節）。聖約影響著群體中的每一個成員，甚至包括寄居的外邦人（11節）；神曾吩咐以色列人要善待這些寄居的人（十四28-29）。

摩西又再重述那被引誘去敬拜假神的致命危險（16-21節）。這提醒是基於第一條誡命，即只可忠於耶和華（五7），沒有這種忠誠，與神交往的生活是沒有可能的。因這緣故，**反對敬拜假神是申命記一個重要的主題**（七1-5，十二1-4），而引誘人參與這種敬拜，是罪無可恕的（十三章）。一個極可怕的危險是以為蔑視神律法的行為，是無關緊要的。這是對神的不信，及愚蠢地倚靠一己的力量。那使人走入歧途和信靠別神的，此處指他本身也全然是受了迷惑，以為他可以為自己帶來祝福和平安，但這些是只有神才能賜下的禮物（19節）。然而，他受迷惑並不可作為求饒的藉口，因為他必是認識了拜偶像的事，又常常想著這事，才會受迷惑。因此，由於這罪惡本身，也由於它對神子民的危害，所以他必因此而受到最嚴厲的懲罰（20-21節）。

本章最後的部分（22-28節）似乎認為約的咒詛後來必會落在以色列人身上。其中所展示的遠象是被擄的境況。這地被踐踏的情況與所多瑪、蛾摩拉及其鄰近的城市（創十四8，十九章）相比；「**所多瑪、蛾摩拉**」已成為最嚴厲之審判的諺語（比較賽一7；何十一8）。神自己的子民聽見他們會受到所多瑪、蛾摩拉的審判，必然感到十分震驚，因為他們一向認為這兩個是全然罪惡之城。**第25-28節**所指的，是以色列民正在此光景中，但並非因為他們的神是軟弱的，而是因為祂把與子民所立之約的咒詛，降在他們身上。經文又諷刺地指出這世代的後裔（22節），預設是被擄歸回的難民，應親眼看見這地的荒廢。若他們正確地教導下一代，這災難便不會發生（比較六7）。

最後一節（29節）的意思是，未來的事仍是隱而未顯的；（畢竟）這些咒詛並非必然降臨。以色列民現在所認識的，是神的律法。他們賴以生活的，只是這些律法。

三十1-20　更新聖約

三十1-10　回轉歸向神　在第二十八章中，

約的咒詛以以色列被擄離開本國為極點（64-68節），而第二十九章的教訓似乎暗示以色列人被擄是極有可能的事。摩西跟著來到下一階段，因為**1-10節**是展望未來一段時間，那時被擄已成為一個事實。**第1節**假設祝福和咒詛是順序臨到的。那是說，他們想到將來的日子，當時眾民已享受過應許地的祝福（在摩西的日子，他們正準備進入這應許之地），後來卻經歷約的咒詛，因為他們不能持守聖約。這是聖約中所關注的一個新境況，因為在此之前，教訓一直集中在勸勉以色列人要忠心，以致能全然避免遭受災難。

然而，本段經文顯示，**縱使約的咒詛必然臨到，那也不一定是神與其子民之關係的終結**。當神揀選以色列，並與他們立約時，神的恩典已奇妙地向以色列人顯明。雖然神已作出這愛的行動，祂的恩典卻不曾用竭。

神的子民是有前途的。然而，那並非自動地出現。他們必須符合一個條件，那就是真心悔改（2節）。這民的復興將會像他們第一個祝福一樣，包含著應許（土地、人口、繁盛；5、9節）和命令（6下、8、10節）。然而，這新的安排會比第一次成功嗎？本段中一個新的要素承認此中的問題。

這新的要素是，經文看耶和華在他們的命運上，是扮演一個新的、決定性的角色。他們得以在本地再次復興，是靠著神的力量。（這就是第3節「**將你招聚回來**」的意思；並參耶二十九14，三十3。）然而，不但如此，神還要在他們裏面造出一種新的能力，使他們能忠心。「**耶和華你神必將你心裏……的污穢除掉**」（6節）這句話，正蘊含這個意思；而十章16節中相同的說法，只是表達一個勸勉。耶和華會用一些不可思議的方法，更新這段關係，使祂的子民信心堅定（但他們的悔改卻不能略去；2節）。這並不減少他們真心信服的需要；他們仍需為著與神的相交而負責。新約指出，聖靈的職責是使基督徒能勝過他們罪惡的本性（羅八9-27；加五16-25）。按著這新約教導，我們或可明白上述的要點。

三十11-20　神的話不是遙遠的　本章下半部返回現今的境況，像先前一樣，強調「今日」（15節）的日子。這部分表示以色列民事實上有一個真正的選擇，信心的堅定是他們

可以做到的。上天或越洋去尋求真理的意象（12-13節），反映出古時許多人的感受；他們感到生命的意義是一個極大的奧祕，人要向諸神百般懇求，才能知曉。相反地，有關生與死、善與惡的真理，已包含在神藉著摩西向子民述說的話語中（14節）。人無法找到拒絕回應的藉口，卻可以在生與福、死與禍之間作出一個嚴肅的選擇（15節——在16-18節加以詳述）。以色列人按著他們即將進入應許地上繁榮昌盛的程度來了解這一點（20節下）。然而，這原則是永遠地給所有人的，讓他們在今生和來世擁抱生命。因為耶和華自己就是生命（20節），並且祂不會消失，不會過去。

三十一1至三十四12　從摩西至約書亞

三十一1-8　摩西給約書亞的吩咐

摩西主要的講話已結束。行動的時間已近；神的應許不久就要應驗。申命記餘下的篇幅是記載摩西把領導的權責交給約書亞，還有摩西的臨終贈言和摩西離世的記述。

第1-8節提醒我們，摩西冗長的講辭是在摩押平原進行的。以色列人已取得部分土地，就是約但河東之地，而一些仇敵已被擊敗（西宏和噩；比較二24至三11）。大業尚未完成，但神已告訴摩西，他在其中的任務，以及他的生命，會在約但河東結束（一37-38，三23-29）。

神承諾會使以色列民得勝，正如祂在過往所作的（3節）。以色列民的責任是顯出他們的信心和勇氣（6、8節）；他們曾在這方面大大失敗，延遲了進入應許地的日子（一26-36）。對於應許地上餘下的民族，他們必須完全予以征服（5節下；比較二33-34，七1-5），因為容許他們留在以色列民中，他們虛假的宗教便會危害眾民。這段經文首尾都有神同在的確據（3、8節）。祂的子民實在可以充滿勇氣，因為神已應許必與他們同在，祂決不食言。

三十一9-13　宣讀律法

摩西鄭重地把他所述說的律法寫下來。也許在他向眾民講話期間，他已陸續把律法寫下來。顯然摩西的話不單要傳講出來，還要寫下：耶和華已吩咐以色列人在以巴路山

上的典禮中，把律法寫在石上（二十七1-8）。這也暗示律法要以條約的形式保存，好叫聖約得以常常更新。摩西把文件交給抬約櫃的利未人。**約櫃象徵神在祂的子民中間**。聖約的話收藏在約櫃中，意指並非由於以色列人擁有這有形可見的東西，神就必然與他們同在。眾先知也經常指出這一點；他們知道就是聖殿也可以成為信心錯置的對象（耶七1-15）。

律法的話當然要常常緊記和教導；這確實是本書重要的主題（六6-9、20-25）。此處再額外提供一個機會，就是每逢到了第七年的住棚節（十六13-17），律法書要在以色列眾人面前嚴肅地念出來。這樣做，是全體以色列人（包括住在他們中間的外邦人，比較二十九11）聽從神之命令的一個強力表徵。至於在以色列人的歷史中，這做法維持了多久，我們不得而知；它可能早在士師時期的宗教衰落期間，已被以色列人遺忘和摒棄。可能約西亞王宣讀律法之舉（王下二十三1-3），是意圖恢復這定例——雖然是晚了一點！

三十一14-29　預言以色列不忠

跟著是一個嚴肅的差遣儀式，這儀式在會幕中舉行（約櫃自曠野時期開始已放在會幕中），而耶和華在其中把領導以色列人的責任從摩西轉至約書亞身上。他們經歷了耶和華在雲柱中的同在，而雲柱是停在會幕的入口（15節）。從前在雲柱中與神同在是摩西特有的權利（出三十三7-11）；現在這權利也賜給了他的繼承人。

耶和華首先向摩西說話，祂談到以色列民後來要離棄祂和與祂所立的聖約（16節）。第17-18節扼要地說出他們這行為所帶來的咒詛（二十八15-68），但眾民卻似乎要因他們應得的懲罰而向神提出控訴（17節下）。由於耶和華知道以色列人有一個不順服祂的心（21節下），因此祂叫摩西寫下一首歌（記載在三十二1-43），這歌要用來責備他們的不忠不信。摩西按著指示做，並把它說給以色列人聽。他們現在已得到足夠的提醒，不單知道不守聖約的後果，還知道他們的軟弱和悖逆的傾向。

耶和華隨之向約書亞說話，囑咐他要剛強壯膽（23節）。他有足夠的資格去承擔這任

務，因為他是不被敵人之勇力嚇跑的兩個探子之一（民十四30-38），早已得到神的承認。

最後，作者再次交代說，摩西把寫下來的話（現稱為「律法書」；比較王下二十二8）交給利未人（25-26節；比較9節），並吩咐他們召集眾支派來聽他的歌。摩西的語氣頗為悲觀（像二十九22-28；並參三十1）。摩西認為眾民必不能持守聖約，因為他已親眼看見他們的行為（27節；特別參看他們在何烈山悖逆神的事蹟，出三十二；申九7-29）。約之咒詛必會臨到。

三十一30至三十二43　摩西之歌與最後的勸勉

摩西跟著說出詩「歌」的話，那是神已告訴他的（三十一19），目的是警告以色列不要違逆祂和祂的道。這歌跟本書其餘部分的講道風格頗不相同。它以詩體寫成，而內容和風格則類似詩篇和先知書。

開首3節詩句（1-3節），是呼召人來敬拜神（比較詩二十九1-2），作出讚美神的宣告。它們也顯示這歌要用來見證已立下的聖約。這從摩西籲請諸天和大地來聽他要說的話可見（比較三十19）。見證人在古代近東的盟約中扮演重要的角色，而這些見證人一般是立約之國的諸神。由於以色列人信奉獨一的神，不能以別的神作見證，於是摩西改而籲請天和大地作證。

下一部分（4-14節）轉為讚美神。作為「磐石」，神是拯救人的那一位，人並可在祂裏面得到蔭庇（詩十八2）。祂的誠實無偽和正直公義，是主要的特質（詩二十五8-10，三十三4；約十四6；啟十五3，十九11）。這些特質自神開始與以色列人交往時，便已在祂的慈愛中彰顯出來（6下-14節），儘管他們只是忘恩負義的（5-6節上）。此處記念神是創造主，特別是創「造」以色列的主（比較賽四十三15），是他們的「父」。父親的稱謂是一個較許多立約言語親密的用詞，是神愛其子民之故事中一個重要的標誌（比較一31；出四22；何十一1）。

這歌又談到神創造世界，和掌管列邦，指出神揀選了以色列（8節）；這事也在征服約但河東的故事中作出迴響（二5、9、19）。（詩歌中並用「至高者」一名和「耶和華」這獨特的稱謂，只是作為寫作上的多樣化。「至高者」一名也用在創世記中，例如創十四22，並且適合用以聲明祂在宇宙萬物中有最高超的地位。）然而，以色列（「雅各」）在祂的計劃中有特別的位置（9節）。神在曠野荒涼之地「遇見」以色列的說法（10節），是以詩歌的形式，記念曠野飄流的時期，而略過了那事蹟裏的許多細節，包括在埃及的日子。鷹與雛鷹這溫馨美麗的景象，表達了神的愛心關懷和訓練子民求生（詩中描述母鷹訓練雛鷹飛行）。這些觀念，加上神的獨一性（12節；比較六4；賽四十三10-12）及祂給予子民豐富的供應（13-14節；比較八7-10），在書中都是十分強調的。

在說出這些讚美話之前，詩歌已暗示以色列人有悖逆神的傾向，不管神對他們有多好（5-6節上）。以色列人的悖逆，是一種極不合自然的忘恩態度（比較賽一2）。這重點現於第15-18節詳述。「耶書崙」（15節）是以色列一個詩體的名字。他們的悖逆尤其彰顯在拜偶像之上。這在全卷申命記中，都被視為最大的罪（五7，十三章）。此處對以色列人拜偶像的責備生動地表達了神的憤怒；正如眾先知指出，他們的行為也有輕蔑神的成分，因為那些「神」實際上並不是神（17節；比較賽四十四9-20；耶十11）。這些所謂神都是騙子，他們完全未曾與以色列同行；獨一的真神跟他們多麼不同，祂曾盡心地關懷和愛護祂的子民，在每個世代中，多次顯出極大的忍耐。以色列的易變和不專在此可說是描寫得淋漓盡致。

詩歌繼而轉為述說一個審判（19-27節）。因為以色列背棄神，所以神也會背棄他們。因為以色列觸動了祂的「憤恨」（比較五9）和怒氣，所以祂也會觸動他們的憤恨和怒氣（21節）。這審判是適切的。最壞的情況是祂從民中隱藏起來，雖然祂曾藉摩西的話把自己彰顯出來。神的隱藏是詩人感到最難堪的事（詩十1，十三1）。此外，神用來審判以色列的，是一群愚昧的國民，即他們並沒有認識律法的權利；那些律法是耶和華向以色列人顯明的（四6-8，二十九4）——這民所敬奉的，是不算為神的神。以色列竟被這樣的民征服，是一個極大的諷刺。此中的刑罰（23-26節），使人想起約的咒詛（二十八15-68）。耶和華自己也認為以色列遭受一群沒有

神的國民打敗，是一件極不協調的事（27節）。這樣的事只會使他自己的名在世上蒙羞。

詩歌進一步談論這些仇敵（28-33節）。一個沒有神的智慧（比較21節），也沒有神應許與他們同行的民，竟能勝過神自己的子民——他們卻有上述的權利——那是一件荒謬的事。這樣的國民的成功和昌盛，最終是不真實的，因為他們的根基是虛假的（32-33節）。因此，祂用來審判以色列的民最終會敗落。這樣的國民並非為神發熱心，他們只是為了自己的利益而行。執行審判的傀儡最終也受到審判；這是給以色列的確據，讓他們知道，縱使神在審判他們，祂也是公正的；這也是先知預言中常見的主題（賽十5-19；耶二十五8-14）。這是神在伸冤報復（35節）。為了公平公正，為了神子民最終的救恩，神要伸冤。所有的錯誤，最後都要改正過來（羅十二19）。只有這樣的報復是有價值的；除此以外，任何復仇都只是一種自毀性的仇恨。

摩西之詩的最後一部分，也是神與其子民相交之故事的最後階段——他們的復興。審判到了最後，是有利於他們的審判（36節），是以色列中的虔誠人在受欺壓時一直期待的審判（詩七6-11）。以色列到達了最低點後，這審判便臨到了。在歷史上，這就是他們被擄至巴比倫後。這審判有積極的一面，就是向眾民顯示，那些似是有大能又吸引的外邦諸神，實在是毫無能力的（比較賽四十六1-2）。惟有耶和華是神（39節；比較賽四十一4，四十三10）。祂有極大的能力，祂把人「殺了」以後，也能使他「活過來」（比較何六1）。這是指祂在歷史上使以色列人被擄以後，又叫他們得以歸回故土（比較三十3-5）。在深遠的意義上，那是指耶穌基督的復活，神藉著祂，使所有得蒙救贖的人，從罪之死亡中活過來，與祂一同進入一個新紀元的生命之中（弗二1-7）。這首沉鬱的詩歌以一個讚美的呼喊來結束，摩西讚美這位在最後也會拯救祂子民的神，而且是把子民從自己的罪中拯救過來。

三十二44-52 摩西準備離世

摩西最後呼籲眾民謹守他已告訴他們的一切話（並非只是那歌），提醒他們那些都是生命的話（參四1）。他現在來到生命的終點。耶和華吩咐他上尼波山，他從那裏會看見他畢生努力要進入之應許地的全景，這美景會使他心碎，因為他不能踏足這片土地上。經文也再一次指出他不能進入應許地的原因（51節；參民二十10-13）。

三十三1-29　摩西祝福以色列民

三十三1-5　祝福之引言　摩西在離世前，為以色列眾支派祝福。這祝福有點像雅各（眾支派的先祖）臨終時給眾子的祝福（創四十九）。以撒也曾祝福雅各和以掃（創二十七27-29、39-40）。那是一個父親的權利。此處也許要以比喻的手法，把摩西喻為以色列的一位「父親」。無論如何，他都有一個特權去祝福眾民，因為他是一個「**神人**」（1節；比較詩九十之標題）；神人一詞是用以指先知的（王上十七18），而摩西本身就是一位超卓的先知。

這祝福的開始和結束時，都有讚美神的話（2-5、26-29節），焦點特別放在以色列人出埃及的故事上。耶和華「**從西乃而來**」的要點即在於此；祂曾在西乃山上賜下律法（在申命記中一般稱為「何烈山」）。文中提到曠野路上的一些地方，也是這個原因（2節）。耶和華愛子民的觀念（3節），屬乎整個揀選的神學（再次留意七6、7之中揀選與愛的密切關係）。那關係以透過摩西頒賜律法來作記號（4節），而兩件事加起來——在大能中把以色列從埃及拯救出來，並頒賜律法——使耶和華作以色列的王的身分建立起來（5節；參十七14-20之評論）。

第4節以第三人稱來指摩西，是本段經文的一個難題，因為整段都是摩西自己所說的話。有人提出第3節下至5節，是眾民回應摩西之開場白的話，被放在祝福之前〔P.C. Craigie, *Deuteronomy* (Eerdmans, 1976), p.392〕。然而，摩西以第三人稱提到自己也並非不可能的。這可看為一句來自他權威以外的話，並且是一些要記住和在以色列中重複述說的話。

三十三6　流便的祝福　給流便的簡短祝福，只是祈求這支派得以繼續存在。按創世記四十九章4節看來，這對流便來說並不是小事。作為一個支派，它已不再因為是長子，

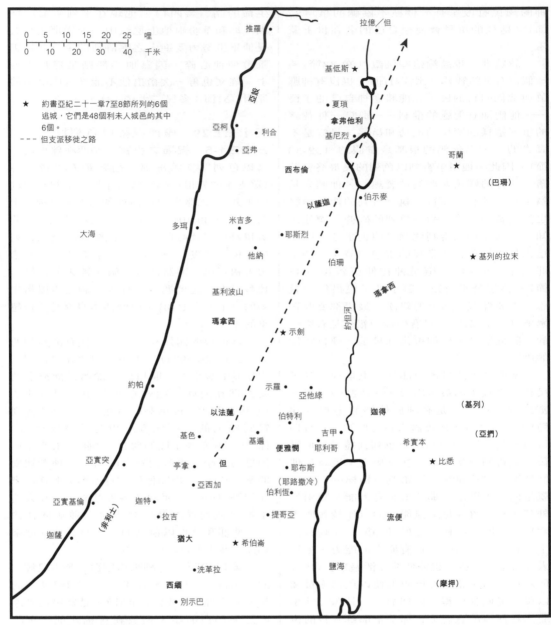

以色列各支派的分佈

而有任何優越的地位；也許它從未有過這種地位。

三十三7　猶大的祝福　這似是為猶大在爭戰中的安全而禱告，並祈求他們因倚靠耶和華而得勝。摩西的祝福並不像雅各那樣，明顯地給予猶大優越的地位（創四十九8-12）。

三十三8-11　利未的祝福　這祝福反映耶和華揀選利未支派為以色列人擔任祭司之職（十8-9）。土明和烏陵（常以相反的次序出現，出三十八30）是向神作出某些特別諮詢時使用的工具。利未在瑪撒和米利巴水受試驗的事蹟並沒有記載於聖經之中，除非此處認為利未支派在上述事件中是以摩西為代表（出十七1-7）。**第9節**表揚利未人為耶和華大

發熱心，那是在家庭以上一種更高的忠誠。此處所指的，可能是一個普遍的狀況，因為利未人奉獻作祭司的工作，便不能得到自己支派的領土（參十八2）。然而，這也可能是指一件特別的事情，即金牛犢事件以後，利未人熱心地執行任務（出三十二25-29）。利未支派作為祭司，有一個特別的責任去定期教導律法，這職責在吩咐他們保管約櫃時已交託給他們（三十一9、25）。這是在他們管理和安排眾民定期的獻祭和敬拜上的一項職務。給利未支派的祝福是祈求神在利未人執行他們嚴肅的職務時，賜他們能力和保護。

三十三12　便雅憫的祝福　這祝福視便雅憫為神所親愛的，也許反映著他父親雅各對他的愛。耶和華住在他「**兩肩之中**」是指耶路撒冷位於便雅憫境內（比較書十五8，十八28）——「**肩**」可理解為山脊。

三十三13-17　約瑟的祝福　這是最富感情的一個祝福，其中為了約瑟這個大支派的豐富而禱告。詩歌中提到自然界中廣闊的自然現象。**第12節**指露水是以色列一種重要的自然灌溉方法，並且特意地指古時一種信念，即土地是由地下的眾水所滋潤的。約瑟實際上被看為兩個不同的支派——以法蓮和瑪拿西（17節），那是因約瑟的兩個兒子而得名的。他們佔有以色列中部和約但河東廣闊的土地，其中包括一些最肥沃的土地。在雅各的祝福中，他也特別祝福這支派多結果子（創四十九22）。最後，這祝福描述約瑟的支派在戰爭中大有勇力，並且人口眾多（17節）。

三十三18-19　西布倫和以薩迦的祝福　這兩支派的領土位於地中海和加利利海之間。根據約書亞記繪畫出來的支派地圖顯示，這兩支派並不與約瑟支派接壤，而以薩迦只是接近迦得支派。然而，各支派的邊界並不能憑約書亞記的資料準確地繪畫出來，並且它會隨著時間而有所改變（比較創四十九13）。無論如何，這祝福指兩支派是因沿海而繁盛，可能是藉著漁業和貿易（19節下）。文中也認為兩支派能正確地向神作出感恩的回應，因為他們所有祝福都是從神而來。**第19節**提及的山可能是他泊山（比較士四6）。

三十三20-21　迦得的祝福　迦得的領土位於約但河東一片肥沃美好的土地上。至於祝福的第一句話，較佳的讀法可能是：「願迦得廣闊的地界蒙福」。「**他為自己選擇頭一段地**」可能並非指它為自己奪取最好的；得地的故事並沒有給我們這種印象（三12-16）。重點只在於那是一片美好的土地。暗示迦得支派之強悍描述，可能是前瞻它在奪取應許地時所擔任的崇高角色（書二十二1-6）。

三十三22　但的祝福　這簡單的一句話暗示了但支派將來有未可預料的潛質。「**從巴珊跳出來**」這句話頗為奇怪，因為但支派從未佔領巴珊。這片語可能只是延續小獅子的意象。另一種看法是，「巴珊」一字或應譯作「毒蛇」，這樣，整個句子便作「〔但〕膽怯地避開毒蛇」，這是一幅很不相同的圖畫，描繪出但的膽怯（比較創四十九17）。

三十三23　拿弗他利的祝福　這句給拿弗他利的簡短祝福只提及他的地業。「湖」（譯按：新國際譯本：「可以得南界至湖的地為業」，23節下）是指加利利海。拿弗他利佔有加利利湖以北的土地，而沿著湖邊的南部是最肥沃的部分。因此，「至南方的湖」這句話可從拿弗他利本身的角度去理解，因它主要是位於加利利湖以北。

三十三24-25　亞設的祝福　亞設祝福中的油是橄欖油，在聖經時代是極珍貴的東西，因為它可用作煮食（民十一8）、治病（可六13）及作個人衛生用途（撒下十二20）。許多聖經作者以橄欖油為豐富和喜樂的象徵（詩一〇四15）。把腳蘸在油中的景象，是表示一種奢華的生活，是極其繁盛的預兆。亞設也給描述為有著堅固的防禦，也許由於它位處北方的邊陲，容易受到敵人攻擊。

三十三26-29　結語　第十二個弟兄西緬在此並沒有出現。事實上，西緬在攻取應許地的早期已不再是一個獨立的支派，他似乎被納入了猶大支派之中。

　　最後幾節經文再次集中講述這些祝福的目的，就是在以色列人準備進入應許地時為他們禱告。這些祝福多半強調以色列的繁榮

和軍力——他們能取得應許地並作防禦的能力。這些一直是整卷書的主題。返回這些主題時，摩西也稱頌耶和華無可比擬的威榮（26節）。

三十四1-12　摩西之死

摩西遵從神的吩咐（三十二48-52），從摩押平原，登上尼波山之山巔，並看見應許地的全景在他的腳下。他早已知道——正如我們從本書開首所見的（一37）——他自己並不能進入應許地。雖然如此，神卻容許他去看看他一生事奉的頂峰。我們不要以為摩西真的看見整片應許地：從極北的但，至西面的地中海，並至南面的曠野地。然而，神給他指示全地的範圍，以證實他所看見的，實在是神所應許的。神的行動確實與祂的話相配合。古時給亞伯拉罕之應許得著應驗的時刻來到了（4節；比較創十二1，十五7）。

摩西此時的經歷實在太感人、太深刻了，文字並不能把它充分表達出來。這事件及稍後摩西之死（5-8節），都只是平淡地交代出來，並沒有加上細膩和感傷的描述。向一位偉大的聖經人物作出最後的致敬，這樣的克制是最適合不過的。摩西的死不是一個悲劇。我們從關乎摩西年老時的壯健（7

節），和墓誌銘式的提說（10-12節），可清楚看見這一點。他一生活在神面前，順從神，並與神同行。事實上，再沒有人像摩西一樣，無論是從先知或大能的領袖的角度，摩西都是曠絕古今——直至那位「不只是先知」的耶穌基督降臨。給摩西的最後讚辭，是他一直忠心跟從神，直至生命的終結。

以色列也沒有從此被撇下，得不到幫助。她真正的力量來自神，不是來自任何人。在現實生活中，領袖必須有繼承人，但過分倚靠一些人物卻是危險的。以色列仍然擁有耶和華藉摩西向他們所說的話。她也有一位傑出可敬的新領袖——約書亞（9節）；他要帶領以色列進入他們旅程的一個新階段，也是與神同行的一個新階段。

Gordon McConville

進深閱讀

R. Brown, *The Message of Deuteronomy,* BST (IVP, 1993).

J.A. Thompson, *Deuteronomy,* TOTC (IVP, 1974).

P.C. Craigie, *Deuteronomy,* NICOT (Eerdmans, 1976).

A.D.H. Mayes, *Deuteronomy* , NCB (Eerdmans/ Oliphants, 1979).

證主21世紀聖經新釋

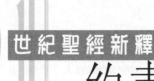

約書亞記

✤ 導　論

作者與寫作年代

學者對這部不署名書卷的寫作年代和作者抱不同觀點，因為他們使用了不同的方法去衡量。

對於作者問題，有些學者接受他勒目（約主後500年）的見解，認為本書作者是約書亞自己。他們支持這觀點的原因在於，本書指出喇合在本書寫作的時候仍然在世（六25），並且作者描述以色列人過約但河時（五1），用了「我們」，把自己也包括在內。然而，六章25節提到喇合時，可能是指她的後裔，而五章1節在其他希伯來文版本中作「他們」，而不作「我們」。還有，像在五章6節一樣，作者可能是用「我們」來表達一種一致性，指那進入應許之地的世代。

對於寫作日期的看法，有時是完全根據約書亞記中的評註，有些使用這方法的學者把本書日期定於約書亞及其同代人的逝世（二十四29-31），與撒母耳時代（約主前1050年）之間。由於西頓被視為腓尼基的主要城市（十一8），而推羅約在主前1200年把它征服，於是有些學者取之為本書完成的日期。其他暗示本書寫作日期的內在指標還有耶布斯──舊耶路撒冷──和基色仍未被征服（十五63，十六10）。耶路撒冷最後落在大衛手中（撒下五6-10），而基色則落在所羅門手中（王上九16）。此外，十三章2至3節出現了那些在主前1175年入侵猶大沿岸平原的非利士人，雖然這可能是後期文士加上去的。

較近期的學者開始從書卷本身以外去考慮寫作日期的問題。他們當中有些看見了約書亞記與摩西五經之間的一些關連。他們認為本書延續了五經中所謂的文學素質，那就是：二至十一章包含E典，十三至二十二章包含P典，此外還從別的來源附加了不同的資料。有些則認為申命記、約書亞記、士師記、撒母耳記和列王紀中，有一種近乎排他的，或最少是具體的一致性。這些書卷裏的用語、風格和神學，支持了一個結論，就是一位所謂申命記派的作者(Deuteronomist)（一個人或一個學派）從不同的時期搜集了各種材料，並在被擄時期把這些材料整理編排成一份內容豐富的史冊。這就是說，約書亞記是寫成於主前550年左右。這些書卷以結語和引言的重疊來連結在一起。約書亞書一章1節與申命記三十四章1至12節配合，尤其是在第5節，摩西第一次被稱為「耶和華的僕人」。這稱謂在約書亞記末（二十四29）也第一次授予給約書亞。約書亞記的結語（二十四29-31）也在士師記（二6-9）重複了，作為引言的一部分。申命記派作者的風格最明顯之處在於一些臨別贈言，計有摩西（申三十一）、約書亞（書二十三）、撒母耳（撒上十二）、大衛（王上二1-4），和所羅門（王上八54-61），最後是申命記派的作者自己的編輯摘要（王下十七）。

猶太人一直都承認約書亞記、士師記、撒母耳記和列王紀的一致性，稱這些書卷為「前先知書」。這種編排的好處在於叫人注意到每一卷書的完整性，並把它們與五經分辨出來；五經是描述以色列人在摩西之約下組織成神的子民，而約書亞記、士師記、撒母耳記和列王紀則在該約下解釋以色列的歷史。近代的研究則強調申命記與這些書卷之間有很強的連繫。韋漢(G.J. Wenham)發現有5個神學主題把申命記和約書亞記連繫起來：征服應許地的聖戰、分地、全以色列的合一、約書亞作為摩西的繼承人，還有聖約。

近代的研究方法比傳統觀點更進步，因為它觀察到約書亞記至列王紀的資料來源，並強調申命記派的作者採用了這些資料的神學要點。約書亞記明明地提到雅煞珥書是它

的資料來源（十13），而書中一些難題最好以來源分析來作解釋。例如，十一章21節描述約書亞把亞衲族趕出希伯崙，但十四章12節則把這功績歸於迦勒。兩處不同的描述並不是一種衝突，因為約書亞作為軍隊的首領，可因下屬的成就而獲嘉獎。但最佳的解釋是兩處經文是有不同的資料來源。

申命記派的作者假設他的讀者已知曉五經中較早期的事蹟。例如：創世記五十章25節提到的約瑟骸骨，在出埃及記十三章19節運出了埃及，而於約書亞記二十四章32節在示劍下葬了；而民數記十四章24與30節應許給迦勒的產業，則在約書亞記十四章6至15節賜了給他。

征服迦南的日期

要確定以色列征服迦南的日期受到以下幾個因素的阻礙，就是聖經歷史寫作的性質、聖經計算日期的方法，以及考古發現的不明確。

輯錄聖經故事的人，主要目的在於神學上的教導，而不在於談論明確的事實，因此詳細的情節有時會捨而不提。現代歷史家把聖經事件重構時，卻又跟聖經本身的敘述距離太遠。

若按字面的意義去理解列王紀上六章1節和士師記十一章26節，我們可以把征服迦南的日期定於主前1400年左右。然而，我們不能假設聖經只是這樣把年份加起來。不過，從耶利哥和夏瑣得到的考古證明卻支持這個日期。在耶利哥，學者對陶器殘片、皇室寶石的研究，以及鑑於該地區的地震活動、火燒的損毀，甚至倒塌了之圍牆的遺跡，加上炭14化驗的使用，確定該堅固城堡最後約在主前1400年被毀。在夏瑣，於主前1400、1300和1230年的地層均有被毀的痕跡。幾乎所有學者都認為1300年的滅城是法老薛提一世(Seti I)的所為，而餘下兩次的其中一次則是

主前二千年間聖經事件年代與考古年期的不同可能性：

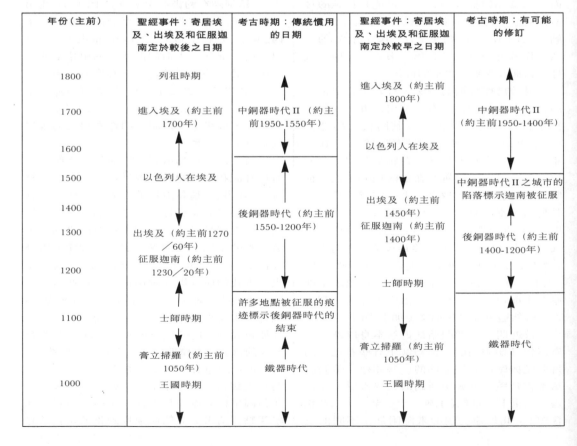

年份（主前）	聖經事件：寄居埃及、出埃及和征服迦南定於較後之日期	考古時期：傳統慣用的日期	聖經事件：寄居埃及、出埃及和征服迦南定於較早之日期	考古時期：有可能的修訂
1800	列祖時期		進入埃及（約主前1800年）	
1700	進入埃及（約主前1700年）	中銅器時代II（約主前1950-1550年）		中銅器時代II（約主前1950-1400年）
1600			以色列人在埃及	
1500	以色列人在埃及			中銅器時代II之城市的陷落標示迦南被征服
1400		後銅器時代（約主前1550-1200年）	出埃及（約主前1450年）	
1300	出埃及（約主前1270/60年）		征服迦南（約主前1400年）	後銅器時代（約主前1400-1200年）
1200	征服迦南（約主前1230/20年）		士師時期	
1100	士師時期	許多地點被征服的痕迹標示後銅器時代的結束		鐵器時代
	膏立掃羅（約主前1050年）	鐵器時代	膏立掃羅（約主前1050年）	
1000	王國時期		王國時期	

由於以色列的攻擊。士師記四章2節記載夏瑣在約書亞以後第三或第四代仍是屬迦南的城市，並與以色列人對抗；這排除了較後日期的說法，除非假設士師記第四章的聖經記載是不盡不實的，或考古證據是不完全的。我們若正確地指出艾城的位置，會發覺該處並沒有遭受以色列人摧毀的痕跡，聖經中的說法（參七2的註釋）頓成疑問。彼默信(J. Bimson)藉著仔細區分那存疑的考古時期，在更堅固的基礎上，確定主前1400年是征服迦南的日期。

另一方面，埃及之比東和蘭塞二城的考古證據（出一11）；主前第十三世紀以前，在約但河東有以東和摩押兩國之建立缺乏資料證明；以及主前1200年左右，以色列中興起的游牧民族建立了數以百計的新殖民區，相對於較早期這些殖民區並不存在，所有這些事實都支持迦南的征服日期是在主前第十三世紀的後半期（即1200至1250年）。

然而，只要征服迦南的事件曾經出現，其日期並不真正影響約書亞記的主題或信息。

🌡 主 題

整卷約書亞記都是關乎應許之地：佔領（一至十二章）、分配（十三至二十一章）、保有與維持（二十二至二十四章）。另一方面，本書也是關乎從應許地趕出「惡人」，把這片適合君王居住的土地賜給適合作君王的民族（參十二章）。

應許之地是恩賜

全地的創造主（詩二十四1-2，四十七4）和巴勒斯坦地的擁有者（利二十五23）使以色列人的先祖成為這塊流奶與蜜的王者之地的受託人（申三十一20）。祂應許把這地賜給他們的後裔作為永遠的產業（創十七8；出三十二13）。應許地的佔領要分期進行（參十三1-7）；約書亞戲劇性地開始了這任務。這地其後藉著抽籤由神分配給以色列各支派（民三十三50-54），並因而成了他們不可轉讓的產業，沒有人可以憑強權把這地奪去。只有利未人得不到屬於他們的土地；但他們卻「承受了」耶和華自己為產業，他們要打開一條屬靈的道路，叫人明白應許地的意義（十

三14）。

隨著基督的復活、升天，和聖靈的降臨，我們清楚看見約書亞是基督的象徵，而應許地則是教會在基督裏得蒙救恩的象徵和隱喻（參林前十1-4）。應許地和在基督裏的救恩兩者都是恩賜（一2、6；參羅六23），惟有藉著信心才能擁有（一7、9；參羅十8-21；弗一8-9）。兩處都是蒙福之地（出三8；民十三27；弗一3-14）、安息之所（書一13；來四1-11），以及人唯一與神相遇的聖所（出十五17；西三1-4；提前二5-6）。兩處皆要求人過著一種遵守神律法的生活方式（一7-8，八30-35；林前十1-13）。透過新約，基督使祂的教會有資格住在這塊王者的「土地」上（結三十七26）。雖然教會現今已得著了永生和在基督耶穌裏的安息，但在復活之後，她更要享受一塊適切於復活後之狀態的、更實在的「土地」（參林前十五50-54；來十一39-40）。這「土地」是一份已經得到，但仍未完全經歷到的禮物和恩賜。

兩代的合一

作者意圖把約書亞和摩西連繫起來，並以進入迦南地的以色列人作為出埃及者的代表（參二十四7、17）。雖然出埃及和征服迦南地跨越兩個世代，但約書亞記的作者卻視那兩代的人為同一世代的。他在全書中都把摩西和他的助手約書亞連繫起來。例如，神應許與兩人同在（一5）；兩人皆帶領以色列人渡過大河，兩處河水都在以色列人眼前奇妙地分開，變成乾地，因而兩人都在以色列眾人眼前尊大（三7）；兩人都在耶和華面前把鞋脫下（五13-15）；兩人皆在眾民犯罪後為他們代求（七7）；兩人皆佔領應許地和分地（十二7-8，十四1-5）；兩人都祝福以色列民（二十二6）；兩人都傳達舊約（二十四章）。在這兩位領袖帶領下的世代，看見了耶和華在出埃及和征服迦南中所行的奇事（二十四7、17），並與祂立約；他們兩人是神所管治之民族的首兩位領袖。

全以色列被視為一

作者也刻意突出十二支派的一致性，他常使用「以色列眾人」和類似的用詞（如三1、7、17，十八1，二十二14）。約但河東各支派的士兵到了征服迦南的任務完畢才被解

散（一14-15，二十二1-9）。他們築了一座被誤以為是悖逆神的壇，使其餘九個半支派感到震驚（二十二10-34）。約書亞揀選了12個人——每支派派出一人——各從約但河取出一塊石頭，用以豎立一個民族紀念碑（四1-9），而所有支派都在示劍重申摩西的約（八33-34）。

守約的忠貞

約書亞的世代證實了這段歷史的主題，那就是耶和華成就了給列祖的應許，賜以色列人土地和安息。這主題在書中各重要時刻都再次重申：在征服迦南前的序幕（一1-9），征服迦南後（十一23），分地後（二十一43-45）。書末有關各人的安葬也體現了這真理（二十四28-33）。這段神聖的歷史確立了以色列人的認信：「耶和華是神」（二十二22），以及遵守聖約的動機（二十三至二十四章）。這段歷史也鼓勵那些有信心的人去征服那未得之地（十三1-7，十四6-15，十九49-50），卻不容讓不信的人有任何躲懶的藉口（十八3），並以可怕的事實提醒眾人，神會按著約上的話去施行咒詛（二十三15-16，二十四19-24）。

至於以色列人，他們必須要完成約中的責任，要靠著信心和順服去攻取、分配和保有應許之地，藉著遵行神的律法去顯示他們在祂裏面的信心。

聖戰

以色列人遵從神的約，包括要根據申命記中有關聖戰的條例去爭戰。耶和華發動了戰爭，若以色列人全心順服，就必定得勝（一2-9；參民二十七18-21）；祂有時以最奇妙的方法干預戰事，像在耶利哥（六20）和基遍（十11、14）。神鼓勵以色列人要在祂裏面有剛強的信心，同時也在戰爭開始之前，使以色列的對敵心裏驚慌，藉以挫敗他們（二9-11、24）。

「戰利品歸與勝利的人」，因此所有邪惡的迦南人都要「獻」給耶和華（和合本譯作：在耶和華面前「毀滅」，希伯來文是 $h\bar{e}rem$）（六17）。迦南人被滅絕是為了以色列人免受試探（申七1-5）。正如庫克（G.A. Cooke）所描述：「任何危害群體宗教生活的東西都禁止使用，以致它不會造成傷害；為有效地得到這安全的保障，這些東西必須全然毀滅。」亞干犯罪，不把屬於耶和華的物歸給耶和華的時候，亞干和他擁有的一切都被毀滅了（七15）。有時耶和華會把戰利品留給自己，有時則賜給軍隊作為獎賞（八27）。迦南人被滅絕，是由於耶和華公義的審判，而不是由於以色列人嗜血成狂。妓女喇合悔改歸向神，並在以色列中得到一個永恆的位置（六25）。然而，神多半會使迦南人硬心，因為他們已到了要接受審判的時候（十一19-20）。他們的毀滅預示了惡人永遠的刑罰（太二十五46），正如先前所多瑪和蛾摩拉的被毀一樣。以色列人取得他們的地，因為耶和華定意要使它成為聖潔。這就是作者在這些戰爭故事之中，記載以色列人在示劍重申聖約的原因（八30-34）。我們若看不見以色列人審判迦南人，跟最後的審判是平行的，便不會明白神為何這樣指示以色列人去毀滅迦南人。

應用綱要

每個基督徒都要預備為神爭戰，而在新約之下的基督徒，因基督滿足了律法的要求，勝過了罪和死亡，便在與撒但的爭戰中佔盡優勢。所以，今天的基督徒不可因選擇與世人和平共存，而喪失此屬靈爭戰的意識。

今天我們已進入美地，但仍要倚靠耶穌（約書亞）的帶領，制服敵人，達致全面的安息。

大 綱

📖 註 釋

一1-18 序幕

一1-9 耶和華吩咐約書亞

一1 歷史背景 「摩西之死」的記述（1節）把約書亞記與申命記三十四章5節（比較士一1；撒下一1；王下一1）連繫起來，並暗示那是恢復征服迦南地的時候。作者稱摩西為「耶和華的僕人」，一方面是尊敬他，另一方面是承認他對攻取迦南地的指示是合法的。

摩西給何西阿（即「救恩」）改名為約書亞，而約書亞是「耶和華是拯救」的意思（民十三16）。這名字後來變成 *yĕšûa*，從而演變成希臘文的 *Iēsous*，和英文的Jesus；中文譯作「耶穌」。

約書亞的職銜——「摩西的幫手」（參撒上三1；王上十九21）——叫我們想起，約書亞一直是藉著恩賜、訓練，和經驗，而蒙神裝備去擔當這領袖的角色（參出十七8-15，二十四12-13；民十四6-12，二十七12-23，三十二12；申一37-38，三十四9）。

一2-9 耶和華的命令 耶和華的話跟摩西在申命記中所說的話互相呼應（比較2節與申十11；3節與申十一23-24；5節上與申七24；5下、7上、9節與申三十一6-8）。第7下至8節叫我們想起申命記中的經文，這些經文確定申命記是「律法書」，並強調默想和遵守這律法的重要（參申五32-33，三十10）。第5節的應許：「我怎樣與摩西同在，也必照樣與你同在」，叫人想起神怎樣回應摩西在出埃及記三章12節對他的拒絕。約書亞記是在五經停頓之處續寫下去的。

第2至9節的命令和應許敘述了神和祂子民之間立約的關係。在神方面，祂揀選了以色列去承受應許地為業（6節）。在以色列方面，他們現在必須憑信心取得這份禮物（3-4節）。以色列人「過這約但河」，是對神的信靠（6-7、9節），多於是順從，雖然順從也是重要的。神給予他們信靠祂的理由：祂應許與他們同在（5、9節下）。同樣地，信靠神的教會會遵從主的命令去向普世傳福音（太二十八18-20）。「不要懼怕」是聖戰的法則。

第2-5節 第一個命令是過約但河 第2節直譯是：「現在起來，過……」（那就是「立刻過河，不要耽延」）。基督吩咐教會說：「來跟從我」，祂同樣不容許任何拖延（參路九59-62）。第4節說明了應許地的界限（南面的邊界只是粗略的），但到了所羅門統治下，以色列才得以管轄這樣的疆土（參十三1-7）。「曠野」是指東面的沙漠，由約但河東開始。在約書亞記十三章5節中，「利巴嫩」也包括在應許地之中。

第6節 第二個命令是承受那地為業 「承受……為業」叫人想起神把土地賜予列祖，是作為他們忠心服侍的回報。現在約書亞必須征服這地（一至十二章）並分配給各支派（十三至二十一章）。

第7-9節 第三個命令是剛強壯膽和默想律法（7-8節） 這顯示能否擁有這地，是在乎眾民是否憑信心遵守律法書。信靠和順服是相輔相成

的，不是互相敵對的（參羅一5，十六26；雅二14-26）。雖然約書亞已準備好去打這場仗，但保證他成功的，並不是能力，而是順服。<mark>在新約之下，基督徒有雙重優勢，就是基督已滿足了律法的要求和應許（太五17；羅三21-26），並且藉著聖靈，律法已寫在他們的心上（林後三3-6；來八7-13，十15-18）。</mark>

一10-15　約書亞訓諭眾民

約書亞的命令，是向百姓的官長（10-11節）和河東兩個半支派的人（12-15節）發出的，而這番話跟申命記互相呼應。試把第11節跟申命記一章8節，四章1節，六章18節，八章1節，九章1節等作比較，並留意正如經文指出，約書亞給河東兩個半支派的指示，

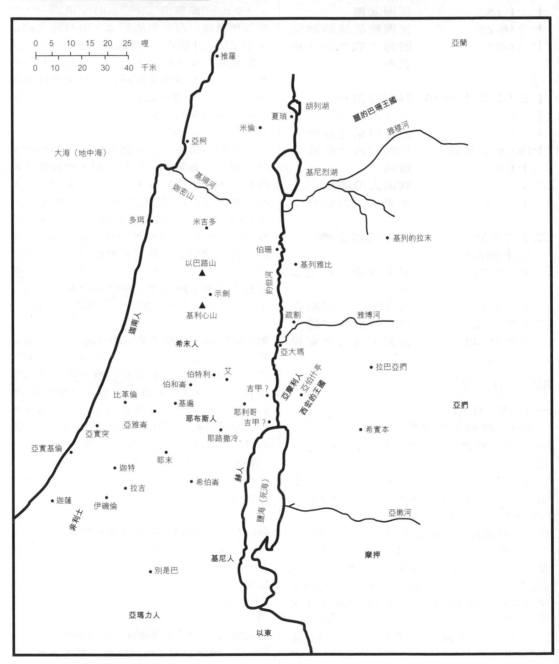

以色列征討前的迦南地

幾乎是逐字從摩西的命令中轉述過來的（申三18-20；參民三十二）。

一10-11 給官長的命令 約書亞現在全心和小心、順服地仿傚神命令人的模式，指出一場聖戰應怎樣進行。作者沒有詳盡明確地指示當預備甚麼物件（第11節「食物」一詞已涵蓋了準備一場激烈戰爭所需要的一切物品），而命令也欠缺細節；這反映他是關心屬靈的準備——得勝的真正原因，而不是行軍的細節——成功的表面因素。現在以色列已算是一個軍「營」，她要在撤離什亭的營帳之前，用「三日」時間（即今天的一部分、明天和後天的一部分）去準備作戰（11節；參彌六6）。人必須用時間來備戰（參加一17-18）。撤營之前的這3天——最早會是尼散月（四月）六日（參四19）——跟他們離開什亭後在約但河邊安營那3天並不相同（參二16、22，三2）。

一12-15 給河東兩支派半的命令 神應許賜祂子民「安息」（和合本：平安），那就是在佔領應許地後，得以免去敵人的攻擊，而得到平安（13-15節）。安息的應許來自以色列人與神立約的關係（出三十三12-16）。摩西和約書亞帶領以色列人進入的安息，預表了耶穌帶領祂忠心的教會進入那最後完全的安息（來四1-11）。

一16-18 眾民對約書亞的回應
眾民以誠懇的信心和順服來回應約書亞（「所吩咐⋯⋯都必行⋯⋯所差遣⋯⋯都必去」），這保證征服迦南的大業要得著成功。他們答應會把不順服的人處死，而他們自己更叮囑約書亞：要「剛強壯膽」！

二1至五15 進入應許地
這部分敘述耶和華怎樣獨力帶領以色列人進入應許地，和怎樣為前面的爭戰給以色列作屬靈的準備。

二1-24 探子回報：「迦南人落敗了」
雖然探子被差派，是為了幫助約書亞訂定他的軍事計劃，但他們的報告的主要價值，卻在於顯出迦南人並沒有屬靈上的準備。

二1 差遣探子 什亭這名字（意思是「刺槐」）暗指一個惡劣的環境。也許為免當地人起疑心，約書亞「暗暗」打發兩個探子進了一個普通妓女的家裏，因妓女往往會有很多訪客。請留意，雖然希伯來文字面義作「睡覺」或「躺臥」，而不是「逗留」，但作者明白地說出他們是在那裏睡覺，而並非與妓女同床（1節），儘管耶利哥的人以為他們會這樣做。同一個字在第8節也沒有任何性關係的含義。顯然作者並不是說他們與喇合有性關係。

二2-7 喇合藏匿探子 在戰爭中，偵察、間諜等活動和瞞騙是需要的，即使在聖戰中也如是（參1節；士七9-16）。喇合把探子藏匿起來，然後說謊誤導耶利哥王的偵察兵（2-7節）。她暗中讓探子逃脫，並指示他們躲藏在城西有許多洞穴的山中——衛隊可能會以為他們走向相反的路徑——以避免給偵查出來（16-17節）。約書亞和喇合這瞞騙的行為會使人驚訝，聖戰中怎可能有瞞騙的成分？（參太五33-37；弗四14-15）

在某些處境下，欺瞞和故意發出假情報是正確和有需要的；以下間接的類比或可幫助我們了解上述的疑問。獵人會使用陷阱和誘餌；漁夫則使用魚餌。在球賽中，球員往往會使用旋球或假動作來愚弄對手。下棋時，棋手會誤導對手去吃他較弱的棋子，為要吃對手較強的棋子；玩撲克牌時，人總是控制著面部表情，而不露真情。神曾因收生婆欺瞞法老而厚待她們（出一19-20），而摩西的父母「因著信」，在他出生後「把他藏了三個月」（來十一23）。在這些情況下，我們不會指責當事人不擇手段。相反地，我們會認為在這樣的處境下，欺騙是合法的，是沒有錯的。因此，舊約也認為在戰爭中，搜集情報、反間和誘捕，全都是遊戲規則的一部分。約書亞曾設下埋伏（書八9），而大衛也曾利用戶篩潛入王宮中，與其他人組成一個情報網（撒下十五32-37，十六15-22）。在新約中，有保羅在黑夜的掩護下逃離猶太人的追捕（徒九23-26），又有天使乘兵丁睡著的時候，把彼得從希律的監禁中釋放了（徒十二6-10）。然而，在大部分的情況下，說謊是不對的（箴三十7-8），人必須誠實（弗四15）。信徒必須藉著聖經和良心來靜聽聖靈的指引，以致不會擅自把處境合理化。

二8-14　與喇合立約　喇合在夜裏與探子的談話中透露了她的信心（9節上、11節下），這與迦南人的恐懼形成強烈對比（9下-11節上）。以色列的勝利對比於迦南人的恐懼，使她相信耶和華已把迦南地賜給以色列（9節），並且相信袖是神（11節；參申四39）。從巴勒斯坦這時進口的陶器，和《亞馬拿信札》（約主前1350年）所反映的國際外交來判斷，可知當代許多地方都報導以色列人的出埃及和征迦南。喇合和其他迦南人對相同的報導都作出回應（10節；參申二24至三11）。喇合的信心給她帶來生命，而迦南人的不信則引他們步向死亡（參林後二14-16）。

喇合對探子說，迦南人的心都因恐懼而消化了（9節），這使探子相信耶和華已攻佔這地，卻不用他們動一兵一卒（24節；比較一5；出十五13-16，二十三27；申二25，十一25）。以色列新一代起來作戰之人的勇氣（一6-9），跟上一代的怯懦形成強烈的對比（民十三至十四；比較林前十六13；約壹四4）。

喇合認信後（9-11節），成為聖經中第一個在聖約群體中尋求救恩的人（12-13節）。在第12節，「恩待」一詞（希伯來文hesed）是「向一個有需要的立約夥伴施予確實的幫助」這句話的速寫法。神向所有尋求袖的人施予救恩。喇合也為她闔家尋求救恩（參二十四15）。她尋求的記號是兩位探子與她立誓（14節）。兩個受了割禮的人接受了這悔改歸主的妓女，讓她與聖約的群體有完全的相交，甚至願意為她和她的家人而死。基遍人在第九章所起的誓是另一回事。他們風聞以色列神的名聲，卻沒有承認耶和華是他們的神。

二15-16　喇合幫助探子逃走　像亞伯拉罕和路得一樣，喇合背棄自己的國家而選擇了以色列。事實上，她是要冒著生命危險去承認以色列的神的（4-7、15-16節）。新約讚揚她這善行（雅二25）背後的信心（來十一31）。她的信甚至使她在耶穌的家譜中佔一席位（太一5）。

二17-21　約的條文　探子為忠心的喇合和違逆的迦南人所定的區別，最終在末後的審判中得著應驗（太二十五31-46；啟二十11-15）。正如以色列人要把羔羊鮮紅的血塗在門框上，作為與被咒詛之埃及人的區分（出十二7、13），喇合也需要以色列人為她提供的這根朱紅線繩，使她和家人能與即將滅亡的迦南人有所區別。今天，相信主的家庭都會接受神用作區別記號的洗禮（徒二38-39，十六31-33），並在喝那代表基督鮮紅色血的新約之杯時，表明袖的死（路二十二20；林前十一25-26）。

二22-24　探子的回報　探子絲毫不差地回報喇合之見證（參9、24節），強調神已在屬靈上擊敗了迦南人。

三1至四24　渡約但河

渡過約但河的一刻，標誌著以色列人已衝破了最後的障礙，進入那應許之地，並逃離了曠野的漂流。神的勇士，以約櫃作為象徵，帶領以色列人踏進漲溢的約但河，使之成為乾地，保護他們渡河，並引領他們進入應許之地。

在一年大半的日子裏，人都很容易可以涉水渡過約但河（參士三28，八4），但神卻等到早春季節（那時河水漲溢，主要是由於黑門山溶雪的水流下來），才帶領以色列人過河，從而使約書亞在以色列人眼前顯為大（6節），並使以色列人知道永活的神是在他們當中（8、13節）。

三1-17　約但河分開　在約書亞忠心的領導下，聖戰莊嚴地、有秩序地進行，當中沒有趕急，也沒有遲延。

第1節　以色列人認為與過河有關的神大能的作為由什亭開始（比較彌六6）。由於以色列民是在尼散月十日從約但河上來（四19）——尼散月是陰曆的第一個月，即陽曆的四月——他們不可能在尼散月八日（3天前）之前到達可怕的約但河的東岸（三2、5）。眾民到達約但河至過河之間的額外時間，是需要用來作屬靈的準備（5節）。

預備以色列民過河有4篇演辭：一篇由官長向眾民講述（2-4節），一篇由約書亞向眾民和祭司講述（5-6節），一篇由耶和華向約書亞講述（7-8節），還有一篇由約書亞向以色列全會眾講述（9-13節）。每一篇演辭都啟示多一點將要發生的奇事，而約書亞那最後的講辭則到達了高峰。

第2-4節 官長吩咐眾民有關跟隨約櫃的事。約櫃是一個鋪上精金的箱子，大小為4呎乘2呎乘2呎（120厘米×60厘米×60厘米；參出二十五10-22），它象徵神的寶座，有時會帶到戰場上（參民十35；撒上四至六）。但那並非只是一個象徵，神是真的在那裏，指揮著抬約櫃的祭司（參四11；申十8；撒上六7-12）。約櫃中藏著以色列的憲章（申十1-4，三十一26）——十誡，它代表神道義上的管治和以色列人與祂立約的關係。約櫃也象徵福音，因為除了它內藏那審判眾人的律法（參羅二12-16）以外，它的蓋子——施恩座——也灑上了救贖的血，這血預表了基督潔淨人的寶血（來九）。

要以色列人與約櫃保持約「二千肘」（900米）之距離的命令，給所有以色列人清楚看見神奇妙的帶領。

第5-6節 在尼散月九日，約書亞指示眾民潔淨自己（參民十一18），並特別強調軍隊必須聖潔。這潔淨包括洗淨衣服（參出十九10）和禁戒房事（參出十九15）。在尼散月十日，約書亞指示祭司抬起約櫃。

第7-8節 在這重要時刻，神因約書亞的信給予他回報，應許他說，當祭司踏進約但河的時候，祂必與約書亞同在，像祂曾與摩西同在一樣。**約書亞預表基督；基督要帶領祂的教會離開這世界的曠野地，渡過他們寄居世上那死亡的河，進入屬天的城。**

第9-13節 約書亞現在鄭重地向眾民說話。在第10節，**「永生神」**是當地眾神明的對照，這些神明會死去，並按著季節復活，並不能掌管著歷史。約書亞特別提到7個民族的人，大抵因為七是代表完全的數字（比較申七1）。在第12節，約書亞選12個人，把石頭搬進約但河，讓抬著沉重約櫃的祭司進入泥濘的河床時，有穩固的立腳之地（參四8）。

約書亞之講辭的高潮，在於他預言約但河要立起成「壘」，顯出那是神的作為，而不是自然的現象。約書亞那先知的講話使他合乎作摩西繼承人的資格。

第14-17節 故事在此既集中在眾民的全然順服——每一件事準確地按先前的指示來進行，也強調事件中那叫人驚異的性質。經文分頭去強調過河的時間是在四月開始收割的日子（參五10-11），那時河水漲過兩岸。

此處跟其他把約書亞和摩西平行比較的經文一致，因為過約但河的季節，跟以色列人過紅海的季節是一樣的。

過河的地點大概是在阿拉伯人稱為阿麥他斯(Al-Maghtas)的淺灘，位於耶利哥的東南面7哩（12千米）和哈馬姆廢丘（Tell el-Hammam）以西8哩（13千米）。河水停住、立起成壘的亞當城——今天的達米亞廢丘(Tell ed-Damiye)——約在耶利哥上游17哩（27千米），因此有超過18哩（30千米）寬河床露出，讓以色列全民迅速渡過。在1267年和1906年均有山泥傾瀉堵著約但河，在1927年7月11日也曾發生地震，使曲折的河流堵住約有21個半小時，這些類似的事件使這記載更加可信，但卻不減約書亞的預言和事件中叫人驚異的時間性。

四1-24　約但河復流和以色列民立石為記
作者繼續強調過約但河事件中那叫人驚異之處（18節），但卻集中敘述以色列民所立的石標。這石標只是眾多紀念神大能作為的石碑之一（參出十三3-6；撒上七12），而這種紀念行動的高峰，在於表明「主的死直等到他來」的餅和酒（林前十一26）。

第1-4節 作為總司令，神再一次指揮著以色列人的行動。祂指示約書亞揀選12人，假定那在三章12節分別為聖的12人已在河中放下石塊，作為6位祭司踏腳之地。「十二」這個數目在1至8節裏出現了5次之多，突顯出十二支派的合一，他們在約書亞的帶領下，組成了一國（參出二十四4；王上十八31-35）。**第1節強調所有以色列人都已得救，並可作為所有真以色列人都會得救的保證，包括猶太人（羅十一25-27）和外邦人（加六15-16）。基督不會讓祂羊群裏任何一隻羊走失；所有祂的羊都要得救（約十27-28）。**

第5-7節 再一次，神在地上的統帥遵從著祂的指示。那12塊石頭要作為永遠的「證據」和「記念」（參出十二26-27；申六20-25）。在任何社會裏，紀念的行動都是十分重要的。沒有回憶，一個人便不曉得自己的身分；沒有歷史去維繫一個社會，周圍的世界便只是幻象。任何一個盼望維持下去的社會，正如社會學家所說，必須成為一個「有回憶和盼望的社群」。在古代的以色列，石碑和禮儀如逾越節（出十三至十四）就發揮這個功能。

約書亞記中所提到的紀念碑雖仍然存在（例如七26，八29，十27），但後來卻被維持教會生命的聖經書卷所取代。以色列人假定這些解釋石碑的故事是準確地以口頭轉述的形式傳遞下來，直至用文字記載的年代，否則這些故事便沒有說服力，不能在實際上維持著以色列的民族（比較彼後一16）。有些學者把紀念碑的功能倒轉過來。據他們的說法，這些紀念碑助長了以色列人去創作一些故事來解釋他們的存在，而不是叫他們記得曾經發生過的事！

第8-9節 在第9節「約書亞另把十二塊石頭立在約但河中」，預期讀者明白那是另外12塊石頭（如希臘文譯本所澄清的）。從泥濘的河床取來作紀念碑的並讓抬約櫃之人踏過的石臺階，必須用別的石頭來取代（參新國際譯本旁註）。顯然這些沉在水裏的石頭不能作民族的紀念碑，但任何對這些石頭有興趣的人可以知道，在約書亞記寫成時，石頭仍在河床裏，不受文化破壞者的侵擾。

第10-13節 只等各樣事情都辦妥了，祭司才由約但河上來，約櫃也恢復領導的工作。我們要注意的地方，是耶和華和他的祭司，而不是匆匆過河的百姓，留守在最危險的地方。第12節加插說明，河東兩個半支派在眾民前頭過去（參一12-13）。那帶著兵器的4萬人，雖然都準備打仗，但卻從未為耶和華舉起兵器，而耶和華卻像昔日在紅海為配備兵器的人民爭戰一樣，為他們爭戰（比較出十三18，十四13-31）。傳統譯作「千」的希伯來文可能指一個由5至14人組成的分遣隊，像在民數記一章和二十六章的點閱名單中一樣。有些作戰的人留在約但河東去保護他們的家園（參二十二8）。「在耶和華面前過去」到約但河西岸的人，好像在一個檢閱臺前過去一樣。這位神聖的總司令又再一次在軍營當中恢復他君王的位置。

第14節 正如耶和華所應許的，約書亞現在被尊為大。尼散月十日（參三1），即選取逾越節羔羊那日（出十二3），是以色列人再一次曉得要敬畏神（24節，三10）和敬畏約書亞的日子。

第15-18節 約但河的河水復流，就好像城門在君王和他的家臣進入了皇城後就關閉一樣。約但河復流的時間，像它斷流時一樣使人驚異（參三15）。

第19-24節 在那相同的一天，以色列人在吉甲立石作民族的紀念（參四2）。吉甲可能位於麥法耳廢墟（Khirbet el-Mefjir）。這民族的事蹟記在這本教義問答中（21、24節），讓以色列人一代傳一代地述說耶和華怎樣使約但河的水乾了（22-23節；參出十四22）；大概是為了三章7節所提出的種種原因。過約但河與過紅海相提並論，顯出兩件事件在救恩和歷史上有同一的預表性。第23節「你們」這代名詞表示全以色列是一個合一的群體。所有信徒在某程度上都可在這些歷史事件中有份，那是透過聖經、想象和信心。此外，藉著紀念的石碑，「地上萬民」都「知道」神的手是大有能力的（參二10，三10；出十五14-16），並且以色列人會敬畏——即誠實地忠順於——耶和華（參申五29，八6等）。今天藉著宣告基督為罪而死和從死裏復活，這些目的已經達到了（參羅十6-9）。

五1-14 守節的準備

本章中每一段落都顯出摩西和約書亞有類似的經歷，在兩位建立以色列的領袖間造出更多連繫。他們兩人都曾叫敵人驚惶失措（1節；參出十五10-13）；兩人都在開始履行任務前施行割禮（2-9節；參出四24-26）；兩人皆以慶祝逾越節為邁進聖地的一部分（10-12節；參出十二）；並且他們兩人都在耶和華面前把鞋脫下（13-15節；參出三5）。

五1 引言 這節經文描述迦南人對以色列人過約但河的反應，把本章與四章24節聯繫起來，預言世人對這事的反應。「亞摩利人的諸王」（即「約但河西」山中各城邦的王）和「迦南人的諸王」（即「靠海」平原各城邦的王）是三章10節所指那7族人的樣本。這些王知道了耶和華大能的作為，但他們並沒有像喇合那樣用信心投靠他，他們叛逆的心卻使他們心都消化，沒有膽量去行動（參二10，十一20）。

五2-9 更新聖約：行割禮 在以色列人受割禮的簡潔敘述（2-3、8-9節）之間，是一個詳盡的解釋（4-7節）。

第2-3節 耶和華再一次吩咐約書亞（2節），約書亞便完全依照他的話去執行（3節）。約書亞借以色列民中作父母者的手，為

整個民族行了割禮（參創二十一4；出四25）。對於敘述者為何說這是「**第二次**」行割禮，學者提出了兩種解釋。一方面，也許軍隊中那些40歲以上，曾在埃及受割禮的被視為受第一次的割禮，而那些40歲以下，在曠野裏未受割禮的，則被看為受第二次的割禮。另一方面，那些軍隊中年紀較大的可能要再次受割禮，因為他們的埃及式割禮是不完全的，不像以色列人的割禮那樣完全。這說法正好解釋了經文為何強調「火石刀」和提到「埃及的羞辱」（9節）。行割禮可能需要火石刀——相比於埃及，在迦南可以容易找到大量的火石刀——因為那與以色列人完全的埃及式割禮相關。在迦南發現那些主前3000年間的塑像，證明戰士都是受了完全的割禮的。現在以色列人在迦南地上，可以自由地受正確的割禮，將「埃及的羞辱」——不完全的割禮——除去（9節）。「**除皮山**」（3節）可能是吉甲上一個小山丘，其名字的意思是「輥去、輥去」那羞辱（9節）。

第4-7節軍隊中多半人都是在曠野飄流那40年間出生的（比較民十四20-22，29-31；申二14），需要接受第一次割禮。作者在此需要回答兩個相關的問題：為何要受割禮和為何在吉甲？在埃及，割禮似乎是為使一個人適合過成年男子的生活。在以色列，割禮則是為使一個人有資格與神建立約的關係（創十七9-14），並適合承受應許地為業。莫提爾(J.A. Motyer)曾評論說：「割禮……是神賜恩的禮物，藉著割禮神揀選和標記著屬祂的人。」他又指出：「它（割禮）與逾越節一起整合併入摩西的體系中」（參出十二44）。在這裏，起始的聖禮也必須在逾越節之前舉行（10節）。若那不信的世代在曠野中已為他們的兒女施行割禮，這恩典的禮儀就會顯得輕浮；因此，割禮適切地耽擱至以色列人到達了這片充滿火石的土地上才舉行。

五10-12　立約的晚餐：逾越節晚餐　在尼散月十四日，即以色列人旅程之終結時慶祝逾越節，叫他們想起他們是藉著神在逾越節的恩赦而得以開始這段奇妙的旅程。逾越節的羔羊是耶穌基督的預表（林前五7）；基督的血為基督徒提供救恩，使他們免除神給這屬撒但之世界的審判（參出十二1-7），而祂的肉，以無酵餅作象徵，是為使他們成聖

（出十二8-11）。第二天（同義的片語在11-12節共出現了3次），他們開始享用期待已久的、在應許地出產的食物。在曠野以嗎哪為食物的、那疲累的40年已成為過去了（參民十一4-9）。

五13-15　敬拜軍隊的元帥　約書亞為聖戰所作的最後準備包括面見耶和華，因為他的敬拜仍未完全，不足以開始前面的任務。約書亞所遇見那神祕的人並不是耶和華本身，而是祂天上的統帥。正如一般人間的傳信者可以完全代表那派遣他們的人（如撒下三12-13；王上二十2-4），神的使者（參創三十一11；出三2，十四19）和祂的天使長（比較但十5、20）也受到與神相等的對待。他告訴約書亞說，他並不是幫助以色列人，也不是幫助以色列的敵人。他是「耶和華軍隊的元帥」，這軍隊包括祂的天使（王下六15-17；詩一〇三20-21），而不是一個盟友而已（三10）。以色列人若破壞聖約，聖潔的神會向他們動刀（利二十六25；申二十八15-26），如以色列人和亞干在艾城之戰所學習到的（七章）。約書亞在這位使者面前俯伏下拜。使者給他第二個問題（14節下）的答案，跟第一個問題的答案一樣使人意外。他並沒有給予約書亞所期待著的戰況報告，卻吩咐他作更好的敬拜。雖然約書亞已伏下，但他不潔的鞋仍在腳上。約書亞把鞋脫下來，聖戰就可以開始了。

六1至十二24　攻佔應許地

以色列人用了一段長時間（十一18）和經歷了許多爭戰（十二1-24），才攻取了應許地。在這許多的戰爭中，作者為歷史和神學的原因，只選取了其中4次戰役。以色列人開始首兩次戰役，那是攻取耶利哥城（六1-27）和艾城（七1至八29）的戰役，而許多不同的迦南人聯盟，則開始了另外兩場在南方（十1-43）和北方（十一1-15）的戰役。以色列人攻擊兩個中心城市的戰役，使他們在應許地上奪得了堅固的灘頭陣地，把這地一分為二。攻打耶利哥和南方聯盟的兩個戰役有耶和華奇妙的介入。而攻打艾城和北方聯盟的戰役，則顯出以色列人精明的戰略。在這部分的中心，以色列人起誓要在應許地上遵守神的律法（八30-34）。這就是爭戰的重點。

●城
○城（位置不確定）
△山頂
〰〰發生衝突之處
──以色列人從什亭到耶利哥，繞城而行
──以色列的主要軍力攻打艾城，然後潰敗
- - - 大隊伏兵從南面進攻艾城
‥‥‥小隊伏兵從北面進攻艾城
──約書亞帶領以色列人到示劍，重申摩西之約（書八30及之後，二十四1及之後；申二十七4及之後）

在耶利哥、艾城和示劍重申聖約

六1-27　耶利哥之戰

六1　引言　耶利哥〔現今的蘇丹廢丘（Tell es-Sultan）〕，大概是獻給月神的（耶利哥的意思是『月城』）；這城位於戰略性的位置，在區內有一大片綠洲，那裏水源十分珍貴，它控制著通往內陸的主要道路。

六2-5　耶和華的指示　耶和華給約書亞的指示顯出了聖約的特性。神把迦南地恩賜給以色列人，但他們必須忠心地順從神，使這地成為屬於他們的土地（來十一30；參一2-9）。**第一個指示**是軍隊要繞著約有650碼（600米）的城來走，每天一次，連續6天，叫人知道神聖的王正把這城劃為祂的地界。耶利哥的王及其軍隊抵抗以色列人（二十四

11），但他們只像撒但和他的軍隊在基督和祂的教會面前一樣軟弱無力（太十二22-29；路十18；弗六10-18）。**第二個指示**是7個祭司要拿7個羊角，走在約櫃前，這標誌著聖戰的開始。約櫃是神的聖寶座（參三3）。**第三個指示**是這7個祭司在第七日要繞城7次——7這個數目在第14節重複了3次——代表著完全。**第四個指示**是以色列民聽見最後的角聲，便發出地震般的呼喊，這為要呼喊出他們的信心。**第五個指示**是每個戰士在城牆倒塌後，便直衝進城內，將城奪取，而最後，就是把城「獻」給耶和華（17-20節）。

六6-7　約書亞的命令　約書亞複述給祭司的命令，跟著又複述給眾民的命令。他先提到約櫃，因為神是王（比較三2-4）。約書亞自己部署一些帶兵器的人，走在吹角的祭司前面作前鋒，其他的則走在約櫃後面作後衞隊（9節）。這樣，神聖的王便位於神聖的戰士中央，那是祂應處的正確位置。這列隊的長度和深度並不重要。

六8-14　切實執行命令　神聖的軍隊在嚴肅的遊行隊伍中前進的時候，7個祭司吹著號角，而帶著兵器的人，則按著約書亞的命令，如石頭般一言不發。這樣持續了6天。這戲劇性地拖長描述，正好與這長曳的行軍相配合。

六15-21　耶利哥城陷落　傳統指出第七日是安息日，但那並不可妨礙聖戰的進行。約書亞命令以色列人「毀滅」耶利哥城〔希伯來文作是 ḥērem，在本註釋會作「歸予神」（devoted）或「歸予神的物」〕，這包括殺死城中所有人，為免以色列人沾染屬靈的腐敗（申二十16-18）。有時「歸予神」（ḥērem）還包括焚城（24節，十一13），而在別的情況下，那並不包括掠奪城之物（參八26-27，十一14）。教會則藉著革除會籍來執行這原則（林前五13）；而革除會籍的原則和程序今天有時也必須再次應用。

以色列神聖的軍隊緊緊遵從這些命令，而在他們竭力的呼喊之下，耶利哥的城牆倒塌了。約但河谷平均一個世紀之內有4次嚴重的地震，而在耶利哥城的發掘清楚顯示那裏最少有一堵磚牆倒塌了。這事實使耶利哥城

(地圖上的地名：法里拉河、哩、千米、以巴路山、撒拉他拿、基利比山、示劍、雅博河、亞當城、示羅、約但河的水在這裏停住（書三15）、約書亞臨時安營之處（約九6，十6）、伯特利、艾、馬庫克乾河、吉甲、審林的水、耶利哥、什亭、基遍、蘇孝喇特河、摩押平原、巴力毗珥、耶布斯、伯利恆、死海、證主21世紀聖經新釋)

的事蹟顯得可信，卻沒有減低這事叫人驚異之處——神作了預言，並在準確的時間使它發生。

六22-25 喇合得活，耶利哥滅亡 故事的結尾交替說著喇合的得救（22-23、25等節）和耶利哥城的被毀（24、26節），使兩者的命運形成對比。作者藉著重複談論和擴大事情的細節來突顯神的守約，即使在一個迦南妓女身上也如此（17節下、22-23、25等節）。喇合和她的家屬首先被安置在營外（23節），因為在禮儀上說來，她們是不潔的（利十三46；申二十三3），但在本書寫作的時候，她的後裔都已長期定居在以色列了。喇合藉著她的後裔耶穌基督（太一5），繼續住在新以色列裏。

先知約書亞宣佈說，任何人意圖在這已獻給耶和華的城上重建根基，就必受咒詛（比較王上十六34）。這咒詛雖是敘述而不是規定，但卻很適切，因為首生的是屬於耶和華的（出十三1），因此「歸予神」的城也有著這地位。

六27 約書亞的名聲 約書亞的名聲古今都傳揚遍地（27，三7，四14）。總括來說，喇合和約書亞活著了，而耶利哥則以死亡來「歸予神」。

七1至八29 艾城之戰

這戰事的兩部分：軍隊的潰散（七1-26）和勝利（八1-29），均教導信心的功課。

七1-26 軍隊的潰散 作者把所有以色列人（六18）牽連在亞干的罪中。**民族的連帶責任**——一人的行為影響整體的觀念——也闡明在別的經文（撒下二十一1-9；徒九4；西一24），並且是以下兩個教義的基礎：人類因亞當而有原罪；聖徒透過耶穌基督得稱為義（羅五12-19）。

第2-5節 「艾」這名字有不吉利的意思，指「滅亡」。艾城現今的位置不詳，因為傳統說法所指的地點埃切廢墟(et-Tell)，現已證明那時並未有人居住。我們必須從神的震怒去看以色列的愚昧和失敗（1節）。差遣探子去偵察耶利哥雖是正確的（二1），但約書亞在還未徵詢耶和華之前便發動戰爭，就明

顯是違反了聖戰的原則，和神差遣約書亞時給予他的指示（民二十七2）。諷刺的是，約書亞戰敗後竟要以抽籤形式來解決事端（14節）。探子倚靠他們的「二三千人」（「千」譯作「分遣隊」更佳；參四13註釋），而不倚靠耶和華，如此便違反了聖戰的準則。若那些分遣隊為15人一隊，則36人被殺就等於損失了80%的兵力。要解釋這次潰敗，我們毋須只歸咎其終極原因——違反聖戰原則，或近因——約書亞在正面攻擊的用兵上失策，因為這兩個都是失敗的原因。

第6-9節 在極度的痛苦沮喪下，約書亞和眾長老撕裂衣服（參創三十七29、34；士十一35），並俯伏在約櫃這神聖的徵詢處之前（比較士二十18、23、26-27）。他們悲傷地埋怨神，並大膽和率直地詢問神他們戰敗的原因（參賽六11）。約書亞幾乎像以色列人昔日埋怨神那樣埋怨祂（參出十四21，十六2-8）。從約書亞無知的角度看來，這次軍隊的潰敗是有害而無益的。迦南人若重拾信心，一起從他們山上的營壘向以色列人衝下來，而以色列人又被漲溢的約但河所困，那處境實在堪虞。

第10-15節 耶和華簡單地回答說：「起來」，並指出眾民的罪：「以色列人犯了罪」。以色列人因欺詐神——隨自己的喜好而行，看自己的判斷比神的話優勝——他們羞辱了神榮耀的名。神使他們成為「歸予神」(ḥērem)的物，以維護自己的名聲。

第16-23節 為了眾民得拯救，神吩咐這污穢了的全營重新潔淨自己（參三5），不致全營成為「歸予神」(ḥērem)的物（「當滅的物」，13節）。神在以色列人抽籤的時候，以「是」和「非」兩個答案把有罪的孤立出來（參十四2，十八6；出二十八30），藉著一個抽取的過程，指出亞干就是罪魁禍首（14、17節）。那有罪的遂承認他們所犯的錯。<mark>每一件事情在神面前都要赤露敞開</mark>（來四13）。藉著把亞干的所有燒毀，用作榮耀神的新「歸予神」(ḥērem)的物，這罪才得以歸正。也許從耶利哥偷來的物件污穢了以色列人，因而必須丟進潔淨的火中燒掉（參六17、24）。在聖經時代，家庭在父親的帶領之下，會較容易一起作出相同的行動，這情況比西方文化顯著。整個家庭會一起與神立約（參二8-14、18），又像這裏一樣，一起破壞立約的協

定。亞干把擄物藏在營中時，可能全家都知道此事（比較徒五1-2）。

藉著承認自己的罪，亞干把榮耀歸給了神（19節），因為其中伴隨著承認神的無所不知、神的主權、真理、熱心和聖潔。重要的是，不信的亞干把要獻給神的當滅之物〔「歸予神」（hērem）〕的物誤稱為掠物（和合本：「所有的財物」）。他對聖戰的看法是錯誤的。對他來說，耶利哥是他贏取的獎品，而不是神聖的王得勝之物。同樣地，物質主義者看世上的資源是屬於他們的，而不是屬於耶和華的。

第24-26節「以色列眾人」都必須參與贖罪的行動，用石頭打死亞干（比較1節）。位於亞割谷的石堆（「亞割」的意義是「災禍」），記念亞干褻瀆了聖物這個悲劇（參四5-7）。

八1-29 艾城之戰的勝利

第1-2節以色列人再次攻擊艾城的時候，小心謹慎地按著聖戰的定規而行。首先，耶和華命令他們作出攻擊，約書亞便完全地執行其中的細節，但也創新地定出一些戰略。其次，軍隊也受命不要懼怕，因為神已應許他們必得勝利（參一7-9）。一開始第二次的攻擊，他們已確知必定勝利，正如第一次攻擊開始時，失敗早已確定。

不過，征服應許地的各場戰爭都是獨特的。聖戰的準則一般包含較少的兵力，以致以色列人能把信心放在耶和華之上，而不是放在軍事力量上（參申十七16；士七1-8）。然而，在這次戰役裏，以色列人出動了全支軍隊。在第一次失敗的戰役中，人數較少的軍隊實際上表示以色列人有著錯誤的信心（參七3）。現在全軍隊表示他們有信心再次對付這不能輕視的勁旅。在這戰役中，「歸予神的物」（hērem）只包括艾城和城中的人民，而不包括牲畜和財物（比較六17，七15）。作戰的計劃是一個典型的軍事策略——狡猾的埋伏，而不是像奇異地傾倒耶利哥城牆那樣一個由祭司帶領的遊行。在出埃及的時候，萬軍之耶和華奇妙地使用了紅海和東風，而不是以色列人中帶著兵器的人，去摧毀埃及強大的軍隊（出十四10-31），但在其後對待亞瑪力人的戰爭中，神卻把作戰的刀交給約書亞（出十七8-16；參一3）。同樣地，在教會的歷史中，使徒時代充滿著叫人驚訝的工作，但後來卻是一些非神蹟的作為（參來二3-4）。基督建立祂的教會，是兩種方法並用的（太十六19）。

第3-13節耶和華統率了一次故弄玄虛的埋伏行動（參二2-7）。這次埋伏的士兵人數並不清楚。**第3節**說是30個分遣隊（和合本：「三萬」；參四13註釋），但**第12節**則作5個（和合本：「五千」）。有學者認為第3節應作「他差遣了三十名最好的勇士，每個分遣隊派一人」（Boling；參下文）（參撒下二十三24-39）。整個埋伏行動由5隊士兵執行。請留意第3節作「大能的勇士」，而第12節只作「人」。伏兵走了12哩（20千米）的路，攀上陡峭的山坡，並在黑夜的掩護下，藏身在艾城以西的山丘或磐石之後，或在洞穴中（9、13節）。翌日清晨，約書亞與主要的軍隊從吉甲出發，並為了清楚看見整座城，在艾城北邊的山谷以外安營。「這夜」，即伏兵埋伏的第二天晚上（這時伏兵已全然準備好），約書亞在即將發動戰事的山谷中進行偵察，以保證他的作戰行動得以成功。

第14-17節在艾城的王看來，約書亞的作戰行動好像重演一次。翌日清晨，他輕率地迅速帶兵前往作戰之處，指望像前次一樣大敗以色列兵。約書亞假裝撤退，其實是利用上一次的經歷，引誘艾城的王不作任何戒備。為了滅絕正在逃跑的誘兵，王召集所有軍隊出城，甚至離開神殿（這裏稱為「**伯特利**」，參士二十18，新國際譯本旁註），那是一個城堡的最後防守據點。這裏的「伯特利」（直譯：「神的家」）並不是一個地方名字，而是指艾城的神殿（R.G. Boling和G.E. Wright, *Anchor Bible, Joshua*, p.240，也有相同的意見）。

第18-23在關鍵性的一刻，耶和華作出了干預，並吩咐約書亞舉起「**短鎗**」，或更貼切地，譯作「彎刀」。向艾城伸出彎刀，象徵耶和華有管治該城的主權。第19節在希伯來文中指伏兵已迅速離開隱藏的地方。約書亞一發出訊號，他們便起來攻城。以色列的主要大軍此時回頭攻擊那倒霉的追趕者；他們回頭一看，只見艾城峰煙四起，而5隊以色列兵則從他們後方出擊。

第24-27節根據對付艾城之聖戰的準則，艾城中全部12個分遣隊和他們的妻子，

都要成為「歸予神的物」（hērem），要被「殺滅」（26節，及新國際譯本旁註）。

第28-29節被焚毀的城———個永遠的廢堆，和王的墓——城門上的石堆，都成為紀念此事的標記（參四5-7），並證明這事確實是發生了。艾城的王「**被掛在樹上**」，可能指被釘在柱子上，顯出他是在神的詛咒之下。根據律法，人必須在日落之前把他取下來（申二十一23）。相對而言，在新約中，以色列的王卻在十字架上「為我們受了詛咒，就贖出我們……」（加三13）。祂也是在日落之前被人取下來（約十九31）。

八30-35 在以巴路山更新聖約

在這些爭戰故事的中心，作者停下來詳述以色列人在示劍更新聖約，如摩西所指示的（申十一29）。以色列之主的法則和治權的主張是在國外頒佈的。祭壇象徵神對該地的治權（參創十二8），而律法則界定祂管治的特質。正如沒有修剪的葡萄樹（利二十五5、11）和沒有剃下來的頭髮（民六5），在以色列中是象徵這些物件是聖潔或獻給耶和華的，同樣地，**一個用沒有動過鐵器的完整石頭築成的祭壇，表示它是屬於創造主的**。以巴路山在示劍〔現今的納布盧斯(Nablus)〕以北，是陳述惡兆的地點，而基利心山——較低的一座山——則在示劍以南（33節）。我們應假定以色列人能自由進出這地，因為他們與示劍人所立的約正生效（參二十四章；創三十四；士九），或因為撤退至基地的迦南，不敢在這人跡罕至的地方與他們對敵。以巴路山——詛咒的山——被選為設立祭壇的地點，因為神在那裏除掉了罪人的詛咒。

燔祭象徵以色列人全然奉獻給神，並用以贖他們的罪。可以吃的平安祭是慶祝他們與神的關係。以色列人起初在西乃山確證這聖約時，也在慶典中獻了這兩種祭（出二十四5）。兩祭預表基督為設立新約所流的血（路二十二20）。在以巴路山出土了一座祭壇，而按發掘者薛托(A. Zetal)所說，其中所有科學證明，都跟聖經的描述極之吻合。

由於約書亞是遵從摩西的律法而行，讀者應假定那些石頭是鋪上了石膏，然後律法便刻在其上（32節；比較申二十七1-8）。律法在嚴肅地聚集的以色列人眼前寫了多少，聖經並沒有說明。讀者也應想像，在這個有

極好傳音效果的環山平地裏，以色列人的6個支派在基利心山大聲陳明因順從而有的祝福，另外6個支派則在以巴路山大聲述說因背道帶來的咒詛（33節；參申二十七章）。由本國和歸化的居民組成的眾支派，面對著那些抬著約櫃——神聖之王的寶座（參六6-7）——的祭司。其後，約書亞聽見了所有神國子民的聲音後，便宣讀律法，藉著其中的祝福和咒詛，說出了以色列人與神所立之約的要素（34-35節；參申十一26，三十1）。

九1-27 與基遍人立約

與基遍人訂立盟約顯然是在聖戰的規則以外的。這事件顯出以色列人會在某些情況下，認定他們可以和必須在律法以外訂立一些例外的條約。妥協的情況時有發生，像在這裏（14節），並例如在離婚的事件上，因為以色列人沒有首先尋求神的話。在士師時代，以色列人與一些被咒詛的國族訂立許多和平的條約，違反了「歸予神」（hērem)的原則（參六15-21註釋），以致耶和華不再把迦南人趕出（士二1-5）。今天教會裏也有許多人選擇與世人和平共存，因而喪失了他們屬靈的能力。

九1-2 迦南人的會盟 在其他迦南人會盟要攻擊以色列人的時候（十1至十一23），基遍人卻作了這特殊的外交。基遍人寧願冒險以求和平，而不是戰爭。可惜的是，**他們雖敬畏神，但卻沒有選擇第三個解決辦法，即像喇合一樣（參二8-14），在神的約中完全效忠。**許多人面對著基督和祂的福音時，也可選擇以下其中一個立場：1.與祂對抗；2.和平地共存，但卻不歸服於祂；3.藉著祂的寶血和屬靈的重生，作新約中的子民。

九3-13 基遍人的詭計 基遍和它的四個同盟合稱希未人（7節），這提醒我們，基遍人是一個被判有罪的民族。一般人把基遍等同於耶路撒冷西北面8哩（13千米）的吉卜(el-Jib)，這是值得懷疑的。雖然約書亞讓眾長老與基遍人談判，但基遍人是先求見約書亞，要與他和以色列人立平安之約，所以約書亞必須為此事負上最終的責任（6、8下、15節）。

在以色列人的政策中，他們可以跟遠方

順服的城——雖會污染他們，但不是被咒詛——的國族立和約（申二十10-15）。基遍人因而假裝從遠處而來，以求藉這條例與他們和平共存。

雖然在戰爭中，欺詐被視為是有需要的，但在立約時，卻不能接受欺詐的成份（參二2-7的註釋），因此約書亞咒詛他們（23節）。事實上，約書亞和眾長老倚靠自己的判別力，而不去求問耶和華，也是錯誤的（14節）。無論這樣有多麼吸引人，教會決不可用自己的理解去取代神的話。

九14-15　與基遍人立約　也許以色列人「受了」（即「取去」）他們的食物，是因為那是立約程序的一部分。終究犯錯的是以色列人，而不是基遍人，因為以色列人沒有求問耶和華。

九16-18　基遍人的詐騙被發現　3天後，以色列人便發現基遍人的詭計。他們要再用3天，走17哩（27千米）的路程，從吉甲來到基遍人那裏，證實所聽聞的消息。構成這同盟的4個城鎮，從西北面控制著通往耶路撒冷的路，因此他們是住在以色列人聯邦的主要幹道上。會眾有理地埋怨他們的領袖，因為這些仍留在應許地上的外邦人影響著他們在此地上立足。

九19-27　解決辦法　在連續3節裏（18、19、20節），聖經強調以色列人不能破壞誓言，誤用了神的名字，縱然這誓言是在被騙的情況下作出的（參出二十7；撒下二十一1-14；太五33-37）。在這個充滿破壞婚約、商業上的違約的時代裏，這個真理需要重提出來。眾長老持守這個在被騙的情況下訂立、卻又不能更改之條約的方法是，把條約裏「僕人」一詞解作負擔最繁重工作的人——基遍人要為以色列全會眾作劈柴挑水的苦工。約書亞在眾長老要求的這些非禮儀方面的職務外，加上了一些禮儀方面的事奉。

十1-43　南部之征服

南部的戰役包含兩部分：大敗圍攻基遍的5個亞摩利王，和其後攻取各城邑，征服整個區域。

十1-28　基遍之戰　第1-7節約書亞之征服艾城，加上基遍之請降，促使耶路撒冷王與另外4個城邑組成聯盟，合攻基遍。當時的城邦往往會以聯合的軍力來抵禦敵人（參創十四1-3）。從亞馬拿書簡中的一封信（約主前1350年），可推斷基遍是耶路撒冷王國的一部分，主要由猶大山區組成。基遍面對著這強大聯盟的攻擊，惟有請求約書亞履行條約中的義務，過來幫助他們。以色列人便起來，面對第一個真正向他們的勇氣發出挑戰的考驗。

耶路撒冷王亞多尼洗德（意思是「我主是公義的」）統治一個住著亞摩利人和赫人的城邑，而這兩個民族都是要在神面前毀滅的（參六15-21；申七1）。亞多尼洗德的世界觀使他不能明白以色列的勝利是由於耶和華，不是由於約書亞，因此，他視之為軍隊對付軍隊之戰爭。基遍人所聽聞的，是耶和華的名聲，而他所聽聞的，卻是約書亞的名聲。耶路撒冷王的「勇士」（2節），像中世紀的武士（參六2的「勇士」），是受過訓練的，並且有足夠財力去好好裝備自己。在這時候，埃及人控制著迦南，而拉吉〔現代的杜韋廢丘（Tell ed-Duweir）〕是它的省府。

第8-15節基遍的戰場提供了一個舞臺，讓神的戰士在其上行奇事。這是耶和華第三次和最後一次為以色列人奇妙地干預戰事（參三至四章，六章）。在聖戰的最佳傳統裏，耶和華是給予指示——大概是在以色列人求問祂以後；吩咐以色列人不要懼怕，應許他們必定得勝（8節）；使敵人恐慌——約書亞連夜走22哩（35千里）崎嶇、彎曲的山路，從吉甲登上希伯崙，猛然臨到他們那裏（9-10節）；並降下大冰雹，打在正竄逃往山下之要塞的敵人身上（11節）（參出十四24；士四15；詩七十七17-19）。以賽亞提到這戲劇性的事蹟時，說耶和華是非常振奮的（賽二十八21）。

作者用倒敘過去事蹟的手法，把最壯觀、最引人入勝的場面留在最後才敘述——那就是在伯和崙路上的勝利（12-15節）。在這幕事蹟裏，耶和華的侍從——太陽和月亮——都在支持約書亞。迦南人從基遍西面上山（約書亞正在那裏因整夜攀山勞累而稍事休息），正面向著在基遍以上耀目的陽光，那時戰爭正要開始。為保持這優勢，約書亞向

耶和華禱告，求祂吩咐太陽和月亮，像吩咐侍從一樣，叫它們停住，直至以色列人向敵人報了仇（即自衛性地宣示其主權）。奇妙地，耶和華竟把祂在天上的侍從交給一個在地上的人，聽從他的吩咐。太陽可能是基遍的主要神祇，像月亮是耶利哥的主神一樣（參六1）。作者並引述他的資料來源——「**雅煞珥書**」（「義者之書」），那是早期記載或收集一些歌頌為國家爭戰之以色列英雄的詩歌書（參撒下一18-27）。

許多解經的人曾用不同的方式去翻譯12至13節的希伯來文，意圖為這事件提供一個合乎自然定律的解釋。有些學者認為那是一次日蝕。有些則認為太陽是停止了發光，而不是沒有移動，而「**約有一日之久**」則應譯作「正當日落黃昏的時候」。對這觀點稍作更改的意見稱這段經文是指一次晨曦時下得很大的冰雹，以致天都黑了，直至敵人被滅，並把第13節譯作「太陽在天空中停止發光，並不急速上升，〔像是〕在日落黃昏的時候」。雖然譯作「停在」和「止住」的希伯來文也可解作「停止發光」，尤其是在詩歌裏，但作者在13節下說「在天當中停住」，而不用「發光」，似乎更合乎傳統的解釋。同樣地，把「**不急速下落**」譯作「不急速上升」是曲解了希伯來文的意思。這解釋雖有創意，但卻似乎是為了配合科學的定律，而不是正常地理解經文。也有人把本段經文分類為歷史化的神話(historicized myth)（參 *Anchor Bible* 中 R.G. Boling的見解），但這解釋卻有損蒙神默示之作者的可信性。

有些學者拒絕科學化的解釋，認為「這現象是眾多神蹟中的一個，聖經藉以告訴我們……那是一個記號，表示其中有神的干預，為了賜下一個人不配得的恩惠，而這恩惠是不能用別的方法去叫人明白的」〔J.A. Soggin, *Joshua*（SCM, p.123）〕。有人把約書亞命令太陽停止的事件跟希臘神話比較，其中亞加米農（Agamemnon）向宙斯禱告，求他在阿凱亞人（Achaeans）得勝之前，不要讓太陽落下。

第16-21節基遍之戰的史話又再繼續。約書亞並沒有阻止他的軍隊去擊殺五王，而根據情報，他們正藏在瑪基大的洞裏。相反地，他吩咐人用幾塊大石堵塞洞口，並派人看守，而其主要軍力則用以追趕正在逃跑的

迦南人，切斷他們撤回西面堅固城的去路。然而，也有些人逃走了（參28-39節）。其後各路軍隊便返回現已設於瑪基大的營地。沒有人敢批評這退敵之軍隊中的一個人〔比較出十一7，其中「搖舌」跟本段中的「饒舌」（即「吭一聲」）在原文中是相同的〕。因著那聲譽，他們不久便得以安息。

第22-27節這時是收拾那五王的時候了。約書亞利用這機會堅固軍隊的心靈，讓他們有勇氣面對未來的戰役。在整隊軍隊面前，他指示眾軍長按古老的習俗，把腳踏在那羞辱的五王頸項上（參王上五3；詩一一○1；林前十五25-28）。像開始征服迦南時耶和華吩咐約書亞的話一樣（一8），約書亞吩咐他們不要懼怕，因為這五王之死代表神還要賜他們勝利。其後約書亞把五王殺了。像對待艾城的王一樣，他吩咐人把5個被咒詛的王掛在樹上示眾，直至晚上，使眾人敬畏耶和華，而不是懼怕迦南人。洞口的石頭又用作另一個紀念碑，以誌約書亞征服迦南的奇功（參四5-7）。五王被殺預表了撒但的羞辱和戰敗（參創三15）。

十29-39 消滅7個亞摩利人的城邑　作者迅速地連續列出7個被約書亞殲滅的軍隊，和6個被他攻擊、征服，和劃作「歸予神」(hērem)的王城。

十40-43 總結　猶大3個主要的地區：山地、南地和山坡，都在這戰役中征服了。雖然許多地仍未能攻取（參十三1-7），但被咒詛之迦南人的支柱已被打斷；在這意義上，我們可以說約書亞已經征服了整個地區了。

十一1-15　北部之征服

北部的戰役，像南部一樣，包含兩部分：米倫水邊大敗敵軍（十一1-9）和其後征服各城（十一10-15）。所有受咒詛的國族都聚集，在這征服迦南之決定性和高潮的戰役中，對抗以色列人（比較三10，九1-2）。

十一1-9　米倫水邊之戰　**第1-5節**這迦南聯盟的召集人是夏瑣一個王朝的君王耶賓（參士四2）。夏瑣〔現今的科達廢丘(Tell Qedah)〕在約書亞的時代是一個巨大、堅固的城邑，

佔地200英畝（80公頃），有人口約4萬人。那是埃及和米所波大米之間的貿易幹線上一個主要的城市。考古和近東文獻上指出，夏瑣是「在這諸國是為首的」（10節）。

作者以耶賓為中心來描述他呼籲備軍的行動。在軍隊的中心是耶賓（1節上）。召集到他身旁的是加利利的3個王：瑪頓王〔在加利利中心的蓋倫海廷（Qarn Hattin）附近〕、伸崙王（地點不能確定）和押煞王（在亞設支派得地的範圍內，參十九25）。堅固他們的，是從周圍地區而來的諸王：北面是從上加利利的山地而來的，南面是從基尼烈，以及基尼烈以南的約但河谷而來的，西面是從多珥——一個在迦密山以南的著名海港——而來的（2節）。為提供最大的力量，他又從南方和北方更偏遠之地召集諸王到來（3節）。至於偏遠的南方，第3節上的經文應作：「又去見東方的迦南人和西方的亞摩利人，〔在他們中間〕還有山地的赫人、比利洗人、耶布斯人。」從偏遠的北方而來的有黑門山根米斯巴地的希未人（米斯巴地點不能確定，其名意為「向外看」）。這些盟軍都有當時最高級的裝備，就是輕盈的戰用馬車；這些馬車可以拆開，在戰地上再裝嵌供作戰之用。他們舉行這決定性之戰役的地點，大概在耶伯耶默以北的高原，約在米倫東北2.5哩（4千米）。

第6-9節　以色列人再一次按著聖戰的規定：約書亞求問耶和華，耶和華便鼓勵約書亞的軍隊，去面對那懸殊得叫人驚訝的軍力；祂告訴他們作戰的時間，和要採用的戰略。約書亞的軍隊砍斷馬的蹄筋後，馬車上的士兵被迫要逃跑，這樣以色列人便能追趕他們。其後，以色列人可以在有空時回來把馬車燒掉，而他們確實曾這樣做（9節）。（有關戰略與神蹟的對照，參八1-2，九1-2，十8-15。）

約書亞和他頑強作戰的軍隊仗著優先的攻勢，突然作出攻擊（7節）。大敗敵軍的行動又再展開（8節；參十9-11）。不聖潔的聯盟分裂了，有些向西北面逃跑，有些則向東北面逃去，他們都只是指望逃出該地。約書亞根據聖戰的規定，沒有留下一個活口。

十一10-15　征服諸城　被征服之城邑的命運跟十章28至39節所列的諸城相若。像耶利哥

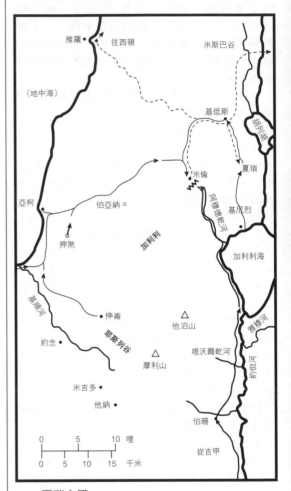

●城
○城（位置不確定）
△山頂
〰〰發生衝突之處
— 迦南大軍兵臨米倫河
— 由約書亞帶領的以色列軍路線圖
- - - 以軍勝利；迦南人被趕往西頓及米斯巴谷；部分以軍轉向焚燒夏瑣。

推羅　往西頓　米斯巴谷
（地中海）　基低斯　胡列湖
夏瑣
亞柯　伯亞納。　米倫　阿穆德乾河　基底烈
押煞　加利利　加利利海
基順河　伸崙　他泊山　雅穆河
耶斯列谷　塔沃爾乾河　阿田乾河
約念　摩利山
米吉多
他納
伯珊
從吉甲

0　　5　　10 哩
0　5　10　15 千米

夏瑣之戰

一樣，夏瑣這曾自誇的城邑被「盡行殺滅」〔「歸予神」（hērem）〕；沒有在城中留下甚麼，而城本身也被燒毀了（參六15-21）。（關於夏瑣的考古證據，參導論：征服迦南的日期。）然而，夏瑣並不像耶利哥，神再沒有咒詛把這城重建的人（參士四2）。以色列人再沒有燒毀別的王城。正如在艾城，他們把掠物留下（參八24-27），是按著耶和華吩咐摩西的話（申六10-11）。摩西的命令：「凡有氣息的，一個不可存留」（申二十16），必是指人類，而不是牛羊，因為以色列人是

證主21世紀聖經新釋

得著神完全的認可，去帶走城中牲畜，留為己用的（12-15節）。

十一16-23　征服應許地的總結

　　整個征服的總結跟南方戰役後的總結（十40-41）相似。亞拉巴，跟第2節的亞拉巴不同，是指整個裂谷，從加利利海以北至埃拉特灣（Gulf of Eilat）。哈拉山（「禿山」）是耶立哈拉克（Jeleb Halaq），遠在別是巴的東南面，而西珥是以東。在北端的巴力迦得可能是巴尼亞，位於黑門山下和約但河的源頭（17節）。從迦勒的年齡推算，若按字面數值去計算，征服迦南地的「許多年日」（18節）可能是7年。迦勒和征服迦南後是85歲（參十四10），而開始征服迦南時是78歲（參十四7和申二14）。

　　迦南人中並沒有一個悔改，除了喇合和她的家人，而只有基遍人尋求建立和約，因為耶和華使其餘的人心硬，好殺滅他們（20節；參九1-2）。從法老對抗摩西這相似的處境中，我們可以推論，迦南人對抗約書亞時，好像所有人一樣，是心硬的（出七11-14；林前二14）。他們看見耶和華藉著祂僕人所行的神蹟時，像法老一樣，都是心硬的（參出八32，九34），於是，掌權的神便使他們心硬（參出十1）。所有人在罪中都是死的，該受神的審判；神把新生命賜給一些人，只是出於憐憫（羅九10-18）。

　　第23節總括是復指一章3節。在其他地方，作者都明確地指出征服的工作尚未完成（參十三1，十五63，十六10）。至於「太平」或安息，參一章12至15節和十章21節的註釋。以色列人飄流的歲月已經過去了。因為有組織的對抗已不復存在，所以以色列人可以準備分地了（23節；參一6）。

十二1-24　附錄：戰敗諸王的名單

　　本章概述以色列人所殺的君王和從他們所取得的地，為攻取應許地（一至十一章）和分地（十三至二十一章）提供了過渡。這個名單確證了六至十一章的事蹟。

　　約書亞多次指出從前兇邪的諸王和他們的土地不復存在，新的統治者是神，而祂的眾支派要把應許地分別為聖。這個轉變說明了幾項事實。1.神那正直的國度正好取代了這世上不正直的諸國；他們先前只是篡奪祂

在地上的治權（參三9-13，八30-35）。2.到了審判的時候，神便斷然除滅惡人。3.惡者不能在聖潔的軍隊面前站立，這軍隊是按著神的啟示而行，並且信靠祂（一5，十8）。4.永在的神持守著祂的應許。神已立約把這地賜給以色列人的列祖及其後裔。祂現在已應驗那應許，卻仍未完全完成（參一6）。應許地的征服提醒教會，守約的神會按著祂所應許的，把新天新地賜給祂的子民，而他們必須耐心等候得著他們的產業（來十一39-40）。5.神合一的子民——在這情況下就是約但河以東和以西的各支派——沒收了那些不合法之諸王的地，並承受了應許地為業（參一12-15）。

　　這概述分為兩半：以色列人征服約但河東，並在那裏定居（1-6節），約書亞征服約但河西的諸王（7-24節）。

十二1-6　摩西征服約但河東並賜以色列人為業

作者首先提醒讀者，約但河東的王國只是暫時存在的。

　　第1節　約但河以東，在隱基底對面那極大的亞嫩峽谷〔慕捷河(Wadi el-Mujib)〕是一個天然的疆界，從前把南面的摩押人和北面的亞摩利人劃分（士十一18-19）。這裏的亞拉巴是加利利海（基尼烈湖）和死海（亞拉巴海）之間寬闊的約但河谷。在約書亞的時代，北面的邊境是黑門山，而不是神所應許的幼發拉底河（參一4，十三1-7）。

　　第2-3節　征服亞摩利王西宏的事蹟記載於民數記二十一章21至31節和申命記二章24至37節。亞羅珥〔現今的亞拉拉(Ar'arah)〕距離死海北岸約有6哩（10千米），俯瞰著慕捷河。它象徵了這區南面的邊界。死海以北約7哩（12千米），向西流進約但河的雅博河，形成西宏北面的邊境。以色列人不能侵入這地的東半部，那是屬於亞摩利人的，而亞摩利人當時仍未組織成一個王國（參十三25）。基列本部是多山、樹林滿佈的地方，是希實本至死海一帶以北之地，並向北伸延至雅穆河(Wadi Yarmuk)，但它在雅穆河以南約11哩（18千米）處，地勢已伸展為平原。這些平原向北伸延形成巴珊地。這多山、多林木的地區被雅博河分為兩半。

　　第4-5節　征服巴珊王噩的事蹟記載於民數記二十一章32至35節和申命記三章1至11節。

利乏音人是巨人，他們在以色列人之前住在這地上。他們的後繼者——摩押人和亞摩利人——稱他們為以米人和散送冥人（申二11、20、21）。這些巨大、身形可與亞衲族人相比的人，在亞伯拉罕時代已住在應許地上（創十五20）。基述人和瑪迦人是以色列東面邊境的亞蘭人。

第6節 這些土地由摩西征服，他按著神的吩咐，把地分配給忠於耶和華的兩個半支派，為使那地分別為聖。摩西兩次被稱為「耶和華僕人」（參一1），大概是為了表示以色列人有合法的權利去佔領該地。

十二7-24　約書亞佔領約但河西之地　約書亞所征服的土地與美國佛蒙特州或英國威爾斯的大小相若。

第7-8節 第7節的「約書亞和以色列人」跟第6節的「摩西和以色列人」相似（至於巴力迦得，請看十一17的註釋）。這清單大致是按著六至十一章的記載列出的，並且補充了這幾章經文。這時以色列人正安營在吉甲，仍未定居在應許地，也未佔領其中的城邑。

第9-24節 這些「王」所統治的只是細小的城邦，其版圖只是從堅固城向外伸展約3哩（5千米）。在主前668年，亞述巴尼帕第一次征討亞蘭和巴勒斯坦後，有33個王向他進貢。

十三1至二十一45　分配應許地

有些支派在佔領應許地之前已獲得分配（十三1-7）。這些未得之地是仍未安居的支派的信心挑戰。

雖然所有以色列人都協力爭戰，要在應許之地建立國土，但不同的支派卻以不同的方法，在不同的時間佔領他們的領土，而他們成功的程度也各有不同。河東的兩個半支派是主動提出要求，並獲摩西分配約但河東之地（十三8-33；參十二1-6）。在約但河西，猶大、以法蓮和瑪拿西為自己開拓領土，其後獲約書亞分配（十五1至十七18）。然而，其餘的7個支派，並沒有這樣的成功。約書亞要測量餘下的地，分為7個地區，再抽籤分配給他們（十八1至十九51）。各支派便自由地按其所獲分配的地去攻取和佔領。

十三1-7　未攻取之地

約書亞記對以色列人佔領迦南地的性質和範圍，陳示了兩種觀點：以閃電式和壯觀的戰役，征服了整個應許地（十一16-23，二十一43-45；參出二十三23）；在一段長時間內有一連串的許多戰役（十一18），因在征服應許地後，仍要在這片廣闊的土地上，一點一點地逐漸取得佔領權（十三1-7，十八3；參出二十三27-30；士一）。要解決這個矛盾，就必須留意兩個因素。

首先，聖經歷史家是從神學角度去舖排他們的材料。有時候，好像在列王紀、歷代志和新約的福音書一樣，不同的作者會從不同的角度去敘述一段相同的歷史。為了強調一些要點，他們會小心地選擇材料，按著主題來加以組織，而不一定按事件的時序，然後在有需要時加以編輯。他們寫歷史是為了誘發回憶和默示異象，而不單是按時序去記載事件。我們的作者歡呼慶賀的是，約書亞叫人歎為觀止的戰役結束時，迦南的抵禦力量也消滅了。他用「地」一字去表達整個地區和其上的居民。現在地上的民都被擊敗了，可以說在地理上而言，整片土地已被攻取。那回憶目的是激勵以色列人去攻取仍未能佔領之地。

其次，以色列人佔領應許地和其後的安息是一些可以擴展的主題，因為以色列人是「漸漸」（出二十三30），而不是全然（來四1-14）取得那地。未來各世代必須付出他們的一分力（士三1-4）。歷代志的作者使用士師記三章1至4節來指出大衛比約書亞偉大，因為他的統治範圍是從「埃及前的西曷河至羅博（哈馬口）」；作者敘述時所使用的，是這兩段經文獨有的詞彙。以賽亞看見這些理想的國界在彌賽亞時代已成功到達（賽十一12-16）。在佔領應許地過程的任何一個時刻，我們都可以說，是神成就了祂的應許。此外，我們可以看見，每一個成就，都是最終成就的一部分。對於神的國度，新約也表達出相同的張力：天國已經臨到，但在最圓滿的意義上，卻仍未臨到。

未得之地是：

第2-3節 那將要成為非利士的地區，從西曷河（尼羅河）至基色。雖然這地後來由非利士人統治（參十一22；創十14），它卻是神應許賜給以色列人的應許地的一部分。亞衛

人住在迦薩的旁邊。

第4節迦南人的地區，從屬西頓人的米亞拉（地點不詳），遠至比布羅斯(Byblos)東南面的亞弗和亞摩利人的境界，這大概是在利巴嫩境內的阿慕努王國(Amurtuo)。

第5節迦巴勒人的地區，即比布羅斯一帶和黑門山下巴力迦得以東至哈馬口的利巴嫩全境。

其他未得之地是：耶斯列谷的戰略性城市——米吉多、他納、以伯蓮、隱多珥和伯善（十七11-12；參士一27）。

沿岸平原有亞弗、基色和多珥（十三4，十六10，十七11；比較士一27、29）。

耶路撒冷城（十五63；比較士一21）和基述、瑪迦人的地區（十三13）。

這些說明表示以色列人在巴勒斯坦的山區劃出了他們的地界，而本地居民仍住在平原，因為他們用鐵車威嚇著以色列人（參十七16；士一19）。

第6節的「分」意指「使掉下來」（即所抽的籤由神來控制；參民三十三54；賽三十四17；彌二4-5）。

十三8-33 約但河東之分地

本章目的是給讀者一個有關約但河東之地的整合概念，那是由摩西所分配的。

十三8-13 探察約但河東支派所得之地
這分地與十二章1至5節連繫起來。作者先提及瑪拿西那半支派，並非因為那是最重要的，而只是為了連接著第7節。

十三14 利未支派
第14和33節用以標示河東支派分地之詳盡記述（15-31節）的開首和結尾。這樣，既強調了利未人的產業——耶和華和祂的祭物，也把它們區分出來。最上好的產業是與耶和華相交，這產業是凡渴望得到的人都可得著（比較詩十六5，一一九57，一四二5），表示產業並非必定與土地有關。

十三15-23 流便支派
這部分先列出12個被征服的城鎮（17-20節），然後再敘述佔領約但河東之地的歷史（21-22節；參民二十一21-32）。「西宏的全國」（21節上）要加以界定，因為在第27節中，這國的一部分歸給了

迦得。看來這裏所指的是伸展至高原的那部分。第21下-22節提到亞摩利王西宏被擊敗時，又講述米甸首領、術士巴蘭（二十四9-10；申二十三4-5）被擊殺，強調了那位賜律法者摩西給應許地帶來政治和屬靈管理方面的改變（參十二1-5的註釋）。第23節是一個概述或總結。

十三24-28 迦得支派
第25節是一個概述，並限定東面的界限，而第26節則限定南面和北面的界限。第27節列出在約但河谷西面所拓展之地。那介紹的公式句（24節；參15、29節）意思是說，並非別人，就是摩西給予他們這世襲的產業（參一6的註釋）。「基列的各城」在基列南部的雅謝附近（參31節）。「亞捫人的一半地」指西部，即亞

流便、迦得和河東之瑪拿西支派

嫩和雅博之間，而不是東部（參十二1-5；申二19）。不要把這亞羅珥跟亞嫩谷邊的亞羅珥混淆了（參十二2，十三16）。

十三29-31　瑪拿西的半支派　瑪拿西的兒子瑪吉的一半子孫所得之地，南面邊界是在瑪哈念，但聖經沒有再確實說明其餘的疆界。這大致跟申命記三章4節和13至15節的描述相配合。瑪拿西作為雅各家中的長孫，特別得著兩份產業，儘管雅各在創世記四十八章中對長孫另有選擇。

十三32-33　總結　這總結給本部分畫上句號。利未人的應許是一個更美的應許（參14節）。

十四1至十九51　約但河西之分地

在引言（十四1-5）和結語（十九51）之間，作者在本部分加插了迦勒（十四6-15）和約書亞（十九49-50）的信心榜樣。這兩位英雄憑著信心，比他們同輩的人活得更久，並要求和最終得著他們的產業。

十四1-5　引言　約但河西分地的引言說出了地名、負責分地的人、方法、支派名稱，和法律保證。埃及人稱這地為「迦南」——這是本段所指地區的行政用詞（參二十一2，二十二9）。

耶和華藉著抽籤來指揮著分地（參十三6），而祭司以利亞撒、約書亞，和「各支派的族長」（即各支派的首領；參二十一1）傳達神的決定，並加以執行。聖經首先提到以利亞撒，因為約書亞在會幕門口，站在他面前，請他求問烏陵和土明，那是兩個表示「是」和「非」的用具，用以回答一些明確的詢問（十八1-10；參民二十七21）。

在這部分，我們看見河西的九個半支派，而不是河東的兩個半支派（參十三8-13）。在以色列人中，首生的會得到雙倍的祝福（申二十一15-17）。然而，各支派的祖先雅各，卻不按此而行。他越過了流便——他不喜愛之妻利亞所生的長子（創二十九31-32），而把雙倍的祝福給予約瑟——他所愛之妻拉結所生的長子。他抬高約瑟兩個兒子——瑪拿西和以法蓮——至支派族長的地位，等同於他自己的兒子流便和西緬（創四十八

1-9）。摩西律法後來禁止這種做法。利未人在這次分地中同樣沒有份兒。十三章14節中強調他們屬靈的產業；這裏則照顧他們實際的需要（比較民十八21-32）。認可這分地程序的，不是別人，正是摩西——在別處稱為「耶和華僕人」（十三8，十四7）和「神人」（十四6）。這一點重複了好幾次（2-3節、5節）。各支派既完全遵從摩西的吩咐，他們的請求便有效。

十四6至十七18　早期在吉甲的分地：猶大和約瑟　**十四6-15**迦勒一名的意義為「狗」，可反映他忠心、謙卑的「耶和華僕人」的尊貴地位（民十四24）。在《亞馬拿書信》（約主前1350年）和《拉吉書信》（主前586年）中，家臣以狗來自稱，表達對君王的忠心。作者稱呼迦勒為基尼洗族人，因其父是基尼洗族人（代上四13-15）。他先得著額外的分地，因為他專心跟從耶和華——經文重複這話3次，來加以強調（8-9節、14節）——這是眾支派要求得著分地時應效法的榜樣，那怕敵人兇悍頑強（參十三1-7）。憑著這種信心，「於是國中太平，沒有爭戰」（15節；比較一15，十一23）。

在引言之後（6節上），迦勒的事蹟便分3部分來敘述：他基於信心和神的話而有的合法權利（6下-9節）；他憑著信心和作戰的勇氣求取分地（10-12節）；約書亞的授予（13-15節）。

迦勒要求分地，因為神因著他和約書亞從加低斯出來窺探這地時所表現的信心，曾應許賜他們這地為業（民十四24、30）。迦勒那不可有損眾民士氣的信念為他贏取了生命和產業（參民十三）。當時他所踏之地並不是希伯崙城或希伯崙的牧場，而是外圍的田野和村莊（13節；參二十一11-12）。

神的應許預定迦勒不靠拈鬮而分得產業。也許猶大的人陪同著他，以支持他這請求。迦勒的請求例示了人神立約的性質。他首先因著信心而獲賜土地（7-9節），但他現在必須作出要求，並把強壯的亞衲族人趕出去，才能得著這地（10-12節；參一6-7；太二十五34）。基督徒靠著基督得救恩為業（弗一14；西三24；來九15）。亞衲族人是以色列人之強敵的象徵，聖經在約書亞各個戰役後曾提及他們（參十一21-23），而現在在分地的

開始也提及他們;迦勒立意要把他們趕出去。在38年艱苦的曠野生活中,神不讓迦勒衰老,以致他可以完全享受他的產業(11節)。信徒的身體會衰老,但心靈卻不衰老,而他們的身體也將會復活被提(林後四7-18)。

像迦勒和喇合般勇敢和確信的聖徒,都要得著賞賜(13-15節),作者稍離主題來指出這一點(參六22-25)。「祝福」的意思是使之有力、繁衍和常勝(創二十二17-18)。約書亞——本身也已經一把年紀——在此祝福這位85歲的同工健壯有力!

十五1-63 作者清楚說明他這樣仔細地界定各支派的產業,是為了顯出神是堅守應許的(二十一43-45)。這裏對各支派所得產業的明確界定,是要清楚提醒以色列人,神使祂的應許應驗,把這片王者之地賜給與祂立約的子民。第1節是延續十一章23節的主題。

首先,作者描述四面的邊界:南面(1-4節)、東面(5節上)、北面(5下-11節)、西面(12節)。**第1節** 的「拈鬮所得之地」是指「抽籤」的動作(參十三1-7)。作者先提及約但河西的分地(十五2-12),因為這分地預示猶大未來的強大和領導地位(創四十九10;士一1-2,二十18)。

聖經跟著提到迦勒的產業(十五13-19),並再次強調他怎樣逐出住在該地的人,而得著所賜的禮物;他的做法可作為別人的榜樣(參十四6-15,請留意十四15和十五13兩節相似之處)。迦勒自己從希伯崙逐出亞衲族人,並應許把女兒嫁給有信心,能攻取底璧的人(參撒上十七25,十八17)。他的姪兒俄陀聶(參士一13)贏得了所應許的地和新娘子,像基督一樣(參弗五25;來四1-14)。藉著勇敢的祈求,迦勒的女兒從父親得著所想望的水泉(參路十一1-13)。這故事(13-19節)並不是按時序來敘述的。迦勒和俄陀聶攻取這些城的戰役記載在十章36至39節。

最後,在分地中所分配的迦南城鎮,按著猶大的地理環境,逐一登記下來了(參申六10-11)。首先是南地(21-32節),跟著是西面山腳地區(33-44節),和非利士人居住的沿岸平原(45-47節),其後是耶路撒冷和希伯崙之間的高山地區(48-60節),和向死海伸延的曠野地(61-62節)。這些區域再細分為11個地區。請留意每一區的記述都以城的數目作結(32、36、41、43、47、51、54、57、59、60、62等節)。

第63節 雖然約書亞已殺死耶路撒冷的王(十1、22-27),但猶大人仍未能把耶布斯人從耶路撒冷趕出。然而,事實上,猶大北面的邊界(十五8)是沿著耶布斯(古耶路撒冷)南面的山坡而平排,因而沒有包括城在內;耶城本身是屬於便雅憫人的(參十八16、28;士一21)。

十六1至十七18 約瑟得地的敘述包含其南面疆界的概述(十六1-4)、以法蓮所得之地(十六5-10)、瑪拿西所得之地(十七1-13),以及這兩支派對分地太少的抱怨(十七14-18)。

第1-4節 這引言描述南面的疆界,以法蓮跟便雅憫(參十八12-13)和但接壤的地方。至於「拈鬮」(1節)的意思,及這分地的神學意義,參十五章1至63節的註釋。雖然以法蓮和瑪拿西被視為兩個支派(參十四4),但他們只拈鬮一次,而其間也並非沒有異議(參十七14):以法蓮在南面,瑪拿西在北面。瑪拿西的北界到亞設和以薩迦止(十七10),但它在這兩支派境內也有所屬的城邑(十七11)。**第5-10節** 以法蓮的分地比瑪拿西先列出,因為雅各把他放在首位(參創四十八17-20)。以法蓮分地的描述包括疆界的勾劃(5-8節),又提到他在瑪拿西境內所得的城邑和村莊(9節;參十五1-63),和他們的失敗(10節)。約書亞擊敗了基色人,卻沒有佔有他們的城邑(十33;士一29)。

十七1-13 瑪吉是瑪拿西的長子(十三31;創五十23;民二十六29)。希伯來聖經說他是一個偉大的勇士,因而承受了按他兒子名字而起名的基列,和約但河東的巴珊(參十三29-30;參民二十六30-31)。基列也有7個子孫承受了約但河西之地為業(參民二十六30-32)。

基列的孫西羅非哈並沒有兒子,因為他在可拉的叛變中死了,但他有5個女兒。為了確保以色列中沒有男丁的家族也能延續下去,耶和華便答應把父親的權益傳給女兒,即使對西羅非哈等罪人也如此(3-6節;參民二十六33,二十七1-11)。結果,瑪拿西的產業便分給10個家庭:西羅非哈5名仍存活的弟兄,和他5個女兒。西羅非哈5個女兒像迦勒

一樣，對耶和華的應許充滿信心，向負責分地的人要求按她們的權利來分地（十四1-5、6-15）。

瑪拿西和以法蓮不能趕出迦南人的敘述，用作轉往下一部分的過渡（14-18節）。缺乏信心的順服，最終破壞了以色列人心靈的委身，引致以色列人與迦南人通婚，引致以色列人受虧損（參申七1-6，十二29-31；士三1-6）。

約瑟的後裔在本段之末的要求和失敗（十七14-18），跟猶大的迦勒在本段之初的要求和成功（十四6-15；士一27-28），形成強烈的對比。約瑟的後裔抱怨分地太小；約書亞的回應是，他們的信心太小。若考慮到本書關注全以色列的合一，我們也可指出他們的要求是過於自私。

從法律的觀點看，他們埋怨只分得一鬮一段之地似是有理的，因為他們被視為兩個大支派（14節；參十六1）。然而，耶和華支配著分地，而以法蓮和瑪拿西也已獲賜不同的土地。瑪拿西獲賜約但河西第二片土地，只在猶大隔鄰，而瑪拿西半支派也獲賜約但河東的一大片土地。

約書亞用他們要求的理由「族大人多」來斥責他們。他們既是大族，就應開闢山林，而不只是滿足於迦南人所建的城邑和所開墾的牧場（15節）。「以法蓮山地」可能包括約但河兩岸的樹林區。撒母耳記下十八章6節也使用這用語（和合本：「以法蓮樹林」），而這地的居民——比利洗人和利乏音人——在別的經文中也說是住在河的兩岸（三10，十二4、8，十三12）。這就解釋了約書亞說以法蓮和瑪拿西「不可僅有一鬮之地」（17節）這句話。他們聲稱「那山地容不下我們，並且住在平原的迦南人……都有鐵車」（16節），暴露了他們靈裏的失敗：怠惰、怯懦、無遠見。

約書亞以信心的話回應他們說：「樹林你也可以砍伐，迦南人……你也能趕出去」（17-18節）。

十八1至十九51　在示羅分地給其餘的支派

（參238頁的地圖）　十八1-10約書亞把營地從吉甲（十四6）遷往以法蓮的中心示羅，在那裏搭建耶和華的會幕（參出三十三7；民十一16；申三十一14）。示羅位於應許地的中心，其地勢四面環山。約書亞在耶和華面前分地的時候，征服和分配應許地的神學意義便彰顯出來：那是屬於耶和華的地，要分別為聖歸給祂（參八30-35）。作者本著他的神學觀點，重申以色列人已制伏那地，但他們仍要憑信心去佔領它（1-2節；參十三1-7）。

約書亞責備餘下的七個支派，因為他們沒有履行約的義務（3節）。「耽延不去」的希伯來文帶有懈怠弛緩之意。神已把地賜給他們，但他們沒有憑信心進去取為地業（3節；參一7-9、11）。為了鼓勵他們憑信心遵從耶和華，約書亞派出21人——每支派3人——去視察餘下的地，按著城邑劃明地勢（9節），然後把報告交給約書亞。眾支派把地分作7份之後，約書亞便藉著祭司以利亞撒，並與眾長老一起（參十四1-5，十九51），在耶和華面前為他們拈鬮（3-10節）。他提醒他們，這分地並不包括南方的猶大和北方的約瑟（5節）；也不包括利未人（7節上；比較十三14、33）和河東各支派（7節下）。那21人是測量員，而不是探子（比較二1-24）。

第11-28節希伯來文「鬮」一字（6節），在十五章1節、十六章1節和十七章1譯作「拈鬮所得之地」。第一次拈鬮所得之地歸便雅憫所有，他是拉結繼約瑟之後所生的第二個兒子（比較十四1-5）。第11-20節列出這地區的疆界，而第22-24節則列出在疆界以內的城邑——東面乾旱之地有12座城（21-24節），耶路撒冷以北和以西那理想的分水嶺，則擠了14座城（25-28節）。

十九1-9第二次拈鬮所得之地歸給西緬支派；西緬是利亞為雅各所生的第二個兒子（創二十九33）。在繪製地圖的時候，他們認為猶大所得的地——雖是藉拈鬮來分配的——比所需要的為大，因此在猶大的地中，把一部分分給西緬（9節）。這應驗了雅各咒詛西緬的話，就是他要散住在以色列地之中（創四十九7）。為佔領分地，猶大和西緬並肩作戰（士一3）。西緬的城邑集中在別是巴和南地的東北面，那裏綠州並不多，需要挖掘很深的井，才能繼續定居。

第10-16節第三次拈鬮所得之地歸給西布倫——利亞的幼子（創三十19-20，四十九13）。

第17-23節第四次拈鬮所得之地歸給以薩迦，即利亞為雅各所生的第五個兒子（創

三十14-17，四十九14）。他的城邑和地界在耶斯列（18節）、他泊山和約但河（22節）之內。

第24-31節 第五次拈鬮所得之地歸給亞設，利亞的使女悉帕給雅各所生的第二個兒子（創三十12-13，四十九20）。

第32-39節 第六次拈鬮所得之地歸給拿弗他利，拉結的使女辟拉給雅各所生的幼子（創三十7，四十九21）。他所得之地包括林木茂盛的山區，和肥沃的低地。在這加利利的心臟地帶，有從耶斯列往北行之商旅路線在此穿過。

第40-48節 第七次拈鬮所得之地歸給但，辟拉為雅各所生的大兒子（創三十1-6，四十九16-17）。雖然經文只列出其中的城邑，但我們可從接壤的猶大和以法蓮推敲其地界。亞摩利人逼趕這怯懦和怠惰的支派向北撤退（士十一34）。但支派後來征服利善（拉億）的事蹟，在士師記十八章有詳盡的記述。但支派的事蹟，代表了以色列人在攻取耶和華賜他們之地時的失敗。在但的事例中，亞摩利人得勝了。

第49-51節 結語包含兩部分：約書亞所得的產業（49-50節）和一個總結的報告，敘述了負責拈鬮的人、拈鬮的地點，和應許地分配的完成。這總結指出了本書的神學重點。這群合一的民在神的吩咐下，把亭拿西拉給了約書亞；約書亞作了他們信而順服的榜樣，因他要求得著這地業，並把它佔據和重建。在約但河西之分地結束時，約書亞的榜樣補充了迦勒在開始分地時所表現的信心（十四6-15）。從在耶和華會幕門口的拈鬮，我們清楚看見這是耶和華的地，是賜給以色列人的一份禮物，要他們憑信心去得著。雖然那些失敗的支派都有他們的藉口，但這些藉口絕不能成立。

二十1-9　逃城

為了確保有公正的裁判，神指示摩西吩咐以色列人在約但河兩岸劃出6座城，每邊3座城，給那些「無心而誤殺」了人的，可以逃到那裏，逃避「**報血仇的**」（希伯來文作 *gō'ēl*，更準確的翻譯是「保護家庭的人」）。摩西在征服約但河東之地後，隨即在那裏指定了3座城（參申四41-43，十九1-13）。

無辜人的血，像咒詛一樣，必須得著償還。對於那哀求要報血仇的，耶和華必定查問和為他雪冤（參創四10，九5-6；撒下十六7、8）。被殺害者的血會把地染污（民三十五33）、把手弄髒（賽五十九3），並要求耶和華（王上二31、33）和那位保護家庭的人——他有責任為家人尋求公正，而不是報復——作出公平的裁決。無辜人的血要得著償還，便要殺人者被判死（民三十五33；申十九13）或被石頭打死（申二十一7-9）。否則，耶和華的震怒和災禍便臨到（撒下二十一1；王上二31-33；王下二十四4）。這樣看來——這裏並沒有查究憐憫在舊約中的重要性，但從詩篇五十一篇，特別是第14節，我們看見，無論殺人是出於故意還是無心，公平的審訊都是重要的。若那行為是刻意的，即謀殺，公平的裁決便是殺人者死；若那只是無心的誤殺，殺人者便可在逃城過正常的生活。

那被指為殺人者的到達逃城時，眾長老，即所有負責教導律法的利未人，便要在城門口——古代以色列人在那裏進行審訊——對他進行初步的聆訊。若發現他是無辜的，他們便讓他躲避那位「保護家庭者」的追討，把他送往會眾面前受審；那是一種王國時代前的議會，獲賦予代表和裁判的權力。若這個由眾首領或成年男子組成的會眾發現他有罪，便會把他交給報血仇的人處決。若發現他是無辜的，便把他送返逃城，他要在那裏居住，直至當時在任的大祭司逝世。大祭司住在那裏，保護他免受那位「保護家庭者」的報復。也許大祭司——以色列人在神面前的主要代表——之死，可以說是象徵耶穌基督——教會的大祭司——之死，祂為我們償還了所有的罪債，無論是有意的或是無意的罪。

二十一1-42　利未人的城邑

二十一1-3　歷史背景 雖然利未人有耶和華作他們的產業（十三14、33），但他們也需要有城邑來居住，有牧場去維生。這些需要在此便得著供應。

像約書亞和迦勒，而不像那膽怯懶惰的、要約書亞催促的7個支派（十八2-3），利未人3個宗族的首領（民三17）主動來到示羅、負責神聖的拈鬮工作的人面前，按著神透過摩西所給予的應許，要求得著48座城和相連的牧場，並包括6座逃城（41-42節；參

民三十五1-5）。像猶大那樣有眾多城邑的支派，便拿出較多的地區，而像拿弗他利那樣只有幾個城的，則拿出較少（民三十五7-8）。

以色列人同意利未人的要求，從他們自己的地業中拿出一些城邑，給予這更像寄居者的支派，讓他們散住在應許地上。因著這種形式的「什一奉獻」，各支派自己得著祝福，因為這些住在他們中間，卻又有所分別的利未人教導他們律法，使他們在應許地上得潔淨、祝福，和安穩（申三十三8-11）。

二十一4-7　利未城邑的概覽

利未人的城邑是按著利未支派的3個家族來分配。在概覽中，作者先記述拈鬮的次序，然後是城邑的數目和所在的位置。

作者多次重複拈鬮一詞，強調分配這些城邑的是耶和華。從第一次拈鬮判斷，城邑的分配是根據該利未家族的重要性和／或大小。第一次拈鬮適當地歸給哥轄族，因為亞倫，及其後的祭司家系，是出於該族的。神給予這些祭司的，是位於猶大、西緬和便雅憫支派的分地；這些地區與耶路撒冷最接近，而耶路撒冷就是聖殿的所在（4節）。奇怪地，並且有重大意義的是，神並沒有把耶路撒冷給予這些祭司；祂要把這獎賞保留給聖殿的守獲者——大衛家的人。哥轄族其餘的人——較低級的聖職人員——則分得位於以法蓮、但和約但河西瑪拿西半支派得地範圍內的城邑，離耶路撒冷稍遠（5節）。革順族所得的城邑是在北方遠處的以薩迦、亞設、拿弗地利、和瑪拿西半支派在巴珊等城邑（6節），而米拉利族所得的城邑則在上述城邑以南，位於西布倫約但河西的地區，和約但河東的迦得和流便等地（7節）。

二十一8-42　48個利未城邑的分配（參代上六45-81）

在分配這些城邑時，其中如基色（21節；參十六10）和他納（25節；參十七11-12），仍在迦南人手中。利未人需要藉著出於信心的順服來得著它們。

二十一43-45　總結：神奇妙的信實

這幾節經文連於一章6節，因而加強了作者的神學主題：耶和華遵守祂與列祖所立的約，賜他們王者之地為業。他們佔領了這地，在其上定居，並得享平安，免受各方的攻擊（參一15，十一23）。沒有一個應許是落空的（參十三1-7）。

二十二1至二十四33　保守所得之地

作者在此述說3段插曲，藉以表示以色列人必須像他們佔領應許地一樣去保守這地。蒙約書亞激勵去持守約之忠誠後，河東支派尊貴的軍隊既看見耶和華賜他們土地，便在回家途中築一座壇，見證他們與以色列之耶和華的合一（二十二1-34）。在臨別贈言中，約書亞強調以色列人要在應許地持守約之忠誠（二十三1-16），並在示劍莊嚴地重申以色列的約（二十四1-27）。

二十二1-34　河東支派見證之祭壇

二十二1-8　約書亞向河東支派告別　第1-5節約書亞跟河東支派的道別，與第一章的命令相連。他稱讚他們認真地遵從他的吩咐，沒有撇棄他們的弟兄，卻是協助他們，直至河西各支派擺脫迦南人的攻擊而得著安息（2-3節；參一12-18）。他們在「這許多日子」，一直執行這使命，展示信心的忍耐（參十一18；來十二1），並行完了他們的路程（比較提後四6-8）。可能神已對他們說：「好，你這又良善又忠心的僕人」（太二十五21）。約書亞談到「得享平安」（4節上），叫人回想起本書的序幕（一6），而他吩咐人遵守摩西的律法時——律法的精要在一個命令中總結起來，就是全心全意愛神（4-5節；參申六5，十12，十一13；太二十二37-40）——是重複了耶和華在本書序幕中的命令（一7-9）。在古代近東的條約中，「愛」是基本的約定條件。人若只是勉強地忍受律法，就沒有一個律法可以達到其目標。律法必須基於內心的贊同。所謂「**心**」（heart）與「**性**」（soul）並非指生活中某些特定的範圍，而是用以強調人對神的全然委身。「心」是指全人的意向，而「性」則是指整個人格，一個結合肉體、心思和生命活力的個體。

第6-8節作為以色列人的屬靈領袖，約書亞把神的祝福授予河東的軍兵。約書亞打發他們帶著擄物光榮地回家（參十一10-15），並命令他們遵從聖戰的最佳傳統，把擄物與留守並保護家園的弟兄共同分享（比較民三十一27；撒上三十16-25）。所有人都進入了

安息，並滿足地得著獎賞（比較太六18，十六27；西三24；提前五18）。

二十二9-34 這些忠心作戰的人在回家團聚之前，作了最後一件向耶和華表示忠心的事。他們這樣做，以致日後河西的以色列人不能阻撓河東的支派，不容他們到約但河西——耶和華的名所住的地方——來敬拜耶和華。他們在約但河附近的基利綠建一座「高大」的壇（在約但河東岸或西岸），見證耶和華已建立他們作祂的民。

　　不幸地，他們這種出於信心並滿有創意和遠見的行為，被河西的人誤解為與耶和華對抗。河東與河西眾支派在理解申命記十二4至14節的律法上，並沒有相異的意見——雙方都假定律法吩咐以色列人只在中央聖所敬拜耶和華。然而，河西的人卻以為河東的人意圖按自己的意願，而不是按耶和華的意願去敬拜祂。我們仔細觀察雙方怎樣在這歧見上和解，便可發現一些解決教義分歧的可靠原則（參太十八15-20）。

　　河西眾支派作為被絆倒的一方，主動開始用以下的方法彌補這裂縫：

- 他們嚴正地提出這個問題，而不是不去理會它（11-12節上）。
- 他們認為背道是一個嚴重的問題，因而不顧性命去持守聖潔，而不是犧牲原則來換取和平（12節下）。
- 他們差派有能力的領袖：祭司非尼哈——他曾在巴力毗珥的事件中表現出對耶和華的熱心（民二十五7）——和10個首領，代表所有支派去調查這事，盡可能挽回犯罪的人，而不是鹵莽輕率地處理這事（13-14節）。
- 他們客觀地看這事為信心的破裂，是背叛神的罪行，而不是主觀地認為自己的自尊心受損（15-16節）。
- 他們針對這事件去議論，基於他們深信神會懲罰罪，像在巴力毗珥發生的事一樣（耶和華降下瘟疫，並留下罪的種子），而不是用權宜的辦法去解決（17節）。
- 他們又指出某些人的罪會影響全以色列人，像在巴力毗珥（17-18節）和亞干的事件中（18、20節；參七1）可見的，而這種集體的罪過，對他們並不是沒有影響的。
- 他們尊重弟兄，深信他們會良心發現而覺悟（即河東支派是因缺了神的聖所而沾染污穢），而不是不顧他們良心的軟弱（19節上；參羅十四1-23）。
- 他們願意犧牲一些地業，為求挽回弟兄，叫他們得著清潔的良心和正確的敬拜，而不是堅持自己對律法的理解（19節下）。
- 當河東的人更正了他們的觀念後，他們便願意接受這種創新的信心表達方法，並沒有排拒這些合乎神話語的新穎而適切的做法（30-31節）。
- 最後，這些代表向全會眾報告他們的決定；他們並沒有自作主張（32節）。

　　河東支派——被看為得罪神的人——回應此事的方法是：澄清當中的誤解，認真、忠誠、有力地把事實明明白白地說出來。他們同意不去背叛耶和華，並願意賠上性命去防止這事發生（23節），然後清楚圓滿地解釋他們作這事的動機。他們說他們需要設立一些合適的紀念，如這祭壇的複製品，去解決約但河這天然的障礙，好向以後的世代見證他們是聖約中的子民，與河西支派有同等權利去敬拜神（24-28節；參四5-7）。這壇不是用來獻祭的，因此他們所作的並非背道的行為。

　　藉著上述良好的解決方法，弟兄之間得以彼此和好，並讚美神，然後才分手（30-34節）。若背叛神的事不存在，是神與祂子民同在，叫他們能讚美的一個原因（31節），那麼若有背叛神的事，信徒便應查看他們中間是否有神討厭的地方。

二十三1-16　約書亞的臨別贈言

　　約書亞作出「遺命」，這使他與摩西（申三十一1-13）、撒母耳（撒上十二1-24）和大衛（王上二1-9）同列，而他們的遺命都同樣是強調對聖約的忠心。約書亞是在分地後不久便發表這番話（參十三1）。摩西和約書亞——神權統治的創始人——都持守信心，直至逝世那一天，而他們都是理想領袖的楷模，教導下一代要謹守聖約（比較提後三10至四6；彼後一12-21）。

二十三1-4　歷史性的開場白　摩西以詳述神如何征服約但河東之地，來證明神守約的信實（申三十一4），約書亞則列舉神如何毀滅約但河西的迦南人（3節）和祂分配已征服的

餘下各國（4節），來證明神的信實。這些事是眾民親眼看見的。在第4節的希伯來原文，有「看」作首字，像在第3節一樣。不過，今天聖靈是藉著宣講信心的道，來把信心逐漸灌輸給我們（羅十6-13）。

二十三5-8　約中的責任　神應許繼續把迦南人趕出去（5節），以色列人則答應在信心中剛強（參一6、9）和遵守律法（6節）。他們答應不受引誘去敬拜迦南人那不道德的諸神（7節；比較申五9，八19），並誓言只倚靠耶和華（8節；參一7-9）。像他向河東支派道別時一樣，約書亞直接引用了申命記中的話。

二十三9-11　約中的經歷　約書亞的世代倚靠了耶和華，並經歷祂在約中各種應許。正如神所應許的，沒有人在他們面前站立得住（參一5）。從這一點，我們可以看出作者強加在事實上的神學構思（參十三1-7）。他誇耀以色列人信心的成就——克勝「又大又強的國民」——卻沒有提到他們因不信而導致的失敗（參十七12-13、14-18，十八3）。那正面的經歷足以推動他們去「愛耶和華你們的神」（參二十三5）。

二十三12-13　約中的咒詛　在以色列人的舊約中，有應許他們守約的祝福，和警告他們違反聖約的懲罰（參利二十六；申二十八）。約書亞列述約中的責任時，特別強調以色列人要在宗教上與迦南人劃清界線（7節），又警告他們不可與迦南人有社交上的接觸（12節），假定他們宗教上和道德上的污穢是會傳染，而神的震怒會臨到以色列人身上，好像臨到迦南人身上一樣（參申七2-4）。以色列人若與這些國民結盟，神就會使用他們來對付以色列人，把聖約中的咒詛降在不信的人身上（比較五13-15）。在神的國度和這世上的國度之間的戰爭中，沒有人可以保持中立（比較弗六10-18）。不是聖徒得勝，就是罪人得勝。不與基督相合的，就是敵擋基督的（太十二30）。那些不向神委身的，將要滅亡（參箴二十四30-34），但在聖徒心裏的聖靈，比敵擋他們的屬靈力量大。那些承認與神有立關係的人，必須持守信心，繼續留在蒙福的應許地上（13節；比較代下七19-22；來六4-7，十26-31），正如以色列人從他們可

悲的歷史上痛苦地學習到的（王下十七7-8，二十四20）。至於新約的好處，看一章7至9節；而與「列國」並存的害處，則看九章1至27節。

二十三14-16　神的話是真確的　征服應許地的那一代以色列人，憑經驗知道神持守祂的應許（一1-9，二十一43-45）。約書亞終其一生確證這事實（14節）。神過去持守聖約之應許的信實，鼓勵聖徒要忠誠，並在他們遭敵擋時安慰他們，在試探中約束他們（二十二4-5）。神不是反覆無常的，因此祂的子民不會惶惶不可終日。祂清楚說出應許，激勵他們去愛，又說明祂的賞罰，叫他們懂得敬畏。神用律法潔淨以色列人，使他們在美好的土地上成為大國（參八30-35）。祂的子民若不能履行使命，祂便要叫他們滅亡（比較可十二1-2）。

二十四1-28　在示劍更新聖約
以色列的眾長老親眼見證耶和華在以色列國的建立上行奇事，他們4次確證聖約並與神更新聖約：1.在西乃山上，即奇妙地出離埃及之後（出二十四）；2.在摩押，即神在曠野保守了他們，並他們征服約但河東之後（申二十九1）；3.在以巴路山上，即攻打耶利哥和艾城而得勝之後（八30-34）；4.最後是在示劍，即驚人地勝過迦南的聯盟之後（11-13、18節）。首兩次是由摩西傳達聖約，後來兩次是則由約書亞傳達。這是摩西和約書亞之間極強的連合：兩人都曾傳達耶和華的聖約。在這些場合中，眾長老代表了以色列全會眾。

約書亞在示劍那裏，「在神面前」（即在約櫃面前）聚集眾民，更新聖約；這是在他作出臨別贈言時進行（二十三章），或是在另一個不同的場合中。明顯地，那隨行的聖所和約櫃已移至這神聖的地點（二十四32，八30-35；創三十三18-20）。

這聖約與古代近東地區，一個強國（如埃及、亞述、巴比倫、克提）與一個弱國（如烏加列和亞摩利）所立的盟約相仿。這種盟約稱為「附庸條約」，其中分為6個部分：在序文中說出偉大的王是誰（2節上）；敘述這位王向屬國施恩的歷史（2下-13節）；約的條文中，基本的一條是只可事奉這位王和

268

他的國（14節）；各項咒詛和祝福（19節）；見證（22、27節）；和立約文件的置放（25-26節）。個別的條約會跟上述的大綱有些微差異，但我們可看出基本的模式（比較出十九至二十四；撒上十二）。

二十四2上　序言：說明偉大的君王是誰
約書亞像一位先知，一位從天庭差遣而來的傳信者那樣說話。偉大的君王往往被看為條約的作者。提到作者時，由「我」轉為「他」，像第7節的情況，由古代文獻中常有出現。

二十四2下-13　歷史敘言：王的仁慈　像別的條約一樣，偉大的君王詳述他與藩屬間的事蹟，使他產生信心和履行責任的心志（參十三1-7）。一個長存的國度必須建立在內部的歸心，而不是只在乎勢力（23節，二十二5）。

　　耶和華把亞伯拉罕從他外邦的家族——以他拉為首——救贖出來後，便開始了祂與以色列的獨特關係。以色列中所有蒙福的家庭都為男丁行割禮，以表示這新的信仰。這段神聖歷史其餘的事蹟都可從五經和約書亞記得知，除了以下的補充：「耶利哥人……都與你們爭戰」（11節）。這裏列出7族人以代表完全的數目（參三10）。「黃蜂」（比較申七20）可能是代表惶恐和混亂的意象；神藉此幫助以色列人得勝。這裏強調的是，那次勝利並非藉著他們的武器，而是因著神神蹟性的干預。「亞摩利人的二王」是亞摩利王西宏和巴珊王噩（十二2-5）。雖然以色列人攻佔應許地時也使用「刀」和「弓」，但他們不能把勝利歸功於自己（12節；參二十三5；詩四十四1-3）。

二十四14-18　約的條文：要忠於耶和華
古代藩屬國的條約主要是規定他們要向偉大的王效忠。一個赫人的條約命令說：「不要把眼目轉向任何人！」這裏的說法也相仿。「要敬畏耶和華」（14節上），伴隨的就是搖動白旗，在耶和華的律法前投降，委身去遵從祂的誡命。人不可以「敬畏祂」，卻又同時事奉別的神（參王下十七32-34）；必須扔掉這些偶像（14節下；參創三十五2-4）。以色列忌邪的神不能忍耐別神與祂競爭對敵。耶穌也一樣（比較太六24；路十四26）。這裏提

到埃及（14下），補充了五經的記載，即以色列的解放不只是政治上的，也是屬靈上的（參結二十5-10，二十三1-4）。神要求以色列人選擇他們的陣線，或是投靠他拉昔日的神祇、迦南今日的諸神，或是投靠祂（15節；比較王上十八21；啟三16），這選擇權是以色列人在神面前享有的自由。

　　進入這聖約是每一個家庭自己去決定的事情，正如約書亞的名句中所反映的（15節下）。雖然以色列像一個國家般運作，但立約主要是關乎每一個家庭的事，而今天仍是這樣（比較徒十六31）。當代的以色列人適切地形成了以色列人與神建立舊約關係的基礎，因為他們是引言中所敘述之事的見證人，並能見證其準確性。自此以後，聖約便由這一代的口傳下去，由下一代的心來接收（申三十一11-14）。同樣地，作為耶穌基督在世生活之見證人——特別是見證祂的復活——的使徒，是新的群體的基石（徒一21-22；林前十五8），而後來，人口裏承認基督，心裏也接受基督（羅十6-10）。

二十四19-21　約中的咒詛　約書亞從神的啟示和經驗知道，以色列民並沒有能力持守舊約（19節；參申三十一14至三十二47）。他嚴肅地警告以色列民說，他們若破壞與這位聖潔和忌邪的神所立的約，必會因約中的咒詛而遭遇災難性的毀滅（20節；參二十三12-13），因為神「必不赦免你們的過犯罪惡」（即違反祂的聖約）。正因為神的本性是不變的，所以以色列人歸向祂或背叛祂，祂對他們的態度便會有所不同；祂就是這樣賞善罰惡的（參耶十八5-10）。他們唯一的希望在於基督贖罪的寶血（參詩三十二1-2，一三○3-4；路二十二20；羅三21-26）。因著人性的不堅定和舊約的失敗，以色列在多個世紀以後，便認識到新約和與聖靈同行的需要；甚至好像保羅那樣的聖徒，也要學習去認識（羅七7至八4）。神在歷史中的行事方法高深莫測，那正彰顯了祂自己的榮耀（羅十一33-36）。

　　這立約的世代基本上都已持守了聖約，雖然約書亞仍要勸勉一些家庭除掉他們昔日所事奉的神祇（14、23節）。

二十四22-27　聖約的見證和律法的置放
摩西向以色列民唱出一首歌，作為他給他們

的見證（申三十一9至三十二44）。約書亞則呼籲眾民為自己作見證（22節）。他們既立定意向——他們是聰明的，因認識神的信實，但同時也是愚蠢的，因不知道人的無常和易變（24節）——約書亞便更新聖約，寫下聖約的內容和規條，並記在一本「神的律法書」上（25上-26節），跟這公告一起保存下來。他另外立了一塊大石頭，作為他們的見證，那可能是刻著聖約的一根柱子（26下-27節；參八31-32；士九6，四5-7；創二十八18，三十一45-50；撒上七12）。

二十四28　解散會眾　約書亞的工作已完成，應許地已佔領了，聖約也更新了，他最後便打發眾民各歸自己的地業去。

二十四29-33　後記：各人之安葬
　　申命記派作者為本書卷作結時，敘述了約書亞（29-30節）、約瑟（32節）和以利亞撒（33節）的安葬，進入應許地的的安息，因為他們代表了他的主要論題：**神給那有信心的一代，得以在祂應許列祖之地上安息。**約書亞最後得著他應得的尊稱：「耶和華的僕人」（參一1）。此後，將有另一位更大的耶和華僕人，要把新約傳達給世人（賽四十二6，四十九8）。
　　第28-31節把約書亞記和士師記串連起來（士二6-9），使建基之世代的福祉跟下一代的可憐境況形成強烈的對比。**第32節**把本書與摩西五經串連起來（比較創五十25；出十三19）。

Bruce K. Waltke

進深閱讀

D.R. Davis, *No Falling Words: Expositions of the Book of Joshua* (Baker Book House, 1988).

A.G. Auld, *Joshua, Judges and Ruth,* DSB (St. Andrew Press/Westminster/John Knox Press, 1984).

D.H. Madvig, *Joshua,* EBC (Zondervan, 1990).

M. Woudstra, *The Book of Joshua,* NICOT (Eerdmans, 1981).

導論

在舊約中的位置

士師記是聖經記載以色列史的一部分，這以色列史由以色列人進入迦南地（約書亞記）開始，到最後被擄離開迦南地（列王紀上的結束）為止。舊約這部分的歷史多半記載以色列諸王的統治，這統治始於掃羅、大衛及所羅門。但是介於以色列進入迦南與建立君主制度期間，約有200年（大約主前1200至1000年），稱為士師時期。在這時期，以色列沒有官方體制及中央行政，完全倚靠神興起的領導者，他們有男有女，又有特別的恩賜。他們稱為士師（審判官），因為他們執行神的審判，或趕逐敵人，或平息以色列民間的紛爭。這些士師的事蹟記在士師記（書卷因而命名）及撒母耳記上首數章。

按舊約書卷傳統的排列（今天猶太人的聖經仍沿用這排列），約書亞記、士師記、撒母耳記上下、列王紀上下、以賽亞書、耶利米書、以西結書及所謂的十二「小先知書」（何西阿書至瑪拉基書），均屬於先知書。約書亞記至列王紀下稱為「前先知書」，因為傳統認為它們出自先知手筆，但也（而且更重要的）是因為它們的風格和內容都是屬於先知文學。它們明顯有強烈的歷史立體感，但跟其他先知書相似，它們不是為記錄歷史而寫歷史。它們不僅是把事件按時序記載，它們更關心的，是神如何在所記的事件中工作。這些書卷特別關注神跟以色列的特殊關係，及在他們的歷史中（包括受神審判又被神拯救的過程）如何表明這關係。這特殊的關係建基於神跟以色列人所立的約；神拯救以色列脫離埃及的奴役後，就在西乃山立這約（出十九至二十），這約更是建基於神在多個世紀前對亞伯拉罕的應許（創十二1-2）。正如下文所言，士師記明顯是以先知角度寫成，也是從神學角度解釋以色列這段時期的歷史。它跟其他先知書相似，所包含的信息，在現在與將來仍是適切的。

歷史背景

士師時期以色列人的生活方式，除了從舊約略窺一二外，我們知道的很少。主要的資料來源是士師記本身，而路得記及撒母耳記上也提供了有關這時期的珍貴資料。

這時期，以色列按支派劃分地界（參書十三至二十一及第238頁的地圖）。十二支派裏有九個半支派住在約但河（包括加利利海和死海）和地中海沿岸之間，另外兩個半支派則住在約但河東的平原。以色列民被鄰族欺壓，例如東面的米甸人、摩押人、亞捫人，和西面的非利士人及所謂的海上人，這情況通常只發生在以色列的部分地區，意即只有一至兩個支派直接受影響。

維繫以色列眾支派的主要因素是，他們的歷史相同，及效忠同一位神。耶和華是他們至高的統治者或士師（十一27），耶和華的律法也成為他們的憲法。祂把以色列眾支派維繫在一起，而且給予他們獨特身分，跟萬民有別的，就是他們與耶和華立約的關係。他們每年最少守一次宗教節期，好叫他們不忘自己的身分，以及這身分賦予的責任。這些宗教慶祝聚會大概在示羅舉行。示羅位於以色列境內的中央，也是以色列人到達迦南後，最初設立會幕的地方（書十八1；士二十一19；撒上一3）。示羅可能是整個士師時期中央敬拜的地點，雖然約櫃有時移往別處，尤其是有危機的時候（士十八27）。我們不能準確知道以色列人慶祝節日的盛況，也不知道在節日期間他們做甚麼，但是我們幾乎可以肯定的，是他們會在節日期間感恩（如豐收）、祈禱、獻祭、宣讀在西乃山頒佈的律法，以及再次起誓忠於神和人。宣讀律法可

能由當時在位的士師負責，並由祭司協助（二17，十八27）。這些行動是為了更新所立的約和重新委身，要按約的要求生活。

各宗族、支派的長老通常負責執行日常的司法工作和監督社區的事務（十一4-11；得四1-2）。至於本地長老未能解決的事情，就會交由當時在位的士師解決。士師會駐守在一個中心地點，或定期往返某些特定的城鎮（撒上七15-17）。以色列有時會按個別情況召開臨時會議，各支派派代表出席，商討共同關心的事宜，例如某一個支派犯了嚴重的罪行、一個或多個支派受外敵攻擊。為保持以色列的完整，他們要採取果斷一致的行動。因為以色列人沒有常備軍，所以每逢有緊急事故，他們都需要招募新的志願軍參戰。為要盡快完成這招募工作，領袖的個人魅力通常是十分重要的。最少有一部份的士師是因為他們能夠在危急關頭，發揮振奮人心的領導能力，因而被立為士師（十一1-10）。其他士師則似乎在國家較平靜時獲委任，但實際情況就不得而知了。

然而，這「制度」（假設這個詞用得恰當）實際上甚少運作暢順。在士師時期，以色列支派間的合一實際上很少能夠持久。以色列人起初分散居住，而且有未被征服的迦南人住在他們中間（一19、27-36，四2-3）。有別於以色列人，那些迦南人歷代以務農維生，而且他們認為五穀豐收是因為他們敬拜大自然的諸神：男神眾巴力，女神眾亞斯他錄。迦南人相信這些神祇掌管土壤、天氣，令田產豐收，牲畜繁衍。以色列人認為這些神祇異常吸引，因而漸漸混合了敬拜耶和華及敬拜迦南人的神。這樣，以色列人無可避免地削弱了效忠於神的心，也削弱以色列人間的誠信，結果靈性及道德墮落，使以色列內部受到很大的威脅。一支派有難時，其他支派遲遲也不出手相助（五16-17，十二1-7），甚至還彼此內鬨（八1-3，十二1-6，二十1-48）。因沒有中央政府，絕大部分人只顧個人利益，為所欲為，作自己喜歡作的事（十七6，二十一25）。這種內部腐化會破壞以色列的結構，而且，它對以色列存亡所構成的威脅，實際上比士師時期任何一個外族的攻擊更嚴重。

然而，情況雖然惡劣，但總有些以色列人仍然對神忠誠，默默追求敬虔度日。士師

記集中記載以色列人常常面臨的危機，因而使人覺得士師時代十分混亂。不過，士師記也明確指出士師時代曾有長時期的太平，及較繁榮的日子，期間以色列的民間生活頗為太平（三11、30，八28，十3-5，十二8-10）。在這方面，路得記恰好作出補充。路得記記載伯利恆一個家庭的經歷，故事溫馨動人。農民和變幻莫測的天氣搏鬥；男女主角邂逅且墮入愛河；城中的長老依法例及本地習俗處理社區事務。這兩卷書同樣見證一件事：**不論國家急難當前，還是村中生活平淡，神仍是深深介入祂百姓的生活中，為了他們的好處掌管一切，為要保守、管教他們。**

資料來源和寫作年代

學者對於士師記如何成書，及其成書日期，至今仍是爭論不已。傳統的猶太觀點認為士師記由撒母耳寫成，這看法最少包含了一個真確的成分。可是，也有跡象顯示士師記成書的過程非常複雜，不像這傳統的看法那麼簡單。

士師記大部分的資料來源，似乎跟事件發生的時代相同，或非常接近事件的時代。第十章1至5節及十二章8至15節記載所謂的「小士師」（編排在耶弗他的故事之前和之後）可能來自這類資料。以拯救者身分出現的士師，如以笏、巴拉、基甸及參孫，他們豐功偉績的記載，可能來自那些記載英雄故事的早期文集，不論記錄的形式是口傳或筆錄。耶弗他似乎在上述兩類故事中都有出現，這暗示最初的作者是把這兩類資料結合起來。關於第一位士師俄陀聶的事蹟，我們知道得很少，所以作者記載他時，內容也頗籠統，用詞也很公式化（士三7-11）。第五章的底波拉和巴拉之歌，由很久以前的希伯來詩歌編成，大部分學者同意這詩歌的寫作日期，跟所描述的事件非常接近。其他早期的資料似乎在本書的第一章（尤其是4-7、11-15、22-26節），及十七至二十一章兩個生動的故事中反映出來。

本書由一些原始資料編輯而成，是明顯不過的，例如二章6至9節提供了總論，又如三至十六章各個主要的故事都有自己的引言及結語。這種編輯手法統一了本書中間的部分。另一個明顯的例子就是重複的句子，出現於：十七章6節，十八章1節，十九章1節及

二十一章25節，這句子把兩個主要的故事聯繫一起，總結本書。

毋庸置疑，本書使用早期的原始資料編輯而成，可是，是由一個人、兩個人，或兩人以上相繼編成，則很難斷定。

我們也很難準確知道本書最後的定稿在何時完成，在此只略提一點，這點在註釋部分我們會詳細解釋：二十一章19節詳細描述示羅的位置，這似乎暗示本書是在人還記得示羅被毀時寫成，但示羅被毀的日期，我們不能確定，而且它是遠久以前的事（參耶七14）。十八章30節「那地遭擄掠」可能指主前八世紀時，亞述最後亡北國以色列一役。更重要的是，二章11至19節士師時代的總論，二章1至5節，六章7至10節，及十章11至15節的講論，三至十六章中各個故事的引言和結語，都教人聯想起申命記的風格及其神學主題。這表明加插這資料的作者，在主前七世紀約西亞王推行改革後（王上二十二）仍活著。這些改革的性質教人肯定，約西亞期間在聖殿發現的「律法書」，就是申命記。申命記明顯地影響著往後一兩個世紀，包括耶利米的宣講及列王紀上、下的內容，可能士師記也包括在內。

大部分學者認為士師記原本是長篇歷史著作的一部分，即現在的申命記、約書亞記、士師記、撒母耳記上下，及列王紀上下。學者認為這段歷史，從征服迦南到被巴比倫驅逐離開本土，是在主前587年（王下二十五1-2）耶路撒冷被毀後寫成的，目的是解釋這災難的因由。遠因在於以色列入迦南後不久，就開始背道拜偶像，而且這境況在往後幾個世紀仍然持續，直至神最終審判這國。主前587年的災難，被視為神按申命記二十八章的約，咒詛以色列。士師記全書的風格和神學由始至終都深受申命記影響，因此士師記的記載被稱為「申命記歷史」。支持這看法其中一個最有力的證據，就是列王紀上六章1節說：出埃及後480（40×12）年，所羅門開始建聖殿。這句話表示建殿是申命記至列王紀下順序記載之事情的一部分，而且在士師記也反映出來。這點從作者用「整」數（40年或80年）代表太平的日子（七11，三30，五31，八28），可見一斑。相對作者有時用一些非整數（三8、14，四3，十2-3），則表示作者直接引用早期的資料。

「申命記歷史」究竟是後人把原本的一卷分成幾卷，還是這幾卷原本是獨立著作，只是後人因有更全面的觀點，而把它們編修成現在的內容？學者對這問題的看法不一。可能實際上這兩種做法同時存在。列王紀上、下的作者可能直接用不同的原始資料撰寫，但書中記載的早期歷史則來自一些早已存在的典籍。無論如何，我們現在有的「申命記歷史」，是一系列關係密切的書卷，而不是一份單一的著作。「申命記歷史」的書卷既是關係密切，士師記現在的內容也可能是跟其他書卷同時編成的，即在主前六世紀巴比倫亡猶大的時期。成書的早期階段，撒母耳可能有份參與，但最終的作者或編者是誰，就不得而知。

🌡 主　題

不管士師記的成書過程如何，我們現有的士師記結構明確，主題清晰。

本書的主體由三章7節至十六章31節，記載不同士師的事蹟。主體之前有一個引言，共分兩部分（一1至二5及二6至三6），主體後是跋，也分兩部分（十七至十八及十九至二十一章）。本書開始時提出的問題（一1-2），在書的末段另一個非常不同的處境中，再次提出（二十18）。這種寫作手法讓讀者讀到書末時，回想本書開首及中間記載的事蹟。

引言的第一部分（一1至二5）記載約書亞死後，以色列跟迦南人的關係漸漸惡化（一1）。不同支派要擁有及佔據已分給他們的土地（書十三至十九），愈來愈困難，因為迦南人，特別是沿海平原及北面有軍事防禦的城鎮，頑強地抵抗（尤其是十九27-28）。以色列人跟迦南人共同生活，成為左鄰右里，以致形勢劍拔弩張。以色列人雖佔上風，但是仍不能佔領要塞，且被逐出；但支派更被迫住在山上，不能在自己沿海的分地內，得到安全的立足點（一34）。這情況跟以色列起初進佔迦南地的期望，有天淵之別。這期望建基於神對他們列祖的應許（書二十三1-5；參創十二1-3，十五12-21，二十八13-15）。引言的第一部分結束時，記載以色列人在波金（伯特利）使者面前哭泣，並且波金使者責備他們的罪行（二1-5）。以色列人失敗，非因迦南人有鐵車，或防禦堅固，而是他們自己

273

對神不忠。以色列人在佔地內，開始妥協，容許迦南人的外邦神祇存留，因此耶和華不伸手幫助他們。耶和華使者這次重要的宣講，除回顧以色列人過去的情況外，還展望將來，預告迦南人及他們的神祇，會繼續成為以色列人的網羅和絆腳石。

引言的第二部分（二6至三6）返回第一部分的起點（留意約書亞如何在士二6再出現），而且，這部分集中陳述這個屬靈的基要問題。作者用巧妙的筆法粗略交代以色列人起初如何背道（二6-10），跟著說明隨後的時代，以色列人離棄耶和華的整個模式（二11-19）。作者描寫這時代的以色列人不斷背道、離棄神，期間，耶和華審判他們，把他們交給外邦的壓迫者，跟著（當他們痛苦極深時）就憐憫他們，興起士師拯救他們。那時，以色列人短期回轉，但士師死後不久，他們很快又再故態復萌（二19上）。簡言之，即使耶和華多次拯救他們離開惡道，以色列人仍堅行惡道（二19下），以致耶和華在二章20至22節，發出另一次重要的宣諭。耶和華宣告祂將會作的事，作為對所發生的事最後的回應。約書亞死後，耶和華留下一些國家，原本為要試驗以色列人，看他們肯不肯守祂的誡命，但現在長久留下這些國家，為要懲罰他們對神不忠（參這幾節經文的註釋）。這是引言第二部分的高峰，也是整個引言的高峰。餘下幾節（二23至三6）只是簡單撮述上文。

所以，**引言除指出以色列人所犯的錯及其後果外，更重要的是清楚指出了士師記的中心思想：以色列人在士師時代不斷背道，及神對此事的回應。**本書回答了一個問題：「以色列為甚麼不曾全然佔領，這片神應許要賜給他們列祖的地？」答案是：「因為約書亞死後，以色列背道，離棄耶和華。」士師記解釋耶和華的作為是全然公義的，因為以色列人持續不忠於祂。「申命記歷史」後期的著作繼續解釋，神更嚴厲的行動也是合理的，就是把全部以色列人趕出迦南地。

士師記的中心部分（三7至十六31）把引言中所列出的大綱（二11-19）發揮得淋漓盡致，而且發展了一些副題。它記載了12位士師的事蹟：俄陀聶、以笏、珊迦、巴拉、基甸、陀拉、睚珥、耶弗他、以比讚、以倫、押頓、參孫。底波拉和雅億的角色，在巴拉

的記載中舉足輕重，作者甚至描述底波拉「領導」（原文直譯：「審判」，和合本譯為「作以色列的士師」）以色列人（四4-5），但是從全書的佈局來看，第四至五章必須視為主要記載巴拉的事蹟。雖然基甸之子亞比米勒的事蹟記載得頗詳細，但他不是士師，因為他作的事跟引言中描述士師的工作不同。

正如引言的第一部分始於猶大支派，終於但支派（一1-34），所以本書的中心部分，也是始於猶大支派的俄陀聶（士三7-11），終於但支派的參孫（十三至十六章）。俄陀聶的事蹟堪作士師的典範，說明士師的身分及工作。在俄陀聶以後的士師，作者記載他們的事蹟跟俄陀聶有許多不同，最特別的是參孫；他的行為那麼怪異，簡直不像士師。**中心部分的記載經常出現循環模式：背道、受壓迫、呼求神、獲救、太平及再次背道。**這部分有許多情節重複，是不容置疑的，但情節也不斷改變，所以，稱這部分的故事發展為向下的螺旋，比稱它為重複的模式更恰當。

以色列人不和，在巴拉的故事中初次出現（五16-17、23），而且在其後士師的年日裏，情況更壞。基甸戰勝米甸人後40年（八28），迦南地不再有太平，而到了參孫的時代，以色列人甚至不再呼求耶和華拯救他們。從中心部分的情節發展來看，作者記載士師犯的錯愈來愈多，跟其他以色列人不遑多讓，這情節的高峰就是參孫。他剛愎自用，不願忠於呼召，正是以色列全國的縮影。神跟以色列立約，使她有別於其他國家；神呼召參孫作拿細耳人，使他與眾不同。以色列跟隨外邦眾神祇，參孫也跟隨外邦眾女子。以色列希望像其他列國一樣，參孫也想跟其他人一樣。以色列痛苦時多次呼求耶和華，參孫也是這樣。簡言之，貫串本書中心部分的副題：以色列人為自己的命運而苦鬥，及神在審判與恩典中對他們的忍耐，最後都把焦點放在參孫的故事上。**參孫的故事就是士師時代整個以色列國的寫照。**

本書最後以兩個故事為跋（十七至二十一章），作者沒有明確交代故事的日期，故事也不是緊接上文順時序寫的。在故事中，焦點由以色列全國的罪轉移到個人及支派的罪，「各人作自己看為正的事」（十七6）。第一個故事（米迦與偶像，十七至十八章）關

於該時代的宗教混亂；第二個故事（利未人與妾，十九至二十一章）關於道德混亂。兩個故事一起證明以色列靈性及道德的腐敗，比外面被敵人侵襲造成更大的危機。第二個故事特別指出本來穩定社會的制度（供養利未人、接待客旅、家庭生活、長老制度及支派領袖的集會），因為個人道德淪亡，以致全然無效，甚至國家安全。讀完跋後，我們可以肯定，維繫以色列的絕不是領袖的素質或社會制度。以色列的幸存，完全是出於神恩典的奇蹟。

貫串跋的句子「那時，以色列中沒有王……」（十七6，十八1，十九1，二十一25）結束了一個時代，並預告另一個時代的來臨。君主制度像士師制度一樣，將要在以色列的歷史佔一席位，而且，事實證明君主制度在當代起了一定的作用，但因為人的罪性，這制度後來也會失敗。「申命記歷史」整體證明一點，不論制度多麼有效，它也不是掌管以色列前途的鑰匙；只有神不斷眷顧祂的百姓，才是掌管以色列前途的鑰匙，「因為他打破，又纏裹；他擊傷，用手醫治」（伯五18）。

與新約的連繫

新約聖經很少明顯地引用士師記。使徒行傳十三章20節也只是略為提及整個士師時代，希伯來書十一章32節則提到基甸、巴拉、參孫和耶弗他是信心英雄。除此之外，新約聖經最多只能找到一些隱晦的經文，可能引自士師記，例如：馬利亞被稱為有福的，這句式似乎跟士師記稱雅億有福的句式相似（路一42；參士五24）；施洗約翰和耶穌出生的宣告（路一15；太二23），跟參孫出生的宣告（十三3-4）也似乎同出一轍。

這些引文不論是明顯或隱晦，均指出士師記跟新約聖經的聯繫比想象中更緊密。因為耶穌的降臨——有施洗約翰作先鋒，是神在舊約時代，包括士師時代，所有審判及施恩行動的高峰（路一54-55、68-79）。即使士師時代的以色列人因為不信，而不能承受全部的產業，也並不表示神對祂子民最終的心意已經落空。神仍然愛顧他們，而且至終通過耶穌基督救贖他們的罪，因而實現神昔日所有的應許，包括接納萬民進入祂的國。正如使徒保羅說：「神的應許，不論有多少，

在基督都是『是的』」（林後一20）。這表示士師時代的以色列人，是我們屬靈的祖先，他們的神——那位多麼愛顧他們的神，也正是我們的神。祂就是神，我們主耶穌基督的父。

應用綱要

基甸、巴拉、耶弗他和參孫有很明顯的過犯，他們竟被視為信心英雄，我們或許因此感到驚奇。但細想之下，這情況其實一點也不稀奇，因為所有以色列人都知道，最終只有神才能拯救他們（十一27）。像這些人一樣，去認識這真理並按這真理而行，就是信仰。在這方面，士師的故事對我們尤其是那些蒙神呼召作領袖的，都有所教導。可是，更重要的是，即使所有士師都犯了許多過錯，他們也不過是最偉大的拯救者的先鋒。而且或許他們有太多缺點和不足，但因為神加力而成就大事，這樣我們更看見神的作為。士師記所記載的，就是人失信和神守信的故事。士師時代以色列人的故事也是我們的故事。

📄 大綱

📖 註 釋

一1至二5　約書亞死後：軍事失敗

一1-2　以色列人求問耶和華

對於約書亞之死，請參約書亞記二十四章28至29節。約書亞死前曾說，迦南人仍會在以色列的分地內生活，但他保證以色列人靠著神的幫助，必能驅逐迦南人（書二十三1-5）。求問耶和華表示他們承認耶和華為他們真正的領袖。他們可能透過一位住在耶利哥附近吉甲的祭司求問神（參士二十18、27-28），因為他們是從這地向外遷徙的（士一16，二1；參書五10）。耶和華曉諭猶大支派率先攻擊迦南人，猶大支派是人數最多、實力最強的，彌賽亞耶穌也是出自這支派（創四十九10）。

一3-21　南面支派的成敗

留意作者把第3及17節，西緬支派聯合猶大支派出擊的事，放在4至16節這段猶大爭戰之前和之後。第18至21節則概述猶大支派的成就。西緬支派聯合猶大支派是很自然的，因為西緬支派人數少，而且她的分地在猶大境內（書十九1）。

猶大支派進攻迦南人，沿約但河谷「上」耶路撒冷，經過比色（4-8節），跟著經過希伯崙、底壁、洗法（9-16節），「下」到耶路撒冷西南面沿海的平原。砍斷「亞多尼比色」（意即「比色的主」）手腳的大姆指，正是公義的報應，報應他殘暴對待敵人（一5-7）。「耶路撒冷」（一7-8）是位於猶大支派和便雅憫支派疆界之間的前以色列人城市（書十五8，十八28）。曾遭猶大攻擊，但當地的居民耶布斯人仍保有（或後來重得）耶城作據（一21）。「希伯崙」或「基列亞巴」（意即「亞巴之城」）是亞巴人後裔亞衲人的堅固城。亞衲人以身裁高大、英勇善戰聞名於世（民十三32-33）。「俄陀聶」在底壁一役（一11-15），脫穎而出，在三章9節再出現，成為第一位士師。他的新娘「押撒」聰明、機智，是士師記同類女性中第一個出現的人物（第四章的雅憶；第九章那個提備斯的婦人；第十六章的大利拉）。「迦勒」為人忠誠，年紀雖老，但仍然活力充沛，在比約書亞更長壽的長老中，迦勒是著名的代表（二7，參民十三30）。**第16節**記載摩西實踐對何巴的承諾，他是米甸族基尼人的領袖（民十29-32）；**第17節**表示猶大支派為答謝西緬的幫忙，跟西緬聯手攻擊洗法，一個位於西緬境內的城鎮。

直到目前為止，戰況還算好，但**第18-21節**的附錄，第一次記載不利的跡象：一切都不盡如意。猶大起初成功佔領沿海的城鎮，包括「迦薩、亞實倫及以革倫」（一18）但不能趕出這地的居民，「因為他們有鐵車」（一19）。這點可能表示非利士人以他們更先進的科技，早已到達這地。可是，耶和華既然與猶大同在，為甚麼鐵車會起決定性的作用（一19，參一2）？另一方面，便雅憫支派沒有趕出住在耶路撒冷的耶布斯人（一21），也同樣使人疑惑。迦勒在希伯崙一役獲勝後，便把當地居民全部趕出（一20；參一10），但便雅憫支派攻取耶路撒冷後，卻沒有這樣做。這些失敗的真正原因，直到二章1至5節才揭盡。

附註　**第15節**「南地」位於巴勒斯坦南面，死海南面末端的西南面，天氣乾旱。迦勒賜給女兒押撒的地若要出產豐饒，水源是十分重要的。

一22-36　北面支派的成敗

　　以法蓮支派和瑪拿西支派是約瑟兩個兒子（以法蓮和瑪拿西）的後人（創四十一51）。這兩支派在巴勒斯坦中部及北部的以色列支派中，人數最多，實力最強，所以這裏的約瑟家指以、瑪兩支派，及北面的聯盟。「約瑟家」出現了兩次（一22、35），一章22至35節因此自成一段，記載北面支派的成敗。**第36節**是附錄，第22至36節跟3至21節的格式相同。第22節約瑟家「攻打」，跟第4節「上去」原文是同一個字，而「耶和華與他們同在」（22節），也像與猶大支派同在一樣（19節）。約瑟家跟猶大支派相似，起初也是戰無不勝（一22-26），但跟著就兵敗如山倒（一27-35），而且比南面支派失敗的範圍更廣、程度更嚴重。失敗的起因在第22至26節早已顯露，因為攻佔伯特利之前，他們跟一個迦南人作出協議；那人後來在別處重建這城（一23、24、26）。在下文，我們可追溯令以色列人墮落的環境因素：迦南人住在以色列人中間（一27-30），以色列人住在迦南人中間（一31-33），並有亞摩利人強迫以色列人住在山地（一34）。結果他們遠避迦南人。北面支派整體上實力足夠佔領該地，但卻不能趕逐餘下的迦南人（一28、30、33、35）。最後一節（一36）證實以色列人和非以色列人是分別居住在迦南地，而不是以色列人獨佔全地。以色列人失敗的原因，作者在這裏只是暗示，在二章1至5節則明文記載。

　　附註　**第22節**「伯特利」（意即「神的殿」）一名由雅各命名（創二十八17-19；參四5）。**第26節**赫人帝國包括今天的土耳其及巴勒斯坦北面的地方，南至奧朗底河。希伯崙附近地區也有赫人居住（創二十三1-16），但是上下文表示這裏的「赫人之地」應是比希伯崙更遠的地方。**第27節**「伯善、他納和米吉多」是迦南人一脈相連的要塞，位於巴勒斯坦北面的迦密山，沿著肥沃的耶斯列平原向西延伸。**第29節**「基色」位於由沿海平原到耶路撒冷路上的一座城，具戰略價值。**節30節**「基倫、拿哈拉」的位置不詳。**第31節**「亞柯……利合」等城位於迦密山北面，沿海一帶，在今天的黎巴嫩境內。**第33節**「伯示麥」（意即「太陽之殿」）和「伯亞納」（意即「亞納之殿」，一位掌管生殖的女

神）等城鄰近約但，正是加利利海南面。**第34節**「亞摩利人」（意即「西部人」）是閃族人，來自亞拉伯沙漠，比以色列人先在迦南定居。**第35節**「希烈山、亞雅倫、沙賓」等城位於耶路撒冷西面的山區。**第36節**「亞克拉濱坡」和「西拉」（意即「石頭」）鄰近死海的南端（參創十四7「哈洗遜他瑪」的亞摩利人）。

二1-5　耶和華責備以色列不順服

　　這單元是一章1節至二章5節的高峰。二章1節耶和華的使者「上去」，因回顧及評估的時候到了（參一1及二1-22的註釋）。作者在此說出以色列人在第一章失敗的真正原因：不忠於耶和華（二2；參出三十四12-16）。如果以色列忠於耶和華，他們就可取得全盤勝利，但是現在換來的，不是祝捷慶典，而是痛苦的哀哭（二4）。

　　附註　**第1節**耶和華的使者是耶和華自己，以天使的形象顯現（參六11-24，十三3-21）。「吉甲」（意即「哭泣者」）可能就是伯特利，但是這裏稱它為波金，原因記在第4至5節。**第3節**「因此我又說」較準確的翻譯是「而我也說過」。這譯法表示耶和華曾發出警告（民三十三35；書二十三13），而不是到二章20節以後，耶和華宣告祂的目的時才發出這警告。

二6至三6　約書亞死後：靈性墮落
二6-10　陷入背道

　　耶和華使者在二章1至5節的話，帶出以色列不忠的主題。作者現在開始以新的角度，再次回顧這段約書亞死後的時期。只是一代過去，以色列人就淡忘神通過約書亞為以色列人作的大事，及對神的真知識。

　　附註　節6-10節整段的背景記載在第二十四章（尤其是28-31節）。**第9節**「亭拿希烈」位於耶路撒冷西北的山上。

二11-19　士師時代概覽

　　這幾節經文概述以後10數章多次重複出現的格式。以色列因拜別神（二11-13）而惹耶和華動怒。耶和華把他們交給敵人（二14-15），懲罰他們。他們生活困苦，耶和華就興

起士師拯救他們（二16-18）。士師死後，他們又故態復萌（二19）。耶和華既發怒，又施憐憫（二12、18下）。以色列人又頑梗又悖逆（二17、19下）。

附註 「諸巴力和諸亞斯他錄」（二11、13）是迦南人供奉的神祇，分別是男神及女神。迦南人相信他們掌管大自然，控制天氣，能夠令土地肥沃，加強動物和人的繁殖力。「士師」（二16、18、19）要擔當不同層面的角色，包括軍事方面（好像拯救者）、宗教方面（好像神律法的宣講者，參二17）和法律訴訟方面，太平時要處理紛爭（參四4-5）。

二20至三6　耶和華最後的回應

這段經文談到士師時代結束的境況。經文告訴我們耶和華看見以色列人不斷背道，而最後作了些甚麼。約書亞死後，神留下迦南人，原是用來考驗以色列人的忠心。但最後神長久留下迦南人，為要懲罰以色列人的不忠（二20至三4）。換言之，以色列人考試不及格，耶和華就執行祂在波金對以色列人的警告（二3）。三章4至5節撮述全書的導言：以色列人住在迦南人中間（參一1至二5），事奉他們的神（參二6至三6）。這裏第一次提及以色列人跟迦南人通婚，但這事是耶和華明文禁止的（申七3）。

附註 二22希伯來原文沒有「我要用他們」（和合本譯作「藉此」）等字。第22-23節指約書亞死後（書二十三4-5），神留下迦南人，原是要考驗以色列人。

三1「迦南爭戰之事」指記載在約書亞記的戰事。第2節耶和華為要試驗以色列人的下一代，也讓他們跟迦南人爭戰。第3節以色列人進入迦南不久（參一18；摩九7），非利士人便經過革哩底，由小亞細亞（今天的土耳其）移居迦南。他們建立一個由5個城鎮組成的城邦，那些城鎮集中位於今天巴勒斯坦西南面的迦薩地帶，但是其邊界超過這地帶。「西頓人」即腓尼基人，那時他們的首都位於西頓。「希未人」的身分不詳。「從巴力黑們山，直到哈馬口」指利巴嫩主山脈東面的山區（向著大馬色）。第5節這是傳統認為以色列人進入迦南前住在迦南的民族（參出三8、17，二十三23）。

三7至十六31　士師的事蹟
三7-11　俄陀聶

二章6節至三章6節鳥瞰整個士師時代後，作者現在開始按序告訴我們神興起不同士師的事蹟（參二16）。第一個是俄陀聶，他在好幾方面都堪作典範。他的宗族跟領首的猶大支派關係密切，而且他在戰爭中表現突出，與別不同，贏得迦勒的女兒為妻（一11-15）——他沒有跟迦南人通婚（參三6）。

俄陀聶的事蹟依二章11至19節略述的格式記載，但是多加兩點：以色列人呼求（三9）及耶和華的靈降在他身上（三10）。作者塑造俄陀聶為神揀選的拯救者，藉著神的靈把特別的能力賜給他。從這角度理解，俄陀聶是個有「恩賜」的領袖。俄陀聶身為第一位士師，展示了作為士師的主要特色。以後各位士師的事蹟只不過是他這個基本格式的變化而已。

附註 節7節「亞舍拉」等同「亞斯他錄」（參二13及其註釋）。第8節「古珊利薩田」（意即「雙倍邪惡的古珊」）這名字可能是由那些被這暴君苦待的人所起的。他的真正身分不詳。米所波大米（今天的伊拉克及敘利亞附近）。參《新國際譯本》旁註及比較《修訂標準譯本》。第9節俄陀聶除了是迦勒的女婿外，也是迦勒的幼弟或外甥，而較可能是外甥（因為希伯來文的意思不清晰，參代上四13-15）。第10節「作了以色列的士師」（直譯為「審判以色列」；參修訂標準譯本）應包括宣判的程序（參二17及其註釋）。參撒母耳在非利士人危機中的表現（撒上七6；修訂標準譯本）。

三12-30　以笏

第12至14節交代背景，第15至30節記載第二位士師以笏的事蹟。以笏故事的基本格式跟俄陀聶的故事相同，但人物就迥然不同。以笏來自便雅憫支派（三15），這支派在第一章只有消極的評價（一21）。此外，他是左手便利的（三15），在跟摩押人公開打仗前（三26-29），他用狡計來行刺這暴君（三16-25）。以笏替天行道，過程蒙神保守。耶和華使用一個不像英雄的士師去拯救祂的百姓；

他們本來不值得拯救，但他們苦苦哀求祂（三15、28、30）。

附註 第12節「摩押」位於死海東面的一個小鎮（今天約旦國境內）。摩押人（及亞摩利人，三13）是亞伯拉罕的外甥羅得的後人（創十二5，十九36）。第13節「亞捫」位於摩押的東北。「亞瑪力人」是遊牧民族，來自迦南南面及亞拉伯半島北面。他們是以色列人離開埃及後，遇見的第一批仇敵（出十七8-16）。「棕樹城」即耶利哥（參新國際譯本旁註，及士一16），這是個廢城（書六24；王上十六34）。伊磯倫的「住所」，或避暑宮殿（不會跟王宮一樣華麗，參新國際譯本旁註），很可能鄰近隱艾索坦綠洲，這地暫時被摩押人佔領。第15節「左手便利」有助以笏（出其不意地）行刺伊磯倫（三21；參二十17）。節19節「鑿石之地」可能不是約書亞所堆的石（書四20），而是古代異教遺留下來的圓形石堆。「吉甲」（意即「圓形」）參一章1節，二章1節及其註釋，這是以色列人過約但河後，第一個紮營的地點（書四19）。第26節「西伊拉」位置不詳。

三31　珊迦

珊迦比以笏更鮮為人認識。他甚至可能不是以色列人，因為「珊迦」不是典型的希伯來名字，而「亞拿」明顯是異教人士的名字（參下面的附註）。不過，他也「拯救了以色列人」，因為他戰勝了非利士人；非利士人同是以色列人和迦南人的仇敵（參三3的註釋）。珊迦打仗的方式異於傳統（用「趕牛棍」），因此，他可視為預先披露日後參孫攻敵的方法（十五15-16）。五章6節「**亞拿之子珊迦的時候**」，以色列人生活艱難，以色列被仇敵嚴重迫害。在這處境裏，永遠信實的耶和華用非常的方法拯救以色列民，不過，這拯救只是暫時有效，因為經文沒有記載以色列人太平的日子（參三30，五31）。珊迦的勝利可能只是個別事例，不過這仍是重要的。

附註 「亞拿」是迦南的女戰神，是巴力的妹妹，又是他的妻子。「亞拿之子」這裏可能指「一個像亞拿的人」，即「一個戰士」。「六百人」：在當時的軍隊編制，通常一個指揮官帶領600人出戰。

四1至五31　巴拉（加底波拉及雅億）

四1-3　受欺壓 第1節開宗明義說出以色列人自從以笏死後，就開始背道。珊迦的勝利只帶來短暫的釋放，但沒改善以色列人的靈性狀況。因此，神再次審判以色列民。這次是通過耶賓和西西拉。

附註 第2節「夏瑣」位於加利利海西北面18哩，緊接今天的以色列和黎巴嫩邊界。夏瑣曾是巴勒斯坦北面最有實力的迦南城鎮。「耶賓」可能是夏瑣王的稱謂（如埃及王稱為「法老」）。約書亞曾於差不多200年前在夏瑣打敗另一個「耶賓王」（書十一1-11）。第23-24節大概指夏瑣最終被毀滅，這城曾在主前十三世紀重建；這看法跟考古學的發現吻合。「西西拉」一名暗示他是所謂「海上人」的領袖。這些「海上人」像非利士人一樣，從愛琴海東面乘船移居巴勒斯坦。「夏羅設」（外邦人的夏羅設）一名及其位置（鄰近巴勒斯坦西北面迦密山附近的地中海沿岸）暗示這原是那些「海上人」定居的地方。勢力日衰的耶賓找到這大有作為的「海上人」，跟他們聯盟抵抗以色列人。

四4-24　蒙拯救 正如本段經文記載的地點、支派所示，我們知道這段經文所記載的事情，在巴勒斯坦的中部及北部，而不是在南部發生，尤其是在基順河（四7）附近。這河向西流經肥沃的耶斯列谷，直到迦密山沿岸（即今天的海法）。跟前面的故事不同，這次拯救以色列的行動，由3個主要人物分擔：女先知及士師底波拉（從行政角度而言，參四4-5）、巴拉（底波拉召他來領導以色列人打仗，四6-16），及雅億（她最後在自己的帳棚內獨力殺掉西西拉，四17-22）。然而，神的介入才是轉振點（四15）。特別使人感興趣的，是神再次拯救以色列人的方法，以及神把勝利的光榮從一個男人（他曾表示自己不配得這光榮）轉給一個女人（不是我們期望的底波拉，而是雅億）。女人在**這故事舉足輕重，非常突出**。雅億沒有以色列的背景（四11、17），也沒有用傳統的方法（四21，比較以笏和珊迦），進一步表示神有至高的自由，可選擇用甚麼人來成就祂的心意。

附註 第5節「拉瑪和伯特利」分別位

於耶路撒冷以北5及12哩（參一22及其附註）。「以法蓮山地」指巴勒斯坦中部（三27）。「以法蓮」的詳釋參士師記一章22節。第6節「基低斯」位於加利利海正西南，近今天的提庇留。「一萬」參五章8節。「他泊山」位於耶斯列谷的北邊，也是以薩迦、西布倫和拿弗他利3支派邊境的交界。第11節「摩西岳父……基尼人希百」參一章16節及民數記十章20至33節。「基尼人」（意即「鐵匠」）是遊牧民族，在巴勒斯坦南面居住，但有時（正如這裏記載的）他們會往北遷移。

五1-31 凱歌　這首歌所用的希伯來文，顯出它是舊約中最古老的。有古卷記載這首歌是在打仗時頌唱（五1），其後不久有人把它記下，就成了現在的歌曲，而且保存在一些文獻內，如《雅煞珥書》（書十13）或《耶和華的戰記》（民二十一14）。這類詩歌經常在公開敬拜中頌唱，使後代記得耶和華的信實，和祂為約民以色列人所做的大事。不過，這首特別的歌在這裏作為底波拉-巴拉故事的一部分，而且作者記錄這首歌後，才正式完結這故事（參五31下，三11、30）。可是，這首歌的內容跟上文敘述部分不同，它不關注耶和華如何把得勝的光榮從巴拉轉給一個婦人，它把得勝歸功於個人和支派，稱讚他們英勇作戰（包括雅億），並且責備那些不參與的人。這記載提醒我們當時以色列支派中已經有點不合一（這情況在士師記後面更明顯）。參戰的成員主要來自中部和北面的支派（這裏沒有提及猶大支派），其中有些支派的表現比別的支派更值得稱讚。不過，**這首歌的主題是耶和華「公義的作為」，祂如以色列的戰士出發，發動天上的能力，制服祂（和以色列人）的仇敵**。這首歌令人想起摩西時代，耶和華為以色列人打敗埃及人時唱頌的歌（出十五）。經過這些事件，以色列人明白耶和華是創造主，也是歷史的主，既是創造者又是救贖者。這是以色列信仰的要素，因為他們的迦南鄰邦敬拜許多自然界的神祇（諸巴力），迦南人相信這些神祇掌管天氣，而以色列人也經常被引誘去敬拜這些神祇（二11）。

這首歌的主要部分如下：序言（稱讚耶和華及宣召人來聽這首歌，五2-3）；耶和華

如以色列戰士降臨（五4-5）；戰前的境況（五6-8）；呼籲人參戰（五9-13）；以色列支派的反應（五14-18）；戰爭經過（五19-23）；西西拉死亡（五24-27）；西西拉的母親徒然等待（五28-30）；跋（五31）。戰爭的經過是全首歌的高潮。星宿從天上爭戰，地上的基順河暴發，天地呼應，制服敵人。這幕結束時壯馬踢跳、奔騰，因為敵人大敗，戰車四面逃亡。

跟著的兩幕反映敵人敗得何等徹底。第二幕描述西西拉家人等候他回家，補充第一幕西西拉被殺的情節。西西拉的母親和宮女的對話，披上一層無言的死懼——西西拉永不會回家。這對西西拉的家人是壞消息，但對以色列人是好消息，因為敵人已被殺。以色列人不配得到這次拯救，這是耶和華恩典的賜予。底波拉-巴拉的故事以一首完全得勝的凱歌結束，主要稱讚耶和華，其次是祂忠實的支持者。祂是以色列人真正的拯救者，而且完全掌管他們的環境。

附註　第2節以色列此時沒有常備軍，所有戰士都是不擅長打仗的志願軍。第4-5節「西珥」位於以東的一座山，在以色列南面。「西乃」（西乃山）也位於以色列南面，比西珥更遠離以色列。耶和華在這裏第一次向以色列人顯現。詩人描繪耶和華從西乃山，經以東來拯救以色列。祂被雲、雷聲、地震包圍，像祂第一次向祂的子民顯現時一樣（出十九16-19）。祂從暴風中降臨，而且用暴風擊打敵人（五20-21）。第6節「珊迦」參四章31節。第8節「以色列人選擇新神」，參二章12節，四章1節。以色列人被敵人解除武裝（參撒上十三19）。「四萬」在希伯來文是「四十『千』」，「千」指「一個氏族」（如六15），或指「一支小部隊」。以色列人實際的數目可能比一般英譯本的「四萬」少得多。第10節「白驢」是重要人物騎的（參十4）。第14節「有根本在亞瑪力人的地」指亞瑪力人的後裔，他們在以法蓮邊界定居（參十二15）。「瑪吉」是瑪拿西支派的別名（參創五十23）。第17節「基列」可能指迦得支派。那時他們住在基列，即約但河東面的區域（參代上五16）。但支派的地界原本在南面沿海一帶，後來，他們大部分人遷到北部內陸（一34，十八1；參書十九40-48）。第19節

迦南不是一個統一的國家。耶賓和西西拉是反以色列聯盟的領袖（參四2）。「米吉多」和「他納」，參一章27節。第20節從作者的角度來看，天體（星宿）也參與這場激戰，而且引致下雨。第23節「米羅斯」位置不詳，但它可能指一個聯盟，人期望這聯盟中的神祇會帶來好運或佳景。米羅斯受咒詛，雅億卻蒙福（五24）。「耶和華的使者」參二章1節。第25節雅億用「奶子」，因為它有催眠作用（參四19）。第27節西西拉的結局跟伊磯倫相似（三25）。第28節「西西拉的母親」的遭遇跟以色列之母底波拉（五7）相反，十分悲慘。第31節這樣咒詛敵人，從摩西時代起已是很普遍（參民十35；詩六十八1-3）。這樣咒詛敵人，不是因為私人恩怨而報復，乃是因為認識審判屬於耶和華，並且神的榮耀跟祂子民的結局關係密切。按新約的啟示（如羅十二17-21），咒詛敵人不適用於今天的基督徒。「如日頭出現」，比較參孫（十三至十六章），參孫一名來自希伯來文 *šemeš*，意即「太陽」。

六1至八35　基甸

六1-6　被米甸人壓迫

上一章是對耶和華極高的讚美，本章1節卻記載以色列人再次背道，前後強烈的對比造成了極大的震撼。這樣特別突出的方式帶我們正視以色列人時翻刻變，不論耶和華為他們作甚麼，他們也不能長期抵抗其他偶像的吸引。基甸的故事比其他先前的故事更透徹地說明這點。

巴拉戰勝迦南人的戰車隊，以色列人因而可以在遼闊、肥沃的耶斯列谷定居、耕種。但是在同區出現另一種敵人，以致以色列人為著要制服他們而再次奮鬥。這時以色列人受罰，多次被交在米甸人及其他敵人手中。他們橫掃該地如同蝗蟲，踐踏毀壞所經過的地方。因為糧食遭毀壞，以色列人的景況堪憐，像動物一樣以洞穴為居。在絕望的境況中，以色列人一如以往呼求耶和華。

附註　第1節「米甸人」住在亞拉伯西北面的沙漠，與以色列人同是亞伯拉罕的後裔（創二十五1-5）。第3節「亞瑪力人」，參三章13節。「東方人」指從亞拉伯和敘利亞來的遊牧民族（參創二十九1）。第4節「迦薩」位於巴勒斯坦的南面，地中海沿岸。第5節因為駱駝無數，所以能進行遠距離襲擊。

六6-10　先知奉派指責以色列人

這次情況的發展令人驚奇，耶和華沒有立即回應以色列人的呼求而差派拯救者，反而差派一位先知曉諭他們，因為他們行為惡劣，已失去所有獲救的權利。先知以這種控告的口脗結束，使以色列人不清楚耶和華想如何待他們。這時以色列人安危未定，形勢緊張，只有神施恩，他們才能獲救。

附註　第10節「亞摩利人」參一章34節。

六11-24　耶和華使者授命基甸作士師

耶和華使者的顯現清楚表示耶和華要再次拯救以色列人。神這次要用的器皿就是基甸，他蒙召的經過與摩西（出三）相似。例如，他們蒙召時，同是躲避敵人，而且為了維持家計而做卑下的工作（11節）。耶和華同樣地委以重任（14節）。他們同樣以自己不配為理由，拒絕耶和華（15節）。他們領受同樣的應許：「我與你同在」（16節）。他們同樣得到一個記號，肯定他們的呼召（17節）。最後，在兩次顯現中，火同樣象徵神的同在（21節）。因此，信息是明顯不過的，神要用基甸從米甸人手中拯救以色列人，正如神昔日用摩西從埃及手中拯救以色列人一樣。拯救以色列人出埃及的神要再次拯救他們。

附註　第11節對於「俄弗拉」，我們除了知道它位於瑪拿西的邊界外，其餘資料不詳。「俄弗拉」分別在第11及24節出現，形成神呼召基甸這段記載的首尾部分。「亞比以謝族人」源自亞比以謝，是瑪拿西支派的一族（書十七2）。第12節「耶和華的使者」，參二章1節。第15節「主啊」意即「閣下」（參新國際譯本旁註）。基甸仍未認出這位客人。第22節基甸只在此時明白向他說話的是誰，他的懼怕是因為他認識聖潔的規矩（參十三22；出三十三20）。不過，耶和華立即再次給他保證（23節）。神特別開恩給基甸，即使基甸面對面看見耶和華也不至死。第24節「耶和華沙龍」這稱呼回應耶和華在第23節再次保證基甸「得平安」。「祭壇」記

念神在那裏賜下特別的啟示（參創二十八16-19）。

六25-32　基甸拆毀巴力的壇　耶和華招募基甸入伍後，隨即委以任務，就是要他跟自己的家人、宗族正面衝突，因為他們敬拜巴力，這是耶和華不能容忍的。耶和華的壇和巴力的壇不能並存，這直接牴觸第一誡「除了我以外，你們不可有別的神」（出二十3）。這情況在今天也常見。信徒獻身給神的時候，往往會跟家人的願望或原則相違。

基甸怕後果嚴重，所以他的僕人在夜間才執行神的命令。城裏的人因為巴力的壇被毀，十分憤怒。基甸獲救免死，只因他的父親情急智生，面對要維護巴力的尊嚴，或保存兒子的生命時，他毫不猶疑地選擇保存兒子（31節）。基甸神奇地以英雄的身分出現。其實，基甸得著了重生，並因而獲賜一個新名，活活表明巴力的無能（參32節附註）。基甸開始他的任務，第一是從田裏除掉巴力，而且召集以色列民兵，跟米甸人這個外在的人類敵人（33-35節）打聖戰。

　　附註　第25節選用「第二隻牛」（另參26節），明顯是避免基甸家失去一隻主要繁殖的牛，這行動很有恩情。「壇旁木偶」參二章13節及三章7節的註釋。第26節「齊齊整整的……築一座壇」參出埃及記二十章25至26節。第27節作為族長的兒子，基甸有點財富和影響力（參12、14節），縱使他在六章15節說了一些自謙的話。第31節比較日後以利亞挑戰巴力的先知（王上十八27）。第32節「耶路巴力」一名是挑戰巴力作出行動。

六33-35　基甸召集戰士　基甸不久就顯出他足智多謀，能夠以共同目標，把分散的以色列人團結起來，而且在戰場上指揮他們。因有自己同族（亞比以謝族）的戰士支持，軍力得以鞏固（34節），他便呼籲更大的支持，首先是整個瑪拿西（35節上），跟著是鄰近的北面支派，他們有共同的敵人（35節下）。不過，這些事不是單憑人的智慧能夠完成，因為「耶和華的靈」（34節）已降在基甸身上，管理他及加力給他。

　　附註　第33節參六章1至6節的註釋和附

註。六章33節暗示軍情白熱化，大戰勢所難免。

六36-40　基甸用羊毛再求印證　開戰前求問神靈是否支持自己的一方，這種做法在古代很普遍（參王上二十二6-28），但是基甸兩次求印證，他們的行為表達了他的不信，過於表達他的信心，因為他說：「你如果照著所說的話……拯救以色列人」（36節），又參39節「求你不要向我動怒……」。基甸兩次用羊毛求印證，神仍積極回應他，乃因神憐憫他的信心微小，並非表示神喜悅他用這種方式求印證。今天的基督徒毋須用相似的方式求印證，但是神有時會憐憫人，即使人用這種方式求問，神也會回應他。

　　附註　第39節要羊毛乾，而別的地方都有露水，是較難的，因為露水落在羊毛和地上，地上的露水會比羊毛上的露水蒸發得更快。

七1-8　把基甸的軍力減至三百　基甸的軍力減至三百（其餘的作後備軍），於是以色列人不能誇口說，他們憑自己的實力解救自己（2節）。但是，神大大削減軍力後，隨即向基甸保證：「我要用這……三百人拯救你們」（7節）。

　　附註　第1節「哈律泉」（意即「顫驚之泉」）位於耶斯列谷的南面（參一29的註釋）。「摩利岡」（意即「教師之山岡」）正正對著耶斯列谷的狹道。第3節我們在舊約中得知基列山唯一的資料，就是它位於約但河東面的山區（參五17）。但是這資料跟上下文不符。可能這是另一個基列山，或如一些人的建議，它原本應讀作「基利波山」（參撒上二十八4），但抄本流傳期間被人意外修改了。至於「萬」，參五章8節之註釋。第5-6節這兩節經文流傳期間，似乎被不少人誤解。原本的分別應是跪下用手喝水的人，以及伏在水旁，像狗那樣用舌頭舔水的人（即那三百人）。因此，經文大概表明那最不可能的卻被神選上，這更清楚表明戰爭的勝利不是出於人。

七9-15　基甸夜裏下到米甸營　從這打仗前最後的一幕，我們知道基甸即使在夜裏，也

十分懼怕獨自窺探敵方軍營，所以神預先批准他帶僕人普拉一同去窺探，精神上支持基甸（這幕令讀者想起六27-32的事，也是在夜裏發生）。基甸和普拉窺探敵方軍營，得知那些懼怕的米甸人事實上差不多陷入驚慌的狀態。耶和華用噩夢使米甸人混亂，令他們確信會打敗仗（13-14節）。基甸因此膽壯，帶兵下到平原，展開攻勢，令敵軍崩潰。不過，以色列人實際上沒有跟米甸人交鋒，神已把敵人交在基甸手中，這是明顯的（14-15節）。

附註 第13節麥餅是巴勒斯坦最常見的穀類作物，而且是窮人主要的糧食。那夢肯定七章1至7節在水旁的測試：神會用最下等的材料帶出極大的勝利。

七16-25 米甸人潰敗 正如聖經一貫的教導，這段經文明確表明神的主權和人的責任並駕齊驅，雖然勝利是神所賜，但精良的戰術也是舉足輕重。基甸部署他的小部隊，令敵人覺得有很多軍人圍繞他們，這反映基甸十分精於戰術。基甸的跟隨者喊叫：「耶和華和基甸的刀」（20節），令米甸人因13至14節提及的夢而產生對死亡的恐懼，漸漸發揮影響力。米甸人因為太驚慌及混亂，以致先互相殘殺，接著落荒而逃，至約但河，但至終被基甸呼召的後備軍攔截（24-25節）。米甸人的兩個首領被捉且公開處死，表示米甸人輸得落花流水（25節）。從這段經文，我們可以反省，神藉著祂的靈至今仍然作工，而且可以用最下等的材料去完成祂的心意。

附註 第16節「角、空瓶和火把」其實是很奇怪的武器，但卻很有效！那三百人可能沒有正規的武器，他們似乎也沒有真正跟米甸人搏鬥（參21節）。第20節「耶和華的刀」，刀帶來死亡，但諷刺的是，米甸人用自己的刀去互相殘殺，使米甸人的刀成為耶和華的刀（22節）。第22節這節和第24節出現的地方都是位於或鄰近約但河谷。第25節「俄立、西伊伯」分別是「烏鴉」和「狼」的意思。處死他們的地點後來以他們的名字為名，而在士師記作者的時代，人也這樣稱這兩個地方。

八1-3 以法蓮人挑戰基甸 以法蓮和瑪拿西是以色列中部的兩大領首支派（參一22-36）。基甸屬於瑪拿西支派，他起初徵召各支派時（六34-35），以法蓮沒份參與，他們可能因此覺得自己被蔑視。此時，依基甸看來（八4-5），戰事還沒完結，在這危急關頭，他不能兼顧內憂外患，而且以法蓮人事實上做得很好，他們有權以此為榮。基甸指出這點後，以法蓮人就怒氣消退。這例子是「回答柔和，使怒消退」（箴十五1）的典範。試比較十二章1至6節耶弗他如何答以法蓮人。

八4-21 基甸追捕西巴和撒慕拿 這場戰事的第二階段發生在約但河東面，基甸以嶄新的形象出現。他表白自己的目的是要追捕「米甸人的兩個王西巴和撒慕拿」（5節）。即使他的軍隊疲乏、飢餓，而疏割人和毗努伊勒人的領袖不肯提供支援，基甸一心只為完成目的，他發狂似的追捕他們。他預期這兩個王跟俄立和西伊伯一樣，會落在自己的手中（7節），但這次沒有跡象顯示耶和華介入這件事（比較八11-12與七21-22）。

基甸的謙卑和謹慎蕩然無存，他現在不用外交途徑，反而用刑罰去換取別人的支持（7-8節）。跟第六、七章的基甸比較，有一點更明顯的是，第八章沒有任何暗示耶和華介入基甸所作的事裏。基甸現在的成功是靠個人努力及戰術技巧，但不是倚靠耶和華。作者記載基甸如何對待疏割人和毗努伊勒人，預先埋下伏線，讓讀者知道他的兒子亞比米勒如何對待示劍人和提備斯人，但情況更粗暴（比較八5-17與九46-49）。最後，作者交代基甸發狂似的追捕西巴和撒慕拿的原因：他們早前殺了基甸同母的兄弟，現在基甸要他們填命（18-19節）。基甸的兒子益帖忽然在第20節出現，目的是要突出他父親基甸的改變。基甸以前缺乏自信，從益帖身上反映出來。基甸要益帖起來殺二王時，益帖「因害怕，不敢拔刀」（20節）。相比之下，基甸顯得有「王子的樣式」（18節）和「力量」（21節）。

附註 第5節這地名叫「**疏割**」（意即「屏障或庇護所」），因為雅各曾在這裏支搭帳棚（創三十三17）。它位於雅博河的下流，約但的正東。第8節「**毗努伊勒**」（意即「神的

面」），該名由雅各起的，因為神在這裏向他顯現（創三十二30）。它位於疏割東面只不過幾哩。第10節「加各」位於死海東面，遠離以色列人定居之地，至於「一萬五千人」，參五章8節的註釋。第11節「挪巴」的位置不詳。「約比哈」位於今天安曼的西北面7哩。第13節「希列斯坡」的位置不詳。

八22-27 基甸統治以色列 以色列人建議基甸不應單作士師，他應該像王一樣統治以色列，而且他的兒子應該承繼父位（22節）。基甸的表現愈來愈像王，因為他越過約但河，而且他的跟隨者認為基甸作王是天經地義的，因為他拯救他們脫離米甸人。但這是基本觀念的錯誤，基甸近期的表現加速形成這種觀念。拯救以色列人的是耶和華，不是基甸。**以色列人始終的危機，就是他們認為拯救他們的不是耶和華**（尤其參七2），這正是以色列人在此的態度。以色列人要求基甸作王統治他們的時候，基甸正確地拒絕了他們，而基甸要求以色列人將所奪的耳環給他製造以弗得，這樣做就能令他言行完全一致：是耶和華統治以色列，不是基甸統治以色列。耶和華若作王，以色列人必會求問祂。基甸造以弗得表面理由也是為此。基甸把以弗得放在俄弗拉，耶和華第一次向他顯現的地方。但是這種敬虔的做法卻出了錯，因為以弗得實質上變成了偶像，基甸及其家也成為有份敬拜偶像。基甸開始得這樣好，結束時卻無意中把以色列人再次陷入背道中。

附註 第24節「以實瑪利人」泛指約但河東面沙漠區的貝都因人，米甸人是其中一族（參創十六12，三十七28、36）。」第27節「以弗得」是祭司的外袍，有兩粒寶石（烏陵和土明）放在胸牌內，用來求問神是准許或是禁止（參出二十八28-30；撒上二十三6-12）。

八28-35 基甸去世與亞比米勒出生 基甸留給以色列人正面的遺產就是40年的太平日子（28節），期間他似乎是退隱故鄉（29節），堅持他的主張：是耶和華統治以色列而不是他，但是基甸的生活方式（多妻、70個兒子及一個妾），活像個統治者過於像個平民。基甸公開的言論跟私生活的矛盾，令人

混亂。而基甸留給以色列人負面的遺產是背道和暴力。基甸死後，以色列人拜他所立的以弗得，發展很快，就淪為全面敬拜巴力（33節）。他的兒子亞比米勒（參第31節附註）一點也不像他父親那樣對爭取權勢有所顧忌。第28至35節整段是引子，解釋第九章亞比米勒的表現。基甸私下妄想得到的，他的兒子亞比米勒用血腥暴力得到了。

附註 第31節「亞比米勒」（意即「我父是王」）的意思揭示了基甸對王權的態度矛盾。第33節「巴力比利土」（意即「立約之主」）是亞比米勒的故鄉示劍一帶崇拜的異神。這名字表示這崇拜混合了迦南和以色列的宗教。

九1-57 亞比米勒作王
這是基甸故事的續集，主題是神的懲罰。這主題十分明顯，因為在這故事的關鍵（23-24節）及結束（56-57節），即故事的高峰——亞比米勒的死——之後，作者都直接交代出來。這故事解釋神如何使惡魔降在亞比米勒和示劍人中間，並他們如何以詭詐相待。

故事的細節表示從神差派惡魔降在亞比米勒和示劍人中間開始（23節），神以其人之道還治其人之身，其刑罰的過程，簡直像精確的數學。例如：亞比米勒往示劍，煽動示劍領袖跟他一起圖謀對抗耶路巴力（即基甸；1-2節）的眾子；迦勒也到示劍，煽動示劍領袖跟他一起圖謀背叛亞比米勒（26-29節）。示劍人設下埋伏（25節），攻擊亞比米勒，亞比米勒也設下埋伏攻擊示劍人（34節）。最後，亞比米勒在一塊磐石上將他的弟兄殺了（5、18節），亞比米勒也被提備斯一個無名婦人，把一塊上磨石拋在他的頭上，把他殺了（54節）。所以，這故事讓讀者知道，神掌管一切，祂以其人之道還治其人之身，直至煽動者亞比米勒繩之於法。他的跟隨者如惡夢初醒，沒有完成攻取提備斯，就放下武器，各回自己的地方去了（55節）。

九1-6 亞比米勒興起奪權 亞比米勒興起奪權，跟前面數章記載的英雄截然不同。他不是神興起的士師，他只是憑陰謀和暴力奪權的土皇帝。他是基甸跟示劍的妾唯一的兒子（八31），所以他有兩批兄弟：一是父系的兄

弟（合共70人），另一是母系的兄弟（在示劍人中舉足輕重）。亞比米勒巧妙地利用他獨特的地位，使母系的兄弟殺掉父系的兄弟，以致他成為基甸僅存的兒子，能夠順理成章承繼父位。他雖然承繼了父位，但不能像他父親那樣得到廣泛支持。似乎只有示劍人承認他為王。

附註 第1節「示劍」位於迦南中部一個具戰略性的通道。從列祖時代起，它跟以色列人結下不解之緣，不過它的居民混雜了迦南人和以色列人（創十二6-7；書二十四）。第2節「耶路巴力」參六章32節。第4節「巴力比利士」參八章33節。第5節「在一塊磐石上」表示大規模公開處決。第6節「米羅」意即「填滿」（即「人造土墩」）。「伯米羅」（意即「土墩之家」）可能是位於或鄰近示劍的一個堡壘。「橡樹」是一種聖樹，涉及示劍人半異教的崇拜（比較申十六21-22）。

九7-21 約坦與示劍人對質 俄弗拉的大屠殺後，約坦是基甸眾子中唯一生存的，結果成為亞比米勒的禍根。他跟示劍人對質，指出他們作的惡行，呼籲他們聽從他的話，及呼求神見證他們的回應。這時刻是嚴肅的。約坦用一個寓言（8-15節）來達到他的目的。不過，約坦說話的主要衝擊力不在寓言本身，而在於它對現在的處境所作的應用（16-21節）。約坦主要控訴他的聽眾的，是他們沒有「按誠實正直待耶路巴力」（即基甸）和他的家。基甸十分優待示劍人，但是他們恩將仇報，把基甸的兒子差不多全都殺清，而且擁護最無能的人作王。約坦最後將祝福（19節）和咒詛（20節）在他的聽眾面前陳明，要他們選擇。不過，他們得不到福氣，因為他們犯的罪不能挽回。第20節詳細的咒詛其實是宣佈審判，故事其餘的部分就是要說明這審判如何執行，這章的結束也指出他們受到的刑罰正是「耶路巴力的兒子約坦的咒詛」（57節）。

附註 第7節「基利心山」位於示劍西南面（參九1註釋）。第8節舊約中，受膏表示神有特別的任務委任某人去完成，尤其是祭司和君王會受膏（出二十八41；撒下二4）。第9節「油」（像酒一樣；參出二十九40）不

論在以色列國內或國外的宗教儀式中，都是十分重要的（例如出二十五6；利八26；民七19）。第21節「比珥」意即「井」，是當時許多城鎮名稱的特色（如別是巴，意即「七井」或「盟誓之井」；創二十一31）。「比珥」位置不詳。

九22-57 暴力結束亞比米勒的統治 亞比米勒的統治為期很短，只不過3年（九22）。但是那些遭受他壓迫的人無疑視之為漫長的3年。像所有暴君一樣，統治期的長短，完全在乎那些人數較少的一群對暴君忠心的程度。因為支持亞比米勒的人數少，基礎不穩，他作王的日子不會長久。經文沒清楚交代，示劍人起初不滿亞比米勒哪一方面，但迦勒出現，示劍人都信靠他（26節），被他吸引，使他成為可取代亞比米勒的領袖，以致突顯了示劍人跟亞比米勒的衝突。亞比米勒失勢是依從自古以來的模式：普遍人不滿；開始有組織性的反抗；反對黨的領袖出現；爆發不可避免又恐怖的全面內戰；最後，暴君被殺，他的跟隨者解散。只有在最後階段，才有一些叫人驚奇的事情發生，但這階段的情節編排，跟士師記的特色完全一致。正如上文所述，亞比米勒不是跟迦勒最後對峙時被殺，而是有一個婦人把一塊上磨石拋在亞比米勒的頭上，把他殺掉！士師記不斷表達至高的神如何使用不可能的方法去完成祂的目的。而那些完成目的、獲得勝利的方法，叫我們確定這是神的作為。神在士師記中，不斷挫敗人的期望，除去人的自誇（參七1-3）。

附註 第23節「惡魔」被神使用去審判亞比米勒。神並非邪惡，但邪惡的勢力也在神管理之下（參撒上十六14；伯一12）。第27節這明顯是收割葡萄的節日，牽涉異教崇拜禮儀（參八33）。第28節「示劍和哈抹」同是列祖時代這地區的統治者。示劍明顯按自己的名稱呼這城，他曾強姦雅各的女兒（創三十四2）。迦勒把自己及跟隨者哈抹相提並論；哈抹跟示劍（和亞比米勒）不同，他雖接觸外邦人，但沒有敗壞。「西布勒」（參30節）明顯是不受歡迎的人物，或者因為他不是本地人。第37節「高處」應指明顯的標記，可能是基利心山，位於示劍城正南。

示劍通道是戰略位置，在基利心山和以巴路山之間，而且位於迦南地的中央（申十一29）。「米惡尼尼橡樹」位於城外，跟第6節的示劍橡樹對比。它可能就是記載在創世記十二章6節的「摩利（意即「教師」）橡樹」。若然，它是古代異教崇拜的地方，可能示劍人至今仍然經常使用（參6節）。**第41節**「**亞魯瑪**」可能是阿歐瑪山（Jabal al 'Urma），位於示劍城東南面的山區。**第45節**「**撒上了鹽**」令該地及四圍土地貧瘠（參申二十九23；耶十七6）。**第46節**「**巴力比利土**」意即「立約之主」。**第48節**「**撒們山**」（意即「遮蔭處」），如此命名，可能因為它樹林密茂。它準確的位置不詳。**第50節**「**提備斯**」即今天的他巴斯，位於那布勒斯的北面。**第53節**「**上磨石**」磨穀用的兩塊大磨石其中一塊。

十1-5　陀拉、睚珥

陀拉和睚珥秉政期間，沒有外敵入侵。作者記載陀拉「拯救」以色列人，按上下文，以色列人所受的苦，應指亞比米勒統治後，民不聊生、前途黯淡。陀拉開創穩定的時期（比較底波拉，四4-5），「拯救」以色列人。同樣，**第4節**記載睚珥有30個兒子，旨在指出當時國泰民安，士師能夠享受繁榮和威望。這也表示基列人沒有預備迎接將會在他們中間發生的災難。當亞捫人入侵，睚珥嬌生慣養的兒子毫無招架之力（十7）！基列人四出物色一位戰士（十18）。他們最後找到被他們趕逐的耶弗他，他的遭遇較坎坷，令他剛強堅毅，適合承擔這任務（十一1-3）。

附註　**第1節**「**以薩迦**」是以色列北面的支派（參四4的註釋。「**沙密**」應該即是撒瑪利亞，位於以色列中部，以薩迦南面的邊界。以薩迦支派的部分成員必是遷徙到這裏。**第3節**「**基列**」，參七章3節註釋。**第4節**「**哈倭特睚珥**」意即「睚珥的定居地」。**第5節**「**加們**」位於睚珥家的邊界，約但河以東15哩（24千米）左右。

十6至十二7　耶弗他

耶弗他的故事共分5幕，人物對話在每幕都舉足輕重。第一幕（十6-16）交代以色列人再次背道及其後果。這幕為其餘幾幕提供背景資料。這第一幕對話的形式是，耶和華跟以色列人對質（十10-16）。第二幕由十章17節至十一章11節，交代基列長老邀請耶弗他領導基列人，去跟亞捫人爭戰。這幕是基列長老跟耶弗他對話（十一5-11）。第三幕（十一12-28）完全記載耶弗他的使者跟亞捫王的外交（長途）對話。但這次外交談判失敗，以致無可避免地引發第四幕的高潮（十一29-38）。第四幕記載戰事爆發，但因為耶弗他起誓及其結果，令這幕劇情複雜，而且耶弗他起誓一事更成為真正焦點所在。這幕的中心是耶弗他跟女兒在第34至38節的對話。第五幕也是最後一幕（十二1-7），記載耶弗他跟以法蓮人對質，以致爆發內戰。這幕的對話記在第1至4節上。

當然，從一個層面來說，耶弗他的故事不過解釋耶和華如何使用耶弗他拯救以色列人脫離亞捫人。但是這故事的對話指向更深層的意思。故事每幕的對話實質上都是談判，即使在第一幕——以色列人悔改，以及在極重要的第四幕——耶弗他起誓，都是如此。**耶弗他的故事最深層的意義是教訓讀者，當宗教墮落到人跟神要討價還價，後果就很悲慘。**它顯示耶弗他時代的以色列人，包括耶弗他，如何嚴重地扭曲了他們跟神的關係。其實，只因神的憐憫，以色列人才得以逃脫他們應得的報應（哀三22）。

十6-16　以色列向耶和華哀求　耶弗他故事的第一幕有3次衝突。首先及最明顯的，是以色列人跟亞捫人的衝突。在神的許可下（雖然以色列人沒有察覺），亞捫人把犯罪的以色列逼得走投無路（十9）。以色列人窮途末路時，求神拯救他們。這衝突引入這幕第二次衝突的開始，即以色列人跟神的衝突。因為神的回應，就是以他們多次背道的羞恥紀錄來跟他們對質，並且斷然拒絕他們的哀求。神看出他們悔改之心膚淺，因而憤怒。神不會再被他們利用（13-14節）。這刻情況緊張，以色列的將來再次安危未定。這次對質叫我們想起在六章7節至10節較早的那次對質，但這次預示了更大的災禍。現在是耶和華自己跟以色列人對質，而且祂是既直接又明顯地拒絕他們的哀求。但是這幕最後的兩節（15-16節）帶出盼望，為我們敞開一扇窗，看見神在自己裏面繼續有的衝突。無論神怎樣動義怒，祂不能再漠視以色列人受苦。神

回心轉意，並非由於以色列人放棄偶像，因為他們早前已多次放棄過偶像，結果只是再作馮婦（16節；比較11-14節）。也不是由於以色列人悔改，叫神不能視而不見；而只是由於神不想他們再受苦。在以色列人和徹底毀滅之間，只有神的憐憫。以色列人本應被棄絕，但是（由於神的憐憫）神不能放棄他們（比較二18；何十一8-9）。這就是神在自己的心懷和理智的衝突，也是解決其餘兩者的關鍵。故事的其餘部分會交代神的工作。

附註　第6節「巴力和亞斯他錄」，參二章11、13節的註釋。「亞蘭」是敘利亞的古名（參三8及其註）。「西頓」參三章3節；「摩押」及「亞捫」參三章12節；「非利士」參三章3節。**第8節**「基列」參七章3節。「亞摩利人」（參一34）在基列定居，也有在迦南定居（民二十一21）。**第9節**只有「亞捫人」在耶弗他的故事出現，非利士人則在第十三至十六章參孫的故事中出現。這章帶出亞捫人及預告非利士人的出現。**第11節「脫離埃及人」**指的是摩西時代。**「亞摩利人」**可能指記在民數記二十一章21至31節的以色列人戰勝亞摩利王西宏。「亞瑪力人」參三章13節。**第12節「西頓人」**（參三3）可能是迦南聯盟的一員，該聯盟由耶賓和西西拉領導（五19）。「馬雲人」資料不詳，可能是指米甸人（參新國際譯本旁註，及六1的註釋）。

十一7至十一11　基列人哀求耶弗他　第二幕一開始就記載亞捫人正想展開新一輪的侵襲，以色列人則四出求援。由於基列人首當其衝，受到亞捫人侵襲，所以，他們最積極求援，這是順理成章的。但是他們中間沒有能者，所以只有一起去尋找以前被他們趕逐的耶弗他（十一7）。不過，耶弗他小心翼翼。他為何要信任那些以前苛待他的人？這引致耶弗他跟基列長老談判時，提出很實際的要求，但獲基列長老接納，就是耶弗他要兼任支派領袖和軍隊元帥（十一8、11）。耶弗他跟基列人討價還價，最後在米斯巴獲得正式追認。米斯巴是基列人起初安營之處（比較十一11與十17）。所以，這幕開始和結束的地點都相同，但在結束時，基列人已立耶弗他為領袖。

仔細思想這幕的記載，可看見這幕跟第一幕平行。以色列人「悔改」跟基列人相似，他們窮途末路，只有前來跟耶弗他談判，但是耶弗他的回應跟神的回應有天淵之別。耶和華是因為憐憫（十16），而耶弗他明顯純粹是因為個人的利益和野心。耶弗他在這次談判獲勝，耶和華卻站在背後，彷如靜默的見證人，見證所有事情的發生（十一11）。

附註　第17節「米斯巴」（意即「望樓」）一名很常見，但這個位於基列的米斯巴的位置不詳。十一1「**基列**」這裏是人名，在別處則是地名（十17；書十七1、3）。**第3節**「**陀伯**」（意即「好」）是亞蘭（今天的敘利亞）的一座城（撒下十6-8）。

十一12-28　耶弗他運用外交政策　此處爭論之邊界的範圍，是從基列南面到亞嫩河北面。它曾是摩押人的領土，但後來被亞摩利人奪取。在摩西時代，它最後落入以色列人手中（民二十一21-31）。在耶弗他時代，亞捫人明顯已奪取摩押，其邊界伸至亞嫩河南面（參24節）。耶弗他的論點是，以色列沒有從亞摩利人手中奪取任何地，亞捫人應該依從以前摩押王的規定，承認亞嫩河是亞捫和摩押的邊界（25節）。

這幕反映耶弗他作大事的潛質。他的表現證明他不單能夠管治基列，也能管治全以色列。不過，這次交涉失敗，不足為奇，因為耶弗他沒有求和的態度。他似乎想爭取時間，建立自以為的公義，祈望至高的士師耶和華（27節）會判他（及以色列人）勝訴。耶弗他最後向耶和華求在「今日」判決這事，其實，這講法等同宣戰。故事的高潮明顯將要出現。

附註　第13節「亞嫩河及雅博河」是位於約但河東的兩條河流。這兩條河圍繞基列南面大部分土地（比較18節）。**第16節「紅海」**（意即「蘆葦海」）可能指亞喀巴灣，正如在民數記三十章10至11節一樣。加低斯巴尼亞是迦南的定居地（民十三26）。**第17節**「**以東**」是以掃後裔佔領之地，位於死海南面。「摩押」參三章12節的註釋。**第19節**「**亞摩利人**」參一章34節及十章8、11節的註

釋。「希實本」以前是摩押人的一個城鎮，被亞摩利王西宏佔據，作為他的京城（民二十一26）。第20節「雅雜」的準確位置不詳。第24節「基抹」是摩押信奉的神祇（王上十一7；王下二十三13；耶四十八7、13、46），但因為亞捫現在統治摩押，基抹也被視為他們的神。戰勝國的統治者「收納」戰敗國的神祇或眾神祇，是很普遍的。第25節「西撥的兒子巴勒」是摩西時代的摩押王（民二十二至二十四）。第26節「亞羅珥」是位於亞嫩河北岸的一座城（參13節註釋）。

十一29-40 耶弗他起誓及其結果 耶和華的靈降在耶弗他身上（29節），開始我們今天熟悉的一連串事件。這事引往那可預見決定性的勝利（33節）。可是，這一連串事件被耶弗他的起誓打斷（30-31節），而且這事主導整幕情節的發展。至於那場戰爭的經過只是草草交代，記載打仗主要為交代外在因素，耶弗他必須實踐他的誓言。

起誓是很普遍的（例如民三十；詩二十二25；傳五4-5），但是，耶弗他這種起誓是不尋常的。顯然耶弗他起誓要向神獻燔祭（31節下），但他沒說明以甚麼為祭物，只是規定：「無論甚麼〔人或物〕，先從我家門出來迎接我」（31節上）。耶弗他的用字含糊，把所有住在耶弗他家裏的生物置於險境。我們害怕的，也是耶弗他害怕的，就是他的獨生女兒成為犧牲品（34-35節）。真正可悲的是，這樣的誓言是不需要的（正如第一幕所見的）。從上下文，我們知道耶弗他不為別的，只是錯誤地嘗試跟神討價還價。耶弗他這個大談判家今回要付上沉痛的代價。這幕的下半部，讀來好像創世記二十二章的殘酷版本，記載另一個父親和另一個獨生孩子的故事。但是耶弗他不是亞伯拉罕，在他的情況裏，也沒有天上的聲音，只有默默無聲的懲罰。我們只可總結說：耶弗他起誓招惹耶和華發怒，正如以色列人「悔改」，也招惹耶和華發怒（比較王下三26-27摩押王所作的）。值得思考的，是我們今天的祈禱如何常常跟神討價還價。耶弗他的事例明顯說明人不能跟神討價還價。

附註 第29節「瑪拿西」參一章27節的註釋。第33節「亞羅珥」參26的註釋。「米

「匿」和「亞備勒基拉明」的準確位置不詳。

十二1-7 耶弗他平定叛亂 外患除去後，支派間因嫉妒而起的內憂再次產生（比較八1-4）。以法蓮自視為以色列人當然的領袖，是頗明顯的。他們不願承認以法蓮支派的人不能作士師，統治人，尤其是基列人。耶弗他對他們採用相同的基本手法，正如他對亞捫人一樣：先為自己的理由辯護，跟著（接不到答覆）才開戰。十二章7節的總結短評，清楚說明結果：約但河西的支派歸服耶弗他，他統治全以色列6年之久。簡言之，耶弗他證明自己是個強人領袖。

可是，這場仗不是聖戰。他們沒有求神裁決這事，也沒有暗示勝利是神所賜的（對比27、29、32節）。其實，整幕記載支派間可悲的鬥爭，是一個莫大的諷刺，表明以色列支派間的分裂是何等嚴重。這是將要發生之事的不祥兆頭，特別是第十九至二十一章的慘劇。

附註 第1節「以法蓮」參一章22節的註釋。「撒分」（和合本譯作「北方」）位於基列中部，約但河以東2哩（3千米）。第4節「叛徒」（和合本譯作「逃亡的」）。這話暗示耶弗他的跟隨者（或者最少有一部分）是以法蓮和瑪拿西的後人，他們為逃亡或避難而來到基列。第5節「逃走的人」希伯來文是複數，直譯是「逃亡的」（跟第4節相同）。基列人扭轉形勢，以致以法蓮人逃亡。第6節「示播列」的意思不確定，也不重要。它只是一個極好的發音測試，用來分別逃亡的以法蓮人。「四萬二千人」參五章8節的註釋。

十二8-15 以比讚、以倫、押頓
前面記載了兩個基列的士師睚珥和耶弗他後，作者轉述約但河西的北方支派。記述了耶弗他和他獨生女的故事，作者記載以比讚的事蹟，特別提出他有30個女兒，及他給30個兒子娶了30個媳婦！在所有士師中，作者只記載了耶弗他和以比讚的女兒。對比二人，目的強調耶弗他因起誓而沒有後代的悲劇。以倫和押頓的事蹟記載得很少，但特別指出押頓的兒子和孫子都騎著驢駒，叫人想起睚珥及其家人有相似的排場（十4）。也暗示自從基甸開始，士師的職權經常差不多要變為王權，由兒子承繼父親的公職（參撒上八1）。但是，正如下一個高潮故事所展示，

有魅力的拯救者之年代還未過去。

附註 第8節 這可能是記載於約書亞記十九章15節，在北面的伯利恆，位於西布倫及亞設的邊界。以比讚可能來自亞設支派。以倫則來自西布倫。第11節「亞雅崙」的準確位置不詳；它不是一章35節位於南面的亞雅崙。第13節「比拉頓」在迦南中部，位於以法蓮及瑪拿西的邊界，即今天那布勒斯的西南面6哩（9千米）。第15節「亞瑪力人」參三章13節及五章14節的註釋。

十三1至十六31 參孫

參孫故事的結構清楚易明。首先是第一節（十三1），簡述當時的背景，參孫超然的出生記載在第十三章2至25節。他長大成人後的事蹟，通過兩次行動，在第十四至十六章展示出來。第一次行動始自十四章1節，他下到亭拿，高潮則是他在利希殺掉非利士人（十五14-20）。第二次行動始自十六章1節，他到了迦薩，高潮則是他在大袞廟內與非利士人同歸於盡（十六23-31）。十五章20節和十六章31節下的小結，正式標示兩次行動的結束。

參孫是士師記的最後一位士師，記載他的篇幅比其他士師多。在所有士師中，參孫的事蹟最能代表士師時代整個以色列的境況。他被神揀選，分別為聖，但他一生也達不到分別為聖的要求。以色列人跟隨外邦諸神，參孫也跟隨外邦女人。以色列人在本書每逢窮途末路就呼求耶和華，參孫在兩次故事的高潮，走投無路時也呼求耶和華（十五18，十六28）。透過參孫的故事，我們看見耶和華與以色列人的鬥爭，焦點放在一個代表的鬥爭上。從一個非常真實的角度來看，參孫就是以色列的化身。最終得勝的是耶和華。非利士人及他們信奉的假神被打敗，而參孫最後屈服於命運之下。這故事是個悲劇，但也是一個勝利和令人期望的故事。在神手中，參孫「開始」拯救以色列人脫離非利士人的轄制（十三5）；最終的拯救由日後的大衛完成（撒下八1）。若把以色列、參孫視為教會的寫照，也是適當的，因為教會無論如何剛愎自用，不可預測，神仍可使用她。

十三1-25 參孫神奇的出生 第1節 背景簡述

暗示以色列的信心實際上陷於極度低潮，他們甚至連呼求耶和華拯救的行動也沒有（比較三9、15，四3，六6，十10）。這時，屬靈環境惡劣，參孫的出生是非常特別的。神拯救以色列，純粹因為神的恩典，這說明神徹底委身給祂的子民。參孫的出生神奇地宣佈耶和華掌管生死。參孫不育的母親像整個以色列，耶和華將生命賜給這個不育的婦人，因此她通過參孫，把生命帶給以色列人。可是，這並非白白得來，而是要付代價的。參孫的母親似乎直覺地明白第7節的意思：「這孩子從出胎一直到死，必歸神作拿細耳人。」作者很早預示故事的高潮，這位拯救者將會以他的生命來實踐他的使命。

附註 第1節「非利士人」參三章3節及十章9節的註釋。第2節「瑣拉」位於耶路撒冷西面12哩（19千米），梭烈谷正北（十六4；參十八2、8、11）。「但族」比較一章34節，十八章1至31節及五章17節的註釋。第3節「耶和華的使者」參二章1至5節及六章11至24節的註釋。第5節「拿細耳人」來自希伯來文*nāzar*，意即「分別、奉獻」。拿細耳人就是那些起特別的誓，將自己奉獻給神的人（參民六）。這種誓言通常是自願的，而且誓言只限在一段日子裏有效。無論如何，參孫在出生前，已被神定規終身作拿細耳人。第18節「奇妙的」這稱呼暗示那位使者，其實就是耶和華（參出十五11；賽九6。）第22節參六章22至23節的註釋。第25節「瑪哈尼但」（意即「但的營」）位於瑣拉和耶路撒冷之間（十八12）。「以實陶」鄰近瑣拉。

十四1-20 參孫的婚禮 這章開始時記載參

孫「下」到亭拿（十四1）。他在第5節再次「下」到那裏，跟著，他的父親在第10節也「下」到那裏。他後來在第19節上「下」到亞實基倫，最後，他在第19節下「上」父家去了。所以，這章開始和結束都在同一地點，組成一個完整的行動。可是，這只是開始，在下一章裏，我們會看見作者繼續交代參孫跟亭拿女子的關係。

第十四章充滿祕密，包括耶和華的祕密：祂有目的地去管理參孫的行動〔「他找機會攻擊非利士人」（十四4）〕；參孫的祕密：他暗中殺獅（十四6），沒有把蜜的來源告訴

父母（十四9）；最後是謎語的祕密，這是因為前兩個祕密而發展出來的。這眾多令人莫名其妙的活動背後，是耶和華的靈引導事情發展，到達預定的目標（十三25，十四6、19）。參孫似乎想放縱自己的情慾，完全放棄作拿細耳人的呼召。他玷污自己，因為他從死獅屍體取蜜（十四8；參民六3），在宴會中飲酒（十四10；參民六3），他跟非利士人親近，而不是從他們手中拯救以色列人（十四1-3；參民十三5）。但是，參孫經常不知不覺地完成神的目的（十四4）。他是神揀選的器皿，用來拯救以色列人，這是參孫不能改變的。

透過參孫的故事來研究人的自由和神的主權，是很吸引人的。參孫的故事表明耶和華所做的一切，都是為祂子民的益處，即使他們沒有察覺。此外，即使祂所選的器皿剛愎自用，祂直到今天仍然滿有恩典、至高無上。可是，從神完美的僕人耶穌身上，我們找不到參孫的任何缺點（羅五6-8，八28）。

附註 第1節「亭拿」的準確位置不詳，但它是在猶大和但的邊界（書十五10、十九43）。當時它落在非利士人手中。第3節「未受割禮的」是一種鄙視的稱呼（比較十五18）。按我們現在所知的，非利士人是以色列鄰邦中唯一沒行割禮的。第11節「三十個陪伴」可能是要他們作護衛，因為參孫來到有潛在敵意的地區。第12節「裏衣」是一匹大而長的麻布，日間當衣穿，晚間當被用。因為它用麻製成，所以品質好，價錢高。第15節「父家」指整個家庭，包括僕人（參十五6）。第19節「亞實基倫」位於沿海地帶，由南到西共23哩（37公里）（參一18的註釋）。第20節「朋友」（意即「伴郎」）可能不同於第11節提及的那30位陪伴的人（參十五2；約三29）。

十五1-20 跟非利士人的衝突漸惡化 參孫的岳父認為參孫暴力對待亞實基倫的30人，而且憤然離去，表示他放棄這段婚姻，不娶他的女兒為妻，所以（可能為了挽回家族的聲譽）將自己的女兒歸了參孫的「伴郎」為妻（十四20，十五2）。可是，參孫不是這樣理解這事，所以，他認為火燒亭拿附近的禾稼，大大破壞他們的田產，懲罰他們，是天

經地義的。事實上，參孫的破壞等於剝奪該地人民的收成，是他們整季勞力耕種得來的（1、3-5節）。非利士人惱怒參孫是可以理解的，但他們沒有能力捉拿參孫，只好向參孫的妻子及岳父施行殘忍的報復（6節）。因此，參孫再次恣意破壞（這次是傷害人，不是損壞穀物），然後心滿意足地離開非利士地，因為他清算了敵人（7-8節）。但是，這時正蘊釀爆發一連串事件，勢不可擋，非利士人誓不罷休，非要剷除破壞者不可。為求達到目的，他們入侵猶大，為的是捉拿參孫（9-10節）。這要求把猶太人置於困境，但他們很快就決定要犧牲參孫，因為要保護參孫而付出的代價實在太大（比較同一支派在一1-3的英勇表現，他們在這裏表現怯懦，正說明以色列人整體陷至何等低落的地步）。參孫容許猶太人將他捆綁交給非利士人，他認為那是無可避免的（11-13節）。然而，對於即將發生的事，所有人都沒有心理準備！耶和華的靈降在參孫身上，令他充滿力量，而戰敗也變成榮耀的（殘酷的）勝利，這標示著參孫實際上開始以士師身分管治以色列人（14-17、20節）。

從一個層面來說，這故事記載參孫復仇，令人討厭，他因為被黑暗勢力驅使（包括憤怒、憎恨和復仇慾望），暴力不斷加劇；但從另一個更重要的層面來說，**這故事也記載神運用權能，叫參孫反敗為勝，而且打敗祂子民的仇敵。最後，甚至參孫也承認他是耶和華的僕人，而且是神藉他的手作工**（18節）。他呼求神，承認自己十分軟弱，並要倚靠神。他發覺神已準備好，並願意應允他的呼求（18-19節）。這刻參孫十分脆弱，漸漸迫近他整個生平故事的高峰（參十六28-30）。

附註 第1節參孫的婚姻明顯依從非利士人的習俗，新娘婚後仍住在娘家，丈夫要前來探望妻子。夫妻所生的兒女要歸於娘家。第8節「以坦磐」明顯是個突出而人所共知的標記。它準確的位置不詳。第9節「利希」（意即「顎骨」），它如此命名，可能因為這裏有個山崖。但是，參孫的功績賦予這名字新的意義（士十五17）。同樣地，它的位置不詳。第11節「三千」，比較十五章15至16節，及參五章8節註釋。第15節「未乾的驢腮骨」即骨仍是堅硬，而不是乾透易脆。這

是臨時的武器（比較珊迦的趕牛棍，三31）。**第16節**「用驢腮骨」參新國際譯本旁註。**第18節**「未受割禮的人」參十四章3節的註釋。**第19節**「窪處」可能是下陷的磐石，其內有一個水泉。這地名叫「隱哈歌利」（意即「求告者之泉」），暗示參孫在第18節「求告」耶和華。希伯來人因為鷓鴣的叫聲，通常稱牠為「求告者」，所以該泉原名可能是「鷓鴣泉」。事實若是如此，這地名也因參孫而有新的意義。

十六1-22　參孫與大利拉　這章開始時，記載參孫自願下到迦薩（1節），結束時，他成為囚犯，被人帶到那裏（21節）。這章情節的發展，圍繞著他與兩個女人：一是無名的妓女（1-3節），另一是大利拉（4-22節）。雖然經文沒有清楚交代，這兩個女人都可能是非利士人。參孫跟妓女一起，純粹因為情慾，但他跟大利拉一起，則是因為愛情——至少參孫認為是這樣（4節）。第一件事，記載他跟無名妓女的故事，證明參孫的力氣驚人；第二件事，交代參孫力量的來源。參孫在兩件事上都處理得沒有理智，也不果斷，但是，兩事的結果（指最後，不是即時）都是令非利士人戰敗受辱（3、23-30節）。所以，雖然參孫明顯沒有遵照耶和華的吩咐行事，耶和華仍然使用他去達成祂的目標。

　　參孫跟大利拉的故事特別顯明這點，尤其是當參孫最後「把心中所藏的都告訴了她」（17節）。參孫並非不知道他的蒙召，他一直都知道自己是拿細耳人，以及他力量的祕密在於他跟神特別的關係（頭髮只是記號而已）。可是，他從來沒有達到他分別為聖的要求。他經常暗暗想享受世俗人的生活（這引誘對今天的基督徒肯定司空見慣）。在大利拉身上，他看見一個機會，或者是他最後的機會，可以享受他嚮往已久的快樂。參孫答應大利拉的要求，**實際上等於放棄作拿細耳人，還俗作個普通人**。這是他夢寐以求的（17節）。但很矛盾的，是這事的結果不能使他如願以償，反令他重回戰線，與非利士人正面交鋒（20-21節）。耶和華袖手旁觀，不理會參孫，當參孫戰意再萌時，耶和華又使用他。**第22節**「他的頭髮，又漸漸長起來了」清楚指出將要發生甚麼事（23-30節）。參孫可能想過要效法其他人，但耶和華不許他這

樣做，正如耶和華不許以色列效法列國。參孫為他的呼召而掙扎苦鬥，正如以色列人整體的掙扎一樣。

　　附註　**第1節**「迦薩」參一章18節，三章3節，六章4節的註釋。**第2節**那時代的典型「城門」，結構精密，高至少兩層，有衛兵房，設於圓拱形的通道入口後面。那些等待參孫的人住在城內，當參孫搬走城門時，他們可能正在睡覺（3節）。**第3節**「希伯崙」位於猶大山區，迦薩東面38哩（60千米）。參孫棄置城門的山，可能位於希伯崙和迦薩的某處（參一10註釋）。**第4節**「梭烈谷」（意即「酒醉之谷」；參十五5）位於耶路撒冷西南13哩（21千米）左右。**第5節**「一千一百舍客勒」約等於28磅（13千克）；參十七章1、3節。**第7節**「未乾的青繩子」可能是製造中的絞索。**第13節**參孫作為拿細耳人，分別歸神為聖，最明顯的記號，莫過於他的7條「髮綹」（17節），參十三章5節的註釋。大利拉用古代的織布機，有兩條直立的柱固定在地上，把參孫的髮綹與緯線同織。「橛子」是扁平的木塊，用來敲打新織的線，把它與舊織的線緊結一起。**第21節**「剜了他的眼睛」使參孫受辱和失去能力（參王下二十五7）。「在監裏推磨」可能是用手推動的磨，因為當時較大的磨通常是用驢來推動的。

十六23-31　參孫之死及在迦薩的勝利　參孫的故事在最後一幕（也是全書的中心部分）達到高潮，令人目瞪口呆。在整個士師時代，以色列人基本的問題是，他們被異邦偶像吸引（二10-13），以致犯罪。**參孫對神計劃的偉大貢獻，在於他展示了耶和華有至高的權力**，是其他神明（這裏以大袞為代表）不能比擬的。參孫在這方面的成就，跟以利亞在迦密山的功績（王上十八16-40），不無相同之處。

　　重複宣稱「他們的神」把參孫交在他們手中（23-24節），是極大的諷刺，因為實際上是耶和華把參孫交在非利士人手中，為要消滅他們。參孫在**第28節**的祈禱，令人黯然神傷，大大哀痛，他之前向神求生（十五18-19）；現在，他向神求死。但是，即使他向神求死，其動機也不純淨，目的只為個人恩怨，並非為了榮耀神。不過，參孫至少在最

後也能完成神把他分別出來要他完成的工作。這次勝利無疑是屬於耶和華的。以色列人日後跟非利士人還有更多戰爭，但是，以色列人能夠確認惟獨耶和華是神，是以色列再蒙拯救的基礎。參孫確實作了一個重要的開始（參十三5）。

參孫的故事，開始和結束的地點相同。為他憂傷的家人把他運返故鄉下葬。參孫的家人至少會因他不是白白犧牲而得到安慰，不過，我們比他們更容易明白這一點。無論參孫怎樣失敗，他仍是耶穌的先鋒。耶穌藉著死打敗我們的勁敵，立下拯救的基礎。這拯救的豐榮還有待日後彰顯（來二14-15；彼前一3-5）。

附註 第23節「大袞」（意即「穀物」）是迦南地的農神，非利士人明顯是移居迦南地後信奉了這神明（參三3的註釋）。據撒母耳記上五章1至5節，在亞實突有另一座大袞廟。第25節可能非利士人要參孫表現力大無窮的技藝。第26節考古學在該地區發現同類建築的廟，廟頂由木柱支撐，木柱安在基石內。廟中央有表演場，四周環以看臺，看臺上有平頂蓋，下面坐的是達官貴人，平民則在平頂上圍觀。第28節「主耶和華」直譯是「我主耶和華」。「耶和華」一名特別叫人想起神拯救以色列人出埃及，和祂跟以色列人在西乃立約（出六1-8，二十2）。

參孫像以色列人一樣禱告，訴諸他與神立約的關係。正如在舊約所常見的，此處的「眷念」不單是回想，更是有所行動（比較創八1，十九29；出二24）。第31節至於「瑣拉和以實陶」，參十三章25節的註釋。

十七1至十八31　宗教混亂：米迦與其神龕

正如導論所提及，本書的跋是由兩個故事組成。這兩個故事的特色，就是與利未人有關，而且重複同一觀念：十七章6節，十八章1節上，十九章1節上及二十一章25節。這些故事記述士師時代，宗教及道德的混亂。那時以色列還沒有王，各人任意而行，或直譯為「行自己眼中看為正的事」，威脅以色列的安危。

十七1-13　米迦偶像的來源

米迦出場時，自認是個賊。他偷了母親

的錢，還給母親後，母親替他獻給耶和華，好雕刻偶像！米迦良心明顯受了傷害，所以，他把他所做的告訴母親，並且把錢退還。她因為得回金錢，心裏如釋重負，她沒有責備米迦一句，反而以耶和華的名祝福他！但是更荒謬的事記在下面。比較第3及4節，我們知道米迦的母親只用了她原定要獻給耶和華的部分金錢，至於其餘的錢，她會怎樣使用呢？米迦成為新偶像的主人，以此為榮，而且得到一個利未人作祭司（13節），就肯定耶和華會祝福他。在下一章我們會看見他犯的錯誤，很快就突顯出來。

這章一開始就充滿諷刺，主角明顯不察覺自己言行不一，這情況充分顯示各人行自己認為正確的事所引起的混亂。

附註 第1節「米迦」（意即「誰像耶和華？」）這名對一個拜偶像的人來說，實在是諷刺。「以法蓮山地」參四章5節的註釋。第2節「一千一百舍客勒」數目龐大（參新國際譯本旁註及比較十六5）。米迦的母親已把金錢獻給耶和華（比較可七11），她的話暗示人若私吞這些錢，會受咒詛。第3節那偶像由銀匠造成，製成後則交給米迦（4節）。米迦的母親明顯視「雕刻的像」和「鑄成的像」為宗教藝術品，並且錯誤地以它榮耀耶和華。第5節米迦的「以弗得」參八章22至27節（基甸的以弗得）的註釋。第7節那個「少年利未人」是利未支派的後人（申三十三8-11）。只有亞倫的後裔才能作祭司，其餘利未支派的人只可作助手（民八5-26）。利未支派因不被地域所限，他們可以住在不同支派中間。雖然他們獲分配既定的城邑，但沒限制他們只住在這些城內，尤其是士師時代，情況異常混亂。那個利未人來自猶大的伯利恆，是摩西的後人（十八30），另參十九章1節的註釋。第10節米迦「以那個利未人為父」，即在宗教事上，視他為嚮導（比較王下六21，十三14）。然而，在其餘事上，那利未人像米迦的兒子過於像米迦的父親（11節）。

十八1-31　米迦偶像的歷史發展

正如本書開頭所記，但支派不能完全佔據在南面所得的分地（一34），於是他們遷移至北方，其過程記在這一章裏。這事可能發

生在士師時代的早期（參12節的註釋）。

　　米迦故事的第二部分由幾幕組成，反映但人尋地的經過，他們在迦南地來來回回，以及途中遇見不同人的反應。這裏有兩幕關於那個被米迦聘為祭司的利未人。但人的探子問那個利未人（3-6節），他以討人喜歡的神諭回答他們，而且答應不再作米迦的祭司，改為跟從但人，服侍他們。在跟著的一幕（22-26節），米迦最後一次出場，但已變成一個可憐失落的人（24節）。在拉億（這是但人重新起的地名），米迦的神龕在新地方及新制度下重新開光（30-31節），正如以往一樣。但是，那不祥的話「直到那地遭擄掠的日子」，指出那神龕最終遭受同一命運，正如它原先是從別人手上搶掠回來的（參30節的附註）。

　　作者以諷刺的幽默手法記述整個故事。這故事在表面上，有很多地方跟以色列人起初征服迦南地（民十三至十四；申一）相似。但是，無論但人如何展示力量，他們實際上是敵不過迦南人，被他們從原屬自己的產業逐出（參上文）。至於拉億，若把它跟約書亞征服的設防城鎮相比，可說是偏遠、僻靜、不設防的，居民安居無慮（27-28節）。作者似乎同情但人所傷害的拉億居民過於但人本身。

　　故事的結束記載米迦比記載但人為多。**這故事最重要是指出，人在信心上犯錯，以為他們可以通過宗教的物品及制度去控制神**。但人跟米迦基本上犯同樣的錯誤，他們新的神龕從起初就註定，要跟米迦的神龕遭受同一命運。利用宗教服侍自己，只有招致神的審判，不是神的賜福（參十七13）。

　　附註　第2節「瑣拉和以實陶」參十三章2、25節。「**族**」原文是單數，這裏的意思明顯等同「支派」（比較11、19節），跟六章11節。「以法蓮山地」參四章5節註釋。**第7節**「拉億」位於迦南極北的地方，在加利利海正北25哩（40千米）。但人替它改名為「但」（29節），「西頓人」（參三3）住在地中海沿岸，即今天的黎巴嫩。**第11節**「六百」參三章31節的註釋。**第12節**「基列耶琳」（意即「樹林之城」）位於耶路撒冷西面8哩（13千米）的山上。比較一章11節的「基列西弗」，意即「書城」。「**瑪哈尼但**」意即「但營」，它由

十三章25節開始出現，在參孫時代，這城已是這樣命名。所以，自從大部分但人遷往北面後，可能只有少數但人仍住在南面，參孫就是這少數群體的成員之一。**第14節**「以弗得」，比較十七章5節，並參八章27節的註釋。「**家中的神像**」明顯是體積細小（創三十一19），像以弗得那樣用作占卜（參結二十一21；王下二十三24）。**第19節**「為父」，比較十七章10節。**第21節**這節的意思是但人用士兵將他們的掠物（包括他們偷來的東西），跟追擊他們的人隔開。**第28節**「伯利合」準確位置不詳，參考7節的註釋，並比較十三章21節。**第29節**「以色列」這裏是指雅各（創三十4-6，三十二8）。**第30節**「革舜」參出埃及記二章22節。起初的祭司是摩西的孫子，這地可能因此聲譽極隆，這也解釋了日後耶羅波安一世選擇這地，設立北國其中一個國家神龕的原因（王上十二25-30）。它至今仍是崇拜偶像的中心。希伯來文在「摩西」一字裏加了一個n（希伯來文*nun*），變成作惡多端的壞王「瑪拿西」（王下二十一）。此舉是因為尊敬摩西，但原文明顯應讀作「摩西」（參新國際譯本旁註）。「**直到那地遭擄掠**」可能指北國最後在主前722年，被亞述所滅，尤其是因為列王紀下十七章特別提及當時祭司被逐離境（27節，比較1-6節）。**第31節**「示羅」位於耶路撒冷北面19哩（30千米）。以色列人進入迦南後，它是以色列人安設會幕的第一個地方（書十八1）。到了撒母耳時代，會幕被一個較恆久的建築物取代（撒上一9、24），但示羅及其聖所日後毀滅了，大概是非利士人的所為（耶七12）。

十九1至二十一25　道德混亂：利未人與其妾

　　第二個主要的故事由4幕組成：1.基比亞的暴行（十九1-28）；2.備戰：利未人號召及以色列人的回應（十九29至二十11）；3.戰爭經過（二十12-48）；4.戰後重建：為便雅憫支派的生還者娶妻（二十一1-25）。主要的情節發生在第三幕，首兩幕交代引發第三幕的背景，第四幕則記述戰後發生的事。

十九1-28　基比亞的暴行

　　除了引發往後的主要情節外，第一幕有兩大目的。1.展示在士師時代的以色列人，

在接待客旅這件崇高的事情上，也變得何等卑劣；2.提供重要資料，描述那個利未人的性格，他在第二幕的角色舉足輕重。

作者記載接待客旅一事，包括兩個場景：第一個是在伯利恆（1-10節），這次接待客旅的態度很正確；但是，第二次在基比亞（11-28節），態度則反常、墮落，跟創世記十九章1至13節所多瑪的生活有明顯相似之處。這是特別諷刺的，因為那個利未人刻意不進入外邦人的城邑，希望在同胞的地方得到接待（12-14節）。基比亞街上的無賴明顯是道德敗落，但接待利未人的老年人也相差無幾。他明顯是當時典型的主人，他悖於常理的責任感，叫他把兩個還是處女的女兒，交給那些無賴蹂躪（23-24節）。他們實在是道德淪亡。神的子民行自己眼中看為正的事時，他們並不比所多瑪人好。

然而，最悖謬的是那個利未人。他的妾被人交給惡徒後，他竟可上床休息，而且顯然沒有一點擔心，直至早上他發現妾在門檻死去或失去知覺。跟著，簡直令人難以置信的，那個利未人竟然冷酷地命令他起來行走，因為他已準備好離開這地（27-28節）。在下一幕號召所有以色列人去打仗的，正是這人。回想之下，我們就可以明白這妾不肯跟他一起的原因了（參2節及其附註）。

附註 第1節「以法蓮山地」參四章5節註釋。「娶妾」在當時近東是很普遍的，而且是舊約律法准許的（出二十一7-11；參創十六2-5，二十九24、29；士八31；撒下五13）。妾通常指第二個妻子，或是沒有粧奩的妻子，所以地位較次。這跟耶弗他的母親很不相同，因她是個妓女（十一1）。「**猶大的伯利恆**」是耶穌的出生地，位於耶路撒冷南面6哩（9千米）。比較十七章7節，及對比十二章8節北面的伯利恆。**第2節**她不忠的表現可能只是離開丈夫，而不是跟其他男人有染。**第10節**「耶布斯」是以色列人進入迦南地前，耶路撒冷的名字。**第12節**「**基比亞**」位於耶路撒冷北面3哩（5千米），在便雅憫的境內。參14節及比較約書亞記十八章28節。「拉瑪」位於基比亞北面2哩（3千米）。**第18節**「耶和華的殿」應指示羅的聖所（參十八31註釋）。但是七十士譯本（古代舊約希臘文譯本）讀作「我家」，這讀法更符合上下文

意，更能表達原本的意思。

十九29至二十一25　回應基比亞的暴行

十九29至二十11　備戰　在前一幕，作者仔細交代以色列人如何接待那個利未人，作者在這幕記載各支派代表的臨時會議，商討他們共同關心的事情（二十1；參二十一10、13、16）。這類會議在日後已不採用，但在以色列沒有王之前，它是一個重要的組織。打仗及國家存亡全賴這會議運作有效。這時全國關注的大事，就是發生在基比亞的暴行，而這次會議的召集人，是第一幕出現的利未人。

諷刺的是，我們這些讀者比會議的成員更了解那召集人及所發生的事。我們認為那個利未人把自己的妾的肢體，傳送以色列四境，是他在基比亞對妾冷酷無情的延伸；那班會議成員卻認為這是神聖熱心的行動。以色列人被「激勵」，從但到別是巴都出來，眾人如同一人。換言之，那個利未人發起的行動所引起的回應，遠比耶和華興起的士師所作的更大。

所有會眾聚集一起後，那個利未人最多只是斷章取義地匯報基比亞發生的事，刻意隱瞞他的罪過（比較二十5與十九25）。從這角度來看，他強調道德，是對事實的虛報。他清楚交代他的妾因被基比亞人強姦致死（5節下），但他的妾可能是回家後，被他所殺（參十九28及其註釋）。

無論事實是怎樣，大會的成員被那個利未人可怕的演說誤導，而且印象深刻。他們「起來如同一人」，並且立即決定一個聯合行動，要懲罰基比亞人（8-11節）。這個聯合大行動基本上是好的，但這行動竟由一個道德如此低落的利未人發起及操縱，以色列會變成甚麼樣子？這是第二幕要提出的嚴肅問題。

附註　十九29比較撒母耳記上十一章6至7節掃羅日後的行動。我們知道警告同盟，不願參與行動會受咒詛，明顯是當時傳統的做法。這裏的分別在於受害者是人（比較耶弗他的女兒，十一34-40）。「**十二塊**」代表以色列十二支派（比較王上十一29-31）。

二十1「但」參十八章7節註釋。「**別示巴**」（意即「七井」；參創二十一31）位於耶

路撒冷南面48哩（76千米），在死海及地中海沿岸中間。「從但到別是巴」意即「從極北到極南」。「基列」參五章17節註釋。「米斯巴」（意即「望樓」）位於耶路撒冷北面8哩（13千米）（書十八26；撒上七5）。它不是十章17節位於基列的米斯巴。第2節「四十萬」參五章8節註釋。第9節把物件擲在地上，或從器皿裏抽出東西，是尋求神引導的方法（比較書十八6；箴十六33）。第10節數目似乎太大，五章8節附註對「千」的解釋，在這裏不大適用。原文可能只有第一部分（「一百人挑取十人」）。這話的重點是，有一成男丁分別出來，支援其餘的人。

二十12-48 戰爭經過 會眾在上一幕聚集的結果，就是開始一場聖戰，在許多方面，這叫我們想起約書亞時代，攻打艾城一役（參二十29、48的註釋）。聖戰是我們在士師記中重複看見的，而且它遍佈全書，但這場聖戰與其他聖戰有別，而且令人不安。第18節以色列人求問耶和華（「我們中間誰當首先上去？」）叫我們想起本書的開頭，以色列人求問耶和華（一1），而以色列得到相同的答覆。但是，兩次求問的處境有天淵之別！在本書開頭，以色列人組成聯盟為抵抗迦南人，佔領土地，但這次聯盟是分裂的以色列人發動內戰，兄弟相爭（28節），自相殘殺。本書開始時，以色列人獲勝，是立竿見影的（一4），但這裏要待以色列人完全崩潰、士氣消沉（26-28節），才能獲勝。其實，這章的「聖」戰，很難算得上是神聖的。這場戰爭由一次集會決定，召開這個集會的，竟是性格敗壞的人；而且結束時，充滿了腥風血雨過於正義凜然（再參48節註釋）。

第18至48節大部分篇幅描述戰事的經過，敵方如何獲勝。不過，以色列人3次求問耶和華（18、23、28節），及耶和華3次的回應，叫我們從較深入的角度明白發生了甚麼事。這些經文告訴我們戰爭進展到不同階段時，以色列人心中所想的，及以色列人與耶和之間的事情。以色列人認為這次行動是正義之舉，而且對求問耶和華最後得出的結果（18節），充滿信心。他們已誓死作戰，並且假設耶和華准許他們這樣做。所以，他們求問耶和華一些純粹如何作戰的問題：這場戰事應如何進行？耶和華命令猶大支派最先出

戰是合宜的，因為被強姦的妾屬於猶大支派（十九1）。但耶和華沒有應許他們這場仗會打勝，而且耶和華也沒為他們作甚麼；結果恰好相反，他們連番慘敗（19-21節）。以色列人第二次求問耶和華（23節），反映求問的人因為遭受重創而大大失去信心。他們懷疑應否繼續作戰，而且他們稱便雅憫人為「弟兄」，奏出想尋求和解的音調。不過，耶和華再次派他們出戰，但他們再次遭受徹底的失敗（23下-25節）。他們第一次戰敗後，曾在耶和華面前哭號；現在他們哭號、禁食及獻祭。他們直接求問耶和華應否罷兵——他們心中極有可能充滿這種思想（28節）。耶和華再派他們出戰，但這次耶和華終於應許他們會得勝。在隨後發生的戰爭，耶和華幫助以色列，使他們殺敗敵人，雙方的命運突然逆轉（35節）。

便雅憫人無疑應受懲罰，但是，按全國整體的道德及屬靈狀況來看，這場聖戰差不多把全國消滅，而不是把它保留。耶和華在第三幕惱怒其餘的以色列人，跟惱怒便雅憫人一樣。這點從一事得到證明，就是祂分別給雙方有勝有敗，以致全以色列都受到祂的審判。耶和華既審判祂悖逆的百姓，也保存他們。

附註 第15節「二萬六千」參五章8節註釋。第16節「以笏」也是便雅憫人，左手便利的（參三15及其附註）。第18節因為「伯特利」意即「神的殿」，所以有人認為這裏的伯特利可能指示羅的會幕（參十九18註釋）。可是，上文提及伯特利城，所以這裏的伯特利應指同一地方（比較26節，並參一22，二1，四5註釋）。「求問神」參一章1節註釋。第26節「哭號及禁食」是悔改的行為（比較二4）。他們從之前發生的事得出結論，就是耶和華惱怒他們。「燔祭」（參利一）象徵奉獻者全然奉獻給神。「平安祭」（參利三）包括進餐，象徵與神及人恢復團契。第27節在士師時代，「約櫃」有時會從中央聖所移往別處，尤其是打仗的時候（參撒上四4-5，該處和本處一樣，中央聖所都是在示羅）。參十八章31節及十九章18節註釋。第28節「非尼哈」是亞倫的孫子（出六25），不是日後撒母耳記上四章4節的非尼哈。這名源自埃及。比較十八章30節摩西的孫子約拿

單。如果照這家譜計算，第十七至二十一章記載的事，明顯發生在士師時代頗早的時期。**第29節**比較約書亞攻取艾城時用的戰術（書八3-8）。**第33節**「巴力他瑪」準確的位置不詳。**第35節**可能原本「二萬五千一百」是指「二十五支部隊再加一百人」。比較第39節那30個傷亡的人。**第35節**預先總結第36節下至46節的詳細記述。**第45節**「臨門磐」是露出地面的石灰質巖層，位於伯特利東面4哩左右（6千米）。它有3面被山澗切開，而且有洞，匪徒可以藏身。這名在今天的臨門村仍然沿用。「基頓」的位置不詳。**第47節**我已提出我對數目的解釋，「六百人」是便雅憫人大部分的軍力（參15、35節註釋）。**第48節**進行聖戰時（按耶和華直接命令進行的戰爭），耶和華有時吩咐以色列人不可掠取任何戰利品，反而要徹底毀滅所有東西，作為一種祭獻給神。這稱為「格殺令」，是耶和華審判以色列的敵人最徹底的做法（書六21；撒上十五1-3）；在某些情況，神也用這嚴刑對付以色列人（申十三12-18）。在這裏，耶和華沒有特別聲明要以色列人這樣做。

二十一1-25　戰後重建：為便雅憫支派生還者娶妻　在這最後一幕，注意力轉移到支派集會所作的事上（參上文十九29至二十11註釋）。在米斯巴起的那兩個誓言（1、5下），本是要停止便雅憫人犯的大惡，以免污染全國，並且確保其餘支派都全部參與這次懲罰的行動。但是，在二十章48節發生的濫殺事件，造成始料不及的結果：便雅憫全支派差不多被滅絕。

以色列人為解決問題，第一個嘗試就是用第二個誓言去補救第一個誓言（6-13節，但只是部分成功）。這做法雖是合乎法理，但至少在道德上是曖昧的，而且它付出的代價驚人，就是殺盡基列雅比的一切男子和已嫁的女子（11節）。第二個嘗試（15-23節）的性質跟第一個完全相同。**第22節**以色列人自圓其說，使自己所作的合乎法理，更明顯是詭辯，為要徹底避開這事的道德責任。同一班人痛恨便雅憫人強姦那個利未人的妾，但也是他們低聲下氣求示羅人，接受便雅憫人強姦他們的女兒是既成的事實。

本幕出現以下諷刺的格式：

A 強姦利未人的妾

B 攻打便雅憫人的聖戰

　C 問題：引致便雅憫人要滅族的誓言

B' 攻打基列雅比的「聖」戰

A' 強姦示羅人的女兒

會眾在這一幕的表現再次展示以色列人的道德和靈性何等敗壞。即使如此，這故事最後到達一個脆弱的平衡點，便雅憫人得到重建，恢復平靜（23-24節）。教人驚訝的是，以色列人倖存下來了。我們回顧過去，必會總結一句，這絕對因神的管理，非因領袖的功績和國家制度。**以色列在混亂的士師時代仍能生存，是神恩典的神蹟，正如救恩是神所賜的一樣（弗二8）。**

附註　**第1節**「米斯巴」參二十章1節註釋。**第2節**「伯特利」參二十章18節註釋。**第4節**他們築壇，但不是築在伯特利，那裏的壇已築成（二十26），而是在「次日」返回他們的大本營米斯巴築壇（二十1）。這類臨時的壇，有時會在國家有危難或喜慶時，尤其是打仗前後（比較出二十24-25；撒上十四35）築起的。「燔祭和平安祭」參二十章26節註釋。**第5節**修訂標準譯本的譯法更準確：「沒有上來聚集」。這指二十章1節起初的聚集。**第8節**「基列雅比」位於約但河正東的一座城，在加利利海南面約22哩（35千米）左右。基列雅比沒有派代表參加是明顯的，因為基列其他地方的代表都有出席（二十1）。**第9節**這次數點百姓肯定了領袖原先不肯定的看法，即基列雅比不論現在或起初都沒有派代表參加（參5節註釋）。**第10節**「一萬二千」參五章8節註釋。「用刀將……連婦女帶孩子都擊殺了」參二十章48節註釋。**第11節**此舉為要存留處女。領袖心中可能想起摩西時代，抵抗米甸人立的先例（參民三十一，尤其是17節）。**第12節**打仗期間，米斯巴成為大本營（二十1，二十一1）。「示羅」比米斯巴更北，較近基列雅比，所以，更方便接收及運送處女（參十八31註釋）。「迦南地」意即約但河西，迦南地本土。參第19下節示羅更詳細的位置。這些資料可能是成書後期補充的，以便示羅被毀後許久的讀者也能明白。再次參十八章31節註釋。**第19節**撒母耳記上一章3節和出埃及記二十三章14節描述耶和華的3個節期，但在混亂的士師時代，以色列人只守一個節期，我們不會感到詫異。作

者詳細描述示羅的位置，是令人費解的，但參第12節的註釋，我們或許有點頭緒。「伯特利」參四章5節的註釋。「示劍」參九章1節的註釋。「利波拿」位於示羅以西3哩（5千米，參十八31註釋）。**第21節**這節期可能是住棚節，但變了質，且滲雜了異教形式，在葡萄收割時舉行（申十六13-15）。參九章27節及八章33節的註釋。**第22節「在爭戰的時候」**即是宰殺基列雅比人的時候，但最早期的抄本可譯作「動武」。**第23節「自己的地業」**（比較24節）指起初佔據迦南時分給他們的地業（書十四1，十八11-27）。

Barry G. Webb

進深閱讀

A.E. Cundall and L. Morris, *Judges and Ruth,* TOTC (IVP, 1968).

M. Wilcock, *The Message of Judges,* BST (IVP, 1992).

D.R. Davis, *Such a Great Salvation: Expositions of the Book of Judges* (Baker Book House, 1990).

D. Jackman, Judges, *Ruth,* CC(Word, 1991).

B.G. Webb, *The Book of the Judges: An Integrated Reading* (JSOT Press, 1987).

士師記 · 第二十一章

世紀聖經新釋

路得記

✸ 導 論

要解釋這短短的一卷聖經為何能如此感動人心並不困難。若是一本故事書，本書有其獨特的優點，它的形式對稱、人物生動，但最重要的，是它在傳達一個信息。當拿俄米感到生活沒有意義、叫人喪氣，路得便選擇站在她身旁，而不是讓這年老的寡婦獨自面對茫茫前路。在摩押發生的悲劇，卻在伯利恆得著圓滿的結局；無私的忠誠得到了回報。神用主權改變了事件，叫那些信靠袖的人得到愛和安穩，同時又把他們的生命，融入袖對世界的旨意中。神仍是隱藏的，但管理著日常的事，成就袖向子民所作的應許。

許多人試圖根據現代歐洲文學的類別把路得記歸類。路得記歸入了短篇小說的類別，是一本田園文學和歷史小說，暗示它大部分是虛構成分。別的學者又嘗試按著近東的背景來看此書，認為它的來源是異教的神話，但不能提供可信的證據。路得記以「當士師秉政的時候」作開首語，又以大衛王的家譜作結，暗示其中描述的是可以證實的歷史事件。不錯，其中所談論的只是一個平凡的家庭，而不是一個偉大人物的功績，但摩押人路得與大衛王之間的連繫，並不像是虛構出來的，因為這樣做並不能提高大衛王在以色列中的地位。雖然作者努力使本書成為一本文學作品，但他顯然也希望讀者接受其中的歷史性。**這是一個真實的故事，用優美的手法來述說，並且是按著列祖故事的風格來描述，其中有跟列祖故事相同的主題，如饑荒、被擄與回歸，還有不孕，藉著這些事件，神使人認識袖。**

作者與寫作年代

本書沒有顯示作者的身分。他勒目（約主後200年）認為作者是撒母耳，但撒母耳卻在大衛作王之前已離世（撒上二十八3），而

本書暗示大衛作王是人所共知的。書中談到士師時代時，把它當作過去的年代，而四章7節需要對脫鞋的習俗加以解釋，可見記載那些事件的時候，它們已發生了好一段日子。在所羅門宮廷內的文士可能是可以進入皇室的公文保管處，而這個在文學和藝術上百花齊放的年代，極可能創作出這藝術珍品。幾位近期的學者看出本書有著女性的角度，因而認為本書作者是一位女性。在一個以男性為首的社會，本書談及兩個婦女，她們的自發性帶來了行動，而她們的信心得到賞賜。這樣，本書的意義就更加深長。在神的照管下，她們的生命在為預備救主降臨上，也扮演著重要角色（太一5；路三32）。無論本書作者是誰，他都與神所彰顯的目的——賜福「地上的萬族」（創十二3）——協調，並且活著時已能看見神在人類生命中的作為。很少作者比他更成功地使美善如此吸引。

寫作的日期也是很難確定的。它可以是大衛作王（約主前1000年）和本書被列入聖經正典（主前第二世紀）之間的任何時間。在本世紀裏，多人選擇的寫作日期是被擄後期，尤其是主前第五或第四世紀，那時本書可用來抗議以斯拉和尼希米那較狹窄的民族觀念。有人認為書中的希伯來文有亞蘭用語出現，可以支持較後寫作日期的看法，但較近期的研究則質疑這論點的說服力。本書沒有任何跡象顯示它是一份「抗議文學」，而對書中語文的研究，顯示那古典的希伯來文可能是被擄前寫的（即最遲是主前七世紀）。作者似乎是活在事件發生以後的年代，因而從一個遠觀的角度去描述它，當時可能是所羅門在位之時。有人提出先知拿單可能是本書作者。他寫下大衛在位時的事蹟（代上二十九29），無畏地挑戰君王的私生活（撒下十二1-12），但後來卻願意支持拔示巴（王上一11-53）。

在正典中的位置

在猶太人和基督徒圈子裏，路得記都被珍視為聖經。當教會在主後第二世紀開始把各卷收集時，路得記也在正式的名單上。福音書中也提到路得記（太一5；路三32），顯示當時路得記已被視為聖經權威。

在聖經裏，路得記編排在士師記之後，正如在七十士譯本和武加大譯本中一樣。然而，在印刷成書的希伯來文聖經中，路得記卻出現在第三部分——聖卷——之中，是5卷書的第二卷，而到了主後第六世紀，會堂的禮儀均使用這5卷書。雅歌是第一卷，因為它在逾越節中被誦讀；路得記則在五旬節中被使用。在巴比倫的他勒目中，那是在第六世紀以前的，聖卷以路得記為首，跟著是詩篇。其他版本均以路得記為5卷中的第一卷，因為按年份來看，它是排首的。顯然本書起初是放在聖卷中，後來才按歷史時代而編排，排在士師記和撒母耳記之間。

主　題

本書其中一個主題是饑荒，它令一個以色列家庭遷往摩押異地。在列祖時代，饑荒多次出現，使雅各和他的眾子遷往埃及去。在為奴和受壓迫的處境下，他們經歷了神的釋放和拯救，那是每年逾越節所記念的事件（出十二1-29）。在路得記裏，這位神又幫助兩個窮困的婦人；祂使憂傷變成喜樂，使死人得著生命，彰顯了祂的能力。

本書的另一個中心主題是婚姻。婚姻在拿俄米的心目中是重要的。顯然她認為自己年事已高，不再婚嫁，卻催促兩位年輕的兒婦去另覓新巢（一9）。一個孫兒的出生，帶給她新的生趣，而若在神的眷顧下，他可以獲接納為以利米勒的合法繼承人，她的喜樂便得以完全。路得這位年輕寡婦是摩押人，她把餘生交託給婆婆，並且接受了以色列人的信仰；她認為再婚不單是正確的，而且是她迫切的任務。為了供養拿俄米，她需要一位能接受拿俄米為家中成員的丈夫。因此，她的故事必須是一個與別不同的愛情故事，而在拿俄米的引導下，這故事就更不平凡了。她可以嫁給一個同輩而又合乎資格的年輕人，但這樣並不能解決拿俄米在家產上的問題，也不能給以利米勒留一個後裔。路得

嫁入她先夫的家族裏，就能給拿俄米和她自己的生活帶來安穩和保障。她無私的愛反照出以色列神的愛，而她正是投靠這位神。

兩個婦人在故事中佔著重要的位置，但以利米勒的近親波阿斯，也必須願意承擔這些新的責任。拿俄米不但期望他把瑪倫——他死在摩押地的一位親屬——的遺孀路得娶過來，還希望他贖回死者的產業，但那產業最終可能並不屬於波阿斯的。這家族已被剝奪的合法供養，保證這婚姻中所生的兒子，可以繼承以利米勒的產業，並且延續他的家系。波阿斯向一位較近的親屬提出這事，但被拒絕了，因這位近親考慮到這樣做會危害自己的產業（四6）。波阿斯寬宏地承擔了這家族的責任，縱然他可能要付出重大的代價；他在伯利恆城的眾民和長老的認可下擔起這責任，他們都祈求神賜福給波阿斯，使他在社群中興旺，並路得為他生兒育女。

在故事結束的時候，那些禱告都已得著應允，而且是完全地成就，過於當時參與的人所想所求。以色列人一直感到他們需要一位王，而這需要後來透過路得和波阿斯的兒子俄備得的孫兒大衛在掃羅死後作了以色列的王，而得著滿足。大衛雖然屢犯過失，卻確實建立了以色列國，築成耶路撒冷，並給人遠象，看見那將要來的一位理想君王。神接受了拿俄米、路得和波阿斯的愛和順服，並把它編入其永恆的旨意中，那就是「愛我守我誡命的，我必向他們發慈愛直到千代」（申五10）。彌賽亞確是生於這個家庭中（太一5-6、16；路三23-31）。

另一個在上述各項中已暗示的主題是：**神充滿眷顧地整頓人的生命**。路得記的作者看見神在人類歷史中的部分旨意，在大衛身上實現了。

應用綱要

基督徒讀者可以把神掌管人的生命配合在整體中，因為神正在執行一個計劃，要透過偉大的大衛那更偉大的後裔，來救贖人類。**路得記的作者也看見神在家庭和個人的事情上參與，鼓勵他們回顧過去，追溯神在他們的生命中奇妙奧祕的作為，並祂滿溢的美善**。事件已述說出本身的意旨。在個人生命和歷史裏，神都在施行祂美好的旨意。

📖 註　釋

一1-22　返回伯利恆

一1-7　背景：遠遷他鄉

本書開始時提到士師記中所記述的歷史時代（大概是主前1250-1050年），而士師記的結尾說：「那時以色列中沒有王，各人任意而行」（書二十一25）。路得記的結尾說：「耶西生大衛」，而大衛後來成為以色列人所期盼的王。「**猶大伯利恆**」相對於西布倫的伯利恆（書十九15），在創世記三十五章19節稱為以法他；這名因以法他人（2節）而得以存留。伯利恆的名意是「糧倉」，而這名字反映了其田野和果園的肥沃。但甚至伯利恆也受到饑荒的打擊，引致一個家庭暫時遷居至摩押。從伯利恆可以看見在死海對岸，摩押的山丘聳立在水平線上。雖然兩地在地理上很相近，但摩押卻不是一個友善的地區。摩押人是羅得的後裔（創十九27），因而是以色列人的遠親，但以色列人從埃及出來，來到摩押地時，摩押人卻對他們顯出敵意（民二十一29）。在士師時代早期，摩押王伊磯倫就曾進侵以色列，統管以色列人達18年之久（士三14）。

以利米勒決定遷往摩押地去。對他的妻子拿俄米來說，這遷徙的結果是一個悲劇。首先，她失去了丈夫，後來又失去了兩個兒子。他們原本打算只在摩押地暫住，但結果住了10年，而10年後，拿俄米已失去了她的生計和未來的盼望。

終於出現轉機了，她「聽見耶和華眷顧自己的百姓，賜糧食與他們」。她準備要「**歸回**」，這個動詞在本章重複出現。在希伯來文裏，這個詞也有「悔改」之意，而拿俄米的歸回，正表示她心意的改變——「悔改」。拿俄米的兩個兒婦路得和俄珥巴，與她一同起程，她們是她最親的人，感到有責任要陪著她同行。列祖時代所熟悉的行為模式，在此重現。亞伯拉罕和以撒都是在饑荒的時候離開家園的，直至糧食充裕，他們才返回家鄉。

一8-18　影響深遠的決定：定意跟隨

說故事的人已描述了故事背景，從這裏起，故事人物出場說話了。拿俄米認為沒有事情是理所當然的，所以催促她的兩個兒婦返回摩押地的父家去。她們可能只有十多二十歲，而拿俄米是出於母親的心腸，為她們謀求幸福。她們兩個都是很有愛心的媳婦，拿俄米因她們的愛感到欣慰，因此她禱告說：「**願耶和華恩待你們**」。她盼望耶和華眷顧她們，讓她們找到新的歸宿。耶和華的恩使以色列人與祂維持一種特殊的關係（參本章末的註解），但拿俄米不遲疑地禱告神，祈求這恩能惠及兩個摩押女子。她應記得耶和華曾應許亞伯拉罕，地上萬民要因他得福（創十二3）。愛、安穩和一個家，都是耶和華所賜的福祉。拿俄米說：「我女兒們哪，回去吧！」這勸告雖然對她自己很不利，卻很合乎常理。她對所發生的事件的總結是「**耶和華伸手攻擊我**」。

拿俄米嘗過饑荒、遷往摩押地，以及丈夫和兒子先後死去，她認為這些事情都顯示神不喜悅她，這經歷是那麼痛苦。她若認為那是命運在控制她的生命，她可能已用消極的、認命的態度去接受這境況。但正如故事的發展，**她藉著埋怨神表明了她的信心，她相信神是最終掌管一切的，並且因為祂是願意賜福的，所以她即使在絕望的深淵中仍找到盼望。**

俄珥巴離開了拿俄米，從此再沒有她的

消息,但「路得定意要跟隨」拿俄米。「跟隨」一詞在創世記二章24節也用於婚姻中:「因此人要……與妻子連合」。路得關懷拿俄米過於自己的利益,那是一種完全的委身。愛是「不求自己的益處」(林前十三5)。

對於路得的決定,拿俄米並非毫無異議地接受。拿俄米對路得提出的異議,卻只是帶來最崇高的回應。路得的心意已決:「你往哪裏去,我也往那裏去」。拿俄米的利益是她首要關注的,雖然那意味她要離開家鄉,離開仍然健在的雙親(二11),並且要在一群陌生人當中定居下來。從此以後,雖然路得不能肯定她會否被接納,拿俄米的鄰里國民,就是她的鄰里國民。最重要的是,路得宣告拿俄米的神就是她的神。她的決心是完全的,甚至直到她死了,她也不改變;她並且奉她初信之主的名來發誓。路得的宣言成為了本章的高潮。作者無疑是希望讀者能跟隨她的榜樣行。

一19-22　歸家

拿俄米回到伯利恆,城中引起一陣好奇和哄動,尤其是在婦女中間。她們的疑問暗示她們認不得她,因為她改變了很多,但也顯示她們看見她回來,有點喜出望外。拿俄米表示她內心愁苦,很快便蓋過了鄉人欣悅之情。昔日在伯利恆的快樂回憶,使她不能忍受別人再叫她拿俄米(那是「快樂」或「可愛」的意思)。她認為更貼切的名字是「瑪拉」(意思是「苦」),並且她怪責「全能者」使她受苦。祂曾應許賜福給亞伯拉罕(創十七1)。祂統管著宇宙的運行(伯三十四12-13),因此祂必須為在她身上發生的悲劇負責。「我滿滿的出去」——有快樂的婚姻和兩個兒子,「耶和華使我空空的回來」——奪去了我快樂的源頭。這位賜福的耶和華,祂的特點就是賜予,竟把她所愛的都取去,實在令人費解。此外,拿俄米把祂所作的解釋為祂不喜悅她,因為「耶和華降禍與我」(即「作證控告我」),像在法庭上一樣。

最後3節所採取的寫作手法,需要加以註解。作者刻意地使用「全能者……耶和華……耶和華……全能者」的格式,強調了神在人的事情上有操控的主權,然而祂是那位向亞伯拉罕啟示祂充滿愛的旨意的耶和華。祂既參與掌管,也暗示人有盼望,有更美好

的未來。作者結束第一幕時,用了一個既是回顧,也是前瞻的總結。「拿俄米……回來」是一個回顧,重複了本章的鑰字,而提到「她兒婦」,顯示路得在下一幕會擔當主要的角色。本章的結尾説:「正是動手割大麥的時候」,不單展現下一幕場景,也配合一章1節所交代的時間,因而與第一章之敘述相呼應。

附註　第8節「恩待」一詞有多重意思,也許過於讀者所想及的。「恩待」譯自希伯來字 hesed,出現在本章和在二章20節、三章10節。那是神與子民相交時一種至高無上的特質。這字有時(如出十五13)譯作「慈愛」,而這字表達了神信實地持守祂立約之應許(申七9)。那些經歷耶和華慈愛的人,會在他們與別人交往時,反映出這種愛與關懷。聖經説摩押女子路得是這樣(三10),因為她無私地忠於拿俄米,並且由於她藉著宣告拿俄米的神就是她的神,進入了神賜福的範圍裏。同樣,其他非以色列人都可以親自認識耶和華的慈愛,因為祂「大有慈愛……他的慈悲,覆庇他一切所造的」(詩一四五8-9)。那慈愛淋漓盡致地在基督身上表明出來,並且是一個穩固的基礎,讓基督徒今天信靠拿俄米和路得的神。

二1-23　路得蒙恩
二1-3　以利米勒的親族

此時,敘述者有技巧地指出,以利米勒一位親屬仍住在伯利恆。雖然拿俄米認識他,知道他是「大財主」,或許會幫助她,但她不打算向他求助。當時她迫切的需要是食物。落到這樣窮困的地步,實在使她感到羞慚,但由於那時是收割的季節,她倒有一個自助的方法。神的律法規定農人不可割盡他們田地的四角,要留給窮人去拾取(利十九9,二十三22)。這種慷慨的行為會得到特別的賜福(申二十四19)。路得決定利用這規條去拾麥穗,但並非所有農人都歡迎別人在他的田裏拾麥穗,尤其是一個外邦人。她希望能往一個令她「蒙恩」的地方去。雖然她不知道她的家翁以利米勒可有任何近親,但她選擇了在波阿斯的田裏拾麥穗,而波阿斯是屬於「以利米勒的親族」的(1節)。這話重複出現,反映其重要性。**她選擇這塊田並不**

是出於偶然的；神一直是她隱藏的嚮導，這在後來的事件中可以證實。

二4-17　出乎意料的恩慈

地主來到田間，向收割的人問安。他所用的語句使我們聯想起教會，而不是我們工作的地方。許多基督徒所熟悉的「願耶和華與你們同在」，只在這裏絲毫不差地出現。一般的問安語是「平安」（*ŝâlôm*）。**波阿斯和他田裏的工人都承認他們是倚靠耶和華，以得著豐收**。他想知道那新來的人是誰，而那管工則為這摩押女子作了很好的推薦。她有3個優點，以致她贏得這樣的尊重。她是跟隨拿俄米回來的，她先取得批准才拾取收割的人所遺下的，並且雖然拾麥穗所得的回報並不多，她仍努力不懈地工作。

波阿斯向路得表示認可，鼓勵她留在他的田裏，並答應會特別保護她。他把路得看作使女中的一個，吩咐僕人要尊重她，並容許她從器皿取水喝。這裏的水是男「僕人」打來的。這農場似乎是以獨特的方式來運作。路得並沒有受人懷疑，反被接納。她沒有看任何事情為理所當然的，卻是俯伏在地叩拜，表示她是何等感激。波阿斯為何這樣恩待她？答案是他早已聽聞路得的美譽。伯利恆城的人從路得的行為看出她的美善，並且讚譽她跟隨拿俄米回來的勇氣。波阿斯說：**「願耶和華照你所行的賞賜你」**，表達出一個誠心的祈願。波阿斯知道路得自我犧牲的行為，因而盼望她滿得賞賜，以致她因著供應而信心得以堅固。這就是守神誡命的人所得的應許（申五10）。神的子民喜以鳥兒展翅保護小鳥，來比喻神的保護和看顧（比較詩十七8，三十六7）。耶穌也曾使用這比喻來加強祂的信息（太二十三37）。路得的回答足以表達她的謝意，但她仍與波阿斯保持距離，稱他為「我主」，並稱自己為他的使女，表示她卑微的身分。

「到了吃飯的時候」，波阿斯又叫了她來，請她與收割的人一同用膳。他甚至給她一些「烘了的穗子」，而路得也留下一些，拿回去給拿俄米。她再開始拾麥穗時，波阿斯又吩咐僕人讓她從捆中拾取麥穗（按慣例，拾麥穗的人不可拾取禾捆中的麥穗）。他還吩咐僕人故意跌下一些麥穗，留在地下給她拾取。結果她滿載而歸，遠遠超乎她所盼望得

著的。她所得的，估計至少相等於半個月的工資。

二18-23　與拿俄米分享

路得那滿載的麥子，使拿俄米一看便知道一切順利。她知道必定有人特別寬待路得，因此她興奮地向路得查問，並且祈願施恩給路得的人蒙福。在兩節經文裏，已是第三次指出拿俄米是路得的婆婆，好像暗示這關係有著特殊的意義。路得說出波阿斯的名字，顯出他們確實有一種家族的連繫，而家庭中的關係——「女兒」、「婆婆」——繼續在拿俄米和路得的對話中提及。拿俄米的禱告至此變得更具體。她馬上預見一些可能出現的進展。**「他不斷的恩待」**可以指波阿斯，但拿俄米是想著耶和華在眷顧路得，指引她到波阿斯的田裏去。這足以證明**耶和華藉著兩個遺孀，向「死人」以利米勒和他兒子顯出約中的愛**（*hesed*）。拿俄米和路得雖然是透過婚姻，而不是透過血源與這家族發生關係，但她們是完全被納入這家族中。然而，不但如此，波阿斯不單是她們的近親，而且還是「一個至近的親屬」（參註釋）。

以色列人的家庭律例對於一些遭逢厄運的族人照顧十分周到，好讓他們的家族得以延續。波阿斯是拿俄米可尋求幫助的其中一人，但他們有好幾個提供保障的方法，而拿俄米並沒有具體說出她心中所想的。路得又透露波阿斯邀請她與他的僕人一起拾麥穗，直至收完了莊稼，那大概需要兩個月；這使她們二人更加興奮。她們暫時毋須為糧食憂慮，而在收割期間，路得是伯利恆城的一分子。

本章強調了好幾點。監管收割的人指出了路得的好品格（7節），波阿斯又擴大這些優點（11節）；他看路得為收割的工人之一，並安排她得著許多糧食帶回家中。路得感到她是屬於這個農莊的，欣然接受波阿斯仁慈的安排。施和受都是發展關係的表現，在對神的認識上成長。拿俄米稱路得為女兒，指出她們親密的關係。路得跟波阿斯的女僕常在一處拾麥穗（23節）。在這裏和第8及21節的**「常在一處」**，跟創世記二章24節用於婚約的約束力一樣。這詞在一章14節出現時，是談及路得委身跟隨拿俄米。作者是

要指出「在一起」的祕訣，指出忠心能使一個家庭和社會產生內聚力。這尤其應是神子民的特質。

附註　第20節「近親買贖」：以色列人穩固的家庭連繫使他們常用「買贖」一詞；那屬於家庭律例的範圍。家庭或家族中的每個成員，都有義務去維護那些窮困的或受不公平待遇的受害者。產業的代贖者要把親屬在窮困時賣掉的產業贖回（利二十五25），保持那產業屬家族所有。若有人把自己賣作奴隸，他的至近親屬便要贖回他的自由（利二十五47-55）。代贖者也有責任向殺人者尋仇（民三十五19；申十九6）。路得記把這種義務伸延至為膝下無兒的親屬留後。通常這義務落在兄弟身上（申二十五5-10），但路得既無叔伯，一個較疏的親屬便要迎娶她，正如拿俄米所說的（第三章）。

舊約聖經聲明耶和華是以色列的救贖者時，出埃及的事件正將展開：「我要用伸出來的膀臂……救贖你們……」（出六6）；「你憑慈愛，領了你所贖的百姓」（出十五13）。耶和華宣告祂是以色列人的救贖主，準備拯救和幫助他們（賽四十一14）。路得記讓我們洞悉，只有至近親屬才有權去救贖，但這也並非他的必然責任。波阿斯願意承擔這代價高昂的責任，正好預表那偉大的救贖主，而祂是他的後裔。

三1-18　信心、決心與行動
三1-6　拿俄米的計劃

在舊約時代，婚姻是由父母安排作主的，所以拿俄米應為路得尋找一個家和保障。過了數星期，收割已完結，正在進行打穀。拿俄米一直仔細思想接近波阿斯這位至近親屬的最佳方法。她希望波阿斯會承擔近親買贖的責任，娶路得為妻。然而，儘管波阿斯一直厚待路得，他卻沒有作出任何行動去向路得提親，因此，拿俄米打算給他一些壓力。在她的計劃中，路得要拿出不少勇氣。

路得要沐浴更衣，在這重要的晚上，使自己保持最佳狀態。當她的盛裝被漆黑掩蓋時，她所塗抹的香膏是誘人的方法。打穀的場往往在地勢較高之處，因那裏可盡取和風之利，但低處的風谷有時也可提供相同的地利。路得要盡量不被人發覺，但同時又要找出波阿斯過夜的地方。夜闌人靜時，她要進入波阿斯睡覺的地方，暗中掀開他腳上的被子，躺臥在那裏。他醒來時，路得要提出她的請求。路得願意冒著被責罵和拒絕的危險，實行她婆婆所定的計劃。

三7-15　與波阿斯深夜的相會

波阿斯按慣例在打穀場上歡宴後，心裏歡暢，便去安睡。按著神的安排，他選擇睡在麥堆旁邊，也許在那裏會有一點私人空間。「旁邊」或譯作「盡頭」，也許暗指盜賊可能潛入麥場的路；波阿斯自己充當警衛，防止盜賊偷進。他入睡後，路得便走到他腳前──順服之處，並在那裏等候。到了夜半，波阿斯忽然驚醒，而故事至此變得極度扣人心弦。這兩個受人敬重的人，在這種對聲譽有損的處境下，會怎樣自處呢？波阿斯發現一個女子躺在他腳下，卻不知道她是誰。因此，他嚴厲的發問是可以預料的。路得的回答雖然有禮，卻不像二章10和13節的回答那麼謙恭。她按著自己的權利來說話，並鼓起勇氣，要求波阿斯履行近親的買贖，娶她為妻。那就是她說「求你用你的衣襟遮蓋我」的含義。這裏的「衣襟」跟二章12節的「翅膀」在原文是相同的。路得是用波阿斯的話去提醒他，並要求他親自實現他的祝禱。「用衣襟遮蓋」生動地表達出提供保護、溫暖和友愛的含義。這句話明顯是指婚姻。

波阿斯毫不猶疑地回答。路得可放下她恐懼的心情，因為她的行動沒有帶來責備。相反地，她得著祝福，並被接納為家中的「女兒」。她不再是外人或外邦人。波阿斯知道路得主要關心的是拿俄米未來的幸福。對路得來說，她應尋找一個年紀相若的丈夫，而不是一個可作她父親的男人。他留意到她的拘謹，並為此而尊重她。他可以照著她的全部要求去做，而不會招致責備，因為當地的人都開始欣賞路得的誠實無偽。但他先要詢問一個比他更有條件承擔近親買贖之責的親屬。為何書中從未提及這個人？我們只可臆測其原委，但拿俄米若是認識這人的話，她似乎已認為他不會承擔這額外的責任。波阿斯會試驗這事。這時，他吩咐路得繼續在他腳下安睡至天亮，不理會有人窺見的危

險。波阿斯並沒有任何要隱瞞的事，而在幾個小時內，這法律事件的公眾聆訊便會結束和解決。

然而天一亮，路得勉強能看見回家的路時，她便離去了。波阿斯再一次慷慨地給她食物帶回家去，用她所穿著的外衣包裹著。六簸箕大麥相等於多少，現在已不能確定。波阿斯給她的分量，是她用盡氣力才僅能肩負的。

三16-18　拿俄米得著更大的鼓勵

焦急地等待路得回來的拿俄米，看見她扛抬著的糧食，便知道她帶來的必是好消息。波阿斯繼續向拿俄米顯出他的慷慨寬宏。重點仍在家庭的關係上，那正連繫著整個故事的發展，並在第18節延續著：「女兒啊，你只管安坐等候。」故事仍然懸而未決。幸而法律的程序立即要展開，而在日落之前，事情就會有結果。

四1-22　兩人成婚及結果
四1-12　安排婚禮

當時主要的城門用作地方法院。城門口有一塊空地，四周有長櫈，供人在高牆的蔭下安坐，提供了一個集會的地方。那是一個公開的場所，公眾可在那裏觀看審訊的進行。波阿斯知道他的親屬必會從城門經過，而當波阿斯邀請這位無名的親屬「來坐下」時，他要準備辦理一些重要的事務。隨意揀選的10位城中長老，跟陪審團相若。他們假設是明理的成年人，能分辨是非對錯。在伯利恆城，這些長老代表群眾作出法律上的裁定。他們的認可是重要的，而在座的12人，構成了司法的法庭。

波阿斯首先提出產業的事宜。以利米勒是產業的業主，而他的兒子若仍活著，應承繼他的產業。拿俄米這遺孀看來並沒有承繼權，但她可用兒子的名義把田地賣去。她們一家離開伯利恆往摩押地時，應有人負責管理那地，但現在收割的日子已過，是拿俄米提出來商議談判，以得出最佳結果的時候。她希望家族維持那地的擁有權，因此她向親屬請求幫忙。波阿斯完全明白這事所包含的責任，他清楚地向那較近的親屬提出兩項選擇，表明他若不把地贖回，波阿斯便會承擔贖地的責任。只有當那近親作出回答，波阿斯才提出「我肯贖」。

以利米勒有權把產業留給繼承人。摩押人路得——他的兒婦——仍然活著，那人若把田地買回，便有責任娶路得，為那已死的人養育一個繼承人。路得若有兒子，田地便歸這兒子所有，而以利米勒的產業則仍留在他的家族中。這樣，那親屬便失去他所買來的，並且要負擔另一個家庭的責任，因此他回答說：「我不能贖了。」這樣做的代價太高昂。波阿斯願意承擔這財產上的損失，他的慷慨仁慈就更明顯了。

作者不必解釋買贖的法律，那顯然在寫作本書時仍然通用。然而，另一風俗已不再沿用，因而需要加以解釋（7節）。買贖協議的兩部分都藉著脫鞋的象徵行動來完成，而脫鞋是代表放棄擁有權（比較書一3）。長老是正式的見證人，見證波阿斯在法律上有權取得以利米勒、基連和瑪倫的產業，而瑪倫的遺孀要成為他的妻子。路得第一個兒子將會正確地稱為「以利米勒的兒子」，藉以存留死人的名字。這兒子也是產業的承繼人，確保家族的名字和產業得以延續下去。「**本族本鄉**」（10節）原文字義作「本鄉的城門」。「城門」既有法律的地位，此處應指該城的法律記載，無論那是藉口傳或文字傳遞下來的。

雖然路得並沒有在場表示同意，過路的人都圍在城門，與眾長老一起見證波阿斯和路得這段婚姻的合法性。伯利恆城眾民的認可，有助鞏固這段婚姻，正如今天婚禮中賓客所作的，同時也給他們一個舉行慶典的理由。眾民藉禱告表達他們對這對新人的祝福，禱告中叫人回想以色列人昔日如何經歷神的美善。拉結、利亞和她們的使女，為雅各（以色列）生了12個兒子，成為了十二支派的先祖（出一1-5）。在波阿斯的名聲和家財之上，路得再為他誕下多個兒子，便可見波阿斯得著了神的賞賜。禱告中又提到猶大和他瑪的故事（創三十八）。作者有很好的理由要重提猶大生平中這件羞恥的事。首先，這事件中的婚姻，跟本章談及的風俗相近，即死人的兄弟有責任娶寡嫂，這稱為「叔嫂之婚」（levirate marriage，從拉丁文 levir「叔伯」一詞而來）。猶大雖忽略了他瑪的權利，波阿斯卻看重這義務。第二，那是關乎本地人的利益。他瑪用計生下的法勒斯，是波阿

斯的祖先（18節），並且是猶大支派中三位先祖之一。該城的人可能多半是法勒斯的後裔。雖然猶大對他瑪缺乏關懷，祂仍為他成就大事，祂豈不會為波阿斯成就大事，賞賜他的仁慈寬厚，給他家庭和兒子嗎？第三，他瑪像路得一樣，要採取主動。

四13-17　拿俄米得一子

波阿斯信守諾言，把路得娶了過來。「耶和華使她懷孕」可能指她在第一段婚姻中，並不能生育兒女，但聖經從不把懷孕生子看為理所當然的，並看每一個人為耶和華特別的創造（參詩一三九13）。這兒子的誕生使在場的婦女歡呼喜樂，她們高呼：「耶和華是應當稱頌的！」並向拿俄米，而不是向路得，表達這種喜悅。這榮譽是歸給上一代的，而那些在拿俄米前往摩押之前已認識她的人，更因見耶和華供應她未來所需而喜出望外。她們禱告祈求這孩子在以色列中得名聲，而在大衛的家譜中，可見這祈求已得蒙應允（17節）。拿俄米是故事開始時的中心人物，也是故事結束時的中心人物。喪夫喪兒的空虛，已為豐富所替代；而苦痛亦為喜樂所替代（一21）。由於這孩子被視為以利米勒和拿俄米的孫兒，她丈夫的名字便不會消失，而他的產業也有人繼承。此外，拿俄米有這孩子奉養她；又有那位比7個兒子還好的、愛慕她的兒婦。伯利恆婦女這些話使路得得著最高的讚美。

拿俄米的「豐富」在於她的孫兒；她照顧這孫兒，就像照顧她自己的孩子一樣，給予她新的生趣。俄備得（俄巴底亞的簡稱）意指是「耶和華的僕人」，因此總結了各人對這孩子的盼望。作者跟著跨越了兩代，顯示俄備得是如何重要：是大衛王的祖父。從法勒斯——在婚姻之祝福中提及的名字（12節）——至千百年後之大衛各代，可看出神的旨意。路得孤注一擲地跟隨拿俄米，帶來影響深遠的結果，過於她所能料想得到的。所有猶大國的君王都屬於大衛的王朝，可見這位摩押女子的後代最有名，而波阿斯祈求她得著耶和華豐富賞賜的禱告（一12），也明顯地得到應允。

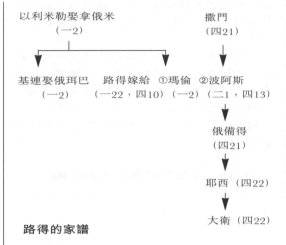

路得的家譜

四18-22　家譜作結

若跟歷代志上第二章作比較，可見從法勒斯至大衛的10代家譜中，缺了好幾代，但這家譜卻成為本書合適的結語。本書開首記載了饑荒、遷徙和死亡，結束時則帶著盼望期待將來。從列祖至大衛的名單，提醒讀者，在拿俄米和路得身上發生的事，是神歷代以來一直進行的救贖工作的一部分。人生充滿意義，是因為耶和華曾向亞伯拉罕作出清楚的應許：祂在每個世代中都主動作事，彰顯祂的位格，信守祂的應許，並達成祂的旨意。這是構成以色列歷史景象看不見的因素，在古代世界中是獨一無二的。但以色列的歷史並非只談及以色列中偉大的人物。路得、拿俄米和波阿斯顯出永生神的位格，祂的慈愛叫那些信靠祂的人以愛作出回應。

Joyce Baldwin

進深閱讀

（參士師記）

D. Atkinson, *The Message of Ruth*, BST (IVP, 1983).
R.L. Hubbard, *The Book of Ruth*, NICOT (Eerdmans, 1988).
M.D. Gow, *The Book of Ruth* (Apollos, 1992).
D.A. Leggett, *The Levirate and Goel Institutions in the Old Testament* (Mack, 1974).

導 論

在希伯來原文裏,撒母耳記上下只是一卷書。古老的舊約希臘文譯本視撒母耳記和列王紀為一卷歷史著作,並把它分成4部分,稱為「王國書卷」。拉丁文聖經保留這種劃分,稱這4個分部為「列王紀」。自第十六世紀以來,希伯來文聖經也把原來的撒母耳記分為兩部分,稱之為撒母耳記上、下。

聖經文本

不幸地,撒母耳記的標準希伯來文版(馬所拉抄本)保存得不好 (例如撒上十三1)。古希臘文譯本(七十士譯本)跟希伯來文本常有出入,因此是極具參考價值的。一些有用的希伯來文證據,也可以從昆蘭抄本(死海古卷)中獲得。別的古代譯本間或可以使用。在影響深遠之處,新國際譯本中的旁註列出了這些資料來源作參考 (例如:撒下十三39,十四4)。

撒母耳記之研究

學者發現研究撒母耳記有3個基本的問題。第一個是版本問題。我們是否要根據標準的希伯來文版本,還是古舊的希臘文譯本,或昆蘭古卷,或其他有出入的資料?而這些資料之間都有一些差異。第二個是文學寫作上的問題。撒母耳記各個部分背後,是否參考著不同的文件或傳統?若是,我們應否把它們篩選出來,作個別的研究?第三個是歷史方面的問題。事件的發生是否完全如撒母耳記的記載呢?還是我們要把歷史跟非歷史劃分出來呢?3個問題有時候同時出現,例如大衛和歌利亞的故事。這故事在一個重要的希臘文版本中,比希伯來文短得多,而許多學者認為較短的是原來的版本。希伯來文版的記載可能使用了最少一個額外的原始資料文件。若是這樣,這個額外的資料在歷史方面又是否同樣地準確呢?

對於這些專門的問題,我們必須查看較詳盡的註釋書。對於本註釋而言,新國際譯本已獲接受為註解的基礎;新國際譯本通常是嚴格地根據希伯來文版本。其次,本註釋認為所有聖經故事應根據聖經中的記載來研究。許多近期的研究都強調研經者需要視聖經為一個整體來研究,同時並沒有否定聖經作者使用了許多不同來源的資料。第三,本註釋也視這些故事為歷史性的。我們沒有否定其中有歷史問題存在。然而,聖經作者無疑是認為他們所記載的都是歷史事實;我們若要了解他們的目的和信息,就必須採取他們的立場。這個時期的以色列歷史在外證方面只有很少,**但本書可提供兩個論點,以支持撒母耳記在歷史上具有一般的準確性。第一,撒母耳記的一般描述很合情理,並且也配合其歷史背景。**例如,以色列王國的創始必定無可避免地是困難和富爭論性的——這正是書中所描述的。此外,非利士人的活動是完全可以相信的。**第二,各個主要人物的描述聽來似是真確的。**尤其是大衛,他被真實地描述為一個極有能力和魅力的人,但卻有一些十分明顯的軟弱和錯失。雖然聖經對他抱同情的態度,卻沒有把他理想化。

寫作年代、作者與寫作目的

書名中的撒母耳是指書中第一個主要人物,但他並不是本書作者;他的死早已在撒母耳記上二十五章1節記載了。我們不知道誰是作者,但他不可能早於所羅門逝世前——接近主前第十世紀末——寫作此書,因為撒母耳記上二十七章6節顯示作者認識分裂後的王國。**學者一般同意撒母耳記上下並非獨立成書,而是由約書亞至列王紀這一系列連續書卷的一部分。若是這樣,整份歷史作品的**

作者便是在被擄至巴比倫的時候（主前第六世紀）寫作本書的。有些經文，例如撒母耳記上九章9節和撒母耳記下十三章18節，暗示作者活著的時期遠比他所記載的事件晚得多。然而，他使用了許多古舊而真確的原始資料文件，他更提及其中一份文件的名稱（撒下一18）。

因此，若要探究本書作者的目的，我們便要視約書亞記、士師記、撒母耳記和列王紀為一個整體，來思想其寫作目的。這些書卷記載了自征服迦南至被擄的一段以色列歷史。那是一個包含勝利、成功、衰落和敗亡的時期。

🌡 主 題

作者希望在歷史事件上，顯出神的干預和神的計劃。這些書卷特別是對君王統治作出評論，那最終是一個失敗的制度，但卻為彌賽亞的盼望奠下了基礎。在這個較廣闊的歷史背景下，撒母耳記所記載的是首兩位君王——掃羅和大衛。大衛是以色列中最偉大的君王，書中對他廣為人知的成就也有詳盡的描述。然而，他絕對不是一個完美的人，而他的統治也絕非毫無困難。撒母耳記解釋了這幅圖畫的兩面，並說明神如何與大衛和其他重要的人物互相交往，藉以掌管以色列的歷史。它的信息是一個悔改的呼召！因為神的子民正在被擄時期，為他們昔日所犯的罪而受苦。這也是一個信心的呼召，叫讀者想起神如何揀選以色列，如何在每個不同時代供應他們所需，向他們信實守約，並應許未來有大君王到來。

應用綱要

撒母耳記提醒我們屬神的兒女當省察，不要像以色列人厭棄神的管治，當專心仰賴神並反省我們向神的每個宗教行為都是出自純一的心。而大衛與家人的事蹟，更可見聖經看重個人與家人的關係，不能齊家就不能治國。所以我們也當留意我們的家庭生活是否合乎神的心意，免得被事業破壞了家庭。

撒母耳記上

註釋

一1至七17 撒母耳的早年

撒母耳記故事開始時的歷史背景，正值士師時期的結束；撒母耳記上是士師記的續集。撒母耳記有兩個主題：神子民以色列人的領袖問題，並神在他們中間。第一個主題表示以色列歷史的描述是環繞3個突出人物——撒母耳、掃羅、大衛——的生平和功業。第二個主題經常提到聖所和約櫃。（當聖經說耶和華與這個或那個領袖「同在」時，兩個主題便走在一起。）

在這個包含3代的時期中，以色列有兩大改變。第一個是組織上的改變。政府的制度產生了根本上的改變，因為一個君主制度取代了由士師作領袖的制度。這改變牽涉許多行政上的細節，尤其是中央集權，和今日所謂的官僚制度。其結果也造成一個家族興起，掌握大權和聲譽，那就是大衛的王朝。第二個重大改變是位於示羅之聖所的衰落。經過一段間隔時期之後，示羅被耶路撒冷取代了；耶路撒冷不單成為了宗教的中心，而且也是以色列王國的政治首府。我們可留意到，撒母耳記上下的所有事件，都有一種效果，就是把以色列的領袖從以法蓮支派轉移至猶大支派。這是兩個最大的支派，它們的領土給細小的便雅憫支派分隔開來（看第238頁之地圖）。領導權向南遷移，首先是從示羅（以利）至便雅憫（撒母耳和掃羅），再到猶大（大衛）。

撒母耳記不單記載了這些事情怎樣發生，並且也說明它們為何發生。故事中出現了許多人物，各人有不相同的動機。但對聖經作者來說，更重要的是神在這千絲萬縷的人類歷史中的計劃和行動。

一1至三21 撒母耳和以利

在士師時期，以色列各支派是互不相干的，並且在國中不同的地方必定有不同的領袖（參第246頁之地圖）。支派中的長老有重要的地位（參八4），而在主要聖所的，如示羅的祭司家族，必有政治上的影響力（士師並非常常存在，他們也不是領導著整個國家。）那麼，**本書故事開始時，我們可以假**設當時最主要的領袖是以利。他已經年紀老邁，打算不久就讓兩個兒子接替他的地位（一3）。但事實上，要代替以利的是撒母耳，首幾章聖經已指出這一點。第一個問題是，撒母耳怎樣來到示羅？第一章便回答了這個問題。

一1-8 以利加拿和他兩個妻子

首3節交代了故事的背景，記述了撒母耳的雙親和他們每年往示羅聖所的習慣。當時納妾是合法的（參申二十一15-17），而第二個妻妾大概是一種富裕的象徵。本章背景是一個敬畏神的家庭。但那並不是一個完全快樂的家庭。不育在今天仍可引致心理上的苦惱，而在舊約時代，情況就嚴重得多，因為在舊約文化裏，已婚婦人若沒有孩子，就是一種恥辱。雖然以利加拿欲開解哈拿，但他另一個妻子毘尼拿卻作她的對頭，使她生氣；這情況令哈拿難以忍受。

根據歷代志上六章22至38節，蘇弗人（新國際譯本：「以法蓮山地的拉瑪，有一個蘇弗人；是蘇弗玄孫…」，和合本譯「瑣非」，並作為拉瑪地名的一部份）是利未支派中的一族，但這裏所強調的事實，是以利加拿住在以法蓮支派的山地上。因此，他自然是到示羅去敬拜神。這幾節經文說明了當時一些宗教上的慣例。以色列人會一年一度舉家前往聖所如示羅，好在節期或一些特別的家庭節日敬拜神。這些家庭會把祭牲獻上。獻祭完成後，部分祭肉會歸給敬拜的人。較詳細的資料可見於二章13至16節。明顯地，這樣的祭肉「雙分」很受重視，但在這故事裏，祭肉卻引起偏愛、嫉妒、苦毒和煩惱。

一9-20 哈拿的禱告和撒母耳的出生

在傷心絕望的時候，哈拿惟有迫切地禱告，求神賜她一個「兒子」。她嚴肅地起了一個誓，以加強她的禱告（11節）。這個神所賜的兒子會從出生至老死，完全歸神所有。民數記第六章詳述了以色列人怎樣可以自願在一段特定的日子內，把自己獻上事奉神。這些人稱為拿細耳人，他們許願不會剃頭，那是他們歸神所有的一種外在表徵。哈拿以相同的方法，答應把兒子永遠獻作拿細耳人。

示羅的首席祭司以利願意祝福和支持哈拿的禱告（17節）。他起初的誤解（13-14節）

也暗示了讀者，以利正逐漸失卻作以色列領袖的能力。

故事的續集是撒母耳的出生。19至20節把人和神的作為集合在一起。一方面，撒母耳的出生完全是自然的，但把哈拿的不孕除去，卻完全是神的作為。哈拿自己毫不懷疑、完全相信那是神回應了她的禱告。「撒母耳」這名字，字面上的意思並不是「祈求」；在希伯來文裏，這名字讀起來好像「神聽見了」。舊約好幾次對名字的解釋都帶出了別的相似字詞的含義。掃羅這名字的意思是「祈求」；聖經作者可能一開始便告訴我們，撒母耳是神差遣而來的一個人，掃羅卻不是。

一21-28　撒母耳被獻上　本章末記載哈拿怎樣取得丈夫的同意，還了她的願，把撒母耳「歸與耶和華」。他們把一些禮物和祭物帶往示羅（24節），但他們最大的自我犧牲，是把剛斷了奶的孩子留在聖所。本章最後一句大概是指年輕的撒母耳，他雙親把他留在示羅與以利在一起時，他就「在那裏敬拜耶和華」（二11也相仿）。「敬拜」一詞很含糊，可以指以利或以利加拿敬拜神，但撒母耳似乎是最自然的主詞。出自昆蘭的一份希伯來文抄本使哈拿成為主語，作「她敬拜」，而這也很有道理：她把孩子獻給以利，然後敬拜神，因為神把她所求的賜給她。這個不重要的經文問題並沒有影響本段大概的意義。

我們不應視哈拿的故事為：神應許會把祈求者的不育或其他身體疾病除去，雖然這確實強調了出於信心之禱告的價值。它主要目的是顯出神怎樣控制一些事件。若哈拿於較早時已得著一個兒子，也許她不會把他留在示羅的聖所，在那裏長大，作一個屬神的人，受人注目，準備擔當領袖的職分。

二1-10　哈拿之歌　許多解經家認為哈拿的歌，是聖經作者後期借哈拿的嘴唇說出來的詩篇。這段文字似一篇詩篇過於一篇個人的禱告，但這觀點的主要原因是第10節提到一個「王」。明顯地，在哈拿的時代，以色列並沒有王，而她的兒子撒母耳，也不是預定將來要作一個王。這詩篇被稱為一個禱告，而不是一個預言，因此我們不可預期它包含一個長線的預言。那麼，極可能是哈拿原來的

禱文給擴大了。無疑聖經作者使用了整首詩歌去作一個前瞻，並為撒母耳記上下所記述的事件提供一個神學目的。撒母耳的出生，是神計劃的第一步，祂計劃把以色列人從仇敵非利士人手中拯救（「救恩」）出來（1節）。從卑微的開始和困難的境況，大衛會得著神所賜的力量，作神的受膏者、神所立為管治以色列的王（10節）。經文裏提到仇敵（1節）和不育（5節），叫我們想起哈拿個人的經歷，但這詩歌有一個更廣的立場。它要顯出神怎樣可以，並且常常使人的價值判斷落空。生與死、富與貧，全然在祂控制之內；國家的興衰亦然，因為神的權柄達至「地極」（10節）。但神並沒有惡意或不公地推翻有勢力的，助長較弱的。神把自己與以色列人（一個細小和較弱的民族）連繫起來，使自己作他們的神。因此詩歌一開始便提到對我們的神的信心，描述祂為「磐石」（2節）——清楚地表明一種保障和穩妥。高舉的「角」（1、10節）的意象我們較難理解；它似乎是指力量或成功的一個可見的表徵。

第10節以色列的諸王登位時，全都要用油來「膏」抹（參十1，十六13，和這些經文的註釋）。

二11-26　示羅的聖所　撒母耳於示羅的事奉在孩童階段便開始了。顯然他起初所作的只是一些他能勝任的、協助以利的簡單工作，但當他「漸漸長大」（21節），他的事奉已能叫所有到示羅來的人都喜愛他（26節）。我們最後從19至21節瞥見撒母耳的雙親，顯然神已把哈拿的不育永久地除去，使她在生養孩子的家庭生活中得快樂：她把撒母耳獻給了神，但所得著的卻是豐富的。

撒母耳「事奉耶和華」（11節）。聖經沒有詳細交代撒母耳的活動，但本段結束時告訴我們，神和到來敬拜的的以色列人都喜愛他（26節）。撒母耳跟以利的兩個兒子何弗尼和非尼哈，有很大的分別（12節）。他們是示羅最著名的祭司（參一3），而他們貪婪、囂張和自私的行為，則在13至16節中有詳細的描述。一般來敬拜的人都會被他們激怒，如第23節所說的，而整個聖所的名聲都變得很壞。本段更強調了神的憤怒，和祂決定要結束這惡劣的處境（25節）。以利本身是一個敬虔的人；他因兩個兒子的惡行而煩惱，但他

的責備（25節）在他們身上卻沒有功效。

第13-17節 似乎第13節描述的規矩是祭司在示羅平常的做法，但這跟利未記七章31至35節中的條例很不相同。無論如何，所有祭司都可分得祭肉的一部分。然而，以利的兩個兒子都貪婪，要得著烤肉，甚至在燒脂油獻給神之前，就強搶所要的。即使一般來敬拜神的人，都知道神必先取得祂的份，才可讓任何人吃他們分得的祭肉（16節）。何弗尼和非尼哈的做法，是把神放在次要的位置，顯出他們是藐視耶和華和祂的祭物（17節）。

第18-19節「以弗得」是祭司的外袍，大概是披在「母親」為他作的袍子外面。即使在衣著的簡單事情上，撒母耳也小心地按規矩而行，不像以利的兩個兒子。

第25節 以利那挑戰性的問題，是根據法律的程序，並把神描述為法官。一個法官可以在兩個人中間作調解，但人若得罪了法官，便沒有可能逃避審判了。

二27-36 關乎祭司職分的預言「神人」是先知的另一個名銜。這個沒有記名的先知，把以色列的祭司職分中要發生的轉變詳細地述說出來。他預言以利家的沒落：「何弗尼、非尼哈……必一日同死」，而以利家中的其他人則要乞求一些十分卑微的祭司工作（36節）。**第31節** 預言將會在挪伯發生的大屠殺（參二十二章）。**第35節** 預言一位「忠心的祭司」的興起，但那是超越撒母耳而展望撒督的事奉。撒督在大衛在任時作大祭司（撒下八17），而他的家族（「家」）在整個王國時代，都在耶路撒冷擔當大祭司的職任。大衛和大衛家的列王在這裏被稱為神的受膏者。

第35節 的細節對以利來說並沒有甚麼意義，因為他早在大衛作王或撒督作大祭司之前多年，便已離世。然而，這節經文對撒母耳記上的讀者來說是重要的，因為這句話解明了撒督承受祭司職分，是神的旨意和計劃。聖經作者常常以他們的讀者為念，而極可能他們在適當時候，會把歷史人物原來的講話擴張，以求幫助讀者去明白。因此，那不知名的先知向以利所說的話，也許比現在聖經中那段文字要簡短。即使如此，我們也不可忽略舊約的一個重要原則：**神不單控制**以色列中的事情，而且會在所有重要事件發生和改變之前，先作宣佈。這是先知一個重要的任務。先知職分的另一個特色是叫聽者記起過去一些重要的事件，尤其是那些彰顯了神之美善的事件。這種歷史的重要性可見於27至28節那句話之中。

三1-21 對撒母耳的呼召 若留心閱讀二章27至36節，可能會感到疑惑，就是為何這個關乎祭司職分的預言，並沒有提到撒母耳的未來呢？二章35節那關乎「忠心的祭司」的預言，並沒有由撒母耳應驗，而他的後裔也沒有在祭司職分中堅固地建立起來。第三章為我們提供了答案：撒母耳未來的職任並不是當祭司家族的族長；他是要作他當代一位偉大的先知。祭司執行職務不需要有神的呼召，因為他們生來就是屬於祭司的家族。然而，先知會接受個別的呼召，並直接地經歷神；第三章便記載了撒母耳作先知的呼召。

「耶和華的言語」和「默示」（1節），是神賜給先知的兩種禮物。聖經交代當時這兩項都「稀少」（直譯：「寶貴」），其中有兩個原因。第一，這句子叫讀者留意，以色列正迫切需要先知的引導。第二，它事先解釋了為何耶和華呼喚撒母耳（4節）時，撒母耳和以利都感到驚訝。

第3節 提到聖殿中兩個特徵，就是「神的燈」和「約櫃」。這兩樣都是神同在的象徵。利未記二十四章1至4節詳細地指示祭司，要在每天晚上都使燈著。撒母耳聽見神的聲音時，燈仍亮著，即那時是天亮之前。神若真的選擇說話，人會預期在聖所這裏聽見祂的聲音，因此撒母耳「睡」在約櫃旁。這呼召重複了3次，叫撒母耳和以利都確定那真的是從神而來的信息。

第11-14節 神向撒母耳傳達的信息，確定了二章27至36節的預言。信息中並沒有重複那要發生的事的細節，但卻強調了以利本身的罪。以利並沒有像他兩個兒子一樣邪惡或「作孽」，但畢竟他是負責管理聖所的人，而他卻沒有禁止他們。撒母耳起初自然是遲疑地不敢把所聽見的告訴以利（「默示」一詞只是指整個先知性的經歷）。以利聽了耶和華嚴厲的話，並沒有加以埋怨。他的反應顯示他服從地接受神的審判，因此，以色列祭司這領導權的改變，顯然已為以利所接受（完

全一樣的是，後來掃羅王也承認神要把君王的領導權轉移給大衛；參二十四20）。

第19-21節簡單地概括了其後的日子，期間撒母耳長大了。以利暫時仍在示羅任祭司，他兩個邪惡的兒子也一樣；但撒母耳已經是公眾人物。聖所本身已不及神的僕人那麼重要，因為神顯然是與他同在。撒母耳所預言的話都不落空（19節）。先知的話或默示不再稀少了，而所有的以色列人都明白這情況。「但」就是以色列北部一個最重要的城鎮，而「別是巴」則位於以色列的最南端；因此，撒母耳的名聲是傳遍了以色列全地。神的話常常臨到撒母耳，而撒母耳則把神的話傳給所有以色列民。

四1至七17　與非利士人爭戰

這時撒母耳在故事中消失，直至七章3節。這段意想不到的文字是一種有效的寫作技巧，因為讀者一直期望撒母耳會做一些大事。其中也有著神學性的目的。第四至六章除了交代神向以利和以利家的審判如何應驗外，也對神的話（藉先知——像撒母耳——啟示出來）和約櫃作強烈的對比。約櫃是神同在一個重要的象徵，但那是沉默的。約櫃很容易會被誤解，或偷去，或移往一些偏遠的地方。正如我們所見的，神的話並沒有地域的限制，卻是從但至別是巴都為人所知曉。然而，在這3章經文中，約櫃是讀者留意的焦點。它不但象徵神的同在，並且也象徵神的能力。約櫃落在非利士人手中，以色列人會知道，神可以把能力從以色列人中收回；無論以色列人或非利士人，都不可操縱神！

四1-11　非利士人兩次的勝利

第一至三章所發生的事件，位置是在以法蓮南部一個細小的地區。場景現在向西移，從山區移向沿岸的平原，那是非利士人一個世紀前已征服的地區。在參孫的年代，這個細小而強悍的民族已開始侵佔以色列的部分地區（士十三至十六），他們那訓練有素的軍隊，現在又形成新的威脅。以色列人並沒有常備的軍隊，而在危急時，他們要從田野呼召人去參與迫近的戰爭。那麼，難怪非利士人在亞弗輕易地贏得勝利（2節）；但這對以色列的眾長老來說，卻是一個打擊，因為他們顯然期望神會賜以色列人勝利。經文顯出，無論以色列人或非利士人，他們對神的認識都很少。以色列人和非利士人都以為約櫃本身是一個偶像，是一件有法力的物件，能在戰場上給以色列人強大的力量。因此，以色列人把約櫃帶到戰場上，由何弗尼和非尼哈護送。非利士人懼怕約櫃的能力，但卻並不喪膽，大概因為他們也敬奉自己的神明，包括大袞（五2）。他們勇敢地爭戰，並漂亮地贏得勝利。以色列人在戰爭中死了很多人，包括以利的兩個兒子：二章34節的預言就是這樣應驗了。約櫃也被擄去了。

第4節這個對耶和華的描述是關乎約櫃的構造（參出二十五17-22）。第6節「希伯來人」一詞等同於「以色列人」。

四12-22　以利之死

在描述約櫃如何進入非利士境內之前，故事以以利之死作一小結。以利在98歲的高齡，並不因年老而死，卻因聽聞壞消息後受刺激而死。第二章的預言說以利家會失去作祭司的領導地位，但暗示了他的家族會繼續存在。因此，第四章末提到以利的孫兒出生。聖經沒有交代他的生平和經歷，但他的名字已述說了一個可悲的故事：「以迦博」的名意是「沒有榮耀」。他那垂死的母親正想及約櫃的失去，她似乎也以為神已隨著約櫃離開了以色列。她這觀念是錯誤的，但她為兒子所起的名字，卻象徵了所有榮耀和權利都離開了以利家。

有些解經家問，以色列不是為了兩個人的罪而付上很高的代價嗎？何弗尼和非尼哈是死有餘辜的，但其他死在戰場上，成千上萬的以色列人又如何呢？士師記說，以色列人有許多軍事上的失敗，因為她對神不忠，而撒母耳記上七章3至4節說，以色列人在撒母耳的時代，又因拜偶像而犯罪。然而，撒母耳記上第四章卻沒有給予任何解釋。耶和華按著祂的計劃行事，沒有向以色列人或向讀者作任何解釋。聖經作者的興趣是以利家的命運。他另一個主要目的是顯出神正掌管一切事件，但讀者只可從其後兩章經文的記載，漸漸明白這一點。

第18節這節經文清楚說明以利在當代是以色列中最重要的政治人物。「作……士師」的字義是「審判」，因此作者是有意把以利跟士師記中主要的人物相提並論。以利的死表

示以色列人極之需要一位新的領袖，並且是一位（像眾士師）可以把他們從外邦仇敵中拯救出來的領袖。

五1-12　約櫃落在非利士人手中　　非利士人的主要城市共有5座，而第五章則記載了其中3座：亞實突（1節）、迦特（8節）、以革倫（10節）。非利士人敬拜迦南地的神，而大袞是其中之一（參孫曾在另一個非利士人的主要城市迦薩，摧毀了一座大袞廟；參士十六30）。在古代近東一帶，征服者慣於把擄來的偶像放在自己的神廟中；無疑他們是認為勝利者的神祇擊敗和擄掠了敵人的神祇。因此，非利士人是以為大袞已擊敗了耶和華。然而，我們不久便可見大袞連自己的神像也保不住！這偶像的倒塌導致一種迷信的本地風俗（5節）。**第6節**最終清楚地告訴讀者，在以實突發生的事件，是出於耶和華；那裏的非利士人並沒有這種從神而來的啟示，而要自己推測。若他們神像的倒塌只是令他們感到疑惑，他們自己身上所受的痛苦，很快便叫他們相信，耶和華是大有能力和活躍的，因為約櫃就在他們的神廟裏。約櫃其後被送往迦特，又送到以革倫，而在兩城都出現類似的結果。

六1-12　送回約櫃　　直到現在，所有非利士人都不得不相信約櫃是以色列人的神耶和華的物件（2節），並且是一件極之危險的物件。這物件必須小心處理，否則更大的麻煩會臨到他們。他們自然地向自己的宗教專家求教，問怎樣可以安全地把約櫃送回以色列去。他們的顧問要回答兩個問題。他們實際要把約櫃送回以色列的那處地方？他們應怎樣做？他們詳盡的回答讓我們看見當時一些有關的宗教觀念。首先，他們需要準備「賠罪的禮物」，表示他們承認自己作了錯事。其次，他們必須作出賠償（用「金」子）。第三，約櫃的運送不可有特定的路線，卻要由諸神去控制（顯然那些宗教專家懼怕耶和華的能力，但不肯定祂是不是那真正為非利士人帶來麻煩的神）。

非利士人又為那些要擺脫的東西造「像」（5節），我們從此可見他們另一方面的思想。學者稱這種做法為共鳴除咒魔法(sympathetic magic)；他們相信這些模型除去了，麻煩也就

離開！痔瘡是災害的病癥，那大概是由老鼠造成的。古代沒有人知道老鼠是帶來疫病的媒介，而老鼠看來好像正襲擊糧倉。

第6節叫我們想起，神從前曾使用瘟疫，去迫使以色列較早期的仇敵埃及，釋放祂的子民以色列人（參出七至十二）。以色列神的大能，可見於祂在以色列以外，對一些事件的操控。在其後多個世紀，當其他敵人（尤其是亞述和巴比倫）證實他們比以色列和猶大更強大時，這些表明神能力的故事，成為了大大安慰神子民的資源，並且鼓勵他們相信神有能力拯救他們。

六13至七1　約櫃送回以色列　　在沒有人的引導下，母牛把約櫃送到伯示麥，那是以色列境內的一座城，就在非利士的邊境旁。非利士人的計劃成功了——或說耶和華自己把祂的東西送回以色列去了。**第16-18節**顯出非利士人如何認真地處理約櫃的問題：他們「五個」王全都跟隨著約櫃到以色列的邊境去，即使約櫃從未運往第17節所列出的其中兩座城。

第13-15節告訴我們，伯示麥的以色列人看見約櫃送回來，就喜出望外，並且他們的第一個行動是正確的。例如，扶約櫃的是利未人，他們的特殊任務就是抬約櫃（參申十8）。因此，**第19節**是一節使人感到意外的經文。神「大大擊殺」伯示麥人，顯示約櫃對以色列人來說，像對非利士人那麼危險；人必須以正確和尊重的態度對待神。記述這件不愉快事件的主要原因，是解釋約櫃的旅程為何不在伯示麥結束，而在附近的一座城基列耶琳。

七2-17　撒母耳的成就　　約櫃飄流的故事在第2節結束了。許多年以後，當大衛在位時，約櫃由亞比拿達的家移往耶路撒冷去了（參撒下六章）。經文中的「二十年」似乎並不是指約櫃留在基列耶琳的日子，而是以色列全家靈性低沉的日子。約櫃出現在非利士人的地上，雖曾為他們帶來許多麻煩，但我們不可忘記，在第四章的戰役中，非利士人曾重重地擊敗以色列人。非利士人仍是得勝的征服者，可以在便雅憫地區、以法蓮南部，和任何地方，使以色列人聽他們的話而行。**第7節**表明了這情況——非利士人的進侵和以

色列人的恐懼。

第3節第一次給我們解釋了以色列人衰弱的原因：他們多人敬拜偶像。那些外邦的神包括迦南神巴力和迦南女神亞斯他錄（4節）。正如常在士師記出現的情況一樣，以色列人不忠於耶和華，已招致神的懲罰。又正如在士師記一樣，以色列人真心的悔改可把惡勢扭轉。神的方法常是藉著外邦的入侵，懲罰有罪的以色列人，並透過「士師」的帶領，拯救悔改的以色列人。第七章描述了完全相同的次序：犯罪、悔改、拯救。神揀選去拯救以色列人的當然是撒母耳，他在這段經文中，適切地稱為「士師」（6節，譯按：和合本譯作動詞「審判」）。

在第一至三章，撒母耳起初是一名祭司學徒，然後是一位先知。現在到了七章6節，我們發現他有了新任務，就是作以色列的「士師」或政治領袖，「審判」眾人。作者刻意使用這詞，表示他是神揀選去拯救以色列的人。實際上，迄今他的政治角色為何，仍是很不明顯，因為非利士人正控制著他們。無論如何，所有以色列人卻是聽從他（四1），因此，憑他一人的號召，已可在便雅憫境內的米斯巴聚集以色列眾人（示羅已被非利士人摧毀，大概已成廢墟）。這次聚集是為了宗教的原因，但這樣大的群眾看來像一隊軍隊——他們確實變成了一隊軍隊（10-11節）。因此難怪非利士人視之為一種潛在的威脅而攻擊他們。當然以色列人的群眾並不是一隊受過訓練的軍隊，若沒有神的幫助，他們可能已被非利士人屠殺了。古代的人相信雷和電是神發怒的表徵，因而非利士人的「驚亂」是不難理解的。

以色列人為紀念這次勝利而立的石頭，起名叫「以便以謝」，字面意思是「幫助的石頭」。以色列人在另一處稱為以便以謝的地方曾被擊敗（參四1），它位於此地以北數哩，而撒母耳似乎刻意再用這名字，去記下以色列人第一次打敗非利士人。事實上，這可能只是小小的勝利，但卻足以使非利士人不敢進侵以色列人的境內好一段時間，而這也是非利士人勢力下降的開始，那全賴「耶和華的手」的干預（13節）。以色列人在這段時期內的成功，有賴掃羅王的軍事領導（十四47），因撒母耳從未從軍，但此處則稱這時期為撒母耳的「平生」。可是，第七章並沒有

提及掃羅，原因有幾個。第一是因為七章13至17節只是撒母耳事蹟的概述。第二，掃羅仍未進入故事中，此時若提及他的名字，便會失去隨後數章的效果。第三，第七章中有一個隱藏的信息，正期待著第八章的事件發生。在第八章，以色列的眾長老要求立一個王，這樣就是要把撒母耳降級，並且把政治的領導地位從他取去。因此，第七章是聲稱，即使沒有掃羅的軍事技巧，撒母耳仍完全有能力帶領以色列人爭勝。神是真正的得勝者，祂早已呼召撒母耳去為祂傳話，並給予以色列人引導。從人的角度看來，掃羅一旦作王，撒母耳便成為他的從屬。然而，從神的角度看，就好像王是隸屬於這位神人一樣。

最後一段又指出了撒母耳的另一個身分——「士師」，即法官。而掃羅作王後，撒母耳仍保持這個身分。他工作的中心在拉瑪——他的家鄉（參一19），而其他列出的城，也在這個地區之內。這樣，此處幾節經文便是指出撒母耳服侍以色列人的範圍。此外，也為其後各章的事件奠下了地理上的基礎；這些事件在拉瑪（八4）、米斯巴（十17）和吉甲發生（十一14）；也有簡單地提及伯特利（十3）。

第14節「亞摩利人」也稱為迦南人，他們住在以色列境內的城鎮。有時，他們好像站在非利士人那邊，與以色列人爭戰。無論用甚麼方法，撒母耳都能與他們保持良好的關係。

八1至十五15　撒母耳和掃羅

這部分詳盡地描述了掃羅成為以色列王的經過。一個王朝的開始，意味著以色列人的組織和管治方法有一個重大的改變。這樣一個主要的發展，值得在第八至十二章作全面的討論。第一位君王是掃羅，他自然在故事中擔當一個主要的角色。但聖經作者從不會讓我們忘記撒母耳；事實上，從聖經作者的觀點看，撒母耳仍是以色列人的真正領袖；即使在他把軍事和政治事務交給了新王後，他仍是真正的領袖。在這部分的最後一章——十五章——撒母耳仍有神授予他的權柄去否定掃羅的王權。

八1至十二25　掃羅作王

研究這幾章聖經時，我們應留意3種觀點和角度：近代歷史學家、聖經作者、小說作者。

對近代的史家來說，以色列中興起一個王朝是無可避免的。非利士人是有很好的軍備和組織的民族。以色列人的優勢是人數較多，但他們卻像一盤散沙。各個以色列的支派大都是獨立的，他們並沒有一支常備的軍隊。因此他們的選擇是最清楚不過的：除非他們找到聯合各支派的方法，並建立一支軍隊，否則以色列這個民族便會滅亡。在古時，君主制度是達到此目的的唯一可行結構。因此，從歷史學家的角度看，眾長老迫切的要求（八5）是挺自然的。我們不可忘記，第七章所記載以色列人的勝利，並沒有改變非利士人的勢力和帝制。因此對歷史學家來說，眾長老的行為並未使人感到意外。

聖經作者的觀點則頗不同。從他的角度看，以色列已有一位君王：正如八章7節告訴我們，他並非別人，就是耶和華自己。人類的君王會軟弱或不勝任，但神親自作王，又怎會不能帶領子民進入平安和豐盛？神在昔日已多次證明祂可以賜祂子民勝利，而藉著撒母耳，神已給他們提供所需的領袖。以色列人雖曾經受挫敗，如在第四章一樣，但這等挫敗是由於他們自己的過失，因為他們沒有忠於耶和華他們的王。因此，**從聖經和神學的角度看，眾長老要求立一個人作王，是有罪的，是拒絕神作他們的王，欲在沒有神的引導下贏取勝利。**

由於小說作者和神學家是同一人，所以第三個角度基本上跟第二個角度並無分別。然而，我們不可忘聖經作者那文藝手法，和他對故事的鋪排，使其神學觀點更清晰和有效地傳遞。對歷史家來說，我們可見長老要求立王的事並不足為奇。然而，對一般讀者來說，讀了小說作者在第七章所描寫撒母耳的功績後，這事便顯得極度令人震驚。對小說作者來說，非利士人的強勢是較為不重要的，因而暫時可以不理；真正的勢力在神手中，而不在非利士人手中。**嚴重的問題並不在於以色列人的軍力薄弱，而是他們缺乏信心。**

當然，我們也可從其他角度去看這事，尤其是這些事件中各個主角——眾長老、撒

母耳和掃羅——的角度。掃羅所站的位置必是特別難受的。若立王就表示抗逆神，一個作王的人又怎能期望被神接納呢？但故事說，神揀選了掃羅作王！在某種意義上，這幾章聖經似乎顯出了一種妥協。在神學方面雖然堅持耶和華是以色列人的王，但也完全承認一個人類的中保是需要的，這個人可給予可見的引導，但他會從耶和華領受命令。撒母耳一直都是這樣的一位中保和領袖。因此，縱使眾長老的要求是有罪的，但神也可以滿足他們的要求，只要那個王是由袖來揀選的。神首先揀選了掃羅，然後揀選大衛，並藉著他們去擊敗以色列人的仇敵——非利士人。縱然如此，長遠來說，立王始終只會為以色列人帶來痛苦。立王的終極問題是，權力不單是給予一個人，而是在他死後，要傳給他的後裔。

學者廣泛地相信這幾章經文的不同部分，是從不同的資料來源抽取出來的。我們觀察到，第八和十二章普遍對君主制抱強烈的批判態度。另一方面，在中間的3章聖經裏，卻很正面地看掃羅為人。第十一章從某角度看，是一個獨特的故事。這些不同部分可能同樣是歷史性的，但學者常提出問題和爭論點。例如，掃羅曾在3個不同時間、不同地點被立為王（十1，十17-25，十一14-15）——在這樣獨特的環境下，那絕對不是沒有可能的。我們完全有可能看整體故事發展是合理的，並看不同部分為表達對立王的不同看法，而不是一些互相衝突的記載。但對於整個複雜的論題，我們應參考較詳盡的註釋書。

八1-9　立王的要求　以色列的長老，以色列各家和各支派的本地代表，有真正令他們憂慮的原因。他們眼看撒母耳年紀漸老，又沒有明顯的繼任者去繼續與非利士人作戰。歷史是不斷重複的。以利兩個兒子的罪，在以色列中帶來了一個重大的改變；現在撒母耳兩個兒子的罪，成為了更大之改變的第一步。在這兩個情況下，所犯的罪都是人所皆知的，而眾人都有權去抗議。一個重要的分別是，撒母耳的兒子並非在他直接的監督下，因為別是巴遠在南方，因此，神和人都不能因撒母耳兩子的惡行而控訴他。在這一切中，出現戲劇性的諷刺。在以利和撒母耳

的情況下，每個人都清楚看到，偉大和善良的人都可以有邪惡而不中用的兒子；然而，眾長老卻因而要求立王。在定義上，王是一個統治者，他的兒子在他死後會自動繼任為王！這樣，聖經作者表明了，眾長老的論點是不誠實的。直至第20節，他們才說出了真正的原因。

無疑眾長老的要求表示了對撒母耳的厭棄，他自然感到「不喜悅」，縱然他們把揀選王的權交在他手中。神在**第7節**的話沒有否定撒母耳是被「厭棄」，但強調被厭棄的不只他一人。眾長老拒絕撒母耳，背後的實情是他們拒絕神的主權，因為是祂一個一個地差遣有能力的領袖，包括撒母耳，來到以色列人中。正如**第8節**的提醒，以色列人離棄耶和華去事奉別神，並不是一件新事，但長老的要求更踏進了一步，就是厭棄神為祂的子民作政治上的安排。

把神描述為以色列的王，在聖經中很常見，最早可見於出埃及記十五章18節。我們很容易會以此為一個比喻、一種擬人法。以色列人大概也傾向這樣看，因而看不見當中的意義和蘊含的意思。神若真的是王，祂就要為以色列人作出一切政治上的決策，要制定律法和制度，決定爭戰或求和，並作別國的王所作的一切事情。（當然，神需要使者去傳達祂的決定和命令，而尤其是先知，就負責執行這職務。）除非以色列王完全聽從耶和華的決定，否則他就必然在某程度上取代了神。因此，眾長老的要求就相等於叛逆、不忠。

八10-22 撒母耳的忠告被拒絕 在決定設立君主制度之前，以色列人必須考慮這對他們來說是甚麼一回事：因此撒母耳在此冷酷地說出君主制度的一些副作用。眾長老的目光是狹窄的；他們尋求的只是一個實際的軍事領袖（20節）。撒母耳描述君主制的實際情況時，特別指出君主對人民的勞役和徵召參軍、抽重稅及暴政。以色列人若選擇立王，像他們所提出的，他們最終只會為有限的軍事利益而付上沉重的代價。他們以為君王會給他們安全、穩妥和成功；撒母耳警告他們，君王會收取多於付出（注意11-17節中，常出現「取」這個動詞）。

學者常指出，**第11-17節**的內容很切合所羅門在位時的情況，可證明這記述比撒母耳時期晚很多。反對這觀點的則說，我們有許多證據證明遠在所羅門時代之前，君王的濫用權力已是人所共知的，我們不能解釋為何撒母耳不能作出這種感慨的呼喊。兩種論點都有其可取之處。可能撒母耳確曾攻擊整個君主制度的觀念，但同樣可能的是，聖經作者把撒母耳的言論擴充了，為叫後來的讀者明白，所羅門怎樣證明了撒母耳之論點的真確性。

以色列人當時若選擇要一個君主制度，他們最終會失望——他們不能再回頭。但對於撒母耳的警告，他們充耳不聞（19節）。我們不要以為眾長老的決定使神沒有選擇，祂只是選擇讓以色列人在這事上憑己意而行（21節）。**第20節**表示，眾長老雖然希望以色列可以擊敗列國，但他們也希望採用列國治理的模式。無論有意識地或沒有意識地，神的子民往往在社會壓力下跟從了世俗的做法。保羅曾警告信徒避免這種危險（參羅十二2）。

九1-14 掃羅來到拉瑪 到了這裏，聖經作者極可能是使用另一份文件來作參考資料，但無論如何，他的文學技巧和戲劇效果都是無可置疑的。文中沒有任何提示，場景就已由撒母耳轉移至掃羅，而此處第一次提到他的名字。讀者會感到奇怪，撒母耳為何會出去尋找和設立一個王；但每個讀者必已知道掃羅是以色列的第一個王，因而經文介紹他的名字時，不會叫人驚訝。故事繼續解釋撒母耳和掃羅會面的情況。留意作者如何有技巧地掩飾拉瑪是先知撒母耳的城。（拉瑪是撒母耳的家鄉，但他是剛從他的巡迴審判回來，參七16-17）。唯一的提示在於「蘇弗地」（5節），而拉瑪就在蘇弗地（參一1）。

從某個角度看，這是一個典型的「乞丐變王子」的故事。掃羅並不是出於一個乞丐或貧民家庭，而他身型「健壯」（2節）；但他也不是出於富有的家，而他所屬的支派——便雅憫——在以色列中是細小和毫不重要的（參21節），在北面的以法蓮和南面的猶大面前，黯然失色。掃羅可能並沒有野心或期望去作王。本段的重點也在於掃羅的單純和缺乏野心。他並不是出去爭取任何名譽或權力，而只是尋找他父親失去的產業。他並沒

證主21世紀聖經新釋

有尋求作王；但可以說，是神尋找他和使他作王。掃羅甚至連撒母耳是誰也不知道，而遇見他時也認不出來。我們可以想像，在第八章的事件之後，有些充滿野心的人可能會嘗試求見撒母耳，以其才能去打動撒母耳，或取得他的喜悅。掃羅並不是這樣的人。

第12節 如撒母耳在拉瑪築成的（七17），祭壇往往位於山上（或人造的小丘上），而這些「**邱壇**」是用作露天的聖所。從本段清楚可見，撒母耳不只是先知和士師，並且還有一些祭司的職務。

九15-27 撒母耳接待掃羅

故事至此清楚交代了，沒有任何人安排撒母耳和掃羅見面。神控制著掃羅的動向，並在此直接向撒母耳啟示，說掃羅就是祂選立為王的人。因此，當兩人相遇時，撒母耳已認識掃羅，並且知道怎樣使掃羅作王。但在這一章的事件中，掃羅對神的計劃仍一無所知：撒母耳只是漸漸讓他知道，神在他身上有特殊的計劃。在**第20節**，撒母耳提到「**以色列眾人所仰慕的**」，讀者明白他所指的是他們對王的渴慕，但這樣的評論當然叫掃羅感到疑惑。後來，撒母耳在**第24節**所作的行動，表示掃羅是一位尊貴的上賓，但他仍沒有把整個真相表白。本段繼續指出，掃羅並沒有貪圖作王或掌權，他甚至現在仍不知道未來的職分。**掃羅沒有爭取權力，撒母耳也沒有提拔自己親密的朋友作王；掃羅完全是神所揀選的。**

「王」這字並沒有在本章出現。第16節和十章1節都是用「君」（希伯來文：*nāgîd*）。這希伯來字的準確意義備受爭議；意思可能是「候任君王」，暗示掃羅仍未真正作王，直等到第十章在米斯巴的公開儀式。無論如何，在經文中，這字詞也並非與君王相反，因為它與「膏」立連用時，就是指作王。經文表明了掃羅作君主的責任：他的任務是救以色列人脫離非利士人的手，和「**治理**」（直譯：「限制」、「控制」）以色列民。這樣，**神就要藉著掃羅，滿足當時最重要的兩種政治需要。第一是打敗敵人，否則他們會使以色列人潰散而亡。第二是以色列人需要內部的團結合一和強大的政府。**

第27節 撒母耳要確保那是一次私下的膏立；就是他的僕人也不知道這祕密。大衛第一次的膏立也是祕密進行的（十六1-13）。在兩人的情況裏，他們都是在公開的登基典禮後，才正式開始治理以色列民。

十1-8 膏立

第1節描述膏立的一個簡單行動。耶和華的代表——這裏是撒母耳——把膏油倒在未來君王的頭上。這行動象徵神給這人畫上記號，把他從別人分別出來，作祂所揀選的君王。我們不能確定膏立在以色列中的全部意義。一個可能性是，那是一種立約關係的象徵；若是這樣，那就顯出神是跟個別的君王立約，應許會幫助他，賜他力量和智慧。膏油也許是神授之能力的象徵。膏立在古代近東廣為人知，雖然在以色列以外，人並不慣於膏立君王。在埃及，君王不會受膏立，其封臣卻會受膏立。若以色列人也熟悉這樣的觀念，則可能暗示掃羅是被膏立作耶和華的封臣，而耶和華才是那偉大的君王。

第1節也把以色列人描述為耶和華的「產業」，是祂永遠所擁有的。這描述包括以色列地和以色列民，是給予這位新王的另一個重要的聲明：他並不是以色列的擁有者，因以色列仍屬於神。

因此，掃羅只是神的從屬，但即使如此，王權在以色列也是一種全新的制度，若掃羅對此存疑，也不足為怪。他需要「兆頭」去表明他真的是君王，並且他有能力承擔任務。於是，神就應許給他3個兆頭。（**第7節**清楚指出撒母耳的預言就是兆頭，並且極可能在原來的希伯來文版本中，第1節也曾提到兆頭，參新國際譯本旁註。）第一個兆頭（2節）是確保他可以丟棄過去，他未來的職事並不是當一個農夫。第二個兆頭（3-4節）是確保以色列人視他為君王。餅是他們帶往伯特利聖所的祭物，因此那些人不會把餅隨便交給任何路經的陌生人，而只會交給一些位高權重的人。第三個兆頭（5-6節）能給他保證，他有所需的恩賜和能力去擔當領袖的角色。在他以前的眾士師都有耶和華的靈的恩賜作裝備，而掃羅會知道，他也有同樣的裝備。這些兆頭一旦應驗了（「臨到你」），掃羅便有充足的信心去作王，因為明顯地神必與他同在。

「**基比亞**」（5節，譯按：和合本譯作「山」）是掃羅的家鄉（26節），在十一章4節稱為「掃羅住的基比亞」。這城的全名是「神的基

比亞」（譯按：和合本作「神的山」）或「基比亞以羅興」）。這時候就是在掃羅自己的家鄉，也有非利士人的防兵，由此顯出了以色列的衰弱。在有政治和屬靈危機的時候，一班一班的先知是一種特色（也參王下二）。他們不像個別的大先知，他們似乎常以群體出現，並忘我地回應音樂的節奏。顯然掃羅很容易受音樂感染（參十六14-23），而神在這裏，便使用了他性格上的這種特質。

第8節在本段中，是撒母耳再給掃羅的最後指引，而所指的是十三章要發生的事（參十三4、8）。撒母耳向掃羅所說的話必定比這節經文詳盡，因本句子的對象只是聖經的讀者；句子給人一個錯誤的印象，以為掃羅馬上要到吉甲去。在撒母耳或掃羅前往吉甲之前，既有這麼多事件的發生，可見掃羅必定不是立即往吉甲去。我們從第十三章可推論，撒母耳必已指示掃羅，他一旦肩擔了君王的責任，便要召集以色列眾民在吉甲，組成軍隊對抗非利士人。但那是往後一點的事情。

十9-16　守住了祕密　說故事的人簡單地交代所有3個「兆頭都應驗了」，他就直接描述第三個兆頭，而其中有一個新的目的。這故事應強調，除了撒母耳和掃羅外，便沒有人知道掃羅已被委任為王。這個強調點從兩段插曲的詳述傳達出來，第一段插曲——第三個兆頭的應驗——顯示雖然掃羅從這兆頭有所領會，但其他人則完全誤解了。他們對掃羅的經歷加以嘲笑，甚至引為笑柄（「此後有句俗語說」），並在後來，一件事裏加劇了（參十九23-24）。若「**這些人的父親是誰呢？**」意指「他們是不足取的人！」的話，他們顯然也嘲笑那一群先知。我們清楚可見，掃羅的經歷並沒有叫他在基比亞家鄉的人對他產生好感。使徒行傳二章13節記載了一件類似的事情，那時被聖靈充滿的人竟遭旁觀者恥笑；而哥林多前書二章14節評論說：「屬血氣的人不領會神聖靈的事，反倒以為愚拙，並且不能知道。」

第二個插曲，是掃羅跟那位在本地聖所遇見的叔叔的談話，這人在前文並沒有提過。掃羅的父親會知道他為何不在家，但他叔叔卻不知道。掃羅提及撒母耳一事，引起他叔叔的好奇心，但掃羅十分謹慎，他並沒

有提及立王的事（「國事」）。因此，即使是掃羅的鄉鄰或親友，都不知道他就是未來的君王。

十17-27　在米斯巴舉行的典禮　米斯巴這時似是一個首都城市；這是第二次舉行全國集會的地方（參七15-16）。因此這是舉行典禮，使掃羅作王的一個適切的地方。對於以色列的眾代表來說，這段是上接第八章的，因為他們應對九章1節至十章16節所記載那私下發生的事件一無所知。撒母耳一開始就奉耶和華的名，重複較早時對他們的責備。縱然掃羅是由耶和華揀選和裝備去作王，但以色列人對立王的要求，仍被視為蔑視神。撒母耳再次提醒他們，神總是把他們從強大的敵人手中拯救出來，從沒有離棄他們不顧。

我們也許會預期撒母耳馬上宣布，耶和華已揀選掃羅為王，然後隨即公開地膏立他。但**第20-24節**記載了一個很不相同的儀式，掃羅在其中是靠製籤而揀選出來的，好像先前沒有作過任何決定一樣。我們對這裏所採取的機制太不認識；尤其是掃羅怎會在缺席的情況下被抽出來，實在叫人疑惑。無論如何，這裏的重點是，到現在，掃羅仍是一個害羞和謙卑的人，他沒有尋求作王，反而是逃避作王。然而，他有一個很突出的外表，會眾馬上認可他。因此，掃羅是在歡呼中作王的：並不是撒母耳或耶和華強迫以色列人接受他，而是眾民的代表都接受他（這暗示那些匪徒為數極少）。以色列的第一位君王必須有一群合一的國民支持他，因此眾民應該是自由、自願地接納他為王。這解釋了先前為何需要祕密行事。

第25節提到有一份文書，放在聖所內。毫無疑問，祭司會在那裏看管這份文書。這份文書被形容為「**國法**」。我們不知道它詳細的內容是甚麼，但可能是申命記十七章18至20節擴大的版本。那些法則必定包括「權利和義務」（修訂標準譯本把這個希伯來文單字譯作「權利和義務」）。換句話說，這份文書寫下了王從子民所得的權利，和他在神之下，向子民應盡的義務。這樣，王與眾民就彼此建立一個約的關係。

掃羅像眾人一樣，回家去了（26節）；基比亞似乎順理成章地作了他的首都。在君主制度開始時，大概仍沒有中央稅制，而掃

羅暫時要靠他的牧場為生（參十一5）。

有些刻薄的以色列人，懷疑掃羅是否有能力帶領以色列人戰勝非利士人（27節），其實這並不足為奇。若以色列長老因拒絕神作王而有罪，這些人便有雙重的罪，因為他們也拒絕神所揀選的人作王。聖經形容他們為「匪徒」（新國際譯本：「搞事者」）。

十一1-11　掃羅第一次的勝利　聖經作者再一次使讀者感到驚奇，他把讀者的注意力從以色列的中心地區和西面邊陲（非利士人的所在地），移至東南的邊陲。「亞捫」王「拿轄」在約但河東、以色列地區基列的邊界上，管理一個細小的國家。在較早的時期，他的軍隊曾侵犯以色列的邊境，現在他們又圍攻「基列雅比」（參第246頁的地圖。）

這情況表明了掃羅在位初期，以色列的衰弱；我們必須謹記，立掃羅為王的典禮，為以色列提供了合一團結的機會，但並非自動或立即就有這結果。我們不能肯定，即使到了勢力和聲譽的最高峰，掃羅真正的權力可到達甚麼程度。在他即位初期，他控制的範圍可能極之有限。以色列各支派一向都獨立行事，而這故事反映出，即使一個像基列雅比的城，也可自己決定與人立約。我們也要留意，那些從雅比出來的使者好像以看掃羅為王，他們往「以色列的全境」去傳話，尋找各支派的幫助；但事實上，是掃羅回應了他們的懇求。

這處境也顯出了亞捫人對以色列人的仇恨有多深，雖然按現代的標準看，**第2節**所見的殘暴跟第3節那君子風度的寬限，是一個奇怪的對比。亞捫若要攻擊一個統一的以色列，勢力未免太單薄了；但一個分散了，並且各處被非利士入侵所騷擾的以色列，則自然地成了亞捫的獵物。

第6-11節反映掃羅怎麼作回應。像以前的士師一樣，他有「神的靈」賜予力量，因而有活力、有權威地，呼籲以色列男丁，從各城各鄉，從農莊田野出來，集合在一處，接受點閱。第7節暗示，以色列人是因為懼怕耶和華，而不是因為尊重掃羅或撒母耳，而出來打這場仗。**第8節**的軍隊數目，像在舊約其他歷史書一樣，似乎是太大了。釋經家常認為「三十萬」和「三萬」，應譯作「三百（軍事）單位」和「三十（軍事）單位」，即

兩群為數較少的軍人。有趣的是，猶大的數目竟與以色列其餘各支派分別出來。這劃分可能反映王國後來在所羅門死後的分裂。

這段經文（和舊約中許多其他的經文）表明了一位在戰爭中幫助子民的神，這概念在許多基督徒來說，是一個道德上的問題。當時的處境是，和平的解決方法是不可行的。此外，**這場以色列人的戰爭並不是為了貪得土地，或控制別國的人民，而是為了避免不公義和受壓制。**舊約對神與不公義的對立態度是很一致的。

後來，掃羅第一次決定性的行動，帶來了重要的勝利。雅比的人永不會忘記掃羅的恩情（參三十一11-13）。

十一12-15　在吉甲舉行的典禮　隨著掃羅在約但河東的勝利，是在吉甲舉行的典禮，當時眾人都承認掃羅是王。毫無疑問，參加者多半是他那支得勝的軍隊。在撒母耳掌權的諸城中，吉甲是最接近約但河的一個城（七16）。有些學者認為只有此處是掃羅登位的真實歷史記載；我們很容易把第14節刪除（並把本章提及撒母耳的地方刪除），而視之為編輯時附加上去的資料，並把「確認掃羅為王」譯作「立掃羅為王」（和合本）。然而，按經文現有的記載（譯按：即新國際譯本那種確認儀式的記載），這故事也很值得相信，而我們鑑於較早前掃羅所受到的敵視（十27），也很容易理解舉行一個新的典禮的原因。這是第一次全民都忠順掃羅。**第15節**提到耶和華和平安祭，可指出這是一個立約的儀式，跟出埃及記二十四章相似。

戰爭的勝利和慶典的熱烈，使掃羅和以色列眾人大大歡喜。我們要留意這裏並沒有提到撒母耳的名字：縱然這時各人都已忘記第八章的事件，他卻沒有忘記。這裏不是要責備掃羅，但以色列眾長老要因拒絕耶和華和撒母耳而有罪。下一章繼續記述撒母耳進一步的責備和警告。

十二1-15　撒母耳的發言　我們不能確定這段發言是屬與第十一章末同一處境，即在吉甲的集合，還是較後期，在撒母耳生命快要終結時國民的集會中。在某方面，這篇演辭像一個道別，但第1節那簡單的引言卻沒有這種提示。無論如何，這篇演辭是合時的。聖

經作者把它放在這裏，好讓讀者在王國故事開始前，有機會思想撒母耳這番話。第十一章以喜悅和興奮作結，因為當時以色列人正慶祝一次勝利，並有信心地展望未來與非利士人爭戰勝利。他們現在有一個王了，而且他已證明自己是一個驍勇的戰士。因此，他們感到十分安穩。然而，撒母耳在演辭中分析了現在的處境，並探討過去，好為將來提供指引。他的講話清楚指出，未來並不是靠賴一個王，或他的能力，而是在於神的旨意。而神的旨意又在乎眾民對祂的忠心。

首先，撒母耳要求眾民對他的管理作出評價，而現在他要放下作政治領袖的任務了（1-5節）。他的聽眾只能同意，多年來，他在各方面都是一位傑出的領袖（沒有提到他們較早前在八章1至5節對他兩個兒子的控訴；但本段第2節提及他的兒子，可能暗示他已解除他們在別是巴的職務，帶他們返回家鄉去了）。這裏強調撒母耳並沒有不合法地從任何人獲取利益。此處對撒母耳的描述，跟他在八章11至18對王的描述，形成強烈的對比，因為王總是從臣民身上取去一件又一件的東西。聖經作者欲表達一個更廣闊的透視圖。這篇演辭把過去的士師跟現在和未來的君王加以對比。過去的領袖都是神個別地揀選的，因而提供了良好的管治；但現在以色列人開始揀選自己的領袖，而那是很危險的做法。不錯，神揀選了掃羅，而跟著也會揀選大衛，但在所羅門死後的北國裏，許多王都是由人民選出來的。

第8-11節叫以色列人想起過往歷史中的一些重要事件。第一，神一直照顧他們的需要，把他們從許多仇敵手中拯救出來。第二，神為他們揀選和提供不同的人作領袖，使他們在作戰中得勝。第三，他們的戰敗是由於他們自己的罪，因為他們一次又一次地離棄神去敬拜偶像。第11節列出了一些神賜給他們的、有能力的領袖。撒母耳把自己的名字也包括在內，作為最後一個士師，並非沒有可能的，又或許這是聖經作者加上去的；但大概我們應用參孫的名字代替之（參新國際譯本旁註）。

第12節又重申八章7至8節的指責，責備以色列人要求立王，是拒絕耶和華作他們的王。這節經文意味拿轄必定是在他攻打基列雅比前，已一直在約但河東困擾著以色列

人，此處顯出以色列人多麼容易在某些處境下作出錯誤的回應。當拿轄欺負他們時，他們應想到只有他們對神不忠，才會帶來這樣的境況；但他們卻沒有（像過往一樣）悔改，卻把問題接過來自己處理，拒絕耶和華的管治，而要求立一個王。不過，他們最少也是求耶和華為他們揀選一個人作王；也許由於這個原因，所以耶和華準備在懲罰他們之前，給他們另一個機會。這就全在乎他們和他們的王，是否順從耶和華。

十二16-25　鼓勵和警告　撒母耳的聽眾也許會質疑，他對以色列歷史的詮釋是否正確。這些疑惑都藉一個從天降下的神蹟，一掃而空。在初夏時分，在割麥子的時候，正常來說，雷和雨都不會在以色列地上出現，因此，撒母耳的預言和即時的應驗，證明神是藉著他來說話。整段文字在字裏行間都顯示撒母耳是一位先知。他分析過去和現在，也預示未來，他叫以色列人想起神的美善，叫他們離棄偶像，並應許在禱告中為他們祈求，並以善道正路指教他們。

第22節提醒聽者和讀者，耶和華曾與祂的子民立約：神使以色列作「他的子民」，並起誓不撤棄他們。因此這教訓——給撒母耳當時的聽眾和其後的世代——就是叫他們遵守他們那一方的責任。他們若不守約，尤其是轉向敬拜偶像，神就必懲罰他們。最後一節用一句簡單的話，指出神會怎樣懲罰他們：放逐和王國的陷落，兩項都在主前六世紀時發生了。這樣，王國才剛開始，讀者已想象到它的結束。不過，這裏也給那些活在被擄時期的人一點希望。撒母耳的講話表示，王國的沒落會是神的行動和計劃的一部分，而即使到了那時候，耶和華也必⋯⋯不撤棄祂的子民。因此，縱然在被擄的困苦光景裏，耶和華的子民也不應轉向別的神。若有讀者被引誘去這樣做，第21節便叫他們留意偶像本是虛妄無用益的。

十三1至十五35　爭戰與衝突
掃羅在位的時候，以色列多半都在戰爭之中。非利士人是以色列人主要的敵人，而十三和十四章就談到掃羅早期戰勝他們的一些事蹟。第十五章詳述那次戰勝一個較小的敵人——亞瑪力人——的勝利。十四章47節

提到其他勝利的戰事，卻沒有詳載。因此從某個角度看，這幾章聖經描述了掃羅作王時，有一個非常成功的開始，期間他不斷把以色列人從仇敵手中拯救出來（十四47）。

然而，這部分卻以一句冷酷和不愉快的話作結：「耶和華後悔立他為以色列的王」（十五35）。十三至十五章記載的事件，不單是與外敵的爭戰，並且也是掃羅與其他以色列人的個人衝突。在第十四章，掃羅可能是要殺害他自己的兒子，而他結果是跟自己的軍隊發生爭執。更嚴重的是，在十三章和十五章，我們都發現掃羅違抗那奉神的名說話的撒母耳。不管掃羅至此的表現是多麼好，他很快便證明，雖然他在戰爭中連連得勝，但他卻不是一個適合帶領以色列人的領袖。

雖然掃羅的管治以失敗受挫作結（記載於三十一章），但也並非完全是一個災難。畢竟他曾給予以色列人一個新的希望，因他開始把（從前獨立的）各支派聯合起來，漸漸建立成一支軍隊，多次擊敗了非利士人，並把他們趕出以色列境外。縱然他最後在戰爭中落敗了，但他在某些重要方面已為後繼者鋪路。我們不應忽視大衛親自給掃羅作的見證（撒下一19-27）。

然而，十三至十五章清楚顯示，從神的角度看，掃羅是失敗的；縱然是神親自揀選他作王的。聖經指出根本的原因，是他拒絕順服神藉著先知撒母耳所給予的指引。**這裏的信息是很清楚的：神不會賜福一個看己高於神所設立之先知的以色列王。第十三至十五章所描述的事件，可以看為一次權力鬥爭，是神站在先知那邊跟以色列王對抗。**

掃羅在位多久並不能確定，原因在於經文上的缺漏。在希伯來原文中，十三章1節如下：**「掃羅登基年，作以色列王二年」。**明顯地，在「年」字之後有一個數字遺漏了，新國際譯本根據一些希臘文抄本，合理地加上了「三十」這個數字（參新國際譯本旁註；譯按：和合本加上了「四十歲」的數字）。因此，我們也可合理地假設在「二年」之前，有另一個數字遺漏了；不過，也有少數學者認為，僅僅二年是一個正確的數字。「四十二」（新國際譯本；該譯本沒有「的時候」，全節是：「掃羅登基年三十歲，作以色列王四十二年」）這個數字是根據使徒行傳十三章21節和猶太史家約瑟夫的記載；兩者的記述均把數字概括為「四十」。然而，舊約時代常用40這個數字來指一個世代，因此，較細小的數字，如「二十二」（新英語譯本）在這裏也是有可能的。而執政僅有兩年的可能不大的。

十三1-7 作戰的準備 第2節描述掃羅為了跟非利士人那無可避免的爭戰，而作全面的準備。他揀選以色列人，組成一支常備軍，隨時準備作戰，並安排他們駐紮在兩個不同的地方。他自己帶領一支人數較多的軍隊，他的兒子約拿單（這裏是第一次提及）則帶領另一支軍隊。跟著，**第3節**描述了第一次主要戰役的原因。非利士人因失去了防營，大感憤怒，遂派遣一隊裝備齊全的大軍進攻以色列境，意圖粉碎那細小的的以色列軍。以色列軍隊並沒有足夠的正規兵器（參22節），難怪他們許多人都逃走了。掃羅那2,000的軍隊縮減至600人（15節）。但掃羅有一個隱藏的優勢：他是執行從神而來的命令，而他對這命令的服從可扭轉這沒有盼望的頹勢。那命令就是往吉甲去，在那裏等候撒母耳（十8）。因此，掃羅便往吉甲去（4節），並留在那裏作準備（7節）。

十三8-14 撒母耳責備掃羅 掃羅到了最後一分鐘卻違抗了撒母耳的指示。現代的讀者會傾向同情掃羅，因為當時軍情緊急（他的士兵不斷逃亡），而撒母耳又遲遲未來。然而，明顯地撒母耳只是稍為拖延，而掃羅卻只等到約定的時間，便沒有再多等一會兒。掃羅並不是因為擔當祭司的職位而受責備，卻是為了取代撒母耳的位置。撒母耳答應（十8）要在作戰前獻祭，並指示掃羅在戰場上當行的事。但掃羅認為他可以免除這兩項。我們可能認為他所犯的只是微小的罪，但其中卻包含一個基本的問題：這位新王要順服先知還是要轄管先知呢？先知是代表神去說話和行動的，因此掃羅愚蠢的行動，證明他並不認為自己要受神的指示所約束。這行動所要付上的代價是，他的後裔不能繼任作王（14節）。神要把王位交給另一個人，一個合他心意的人。此話指的是大衛，他在第十六章會進入這歷史故事中。大衛不比掃羅潔淨無瑕，但他卻常常聽從先知的指示行事。

十三15-23　軍隊的行動　本段簡單地敘述軍隊在作戰前最後的調動。掃羅派他的軍隊前往基比亞，是要與約拿單的兵力結合（參2節），因而縱使以色列的士兵人數極少，軍備又不足，但至少他們是一支單一的軍隊。另一方面，非利士人卻把他們的軍隊細分，分3路進發（17節），而這顯然是他們戰敗的原因。

第19-21節　至此，非利士人都可以拒絕為以色列人製造刀槍，而以色列人若要磨利任何可用作兵器的工具，非利士人也會收取極昂貴的費用（21節，新國際譯本：「磨鏟和犁要三分二舍客勒，磨三齒叉、斧子和趕牛錐要三分之一舍客勒」）。相信以色列人最少也有弓和箭。

十四1-13　約拿單的功績　沒有人想到以色列人會得勝。因為前一章顯示他們處於極不利的環境，但有兩件事把這境況戲劇性地改變了。一是約拿單的勇氣，二是神要賜以色列人得勝的旨意。正如約拿單自己所說：「耶和華使人得勝，不在乎人多人少」。非利士人的確是未受割禮的，因他們並沒有這種風俗；但這話在此是指他們是在耶和華與以色列人的約以外。創世記十七章指出割禮是一種立約的記號。神會為祂的約民爭戰。約拿單的計劃得以成功，是因為他的行動來得很突然，而他又利用了山和谷之間一個極狹窄的有利位置。因此，二人可以擊殺「二十人」。

無疑約拿單必已告訴他父親（1節），但我們從**第2節**可見，掃羅對神的計劃和對約拿單的計劃，同樣一無所知。縱然有從示羅來的祭司亞希亞陪伴著他，但他好像全不知道所發生的事情。亞希亞正穿著以弗得，那是祭司的外袍，可提供尋找神旨意的方法（參出二十八6-30）。然而，掃羅好像並沒有嘗試去尋求神的旨意。

十四14-23　**第15-19節**描述非利士人在約拿單的突襲後的惶亂，及掃羅軍隊的疑惑。最後，掃羅作出了行動去求問神（18節），但由於情況發展急促，所以他又改變了心意。因此，聖經作者強調得勝的是神（15、23節）；掃羅也來追趕已在逃跑的非利士人，卻不知道正發生甚麼事情。

第18節　這裏提到「約櫃」，叫人感到希奇，雖然可能是以色列人把它從基列耶琳運來（七1-2），正如從前他們把它從示羅運往戰場一樣（四4-5）。似乎我們更應採取希臘文的版本，即這裏作「以弗得」而不作約櫃（參新國際譯本旁註）。我們從第3節可知，亞希亞正穿著以弗得，那是可用來尋求神旨意的工具。在希伯來文中，「約櫃」和「以弗得」兩詞極為相似，很容易混淆。

十四24-45　約拿單危在旦夕　這故事又有一個出乎意料之外的轉變。戰爭的背景一直延續至第46節，但從24節開始，只是談到掃羅、約拿單和他們的軍隊之間的事情。作者讓這3方面親自說話和行動，而對任何一方面都不作道德或宗教上的評價或審判。這給讀者帶來許多沒有答案的問題。掃羅起誓是合宜的嗎（24-28節）？約拿單公然批評這誓言是合宜的嗎（29-30節）？軍隊不理會這誓是對的嗎（31節）？掃羅加強了他所起的誓，並要處死一個無辜的人——他自己的兒子，這樣做對嗎（44節）？軍隊維護約拿單，因而違抗他們的君王，這樣做對嗎（45節）？也許我們不應發問這些問題。作者的目的並不是要按道德意義去解釋這事，而是讓我們更清楚了解掃羅這個人。

他表現得像一個衝動的人，一時衝動地起了一個愚蠢的誓言，並沒有想及後果。然而，既已起了誓，他便認真地嚴格履行誓約。他在吉甲已違抗神命（十三章），這次不願再受撒母耳的責備。因此，他小心地獻祭（33-35節），然後採取正當的步驟去尋求神的指引；換句話說，他是利用祭司亞希亞身上的以弗得來求問神（36、37、41、42節；並參3節）。找出了約拿單是那無意違反誓言的人後，掃羅便準備處死自己的兒子，也不願毀掉他們的神所起的誓。我們所得到印象，是一個完全不明白神心意的人。第37節說，「神沒有回答他」，而軍隊最後是把勝利歸功於約拿單和神，而不是掃羅。我們很容易會同情這個出於善意，但卻是衝動鹵莽的人，但這樣的人適合作王嗎？答案顯然是否定的。這樣，整件事件表明了兩件事：一、神可以讓以色列勝過更強大的敵人；二、掃羅的領導沒有多大成就。雖然他作王直至終老，但神已離開了他。

第41-42節 雖然我們不知道那神聖的工具怎樣運作，但我們可見，它確能解答直接的問題，並藉掣籤把人抽選出來。那工具分兩部分，稱為「烏陵」和「土明」。在這兩節的希臘文譯本中，這兩部分是明文說出來的（參新國際譯本旁註），也可參看出埃及記二十八章29至30節。

十四46-52 掃羅在任的概要 本章結束時概述了掃羅在位的情況，讓我們有較完備的資料。**第47節**指出這時威脅著以色列人的一些仇敵，有從東、從北、從西而來的。南面的亞瑪力人（48節）是侵略者，常侵擾在以色列境內定居的人。下一章便敘述掃羅抵禦他們的戰役。非利士人現已被趕逐離開以色列國境（46節），但他們卻沒有停止入侵和攻擊的行動（52節）。

第49-51節 所提及的掃羅的親人，後期大都進入這歷史場景中。**第52節**談及掃羅的常備軍；這支軍隊成為了大衛成功的基礎（十八2、5）。

十五1-35 掃羅最後被棄 作者在此詳盡地描述，目的是確定掃羅並不適合作以色列的統治者，並確定耶和華要棄絕他。掃羅透過撒母耳，從神得著明確的命令。他執行了部分的命令，卻認為不理會餘下的命令也無害。**第24節**指出他完全知道自己正在做些甚麼（並告訴我們他為何如此做），但他卻兩度撒謊（13、20節），假裝以為自己正在遵從神的命令。最後，他被迫承認真相，承認他曾犯罪，「違背了耶和華的命令」。結果是神最終要棄絕他，並且最後他與撒母耳關係破裂。

正如在第十三章一樣，現代的讀者很容易會同情掃羅，並非因為他的謊言，而是因為他希望拯救一個人的性命。因此，我們必須從開始便知道，掃羅並沒有任何人道的動機──這不是要討論的問題。正如聖經作者所見，問題是一個以色列的君王是否願意遵從神藉先知所給予的指引。**順服是最重要的德行**（22節）；**但掃羅卻顯出他的頑梗悖逆**（23節）。那些牲畜顯然引起了掃羅軍隊貪婪的心，無疑對掃羅也一樣。我們不清楚掃羅為何不殺亞甲，但可能掃羅見這樣做會在政治或經濟上有利，並且希望可以跟其他亞瑪力族的人定下一些協議。

亞瑪力人是以色列的宿敵（2節），而他們的生活方式對以色列人造成很大的威脅。他們有一些城，但他們大部分是過著遊牧生活的人，兇殘地搶奪擄掠農田和牲畜，尤其是在以色列南面的邊境。因此，他們的存在對以色列來說，是一種長存的威脅，對他們採取嚴厲的措施是必須和合宜的。亞瑪力人是犯罪的人（18節）。

以色列人奉神的名去「滅盡」亞瑪力人（3節），這種行為是以色列和鄰近國家偶然會實施的風俗。這種完全滅絕的宗教誓言並不常用，甚至在戰爭中也不常用，而使用這種禁令通常都有特殊的原因。請留意以色列人怎樣小心確保另一族人──基尼人──不會與亞瑪力人一起被殺滅（6節）。禁令中包括了牲畜，可見是包含著獻祭的意義；在某種意義上，殺人和殺動物，是把他們獻給神的一種方法。那些犯罪行惡的人必須滅絕，免得造成一種威脅，而他們和他們的所有，都藉著禁令的執行，呈獻給耶和華。違抗這禁令，是出於貪婪，而不是出於仁慈（9、19節）。

這樣一個故事的新約版本是保羅所談及的屬靈爭戰（弗六10-18）。保羅勸勉信徒要常常儆醒，因為貪婪、說謊和悖逆神，是每個時代的神子民都要面對的危機。

本章在歷史上的重要性是，它解釋了耶和華和撒母耳為何要棄絕掃羅。其在神學上的重要性可見於22、23和29節。第22和23節透視了順從神和敬拜神的相關價值。人常常誤以為他們只要按時上聖所（或教會）和獻祭（或唱詩讚美神），神便會不計較和饒恕他所有的罪。好幾位舊約先知都要攻破這種推論；阿摩司甚至形容神「厭惡」、「不悅納」人的節期、嚴肅會和獻祭（摩五21-24）。同樣地，我們會以為拜假神是違抗神的最可惡的罪；撒母耳說，悖逆頑梗也與這罪相同。

第29節告訴我們，**神必不至說謊**（不像掃羅），**也決不後悔**（或作改變心意）。**神或許會由於憐恤人而拖延懲罰，也給人有機會去悔改；但祂決不會在祂的計劃上改變心意。神決意把以色列的未來交給一個更適合的人──大衛**（28節）。稍後，讀者無疑會在很多不同的情況下，看見神給人應許（並且那是真實確切的應許），因而得著安慰與確

據。

　　本章以一句不愉快的話來結束：撒母耳為掃羅悲傷，耶和華後悔立他為王。第十六章告訴我們，神怎樣開始以另一個人取代掃羅。

十六1至三十一13　掃羅與大衛

　　撒母耳記上餘下的篇幅是敘述掃羅與大衛的關係。撒母耳膏立大衛作下一任的以色列王後，便悄悄地從幕前退下去。雖然神容許掃羅在有生之年繼續作王，但卻已把他棄絕了。神把以色列的未來交給了大衛，但他當時仍很年輕，沒有經驗。這部分描述神怎樣為大衛未來的工作而裝備他，在每一次險境中都看顧他，並向以色列人展示大衛是祂揀選的人。

十六1至十七58　大衛進入宮廷

　　大衛理應進入王宮，但掃羅絕不會歡迎他入宮作候任的繼承人。這兩章經文告訴我們，大衛本身的才幹怎樣使他侍立掃羅之側。

十六1-13　大衛的膏立　　作者在這裏也明顯地用了一些說故事的技巧。雖然大衛是這故事的焦點人物，但作者留到最後一節，才說出他的名字來。從這一章開始，直至撒母耳記下為止，大衛都是故事的中心人物。本部分的主要目的是說明大衛由神所揀選，由撒母耳膏立。大衛並不是一個冷酷無情，充滿野心，要爭權奪利的人。即使當他年紀還小，負責卑微職務的時候，他已是神親自揀選的人。就是撒母耳也會選擇另一個人作領袖（6節）！撒母耳負責膏立大衛，舊領袖帶出新領袖，那是重要的。這行動使以色列中的領袖職分得以延續。這也是證明大衛將要作王的一個客觀證據，縱然見證的只是少數和私下的一群人。一個先知也許暗自聽見神的呼召，但一個被揀選作王的人，必須不只聽見內在的呼召聲音，因為這樣會叫別人存疑。

　　在**第7節**道出了神揀選人的一般原則。似乎以色列人期望他們的領袖身材魁梧、樣貌俊美（7、12、18節；九2）。較有智慧的以色列人會尋求內在的品質，而第7節證明神也是這樣做。在大衛的內在品質之外，神再加上

一點──「耶和華的靈就大大感動」（13節）。大衛從耶和華得著這種恩賜，且不比在他以前的眾士師和掃羅為弱；作為一國一族的領袖，那是十分重要的。在這舊約的處境中，耶和華之靈的功用是裝備人作軍事上的領袖。

　　第2、4、5節提醒我們，掃羅仍然是王，是一個要敬畏的人。純粹從政治的角度看，撒母耳膏大衛的行動足以構成叛國罪，因而他被迫要祕密進行，甚至要作某種欺瞞。

十六14-23　大衛被召入宮　　本段與第十七章指出大衛兩種不同的才幹，怎樣叫掃羅留意他，並使他自由出入王宮中（十八2）。他第一種才幹是彈琴，第二種是軍事上的能力──那是需要時間去發展的。本段集中在他音樂的恩賜上，但也稍為提及他軍事上的技能。當時的背景是非利士人偶而進侵，掃羅必須往農莊徵召人出去與敵人作戰。因此，大衛有時候會為父親看羊，有時候又需要跟非利士人作戰。他在戰場上的才能不一定會使掃羅注意他，反而是他彈琴的技巧，使掃羅召他進入王宮。

　　第14節初次指出自此困擾著掃羅的問題。擔當以色列的君王並不是一件容易的事，因要面對非利士人持久的威脅，而以色列的合一和支持又不一定存在。撒母耳對他的拒絕必也使他王位不穩固，心緒不寧。因此，聖經說他受著從耶和華而來的惡魔所擾亂；我們不應以此為邪靈附身。聖經作者指出的要點是：大衛（未來的君王）得著了耶和華的靈，因此掃羅（被棄的君王）失卻了這靈；神控制著這些事件，以致掃羅的失落使他需要音樂來舒緩，而掃羅的臣僕給他引見了大衛。這樣說來，掃羅的「惡魔」──他不安的心靈──是在神的轄管之下。

　　大衛成為君王的第一步，就是進入王宮，認真地服侍現任的君王。我們有足夠理由相信，大衛後來必是忍受了許多充滿敵意的傳言，指他在掃羅在位時，一直是一個密謀叛國者。因此，像第十六章的經文便強調了大衛對掃羅的忠心和善意。

十七1-11　非利士人的挑戰　　背景從平靜的王宮轉移至一個新的戰場，在猶大的梭哥附近──換句話說，非利士軍隊又作出一次新

的侵襲，掃羅需要去迎戰。也許由於先前的戰敗，非利士人這次用了一種不同的戰略。他們派出了一名「討戰的人」（4節），並要求以色列也派出一名鬥士，前來與他單獨對壘。在這種一對一的格鬥背後是一個理論，相信諸神或較強的神，會給他們揀選的人得到勝利。這樣，他們毋須損失許多生命才能贏得勝利。按著歌利亞的身高、威力無比的武器和堅固的盔甲，非利士人顯然不懷疑他們會落敗。我們需要留意，即使是掃羅——故事開始時也曾強調他魁梧的身材（九2，十23）——也沒有勇氣接受挑戰；他也感到驚惶和害怕（11節）。掃羅這就顯出他缺乏領導的能力：以色列人需要一個新的戰士去帶領他們與敵人作戰。

十七12-30 大衛來到戰場上　大衛再次返回故事中。**第12-19節**解釋，歌利亞首次發出挑戰時，大衛為何不在以色列軍隊中，而他又為何在「四十日」後才來到。作者要我們明白，是神掌管著這些事件。大衛並不是以勇士的身分而來，那是明顯的（第十七章的事件可能是在十六章21節之前發生的）。**第25節**十分重要，因為它解釋了大衛何以在以色列中居於顯要的地位，並且為十八章17節奠下了基礎。然而，這節跟第26節卻成了強烈的對比。大衛決定迎戰歌利亞時，並不是為了自己的財富和榮耀，而是希望榮耀神，並除掉「以色列人的恥辱」。大衛顯出他自己是一個適合作以色列領袖的人，跟當時驚惶失措的掃羅，和他自己那些好爭吵的兄長有很大分別。

十七31-40 掃羅面見大衛　掃羅和大衛之間這段對話，指出了大衛的勇氣和他對「永生神」的信心，因而再次證實他有適合作領袖的條件。掃羅大可以表現出相同的信心和勇氣，但他卻沒有。聖經表示掃羅把他的信心放在軍事的經驗和堅固的盔甲（「戰衣」）上，因此他的態度跟歌利亞沒有多大分別。當然，作者並沒有否定，在戰爭中經驗和裝備是重要的；但事實上，只有神能在這獨特的處境中使大衛得勝。

十七41-58 大衛的勝利　決鬥就這樣進行。對歌利亞來說，那是一次勢力懸殊的比賽，

他看見一個顯然沒有任何裝備的年輕人上前來的時候，感到那是一種侮辱。然而，讀者卻早已知道這次確實是勢力懸殊的爭競，因為大衛的神正在掌管這事。作戰雙方分別發言，那在一對一的格鬥中是合宜的，而兩人都提及了自己的神。歌利亞只能指著「自己的神」，發出咒語，但大衛的神並不是某一族的神祇，而是「普天下的人」都要認識的神。「耶和華使人得勝」（47節）是整本聖經的鑰句；按著上文下理，大衛不是指自己的得勝（從死亡中得拯救），而是以色列人從非利士人的轄管中得釋放。

大衛戰勝的結果帶來廣泛的勝利，非利士人被逐出，直至他們自己的城迦特和以革倫。大衛把他們趕出以色列境外。這場戰役的紀念品包括歌利亞的頭，大衛後來在征服耶路撒冷後，把歌利亞的頭也拿到城中（撒下五）。

最後一段（55-58節）引起了許多爭論。學者往往解釋說，掃羅並沒有認出大衛，或對他一無所知。若是這樣，便與十六章14至23節互相矛盾。學者大概同意第十七章與第十六章的資料來源不同，但那並不需要下結論說，第十七章反映一種傳統說法，指掃羅和大衛以前從沒有見面。單從第十七章看，我們已知道兩人在大衛迎戰歌利亞之前，已經互相交談過，因此，掃羅至少也知道大衛的名字。事實上，掃羅向押尼珥發出的問題並不是針對大衛，而是針對他的家庭；可能因為掃羅這時要履行諾言，把女兒嫁給大衛（十七25）。因此，他必須盡量查出這人的背景，因為他即將成為皇室中的一員。

十八1至二十42　大衛與約拿單

雖然本段是涉及大衛與掃羅之關係的一部分，但其焦點卻是集中在約拿單過於在掃羅身上。**聖經作者這樣詳盡地描述這段人所共知的友誼，當中有特別的目的。他要指出，大衛要取代的王位繼承者，正是他的摯友。**這故事否定了後來一些謠傳，指大衛一直是約拿單的死對頭。最後，是非利士人把約拿單殺了，當時大衛正在遠方（三十一章）。在此之前，約拿單自己也承認大衛是以色列未來的君王（二十三16-18）。

十八1-9 掃羅的嫉妒　大衛打敗歌利亞後，

即時帶來的結果是他在宮中取得一席位，並且作了「戰士長」。約拿單早期的出戰也曾為以色列帶來勝利，他並沒有嫉妒宮廷裏這位新貴；相反地，他很快便與大衛結成莫逆之交。他這樣對待大衛，似乎顯示他看得出，大衛比他更有才幹，更適合作以色列未來的領袖。

掃羅卻為了一個微不足道的原因，對大衛產生了嫉妒。那使他發怒的歌曲，並沒有指大衛比他優勝的含義；歌中的數字並不是確實的數字！相反地，那歌曲是頌讚大衛和掃羅組成了好夥伴。即使如此，我們即時可見，大衛的成功和受歡迎程度，足以使他成為掃羅的對手，若他要與掃羅較量的話。掃羅的恐懼是不適當的，但也並非沒有理由。

十八10-30　掃羅意圖殺害大衛　掃羅嫉妒的心不久便付諸行動；他用了各種不同的方法，想要殺死大衛。他第一次的行動是很衝動的，當時他並不能完全控制自己（10-11節）。他不是真的「說預言」（新國際譯本），但說他「胡言亂語」（修訂標準譯本及和合本可能又誇張了）。

第12節指出了掃羅懼怕大衛的原因，那是值得留意的。掃羅看見「耶和華……與大衛同在」，換句話說，他看見大衛在各項工作上都很成功。他看見大衛的成功，知道那是神所賜予的，但他以為他可以結束這處境，以為他有能力使神的計劃落敗。因此，本章描述掃羅設計使大衛被殺的計謀。若大衛如掃羅所想望的，在對抗非利士人的戰場上被殺，就不會有人責怪掃羅了。但由於耶和華在這些事件上確實與大衛同在（28節），所以掃羅的計劃注定是失敗的。從掃羅的角度看，他的境況愈來愈壞；他那年輕的對手不但沒有戰死沙場，而且還聲名大噪，並娶了公主米甲為妻（27節）。大衛何以不要米拉為妻，我們並不完全了解其原因（17-19節）。大衛對王的好意作出謙虛的回應（18節），只是平常一種客套的表現，並不是拒絕娶米拉為妻，同樣在第23節的話，也不表示拒絕米甲。掃羅把米拉嫁給別人，可能只是出於衝動的決定，否則就是刻意要羞辱大衛。

在這幾章聖經中，掃羅的角色變得愈來愈醜惡。相反地，大衛卻沒有作出任何傷害或出賣掃羅的行動；從掃羅的家人對大衛的愛可見一斑（28節，十九1）。**掃羅常作大衛的「仇敵」**（29節），**大衛卻從未作掃羅的仇敵。**

十九1-10　大衛的逃亡　掃羅多次希望大衛戰死沙場，卻是落空，於是他吩咐自己的臣僕去殺大衛。掃羅這樣做，使大衛落在一個新的，而且極其危險的處境當中。約拿單可以選擇怎樣做：他可以按著父親的心意，協助他把大衛殺死；他也可以盡力改變掃羅的心意和態度。約拿單採取了第二個行動，證明他相信大衛不是他的仇敵，也不是掃羅的仇敵。掃羅不得不同意他的說法，甚至起誓不殺大衛（6節），這又進一步證明大衛不是一個叛國者。這樣，我們再次看見聖經作者怎樣為大衛的人格辯護。

然而，掃羅又再一次失控，竟用槍刺向大衛。大衛現在已沒有別的選擇，只好逃亡了。

十九11-24　大衛的流亡　掃羅殺大衛的心意已決，他不再嘗試隱藏這心意。約拿單在本章開始時，曾拯救大衛逃過死亡，現在則是掃羅的女兒米甲拯救他。她為了救大衛，不惜說謊和欺詐，但本段卻沒有責備她的話；作者較著重指出大衛的逃亡是如何險峻。本段也指出，掃羅自己的兒女，竟隨時準備採取任何行動去保護大衛，免受他們父親所害。大衛家中竟有一個神像，這事令人感到詫異。譯作「**神像**」的希伯來文大概指一種家居的神，但可能它跟敬拜耶和華有關的；聖經肯定沒有任何暗示，指大衛因曾有敬拜別神的罪。

在這幾章聖經中，我們看見大衛不只一次作出一些在道德上有問題的事。例如，在第二十一章，他因說謊和欺詐而有罪；在第二十五章，他因意圖謀殺而有罪。明顯地，聖經不是要把他高舉為一個典範。聖經作者只是強調他處境的困難，並且指出，在他所遇到的各種困難中（雖然他有過失），神都看顧著他。

大衛欲向撒母耳——曾膏立他作王的人——求教，是很自然的事（十六章）。然而，本段沒有提及他們的談話，卻是強調先知能力的本質。正常來說，「神的靈」給人能力去達成或說出神的旨意。在這種能力下

——在某程度上，那是傳染性的——掃羅的士兵和後來掃羅本人，都「受感說話」。但那情況下，這經歷沒有給他們能力，反而把他們的能力奪去。掃羅的王者尊嚴確實也會被奪去。他自己把君王的外袍脫去，就蘊含這象徵的意義。我們又再讀到十章11節那嗤笑他的俗語，而這次的嘲弄，正配合他的境況。

明顯地，這裏的「**受感說話**」，並不是我們一般所謂的「說預言」。「說預言」的希伯來字（即這裏翻譯為「受感說話」的那個字詞），在某些經文裏，可指不正常的狂呼亂叫（參王上十八29）。神有能力的同在，可以在不同的境況下，有不同的效果。

二十1-17　大衛請教約拿單　經過一連串的事件後，我們不會預期大衛想到要返回宮中。然而，他是宮裏一個重要的人物，甚至掃羅也可能希望保持王宮正常的運作。顯然大衛若在節期（「初一」）裏不在宮中，必會引起公眾的議論，也許還會造成一些尷尬的氣氛（5-7節）。大衛身處險境並不是一種幻覺（3節），但他覺得他有權要求公正的審判：他犯了甚麼罪呢？約拿單從一個頗為不同的角度看這事，希望從最好的方面去著想，並且說服大衛說，他沒有即時的危險。

本段的重點可見於**第14-17節**。實際的情況是大衛面臨危險，約拿單可以施以援手，但這幾節經文卻關乎大衛將來給予約拿單的幫助。一段簡單的友誼不需要正式立約結盟。然而，約拿單和大衛都是以色列中的重要人物，而兩個家族，即掃羅家和大衛家（16節），會因政治而出現屠殺，甚至其中一個家族被完全殲滅。這就是他們立約的重要之處。在本章的事件後，約拿單和大衛便很少見面了，而他們彼此的誓言，這時就尤為重要。**第17節**再次強調大衛和約拿單彼此深刻的愛顧。（近年指大衛和約拿單是同性戀的說法，是完全誤解了聖經，**聖經作者所強調的，在於指出大衛並不是掃羅或掃羅家的政敵，而約拿單對大衛也毫無畏懼或猜疑**。）

二十18-42　大衛的道別　約拿單給大衛作詳細的指引（19-22節）是有需要的，好讓他能在沒有人看見他們交談之下，給大衛一個信息。明顯地，約拿單甚至不要讓他的童子僕

人（21、39節）知道他與大衛相見。若掃羅是定意殺大衛，則約拿單有任何與大衛交談的跡象，也會看為叛國。這樣，甚至連約拿單也會因掃羅的憤怒而性命不保。在事件中，約拿單成功地跟大衛作最後一次私下的交談。

掃羅清楚地看見一件事：除非把大衛除掉，否則約拿單永不能繼承王位（31節）。父子兩人不同之處是，約拿單接納這事實，但掃羅現今卻是極度憎恨大衛。我們可以推想，掃羅會利用這節期，作為再一次直接擊殺大衛的機會。那節期是一個國家慶典，王宮裏的要員若缺席，每個人都會留意到；雖然在古以色列，因種種不潔的理由而缺席是常有的。許多有關不潔的條例可見於利未記十一至十五章。否則，一位重要人物的缺席是可疑的。即使是君王的兒子，也要獲得批准才可缺席（參撒下十五7-9）。

二十一1至二十六25　大衛的逃亡

二十一1-15　大衛在挪伯和迦特　本章的重點是證明大衛正瀕臨絕境，十分危險。他全然孤單（1節），身上也沒有武器，而他的處境也會令人懷疑；一名猛將通常會有隨員在旁。大衛沒有別的選擇，惟有編織謊話。聖經作者並沒有贊成他這樣做——事實上，大衛自己也為其後發生的事，承擔罪責（二十二22）。然而，作者並沒有因此譴責大衛；他完全了解大衛所面臨的困難。無疑地，大衛的仇敵後來是為本章所記載的兩件事而責怪他。大衛前往挪伯，結果導致許多虔誠的人被殺（二十二18），而他往迦特去（10-15節），則像是一個賣國賊的所為，因為亞吉是非利士人的王。因此，作者首先解釋說，雖然大衛確曾欺騙祭司亞希米勒，但他並不知道其後所發生的事。問題是由掃羅的官員多益（7節）所產生的，當時他正在那裏還願。

其次，作者解釋說，當大衛越過邊境到迦特去，他是希望沒有人會把他認出來的。當他被認出，便惟有愚弄非利士的王。他顯然不受非利士人尊重，因為非利士人只會歡迎一個背叛掃羅而且有才幹的軍人。他若不是裝瘋，他們至少也不會讓他返回以色列去。

二十二1-5　大衛得到支持　在第二十一章，

大衛是一個孤單的逃亡者，落在極大的危難中。從迦特返回以色列境後，他不久便吸引到一些支持者。他的家人來找他，不是為了支持他，而是為他們自身的安全，而大衛不久便安排雙親往外地去，遠離掃羅的爪牙。他的跟隨者是一些不受法律保護的人，像他自己一樣，而他們的數目可組成一隊小型的軍隊。在掃羅眼中，他們無疑是背叛者和賣國賊。我們應怎樣看？聖經其後會說明，大衛從未使用這軍隊去攻擊掃羅或以色列的軍隊，但這是後話。大衛另一位支持者是一位先知，名叫迦得；我們可以看見神的手在作工，在給予大衛指引（5節）。這樣，神確實仍與大衛同在。這位成功的將士成為了一位成功的逃亡者。他遷往猶大是聰明的做法，因可遠離掃羅的首都。猶大是大衛所屬的支派，他期望一些猶大居民對他有好感，是合理的。

二十二6-23　挪伯的屠殺　這時挪伯是一個主要的聖所。在第四章，非利士人戰勝後，示羅的聖所便被毀，而挪伯可能自此代替了它的重要地位。挪伯的大祭司亞希米勒，是示羅之以利的孫子。掃羅竟不理會亞希米勒有理的辯護（14-15節），在如此重要的聖所屠殺這麼多的祭司，實在叫人驚訝。本章指出，掃羅至此已對每一個人都產生懷疑，包括約拿單（8節）。他以為有人要謀反，而事實上並沒有。我們要留意，他的臣子也拒絕遵從他的命令（17節）。

掃羅在挪伯施行的殘暴，帶來了他不能預見的後果。一個從大屠殺中逃出來的人，是亞比亞他（未來在耶路撒冷任大祭司的）；他沒有別的選擇，惟有投靠大衛。這樣，大衛在先知迦得以外，又取得了祭司的支持。

二十三1-14　大衛在基伊拉　這部分把人的力量與神的轄管作了一個強烈的對比。無論大衛或基伊拉城中的人，都不能敵擋掃羅皇室的力量。本章指出大衛被迫一而再地向南遷，前往較荒蕪的地帶。基伊拉的居民也許對大衛十分友善（他們也是猶大支派的人），但他們不敢冒犯掃羅，招來報復。所有人都必已知道掃羅怎樣對付挪伯的人。但縱使基伊拉人已準備把大衛交給掃羅（12節），他們

也必對大衛仍心存感謝，因大衛剛救了他們脫離非利士人的傷害（5節）。這到後來對大衛仍是有用的。

那麼，從人的角度看，掃羅有很大的力量；但真正控制著這些事件的是神，祂特別透過亞比亞他和以弗得，在大衛有需要時，給予引導（6節）。這樣，大衛知道何時要往基伊拉，何時要離開，並如何逃過掃羅的手（14節）。神容許所有人和群體有完全的行動自由，但祂控制著事情的發展，以致祂的旨意得以達成。大衛再次逃過掃羅，並能為一個以色列人的城服務；他這行動在多年以後仍被記念。掃羅顯出他並不適合作王，因為他攻擊了自己的一個城；大衛則已經執行王的任務，打敗國家的敵人──非利士人。

二十三15-28　大衛在西弗境內　在西弗城附近是曠野地（14節）。在這樣的地勢裏，很容易便可以躲藏起來，但要養活600人的軍隊，卻並不容易。自二十二章1節以來，大衛軍隊的人數已增加了。這可能解釋了西弗的人為何這樣敵視大衛；他們也視他為威脅他們糧食供應的人。因此，他們願意幫助掃羅去找出大衛的所在，但神再一次加以干預，而這次是利用非利士人去達成祂的目的（27-28節）。

這裏有一個戲劇性的諷刺，就是雖然掃羅和他的軍隊找不到大衛，但約拿單卻是不費吹灰之力便找到他。無疑大衛是設置了哨兵，他們為約拿單引路去見大衛。約拿單探望大衛的主要目的是叫大衛安心。在更新他們所立的約時，約拿單再一次表示願意臣服於大衛；換句話說，他放棄了作儲君的身分。約拿單早逝，不能守這諾言，但聖經作者用了約拿單的應許，來指出約拿單與大衛之間常存的善意。大衛沒有從約拿單奪去甚麼，而約拿單也沒有甚麼捨不得給大衛的。

二十三29至二十四22　大衛與掃羅在隱基底相遇　第二十四章的故事記載了大衛逃亡時一件戲劇性的事件。這戲劇叫我們留意到大衛和掃羅一些重要的事情。在故事中幾個不同的時候，兩人都有機會把對手殺掉。兩人都受良知驅使，並沒有作出這樣殘暴的行動。大衛必曾受引誘，要殺害那追殺他的人，尤其是當他自己的士兵催促他這樣做。

但他的良知把他按下來;他甚至為了輕微損壞掃羅的外袍而自責。至於掃羅,當大衛突然跟他說話,他看見大衛完全在他的掌握之中,因大衛被困在洞裏;但大衛的話激起了他的良知。因此,兩人所說的話是尤其重要的。大衛向這樣一位君王表達極高的敬意。我們知道,掃羅已被耶和華棄絕;但他仍然是王,是那藉撒母耳被耶和華膏立的人(6節)。大衛聲言,沒有人可以攻擊以色列的君王。

掃羅誠懇地承認他以惡待大衛,而大衛則從未以惡待他。展望未來,他指出大衛將要作王。

經文在這裏再一次為大衛辯護,免得後來有人指責他對掃羅和他的後裔(21節),心懷敵意。**本章清楚指出,大衛不但饒了掃羅的命,而且還嚴肅地起誓,答應不剪除掃羅的後裔。**這裏強調大衛的話,指君王的身分與性命是神聖的,目的也許是訓誡後來那些欲殺害王和叛變的人。

二十五1-11 拿八的敵意 撒母耳的死(1節)表示一個時代的結束。他比大衛——他所膏立(十六章),並實際上已作主的人——先離世;但至少掃羅現已知道大衛是下一任的君王(二十四20)。撒母耳的工作已結束。

縱然掃羅曾表示後悔(二十四16-21),但掃羅與大衛之間,已不可能有真正的和解。大衛仍與他大夥的跟隨者留在猶大的曠野地區。掃羅不久又再發動攻勢,要追捕大衛。這時,大衛每天要為他的跟隨者提供飲食;本段指出這是不易為的。他嘗試取得像拿八這樣的富農的支持和供應,方法是協助他和為他逐出侵略者(如亞瑪力人),然後尋求他慷慨的扶助。顯然有別的農戶是欣然幫助大衛的,但可能有些只是勉強地提供幫助;拿八本性是「剛愎兇惡」的人(3節),因而斷然拒絕了大衛的請求。理論上他是有權這樣做的,而他指大衛是一個悖逆「主人」奔逃的「僕人」,也離事實不遠。然而,讀者知道大衛並沒有悖逆掃羅,而且神已揀選大衛作以色列的王;因此,拿八是完全不認識神的計劃的。

二十五12-35 亞比該的干預 大衛向拿八發怒,是可以理解的;我們也可感到他在尋找食物供應方面存著一種不顧一切的態度。然而,拿八的行動絕不能使大衛謀殺的動機合理化。這故事顯出,大衛有時也可以是冷酷和殘暴的,但神仍控制著各項事件,並防止大衛行惡事。神所使用的人不是先知,也不是祭司亞比亞他的引導,而是大衛要殺害之人的妻子。亞比該是一個聰明的婦人(3節),這絕對不是一件巧合的事;她不但看見了危險,而且還馬上作出有效的行動去防止悲劇的發生。**她跟大衛說的話,提醒了大衛,那膏立他作王的神,必也保護他和照顧他的需要。因此,大衛不需要施行殘暴和心存報復。**

亞比該的話存著一個神學信息,從神的角度去解明大衛的立場。我們可以說,她的信息從人的角度看,也是很有道理的:大衛若攻擊一個猶大的農戶,將來他便極可能會失去猶大支派的支持。

二十五36-44 大衛的婚姻 故事的結尾提到拿八的死,隨著是大衛娶了寡婦亞比該為妻。從人的角度看,拿八是死於自然的,但作者指出了普遍的真相說,人的生死都在神的手中。我們可以肯定,拿八的鄰舍也有此信念,並且留意到神可能會懲罰任何對大衛存敵意的人。因此,拿八的死可能幫助了大衛達成他的計劃。

直至現在,掃羅的女兒米甲是大衛唯一的妻子(十八27)。掃羅把她嫁給了另一個人(44節)。這行動顯出了掃羅對大衛的恨惡;這也是一個政治上的行動,意思是使大衛失去作為掃羅女婿的身分,不能因而登上王位。當時政治性的婚姻是很普遍的,而大衛娶亞比該和亞希暖(42-43節)為妻,是為了跟猶大中一些有影響力的家族拉上關係。他將來得以作王,會是由於得著猶大支派的支持,而不是由於現存皇室的支持。作者沒有明說,但他顯然看出大衛娶亞比該,是神為他安排的計劃。

二十六1-25 大衛在掃羅營中 這故事的要點跟第二十四章的要點相同。掃羅帶著軍隊進入猶大,為了追捕大衛,並且幾乎把他擒拿;大衛有機會把掃羅殺死,但他卻寧願跟他談論,而掃羅又承認他曾惡待大衛。有些故事情節跟第二十四章十分相似,例如西弗

人所扮演的角色（1節）。然而，許多別的細節是完全不同的。在這故事裏，大衛並不像在二十四章，是無意藏在洞裏，而是刻意到掃羅的營中來。押尼珥在這故事中扮演一定的角色，但在第二十四章則沒有出現。然而，有些學者認為兩章聖經都在描述同一個事件，只是用了不同的手法。重要的問題是，聖經作者為何要述說兩個如此相近的故事呢？答案可能是他想加強第二十四章的重點。以色列人相信雙重的見證（申十九15），**這裏大衛第二次抗拒了引誘，拒絕傷害「耶和華的受膏者」（9節）；掃羅也是第二次承認他的過錯（21節），並說出大衛會有光明的未來（25節）。**因此，作者是再次強調大衛拒絕對掃羅作出任何傷害，並且掃羅（在較理性時）把問題全歸咎於自己。

這故事中一個新的要素，在於大衛在19節所說的話。本節遙指下一章，當時大衛無奈地要離開以色列地，逃往非利士人的境內。大衛的仇敵後來指大衛是背叛以色列的，指他甚至曾敬奉非利士的假神。**第19節**並不是指大衛實際曾敬拜非利士人的神，但卻叫我們留意，在外邦地區裏，並沒有敬奉耶和華的殿，叫大衛可以敬拜真神。因此，大衛是指出他極不願意離開以色列邊境，以致他咒詛那些要為此事負責的人。

第21節掃羅稱自己為糊塗人，正如亞比該因她丈夫敵擋大衛而稱他為愚頑人（二十五25）。兩字在希伯來文中是不同的，但意思卻是一樣。所有對抗神計劃的人，最終只會顯出自己是愚頑、糊塗的人。

二十七1至三十31　大衛在非利士境內

這是大衛的建國大業中最艱難的時期。大衛既不能留在以色列境內，便惟有投靠一個非利士王。大衛帶著一隊細小的軍隊，而非利士人顯然不會歡迎以色列軍，除非他們可以跟本國的以色列人作戰。大衛的軍兵有一個優勢，就是以色列王掃羅顯然是他們的敵人。大衛要令非利士人相信，他和他的軍隊會繼續跟掃羅和全以色列為敵。然而，大衛當然不希望攻擊以色列人，而他若這樣做，就永不能作以色列的王。因此，他在軍隊的糧食和財政問題之外，又要面對一件十分艱難的事。但他成功了，因為神仍然「與他同在」。

二十七1-12　大衛與亞吉王　大衛又再僅僅逃過掃羅的追捕，這證明他不能無止境地逃避緝捕和死亡。他那600人的軍隊不能長期隱藏起來。我們可以想象，他們必不受中立國家或掃羅的同盟所歡迎。大衛唯一的希望，就是投靠掃羅的仇敵非利士人。因此，他返回迦特去——他先前曾短暫到訪這地（二十一10-15）。這次他得到非利士王亞吉的禮遇，得到洗革拉作住宿之地。我們在這非利士人的決定中，也看見神的控制和干預。洗革拉鄰近以色列邊境（參第238頁的地圖），而亞吉期望大衛會攻擊猶大的以色列人。然而，洗革拉也接近另一個邊界；在洗革拉南面，住著幾個部落，他們是以色列人和非利士人的仇敵。這是大衛可以攻擊猶大的仇敵，叫猶大人得益處的機會，而同時又可瞞騙亞吉。亞吉可以親眼看見從戰爭擄掠的物品，但他沒有猜測戰利品從何而來。大衛也可利己，因為這些戰利品能供應軍隊食物和生計。

大衛明顯有這種抓緊機會的技巧。從基督徒的觀點看，我們不能稱讚他使用欺詐手段，也不能為他殺盡敵方的男女而讚許他。本段當然不是要稱讚欺詐和殘暴。基本上，此處是要指出大衛處於何等困難的境況中——這是由掃羅造成的困境。這也顯出大衛決心不作任何傷害本國人的事，只會作任何可行的事去幫助他們。他的首要職責是幫助以色列，而他沒有感到要向以色列的敵人負責任。

二十八1-25　掃羅求問靈媒　事件此時開始進入高潮。撒母耳記末後數章談及一件主要的事件，就是以色列人和非利士人之間的一場大戰，其間關乎3方面的行動和命運——掃羅與以色列軍隊、非利士軍隊，以及大衛和他那細小的軍隊。非利士人發動這些事件，他們把兵力集合成一隊勁旅（1、4節）。以色列人和非利士人之間的戰役，多在以色列的南部展開，但這次非利士人改變了戰略，集結在北部的書念。他們大概是要把以色列分割成二，把掃羅和北方支派分割開來。無論如何，掃羅不能忽略這威脅，而似乎他被迫要在平地上作戰；非利士的戰車在平地極之有利（通常以色列人可以在山區作戰，因戰車在山區沒有多大用途）。因此，以色列處於

一個危險的境地，而掃羅亟需尋求軍事意見。雖然故事是以個人為主幹，但我們必須知道，掃羅是以色列王的身分，而不是個人的身分，去尋求指引。但作為以色列王，他得不到先知的幫助。**第6節**提到3種尋求耶和華旨意的方法；「**烏陵**」指祭司的以弗得（參十四37）。掃羅不能再請教撒母耳，因他已經死了，除非他藉靈媒來求問他；但掃羅自己已把所有靈媒趕出國土。舊約律法不容許人求問死人（通靈術；參利十九31；申十八9-14），而掃羅曾厲行這些律法。現在他要求問靈媒，並且要遠赴北方的隱多珥——往非利士營那邊——可見他正落在極度的困境中。

聖經作者在這裏不是要攻擊或嘲笑通靈術的做法；他只是在描繪掃羅的不顧一切和耶和華堅決的旨意。無論是神容許撒母耳再現，或一些靈體以撒母耳的形象出現，對掃羅來說，他是看見撒母耳和聽見撒母耳的聲音。這聲音重複和確證耶和華要棄絕掃羅而揀選大衛。**第19節**又提出一個新的預言，是關乎翌日戰爭的結果。

故事目的是強調掃羅的無望——並指出他怎樣低沉，當時即使罪犯也幫忙安慰他。按著掃羅的律法，那婦人是一個罪犯。本章當然不是認可通靈活動；神的指引從來不會是從通靈而得的。

二十九1-11 非利士人與大衛　我們在第二十八章已看見掃羅如何無助，而他的處境也沒有盼望。雖然處境不同，但大衛似乎也同樣無助，只可指望非利士人仁慈的決定。他的軍隊太小，不足以跟非利士人作戰，而他也不敢違抗命令；他唯一的希望是繼續欺騙亞吉。若亞吉說服了其他非利士君王，相信大衛是忠心和可靠的，則很難估計大衛會怎樣做。然而，其他非利士王駁回了亞吉的決定。他們認為大衛的軍隊在戰場上可能會改變立場，這樣便會使非利士人戰敗，那顯然是危險的（4節）。他們也記得大衛是一位聲望極高的戰士，以色列的婦人曾唱歌頌揚他（5節；參十八7）。作者並沒有明說，但他讓讀者去作出結論說，神真的推翻了亞吉的決定，把大衛從一個不可能面對的處境中拯救出來。

第1節這插曲在亞弗發生，在非利士人北

上書念安營之前（二十八4）。換句話說，第二十九章的事件是在第二十八章的事件前發生的。**第6節**亞吉在此指著以色列人的神起誓，大概因為他是跟一個以色列人講話。他在**第9節**所說的「**神的使者**」則較不明確；那可能是一個慣常的說法。本段並沒有暗示亞吉敬奉耶和華。**第11節**以色列的軍營已在耶斯列（1節），因此本節是暗示戰役的開始。

三十1-17　大衛擊敗亞瑪力人　故事隨著大衛向南走，返回大衛在洗革拉的總部，而基利波之役則留待第三十一章再詳述。作者給予這樣的細節，目的是強調戰役進行時，大衛和跟隨的人與非利士的軍隊相距極遠。我們可以想象。大衛的仇敵後來散播謠言，說大衛和跟隨的人曾幫助非利士人擊敗掃羅的軍隊。相反地，本章指出掃羅與非利士人的戰役進行期間，大衛正在攻擊以色列人的仇敵亞瑪力人。

這故事的另一個重點是，那敵人是亞瑪力。第十五章曾記載掃羅沒有消滅亞瑪力人，而他們一直是威脅著以色列的人。那是耶和華棄絕掃羅的緣因。現在在第三十章裏，作者描述大衛正在進行一件應已由掃羅做完的事。

大衛簡略的家譜

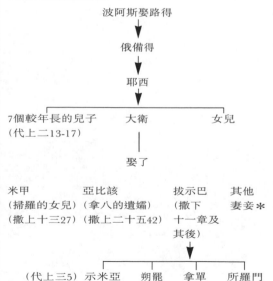

波阿斯娶路得
↓
俄備得
↓
耶西
↓
7個較年長的兒子　**大衛**　女兒
（代上二13-17）
↓
娶了

米甲	亞比該	拔示巴	其他
（掃羅的女兒）（撒上十三27）	（拿八的遺孀）（撒上二十五42）	（撒下十一章及其後）	妻妾＊

↓
（代上三5）　示米亞　朔罷　拿單　所羅門

＊大衛有8個妻妾的名字是有記在聖經中的。

三十18-37　大衛奪回掠物　四處流浪的侵掠者不容易找到，而大衛竟把「亞瑪力人所擄去的……全都奪回」，沒有失落一個，就近乎是一個神蹟。

第7節指出一個重點，把大衛在困境中的持守，跟掃羅在第二十八章的做法作出強烈的對比。掃羅求問一個靈媒，而大衛則向屬神的人尋求神的旨意。掃羅的求問帶來徹底的絕望，而大衛的求問則使他得著鼓舞（6節）。

神不但加以干預，防止大衛跟本國的以色列人作戰，神所控制的時間更是完美的。大衛和跟隨的人返回洗革拉，遠比亞瑪力人所預期的時間為早。否則，那些被擄去的妻子和兒女可能已當奴隸給賣出去了。

本段表示大衛如何在他的軍隊上行使權力；他們是粗暴的人（參6節），而其中也有一些惡人和匪類（22節）。我們在這裏見大衛已像王一樣作決定（尤其看25節）。他整體的政策是使所有跟隨他的人平等得益，並要回報那些曾在他們逃避掃羅追捕時接待他們的猶大城鎮和地區（27-31節）。這是一個靈巧的政治轉向：時候來到時，猶大人就會自然選他為王，而不願服侍掃羅的兒子（撒下二10）。

三十一1-13　基利波之役

這戰役因基利波山而得名。戰役在平原開始，但戰敗的以色列人被追趕至山上，祂們有許多人死在那裏，包括掃羅和約拿單。本章沒有說出死傷人數，但顯然是非利士人的一次重大勝利，使他們佔領了好幾個以色列人的城邑（7節）。掃羅的統治就此在災難中結束了──對掃羅本身和對以色列人來說，都是一場災難。似乎非利士人的神得勝了；但撒母耳記下繼續述說大衛怎樣徹底打敗非利士人。

本章最後一段給掃羅作王的故事寫下了很合適的結尾。他以王的身分所作的第一件事是拯救基列雅比城（十一章）；基列雅比的居民現在則救出了掃羅的屍身，並把他的骸骨莊嚴地安葬了。他們何以把屍首焚燒是一個謎，因為火葬似乎並不是以色列人的慣例。無論為了甚麼，這個行動目的都是尊重死者的。

因此，撒母耳記上以一個悲劇性的註腳來結束了。然而，神的發言人已預言了這個悲劇（二十八19），而那並不表示以色列的神已被打敗。祂已揀選了以色列下一任的君王，並裝備他作一名比掃羅更驍勇的戰士，更好的領袖。神會在自己認為適當的時候，處理非利士人的脅迫。

撒母耳記下

📖 註 釋

一1至八18　大衛統治早期
一1至四12　大衛與伊施波設

掃羅之死，使大衛得以成為以色列的王。聖經作者在撒母耳記上已毫不含糊地帶出這結果。然而，大衛仍要面對兩大障礙：從人的觀點看，大衛實在不能確定他是否會成全以色列的王。第一個障礙是掃羅的一個兒子，伊施波設。他在基利波的戰役中並沒有被殺，而他不久便被大部分支派看為君王（參二9）。大衛在猶大作了王，結果釀成內戰。第二個障礙是非利士人，他們決意使以色列衰弱，並繼續屈服他們。然而，非利士人在戰略上出了錯，他們沒有作出任何行動去制止大衛在猶大作王，大概因為他們希望鼓勵以色列進行內戰，以為這樣會使以色列分裂和衰弱。他們顯然也沒有攻打伊施波設，原因跟以上相同。這樣，大衛並不用同時面對兩個敵人，因而他能夠把兩個障礙一一除去。聖經作者絲毫不用懷疑，那是神在左右這些非利士人的決定，正如在其他使大衛登上以色列王位的事件中一樣。

一1-16　亞瑪力的報信者

在這故事開始時，大衛仍在洗革拉（參撒上三十26），等候著非利士人入侵以色列北部的戰況。諷刺的是，把基利波戰況帶來的報信者，竟是一個亞瑪力人——亞瑪力一直是以色列的敵人。掃羅和大衛都曾與他們作戰。然而，這亞瑪力人是移居以色列的人，一個外籍的居民（「客人」13節）。

讀者得聞掃羅和約拿單的死訊，不會感到意外，但亞瑪力人所描述的掃羅死狀，則是意料不及的。掃羅伏在自己刀上（撒上三十一4）後，仍未斷氣，直至亞瑪力人到來，按他要求把他殺死（10節），這是有可能的。但那個亞瑪力人大概是在說謊。整體來說，他像是在戰場盜取屍首財物的人，過於在戰爭激烈時，偶然來到戰場上的人（6節）。

聖經沒有交代大衛是否完全相信他，但大衛接受了那人親口作的見證（16節），並在沒有任何人證下，接受了他從基利波山帶來的冠冕和鐲子的證據。根據那見證，大衛把報訊者處決了。大衛這行動，跟他在撒母耳記上二十四章6節和二十六章9節對掃羅的態度是一致的。王是「耶和華的受膏者」；作為以色列的居民，這亞瑪力人應遵從以色列的法典，但他卻把以色列的王殺了。大衛按他的殺人罪把他處決，實在已經在擔當君王和士師的角色了。

這插曲也可從一個政治角度去看。大衛這樣做，再一次顯示他並非與掃羅為敵：他至終要維護已故君王的王權。

一17-27　大衛的哀歌

第19-27節的詩歌並不是一首私人的哀歌，表達大衛的感受，而是一首國家的輓歌，用悼念的言辭，描述以色列的損失何等深切。這哀歌是公開發表的——記載在書上，並讓全國的人認識此歌（18節）。「雅煞珥書」是一份古老的文獻，有些舊約作者也曾使用它（參書十13）。我們不明白為何這詩稱為「弓歌」。

正如撒母耳記上重複地指出，神已棄絕掃羅；但這首詩從人的角度去看掃羅，並提醒我們，他多年以來對以色列來說都是重要的：給予領導、達致國家合一、趕出非利士人、使以色列人富足（參24節）。約拿單也在詩歌中提及，因為大衛與他有深交，也由於他在軍事上的成就（參撒上十四）。

我們要留意穿插在整首詩歌中的意象，但那是不難明白的。在第20節，大衛表示他希望掃羅的死訊不被敵人知曉：「迦特」和「亞實基倫」是兩個重要的非利士城市。在第21節，他咒詛「基利波山」，因掃羅和約拿單都在那裏被殺。在哀歌的最後一節裏，大衛稱掃羅和約拿單為「英雄」和「戰具」，提醒讀者他們的死，是在以色列慘被擊敗的處境之下。詩歌中看不見未來的盼望，但大衛自己卻注定要為一個戰敗的國家提供希望和勝利。

二1-7　大衛在猶大作王

掃羅之死表示大衛現在可以自由地從非利士境返回他本國的「猶大」。有兩事可能會防礙這次遷徙。若掃羅把王位傳給一個同樣敵視大衛，而又強大的君王，這事便不能實行。若非利士人反對他返回猶大，這行程也是十分艱難的。因此關乎這事，大衛要求「問耶和華」；換句話說，他是請亞比亞他為他尋求神的聖諭（參撒

上二十三9-12）。

聖經作者和讀者見大衛作王（雖只作一個支派——猶大——的王），並不覺得奇怪。神的旨意早在撒母耳記上十六章已顯明了。然而，純粹從政治的立場看，猶大人的決定是不可預料的。掃羅之死和非利士人在基利波山上壓倒性的勝利，必在全以色列引起政治上的混亂，而各支派的長老起初必定不知道最聰明的做法是甚麼。大衛最少有 3 件事可以呈交給他們：作為勇士的一個良好聲譽，多次幫助猶大的歷史，以及跟非利士人有某些聯繫或了解。當然，他本身也是猶大支派的人。

我們特別要留意大衛向基列雅比人的講辭。這城跟掃羅有緊密的連繫（參撒上十一，三十一11-13），並且它是位於約但河東，即與大衛對敵之伊施波設王建都的瑪哈念（8-9節）附近。所以，我們會預期伊施波設，而不是大衛，去向基列雅比人說出這番感謝和鼓勵的話。事實上，大衛已向猶大以外的以色列人表示，他相信他是掃羅真正的繼承者，在全以色列掌權。他的信息忽視了伊設波設的存在。

大衛的首都是在猶大以南的希伯崙。稍後，耶路撒冷會作他的首都，但這時耶路撒冷仍未落在以色列人手中。事實上，耶路撒冷可能是一個屏障，把猶大從北面各支派分隔開。若是這樣，我們便可解釋，猶大為何自己作主去揀選自己的王。

二8-32　內戰　押尼珥（初次在撒上十四50提及）顯然是從掃羅戰死的沙場上逃脫了，並且負責管理國家北部的事務。雖然他是掃羅的近親，但他並沒有坐上王位，而是嘗試為掃羅尚生還的兒子伊施波設爭取支持。因此，伊施波設作了王；理論上是治理以色列眾人（9節），但實際上只是轄管一個細小的地區。毫無疑問，現在非利士人已成為以色列中心地帶的真正主人，尤其是以法蓮和便雅憫支派的地區。伊設波設所管治的主要地區在約但河東（「基列」），而他的首都「瑪哈念」也在該區（參地圖，第355頁）。不管實際的境況如何，仍有些以法蓮人、便雅憫人和其他地區的人（9節）以他為王。

並沒有明顯理由使大衛攻打伊施波設，因此可能是伊施波設決定攻打大衛，為使猶大歸他統治之下。伊施波設的軍隊被派往基遍，就在猶大邊界以北，而大衛也派軍隊阻他們的去路。像在撒母耳記上十七章一樣，雙方都嘗試避免不必要的流血，因而選了一些選手去比拼（譯按：「戲耍」在新國際譯本是「徒手搏擊」）。也許雙方都以為耶和華會讓某一方的12人大勝，藉此彰顯祂的旨意。然而，一場真正的戰役隨後發生了（17節）；30至31節讓我們略知這場戰役的規模。

故事細節背後的目的是把約押介紹給讀者。約押將要在大衛悠長的統治期間作以色列的統帥，而從第28-30節可見，他已經在指揮軍隊了。故事解釋了以色列的統帥押尼珥何以殺死約押的一個兄弟。押尼珥本身顯然不想殺亞撒黑，因為他希望避免一場流血的相爭。亞撒黑死後，約押就願意休戰，但他自己的感受在本章仍隱藏起來，直至三章27節才揭示。

三1-5　大衛的家庭　作者沒有再交代內戰的詳情，而大衛在這場戰役內是穩佔上風的（1節）。作者反而講及大衛的妻妾和兒子。意思可能是大衛已在猶大安定下來，不像伊施波設；伊施波設的境遇甚是不幸。據我們所知，伊施波設並沒有家庭。本段之細節，是要為其後的事件奠下基礎。大衛的幾個兒子後來在故事中扮演重要的角色。暗嫩和押沙龍是十三至十八章的主角，而亞多尼雅則在大衛年老時圖謀篡位（王上一）。這裏沒有提及所羅門，他是後來在耶路撒冷出生的（參十二24）。

大衛娶亞希暖和亞比該的事早已提及過了（撒上二十五42-43）。他娶瑪迦為妻，是為了鞏固與約但河東一個小國基述的結盟。

三6-21　押尼珥變節　從第6節可見，押尼珥是一個有野心的人。他在伊施波設的王國大有權勢，但如押尼珥所見的，現在以色列真正的大權落在大衛手中。我們可以懷疑，他是故意跟伊施波設爭吵，以得著一個好的藉口把他廢黜的。聖經沒有記載他與掃羅從前的妃嬪有染，但他並沒有否定這指控。這種行為就等於圖謀掃羅的王位（參十六21-22），因此難怪伊施波設要抗議，而結果造成爭執。

押尼珥派使者去見大衛，提出自願幫助他作全以色列的君王。他的問題：「這國歸誰呢？」（12節），是要告訴大衛，北方各支派中，最有影響力的人是押尼珥，而不是伊施波設。那是真實的。若繼續下去，押尼珥將會被迫攻擊伊施波設。押尼珥要求跟大衛立的約（12節），可能包括押尼珥在大衛軍中要擔任高位要職。大衛堅持要取回前妻米甲（13-14節），有幾個動機。掃羅是粗暴和不公地把米甲從大衛偷去的（撒上二十五44），而大衛決意要把這不公允的事糾正過來。失去米甲，對大衛來說也是一種公然的羞辱，而那同樣要撥亂歸正。這事大概也有一個政治動機：他娶掃羅之女為妻，會給他在以色列中帶來地位，並可合法地繼承掃羅的王位。最後，大衛與米甲的婚事，起初就是源於戀愛（撒上十八20）。大衛對米甲的感情，可能也是他現在要把她討回的另一個原因。大衛是理直氣壯的，但我們對帕鐵仍感同情。

押尼珥履行了他那方面的承諾。當他向大衛回報時，他可以保證以色列眾人都即時接納大衛為王（21節）。大衛對此當然感興趣，而我們可以肯定，大衛也向押尼珥表示他的喜悅。至於押尼珥，他也必定對情況的進展感到滿意，並且沒有恐懼之理。因此，他就「平平安安」（「被護送離開」，修訂英語譯本）的去了。

三22-39 刺殺押尼珥

也許約押認為押尼珥是間諜，不可信任他，正如他對大衛所說的（25節）。但那更可能只是一個藉口：**第30節**給予真正的原因，說出約押為何這樣狡猾地刺殺押尼珥。

押尼珥被殺，對大衛來說是一件極之尷尬的事。殺人者是他的一名重臣，別人會懷疑大衛指使他殺害押尼珥。在伊施波設的國裏，人會以為大衛要殺害掃羅所有親屬，為要堅固他的地位。大衛唯一的辯護，是盡各樣可能的方法，公開地表示他是無辜的。因此他讚揚押尼珥，並公開地哀悼他。**第37節**記載他結果能夠說服猶大和以色列北部的人民，相信他是無辜的。

作者把押尼珥之死的來龍去脈交待出來，表示後來大衛一些敵人，仍指責大衛無情地向掃羅和他的家懷恨。大衛實在並沒有處罰殺人者；**第39節**指出其原因。大衛不是說自己個性「**軟弱**」，而是指約押和他的兄弟亞比篩（「洗魯雅的兩個兒子」）在國中太有影響力，不能強令他們受法律制裁。大衛對約押行這件事懷恨了多年（參王上二5-6）。

四1-12 伊施波設被殺

押尼珥被刺殺一事，在北國和猶大之間可能造成了永久的裂痕，使大衛不能成為全以色列的王。然而，相反的事發生了：押尼珥之死使一個軟弱的君王和軟弱的國家變得更軟弱。那軟弱的君王被殺了，國家便瓦解了。

作者沒有解釋利甲和巴拿為何刺殺伊施波設。掃羅曾攻打基遍（參二十一2），也許利甲和巴拿的家鄉比錄曾因此受害（在書十九17中，兩城是相連的）。無論兩人是否對掃羅和他的家有這種舊怨，他們卻肯定以為大衛會因他們殺死與他對敵的王，而賞賜他們。因此，大衛再一次要保護自己，免得有謠言說他下令刺殺伊施波設。他維護自己的方法是把殺人者處死，並為伊施波設說好話。

伊施波設的統治就這樣結束了。他可能並沒有兒子，而他唯一的近親就是「瘸腿」的姪兒米非波設（4節）。明顯地，沒有人會以為米非波設有能力作王。（關乎米非波設的事記載於第九章。）兩次的刺殺實在為大衛作全以色列的君王開了路；聖經作者知道，神在人的惡事上也行使主權，但我們很容易明白，為何一些以色列人以為是大衛在背後擺佈，並收買人去刺殺異己。

五1-25 大衛取得完全的治權

這較為簡短的一章記載了大衛3個十分重要的成就。首先，他把全國統一了，所有以色列的支派都稱他為王。第二，他降服了耶路撒冷；那是在以色列境內，卻不受以色列轄管的許多城鎮之一。這等城鎮把以色列國分裂了，把一個支派從另一個支派分割出來。這些城的居民也是以色列長期的威脅，因為他們常願意作非利士人的同盟來敵擋以色列。因此，大衛把這威脅消除了，所有此等「外邦」城鎮都在他的轄制之下。第三，**他把非利士人的威脅完全瓦解了**。他把以色列人的宿敵徹底打敗，以致他們不再成為以色列的困擾。第八章列出了大衛其餘的成就。

五1-5 全以色列的王 本段清楚指出，大衛並沒有征服北方各支派，也沒有強行統治他們。是他們主動請大衛作他們的王——他們派代表南下至希伯崙，請大衛作他們的王。明顯地，伊施波設之死，使北部的政府崩潰了，而面對著非利士人的入侵，北部支派的代表急於找著一個強大而有效的政府。理論上，他們可以從自己支派中選立一個王，但他們有3大理由去歸服大衛，這些理由可見於第1至2節。

第5節大衛在位的概述中，指出了奪取耶路撒冷的時間（6-9節描述耶城之攻取）。伊施波設在位只有兩年（二10），而大衛繼續在希伯崙作王5年多。以色列眾長老可能是在伊施波設死後不久便稱他為王，但這與他準備好去攻打耶路撒冷之間，又過了一些時間。

五6-16 攻取耶路撒冷 耶路撒冷已是一個古老的城。在早期，猶大和便雅憫支派都曾攻打它（參士一8、21），但它仍在一群稱為耶布斯人的迦南人轄管之下。耶路撒冷是一個有鞏固防禦的城，耶布斯人有信心，大衛的軍隊必不能把它攻取。**第6-8節**一些用字和句子的意思很難確定，但似乎耶布斯人是傲慢的：即使是一個又瞎又瘸的駐軍，也可以擊退大衛的進攻！但大衛的軍隊並沒有正面攻擊堅固的城牆，他們顯然是找到了「水溝」，並出乎意料地循這路徑進入城裏。耶路撒冷主要的水源來自城外的一個泉源；考古學家發現了不少水溝和水道。

大衛攻取耶路撒冷不久，便以它為首都。它的位置比希伯崙處於更中心的地帶，可以使北部的以色列人感到大衛真是全以色列的王。大衛在那裏建了一座王宮，並設立了一個後宮。請留意**第15節**出現了「所羅門」的名字。

五17-25 戰敗非利士人 非利士人曾容許大衛在猶大作王而不加干預；一個分裂的以色列使非利士顯得強大。但一旦所有以色列支派都支持大衛，非利士人就成了他的仇敵（17節）。他們的攻擊大概是在他降服耶路撒冷之前，而所提到的「**保障**」是大衛早期的軍事總部亞杜蘭（參撒上二十二1-4）。非利士人兩次的攻擊都在「利乏音谷」（18、22節）；這地位於耶路撒冷以南，大衛因而注

意到控制這整個地區是重要的。

大衛的兩次勝利只是簡略地描述，但已可見，他在每場戰役之前都「求問耶和華」。神從不會不回答袖所揀選的王；這與掃羅的強烈對比值得留意（比較撒上二十八6）。

一位外邦君王「希蘭……差遣使者」往見大衛，顯示大衛自己和他所治理的國都日見強大。在主前十世紀大部分時間裏，以色列都是整個地區最強盛的國家。聖經作者承認大衛的智謀和成就，但他最終把這些歸功於「耶和華萬軍之神」（10節）。神不打算以這些成就來榮耀大衛，而是要使袖的民以色列得好處（12節）。毫無疑問，大衛給以色列帶來了許多物質上的好處，還有和平和富饒。

作者對大衛的後宮不予置評。一方面，那可被視為大衛在古代近東之政治地位的象徵；但後來的章節，會指出大衛眾子之間爭競，帶來了多少麻煩。申命記十七章17節警告人勿多納妻妾，這對大衛和所羅門同樣適切。

第7節「錫安」在聖經中常用作耶路撒冷的同義詞。也許它本是耶城城堡部分的名稱。耶路撒冷現在稱為「大衛的城」；新約時代仍使用這名字（參路二11）。

六1至七29　大衛、約櫃與神的殿

掃羅對約櫃從未表示任何興趣，他卻曾觸怒先知和祭司。相反地，大衛則與先知和祭司緊密合作，以極其尊敬的態度處理約櫃。約櫃永遠被安放在耶路撒冷（第六章）。第七章談到神對未來所定的計劃，是關乎約櫃新的居所和大衛的。

六1-19 約櫃被移進耶路撒冷 本章再述約櫃的故事（撒上四4至七2）。約櫃多年來一直停在「巴拉」，這城又名基列耶琳（撒上七2；參書十五9）。大衛把約櫃移進耶路撒冷，目的是要使耶路撒冷成為國中最重要的聖所。耶路撒冷成為他宗教上和政治上的首都。他這行動也有政治的價值，因為這樣，耶路撒冷在全以色列人眼中便多了一層意義，在統一全國上有所幫助。然而，聖經作者的重點放在大衛這些行動的宗教層面。他恭恭敬敬、極之小心地對待約櫃。烏撒之死（6-8節）叫人永不能忘懷，這事要叫人想起

神——以約櫃來象徵——的能力（伯示麥的以色列人也因在處理約櫃上冒失而受苦，參撒上六19）。大衛知道他不可隨己意去處理約櫃；他更不能操縱這代表著神的物件。雖然此事在當時是一個悲劇，但這記載對後來的以色列人卻是一個安慰；這事提醒他們，他們的神耶和華比任何外邦的侵略者或欺壓者更有力。這事也教導他們，尊重神的聖潔，對社會的安寧是重要的。

因此，約櫃被安放在耶路撒冷，但只是在「**帳幕**」裏（17節）。直至所羅門在位時，聖殿才建成（王上六）。

六20-23 米甲的不育 關於米甲的插段是意料之外的，她對大衛的行為何以這樣敵視，實在叫人存疑。不管她怎樣說，但她必定清楚知道，眾民並沒有藐視大衛，卻是在慶典中分享他的喜樂。在那處境下，他憤怒的反駁是合理的。也許作者是要我們假設，大衛和米甲這場爭吵，是導致他們關係永久破裂的原因。無論如何，她至死都沒有生養兒女。

第23節是重要的。後來好些章節都是關乎大衛的兒子，和他們要作王的野心。若米甲有兒子，他就有很強的理由去繼位，因為他是掃羅的孫兒和大衛的兒子。但大衛沒有這樣的兒子；作者要我們作的結論是，神也操控著這事。

七1-17 拿單的預言 本章延續並結束大衛與耶路撒冷聖所的故事。當中記載的事件屬大衛在任較後的日期，如第1節所暗示的。

這裏是撒母耳記中一段最重要的經文，並且是整本舊約聖經裏主要的經文之一。這裏談論到耶路撒冷聖所的未來和大衛的王朝——對大衛以後各個世紀的以色列人來說，是極重要的兩個制度。藉著先知拿單，神在這兩件事上給予大衛確定的應許。這些嚴肅神聖的應許成了大衛「永遠的約」（參二十三5）。

這兩個主旨巧妙地用「家」一字連繫起來。這希伯來字不單指普通的屋子，也指殿宇和王朝〔如在英文裏，現今的英國皇室稱為「溫莎王朝」(the house of Windsor)〕。本章開始時討論大衛為耶和華建「**殿宇**」的計劃（5節）。其後在**第11節**，提到了大衛的

「**家室**」（譯按：「殿宇」和「家室」原文是同一個字，英譯（"house"）——不是指他的王宮，而是指大衛王朝，即要承繼他作耶路撒冷君王的兒子和後裔。

神給這兩件事的應許在**第13節**一併提及了：大衛的後裔要建造殿宇；他的國位要堅立至永遠。這些都是很正面的應許，但本章也包含一些負面的點。首先，大衛建殿的計劃被拒絕了。第二，神並不喜歡住在殿宇裏。（這兩點在5-7節裏暗示了。）第三，**第14節**承認大衛的一些後裔是昏昧的君王，將受到神的責罰。這些不同的要點——正面和負面的，給大衛時代（主前十世紀早期）至主前587年之事件作出了描述和解釋。在那段期間，聖殿建成，但不是由大衛興建，乃是由他兒子所羅門所建。其後許多繼任者都是軟弱和犯罪的，但這王朝也不斷地延續了4個世紀之久。

在主前587年，聖殿被巴比倫人摧毀了，而猶大這王國也陷落了。大衛家仍存在，但卻再不能得著王權。對於這樣一個處境的改變，本章帶出了甚麼信息呢？它告訴我們，首先，**神並不倚靠殿宇，因此，祂的子民不需要聖殿**。在新約時期，司提反曾再重申這要點（參徒七44-50）。第二，**神給大衛後裔的應許是永久的**。那是期望彌賽亞降臨的基礎；彌賽亞是「偉大的大衛更偉大的後裔」。這應許給那些活在舊約時代末後幾個世紀的人提供了確據，然後在耶穌基督降生時得著應驗；這是整本新約和基督教會可以見證的。

當神使這些應許應驗，會使大衛「**得大名**」（9節）。毫無疑問，大衛是以色列中最偉大的君王，而他的名聲留傳後世，被視為歷史上一個極之偉大的人。然而，神所賜予的這種偉大，並不是為他自己的好處和榮耀，乃是為了他所治理之國得益。因此，**第10節**指出神透過大衛給以色列所定下的計劃和應許。這些應許在大衛統治期間得著實現，並且儘管後來的以色列和猶大因犯罪得罪神而遭遇政治上的困境，這些仍是神在祂子民身上最終的計劃。這些計劃在於神是否實現祂的應許，差遣大衛的後裔——彌賽亞——為子民帶來所渴求的平安與保障。

七18-29 大衛的禱告 大衛為了神藉拿單給

他的應許,而作出個人的感恩,是適切的做法。大衛在剛建成的帳幕中獻上這感恩的禱告 (18節),而這裏沒有再提及擬建聖殿一事。大衛所提及的「家」單指他未來的王朝 (19、25節)。他為神的應許而感恩,也為神讓他知道這些應許而感恩。正如他所說,只有少數人獲悉他們後裔的未來 (19節)。

大衛在禱告中,沒有忽略神賜福他的家,也等於祂祝福以色列。**第23-24節**重提神昔日向以色列所顯的仁慈。大衛的家系得以延續,表示神繼續賜福祂所揀選的子民,並使這民永遠屬於祂自己。**大衛在這禱告中的感恩,會給後來許多在困境中的以色列人帶來安慰和確據。**

八1-18 其他戰績

本章所記載的戰績是在第七章之事件前出現的。聖經作者把它放在這裏,目的是證明神在第七章給予大衛的應許已開始應驗。

這裏簡單記載了非利士人再一次被打敗 (1節)。「**母城的嚼環**」(*Metheg Ammah*) 一句意義不明,也許並不是一個地方名;好些解經家把它譯作「至高權柄」(譯按:這類似和合本的翻譯)。在歷代志的平行經文中,指知名的迦特城 (代上十八1)。非利士人是在以色列的西南面邊境。

摩押人在較早期跟大衛的關係是友好的 (撒上二十二3-4),我們並不知道他們現在何以跟大衛打起仗來。大衛這樣冷酷地對待他們,可見他們是犯了嚴重的背逆的罪 (2節)。摩押人是在以色列的東南面邊境。

第3-10節的戰役是對抗以色列以北的一些亞蘭王國。結果,大衛獲得許多小國的進貢,而他的勢力伸展至「大河」(幼發拉底河) 北部 (參地圖,第355頁)。**第12-14節**返回東南面的地區,並告訴我們大衛打敗了「亞捫人」、「以東人」和摩押人。

這樣,**大衛在任何需要平靖的地方,都得到了軍事上的成功。他在以色列也建立了一套良好的行政制度** (15節)。本章以列出他的主要官員來結束。讀者現在對約押和亞比亞他的名字都很熟悉了。比拿雅負責指揮皇室的衛隊,他在所羅門繼任為王上扮演了一個重要的角色 (王上一)。「大衛的眾子」中有些作皇室顧問 (和合本:「領袖」);無疑那是對的,然而這希伯來字詞直譯是「祭

司」,他們可能是要負責一些祭司職務。

在這名單中,一個最重要的新名字是「撒督」。許多學者認為他跟較早期在耶路撒冷的敬拜有關,但那只是一個猜測。無論他的背景如何,他後來卻成了耶路撒冷中唯一的大祭司,而他的家多個世紀以來也承襲大祭司的職位。

九1至二十26 大衛王與他的朝臣

撒母耳記自本章開始了一個新的部分。第八章概述了大衛的成就,甚而伸展至以色列的邊界以外。第九章轉而談及內部的事務,事實上幾乎是一些家事。那家就是王家,而這些事務影響了整個國家。

第九至二十章被稱為「繼任的故事」,因為其中一個主要的題目是關乎大衛的繼任人。所有讀者一開始就知道是所羅門在大衛死後繼位作王;而在故事的早期——十二章24節——表示,神從所羅門出生便喜悅他。然而,誰會作下一任的君王,這時仍未完全清楚,而大衛自己可能也不打算支持所羅門,直至他在位的末期。因此,大衛其他的兒子,尤其是押沙龍,便野心要奪取王位。第九至二十章和王上一至二章敘述了這些事件的整個過程。

這部分的經文表示,即使在大衛執政時,神也應驗了拿單在七章12至15節跟大衛談及的兩件事。一方面,神對大衛和對祂所揀選的繼任人 (但沒有題名!) 的愛,是永不改變的。另一方面,神會用「人的杖」,來責罰犯罪的行為,即是利用別人的行動來作一種懲罰。我們在第九至二十章,看見大衛的罪怎樣為他帶來極大的痛苦和煩惱;然而,神的愛從沒有離開他。

九1-13 大衛與米非波設

四章4節已提及米非波設這人。他是伊施波設被殺後,掃羅家倖存的幾個人之一。他的家羅底巴離伊施波設的首都瑪哈念不遠。大衛現把他帶返耶路撒冷,有些學者認為大衛是把他當作一個有可能的威脅,因而把他帶到耶路撒冷,好看守著他的一舉一動。若是這樣,聖經作者卻又沒有給予任何暗示。重點應在大衛的仁慈,並他給予米非波設一個受尊崇的位置。大衛履行他向米非波設的父親約拿單的承諾 (撒上二十42),並且不單

向米非波設，也向他的兒子米迦（12節）施恩。本章兩次提醒讀者，米非波設是「瘸腿」的，以此強調他的無助。儘管洗巴後來指控他（十六3），但他實在能否與大衛對敵，是叫人懷疑的。

十1至十二31　與亞捫之戰及結果

第十章單獨看來，是關乎以色列人對亞捫人一次成功的戰役，並且繼續那從第八章開始記述的大衛的戰績。事實上，那是一個連接的記述，因為這次戰役對耶路撒冷有一定的影響。在約但河東作戰的一名以色列兵是烏利亞，他的妻子在他離家上戰場時，被大衛引誘了。結果，大衛利用這次戰役使烏利亞喪命。這樣，第十至十二章便把戰役與王宮的事宜連繫起來了。

十1-19　對抗亞捫人的戰役　亞捫是約但河東一個小國，在掃羅在位期間，亞捫曾與以色列為敵；掃羅曾打敗亞捫王拿轄（參撒上十一），而本章正談及拿轄的死訊。相反地，大衛卻與亞捫結盟至今。亞捫人的首領（3節）顯然是恐怕大衛當了統一之以色列的王，會改變對待他們的態度。縱使他們有充分理由去懷疑大衛，但他們羞辱大衛，迫他作戰，卻是一個愚蠢的行動。亞捫國太細小了，並不能與以色列對壘，因此他們尋求與北面的亞蘭人結盟。

第八章記載了大衛一些得勝亞蘭各國軍隊的戰績，第十章所記載的勝利何時發生則並不清楚。由於本章談及所羅門出生前的一段時期，因此這戰役必是大衛在位頗為早期時發生的。因此，亞蘭人與大衛和好（19節），可能只是暫時性的。這裏的重點是，亞蘭解除了與亞捫人的結盟，而亞捫人則繼續作戰，但卻沒有指望可得勝。十二章29至31節記載了這場戰役的結束。

十一1-13　大衛與拔示巴和烏利亞的關係
軍事作戰正常會在冬季停止，因此大衛在「春天」（新國際譯本，1節；和合本：「過了一年」）才向亞捫發動攻擊。第1節並非暗示大衛的職責是與軍隊一同作戰。以色列人既是打一場必勝的仗，大衛就絕對不用御駕親征。亞捫人的軍隊很快就打敗了，他們的首都也被圍攻。這時以色列的軍隊很強，大

衛的地位也很穩固。<mark>人感到輕鬆和安穩，往往就是屬靈和道德敗壞的前奏。</mark>

大衛絕對有權留在耶路撒冷，但隨後的行動卻是不可饒恕的。拔示巴是一個已婚婦人，這是大衛所知道的。第4節指她「月經剛得潔淨」，則無疑她所懷的身孕是由於與大衛通姦所致。也許拔示巴的道德也成疑問，但聖經作者把這事完全歸咎於大衛：大衛是王，以高壓的方式來作事，並且濫用他的權力和地位。

大衛誘使烏利亞回家與妻子同房，卻是徒然，也使他在讀者心中的形象大打折扣（6-13節）。作者完全無意指大衛是正確的。故事這部分的背景是，士兵開始作戰時，要起誓不近女色、禁行房事（比較撒上二十一4-5）。大衛叫烏利亞洗腳（8節），洗腳可能是一種禮儀，使他免除這誓言的轄制。無論如何，烏利亞卻認為自己尚未解除職務，並顯出了最高的操守。

十一14-27　烏利亞之死　直至此時，大衛仍希望他所犯的姦淫可以隱藏起來，而那受孕而未生的孩子，可被接受為烏利亞的骨肉。現在烏利亞破滅了這希望，大衛便定意要消滅烏利亞。自然地，他恐怕這事成為一件公開的醜聞，而這是極之嚴重的，因為姦淫罪在以色列的刑罰是死刑。然而，作為以色列中首席的法官，大衛很難把自己判處死刑！這樣，他不經意的缺德行為，使他陷入極大的困境中。烏利亞的死便解決了這問題：大衛娶了遺孀，便沒有人會知道這孩子是誰的（27節）。無疑約押多少會猜到這事實，但決不會出賣大衛。然而，第27節提醒我們，對於整件事，神是知道的。

大衛遂毫不遲疑地計劃謀殺烏利亞，但他希望避免別的士兵遭難。約押接到大衛的指示時，把他的計劃稍作更改，結果有幾個士兵與烏利亞一同戰死（17節）。他顯然認為大衛的計謀太明顯；計劃經過他的調整，便隱藏了烏利亞是謀殺目標的真相。這事件彰顯了約押對大衛的忠誠，以及他的殘忍無情。但大衛才是真正的兇手。

第21節所指的事件載於士師記九章50至53節。亞比米勒之死，叫以色列軍隊看見，太接近圍攻之城的城牆是危險的。

十二1-14 拿單的責備 拿單是一位先知（七2），是神在王宮中的發言人，也是撒母耳很好的繼承人。他有權柄和勇氣去批評審斷王的行為。在作出第9節那直接的責備前，他述說了他著名的比喻。有些聖經比喻是叫人困惑的，但這個比喻卻不是。大衛被誤導，以為拿單在描述一件真實的事，因而他在明白拿單真正的意思之前，說出了他對事件的判決。大衛知道偷去別人的羊，應承受的懲罰是作4倍的償還（出二十二1），但他也表達了他的義憤——這樣一個沒有憐恤的人，應該處死。這樣，他便定了自己的罪。

這比喻的目的不單是誘使大衛譴責自己，也生動地把這處境的真相描述出來。君王若是貪婪，他有權奪取任何想要的東西，而平民百姓卻要無故遭殃。拿單繼而指出大衛是何等貪婪。除了他自己的妻妾以外，他顯然也取了掃羅的妃嬪（8節），作為他從掃羅手上接收皇室治權的象徵。

第11-14節是神的判決。大衛自己可以活至暮年，但他的家必有流血事件，為他帶來禍患。其後各章顯出這預言是何等真實。押沙龍在字面上應驗了第11節的預言（十六22）。然而，我們要留意，**在神的懲罰中是有寬恕的，因為大衛知罪悔罪**（13節）。**大衛誠實地悔罪，跟掃羅意圖欺騙撒母耳很不相同**（撒上十三至十五）。詩篇五十一篇的標題把那首悔罪詩與這事件聯繫起來。

十二15-31 所羅門的誕生 拿單最後預言那不合法的孩子要死，這預言首先得著了應驗。大衛沒有以宿命論的態度接受這事。本段強調大衛多麼關懷那嬰孩，並使我們留意大衛在孩子生病時是多麼苦惱。他對孩子極之關切，以致連平常的會議也忽略了，使他的臣僕十分焦慮。大衛真摯的悲傷，以及他對拔示巴的關懷，引來了讀者的同情。然而，作者的目的是指出神的判決多麼有效：大衛當受的懲罰開始了。

其後各章繼續那些使大衛愁煩的事件。然而，本段有兩節經文（24-25節）指出，雖然神在懲罰大衛，但祂卻沒有忘記以色列。所羅門的誕生，是神應驗祂在七章12至13節的應許。神藉著拿單告訴大衛耶和華喜愛所羅門，是要向讀者暗示，這兒子已蒙神揀選作下一任的君王。因此，神這樣便定下了對

未來的計劃（在列王紀上一章之前，所羅門再沒有出現在故事中）。

第26-31節交代了以色列人戰勝亞捫的故事。這次大衛也親自與軍隊一同出征。約押再一次顯出他對王的忠心。

第30節可能那極重的「冠冕」並非亞捫王所有，而是屬於亞捫人所敬奉的主神「瑪勒堪」。（參新國際譯本旁註、修訂英語譯本、新修訂標準譯本、和合本小字。）

十三1至十八33　大衛與其長子和第三子

這幾章的主角是大衛的第三子押沙龍（參三2-3）。長子暗嫩遭押沙龍所殺，而次子極可能年幼時已喪生，因為聖經沒有再提到他。無論如何，押沙龍謀殺了暗嫩之後，便可以謀取王位。

十三1-22 他瑪遭姦污 「他瑪」是暗嫩同父異母的妹妹。他瑪的母親是瑪迦（參三2-3）。與同父異母的妹妹結婚，在利未記十八章11節和申命記二十七章22節的律法下，是被禁止的。也許正如他瑪所說，王有權去取消這律例，但無論如何，暗嫩只是認為娶她為妻是不可能的（「難」，2節）。他的肉慾、欺詐和粗暴，使他成為一個不受歡迎的人物——他是大衛的長子，但顯然並不是治理以色列的適合人選。然而，**這故事的目的不在於談論暗嫩的道德操守，而在顯出大衛自己的家給他製造了「禍患」**，應驗了十二章11節的話。大衛「甚發怒」（21節），但明顯並沒有懲罰犯錯的人。他這種決定是很大的錯誤，因為這樣只會使押沙龍的憤怒加劇為憎恨。

十三23-39 暗嫩被殺 至此，我們都對押沙龍寄予同情，但本段卻顯出，他的品格比暗嫩好不了多少。他是同樣的殘暴和充滿欺詐。按推論，他在有所行動之前，已等候了兩年（23節），好欺騙他父親。我們從本章可見，王的兒子也不能隨己意進出王宮，而需要有王的許可，才可離開。因此，押沙龍要小心安排他的計劃，其中包括逃亡至「基述」——他母親的家鄉（37節）。

這裏詳盡地記載那謠言說，押沙龍殺了所有的兄弟，目的可能是顯出神掌管著這

事，以保護所羅門。顯然押沙龍若要把兄弟殺盡，他大概已把他們殺了；若是這樣，所羅門就已經與他們一同喪命了。稍後，押沙龍有野心要作王，但在這階段，他唯一的動機只是向暗嫩報復而已。

第39節加上了真實而充滿人性的一筆：3年後，大衛為暗嫩的事而產生的憂傷減退了，便開始從不同角度去看押沙龍，而押沙龍大概是他仍活著的最年長的兒子。他這種轉變為第十四章鋪了路。

十四1-20　約押的計劃

我們可以合理地從第19節推論，約押曾說服大衛去饒恕押沙龍，並叫他返回王宮。若是這樣，他的說服大概是失敗了。約押似乎很著緊要確保王位能順利交接，而他顯然認為押沙龍是繼承大衛的人。他以國家的利益為念，卻兩度支持了錯誤的人選（也參王上一7）。

既不能說服大衛，約押便打算欺騙他，並且借助了一個「聰明的婦人」。像十三章的拿單一樣，這婦人假裝有一件事，要請主審法官大衛解決。她那故事的「精義」，是全家的幸福總比個人得到當得的懲罰更重要，而大衛也同意她的看法。根據這原則，她聲言全國的福祉總比懲罰它的儲君更重要（13節），因此，王應把押沙龍從流亡之地召回來。

約押所憂慮的，是大衛於押沙龍仍在逃亡時離世，使以色列陷入政治的混亂中。那婦人在第14節的話似乎是指神使大衛活著，還有時間叫他讓押沙龍回來。

十四21-33　押沙龍返回耶路撒冷

雖然提哥亞的婦人誇讚了大衛的智慧（20節），但他向押沙龍所行的，卻是非常不智。他容許押沙龍返回耶路撒冷，卻又拒絕讓他恢復在宮中的地位。若押沙龍仍在逃亡，他就不能作些甚麼去傷害大衛，而大衛若是歡迎他回來，他就不會想到要傷害大衛。可是，大衛所行的，卻使他極其憤怒，同時又給他許多機會去設下背叛大衛的陰謀。本段顯出押沙龍是一個極具吸引力的人，卻也指出他的傲慢。

十五1-12　押沙龍之謀叛

無疑押沙龍是一個天生的領袖人才，有許多技能和才幹。若他有更好的品格，也許是一個繼承大衛的極

佳人選。他竟能說服這麼多以色列人去支持他，背叛大衛，就值得我們留意。第1至6節告訴我們，他怎樣欺騙那些對司法制度不滿的人，並且毫無疑問，他也利用了任何這一類的不滿去成就他的計謀。即使這樣，人也會想到，大衛給以色列民的眾多好處，使多半的國民都忠於他。押沙龍高明的手法，從他為自己建立強大的支持上可見。就是拔示巴的祖父亞希多弗也離棄了大衛（12節）。押沙龍也高明地完成這樣龐大的陰謀，而沒有任何有關此事的謠言傳至王宮。從許多不同的資料片斷，我們可推想押沙龍在猶大（希伯崙所在之地）和北方眾支派，都得著許多跟隨者，但在耶路撒冷的則不多。可能押沙龍為了保持祕密，不敢在耶路撒冷作出任何程度的遊說，爭取支持。

第6節作者所說的「以色列人」可能指北部各支派的人，以對比猶大人，但更可能是指南部與北部的人，以對比耶路撒冷的人。

十五13-37　大衛的逃亡

大衛有兩個選擇，他可以留在以色列，面對一次圍攻，或逃往安全之地。他選擇了第二條路，因而使耶路撒冷免受損毀，並給他時間去調遣和組織一隊對抗押沙龍的軍隊。因而，他往東面逃亡，最終到達約但河東的瑪哈念，即伊施波設從前的首都（十七24）。第十五至十六章詳細地交代了一些重要人物在這處境下的態度和所作的決定。

跟隨大衛的臣僕（14節）沒有別的選擇，因為押沙龍必會把他們遣散，甚至殺害。而無論大衛或押沙龍，都沒有給予妃嬪們任何選擇的權利（16節；參十六22）。王的「臣僕」（18節）是指大衛的近身侍衛，其中有外邦人的保鏢；那正規的軍隊大概已支持押沙龍去了（參十七1）。大衛的個人衛隊——在這裏由他們的將領以太發言——的忠心，最終使他贏得勝利。

兩位大祭司對大衛仍表忠心（24-29節），對大衛來說是一個好的徵兆。有趣的是，大衛把神的約櫃送回耶路撒冷去了，他願意接受神在他身上的旨意。大衛不像以利時期的以色列人（撒上四3-4），他不相信約櫃會像魔法一樣帶給他勝利。他也可以使用耶路撒冷中一些忠心的人；他對撒督說：

「你不是先見麼？」意思大概是：「你不是一個觀察敏銳的人嗎？」

另一個給大衛遣返耶路撒冷的忠心朋友是戶篩（30-37節），他必是王室議會中一位知名的成員。這故事總體上顯示亞希多弗是一位出色的謀士（參十六23），而他這次支持押沙龍，是大衛感到極度憂慮的原因。因此，大衛把戶篩遣返耶路撒冷，希望他可以破壞亞希多弗獻給押沙龍的計謀。這想法後來證明是成功的（十七1-14）。

十六1-14 洗巴和示每 這次權力之爭是在父與子，大衛與押沙龍之間發生的。他們哪一方會得到掃羅家的支持呢？大衛即時認為他們會站在押沙龍那一方。示每公然咒罵大衛，指他是掃羅家好幾個人被殺的元兇。他最少指大衛謀殺了押尼珥和伊施波設（三至四章）。大衛的反應，再一次顯示他並不如約押那麼殘暴，並且他更願意尋求和接受神的旨意(10-12節)。

至於掃羅的孫兒米非波設，洗巴告訴大衛，他已背叛了大衛。聖經從來沒有記載米非波設對大衛真正的感受，但洗巴的指控（3節）可能是虛假的。我們很難想象，大衛與押沙龍的爭議，怎樣使米非波設得著王位。另一方面，我們不難看見洗巴為何作出這樣的控告：大衛馬上答應給他賞賜。

十六15-23 戶篩與亞希多弗 押沙龍不受攔阻地與他的軍隊進入耶路撒冷，無疑他已組成了一個顧問團，其中包括戶篩和亞希多弗。正如我們從十五章34節所見，戶篩的目的是欺騙押沙龍和破壞亞希多弗的計謀。他即時成功地欺騙了押沙龍，因他暗示他相信押沙龍是「耶和華……所揀選的」。事實上，他肯定大衛仍是神所揀選的君王。

戶篩並沒有干預亞希多弗第一個計謀。亞希多弗當然認為押沙龍公然佔有大衛的妃嬪，必會造成父子間永久而完全的割裂。若押沙龍與父親和解了，許多以色列人極可能會對押沙龍的支持猶疑不決；這樣，對大衛作出敵意的回應，便會是危險的。戶篩大概認為押沙龍奪取大衛的妃嬪，會使大衛得著的支持，像押沙龍所得著的那樣多，因此他並不加以任何意見。

十七1-14 戶篩的成功 亞希多弗下一個獻計是政變的策略。他的計謀很有道理。迅速的突襲必能戰勝，而產生意外的可能極低。大衛一旦死了，所有敵對押沙龍的態度就變得沒有意義了。

戶篩雄辯滔滔地說出他的意見（8-13節）。他計謀的要點在於押沙龍的軍隊比大衛的軍隊強大。這計劃的瑕疵（正如戶篩清楚知道的）是它會把時間拖延，因而讓大衛和約押，在他們充足的軍事經驗下，有足夠的時間作適當的準備。事實上，戶篩的計劃甚差勁，以致亞希多弗不久便憤而自盡（23節）。聖經作者知道，押沙龍和他的臣僕是被戶篩誤導，更是被神誤導（14節）。

十七15-29 爭戰之前 戶篩急忙派人向大衛報信，顯然是在押沙龍作出決定之前。**第17-22節**的詳盡描述強調那些報信者幾乎給捉住了；他們得以逃脫，再一次證明神在干預此事，使押沙龍的計謀落敗。

幸有戶篩報信，致使大衛能在一座駐防城——「瑪哈念」——建立大本營，而同時，押沙龍和他的軍隊也「過了約但河」（24節）。押沙龍的總指揮亞瑪撒是約押的親屬（他也是大衛和押沙龍的親戚），但他卻缺乏約押的技巧與經驗。**第27-29節**指出，即使在瑪哈念，即從前伊施波設的首都，大衛也有一些具影響力的朋友；他可以帶著信心面對即將來臨的戰役。

十八1-18 押沙龍之死 無可避免地，「那日陣亡的甚多」（7節）。叛變所付上的代價從來不是便宜的。大衛的僕人能顯出他們超卓的作戰經驗，押沙龍的軍隊則對地形不熟悉，結果傷亡慘重（8節）。但雙方都必有多人陣亡。

作者只把注意力集中在兩個人身上，就是大衛和押沙龍。他們兩人似乎都未能領悟亞希多弗在十七章3節所表達的觀點，即只消一人之死（無論是大衛或押沙龍）便可把問題解決。因此大衛準備冒險出戰（而押沙龍不但冒險，還喪了命），但他的軍隊比王更精明，要確保他沒有生命危險。約押則要確保押沙龍不再存活；他死了，戰爭也就結束了（15-16節）。約押看事情比大衛更透徹；大衛認為不可能看兒子為敵人。

第18節結束了押沙龍的故事,同時説出一個事例,表明押沙龍之傲慢。唯一真正給他「留名的」,是他那在林中的墳墓。他的話暗示他的3個兒子(十四27)都已死了。

十八19-33　押沙龍的死訊　派誰向王報訊,要視乎信息的內容是甚麼。但那信息是好的或是壞的呢?亞希瑪斯深信那是一個好消息,但約押知道大衛希望知道押沙龍平安與否,過於戰爭的結果如何。因此,約押選派了一名外邦人士兵,去把押沙龍戰死的壞消息告訴大衛。這是聖經中一個極其沉痛的故事,因為大衛看見不尋常地有兩個報訊者分別到來,就希望所聽到的是好消息。

大衛最後那悲傷的話是諷刺的:只要他留在耶路撒冷,那麼死的便是他而不是押沙龍!大衛深沉而不理智的痛苦,證明神藉拿單所預言的懲罰是何等真實(十二10)。作者主要的目的是強調這一點。

十九1至二十26　大衛的回歸與示巴的叛變

戰爭(尤其是內戰)也許能達到目的,但卻無可避免地引起一些新的問題。大衛得勝了,但國家卻失去了合一;十九和二十章展示了其中一些後果。大衛最終能成功地在他治下重建以色列的合一,因而神給他的應許也應驗了。他並沒有失去王位,但他的晚年是不愉快的。

十九1-15　準備大衛的回歸　這部分是關乎3個不同的群體:大衛的軍隊、押沙龍在北方的支持者,以及猶大支派的代表。大衛很容易會得罪其中一群人。他要向從前反叛的人表示寬大饒恕的心,同時不可激怒忠心的支持者。

最初,他幾乎激怒了他那支勝利的軍隊,幸而約押再一次採取堅決的行動。大衛使亞瑪撒作他軍中的「元帥」(13節),有兩個動機。首先,這樣可以向所有背叛者顯示大衛寬恕的程度,因亞瑪撒是他們的元帥。其次,大衛樂於罷免約押,因約押要為押沙龍的死負責。

北方眾支派的人已準備再次接受大衛作他們的王,但顯然猶大有所遲疑。我們可以推測,押沙龍的叛變已把猶大分割了,而作為一個支派,猶大不肯定大衛對他們存著怎樣的態度。然而,對大衛來説,他自己的支派理應給他十分的支持,而他以贏取猶大人的心為首要的事。結果,北方與南方之間產生了一些磨擦(參40-43節)。

十九16-39　大衛的回歸　此處以約但河為背景,而這是十六章1至14節的一個戲劇性逆轉。當大衛逃離耶路撒冷時,那些以不同方法向他作出回應的人,現在都在他得勝回歸時,來到他面前。大衛對仇敵,例如示每(18-23節)存寬恕的態度,而對那些真正忠心的,像巴西萊(31-40節),則給予賞賜。洗巴又再一次在他主人米非波設以前,到達大衛那裏,但這次米非波設親自出現,並嘗試消除洗巴所造成的傷害(17-18、24-30節)。也許大衛不能分辨他們哪一個所説的才是實話,又或許他認為洗巴的忠心是配得賞賜的。重要的結果是,米非波設失去了一些產業,但卻保存了性命,大概還保存了他在宮中尊貴的地位。

十九40至二十13　北方的叛亂　在十九章末,猶大和北方各支派又回復緊張的關係。北方的人對大衛並不是全心全意的(40節),縱使他們聲稱與王有更多的情分(43節)。他們與猶大之間的磨擦導致另一次反對大衛的叛變,帶領者是示巴(二十1)。實際上,那只是一件小事故,不用爭戰也就結束了,但它卻獲得廣泛的支持(二十2)。

個人的描述集中在約押和他的親屬亞瑪撒身上。亞瑪撒顯出他是一個不勝任的元帥,而再一次,是約押的能力和他向大衛的忠心,把敵人打敗了。這故事也再次顯出約押那殘酷無情的性格。

二十14-26　叛亂的結束　這次叛亂的弱點在於,示巴雖從未停止作戰,卻是退到以色列北面邊界「伯瑪迦的亞比拉」去。即使在那裏,他也不是好好地作一戰,卻是等待被圍困。似乎亞比拉是一個極差的選擇,因為這城以「和平忠厚」而聞名(18-19節)。那城的居民反應很敏捷,他們把示巴殺了,結束了這場戰爭。又再一次,是一個人的死亡,解決了這個問題。

約押得勝了,便返回「耶路撒冷到王那

裏」，他有信心必得再次擔任以色列全軍的元帥，而大衛必也確認他這個地位（23節）。本章末列出大衛在位晚期的大臣，而這名單跟較早期在八章16至18節的名單有所不同。這裏初次提到「服苦的人」，顯示大衛需要強迫以色列一些沒有服苦的人去進行國家的工程和計劃。最悲慘的轉變是這裏沒有再提及大衛的眾子。他的兒子有些仍活著，包括亞多尼雅和所羅門，但暗嫩和押沙龍都在悲慘的境況下喪生了。列王紀上第一章繼續大衛眾子的故事。

二十一1至二十四25　大衛的統治：困難與展望

　　學者常以撒母耳記下末後4章為全書的附篇。這4章的內容多樣化，而且中斷了王位之爭的故事。然而，對作者來說，這部分卻有主題上的一致和刻意的目的。這幾章聖經說明了大衛別的一些問題，並顯出神怎樣在他所有困境中，給他提供指引和忠心的支持者。這裏也顯示，大衛對生命和神的經歷，怎樣使他成為「以色列的美者歌者」。最後，本部分為故事以後的發展埋下伏線。

二十一1-22　饑荒和戰役

二十一1-14　處死掃羅家　大衛在位時，多半問題出於戰爭，但以色列地偶爾也遭遇乾旱和饑荒，而本章就是記載一次尤其嚴重的「饑荒」，也許發生在大衛在任的早期。當大衛求問神（1節），神就提到一件事，那是別處沒有記載的：掃羅攻打基遍城中的人。這事件的背景是，掃羅為了保衛以色列，曾不單攻打非利士人，也攻打任何有威脅的非以色列人。但基遍人並沒有對以色列造成威脅，而且破壞以色列人與他們在昔日定立的條約（參書九），是一件嚴重的罪行。這個沉冤從未得雪。根據今日的法律，因掃羅的罪而懲罰掃羅家的人同樣是錯誤的，但在古時，人都支持家族共同承擔錯失的原則。即使是這樣，我們難免感到基遍人是過分執著要報復。

　　作者述說這故事的主要目的，是說明這7個被處決之人的死，與大衛無關。無疑有些以色列人像示每（十六5-8），會指責大衛對掃羅家懷恨意。因此，本段提醒讀者，大衛怎樣對待米非波設，以及指出他怎樣小心地安葬掃羅及其後人的遺體。

二十一15-22　與非利士人爭戰的片斷　本部分記載了非利士人與大衛爭戰的一些片斷，但不清楚其目的何在，和為何編排在這裏。在某程度上，這記述為第二十二章奠下了基礎，而二十二章是一篇以敵人和戰爭為主題的詩篇。也許敘述這幾節經文的主要原因，在於提供一個背景，去描述大衛為以色列不可熄滅的「燈」（17節）。他的臣僕認為王對以色列的福祉是重要的，跟撒母耳在撒母耳記上第八章對君王的描述很不相同。大衛已被神懲罰，如前幾章所見，但在這末後的幾章，聖經作者提醒我們，耶和華與祂所揀選和膏立的君王大衛，有極親密的關係。

　　第19節「伊勒哈難殺了……歌利亞」這是一句叫人疑惑的話，但本節與列王紀上二十章5節的平行句（那裏的用字頗不相同）有文本上的問題。因此，這似乎跟撒母耳記上十七章大衛打敗歌利亞的故事，並沒有衝突。另一個可能性是，「伊勒哈難」是大衛本身的名字，而「大衛」則是他登基作王的名字。

二十二1至二十三7　大衛的兩首詩歌

二十二1-51　讚美之詩　這首詩歌也收入了詩篇之內，是為詩篇十八篇，但內容有些微差異。這首詩歌在詩篇中的位置顯示，它是用作一般感恩的詩歌。這裏使用這詩歌是為了表明大衛有作為詩人的聲望，但更特別是對大衛如何經歷神，給予概括的評註。大衛在位期間，多與各種不同的「仇敵」（1節）爭戰，但他已贏得一段和平的日子。他必定是一個很有才幹的人，但在本詩中，所有勝利和成功，都是歸功給神。

　　第1-7節描述神對大衛來說，是怎樣的一位神，而最重要的，神是他的「救主」。第8-20節用了圖畫般的措詞，來描繪神如何回應大衛的呼求，並強調了神的大能。第21-25節提到神干預的基礎：作為君王，大衛在以色列民中高舉了神的律法。（第24節清楚地並沒有提及大衛對烏利亞所行的惡，這詩篇是關乎皇室的政策，而不是個人的品行。）

　　第26-37節轉而以神的信實為主題；祂真的持守了與大衛所立的約（參第七章）。第38-46節談到大衛的眾仇敵，尤其是他憑藉神的幫助而擊退的那些外邦國族。第47-51

節重申大衛向神的讚美，並結束了這詩篇。本章最後的話是一些前瞻：神也會向大衛的「後裔」守約。更詳盡的評註可見於詩篇第十八篇的註釋。

二十三1-7 大衛末了的話 這第二首詩歌的主題，跟第二十二章相仿，但更強調神與大衛所立的約，而較少提到仇敵。「匪類」要小心對付，但他們的滅亡是確定的（7節）。

這詩篇承認大衛有先知的靈，使他能作以色列的「美歌者」。然而，最重要的，是本詩生動地描述了大衛作王的職分。由於他的治理有「公義」，並「敬畏神」，因而以色列得著奇妙的祝福（4節）。**第5節**提到的「救恩」，和大衛「一切所想望的」都得到成就，也是關乎他的治理；其中所指是以色列的勝利和昌盛。

二十三8-39 大勇的勇士

神給予大衛幫助，使他能抵抗敵人，在上述兩首詩歌中已提及。作者現在證明他也得到一些人的幫助，並列出他一些出色的將領。首先，有一組精英稱為「三個勇士」，他們的英勇事蹟在8至12節略述了。**第13-17節**提到另外3人的功績，他們位列於「三十個勇士」之中。**第18-23節**從三十勇士中再挑出二人，亞比篩和比拿雅，他們兩人都曾在先前各章提及了。

亞撒黑（24節）在大衛作王早期被殺了（二23），而烏利亞（39節）之死，也曾在前文中提及（十一17）。這表示有需要時，別的名字也會加在三十勇士的名單上，使數目變得確切。這樣也可解釋「三十七」（39節）這個數字了。

二十四1-17 數點民數與瘟疫

對現代讀者來說，這是叫人難明的一章聖經；我們若是聰明，就都知道神的行為有時是高深莫測，不是我們所能理解的。聖經作者在這裏並沒有解釋耶和華為何向以色列人發怒（1節），也沒有解釋數點民數何以有罪。有證據顯示，在古代近東，進行人口普查是危險的，極可能會引起神的憤怒。無論如何，事實是，這次數點民數帶來了瘟疫，而聖經作者認為那是神的作為。列王紀上二十一章1節提到撒但的活動，但撒母耳記作者更強調的是神對所有歷史事件的操控。不管怎樣，「耶和華的話」（11節）證實了那是神的干預；事實上，瘟疫已是3樣災禍中最輕微的一樣了。

作者在**第16節**提到「亞勞拿的禾場」。早期的讀者馬上知道，那是未來耶路撒冷聖殿的地點，聖殿由所羅門興建。就在這地點上，神在瘟疫中彰顯了祂的同在。神已顯明了祂的憤怒和祂的能力；現在神的憐憫也向以色列人顯明了。

二十四18-25 新祭壇

本段結束了撒母耳記全書，其中帶著極強的前瞻。亞勞拿的禾場成為了聖地，成為了獻祭和禱告之所（25節）——事實上，所羅門的聖殿已孕育了。這是一個充滿盼望和與神相交的地點（瘟疫已結束了）。

儘管大衛曾犯罪（10節），但他在本章中仍有很好的形象。他承認自己的罪，他小心地求問神的先知，並為子民代求（17節），以及給他向亞勞拿所取的付足代價。在較早前，大衛遠遠不能稱得上是一位完美的君王，而他在這裏仍被視為一個有罪的人；但他畢竟為後來的君王留下了美好的榜樣，其中不少在於他對正確地敬拜神的關注。有關對神的敬拜的關注延續至列王紀；而在列王紀裏，大衛的事蹟才圓滿地結束。

D. F. Payne

進深閱讀

J.G. Baldwin, *Samuel,* TOTC (IVP, 1988).
R.P. Gordon, *I and II Samuel* (Paternoster / Zondervan, 1986).
R.W. Klein, *I Samuel,* WBC (Word, 1986).
A.A. Anderson, *II Samuel,* WBC (Word, 1989).

列王紀上下

✿ 導論

在正典中的書名與位置

　　撒母耳記上下和列王紀上下原為一卷書。列王紀上延續了撒母耳記下所記載的大衛國度，而前書首兩章是大衛之宮廷歷史〔也稱王位繼承故事(succession narrative)〕的結束；這段宮廷歷史在撒母耳記下二十章突然中止了。列王紀上與下的劃分，則把亞哈謝王和先知以利亞的事蹟中斷了。

　　撒母耳記上下和列王紀上下4卷書在七十士譯本（舊約的希臘文譯本，於主前三至二世紀完成）中的名稱──1-4 Basileiai，即關乎「王國」或「統治」的4卷書──反映了4卷書原是一卷。我們不能確定這書何時或為何這樣分成4卷，但有人認為那是一位編輯所做的工夫，他把舊約分成長度大致相等的誦讀經卷。

　　在希伯來聖經中，列王紀上下結束了前先知書（即約書亞記、士師記、撒母耳記和列王紀上下）的部分；這些歷史書卷記載了以色列人抵達應許地至最後猶大被擄至巴比倫為止的歷史。若要了解列王紀中的信息，我們必須謹記這個背景。

寫作年代與作者
按現存形式來看列王紀的寫作日期

　　按其現存的形式，列王紀不可能寫於約雅斤王於主前561年出獄之前，即大概在被擄至巴比倫的中期。這是列王紀所記載的最後一件事件，因此，本書似乎是在那時，至被擄的猶太人返回耶路撒冷（主前538年）之間的一段時間內完成。然而，本書顯然並非被擄時期的一些自由創作，因為作者曾使用各類較古舊的資料，甚至透露了其中一些資料來源（參下文）。

近代有關列王紀寫作的理論

　　在1940年代，諾夫（Martin Noth）對列王紀上下的研究提出了一個新的見解。他主張列王紀是一份較冗長之文獻的一部分，由約書亞開始，而至列王紀下結束，是一位作者在被擄期間寫成的。雖然這位作者使用了一些古老的文獻資料，但他並非純粹是一位編輯或編纂者；他是一位原創作者，把所有資料融合成一體，藉以表達他自己對以色列歷史的理解。諾氏尤其強調，整部作品充滿著濃厚的申命記神學和風格。這卷書因而稱為「申命記派史書」（Deuteronomistic history）。諾氏理論中的「申命記派史書」強調只可在耶路撒冷的聖殿中進行敬拜（即使是那些「行耶和華眼中看為正的事」的君王，也因沒有廢掉「邱壇」而受到批評；例如王下十二2-3）。這位原作者也強烈批評拜偶像的行為，認為這是以色列人最終被擄的原因（例如王上十四15-16；王下二十一13-14）。

　　有些接受諾氏的申命記派史書觀的學者，更主張這作品有兩個或以上的修訂版本。有些主張那初版寫於被擄前，以約西亞王的宗教改革為故事高峰。約西亞以後，猶大的命運突然逆轉，甚至遭受被擄的災難，使史家不得不對這段歷史作出修訂。然而，認為有兩個或以上修訂版的理論，大都在乎學者如何假設原作者的編寫和建構歷史手法。近期有關古代寫作方法的研究，對這些假設存疑，而現今的趨勢又跟兩個修訂版的觀點背道而馳。例如，雖然現代讀者也許認為列王紀下二十五章27至30節不像是作者收筆的結語，但現今的理解，卻認為這結語在古代背景中是完全可以接受的。**總而言之，我們沒有足夠理由去否定列王紀（若不是整部申命記派史書）是一位作者的作品，並在被擄的後半期寫成的。**

　　根據作者可取得的資料（參下文），並他

對約雅斤王之命運的興趣，可推論他大概是一位高級的官員（「貴族」、「官員」和「國中的首領」），並在主前597年（王下二十四12-15），即耶路撒冷被毀前10年，與約雅斤一起被擄的。他甚至可能是一位文士，（若不是受被擄所阻）專責記錄皇室的事故。我們可以猜想，他是為被擄的皇室成員寫作，尋求一套神學理論，去解釋他們和王、聖城和國家所遭遇的大災難。他這套用歷史形式去表達的神學，是基於申命記的教導，並且完全認同申命記中的警誡說話。他多次向讀者展示，由先知傳達的話，如何對歷史事件、警告和審判，有絕對性的影響（例如王上十一11-13、31-39，十九15-18，二十一17-29；王下九1-10、36-37，十七7-23，二十一10-15）。

資料來源

作者手上顯然有些典籍，從中可以取得一些資料，如每位君王的任期，和（在分裂王國時期）以色列諸王和猶大諸王的對照年表。這些資料大概取自一些列王名單和年代表，這些資料也是亞述和巴比倫宮廷例行保存的。這些典籍有時包含某些事件的梗概，以及一位君王任內的政績，因而，舉例說，作者得以記述所羅門的建設（王上九15-19）的事蹟。然而，列王紀裏有許多材料，尤其是那些關乎先知言行的故事，必定是從別的源頭而來的。

作者有時會請讀者參考進一步的資料，如「所羅門記」（王上十一41）、「以色列諸王記」（王上十四19）和「猶大列王記」（王上十四29）。這些古代讀者大概很容易可以參考到上述的資料，但可惜這些典籍現今已經失傳了。（我們不可把被擄歸回後寫成的與列王紀上十四章所題的混為一談；不過歷代志有時會保存著這些失傳文獻中的一些資料。）

作者有時會直接引述一些被擄前的資料，保存其觀點角度不變，如在列王紀上八章8節「直到如今還在那裏」的說法，是以聖殿被毀前的角度來說的。

聖經歷史的寫作

作者寫成了這部作品，其中保存了各種不同來源的資料，並把它們融合在一個整體

裏，這是一項傑出的成就。但這類聖經的歷史書的本質有何特別呢？即使是簡略瀏覽也可告訴我們，雖然其中記載著歷史，但寫法跟現代史家的歷史寫法並不相同。作者不時叫我們參考別的典籍，去取得進一步的資料，可見他只是選擇了某些題材來記述。換句話說，他只是選擇那些符合他寫作目標的材料來記述。對於眾多的君王，他也是選擇性和比重不一地記載，可見他有特定的寫作目的。雖然所羅門和約阿施同樣執政40年，但他處理所羅門在位的記述，比約阿施卻多出了17倍。

此外，作者釐定哪位君王重要的看法，也跟現代史家很不相同。幸有考古的發現，讓我們知道，暗利在國際舞臺上有若干影響力，但列王紀上十六章23至28節的簡短和負面記述，則對這方面沒有半點暗示。也許他真正的政治地位可在作者叫我們參考的「以色列諸王記」中反映出來，但作者本身卻沒有興趣詳加描述。在他來說，暗利的影響在於「他行耶和華眼中看為惡的事」，帶領以色列人陷入更深的背道中。

列王紀的作者並非按任何一個王在政治或戰場上的功過去評價他們。作者唯一重要的判斷標準在於一個王怎樣帶領子民去敬拜神。那些持守純正敬拜的君王備受推崇（雖然他們也因沒有「廢掉邱壇」而受非議），而那些助長偶像崇拜的則受到譴責。作者尤其強調，那些主力鼓吹拜偶像的王，要為王國最終的滅亡負上責任。當然，所有歷史都包含對事件的詮釋和記載；但列王紀（和其他的舊約歷史書）中的選擇性和詮釋的角度，按現今的標準來看是驚人的。

總而言之，列王紀並不是一本直述的歷史書，而是充滿著對各項事件的神學評價。作者的意圖是解釋這段歷史的重要意義，而不單是記述史實。

結構

列王紀上下的結構並不明顯，而學者也有各種不同的看法。

也許最有幫助的，是參考一個基本的三重結構。第一部分敘述所羅門的繼任和執政（王上一至十一）；第二部分敘述兩個王國——以色列和猶大——的時期（王上十二至王下十七）；第三部分敘述以色列滅亡後，

證主21世紀聖經新釋

猶大國獨存的時期（王下十八至二十五）。首兩部分有詳盡的神學評論作結（王上十一1-13、29-39；王下十七7-23、34-41），暗示作者本身可能心中也有這樣一種劃分。

中間的部分顯然是最長的（共28章），並且可以再劃分為3部分。第一部分是列王紀上十二章1節至十六章28節，敘述自所羅門死後，以色列和猶大諸王的事蹟，直至暗利在以色列執政。第二部分是列王紀上十六章29節至列王紀下十章36節，敘述暗利的王朝及其令人震驚的衰落，並且幾乎是純是北國的記載。在整段裏，只有兩個簡短的插段是關乎猶大的（王上二十二41-50和王下八16-29），即在16章內只佔了24節經文！在暗利王朝故事中，也包含了以利亞和以利沙的故事。以利亞故事佔據了列王紀上十七至十九章和二十一章，並列王紀下一章1節至二章18節的篇幅，而列王紀下二章19節至八章15節則以以利沙為主（其後又在九1-3和十三14-21出現，但後者是在此部分以外）。其他先知的事蹟，也擴大了這時期的記載篇幅（王上二十13-43，二十二1-28）。第三部分由列王紀下十一至十七章組成，並且再次同步敘述以色列和猶大諸王的事蹟。

歷史背景

列王紀所記述的時期有400多年，從所羅門在主前970年（或之前）繼位，至被擄的君王約雅斤在主前561年從獄中得釋放為止。這裏只可簡略地概述這段時期的歷史。這段歷史可按列王紀的3個主要分段（如上文）分為3部分。

所羅門的統治 （主前970至930年）

所羅門從大衛遺留給他的一個和平局面得著益處。最低限度，他在位的前期享受著與南方的埃及和北方的推羅王希蘭兩段良好的關係。這兩國都是重要的貿易伙伴。那時並沒有強大的勢力威脅著所羅門這個細小王國的安全。在他繼位之前接近兩個世紀，埃及已不再是近東的一個強國。第二十一王朝（主前1089至945年）的法老，除了確保邊疆安穩和與鄰邦保持友好關係之外，並沒有任何對外的政策。所羅門大概是與這王朝（主前978至959年）的西亞門（Siamun）結盟，並以迎娶法老女兒來確保這盟約（王上三1）。

然而，所羅門在位的後期，他與外邦的關係卻開始惡化。經文暗示他與推羅王希蘭的關係變得沒有早前那樣友善（王上九10-13），他又面對從南面以東和北面大馬色而來的敵意（王上十一14-25）。主前945年，埃及改朝換代，示撒登位；他在所羅門要殺害耶羅波安時，收容了耶羅波安（王上十一40），並在所羅門逝世幾年後，侵擾耶路撒冷（王上十四25-26）。

王國分裂 （主前930至722年）

羅波安第五年（主前925年），示撒對巴勒斯坦的侵襲並沒有使埃及鞏固她在該區的勢力。埃及的風光日子已成過去。以色列和猶大的長期威脅在別處冒起。

以色列王暗利（主前885至874年）取得了一定程度的國際地位，雖然聖經沒有提供這方面的資料。在米沙石碑（Mesha Stele）上，摩押王米沙（Mesha，約主前850年），為紀念他成功叛離以色列（參王下三4-27）而刻上的銘文，指暗利較早前征服了摩押，使之成為以色列藩屬。晚至主前722年，亞述文獻仍稱以色列為「暗利之地」。

在主前第九世紀，一個以大馬色為首都的城邦亞蘭（修訂標準譯本作「敘利亞」），成為了以色列的一個威脅。亞蘭在便哈達的帶領下，攻擊以色列，協助猶大王亞撒（王上十五18-20），時間在主前895年左右。另一個便哈達（大概是第一個便哈達的兒子或繼任人）幾乎一直都是亞哈及其後裔的敵人，並兩次圍攻撒瑪利亞（王上二十；王下六至七）。一個共同敵人——亞述——的冒起，給亞哈和便哈達之間帶來一段短暫的相安日子（王上二十二1）。由於亞述在撒縵以色三世（主前858至824年）的帶領下從西面入侵，許多小國遂組成聯盟去抵抗他。在撒縵以色對夸夸(Qarqar)戰役（主前853年）的記述中，他提到亞哈和便哈達是這聯盟的成員，並記錄了亞哈派出2,000戰車和一萬步兵來守衛——那是聯盟中一股極強的勢力。雖然撒縵以色戰勝了盟軍，但亞述從西方而來的干擾卻暫時停止。

從亞述而來的威脅過去後，亞蘭又再顯露其敵意（王上二十二2-3）。在主前843年左右，便哈達遭哈薛謀殺，哈薛取了王位（王下八7-15）。以色列只能僅僅脫離哈薛和他兒

子便哈達三世的攻擊（王下十三3-7），甚至猶大也受其威脅（王下十二17-18）。然而，以色列和猶大分別在耶羅波安二世（主前782至753年）和亞撒利雅／烏西雅（主前767至740年）的統治下，得到軍事和經濟上的復甦。

可是，亞述不久便改變了近東一帶的面貌。提格拉毘列色三世（主前744-727年）的東征西討，使亞述帝國得到空前的擴展，而以色列很快就給吞併了。大概在主前738年，因米拿現自願歸服亞述（參王下十五17-22的註釋），以色列成為了亞述的一個衛星國。隨著比加的流產政變，以色列的地域縮小了，並成為了一個屬國（主前732年），受到亞述更多的干預和介入，但它仍可有自己的君主。當何細亞叛變，撒瑪利亞被毀滅來的殖民（主前722年），整個地區就成了亞述的一個省，由一名軍事總管管轄。以色列部分人口被遷往亞述帝國的其他地區，由外取代他們。這樣，北方眾支派便喪失了他們的身分，而以色列國也不復存在了。

剩下猶大（主前722至587年）

猶大在主前734年，在亞哈斯治下曾歸服亞述（王下十六7-8），但希西家推翻了他父親的政策，背叛了亞述。亞述王西拿基立（主前704至681年）在主前701年入侵猶大，奪取了46座堅固城堡，擄走200,150人。耶路撒冷幾乎毀在他的手下，後來卻奇蹟地得蒙解救（王下十八至十九）。猶大在亞述的控制下，在瑪拿西一段不短的在位期間，仍得以殘存，而西拿基立的繼任人以撒哈頓和亞述巴尼帕，則看猶大為一個屬國。亞述帝國在亞述巴尼帕（主前668至630年）治下，取得了最廣闊的版圖。他在主前663年侵略埃及，並奪取了提比斯。但在他在位末期，亞述在西方的國境開始崩潰。約西亞甚至得以在前以色列國的舊領上擴展其改革，而不受干擾。

然而，猶大的自主獨立只是短暫的。主前609年當他阻止法老尼哥前往協助亞述的末代皇帝抵擋巴比倫時，約西亞陣亡了（參王下二十三29-30的註釋）。埃及短暫地控制亞述瓦解後遺留下來的勢力真空區域——即敘利亞和巴勒斯坦一帶。猶大因而成了埃及的一個屬國。巴比倫在尼布甲尼撒的領導下，

在主前605年於迦基米斯打敗了法老尼哥，而猶大則成為了新巴比倫帝國的一部分。同年，尼布甲尼撒繼承了他父親尼布普拉撒，坐在巴比倫的王位上。

猶大曾兩度背叛巴比倫。第一次背叛的結果是約雅斤王和耶路撒冷的精英被放逐至巴比倫（主前597年）。第二次叛變較有組織，但同樣難逃失敗的厄運。這次西底家作為反巴比倫聯盟的一名成員，向埃及尋求支援。但埃及的幫助來得太遲。在主前588年，尼布甲尼撒圍攻耶路撒冷的時候，法老何弗拉的一支軍隊到來協助，耶城得以暫時脫險（耶三十七5-8）。然而，巴比倫不久便對付了埃及，並再次圍攻耶城。在主前587年，耶路撒冷被毀，另一批被擄的人被送往巴比倫。雖然被擄的約雅斤後來得到尼布甲尼撒之繼任人的禮遇（王下二十五27-30），但猶大諸王的統治要已告一段落。

年代表

學者曾嘗試根據亞述和巴比倫的典籍，去協調聖經有關以色列和猶大諸王在位的數字，卻遇到許多困難。這裏不能列出所有的問題（其中一例可參王下十八9-12的註釋）或其解決方法。〔精簡扼要的討論可參W.S. LaSor, D.A. Hubbard, F.W. Bush的*Old Testament Survey* (Eerdmans, 1982) pp.288-297. 至於詳細的討論，可參E.R. Thiele, *The Mysterious Numbers of the Hebrew Kings*，第三版（Zondervan, 1984）；「聖經歷史」專文的圖表採用了Thiele的架構，也作了一些次要的修訂。〕

🌡 主 題

列王紀在君主政制的頂峰開始，當時所羅門繼承大衛作聯合王國的統治者。在首數章裏，整個申命記派歷史到達了最高峰——就是聖殿的興建。但所羅門在位的光輝非常短暫。他本身的缺點導致他死後王國即分裂為二。以色列國的第一任君王耶羅波安的罪，使北國步向災難，而作者也多番暗示猶大國也有潛在的危險，有可能向相同的道路走去。以色列國滅亡後，猶大享受到兩位勵行改革的君王——希西家和約西亞——的統治，他們似乎把王國推向了高峰，使她免遭

以色列國滅亡的命運。但兩位君王死後，國中都有戲劇性的逆轉，顯然一位像約西亞這樣的君王，也不能使之避過災難。叫人沮喪的結論是：災難是不能避免的，因為沒有人（也沒有王）是無罪的（比較王上八46）。作者承認，即使是大衛——作為正直君王的典範——也是不完全的（王上十五5）。若是典範也有瑕疵，那些在他後來的，還可以有甚麼希望呢？

因此，列王紀指出神為甚麼毀滅自己的子民，放逐他們到外邦去。本書主要目的是表示神那可怕的決定是合理的，因為以色列和猶大諸王幾乎沒有例外地是滿有瑕疵的。當然並非只是諸王有缺點；整個以色列民族都有犯罪的傾向。

那麼，列王紀是否一段沒有盼望的歷史呢？它確實對人類的政治制度作出了消極的評核。在這方面，它為一個在士師記開始的主題作出了總結。士師記結束時，指出士師的制度是失敗的，盼望君主政制可以有較佳的貢獻（士二十一25）。在列王紀中，君主政制備受考驗，並且最終同樣失敗。

另一方面，列王紀表明神向以色列信守諾言，並且介入這民族的政治生活。所以，它提醒我們，不要以為神是不干預政治的。本書表明，神的恩典和審判活躍於政治活動。整本書巧妙地表明，人類的自由和責任與神的主權是交織著的，我們不可過分簡化地看兩者的關係。對於人類的善行和惡行，神都留意，並用來促成祂的種種計劃。祂是實行那些計劃的神，祂藉著有罪的人來實行。不管人的動機如何，神的計劃也絲毫無損。

雖然有多處強調信心帶來祝福，不忠帶來審判，但作者的神學並不止於因果的關係。神的自由使不同事件有出人意外的演變。例如，以色列並沒有在約哈斯年間滅亡，並非由於以色列諸王有任何改進，而只是由於神要向以色列表示憐憫和恩慈（王下十三4-6、22-23，十四26-27）。但神的自由並不只是行憐憫的自由。儘管約西亞作事虔誠，並進行大規模的宗教改革，但祂毀滅猶大的心意已決，不會改變。神的自由表示祂並不可能被人類操縱。歷史的發展，並不是在乎君王的意志，乃在乎神自主的旨意。

這樣強調神的自由，使列王紀下在結束時，對猶大的前景還暗藏希望。由於神有自由隨己意而行，所以被擄可能並不是祂的最後判決。作者也提醒被擄的人：神的子民若悔改、尋求主，祂可能會饒恕他們，使那些轄制他們的人，向他們施憐憫（王上八46-51），希望也因而存在。本書暗示被擄以後將會發生的事，上述經文算是最明顯的了。這裏並沒有應許他們得以返回本國，也沒有應許大衛的王朝得以恢復。（大衛王朝已面臨災難性的失敗，還能怎樣給以色列人帶來拯救呢？）基督徒讀者可能看見這王朝最後在耶穌——第二個大衛——身上恢復了，但這樣的盼望並沒有在列王紀中說出；我們必須翻看耶利米書和以西結書才可看到這盼望。

應用綱要

透過王國歷史，看到神不單掌管歷史事件的發生，同時也藉著祂的先知向選民清楚解釋歷史的意義。而歷史上的人為錯誤、失敗比比皆是，但掌管歷史的神卻能夠化腐朽為神奇：亡國流放的痛苦竟成了信仰更新的轉捩點；因選民的叛逆，救恩卻臨到萬邦。

大綱

列王紀上

列王紀上

註　釋

一1至十一43　所羅門
一1至二46　所羅門建立治權

一1-10　大衛與亞多尼雅　在這裏我們看見大衛年老體弱，身體不能暖和，也無力進行性事（1-4節）。正在蓄勢待發的是亞多尼雅，他是大衛在希伯崙作王時所娶之6個妻子所生的6個兒子中的第四個（撒下三2-5）。大衛的長子暗嫩已被第三子押沙龍所殺，而押沙龍則在一次叛逆大衛的行動中被殺（撒下十三23-29，十八9-15）。聖經沒有提到大衛的次子基利押，可能他也已經死了，留下亞多尼雅作排行最先的兒子，自然是大衛王位的繼承人。作者有意叫我們想起這些境況，他指出亞多尼雅是「生在押沙龍之後」（6節）。「他甚俊美」的描述叫我們記起大衛年輕時的俊朗（撒上十六12），並進一步暗示他是大衛當然的繼任人。

亞多尼雅不單一心想得王位，並且已招募大衛朝廷中一些知名人士作他的支持者（7、9節）。聖經指出他「為自己預備車輛、馬兵，又派五十人在他前頭奔走」（5節），叫人想起押沙龍奪取帝位前所作的準備（撒下十五1）；大衛沒有對亞多尼雅的行動提出疑問（6節），也使人聯想到他昔日也沒有在押沙龍孕育叛變行動時把他的計劃粉碎。**大衛在這事件上的軟弱，不能完全歸咎於他年紀老邁，因為他早年同樣不能在兒子生事時聲明己見**（撒下十三至十五）。

在大衛不知情下，亞多尼雅安排了一次筵宴，當中有獻祭，並且在隱羅結——耶路撒冷以南的一道泉水——自封為王（9節；比較13、18、25節）。這不是指大衛即時停止作王，而是亞多尼雅自此便與大衛共同執政。然而，大衛既已年邁，亞多尼雅無疑就是實際的君主。

一11-37　拿單的干預　作者已告訴我們，先知拿單並不屬於亞多尼雅的黨派（8節），現在他更扮演競取王位者——所羅門——的支持者。從這幾節經文顯見，大衛曾向所羅門的母親拔示巴起誓，要讓她的兒子繼任為王。（又或許拿單和拔示巴是設計讓大衛相

信他曾這樣起誓，而事實上他並不曾起誓！但亞多尼雅沒有邀請所羅門參加筵席，顯示他知道所羅門也在爭奪王位，而他便小心地在適當的時機，作出先發制人的行動。）拔示巴闖進故事中，叫我們記起在撒母耳記下十一章那精力充沛的大衛，跟現今書中那虛弱的老人形成強烈的對比。

雖然拿單在本章中多次帶著「先知」的稱號，但他並沒有把「耶和華的話」帶給這位正在衰敗的君王。相反地，他所作的一切都只是陰謀和游說。首先，在拿單的教唆下，拔示巴提醒大衛說他曾起誓，又告訴他亞多尼雅正舉行登基的筵席。然後，拿單在適當的時候加入（「拔示巴還與王說話的時候」），並從另一個的角度去談及這個問題。他不像拔示巴那樣帶對質口脗，卻假裝他以為大衛已批准亞多尼雅舉行這次宴會，並恭敬地指出某些人，包括他自己，並未獲得邀請赴宴。

大衛趕忙行動，要控制這事件，並起誓他會即時履行他先前的諾言（30節）。他召集了所羅門其他主要的支持者——祭司撒督和比拿雅，迅速下令要在基訓泉——耶路撒冷東牆以外的水泉——馬上膏立所羅門為王。

一38-53　所羅門作王　在主要的支持者和大衛的侍衛（「基利提人」和「比利提人」）伴隨下，所羅門前往基訓，並且是騎著「大衛王的騾子」前往（38節）。大衛沒有參加這儀式，也許由於他身體虛弱，即使只是前往前面山腳的短途旅程，他也支持不來。在短時間的通知下，已聚集了眾多的群眾，可見所羅門是一個頗受歡迎的王位繼承者。亞多尼雅在隱羅結聽到群眾的響聲，而不久便有人把整件事向他報告了；他的支持者知道遊戲已結束，便靜靜地四散了。

亞多尼雅預期所羅門（他稱為「所羅門王」）會殺害他，他抓住「祭壇的角」尋求庇護。以色列的祭壇（如考古發現所證實的）有四角從壁面伸出。抓著其中兩個角，人就得到庇護。這裏的祭壇大概是放在大衛所建的會幕中，這會幕是用以安放「耶和華的約櫃」的（撒下六17；比較王上二28）。

到了這裏，所羅門才從一直是被動的人物（使他騎騾，膏他作王等），進入故事中，作一個自主的角色。他作事決斷，而且機靈

和謹慎，他答應只要亞多尼雅保持忠心，便會饒過他的性命。亞多尼雅謙卑地承認他的弟弟是新任的君王（53節），但兩人並未得著真正的和解。我們所得的印象是，好戲還在後頭。

在這一章最後3節經文中，所羅門4次被稱為「所羅門王」（兩次在轉述引語中，兩次出自作者自己）；另一方面，亞多尼雅只有一次被稱為「王」，那是在他的支持者歡呼喝采的時候（25節）。

這樣，本章以所羅門被膏立為王，大衛因耶和華的旨意得以成就感到滿足（48節）作結束。但神的旨意先前卻被忽略；大衛決意採取行動，只是因為亞多尼雅試圖奪得王權，而拿單則關心所羅門的支持者，包括他自己的安全。就像在約瑟的故事中一樣，神的作為似乎是隱藏在人的陰謀和野心之中。

二1-12　大衛逝世　聖經沒有交代所羅門與大衛共同執政多久，大衛才逝世。故事直轉至年老的君王去世的前夕。

首先，大衛在屬靈的事上給所羅門忠告。他要行主的道，謹守祂的誡命。大衛顯然明白耶和華所應許那永存的國度（撒下七），是要在他子孫對主忠誠的條件下（4節）；當故事繼續發展，這事實便顯出其重要性。

其次，大衛指示所羅門去處理一些未完成的事情。他要報復約押違反大衛旨意所行之謀殺的罪；巴西萊的眾子要因忠誠而得賞賜；而示每要因他在大衛躲避押沙龍期間咒詛大衛而受罰。而關乎約押和示每的，大衛沒有給予具體的指示；他只是告訴所羅門要按智慧而行（6、9節）。大衛臨終的贈言以屬靈的指引而明亮地開始，卻以充滿殺機的遺命而晦暗地結束。跟著是官式地宣佈大衛之死與埋葬，這是在整卷列王紀中都不時出現的一種宣佈。

二13-25　亞多尼雅之死　亞多尼雅來到拔示巴面前，那時她身為太后，處於王宮中一個備受尊崇的位置；亞多尼雅前來，是為求取女子亞比煞為妻。亞比煞的身分是一名妃嬪（縱然大衛沒有能力與她圓房），而人若要求得著這樣一個妃嬪，可以相等於求得皇室的權力（比較撒下三6-8，十六21-22）。當這要求轉達至所羅門面前，他並不會忽略當中的含義；他認為那是一個新策略的開始，而這策略是要奪取王位（22節）。他不像他的父親——他的行動不會拖延，亞多尼雅即日被除掉。

二26-27　亞比亞他被逐　所羅門迅速而有效率地剷除一切異己。由於亞比亞他曾支持亞多尼雅，所以他被解除祭司之職，並被逐回他自己在亞拿突的田地——耶路撒冷以北約3哩（5千米）。作者認為亞比亞他這樣被驅逐到鄉下，是應驗了早期一位不知名的先知關乎以利後裔的話（撒上二27-36）。亞比亞他的職位由撒督取代（35節）。亞拿突是分配給利未人的一個城邑，而後來這是耶利米的家鄉（耶一1）。

二28-35　約押之死　約押聽聞亞多尼雅的死訊，知道自己處境危險，便逃往「耶和華的帳幕」，抓住祭壇的角，以尋求庇護。然而，使他性命堪虞的不單是因為他支持亞多尼雅，更是因為大衛臨終時給所羅門的吩咐。比拿雅對於在祭壇把約押殺死，有點遲疑，但所羅門卻毫無顧忌地命令比拿雅這樣做。所羅門似乎認為報復約押殺害無辜者和得罪大衛，可以凌駕提供庇護的律法之上。他宣告說，殺約押是彰顯神的報應，並且耶和華賜大衛家平安的福祉，「直到永遠」（33節）。這樣，比拿雅便殺了約押，並取代他作軍隊的元帥。

作者對所羅門的行為並沒有作出評論，我們不能確定他稱許與否。但最少他知道，所羅門說大衛家有永遠平安的預言，不會應驗！

二36-46　示每之死　對於示每，所羅門的處理方法較為寬大，他只是限制他在耶路撒冷的範圍以內，並警告他離城之日必死。所羅門的意圖就是這樣嗎？還是他一開始已等候一個理由去把示每置諸死地呢？大概後者才是他的計謀，因為大衛吩咐他要使示每「流血下到陰間」（9節）。3年後，當示每破壞這限制，所羅門便表明，他視示每的死為得罪大衛的神聖報應（44節）。所羅門又再一次預言他的國位要蒙福，並且（不正確地）預言大衛的王朝永遠堅定（45節）。

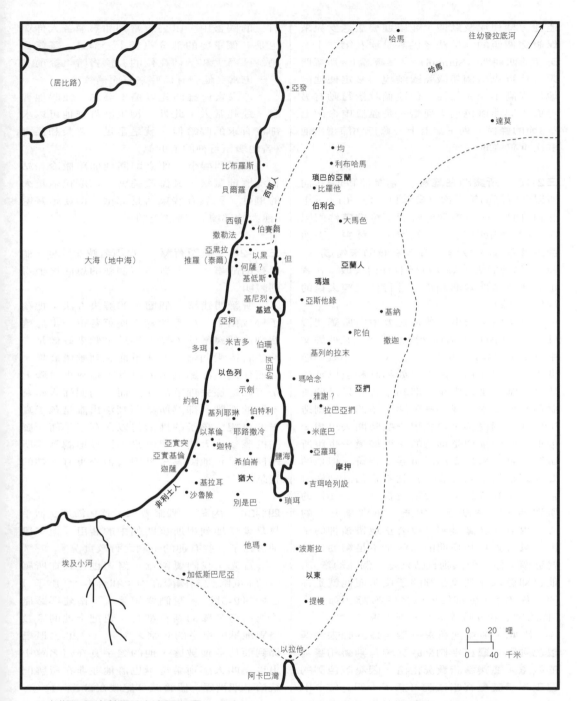

大衛王留給所羅門之帝國版圖

　　大衛未完的事已辦妥，所有異己已被剪除，而所羅門則顯為一位世故、靈巧和決斷的君主，他深信自己是執行神的審判，並且要得到神的賜福。這並不是一幅特別吸引的圖畫，但毫無疑問，這些事「堅定了所羅門

的國位」（46節）。

三1至四34　所羅門的偉大和智慧

三1　與埃及結盟　為了強調所羅門在國際政治舞台上也鞏固自己的勢力，作者接著敍

述他怎樣與埃及結盟，並以迎娶法老女兒來保證這個盟約〔這法老也許是埃及第二十一王朝的西亞門（Siamun）；參導論〕。所羅門與古代近東這個超級強國結親，必定使他的地位提高不少。然而，他這個政治行動有另一面：與非以色列人通婚，是違反申命記七章3節的條例。列王紀上十一章1至6節指出他多次重犯這罪。

三2-15　所羅門在基遍

這是耶和華4次向所羅門說話的第一次（參六11-13，九1-9，十一11-13）。作者感到他必須解釋這事件何以在「極大的邱壇」——基遍——發生：王與百姓都在那裏敬拜，因為聖殿仍未建成（2節）。為免讀者懷疑所羅門有任何失敗，作者也表明所羅門愛耶和華，遵行他父親大衛的律例（3節）。

經文兩次指出，神是在夢中向所羅門說話（5、15節）；這種溝通的形式在某些經文中（申十三1-5；耶二十三25-32）以懷疑的態度視之，但在別的經文（如約瑟和但以理的故事）卻又推崇備至。耶和華首先只是問所羅門有何要求。我們會預期所羅門面對創造主這樣一個提議，會先用一些時間去思想，但他的回答卻似是即時的。這樣最少也跟所羅門一直以來果斷的處事態度相符，但他的要求卻頗為出人意表。我們不會估計到滿有自信，而其智慧又蒙大衛讚賞（二6、9）的所羅門，竟會缺乏一個能「辨別是非」的心。也許他已認識到，要公正地帶領神的子民，只有靈巧和精明的頭腦是不足夠的。面對這個重任，他感到自己只是一個「幼童」，他也知道以色列民是神的子民，而他就是神的「僕人」（在希伯來原文的第7至9節中，「你的民」和「你僕人」分別出現了3次）。

因此，所羅門祈求一個明理的心去治理以色列民。這在希伯來原文帶有判斷和審判的觀念。這與當時實況相符，因為以色列的君王本身就是終審法院（撒下十四4-17，十五2；王上三16-28），並且對於提倡公義有特殊的責任。因此，在詩篇七十二篇1至4節裏，詩人禱告說：「神啊，求你將判斷的權柄賜給王，將公義賜給王的兒子。他要按公義審判你的民，按公平審判你的困苦人……他必為民中的困苦人伸冤，拯救窮乏之輩，壓碎那欺壓人的。」在以賽亞那幅未來理想君王的圖畫中，以公義審判和為窮苦人伸冤也是一個重要的部分（賽十一3-5）。每當我們為「君王和一切在位的」禱告時（提前二2），也當為他們有這些素質而禱告。

神讚賞所羅門先以這事為念，便賜他智慧，遠超常人。此外，神也應許把他可以求卻沒有求的賜給他，就是富足、尊榮和長壽（若他繼續行神的道的話）。

所羅門醒來，便立即回到耶路撒冷，站在約櫃前獻祭，又擺設筵席，以慶祝這重大的事件。顯然有些東西是邱壇，即使是基遍「極大的邱壇」，所缺乏的。

三16-28　盡顯智慧

在兩名妓女爭奪一個嬰孩的故事中，所羅門這個新的恩賜馬上得到證明。

所羅門建議一個簡單的解決方法：把孩子劈成兩半，那兩個婦人便可各得一半。這個判決的殘暴使人感到震撼，聽來好像是一個法官因兩個婦人的相爭而感到厭倦疲累，因而作出這冷酷無情的反應。這故事實際上是可以這樣去理解的。然而，兩個婦人極為不同的反應，卻讓所羅門判別出誰是孩子真正的母親。孩子的性命得以保存了，而所羅門的聲望也大增。眾民毫不懷疑地認為，所羅門能公正地斷案，是因為他心裏有「神的智慧」。

四1-34　內政

驟眼看來，首19節經文似乎只是繁瑣地列出所羅門朝中的諸臣。但本段卻透露了一些有趣的王國之行政實況。

首先，我們要留意，祭司也包括在所羅門的「重臣」（新國際譯本；和合本：「臣子」）之中（2-5節）。我們要記著，大衛建耶路撒冷為以色列國的新首都時，也把全地的宗教穩固地納入皇室的管轄之中。（二26-27既已提到亞比亞他被逐，他的名字竟在這名單中出現，叫人感到希奇；也許他並非在所羅門統治早期被逐，儘管該事記載在書首。）

其次，12位官員的名單（7-19節）顯示了一個重要的行政改革。這些官員所管轄的12個地區多半與舊的支派劃地不相符。國土各部分以一個嶄新的方法劃分了，而這劃分並沒有顧及傳統的支派劃地。我們很難想象這個行動會受到熱烈的歡迎。但更重要的是，這12位官員管轄的地區並不包括猶大支

證主21世紀聖經新釋

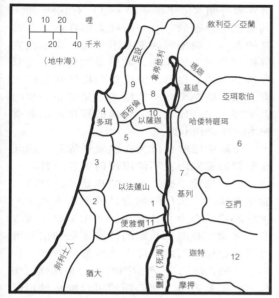

列王紀上四章7至19節所記之所羅門十二行政區分佈圖

派的領土。（若如修訂標準譯本，第19節末有：「在猶大地有一位官長」，則猶大是有自己的官員轄管的。）這使我們警覺到「**以色列**」在本章中有兩種用法。第1節說所羅門作「以色列眾人的王」時，顯然是指整個國家；但第7節說所羅門在「以色列全地，立了十二個官吏」時，所指的是與猶大有別的以色列（即北面各支派），事實上，第20節也把猶大和以色列劃分出來。因此，我們清楚可見，猶大和以色列仍是在行政上有所分別，像在大衛治理時一樣（撒下二十四1、9）。

然而，我們可以從官吏的名單中看出一個更重要的事實。他們的職務是徵收稅款，以供應皇室的需要。他們每人每年要負責一個月的供應（7節）。這意味著**猶大在徵稅的制度中得以豁免；重擔全然落在以色列之上**。第22-23節記述皇室那龐大的食用開支，讓我們估計到那擔子是何等沉重。

雖然如此，猶大和以色列人，都「吃喝快樂」（20節）。國土穩固，有賴那支擁有龐大馬車隊的軍隊（25-26節）。仗著這樣的軍事實力，所羅門應不難保持大衛打出之江山的完整，這國土由北米所波大米伸展至南面的沿岸平原（21、24節）。然而，這幅圖畫在稍後出現了一些變更。

本章以讚美所羅門的智慧來結束，藉著

一些比較來強調他有過人的智慧和廣闊的見識。對作者來說，他並沒有改變話題；財富、能力、昌大、富強，這些在前文所描述的，都被看為所羅門智慧的彰顯（我們在十14-29會發現這些東西再一次結合起來）。

然而，本章帶出了一種緊張狀態。當我們讀到後來的事件時，很難避免去作出一個結論，就是所羅門宮廷的奢華，和他加諸北方眾支派的重擔，為北方支派的不滿情緒埋下伏線，結果釀成王國的分裂。

五1-18　建殿的準備

所羅門管治之記述重點佔很長的篇幅（六1至九9），而所記載的主要是關乎耶路撒冷聖殿的興建。這部分均以所羅門與推羅王希蘭的接觸來開始和結束（五1-18，九10-14）。

五1-12　所羅門與希蘭

「推羅王希蘭」早期曾為大衛提供木材、木匠和石匠，作建造他在耶路撒冷的居所之用（撒下五11）。希蘭聽聞所羅門繼位，便官式地差遣使者來訪，以確保兩國皇室仍保持友好的外交關係。所羅門趁此機會，也尋求希蘭在另一個建築計劃上提供幫助。他履行神賦予的任務——在耶路撒冷建殿——的時候已經到了（4-5節）。

雖然希蘭只稱為「**推羅王**」，但他顯然是治理腓尼基沿岸的一大片土地，並擁有利巴嫩的山林；他所供應的工人中有西頓人和迦巴勒人（6、18節）。

為換取木材和工匠，所羅門答應為希蘭的宮室供應麥子和清油。這種安排是一個「約」（12節）。所羅門每年供應希蘭的糧油（11節）與所羅門宮室每年所需用的相約。換句話說，他要履行這條約，實際上要以色列人付上雙倍的稅項。

五13-18　所羅門的勞工隊伍

作者解釋了所羅門怎樣確保建殿原料的供應後，便轉而交代他如何建立勞工隊伍。所羅門「從以色列人中，挑取服苦的人」，共有3萬人（13節）。我們不知道本節的以色列是指兩個含義中的哪一個。這些工人要每個月上利巴嫩一次；換句話說，他們每年有三分之一時間離開自己的農田。此外，有15萬人要在國中的山區，負責開採、雕鑿和運送石材的工作。整

個建築計劃歷時7載才完成（六38）。

作者無疑是希望讀者驚異於所羅門這樣大規模的建殿準備，但對現代讀者來說，這段敘述卻造成了某程度的不安；這也許並非它的原意。一方面，我們不能不驚訝於所羅門竟能動員這樣龐大的勞工力，並且徵收款項去支付腓尼基人所提供的幫助。另一方面，我們也不能逃避一個事實，就是這樣付出勞力和田產，必叫人民百上加斤。

六1至七51　建聖殿

六1-38　建造聖殿　本章明顯是以對稱的模式來編排的，其中第二部分是第一部分的反照。這模式以神向所羅門說話為中心，以強調其重要性：A¹年代資料（1節）；B¹聖殿基本結構的描述（2-10節）；C神向所羅門說話（11-13節）；B²裝飾與配件的描述（14-36節）；A²年代資料（37-38節）。

然而，本章並不包含所有有關聖殿的裝備。作者在七章13至51節，即交代所羅門王宮的興建後，再敘述聖殿的擺設。這樣頗為可怪的安排，可能有以下原因。

開始時所交代的日期，不但把建築工程開始的日期按所羅門登基的日期來計算，也按著出埃及以來的日子來計算。這樣去交代建殿日期可能有兩個原因。首先，它希望讀者把兩件事件作出比較；它暗示興建聖殿，跟以色列民族之誕生的歷史事件同樣重要。其次，把建殿的工程放在這歷史背景下，是提醒我們，耶和華的計劃要在歷史中實現，並且祂的計劃往往是長期的。「耶和華你們的神……選擇何處為立他名的居所」（申十二5）的應許，要經歷多個世代才可應驗。

聖殿及其裝飾的描繪，對現代讀者來說，在理解上有一定的困難。經文中有些建築用語並不容易去翻譯，而其中許多細節也很難想象出來。經文沒有把完整的平面圖、正面圖，和建築師掃描傳遞下來，實在是一個很大的遺憾！

第2-10節描述聖殿的基本外圍結構。聖殿是長方形的，沿著從東至西的軸心來排列。聖殿的主要部分包含聖所（「殿」）和「內殿」（也稱為「至聖所」；16節），長約90呎（27米），寬約30呎（9米），高45呎（13.5米）。「廊子」的長度跟聖殿的闊度相同，而廊子又為聖殿的長度加上15呎（4.5米）。沿著聖殿外圍（除了廊子那一邊）有3層旁屋，其高度是聖殿的一半。這些旁屋在南面有獨立的入口，與聖殿內部並不相連。聖經沒有解釋這些旁屋的作用，大概是用作貯存祭服和祭品，或許也為當值的祭司提供住宿的地方。讓光透進聖殿的窗櫺必定是造在外牆的上半部，比旁屋為高。聖殿的殿頂鋪砌著香柏木的棟梁和木板。

建殿所用的石材全在礦場準備好，因此在聖殿的範圍內並不使用任何鐵器（7節）。這奇怪的細節干擾了旁屋的描述，其目的可能是要顯出，工程的進行是遵照出埃及記二十章25節的命令（比較申二十七5-6）。實際上，這命令是關乎石壇的建造，並指出只可用沒有鑿過的石頭〔即天然狀態的石頭，如用來堆砌石牆的〕。所羅門的工匠是在建造聖殿，而不是石壇，他們顯然可以隨意使用鑿成和有雕刻的石頭；但他們是抱著誡命中禁用工具的精神來工作，確保聖殿範圍內沒有任何鐵器的工具。

在聖殿內，石頭完全以木板遮蓋，牆和天花用「香柏木」，地面則用「松木」（15節）。內殿必是有地台或假天花（或兩樣都有），把其高度由30肘減至20肘（約30呎或9米），使內殿形成一個正立方體（20節）。牆上的木板都刻上野瓜和花朵，而整幢建築物的牆、天花和地板都包上精金，香柏木製成的壇和內殿的橄欖木「基路伯」也同樣用金包裹。這些基路伯也許像那長著翅膀、有獅身人面的活物，這種活物在古代近東的藝術作品中很常見。在腓尼基發現的一些樣本，是一種有人頭、獸身、四足和兩個翅膀的活物；這些樣本可能極類似所羅門的腓尼基工匠所製造的基路伯。基路伯與「棕樹」和初開的「花」，也刻在牆的四周（29節）。

建殿時大量使用包金的方法，聽來好像很特別，但實際上在古代近東的殿宇中，這是常有的一種裝飾。所羅門的聖殿用以裝飾的圖案主題（野瓜、初開的花、棕樹和基路伯），也是古代近東藝術中常有的項目，甚至聖殿的基本結構，也可見於許多考古的發現中。所羅門的聖殿在用途上是獨特的，但在概念上卻不然。在其建築之設計和藝術裝飾上，很能反映當時的習慣。這是一個顯著的例子，顯出流行文化中的元素，可以怎樣應用來敬拜和榮耀神。

用以裝飾聖殿內部的圖案似乎違反了十誡中的第二條，就是禁止雕刻偶像，「不可作甚麼形像，彷彿上天、下地，和地底下、水中的百物」（出二十4）。也許當時對這誡命的理解，是只有當這些形像有可能成為敬拜的對象，才會被禁止，而他們認為這危險在聖殿中已被消除，因為聖殿是奉獻作單單敬拜耶和華之用的。

描述內殿之後（16、19-21、22下-28節），敘述便往外移，首先描繪那把內殿關上的兩扇門，然後是主殿和廊子之間的門。最後，作者帶我們出到「內院」去（36節）；內院一詞很含糊，估計是指聖殿外圍四周的地方。

第二次年代的略記結束了這個敘述，提醒我們聖殿的建造工程何時開始，何時結束，並列明整個工程持續的日期。

我們仍未談到深藏在這敘述中，神向所羅門所說的話（11-13節）。經文說神的話是關乎**「你所建的這殿」**，但文中卻沒有再提及這聖殿。那麼，這段話語的目的是甚麼呢？神給大衛的應許是帶著條件的，這在二章4節已由大衛表明，現在神自己再把這應許連繫到建殿的計劃上。若所羅門遵行神的律例，謹守祂的命令，神必會「住在以色列人中間」。換句話說，**聖殿建成了，並不保證神必然住在祂的子民中間；神不會被馴服和被困在一個盒子內，無論那盒子是多麼輝煌。**祂的同在是觀乎人順服與否，而在此則特別指所羅門的順服。雖然這幾節經文險些是在批評聖殿的興建，但藉著強調那更大的順服，也把這項建築計劃放在合理的位置。

七1-12　所羅門的王宮　這段關乎所羅門宮室的簡短記述，把聖殿及其裝飾的記載，幾乎均等地分成兩部分。由於聖殿是首先開始興建，其後才是宮殿的興建（六37至七1，九10），我們或會合理地預期關乎宮室的記載，是在第八章的獻殿之後。我們看到作者把建宮室的事情記載在這裏，當中有一個特別的原因。

聖經交代聖殿用了7年時間建成後（六38），迅即指出所羅門用了13年時間來為自己建造「宮室」（直譯：「居所」）。在希伯來文聖經中，「他的居所」一詞在七章1節出現了兩次，反映敘述重點已轉離「耶和華的居所」

（「殿」）」（六37）。這裏是否暗中批評所羅門幾乎用了雙倍於建殿的時間，來建造自己的宮室呢？極有可能，但本段的主要目的似乎頗不相同。

大衛已使用推羅王希蘭所供應的材料，在耶路撒冷建造了居所（撒下五11），但所羅門要求一個更大規模的建設。**第2-8節**提及5個不同的建築物：「利巴嫩林宮」、「有柱子的廊子」、有「審判」座位的廊子（王的寶座也是他審判的座位，強調他是以君王的身分去施行公義的審判）、所羅門私人的宮室，和法老女兒的私人宮室。（在所羅門的妻妾中，惟有她的寢宮坐落在這一組建築物中，因而暗示她是所羅門的王后。這一點從她常在經文中出現──三1，九16、24，十一1──也可推斷。）

經文沒有交代這些不同的建築物彼此有何關聯。它們大概是相連著而組成一個複合的建築物，因為第1節稱之為「他的居所」。這複合的宮室明顯是與聖殿毗鄰的，而中間有一個通道相連著（比較王下十六18）。聖經沒有說出這些建築物的所有尺寸，但顯然，單是「利巴嫩林宮」已比聖殿為大（2節）。因此，**整個複合式宮室顯著地使聖殿變得相形見絀。**在耶穌時代，大希律所建造龐大的聖殿成為了整個耶路撒冷的焦點，但在被擄前的日子，君王的宮室必定是耶城中最壯麗堂皇的建築物。大概這是作者在這裏描述這宮室的原因。在外表上，這宮室使聖殿相形見絀，但在作者的記載中，他卻縮減了對這宮室的描述，以冗長的聖殿及其擺設的描述包圍著它。在作者看來，這才恢復它們合理的相對地位；聖殿才是耶路撒冷以致全國的靈魂所在。

七13-47　聖殿的擺設：銅匠戶蘭的作品　一個與推羅王同名的人（譯按：和合本分別譯作「希蘭」和「戶蘭」）──父親是腓尼基人，母親是以色列人──從推羅被帶往耶路撒冷去，為聖殿製作銅器的擺設。經文一開始便交代了他出色的技能，並在各項物件的描繪上充分地證明之。正如聖殿的描述一樣，有些細節是我們很難去領會的。

關於戶蘭為聖殿所製作之物品的記載，在某程度上跟比撒列為會幕所製作的平行對應（出三十六至三十八），作者無疑是要我們

359

留意會幕和聖殿兩者更廣的對應和平行。然而，會幕及其中的器具是由神仔細地逐一指示的（出二十五至二十七，尤其看二十五9），但這裏沒有指稱聖殿及其擺設是出於神的指示。

兩根巨型柱子（高約27呎或8米）的作用不得而知。它們上面沒有支撐著甚麼，而是獨立在殿廊前頭的。柱頂有細緻的裝飾，刻著百合花的形狀。兩根柱子的名字——「雅斤」和「波阿斯」——是一個謎，但一個極有可能的理論是，這兩個字是兩句銘文的首字。根據詩篇中各種不同的措辭，有人認為那銘文大概如下：「耶和華要永遠堅立（「雅斤」，jakin）你的國位」，「王要以耶和華的力量（「波阿斯」，boaz）為樂」。若確實如此，則柱子的目的就是紀念神關乎大衛王朝的應許。在列王紀其後的經文中，有暗示君王在登位時，會站在其中一根柱子旁邊，起誓必守與神立約之律法（王下十一14，二十三3）。

戶蘭最叫人印象深刻的作品也許就是那巨大的銅盆，直徑有15呎（4.5米），稱為銅「海」。銅海下有12隻銅牛支撐著，其排列分4組，每組3隻，而各組又朝著不同的方位。根據歷代志下四章6節，銅海的用途是盛載祭司用以潔淨的水，但它的體積、設計和名字，皆暗示它不但有實用性，也有象徵性。神在創世時曾牽制著象徵混沌的海水，其能力在此彰顯了（參伯三十八8-11中栩栩如生的描繪），因而這巨盆象徵祂維持創造的秩序，祂的能力在那威脅這秩序的混沌勢力之上。

戶蘭又製造了「十個〔可以移動的〕盆座」，在四周以「獅子」、「牛」和「基路伯」來裝飾；又造了10個可以移動的銅盆，安放在銅座上。這些物件也是供禮儀上的潔淨之用；它們安放的位置既與銅「海」相提並論（39節），可見其作用也相連。

第40-45節總結了戶蘭所製作的一切物品，又補述了一些不詳述的較次要項目，（這些物件有盆、鏟子和盤子）。第46節稍為提示了戶蘭鑄造這些物件的方法。本段結束時，再次強調他偉大的成就：這些銅製品的重量從未經秤量，因其數量甚多！

七48-51 聖殿的擺設：各項金器 所羅門為聖殿所作的金器的清單（48-50節）跟40至45

節中戶蘭之作品的總結很相似。我們好像在這裏有一個類似的總結，但卻缺了先前詳細的記述。工匠的名字沒有記下來，除非作者的意思是所羅門親自製作這些物件（但可能性卻不大）。所羅門也把大衛較早前分別為聖的金銀獻在聖殿裏。這些金銀都放在聖殿的「府庫」裏（或許就在殿外的旁屋內），只是其用途卻不得而知。在耶路撒冷往後的歷史裏，這些金銀常用作進貢給外邦君王的貢品。

八1-66 奉獻聖殿
這章篇幅頗長的經文自然地分成7個部分。正如第六章一樣，這是一個反照式的對稱結構，而這裏則以所羅門的禱告作為記述的中心：A¹引言和召集眾民（1-2節）；B¹安放約櫃和獻祭（3-13節）；C¹所羅門向眾民說話（14-21節）；D所羅門的禱告（22-53節）；C²所羅門向眾民說話（54-61節）；B²再獻祭（62-64節）；A²總結並遣散群眾（65-66節）。

八1-2 引言和召集眾民 一群龐大的群眾，都是以色列全地的代表，被召集到來奉獻聖殿，其中以安排約櫃在至聖所開始。那聚會是七月的一個節期，大概就是住棚節，如經文所述，為期有7日（65節；比較利二十三33-43）。

八3-13 安放約櫃和獻祭 約櫃從耶路撒冷的舊區運上來，那裏稱為「大衛城」（1節），藉以把它從所羅門在北部所建之王宮和聖殿區劃分出來。約櫃一直安放在大衛城，在「大衛所搭的帳幕裏」（撒下六17），這說法暗示此帳幕並不是古時以色列人在曠野飄流時所建的會幕，而會幕與約櫃也一同運到聖殿來。這個把約櫃運往聖殿，隨著有獻祭的記述，跟大衛把約櫃移進耶路撒冷的記述很相似（撒下六12-19）。但這次各樣事情都有更大的規模；約櫃安放的地方並不是一個帳幕，而是一所宏偉的聖殿，而獻祭所用的牛羊，更是多得不可勝數（5節）。

約櫃終於安放在至聖所內。根據作者的描述，約櫃裏只有兩塊寫著十誡的石版，但根據希伯來書九章4節（比較出十六32-33；民十七8-10），其他神聖的遺物也存放在那裏

（也許只在早前）。然而，約櫃的重要性不在於裡面存放著甚麼，而在於它象徵著神的同在，或更準確地說，是神的榮耀與其子民同在。因此，在撒母耳時代，約櫃被擄至非利士人那裡時，以色列人哀嘆說：「榮耀離開以色列了」（撒上四21-22），而詩人記載相同的事件時說：神「將他的榮耀交在敵人手中」（詩七十八61）。

　　約櫃與神榮耀之同在的連繫在本段經文中已顯而易見。祭司把約櫃安放在至聖所後，從聖所出來的時候，「耶和華的榮光」——以可見的「雲」彩來彰顯——充滿了聖殿，以致「祭司不能站立供職」（10-11節）。這境況與摩西首次立起會幕（內有約櫃）時互相呼應：「當時雲彩遮蓋會幕，耶和華的榮光就充滿了帳幕。摩西不能進會幕……」（出四十34-35）。在兩次事件中，那現象表明神接受和認可所作的事；雲彩是一個可見的記號，象徵神的榮光就在那裡。但至高無上的神並不會面限於聖殿之內。在耶路撒冷和聖殿被毀前不久，先知以西結在異象中，看見耶和華因子民全體的罪惡過犯，而離開耶路撒冷（結十一23）；後來他又看見異象，見神的榮耀進入未來重建的聖殿中（結四十三4）。

　　至於基路伯那張開之翅膀，在此可以更圓滿地理解。當約櫃初次造成的時候，兩個較細小的基路伯被安放在約櫃之上，而二基路伯之間的空間，就是神向摩西說話時所在之處（出二十五18-22）。所羅門的基路伯似乎取代了原來的基路伯，顯示著神「榮耀」的所在之處。希西家後來曾說神「坐在二基路伯上（或中間）」（王下十九15）。

　　所羅門看見了雲彩，便以詩歌形式作出一個簡單的奉獻禱告。在修訂標準譯本中，這禱告的第一句話（「耶和華已在天上安放日頭」）是從版本較長的希臘文譯本中翻過來的，並不見於希伯來文聖經；新國際譯本取消了這一句（譯按：包括和合本）。我們若以這句話為所羅門原來的禱文，則這話可能有兩個含義。首先，這句話可以看為宣告神是日頭的創造者，因而超越它（這個肯定是重要的，因為古代有許多民族敬拜日頭）。其次，這句話與下一句形成強烈對比；這樣便說明神雖是光的創造者，但祂卻寧願在黑暗和雲層的幽暗處隱藏自己。可惜這句話跟第

13節沒有明顯的聯繫。所羅門可能在表達一個願望，就是不管神是寧取幽暗，但祂也會以這宏偉的「殿宇作……永遠的住處」；又或許他是說，對於一位較喜歡隱藏自己的神，這聖殿是完全適切的。然而，兩種解釋都與後來較長之禱告中旳聖殿不相符，而我們必須承認這裡的意思是不明確的。

八14-21　所羅門向眾民說話　所羅門從面向聖殿轉為面向龐大的群眾。他祝福眾民（14節）的內容，可能就是15至21節所記載的。事實上，他開始就說「耶和華……是應當稱頌（有福）的」，這是因神的作為而向祂讚美的表達法；而祂所作的，就是，「他親口向……應許的，也親手成就了」。換句話說，神已顯出祂的話是全然可信的。他其餘的講話由此引伸出來，概述神藉拿單向大衛講到他有一子要繼承國位，並要建造聖殿（撒下七12-13）。所羅門宣告說，應許得應驗的時候已到（20節）。雖然所羅門對自己的成就並不沉默（「我接續我父大衛，（我）坐……國位……（我）建造了殿，我又……預備一處……」），但他承認那終究是神的作為，因為各事都按耶和華所應許的成就了。人的努力和神的主權或旨意在此微妙地交織著。

　　這篇演辭中介紹了關乎聖殿的一個新的概念。聖殿除了是安放約櫃的地方（21節），也是「耶和華之名的居所」（17、20節；這是字面的意義，在16、18-19節有相關的說法）。這意義成了為隨後之禱文的一個重要概念。

八22-53　所羅門的禱告　所羅門轉移至另一個位置，站在壇前，向天舉手，以表示他要進入這程序的另一個部分。他以複述申命記七章9節來開始他的禱告（22-26節），但他談到神信實守約時，特別是關乎給大衛的應許。說到神應許大衛的國位不輟時，他祈求神也應驗這話。同時，他承認這應許是要視乎大衛子孫的行為。

　　但聖殿是禱告的真正主題，所羅門在27至30節介紹了這主題。他知道人若以為耶和華會「住在地上」，只是無稽的想法（27節）；因為天上的天也不足以容納祂。所羅門明顯並沒有妄想耶和華會被牽制在他所建造的殿宇中。因此，他並非祈求神住在聖殿

中，而是求祂把注意力集中在聖殿，聽那些向著聖殿發出的禱告。神的確住在「天上你的居所」（30節），但祂可在聖殿聽取君王和眾民的禱告懇求。換句話說，所羅門祈願聖殿能成為人呼求和神施恩的相會之處。這一切似乎都包含在神的「名」在聖殿中的觀念裏，這主題一再在第29節中出現。因此，神的「名」處於一個地方（申十二5等）的觀念，就是指神的一種特別的同在，而沒有把祂侷限或牽制於某處的含義。這個概念跟我們在約櫃中看見有神的「榮耀」的概念，有緊密的關聯。

本段的一些概念，在新約的耶穌身上，可以找到極相似的表達。在耶穌裏，神真的住在地上（約一14）；在耶穌裏，神的「名字」得以彰顯（約十七6、26），祂也宣告自己就是真正和最後的「聖殿」（約二19-22）。在耶穌裏，人的需要最能得到神的施恩憐憫。

禱告的下一部分（31-51節）包含7個祈求，內容是個人生活中或國家所要面對的一些處境。這些祈求關乎：在壇前所起的誓（31-32節）；被敵人擊敗（33-34節）；旱災（35-36節）；饑荒、瘟疫等（37-40節）；外邦人在以色列中的需要（41-43節）；出外爭戰（44-45節）；還有被擄（46-51節）。

上述第一和第五項關乎個人的需要，而其餘的則關乎國家民族。第二、三、四、七項全包含赦罪和復興需要。

這裏舉出人向聖殿禱告的7個目的是甚麼呢？我們必須留意「7」這個數字在整卷舊約中的重要性；它似乎是象徵完全、成就、完美。（7這個數字在本章中有一個很重要的角色：奉獻那經7年始建成的聖殿；在七月一個為期7日的節期中舉行。）那麼，這7個項目是代表了個人和國家會禱告祈求的所有處境。這已包括所有會發生的事故。

列王紀最初的讀者必會留意到最長和最後的祈求是關乎他們自己的處境：被擄至外邦（46-51節）。對他們來說，這處境催促他們悔改和帶來神會赦免，擄他們的人會施憐憫的盼望。然而，禱文中沒有顯出任何回歸和復國的應許，也沒有提到大衛的王朝得以恢復。提到他們最後也許得以回歸，就只有在神曾把他們「從埃及領出來脫離鐵爐」這個微弱的提示裏（51節）。雖然文中提及此

事，只作為神會赦免的根據，但也許是給予被擄者一絲希望，希望有日神會再次從外邦把他們領出來。

這個最後的祈求的開首，先承認「世上沒有不犯罪的人」（46節）。這句話必也包括所羅門和他的後裔，因此其中的意義也包含：正面對的被擄似是不可避免的，因為一個由必會犯錯的君主領導的王朝，又怎能按神的要求而存活呢？

所羅門以一個較普通的懇求來結束他的禱告，他求神重聽君王和眾民的禱告。他繼而說出他可以有信心這樣求，是因為：神曾從列國中把他們分別出來作祂的民。神昔日的作為，尤其是那些明顯地表達其目的的作為，是祂子民深信祂在現今和將來也必施恩的信心基礎。

八54-61　所羅門再向眾民說話　所羅門跟著轉向眾民，再次為他們「祝福」。他提醒眾民，神已應驗了祂藉摩西所應許的每一句話，並祈求神繼續與祂子民同在，使他們遵行祂的道。但所羅門的心願並不是（或最少不單是）為了眾民的福祉；他是有感於一個更崇高的動機——渴望神在世人中得榮耀：「使地上萬民都知道惟獨耶和華是神」，並無別神（60節）。他這種情懷也見於先前為外邦人所作的禱告，這些外邦人聽聞了神的大名，並向聖殿禱告（41-43節）。最後，他催促眾民全然向神存誠實的心。神的子民若願意順從神，世人便得以認識神的性情。

八62-64　再次獻祭　所羅門所獻之祭牲的數目是驚人的（明顯是在一日之內獻上的！）。而對於這樣一個有紀念性的時刻，也是適合的。獻祭在聖殿前之院子的中央舉行（院子是否即六36提及的「內院」？），因為惟有這兒才有足夠空間。這裏暗示所羅門擔當了祭司的職分，把院子分別為聖，並在那裏獻祭，正如大衛把約櫃移進耶路撒冷後獻祭一樣（撒下六17-18）。

八65-66　總結與節期的結束　全以色列由會眾作代表；作者概述所羅門國度在南方和北方的界限，藉以再次讚揚他的治理。在第八日，眾民帶著喜樂的心，各自回家去。

九1-14　建殿的結語

九1-9　神回應所羅門的禱告
雖然這段話記載於獻殿之後，並且是所羅門獻殿之禱告的回應，但作者指出這段話的日期是在所羅門不單建了聖殿，還建了宮室之後，即再13年之後（九10）。在六章11節，經文只說：「耶和華的話臨到所羅門」（也許是透過先知），但在這裏，神再一次在夢中的異象向他顯現，像在基遍一樣。作者提及基遍，是叫我們知道，那在邱壇敬拜的日子已經過去——或應該已經過去！

神告訴所羅門說，祂已接受他的禱告，並且使祂的「名」永遠在其中；作者再次解釋說，這意思就是神的注意力要集中在聖殿裏（3節）。跟著第三次提到，神給大衛的應許是有條件的。這是最灰暗的一個說法，因為其中列述了其消極的一面。神告訴所羅門，他和他的子民都轉離神的道，去敬拜別神：以色列會從地上被剪除，甚至聖殿也被神捨棄不顧（7節），成為廢堆（8節）。**顯然神應許會把祂的「名」和祂的「心」永遠放在聖殿中，也是有條件的，跟祂應許大衛有永存之國度的條件一樣！作者強調不服從神所遭到的禍患，這嚴肅的警告使所羅門治下的記載籠罩了一層陰影。**

九10-14　跟希蘭後來的交往
建殿的記載以所羅門跟推羅王希蘭的交往開始（第五章），現在敘述他們後來的交往作為結束。然而，這次的語調是消極的，並非只是因為兩王的關係惡化。所羅門把加利利的20座城給了希蘭（用以交換大量的金子，14節），暗示所羅門已不能再靠徵稅來付款給希蘭。他的建築是否變得太奢華浪費呢？此外，那20座城並未獲得希蘭悅納，他稱那地區為「迦步勒」（新國際譯本旁註：「一無是處之地」）。其含義是耶路撒冷的繁華昌盛，並未延伸至這王國的北部。

九15至十一43　所羅門的偉大與愚昧

九15-28　其他建築工程
經文列出了以色列中各種不同的建築工程（行政中心、積貨城和軍事設備），這些工程都由那些居住在以色列境內之外邦「服苦的人」擔當（15-23節）。所羅門的探險事業中也有沿紅海航行的遠航隊，這些事業有賴熟悉泛海的腓尼基人

的幫助。他們的目的地「俄斐」也許就在亞拉伯半島的南部，或非洲的東岸（或包括這兩個地區）。十章11至12節再有關於這些運金旅程的記載，而那裏更是加插在示巴女王探訪的敘述當中。那裏的船隊稱為「希蘭的船隊」，可見所羅門是把他在紅海上的貿易大部分交在腓尼基人手上。雖然如此，作者因這事業，及船隊帶回的金子、寶石和「檀香木」（顯然是一種適合雕刻的木材），而歸功於所羅門。

經文提及法老攻取基色（16節），似跟上下文頗不協調。所羅門縱有軍事上的謀略（四26），基色（書二十一21）卻一直保持在迦南人手上，直至埃及的法老把它攻取，並當作女兒的嫁妝送給所羅門。

十1-13　示巴女王到訪
在本章中，作者重拾所羅門之智慧與財富的話題，把這些帶進高潮，然後才談到他陷入愚昧之中。本章顯示所羅門之智慧傳遍千里，並強調那是極高的智慧，說明藉著外邦君王送來的禮物和貢物，財富湧至所羅門那裏。

示巴（在亞拉伯半島南部）女王長途跋涉到來訪問所羅門，因她聽聞所羅門的名聲，以及他與「耶和華之名」的關係（1節）。較直接的翻譯是她聽聞「所羅門因耶和華之名所得的名聲」（譯按：這正是和合本的翻譯）。雖然這可指聖殿，但更可能是囊括所羅門的一切成就，因為他是耶和華所指派和加力之君王。女王親自到來一睹這位知名君王的風采，並以謎語（「難解的話」）來試驗他。聖經並沒有列出她的問題；重要的是所羅門能回答所有問題，沒有一項是他不能給予滿意答案的。她看見所羅門的王宮和「所建造的宮室」（直譯：「房子」，可指王宮或聖殿）極盡奢華，留下了十分深刻的印象。她極力讚賞所羅門之後，又送給他金子、香料和寶石作禮物，使所羅門已極豐厚的財富錦上添花。

對於第12節的註釋，請參看九章26至28節的註釋。

十14-29　再談所羅門的財富與名聲
經文概述了所羅門所收取、用金子獻上的貢物，我們曉得示巴女王並不是唯一進貢給他的亞拉伯君王；他也從「亞拉伯諸王」（參和合本小

字）得到進貢的金子（15節）。所羅門的國土處於有利位置，使他能控制亞拉伯半島以北的貿易路線，而他得到許多的金子大概也是因這緣故。亞拉伯商人不得不直接跟所羅門進行貿易，或為得著北上的通道而付上金錢。我們可以推測，示巴女王向所羅門發出的要求中，可能包括有利的貿易安排（13節）。

作者提到所羅門造了500面裝飾用的金盾牌，又描述了他細緻地雕刻、裝飾和包金的寶座，詳述王宮內各種精金的器皿，這些都說明了金子在所羅門任內，變得何等普遍。此外，所羅門與希蘭一同管理的商船，3年一次把金子銀子，還有象牙和異國品種的動物運回來。

第23-25節把所羅門的智慧和他在古代世界中的名聲總結起來。我們從這段經文知道，示巴女王的到訪，只是許多外邦人訪問所羅門宮室中的一個例子；他們來聽所羅門智慧的話，並把禮物厚贈給他（其中當然包括更多的銀子和金子）。

最後，所羅門輸入了馬匹和戰車，把戰車運送到他的經濟王國以北的諸王，而又囤積這兩項留給己用（26節）。

這些資料的片斷給交織成一幅美麗吸引的圖畫。但作者在其中穿上了另一根線子。作者的批評無形地穿插在整個部分中。申命記十七章給予以色列君王在生活上的約束，在這裏有巧妙的迴響。「他……不可為自己多積金銀」（申十七17）；所羅門已違反了這一項。「王不可為自己加添馬匹，也不可使百姓回埃及去，為要加添他的馬匹……」（申十七16），所羅門肯定犯了前半部，而後半部可能也犯了，因為他的馬匹是「從埃及帶來的」（28節）。換句話說，列王紀的作者似乎並非只是讚賞所羅門，並且也在批評他。他的強大，是要廢掉申命記中的條文始能達致的。從前一章那嚴肅的警告看來，這段經文正是猛然敲響了警鐘！

十一1-8 所羅門的愚昧 但這只是故事的一半。作者在此指出，所羅門在法老的女兒以外，還有許多的妻妾妃嬪。這也是申命記所記載的禁例之一：「他也不可為自己多立妃嬪，恐怕他的心偏邪」（申十七17）。那不顯眼的批評，至此已變得清晰可見。這些都是

外邦的女子；申命記明明禁止以色列人與這些外邦通婚（第2節概括了申七3-4）。所羅門在任內的後期，築了許多邱壇，給他的外邦妃嬪敬拜她們本國的神（7-8節），而他自己要向耶和華盡忠的心則被誘惑了（4-5節）。最諷刺的是：那位建造聖殿、廢棄邱壇的君王，竟然自己建築邱壇去敬拜別的神祇！這幾節經文中，兩次告訴我們，所羅門這樣行，是不能效法大衛全然誠實順服的態度（4、6節）──這要求在九章4節清楚地說明了。這境況似乎已為即將來臨的災難設定了背景。

十一9-13 神的裁決 神在這裏第四次，也是最後一次向所羅門說話。作者提醒我們，神曾「向他兩次顯現」，強調他是得到很特別的待遇。可是，縱然所羅門得以跟以色列的神有單獨的相遇，但他卻轉離不跟從神。災禍真的要來臨了。但為了「大衛的緣故」，災禍會延至所羅門的繼任人在位時才臨到，而這災禍也不會把整個王國奪去。換句話說，神從前給大衛的承諾仍會履行，但由於所羅門的不順服，神會以一個完全不同的形式去履行承諾。

十一14-25 敵人興起 所羅門曾宣稱他並沒有仇敵（五4），但他在這裏卻得著兩個仇敵。（在14和23節譯作「敵人」的希伯來字，跟五4的「仇敵」相同。）雖然神曾宣佈災難會在所羅門死後才臨到，但暴雨陰雲已於他在世時結集起來。由於南面的以東和北面的亞蘭成為了敵對的國家，所以由大衛一手創立的王國已開始在邊疆失守了。

十一26-40 耶羅波安的叛變 作者描寫「耶羅波安」是一位有才能的領袖，蒙所羅門派他監管北方眾支派的全體勞工。「亞希雅」是列王紀上下提到眾多先知中的第一位，他在王位繼承上曾介入和作出改變。他以舊約先知典型的方式來表現出他的預言：他把他的新衣撕成12片，叫耶羅波安拿去10片。他的話解釋了他這個行動：神將要把所羅門手上的王國撕裂，又把10個支派交給耶羅波安。他說「一個支派」要留給所羅門的兒子這句話，叫人大惑不解；因為耶羅波安從十二支派中取去了10個支派，應該還餘下兩個

支派！一個有可能的解釋是，那一個支派不是指猶大，而是指便雅憫；便雅憫在王國分裂後，確實與猶大連合起來。猶大支派不需要提說，因為它本身就是皇室所屬的支派，假設會繼續受皇室的管轄。

這裏再次指出大衛家所面對的損失，是由於有人敬拜外邦人的神。第33節表示有罪的不單是所羅門一人，而是「他們」（根據希伯來聖經），暗示一般人民都已陷入相同的罪中。希臘文、拉丁文和敘利亞文的譯本都是「他」，而非「他們」，表示這人是第31節的所羅門，因而與9至13節一致，那裏只是指責所羅門不忠於神。這些譯本可能保留了最初的意思，但若希伯來聖經的「他們」才是原意，則我們必須作結論說：所羅門的愚昧是當時的大趨勢，而帶出這個趨勢的可能就是王的壞榜樣。

諷刺的是，亞希雅在37至38節給耶羅波安的預言，竟是神從前賜給所羅門之應許的迴響。

可能由於所羅門多少聽聞亞希雅的預言，也可能由於耶羅波安採取了一些行動去要求取得北方眾支派，因而所羅門要殺他，他繼而逃往埃及去。這樣，耶羅波安便成為了一名逃亡者，正如所羅門別的仇敵一樣。這裏提到法老的名字是示撒。他是示爽一世（Shoshenq I，主前945至924年）——埃及第二十一王朝的始創人；他後來派遣軍隊攻擊耶路撒冷（十四25-26）。

十一41-43 所羅門去世 雖然所羅門的統治是出色的，但作者只以一種簡單的形式去交代他的死，像列王紀中常用的格式。作者請讀者參考進一步的資料，並簡潔地寫出他作王的地點、作王多久、埋葬的地點和繼位人的名字。

所羅門的統治可以說是開始了一個新年代，因為他建了聖殿，因而改變了以色列人的敬拜和生活。但在另一種意義上，他是使一個年代結束了；由於他本身的不順服，所以他是最後一個統治所有以色列支派的王。

十二1至十六29　兩個王國：由所羅門逝世至暗利作王
十二1至十四31　兩個王國的誕生
十二1-24 王國分裂 似乎羅波安要另外得到

北方眾支派歡呼接受他作王，他的登基儀式才算完成。他這樣做，是按著大衛所定下的模式而行；大衛起初是作猶大支派的王（撒下二4），而後來才成為以色列的王（撒下五3）。我們要記著，大衛和所羅門都不曾嘗試把猶大和以色列結合成為一體（參四20的註釋）。所羅門大概也經過以色列眾支派歡呼接受他的程序，只是聖經沒有提及。在羅波安的日子，這事是在北部山區的中心地帶示劍舉行。

北方眾支派要求羅波安答應一個條件，才肯接受他作王。他們也有耶羅波安可以選擇；耶羅波安是在所羅門死後，從埃及被召回來的。我們得悉北方眾支派在所羅門治下，曾負「重軛」，作「苦工」（4節）。（我們以前從不同的線索知道情況是如此，而在這裏則得到以色列的發言人之肯定。）只有羅波安肯除去以色列人的重擔，他們才肯服侍他。

起初羅波安的做法似乎很精明。他沒有作出即時的回應，而是要用3天時間來諮詢他的顧問。那些曾事奉所羅門的老年人勸羅波安要答應眾民的要求。然而，那些與羅波安同輩的人卻有不同意見，他們認為羅波安應該用更嚴厲的手法來對待以色列人。「少年人」（8、10、14節）的希伯來文，實際上是指「年輕的男孩」，或甚至指「孩童」；在作者看來，他們該得到這樣的描述，因為他們的意見很幼稚。羅波安卻選擇聽從這些「孩童」的意見。羅波安拒絕了那些曾事奉所羅門之老年人的意見，就是離開所羅門智慧最後的寶庫，而去擁抱愚昧。這樣就定下了王國日後的命運。

羅波安那嚴厲和對抗式的表現，其實只是用外表的勇力，去掩飾內裏的軟弱。所羅門的智慧確實曾有錯失，但羅波安卻一點智慧也沒有表現出來。他意圖先發制人，卻處理失當，而以色列人則從他的掌握中溜走了。以色列人在昔日對抗大衛之流產政變中那結集群眾的呼喊（撒下二十1），又在羅波安面前高呼起來（16節）。

羅波安差遣「亞多蘭」往以色列人那裏去，是為了進一步談判還是為了使用武力，我們不得而知，但把這件事交在那掌管服苦之人者手中，卻只會叫以色列人生氣而已。難怪亞多蘭結果被打死。與此同時，耶羅波

安則被立為以色列的王（20節）。

羅波安匆忙趕回耶路撒冷，從猶大和便雅憫支派中結集了一支軍隊，準備與以色列人作戰。然而，先知「示瑪雅」阻止了他這個行動，傳達了神的話，禁止他這樣做（22-24節）。是神自己把以色列從猶大劃分出來，而最少在這個時候，以色列會得到祂的保護。

這段敘述把人和神的層次交織起來。羅波安作事愚昧，並依從壞的意見，而「以色列人背叛大衛家」（19節）；但最終的解釋是，耶和華站在舞台後指揮著各項事件。「王不肯依從百姓，這事乃出於耶和華，為要應驗祂……所說的話」（15節）。人類有順從或不順從的自由，有作事聰明或愚昧的自由，但這自由卻不會離開神的主權掌握之內。作者特別多次強調，神藉先知所宣告的事件往往會實現。

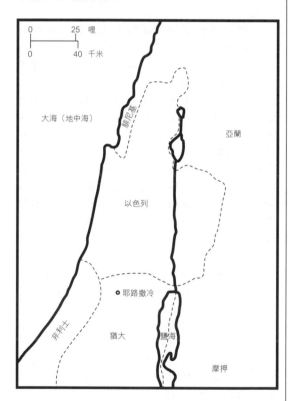

南北兩國位置圖

十二25-32 耶羅波安的錯誤 耶羅波安用兩種方法去建立他的新王國。首先，他堅固了兩個重要城市，示劍和毘努伊勒（後者為他

在約但河東提供一個行政和防衛中心）。其次，他重新安排了以色列人的敬拜生活。他的安排是基於他恐怕以色列人若定期往耶路撒冷的聖殿敬拜神，他們或會轉而效忠於羅波安。為防止這事發生，他在以色列境內設立一些敬拜的中心，一個在但，一個在伯特利，這界定了王國在南面和北面的界限。他的恐懼顯示他不信任神藉亞希雅給予他的應許，就是他若遵從神的道，神必為他建立一個永存的國度（十一37-38）。

然而，耶羅波安不但因缺乏信靠而有罪。他在伯特利和但所立的金牛犢，也使以色列人陷入偶像崇拜中（28-30節）。我們不可能知道耶羅波安設立這些偶像的真正意圖。在古代近東的藝術裏，一個神往往會被描繪為站在一頭公牛之上。因此，耶羅波安可能是以金牛犢來代表耶和華寶座的所在，而從未有以金牛犢為敬拜對象的意圖。（同樣地，在所羅門的聖殿內，基路伯也是用以象徵神同在的地方；參八3-13的註釋。）他在第28節所說的話跟這些牛犢的用意一樣含糊，因為這話可以翻譯為「這些就是你們的神〔複數〕」或「這就是……你們……的神〔單數〕」。但無論耶羅波安起初的意圖是甚麼，作者也按著「這事叫百姓陷在罪裏」的事實來記載每一件事。因此，他是要我們看見耶羅波安在28節的話，與出埃及記三十二章4節，眾民被呼籲去敬拜金牛犢的事，是有關連的。此外，從作者的角度看，在耶路撒冷以外再沒有敬拜耶和華的合法地方。耶羅波安又在「邱壇」建殿，並設立一個不合法的祭司制度，這使他更深地陷在罪裏（31-32節）。

十二33至十三10 從猶大上來神人 耶羅波安在敬拜方面之改革，包括一個在八月份舉行的新節期，「像在猶大的節期一樣」（十二32），那可能指這節期就是以色列人的住棚節，而住棚節是在七月舉行的（利二十三33-43）。耶羅波安可能是刻意要給予以色列人獨特的宗教習慣，但這在較後的日子也可能有實際方面的原因。住棚節是在夏季收割結束後開始的（利二十三39）；因為以色列和猶大在地勢和氣候方面有點不同，所以收割的季節也可能較晚。

當耶羅波安在伯特利獻祭，要制定這節

期的規例時，一位從猶大而來，不知名的神人到臨了。然而，這先知並不是批評那節期，而是批評伯特利的祭壇。神人也沒有因金牛犢而責備耶羅波安；也許它未被當作偶像。先知這次到來的使命，只是責備那在耶路撒冷以外興建的神殿。

伯特利在以色列中有古代歷史的淵源（參創二十八），因而成為了耶羅波安兩個敬拜中心中較受歡迎和較重要的一個。但先知宣告，伯特利的祭壇，在大衛王朝的後人「約西亞」手中，要被毀滅。這預言在未來3個世紀中都不會應驗；3個世紀之後約西亞會在以色列和猶大境內，除掉所有不合法和偶像的崇拜。簡言之，這預言是讓我們窺見這事件的終結，也就是以色列的衰微正在開始。

祭壇破裂和其上的灰傾撒，馬上證明了這預言是真實的。耶羅波安突然被停住，手又忽然枯乾了，他便要求先知為他代求，使他得以復原。耶羅波安似乎因神在生與死之上彰顯了祂的能力，大大受感動，故要求款待這位神人；但神人依從神的指示，堅決地拒絕了他。神不許祂僕人在以色列吃喝，是否表示祂不贊成正在那裏進行的事呢？這是一個可能的原因，但更可能的解釋是，先知這樣絕對順服神，是進一步向王顯示，他在生活和治理上，應該這樣順從神。

十三11-34　神人之死

一位在伯特利之老先知的出現，使神人的故事有了一個意料之外的轉向。伯特利的先知聽見了在祭壇發生的事後，便提出要接待神人，但起初卻因之前相同的原因被拒絕了。可是，這先知決意要神人到他家（聖經沒有交代原因），並不惜以謊話去說服他到來。他聲稱神曾向他說話，撤回了祂先前的指示。

故事沒有叫我們以為這位伯特利的先知是慣於「說假預言」，只說自己虛空的異象，而不誠實傳達神的話（參耶二十三16，二十七9-16）。這位先知在20至22節，卻實在從神得到話語，並傳達那真正從神而來的話。總而言之，作者只描述他為說了一個謊言的先知。但這謊言卻奪去了神人的性命。老先知宣告，神人因違背神的話而要死，這些話很快也應驗了。伯特利的先知其後又後悔，並認同神人所說關於祭壇的信息。

我們應怎樣理解這奇怪和叫人驚愕的故事呢？我們看見一個先知說出謊言，而另一個先知又不管神先前給予他的指示而相信這謊言。一方面，這故事清楚地說明了分辨神的話有時會遇到困難。另一方面，它強調了堅定地順從神是十分重要的。在這方面，那神人仍然是給耶羅波安和以色列一個預兆；他那悲劇的結局警告人，悖逆神可以帶來死亡——整個國家民族的滅亡。第三方面，這故事顯示，預言是不能變更或取消的；神的話有創造的能力，能使事件發生，能使事情圓滿應驗。這是伯特利的先知所學到的功課（32節）。

然而，耶羅波安卻學不到這功課。毫無疑問，祭壇仍在違反神的旨意下，存留在伯特利，而耶羅波安仍不離開他的罪（33節），這罪最終會給以色列帶來全然的滅亡（34節）。

十四1-20　耶羅波安和先知亞希雅

我們從本段首次得知耶羅波安有一個妻子，又有兒子，而他的王宮則在得撒（17節），在示劍東北面約6哩（10千米）以外。

耶羅波安為了知道他兒子的病可會好轉，便打發妻子帶著禮物到先知亞希雅那裏。人要得到一些資料，便求問先知，並為他的服務而給他代價（比較撒上九3-9）。這似是很正常的事。因此，耶羅波安妻子並不是作出一些不尋常的事，而我們不知道她往示羅的時候要裝作別的婦人。若她這樣做是要瞞騙亞希雅，這策略是沒有用的；部分原因是這位老先知已經失明，但更重要是因為神正事先告訴他誰人要來，她為何要來！在故事裏，假裝的動機並不及一位瞎眼的先知能看透人那麼重要。在這裏，像在前一章經文一樣，我們發覺神的先知是不可以愚弄的。

在來訪者有機會說話之前，亞希雅已把神給耶羅波安的話說出來。耶羅波安像大衛一樣，是蒙神「從民中」高舉，作他們的「君」（7節），並且像大衛一樣，得到一個本來屬於別人的國度（8節）；但兩人的比較只是到此為止。耶羅波安不像大衛，他沒有全心跟從耶和華。事實上，他行了大惡，他背棄了耶和華（「將我丟在背後」），帶領眾民敬拜偶像（9節）。

判決之後是定刑，刑罰分為4部分。首先，耶羅波安家中所有男丁都要被剪除。那國度永存的應許是有條件的（十一38），現在便以可怕的話撤回這應許。其次，那患病的兒子將會死。他是耶羅波安的兒子中，唯一會得到安葬和哀悼的一個，因為神在他身上看見一些善行。在這個陰暗預言裏，只在預報其子將死的時候閃出一絲微光，是一個極大的諷刺。第三，神會在以色列興起一個新王，向耶羅波安的家執行審判。最後，因著耶羅波安播下了拜偶像的種籽，整個以色列最終也要滅亡。以色列全國會分散在「大河（即幼發拉底河）那邊」的土地上，因而不再存在。（有關15節所提及的「木偶」，請參看下文22-24節之註釋。）

亞希雅的預言描繪了一幅可悲的圖畫，這幅圖畫是關乎一個破壞了的潛在能力。作為獨立國以色列的第一位君王，耶羅波安蒙神賜他機會去作一位大國的君王；可是，他卻引領國家走上滅亡的路。潛在能力與真正表現之間的差異，是列王紀中一個重複的主題。

耶羅波安的妻子返回得撒，帶著她未經發問之問題的答案──和更多別的。她一返回家中，那關乎那患病的兒子的預言就應驗了。前一章已毫無疑問讓人知道其餘的預言必要陸續應驗。以色列的命運已是確定的。但我們知道它不會立即發生，因為亞希雅提到有一位新王會興起，消滅耶羅波安家的人（14節）。換句話說，耶羅波安王朝的結束，跟以色列國的滅亡，是兩件不同的事。

耶羅波安的死訊（19-20節，提供了記載進一步資料的典籍、他的任期，和繼位者的名字）是按著列王紀上下中作結語之公式寫出來，除了王的任期一般記在他們作王之始，而不是末了。在所羅門的記載上也有這種差異（十一42），而大概原因也相同：在兩位君王的情況下，他們並非隨著前任君王卸任而接續作王的，而在記載上，也沒有篇幅安插那敘述登基的標準公式。

十四21-31　羅波安統治的概述　雖然我們在第十二章已提及羅波安，但那敘述的真正焦點在於以色列轉入耶羅波安手中。作者現在再回頭談及羅波安治理的情況，而介紹他的方式自此（21節）成為一種特色。

從這介紹，我們知道羅波安愚蠢地回應示劍那些北方人的要求時，已是41歲。作者說那些鹵莽的顧問是「與他一同長大的」（十二8），即跟他年紀也相若。這確定了作者描述他們為「少年人」，是對他們之見解的素質作出評論，而不是指他們的實際年齡（參上文十二8的註釋）。

我們也知道羅波安的母親是亞捫人，是所羅門其中一名外邦妻子。奇怪的是，所羅門的繼任人竟不是法老女兒的兒子──法老女兒似是所羅門的王后（參七8的註釋）。也許她並沒有生下兒子（或沒有一個兒子活下來）。又或是像亞多尼雅和所羅門的情況一樣，他們放棄遵循傳位的正常規條。原因可能在於所羅門跟埃及的關係有變，是示撒作王並為耶羅波安提供庇護所致（十一40）。

第22-24節顯示猶大的宗教狀況跟以色列一樣壞。在羅波安帶領下，猶大到處設立許多「壇」、「柱像」和「木偶」。**「木偶」**（直譯「亞舍拉」）是指一些偶像，大概是木製的，是迦南女神亞舍拉的像。這些對以色列人來說並不是新鮮的事，因為在士師時代，他們已有敬拜迦南諸神的傾向（士三7）。

以色列和猶大之間的唯一分別，是羅波安（不像耶羅波安）並沒有因參與偶像敬拜而受責備。雖然如此，在這種種罪惡之後，隨即談到示撒的入侵（25-28節），卻有著重大的意義。一個很清楚的含義是，埃及人進攻，擊打了他王國的心臟地帶──聖殿和王宮，是因為神要懲罰猶大，尤其是羅波安。**君王不一定是本身拜偶像，才要為眾民拜偶像而負責任。他不去監察國家的屬靈境況，已足以叫神定他的罪**（參十五3的註釋）。

示爽一世（Shoshenq I，即示撒）在提比斯的亞捫（Amun）神殿牆上，刻有浮雕，記載他進攻巴勒斯坦的戰役。從這浮雕可見，他並非只是進攻猶大，同時也入侵以色列。然而，列王紀作者忽略這戰役對耶羅波安之國度應有的影響，卻集中敘述猶大的失敗和損失。聖殿和王宮的財寶都被掠奪了。記載中特別提到所羅門所造的「金盾牌」（根據十16-17，有200個大盾牌、300個小盾牌）被奪去，而羅波安則以銅盾牌代替之。**大衛家的衰落在此巧妙地作出了摘要**。羅波安治理著一個日漸衰微的王國，這王國很容易成為埃及的獵物，他的財力只足以用銅盾牌去取代

所羅門的金盾牌。**王國的版圖、平安和財富都大大縮減了。**

作者用了另一個標準公式去結束羅波安治國的敘述（29-31節）。

十五1至十六28　以色列與猶大國，直至暗利作王

十五1-8　猶大王亞比央　從這裏開始，直至以色列被毀（王下十七），作者都以平行的形式來記載兩段歷史。第十五章是他這方法的一個好例子。首先，他處理亞比央和亞撒治下的猶大歷史（十五1-24），但每當同期的以色列君王（拿答和巴沙）闖進故事中，他都會提到他們的事蹟。其後，他又回頭去敘述拿答和巴沙的統治（十五25至十六7）。這方法對現代讀者來說可能會造成混淆（尤其是亞蘭和亞述的王也進入事件中，而不熟悉的名字遍佈故事的時候）。例如，在現今這個例子中，在我們仍未知道巴沙在以色列歷史中的位置時，他已出現在猶大歷史的故事中。十五章16節首次提到他的名字時，我們不知道他是耶羅波安的兒子和繼任人，還是較後期的君王。他的角色在27至28節才得到解釋。然而，這方法跟列王紀作者的寫作目的很配合，因為這樣容許他以獨立的故事去敘述每一個王的統治。

羅波安的繼任人亞比央得到一個標準形式的公理（1-2節）。其中有兩方面可作出評論。作者自此加插一個附註，用以色列王在位的年日，來指明猶大王登基的日子，反之亦然。他只在介紹猶大君王時提到新王母親的名字（正如他在十四21介紹羅波安時所作的）；然而，他在約蘭（王下八16-17）和亞哈斯（王下十六1-4）的段落卻真漏了這項資料。

作者對亞比央的3年統治作出了很消極的評價（3-8節）。「亞比央行他父親在他以前所行的一切惡」這句話是奇怪的，因為在羅波安統治的概述中（十四22-24），他並沒有因本身所犯的罪而被指摘。然而，正如我們在評論該段經文時所見，羅波安最少也因為沒有制止眾民背棄神而變得有罪，而這裏給亞比央的裁決說，「他的心不像他祖大衛的心，誠誠實實的順服耶和華他的神」，也可應用在羅波安身上（3節）。其後的經文指出，他的王朝得以繼續存活，是由於神向大衛守

約，而不是由於其繼任人的品行。大衛因聽從神的命令而得著稱讚，雖然當中也提到他謀殺拔示巴的丈夫烏利亞的事件（5節）。這跟先前對大衛的描述有明顯的分別，因先前是完全正面的（十四8）。作者不希望我們忘記，王朝中所有成員，包括大衛，都是不能避免犯錯的——這點與未來大有關係（參上文八46-51之註釋）。

第6節可能應這樣作：「亞比央與耶羅波安之間常有戰爭……」，因羅波安與耶羅波安（這是大部分希伯來文抄本的兩個人名）之間的爭戰不可能持續至亞比央的日子。

這段摘要以一個標準的公式來結束，其中重提亞比央的統治因戰爭而困窘。

十五9-24　猶大王亞撒　作者介紹亞撒作王41年的時候，指他母親是「瑪迦，押沙龍的女兒」，這跟亞比央母親的名字相同（2節）！新國際譯本把第10節（和13節）譯作「祖母」，以解決這困難（譯按：和合本亦然）。

作者首次根據大衛所立下的榜樣來讚許一個王（11節）。亞撒改變了前兩任君王作事的方向（根據十一33，那是在所羅門治下已開始的），他甚至因祖母敬拜偶像而貶了她作太后的身分（直譯：「女主人」，即王宮的女主人）。他唯一失敗的地方是沒有廢掉祭壇。第15節的意義不明，但似乎亞撒曾把示撒入侵時奪去的聖殿財寶重新補充了。

這故事餘下的事蹟是關乎猶大和以色列之間在邊境上的爭戰。以色列王巴沙把拉瑪修築為堡壘，表示他的勢力已滲透伯特利的南部，進入了便雅憫境內（那是猶大的國境）。此外，他的目的是控制以色列和猶大之間的主要通道，從而有效地封鎖猶大北面的邊界。這處境的嚴峻，使亞撒尋求大馬色王便哈達的援助，縱使要再次取去聖殿和王宮的財寶來確保這聯盟（18-20節）。當便哈達南下進入以色列北部，巴沙不得不撤出便雅憫，以集中兵力去驅趕入侵者。亞撒遂得以取回便雅憫的失地，並拆毀拉瑪的堡壘。他使用拆下來的材料去修築迦巴和米斯巴，鞏固了北面的邊境，以防進一步的入侵。

那作結語的公式補充說，亞撒曾建築城邑，並他在年老時患了腳病。**後者的記載我們看見作者的神學觀點。他顯然不認為所有**

疾病痛苦都是神的懲罰與報應（不同於耶羅波安的手枯乾；十三4）。他承認無故受苦也是人生經歷的一部分。

十五25-32　以色列王拿答　我們從這裏開始一個很長的部分（王上十五25至王下十36），其中幾乎只談及以色列的事件（參導論）。這裏大部分（從王上十六23開始）是關乎暗利的王朝，但開始時是記述一段自耶羅波安死至暗利登基的不穩時期。在那25年裏，有5位君王在以色列掌握（或奪取）政權，而其中4人是死於非命的。

作者很快勾劃出「耶羅波安的兒子拿答」的性情：他「行⋯⋯惡事，行他父親所行的⋯⋯」。亞希雅關乎耶羅波安家的預言應驗，結束了他短期的統治。他遭巴沙謀殺，而巴沙則篡奪了王位。（作者提到這事發生在拿答圍攻非利士人的城邑基比頓的時候，讓我們想到作者所關心的事情很有限；許多君王的外交政策都只是偶然提及，或完全沒有提及。）巴沙跟著殺了耶羅波安全家。

第29節說這是應驗了亞希雅的預言，但在十六章7節，巴沙的行動則受到先知耶戶的譴責。這明顯的矛盾大概是由於巴沙所作的已超出亞希雅預言中的含義，而預言只提到屬耶羅波安的「男丁」要被除去（十四10）。（英王欽定本生動而更貼近原文地把十四10這個片語譯出：「那向著牆壁射尿的」；然而，這譯本卻錯譯了這節經文餘下的部分。）欽定本的意思是耶羅波安再沒有男丁可以繼承王位。十五章29節的用字暗示巴沙超出了這界限，把全家都殺戮了。

拿答事蹟的結語中說，亞撒和巴沙之間常有戰爭，這裏令人困惑的是，這事與拿答毫無關係。可能此處是指拿答而不是巴沙，又或是把關乎巴沙統治的事蹟錯置到這裏。

十五33至十六7　以色列王巴沙　作者只是十分簡單地概述巴沙的統治，因為他的登位和他與猶大王亞撒之間的戰爭已經敘述過了。本段的主題在於他受先知耶戶的譴責。歷史是不斷重複的。像耶羅波安一樣，巴沙是神興起作以色列王的人；但巴沙卻「行耶羅波安所行的道」，而他家的命運也跟耶羅波安家一樣。耶戶向巴沙所說的預言，也是亞希雅向耶羅波安所說之預言的迴響（比較十

六2上與十四7；還有十六4與十四11）。

十六8-14　以色列王以拉　因此，我們毫不希奇地發現，耶戶之預言的應驗，幾乎是早期事件的重演。正如耶羅波安的兒子在被殺前作王兩年，巴沙的兒子以拉，也作王兩年；又正如拿答的刺客繼他而登上王位，心利也繼以拉而坐在王位上。以拉之統治的摘要，在結構上是根據拿答之治的摘要（比較十六9-10與十五27-28，及十六11-13與十五29-30）。然而，其中也有不相同之處。作者沒有具體地說以拉是行耶羅波安所行的道；相反地，這在「巴沙和他兒子以拉的一切罪，就是他們使以色列人陷在罪裏的那罪⋯⋯」（13節）的話中暗示了。一個顯著的對比表明拿答和以拉在性格上是有分別的。拿答是正在跟以色列人的宿敵作戰——一個王的正當工作——時被殺的（十五27）；以拉則在得撒宮中與家宰狂飲時被殺的（十六9），即使那時以色列仍在非利士邊境爭戰（參15節）。最後，心利在滅絕前任君王的家室時，比巴沙更有節制，他只是殺盡男丁（11節）。

十六15-22　心利與以色列內戰　現今情況惡化為內戰。安營圍攻基比頓的以色列軍不接受心利作王，而擁立了他們的元帥暗利作王。事件有了一個諷刺的轉變，就是軍隊從基比頓撤回，轉而攻擊自己的首都。心利只作王7日便自殺而死！我們也許以為這樣並不足以考驗心利的性情，但在政治上，一個星期已是一段長時間，而作者毫無疑問地指出，他「行耶羅波安所行的，犯他⋯⋯的那罪」（19節）。

心利的自殺沒有立即使處境穩定下來，因基納的兒子提比尼又起來爭奪王位。雙方的爭戰以提比尼的死結束，而暗利便在沒有對手的情況下作了王。

十六23-28　暗利使以色列回復穩定狀態　暗利登基作王的事件（十六15-22）並沒有預言作指引（跟十五25至十六14的事件有強烈的對比）。沒有先知出來宣布心利的統治要結束，或說暗利是耶和華興起作王統治祂的民的人。因此，我們只能臆測暗利奪取王位是否神的旨意。聖經沒有給予答案，但在後來的經文中，我們清楚看見，暗利王朝的統治

確實是由神的主宰的。這是透過神的先知表明出來的,正如列王紀的典型做法。

暗利統治的概述,以他兒子接續他作王來結束,表明以色列已回復王朝的穩定狀態。

作者沒有提及暗利在政治上的地位,我們只能從亞述的碑文和摩押的石刻中略見一二。聖經唯一提到的成就是以撒瑪利亞作為以色列的新國都(24節)。否則,我們只知道他比先前的君王犯罪更多,並行耶羅波安所行的道(25-26節)。

王上十六29至王下十36　兩個王國:暗利王朝

十六29至二十二40　亞哈作以色列王

十六29-34　引言 這幾節經文似是對亞哈作王的標準概述,但卻沒有公式結語。事實上,結語是延至二十二章39至40節才出現。在引言與結語之間,不尋常地有許多發生在亞哈在位期間之故事的詳述。這些故事中,有些是關乎以利亞(十七至十九,二十一章),而有些則關乎亞哈與便哈達之間的爭戰,和其他先知的話(二十,二十二章)。

這裏的概述可說是以下詳盡之記述的引言。這引言告訴我們,亞哈比暗利更壞,因為他帶領以色列人拜偶像,以致靈程走下坡;相比之下,耶羅波安的罪只是輕微的罪。他敬拜巴力,是由於他娶了推羅王希蘭的繼位人謁巴力的女兒耶洗別。這暗示文中所談及的神是推羅城的保衛神巴力邁勒加(Baal-Melqart)。**亞哈在新的首都建巴力神廟,暗示他意圖使巴力敬拜成為以色列的國教**,而他把耶和華的先知滅絕一事,更證實他有這意圖(參下文)。他設立亞舍拉像時,也引進了亞舍拉的先知和巴力先知(十八19)。

作者提到亞哈重建耶利哥,不但要告訴我們,約書亞在多個世紀以前所說的預言已得著成就(書六26)。這裏可能是指希伊勒的兩個兒子,在重建工程的開始和結束時,都分別當祭物被獻上了。若是這樣,本段就更強調以色列在亞哈作王期間,已沾上很多敬拜偶像的習慣。

十七1-24　以利亞逃亡 亞哈作王期間那些令人討厭的行徑,受到先知的挑戰。以利亞

這位在亞哈事蹟中最突顯的人物,忽然闖進了故事中。作者沒有說他是一位先知,或耶和華的話臨到他,我們卻發現他把一個不吉利的消息告訴亞哈。從這信息的特徵,我們看出以利亞是一個言行皆有神性權威的人。以利亞的話以起誓來開始和強化,而這樣也顯出他的身分:他是耶和華以色列的神的僕人。這句話也指出面前的問題是甚麼。跟亞哈所相信的相反,「以色列的神」是耶和華,而不是巴力。雨不降下來,不單是一個從神而來的懲罰,也是彰顯耶和華之能力和巴力之無能的第一個行動。

以利亞逃往一條人跡罕至的小溪,暗示他正面臨危險,但到了十八章4節,我們才知道那危險是甚麼:耶洗別正有計劃地除滅耶和華的先知。以利亞藏身的地方位於以色列境內,約但河東之地(以利亞大概對此地很熟悉,因為他是從基列來的;1節)。第4節下可讀作:「……我已吩咐阿拉伯人在那裏供養你」。這就跟本章後來描述一位腓尼基婦人照顧以利亞的情況一致。然而,「烏鴉」極可能是正確的意思,因為**這是整個故事(十七至十八章)的主題——神掌管著自然界的每一方面**。

當以利亞藏身的溪水乾涸了,神就給他進一步的指示,差遣他離開以色列境,往腓尼基人的城撒勒法去。諷刺的是,以利亞正逃避一個促進腓尼基神之敬拜的人,卻往腓尼基去避難!他所遇見的寡婦很樂意給他水喝,但當他要求一點食物時,那婦人就不得不承認她極其貧困,並且幾乎要餓死。她似乎也認出以利亞是一個以色列神的先知。(在以利亞時代,耶和華的先知在外表上是否有一些獨特之處呢?參下文二十41和王下二23-25的註釋。)以利亞向她保證,她必可以供養他,因為神應許她那一點麵和油可以維持至旱災過去。(這樣,我們知道以利亞所宣告的旱災,已從以色列伸延至腓尼基。)婦人相信他,並照他的話去做(也許因為她看出這位陌生人是一個先知),而以利亞的話也成真了。

後來,那寡婦的兒子病了,幾乎要死;雖然經文沒有清楚顯示他是否真的死了。寡婦第一個反應是以為「神人」以利亞的到來,引致神為她的罪懲罰她(18節)。**人往往假設受苦與犯罪是相關的。**約伯的朋友分析

說，他必定曾犯罪，才會帶來痛苦（伯八4，十一6等），而耶穌的門徒也跳往一個結論說，一個人眼瞎是由於他的罪（約九1-3）。現今受苦的人也會問：「我作了甚麼事，要受這樣的苦？」，所表達的跟婦人在18節所說的話，是相同的概念。我們要記得，約伯記推翻了約伯之友人的想法；耶穌也否定了門徒的推論；而在這故事中的寡婦，也是誤解了事情的肇因。聖經並沒有假設罪與受苦（或義與祝福），必然是由於因果關係，相反地，聖經容許有無辜受苦（從人的角度看，同時是不能解釋的）的情況出現。以利亞顯然不知道這悲劇為何會發生。他在第20節的禱告表明他是不知所措和憤怒的。其後他為孩子得以存活和康復而禱告。他為何伏在孩子身上，原因並不清楚；也許他只是以自己的身體使孩子得暖和，以致他能存活。但孩子得以康復，是神的作為，是神回應了以利亞的禱告（22節）。

在第24節中，寡婦的驚歎包含一個絕妙的諷刺：一個腓尼基婦人也知道以利亞所說的話是出於耶和華，但那敬拜腓尼基諸神的以色列君王，卻拒絕不看這事實。耶穌說，先知在家鄉是不被人接受的，祂曾引述以利亞在撒勒法的故事來支持祂的論點——這使祂的聽眾感到十分困惱（路四24-30）。

十八1-19　以利亞返回以色列　在旱災的第三年，神指示以利亞返回撒瑪利亞，再去見亞哈。然而，他首先遇見亞哈宮裏的家宰俄巴底。這人自幼敬畏耶和華（12節），並且仍然向神盡忠。他願意冒著生命危險，在耶洗別展開除滅耶和華先知的行動時，把100位忠心的先知藏起來，並供養他們，這可確證他對主的忠誠。他是一個敢於挑戰的人物，他在全國都悖逆神的時候，默默地活出他的信心來。但他也是一個富有人性的人物，他恐怕以利亞會再次失蹤，不能依約會見亞哈，使他招來殺身之禍。以利亞再次以起誓來加強他的話（15節），他向俄巴底保證必於即日會見亞哈。

亞哈與以利亞會面，並互相侮辱指責。亞哈離棄耶和華轉向「巴力」（原文是複數，泛指多個外邦神祇的敬拜），使以色列的君王變成「使以色列遭災」的人。以利亞發出挑戰，要求與外邦的先知在迦密山相見。這些

先知是「耶洗別所供養事奉」的，顯示她就是在背後推動提倡新國教的人。

十八20-46　以利亞在迦密山　迦密山不是一個獨立的山峯，而是連綿的山脈，從阿卡灣（Bay of Acre）沿岸南面的方向向內陸伸延約12哩（20千米）。我們不能知道以利亞在哪裏舉行聚集。我們唯一得著的提示是那地離地中海的觀景點不遠（42-44節）。有些證據顯示，迦密山是敬拜巴力的傳統地點，這樣以利亞就是讓巴力先知有在本地作戰的優勢。

在迦密山聚集的不單是外邦的先知，還有從以色列各地而來的人（21節；比較19節）。以利亞沒有責備以色列民徹底背叛神，卻指他們心持兩意。這暗示他們是同時敬拜巴力和耶和華，以確保從二者得到最大的好處！巴力主要是一位掌管天氣的神，因而是負責他們種植的收成；另一方面，他們可能普遍以為神是來自西乃沙漠地區的神祇（比較哈三3-7）。又或許像第二十章的亞蘭人一樣，他們以為耶和華「是山神，而不是平原的神」（二十28）。無論如何，以色列民會認為關乎耕種的事，是耶和華力所不及的，所以同時敬拜巴力這位公認是耕作之事的專家，也無不可。以利亞掃除這種把宗教混合的想法。眾民必須作一個抉擇：事奉耶和華或事奉巴力。

「心持兩意」這動詞也有「跛行」的意思。（這動詞也用於26節，描述巴力先知的踊跳。）這個雙重意義的用語顯出一個重點。以利亞要告訴眾民，他們要得著兩個世界裏的好處，實際上卻使他們受損。

按俄巴底先前的話來看（13節），以利亞自稱是唯一餘生的耶和華先知，叫人感到驚奇。我們稍後討論十九章時，會再研究他這個聲稱。跟著他指示人去準備燔祭——但不可點火，那真正的神會以祂自己的火去焚燒祭物。眾民（先前一言不答的：21節）判定以利亞所提出的比試是公平的（24節）。

巴力的眾先知先開始儀式。以利亞讓他們得著一日中最好的時間，「從早晨（26節）……直到獻晚祭的時候（29節）」。在正午時分，以利亞用一些冷嘲熱諷的話，打破那沉悶的氣氛；他稱巴力為神，卻又同時以一些人性的原因去解釋他為何沒有反應。以利亞

用「走到一邊」這字詞，可能是指巴力小解。巴力先知的跳舞在下午變得更狂熱，但29節末的3個否定句，強調一切都是徒然的（「沒有聲音，沒有應允的，也沒有理會的」）。

以利亞由零開始，他用第二隻公牛準備祭物。以利亞取了12塊石頭，用以象徵原本合一的以色列，然後修築一個殘破的「耶和華的壇」——在正常情況下，列王紀作者必定譴責這種邱壇。但這裏的情況是不尋常的，因為耶和華之敬拜在以色列能否延續，甚至以色列本身能否生存，也成疑問。問題已不再是要在哪裏敬拜耶和華，而是以色列人會否繼續敬拜耶和華——以色列會否仍是以色列。

以利亞要確保眾人看見他處於極不利的境地，他用水淋在祭物和柴枝上，水就流進祭壇四周的溝裏。經過3年的旱災，把4桶水倒在燔祭上，能雙倍地顯出他的信心。以利亞相信神會下雨，也會降火。

他的禱告（36-37節）進一步顯出他在這非常時刻中，對以色列歷史有極大的信心——他稱耶和華為以色列列祖的神，叫人想起這段歷史的起頭。這禱告也顯出以利亞看為重要的事：在他祈求神讓人知道他是耶和華的僕人之前和之後，他都祈求人能認識以色列的真神。

神的回應是戲劇性，並且是完全的。那假設是天空和氣候之主宰的巴力所不能做到的，耶和華做到了，祂在旱天裏造出閃電來。眾民最後在耶和華和巴力之間作出了選擇（正如以利亞在第21節催促他們所作的）。他們在第39節所說的話，不單是承認耶和華是以色列中有能力的神。在希伯來文中，「耶和華是神」帶有耶和華是獨一的神之意；他們是宣稱耶和華為獨一無二的神。巴力的眾先知暴露了他們信仰的虛假，眾民便在以利亞的命令下殺了他們。

作者在此敘述了這場屠殺而不加評語，但後來以利亞因一連串出於狂熱的思想而受責備（參十九1-18的註釋），而他徹底地殺盡巴力的先知，可能也應視為源於他這種狂熱的傾向。亞哈自第20節便沒有出現，到第41節再提到他的名字。他在本章中成了一個不重要的角色，而焦點卻在眾民身上。他在這裏，正如在第20節一樣，聽從以利亞的命令

——以利亞已成為眾民的真正領袖。不幸的是，亞哈在耶洗別面前仍表現得軟弱，耶洗別要殺害以利亞的時候，他並沒有阻止她。

以利亞求雨的禱告（42-46節）中，有一些叫人存疑的地方，但那事件的意義卻是清晰的。風、雲、雨，都在耶和華的掌握之中，因為祂是創造宇宙的神，他有能力控制他所造的每一件事。這事件也再次顯出以利亞是神的代表，因這事正應驗了以利亞在十七章1節的話，即他若不禱告，就不會下雨。

十九1-18　以利亞在何烈山

我們在這裏看見以利亞性格較人性化的一面——脆弱和有瑕疵。他為逃避耶洗別，便逃到別是巴南面的曠野去，那不只在以色列國境之外，更是超越猶大南面的邊界。在極度低沉和沮喪之下，他在那裏求死。經文沒有顯示他計劃要走往更遠的地方去。其後的路程是由於一位「天使」（或只是一位使者）給他提供幫助。那旅程的終點是何烈山，神曾在那裏差遣摩西（出三），並且後來在煙、火、雷電中顯現，給以色列人頒賜十誡（出十九至二十）。

在迦密山上，我們看見以利亞這位偉大的屬靈領袖，以他的信心和忠誠，拯救了以色列人。在何烈山上，我們卻是見他軟弱、犯錯，並且需要神的責備。神一開始所發出的問題顯示，雖然神的使者曾使以利亞有力走路，但以利亞也不應到這裏來。以利亞的回答把那發生在迦密山上之事的價值全然貶低了。他忽視了神對抗巴力時的勝利，如像這事沒有成就甚麼一樣。他暗示他解散群眾時，他們是完全沒有信心的。他輕視忠心的俄巴底，不理會可能有許多人像他一樣。也許他認為俄巴底在王宮中的職位，正顯示他的軟弱和妥協。他再一次聲稱自己是唯一生還的耶和華先知（比較十八22），不承認俄巴底藏在洞裏那幾百位先知。大抵由於他們沒有勇敢地站立起來，所以被擱置一旁，不被看為先知，以利亞現在（諷刺地）住在自己的洞穴裏，很容易忽視自己也曾藏躲3年，也曾在這次出走裏彰顯自己的軟弱。

以利亞站在洞口的時候，神的回應就是「經過」。烈風、地震和火陸續出現，但經文說神並不在其中。跟著，一個頗不相同的現象出現了。「微小的聲音」一詞並未能完全譯出這個難解的希伯來片語的神韻，更好的

翻譯是「簡短的靜默之聲」。雖然經文沒有明顯地說出，但它暗示神最後是在暴風雨過後的靜默中經過。

這些事件生動地顯示，神並非常常以可見和充滿戲劇性的方法去作事。祂可以選擇靜靜地出現。以利亞對當下處境的分析受到挑戰，顯示神可以用祂僕人也不能看透的方法去作事。

然而，當神再次重複祂開始時的問題，以利亞的回答卻跟先前一樣。神並沒有複述祂的教訓，卻指示以利亞去膏立3個人，他們會以不同的方法來繼續那煉淨以色列人的工作。這指示結束時，神說祂在以色列中有7,000個忠心的跟隨者（18節）！這靜默的教訓藉著這結束的責備，說出了神心中要說的話。以利亞忘掉了所有人的信心，只知道自己的信心，他並且不了解神作事的方法。這種態度今日在神子民中，往往會導致一種傲慢，甚至狂熱的行徑。

學者常認為以利亞患了憂鬱症。憂鬱或沮喪可以有許多不同的原因（從憤怒受壓抑至缺乏維生素），我們不應假設我們沮喪時，問題就跟以利亞一樣，或他的問題跟我們一樣。在他的情況中，沮喪和失望似乎是源於他從歪曲的角度去看事情。他低估了自己的成就，也看輕了別人的貢獻。解決的方法，最少有一部分，是在於讓他從神的角度去窺看事物。我們若希望在基督徒生命中不會感到失意或氣餒，也需要這樣去窺看事物。

十九19-21 以利沙的呼召　雖然以利亞沒有真的膏立以利沙，但這事件也實現了第15至16節的第三個指示。以利沙明白以利亞賜他外袍，表示要呼召他作門徒，他因而要求給他時間與家人道別。以利亞那簡單的回覆顯得含糊，但似是答應他的要求。以利沙為整個家族舉行那盛大的餞別宴，必定要花一些時間去準備和吃喝。在路加福音九章29至62節中，耶穌給門徒的呼召在某些方面是本段經文的迴響，但卻更為急迫。

二十1-21 撒瑪利亞遭圍困和得拯救　本章讓我們看見亞哈兩個強烈對比的形象。起初我們看見他是一個勇敢的領袖，聽從神先知的話，並贏得勝利。但在本章末了，他內心那種不順服又再次浮現出來。

北方的亞蘭國再次進入故事中，並且仍在一位名叫便哈達的王統治下（像在十五18-20一樣）。這個大概是便哈達二世，即先前之便哈達王的兒子和繼任人。在圍攻撒瑪利亞的時候，便哈達不斷增加他向亞哈索取的東西，直至亞哈聽取城中長老的意見，拒絕了他的要求。便哈達跟著便作出毀滅撒瑪利亞的威脅，他說他要徹底毀滅撒瑪利亞，以致撒瑪利亞的塵土不足以讓跟從便哈達的人一人捧一把。亞哈警告他不要把未孵化的小雞也數算在內（11節）。我們不知道亞哈的話是反映他真正的信心（他已得到13-14節那先知的確證嗎？），還是他在裝胸作勢。

一位不具名的先知向亞哈宣佈必勝的預言，並具體地指示他派誰去率領軍隊。神會賜亞哈勝利，以致他「知道我是耶和華」（13節）。亞哈聽從神的話，亞蘭人就被擊退，而這次攻城也結束了。然而，聖經沒有說亞哈曾承認神在拯救撒瑪利亞中的角色。

二十22-34 在亞弗的勝利　那不具名的先知再次指示王，警告他便哈達會再來。這個警告成真，因為亞蘭人已整頓他們的軍隊。當戰線劃在亞弗時，以色列軍隊的數目跟亞蘭軍就相形見絀了（27節）。然而，亞蘭人嚴重地估計錯誤。雖然他們沒有懷疑以色列的神確實存在，但他們卻以為祂是「山神，不是平原的神」，所以祂在平原的爭戰上幫不了忙。先知宣告亞蘭人的失敗；他們會發現以色列的神並不受限制，而亞哈也「就知道我是耶和華」（28節；重複了13節的句子）。

便哈達的軍隊徹底地潰敗，以致他要投降，並求亞哈仁慈地對待他。畢竟他父親曾與巴沙結盟（在猶大王亞撒遊說他結束盟約之前；十五19），而他也曾與暗利訂立一個貿易協定（二十34）。便哈達用國際性的外交語言，稱自己為亞哈的藩屬（「僕人」），但亞哈馬上稱便哈達為他的「兄弟」（32節），好像他們已是盟友，而不是敵人。亞哈這樣迅速地答應與便哈達結盟（34節），表示他認為這樣最能保證以色列未來的安全。這是第二次，亞哈沒有承認神是以色列的保護者。

二十35-43 亞哈受責備　在隨後奇怪的故事中，亞哈那抗拒神旨意的態度就顯露出來了。這裏也有一位不具名的先知，但大概跟

13至18節那位先知不同。

為了向亞哈傳達他的信息，這位先知必須受傷。那拒絕打傷他的人被獅子咬死了，而他的死也有先知作出了預言；他是因不順從而受懲罰的（36節）。這奇怪和叫人吃驚的事件，叫人想起第十三章的故事來。那裏有另一個不聽命的先知被獅子咬死了。**我們再一次看見神的話必須嚴格地遵從，並且祂的話必須要成就。然而，這事件指向往事，也指向未來，它預示先知要揭露亞哈的不順從，也預示那要宣告的判決。**

那先知被一個較體貼他意思的人打傷後，便假裝一個從亞弗的戰場歸來的人。他告訴亞哈，他讓一個亞蘭囚犯逃走了，而王則指他要按既定的刑罰來執行。我們不知道他在第41節中把布帶除掉表示甚麼。是否讓亞哈認出一個他已認識的先知呢？（他肯定不是13-28節的那位先知，因為亞哈只看出他是「一個先知」，而不是那個先知。）還是他顯露了當時先知所獨有的記號呢？（參王下二23-25）

先知揭露亞哈之罪的手法，跟拿單揭露大衛的罪（撒下十二）的方法相似。在兩個情況下，王所犯的罪，正是他們用來指責別人的。亞哈應把便哈達殺掉，而不是釋放。然而，亞哈並沒有認罪悔過，卻是顯得憤怒厭惡（新國際譯本）。

二十一1-16 拿伯的葡萄園 著名的拿伯葡萄園事件發生在耶斯列，那是亞哈和耶洗別的行宮（1節；參十八45-46）。亞哈購買這葡萄園的條件很合理，但拿伯也有足夠理由去拒絕。除了葡萄園表示一個人在時間和心力上的投資外，賣出產業也是違反舊約律法的。在以色列的社會裏，一個家庭跟它們所得的地是不可分開的（利二十五25-28；民二十七1-11，三十六7）。**這情況解釋了拿伯在第3節堅決拒絕的原因。**

亞哈因此而悶悶不樂，但也接受這現實。但耶洗別卻不然，她不明白以色列的王為何不能按他的心意去行（7節）。**我們在這裏看見兩種關乎君王的不同觀念之衝突。一個以色列的王，像他任何一個臣民一樣，受著耶和華律法的約束**（申十七18-20），但對耶洗別這位腓尼基王的女兒而言，因一個臣民要遵守那古老的律法，而令她的丈夫不能

得償所願，簡直是無稽之談。然而，她並沒有公然嘲笑以色列人傳統的宗教價值觀。她卻施行詭計，使拿伯蒙冤而被處決，讓亞哈得以沒收他的葡萄園。拿伯受到捏造的指控，指他違反出埃及記二十二章28節的命令，但事實上，這條禁止人貪圖鄰舍的財產、不可謀殺、偷盜、作假見證的命令，正是亞哈和耶洗別在這貪婪的事件上所違反的（出二十13、15-17）。

二十一17-29 以利亞預言王朝的沒落 以利亞再次進入故事中，他蒙神差遣去預言亞哈家要面對的災難。雖然設計使拿伯受冤而死的人是耶洗別，但亞哈在這事上也默從了她。當耶洗別答應給他葡萄園取來時，他並沒有問她要怎樣做，而他也樂於退居幕後，直至拿伯死了。現在先知指他「殺了人，又得他的產業」（19節）。這是以利亞說這預言的動因，但那只是亞哈最近期的罪。他也曾「使以色列人陷在罪裏」（22節），那無疑是指他「信從偶像」（26節）而言。

這預言跟亞希雅向耶羅波安所說的，和耶戶向巴沙所說的相仿，而他們甚至使用相同的句子（比較21節與十四10；22節與十六3；24節與十四11和十六4）。然而，耶洗別的角色也不可忽略，她也同樣受到譴責（23、25節）。

奇怪的是，亞哈這位以色列迄今最罪大惡極的君王（十六30），卻顯出最深切的悔悟來（27節）。有鑑於此，神告訴以利亞祂不降亡國之禍在亞哈身上，而會等到他兒子作王的時候。這王朝會多倖存一個世代。

二十二1-28 米該雅，亞蘭之戰 在亞哈與便哈達結盟第三年，雙方又再對敵。這次似乎是亞哈採取主動的，而原因是他想奪回那位於約但河東山區的基列拉末。

首先他與猶大國王約沙法組織聯盟（4節）。約沙法堅持在採取任何行動之前，先求問耶和華；亞哈便召集了400位先知，他們異口同聲地指出，這次戰役將會得勝。約沙法顯然懷疑那些只是亞哈的「應聲蟲」，於是尖銳地問他：亞哈宮中是否沒有「耶和華的先知」？

亞哈承認還有一位先知他並沒召來，因為那先知常說亞哈不愛聽的話。虔誠的約沙

法譴責亞哈的態度，而米該雅則被召來。這故事有許多出人意外的轉折。當王的使者催促米該雅與其他先知達成共識，米該雅說他只會說神吩咐的話（13-14節）。奇怪的是，他的話真的與其他先知一致，因而其他先知所說的似乎一直都是正確的（15節）。更奇怪的是，亞哈跟著卻命令他要說實話。他知道米該雅所說的吉語不像是真實的（8節）。我們再返回第十三章的難題中——我們怎樣去分辨預言的真偽呢？但這次，故事有一個諷刺性的急轉，因為亞哈這個一直抗拒耶和華的話的君王，卻很快就看出那是一個謊話，並要求米該雅說出真實的預言。結果是亞哈走進了一個圈套中：他若以米該雅的話為謊言而把它駁回，他也必須同時駁回其餘400位先知那鼓勵性的話！

米該雅於是以一個意象來作回應，而其中明顯指出亞哈會死在戰場上（17節）。亞哈若拒絕先前的預言，他就必須接受這個預言！但另一件出人意表的事隨著而來，因為米該雅繼續述說他站在耶和華會中的經歷——這經歷在別處是用以把真先知從假先知中分別出來（耶二十三17-18）。他透露說，其餘400位先知（「眾先知」，即亞哈的先知，而非耶和華的先知）的話是從一個謊言的靈而來的，這靈奉神差遣去引誘亞哈，使他戰死！米該雅的話證實了那個結論——吉利的預言是一個謊言——這個結論是亞哈強迫他說的。

西底家（400先知的發言人，11節）的干預包含一個含糊的問題（24節）。這大概是一句諷刺的話，目的在於否定米該雅從神得著真實的話，米該雅的回答是，西底家藏躲起來，保存性命的時候，他就會發現真相。但西底家否認米該雅的話的可靠性時，又打開了那爭議性的問題：擁有真理？是米該雅、西底家，還是其餘的先知呢？亞哈要面對一個抉擇：相信他所憎恨的先知，還是相信他早前（間接地）分辨為說謊的先知呢？

他按著個人對米該雅的憎惡，和隱藏著對神話語的敵擋而行。可是，他也正是按著那預言他必遭「禍」（23節）的話而行。

這奇怪的故事引出一個問題，就是我們可否知道一個預言是真還是假呢？對於這個難題，我們沒有一個輕易的答案。申命記十八章22節的衡量標準，只可應用於回顧過去的事；另一個在申命記十三章1至3節的衡量標準，則把重點放在先知是帶領人事奉真神，還是引誘人離開真神，而不是在於他的話應驗與否上。

二十二29-40 亞哈之死 亞哈出去爭戰，並決意改裝上陣來逃過死亡。但他並不能逃避預言中的結局，一枝隨便射來的箭也找著他的甲縫，使他受重傷。縱然他意圖要抗拒米該雅的話，結果卻應驗了那些話，因為耶和華的先知所宣告的，是掌握在耶和華手中。以利亞較早期的話也得到應驗，因為狗來到撒瑪利亞外，餂亞哈的血，正如昔日有狗在耶斯列外餂拿伯的血（二十一19，二十二38）。

公式化的結語暗示亞哈在位年間，以色列處於盛世。他也曾大興土木，這是得到考古學所證實的。

王上二十二41至王下八29　亞哈眾子在位期間

二十二41-50 猶大的約沙法 約沙法在猶大作王的概述，好像一個插段，加插在這幾章以以色列為主的故事中。一個標準的開場白後（41-42節），作者稱讚約沙法，因他繼續以亞撒虔敬的方式行事（43節上），並且完成他的改革（46節），雖然作者也指出他仍繼續容忍邱壇的存在而不把它們廢掉。作者隨即提到他與亞哈結盟（44節），暗示這也被看為他的失敗。猶大與以色列纏結著的關係，確實在其後統治裏產生嚴重的後果。在紅海地區的風雲崛起是所羅門在位時的特色，約沙法欲重振這事業而失敗，可見猶大已從所羅門的黃金時代衰弱下來。

二十二51-53 亞哈謝作以色列王 作者怎樣描述亞哈，也怎樣描述他的兒子亞哈謝：介紹這位新王的統治是用一個標準的撮述而沒有公式化的結語。那公式化的結語延至一個關乎以利亞的故事之後（王下一）。因此，亞哈謝在位的記載，就好像亞哈記載的縮影，反映他的統治也跟其父相仿。

列王紀下

註釋

王下一1-18　亞哈謝與以利亞　關乎摩押背叛的事（1節），在第三章會重提，而這事也成為第三章的背景。摩押的背叛暗示了暗利王朝的腐敗和沒落，這是先知曾預言會在亞哈的兒子在位時發生的（王上二十一29）。

亞哈謝的意外本身並無描寫成神的審判或懲罰。他受到先知責備，乃是由於他因這意外而求問一個外邦人的神。作者諷刺這以革倫的神，把他的名字更改，由原來的Baal-Zebul（巴力王）改為Baal-Zebub（「巴力西卜」，即蒼蠅王）。〔Zebul 也出現在耶洗別(Jezebel)的名字中，意思是：「王在哪裏？」〕亞哈謝的使者沒有從革倫帶回巴力西卜的話，卻從以利亞帶回了耶和華的話！亞哈謝沒有在病中求問神，他的病卻彰顯了耶和華掌管生命與死亡的能力。

在第9-12節中，兩位五十夫長和他們的隨員那可怕的厄運是很難解釋的。也許亞哈謝會危害以利亞的生命安全，正如從前亞哈和耶洗別對待他一樣。（天使在第15節對以利亞説：「不要怕他」，也可成為這觀點的支持。）也許亞哈謝要認識到，一個神人，就像神自己一樣，是不可以給人隨意使喚的。真的，第三位五十夫長的懇求口脗，帶來了不同的回應。

無論亞哈謝差人往見以利亞，是期望得著甚麼，結果他所得的，只是先前之預言的複述，即他會死在病床上，傷病不會得到痊愈（16節）。

按著以利亞較早前向亞哈所説的預言（王上二十一29），我們會預期亞哈謝是暗利王朝中最後一位君王。但在亞哈謝死後，又有亞哈另一個兒子（王下三1）約蘭接續他作王。以利亞的話仍有待實現。

二1-18　以利亞離世　本故事中之行程所經過的地點，都與以色列過去的歷史有著重要的聯繫。「吉甲」（1節）是以色列人渡過約但河後，第一個停留的地方。在曠野出生的以色列男子都在那裏受割禮，並有逾越節的慶祝（書五）。「伯特利」（2節）離中央山區約14哩（24千米），是雅各與神相遇的地方

（創二十八）。「耶利哥」（4節）位於約但河谷，離吉甲不遠，是約書亞首先攻取的城（書六），而「約但河」（6節）則曾經奇妙地斷了流，讓以色列人從其上過去，進入應許地（書三）。

除了繞經伯特利之外，這路程是集中在那些與以色列人進入應許地有關的地點。這樣做的目的，最少是作者這樣記載的目的，是叫讀者留意以利亞和以利沙在以色列歷史中的獨特角色。以利亞早期的事件叫人想起摩西的事奉，例如，像摩西一樣，以利亞在何烈山上得到神的啟示，而他殺巴力先知的事，又跟金牛犢事件的結果相似（出三十二25-29）。現在他渡過約但河到東岸去（形式跟摩西過紅海相似），而那兒正是摩西事奉結束之處。事實上，摩西生命的終結，也跟以利亞一樣神祕和奇妙（申三十四6）。在新約中，兩人曾在耶穌登山變像時與耶穌談話，這正強調了兩人生命的相似（太十七3）。

以利亞和摩西的平行對比，有著神學上的重要意義。摩西是西乃或何烈之約的中介者；他是先知（申十八15，三十四10），藉著他，以色列人被帶進約的關係中，並成為了神的子民。以利亞也是先知，藉著他，以色列人得以轉回西乃之約，而以色列人獨特的地位也得以保存。簡單來説，把以利亞與摩西作平行對比，是戲劇性地提高了以利亞在以色列歷史中的重要位置，尤其是他在列王紀中的重要性。雷利〔H.H. Rowley, "Elijah on Mount Carmel," *BJRL* 43 (1960), 190-219〕一針見血地概括了摩西和以利亞兩人之職事的關係：「沒有摩西，舊約中所出現的耶和華信仰就不會誕生。沒有以利亞，這信仰就已經死去。」

若以利亞被視為第二個摩西，以利沙則是另一個約書亞。正如約書亞接續摩西作以色列人的領袖，以利沙也接以利亞之任，從乾地上走過約但河，由河東進入河西，像約書亞一樣（14節），他又跟隨著約書亞的腳步，往耶利哥去（15-22節）。（就是以利沙的名字也叫人想起約書亞來。以利沙的意義是「神是拯救」，而約書亞的意義則是「耶和華是拯救」。）

以利亞的離去彰顯了神的能力和奧祕。這事是以利沙，和伯特利與耶利哥的先知門徒事先知道的（3、5節），而最後，以利亞離

開的方法，是難以形容的（11節）。以利沙要求得著以利亞「加倍的靈」（9節），反映著長子繼承產業的權利（申二十二17），而以利沙稱以利亞為「我父」（12節）也可能與此事有關。這等同於正式要求作以利亞事工的繼承者。以利亞所說的條件（10節）可能是指以利沙瞭解他離去的含義，而不單是指肉眼看見這事。以利沙的呼喊：「**以色列的戰車馬兵啊**」（12節）表示他領會到以利亞是神子民真正的力量和保護。他撕裂衣服，象徵著為以色列人的損失而哀哭。

以利沙到達了約但河，河水也為他分開，像為以利亞分開一樣，這事件證明了在以利亞身上的靈已落在以利沙身上。耶利哥的先知門徒因而稱他為他們的新主人（15節）。然而，他們不明白以利亞已經離去，不像以利沙那樣清楚這情況，因為他們堅持要尋找他。以利沙知道這樣做是徒然的（16-18節）。

在主前第五世紀，先知瑪拉基曾預言以利亞會在「耶和華大而可畏之日」到來之前回來（瑪四5）。在瑪拉基書中，那是指一位像以利亞一樣，呼召人回轉歸向神的先知（瑪四6），但許多人推測以利亞會親自回來（比較太十七10；可八28）。耶穌指出，施洗約翰已恢復了以利亞的工作，應驗了瑪拉基的話（太十一14，十七11-13）。

在伯特利和耶利哥的先知門徒可能是列王紀上十九章18節那7,000個忠心的以色列人的一部分。至於進一步的評論，參看下文六章1至7節的註釋。

二19-22 醫治耶利哥的水泉　耶利哥是世界最古老的城之一，有人定居的歷史可追溯至主前8000年，而這是由於耶利哥擁有大量水源，澆灌四周的土地，使土地肥沃。然而，在以利沙的日子，那裏的水泉變得惡劣。以利沙把鹽倒在水中，只是一個象徵性的行動，因為把鹽撒在流動著的水中，並不能影響它地下的泉源。真正使水泉得潔淨的，是耶和華藉以利沙所說的話。**在這事件中，我們也可看見約書亞咒詛耶利哥的話**（書六26），**被新的約書亞撤回了**。值得留意的是，新的約書亞也依著第一個約書亞帶領以色列人進入迦南的路徑（伯特利靠近艾城，約書亞攻取耶利哥後便往艾城去；書七2）。

二23-25 在伯特利的事件　以利沙繼而往伯特利去，這就繞回他與以利亞一起走的路程（伯特利——耶利哥——約但河，2-8節；約但河——耶利哥——伯特利，13-23節）。

那些戲笑以利沙之少年人的死，跟一章9至12節中那些士兵被焚一樣突然和叫人震驚。若我們採取「童子」的翻譯（譯按：正如和合本所採取的譯法），這事就更具震撼性。在第23節和24節裏，原文是兩個不同的希伯來名詞，兩個都可譯作「男童」或「少年人」。新國際譯本選取了「少年人」，但卻沒有把第23節形容他們「細小」（small）的形容詞譯出。這裏肯定是指孩童，除非我們可把它譯作「無用的人」。這殘忍的懲罰要得到最合理的解釋，就應以這角度看：以利沙被戲笑，是由於他是耶和華先知的領袖。可能「禿頭的」這句侮辱的話，是指某種剃髮式，是用以標示先知的身分。這事以後，以利沙向北行，到以利亞得勝巴力先知的地點，然後再往以色列的首都去。

三1-20 準備奪回摩押　約蘭一名在英文翻譯中有兩種寫法（Jehoram/Joram），新國際譯本用兩種不同的寫法來分辨兩位同期和同名的以色列和猶大王。

約蘭獲得輕微的讚許，因為他只是行耶羅波安所行的，沒有像亞哈和耶洗別那樣，陷入罪惡的深淵。雖然他除掉了亞哈所造的一個巴力柱像（2節），但從第十章明顯可見，巴力的崇拜在撒瑪利亞仍很盛行。以利亞在迦密山上比試的結果，是巴力崇拜不再被提倡為以色列官方的宗教，然而只要耶洗別仍在朝廷掌權，巴力崇拜就仍是首都生活的一個特色。

我們從摩押石碑可知（參導論），摩押在暗利的時代成為了以色列的屬國。根據列王紀下一章1節，它在亞哈謝在位的短短兩年間叛變了。因此，再次征服摩押成為了約蘭的責任。

這段記載跟亞哈對抗亞蘭的戰役（王上二十二）有一些相似之處。兩次戰役的目的都是要取回在約但河東的主權；兩次都與猶大王約沙法聯盟作戰（約沙法用了相同的句子來表達他願意合作的心；比較王上二十二4與王下三7）；在這兩次事件裏，約沙法都要請求先知求問耶和華；並且兩次戰役的結果

都不很清晰。

以東王站在約沙法旁（9節），這位以東王大概是列王紀上二十二章47節那位治理以東的「總督」，即是由約沙法委任的一個長官，而不是以東王朝本身的一員。這樣看來，猶大似乎已在哈達的日子取回以東的治權（王上十一）。

食水的短缺催使諸王求問以利沙。這使我們記起亞哈在位時的旱災，以及亞哈的尋找以利亞（王上十八1-15）。然而，在其他方面，兩個處境卻大不相同。

約蘭敬虔和有信心地表示，發動這次戰役的是耶和華（10、13節），雖然我們在前文沒有看見他在這事上尋求指引。以利沙指他的敬虔是虛浮的，甚至完全虛假（13-14節）。約蘭沒有尋求神的旨意，卻要求神認可他的行動——這是極之普遍的錯誤！他到了最後關頭，才做那早應該做的事。

以利沙使用一個彈琴的人來幫助他說預言（15節），叫人想起撒母耳記上十章5至13節那些受靈感的先知也彈奏樂器。他預言有關食水供應和戰事的成功，而預言的第一部分，在第二天就應驗了。以利沙在這故事中再沒有出現。

三21-27　與摩押人爭戰　摩押軍隊竟誤解了晨光照在水面上的情景，那是頗奇怪的（22-23節）。我們大概應看此混淆的視覺是出於神的作為，祂要藉此把摩押交在3個王手中（18節）。這幾節經文裏用了雙關語的手法——在希伯來文中，「以東」、「紅」和「血」是很相似的，但這在譯文中不能表達出來。

約蘭和他的盟國擊敗了摩押人，應驗了以利沙的預言。然而，當摩押王在城上把長子獻為燔祭的時候（27節），以色列人就「離開」了，沒有追求最後的勝利。我們從經文中看不到以色列人撤退的實際原因。是否摩押人見王在極度沮喪下作出這樣可怕的事，而向以色列人發「大怒」呢（譯按：參和合本小字）？換句話說，這次獻祭是否使摩押人重新振作去作戰呢？或是這激憤臨到以色列人身上呢（參修訂標準譯本）？那就是說，以色列的軍隊是否因看見一個以人為燔祭的景象，感到十分震驚，因而放棄繼續進攻呢？兩種解釋都有可能。這戰役最後的結果不得而知；若以色列人離開了，摩押是否

就得到自由？摩押石碑上記載著一段成功叛約的事蹟，但這段記載並不能釋疑，因為那事蹟可能在約蘭發動這場戰役前已經刻上。

四1-7　奇妙地得到油的供應　以利沙行了許多神蹟。第一個神蹟就是在耶利哥醫治了水泉（二19-22）。其後還有7件神蹟（四1至六7）。至於這些神蹟的整體意義，請參看最後一個神蹟的註釋（王下六1-7）。

在以色列的慣例中，一個家庭若無力償還債項，家中一些成員或所有成員就要作債主的奴僕（利二十五39-41）。這就是一位先知的遺孀正面臨的困境，而她即將要失去兩個兒子。她的問題很嚴重，因為家中會沒有人手去耕種田地。若以利沙不能幫助她，她的債項會愈趨沉重。

她僅餘的橄欖油出乎意外地不斷從瓶中流出來，這使人想起那位接待以利亞的寡婦，也得著奇妙的麵和油的供應（王上十七13-16），但在這裏，油要賣出，供寡婦還債。

四8-17　書念婦人得子　書念位於耶斯列附近（書十九18）。「書念婦人」（12節）在原文是一個陰性的形容詞，從這城的名字演變出來，用以指那位接待以利沙的婦人。經文中沒有提及她的名字。從第13節，我們得知以利沙跟朝廷的關係與以利亞很不相同。他似乎在朝中備受尊重，而且具有影響力。本節經文給第八章的事件埋下伏筆，那時以利沙的僕人基哈西確實為了這婦人的緣故向王提出請求。

這個在不可能的境況下賜予兒子的應許，跟神向亞伯拉罕和撒拉作出的應許相仿（創十八10），而這婦人的懷疑態度，也叫人想起撒拉當時的回應（創十八12）。然而，事實證明先知的話是可靠的。

四18-37　書念婦人之子從死裏復活　這故事跟以利亞使撒勒法寡婦之子復活一事十分相似（王上十七）。在兩件事件中，醫治都在先知樓房內的床上進行，並且先知都作出相似的重複行動。但這個故事比先前的故事描述得更詳細，描繪得更深刻。在這故事裏，經文毫不含糊地指出，孩子已經死了。

婦人把死去的孩子放在以利沙的床上，

又速速前去尋找他，表明她有信心以利沙可以使孩子活過來。故事簡單直接而感人，描述孩子得以復活和與母親重聚。藉著這位神人，神再一次彰顯了祂掌管生命與死亡的權力。

四38-41 一鍋有毒的湯 這事件發生在饑荒的時候（38節），也許是八章1節中提及那維持了7年的饑荒。像在第二章一樣，我們看見以利沙跟一群先知（「先知門徒」直譯是「先知的眾子」）在一起，地點是在吉甲。由於慣常食用的食物短缺了，一位先知便採摘了一些不認識的野瓜回來，而後來才發現是有毒的。以利沙在湯中撒上麵（正如他在耶利哥泉水上撒鹽一樣，二21），可能只是一個象徵性的行動。結果問題解決了，因為這是一位「神人」所作的。

四42-44 餵飽100人 那「一百人」（43節）可能也是一群先知。20個餅所指的大概是細小扁平的餅，所以，他們沒有足夠食物給這麼多人，這也解釋僕人感到奇怪而發出的問題。然而，以利沙從神得著應許，知道食物足夠有餘，而結果又得到了證實。

五1-27 乃縵得醫治 以色列與亞蘭的戰爭時而出現在兩國相安的日子裏（如王上二十二1）。乃縵的故事就發生在這段相安的時期中。在故事中多次出現的主題是：以色列的神是普世的神；祂是世上唯一的神，祂的能力和關注不只在以色列，而是廣及全世界的。

乃縵剛出場，這主題就在故事中浮現了。他是一個亞蘭的元帥，耶和華曾藉他「使亞蘭人得勝」。因此，除了以色列外，列國的興衰也都是掌握在耶和華的手中。乃縵所患的不一定是痲瘋，文中所用的希伯來文也包括各種不同的皮膚病。

藉著乃縵妻子那位來自以色列的婢女，乃縵知道以利沙以醫治見稱。雖然乃縵曾打敗她的同胞，又把她俘擄了，但婢女仍對主人的健康表示真切的關注。她藉著單純的信心，知道以利沙必能治好乃縵的病，這態度跟以色列王的反應有著顯著的對比。以色列王在第7節所表現的驚懼，既可笑，又滿了諷刺。王不能行使神那掌握生死的權柄，但他

也不指示乃縵去尋找那位能夠這樣做的「神人」。

乃縵最初因以利沙指示他往約但河沐浴7次而大感震怒（10-12節）。然而，他的僕人比他更有信心——正如以色列的婢女比以色列王顯出了更大的信心。他們言之有理地指出，他既有足夠能力去作一些困難的事，何不起來作這容易的事呢？順服以利沙的簡單指示，給他帶來了醫治。當我們以為神要求我們作大事時，神往往只是要我們在小事上相信和順服祂。

乃縵的回應表現出極大的謙卑和感激之情。無論他從前怎樣看以色列人的神，現在他只是宣稱祂是普天下唯一的真神（15節）。從此以後，他只會單單敬拜耶和華（17節）。他要求兩騾子駄以色列的泥土，並不表示他以為耶和華是限制於以色列國境之內。他這樣做，大概反映了他相信耶和華的土地是聖潔的，因此，他需要用其泥土，在亞蘭境內建造一個敬拜耶和華的聖地。乃縵在第18節的要求，並不表示他希望繼續敬拜「臨門」（亞蘭神哈達的一個稱謂），同時又敬拜耶和華。這就跟他在15和17節的宣言相違反了。他的困難是，作為朝中的一名臣子，他雖然現在只忠於耶和華，但也必須繼續作出敬拜臨門的所有儀式。以利沙的祝福使他確信他已得著饒恕。整段經文應使我們體察到，那些在別的信仰群體中事奉神的人的難處。

基哈西試圖欺騙的行徑（20-27節）給這故事加上一個悲哀而有用的附錄。作為一個高官，乃縵帶著一些十分昂貴的禮物前來——以利沙一概拒絕了。給自己留下一些珍寶，對基哈西來說，是一個太大的引誘，他從乃縵慷慨的謝禮中，得到很多的好處。事奉神並不能保障神的僕人不受引誘。事實上，他們常處於一個位置，可以濫權並從別人身上取得好處。以利沙在第26節所說的話，暗示有時接受一些禮物是可以的，但這次卻不可以（他並沒有解釋箇中原因）。

六1-7 失落了的斧頭 「先知門徒」的特色在這故事中顯得比較清晰。他們在以利沙的帶領下，像一個社群般共同生活。似乎在伯特利、耶利哥和吉甲（王下二3、5、15-18，四38）都有這類社群，但這故事的主角，是屬哪一個群體，則不得而知；我們也不知道

以利沙是否跟各個群體，都有這樣密切的關係。我們不應以為他們是一些僧侶團體，像主後四至六世紀在猶太曠野蓬勃的群體一樣，因為顯然這些先知是有妻子有家庭的（四1）。在這個故事中，我們看見一個社群要興建一個新的殖民區，去安置日益增長的人口——表示他們在以利沙的領導下，日見興旺。

以利沙取回那沉在水中的斧頭，跟他先前醫治耶利哥水泉，和除去湯中的毒一樣神奇。像那些故事一樣，本故事是要顯出他是一個擁有超凡能力的人，那是先知群中，沒有別人可擁有的能力。因為他作為「神人」（6節）的特殊身分，所以這些能力是惟他獨有的。**這些神奇故事的總意是：他不單是一個事奉神的敬虔人，而且在當時的先知中，他與神的關係是獨特的。像較早前的以利亞一樣，在以色列歷史的這個時刻裏，他是一個非常獨特的屬神的人。**

六8-23 以利沙與亞蘭人

在隨後的悲劇發生之前，這個較輕鬆的故事使緊張的氣氛得以舒緩。亞蘭王因以利沙有能力把將臨的攻擊告訴以色列王，而決意把他捉拿的時候，這意圖打從開始已經註定是失敗的。因為以利沙若能事先知道亞蘭入侵的計劃，他必定也知道當前這一個計劃！**第11-13節**幽默地描繪了亞蘭王的挫敗感。

當亞蘭的大兵圍城的時候，以利沙並沒有採取逃避的行動。僕人在第17節明白了以利沙冷靜而滿有信心的原因：火車火馬（這叫人想起王下二11-12）的數目，比亞蘭軍隊的數目還要多。以利沙禱告時，僕人得著的屬靈眼光，跟他第二次禱告時，亞蘭人的眼目昏迷形成對比與平衡。當以利沙親自領這群眼目昏迷的亞蘭軍往撒瑪利亞時，幽默就變成了胡鬧。跟著，他又以先前求僕人得屬靈眼光的禱告，求神開他們的眼目。但他們所見的，並不那樣叫他們安心：他們已身處以色列的首都，以色列軍隊在那裏的數目想必比他們多。

以色列王認識到以利沙的權柄在他之上。根據列王紀上二十章35至43節來看，以利沙禁止王擊殺敵軍，是很奇怪的事。作者沒有交代這樣做的原因，只是先知在這處境中似乎應用了一些不同的戰爭條例（22節）。

敵人此刻得到以色列王設宴款待，然後給遣返亞蘭。他們的困窘足以結束對以色列侵擾的政策。

六24至七2 撒瑪利亞再被圍攻

故事在這裏由喜劇轉為悲劇。前一個故事剛結束（23節），第24節又指撒瑪利亞遭亞蘭人圍困，令人感到奇怪。那明顯的矛盾是由於關乎以利沙的故事並不是按年序來編排（參下文八1-6的註釋）。

這圍困結果使首都絕了糧，作者更提到飇升的物價來強調其嚴重性（25節）。第27節有力地指出王的無助。饑荒使人以孩童為食物的駭人聽聞的事，是導致全面失敗的最後因素。王把衣服撕裂以表達哀痛，並露出貼身的麻衣。在遭災（哀二10）、悔罪（王上二十一27）或祈求得拯救的時候（王下十九1-2），王就穿這麻衣來象徵哀痛。上述任何一個都可能是今次穿麻衣的原因。

作者沒有說出王為何向以利沙發怒（31節），但原因並不難猜測。以利沙有能力預告亞蘭的入侵，並使他們的計劃失敗，卻沒有防止這次圍攻；他也有能力去加添麵和油，但沒有使用這能力去防止饑荒。

第32節顯示領導層有變。在前一次撒瑪利亞被圍攻時，「國中的長老」聚集在王面前（王上二十7）。現在境況卻有所不同，我們看見眾長老聚集在以利沙家中。我們知道真正的領導權在先知手裏，而不在王手裏（這王一直是無名的，好像他的身分並不重要似的）。

在希伯來聖經中，**第33節**記載王的使者（新國際譯本），而不是王自己（修訂標準譯本），來到以利沙家裏，而所引述的話是王藉使者傳達的話（不是王親自說出來）。王的態度可以理解，但卻是錯的；因為即使是耶和華降這大禍，人也沒有理由不向耶和華求助。再者，這態度只會帶來更大的失望，因為王本身並沒有能力去作甚麼，這是他知道的（27節）。在這些時候，神若不幫助我們，我們就孤立無援了。

以利沙的回答是，拯救已臨近了。24小時之後，糧食會十分充足，以致物價會大大下降（七1）。這樣，以利沙是暗示（雖然他沒有明說）圍城會解除。在七章2節，那使者被描述為「攙扶王的軍長」（他並非正在攙扶

著王，因為王並不在場；參上文六33的註釋），意指他是王的隨從。乃縵用了一個類似的句子來描述他怎樣服侍亞蘭王（王下五18）。這人的懷疑態度，已經給他帶來一個關乎他命運的悲慘預言（2節）。

七3-20　撒瑪利亞再次獲救　第6-7節敘述了這次圍城得以解除的奇妙方法。但若不是城門外被逐的人，孤注一擲地向亞蘭人投降（3-5節），撒瑪利亞的人就可能來不及知道真相，和避過饑荒。第8節給人懸疑的感覺，因為我們會懷疑那4個人會否把好消息帶回城中，使城中的人不致餓死。王正處於極度絕望中，以致他只能懷疑那是一個陷阱（12節）。如在乃縵的故事一樣，在這裏提出一個恰當之見解的，是一個僕人（13節）。亞蘭人留下了許多糧食，以致以利沙那關乎糧食價格的預言得以應驗，而當眾人湧向城門口的時候，王的隨從被踐踏而死，應驗了先知的預言結局（16-20節）。

八1-6　書念婦人的地業　這裏清楚顯示，以利沙的故事並不是按年序來編排。由於基哈西出現在這故事中（他在五27已離開了以利沙），所以這故事必定發生在醫治乃縵一事之前。第1節所預言的饑荒，大概給四章38至41節提供了背景。

這故事顯示以利沙仍然關懷書念婦人和她的家。婦人充當一家之主，也許因為她的丈夫（在四14已年紀老邁）此時已逝世。婦人返回以色列時，王給她的待遇表示他對以利沙極之敬重（4-6節），婦人因田地的事來哀告王時，基哈西正講述她兒子的故事，這也表明神的看顧。

八7-15　便哈達為哈薛所弒　從第9節中便哈達向以利沙表示格外的敬意，可見以利沙在亞蘭人心目中的地位。在希伯來聖經中，便哈達那求問病情的用字，跟列王紀下一章2節中亞哈謝的話相仿，這使我們很自然地把兩者作一比較。兩個王都是轉向外邦人的神來查詢自己患病的結果，以色列王尋求巴力西卜，亞蘭王卻來求問以色列的神！

以利沙給便哈達的信息（10節）可以有兩種不同的譯法：可以作「你回去向他說：『你這病必能好』，但耶和華指示我他必要死」，或作「你回去說：『你這病必不能好』，因為耶和華指示我他必要死」。問題由於在希伯來文中「不」和「向他」二字，只有極小的差別。雖然新國際譯本（和合本也是）用了第一個譯法，但第二個譯法也附作旁註，作為正確的譯法。大部分譯本採取第二個譯法，這是基於一個原則：較難解的譯法常是正確的。這裏把「向他」改作「不」並不難理解，因為抄寫聖經的人不希望讀者認為以利沙說謊。若是把「不」改作「向他」，卻不容易去解釋了。

以利沙給予假信息的原因仍是不明朗，但第10節大概表達了以利沙因知道便哈達之病情，和哈薛之意圖而感到的為難：病本身並不會致命，但便哈達依然會死，因為哈薛已計劃謀殺他以奪其王位。以利沙沒有說神已揀選哈薛作王代替便哈達，以利沙只是說他會作王，並且他會帶給以色列人極大的苦難。

然而，我們不可忘記，以利亞較早時，曾蒙神指示去膏哈薛作亞蘭王（王上十九15）。雖然這裏沒有實際膏立他，但這事也可看作在某種意義上完成了那個指引。另一方面，兩段談及哈薛的經文，都有很不相同的強調點。在列王紀上十九章17節，從以色列除掉巴力崇拜一事中，哈薛只是扮演一個小角色，但在以利沙的異象中（和其後的事件中），亞蘭在哈薛統治下，帶給以色列無窮的痛苦。

八16-24　猶大的約蘭　在16至29節，我們有第二個關乎猶大的插段，這個插段包含在暗利王朝的歷史故事中。第16節的希伯來文暗示約沙法與其子約蘭正共同執政。約蘭在位時，從前約沙法跟以色列結盟的做法（王上二十二4；王下三7），給猶大帶來了苦果。聖經廣泛地指約蘭的罪為「行以色列諸王所行的」，也歸因於他娶了亞哈的女兒為妻（18節）。第18節介紹了亞他利雅（但沒有提到她的名字），她會在第十一章扮演一個重要的角色。第19節重複列王紀上十一章36節和十五章4節的話，提到神「永遠賜燈光與他的子孫」的應許。然而，這是聖經中最後一次提及這應許——從猶大後來的發展看來，這是一個惡兆。

以東成功取得獨立（王上十一14-22所預

期的），和立拿的叛變（估計是歸向非利士人，因為這城位於猶大與非利士接壤的邊境），可理解為約蘭行惡的結果（比較羅波安在位時示撒的入侵；王上十四25-28）。

八25-29　猶大王亞哈謝　猶大王亞哈謝繼續效法他父親（和母親）所行的（26-27節）。關乎他與以色列王約蘭結盟的短註，引介出以色列和猶大廢除巴力崇拜的事件。這裏也首次提到哈薛是以色列的欺壓者，開始應驗以利沙的異象。關於亞哈謝之死，到了九章27至28節才有記載。

九1至十36　耶戶與暗利王朝的結束

九1-13　耶戶被膏立為以色列王　隨著哈薛在大馬色作王，神給以利亞的指示（王上十九15-16），就只剩下一件仍未實行。這最後的事一旦實行了，事件就迅速發展，應驗了以利亞那關乎暗利王朝之沒落的預言（王上二十一20-28）。

基於某些原因，以利沙並沒有親自膏立耶戶，而是從先知門徒中差遣一個無名的先知去膏他。**第1節**的「束上腰」，是指準備作出某種行動；這裏是指穿上適宜作長途旅程的衣服。除了在神給以利亞的指示中（王上十九16），前文並沒有再提及耶戶，但我們一直知道他是以色列軍中的統帥，像暗利昔日的身分一樣（王上十六16）。（我們不要誤以為他是王上十六1-7所記載的先知耶戶。）當時軍隊正防守在基列的拉末，大概是隨著列王紀上二十二章之戰役而攻取了基列拉末之後。

以利沙的話（7-10節）叫我們想起以利亞在列王紀上二十一章21至23節所說的話，而這裏又說神要伸祂僕人流血的冤（7節）。

軍隊在**第13節**熱切地作出這事，顯示暗利的王朝已不再受歡迎。實行軍事政變的時機已來到了。

九14-37　約蘭、亞哈謝和耶洗別之死　關乎約蘭與亞哈謝因約蘭受了傷，而一同出現在耶斯列（14-15節）的資料，把故事重新接上前一章（八28-29）的主線，並且行動集中在「耶斯列人拿伯的田」那裏（21節）。經過3次重複問題的模式後（比較王下一9-14），耶戶就表明來意（22節）。約蘭知道耶戶的意圖就

轉車逃跑（23節），跟亞哈在基列拉末受傷後的行動很相似（王上二十二34）。作者刻意在接近高潮時，把先前的主題和意念匯集起來。

耶戶追殺已受傷和正在逃命的約蘭，以及他處理約蘭屍首時之冷酷無情，叫人震驚（24、25-26節；比較申二十一22-23；撒下二十一10-14）。雖然耶戶引述了一個較早前的預言，去證明自己做得正確，但我們從前卻未聽聞這預言，而對於這預言是真實的，或耶戶只是穿鑿附會，我們則不得而知。

他擊殺猶大王亞哈謝（27-29節），並不是出於先知在7至10節的命令。耶戶可能感到那是正確的，因為亞哈謝是暗利的孫女亞他利雅的兒子（八26）。這幾節經文中的地理狀況並不清楚，但猶大的軍隊（亞哈謝的「臣僕」）竟駐紮在以色列的米吉多，就頗為奇怪。

耶洗別既清楚知道事情會怎樣發展，她就冷靜，甚至諷刺幽默地面對著死亡。她擦粉、梳頭，並不是意圖引誘耶戶（她的話顯出她的態度），而是希望「高貴漂亮地死去！」〔T.R. Hobbs, *2 Kings* (Word Books, 1985), p. 109〕她向耶戶重複了第18、19和22節的問題，但這次問題是諷刺性的。她稱耶戶為心利，是叫他想起另一個弒王奪位的元帥──但那位弒王元帥7日後便可怕地死去（王上十六9-19）。

耶洗別的死是恐怖和殘忍的。耶戶的馬車隊刻意輾過她的屍身（33節），已超越以利亞的預言（王上二十一23），正如耶戶引述那預言時（36-37節），在細節和殘忍程度上，已超過原來的預言。野狗吃耶洗別的屍身時，耶戶也在大吃大喝（34節），這正強烈顯出他的冷酷無情。

十1-17　屠殺亞哈眾子和支持者　希伯來文聖經（譯按：和合本也是）在**第1節**出現耶斯列這名字，似是錯誤的，因為耶戶已身在耶斯列。希臘文譯本則作「通知城中（即撒瑪利亞）的首領，就是長老……」等（參修訂標準譯本）。這極可能是原本的寫法，因為在希伯來文抄寫上，只要稍有差錯，句子中就會出現「耶斯列」一字。

耶戶挑戰撒瑪利亞的首領，叫他們挑選一人作約蘭的繼任人，好為王朝爭戰（3

節）。他最終的目的是殺盡70個有資格繼任的人，而他透過威嚇、高壓，已達到此目的。眾王子的首級裝在筐子裏，送到耶斯列的時候，就給他駭人的證據，證明他的計劃已完成了（6-8節）。

耶戶在第9節的問題（「這些人卻是誰殺的呢？」）很難理解。他似乎否認他對眾王子的被殺要負直接的責任，但卻不知道他要把責任卸給誰。他是否要求神認可所有他所作的，說耶和華最終要為這流血事件負責任？還是他要為自己強迫撒瑪利亞首領去作的暴行而責備他們呢？若是前者，則他在第10節所提及的以利亞預言，就是延續著相同的主題；若是後者，他就是為稍後在撒瑪利亞所行的報復，而引述此預言作支持。無論那一種解釋都是正確的，耶戶的目的都是要贏取「眾民」（9節）的支持，眾民大概就是耶斯列的居民和駐紮在那裏的士兵。

耶戶進行大屠殺的下一個階段，就是殺害所有在耶斯列的王親國戚和皇室的支持者（11節）。後來他到了撒瑪利亞，又在那裏重複這個行動（17節）。然而，他在路上遇見42個猶大王亞哈謝的親屬，並殺了他們（13-14節）。他吩咐士兵把這些人活捉，但其後卻又殺了他們，這顯出他既殘忍，又善變。他一直以來，都自稱是「為耶和華……熱心」（16節）——這說法應受到質疑，因他濫用了預言來證明自己的暴行（九25-26、36-37）。雖然滅盡亞哈家是「正如耶和華對以利亞所說的」（17節），但作者最後對耶戶評語（29節）是更全面的（參下文）。

十18-28 殘殺敬拜巴力者 耶戶繼續屠殺，這次是除滅所有在撒瑪利亞敬拜巴力的人。耶戶欺騙他們，自稱一個比亞哈更熱心的敬拜巴力者（1節）——亞哈並不是一個致力提倡新宗教的人，他更以記念耶和華的名字來給兩個兒子起名（約蘭和亞哈謝）。耶戶以一貫殘忍的手法來清除宗教上的異己。至於被殺者包括哪些人，則在乎那字面義作「僕人」的希伯來字，應譯作「拜巴力的人」（如和合本和修訂標準譯本）還是「執事」（ministers 如新國際譯本）。大概前者是正確的，即這次是徹底清除了巴力的崇拜，而不只是把負責宗教事宜的人除去。

十29-36 耶戶的評價 第九至十章所描述的耶戶，似很曖昧不明。一方面，他按著「耶和華對以利亞所說的」話而行（十17）；另一方面，我們看見他似乎超越了神的話所吩咐的，並利用這話去支持自己，殘暴地滅盡所有會違抗他的人。因此，縱然他成功地把巴力崇拜從以色列中清除（28節），但他卻沒有被描繪為一個可以學習的人物，而是一個為求達到目的而不擇手段的人。像許多進行革命的領袖一樣，他在清除前人的罪惡上越了界線，又行出自己的惡來。他錯誤地應用先知的預言，也使他被歸類為無情的政客；他們為自己取得近乎先知的權威，又訴諸神的旨意，使其所作所為顯為正當。

這在聖經故事裏只是含蓄地表達出來，但在耶戶統治的最後評核中，卻有明確的批判。對於他的成就，神親自認許了（30節）；祂應許耶戶的王朝可延及第五代（他本身的朝代，加上其後四代的子孫）——遠遠短於（大衛模式的）永久的王朝，這永久的王朝曾有條件地應許給耶羅波安（王上十一39）。我們要注意的是，先知何西阿談到耶戶王朝的終結時，指那是「耶戶家在耶斯列殺人流血」而應得的懲罰（何一4）。

此外，耶戶聲稱他「為耶和華……熱心」（16節），卻又敬拜耶羅波安所造的兩個金牛犢（29、31節）。哈薛入侵之成功——描述為耶和華縮減以色列的地界（32-33節）——證明神不喜悅耶戶的統治。耶戶的事蹟又再證明了，神的委任和先知的膏立，並不保證受委派者能活出神的呼召。

十一1至十七41 兩個王國：由耶戶 至撒瑪利亞陷落

十一1至十四29 耶戶王朝

十一1-21 猶大王后亞他利雅 我們已知道亞他利雅是嫁了給猶大王約蘭的亞哈的女兒（王下八18、26）。她要除滅大衛王朝的意圖，只可解釋為她自己有奪取王位的野心。耶戶殺了她的兒子約蘭和許多成年的親屬，正好給她提供了所需要的機會。她自己的親屬中，必定有許多已在她企圖政變時死去。總括來說，她是以一個殘忍而有謀算之婦人的形象，出現在故事中。

她的計劃若都成功，大衛的王朝早已結束了。列王紀下八章19節提醒我們，神是因

著給予大衛的應許而對這王朝施恩憐憫，而在這故事中，我們看見神正在施恩。然而，作者沒有以神的干預來講述大衛王朝如何得以保存；這事卻是因人的勇氣、忠誠和靈巧而得以成就。

聖經只交代約示巴為已死去之亞哈謝的妹子（2節）。因此，她可能是亞他利雅親生的女兒。然而，那希伯來文用詞也可指「同父異母的妹妹」，所以她可能是約蘭從另一個妃嬪所生的女兒。對於其他細節，我們也不得而知。我們不知道她為何選擇救出約阿施（當約示巴把他藏起來時，他大概只有1歲；3-4、21節），而不是其他將要被殺害的王子。（參下文十二1-3之註釋。）孩子的母親（十二1中提及）並沒有出現在故事中，是頗為奇怪的。

自第4節祭司耶何耶大（9節）出場後，事件就描述得較為仔細（根據代下二十二11，約示巴是耶何耶大的妻子）。可惜的是，由於我們不能明白一些軍事上和別的用詞，所以4至11節中有關士兵的編配和部署，仍是難以明瞭。從軍隊願意參與這事，我們清楚知道亞他利雅並沒有得到他們的支持（雖然她開始時必曾得到一些支持，否則她不可能命令他們殺害王的眾子）。從那不甚清晰的記述，我們可見耶何耶大有步步為營的計劃，和嚴密的保安設計。

7歲的約阿施在第12節是否真的接受了加冕，則在於一個希伯來字的翻譯，該字是指君王之奉獻中的某種象徵物件。這字常譯作「冠冕」，但其準確意義則不能確定。那份交給他的「律法書」是指甚麼，也同樣是隱晦不明。那極可能是一種刻上了字的牌匾，上面也許概述了對於君王的一些要求。這與耶何耶大在第17節所安排的立約，可能並沒有直接的關係。約阿施被膏立時，眾民的歡呼叫喊（12、14節）證明在猶大恢復大衛家的統治，是受到歡迎的。

作者極之簡單地，只以兩三節經文（13-26節）來講述亞他利雅之死。她的統治也沒有正式的撮述，因為作者不認為她是合法的。

由耶何耶大主持的第一次「立約」（17節）重新建立了耶和華與猶大王，及耶和華與眾民的關係（以致他們可「作耶和華的民」）。第二次立約則關乎眾民對約阿施的接納。眾

民把巴力崇拜的裝飾拆毀了，又殺了巴力的祭司（18節），藉以表明他們重新向耶和華委身。顯然那來自敬拜巴力之以色列的亞他利雅，曾把巴力崇拜引入耶路撒冷中，雖然我們不知道她是在亞哈謝死後還是死前作的。約阿施從聖殿下來，返回王宮，奪回他應得的大衛的王位，王權的恢復就大功告成了（19-21節）。

十二1-3　猶大王約阿施：引言　第1節顯示，作者縱然沒有承認亞他利雅超過6年的任期是合法的，但他也沒有把這段時期包括在約阿施40年的任期內。他卻是把以色列王耶戶第七年、約阿施正式宣佈為王的時候開始計算他作王的年期。

約阿施是在祭司耶何耶大的教訓指導下成長的，因而亞他利雅在猶大王室的影響力已不復存在。這個會否就是約示巴選擇了只有1歲的約阿施的原因呢？因為當時他年紀太小，不會從他敬拜巴力的祖母那裏學到些甚麼。在第2節，有譯本譯作「**約阿施在祭司耶何耶大教訓他的時候，就行耶和華眼中看為正的事**」（如新國際譯本、和合本），以致這記載跟歷代志中說他後來陷入偶像崇拜中的記載（代下二十四17-22），不致互相矛盾。修訂標準譯本則作「他在世的日子，行耶和華眼中看為正的事，因為祭司耶何耶大教訓他」，這與列王紀作者似乎不知道約阿施之叛教的事實相配合。作者給他唯一反面的評語是，約阿施沒有把邱壇廢去（3節）。

十二4-16　猶大王約阿施：修葺聖殿　這裏沒有說出修葺聖殿的原因。歷代志下二十四章7節解釋說，亞他利雅的兒子曾「闖入」某些聖殿的範圍，並用作敬拜巴力的地方。

對於收集金錢的安排（4-5節），經文所記載的並不清晰。新國際譯本給第4節加上標點，以致所列出的是3個收入的來源，其中第一個句子被視為總括三者的描述（譯按：和合本的翻譯也使收入來源顯示為3個）。然而，似乎所列出的是4個不同的來源。要從各方面轉來修理聖殿的經費，可見損毀的情況頗為嚴重。第5節那譯作「從其中一位司庫」（新國際譯本；或譯：「從所認識的人」，修訂標準譯本及和合本）的希伯來文意義不明，這又使本段記載顯得含糊不清。另一個

有可能的譯法是「從他自己的款項」（新英語譯本），那可能指從每位祭司的個人收入中，也要撥出一部分來資助這計劃。這就更進一步地顯出這計劃的迫切性。**第7節**中一句類似的話，也同樣難以確定其意義。

作者沒有交代約阿施在哪一年提出修葺聖殿的計劃，因此我們不能知道，到了他在位23年（6節），這計劃到底經過了多少年。經文予人的感覺是，計劃已眈延了一段長時間。這又暗示眾祭司的熱心和士氣正處於低潮。結果，王把計劃從祭司手中取回，並採取了一個新的制度去資助聖殿的維修。從約阿施有權重新安排祭司的工作，可見當時王的權力是在祭司之上。

放在櫃裏的金錢（9節）不會是錢幣，因為錢幣在主前650年左右，才開始（在小亞細亞中）通用。當人民不以現物來繳納款項，則正常的交換商品是有固定重量的金屬（一般是金和銀）。

參與修建之工匠名單（11-12節）顯示聖殿的損毀程度也頗大。這計劃跟所羅門最初建殿的工程，形成了一個可悲的對比。所羅門顯然有無盡無限的資源，這跟約阿施在籌款上遇到的困難，形成強烈的對比。

第13-14節的意思不太明確，但似乎製造聖殿器皿的工作延遲了，好先把金銀用來繳交修葺的費用（進一步證明資源的不足）。從前聖殿的器皿是否遺失了、用了作俗物，或被人盜用了？或這些也在約阿施用來交給哈薛以把他趕走的寶物之中（參下文17-18節之註釋）？沒有替代品是否表示正常的聖殿敬拜停止了，或他們以一些世俗的物品來繼續敬拜的禮儀呢？這些問題都是得不到答案的。

十二17-18　猶大王約阿施：耶路撒冷受威脅　句子開首的「那時」指出這事件發生於修葺聖殿期間，而該工程是始於約阿施在位第二十三年（6節）；因此，這事件也是發生在以色列王約哈斯的統治時期（始於約阿施在位第二十三年；十三1）。約哈斯在位期間，以色列極端衰弱（十三7），因而讓哈薛能進侵至南部的猶大，使耶路撒冷也受到威脅。

約阿施似乎並沒有軍事上的智慧去阻止哈薛的前進。相反地，他以聖殿和王宮中的珍寶去收買哈薛（18節）。歷代志作者把此入侵描繪得更蒼涼，把這災難，歸因於約阿施在耶何耶大死後，墮進偶像崇拜之中（代下二十四23-25）。

十二19-21　猶大王約阿施：被暗殺　前文暗示猶大在約阿施統治期間，是衰弱和貧困的，這也許可以解釋，他的臣僕為何不滿而把他暗殺了。列王紀作者一貫地對暗殺的動機不表示興趣，並且只是在公式化的結語中簡單地講述此事。

十三1-9　以色列王約哈斯　約哈斯像他父親耶戶一樣，「效法……耶羅波安……的那罪」（2節）。結果，以色列受到哈薛及其繼承者（另一個便哈達；3節）的苦待，第7節描述約哈斯的軍隊只剩下極少數，我們從而瞥見以色列正處於迫切的危急中（相反地，亞哈卻能在夸夸之戰中派出2,000輛戰車）。在這危機中，約哈斯轉而懇求耶和華（4節），但眾民整體並沒有一個改過的心（6節）。

第3-5節的敘述模式跟士師記相似：耶和華向以色列人發怒；祂把以色列交給一個欺壓者；以色列尋求神的幫助；祂垂聽，並遣派一位拯救者。這段敘述跟申命記二十六章7至9節中出埃及的概述，也有相似之處。

耶和華所差遣的拯救者到底是誰的問題，備受爭議（5節）。這可指亞述王亞大得尼拉力三世（Adad-nirari III），他約在主前85年進行向西擴展的戰役，削弱了哈薛的勢力。另一個更有可能的意見是，所指的拯救者是以利沙。這樣，拯救就在約阿施在位時發生，與22至25節的敘述一致（參下文）。

十三10-13　以色列王約阿施：他執政的概述　這幾節經文給約阿施執政的狀況提供了一個標準的概述。像他兩位前人一樣，他仍不離開耶羅波安的罪（11節）。**第12節**特別提到他與猶大王亞瑪謝爭戰的事（在第十四章論述），但卻沒有提到他打敗亞蘭人那場更重要的戰役（25節）。

十三14-19　以色列王約阿施：約阿施和以利沙　敘述中記下了約阿施之死後，又回頭提說一件關於以利沙的事蹟。這是自第九章初以來，以利沙第一次再出現，而我們在這

裏看見他經過50多年作以色列眾先知之首後，現已垂垂老去。雖然上文作者對約阿施加以批判，但在這故事中，他卻專一敬重這位年老的神人（比較王下八4-6）。

約阿施在**第14節**的話，是複述以利沙在以利亞離開時之驚歎（王下二12，參看該段註釋）。約阿施這樣說，是承認以利沙是以色列人的力量和保護者，並因他快要離世而長哭。由於以色列的「戰車馬兵」實際上已被摧毀了（7節），所以他的長哭顯得特別沈痛。以利沙去世後，以色列會否變得全無保障呢？

這故事中包含一些象徵性的行動，像先前關乎以利沙的神蹟故事一樣。然而，在這事件中，那些行動是由約阿施行出來（雖然他射箭時，以利沙把自己的手放在王的手上，16節）。以利沙的預言（17節）證明，這次事件所指的，是以色列人必然戰勝亞蘭人，抵擋他們的攻擊。第一個行動象徵得勝和復興。然而，王作出第二個行動時做得不夠，因而限定了他只能有限度地得勝亞蘭（19節）。這大概是顯出他缺乏信心或決斷。

第17節提到的「**亞弗**」，大概跟列王紀上二十章26和30節的亞弗相同。這城位於加利利海以東，但不要與約帕以東約12哩（20千米）的沿海城市（撒上四1等）混淆。

十三20-21 以利沙之死與死後的神蹟！ 以利沙不像以利亞，他只是經歷正常人類的死亡、埋葬和朽壞。這事件必是發生在他逝世最少兩年之後，因為文中提到，只有他的骸骨留下來。這死後的神蹟，在聖經中再沒有類似的事件。這故事的重點可能是再次強調以利沙獨特的能力，顯出那存在他骸骨中些微的能力，也足以使一個死人活過來。更重要的是，**這象徵以利沙在前幾節經文中的行動，能在他死後為以色列帶來新生。**

十三22-25 以色列王約阿施：以色列開始得拯救 雖然約哈斯曾尋求神並得蒙垂聽（4節），但他在位期間，以色列並未能從外邦欺壓中得拯救（22節）。哈薛由其子便哈達繼位後（大概是第三個便哈達；參上文王上二十1之註釋），**約哈斯之子約阿施在戰役中的勝利，才開始為以色列解除憂困。約阿施的3次勝利，就是以利沙所預言的勝利（18-19**

節）。**這是以色列復興的開始，這次復興在約阿施的繼任人執政時達致高峯。**

正如猶大得蒙保守與神給大衛的應許相提並論（王上十一36，十五4；王下八19），第23節也把以色列之得蒙保守與更古老的約——神與整個民族的祖先所立的約，包括得應許地之約——相提並論。從人的角度來看，以色列當時的生死存亡只是繫於一線，但事實上，這卻有著神所定立和持守的約作保證。

十四1-22 猶大王亞瑪謝 在公式化的介紹中，作者指亞瑪謝跟他父親一樣行得好，但卻不是比他更好。他是自亞撒以來，第一個相比於大衛的王，但在亞撒的情況下，那是一種讚許的比較（王上十五11），而在這裏，則是一個批評（3節）。他處死殺害其父的人時，曾按著「**摩西律法書**」上的話而行，而這書顯然是指一分早期形式的申命記（參申二十四16）。他擊敗了以東人（7節），並不等於取回以東的治權，但可能已為他兒子亞撒利雅從以東人收回以拉他（22節）鋪了路。以拉他位於阿卡巴灣的頂端，靠近所羅門在紅海的舊海港以旬迦別（王上九26）。

以上多個事件，都是正面的記述，但亞瑪謝與以色列人爭戰的描述（8-14節），卻似乎對他不太有利。按經文記載，約阿施並沒有作出任何挑釁行為（但參代下二十五6-13）。雖然亞瑪謝在**第8節**的話，給一些譯本（如新國際譯本與和合本「**相見於戰場**」）描述為一種挑戰，但希伯來原文並不是這樣，而那句話可能只是表達一個約會的要求（譯按：「於戰場」旁有小點，指原文並無這些字）。若是這樣，我們可以假設如歷代志所記載的一些事件發生了，而亞瑪謝可能是希望雙方藉和平的談判來解決。另一方面，約阿施的回覆暗示他理解亞瑪謝的信息為一次挑釁。約阿施在**第9節**所引述（或虛構）的寓言，把亞瑪謝比作無用的蒺藜，是要對他作出極大的侮辱。可能故事中的提親是指亞瑪謝這次要求是藉通婚來與以色列結盟，但我們再沒有別的證據證明這事。

約阿施並沒有直接闖進猶大北面的邊境，而是向下移師，從西面侵入耶路撒冷。戰爭在伯示麥展開（這是「**猶大的伯示麥**」，跟北面以色列國一個同名的城不同），

而亞瑪謝則受到戰敗和被擒的恥辱。約阿施繼而在西北面拆毀耶路撒冷的城牆約200碼（180米）寬。聖殿和王宮的財寶也不會很多，因為亞瑪謝的父親曾把大部分用來收買哈薛（十二18）。約阿施把猶大人擄去為質，是為阻止猶大發動進一步的戰爭。

第15-16節 幾乎把十三章12至13節有關約阿施逝世的通告逐個字抄錄過來。

當約阿施撒退時，亞瑪謝大概已獲釋，因第14節沒有提到他是在人質之中。他把這樣的災禍帶給猶大，相信他不會是一位很受歡迎的君王，而在被殺之前（19節），他竟能多活15年（17節），這是頗為叫人驚奇的事。兩代的猶大君王都在政變中喪生（雖然兩次政變都不是要取代大衛王朝），是朦朧但也接近地反映出以色列血腥的朝代變更。雖然約阿施曾進行宗教改革，但猶大是否仍走在以色列犯罪的路上呢？約阿施和亞瑪謝的暴斃首次引起一個問題，而這也成為希西家和約西亞在位時一個主要的爭論點：進行改革的君王能否避過災難呢？

十四23-29 以色列的耶羅波安二世 作者只用了7節經文去敘述以色列中一位極之重要的君王，這又再一次表明作者所關注的重點狹窄而集中。在耶羅波安二世執政期間，自約阿施開始的復興期至此達致高峯。他南征北戰，收復以色列所有失地。「哈馬口」的確實位置不詳，但它在這裏的重要，是標誌著所羅門王國的北界（王上八65）。「亞拉巴海」是死海，死海南端相當於以色列在約但河東之領土的南界（即南下至摩押，並包括摩押）。

第28節再交代多一點耶羅波安二世的成就，但其重要的句子卻很難翻譯。這句子的直譯是：他「收回大馬色和哈馬歸在以色列的猶大」，但這句子極其荒謬。學者提供了各種不同的解決方法。修訂標準譯本（譯按：這也是和合本的做法）假設「**歸猶大**」是指大馬色與哈馬「先前屬猶大」——這種譯法引起了它本身的歷史問題。新國際譯本採取相似的立場，但以「猶地」（Yaudi）代替「猶大」（新英語聖經也是如此）。猶地是北敘利亞一個細小的國家。原則上並沒有一種翻譯或解釋是叫人滿意的。但重點是若耶羅波安二世的征服之地是遠達大馬色和哈馬，則

他已恢復以色列在北方的影響力，至所羅門時代的程度。

第25節 下說他的成就曾有亞米太的兒子約拿——那就是約拿書中的先知——作預言。在耶羅波安執政時，兩位傳講一個很不相同的信息的先知是何西阿和阿摩司，他們的先知書顯示，在軍事和經濟復興底下，以色列在各方面都不見得有何可取之處。

第26-27節 叫人想起神在十三章4至5節的回應，並以耶羅波安二世的勝利為神施行拯救的延續和高峯。雖然耶羅波安二世行在一世的罪惡中（24節），但這並沒有影響事情的結果。**事件並不是決定於一個王的順服或不順服，而是在乎神的旨意。**

十五1至十七41　以色列的最後歲月

十五1-7 猶大王亞撒利雅 這王的名字以不同的方式出現，在13、30、32和34節作烏西雅；在列王紀下二十一章18節作烏撒。

他得到與兩位前人相同的讚許（3-4節）。這次跟大衛的比較則不復存在。在他長久的執政時期裏，作者特別提及的，只是他的皮膚病（可能並不是大痲瘋，因這希伯來字包括許多同類的疾病）。歷代志作者那較詳盡的記載（代下二十六）暗示亞撒利雅在位期間，猶大曾有一段復興時期，跟以色列在耶羅波安二世治下的復興相似。

作者沒有指其皮膚病是一種刑罰，雖說是從耶和華而來的。可能作者只是要確證神在人的健康或疾病上掌權，而無意暗指一種報應。另一方面，歷代志作者的敘述，則清楚指出王的疾病是一種懲罰（代下二十六16-21），而若這事已廣為人知，則列王紀作者可能認為已毋須再複述。

這病使亞撒利雅不能處理君王日常的職務，而約坦則與他共同執政。也許他的痛比乃縵嚴重，因乃縵的病並沒有妨礙他在大馬色宮中的職務。也許受這樣病苦的人並不能履行身為君王的特殊任務。

十五8-31 以色列墮入災難中 耶戶王朝結束後，以色列進入另一個不穩的時期，像巴沙死後的時期一樣。但這一次，在幽暗的路上，並沒有一線曙光。

政績斐然之耶羅波安二世的繼任人撒迦利雅，在位僅6個月便被殺害（8-10節）。第

12節叫人留意到神曾對耶戶說，他的後裔要接續他作王，直至4代（王下十30）。撒迦利雅這樣暴斃，使神的話看似威脅而不是應許。

謀殺撒迦利雅的沙龍雖篡位作王，但也不過一個月，便死在米拿現手中（13-14節）。沙龍甚至得不到作者以一般評估君王的方式去評估他。

提斐薩人不肯開城給米拿現（16節），表示他們不認他是王。〔這城的位置不詳，但我們不可把它與幼發拉底河上同名的城（王上四24）混淆。希臘文譯本作他普亞，是書十六8列出之以法蓮城邑之一。〕米拿現在該城所作的暴行，是要警告另一個抱相同態度的城。

米拿現受歡迎的程度並沒有增加，因他向人民征稅，好把大量的銀子交給亞述王普勒（又稱為提革拉毘列色三世）。雖然新國際譯本（譯按：和合本也是）說亞述王曾「**攻擊以色列國**」，但希伯來原文不一定如是解。亞述文獻中也提到米拿現進貢的事，但並沒有暗示他是因亞述入侵而迫於這樣做。第19節說米拿現把銀子交給提革拉毘列色，是「請普勒〔即提革拉毘列色〕幫助他鞏定國位」，這又指出一個不相同的處境。米拿現是自願把銀子呈獻的，因他需要亞述助他對抗一些不具名的敵人。（16節的提斐薩事件暗示以色列國內部反對此做法；他也可能是遭受一個在約但河東興起之獨立國家的威脅——參下文有關比加的事蹟；又或是亞蘭再次使以色列陷入危險中。）亞述文獻顯示這事件有兩個可能的日期；主前743或738年。或許在這次呈獻的禮物之後，還有一年一度的進貢。

無論米拿現遭受的是怎樣的反對，對列王紀作者來說，他不受歡迎的主要原因是，他不離開耶羅波安的罪（18節）。

米拿現的兒子比加轄得到相同的評語（24節）。他在位兩年即被殺（25節），也許表示他比其父所得的支持更少。

謀殺和繼承他的比加，在行為上並沒有改善，仍不離開耶羅波安的罪（28節）。他從約但河以東的基列帶來一個分遣隊，使一些學者認為他已在那裏建立一個敵對王國。這理論有助於解釋他20年長的任期（27節），若非如此，年代表上便容不下這樣長的任期；

可能他建立獨立王國之初，已得到了承認。比加和他的支持者顯然希望以色列結束向亞述進貢。比加的反亞述政策給提革拉毘列色蹂躪以色列的戰役提供了解釋（29節），以下在十六章7至9節再詳加論述。比加政策所帶來的災難性結果，使他不受歡迎，這毫不希奇。他遭以色列最後一位王何細亞的殺害（30節）。

十五32-38　猶大王約坦　約坦像前任的猶大王一樣，只是得到些微的讚許（34-35節）。在他執政期間，作者特別提說的，只有他的建築工程（代下二十七有較詳細的敘述），和比加與利汛的攻擊，這事在下一章有更重要的角色。在這裏（但不是在第十六章），這些攻擊說是從耶和華而來的（37節）。

十六1-4　猶大王亞哈斯：引言　自亞他利雅死後，作者第一次一面倒地給一個猶大王這麼差的評價。除了約蘭外，亞哈斯是唯一被評為「效法以色列諸王所行的」的猶大君王（3節）。在約蘭的情況下，這句話特別指亞哈的背道（王下八18），而在這裏，情況似乎也一樣，因為亞哈斯執政期間，背道（甚至獻人為燔祭，以色列諸王也未受過這樣的批評）是主要特色。

十六5-9　猶大王亞哈斯：與亞蘭和以色列爭戰　自哈薛之子便哈達（十三25）之後，利汛是被提及的第一位亞蘭王，而便哈達可能在主前770年左右逝世。主前738年，利汛在大馬色作亞蘭王，當時提革拉毘列色從他收取進貢。亞述文獻也證明提革拉毘列色曾攻打以色列（十五29）和亞蘭（十六9），而這些事件分別發生於主前733與732年。

對於這些事件，以賽亞書七章1至6節提供了更多的資料。該處指出利汛和比加欲建立一個，包括猶大的反亞述聯盟。既不能勸服亞哈斯加入，他們便企圖把他廢除，而以他們心目中的人選（他比勒的兒子；賽七6）來代替他。他們此計劃若成功，大衛的王朝便會結束。

第6節指利汛這次出征，「**收回以拉他，歸與亞蘭**」，這是一個奇怪的句子，因為以拉他位於亞卡巴灣頂端，不可能曾受亞蘭管轄。若用「以東」來代替「亞蘭」（在希

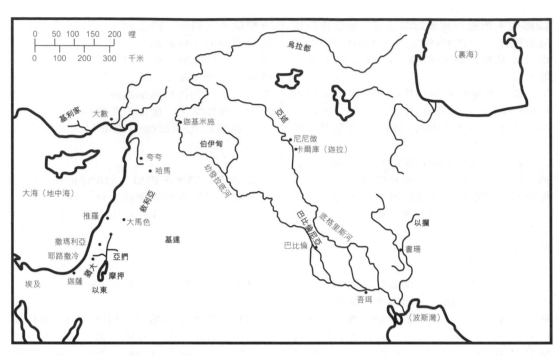

主前七至九世紀的亞述帝國

伯來文裏，兩字只有些微的差異），在地理和政治上，就都變得合理（譯按：參和合本小字）。（修訂標準譯本作出更大的改動，它把「亞蘭王利汛」幾個字全刪掉了。）

亞哈斯對此脅迫的回應是尋求幫助（根據賽七，那是違反以賽亞的忠告的），他取了聖殿和王宮中的金和銀，用作禮物送給提革拉毘列色。在尋求亞述幫助方面，猶大是學效以色列所行的（比較王下十五19）──從以色列最終被亞述帝國吞併看來，這樣做會帶來惡果。

亞述王的回應，給以色列和亞蘭帶來了災難。十五章29節記載了以色列的命運。比加在北面的國境被侵，其上的民被擄去；這地區後來給重組成亞述的省份，只給比加的繼任人留下一片大大縮減了的國土。

十六10-20 猶大王亞哈斯：異教的祭壇

大概是提革拉毘列色在主前732年征服大馬色後，並正當他重組亞蘭，作亞述的行政區時，亞哈斯就前往探訪他。

我們不需要以為亞哈斯抄襲他在大馬色看見的祭壇，是臣服於亞述的一種表現。那個並不是亞述人的祭壇，而歷代志下二十八

章23節說，那祭壇是用以敬拜「亞蘭諸王之神」的，他們昔日曾在以色列顯為強大。總而言之，亞哈斯把這祭壇引進耶路撒冷聖殿，只是表明外邦神祇對亞哈斯有莫大的吸引力。祭司烏利亞聽命而行（10、15、16節），表示他也像王一樣叛逆神，否則他就是處於一個卑微的位置，不得公然違抗王命。第二個可能性較有可能，因他後來得到以賽亞的承認（賽八2）。

第17-18節列出亞哈斯在聖殿內所作的其他改動，而最後一項說是「**因亞述王的緣故**」（18節）。這句話的確實意義不明。我們沒有理由以為提革拉毘列色三世曾強迫亞哈斯奉行亞述宗教禮儀，或他要求亞哈斯壓抑猶大的民族宗教。也許「**王從外入殿的廊子**」象徵了王與耶和華信仰的聯繫，而因著某些原因，是不為亞述大君所接納的。

十七1-6 以色列亡國

我們從亞述文獻知道，何細亞是由提革拉毘列色三世委任為王的（或至少王位是由他確認的）。因此，何細亞執政時，只是作亞述的傀儡王帝和臣僕。

經文（2節）說，他不像以色列前任君王那麼壞──按十六章3節看，他的評語比猶大

的亞哈斯為佳。因此，以色列竟在他執政期間滅亡，是一件諷刺的事。

何細亞不按例每年向亞述進貢，又意圖與埃及結盟，引來亞述的震怒（4節）。「**埃及王梭**」是指誰人，並不能確定。〔他可能是利比亞法老奧梭岡四世（Osorkon IV）。另一個譯法使「梭」成為一個地方名：「……往梭（也許是 Sais），去見埃及王」。〕然而，此時埃及極之衰弱，不足以提供有效的支持，而何細亞此次尋求獨立的行動，像早期的比加一樣，最終只為以色列帶來災難。

這時，提革拉毘列色三世已由兒子撒縵以色五世繼任（主前726至722年），**第4節**說他把何細亞鎖禁，因在監裏。由於這事不可能發生於第5節記錄的撒瑪利亞被入侵和圍困之前，所以各項事件大概並非按年序來記述。3年的圍城必曾帶來饑荒和戰慄（如在王下六24-30一樣），但聖經沒有述說這些悲慘的場面。撒瑪利亞曾兩度被圍困和得拯救（王上二十；王下六24至七20），但這次他們得不到任何幫助。撒瑪利亞城在主前722年，約在撒縵以色五世死時被攻陷。在亞述的文獻中，撒縵以色五世的兄弟與繼任人撒珥根二世自稱是攻取撒瑪利亞的人。撒珥根稱被擄的人（6節）有27,290人。單是撒瑪利亞，人口似乎沒那麼多，因而這可能包括以色列其他城市的人。被擄的人給安置在亞述帝國的偏遠地區（6節），但我們不能完全確定這些地區的位置。

十七7-23　以色列歷史的神學摘要　何細亞比其前任者有所改進，可與以色列人一而再犯的罪作對比，但以色列的罪使災難無可避免。隨從「耶和華在他們面前所趕出外邦人的風俗」（8節）在利未記十八章3、24至28節是被禁止的，那裏預言被擄是不順從的後果。在聖經的其他部分，「**邱壇**」（9-11節）是用來敬拜神的地方，這在作者看來，是不合法的，尤其是在耶路撒冷聖殿建成之後。然而，邱壇並不是拜偶像的地方（如王上三3-4）。這裏的圖畫有所不同；作者批評以色列人建邱壇來敬拜外邦諸神。第12節所指的，是不可拜偶像的誡命（出二十4-5）。

第13節扼要地說出耶和華藉祂的先知向以色列和猶大所說的信息。因此，在**第14-17節**，那些複數的動詞（「他們卻不聽從」、

「厭棄」、「隨從」、「離棄」等）是指猶大，不單指以色列。的確，聖經只記述兩個猶大君王——亞哈斯（十六3）和瑪拿西（二十一6）——曾把人獻為燔祭。然而，**第16節**的焦點顯然是在以色列，因為所指的是耶羅波安所鑄造的金牛犢（王上十二28-30）。

當聖經說神從自己面前趕出祂的子民（18-20節），所指的是指把他們趕出應許地。這並非因為作者以為耶和華或多或少是受制於以色列境內，而是因為他認為以色列地是神子民行出耶和華之計劃的主要舞台。猶大顯然在19至20節再次進入場景裏，而**第20節**的「**以色列全族**」明顯是包括猶大的（即所有從先祖以色列／雅各出來的支派）。本段把兩個王國作出比較，因而也預期猶大的被擄。

最後的摘要（21-23節）把以色列的災難追溯至耶羅波安的罪，因此叫人想起亞希雅的預言，即被擄是耶羅波安犯罪的最終結果（王上十四15-16）。

十七24-34上　撒瑪利亞其後的事件　**第24節**不應理解為以色列全地有外邦人取代了以色列人。撒珥根所提供的以色列被擄者人數（參上文十七6的註釋）不可能是所有，或大部分的以色列人口。第24節所描述的，是在撒瑪利亞和其他選出來的城中，有外邦人代替了以色列人。亞述人習慣以國中其他地方的人取代被逐出的人。其目的是沖淡他們的民族感情，使他們不容易叛變。

第26節所假設的因果關係聽來牽強和迷信，但作者在第25節也持這觀點。如往常一樣，他希望確證耶和華在歷史事件上掌權，並且要識別他自己的寫作目的。根據作者從前對以色列之宗教習俗的批評，我們會以為從被擄之地遣回的祭司是拜偶像的。然而，記述中並沒有暗示這一點，而他也沒有因實行上的失敗而受譴責。事實上，那失敗只是部分的，因為外邦人雖沒有離棄偶像，但也採用耶和華宗教的禮儀（33節）。像以利亞時代的以色列人一樣，他們滿足各種宗教要求，既敬拜耶和華，也敬拜他們傳統的諸神（參王上十八21的註釋）。

雖然有些譯本（修訂標準譯本、新英語譯本）在第29節提到「撒瑪利亞人」（the Samaritans），但新國際譯本卻正確地譯作

「撒瑪利亞的人」。沒有證據顯示，本節的拜偶像者跟後來出現在新約（嚴格地奉行一神信仰）的撒瑪利亞人，有何關聯。第一世紀的猶太史家約瑟夫，長期影響著本段的翻譯與詮釋，他指他當日的撒瑪利亞人，是從亞述遷來之外邦人的後裔（《猶太古史》IX, 14iii）。他的主張在歷史上是沒有根據的，只是反映他當時那反撒瑪利亞人的偏見。但無論如何，**第29節**的「**撒瑪利亞人**」並不是遷進來的外邦人，而是以色列人，只不過他們的邱壇被外邦人挪用了。

十七34下-41　對以色列的最後評語　雖然我們一般會以第34節為進一步對北方遷來之人口的批評（延續至第41節），但我們很有理由看這一節是要轉移至另一個話題。這節的上半節確是從第33節延續下來的（「他們直到如今仍照先前的風俗去行」），但最好把下半節譯作一個開始：「**不專心敬畏耶和華，不全守自己的規矩……**」（譯按：和合本加上旁邊小點的字，可圈可點）等。此處要表達的思想是，並非只有定居在北方的外邦人不能單單敬畏耶和華，因為沒有人能，甚至「雅各後裔……耶和華起名叫以色列的」也不能，單單敬畏耶和華。**第35-39節**是撮寫了耶和華與以色列人立約時之要求（呼應申四至六）。正如第20節一樣，這裏所指的是雅各所有的後裔，因此，**第40-41節**指責那些人不能遵守立約要求，而他們的後裔「**直到今日**」仍然做不到；這裏所指的包括猶大，不只是以色列。

本章給以色列和猶大的比較（此處和19-20節），預示猶大自己即將臨近的災難。

十八1至二十五30　剩下猶大
十八1至二十21　希西家
十八1-8　引言　上一章聖經看來好像是猶大的惡兆，因為它強烈地暗示猶大將會遭遇到與以色列一樣的命運。然而，到了這裏，災難來臨的可能性似乎減低了。希西家改變了他父親的政策，帶領猶大從拜偶像的道路返回。他不但拆除所有外邦宗教的裝飾，甚至連摩西在曠野所造的銅蛇（民二十一8-9）也丟掉了，因為銅蛇已錯誤地成了猶大人敬拜的對象（4節）。從考古的發現看來，這種危險是可以理解的，因為蛇在迦南的生殖崇拜

中，是一個很重要的象徵記號。

自亞撒以來，希西家是第一位王，給作者評為行耶和華眼中看為正的事，「效法他祖大衛一切所行的」（3節；比較王上十五11）。此外，他是第一位把邱壇廢去的君王（4節）。他那堅定的信靠和信心，實在得到極大的讚揚（5-6節）。然而，我們會看見，這高度的評價，在第二十章會稍作更改。

在希西家執政的概述中，作者特別提及他背叛亞述的事蹟（7節）。用來描述他執政之概況的3章聖經中，大部分都用於述說這叛變的結果（十八13至十九37）。他那對抗非利士人的戰役（8節）應理解為對抗亞述的一個立足點。迦薩早已被撒珥根二世征服，而希西家的戰役伸展「**自到迦薩，並迦薩的四境**」，目的大概是削弱亞述在該區的勢力。若是這樣，戰役的舉行，可能是在主前705年撒珥根逝世不久，並在其繼任人西拿基立在國中建立堅固的力量之前。

十八9-12　亞述攻打以色列　這幾節經文看來好像是無意義地重複第十七章。然而，事件在這裏是根據希西家的登基年份來記載的（9、10節）。讀者會對比亞述對以色列的入侵，和第13節以後記載，亞述對猶大的入侵。因此，兩段記載均以類似的用語來開始，字面義作：「希西家王第四年，就是以色列王以拉的兒子何細亞第七年，亞述王撒縵以色上來圍困撒瑪利亞……」（9節）；「希西家王十四年，亞述王西拿基立上來攻擊猶大的一切堅固城……」（13節）。何細亞是比其前任者較為好的一位君王（十七2），但他反叛亞述的行動，給以色列帶來了滅亡。希西家是比亞哈斯好得多的君王，而猶大在叛逆亞述中得以倖存——但僅此而已，如我們在下文所見。

第9-10節的年份資料跟第13節並不協調。若撒瑪利亞在主前722年的敗亡是希西家第六年（10節），則希西家在主前728年左右必已登基。希西家第十四年（13節）便應是主前715年，但我們知道根據亞述文獻的記載，西拿基立對付猶大的戰役是發生於主前701年。學者提出了很多不同的解決方法，有些假設那是文士抄寫上的錯誤，有些指那是涉及兩個王共同攝政的問題。聖經中的對照性歷史年表常出現許多複雜的問題，這只是

其中一個例子。

十八13-37 亞述攻打猶大 希西家對西拿基立之進攻的回應，似是即時的投降，並伴以大量的進貢（14-16節）。然而，在第17節，我們看見耶路撒冷又再次受威脅。有些學者認為此處所敘述的，是亞述兩次不同的入侵：第13至16節記載了主前701年的事件，而第17節以後，則談及後來的一場戰役（也許在主前688年左右）；亞述文獻並沒有記載這次戰役。另一個解釋是認為西拿基立強迫希西家進貢以後，又繼續迫使他把耶路撒冷全然交出來。這與便哈達第一次圍攻撒瑪利亞時，一步一步向亞哈提出重大的要求相仿（王上二十1-11）。正如亞哈劃定界線，決意抵抗一樣，希西家也拒絕把城交出。

亞述王從拉吉差遣3名高級軍官前往耶路撒冷（17節），而他們當時正圍攻拉吉（代下三十二9；是次圍攻也可見於西拿基立宮中一系列的浮雕中，而這些浮雕是出土自尼尼微城的廢墟，其破壞性的後果由拉吉本身的考古發現清楚地證實了）。希西家朝廷中3名同樣高級的官員到城牆去聽西拿基立的信息（18節），那是由亞述的戰場司令傳達的（19節；戰場司令音譯「拉伯沙基」）。

拉伯沙基的講話中，重複使用了希伯來文「倚靠」一字。整段話的主題是：耶路撒冷所倚靠的是誰？拉伯沙基把所有可以想出來的倚靠對象都嘲笑一番，藉以顯出耶路撒冷並沒有防衛的力量。他描述埃及為一根折斷的蘆葦，會把靠在其上的手刺透（21節），因而不可當作倚靠。以賽亞也批評以色列倚靠埃及的做法（賽三十1-5，三十一1-3），但他提供的另一個方法是「求問耶和華」（賽三十一1）。拉伯沙基進而否定耶和華是可以求問的對象，他沒有指耶和華是軟弱或不存在的，而是聰明地暗示，由於希西家已把敬拜耶和華的邱壇廢去，因此祂不會作出回應（22節）。第23-24節的推論很難理解，但要點是最清楚不過的：猶大的軍隊太虛弱，即使西拿基立親自供應馬匹，他們也不能組成一隊勇猛的騎兵隊！最後，他復指希西家的改革是違抗了耶和華，稱亞述來攻擊猶大，是出於耶和華的命令（25節）。

這個司令員的理據很有壓迫力：埃及本身太弱，不能施以援手；猶大自己的軍隊是不中用的；耶和華已轉背不顧祂的子民；沒有一個人可以給希西家提供幫助。難怪猶大的官員要求拉伯沙基用亞蘭語來講話（亞蘭語是國際的外交語言），而不要用希伯來語（26節）；他們恐怕這些話會打擊耶路撒冷城的士氣。拉伯沙基拒絕這樣做，因為他的目的就是要說給所有人聽。在第27節，他簡潔而生動地描繪饑荒的可怕，而那是被圍困的城即將要面對的。跟著他直接向眾人說話（28-35節），慫恿他們投降，答應那些自願臣服的，必能過好的生活（31-32節）。他又再談到宗教方面（33-35節），但此處有一個不同的邏輯推論：列國的神都不能拯救其民脫離亞述的強權，這樣，耶和華又怎能拯救耶路撒冷呢？然而，列王紀餘下的內容推翻了他的推論，因它證明，耶和華並不像別的神。

猶大的3位官員來到希西家面前撕裂衣服，以表示憂傷（比較王下六30）。

十九1-7 以賽亞 希西家聽聞此信息，也撕裂衣服，披上麻布；在第2節，我們看見幾位官員和祭司中的長老也都披上麻布——表示耶路撒冷正處於急難之中（至於麻布的意義，參王下六30的註解）。給以賽亞的信息重點是，請他「為餘剩的民，揚聲禱告」（1節）。代求是以色列先知傳統的職責（參出三十二30-32；耶七16，十五1）。經文中提到餘民，提醒我們猶大的堅固城已落在西拿基立手中（十八13），而耶路撒冷已變得愈來愈孤立（參賽一7-9，那兒大概是指這段時間）。希西家的希望在於：西拿基立的信息得罪了「永生神」；也許神已聽見，並會對他加以譴責（4節）。

本章首20節常出現「聽見」一字詞。希西家聽見西拿基立的話（1節）；他希望耶和華會聽見這褻瀆的話（4節），以賽亞叫他不要因所聽見的話而害怕（6節）；亞拿基立會聽見一些風聲（7節）；拉伯沙基聽見王已從拉吉上來（8節）；西拿基立聽聞特哈加的進侵（9節）；希西家肯定已聽見亞述王向別國所作的（11節）。在這一連串聽見中，以賽亞向希西家保證，耶和華已聽見他的禱告（20節）。

先知以賽亞在此帶出耶和華的話（6節），而衝突則轉移至一個新的層次。現在，

與「亞述大王的話」（十八28）對抗的，有真正的大君王——以色列的神——的話。以賽亞的第一個預言是簡潔而扼要的：希西家不用懼怕；神主宰著西拿基立的行為，並會使他返回自己的地，在那裏被殺。不清晰的是，當事件展開時，這預言跟事件又怎樣相關呢？那「風聲」（7節）似乎是特哈加進侵的消息（9節），但這事本身並沒有使西拿基立返回亞述去。這裏並沒有提及西拿基立敗走（35-36節）的最終原因。

十九8-19　一封書信和一個禱告　亞述司令員的撤離（8節）預示了預言的小規模應驗：他聽見西拿基立上來攻打的消息，便返回他主君那裏。他當然並沒有把所有軍力撤離耶路撒冷，否則耶城就能得到糧食的補充。因此，我們必須假設他留下了一個不少的兵力在耶路撒冷城外，然後回去把這持續僵持的狀態告知西拿基立。若立拿就是波爾納廢丘（Tell Bornat），它就是位於拉吉以北，而西拿基立的行動就表示他主要的大軍正向耶路撒冷進發。他離開拉吉之前，必已成功地把它攻陷。

根據希伯來聖經，**第9節**直譯是「古實王特哈加」。聖經中的古實相等於與埃及南部接壤之地，即現今的努比亞或北蘇丹（嚴格來說，並非修訂標準譯本中的「埃塞俄比亞」）。在主前701年，古實的第二十五王朝統治了古實和埃及。聖經中旳特哈加是塔哈卡（Taharqa），該王朝的最後的第二位君王，在主前690至664年執政。本節稱他為「王」是出於追述，因為在主前701年，他只是一位王子而已，當時正為他的兄長法老示必庫（Shebitku）出征。

特哈加的臨近的消息促使西拿基立再向希西家傳達另一個信息。西拿基立此時必是急於使耶路撒冷歸服，以致他可以再結合南方的軍隊，去迎戰特哈加的大軍。雖然他的話跟33至35節相仿，但這裏有一個新的轉向。西拿基立似乎已察知以賽亞預言的要點，因為他也提及這要點（10節）。他並沒有否定耶和華的存在，也不否定祂曾藉著祂的先知說話；他只是冠耶和華以騙子之名！進一步提供亞述所擊敗的諸城名單，只是表明亞述是不可匹敵的（11-13節）。

希西家接到的這個信息是載於書信上，他把信帶進聖殿中。他的目的是讓耶和華聽聞這褻瀆的話（16節）。他開始禱告時，承認耶和華雖「坐在〔耶路撒冷聖殿的〕二基路伯上」，但祂的存有和能力是不受限制的。祂是「天下萬國的神」，並曾「創造天地」（15節）。他也承認西拿基立所誇口的，確是實情：許多國的民確被征服，諸神被毀（17-18節）。但那些都不是真神。他懇求耶和華拯救耶路撒冷，好向世人表明，祂是獨一的創造者和主宰（19節）。

十九20-34　以賽亞再出場　跟第一個預言不同的是，以賽亞的第二個預言是冗長的，並以詩歌形式寫成。以賽亞在開場白中向希西家保證神已聽見他的禱告後，就分3部分來述說這預言。

第一部分（21-28節）是論西拿基立的。他描述耶路撒冷的居民（「處女」）在西拿基立逃命時，都嗤笑他（21節）。先知責備西拿基立褻瀆以色列的神，不單在他近期的言語中，更由於他把亞述得以大大擴展的功勞歸給自己（22-24節）。他沒有承認的真相是，亞述征服列國，是由耶和華的授命（25-26節）。西拿基立的錯誤在於以為他自己，不是耶和華，控制世界大局的人。他聲稱有至高的權力，又要求列國歸服他，就是僭奪了神的位置。現在，由於他的傲慢，耶和華要使他從來的路轉向（27-28節）。以賽亞書十章5至19節也有許多與此相同的主題。

第二部分（29-31節）是論到希西家。雖然耶路撒冷要忍受亞述圍攻的後果，但她隨即會復元。這是給希西家的一個**「證據」**（29節），即一個可以令他清楚知道是出於神的手的東西。結束的那句話也出現在以賽亞書九章7節末。

第三部分（32-34節）**關乎西拿基立此次戰役的結果**。這次圍城不會發展至一場猛烈攻擊。正常來說，亞述軍隊圍城後，會向目標城邑猛攻。第一步，亞述人會築起攻城的斜路，使撞牆槌能撞向城牆，而正當他們建築這些斜路時，弓箭手會拿著盾牌發箭來提供掩護。這就是**第32節**所提及的。亞述人不會這樣做，因為西拿基立會折返本國。神拯救耶路撒冷的最終原因不是由於西拿基立褻瀆的話，也不是由於希西家的虔敬禱告，而是為了祂自己的榮耀，和祂應許大衛有永存

的國度的話（34節）。

十九35-37　西拿基立的命運

聖經只是簡潔地，並以充滿神祕色彩的用詞，來描述亞述軍中185,000人的突然死亡。從只是進攻軍隊的一部分看來，這是一個很大的數目；也許我們應看這次災難並不限於那駐紮在耶路撒冷城外的軍隊，也包括西拿基立在猶大各地的兵力。亞述給這次戰役的記述中，並沒有報告這次諷刺性的災難，這也是不足為怪的。從兩份銘刻中所見，西拿基立記述這次事件，只集中提到他成功地平息了叛亂，而略過他攻取耶路撒冷的失敗。這記載以一件正面的事來結束，就是述說他在尼尼微收取那些曾在十八章14節提及的貢物。當西拿基立在浮雕上記述這次戰役時，他只著重講述如何成功地圍攻拉吉。

他的被殺（37節）發生在主前681年，應驗了以賽亞早期的預言（7節），一份亞述文獻也提及這事，但詳情仍是很含糊。

二十1-11　患病與痊愈

希西家患病的日期（「那時……」，1節）暗晦不明，只暗示那是接近西拿基立進侵猶大的日子。但第6節提供了一個較清晰的年期：從所應許的15年的壽數，可算出那是希西家執政29年的第十四年（十八2），也即是西拿基立犯境的那年（十八13）；而應許耶城得救，則指向第十九章的事件之前，而不是之後的一段時間。總而言之，**這數章的事件並不是按年序來記錄的**。原因可能是這件事和接著的那件事（12-19節），顯出希西家較不利的一個形象。這些事件刻意跟其他事件劃分開來，是為了給十八至十九章的圖畫提供一個對照。作者在此處敘述這些事，而不在更早的時候，是因為它們跨向瑪拿西的統治及其後果。

希西家在位第十四年時，只是39歲（十八2），一個不治之病對他來說，必定是很可怕的打擊（二十1）。但他對此事的回應，並不如在亞述壓境時之回應一樣，反映出他的虔敬。在十九章15至19節，他的禱告肯定了神的主權，並以神的榮耀為念，但在這裏，他卻訴諸自己的忠心（3節）。神憐憫他，並派以賽亞來，向他敘述醫治和拯救的應許，但那是神「為自己和我僕人大衛的緣故」（6節；留意這節與十九34相似之處），而不是為

了希西家的虔敬忠誠。先知這樣發出預言，是為了更正希西家的態度。神先前提及大衛是希西家的先祖（5節），也是為了提醒他有關他在神所應許之國中的位置。

用無花果餅來醫治皮膚病（7節）是古代「民間治療」中常用的方法。因此，希西家若沒有嘗試這種療法，是頗為奇怪的。也許我們應假設他已嘗試這樣做，只是沒有療效，直至以賽亞傳達了神醫治的應許，這才奏效。

希西家要求一個兆頭一事，與他先前滿有信心的形象相比之下，又給他打了一個折扣。3日內痊愈已是一個神蹟，足證神會賜他15年的壽數。但希西家要求一個神蹟來肯定這個神蹟！隨後那神蹟之本質很難明白，因為讓日頭投射之儀器的結構並不清晰。修訂標準譯本（及和合本）提到「亞哈斯的日晷」（11節），假設一種計時器上，日影向後退了10度。然而，聖經所指的，也可能是階梯上的10步（新國際譯本、新英語譯本）。既有選擇，希西家便在先知提出的兩個神蹟中，選了較明顯的一個（9-10節），並且得到應驗（11節）。學者嘗試猜想這神蹟怎樣達成，但並沒有一個滿意的答案。

二十12-19　從米羅達巴拉且來的使節

米羅達巴拉但〔在巴比倫文獻中稱為瑪爾杜克押拿伊典那（Marduk-apla-iddina）〕在主前721至709年間獨立地統治巴比倫。其後他被撒珥根放逐，但在主前705年撒珥根逝世時，他又再努力爭取巴比倫之獨立。在主前703至702年，他復辟了一段短時間，但最後給西拿基立驅逐出境，逃至西南面的以攔。遣使往見希西家，無疑是他尋求西方聯盟去推翻亞述轄制之計劃的一部分。這次來訪與米羅達巴拉但在主前703至702年短暫復興的背景很吻合。這次訪問的原因既是為了希西家的病（12節），可見希西家的病持續了一至兩年。事件或許真是這樣發生的。然而，以賽亞書三十九章1節有關這事的記載，指這次出使是在希西家痊愈之後，即主前701年或之後不久（參上文1-11節之註釋）。雖然米羅達巴拉但當時正在流亡，但可以想象，他仍在嘗試於幕後加以影響。按現有的證據，這年份上的問題並不能解決。

希西家願意給使節參觀他的國庫和軍器

（13節），表示他樂於與米羅達巴拉但結盟。由於以賽亞強烈反對與外邦結盟（參賽三十1-5，三十一1-3），所以他一直都大力指斥這種做法（16-18節）。他預示了巴比倫與猶大為敵，把猶大的財寶和人民擄去的那日子。希西家的回應顯出了他自我中心和不肯悔改的態度。他因以賽亞談到災難要在他後裔的時候來臨，而不是在他任內出現而感到安心。他假設「在我的年日中，有太平和穩固的境況」，反映他對此次聯盟感到滿意。

本章因而以一個極大的悲劇來結束：猶大國最偉大的改革者，得到有關國度衰落和被擄的警告，而此處並沒有悔改可扭轉此事的希望。

二十20-21　結語　在希西家其餘的成就中，作者特別提到他挖池挖溝，引水入城的工程。歷代志下三十二章30節也提到這工程，並附上一些地理上的細節。這大概是為防西拿基立攻城所作的準備，其設計是提供可靠的食水供應，而此水泉只可在城內取得（參代下三十二2-4）。

二十一1-26　瑪拿西和亞們治下的倒行逆施

二十一1-18　瑪拿西　瑪拿西返回他祖父亞哈斯的舊路，把希西家所作的改革一概抹煞，好像這些改革從沒有出現過一樣。他重新設立邱壇，巴力和亞舍拉的敬拜像亞哈時代的以色列一樣盛行，他又在聖殿中敬拜事奉天上的萬象，污穢聖殿的祭壇。以人為燔祭和其他令人憎惡的行為也有出現。作者指這些惡行惹動耶和華的怒氣（6節），聽來像一個惡兆，而**第7-8節**引述那有條件的應許，使前景顯得更為幽暗。猶大既沒有遵行摩西的律法，以色列人不再「離開……列祖之地」的應許，就難以得著應驗。

第10-15節概述了瑪拿西任內一些無名先知的信息，他們以嚴厲和不含糊的話，預言了猶大的命運。神會以審判撒瑪利亞的標準來審判耶路撒冷（13節）。這裏提到「亞哈家」，是要像第3節一樣，把亞哈和瑪拿西再作比較。「如人擦盤將盤倒扣」這鮮明的意象，象徵了神要執行徹底的審判。「**所餘剩的子民**」（14節）可能指以色列滅亡後的猶大，但更可能指西拿基立入侵後，猶大國內

大大減少的人口。神要離棄餘民，把他們交在外邦人手中，表示祂不再給予子民特別的照顧。瑪拿西治下的各種罪惡，只是以色列人固有之不順從的再現（15節）。這幾節經文使以賽亞勾劃出來的災難（二十17-18）顯出悲哀的一面。

流無辜人的血（16節）可能指那些反對瑪拿西政策的人被殺害，正如耶和華的眾先知在亞哈和耶洗別年間被殺。

瑪拿西下葬的「**烏撒的園**」子，大概是皇室墳地的延伸，由亞撒利雅／烏西雅所建造（「烏撒」是烏西雅的縮寫）。

二十一19-26　亞們　亞們與他父親所行的一樣，而他唯一的特點是最後被刺殺（23節）。「**國民**」一詞的意義難以確定；可能指國中某部分的人，而不是指全國的人。這群人在亞他利雅年間，熱心地支持恢復大衛的王朝（王下十一14）。這群人把殺害亞們的人殺了，立他年僅8歲的兒子為王，坐在他的位上（24節；比較二十二1），亞們與他父親同葬（26節）。

二十二1至二十三30　約西亞

二十二1-20　尋得律法書　在兩個昏庸無道的君主之後，猶大又出現了一位合乎大衛所樹立之標準的君王（2節）。

在**第3-7節**，我們看見聖殿的修理工程在進行中，就像約阿施時候的工程一樣（王下十二）。在約阿施的時候，由於亞他利雅把聖殿破壞，用來敬拜外邦神祇，因而需要修葺。約西亞這次工程，相信是由於聖殿在瑪拿西和亞們期間曾被濫用。

在修葺期間，大祭司希勒家在聖殿裏發現了「律法書」（8節）。約西亞聽見書記讀出的律法書內容後，感到極之沉痛（10-11節）。結果，他再頒佈書上的律例，如二十三章所敍述的。然而，我們不可因而下結論說，約西亞進行宗教改革，是因為他在位第十八年那年發現了律法書。修理聖殿的工程，表示律法書被看見時，宗教改革已在進行中；歷代志作者的記載確定了這一點（代下三十四3-7）。根據其後經文的內容，多半學者同意此「律法書」若不是申命記，也是一本與申命記有密切關係的書。

約西亞的反應顯示該書的內容確實很嚴

屬。其中的要求未能達到,王甚懼怕其後果(13節)。王吩咐祭司、書記和臣僕去「求問耶和華」,他們就去見女先知戶勒大,而有關戶勒大的資料,就只有這幾節聖經。她住在耶路撒冷「第二區」〔14節;直譯「米斯尼」(Mishneh)〕,大概是在大衛舊城以北的地區,即所羅門聖殿和王宮周圍一帶。她居住的地區和她與一位朝廷官員的婚姻(14節)顯示她自己是朝中成員之一。

戶勒大只是冷冷地安慰約西亞。她肯定約西亞的結論,即耶和華要向猶大發怒,因為他們沒有理會書上的要求。(對於沒有遵守律法書,他們不能辯稱因為律法書已遺失;此書之所以遺失,就是由於它已失去了重要性,估計那是瑪拿西任內的事。)她再次提到會逐漸呈現的災難,而這災難顯然是無可避免的(16、20節)。然而,約西亞得以免除親眼看見災難來臨的痛苦,因為他對書中的要求作出了深切的回應(19-20節)。

二十三1-3 重新立約

約西亞聚集全民的代表,在他們面前宣讀律法書。「眾長老」(1節)原是以色列各支派的首領,但在此君主制後期,這詞可能指任何民間的領袖。宗教界則由「祭司」和「先知」(2節)作代表。此書現在稱為「約書」,因為在誦讀其中內容後,王與眾民要重新奉獻,要按「書上所記的約言」而行(3節)。這約的規條也稱為「誡命」、「法度」、「律例」,這些用字在申命記中曾多次出現(如申六17),用以形容神在西乃山與以色列人所立那約之律法。總括來說,約西亞是主持了一個重新定立摩西之約的儀式。他「站在柱旁」(3節),那是傳統上猶大君主受膏時所站的位置(王下十一14)。這位置可能表示他作為領袖和約中成員的雙重身分(參王下十一17)。

二十三4-20 各種改革

這些章節分類列出所有瑪拿西設立用以拜偶像的裝置,這一切都要廢除和毀滅。隨著這報告之後,有重新立約的行動,暗示這些行動都是為了回應律法書上所說的。然而,其中幾項包括了已經重修的聖殿範圍(4、6、7、11、12節),即律法書被尋見的地方。因此,作者似乎是把發現律法書之前和之後的改革一併說出來(代下三十四3-7支持這觀點)。

部分需要焚燒的物件是用金屬或石頭製成的,因此在某些情況下,焚燒是一種象徵的行動,而不是摧毀的行動;把灰拿到伯特利去(4節),和將焚燒亞舍拉柱像的灰撒在汲倫漢墳上(6節——以致灰塵也變得污穢?)的行動,意義也相同。

我們不清楚在第5節,約西亞怎樣對付猶大邱壇那些拜偶像的祭司。「廢去」一詞意思可能只是把他們罷免,也可指把他們消滅。約西亞對付撒瑪利亞邱壇的祭司,肯定是採取第二種方法(20節)。然而,由於第5節的用語不及第20節那麼明顯,我們最好還是假設他們只是被罷黜。這些祭司跟第8至9節的祭司不一樣。第5節所使用的希伯來名詞,特別是指事奉外邦神祇的祭司(「拜偶像的祭司」),而這詞並沒有用於第8至9節。後者是耶和華的祭司,他們是在邱壇執行職務,而不在耶路撒冷。第9節意義頗含糊,大概是指他們給帶回耶路撒冷後,便與當地的祭司(「弟兄」)一同吃喝,但卻沒有參與聖殿的祭祀。

第5-12節的「猶大列王」大概是指瑪拿西和亞們,雖然也可指更早期的諸王。希西家的宗教改革,可能並未至於把他以前之王的陋習徹底消除;參下文13至14節之註釋。

但凡與偶像敬拜有關的場所,都被污穢,以防再作此等用途。猶大各地的邱壇(8節)和陀斐特(10節)都這樣被污穢;陀斐特是一個神廟,位於南面與耶路撒冷接壤的河谷。耶利米也提到陀斐特(這名的意義似乎是「火爐」)是一個把人獻為燔祭的地方(耶七31)。所羅門在耶路撒冷以東之山上所設立的邱壇,也被污穢(13-14節)。約西亞的宗教改革必定比任何在他以前的改革更徹底,因早期進行改革的君主,顯然遺漏了那些地方的柱像和木偶,沒有把它們清除(14節)。

在第15-20節,我們發現這次改革也伸展至北方眾支派從前所管轄的部分地區。自主前721年,撒瑪利亞陷落後,這地區已劃為亞述帝國的一個省份。根據歷代志下三十四章6節,約西亞的改革更遠達北方的拿弗他利支派地區,該區早在主前732年已成為亞述的一個省份。約西亞能干預這些地區的事而沒有觸怒亞述,原因是自從主前630年左右,亞述帝國便開始崩潰,她也放鬆了對西部各省

份的控制。歷代志作者把約西亞在北方進行改革的日期定為他在位的第十二年（代下三十四3），即主前629或628年。約在那時候，猶大本身必已停止作亞述的屬國，不須作甚麼便得以自由。

這部分的記載集中於約西亞在伯特利所作的事，強調他應驗了耶羅波安時代那神人所說的話（王上十三）。在第17-18節，作者特別提到有關那神人的事件。關乎約西亞在北部所作其餘的事，作者只是概括地提說（19-20節）。

二十三21-23 慶祝逾越節 約西亞的逾越節不單是一個慶祝他改革的大宴會。這逾越節是按著約書上所寫的來舉行（21節）。此處不是指士師或王國時代裏，以色列人完全沒有守過逾越節；要點是約西亞的逾越節在規模和守節的方法上，都是獨特的。約西亞舉行的逾越節，並不是一個家庭式的節日，如在出埃及記十二至十三章所見的，而是一個集中於耶路撒冷的全國慶典，與申命記十六章1至8節所記述的一致。（根據歷代志下三十章，希西家曾在耶路撒冷舉行一個全國性的逾越節大會，但那是不甚正規的，因舉行的日期是在第二個月而不是第一個月。）

二十三24-27 災難不能逆轉 作者扼要敘述了其他的改革（特別是把瑪拿西所奉行的廢除；比較二十一6），而把重點放在遵從律法書上的要求。作者稱讚約西亞所用的言詞，跟那用於希西家的相仿（25節；比較十八5）。若我們按字面來看這兩段讚美的話，會感到兩者是互相矛盾的。但事實上，作者所用的只是誇張法，用以高度讚揚兩位最接近作者之理想的君主。

然而，在二十一章10至15節所預言，並在二十二章15至20節由戶勒大所證實的災難又再一次重提。由瑪拿西釋放出來那犯罪和審判的衝力已一發不可收拾。以色列的厄運現已臨近猶大國。

二十三28-30 約西亞之死 猶大國中實行宗教改革的君王，沒有一人是有快樂的收場的。約阿施被刺殺（十二20），那學效他而行的兒子亞瑪謝也一樣被殺（十四19）。希西家被以賽亞警告，指猶大將會被擄（二十16-

18），而約西亞則在戰場上猝然死亡。戶勒大的預言（二十二20）強調約西亞在世時，不會看見猶大的衰亡，但卻沒有提示他會遭遇不測。因此，對於他逝世的記載來得很突然；而更是由於此事只簡單地記載於關乎他執政的公式結語中，所以令人感到震驚（比較十二20關乎約阿施被殺的略記）。

那年是主前609年，而背景則是亞述帝國的晚期。亞述的城邑亞述（Assur）和尼尼微已落在巴比倫和瑪代手中，而亞述最後一位君王亞述烏巴列（Ashuruballit）則已逃往米所波大米西北面的哈蘭。埃及法老尼哥寧協助亞述，也不願面對一個不認識的政敵（巴比倫），因而帶兵協助亞述烏巴列抵禦進一步的攻擊。約西亞不想看見亞述勢力重振，於是在埃及軍隊取道巴勒斯坦北上時，試圖阻止他們。他在這次行動中被殺，但他的干預可能阻延了尼哥的行程，因而足以影響事態的發展。哈蘭落在巴比倫和他的盟國手中，而亞述則全然敗亡了。

二十三31至二十五30 猶大滅國

二十三31-34 約哈斯 約哈斯在位3個月，大概又開始廢取他父親的改革，因為他「行耶和華眼中看為惡的事」（32節）。亞述既已敗亡，埃及法老尼哥便趁機奪取敘利亞、巴勒斯坦一帶的控制權。尼哥嘗試拯救哈蘭而計劃失敗後，便在敘利亞奧朗底河上的利比拉設立基地。當他在利比拉時，他把約哈斯鎖禁在那裏，又使猶大向他進貢（33節）。約哈斯後來被帶往埃及，死在那裏（34節）——正如耶利米所預言的（耶二十二11-12，約哈斯在該處稱為沙龍，顯示約哈斯是他登基作王的名字）。他的兄弟以利亞敬代替他作王，改名為約雅敬（34節）。

二十三35至二十四7 約雅敬 約雅敬登基，是作埃及的藩屬，每年要向埃及納貢。經文提到他向人民苛捐金銀時（二十三35），所用的是一個很嚴厲的字眼，可見他所施行的是高壓的政策。約雅敬繼續其兄弟的惡行（二十三37），受到耶利米強烈的責備（耶二十二13-23），他決意違抗耶和華的先知（耶二十六20-23；三十六1-32），顯示他已背棄神，但他被特別指控的罪是在社會上不公不義的行徑（耶二十二13-17）。

埃及在猶大的控制權只維持了四年，因為在主前605年，埃及人在迦基米施一役中敗於巴比倫。幼發拉底河上的迦基米施自主前609年開始，便一直是埃及的邊遠屯墾區。尼哥的軍隊遭巴比倫儲君尼布甲尼撒大敗，埃及便失去了在敘利亞、巴勒斯坦一帶的控制（二十四7；參耶四十六2）。同年巴比倫王尼布普拉撒（Nabopolassar）逝世，尼布甲尼撒繼位作王。因此，我們在二十四章1節已見他是「巴比倫王」。

約雅敬可能在主前605年，隨著尼布甲尼撒在迦基米施戰役之勝利，便成為了他的藩屬（二十四1）。（另一種說法是在主前604或603年，尼布甲尼撒再揮軍入侵巴勒斯坦的時候。）這樣，猶大脫離了埃及的君主，卻換來了巴比倫的君主。

二十四章2節提及巴比倫向猶大發動攻擊，可能是約雅敬叛變後，尼布甲尼撒僱用外籍僱兵來攻擊他（1節）。雖然我們對此事件找到一個政治上的理由，但作者毫不懷疑地說，是耶和華「使〔他們來〕毀滅猶大」，為要應驗先知較早前的預言（2-4節）。猶大的滅亡雖仍是12年以後的事，但作者認為這次事件，已是一連串無情之審判的開始。

二十四8-17 約雅斤：第一次圍攻和被擄

約雅斤像其叔父約哈斯一樣，作王僅僅3個月。因著他父親的反叛（二十四1），尼布甲尼撒猛然報復在他身上。他也是「行耶和華眼中看為惡的事」（9節），估計是繼續推行約雅敬那欺壓人民和不公的政策。

巴比倫之圍攻耶路撒冷佔據了他短短的統治期，這次圍城在主前598年末開始，一直持續至主前597年2月（日期由《巴比倫年代表》提供）。約雅斤投降後（12節），便被帶往巴比倫為囚（15節），正如耶利米所預言的（耶二十二24-28）。皇室的其他成員和猶大的主要官員也一同被擄。

第14和16節提及的「木匠鐵匠」可能是軍中的人員，因為他們也包括在第16節那些「能上陣」的人中。較好的譯法可能是「軍事工程人員和工兵」（即建築攻城之斜道和塔樓，及挖掘攻城地道的人）。若是這樣，第14節所指的就只是軍中的人員，總數為一萬人。然而，第16節談到7,000名勇士和1,000名木匠鐵匠，總數只有8,000。還有一個難題是在耶利米書五十二章28節，作者指此次被擄的人數是3,023人。也許這數字是指平民百姓。把這數加在16節那7,000名勇士上，便成為一萬人，即14節所提供的數字。然而，這

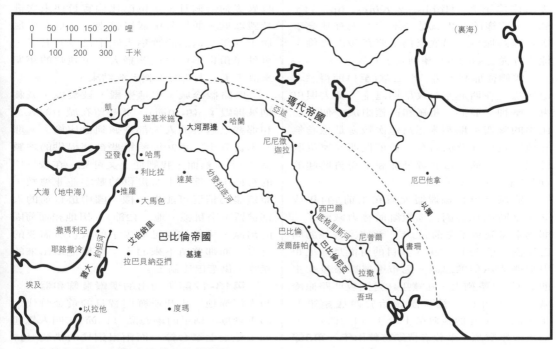

主前七世妃，如日方中的巴比倫帝國。

又在總數上多出了1,000名木匠鐵匠；除非他們也包括在16節那7,000名勇士之中（即16節應作「……勇士七千人，其中包括木匠鐵匠一千人，都是能上陣的勇士……」）。沒有一個解決方法是完全理想，我們必須承認，我們實在不知道被擄去的總人數是多少。然而，可以清楚看見的是，尼布甲尼撒擄去巴比倫的人，都是猶大中重要的人物，是他可任命為官員和士兵的一些人。那些留下來的，只是「國中極貧窮的人」（14節）。

按著一貫態度，作者強調尼布甲尼撒把皇室擄去、把財寶掠去，是要應驗預言（13節），而在此則是應驗以賽亞的話（二十17-18）。

約西亞第三個兒子，也是被擄之約雅斤的叔父瑪探雅被尼布甲尼撒立為屬國君王，並取名西底家（17節）。

二十四18至二十五7　西底家：反叛與第二次圍攻

西底家繼續前任君王的政策（二十四19）。在翻譯第20節時，新國際譯本與修訂標準譯本均以「西底家背叛巴比倫王」這句話開始一個新的段落（譯按：這句話在和合本為二十五1）。另一種翻法是保持本節兩部分的連續性，把下半部譯為：「但西底家背叛巴比倫王」（Hobbs, 2 Kings, pp. 345, 354）。這樣的意思就是，不管過去有甚麼事臨到耶路撒冷，西底家仍是要背叛巴比倫；他沒有從近期的事件學到甚麼功課。

我們從耶利米書二十七章1至11節得悉，這次叛變在西底家執政早期誕生，猶大與以東、摩押、亞捫、推羅和西頓組成一個反巴比倫的聯盟。耶利米認為這次叛變是愚蠢無知地違抗耶和華的旨意，並催促西底家臣服於尼布甲尼撒，因後者是耶和華親自興起的（耶二十七12-15）。

這個反巴比倫聯盟大概在主前594年成立，當時巴比倫因內部叛亂而勢力減弱了。耶利米書記載了主前593年，西底家曾往訪問巴比倫（耶五十一59），其目的可能是向尼布甲尼撒表示他的忠誠。尼布甲尼撒最後在主前589年攻擊猶大，在該年12月圍攻耶路撒冷城（二十五1）。這次圍城始於西底家第九年，而結束於他執政第十一年（1-2節），但這次攻擊實際上並沒有持續整整兩年。**第3節**的希伯來文說，「那月的第九日」，城就被攻破，但耶利米書五十二章6節提供資料說，這個月是第四個月（新國際譯本、新英語譯本和修訂標準譯本把這資料融入了王下二十五3的翻譯之中；和合本亦然）。若是這樣，圍城就持續了18個月（耶三十七5-8指出，圍城曾在巴比倫人對付北上之埃及軍隊時暫停）。這事件在主前587年7月，城牆被攻破時結束的（4節），然而，耶城也不能再堅持下去，因圍城所引起的饑荒已到達一個絕望的階段（3節）。

西底家逃亡，他採取了一條描述得很含糊的逃亡路線（4節），並帶著那些護城的兵丁同去。出了耶路撒冷城，他們便「**向亞拉巴**」的方向逃去，或更好譯作「從亞拉巴路逃去」，那是從耶路撒冷通往耶利哥的路。西底家大概是想渡過約但河，向以東、摩押或亞捫尋求庇護，而他們都是聯盟中的成員（耶二十七3）。但他在到達約但河之前，已經被捕。從**第6節**看來，尼布甲尼撒並沒有親自指揮這次耶城的圍攻，因為他正在巴比倫的總部利比拉。西底家所得到的懲罰是殘忍的，但按當時的標準來看，也不是過分苛刻（據知亞述人也慣於把囚犯雙目剜出來）。

二十五8-21　被擄與滅亡

耶路撒冷城牆被攻破後約一個月，一位巴比倫官員便來安排焚毀耶城，並把其中居民帶走。「尼布甲尼撒十九年」這話證實猶大國中已沒有君王，事件年份也不可再按著猶大君王執政的年期來訂定了。大衛的王朝已經結束了。

耶路撒冷城，包括聖殿，被焚燒，城牆則被拆毀了（9-10節）。那些留在城中的人，和那些已逃亡的人，都被擄到巴比倫去。耶利米書五十二章29節給這些被擄提供的總數為832人。然而，我們從上文可見，在較早期的被擄中，耶利米所提供的數字並非總數，而這裏的情況可能也一樣。國中最貧窮的人則被留下來耕種田地（12節）。田地和葡萄園的出產，可能比現已減少了的人口所需要的為多，而那些留下來的人，便要把多出來的產物，供應巴比倫王。

第13-17節所列出的聖殿裝飾和器具，叫人沉痛地回想起所羅門昔日的黃金時代。那重量無法稱量的銅製品（16節），叫人想起列王紀上七章47節，而兩根銅柱的描述（17節）則撮述了列王紀上七章15至22節。

城中許多官員都沒有被擄，也沒有留在本地，卻被帶到利比拉尼布甲尼撒那裏，然後被殺害。原因沒有交代。也許巴比倫王認為他們不可信。

第21節的最後一句（「**這樣，猶大人被擄去離開本地**」），正迴響著列王紀下十七章23節關乎以色列的那句話。作者要帶出的要點是清晰的：猶大接受與以色列同一樣的命運，正如先知所預言的。

二十五22-26 基大利 巴比倫人把猶大重新規劃，交亞希甘的兒子基大利管轄。約西亞發現律法書後，曾差派亞希甘和其他官員往見女先知戶勒大（二十二12）；在約雅敬年間，他曾利用其影響力救回耶利米免於死亡（耶二十六24）。基大利本身必定是耶路撒冷朝廷中的成員，是一個得到巴比倫人信任，也得人民愛戴的人。

許多軍中人員（也許是西底家被擒時，從巴比倫人手中逃出來的；5節）結集往米斯巴見基大利；米斯巴是一個新的行政中心，位於耶路撒冷以北8哩（13千米）。基大利應許他們，只要他們和平地臣服於巴比倫，便可得到他的庇護。他忠告他們「服侍巴比倫王，就可以得福」（24節），叫人想起耶利米較早前給西底家的勸告（耶二十七12）。基大利可能確實受到耶利米的影響，而耶利米從巴比倫人手中得釋放後，便已在米斯巴定居下來（耶四十5-6）。

然而，有些人認為基大利是一個可憎的賣國賊而密謀殺害他。他被一個以實瑪利人刺殺，此人是屬於「宗室」的人（25節）；而一些與基大利同在米斯巴的「猶大人」和巴比倫人也被殺。根據耶利米書四十章14節，這次陰謀是亞捫王在背後策劃的；亞捫是反巴比倫聯盟的一名成員（耶二十七3）。若基大利是在五月，尼布甲尼撒的官員抵達時被任為省長的（8節），他在任就只維持了兩個月的時間（25節）。

米斯巴的全體居民，因懼怕巴比倫為基大利的死而報復，於是一起逃往埃及去了（26節）。

二十五27-30 被擄的約雅斤 作者忽然轉換了場景，我們便離開了當時沒有政府，一片混亂的猶大，來到巴比倫。

以未米羅達〔在巴比倫文獻中稱為亞妙爾瑪杜克（Amel-Marduk）〕在主前562年繼承他父親尼布甲尼撒，作巴比倫王；在主前561年，他把約雅斤從皇室人質的監中提出來，遷往王宮的住所，約雅斤因而得著較大的自由。

這4節經文的目的備受爭議。作者交代這事，是否純粹為了歷史上的興趣？還是他要傳達一些信息？若是後者，他又是要傳達甚麼信息呢？有些人認為約雅斤被釋放，是在被擄之黑暗日子中一閃的亮光，象徵猶大有可能被釋放，重返故土。有些人則認為約雅斤雖得以脫離牢獄生涯，但故事的結局仍是悲觀的，並沒有予人真正的安慰。若作者真的要傳達一些希望，這裏卻沒有明顯指出，猶大有從被擄歸回的希望。正如我們在列王紀上八章46至51節留意到，在作者描述未來景象的圖畫中，並沒有猶大人被擄後重返故園的景象。這幾節經文中若有任何盼望，也只是極之模糊的盼望。本書的結束很含糊，並沒有提供解答。作者所懷的盼望似乎是，被擄並不是猶大歷史的最終結局。

John J. Bimson

進深閱讀

D.J. Wiseman, *1 and 2 Kings,* TOTC (IVP, 1993)

A.G. Auld, *Kings*, DSB (St. Andrew Press/ Westminster/John Knox Press, 1986).

G.H. Jones, *1 and 2 Kings,* 2 vols, NCB (Eerdmans, 1984).

R. Nelson, *First and Second Kings* (Westminster/John Knox Press, 1987).

J.G. McConville, 'Narrative and Meaning in the Book of Kings', *Biblica* 70/1 (1989), pp.31-48.

歷代志上下

✢ 導 論

　　歷代志上下原是同一卷書，而其希伯來文的書名為「那些日子的事件」，即嚴格來說，是「日記／日報」，雖然我們也許更應稱之為「年報」（即那些年日的事件）。舊約的希臘文版本，即七十士譯本，稱本書為"Paralipomenon"，即「拾遺書卷」，因為本書驟眼看來，好像是把撒母耳記和列王紀的歷史重述一遍，其中加上上述兩卷書遺漏了的資料。讀本書時，我們很快便知道這名字並不足以表達書中內容，因為歷代志顯然不僅為撒母耳記和列王紀補遺，許多關乎這兩卷書的內容，本書也會略而不提；當兩段歷史講及同一個故事時，它們往往會從不同的角度去講述。把聖經翻譯成拉丁文的學者耶柔米說，本書實際上是「整段神聖歷史的編年紀」，而現今英文和中文聖經的書名，就是按著他這說法而產生的。正如耶柔米指出，本書所涵蓋的，不僅是撒母耳記和列王紀的歷史，更是包含整個舊約故事，由亞當一直至作者寫作的年代。

作者與寫作年代

　　波斯王古列於主前539年崛起，征服了巴比倫後，被擄至巴比倫的猶太人紛紛返回本土。由於歷代志多次以肯定的態度提及此事，所以本書顯然是被擄歸回後寫成的。許多學者認為，歷代志和以斯拉記、尼希米記都出自同一人的手筆，而這人就是以斯拉，他大概是歸回故土後不久便寫成這些書卷。但我們也大有理由把歷代志的日期定得較後，約在主前第四世紀。若是這樣，作者就無從稽考了。學者通常簡單地稱他為「歷代志作者」。不管怎樣，我們所知的，是本書乃為猶太人而寫成的，他們已回歸，在耶路撒冷一帶定居，有一座重建的聖殿，並有亞倫族系的祭司（卻不再有大衛家的君王，因為猶大已成為波斯帝國的一部分）。

內容

　　歷代志所涵蓋的歷史時期雖然十分廣闊，但內容主要集中在王國時期，即一段為期約450年的歷史，由一系列的君王所統治，就是從掃羅至西底家（約主前1050至600年）。撒母耳記與列王紀肯定是本書主要的資料來源，另外還有一些現已失傳的補充材料。有人認為歷代志的作者引述未見的史料，絕對非虛構；他也許是依據其他準確的材料。歷代志上一至九章收集了一些名單，然並未蓋全，但多半是家譜，把神子民的故事，從聖經時代開始串連起來。歷代志上十至二十九章涵蓋大衛執政的日子，而歷代志下一至十章則包含所羅門在位的事蹟。歷代志下十一至三十六章講述其後繼任的君王——即以色列南部猶大國的諸王，直至以色列人被擄至巴比倫止。

寫作目的

　　本書講述歷史的態度，跟撒母耳記與列王紀迴異。不同之處，正是本書的特點是關乎作者的神學觀點——神和祂子民的史實，是他特別關注的。全書假設讀者對歷史事實已經知曉，而本書的目的是解釋這些史實。

　　全書一個明顯的特徵，是他專注於大衛的皇室家系，集中描述以耶路撒冷為中心的王國（對於主前931/930年以後分裂出來的北國諸王，作者並不感興趣）。此外又用了大量篇幅來描述所羅門的聖殿、聖殿中的祭司制度及聖殿的崇拜。有些人認為，這是由於他希望鼓勵與他同時代的人，全心全意參與「建造第二聖殿」；他們重建這聖殿來代替所羅門的殿，卻遠不及舊殿那麼宏偉華麗。我們若留意作者把焦點集中在所羅門的聖殿（他們當日確有一座

403

同等的聖殿），也叫人注意大衛的寶座（是他們所缺的），我們便能更深廣地了解作者的信息了。作者不僅要談及宗教禮儀，也同樣談及政治架構。這樣雙重地強調王位與聖殿、君王與祭司，在各時代都是適切的，因為前者的重點關乎神怎樣管理祂的子民，而後者的重點則關乎神的子民怎樣回應祂。

這便幫助我們解釋作者對分裂之王國的看法。按一般的說法，北國稱為以色列，南國則是猶大，但真正的「以色列」是指所有的以色列人。聖經要透過大衛的子孫向他們彰顯真正的王權，並透過亞倫子孫向他們表明真正的祭司職。那就是指南國的人（除非他們反叛了），但也同樣包括北國的人（若他們願意回轉）。關於這一點，歷代志下十三章是一章重要的經文（特別參4-5、8-12節）。因此，作者依常使用「全以色列」這說法，談到她再次聯合為一，並得著更新的可能性，並描繪出一幅理想的以色列圖畫——那並非任何時代的以色列國照片，而是把不同時代，從不同來源混合拼集而成，好像一個萬花筒一樣。

他以類似的方法提到理想的以色列，以繼承大衛與所羅門作王的形式，描繪出一個理想的王權。正如前文提到，歷代志當代的讀者對這兩人的故事都很熟悉，也認識他們的為人，知道他們各自嚴重的錯失，但也有偉大的美德。因此，我們要像早期讀者一樣，明白歷代志作者在此描畫的大衛和所羅門，是一幅「官方」的畫像，為要補足（卻不是否認）撒母耳記和列王紀中記載二人真實的一面，有好的也有壞的，這是一幅真實的畫像。描述並非不準確——只是作者選擇性地取材而已。他叫我們留意帝王們執政時的某些得失，讓我們看見神管理子民生活的不變法則。

🌡 主 題

歷代志作者對當代的盼望，以及給後世的信息總有這些方面，同時也包括另外3個特色。一個是延續性。他以開首9章聖經的名單帶出這特色；他以這些名單，把歷代神的子民連繫起來，並藉著他提到不變的原則，把他們更深地連繫起來。他想告訴我們，縱使環境有所改變，同樣的原則也必能應用在神

今天的子民身上，正如昔日一樣。

另一個特色是所謂「報應」——罪有應得，也意味著順命蒙福。不過話雖如此，聖經一貫的觀點，並和歷代志的作者也知道，實際的情況遠遠比這複雜，但屬靈的因果原則，基本上是真實的，結果是每一個新的世代總有新的盼望：簡單地說，「我若悔改，便得到饒恕」。新約只是闡明這個原則。基督徒像舊約的以色列人一樣，會發覺順服和不順服，都有無可避免的後果；不悔改的人要因拒絕基督這基本的罪而受罰，而當他聽從福音，他便得到祝福。

最後，歷代志有令人驚訝的統計數字，如金錢的數量、軍隊的人數等等，跟撒母耳記和列王紀有出入，往往龐大得叫人難以置信。事實上，許多差異都即時可以解釋，而許多似乎誇大的地方，可能因為是誤解用字，如「千」常指一個比千人為少的作戰單位；也可能由於手民之誤，像我們今天在數字上多寫了一個「0」，或漏寫了小數點等。許多這樣的問題仍然得不到解釋。我們大可任由這些疑點存在，只要記得歷代志作者在其他方面是一位準確的歷史家；他關心神在世上作工的不變原則，而他的努力，成績斐然；由於他和初期的讀者比我們更熟悉早期的歷史（撒母耳記／列王紀），並且與這兩段歷史描述的世界更接近，因而在我們感到困難的問題上，他們都輕易地克服了。

應用綱要

歷代志的作者體會到自己的價值是基於神子民的地位，就知道被擄歸回的人真正要重建的是甚麼：重建對神的敬拜——在生命上尊神為主。我們也須對自己有正確的價值觀，才能正確地面對現況，校正我們生命的方向。

📄 大 綱

歷代志上

歷代志上

📖 註釋

一1至九34　連繫

歷代志開首數章的風格，對現代讀者來說十分陌生。我們可能會讀得不耐煩，懷疑冗長的記錄對我們有甚麼價值。正因如此，我們即使難以接受本書的風格，但仍要記得本書的內容，因為本書所錄的，是那些熟讀舊約的人所熟悉的，而對歷代志當代的讀者來說，就更是這樣。

一章1節至九章34節是本書餘下經文的正式引言，因為歷代志作者在此所作的，在全卷書中都一再出現。他把人所熟悉的事實，就是神子民的故事，以全新的方式記下。他所寫作的，涵蓋了整個故事的時期，從起始直至差不多是作者身處的年代；雖然自然地略去很多細節，但他卻能把許多真實的人物和事件包涵其中。因此，**他的史觀既具包容性，也補充個人方面**。

首9章經文一般稱為「家譜」。當中確實詳列許多世系，這部分可借助聖經中較熟悉的經文來理解。比如創世記第五章指出，神怎樣使人類按著祂的計劃，分佈在地上，又如何在人類犯罪後仍保守他們。馬太福音第一章指出，那被差遣要從罪中把人類救出來的，最後怎樣來到世間。同樣，**歷代志其中一個重要的主題是，神從不會忘記為人類謀求福祉**。

即使如此，「家譜」一詞也不足以形容這幾章聖經，因為當中確實包括別的名單。這些名單的共通點是當中的名字不單是湊合一起，而且是互相連繫的。**無論是父子關係或是別的連繫，都告訴我們，神不斷在其子民的事蹟中動工**。

一1至三24　歷代的連繫

一章1節至三章24節的家譜，追溯自人類歷史起頭，直至約主前400年左右，即歷代志寫作的年代。在一端記載的是全人類的祖先亞當；在另一端記載的是在被擄結束後，再次定居於耶路撒冷的猶太人，本書就是為這群人而寫作的。這關係是透過挪亞、亞伯拉罕和大衛，以一條連續不斷的線發展出來的（有些分枝被提及，有些則省去）。

一1-3　**亞當的後裔**　這名單來自創世記（五3-32），並且只是從亞當至挪亞共10代的名字。

一4-27　**挪亞的後裔**　在這世系的開始，最初的分枝先列出挪亞兩個幼子的後裔，後來才記載含的後裔，而含的家譜是這世系的主幹，情況正如創世記第十章。作者把創世記第十章稍為簡化，又把創世記十一章10至26節大幅刪減，寫成4至23節和24至27節。歷代志作者也把創世記中有關寧錄和法勒（10-19節）的簡單記述抄錄過來——書中有許多這類偶爾出現的評語，這是首兩個，用意是使枯燥乏味的名單多添生動的修飾。

一28-33　**亞伯拉罕的後裔**　主線也是在最後才提及，因此在以撒的家譜出現之前，有以實瑪利的家譜（創二十五12-16的撮要），和別的同父異母的家譜，他們即既非撒拉，也非夏甲所生的兒子，而是基土拉所生的眾子（創二十五1-4）。

一34-54　**以撒的後裔**　歷代志再次先列出家系的旁枝——「以掃的兒子」（35節），其後才敘述以掃弟弟雅各那更重要的家譜。作者再一次把資料簡化（創三十六10-14、20-43），假設讀者已從創世記三十六章9節，知道為何把以掃（34節）、西珥（38節）和以東（43節）幾個人相提並論。以東諸王並非按家譜列出，而是按王位的繼承，而諸族長可能連這種連繫也沒有；無論如何，這些名字之間都有些聯繫。這些民並非只有名字；文中給兩個哈達的描述（46、50節），像給寧錄的描繪一樣（10節），在他們的名字上加添了一些真實感。

二1-2　**以色列的後裔**　歷代志作者從亞當、挪亞、亞伯拉罕描述下來的主要世系，現在到了以掃的弟弟雅各。作者只在其中一章聖經使用「雅各」一名，事實上他是從另一位作者引述過來的（代上十六13、17；詩一〇五6、10）；他自己則沿用另一個名字——「以色列」。以色列——在他那年代仍奇蹟地存在的民族——的延續，以及神一直保守他們的恩典，是作者一個重大的主題。因此從本書開始，他便選用這個名字。

二3-9 猶大的後裔 這些關係多半都曾在創世記四十六章12節（比較創三十八）和約書亞記七章提及。希幔和以探兩個名字，也在詩篇八十八和八十九篇的標題出現（參王上四31），這暗示歷代志作者對以色列的王位和皇室後裔，跟他對以色列的聖殿敬拜是同樣關心。從這裏開始，他是最先（不是最後）處理皇室的家譜。

他對全以色列和屬神子民的一切，同樣感興趣。他在這裏透過4個名字表達這一點。猶大娶了外邦女子「書亞女兒」，而他與他瑪又發生了亂倫的關係，不過藉著神的恩典，兩人都得以載入家譜中，他瑪更有很獨特的權利（參太一3）。這些跟以斯拉記和尼希米記的重點有別（參導論對作者的介紹）。另一方面，珥和亞干都出生於「聖潔的家庭」，但並不能保證他們自動得蒙神的喜悅。

二10-17 猶大孫兒蘭的後裔 這世系生了耶西，及後是大衛，而大衛將被歷代志作者看為整個以色列歷史的中心。「家譜」的觀念在這裏特別適用；耶西的樹（參賽十一1、10）是中世紀宗教藝術中一個熟悉的意象。歷代志作者再一次對家譜的主幹（10-12節）和分枝（13-17節）流露關懷。他不是從單一的資料來源，編成此部分的家譜，當中大部分條目都可在聖經找到（民三2；得四19-22；撒上十六6-13，此處稱大衛為耶西的第八子；撒下二18）。他似乎是一手把資料編集起來的，又由於這裏所列出的各代，不足以涵蓋猶大遷居埃及和所羅門建聖殿之間的9個世紀（出十二40；王上六1），因此我們相信，他關心的是家譜的延續過於完整性。（請注意聖經家譜往往採用「彈性」的處理手法，因為**在聖經的語言中，「父親」可以指任何男性的先祖，而「兒子」可以指任何男性的後代**。）

二18-24 猶大孫兒迦勒的後裔 本部分的第一節和最後一節，有些地方不易解釋。**第18節**可能是「迦勒娶阿蘇巴為妻，生了耶略（女兒？）」，而**第24節**可能是「希斯崙死後，迦勒往他父親之妻以法他那裏，她便給他生了⋯⋯」。無論如何，我們不應將這個迦勒，與民數記十三至十四章的迦勒混為一談。民數記的迦勒，是與這個迦勒的後裔比

撒列為同輩的人。比撒列在這裏（20節），又把作者對王位和聖殿這兩大關注點連繫起來——這個比撒列帶領建造原來的聖所（出三十一2-5），同時又列在大衛的皇室家譜裏。

二25-41 猶大孫兒耶拉篾的後裔 描述了不同的分枝後（25-33節），這家譜代代相傳，直至以利沙瑪（34-41節）。若那是一份完整的家譜，則以利沙瑪大概是與大衛同代的人；若這家譜是選擇性的，有些地方曾被刪減了，而「**父親**」是指「先祖」的話，以利沙瑪便可能是與歷代志作者同時代的人。更重要的是另一個外邦人耶哈的出現（34-35節）；他像書亞女兒一樣（3節），在似乎沒有任何異議之下，被引進以色列的母系中，雖然她代表迦南，而他則代表埃及——以色列出埃及前和出埃及後的兩大敵人（根據34節，第31節的亞來可能是示珊的一個女兒或孫兒）。

二42-55 迦勒的後裔（重述） 此處出現更多迦勒的後裔，但不表示作者的思路紊亂。相反地，這樣「重複較早時的主題」，是特別細意的編排；若留意二章10節至三章9節所討論的次序是蘭、迦勒、耶拉蔑、迦勒和蘭，便明白這刻意的編排。這種「交錯式」的寫作形式，在聖經多處都可看見。戶珥把兩個迦勒的家譜連繫起來（19、50節），但此處的第二個家譜大體上是提及一些新的資料。亞弗、希伯崙、基列耶琳和伯利恆（42、50、51節）並不是人物，而是地方——*qiryat*（譯作「基列」）和 *bêt*（譯作「伯」）分別是指「**城**」和「**家**」——而「**祖**」可譯作「創立者」或「首領」。同樣，第52至55節似是談及部族，而不是個人（像一11-16的國族）。

三1-9 蘭的後裔（重述） 所列出的是從大衛所生的家族，用以平衡（上述蘭的後裔部分）大衛之前的家族。參考的資料可能是撒母耳記下三章2至5節，五章5、14至16節，縱然歷代志這次有更詳細的記載，列出大衛的後裔不少於19人。

三10-16 所羅門的後裔 這裏涵蓋大部分王國的日子，雖然作者只是提及各個王的名字（第4節只有「作王」一詞）；他在這幾章聖

經裏所關注的，是人和他們的關係。所列出的大量材料，現要縮減為單一的主線，就是列王的家譜。既使這樣，當中並未包括每一位以色列君王。掃羅並不在其中，亞他利雅和所有於王國分裂後在北國作王的也不包括其內。此處所關心的只是從大衛而出的後裔。作者的參考資料當然是整卷列王紀上下——一份極之簡單的名單！

三17-24 約雅斤的後裔

此處忽略了以色列歷史的兩個重要轉捩點——被擄與復興。正如君主制的唯一暗示是「大衛……作王」（4節），此處唯一的暗示是「耶哥尼雅被擄」（17節）。作者看重的是以色列民，尤其是大衛的後裔，他們一直倖存，而這家族當時的後人——以利約乃的的眾子（24節），正是把由亞當開始的故事延續至本書寫作的年代。

附註 這裏有兩個難題。聖經各處都稱所羅巴伯為撒拉鐵的兒子，而不是毘大雅的兒子（19節）；有一種解釋說毘大雅娶了寡嫂為妻，所生的兒子算為撒拉鐵的兒子（參申二十五5-6）。**第22節**的「示瑪雅的兒子是」幾個字，若是錯誤地加插在這節經文中，句末的「共六人」才解得通。

四1至七40 家庭的連繫

在一至九章中，作者不只一次記載猶大和便雅憫的家譜。為甚麼呢？猶大在一至三章出現時，是大衛皇室家系的一員，而大衛家系是這幾章聖經的主題；便雅憫在八至九章將以掃羅皇室家系的身分出現，而掃羅家系便是這裏的主題。在四至七章裏，猶大和便雅憫是從以色列這主幹分枝出來的兩個支派。

四1-23 猶大支派

這名單跟第二章有幾點相關，但大體上，我們並不清楚兩者有何關係。然而，像先前一樣（一10、19等），作者在此不單寫下他所關心的一些要點，而且還是一些重要的要點。第一，這些人物是真實的。其中有一些名字如伯利恆和提哥亞（4、5節）——「祖」在此乃指「創始人」或「首領」（參二42-55）——提醒讀者，本書的背景是真實的，並非虛構。名字的意義和居民的職業又額外提供了真實感：「**伯利恆**」是

「餅家」，「**珥拿轄**」（12節）是「銅城」；「**革夏納欣**」（14節）是「匠人之谷」，在別的城市，則有許多細麻布工人和窰匠（21-23節）。

第二，這些人證表明了一些屬靈的原則。雅比斯受稱讚（9-10節），因為他的名字在希伯來文的意思是「**痛苦**」，會視為不祥；但他常常求告神、信靠神，因而掃除了這樣的迷信。米列（17-18節）娶了一個埃及人為妻——這幾節經文引起爭議，但這事實明顯是把外邦人引入神子民中的另一個例子（比較二3、34-35），也是歷代志作者眼光廣闊的典範。基尼洗人迦勒（15節）後來是知名的人物（書十四6-15），他可能也是外族人，並非生於猶大支派，而是被接納得以進入猶大支派的。

四24-43 西緬支派

跟著談到西緬，這支派常跟猶大相提並論，並因西緬支派而得分享著猶大遼闊的領土。約書亞記十九章1至9節列出西緬得地時，也提及這一點，而**第28-33節**把約書亞記列出的城邑抄錄過來了。這些地理方面的記載，以及此處家譜的記載，比四章1至23節少得多，這顯示西緬支派在土地和人口方面都在下降，那是歷代志讀者清楚知道的（第27節的示每是例外）。另一方面，以色列的任何支派都不會完全衰退枯萎，**第38-43節**便指出了西緬支派的重要性。

五1-26 約但河東的支派

像西緬支派一樣，作者接著談到的幾個支派，只是列出他們的地理環境。流便、迦得和瑪拿西半個支派定居在約但河以東，那是在8節下至11和23節提及的地區，這地區稱為基列。作者指出流便是「以色列的長子」（1節），雖然長子的權利已轉給約瑟（因而給了以法蓮和瑪拿西），而長子的地位則為猶大所有（創三十五22，四十八，四十九4、8-12、22-26）。像在西緬支派的描述，此處談到好些戰爭。基列地的支派都一起參與19至22節的戰役，並遭受第26節的入侵。若這場對抗夏甲人的爭戰，跟第10節提及的爭戰相同，那麼與夏甲人之戰，加上被擄事件，是在他們佔據約但河東的300年裏，首尾互相呼應著（10-26節；3-6節中流便的世系明顯是省略了多個世

代）。兩件事證明了一個基本的屬靈定律：前者證明勝利是由於信心的禱告（20節）；後者說明失敗是因為不信的悖逆（25-26節）。

六1-81 利未支派 從81節經文及其中心位置，可以清楚看見，利未支派極其重要，原因可從利未支派的歷史中看見（1-30節）。以色列的大祭司是利未次子哥轄的後裔。祭司和君王制度，共同構成歷代志的主軸。因此，這裏列出的利未家譜是遠及被擄的時候（15節）；我們再次看見，本書的連續性比歷史大事更為重要，而在本章中，並沒有提及這類歷史大事（連出埃及的事件也沒有提及；摩西的名字只是如常地列出來，3節）。而**第10節**是建殿之外重要的事件。若正如許多人的主張，附註是屬於第9節，那麼這句話便是整個名單的中心點，因而此處也有一種格式上的編排，為了顯出聖殿和祭司的中心位置。跟著是列出別的分枝，其中一枝包括了偉大的撒母耳（27-28節），但也像摩西一樣，沒有得到任何優待。

3位歌唱者的首領希幔、亞薩和以探受委任——他們來自3個不同的利未家族（33、39、44節）——可見利未支派的職任，也跟本書的中心要點有關，重點就是大衛與所羅門的執政。作者也是對準這個焦點，列出了從亞倫所出的12代後裔，都是負責獻祭燒香的大祭司（49-53節）。

利未支派遍佈全國（54-81節）。利未人並沒有自己的支派領土，但其餘各支派都要給他們城邑和土地。作者這樣的記載很特別，因為當時環境變遷；他好像要指出，**無論國中發生了任何改變，也必須保留一個「原則」，就是要有一個具代表性的祭司制度。**

七1-12 軍人支派 這裏出現一件新事：談及一個支派的軍事力量。與上述的名單比較，這裏只有極少的名字（對於從以薩迦至大衛這九百年來說，所列出的只是小部分人，1-2節），可能因為作者缺乏這些家譜，所以用了軍隊的普查名單來填滿這空間。然而，大衛時代的勇士卻在其中。昔日的以色列，跟作者時代那大大縮減了的以色列，分別極大，我們必須看深一層，了解真正的情況。

附註 對於此處龐大的數目，請參導論。此處並沒有提及但支派（除非第12節下應讀作「但的兒子戶伸」，比較創四十六23）。

有人認為，整個便雅憫的部分（6-12節）實際上是關乎西布倫（好像但一樣），他並沒有在名單上出現；而真正的便雅憫家譜是第八章，與第四章的猶大家譜平衡。另一方面，創世記四十六章21至24節的次序：便雅憫/但/拿弗他利，可能指出七章6至13節也有相同的次序。

七13-40 其餘的支派 瑪拿西和以法蓮部分甚難解。首先，所談及的基列（是地方還是人物？比較民三十二39-40），使我們弄不清14至19節所列出的是整個瑪拿西的家譜，還是半個支派的家譜（參五23），而瑪迦的身分奇特（除非我們從第15節刪掉一些字，而讀作「娶了一個妻……名叫……」）。下一部分同樣意義不明，**第22-23節**的以法蓮，是支派的創始人和約瑟的兒子（生於埃及，創四十一50-52），還是一個有著相同名字的後人？其餘兩部分的含義倒是清楚直接。

我們不要藐視這些支派，縱使他們後來成了背逆的北國成員。作者指出，像他在較早前的家譜一樣，非以色列人也可加入以色列的世系（14節），傑出的人物也能由此而生（27節），而女性也有獨特的地位（15節下和24節；參民三十六章）。

八1至九34 王位與聖殿的連繫
也許第八章的便雅憫，是一連5章經文的最後一章，與第四章的猶大平衡——首尾都有一個皇室支派，而利未這祭司支派，則放在中央（第六章；參七6-11之註釋）。第九章又再記載不少關乎利未支派（1下-34節）和便雅憫支派（35-44節）的事件，一個是祭司支派，一個是皇室支派，從而引入本書下一個主要的分段。我們也可看第四至七章眾支派的概覽，而八章1節至九章34節為了下一部分而記載，以便雅憫（皇室支派）和利未（祭司支派）為背景，而九章35至44節是重複便雅憫名單中的相關部分，好引進掃羅的故事。

八1-40 從便雅憫預備了王位 第1-28節名

單的範圍，可與猶大和利未相比。它跟別的便雅憫名單很不相同（例如七6-11；民二十六38-41），而這部分跟別的材料似乎沒有任何連繫；像在別處一樣，原因可能是「兒子」可以指在另一個時間或地點的後裔。我們仍看他們是全都繫於同一個支派的。

第29-40節提到支派中一個特別的世系，那是掃羅的世系。九章34至44節會再複述，作為王國歷史的引言。但好像挪亞、亞伯拉罕、摩西、約書亞和撒母耳一樣，作者沒有特別提到掃羅，更沒有提到他在世時的重要事件。一如往昔，歷代志關心歷史的延續過於歷史的改變。

基遍是一個地方（29節），像耶路撒冷一樣（參四1-23之註釋）。若在第30節（參九36）加插民珥一名（如新國際譯本），假設他的兄弟和兒子都名叫基士，而歷代志與撒母耳記的歷史都不必提供完整的家譜，我們便可弄清住在基遍之家族的關係，使這裏的記載與撒母耳記上九章1節協調。此處所記掃羅的世系若是完整的，它便是約在被擄的時候結束；若記載並不完整，它持續的時間會更長，縱使它在十章6節的事件之後發生，但已不再是皇室家族。

九1-34　從利未保存了聖殿　若四至八章是一個單元，九章1節上便恰好結束了這單元。作者在九章1節下至2節，又再輕描淡寫地介紹出下一部分：歷代志在列出被擄歸回者的名單前，只用一句話交代了被擄的事。名單跟尼希米記十一章十分相似，而當中多半提到利未人，縱然在4個部分（以色列人、祭司、利未人和殿役；2節）的第一部分也包括以法蓮、瑪拿西、猶大與便雅憫（3-9節）。**作者從不放棄「全以色列」的理想，他盼望北國復興，與南國再次聯合。**祭司出於亞倫家族（10-13節），他們在以色列宗教裏負責獻祭事宜；利未人有別的宗教職務（14-16節）；而殿役或守門的，則負責一般事務（17-34節）。

若八章1節至九章34節組成一個單元，這兩部分就包括本書所關注的時期——便雅憫部分引進君王時代，利未部分則從被擄談起，因而再次強調歷史的延續性。

九35至二十九30　大衛

歷代志作者接著用了20章的篇幅，講述大衛的事蹟，因此在他的故事編排中，大衛顯然有著無比的重要性。然而，因著父子同時的記述，所羅門的故事幾乎也佔去同樣的篇幅（首次在二十二章介紹出來），因此我們應把兩位王並列，看他們共同樹立的理想君王的榜樣。**由於本書的兩大主題是王權與祭司職分，可以說大衛確立了寶座，而所羅門則建造了聖殿。一個是爭戰的勇士，一個是和平的使者。**即使如此，兩個主題——寶座與聖殿——在兩人執政期間，都佔有顯著的地位。

大衛與所羅門的時代，在此描述為理想的國度，因此，本書對他們的描繪，跟撒母耳記/列王紀有所不同。那裏所描繪的，是有人性的軟弱，會犯錯的君主；而此處則是兩位明君的官方畫像。作者並非要掩飾王的過錯；因為人人都知道他們所犯的罪也曉得他們愚蠢的行徑。作者只是選擇性地記載，好把在他們賢明偉大背後的原則說明出來。

九35至十二40　王與子民

前任君王掃羅——以色列的首任君王——在此背景下失敗，把一個王國交給了大衛，他成為了聯合王國的焦點人物。雖然他已作古人（對歷代志作者、讀者和我們而言），但他體現著恆久不變的原則，那是神子民的生命要得著塑造。

九35-44　第一位王的家譜　在此以前，「歷代志」只等同於一些家譜、名單。從現在開始，它有了新的元素——故事的敘述，以色列國度的歷史——而最後一個家譜，把第一個王介紹出來了；這家譜是引自八章29至38節的重述。

十1-14　第一位王的失敗　撒母耳記上用了23章來描述掃羅在位的事蹟（九至三十一章），作者卻省去了22章。他只講述掃羅之死，並加上兩句評語（13-14節）。對作者來說，掃羅的命途怎樣逐漸走下坡，或掃羅死後，他家的命運又如何（撒下一至四章），都與他無干；從以色列國的角度看，他只知道掃羅家在基利波山上已結束了（6節）。掃羅對神不忠（13-14節），這是他要指出的重

點。這裏突顯了大衛的忠心。相對於掃羅，大衛是一個尋求神心意的人（撒上十三14；作者並沒有引述撒母耳記上的句子，因為在他描繪大衛的整幅畫像，會表明這一點）。只有大衛的順服，才可以把掃羅的不順服所帶給以色列的惡果扭轉過來。因此，人在近期的經歷（對歷代志作者來說，寫作對象是被擄的人），跟掃羅在位時的情況相似（7節，五25-26，九1下），他們便應從大衛執政的時期，學會復興的法則。

十一1-3 新王的子民　本段的資料來源，是撒母耳記下五章1至3節，應驗昔日的預言（創四十九10），眾民歸順從猶大支派出來的君王。作者稱大衛是他子民的骨肉，是他們勝利的救主，是神所選立的，是與他們立約的人（3節）；這裏稍稍露出大衛那偉大的後裔——耶穌——的端倪。

十一4-9 新王的城　耶路撒冷將是他寶座的所在。大衛對眾民的統治，會帶來讚美、和平和昌盛（比較詩一二二篇）。在歷世歷代中，神的統治正是這個意思（來十二22）。即使在大衛的時代，這城也是他兒子建殿的地方（十七12，二十二1），後來以色列人要在這裏敬拜，並以神的約櫃為中心（十五3-28）。但在此之前，萬軍之耶和華也要藉著祂的元帥基督，在此治理祂的子民（9節）。

十一10至十二22 新王的勇士　這些名單在撒母耳記中，放在較後的位置（二十三8-39），但本書則把它們移前，好在開始時，就顯出「全以色列」，怎樣以各種不同的身分，聚集在一位賢君之前。像一至九章的名單，這裏的名字可能是從不同時期的名單抄錄過來的，為了更有效地說出作者的要點。

在大衛的「勇士」中，最傑出的有3人（十一11-14）；撒母耳記下二十三章8至12節稱他們為「三個勇士」，並詳述其事蹟（歷代志中有些細節遺漏了；抄錄的人必定是從「聚集要打仗」（12節；撒下二十三9）跳到「聚集成群」（13節；撒下二十三11）。跟著是30個勇士，其中3人做了件叫人難忘的事，而歷代志作者也極其珍視這事件（十一15-19）。這事蹟發生在大衛政治生涯的早期（撒上二十二1）。亞比篩和比拿雅顯然是在上述的3個勇士之中（十一20-25），而比拿雅的功績尤其值得紀念。

像一至九章那樣，大部分的「勇士」對我們來說都只是一些名字（十一26-47）。我們不知道他們跟30個勇士有何關係，而有幾個名字是加在撒母耳記下二十三章的名單之上的。矛盾的是，這些純粹是名字的記載（除了偶爾加上一句話之外；十一32、39、42），卻使他們顯得真實，因為他們各有不同特點。

現在提到4組不同的勇士，在掃羅治下，即在大衛躲在洗革拉期間（撒上二十七6），或在曠野的山寨裏時（撒上二十三14），與大衛聯合成軍。（請再留意「交錯法」的編排：洗革拉／山寨／山寨／洗革拉；參二42-55之註釋。）首先是一群便雅憫人（十二1-7）：大衛要受到「全以色列」的歡呼，包括掃羅的支派。這些人來自掃羅的本族本城。雖然按著同族弟兄的本分，他們應站在掃羅那一方，也許他們除了因眼光銳利而知名外（十二2；士二十16），同時也有政治和屬靈上的眼光，使他們支持大衛。迦得族勇士的最後兩句評語（十二8-15），可能指他們有「超過一百／一千人」，並且把住在平原的人趕走的並不是他們，而是漲溢的約但河；但在14和15兩節經文中，新國際譯本與歷代志作者的意願較一致——強調大衛支持者的勇猛。對於早期投奔大衛的便雅憫和猶大人（十二16-18），大衛為了某些原因，對他們產生懷疑，也許他還記著多益出賣他（撒上二十一至二十二章）。然而神的靈感動亞瑪撒，使他作出滿有靈感的回應，這是給大衛最有力的確證（十二18；像在士六34；代下二十四20），並且再次表明，神賜福祂所揀選的王，和那些幫助王的人。掃羅執政末年（撒上二十九至三十一章），有第四批勇士來歸順大衛（十二19-22）。這些瑪拿西人到了掃羅差不多肯定衰落時，才靈巧地決定投奔大衛，但他們仍是受歡迎的。

十二23-40 聚集在希伯崙　大衛建都於耶路撒冷之前，眾人聚集把他膏立為王（十一1-9）。這裏列出個別的名字（27-28節）；以不同方式描述各支派的隊伍。**聖經只有這一次沒有把支派維持在12這個數目上**（數算方法按著地理位置從南至北，然後轉向東，包括

了利未，也包括兩個約瑟支派，和瑪拿西兩處領土，共有14組——確實是「全以色列」了）。此處不單強調以色列群眾多樣化的組合，也強調其合一性（38節），這與士師時代的分而不合有著強烈的對比。神的子民在神揀選的君王之下，聯合起來，大大歡樂（39-40節）。

十三1至十四17　大衛在耶路撒冷

掃羅的執政與大衛在希伯崙作王（簡單地提及；十二23、38）只是王國故事的一個前奏。首先約櫃——神立恩典之約的象徵——必須安放在大衛新建的首都裏（十三1-14）；然後神要「從聖所」說話（詩六十6-8），宣告大衛在本國的祝福（十四1-7）及在國外的名聲（十四8-17）。作者回顧了掃羅那反面的情況，並前瞻他自己要在全書中陳述的兩個主題：敬拜/聖殿/祭司與政府/寶座/君王。

十三1-14　領回約櫃　本章大部分（6-14節）引自撒母耳記下六章2至11節，而撒母耳記下五章11至25節則留待下一章才引述；正如引言中指出（1-4節），約櫃是極其重要的。約櫃的模樣（出二十五、三十七章）及其近年的歷史（撒上四至七章）已人所共知；此處的重點是當掃羅在位時，以色列並「沒有在約櫃前求問（3節，約櫃的「它」或作「他」，即約櫃或約櫃的神，十14），但相反地，大衛與跟他在一起的全以色列將在約櫃前求問。

第5節把撒母耳記下六章1節重寫，進一步強調了「全以色列」，也著意從北至南的範圍，甚至比一般說「從別是巴至但」的界限為闊（二十一2）。第一次集會作出了決定，第二次集會便付諸行動，把約櫃帶進國民生活的中心。

烏撒和俄別以東的經歷，證明了約櫃的「好處」。那是一種「可怕的好處」；約櫃放在烏撒家中足有20年（撒上七2；撒下六3），因此他熟悉約櫃的一切是可以理解的，但那卻是致命的。當人以應有的尊重態度對待約櫃，它才會帶來正面的好處。

十四1-7　大衛在耶路撒冷得建立　歷代志描述約櫃已安排運往大衛的首都（下一章會繼

談撒母耳記下六章餘下的事件），現在回頭講述撒母耳記下五章11至25節的事蹟，並進一步強調一個重要的對比。首先，這幾節描述大衛在耶路撒冷得到一個顯赫的「家」，這裏所表達的有多個意思；而另一方面，掃羅在基利波山的戰役中逝世時，「他的全家都一同死亡」了（十6）。

十四8-17　大衛在國外揚名　作者繼續對比軍事上的勝利，並且都是從第十章的事蹟來看。兩個王都曾與非利士人爭戰；掃羅失敗了，大衛卻得勝；在掃羅時代，外邦諸神得榮耀（十10），而在大衛的治下，他們卻受恥辱（十四12）；掃羅既沒有尋求神，也沒有順從神（十13-14），而大衛卻尋求神（十四10-11、14-16）。神兩次給大衛的回答都是著名的。神在此的「衝破」，是大衛讚美的原因（十四11；對比十三11），而樹梢上那神祕的聲音表示神正出擊，大衛只是跟從祂（比較士五4；詩六十八8）。

十五1至十七27　約櫃

約櫃代表恩典之約，表明神主動使以色列永作祂的子民。他們怎樣以信心和敬拜來回應那恩典，是歷代志作者心中一個主要的重點之一。他肯定是對聖殿有極濃厚的感情，但重點卻不止於此：他多次重提人應怎樣尊崇和安置約櫃（代上十三，十五至十七，二十三至二十八，代下三至七，二十九至三十一，三十五章），在這事上應牽涉哪些人和哪些事，並提醒好些以約櫃為中心的宗教禮儀。因此，他對撒母耳記下六章11至12節有不同的編排。在那兩節經文之間——期間有3個月的空隙——他加插了大衛王國的建立（十四章），並列出約櫃移往正式的家園之前所作的宗教禮儀安排（十五1-24）。大衛所定下的禮拜儀式，講述相同的故事（十六章），而第十七章的預言與禱告，再次講出神為大衛所作的，與大衛為神所作的，兩者之間的真正關係。

十五1-15　適當的儀式　現在再次講述約櫃移往耶路撒冷的旅程，語調同樣是喜樂的，而現在則更顯得慎重其事。約櫃要由人扛抬，而不是用牛車來運載，而扛抬的當然是利未人（2節，擴充了撒下六13；事實上，1-

24節整段都是附加在較早時的記載中）。這是因為再次相對於掃羅的不敬，大衛曾「求問」神，並得著了回答，不是藉著一些神祕的經驗，而是藉著摩西的律法（13、15節；申十8）。對約櫃的敬意，不僅是尊重，而是實際地遵從神的話。

此處再一次有全以色列各代表的參與（3節），而利未支派在慣常的3族以外，再有3個細分的部門（4-10節；出六16、18、22）。祭司和其他利未領袖所需要的「潔淨」，無疑就是出埃及記十九章10至15節中所描述的程序，但重要的不單是禮儀本身，更是這些禮儀所描繪與神的關係。

十五16至十六3　適當的讚美　大衛在歡樂的旅程中委派一些謳歌作樂的人，叫人想起他是「以色列的美歌者」（撒下二十三1），並想起已在六章31至47節中列出的謳歌者首領的名單——利未3大家族中各有一位領袖，又前瞻那恆常有樂聲縈繞的聖殿。我們不知道在十五章17至18節中，有多少利未人是作守門的，多少是負責音樂的，但俄別以東似是他們當中的成員；我們也不知道他是否就是那位曾有約櫃安放在家中的俄別以東（十五25；參二十六4-8之註釋）。但這群人組成了一隊訓練有素的詩班和樂隊（十五19-24；「女音」和「第八」可能指高音和低音；它們也出現在詩篇的一些標題上）。

歷代志作者在撒母耳記下六章13節之上，加上了一句神的認可的話（十五26），因為大衛曾「求問」神，又順從神；這裏卻刪去大衛與妻子之間的爭執（撒下六20-23），只是寫上一句關於她對此事不表贊成的話（十五29）：掃羅家的代表仍未能與神的心意相通，不像大衛那樣深知神的心意。

十六4-36　大衛感謝之歌　由亞薩領導之詩班在敬拜中所唱的歌，是特別應時的，因為那歌要在神的約櫃前，在「耶和華」（4節，那是神在約中之名）面前頌唱；約櫃現正運進以色列人的生活中心。而這就是這首詩歌的背景和主題（4-6、37節）。這詩歌融合了詩篇九十六篇、一〇五篇和一〇六篇。第一部分（詩一〇五1-15）指出讚美神是甚麼意思（8-13節），為何要讚美神，那是因著神的約（14-18節），一個恩典之約——即在祂偉大

的愛中，祂揀選並拯救了祂的子民，但他們卻不能為自己作些甚麼來討好神（19-22節）。第二部分（詩九十六）讚美神是萬民的神，因而是勝過諸神（比較十10，十四12），並且實在是高過全地（23-33節）。最後幾節詩歌（詩一〇六1、47-48）呼籲神的子民與利未人一起歌頌讚美（34-36節）：那是向神這位救主的呼喊，而「**拯救我們**」一詞就是「和散那」——那圍繞著大衛家最後一位君王的群眾，在祂勝利地騎驢進入聖殿時，要再次向祂歡呼「和散那」（可十一9-10）。**第37-43節約櫃與祭壇**只有亞薩那一組利未人留在耶路撒冷，而希幔和耶杜頓（可能是以探的另一個名字，六44）的人則被遣回基遍。

十七1-27　約櫃的居所　本章全是從早期的記載抄錄過來的。但此處對撒母耳記下七章11和14節所作的更改值得注意。在這裏，**第10節**作「治服你的一切仇敵」，而不作「使你安靖」，因為對作者來說，安靖安息是所羅門治下的特徵，而不是大衛治下的光景，加上大衛時代的混亂之後，所羅門得著權利，建造聖殿。同樣地，第13節刪除了所羅門犯罪的可能性（雖然他會犯罪）。從作者的角度看來，所羅門和大衛要被視為共同建立王國的創始人，是黃金時代的兩位理想人物。

顯然大衛想為約櫃建造一個居所，而神人拿單的回答，同樣清楚，這個願望本身並沒有問題。但神的回答教大衛「把這一點點心願提升」，並教他按著全新的理解去擴大這心願。神從沒有要求得著一個永久的居所（4-6節）；祂卻是把約櫃設計成可以攜帶、可以移動（出二十五14）。神為大衛所作的事，比大衛任何能為神所作的都來得更先（7-10節）；請留意這幾節經文中常重複「我」字。在大衛和所羅門的日子裏，祂要建立一個家和一個國（11-14節）；**家與國雖是屬他們的，但也是屬神的，因而是永恆的，並因此比政治上的王國更大**。政治上的王國在4個世紀後就要滅亡（像十六34-36一樣，是指向新約基督國度的另一個暗示）。這樣，**本章就從「約櫃」的主題**（1節），**發展為「聖殿」和「王位」的主題**（12節）。

大衛於是進去「坐在耶和華面前」（16節；大概是在約櫃面前），以一個典型的禱告來作回應。首先，他讚美神（16-22節），因

袖賜福子民的計劃，包括了過去（尤其是在出埃及的時候使以色列國成形），也包括未來。跟著他祈求神（23-27節），行出袖應許要行的（12節）；這是一個真正出於信心的禱告，建立於穩固的基礎上，因此必蒙應允。

十八1至二十8　以色列在列國中

這3章聖經是從早期不少於14章的歷史濃縮而成的（撒下八至二十一章）。作者刪去了掃羅家倖存者的故事（撒下九；參代上十6），又刪去大衛犯姦淫（撒下十一至十二章大部分）及隨之而來的惡行（撒下十三至二十一章大部分；參代上三1-9）。只保留大衛的爭戰，而且加以強調。**歷代志作者不願意描繪一個縱慾的大衛，卻樂於繪畫一個嗜血的大衛，似乎是頗為奇怪。然而，大衛在軍事上的成就，是看為蒙福的正面象徵（十八6、13）。這些戰爭是必須的，好為「安靖」之時建立聖殿作準備。**

在歷代志刪去大衛與亞摩利人和非利士人衝突之背景；如拿轄（十九2）在撒母耳記上十一章作掃羅的仇敵，及歌利亞（二十5）在撒母耳記上十七章為大衛所殺。作者所繪畫的背景，是大衛在國內外的成就，其中有友善與敵意的鄰邦。在這背景下，本書在十八章1節至二十章8節誇耀大衛的成就。

十八1-13　外交

從第十四章開始，就出現大衛的敵人——非利士人，既開始也結束跟著的3章聖經（十八1，二十4-8）。第十八章簡單地談及以色列在約但河東的宿敵摩押和以東（2、12-13節），但大部分是關乎以色列以北，即在現今敘利亞和黎巴嫩地區的列國。幾乎所有邦國都存敵意，只有一國表示友善（哈馬，十八9，像十四1的推羅一樣）。無論是敵是友，大衛都聲名大噪，而他的成功帶來了安靖的時期，那時所羅門會建造聖殿。同樣，無論是敵是友，都向大衛納貢，使他府庫充裕，而所獻來的金銀寶物，將是大衛獻給耶和華聖殿的禮物（7-11節）。由於大衛是一個戰士（二十二8-9），所以在某個意義上，沒有資格建聖殿，但那並不表示神不接納他。例如，在與以東人對抗的戰役中，亞比篩可以得讚賞（對比撒下八13），因為那次勝利顯然是耶和華賜給大衛的。

十八14-17　內政

跟著略略提到大衛官員的編制，如撒母耳記下八章15至18節。有關作者背景的經文，提到大衛在耶路撒冷的家室（十四1-7）。「基利提人」和「比利提人」是從革哩底和非利士來的外邦士兵，組成大衛的護衛隊。

十九1至二十3　對抗亞捫人的戰役

亞捫人是約但河東的另一個民族（參十八2、12-13）。大衛與拿轄之間早期的友誼（十九2），只在拿轄與掃羅的敵意交往中透露出來（撒上十一），甚至在大衛出場之前。亞捫人對大衛的看法（十九3）表示無論鄰近各國是助長他還是對抗他，他仍是一股愈來愈大、不可忽視的力量。戰爭爆發後，那些與十八章5節的軍隊有關的亞蘭軍，也捲入衝突之中。大衛的外甥約押和亞比篩兩兄弟（二13-17），共同領導大衛的軍隊（這提示了十八12與詩六十篇的標題之間的關係）。亞蘭聯軍在兩次戰役後被擊退（十九14-18；與撒下十18的數字有所不同，參導論）。亞捫人最後被擊敗了，如二十章1至3節所記的，但對於大衛與拔示巴通姦及殺害丈夫的事，則隻字不提（撒下十一2至十二25）；作者只想提大衛的成功，而不講他的過錯。

二十4-8　對抗非利士的戰役

「以色列在列國中」這部分，因著提到非利士這敵人再次「被制伏」而得到圓滿的結束（4節；比較十八1）。歷代志作者至此刻意略去大衛已得到「安息」（參十七10之註釋，及撒下七11）；對作者來說，那安息是所羅門的權利。對於歌利亞的兄弟（5節）：參看撒母耳記下二十一章19節之註釋。

二十一1至二十二19　神的殿

第二十一章幾乎完全錄自撒母耳記下，但二十二章則出自歷代志作者的手筆。大衛下令核數民數，以及神為此而降瘟疫懲罰他的事蹟，在撒母耳記下二十四章只是故事的一部分，但據歷代志作者看來，這事的重要性，是撒母耳記沒有提及的：瘟疫停止蔓延的地方，就是擬建聖殿的地點。「這就是耶和華神的殿」（二十二1，和合本為二十一31）是本段的關鍵。第二十一章是向著這一節發展，而第二十二章隨之而發展下去。事實

上，關乎建聖殿的事，現在一切已準備就緒——先是建殿的概念，繼而是神的確定、約櫃歸回、材料之備存，而至此是地點之定妥——因此，第二十二章介紹所羅門是最終建殿的人。要待大衛爭戰的朝代轉到所羅門安靖的時代，工程才可展開。歷代志上餘下的經文，主要是詳盡地記載各項行政的計劃（二十三1至二十九30）。

二十一1-17 核點民數與瘟疫 歷代志作者只此一次記載大衛所犯的罪。他捨棄一向的立場，沒有把大衛描繪為邪惡的國君，原因是這件神視為惡的事（7節），最後導致聖殿位置的確定（如上述）。大衛犯罪，結果招來刑罰，但根據撒母耳記下二十四章1節，刑罰主要是由於以色列民先前所犯的罪。也許由於作者心中有著雅各書一章13節的原則，所以他出乎意料之外地提及撒但這角色（1節）。正如約伯記二章3節所說，雖然一切須有神的批准和在神所定的界限之內，可是，實際上是撒但把麻煩帶來了。

我們不知道數點民數何以是錯誤的。在某些情況下，核數民數是律法所容許的（出三十11-16）；核點民數正是民數記一書得名之由來，而歷代志上前部分各章也有類似的名單。也許由於這裏是一個軍事名單（5節），所以顯出大衛的動機是錯誤的。歷代志指出，以色列真正的保障在於信靠神，而不在於軍隊之龐大（如代下十四11，十六8）。在此站於有利位置的是約押，而不是大衛，雖然在早期歷史中，他並不是一個討好的人物（王上二5-6）。他並不情願執行民數的數點。這裏也不能由於民數記一章47至50節的規定，他把界線劃在利未與便雅憫之間（也許兩個支派都被視為會幕的管理人，而會幕是在便雅憫境內，十六39）。核數的數目，跟撒母耳記下十四章9節的數目有所不同；請再參看導論。

拿著刀的天使也曾在巴蘭（民二十二31）和約書亞面前出現（書五13-15），而昔日與現在一樣，天使出現的地方都被看為聖地。此處他是一個把瘟疫帶來的使者（11節，在和合本是12節）。大衛看見天使時，他顯然正與一群長老從耶路撒冷北上，也許是往基遍占求問神而獻祭（參29-30節）。在新英語譯本中，第17節作「我是牧人」（而不是「我犯了罪」），這使大衛的話顯得更尖銳。

二十一18-21 瘟疫停止的地方 亞勞拿（歷代志作者用「阿珥楠」）是住在耶路撒冷的一名原居民（參十一4-5），但顯然認得耶和華的使者和耶和華所膏立的王（二十一20-21）。大衛知道在這些事件中，耶和華得著彰顯而不是受損，因此樂於徵用這外邦人的禾場作祭壇和建殿之所。

此處所註明的價錢（二十一25），可能是整個聖殿範圍的價錢，因為撒母耳記下二十四章24節的價錢便宜得多，也許該處只是祭壇範圍的價錢。耶和華為確定這樣做是正確的，便從天上降下火來（二十一26），正如使者確定基甸的呼召一樣（士六20-24）。更有意義的比較是，會幕初次搭起（利九24），和聖殿最終獻上給神的時候（代下七1），火也降在祭壇上。耶和華的「回答」（「應允」，二十一26、28）表明了祂賜福子民的計劃。此處指出既是聖殿，即約櫃——代表神的恩典——安放的地方，也是祭壇——代表人的回應（二十二1）。正如約伯的遭遇一樣，撒但的惡謀反而給人帶來祝福（伯四十二12）。

二十二2-5 為聖殿預備的材料 本段及歷代志餘下的經文，都不能在撒母耳記/列王紀找到平行的記載。所羅門在此出現了，但大衛至本書末才退下，所以跟著的8章聖經把兩個朝代連結起來，作為400年君主政體的雙重基礎。同時，它們全都是關乎聖殿的，再次強調歷代志作者所談及的兩個主題，就是祭司和君王。大衛為了建殿，預備了大量的材料，其中包括許多來自以色列之外，還有來自各國的貢品（參二十一20-21之註釋）；耶和華的名聲因此遠播。凡此種種，都顯出了這建築物的重要性。

二十二6-19 建殿的指示 大衛詳盡地跟所羅門談到興建聖殿，然後再向「以色列的眾首領簡述內容（16節）。第二十八章以幾乎完全相同的主旨，向公眾講話，而末後兩節則是向所羅門說的話。這就像許久以前，摩西把權責交給約書亞一樣。「你得剛強壯膽」這命令完全是重複摩西的話（12節；書一9），而兩段經文也有極多相似之處。摩西曾引導神的子民經過混亂和轉變的日子，以色

列人在期間成為了一國一民；約書亞帶領他們進入安息之地（書一12-15）。同樣，大衛必須是士（7節；參二十八3），不過他沒有因此受譴責，而所羅門將是「太平的人」（8節），這都是實情（參十八13之註釋）。事實上，「太平的人」這譯法有誤導的成分。我們應採取修訂譯本的譯法，即：他要作一個「安息的人」，不受敵人侵擾而得享安息。雖然他登基後，神也會賜以色列人「平安」（šālôm，像所羅門的名字一樣）和「安靜」（在書十一23，十四15；申十二10所用的字與此很相近）。大衛爭戰時所流的血，實在使他失去建殿的資格（7節下），但要點是，他的工作是「為耶和華的殿預備」（13節），所預備的不單是物料，還有他多次勝利帶來止息干戈的太平盛世；所羅門的工作則是「建造耶和華神的聖所」（18節）。大衛在16至18節向「以色列的眾首領」講話時，就綜合了兩個朝代因果。

二十三1至二十七34　聖殿與王國

無論略讀或細讀，這幾章聖經都會把人嚇怕，略讀只會看見毫無幫助的名單，像一至九章一樣；而細讀則會發現其中有許多明顯的矛盾。這些其實是利未支派的家族名單，加插了別的資料，說明利未人在聖殿中的事奉。這裏大部分資料似乎都不屬於大衛時代，有些甚至是屬於歷代志作者那時代的。然而，這些資料全都被看成「大衛時代的」，正如所有舊約律法都集中於摩西，所有舊約智慧都集中於所羅門一樣。大衛為了興建聖殿，準備材料，而以色列民則是一群準備好去事奉神的民。

二十三1-6　眾首領的集會　第1節應看為歷代志上餘下數章的總標題（並不是二十九22所暗示的頭一個典禮）。餘下這7章聖經，以本節啟始，二十九章28節結束，把大衛執政的日子推向燦爛的高峯。舊約使用「年紀老邁，日子滿足」這說法來形容那些該得榮譽的偉人，如亞伯拉罕和約伯。歷代志作者刪除了凡人大衛的犯罪和消極部分，因為這些會有損君王大衛的官方畫像。此處好像有兩次集會和兩次「加冕禮」，很可能是正確的；在原文中，第2節的招聚並不及後來的用字那麼正規（二十八1）。

本章稍後會處理利未支派分為祭司和（其他）利未人的情況（2節），而「利未人」的4種劃分，則是本章和其後4章的基礎（4-5節）。此處利未人30歲的年齡下限（3節）跟別處的20歲（24、27節），顯示本部分（像本書開始的數章一樣）是從不同時代拼貼成的整幅以色列人圖畫。

二十三7至二十四31　在聖所供職的人員　利未家族的名單（二十三7-23，二十四20-31）包著兩個中心部分，這兩部分是利未人的職務（二十三24-32）和祭司的劃分（二十四1-9）。

利未3個兒子是頭一批名單之首（二十三7-23）；二十三6節下大概用作本部分的標題。二十三章7節的革順子孫，可能是比六章17節提及的較後期，而二十三章9節上的人，可能又是來自不同的時期。歷代志作者把祭司和其餘利未支派之職務劃分開來（二十三13）。

其餘利未人的職務，在二十三章24至32節中詳述。一旦那可移動的會幕被永久的聖所取代了，他們某方面的職責當然也會有所改變（二十三25-26），而所牽涉的似乎是一般的利未人（即二十三4-5所指出的各個分部）。「二十歲」（二十三24、27），請參看二十三章3節之註釋。

祭司的劃分是利未支派中另一種分類（二十四1-19）。作者回顧往昔，談到亞倫兩個大兒子之死（二十四2），但卻沒有說出其中蒙羞的原因（利十1-2）。那不尋常的句子「在神面前作首領的」（二十四5），可能是以另一個方法來描述「在聖所作首領的」（「和」解作「甚至」或「就是」），又或許兩種描述只表示這些領袖是「聖潔」和「傑出」的。前瞻未來，24個「族長」中，有些名字在後期再次出現，如耶何雅立（二十四7）出現在《馬加比一書》二章1節，哈歌斯（二十四10）出現在以斯拉記二章61節和尼希米記七章63節，而最著名的是亞比雅（二十四10），出現在路加福音一章5節。

利未人最後的名單見於二十四章20至31節，相當於二十三章12至23節的名單，卻是一個世代以後了。我們再次看見作者所描繪的以色列畫像是有許多層次的，他是把許多不同時期的記載合併起來。

二十五1-31　謳歌奏樂者　聖所人員的名單之後，是利未人的第二個部分，那就是樂師。樂師再有兩種劃分方法，先是根據亞薩、耶杜頓和希幔3個家族（1-6節），跟著是根據以他們的兒子為首的24班（7-31節）。希幔被稱為「王的先見」（5節），而亞薩和耶杜頓則跟別處的稱呼一樣（代下二十九30，三十五15）；說預言跟唱歌顯然有關連，雖然「指教」一詞像「說預言」一樣，在1至3節中提及了3次，顯示在聖經時代（比較林前十四26-33），說話和唱歌都可以出於靈感，而非出於狂熱或失控。

希幔首5個兒子的名字之後（4節），是9個不常見的名字，這些名字在希伯來文中好像詩句一樣：「哈拿尼雅、哈拿尼」就是「恩待我吧，耶和華，恩待我吧」，諸如此類。希幔也許是根據他所喜愛的詩篇來為眾子起名！

謳歌者的班次，像祭司的班次一樣，分為24班（二十四7-18）。在任何情況下，那完整的名單都像第8節的含義一樣（比較二十四31，二十六13），是歷代志作者的特色，也顯示他確信在神的計劃中，祂全部的子民都要結合起來。

二十六1-19　守門的人　這一組名單基本上是1至3節、9至11節和19節組成。利未的三大家族中（六1），此處只出現了哥轄的子孫（1節，根據六22，可拉是哥轄的子孫）和米拉利的子孫（10節）；**第1節**的亞薩並非二十五章1節那著名的亞薩，因後者是革順的子孫（六39-43）；他是九章19節的以比雅撒。可能有一個革順族守門者的名單，但卻找到俄別以東的家族（4-8節）。作者沒有為這個突出的人物提供一個利未家譜，但若每一次提到俄別以東，所指的都是同一人的話，在十五章18節可見他是個利未人，他有資格列入這名單內，並領受第5節和十三章14節那特別的祝福（並參看十五17-25之註釋）。

俄別以東的子孫可能在大衛時代（即建殿之前多年）已是作守門的（十五17-18），但在建殿後，即最少是所羅門時代，他的名字也在這裏出現（15節）；九章17至32節（給我們詳述了守門者實際的職務），更在4個世紀後聖殿重建時，列出相同的名字。這都是由於作者把各時代的資料重疊起來，為神

子民的生活和敬拜構造一幅有深度的圖畫。其中一個守門者有精明之謀士的美譽（14節），作者又提及王宮及其他守門者在值班（18節「遊廊」的意義不得而知），暗示了無論作者如何把各部分巧妙地拼合在一起，不同部分仍是真實和準確的。

二十六20至二十七34　各部之長官　二十三章4至5節中4個利未人之部分，是按著人數來列出的。詳細名單的次序卻有所不同，名單是從中央往外逐步列出，即聖所中的人員，然後是樂師、守門的人，現在最後列出文武百官，有些負責聖殿外的事務（二十六29）；他們包括全以色列的官吏，有負責俗務的，也有負責宗教事宜的（二十六30、32）。第二十七章的名單更是在利未支派以外。

二十六章20至32節談及掌管「府庫」，或貯物室的官員（20節；跟二十七25的用字相同）。有些似乎是聖所用品的管理者（二十六21-22），像在九章28至32節所記；有些則負責管理其他財物，如戰時的掠物（二十六24-28）。其餘的人的職責是司法（二十六29）或財政（若二十六30、32暗示有宗教和世俗的稅項）。這圖畫也是從不同時代剪裁而成的：二十六章30至32節描述的遼闊土地，是屬於早期的疆界；利未人參與行政則是後期的事（代下十九8-11）。當以色列歷史被看為一個整體，我們才能掌握箇中精髓，所以只有把所有重要人物（甚至是掃羅，二十六28）聚合起來，我們才能掌握不同的人物和角色。

二十六章29至32節離開了宗教進入世俗的範疇，也論及不屬利未的事情──一個軍隊的名單（二十七1-15）。這也是最完整時的以色列。眾軍長是歷史中最出色的領袖楷模，他們就是十一章10至31節大衛的12位勇士，而其中的數字可能是理想中的軍力──12班，各有24「千人」，叫人想起24班祭司，特別是24班各有12人的樂師（二十四7-18，二十五6-31）。因此，雖然亞撒黑在大衛成為全以色列的王以前已逝世，但名字也在一班之首（二十七7；撒下二18-23），而這軍隊的組織是較似所羅門時代的風格。

二十七章16至24節列出之官長，可能負責二十七章23至24節的人口普查。此處提到12個「支派」（若瑪拿西算是一個支派），雖

然這是十分奇怪的名單；只能猜測為何迦得和亞設被刪去，而亞倫則被加上。這次數點民數，可能就是二十一章1至8節所記述那一次；那裏的記載，不一定如一些人的看法，是跟這記載互相衝突的。

二十七章25至31節是另一組12人的名單，這次所記的，是朝中的大臣——文官的首領。歷代志作者又再樂於記下參與事奉以色列之神的非以色列人（阿比勒和雅悉，二十七30-31）。

最後是大衛的內閣（二十七32-34），包括一些身分難辨的人，好像他的「叔叔」約拿單，和其他在別處已熟悉的人（十八14-17；撒下十五至十七章）。這些名單中著名的人物和巧妙的整理，再次告訴我們，作者的用意是展示一幅神子民的理想圖畫。尤其是第二十三至二十七章，所顯出的是「大衛」典型的耶路撒冷聖殿和以色列王國的組織，這正是神所揀選的王理應達至的光景，也是日後傳給其後各代的組織架構。

二十八1至二十九30　王位繼承

最後兩章回顧第二十三章，該處第1節說：（「大衛……就立他兒子所羅門作以色列的王」）是歷代志上最後整個長長段落的題目（二十二1至二十九30），二十三章2節曾提及以色列眾首領的聚集；二十八章1節則是第二次更大更正式的集會，事實上是所羅門的登基典禮（二十九22-24）。我們也在回顧第二十二章，因為此處向所羅門說的話，和關乎所羅門說的話，只是二十二章大衛私下向所羅門說的話的公開和官方版本。特別值得關心的是，理想的以色列君王大衛快要退位了，其後歷代神的子民都需要知道，當大衛不在時，他這些理想的制度應怎樣維持和實施。因此，他臨終時給所羅門和以色列的指示，是影響深遠的。

二十八1-10　耶和華的指引　這篇公開的正式講辭，跟上文的形式很不相同，但內容則與第二十二章比較一般性的談話十分相似。本段也叫人想起摩西差遣約書亞的話：「在以色列眾人眼前」，「你當剛強壯膽」（申三十一7；比較此處第8、10、20節）。

歷代志作者雖關心「建造殿宇，安放耶和華的約櫃」（2節），但神向其子民施恩的計劃（約櫃所表達的）則更加重要。根據「該計劃」，大衛是戰士，而所羅門是和平的人（3節，二十二9）。神已經從以色列眾人中揀選了這對父子，坐在祂的國位上，為祂建造殿宇（4-6節）。在某個意義上，一個永久國度的應許是無條件的（十七12-14），但在另一個意義上，那是在乎人是否遵從神（7節）。大衛留給後裔之「遺產」，其中一個重要部分，是**第9節**列出的原則：「你若尋求他，他必使你尋見；你若離棄他，他必永遠丟棄你。」這是歷代志中「即時報應之說」的經典語句，這句話在歷代志下會經常出現。

二十八11-21　聖殿的樣式　大衛在第1至10節所說的，強調了神的主動和神的行動。現在這一切一切，都要由所羅門去付諸行動。這跟會幕仍未建成，神吩咐摩西去做的甚相似——「樣式」（11節），跟出埃及記二十五章9、40節的用字相同——它包含耶和華殿裏種種的工作所牽涉的人和物件（13節）。神指示摩西的計劃，因此再次交給大衛和所羅門（19-21節）。神期望所羅門積極地與祂同工，而所羅門也不看神的計劃為艱巨難行。**第20節**的勸勉，比第8和第10節更類似申命記三十一章6至8節及約書亞記一章5至7節，這句話在希伯來書十三章5至6節迴響著。

二十九1-9　委身奉獻的挑戰　大衛已向眾民表明順從神的必要（二十八8）；現在他挑戰他們要慷慨、盡心捐獻。他自己先作榜樣（2-5節上），眾民繼而響應（5下-9節）。此處提及大量的財物（參導論），但所顯出的是樂捐的態度，像建會幕時一樣（出三十五20至三十六7），也像第二聖殿時期，即歷代志作者身處的時代不久之前，也類似眾先知所要求的（該一3-4；瑪三8-10），並新約教會——一種新的聖殿——建立時一樣（林前三16；林後八至九章；徒十一27-30）。作者使用他當代而不是大衛時代的錢幣「達利克」（7節），這使他的讀者感受歷史的真實性。歷代志作者並非如一些人所想的，是冷漠的人；他在此也像其他地方一樣，指出大衛向民眾發出的挑戰帶來歡樂、慷慨和誠心實意（9節）。

二十九10-20 **盛大的感恩會** 活在歷代志作者時代的人，可能永不能經歷這樣一個盛大的場面，但作者希望能帶出其中的原則：這位神在歷世歷代中都是真實的（10、18節），而且萬物都是屬祂的（11、14節）。因此，每個世代數算其恩典時，自然地，這一切的豐富（16節），表明萬物也都是從神而來的。眾人再一次滿心喜樂，慷慨捐獻（17、19節）。

神的子民把這有名的禱告內容，自此用作自己的禱告。即使是**第15節**這句嚴肅的話，也希奇地能激發人的信心：大衛那黃金時代不比任何世代更能長存，而那世代也像每一個世代一樣，只能在大衛所信靠的，那永不衰敗的耶和華裏尋得「指望」。

二十九21-30 **膏立所羅門為王** 「次日」是獻祭和筵宴的日子（奉獻給神的，得到神的賜予），也是所羅門正式登基的時候。這是他第二次的登基典禮（22節）；作者預期讀者認識首次膏立的背景，昔日是因為所羅門要先其兄弟奪得帝位，匆忙地安排一次膏立的典禮（王上一章）。由於歷代志作者假設過去的歷史是人所共知的，所以他給兩位中心人物繪畫出不同的畫像，筆法是故意的：像大衛「享受豐富、尊榮，就死了」（28節）之前，他所經歷的種種問題，作者都避而不說。而在「以色列眾人也都聽從他（所羅門）」（23節）之前，所羅門需要平息的反對聲音，也沒有提及，因為在歷代志中，這兩人共同代表著理想的君王。所羅門的尊榮使他能與其父的尊榮相比，而在兩人背後，卻是神永恆的王權（二十八5，二十九11）。王者和國度都是不可動搖的，因為這些都是屬於耶和華的（23節）。

歷代志下

📖 註 釋

一1至九31　所羅門

大衛被譽為以色列國最偉大的君主，他在位期間，是以色列的黃金時代。歷代志也強調這一點（代上十至二十九）。因此，這偉大的君王一旦消失，由他兒子所羅門接任，跟著有甚麼事發生，就是那些未曾在大衛治下生活過的神的子民特別關注的。

我們在歷代志下一至九章應特別留意兩件事。兩朝相似之處，我們會看見大衛所定下的原則，是所羅門和所有關心神子民的國君都會遵從的。兩朝不同之處，並不在於所羅門的錯失（歷代志作者對此等事略而不提），而是因為大衛的成就未算完全。兒子完成父親未了的事，成為神心中理想君王。黃金時代由這兩朝聯合組成。而最重要的，這是指建殿的工作。由於大衛戎馬出身，不能建殿，而所羅門是生於太平時代，因此被委以重任。

一1至二18　所羅門得建立

神藉著所羅門來作工，像祂藉著大衛作工一樣（一1）。兩朝共同形成神治理子民的藍圖。然而，所羅門是「安息的人」，並不表示他所有的信心是被動的，只伸手讓神作成每一件事，自己卻不動半個指頭；相反地，開首這幾章聖經顯示所羅門與神、與子民及與鄰國的關係，尤其是對建殿工程的熱心，都是很主動和積極的。

一1-6　所羅門尋求耶和華
作者馬上指出，他筆下的所羅門，要與大衛一同被視為君王的典範：所羅門為了鞏固自己的地位而作出些令人不快的事（王上二），作者都刪除了（1節）。「以色列眾人」（1節）都來支持這位新王，像他們支持已故的君王一樣（代上十一至十二）。經文中除了證明所羅門是神用來治理百姓之外，更描寫出尋求耶和華的所羅門（5節），他像任何心靈窮乏的信徒一樣尋求神。正如大衛的時候，代表著神恩典的約櫃，和代表著人之回應的祭壇，是在不同地方的（代上十五1-3，十六37-40），而作者刻意只提所羅門在祭壇上所獻的祭（對比王上

三15）。他又提醒我們，所談及的會幕和祭壇，是摩西時代比撒列所造的；所羅門稍後要把兩者替換過來（參四1-11上）。

一7-13　所羅門祈求祝福
從所羅門的異象看來，恩典/信心的模式，是淺顯明白的。神問他要甚麼，所羅門作了一次典範式的回應。這個禱告是基於神的性情（考慮祂已經作成的事；祂是言出必行的；以及只有祂能賜予的東西；8-10節）；他又考慮到自己的不足，並子民的需要。神的回應（11-12節）跟馬太福音六章33節中耶穌的話相同，就是我們應尋求神的國和神的義。

一14-17　所羅門在世上壯大
在列王紀中，所羅門與外國的外交和經濟關係，是在他執政晚期才提到（王上十26-29）；但在此則提前講到這方面的事，表明這是建立勢力的一個要素，而且是在他開始主要的工作（建殿）之前。這確立了他執政的特色，就是「安息」。在其中，貿易取代了敵意，戰爭變成了和平。這些與大衛執政迴異；這些政績令所羅門與其父並列，成為理想之君王的兩方面的象徵。

二1-18　所羅門準備建聖殿
經文提及建殿和建王宮，但歷代志作者刪去了建宮室的細節（王上七1-12），一再表示他把焦點集中在建殿之上。歷代志既已交代了大衛不能建殿的原因（代上十七，二十二7-10，二十八2-3），在此也刪去了列王紀上五章3至5節的資料。

兩段經文關乎所羅門動用勞工，兩段經文之間是兩封所羅門與推羅王希蘭的來往信件。所羅門要求希蘭協助的工程是全新的事，規模是最大的；但所為的卻絕對不是一件新事，而是為了以色列最古老的宗教。人們仍然奉行古時的祭祀儀式（4節；比較出三十7-8，四十23；民二十八至二十九），所需的物料正如以往一樣（7節；比較出三十五35），甚至有位工匠，像從前的督工亞何利亞伯一樣（13-14節；比較出三十五34。細節如10、14、18節；跟王上五11、13；七14的平行經文不同；作者似乎總愛採用不同的資料。至於所羅門曾否令以色列人作苦工，參王上五13-18之註釋）。

作者在11至12節引述希蘭的話：像在九章8節引述示巴女王的話一樣，這是作者另一個特色；這些話顯示，**當以色列由神所揀選的王治理時，外面的世界也看出神和神的賜福臨到以色列中。**

三1至五14　建造聖殿

根據歷代志，所羅門為後世所紀念，是因為他建造了聖殿（而不是列王紀所指的別的事情）。他的作為一般都只是略略提過，建殿的工程，也是從列王紀上六至七章較詳細的記述撮述而成，因為歷代志作者像往常一樣，假設讀者已熟知詳情。整個工程的目的，是預備一個適合的地方，使眾民看見神的榮耀和神的同在。整段的記述似乎是為了帶出五章13至14節的景象，好像要說：「當所羅門成就了這些和那些事，神的榮光就顯現了。」

三1-17　聖殿

建殿的地點也充滿意義（1節）。大衛曾在那裏看見神的憤怒和神的憐憫（代上二十一16）。很久以前，亞伯拉罕也曾在這裏遇見神（創二十二14：「在耶和華的山上必有預備」，或「他會被看見」；聖經中也提及摩利亞山的，只有創二十二2）。很久以後，西面也在那裏抱著嬰孩耶穌說：「我的眼睛已經看見你的救恩」（路二30）。

至於神要在其中彰顯祂榮耀的聖殿（參本部分的末後經文，五14），簡短的記述自然是從入口開始（4節）。可想象它可能是一座塔，其高度是闊度的6倍，但較有可能的是，兩個數字都應該是「二十」（新國際譯本）。這廊子引入聖所——「大殿」（5-7節），然後進入「至聖所」（8節），有兩個基路伯在其中（10-13節）。作者強調了裝飾的數量和質量；**「巴瓦音」**是一個現已無人認識的地方（6節），但其金子顯然極其貴重，就像第4和第5節的**「精金」**一樣；**「六百他連得」**是龐大的數量（8節）；第9節的**「五十舍客勒」**可能指金釘裝飾的數量（用金製成的釘子並不實際），會幕的聖所和至聖所之間，也有一塊「幔子」（出二十六31-33）；所羅門聖殿的結構，明顯是按著摩西律法的原則建造的；然而，細節卻有不同。最後，在聖殿以外，有兩根獨立的柱子，就是雅斤和波阿斯（15-17節）。

四1-11上　傢具陳設

重點也在於建造的原則。正如會幕與聖殿都在聖所中有幔子，兩者同樣必須擺設祭壇（1節）。從前的祭壇長寬為五肘，高三肘（出三十八1-2）；現在的祭壇則長寬為二十肘，高十肘。

從聖殿出來，人首先留意到的是祭壇。跟著是「銅海」（2-5節），這海是放在一邊的（10節）；其後是看見10個洗濯盆（6節）；轉身回望聖所，會看見10個燈臺（7節）和10張桌子（8節）。會幕裏只有上述陳設各一件，而歷代志作者在別處也有類似的說法（代下十三11）；因此，猶太傳統認為聖殿裏有新的陳設各10件，也有舊的陳設各一件。

四11下-22　工程的概述

本段根據列王紀上七章39至50節詳細敘述。其中包括先前沒有提及的項目，請留意建殿使用了極大數量的銅和金子（18節），作者又要我們注意所羅門和巧匠戶蘭之間的合作。兩人可說都是製造「這一切」的人（18節），正如摩西和比撒列同樣負責建造會幕（出三十三22-23）。

五1-14　眾人來到聖殿

成就是屬於所羅門的：他建殿的工程完成後，才把大衛所獻的金銀帶進來（1節）。是神開展這計劃的：這敬拜所的主要特色是約櫃——神恩典、同在和聖約的象徵（2-10節）。獻殿的時間最適合是七月節（第七個月，3節），即住棚節，那時全民都安然聚集在聖殿裏，為神信實的供應眷顧而讚美神。從前的會幕，現在都移進聖殿中（5節），表示這是按原來之原則而有的一種新體現。**「直到如今還在那裏」**（9節），意思可能只是「從那時開始」（事實上，到了歷代志作者的時代，約櫃已不見了），但它卻巧妙地道出這些屬靈的原則。希伯來書八至九章的話，指出了它們在新約中延續的重要意義。

本段幾乎全是從列王紀上八章1至11節抄錄過來的，但第11至13節是附加上去的，把這些典禮與大衛移約櫃入耶路撒冷的典禮聯繫起來（代上十五至十六章）。「眾人」一詞重複出現：在理想的以色列中，眾人都會被吸引，來到這些典章之前（3節），而在他們中間，神的榮光會顯現，這是當聖殿（11-13節）和會幕（出四十34-35）都完成之後的事。

六1至七22　獻殿的儀式

這兩章聖經像第五章一樣，細緻地按列王紀上八至九章寫成的。其中敘述的事件，比聖殿之建造，更能引起歷代志作者的興趣。這些事件的三分之二，記載著禱告和禱告之回應。從某個角度看，所羅門是依從大衛所定下的原則而行。神的子民在神所揀選的君王面前集合，便得到賜福（六3；代上十六2）。所羅門也作了一些大衛不能作的事。大衛藉爭戰立國，奪取了耶路撒冷，並把約櫃移進城中，而所羅門則全力使約櫃繼續留在永久的居所中。

六1-11　獻殿儀式開始

所羅門的工作顯然得到神的認可，因神的榮光充滿了聖殿（五13-14），一句簡述之後（1-2節），便進入典禮的講辭（4-11節），其後又引進他冗長的禱告（14-42節）。在不設窗戶的至聖所裏，其中的幽暗表示神是人不能看見的（1節；比較出二十21）。同樣，聖殿中象徵祂同在的約櫃（2、11節），表示祂雖然住在天上，但在地上也常與那些向祂禱告的人同在（14-42節）。

除了宣告神的偉大，所羅門再沒有別的祝福可以給他的子民。這是一位信守應許的神，尤其是賜給大衛的應許（4節）。祂揀選這城和這王，是一個約，跟祂在出埃及時與摩西所立的約相同（5-6節是罕見的引述；當人預期歷代志作者會提到出埃及時，他並沒有這樣做──對他來說，那個約已被這個約所吞沒，正如會幕已在聖殿之中湮沒）。所羅門接續大衛作王，是神所計劃的，並且付諸實行（7-10節）。約櫃成為了這個新世代的中心，正如它在摩西的時代一樣（11節），並不叫人意外。

六12-21　親近神的禱告

所羅門禱告的開始充滿了這位無可比擬的神（14節），他向神重提前面提及祂的事，並附加說神要求人順從祂（16節）。他明明地指出「與世人同住在地上」的意思（18節）：與祂親手、親口的圖畫呼應（4、15節），我們現在看見祂的眼目和耳朵，常常看顧和垂聽祂子民的禱告（19-21節）。這解釋了為何聖殿既是約櫃的居所（神的約──施恩的應許，11節），也是焚香的所在（焚香代表禱告；比較18-21節與二6）。

六22-42　代求的禱告

這個重要的禱告，是所羅門藉著神所賜的智慧發出的；為了全體神的子民，並涵蓋了廣泛的諸般處境，包括實際的情況和有可能出現的變數。像第六至七章的大部分內容，這禱告是從列王紀上而來的，卻特別適合後來的世代，像歷代志作者的時代，那時禱告中所想像的情景已經兌現了。**這是一個關乎禱告的禱告。所羅門所祈求的，是以色列不會作一群只懂得被動地接受祝福的子民，而是主動地祈求祝福。聖殿和約櫃要提醒每個世代，他們需要親自經歷神的同在。人人都要學習向著聖殿禱告；不一定要用身體向著聖殿，而是常把心思和意念集中尋求神的同在。**

所列出的7種處境，可以解釋為審判之執行（22-23節）、在戰爭中落敗（24-25節）、旱災（26-27節）、因各種不同的原因而困乏（28-31節）、外邦人尋求神（32-33節）、正義的「聖戰」（34-35節），以及導致被擄的罪（36-39節）。當然有些是以色列地理和歷史上的特別情況，但在任何文化、任何氣候和時代的神的子民中，都會有同樣的處境出現。

七1-10　火的回應

雖然每次所羅門的禱告結束時，都提到神榮光的顯現，但並不是說這榮光出現了兩次（在第1與第3節都好像是說「火與榮光」），但**第3節**確實指火與榮光現今既在聖殿以上，也在聖殿之內，因此人人都可以看見。它證實所羅門的工程已按神的意思完成。但火有更深一層的意義。神現在所認許的是聖殿的啟用，正如祂的意願──藉著所羅門的禱告，祂可與其子民相會。因此，祂使用了公開的象徵記號，讓以色列人去經歷和記念，以別於神即將給予所羅門的私下回答（12-22節）。在神和以色列人之間其他同樣重要的相會，火也曾降下：在摩西（利七24）、大衛（與本事件的地點相同，代上二十一26）和以利亞（王上十八38）的時代。大衛與他的兒子，再次被看為祂計劃中對等的伙伴（10節）。

「七月節」（五3），即住棚節，之前明顯是先有這額外一個星期的獻殿慶典（9節）。

七11-22　啟示的回應

相對於那公開但短暫的神的火，神給所羅門的異象──我們可以說是會見──是私下的，卻成為了一項恆久

共有的財產。這是給第六章全章的回答，雖然簡潔，卻深具意義。**第12節**確證了所羅門在六章1至11節中談及聖殿的話。**第13-14節**接納了六章22至42節整段有關7方面的禱告（他們已被視作一群稱為神名下，擁有一片土地的民；因此，這段經文不可不加思索地應用在我們這新約時代中）。**第15-16節**保證神的眼、耳和名字實在是在聖殿中（六18-21、40）。**第17-18節**確定了六章14至17節；「你」是指所羅門（單數的），雖然在列王紀中，他確實犯了罪，王位最終無人接續，但在歷代志的含義，指他滿足了神的心意，而以色列從沒有如此一個國君。**第19-22節**提到所羅門的7個要求（六36-39），其中的「**你們**」是複數的，所指的是以色列，而無論所羅門有否背逆祂，以色列人卻肯定曾悖逆神。此外，歷代志作者及其讀者，實在曾經歷失去土地和聖殿（20節），也得見祈求的復興（六37-39）。**這幾節結束的經文也概述了基本的因果之律，那是歷代志作者教訓的重點：你若順從，便會昌大；你若違逆，便會受苦；你若悔改，便會得著饒恕。**

八1至九31　所羅門的威榮

本部分與列王紀上九章10節至十章29節的許多重點十分接近。但歷代志作者忽略了列王紀上十一章，因為所羅門後期的愚昧和妄為，會破壞他作理想君王的圖畫。作者處理大衛的資料也一樣（參代上二十九21-30之註釋）；他再一次暗示，這對父子可謂好壞參半，就像一個錢幣的兩面。我們要留意他們兩人都不是一個個體，而是被看為與以色列民一致的，後者透過他們得著祝福（比較七10）。

八1-10　所羅門的勢力

假設列王紀上九章10至14節是人所熟悉的（那裏稱這些城是所羅門送給希蘭的），而歷代志作者並非在此要補充列王紀不完整的版本（如一些人所認為的）。**第1-2節**最簡單的解釋是，所敘述的是希蘭把這些城退回給所羅門。從列王紀中知道希蘭並不樂意接受這些城，而本段所羅門也承認這些城需要修築。

本段經文顯出，所羅門是為了國民的利益而使用權力。**第3-4節**這「和平之君」的唯一一次戰役，顯示邊境是設於遙遠的地方

（在儘南面紅海上建設的海港，17-18節，可能與此相呼應，而所羅門領土的範圍，已在七章8節中有提示）。**第4-6節**提到的地方，又顯示了一個軍備充足、具防禦性和資源充足的國家。所羅門使用國中剩下的迦南人當苦工，強烈對照那真正生為以色列人的自由和自主（7-10節）。在這樣強大的國君之統治下，神的子民都得蒙祝福。

八11-16　所羅門的敬拜

本段描述「所羅門建造耶和華的殿」的一切工程（16節），記載比列王紀上九章25節更詳盡。那一節可能是二章1節的答案，因而成了結論，記述了建殿者所羅門之故事的主幹（差不多有7章的篇幅）。此處提及他那埃及裔的王后，由於她太接近聖殿中的「聖地」，會引致危險，因為「凡與約櫃有關的，都是聖潔的」（而不是「約櫃所到之處」，11節）；聖物可能引發的危險，在大衛時代，烏撒的故事中已有表明（代上十三）。歷代志沒有具體說明她的危險在於她身為一個外邦人，還是因她是一個婦人，或只是（像烏撒一樣）一個未經授權的人；此處針對的並不是她，而是聖殿。然而，所羅門雖不是祭司，卻有權在聖殿中行事（12-15節）。他順從摩西的命令（13節）和大衛的律例（14節），但此處提及這些威嚴的名字，只表示他自己的吩咐（15節）是與前人的命令同具權威的。他所設立的一切，目的是為子民敬拜神的生活設立典範。

八17至九12　所羅門的威名

以甸迦別確是指出所羅門勢力所及之處（八17；參八3-4之註釋），但這也是重要的港口，他大量的財富是由此進口的（像三6的巴瓦音一樣，俄斐的位置現已不得而知，但所出產的金子是馳名的），而八章17至18節也使人想起所羅門在鄰近列國，如以東和推羅的地位。示巴女王的訪問，可能也有商業動機，因為所羅門的權力橫跨多國的貿易路線。但此處說明的原因，是她聽見所羅門的名聲（九1），尤其是他的成就和智慧（九5）。在此提到這次訪問，是因為**她讚美所羅門的那篇漂亮的言詞——不是為了所羅門的緣故，而是要高舉那使他有如此成就的耶和華，並誇獎以色列人。**神是為了這民的好處，使所羅門有大智大能（九8）。作者再次提及希蘭，他的僕人

也幫忙把珍寶運到以色列來（烏木現難以確定是哪一種木材，但顯然是珍貴的），但無疑也叫人想起他在本段開頭曾作出與示巴女王相似的評語（二11）。

九13-28 所羅門的富有 金子代表所羅門王國的財富。聖殿建成了，王宮和寶座也已用金作裝飾（17-20節），餘下的金子便打成裝飾用的盾牌，在「利巴嫩林宮」展示（15-16節）。歷代志作者仍未說出這輝煌的日子只維持一代（參十二9-11），也沒有說所提及的建築物是甚麼（參王上七1-12）；他只是要指出所展示的，是異常龐大的財富。以色列與推羅商船隊從外地帶來的各種珍品（21節），最後修飾了這段有關所羅門的財富、智慧和權力之記載（22-28節）。所列出的第五項是狒狒還是「孔雀」，**「他施船隻」**（21節）實際上是前往他施（西班牙）或只是長途的商船，我們不得而知。歷代志再一次提醒我們（重提一15），所羅門的財富也使他的子民變得豐足（27節）。

九29-31 所羅門之死 所羅門故事的最後部分，是從列王紀上十一章41至43節抄錄過來的，本段並有3個特色。它直接引述列王紀的結語，刪掉了大部分的內容（所羅門靈性低落的事蹟），因而以高調結束他的統治。本段也提及別的記載，不單為了測定歷史的準確性，也提供屬先知作品的權威。本段再次把所羅門與其父相提並論，因為大衛也曾得到如此的題銘（代上二十九29）。

十一至三十六23 列王
　　所羅門屍骨未寒，輝煌的國度已衰落瓦解。它是沿著昔日支派的裂痕而分裂的：那是在耶路撒冷之上，一條從東至西的裂痕，南面是猶大、便雅憫和西緬（很久以前已被猶大吸納），還有當地利未支派的人。但這分裂一般視為大衛的支派相對於其餘的支派，因而南部稱為「猶大」，而其餘大部分的支派則自稱為「以色列」（十16）。
　　這使以色列一名的使用，在歷代志餘下篇幅中產生了混淆。在最廣義上，以色列指神的子民，包括南北二部，而且並沒有貶義。在政治上，那是指北面的王國。當以色列一詞指北國的人民時，其意義不一定是壞的，因為其中有真正的以色列人（十一13-17，二十八9-25，三十11；王上十九18），甚至北國的第一位君王耶羅波安，也是按著神的心意而背叛羅波安的（十15，十一4）。但以色列通常是指銳意脫離大衛王朝和所羅門聖殿制度及其君王的政治勢力，儘管實際上神不再允許他們那樣做（十三8-12）；更甚的是，一些君王如亞哈和他的家，不但拋棄大衛／所羅門的理想模式，還把外邦諸神引入國中（二十三17；王上十六30-33）。
　　然而，歷代志作者只有在北國的歷史與南國有關時，才會提及北國，因為南國的大衛家系會再延續300年和20個王朝。他的目的是顯出大衛和所羅門的理想，怎樣為其繼任人所跟從或棄絕，並展示出祝福和懲罰怎樣因應國情而臨到。

十一至十二16 羅波安
　　羅波安剛就任時，愚昧自大，引致耶和華說北國背叛他是正確的（十15，十一4）。列王紀上十二章1至24節和十四章21至31節只說出他的壞處。歷代志作者則從別的來源附加了資料，說在起初的災難之後，曾有一段成功統治的時間，然後有第二次的災難，繼而是悔改和復興。縱然羅波安所娶的妻，許多都是大衛家族裏的人（十一18-21），但這並不使羅波安成為大衛的君王，而列王紀的評論是對的，它指羅波安的治理，處處都顯得不成功。歷代志作者的記述較公平，雖然最終結論跟列王紀一樣（十二14），但仍比較公平地給本書餘下的內容定下了模式：罪帶來災難；悔改則引往祝福。

十1-19 王國分裂 示劍自古已是政治和宗教重地，因此是「全以色列」立王聚會的適當地點（1節）。引致羅波安失敗的最初3個因素（作者預期讀者已知道王上十一26-40的背景），在於拿八的兒子耶羅波安，那是有影響力的名字（2節）。眾支派以耶羅波安為他們當然的領袖，帶出了第二個問題，就是抽重稅和服苦役（4節）。服苦役照例並不會影響真正生來是以色列人的（八9），但事實似乎不然（18節；王上五13-14，十一28）。
　　羅波安諮詢了年老的和年輕的顧問，而年輕人固執的意見得勝了。羅波安背著敬重長者的聖經原則而行（參賽三4-5），雖然說

得公道一點，那是因為那些「少年人」是與他一同長大的（8節），而他們必已得勢近40年（十二13）。耶羅波安和北方眾支派既看見羅波安不讓步，便起來叛變，這樣，第三個因素，即先知亞希雅的預言（王上十一29-39），便再浮現，使羅波安大感失望和挫敗。神已說過這事會發生，而它實在發生了（15節）。叛變的呼喊諷刺地與歷代志上十二章18節唱反調（16節）。羅波安仍不願意接受事實，差遣掌管服苦役者的長官，屬行引起民憤的政策，結果帶來了可悲的後果（18節）。

十一1-23 羅波安的順從 企圖再一次以武力使以色列重新聯合起來的，被神禁止了，羅波安也聽命退兵，這使他得到稱許（1-4節）。這次的順從必是後來蒙祝福的原因：鞏固城邑的計劃（5-12節），宗教生活的突破（13-17節），及皇室家庭的繁茂（18-23節）。雖然「羅波安與耶羅波安時常爭戰」（十二15），堅固城所形成的防線（6-7節），似乎並非用作抵禦北國，而是抵抗南面和入侵（參十二1-4之註釋）。聖經已談及耶羅波安所設立的另一個宗教（參王上十二25-33），這便解釋了敬畏神的以色列人為何大都從北國走到南國來。用牛犢來代表耶和華已是壞透的了（比較出三十二4），而以公山羊來代表本地的鬼魔則是更過分（15節）。羅波安的家庭不但龐大，且按我們的標準看來，是屬於同系繁殖的（18、20節）；鑑於所羅門娶妻放縱（王上十一1-8），羅波安現在如此做法無疑已被看成美德，而**第23節**說羅波安為眾子「多尋妻子」，似乎更應作「求問眾妻子的許多神明」（耶路撒冷聖經）。

羅波安的順從，並帶來的祝福，維持了3年（17節）——但不足以影響最後的判決，就是針對「羅波安行惡」的審判（十二14）。

十二1-16 羅波安執政的晚期 從**第1節**我們不難看見驕傲與自信（那是謙卑和信靠的反面），這態度引致第1節下的罪，繼而是2至4節的懲罰。埃及第二十二王朝的始創人示撒，把埃及重新團結起來（按羅波安在以色列所作的看來，這是諷刺），現在並且要向東北面擴展，無疑是與耶羅波安和以東王、亞蘭王共謀（王上十一14-40）。入侵的詳情並非來自列王紀（3-8節）；歷代志作者從資料

所描述的軍隊十分龐大，縱然「六萬」（3節）大概應作「六千」，而示撒本身有關此戰役的記載，列出他奪取的城邑超過150座。耶路撒冷不在其中，因此第7節的預言得著了應驗，而示撒從聖殿和王宮奪去寶物便離開了（9節）。

羅波安任內影響最深遠的事，就是王國的分裂（十章）。歷代志首先加上關乎羅波安的事件，以表明原則，就是「順從帶來祝福」（十一章），而現在再加上一些事實，表明那原則就是「不順從帶來懲罰」和「悔改帶來復興」。第十二章包含了許多經典的用詞，歷代志常使用這些用語來作出教訓，例如：「得罪」（2節），**第5節**那報復性的「離棄」（並參1節），「自卑」（6、7、12節）；而**第6節**下顯出了真心認罪和悔改的意思——「耶和華是公義的」，也是「對的」，而「我們是錯的」。奠定此教訓基礎的，是所羅門的禱告（六24-25）和神的答覆（七14）。然而，事實仍然是，第十一章雖然有祝福，第十二章有復興〔或許由於「猶大中間有善益的事」（12節，十一13-17），並且由於王的悔改〕，但羅波安叫人想起的，仍是一個把王國分裂的王，並且是「行惡」的王（14節）。

十三1至十四1 亞比雅

歷代志談論亞比雅的篇幅，是列王紀的3倍；列王紀只簡單交代他是個行惡的王（王上十五1-8）。他母親對他的影響肯定不會是好的（十五16）。除了歷代志所談及的事件之外，他毫不出色。

北國與南國之間的戰爭，對於誰應管轄整個民族，似乎比不上霸佔土地來得重要，而猶大此次看來是較成功的一方（4上、19節）。但亞比雅看來要在此戰爭中落敗；**第3節**所列出的數字，顯出猶大與以色列的軍力怎樣懸殊（參導論）。亞比雅藉此機會說出一番值得我們留意的話，這番話指出歷代志神學的基本原理。

首先，亞比雅是向「以色列眾人」說話（4節）；雖然他開始時稱呼耶羅波安，但不久便無禮地把他降為第三人稱，好像耶羅波安並不在場一樣（6、8節）。重要的是眾民的忠順，而他們若忠於耶和華，就必知道祂已藉著「**鹽約**」（5節；大概指永約，參民十八19），把治權交給大衛家。這情況在前朝出

425

錯，因為其中一方出現叛變，而另一方施行愚政。（第7節那些「無賴的匪徒」，無論是擁著羅波安而「說服」他，還是擁著耶羅波安，叫他「背叛」羅波安，亞比雅的觀點仍是一樣的。）在那情況下，這造反是源自神計劃的一部分。但現在事情已回復正常：**在大衛的寶座上有一位真正的君王，在所羅門殿裏有真正的敬拜，他們不能再託辭，去尋找人來取代他**（8-12節）。

這時猶大不單有正確的神學理論，也有正確的態度（14下、18節），因此歷代志作者刪除了列王紀的結語（王上十五3），而以正面的論點來結束，指出了神的賜福（19-21節）。

十四2至十六14　亞撒

像處理亞比雅的事蹟一樣，歷代志作者記述亞撒的事蹟，比列王紀的篇幅超出3倍（王上十五9-24）。其中又有一些含糊的記載，使現代讀者感到困惑，其中多半是關乎日期的，雖然也有關於神學的含義。為方便研讀，以下的列表是從王國分裂的日期算起的。

根據經文的記載，日期似是如下：

第二十年	亞撒登基（十二13，十三2）
第三十年	十年的太平結束（十四1）
第？年	謝拉入侵（十四9）
第三十五年	進行立約（十五10）
第五十五年	戰爭開始（十五19）
第五十六年	巴沙的進攻（十六1）
第五十九年	亞撒患病（十六12）
第六十一年	亞撒逝世（十六13）

問題是根據列王紀上十六章6節和8節，巴沙是在王國分裂後第四十六年逝世的。因此，以下有另一個大綱，假設十五章19節和十六章1節所提及的，並不是亞撒執政的年份，而是從王國分裂開始計算的日子：

第二十年	亞撒登基（十二13，十三2）
第三十年	十年的太平結束（十四1）
第三十五年	戰爭開始＝謝拉入侵（十四9＝十五19）；立約典禮（十五10）
第三十六年	巴沙的進攻（十六1）
第五十九年	亞撒患病（十六12）
第六十一年	亞撒逝世（十六13）

日期配合恰當，但本身卻有問題存在：對於計算日期的方法（王國分裂後第若干年），就只有十五章19節和十六章1節兩個例子；此外，經文明明指出，這些年份並非南國的年份，而是亞撒執政的年份。不過問題仍是懸而未決。以下會再談及相關的事情（參十五11、19，十六12之註釋，及十六1-14附註的「年代問題」）。

十四2-15　君王的心　歷代志作者引述了列王紀上十五章11節，說「亞撒行……正的事」後，他便在十四章3節至十五章15節詳述那正義的事，資料取自不同的來源。一些宗教（2-5節）和軍事（6-8節）上的事情，既顯出亞撒的順服，也顯出神的賜福，並兩次使用**「平安」**這經典的字詞（6、7節；參代上二十二9）。經文中也出現作者喜用的字詞「尋求」（4節，比較7節），而人所尋求的耶和華，被稱為亞撒的神、以色列歷史上的神，及以色列民的神（2、4、7節）。

猶大被敵方的萬軍入侵，亞撒動員的軍隊便受到考驗。此處所記載的數目，似乎十分龐大（參導論）；敵人的數目遠超過神的子民，因此以色列人必須信靠神。這裏的敵人未能確定是誰——有許多不同的建議，有說是由一個路比人將軍率領的埃及軍隊（比較十六8）。**第11節**那段令人難忘的話，顯出亞撒在極端危險的時候（正如在任何時刻一樣），如何全心倚靠著耶和華，而明顯地，這位神就是使他們得勝的耶和華（12-14節）。

十五1-19　耶和華的話　本章大部分源於列王紀以外的資料（十五1-15）。表面看來，亞撒利雅的預言是在亞撒得勝之後發出的；預言似乎是指向另一次的更新，是在十四章3至5節那一次更新之後的，而這更新的典禮中包括「擄物」的奉獻（11節）。另一方面，1至15節可能是詳述十四章2至7節的行動。

亞撒利雅的信息先是淺顯，就是歷代志中所謂「報應式」的教訓（2節）。雖然這段信息稱為「預言」（8節），但當中大部分的動詞都可以是將來或過去時態的（3-6節），並且往往被視為士師記的回顧，不單切合此中的描述，也是以「報應」為主題：那時（4節）像現在（2節）一樣，重點在於尋求和被尋見。**值得注意的，是透過亞撒利雅說話的**

神，明顯就是亞撒的神、以色列民的神，也是列祖的神（參十四2-7）。最終在亞撒第十五年舉行的立約典禮（10節）包括所有人的（留意8-15節中「全地」、「眾人」等字詞），並且也是尋求耶和華（12、13、15節）。

末後4節經文——歷代志作者再次參考列王紀（王上十五13-15）——但也引起了兩個問題。**第17節**似乎與十四章3節互相矛盾；然而，十四章2至8節是關乎猶大的，而本節的「以色列」可能指亞撒其後奪得的北方領土（比較8節）。**第19節**似乎跟列王紀上十五章16節和32節相衝突，但列王紀所指的無疑是亞撒和巴沙之間不斷的「冷戰」，這冷戰直至十六章1節的攻擊，才爆發成公然的衝突（十五19的「更多」一詞應該刪掉。這看法當然對上述亞撒執政的第二個年代表較為有利）。

十六1-14　世人的聲音　巴沙的攻擊是給亞撒的一個試驗（1節），而他在這次試驗中將會失敗。在這段期間，北國與北方的亞蘭，多半時候都互相為敵的；猶大與亞蘭的協定，在政治上是智慧的做法，亞撒可為此而付上金銀（但金銀從何而來？），事實上他也曾這樣做，並且十分有效（2-6節）。世人大都會同意這是明顯要做的事。然而，這卻是亞撒不「求耶和華」（12節）的開始。在下文中（7-10節），請留意另一位先知的出現；他的教訓是說亞撒的智慧似乎帶來了良好的結果，但信靠神會得到更好的結果；這裏重複簡單的教訓——信靠神，那是基本的聖經教導，並且從過去的歷史中得到肯定；報應必臨到；而神的君王首次因反叛而逼迫神的先知。這與12節下的固執是同出一轍的。

　　附註　年代問題　若按字面意思來理解十六章1節（亞撒在位第三十六年；上文第一個年代表），則他的患病是頗為迅速的報應（第三十九年；12節）。但這並不能解釋這個年代表的有關疑問，也不能解釋第三十五年發生的事（十五19），以及為何哈拿尼預言亞撒的懲罰是戰爭（十六9），而不是患病。另一方面，十六章1節若指南國第三十六年（第二個年代表），則這些問題都有了答案；年代表的問題仍然存在，但它可以顯明，有時因果報應是比人所想象的為慢，也不甚明顯。

十七1至二十一1　約沙法

　　約沙法執政的記述，某些方面跟其父十分相似，但這裏未有像亞撒長期反叛引來可悲的結果，也沒有提供像亞撒年代的架構（記載含糊的）。約沙法的記述也較詳盡，並有兩個顯著的特徵。列王紀上二十二章首40節講述約沙法與亞哈聯盟的（代下十八章），然後再用10節經文交代他在位的概況，便結束了列王紀的記載；歷代志則用了雙倍的篇幅，顯出了約沙法的重要性。此外，歷代志從列王紀轉載的兩件主要事件（一長一短：王上二十二1-40、48-49），都沒有把約沙法放在有利的位置上，而歷代志作者更在其上加上先知們非難的評語，然而到底作者仍視約沙法為一位偉大的賢君，堪稱第二個所羅門。

十七1-19　約沙法的偉大　歷代志作者取了列王紀上十五章24節下作引言，描述約沙法的良善和偉大。兩種美德典型地交織在他的故事中：正如一般人的看法，能力與繁榮被視為祝福，而這祝福是由於人忠心地尋求神（2-6節）；**第3節**可能譯作「他行他父親初行的道」，即指亞撒（修訂標準譯本）。（「第三年」，7節，是亞撒逝世那年，即父子共同執政之後，約沙法開始獨掌朝政；參以下附註的「年代問題」。）他的宗教教育計劃（7-9節）和對神及其律法的愛護，加上他教導子民（4節），使他的財富和尊榮在列國（10-11節）及猶大中是著名的（5節），軍隊的名單則補充了第1至2節的軍事安排資料（12-19節）。在約沙法身上，也看見類似的發展。他明顯培養自己對神的信心，而這是一個「有行為的信心」（參雅二22），表現出活躍而非沉寂的宗教：他「尋求……神，遵行他的誡命」（4節），而他的行為使子民因其管治而蒙福。

　　附註　年代問題　此處約沙法執政的年日（十七7，二十31）是由亞撒患病時算起，即「共同執政」，自主前873/872年開始；列王紀下三章1節和八章16節暗示較短的執政年期，當是從主前870/869年，亞撒逝世時算起。

十八1至十九3　攻取基列的拉末之役　故事

427

主線是根據列王紀上二十二章，但記約沙法的偉大（十八1）和為他的尊榮而設的筵席（十八2），顯示作者開始在這故事中稍有更動，使南國的王（而非北國的王）成為故事的中心人物；故事結束時提到的事件和預言，並非關於亞哈（像王上二十二36-39），而是關乎約沙法（十九1-3）。

十八章1節上回顧第十七章，是十分正面的引言；十八章1節下展望那非常不理想的後事。約沙法兒子約蘭和亞哈女兒亞他利雅的結親，將帶來無盡的煩惱。軍事上的聯盟也同樣是愚蠢的（十八3）。故事的結局透露，基列的拉末原來是落在亞蘭手中（十八30），我們因而知道，歷代志作者看見亞撒的命運，又在其子身上重複了──一個好的開始，一個愚昧的結局，加上一個先知的出現。先知在亞撒王的時候說：「你不應與亞蘭聯手對抗以色列」（比較十六1-9，哈拿尼），而在約沙法的時候則說：「你不應與以色列聯手對抗亞蘭」（比較十九1-3，哈拿尼的兒子耶戶）。

然而，約沙法不止是放大了的亞撒。先知米該雅在第16節所說的話，暗示約沙法的個性。他像牧人一樣關懷「以色列眾民」，以為帶領羊群的方法就是與亞哈聯盟（十八3），他認為兩人之間的分歧並不礙事。西底家的預言說這是正確的，但結果證明他錯了（十八10、34）；米該雅的預言說這方法行不通，並暗示在事件背後有更壞的惡兆（十八16-22）；耶戶的預言告訴約沙法，他心雖寬大，卻需要識別力，並對惡人毫不留情（十九2；比較太十16）。

關乎這些預言，到十九章1至3節還指出兩點。就米該雅的預言看，約沙法確實「平平安安的回家去」（此處的「平平安安的回……到宮裏去」跟十八16的用字相同）。關於耶戶的預言，我們要留意耶和華的憤怒實際上在何時和怎樣臨到。

十九4-11　約沙法的法律改革　這幾節經文似乎與第十七章一致。兩段經文都不是來自列王紀，兩段都是關乎約沙法，這是指一位像所羅門那樣偉大和良善的君王，他所達致的成就；這一段描述約沙法怎樣治理他的民。為何兩段敘述編排在不同的地方？也許這是為了平息十九章2節所提到神的憤怒；又或許這是要

進一步與亞撒的故事平行，亞撒也顯然在一段先知信息之後，進行了第二次的改革（十五8-15）。

第6-10節大致上與申命記十六章18節至十七章13節的規定一致。約沙法對審聽民間訴訟甚表關注，使人想起撒母耳的事蹟（撒上七15-17）；而他深深關懷子民之福祉，其性情也在這事上顯露無遺。

二十1-30　猶大被侵　這段事蹟只在歷代志中出現；與列王紀下三章的事件有相似之處，但也有重大的分別。此處所記述的入侵，不可能是十九章2節宣告的「耶和華的憤怒」，**但這事似乎有神的准許，為要證明祂的拯救，而不是從祂而來的懲罰。**

至於侵略者是誰，他們從哪裏來，經文並未清楚交代，但無論如何，他們是一隊「大軍」（2節），從死海那邊上來。關於我們的英雄（他確實是英雄），作者指出的第一件事，是約沙法「懼怕」（3節）。故事已指出，他發現要堅強站立何等困難；也許因為他缺乏那種力量，以致在列王紀作者眼中，他顯然並不是大英雄。但他的懼怕使他「尋求耶和華」；此外，他也發現全國人民也都前來，與他一起尋求耶和華（3-4節）──無疑這是他勤政愛民的結果（從十七和十九章可見）。

在會眾面前，他基於過去的歷史作出禱告，他提到所羅門（9節，六28、34）、大衛（6節；代上二十九11-12）、約書亞（7節上）和亞伯拉罕（7節下）的事蹟，並應用於當時的處境（10-11節）。禱告的高潮帶來祝福，因約沙法的軟弱反成了得著祝福的必然途徑（12節）。同樣叫人難忘的，是利未人雅哈悉所說那充滿靈感的話──這次是引述申命記二十章2至4節：「要擺陣站著，看耶和華為你們施行拯救」（17節，或作「看耶和華為你們得勝」，參修訂標準譯本）。翌日早晨的事，在約沙法而言，足顯出亞撒在相同處境下同樣是「有行為的信心」（「我們仰賴你，奉你的名來攻擊這大軍」，十四11）。在耶和華而言，這是一次使祂的名得大榮耀的勝利（20-26節）。

二十31至二十一1　約沙法執政告終　在二十章31節，歷代志再次與列王紀滙合（王上

二十二41-50），雖然虧損也有些差異。本段有4點引起質疑。**第31節**似乎跟列王紀下三章1節和八章16節不同，但請參看十七章1至9節附註的「年代問題」。**第33節**跟十七章6節的說法不一樣，但作者與當時的讀者並不因此感到奇怪；約沙法是廢除「邱壇」的人，但25年後，有些邱壇瞞過了他的眼睛。「**以色列諸王記**」（34節）可能並不是聖經中的「列王紀」。**第35-37節**跟列王紀上二十二章48至49節內容不同，但那可能只是故事的上半部──他另一次愚昧地與北國聯盟，難怪在二十章1至30節那次信靠神而得勝後，又提及約沙法的軟弱。列王紀是從虧損說起，顯出這王最後得了教訓，不再與亞哈家有任何協議。至於猶大國，二者已蒙受足夠了（正如二十一章繼續指出）。

二十一2-20　約蘭

歷代志記載的篇幅是列王紀的兩倍（王下八16-24），其中強調昏君所作的壞事。約蘭跟上一代的對比，見於第2至4節；一個賢君承受的強大家族，是神賜福的記號，但在他兒子邪惡的治下，卻成為了頭一個災難（4節；士九1-6是先例，卻不能引用來證明那是正當的）。約蘭所繼承的國位「以色列」是不含貶意的（2、4節），但其後卻成為一個貶義的「以色列」（6節；參導論及十1至三十六23之引言）。轉變是在何時發生的？轉捩點在於他與「亞哈的女兒」亞他利雅結親，因著這段婚姻，兩個皇室開始多有交往（留意一些君王的名字在兩國都同樣流行），尤其是南國開始信奉已影響北國的外邦宗教。約蘭沒有效法他父親的善道（12節），卻放任而行，因為正是約沙法愚昧地助長這些聯盟。

縱使約蘭無信，耶和華的約卻確保神不會因大衛後裔行惡墮落，而毀滅他們（7節）。但他們仍須為所犯的罪作出補償，而這種補償是由耶和華而來的。以利亞的信件並不見於列王紀（11-19節），這信是出乎人意料之外的。以利亞並非一位「寫作的先知」，不曾在南方說預言。然而，這信確實把十分典型的「北方」處境套用在南國中。那是明明地關乎報應的（「你犯了罪，因此你要受苦」）。並引述例子加以強調：8至11節與16至17節描述約蘭本身的罪，以及他使別人墮落而引致的災難。所有他所想望的──權力、家庭、健康、尊敬，及標誌著神賜福順服之人的東西──他都失去了。他死後並沒有得著任何尊榮或記念，歷代志作者更假設沒有人想知道更多關於他的東西（對比十六11與二十34）。

二十二1-9　亞哈謝

這次歷代志作者大大刪減了列王紀下八章25節至九章29節。新國際譯本（及中文和合本）澄清了其他譯本可能會誤導之處，在二十一章17節指出那是「亞哈謝」，又在此處第2節交代另一記載作「二十二歲」，還有「孫女」的身分。

這是關乎第二位繼任之「昏君」的故事，指出了這時期破壞猶大的東西，就是北國的影響（3-4節），尤其是亞他利雅的影響。她先是王后，後是王太后，加上她本身極強的個性，使她權傾朝野。雖然第5節的事蹟跟約沙法幾乎喪命的事件十分相似（十八章），但亞哈謝像約蘭一樣，應被視為約沙法的對照（9節；比較二十一12）。也許最觸目的事件，就是亞哈謝的敗亡（7節）。報應之神藉著耶戶來壓倒他，而根據列王紀的記載，耶戶是把他連同隨行的人一併剷除，血腥地重演了耶戶主要的計劃──清除北國的皇室。但從南國的角度看，耶戶對付亞哈謝家，跟對付亞哈家有同樣重要的意義：約蘭要負責任，因為是他進行大屠殺（二十一4），他的家在二十一章16至17節要忍受的痛苦，現在再次發生。事件加上亞哈謝的死，意味大衛再沒有後裔可以治理國家（9節），神與大衛所立的永約險些兒毀壞了（二十一7）。但正如約蘭的故事所顯示，耶和華一直管理這事，因此亞哈謝的事件也是「出乎神」的（7節）。至於猶大的淪亡，也許我們應看成是神所引致的「逆轉」，像在十章15節一樣（並比較代上十14）。

第8-9節跟列王紀的記載不同。在某程度上，兩處經文可以調合：亞哈謝的死可能是先於他的家人和隨從，如列王紀下九至十章所說的（第9節不應有「其後」的含義），而作者可能已假設讀者知道亞哈謝是葬於耶路撒冷的（王下九28）。

二十二10至二十三31　亞他利雅

本部分以亞哈謝之死開始，以他母親亞

他利雅之死結束。亞他利雅的「執政」是不正常的。作者並沒有用一般的方式來介紹或作結語。她的國位不屬於猶大國，更休說她是屬於大衛家。她不知道當她自己即位時，一個藏在聖殿中的童子已作了真正的猶大王（二十三3、7、10）。至於她6年的統治，作者只以半句話來交代，而整章經文只為了交代她逝世那天發生的事。

猶大在亞他利雅的丈夫和兒子治下的衰落，至此已達致谷底。事情就像兩個世紀以前，即掃羅的時候那樣，而那是多年不斷出現的危機；**神的子民為了鄰國外邦人看為有價值的事物，出賣自己，直至一天只有大衛家可以拯救他們。**這裏已是第四次王室全被屠殺，只留下一個餘種（二十二10-11；比較二十一4、16-17，二十二8），但這惡謀也意味著，在神的計劃中，最後和最沒有可能的人，結果會成為祂所揀選的人，像大衛一樣（代上二15）。本文與路加福音第一章之相似，不應忽略。

第二十三章大部分從列王紀下十一章而來，但歷代志作者卻有他獨特的見解。耶何耶大的計劃極其周詳遠大，是過於人所能想象的。他把有影響力的領袖召集起來（二十三1），又招聚猶大各地的人（二十三2），對於他所作的事，聲稱是來自耶和華的權柄（二十三3），並指稱約阿施已是猶大王（二十三11）——把列王紀的版本誇大了。連續被3任國君所棄絕的，卻因神和祂忠心的子民暗地裏保存下來（像約阿施一樣）。現在舊事重提：3次立約（二十三1、3、16），重新確定以色列人與耶和華的基本關係。眾民支持這行動（二十三12），說明了亞他利雅的滅亡，而她所引入的外邦思想已遭摒棄，所有百姓都遵守大衛和昔日摩西的律例（二十三16-18）。這樣，國位和聖殿都恢復原樣，這大變革帶來了歡樂和安靜（二十三18-21）。但從人的角度說，那是危險的事情。

二十四1-27　約阿施

因著約阿施的登基，我們再次看見「耶和華的國在大衛子孫手中」（十三8），因前3位君王實際上都落在亞哈女兒的手中。約阿施之後的3位君王都以仁政開始，雖然直至第三位王，即烏西雅，我們才可看見一些偉大的德政。

二十四1-16　好開始　約阿施前半部的統治，在頭3節已概述了，因為歷代志往往以家庭（3節）為神給順服之人的賞賜（2節）。4次面臨滅絕的皇族，現在開始再次建立起來了。

約阿施成功的修殿工程，是他向神的事奉，並從神而得的賞賜。本段的背景是列王紀下十二章。我們暫時不談5節下至7節這段奇怪的經文。作者直接而頗為詳盡地描述聖殿重修的工程。有3節經文需要註解：稅捐（9節）是出埃及記三十章11至16節和三十八章25至26節所規定的；第10節的「歡歡喜喜」肯定了這工程，跟摩西時代建會幕，及大衛與所羅門建殿的工程，在性質上是相同的（出三十六4-7），同時也重複了約阿施登基時群眾的回應（二十三1）；各樣器皿則是聖殿工程完成後才製造的（14節）——直至那時止，所有金錢都是用在主要的建殿的工作上（王下十二13）。

在第5下-7節，利未人不願意收集稅款，原因可能是約阿施既採取了主動，大家便期望他先顯出皇室的慷慨，使捐獻的行動熱鬧起來，正如大衛所作的。他們不可寄望聖殿有錢可用作基金，困境皆因亞他利雅和她「眾子」（7節；即伙伴；參二十二10）的破壞。他們顯然達成協議：收集捐獻（5節）變成了自由奉獻（8-9節），按著歷代志的中心神學思想——「尋求耶和華」，作者可能要嘉許約阿施，因為他期望耶何耶大有「尋求」的心（6節）。

二十四17-27　壞收場　再一次，歷代志是基於列王紀下十二章寫成的。它也描繪出以色列史中重複的模式；亞他利雅，然後是二十四章1至16節的約阿施，然後是二十四章17至27節的約阿施，帶領著以色列人經歷朝代的起與伏，像掃羅而後大衛和所羅門，而後羅波安。

耶何耶大的逝世，標誌著約阿施的改變（17節，比較2節）。「猶大的眾首領」大概是昔日亞他利雅黨派的人（7節），再起來使王與眾民墮落（17-18節）。神的靈感動耶何耶大的兒子，他就帶出像先知那樣淺白的信息，使用歷代志先知所常用的用字。最顯著的是「離棄」一字：第18節引往第20節，然後往第24節，再往第25節，全都有著「以牙

還牙」報應式的字句。同樣，約阿施既謀害撒迦利亞（21節），並把他殺了（22節），他自己也被謀害被殺（25節）。約阿施吩咐撒迦利亞的父親去「尋求」一事（參6節註釋），也成為了報應：第22節的「鑒察伸冤」就是「把你尋找出來」。然而，耶和華的報應並不是無可避免的；神差遣先知來，就是要提醒以色列人，他們可以悔改（19節）。

二十五1-28　亞瑪謝

亞瑪謝的事蹟像他父親一樣，有「好開始/壞收場」。兩者也有不同之處：約阿施需要有力的引導，亞瑪謝則有神藉著先知給他明白的話語。此事可見於列王紀下十四章，但歷代志有更詳盡的記載（15-16節）。

二十五1-13　好開始　「心不專誠」可指亞瑪謝起初做得對，後來卻走錯了路；但更有可能的是（像6-9節所暗示的）一開始他對神的信靠便不甚穩固。在第4節，他確實是細心守護律法（申二十四16），但這事將產生諷刺性的迴響（參下文第13節的註釋）。

相對於此處詳盡的記述，列王紀下十四章7節只是粗略地記載亞瑪謝對以東之戰。亞瑪謝鑑於軍隊不夠壯大（比較十四8；十七14-18），便從北國聘請僱傭兵，但卻因而受到本章的兩位先知譴責。亞比雅（十三8-12）和亞撒（十四11）可能已告訴他原因為何。他抱怨說，若他作應作的事，便會有金錢上的損失，這也許表示著他沒有完全的信心，但無論如何，他也按著先知的話去行了。結果是對他有益的。一般來說，歷代志作者指出因果關係的例子，都是簡單和急促的，因此此處也可見順服帶來的是得勝（11-12節）。但生活往往不是那麼簡單的，而亞瑪謝的順服，也引致僱傭兵得到以東之掠物的希望幻滅，而那可能是他們參戰的主要誘因，於是轉而在猶大搶掠（10、13節）。然而，這本不該產生極大的困厄，但可能使亞瑪謝對下一位先知的話更不恭聽；他無疑期望能像約伯那樣能出乎意料之外地蒙福（7-9節）。

二十五14-28　壞收場　第二位先知提出責備，因為亞瑪謝竟把外邦的神帶回來（15節）。責備中似乎不單埋怨他犯罪，更說他無理（為何敬奉那些使本國失敗的神呢？），但也許他認為這次勝利表示這些神明已轉而幫助他。他從不受歡迎的忠告，轉向興味相投的獻議（16-17節；比較羅波安，十8；和亞哈，十八7），並準備第二次打仗，這次是對付以色列。有不少原因導致這戰爭：亞瑪謝因為報復那些被遣散之僱傭兵所作的破壞（13節）；他因為在先前的戰役得勝而過分自信（19節；這是以色列的約阿施的看法），並且這是神因他「尋求以東的神」而施以懲罰（20節；比較15-16節）。結果，亞瑪謝受到敵人入侵、戰敗、被擄，並且耶路撒冷被毀壞和搶掠（21-24節）。

第25節那奇特的記述（南國的日期與北國有關）反映出獨特的處境。在隨後10年裏，亞瑪謝被軟禁在撒瑪利亞作人質，到了經文所指的時候──「約阿施死後」──他才返回耶路撒冷，度過他執政的餘下15年。與此同時，猶大眾民面對著史無前例的難題，就是既有君王，實質沒有君王，於是亞瑪謝的兒子烏西雅攝政（參二十六7之註釋）。那些密謀殺害亞瑪謝的人，只是使他父親約阿施的命運重演（二十四25），並顯出報應並非常常都是即時臨到的──在這情況裏，謀反似乎已醞釀了最少25年（27節）。

二十六1-23　烏西雅

在列王紀中，烏西雅的名字是亞撒利雅，意思是「耶和華/幫助」；此處的名字：「耶和華/力量」，特別適切於歷代志的故事版本，其中雖也多處談及幫助，卻更多談及力量（比較8節）。在16歲那年，他父親被擄，烏西雅開始攝政；10年後，父親回來，兩人便共同執政；亞瑪謝於15年後被殺，他才獨力掌政；跟著他開始了餘下27年長期的統治，期間取回和重建以拉他（1-2節）。這事件，並他晚年受痲瘋病折磨（21節），是神分別表示稱許與不悅，實際上是列王紀中談及烏西雅的整幅圖畫（王下十四21-22，十五1-7）。這指出他是另一個有「好開始/壞收場」的君王，像先前兩位君王一樣；撒迦利雅對他的影響，也是回應約阿施（即耶何耶大的影響，比較5節與二十四2）美好的前半生。然而，烏西雅是比約阿施和亞瑪謝更偉大的君王。歷史告訴我們，烏西雅與同期的北國君王耶羅波安二世，都因超級大國亞述失勢而得益，兩國都因此而得到真正的繁榮，勢

力擴展。聖經告訴我們，「烏西雅王崩的那年」（賽六1），以賽亞得見耶和華坐在寶座上的異象，標誌著他52年統治的結束，也是一個重要世紀的結束。

二十六1-15　好開始　以拉得的建設，既象徵了神的賜福，也表示烏西雅的才能為他帶來了福蔭。這事意味著國土擴闊，與猶大國的貿易也進一步拓展了，比起從所羅門以來所作的跨進了一步（八17-18），也顯出烏西雅是有識之士。

歷代志描述了成就背後的特質：把他與亞瑪謝比較（4節），這並不是對亞瑪謝的虛假評語，而是把焦點放在他行為正直的事上；歷代志作者以烏西雅「尋求」神來表達他個人的敬虔態度（5節）；在同一節中，也指出撒迦利亞的指引，為的是表示他也謙卑地接受好意見。結果是這個深具遠見的人，為他的子民帶來了許多福祉，不單是軍事上的，更是在農業上得著極大的利益——這當然都是國民生活的基礎（6-15節）。在此背後有3個鑰詞，並且兩度得著肯定（7-8、15節），那就是幫助、名聲、強盛。

二十六16-23　壞收場　烏西雅的強盛（「在耶和華裏強盛」），導致他的淪亡（14節）。列王紀談及他長大痲瘋的事；歷代志則為此補上原因。在聖殿裏燒香（16節）是祭司的特權（出三十1-10）。北國第一位君王就是因為輕視這規定而受責備（王上十二28至十三5）。意圖行這禮儀，已是惡事（18節）；受譴責而發怒，更帶來懲罰（19節）。

報應很快便臨到。但其中一些特徵使今次事件跟先前的事例有所分別。**烏西雅絕對不像前人那樣「離棄」耶和華**，他卻是來到以色列宗教的中心，而不是在別處，就在那裏，他的行動顯出了不忠（18節）。這也不能歸咎於他的年輕或不成熟；他是一個飽經風霜的人。他所受的苦極可能並不是現今的痲瘋病，而是一種皮膚病，這病使人不能在以色列的公眾場合出現。他的懲罰是被逐於聖殿和王宮以外（21節），並在他餘下的日子，不能再為他的子民服務。就此保羅的話帶有適切的警告（林前九27）。

二十七1-9　約坦
約坦「效法他父烏西雅一切所行的」（2節），除了烏西雅晚年徹底的失敗以外；他一般的生活、義行，得著勢力（6節），在城裏城外建設，贏取戰事和接受進貢，在在都與他父親十分相似。歷代志作者強調這些蒙祝福的標誌，卻刪除了他被以色列攻擊的消極記載（比較王下十五37），以致在他的記述中，約坦執政期間的事件，一切都是正面的，使他成為170年以來——自亞比雅始——第一位沒有壞記錄的王。在前3任君王之後——其中每一任都有好的開始，壞的收場——約坦是頭一位只有美好政績的王，跟後來的3位王一樣；他是一位完美的君王，與他的兒子成為強烈對比，因他兒子的統治完全是一場災難。

然而，「百姓」已是他們正義之王的對照（2節）。歷代志不僅是列王的記錄，而這些王的事蹟表明了順從者得賞賜，不順從者受懲罰的簡單原則。在約蘭（二十一19-20）和亞他利雅（二十三21）統治期間，已有良善的百姓不贊成他們昏庸的君王；現在則是百姓中間有人行惡（雖然他們的王是義的）。因此，國民因約坦的緣故而蒙福，卻繼續犯罪，沒有受罰，直至「那攔阻的被除去」（帖後二7），而亞哈斯的即位，顯露出君王與百姓同樣敗壞。他們是摩西所預見的一個世代，他們以為「我雖然行事心裏頑梗……卻還是平安」（申二十九19），但他們會發現自己的想法是全然錯誤的（參下文）。

二十八1-27　亞哈斯
歷代志作者把列王紀下十六章1至20節的記載重寫，並強調亞哈斯父子之間的不同之處。從這位沒有犯錯的約坦，作者突然轉而描寫亞哈斯，而亞哈斯並沒有一件好事可以提出；他甚至比一個世紀以前，亞他利雅時代那3位君王還要壞。這記載指出了他的不忠（22節），更談到耶和華的敬拜，實際上是怎樣給外邦諸神的敬拜取代了（24-25節）。百姓的不忠現在也顯露出來了，用上述摩西的預言來說，結果是他們發現自己「從本地拔出來，扔在別的地上」（申二十九28）。因此，亞哈斯的統治既叫人想起北國起初脫離南國時的不忠，也預期130年後會被逐出境。

歷代志作者甚少談到南國邊境以北的

事，但這時候，他指出那裏正在發生的兩件事。以色列諸王拒絕大衛家的統治已有一段很長的時間，他們最終被擊敗，並被亞述的侵略者擄去了。作者並沒有提及這事件，只是描述北方沒有王。然而，北國的民並不像他們的王，他們仍與南國「一家親」，而當神派遣先知，他們甚至會為自己的罪悔改。

因此，南國現在就像北國從前一樣，處於極惡劣的環境，而北國則樂於得著復興，像南國曾經歷的境況。希西家來到路口，一切已準備就緒，他就像一個新的所羅門，而「全以色列」的復興也即將開始。

二十八1-8　被擄　南國從前的王，沒有一個像亞哈斯那麼壞。除了第1節上之外，此處並沒有序言，而首4節便列出了他愈來愈不忠於神的態度和行為。由於他的行為包括「那可憎的事」（即以色列人初進迦南時，耶和華把迦南人逐出的原因（3節）），難怪猶大也開始被逐（5、8節）。

亞蘭與以色列的攻擊，從列王紀下十六章5與9節可以看見，但是沒有顯著成功，不過已足夠讓歷代志作者闡明他的要點。一方面，最終的被擄，只是將來更大規模被擄的預嘗。另一方面，**第5-6節**似乎是刻意反映亞比雅在十三章11至12節和15至17節的話：離棄耶和華他們列祖的神，會使人戰敗被殺，並且被交在仇敵的手裏——以色列如是，猶大也如是。

二十八9-15　眾鄰舍　從好幾方面來看，在撒瑪利亞的一幕是值得注意的。首先，那裏不僅有一位真正的「先知」，他實際上更是備受注意（9、13節）。其次，亞比雅的謀反顯出猶大現在是有罪的，像昔日的以色列一樣（參上文5-6節之註釋），但並不表示以色列現在已無可指摘——絕不是這樣：神對兩國都十分憤怒（9、11、13節）。跟著，在撒瑪利亞出現的「**幾個族長**」（12節）暗指北國君王的帝系已結束；因此，北國的平民可以跟他們在南方的「弟兄」和解與重聚（8、11、15節；新國際譯本所用的「親屬」和「本國人」把這要點削弱了，比較十一4）。**第13節**似乎指出他們不單為這事件後悔，更是為北國所有的罪而後悔。最後，**第15節**那涉及撒瑪利亞人和耶利哥人的好行為，預示了耶穌

在路加福音（十25-37）所說的比喻。兩件事都能顯出，神施行的恩典可以使祂的子民大為吃驚。

二十八16-27　亞哈斯求助於亞述　當時北國仍有希望。但亞哈斯的猶大還要下沉至其最深的深淵。非利士的入侵（18節），叫人想起掃羅的日子，也追想惟有聽從神的明君（當時是大衛，現在是希西家），才可以拯救子民。然而，人民和君王都違抗神（19節），他們拒絕向唯一能幫助他們的求助，所以亞述帶給亞哈斯麻煩，並不是給予他幫助（16、20、21節），為此他們也不感驚訝。他最後一次向外邦諸神的求問，甚至完全把聖殿關閉（12-25節），使南國也經歷北國的命運（十二8-9）。南國仍有一線希望，就是亞哈斯逝世時，仍有一位有識見的人，不讓他葬在諸王的墳墓中（27節）。

二十九1至三十二33　希西家

聖經用了兩個不同的方法，來述說希西家的故事。歷代志作者重寫列王紀時，他把關乎希西家之宗教改革的4節經文（王下十八3-6），寫成84節（代下二十九至三十一），並把其餘的事蹟（王下十八7至二十21）縮減至三分之一的篇幅（代下十二）。這並非只因為他對聖殿有濃厚的興趣。他在第二十八章已暗示了亞述日益接近的威脅；亞述衰弱，而烏西雅有機會壯大的日子早已過去，亞述一直在吞併近東的小國，包括以色列，而歷代志作者對希西家頭3章的記載，我們存記在心，就是亞述即將入侵了（三十二1）。

亞哈斯在位時，猶大幾乎滅亡，而以色列則已被毀。希西家執政，讓兩國有一個重新開始的機會，跟掃羅執政之結束不無相同之處。從「效法他祖大衛一切所行的」（二十九2）這句話（不只是一個公式），以致二十九至三十一章整個段落——其中顯出許多跟所羅門之工作相似之處（七至九章），此處許多地方都叫人想起昔日那段日子。對歷代志作者來說，希西家是自那個黃金時代以來，最偉大的一位大衛家君王。

二十九1-9　潔淨聖殿　作者把約坦與烏西雅比較，又把烏西雅與亞瑪謝比較（二十七2，二十六4），但希西家則與13代以前的大衛相

比（2節），並且從第3節開始，他的工作跟所羅門極相似。這工作大概是在他即位後的「元年正月」起始，而不是在他登基之後立即開始（3、17節），他正式地向所有宗教領袖說話──「利未人」（5節）必已包括祭司，而祭司當然是從利未支派而出──要求他們把亞哈斯在聖殿所作的破壞修補。亞哈斯恐有麻煩，因而轉向別的神，但希西家清楚知道，猶大的困難是不信神，而不信的態度才是這些麻煩的根源；這些麻煩現在已包括耶利米書二十九章18節所談及的憂慮、驚駭與嗤笑（8節），還有北國和南國第一次的被擄（9節）。現在那些忠信的人都在寶座和聖殿中，神的憤怒會轉離（10-11節）。聖殿中所有污穢之物都搬到城東的山谷，準備燒毀（16節；十五16）。這工作共需時16天（17節；參下文三十3之註釋）。

二十九20-36 重新建立聖殿的敬拜 聖殿重開的典禮，以獻祭開始（20-24節）。「贖罪祭」是為潔淨過往的罪，而「燔祭」則為未來的日子獻上。**第21-24節**可能指出，贖罪祭是為君王、聖殿和國民（南國）的罪而獻上，但希西家卻把北國也包括在內。作者跟著描述敬拜者的讚美（25-30節），而讚美與獻燔祭同時進行（27節）。其後全會眾把祭物帶來（31-36節）。正如在摩西、大衛和所羅門時期類似的事件，讀者不能忽略其中洋溢著甘心樂意、豐富和喜樂。群眾的行動由希西家領頭；他繼而「傳講」眾先知（包括大衛！）所說的話，而這些話是耶和華的話（25節）；這一切最終是源於「神為眾民所預備的」（36節）。

三十1-12 勸民守逾越節 聖殿重開以後，第一個定期在聖殿舉行的節期是逾越節。列王紀並沒有提及此事。有人認為這是歷代志作者杜撰的，為使他那時的聖殿儀式顯得合理，並可加強他筆下希西家的形象。但這論點毫無根據，而本章跟希西家其餘的事蹟完全吻合，因為他嘗試藉節期把南北兩地的民聚集起來。這是神子民的一個新開始，逾越節是最適切不過的時機（5節）。希西家決定在第二個月守節，並不是隨意的決定；不像耶羅波安起初與猶大決裂後，為北國創出另一個宗教那樣糊塗（王上十二32-33）。眾人都同意希西家的決定，也因著在許多方面，他們都未能在正式的節期準備好守節（3節，二十九17），所以他們應利用律法的寬限，延遲一個月守逾越節（民九9-11）。這寬限是為禮儀上不潔的人而設的，例如因摸了死屍，或離家太遠──這樣安排，正適合一個遠離了神，又因接觸外邦宗教而不潔的國民。

第6-9節的勸喻，用字很像王向宗教領袖所說的話（二十九5-11）──是向「全以色列」，即以色列和猶大發出的（6節）。歷代志作者強調，迅速的報應有積極作用，如此每個世代都可以有新的開始（8節）。北方以色列人的反應各有不同，但對於所有來聚集的人來說，那一次亦像二十九章36節所說的，是神的恩典把他們帶來的（12節）。

三十13-27 慶祝逾越節 無酵節和逾越節是一起舉行的；無酵節或逾越節，都可用來指這個合併的節期。無論祭司感到慚愧的原因是甚麼（15節），這裏強調的是皇室領導的需要，並提醒我們，在神的安排下，君王和祭司都是不可少的。**第15-20節**禮儀的違反（不可能是作者捏造的，參三十1-12之註釋），既無先例，描寫也頗特列，因為當時正值重建聖殿，堅立這群關係重大的國民。但希西家超越了一般常規，好像是另一位所羅門，眼光超越了律法的框框，看見了律例中的精髓，因此他以七章14節那偉大的禱告，為子民祈禱，**第27節**是這裏的高潮，叫人想起所羅門昔日那偉大的禱告。**第23節**額外的7天，使人想起初期的典禮（七8-10），自所羅門的日子至今，現在是首次有從以色列各地而來的代表出席。

三十一1-10 慷慨的捐獻 那應許人富裕，卻不能賜福的假神，最終都被棄絕（1節）。惟有回到真神那裏，才能經歷本章的豐盛和厚恩。希西家在此看見的，是要繼續敬拜神；他已有一個美好的開始。像大衛和所羅門一樣（代上二十三至二十六；代下八12-14），他派定祭司和利未人的班次，並為他們和聖殿，供應他們所需（代上二十九3；代下九10-11）；他又要求眾民分擔聖職人員的薪俸（2-4節）。就像昔日一樣，慷慨的捐獻隨之而來，並且多年沒有稍減。第一個月，聖殿重開了；第二個月，守逾越節；第三個月，開

始收割禾稼（七七節），直至第七個月，採摘葡萄（住棚節；5-7節）。希西家祝福以色列人，正如他先前偉大的君王所行的（8節，六3；代上十六2），因為他們慷慨捐獻，眾人也能見證（10節；代上二十九6-9；比較出三十六2-7）。

三十一11-21 忠心的管理 「供給事奉人員」的原則一旦通過，希西家便轉而處理實際的倉庫儲存（11-13節），分派發放給城裏的人（14-18節）和城郊的人（19節）。行政管理工作看似俗務，卻是屬於「神殿的事」（21節），正如他所辦理的其他事務一樣，小心周全地辦妥。官僚主義很容易成為屬靈生命的敵人，但有些制度妨礙工作流程，另一些制度卻提高效率，兩種組織制度是有分別的。

三十二1-23 亞述的入侵 希西家「為現今的機會」而得到君王的位分（斯四14），有兩個意義。就本國而言，這是南北兩國更新的大好時機。就國際情勢來看，亞述已兵臨城下，而列王紀下十八章17節至十九章36節的戰役（在此把另一場攻擊簡化成另一次的攻擊），使猶大面亡國的威脅。這種威脅是本章的主題，按著二十九至三十一章的宗教改革來看：列王紀說這是發生在希西家第十四年（王下十八13），歷代志則說這是在希西家作了「虔誠的事以後」（1節）。

希西家頑強地抗敵（2-8節）。列王紀下十八章14節所指出的，並非希西家畏懼西拿基立，而是拖延時間，好進行第1至8節的防禦工作。耶路撒冷中有人認為，這樣做會取代了信靠神的信心（賽二十二8-11），但希西家認為，這只是表達出他的信靠。西拿基立所說的話（9-15節）顯出他對自己的敵人所知甚少，因為他認為那是羞辱耶和華的事，但其實是順服祂（12節）。真正羞辱神的是亞述人（16-19節，使人想起詩二2），他們叫神的子民相信，神現在必不會為自己的名而爭辯。因此，那毀滅的使者（比較代上二十一15；出十二12）以不可知的災難來答覆第20節的禱告；這事蹟與亞拿基立被殺，都記載在世俗的歷史中。請注意在每位君王治下，好與壞的報應怎樣發生，又怎樣記下。希西家的祝福——圍攻得解脫——是他14年前開始之改革所得的回報；而亞拿基立的懲罰和

被殺，是在他圍攻猶大後第二十年才發生的。歷代志把整件事縮短了，用了神的認許——以色列的平安（22節）與希西家的尊大（23節）——來結束這故事。

三十二24-33 希西家執政的結束 本段的事蹟可能與剛敍述的事件同時發生，而不是隨後才發生：「那時希西家病得要死……」。像上一部分一樣，這幅自所羅門以來最偉大之君王的圖畫，應可警告我們，不要把賞與罰的道理過分簡化。聖經沒有說他的病是由於他犯罪（24節上）；另一方面，禱告帶來醫治，並有「兆頭」顯示醫治的臨到（24節下；經文假設我們知道王下二十1-11的事蹟）。驕傲帶來了「憤怒」（25節），也許這是指上述的入侵；謙卑反令入侵者撤退——但後來的另一次入侵卻是成功的（26節）。希西家的偉大正像所羅門一樣（27-29節）。那著名的引水道——把源源不絕的泉水引入城內，就是「西羅亞泉水」——適切地象徵了希西家取用神的資源；他父親亞哈斯因不願意信靠神，拒絕建這水道（30節；賽八6）。但他仍通不過考驗，後來的事就發生在巴比倫大使到來的時候；巴比倫大使表面上是對他領受的那「兆頭」（那個天文現象）感到興趣，大概也說出了兩國聯盟的可能性（31節；王下二十12-19）。然而，他的碑文仍顯出他是卓越、偉大和良善的人。

三十三1-20 瑪拿西

列王紀下二十一章1至9節指出瑪拿西的所有缺點，而歷代志作者所附加的，只是突顯了這些缺點。瑪拿西與其父形成強烈的對比，像在他們以前的約坦和亞哈斯一樣：好王，跟著是壞王；其後，是十分好的王與十分壞的王。但歷代志作者所繪畫的圖畫有點不同。他加插了瑪拿西悔改的故事，因而改變了上述的模式；他所描述的，並不是整個邪惡的統治之後長期的惡果，而是指出瑪拿西前半那邪惡的統治後可見的即時結果。而在瑪拿西的一生中，他看見了另一個模式，就是亞哈斯之後有希西家，這模式也從較早期——掃羅之後有大衛，和較後期——被擄之後有復興——反映出來。

三十三1-9 瑪拿西的罪 瑪拿西這樣長的任

期 —— 比烏西雅還要長 —— 一般被視為神賜福的象徵。但瑪拿西一點也沒有減少行惡，正如列王紀所記載，跟他的任期似乎極不吻合。難怪歷代志作者在列王紀下二十一章11至18節之上，在此處加上第11至20節。但他首先描繪出瑪拿西比他祖父亞哈斯更壞，他行巫術，又觀兆占星，而先前關閉了的聖殿，現在都被褻瀆了（比較申十八9-13）。無疑這些做法不單因為他的剛強，並且被視為求達到政治目的 —— 鞏固瑪拿西的地位 —— 的宗教手段。他沒有從歷史學到，這樣的做法正是失去領土的原因（2、8節）；他這種自毀的愚行，比迦南人更甚（9節）。

三十三10-20 瑪拿西的悔改 列王紀說，瑪拿西的罪惡甚大，長遠來說使猶大和耶路撒冷難逃被毀的命運，這事發生在他死後50年（王下二十三26-27，二十四3-4）。歷代志作者對即時的後果更感興趣，因而把高潮放在瑪拿西不聽神的警戒（10節），馬上引來第11節的羞辱。這顯然是預先表明了巴比倫帝國崛起後，會把許多以色列人擄去多年。在瑪拿西執政期間，長期被迫認亞述為大君，因為學者指出許多不同的史實，說他可能越了界線而受到亞述的懲罰。

他悔改後的改革，是蒙祝福的印證（14-17節）。他的「禱告」（18-19節；比較13節）現已失傳；次經中的《瑪拿西的祈禱》是一份後期的作品。新約中一段密切相關的經文，是保羅在提摩太前書一章15至16節，描述神憐憫罪人中之罪魁。

三十三21-25 亞們

在歷代志中，這段關於亞們作王的記載是最短的，幾乎只是前一段的附錄。此處只是描述亞們把瑪拿西晚年所行的善事破壞了，而他兒子約西亞的任務，是把亞們在位期間所行的惡事更正；在列王紀中，亞們只是在瑪拿西的惡事上再行惡，而約西亞則要針對這兩代君王所行的惡，撥亂歸正。對於第24節的謀反，我們缺乏資料，而第25節的「國民」是指甚麼人，也不能確定。

三十四1至三十五27 約西亞

約西亞的記載，篇幅與列王紀相若（王下二十二1至二十三30），但重點卻有所不同，雖然兩卷書同樣視他為十分偉大的人物。在列王紀中，他的改革全都與「律法書」的發現有關；他在著名的逾越節慶典只是略略地提及，但他卻被描繪為猶大國中最偉大的君主，並且是猶大國歷史的高峰（王下二十三25）。對歷代志作者來說，希西家是更重要的君王，自他以後，猶大國運一直走向下坡。同時，他不能給約西亞「遵著耶和華律法……而行的善事」（三十五26）太高度的讚揚，而這些事遠早於在聖殿中尋得律法書已開始。

三十四章1至8節所提供的日期（約西亞第八、十二、十八年），引起了疑問：列王紀與歷代志對於約西亞的改革何時開始，是否有不同的意見？對於哪一卷書是按年代記述，哪一卷書是綱要式的記述，解經者各持己見。無論如何，故事的背景是亞述處於衰落期，使約西亞有更大的行動自由，也消除了猶大所承受的壓力（無論是好是壞；希西家所享受到「全以色列」的團結，是約西亞所不能見的），並且導致一些主要勢力再度結盟，因此埃及和巴比倫不久便成了他們必須考慮的勢力（三十五20-21，三十六5-6）。

三十四1-13 改革者約西亞 歷代志作者，在兩方面補充了列王紀下二十二章1至7節的記載：約西亞在重修聖殿前，已顯出敬虔，一旦開始修殿後，所使用的方法也甚徹底。就是希西家也沒有因這種不偏左右的敬虔而受稱讚（2節）。「**尚且年幼**」無疑是指他在20歲之前個人對神的尋求（「到了第十二年」，3節）。他早期的改革是影響深遠的（4-7節）；北部以色列的亞述君王在別的戰線受攻擊，但不能阻止約西亞權力向北擴展（6節）。歷代志作者一貫地視工人和樂師作利未人，在神的殿裏事奉（9-13節）。

三十四14-33 發現律法書 「律法書」的發現，可能是約西亞敬虔的回報，但這回報並不使他感到舒泰。我們不知道在那個時期，律法書被放置在錯的地方，也不知道這書的確實內容；而多半人認為那是申命記的一部分，其中的第十二、十六、二十七和二十八章跟此處所遵從的律例十分接近。也許所包括的，是聖經中更多的書卷。

約西亞的性格突出了另一個標記（比較

證主21世紀聖經新釋

第2節），**就是他主動地以書上的話求問耶和華**（21節）。女先知戶勒大的回應（23-28節）是不尋常的，因為書上所宣告的咒詛（申二十七至二十八；也許還包括利二十六），是關乎約西亞時代之前所犯的罪（25節），而懲罰是在他以後才臨到的（28節），約西亞將會「平平安安的歸到墳墓」，意思是他免於經歷耶路撒冷的滅亡，縱然他會在戰場上受傷而死（三十五23-24）。但國家卻不能倖免此災；他的心不像他王的心。**「所有的百姓」**（30節），從前是用以表示一種共同的意願，現在王要「使」他們願意事奉神（32-33節）。

三十五1-19 慶祝逾越節 對於這件令人注目的事，從前的歷史只以3節經文來記述（王下二十三21-23）。對約西亞來說，這慶典自然是在他更新以色列與耶和華之間的約後，隨即舉行的（三十四29-32）。他熱心地要在正確的日子，謹守種種職責（1-4節）。把約櫃放在聖殿中這句奇怪的話（約櫃何時被抬了出來？為何不早些把它放回聖殿中？），可能指刻意地重演會幕或聖殿的落成典禮。歷代志作者可能看希西家為更偉大的君王，但約西亞所獻的牲畜，數量比希西家所獻的更龐大（6-9節），而儀式是追溯至摩西的定例（12節），不單是按大衛的規定（15節）；這事件在整個君主政制的歷史裏是獨有的（18節）。

三十五20-27 約西亞之死 在列王紀之記載（王下二十三29-30）以外的另一個附錄，是約西亞在13年後的逝世。他的死是由於他的不順服，但情況卻頗為奇怪。迦基米施是亞述與其埃及聯盟約定集合的地方（20節），他們意圖要抵擋巴比倫日益壯大的勢力。無論約西亞偏袒某一方的做法正確與否，埃及王的話卻被說成是來自神的信息（22節；至於不像是神之代言人所說類似的話，比較三十六23；王下十八25；約十一49-52）。在某程度上，他必定已得到確證，這信息是他應該注意的。他的死得到眾民深深的哀悼。

三十六1-23 末後諸王

歷代志結束時，把列王紀所記載的最後4任君王的事蹟，一氣呵成地述說出來。在猶大，約西亞由3個兒子和一個孫兒繼任。此處

全以他們在位的名字來稱呼（比較代上三15-16；王下二十四17）。對於約西亞的長子約哈難，聖經沒有提供別的資料。似乎是第四子沙龍首先即位作王，稱為約哈斯，3個月後，他被約西亞的次子以利雅敬/約雅敬所取代，而約雅敬在11年後由他兒子耶哥尼雅/約雅斤繼任；最後是約西亞餘下的兒子，瑪探雅/西底家。這些君王的更替，跟國際舞臺的發展有關。亞述正處於末期的衰落，巴比倫急欲加促其衰亡，埃及則希望它殘喘下去。在主前609年的幾個月內，約西亞被殺，約哈斯繼任，這全都由埃及一手促成。但在4年後的迦基米施之戰，埃及給巴比倫打敗了，而巴比倫人又在主前597年，約雅敬死後3個月，把他年幼的兒子約雅斤擄去，並使西底家登位，作為這王國的末代君王，直至西底家也背叛巴比倫而被廢去。

歷代志作者既然把許多的細節刪掉，我們便應留意他仍留下的事蹟是甚麼。作者沒有記載這些王的逝世，只是他們逐一從場景中消失，因此，他所記載的是大衛王朝的沒落。他也記載了所羅門聖殿被搶掠，並最後遭破壞。我們於此清楚可見，無論這些事件代表了甚麼長期的懲罰，它們同時也是那最後一段歷史中所犯之罪的即時報應。然而，以色列經歷了這一切，仍然存活，國民和國土也都存在。即使本書以三十六章21節作結，而沒有加上古列容許他們回歸重建的話，末後幾節亦已明明地指出這一點。

三十六1-4 約哈斯 到了約西亞的時候，亞述帝國已支配了近東一帶超過一個世紀。但亞述末後的年日，都要靠賴埃及法老尼哥的支撐，而約西亞就是死在尼哥手上（三十五20-24）。因為某些原因，約西亞的第四子越過了3位兄長（也許約哈難已死），而繼任成為約哈斯王。**第3節中**所要求的貢銀，幾乎可以確定是從聖殿的府庫而來（參7、10、18節），而3個月後，尼哥又把約哈斯廢掉，而以其兄長約雅敬取而代之。祭司制度與君主政體都快要結束了。約哈斯被擄至埃及，再次預嘗那將要臨到大規模的流放。

三十六5-8 約雅敬 在約雅敬執政期間，巴比倫取得了埃及地區的控制權（王下二十四7）。約雅敬臣服於巴比倫（6節），可能並非他在位末期的事（有人認為第6節有這暗

示），他甚至並沒有往巴比倫去，更遑論他在那裏逝世（王下二十四1、6）。但歷代志作者兩次用了充滿判決意味的字眼——「帶到巴比倫去」，第6節是談及約雅敬；第7節是談及聖殿的財物被擄，以及聖殿和王位的結局，正在逐漸醞釀。

三十六9-10　約雅斤　約雅斤執政的事蹟，此處縮略至比前兩位君王更短。巴比倫王「差遣人」到他那裏，似乎是由於他背叛巴比倫，並且因為巴比倫王親自來到（王下二十四10-12）。對歷代志作者來說，唯一重要的事，也是聖殿的財物，並坐在寶座上的那位被擄「到巴比倫去」。

三十六11-21　西底家　西底家執政的記載，併入了王國沒落的故事中。作者指出了他的罪（12節），但這也是國民的罪（14節）；此時暗示了約西亞的改革並沒有實質的果效，而最後令人無法忍受的打擊，是眾民拒絕聆聽和信靠神的話語（16節）。用七章14節那常提起的話來說，他們是不自卑（12節），不回轉（13節），而終於得不到醫治（「無法可救了」16節）。經文強調這一切都是出於神（15-17節），而祂所作的，是把所羅門聖殿中

剩下的，和大衛國度裏的所有人，都「帶到巴比倫去」（18、20節）。「除了國中極貧窮的人以外，沒有剩下的」（王下二十四14），但歷代志作者所展示的圖畫，是一片已渺無人跡的土地。

然而，第20-21節指出，神有意存留在巴比倫的餘民作其子民，祂的土地也會存留，而土地的荒涼，實際上只是它過了安息年很久了，並且這些事件只是確證，而沒有違背祂的話（耶二十五11）。

三十六22-23　後記　這兩節經文是以斯拉記開始的經文，加插在這裏（不知道是誰寫下的），不是要把兩段歷史連繫起來。事實上，歷代志的信息沒有這兩節也是完整的，因為前兩節經文已說出復興的應許。

Michael Wilcock

進深閱讀

M.J. Wilcock, *The Message of Chronicles*, BST (IVP, 1987).
J.C. McConville, *Chronicles*, DSB (St. Andrew Press / Westminster / John Knox Press, 1984).
R.L. Braun, *1 Chronicles*, WBC (Word, 1986).
R.B. Dillard, *2 Chronicles*, WBC (Word, 1987).

證主21世紀聖經新釋

以斯拉記／尼希米記

世紀聖經新釋

✥ 導 論

雖然以斯拉記和尼希米記在英譯本和中譯本聖經中，是兩卷不同的書卷，但它們原來是一卷書的兩部分，因而應看為一卷完整的書卷來研究。不單是古代猶太人傳統在這方面有清晰的指示（分成兩卷書大概是基督教會的做法），更重要的，是書卷本身表明了這一點。特別尼希米記第二部分，是所有前述事件的高潮，尤其是以斯拉的工作，這從他在尼希米記第八章中較為突出可見。雖然尼希米記一章1節明顯地是一個新段落的開始，但那只表示敘述中的一個分段，像以斯拉記七章1節一樣；以斯拉在該節首次被引介出來。至於這兩卷書是否與歷代志上下同屬一作品，出於歷代志作者的手筆，則較難確定。明顯地，這兩卷書是歷代志故事的延續，因為以斯拉記的開頭，重複了歷代志的結束語，但這也不一定表示兩者是出於同一位作者。此外，兩者在許多著眼點上都相同，最顯著的是它們對耶路撒冷聖殿的工程和人事變動的關注。但由於它們都是出於一個比較細小的群體，而這群體本身又以聖殿為首位，所以兩者所關注的事情，有相同之處也不足為奇。而可幸的是，兩者同屬一本作品與否，對於以斯拉和尼希米的註釋沒有多大影響。因此，我們在討論這兩卷書時，並不用參考歷代志上下。

寫作背景

以斯拉記和尼希米記既是以歷史故事形式來敘述，我們便需要知道其背景，以及故事中所提及的其他事件，以致能了解兩卷書在揭示整個聖經故事上的貢獻。

列王紀上下敘述了猶大和以色列兩個王國一段頗長的歷史。以色列國在主前722年滅亡了，亞述人最終把它吸納進亞述帝國中

（王下十七）。其後約有150年時間，猶大這個小國以其大衛家的君王，和位於耶路撒冷的首都，繼續作為一個獨立國家而存在，期間有著各種不同的遭遇。然而，我們必須記著，有關早期以色列的事蹟，我們都是通過這個渠道而得知的。

在主前587年，猶大也遭遇跟北鄰以色列國同樣的命運，但這次是落在巴比倫人手裏，因當時巴比倫已代替亞述，處於當日世界的領導地位。巴比倫入侵所帶來的徹底崩潰，是前所未見的。國中許多人，尤其是君王將相和領導階層，都被擄至巴比倫去。那長久以來作為宗教和國民合一之焦點的聖殿，竟徹底被摧毀，而其中貴重的東西，都被送往勝利之國巴比倫去。君王也像他的前任者一樣（王下二十四15）被擄去（王下二十五7），以致這國度，自大衛以來一直蒙寄予厚望的國度（撒下七），就這樣灰飛煙滅了。猶大國本身似乎只變成巴比倫帝國內一個偏遠的省份。因著國中主要的建設全然被毀，許多人會以為猶大及她所見證的宗教就此消失，只餘下幾卷歷史書，正如她鄰近的國家當時的命運一樣。耶利米哀歌正捕捉了這種無助和絕望的感情。

對於其後50年間猶大或巴比倫的境況，我們所知的不多；這段時期一般稱為被擄時期。然而，我們清楚看見的是，在被擄的人中，有些不但定出了一個重建故園和振興國民的策略，更重要的是，他們知道神並未放棄猶大。在神學思想上一個主要的突破，是了解到這些災難並非神所不能控制的，相反地，這些事件正是祂的作為。既有這種醒覺，又嘗試從痛苦中學取教訓，被擄的人中，有些便學習從這個新的角度去研讀、保存他們的聖卷，最後還在聖卷上附上補充。

主前538年，即以斯拉記開始的時候，有了一個重大的轉變，那不單是關乎被擄的猶

太群體，更是關乎整個古代近東的歷史。波斯人古列在國中迅速冒起，執掌政權，並在其後數年，開始一連串的南征北伐，勝利地進入巴比倫，因此成為了從前整個巴比倫帝國當然的統治者。在其後的兩個多世紀，他所建立的波斯帝國，遂成為了世上的主要政權。波斯諸王在不同時候，控制著整個自埃及遠至印度的地區。當然，他們的國運有起有伏。有時國中會有內部重大的動亂和叛變；埃及並非常在波斯統治之下，而波斯與鄰近大國如希臘的衝突與戰爭，也成為了歷世傳說的故事。波斯王也不盡如古列、大利烏和亞達薛西——我們在以斯拉和尼希米記中認識的3個王——那麼能幹。

　　儘管如此，我們仍須謹記兩個重點。第一，由於猶大地區與埃及接壤，是一個戰略性的地區，因此這地對波斯來說，可能比起初想象的更形重要。他們關注怎樣確保這地區繼續向波斯帝國效忠。第二，若合乎波斯的利益，他們會給予從屬的人民在宗教和法律上有一定的自主權。當然，若他們認為需要施壓，他們也會像亞述和巴比倫一樣，採取欺壓和殘暴的手段。但同時，較自由的政策——如我們在以斯拉記所見的遣送回國政策——也是他們的統治方法之一。

　　我們稍後會看見，聖經作者主要關注的並不是這些國際性的事情。然而，這方面的關注反映他們對國際間政策的看法，也許更重要的是，這提供了一個框架，讓作者所描述的人物可以在其中運作。實際的處境限制著他們實際能行和期望的事，因此，我們讀聖經時，不要尋找一些超出經文能傳達的東西。猶大國的獨立最多也只可以是一個遙遠的夢。那時他們所求的，是把從前在另一個處境下訂立的宗教標準和真理，應用在眼前那細小的宗教群體中，而這群體正活在外邦強國的蔭下。

研讀方向

　　在這大致的背景下，以斯拉記和尼希米記又處於甚麼位置呢？因著好幾個原因，這問題並不如想象中那麼容易去解答。

　　正如研讀許多其他聖經書卷一樣，我們必須謹記兩個不同的層次。首先，是所指述之事件的背景，那是兩個層次中較直接的一個。在以下的註釋中，我們會在適切的地方，參考背景方面的資料。然而，有一點不

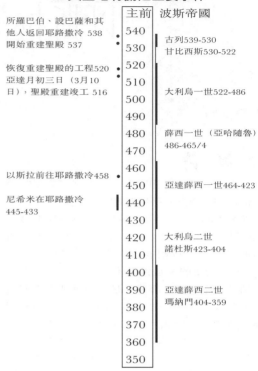

與聖地有關之主要事件

	主前	波斯帝國
所羅巴伯、設巴薩和其他人返回耶路撒冷 538 開始重建聖殿 537	540 530	古列539-530 甘比西斯530-522
恢復重建聖殿的工程520 亞達月初三日（3月10日），聖殿重建竣工 516	520 510 500 490	大利烏一世522-486
	480 470	薛西一世（亞哈隨魯） 486-465/4
以斯拉前往耶路撒冷458	460 450	亞達薛西一世464-423
尼希米在耶路撒冷 445-433	440 430	
	420 410	大利烏二世 諾杜斯423-404
	400 390 380 370	亞達薛西二世 瑪納門404-359
	360 350	

會討論的，就是以斯拉返回耶路撒冷的日期。根據以斯拉記七章7節，這事發生在西達薛西王第七年，但經文卻沒有指明是3位亞達薛西王中的哪一位。由於以斯拉記的故事在尼希米故事之先，因此一般會假設那是亞達薛西一世，而日期就順理成章是主前458年。然而，讀者需要留意，有許多學者認為那應是亞達薛西二世（而以斯拉回國日期則是主前398年），以斯拉是在尼希米以後返回耶路撒冷的。這觀點或可見於別的註釋書；然而，基於這日期，釋經家對許多歷史資料，都需要重新編排。這觀點雖曾一度流行，但現在已少人採用，因此本書不採取這觀點（對於較詳細的討論，請參看進深閱讀中，本文作者的作品）。

　　其次，我們研讀一卷歷史書時，應反問此書作者或編者的背景和寫作目的，即他何以用現今所見的形式去編寫此書。顯然地，作者的編寫，是在所描述的事件發生之後，有時是發生後很久才寫成的。例如，我們研讀福音書時，正常會探究每一位福音書作者特別強調的地方，而我們可以把該作者的寫作編排與其他作者相比較，而達到這目的。我們可以留意作

証主21世紀聖經新釋

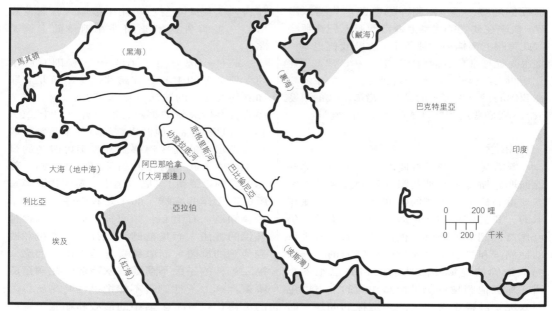

主前五世紀的波斯帝國

者把甚麼資料寫進書內，又刪除了甚麼資料，其資料排列的次序有何不同等等。我們要知道每位作者把有關耶穌的那些東西教導我們，而他又為何採用這個方法。

原則上，以斯拉記和尼希米記也是這樣。明顯地，作者用了不同來源的資料，而他也不是常常把所有資料都編寫進書內。同樣地，我們要留意本註釋有些地方指出，作者為了自己的理由，而按自己的次序去編排材料。這些研究能幫助我們發現作者最希望讀者知道的是甚麼。

然而，這卻是其他問題產生之處；主要是我們沒有確定的方法去斷定作者何時寫作和他的寫作對象是誰。一個極有可能的觀點是，以斯拉和尼希米工程之記述（即大約拉七至尼十三），約在主前400年合併，而約在100年後，再加上以斯拉記一至六章，使兩書以現有的形式出現。若那是正確的，我們從別的資料可知，例如，開首數章所關注的，是猶太人面對敵人的指控時，要證明他們敬拜的形式和表達方法是合法的；這些敵人主要是一個發展中的組織，後來稱為撒瑪利亞人。因此，我們必須留意，作者如何指出聖殿重建是早期以色列人敬拜的延續，以及猶太人面對敵人的指控時，怎樣彼此建立一種認同感。對於今天某些地方的信徒來說，這

裏可以學到一些很有幫助的功課，因為他們也是在一個充滿敵意的環境下掙扎，去保存教會真正的身分。我們既活在發生這些奠定信仰根基之事件的許多年後，便需要從歷史中學習。

主 題

鑑於上述各點，我們可以找出許多貫穿兩卷書的主題。在這裏提及這些主題，並不是把兩書中有關這些主題的教訓統統列出來，而是要提出一些問題和難題；當我們研讀內文時，記著這些問題，是有幫助的。

對歷史的神學觀點

第一點要強調的是這兩卷書在記述歷史方面是選擇性的。例如，以斯拉記七章1節的「這事以後」，所涵蓋的時期超過50年。以斯拉的活動多半在於一段為期12個月的日子，而尼希米的工作，在他第一年大發熱心的工作以後，我們便不知道他作了甚麼，直至他第二次來作省長，而那已是12年後的事。同樣地，尼希米記十二章26節和47節，似是把第一次歸回的人，與兩三代以後那些改革者直接聯繫起來。明顯地，這個並不是現代合乎科學方法的歷史記載。其中所涵蓋的日子，是從神控制整件事件

進程的角度來看，期間神的子民首先得以重建，後來在他們的土地上進行改革。只有那些與此有關的事情被記述下來。有時我們也需要把眼光從日常狹窄的角度提升——日常事件往往是叫人沮喪的——好分辨神在我們的生命和在我們的世界中更大的計劃。從這更闊的角度去看，我們會更明白自己在大局中的貢獻。

一脈相承

　　既看見上述關乎被擄的複雜處境，那些返回耶路撒冷，和那些跟隨他們歸來的人，需要重新確定，他們的信仰是與列祖一脈相承的。我們較早前在舊約中讀到的應許，仍可作為他們的倚靠嗎？他們可否倚靠神去幫助他們，和指引他們像指引他們的前人一樣呢？他們的處境跟被擄前的祖先已很不相同，那麼他們是否仍可稱為相同的一群以色列人呢？註釋中會提出許多這樣的問題，而毋庸置疑，尚待發現的問題仍多著呢！作者描述了以色列人從被擄歸回的情形，又描述了聖殿重建的過程、重新添置裝飾和擺設的方法，還有在那裏事奉的人員——這些只是作者試圖向當時讀者加以保證，並給他們一種宗教承擔感的一些途徑。

　　也許最重要的是他對律法書，即摩西律法的著重（他用了許多不同的名稱，但所指的是同樣的東西）。當然，律法書——即我們稱為摩西五經的（創世記至申命記）——是為一群活在極不相同之處境下的人寫的。當時作為一個主權國，他們可以全然統制自己的事。也許正為這原因，許多人以此為一封已過去的書信。我們看見，以斯拉在此有特別的貢獻，他想出了一些解釋的方法，讓他們能發現聖經基本的原則，然後重新應用在他們的日子中。對我們來說，這也是需要的。固守這書的教訓（關乎神的恩典、救恩和信仰本質，也關乎嚴格的「律法」），能讓他們得到認識神的主要途徑。與前人在信仰上一脈相承，是最先的一步。

重建的進程

　　這兩卷書的首3個重要分段（拉一至六，七至十；尼一至七）都有相似的模式：一個人或一群人獲准從巴比倫返回耶路撒冷，去辦理一項特別的任務；他們開始時都遭受反對，但最終仍能得勝，並最少能完成主要的

任務。這模式本身已可用來鼓勵人存忍耐和信心，並警告人不要因外在困難而走歪了路。

　　最後一部分（尼八至十三）則有所不同。這部分的中心是宣讀律法，跟著是認罪和立約遵守神的律法（尼八至十）。但其後，儘管曾為所成就的事舉行慶祝會（尼十二27-43），但聖經說，他們也嘗試（但不是常常成功）把這樣的高峰轉移至其後不可避免的日常生活中。我們可從此引伸出兩個要點。**首先，「約之更新」（尼八至十）是神藉改革者所做之工作的高峰，而不是其條件。**讀者稍後會知道，有信心和順服神，並不是贏得神喜悅的方法，而是他們看見神怎樣恢復和改變他們的群體，而歡歡喜喜地作出的回應。**第二，神的子民不可期望永遠停留在興奮的屬靈高峰上。**他們若不能把這些時刻所得著的，轉化為日常生活中的信心和順服，這些興奮的時刻便失去了它們的價值。尼希米記十三章那頗為叫人失望的結尾暗示，在獨自無助的情況下，這確實是較難做到的。

在社群的見證

　　兩卷書幾乎一貫地（尼九32-37是唯一例外的）**正面描繪波斯諸王。**從以斯拉記第1節開始，即古列因神的催促而有所感動，至大利烏王允准猶太人重建聖殿（拉六6-12；比較14節），和亞達薛西差遣以斯拉（拉七12-26）和支持尼希米（尼二6），這些波斯王都在官方層次上，是行出神旨意的主要人員。相對之下，在政治的重要性方面，猶太人的身分則較少受到注意。在探究這主題時，我們清楚看見作者在描繪一個考慮實際情況的計劃，而在這架構中，他希望讓人明白，隨著忠心而來的東西是甚麼。當時處於支配地位的勢力對猶太人既表現得頗為友善，他們就應爭取已給予他們的機會去事奉神，而不是尋求在現狀中有重大的改變。尼希米記第九章提醒讀者，神最好的計劃仍未實現。

　　相對地，與猶太人接近的官員——以參巴拉為首，但並非只有他一人——則一致被放在較反面的位置。而在這裏，猶太人承受更嚴重的脅迫，因為這些與他們接近的人，在某程度上，有著與他們相同的宗教準則（如參拉四1-3）。我們不用懷疑，作者描述猶太人面對這些反對，必是用毅然決斷的言

詞，去作出護教。對許多人來說，這是書中較為吸引的部分，尤其是對於問題的解決方法，包括解決混婚的問題（在九至十章；尼十三23-28）。然而，我們在這裏也要留意猶太人所面對的處境，而不是用「靈意化」的方法去逃避問題。在這成形的階段，猶太人若要延續其社群，保持宗教及留給我們的宗教遺產之純淨，他們在波斯律法下的合法地位，以及他們彼此認同的完整性上，就不可有任何妥協。（此外，我們要注意，他們也願意接納那些真誠地歸化他們的人；比較拉六21。）有時候，無疑也包括此時，神子民要把焦點集中在光和鹽的純淨本質上，惟恐全然融入別的社群後，他們對神的愛和救恩的見證就消失得無影無蹤了。

這些就是兩卷書內一些獨特的主題，可以用作研經時的指引。當然，無可否認，書中還有許多要點值得留意，例如神的主權──比較本書較闊之政治範疇與早期的舊約歷史書；禱告的性質和習慣；幾位主角的性格；及他們展示的領袖特質等。總括來說，在這兩卷常被忽略的歷史書中，我們可以學到許多有永恆價值的教訓。

應用綱要

經歷神的救贖和更新的人，面對新的生命，要作出抉擇：完全委身去活出信而順服的生命，並承擔新的呼召。這樣，復興才能帶來持久的改變和動力。

以斯拉記

註釋

一1至六22　從被擄歸回與重建聖殿

以斯拉記首6章涉及一段約為23年的時期（主前538至515年），期間許多猶太人從巴比倫返回故土，並在拖延了一段日子後，即約在聖殿被毀的50年後，把耶路撒冷的聖殿重建。

然而，聖經並沒有用連續敘述的方式來描寫這些事件，而是著重描述某些特別的時刻，但對其他重要的歷史事件，如返回耶路撒冷的確實路線，則隻字不提。這是因為作者的年代，比他所記述的年代為晚，他要受所得資料的規限；這些資料如他可以取得的信件副本、名單和別的文件。他藉著這些事件的編排，並加上他自己的評語，把讀者的注意力集中於這些事件的宗教和神學意義上。

首先，他強調縱然所發生的事，在強大的波斯帝國那更重要的事務中，顯然一點也不重要，但實際上，這些事件全由天上滿有主權的神所操控。祂甚至使用了外邦君王如古列和大利烏，來達成祂在子民身上的旨意（例如一1，六14）。這事實鼓勵讀者從不同的角度去看國際間的事件，因為從一般的角度去看這些事，細小和偏遠的宗教群體會很容易變得沮喪。

在政治變動的時候，基督徒要學習超越表面上的變動，去看神可能賜予更新的福音工作，或教會政策在方向上可能有的改變，以致在社會充滿期望的氣氛下，更有效地作出服侍和見證。

其次，本部分極強調以色列舊制度與更新了的耶路撒冷社群之間的延續性。聖經藉此提醒讀者，他們是神多年前對祂子民之應許的合法繼承人；他們的宗教並不是新的宗教，而是直接承受曾向摩西、大衛、所羅門等領袖所啟示的宗教。

這裏也包含一個反面的因素，就是敵對者的反對，這些敵對者中有北方新興的撒瑪利亞群體。若這幾章聖經是在撒瑪利亞聖殿興建期間（約主前300年）編寫的，則這樣的保證是必須的。因而作者在第三、第四至六章清楚指出，面對別人對神工作的妨害，最佳的解決方法是繼續執行神所派遣的任務，而不要妥協或對質。這些主題稍後在以斯拉記和尼希米記會一一展示出來。

一1-11　古列下令被擄者歸回，並把聖殿器皿帶回本地

第一章集中討論上述首兩個要點，背景是古列迅速冒起並掌握大權後，即奪取巴比倫的那年（主前538年），他以波斯帝國取代了從前的巴比倫帝國。波斯帝國的政策跟前人不同。前人藉一些粗暴的手法，如把屬國的人大批擄去，來建立自己的主權，波斯則只要某些政策能達到其目的，便願意滿足一些本地人的要求。在波斯能進一步擴展至埃及之前，她需要在帝國儘西部地區，包括巴勒斯坦的人，向她效忠，而波斯這樣做，極之受到猶太人的歡迎。

一1-6　古列下詔　世俗的歷史家會從當時帝國的政策去解釋一些事件，但聖經作者則認為這些不過是神用以達致其計劃的一些方法。因此，古列（1節）和神的子民（5節）都可以描述為被神激動。此外，聖經指古列的行動是要應驗較早前先知的預言，所指的大概是耶利米書五十章9節和五十一章11節，是按著以賽亞書四十四章28節和四十五章13節來理解。為要配合這說法，一個本來是地方性的詔諭（2-4節下詔的形式是一種口頭的

詔諭，大概是向猶大首領頒佈），現在被視為重要：「下詔通告全國」（1節）。

這詔諭集中於批准猶太人返回本國。關乎重建聖殿的細節，則是另一個勅令的題目（參六3-6），因為這事不單影響猶太人，也影響其他人。兩段經文不應看作同一個詔命的不同版本。

作者在眾民的回應（5節）之後加上一個註腳（6節），是要我們想起以色列人出埃及的情景。那些給予經濟支援的「四圍的人」，不但包括一些決定不回去的猶太人（比較4節），也包括非猶太人。本節的說法叫人想起出埃及記三章21至22節、十一章2節、十二章35至36節那「從埃及人手中掠奪」的主題。這是聖經第一次這樣暗喻出埃及，而後來還有多次這樣做，讓讀者從一個新角度去看那些波斯帝國歷史中，似是不重要又或許會被刪除的歷史事件。在有信心的人看來，這次歸回的重要性，不比以色列民族的誕生小。這次同樣是出於神的拯救，甚至可以看為民族的重生。

附註 第2節「天上的神」這稱謂是第一次出現在聖經中。在猶太人與波斯人接觸的處境下，最常使用這說法。這稱謂最初可能是雙方都接受的稱謂〔波斯神祇亞胡拉馬慈達（Ahura Mazda）是一位天上的神〕。

一7-11 聖殿器皿帶回本地 本段無疑是根據送回之聖殿器皿庫存清單而列出的，這清單極可能是保存在聖殿的文書處。作者把這清單列入經文內，並非出於對古物研究的興趣。首先，有好幾處再次叫人想起以色列人出埃及的情景。從以賽亞書五十二章11至12節清楚可見，聖殿器皿歸回本地是「第二次出埃及」會有的事。此外，**第11節**的措辭，是別處用來描述出埃及的公式（「從……將……帶上來」；比較創五十24「領……從……到……」；出三8-17「領……出……到」，特別是出三十三1「從……領出來……從……往……」）。最後，設巴薩那獨特的稱謂：「猶大的首領」（8節），可能反映民數記七章84至86節（比較民二3-31，七1-83，三十四18-28），而該處各支派的首領都在曠野飄流時期獻出器皿。

其次，**第7節**強調，這些器皿就是從耶路撒冷第一聖殿中奪去的那些器皿（比較王下二十四13，二十五13-15；代下二十六7、10、18）。在象徵性方面，這些器皿也許取代了尼布甲尼撒擄來放在他殿宇中那些別國的偶像。聖殿器皿被帶回來，並在作者自己的世代，用在第二聖殿的敬拜中，因而有助於建立一個與所羅門聖殿之間強大的聯繫。它們把人的注意集中在神子民的合一上，因而與聖殿崇拜因著被擄而中斷的情況相對應。

附註 第8節設巴薩是波斯國之猶大省的第一位省長（比較五14）。我們不能確知他別的事情，似乎他是猶大支派中一位出色的領袖，但說他出於大衛家，或他就是所羅巴伯的意見，則值得懷疑。**第9-10節**各種不同器皿的具體翻譯很難確定，從各個英譯本都有不同譯法，可見一斑。**第11節**5,400件的總數，跟各部分之總和並不相等。這可能由於抄寫數目上有錯誤，或純粹是會計上出錯。在波斯波立(Persepolis)的波斯府庫文件中，也有許多這種會計上的錯誤。

二7-70 被擄歸回者的名單

從本章末後幾節可見，這名單是在歸回後一段日子才收集和編定的。編寫這份名單的原因和日期不能確定，但有建議認為，這名單是用來回答後來關乎建第二聖殿者是誰的問題而編成的（五4）。若真是如此，則名單上所包括的，就不只是那些回應古列詔諭而即時回國的人，而其後10年或12年間，或許也有人隨後回國。這名單在尼希米記七章6至73節再重複，而那裏的「第一次上來」（5節），應以大概的觀念去理解，即是相對於後來幾次回歸潮，如以斯拉帶領的一次回歸（比較拉八）。兩個名單有些微的差別，而差別主要在於數字上。這情況如上述，大概是由於後來抄寫那複雜的記數系統所產生的困難。

在12位領袖的名字（比較尼七7）之後，跟著是平民的家庭（3-35節）、祭司（36-39節）、利未人（40節），和較低微的聖殿事奉人員（41-58節）。跟著是家譜不明者的記錄（59-63節）、總結（64-67節）和其他簡單的筆記。然而，那關乎平民部分的記載似乎並不一致，因為有些是按家族來登記，有些則按其居住地點。可能後者是指那些從未被擄的人，他們也跟被擄歸回的人一起重建聖殿。

作者記下這名單的主要目的，是再次強調被擄歸回者與從前的以色列人延續的關係。第59-63節記下那些譜系尚未查出的人，尤其可顯出這一點；而首領的人數（十二人），又可叫人想起以色列支派的數目。此外，名單開始和結束時都強調各歸本城（1節和70節），指明舊約各處都把人和土地緊密聯繫起來，因而本章的作用就如約書亞記下半部的清單一樣。因此，這裏暗示神給予亞伯拉罕的基本應許，已得著了部分的應驗（創十二2-3）。

當然，本章所表達的排他性，也要有神計劃中之包容性去平衡；神計劃中的包容性在聖經其他地方得到證明，包括舊約本身（本章大量的外邦名字，尤其在48至58節，也可表明這一點）。但在此重要的過渡時刻，不能避免的是，重點必然落在猶太人那種認同感，並與昔日保持實質之聯繫的重要性上。

同樣地，基督徒群體必須敏感於處境中所要求的優先次序。最首要活出的異象，仍是反映神那願意接納人的恩典。然而，有時基督教會在道德或教義上有錯失，以致不能把他們從世俗的社會分辨出來。在這種情況下，可能有一段時間，要重新返回改革和重訂界限之上。這樣做的目的，是要恢復一個充滿活力的基督徒中心，再次有效地吸引別人去經歷神的愛。

三1至四5　恢復敬拜

本部分分為3段。第一段描述祭壇再次築起，及在壇上獻祭敬拜（三1-6），第二段描述重建聖殿的準備（三7-13），第三段則首次提到建殿工程遭阻撓，結果需要延遲（四1-5）。表面看來，這景象跟先知哈該所給予的印象不相符；哈該後來（約主前520年）斥責猶太人對聖殿完全不顧，並催促他們在所羅巴伯和耶書亞帶領下，開始一個似是全新的建殿工程。

學者對此難題作出了各種不同的解釋；例如，到了哈該的年代，這早前開始的小計劃已或多或少被遺忘了。然而，我們也許不應看這段經文所指的是回歸早期的日子。第7至13節和四章1至3節可能是從哈該的時候開始（第8節「百姓到了耶路撒冷神殿的地方」所指的時間就是開始重建的時候，而不是最初從巴比倫回來的日子），而四章4至5節是後

來加上，去解釋工程何以延遲了（比較四4和三3，並留意四5提到的一段時間）。然而，無論我們採用哪一個答案，作者的重點都是清晰的，而其目的是要作為一個模範：猶太人以恢復某種形式的敬拜為優先是正確的，只要那是可行的——即使在聖殿建成之前（三6）。

三1-6　復築祭壇獻祭敬拜
本段最少是指從被擄歸回初期的日子。祭壇在原有的根基上（3節）重建，那就是在原本的祭壇被破壞的地點上重建。既集中在神啟示要作為獻祭之壇的地點上（比較代上二十二1），猶太人延續被擄前之以色列人的敬拜，便得到保證。同樣地，特別（4節）和常獻（5節）的祭，又照律法書上所寫的，得以恢復。他們敬拜的形式和表達法，正是摩西和大衛所設立的方法。

附註　第2節耶書亞是大祭司（比較該一1）。這職位在君主制度結束後，更形重要，因此這裏適切地先提他的名字。所羅巴伯顯然是繼設巴薩任省長（比較該一1）。雖然他出於大衛家（代上三19），但以斯拉記並沒有以此為重要。

三7-13　重建聖殿的準備
本段幾乎每一句關乎建殿的話，都是刻意強調它與第一聖殿的相似之處。例如，第7節明顯地響應著歷代志上二十二章2至4節和歷代志下二章15至16節；第8節的日期使人想起歷代志下三章2節，而兩年的準備工作若加在5年的興建工程上（比較六15），則這7年又可跟列王紀上六章38節相比較。利未人監督工程的責任（8-9節）又跟歷代志上二十三章4節相同，而伴隨著的慶典（10-11節）又使人想起第一聖殿的奉獻禮（例如代下五11-13，七3）。最後，第12-13節出現一個明確的比較，復建聖殿的歡呼聲，最少也跟那些見過第一聖殿之老年人失望的哭號聲相配。因此，本段的主要目的，也是強調其延續性和合法性，而結束時的喜樂，對作者那較晚的世代來說，是另一個挑戰。

四1-5　首次出現敵擋與阻撓
若把1至3節的事件，如上述定為大利烏王時代的的事件，

則可以解釋為何只經過一段短時間，整個工程在第五章便受到質詢。那些被拒絕的人很快便進行報復。雖然個別局外人士可被接納進入這群體（比較六21），但其他人若得以加入，作為夥伴，則重建聖殿的法律權利便受到危害。後來的質詢，證明他們在這一點上堅持，是聰明的做法（比較五3）。作者稱他們為「猶大和便雅憫的敵人」（1節），大概是出於後見之明；他們當時可能並非以此身分出現。

第4-5節是附加上去的，用以解釋奉獻祭壇後（三1-6），何以遲遲未進行聖殿重建。

附註 第2節把外邦人安置在昔日之北國的亞述王以撒哈頓，在歷史書中並未提及（王下十七24-41關乎撒珥根二世），但在以賽亞書七章8節則有暗示。第5節大利烏在主前522年繼剛比西斯（Cambyses）任波斯王，執政直至主前486年。他在位首兩年面對許多叛變事件（以斯拉記沒有提及，但對哈該和撒迦利亞的預言來說，可能是重要的背景），但後來，以斯拉記稱他恢復古列的政策。

四6-24 公然的對抗

本部分提及3封指控猶太人的奏告，一封寫給薛西（6節），兩封寫給亞達薛西（7-16節）。這兩位波斯王在大利烏以後才執政，而第五至六章卻又回頭敘述大利烏執政年間的事。除非作者對於年序是全然混淆不清，否則我們應假設本段是一篇附記，而第24節表示我們重拾在第5節中斷了的敘述（作者的用語顯然是重拾此敘述）。支持這說法的，是那些指控都是關乎耶路撒冷的城牆（12-13節），而不是關乎聖殿；聖殿卻是以斯拉記一至六章的主題。

作者這樣離題的原因是十分清楚的。他剛剛詳述了猶太人如何拒絕外人的幫忙。後來的事件證明先前冷漠無情的決定是正確的，因這些人其後顯出了他們的真面目，即「猶大和便雅憫的敵人」（1節）。由於這只是以斯拉記和尼希米記中，許多敵擋神的工作中第一個記載，因此，它可用作一個叫人常常警惕的警告，並且當敵擋的在「外面」，便要及早處理，不要讓它進入群體之內，因到時它的破壞性會更大。

作者只是把其中一個指控全部記述下來

（8-16節），而王的回覆（17-22節），對後來解釋尼希米被差遣的背景是有幫助的。無論如何，沒有證據顯示指控猶太人密謀反叛的話是正確的，但鑑於波斯帝國西部各省常有動亂和不安，亞達薛西這「行而後三思」是可以原諒的。

附註 第8節如第7節所示，這裏的文字從舊約常用的希伯來文轉為亞蘭文，並一直持續至六章18節。亞蘭文在波斯帝國中是一種「外交語言」，而可能許多作者取得的官方資料都以亞蘭文寫成。由於猶太人也懂得亞蘭文，所以作者選擇保留這些資料原來的文字，而他自己也用亞蘭文寫出簡短的連繫句。第10節大河西是波斯帝國西部省份的官方名字。這幾節的其他名字和稱謂都很含糊。第12節這裏所指的可能是與以斯拉一同返回猶大的人。第20節大君王並不是指猶大人（如大衛和所羅門），而是指亞達薛西的前任者，如古列和大利烏。亞達薛西擔心與他們相比是不利的。

五1至六22 重建聖殿

這段冗長的記載，顯然是集中於聖殿重建期間的一件事件，就是波斯總督達乃的質詢（五3-17）和從王宮而來的有利回覆（六1-13）。作者在這些資料之上，加上有關神之催促和看顧的平衡論述（五1-2，六14），然後才以獻殿和逾越節的慶典來結束整件事（六15-22）。我們要留意，此處正如先前一樣，我們期望作者記載的詳情，都給刪掉了；例如，作者沒有交代建殿的實際過程和進展。作者只把他從原始資料所得的告訴讀者（主要是達乃和王之間的書信來往），然後從神學意義方面去作出評論。

與此事相關的，有兩個明顯的重點。第一，作者採取正面態度去看波斯的當權者，再次強調神藉著他們來行出祂的計劃和旨意（參一1等）。作者採取這種態度，以致「教會和國家」的衝突得以避免，尤其在他自己的年代；那利用他們在民事法律下之權利的群體，不會危害神的管治，因為神作為他們至高的主宰，定能透過這些人的法律，讓其子民得益。他並沒有倡議說，重建政治上的獨立自主，是神子民得自由的必備條件。實際上，他樂於代表皇室談到國家在禱告和獻祭上所給予的支持（六

9-10）。

第二，在上述各章一直重複提出的主題
——一脈相承，在此也繼續提及。一脈相承
在於聖殿本身（五8；比較王上六36，七12，
五11、13-15，六3-5），和伴隨的禮儀及律例
（如六17-18）。

雖然基督教沒有同樣倚靠這等外在的律
例典章，但我們必須記著，「普世教會」不
單包括現今所有的真信徒，還包括那些活在
我們以前的人。我們與他們有同一本聖經、
各種聖禮、許多崇拜的形式和價值觀念。我
們常常思想這樣「與聖徒相交」，會得著鼓
舞；以他們的榜樣來察視我們現今的處境，
也是一個有益的練習。在不降低聖經的權威
下，我們若忽略其他基督徒（「傳統」）的經
驗，是危險的。

五1-2　重建神的殿宇　此處與哈該書和撒迦
利亞書一至八章的描述一致，即建殿的工程
主要是出於以色列之神的激勵，再透過先知
的話，引起熱烈的回應。

五3-17　達乃的質詢　無論這質詢是否由於
四章1至3節的拒絕而引起，聖經沒有暗示達
乃是存著敵意到耶路撒冷來的。由於這工程
的授命是差不多20年前出於前王古列的（比
較13-16節），他大概對此一無所知，故此需
要確保一切按章進行，尤其使用公帑可能是
一個問題（比較15節與六4、8）。**第5節**暗示
他傾向相信猶太人的解釋，而作者認為他這
種態度是出於神對子民的看顧。

附註　**第10節**這裏沒有列出名單，不
過，這名單可能已在第二章中引用了。因
此，作者把達乃的信件撮寫了。**第12節**我們
可留意這一代的人怎樣把被擄前之先知的教
訓，看為對他們的教訓，無論那是多麼令人
不快。在更新的時候，承認過往的錯失，是
是更新的一個重要部分。**第16節**本節的下半
部不完全是對的，因為在設巴薩帶領下，無
論建殿工程開展了多少，都已停工很久了。
然而，重要的是，在法律上，猶太人稱他們
現今所作的，只是繼續使用先前所授的特
權。因此，他們所提及的是國家文書處所記
錄的名字，而不是他們當時的首領。**第17節**
這極可能就是達乃要確認的一點。相關的文

件沒有在巴比倫找到，卻在另一個波斯首府
亞馬他城（六2）找到；這一點強烈證明這敘
述的準確性。

六1-12　大利烏王的回覆　大利烏王把古列
原本的詔命納入他的回覆中（3-6節）。猶太
人的要求全然得到證實，而大利烏不單肯定
這要求，還加上他自己的一些供應，人若有
違命，將受重罰（7-12節）。近期在波斯行政
文件方面的考古發現，顯示波斯帝國在國中
廣泛支持這等地方宗教，縱然文件本身沒有
提到猶太人或耶路撒冷聖殿。

附註　**第3節**本節末可能應更正為「高三
十肘，長六十肘，寬二十肘」，即約為高45呎
（13米），長90呎（27米），寬30呎（9米）。

六13-18　聖殿之建成與奉獻　正如在本部分
開始時一樣，作者再次強調神在政治過程中
的干預和控制。在先知的勸勉之上（14節；
比較五1），作者又指出神和諸王同有這個命
令。這裏也包括亞達薛西，因為他在下一章
會支持以斯拉回國；無論如何，他在第四章
的角色也並非完全是反面的。

奉獻聖殿的描述把被擄歸回的人放在十
分有利的位置。他們視自己為整體被擄歸回
者的代表（17節），而這奉獻典禮就像所羅門
聖殿的奉獻禮；當時整個民族仍是一體（比
較王上八）。雖然這與被擄歸回時期的實際情
況相距很遠，卻讓讀者看見任何宗教群體當
時或自那時起應有的理想。

六19-22　慶祝逾越節　作者在此轉而使用希
伯來文來結束以斯拉記一至六章的部分。逾
越節是結束這段記載的一個適合的節期；正
如我們所見，這段記載是作者在許多方面看
為第二次出埃及的一連串事件。**第21節**再次
強調，這群體歡迎任何願意者加入，他們不
需要具備甚麼先決條件。

附註　**第22節**表面看來，以亞述王一詞
來指一位波斯王（大利烏），是叫人疑惑的。
這或可解釋為：亞述被視作一個欺壓勢力的
象徵（比較尼九32），而這角色後來被認為是
巴比倫（比較彼前五13；啟十四8，十八2）。
這樣解釋並非沒有原因，因為波斯是接管了

巴比倫帝國,而巴比倫則是接管亞述帝國。學者找到一些證據證明波斯人也意識到這種政權之更替。

七1至十44 以斯拉

有關以斯拉的資料可見於以斯拉記七至十章和尼希米記八章。這些資料有部分是以斯拉親口說出來的,而似乎其餘的部分是由一位較後期的編者按這些記述重寫出來的。假設所談及的波斯王是亞達薛西一世,則以斯拉記六章與七章相隔約有57年。作者用「這事以後」(七1)來過渡這幾十年的時間,最能反映他的寫作是以神學為目的,過於以記載歷史為目的。明顯地,他並不是要敘述下一件已發生的事,而是敘述神整體計劃中下一件重要的事;神的計劃是以色列人從巴比倫歸回後,猶太群體要進行一次更新。

七1-10 以斯拉的簡介

作者介紹以斯拉為一位祭司和文士。他的家譜(1-5節)顯示他出於一個祭司家庭,是猶大被擄前倒數第二位大祭司西萊雅的後裔(代上六14)。然而,在被擄歸回時期,祭司的教導角色被文士逐漸取代了,而以斯拉就是文士中一個突出的榜樣(6-10節)。從前寫下的經卷成了主要的宗教權威,是無可避免的。因此,他是站在一個把神的律法傳達給人的過渡位置,而我們則準備看他對聖經之詮釋在故事中所佔的重要位置。

第6-9節概述了他前往耶路撒冷的路程;更詳盡的資料可見於第八章。正月初一日(9節)指逾越節的節期(比較出十二2),而這一點配合後來的以斯拉為第二摩西的觀點。這種寫作方式使讀者在人物和事件上,看見一個熟悉的拯救歷史模式,讓我們更明白神在管理祂所有子民的事情,並使後世讀者從自己的經歷中找出類似的模式,無論那在表面看來是多麼不重要。就是循著這些解釋方向,我們可以看見許多舊約人物,今天仍可作我們的模範(比較林前十6-11)。

七11-28 以斯拉受命

亞達薛西給予以斯拉的這份詔命,是以亞蘭文寫成的(參四8的註釋),而這詔命可能是因應以斯拉的特別要求而寫成的(比較七6)。王給予他4項任務。

第一,他要帶領以色列人從巴比倫返回猶大(13節;這是第八章所討論的主題)。第二,他要把各種禮物和厚賜運返聖殿(15-20節);王又交給他一份予河西所有庫官的諭旨,命他們供應聖殿崇拜之所需。這道諭旨也列在詔命之中(21-24節)。也許為免有人懷疑他對這些金銀器物處理不當,以斯拉在八章24至30節、33至34及36節,清楚交代此任務之完成。

第三,他要「照你手中神的律法書,察問猶大和耶路撒冷的境況」(14節)。在經文中,這極可能是指王需要確保聖殿的禮物是按猶太律法來使用,並且與波斯人在別處的習慣一樣,被視為猶大省宗教生活中一項正式核准的規例。這可能是處理混婚問題的基礎(九至十章),因為這等婚姻顯然在判斷一對夫婦活在那一個司法制度下,引起了問題。

最後,以斯拉要教導那些住在猶大省以外的猶太人遵守猶太律法(25-26節)。這會是一個傷腦筋的問題,因為神的律法和工的命令(26節)之間,必有許多衝突之處。巴比倫的猶太人必已面對這問題,並且在兩者間達成了協議。要向其他在相類之處境下的人給予指示,有誰比他們首席的教師做得更好呢?許多在不同處境下的信徒,自那時起已面對這問題,因而以斯拉的方法是很有用的。可惜的是,隨後各章對此事隻字不提,可能暗示他從未履行這部分的使命。

縱使這份文件在猶太教的歷史發展看來,具有重大意義,但以斯拉的回應禱告(27-28節),只讓我們看見聖殿這敬拜中心得到了更多的供應,和表達了神永恆不變的愛。自亞伯拉罕第一次蒙召和得蒙各樣應許以來,以色列人這多年來,在環境上可能已有徹底的改變,但神仍是「我們列祖的神」,祂能感動一個波斯的國君及其臣僕,去行出祂的計劃。

八1-36 以斯拉返回耶路撒冷的旅程

本章多半是較直接的敘述,主要關乎以斯拉對王詔命的順從和履行。然而,其中3個重點的達成,卻不單在乎他的能力,也由於「神施恩的手幫助我們」(18節;比較22與31節)。

首先,以斯拉渴望那些與他一同回國的人中(1-14節),有一些利未人(15-20節)。他

們在聖殿敬拜中的從屬角色，可顯出這次回歸對他們來說並不吸引，但他們在旅途中同行是有需要的，這樣才可配合出埃及後在曠野行走的象徵（比較民十11-28）。在那情況下，他們也在運送聖殿器皿上有特別的責任。

第二，旅程本身的安全是在於神恩手的帶領，因以斯拉拒絕了兵馬的護送（21-23節）。這似是鹵莽的自恃迫使眾民切切禱告，而他們的信心也得著了回報。然而，尼希米那不同的態度（比較尼二9），提醒讀者，神可以藉不尋常的方法，也可藉「正常」的方法，來為其子民作事，這原則後來在道成肉身一事中表達得淋漓盡致。

有些基督徒會陷入一種想法，以為神只會行神蹟奇事，因而把一些世俗化的程序，如會議等，視為「不屬靈」的。然而，神既選擇降生為人，藉著基督成就救恩，我們便可預期袖會使用人類的方法，也會迴避這些方法去作工。袖是我們整體生活的神，我們應小心，不要把袖的作為分門別類。這樣做最終只會把袖排拒於我們大部分的生活以外，換句話說，我們會變成偽善者。

第三，運送貴重的金銀和祭物（參第七章）而不受盜賊滋擾，也是由於神施恩手的幫助。然而，這裏詳盡地記述以斯拉所遵從的步驟；人若辯說經文所著重的是「屬靈」方面，而不是「實際」方面，便是誤解了作者的意思。

難怪被擄歸回者一抵達耶路撒冷，安頓下來，便獻上感恩祭（35節）。他們在第一次歸回後這麼久才回國，發現**第二次出埃及，並不是一件孤立的事件，而是一個經驗，是**其後各個世代都可以享受的。其中的應許和盼望，並不是第一次回歸的人已享用盡致，而那些選擇稍後才起程的人，也不會受到譴責。相反地，**得拯救和新生命的前景，向每一個新的世代發出挑戰，要作出抉擇。**

九1-15　有關混婚的報告和以斯拉的認罪

4個月過去了（比較十9），我們必須假設，如十章3節所提示的，以斯拉已像尼希米記八章所描述一樣，開始了他的教導事工。從本章和別處，我們發現他能夠把那些被視為過時的律法，重新應用在新的處境上，他

特別是把不同的經文串連起來，去找出那些支持著較舊之律法的神學原則。

結果是眾民開始明白，跟未信的外邦人結婚，與他們的先祖與迦南人結婚，在原則上是無異的，而這做法是律法不容許的。第1節所提及的民族，多半已不存在，但從各種別的資料可見（包括利十八，十九19；申七1-4，二十10-18），律法與當代的處境也是相關的。

以斯拉的禱告純是認罪，其中並不包含要求赦罪或其他代求。這禱告的高潮是：耶和華以色列的神啊……你是公義的！（15節）縱使神要毀滅祂的子民，以斯拉也承認祂的做法必是對的。這可說是最高境界的敬拜：敬拜者只為神的本質而讚美祂，而不是為了他希望從神得著甚麼。

因此，以斯拉適切地採用了一個為死者哀悼的做法（3節），而他則代表著全民去禱告。他的禱告（6-15節）也是從各種早期文獻援引過來的，其中包含了個人和群體的哀悼（6-7節）；思想神現今的憐憫——這樣只強調了眾民的忘恩負義（8-9節）；具體的認罪（10-12節）；未來的意向（13-14節）和概括性的認罪（15節）。

十1-44　混婚的問題得解決

以斯拉的領導作風值得我們研究。這裏正如在別處（例如九1；尼八1），他是等候眾民來找他。因著他的教導、忍耐和榜樣，他能夠不用威壓，便帶領他們作出一些他認為有益的決定。

故事以一種直接的手法來描寫。在考慮過所有隨之而來的狀況後（14節），許多人都休了他們的妻子，而這些人的名單則列於本章第二部分。本章首尾都沉痛地提及受牽連的婦人和孩子，可見作者並非沒有留意他們要犧牲一些人作為代價。讀者所面對的問題，是這些事為何發生，過於發生了甚麼事。

我們要明白的重點是，**猶大的猶太群體在一個不安定的處境下，若要生存下去，就必須有一種很強烈的認同感。**亞達薛西的詔命（七12-26）已為以斯拉提供一個指令去發展猶太教，成為一個嚴謹的宗教團體。因此，入教者的資格必須重新界定；否則，這信仰中獨特的元素有可能會淡化，以致超越那被認可的要素。這是作神子民的原則，而這原則仍然有效

（比較太五13-16），縱然以斯拉所採用的方法，明顯是基督徒看為不合法的（林前七；彼前三1-7）。

因這緣故，我們不應把這特殊的歷史處境，等同於基督徒刻意跟非基督徒結婚的問題（林後六14並非直接針對這個問題，但其原則常應用在此事上）。然而，整件事件提醒我們，我們必須盡所能去鞏固自己的信仰，並與神相交，而不要放任地讓自己面對走上歧路的試探。

尼希米記

大綱

註釋

尼希米記上半部（一至七章）幾乎完全是關乎尼希米重建城牆的工程。在某程度上，本書談政治或社會民生的方向，跟以斯拉記較著重宗教改革的方向相對；當然這兩方面是不可各自獨立來看的。這故事主要是基於尼希米第一身的記述。本書的下半部（八至十三章）源於較廣的原始資料，是兩位改革者在屬靈更新方面之工作的高潮。

一1至七73 尼希米重修耶路撒冷城牆

這裏詳述的事件，日期約為主前446至445年（比較拉一1），即以斯拉返回耶路撒冷後第十二或十三年。我們只可推測此時正發生甚麼事（參第4節的註釋）。要再提的

是，編者的目的是集中於一些他認為從神子民的救恩歷史看來，有重要神學意義的時刻，並把焦點放在神的因果上，而不像世俗歷史那樣，集中於事件的承接上。

一1-11 尼希米的使命

作為王的酒政（11節），尼希米在宮中蒙波斯王信賴。王可能期望他充當王的智囊，他因而可藉著非正式的諮詢和商討，發揮一定的影響力。故事開始時，並沒有顯示他有意捨棄這尊崇的地位，而跟他的猶太同胞一同返回偏遠而無人注意的耶路撒冷去。

他可能只是隨便查問（2節），卻聽聞一些近期的災難。這消息對他有產生極大的影響（4節），可見那並非指140年前巴比倫的毀城。這裏更可能是指以斯拉記七章7至23節的事件，而那些事件是按著年份的次序記在該段經文中。我們不知道以斯拉當時是否仍在耶路撒冷（他似乎並沒有參與重建城牆的流產計劃）；他若是在那裏，我們便可明白，何以其後他不可能完成使命（參拉七25的註釋）。

尼希米聽見這消息的反應，顯示他知道神正在呼召他到另一個全新的事奉範疇，而他的地位和訓練，已特別為他作好了準備。從尼希米與同胞的認同（4、6-7節），和他為此境況禱告達4個月之久（二1），更可顯出這一點（明顯地，此處的記述只是一個概要）。這樣一段等候的日子，顯示他相信呼召的真確，並顯出他那持續的委身心志。

尼希米的禱告（5-11節）有豐富的以色列禮儀傳統，焦點首先集中在天上的神，隨即是為個人和國家認罪（6-7節）。他此時才轉而概述神約中的應許（8-9節）作為他雙重懇求的基礎。他的禱告先祈求國民可再得蒙賜福，然後特別求他自己得以在王面前蒙恩。若以斯拉記第四章確實是此段的背景，則四章21節指出了向王稟奏，可會帶來危險，也可帶來機會。既然面對這麼大的危險，一向坐言起行的尼希米便智慧地把稟奏王的時間和方式，交託在神手中。

二1-20 尼希米來到耶路撒冷

第10節和19至20節對尼希米敵人的平行

記述，明顯地把本章分為兩部分。在第一部分，尼希米滿有信心而行，因他確信神正在回應他的禱告；在第二部分，開始接觸那未知的事時，他顯出了應有的謹慎。

二1-10 尼希米與王 我們不知道尼希米是否刻意地愁眉苦臉，使王主動打開話題（1-2節）。無論如何，他最初的反應（3節）大可試驗一下那時是否神的時候。王進一步的問題既表示那是神所定的時候，尼希米便概括前數月以來的禱告（4節），並同時把他的要求陳明。當王歡喜地接納他的請求（6節），他便繼而鼓起勇氣，具體地說明其他所需。這事正好表明了他對神的主權有信心，並以禱告作回應，與負起人的責任，仔細地定下計劃，兩者必須取得平衡。我們也要留意，尼米希毫不懷疑，相信神可以藉著人去供應他的所需（8節）。

附註 第10節我們從埃及發現的一份文件得知，尼希米主要的對敵參巴拉，是撒瑪利亞的省長；他為自己的兒子起了一個很好的名字，可紀念耶和華。我們可以推想，參巴拉在以斯拉記四章的事件以後，被委以猶大臨時的管轄權，而那可能是他嫉妒尼希米的原因。多比雅在耶路撒冷內有很密切的人事連繫（比較六17-19，十三4-5）；他在耶路撒冷真空期間，曾否被委任為參巴拉的副手呢？

二11-20 尼希米視察耶路撒冷城牆 尼希米抵達耶路撒冷後，便小心翼翼地試驗神給他的召命。首先，他暗裏實際地擔負起那交託他的任務（11-16節）；這樣做無疑是對一項龐大的工程，先計算一下代價（比較路九57-62，十四28-32）。其次，經文多次暗示他相信這次是神差遣了他，於是他便要求眾民與他合作，一起完成這個呼召（17-18節）。他們一致的回應證明了他正走在正確的路上。個人的呼召一般會得到群體之信心的證實（徒十三1-2）。最後，他的計劃沒有被對抗的行動打歪，卻得到正面的肯定，肯定那是神呼召他去做的，而結果則留給那開始這項工程的神（19-20節）。

附註 第19節我們從一些銘文中知道亞拉伯人基善，是一位在曠野上有勢力的王，他的勢力延伸至猶大南部和東部大部分邊界。他反對這項工程的動機不如參巴拉和多比雅那樣清晰，而聖經提及他的次數也較少。

三1-32 重建城牆
　　參與重建耶路撒冷城牆者的名單，是在工程完畢後才列出來的；但嚴格來說，工程到了六章15節才完竣。雖然文中沒有直接提到尼希米，但毫無疑問，文中已展示了他的組織和領導才能。這段描述是以逆時針方向，沿著城門一段一段的描述，由東北角的羊門開始，最後再返回羊門（1-32節）。從第16節始，描述的性質有了一些改變。大概是由於在那一點之前，築城牆者都是沿著舊城牆來興建，但自這一點開始，他們便繪畫了一個新的圖樣。舊城東面，建在斜坡上，俯瞰汲倫溪的城牆，似乎已受到嚴重的破壞（比較二14），而為了節省時間，他們便把城牆向後移至山坡的較高處；留意經文提到那些築城牆者，發現他們是在自己房屋的旁邊來修築城牆（23-30節）。

　　這裏浮現的整體圖畫是具有教育性的。首先它展示眾民有一致的意向，而顯然有差不多40個部分在同時進行重建工程。若沒有良好的監督、緊密的合作、常常留意鄰近已完成的工程，這是不可能做到的。然而，其次，那些參與工程者的興趣和動機都有頗大的差異。有些人是以家庭之聯繫為基礎來參與工程，有些則是以個人名義參加，有些是按著地區組織，有些則按著他們在社會上的地位，而也有些人是由於其專業社群的緣故而參與這項工程。此外，在許多情況下，參與城牆某部分工程的人，是由於他們在那裏的既得利益。這兩點正好表明了教會工作中應有的合一而多元化（例如羅十二3-8；林前十二4-27；弗四1-13）。最後，留意參與工程者不同的參與程度，也是頗具挑戰性的。有好幾人完全拒絕參與這項工程（5節）；大部分人似乎都完成了分配給他們的工作；而有些則可以承擔第二個部分的工程（1、19-21、24、27、30節）。

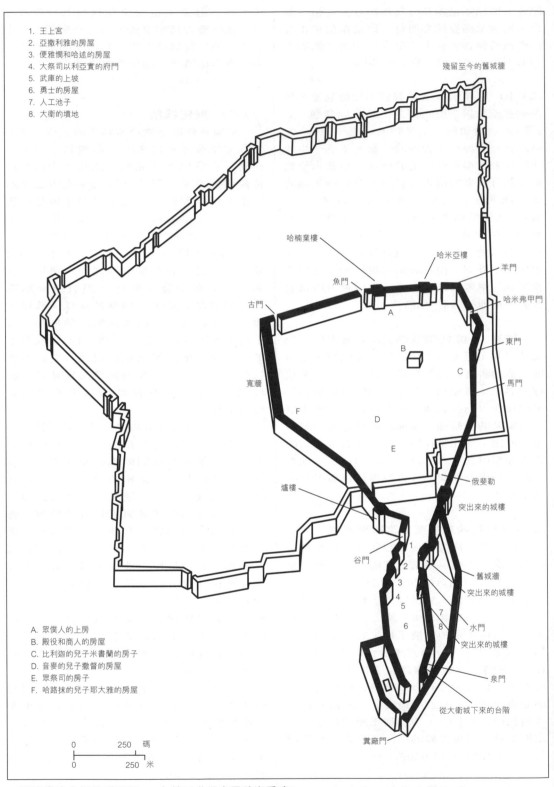

1. 王上宮
2. 亞撒利雅的房屋
3. 便雅憫和哈述的房屋
4. 大祭司以利亞實的府門
5. 武庫的上坡
6. 勇士的房屋
7. 人工池子
8. 大衛的墳地

A. 眾僕人的上房
B. 殿役和商人的房屋
C. 比利迦的兒子米書蘭的房子
D. 音麥的兒子撒督的房屋
E. 眾祭司的房子
F. 哈路抹的兒子耶大雅的房屋

殘留至今的舊城牆
哈楠業樓
哈米亞樓
羊門
魚門
古門
哈米弗甲門
A
東門
B
馬門
C
寬牆
F
D
E
俄斐勒
爐樓
突出來的城樓
1
谷門
2
舊城牆
3
突出來的城樓
4
5
7
6
8
水門
突出來的城樓
泉門
從大衛城下來的台階
糞廠門

0　　250　碼
0　　250　米

耶路撒冷大概的重建圖 ── 主前五世紀由尼希米重建

證主21世紀聖經新釋

四1-23　其他敵擋勢力

值得我們留意的是，尼希米在每個階段都遭遇到一些對抗，而每次都以「某某人聽見了」介紹出來（比較1、7節，二10-19，六1、16）。工程一面進展，敵擋勢力則一面愈來愈激烈，而經文對回應的描述就更見詳細。

四1-5　嗤笑

參巴拉和多比雅在此把他們於二章19節的譏刺擴大，意圖挫敗建城者的士氣（5節），同時向他們的支持者再三保證（2節）。尼希米的反應（4-5節）是藉禱告把問題交給神，那是值得讚許的做法，因為他因而看見那羞辱不單是針對自己，也是針對神，而他應靠著他的神，而不是靠著自己的力量去辯明。然而，他所表達的情操，對基督徒來說，已變得不可取（例如太五43-48，十八21-22；羅十二14-21），因為基督的工作已確保基督徒得到最後的勝利，那是尼希米不能知道的。

四6-23　威嚇

工程進行了一半時，尼希米要面對一個雙重的危機。一方面，他的工人因龐大的工作量（10節），以及家人的催促——他們住在城外的村落，知道敵人正準備攻擊，因而不斷催促他們回家（11-12節）——而可能會士氣大挫。另一方面，那擴大了的敵軍，正作出攻擊的威嚇（7節）。很難說這個是否真正的威脅（它在波斯帝國中的合法性成了疑問），但對那些近期經歷了以斯拉記四章23節的災害者來說，即使只是有迹象顯示歷史會重演，但對他們來說，已造成極大的不安。

尼希米對這些問題的回應，**顯出一種有感知力的領導典範**。他作出一種合乎常理的彈性處理，使工程暫停下來，然後召集眾民（13-14節；參下文），宣佈一個為安全理由而實行的新措施（16-20節）。其後他按著傳統去鼓勵眾民，使用一些在過往以色列歷史中證實有效的方法和言詞。我們不能在此全部記錄下來，但可比較第14節和出埃及記十四章13至14節、15節和出埃及記十五章14至16節及20節，還有出埃及記十四章14節，以及士師記六章34節。尼希米把一個熟悉的解釋架構，置放在眾民混亂的心情上，這樣，他便能把他們的恐懼和無力感，變成

一個信心的基礎。最後，他以身作則地帶領猶太人繼續作工，如本章末後數節所指出的。

附註　第12-13節這兩節經文的翻譯不能確定。較清晰旳寫法是：「那靠近敵人居住的猶太人多次從各處來，對我們說：『你們必要回到我們那裏』，我便站在城牆後邊低窪的空處，使眾民各按宗族，拿刀、拿槍、拿弓站著。」換句話說，尼希米是以以色列古代徵兵的方式召集眾民，而他向眾民講話的方式，又跟摩西、約書亞和其他偉大的以色列領袖面對著明顯地懸殊的差距時，向眾民說話的方式相似。**第16節**我的僕人並非概指所有的建城牆者，而是一群數目較少、受過訓練的人，他們無論在任何境況下，都會忠於尼希米（比較五10、16）。

五1-19　社會與經濟危機

雖然經文沒有明顯指出，但似乎在夏季期間，一些人要從郊外到來，參與建造城牆（比較六15），使一個可能已存在好一段時間的經濟危機，到達了極點。本章最後一段（14-19節），是關乎一些頗為後期的事，但也包括在這裏，是因為它是談及相同的主題。

五1-13　債項問題得解決

第2-4節詳述了3個不同的申訴，而**第5節**大概是3個申訴的撮述。文中提到「他們的妻」（1節），其中講述她們最關心那即將來臨的災難，因為她們要在丈夫離家往耶路撒冷時，負責整個家庭的事務。

第一組（2節）是沒有田地的家庭，因而首先因參與城牆重建，沒有了家庭收入而受苦。第二組（3節）是已經典押了田地的人，他們若不能以收成來償還債項，便會全然失去所典押的田地，而第三組（4節）顯然是要舉債來繳付稅項。對他們所有人來說，這種社會不公義的感受是至深的，因為他們的債主就是自家的猶太人（1、5節），而她們快要把自己賣作奴僕來償還債務了。

雖然典當、賣身等做法並不是違法的，卻只容許人用作權宜之計，而律法更著重保護赤貧者長期的利益（例如出二十一2-11；利二十五；申十五1-18）。這情況在目前危急

的處境下並不能制止；此外，所發生的事，正與尼希米欲達致的整體民族精神相反（6-8節）。因此，他在公眾面前與這些債主對質，並直率地承認他自己在此事上的疏忽（10節），藉以把道德壓力加在他們身上。這樣，他便直接避過任何法律上的爭議，為要高舉律法的道德精神，跟一些早期先知的做法很相似。

五14-19 尼希米的榜樣 為表明在群體內，要捨棄個人利益，以慷慨待人的原則，尼希米回想他作省長以來，一直堅持的做法——我們首次知道他已作省長有12年之久（14節）。這段日子比二章6節所設想的日子長得多，而我們幾乎一點也不知道第一年以後發生了甚麼事情。聖經記載中這種高度選擇性的本質在此又一再強調了。

附註 第19節這是尼希米獨特的「求你記念我」禱文中的第一篇（比較六14，十三14、22、29、31）。這些禱文像本段的情況一樣，多半是城牆重建後多年才寫成的，並似乎指出，當尼希米回顧這許多年，他感到所服侍的群體，並沒有公平待他。

六1-19 個人縱受威脅，城牆終於完成

本章明顯地分為3段，而各段的結語（9、14、19節）顯出3段皆有相同的主題，那就是敵人的威嚇。然而，這裏跟第四章不同，因尼希米自己也受到個人的威脅。縱然如此，工程卻是勝利地完工（15-16節）。

六1-9 參巴拉意圖除滅尼希米 參巴拉最初約晤尼希米失敗後（2-4節），他便採取了一種稍為掩飾了的威嚇手段（5-7節）。我們怎也不能假設他的指控有任何實質，但他可能知道，以斯拉記四章那近期發生的事件，尼希米的夥伴應該記憶猶新，因而會向尼希米施壓，使他妥協。

六10-14 多比雅設法毀謗尼希米 多比雅與耶路撒冷城中人緊密的聯繫（17-19節），使他切合充當這插曲的主角。其中一些詳情很含糊，但目的似是引誘或恐嚇尼希米，使他不但進入聖殿，更是進入聖所。縱使他能倖存，但他以平民身分進入聖所的過犯——聖

所只容許祭司進入——也會妨礙他與有影響力之祭司的關係。除了所建議的做法與尼希米不相稱外（11節），這不正當的建議（13節），也足以警示他，此等預言並不可能是出於神的。

六15-19 城牆竣工 本段的要點在**第17-19節**，其中那含糊的年代引言（「在那些日子」）標誌著一個轉捩點，就是從建城牆的記載轉至餘下關乎猶大內部之改革的記敘。因此，這裏的主要人物是那些猶大的貴冑；他們也許想與鄰近的人保持良好關係，以達到貿易的目的，同時也是為了更多個人社交上的原因。

然而，我們不能忽略第15節適度地介紹出來的成就。作者適切地讓四圍的列國對這成就作出反應（16節），而那正成全了尼希米在二章17節的要求。不過，他並沒有在此停下來自己祝賀一番。城牆只被視為一個外在的架構；要被計算的是那些住在城牆內之人的態度和活動，而本章末已顯出這方面潛在的危險。故事因而使我們注意改革的需要，即跟著所敘述的內容。

七1-73 殖民於耶路撒冷的需要

既看見剛才所提及的危險，尼希米首先採取一些短期的措施，以保持耶城的安穩（1-3節）。然而，長遠而言，城中需要有的，是那些樂於遵從尼希米努力建立之標準和原則的人。因此，他採取一種看似頗為嚴峻的措施，就是安排城外那為數不少的人遷進城內。至於這群體的基礎，他借用了第一次返回耶路撒冷者的名單（比較拉二）。雖然我們知道其他人在這時也已返回猶大，但**本段重複這名單，是要指出一個重要的神學要點，就是那些住在神的城裏的人，應與那些早前經歷了神在「第二次出埃及」之救贖的群體，有直接的連繫。**

八1至十39 約之更新

第七章的敘述到了第十一章才繼續下去。其間有3章重要的經文，是關乎眾民在以斯拉和尼希米共同領導下的屬靈更新。若第七章已表示磚和泥本身並不足以提供未來的安穩，這3章便進一步顯示，只叫任何一種人去住滿耶路撒冷城，是不足夠的。只有一群

曾經歷神的救贖和更新、得著神的律法（八章）的人，他們承認自己要倚靠神（九章），並完全委身去活出一種信而順服的生命（十章），才可保證那已建成的外在架構，能發揮其真正的效用。

八1-18　宣讀律法

以斯拉在本章再次出現，引起了一個問題。故事已到了他帶同律法書返回耶路撒冷的第十三年，而期間並沒有任何有關他的消息。我們是否要假設，只是到了現在，即尼希米的主要工作已經完成時，他才能履行使命中主要的任務？還是我們要尋求別的解釋呢？

這裏容許有不同的意見，但任何建議都必須慎重地提出。然而，值得留意的是，此時我們也離開了尼希米本身的敘述（到了十二31再繼續），而本章的記載中，有些特徵與以斯拉在以斯拉記七至十章的資料有關。因此，我們可推測這段關乎以斯拉宣讀律法的記載，曾經是以斯拉記其餘材料的一部分。它原來的位置可能在以斯拉記八章和九章之間，後來由兩卷書的編者移至現今的位置，目的是強調尼希米記八至十章之引言中所概述的神學要點，並且顯出兩位偉大改革家的工作，最終應看為神復興祂了民的工作之部分。頒佈律法應被視為神在復興計劃之高峰時一種施恩的行為，而不是得以復興的一個先決條件。我們在以斯拉記四章看見，這兩卷書有時怎樣容許主題的闡述凌駕嚴謹的年代排列。

無論這資料的起源是甚麼，它在本章裏，卻有著憑群體信心去教導和接受律法的重要功課。

八1-6　宣讀律法

本段顯示一個令人愉快的組合，就是一群切望受教的人，和一個既願意又能滿足他們需要的教師。眾民主動邀請以斯拉把律法帶來（1節）；**第2節**強調整個群體都聚集起來，去聆聽律法；他們存著尊敬和盼望，期待律法的宣讀（6節）；他們一直用心地聆聽那長長的解說（3節）。後來的事件顯出，這樣的態度能讓神的話在聽眾心內發揮最大的效力。

在以斯拉方面，他不但即時回應了眾民的要求（2節），還選擇在一個容易到達的地方（3節），而不在聖殿院內，並站在可以看見全民的高臺上（4節），以致沒有人會受阻礙而聽不見。此外，他還選擇用平信徒來協助他（4節）。他似乎刻意要避免任何人以為律法只是宗教專家私有的財產。

八7-12　解釋律法

本段的兩個部分有著強烈的對比：「明白」律法（8、12節）首先使眾民哭泣（9節），其後卻又快樂地加以慶祝（12節）。他們最初的反應，似乎並非由於他們不熟悉律法，而以斯拉和利未人所提供的解釋（7-8節），是從嶄新的角度讓他們清楚認識到律法是適切於他們的處境。正如我們在以斯拉記九章1至2節所見，以斯拉（也許只是第一次）想出了一種解釋聖經的方法，顯示有些人以為是過時的聖經，其實彰顯著神旨意的基本原則，這原則並不受時間的限制。結果他挑動了眾民的良知。他們開始明白，他們的生活跟神的標準相距是何等的遠。

然而，這並不是舊約律法或聖經整體的唯一教訓，也不是主要的信息。以斯拉提醒他們，這日是聖日（9、11節）──這日他們要特別想起神過往向以色列施恩和拯救的作為──並且若他們憑信心把自己與列祖的經歷連繫起來，他們靠耶和華而得的喜樂，是他們力量的來源（10節）。這樣，以斯拉便叫他們從神施恩和勸誘這更闊的背景，去處理他們的失敗感。認罪是正確的做法（九章），但聽見神話語的第一個反應，應該是歡喜快樂地接受（10-11節）。這種對神話語作出反應的模式，跟使徒行傳二章37至39節相似。這也證明一個真理，就是只有一個相信聖經權威的正統教義是不足夠的。教義若要有效力，我們必先按著它所始源的傳統去解釋，而當我們把它永恆不變的適切性，應用於任何已改變了的處境時，也需要敬虔地運用理性。

附註　第10節英文新國際譯本作「尼希米說」，而希伯來文版本只作「他說」。根據上文下理，這裏說話的人較可能是以斯拉。

八13-18　應用律法

因為眾民普遍接受了律法，眾民的首領便要請以斯拉更詳盡地給予

教導（13節）。按著當時的日子，最適切的經文應是利未記二十三章，即守住棚節的律例（14節）。要「宣傳報告」（15節）的，是利未記二十三章4節的註解。經文中所列出的各種樹，律法中並沒有提及（「照著所寫的」這句話，只是指「搭棚」），但卻證明以斯拉有意把律法中概括的命令，作實際的應用。在這一切，眾民熱心地按著所要求的細節去做時，得到了極大的喜樂，因他們剛剛明白了律法的適切性（16-18節）。**第17節**再次暗示，這喜樂部分是由於他們對歷史的傳統有了一個新的領會。

九1-37 認罪

在第八至十章的整體結構中，宣讀律法（八章）之後，便是認罪（九章），以準備心靈去重新立約，遵守律法上的誡命（十章）。

九1-5 聚集認罪 本段最顯著的一點是，以斯拉和尼希米的名字都沒有在經文中出現。重點在於每一個人都以言語、態度（1節）和行為（2節），承認自己在整個群體過往的罪和現今的苦況上，都要負上責任。因此，帶領會眾一起敬拜和認罪的，是兩組利未人（4-5節）。

九5下-37 認罪的禱告 真心的認罪源於重新認識神是誰，而這個禱告的開始也是如此。一開始，神已彰顯自己為一位配得一切稱頌和讚美的神（5節下）。惟獨祂是耶和華，正如祂在創世時所彰顯的（6節）；祂揀選了亞伯蘭，無條件地應許把地賜給他，並應驗祂所應許的話，證明祂是公義的（7-8節）；祂又拯救祂的子民離開埃及，越過紅海（9-11節），證明祂配得這樣的名聲（10節）。因此，禱告中這首3段，以未能盡致地表達的言詞，談及了神的美善和恩惠，而這也提供了基礎，去強烈地對比著眾民現今所感受的境況，正如在禱告之末所略述的（32-37節）；本段開首所使用的一些主要用詞，也在那裏重複了。

談到曠野的旅程時（12-21節），出現了一個新的要點。雖然神不斷施恩，供應以色列民的所需（12-15節），他們卻開始背叛神（16-18節）。不過，這情況只是彰顯神另一方面的性情，就是祂的憐憫（17節下）。無論眾民怎樣行，祂仍是供應他們所需，保存他們的性命（19-21節），最後更把他們帶到祂許久以前應許賜給他們的土地（22-25節）。

應許地上之生活的描繪（26-31節），多受士師記不斷重複的模式所影響；這模式也在列王紀出現。我們不能確定當中所指的是哪些事件；這裏的焦點集中在眾民叛逆的本質和神對此的回應上。文中3次提到他們不順服，因而被交在敵人手中（26-27節上、28節上、29-30節）。在首兩次事件中，他們向神呼求，神便因祂的憐憫而拯救他們（27節下、28節下）。然而，到了第三次，神憐憫拯救的部分便沒有重複，這大概因為29至31節是談及他們被巴比倫征服和俘擄，而在神學上來說，這狀況在他們禱告的時候是仍然存在的；復興仍未能說是完全，因為外邦的轄制仍然存在（36-37節）。

隨著這樣的代求，並不是作者報告眾民向神發出呼求，而是眾民實際地作出一個產生如此效果的禱告；禱告從**第32節**開始。針對從前發生的一切事，這禱告形成了一種強烈的盼望，盼望神會再次把祂的子民從現今受轄制的境況中釋放出來，並且祂會再次忠於起初的應許，容許他們在應許地上經歷真正的自由。因此，眾民的認罪，對於他們的復興是一個重要的步驟，而復興是這幾章聖經一個整體的主題。

九38至十39 誓守律法

在第十章中，眾民進入了一個有約束力的誓約（1節），就是遵守律法中各項條約；雖然不是全部，也是大部分與聖殿及敬拜的支援有關（29-39節）。作為以斯拉和尼希米共同努力工作之高峰，本段顯出眾民要過一種新生活的迫切性；這生活彰顯他們曾經歷神復興之恩。這回應是因神為他們成就了大事，而不以得到復興為先決條件。

像第八和第九章一樣，第十章的歷史背景並不能確定。許多學者留意到，契約中多半具體的要點，似乎都是為了避免尼希米在第十三章一件一件去處理的陋習，他們因而下結論說，本章的誓約必是後期才按形式去列明的。若是這樣，本書最後的編輯就是按主題去把材料分組處理，而不是嚴格地按年

份去鋪排。請參看上文有關第八至十章和第八章的引言，並留意第七章的敘述被中斷了，到第十一章才重新接回；這顯示第八至十章是分開來處理的。

十1-28　簽名者的名單　這名單（在希伯來文版本中，實際上是切斷了一個由九38和十28-29組成的句子）所包含的人範圍廣泛，從這兩卷書可見，多半名字和職銜是在群體中有崇高地位的人。這裏暗示的要點似乎，是每一個人都需要接受，那給予整個群體的評價，也是給予他自己的評價。

十29-39　契約的詳情　第29節一般地指出，眾民立志自此遵守神的律法，而其後幾節則詳細地說出，在各種特殊情況下遵守神的律法的意義（這些情況無疑是指那近期被他們忽略的）。只抽象地表達一種立志行善的意向是不足夠的：認信必須轉化為生活模式和行為上一些實際可見的改變。

契約中個別條文的細節與五經中的律法的關係是複雜的，不能在此完滿地述說出來。我們可留意的一個大概要點是，它們全都與寫下來的律法有關連，但也再次展示他們對律法的理解，方法是按著以斯拉的教導作出澄清和更新。我們因此清楚可見，眾民中的首領，已按著以斯拉所介紹的方法，發展出他們自己教導的新風格。

十一1至十三31　鞏固基礎
十一1-20　耶路撒冷的新居民
本章的起頭是重新接上第七章末中斷了的敘述。然而，這段記載不像是來自尼希米本身的記載，而是來自別的原始資料。這顯出本書雖然大部分是從一個人的觀點來敘述各項事件的經過，但他的許多要點，都跟不少與他同期的人的觀點相似。

耶路撒冷人口稀少的難題，可以掣籤的理由來解決（這制度在祭司的指引下，相信是彰顯神旨意的一種方法；比較十34）。民中有十分之一同意從郊外搬進城裏來居住（1-2節）。作者以一種感激的態度把他們的名字記下來（3-19節），因為這樣的遷徙，許多時都會帶來一些不便。第20節明顯是這個名單的結語。

這個名單大部分跟歷代志上九章2至17節

相同，而在仔細的比較下，可見兩個版本都沒有把原來的名單記錄下來。在觀察一般的階層（猶大人，4下-6節；便雅憫人，7-8節；俗務的長官，9節；祭司，10-14節；利未人，15-18節；守門的人，19節）之外，我們因而也應小心注意細節的事宜。有一點也值得留意的是，敘述當中有部分詞彙含有軍事的味道（例如6、9、14節）；明顯地，他們並沒有忘記這些職務中也有抵禦敵人的目的。

十一21至十二26　附加名單
主要的名單在十一章20節結束後（注意十一20自然引入十二27開始的下一個項目），編者把握了機會，加上一些別的名單，而這些名單跟耶路撒冷人口的問題並沒有直接關聯。十一章21至24節是主要名單的附錄，十一章25至36節把耶路撒冷以外的定居情況分類，而十二章1至26節則把幾個關乎祭司和利未人的名單結合起來。雖然這些材料嚴格來說，跟本書這部分的故事主線並沒有關係，但它也把這個重新組織自己的群體繪畫出來了。

要對本部分進行詳細的分析，在這裏似乎過於複雜，但兩件範圍較廣的事宜，則值得加以評論。首先，十一章25至36節的名單所涉及的範圍，似乎比當時猶大省的範圍更廣。那名單似乎是存著渴望的心，回顧昔日光輝的日子（比較書十五），因而刺激讀者去盼望一個尚未臨到、更偉大的未來。現今實際環境跟遠望神廣闊應許之間的差別，在任何世代裏，是神子民應存之信心的一個要素，正如希伯來書十一章13至16節所清楚指出的。

其次，十二章1至26節把歷史的透視圖彼此相疊，其中第一次回歸的人竟與以斯拉、尼希米同期回歸的人並列。這情況在第26節尤為明顯（耶書亞是第二聖殿建成時的大祭司；比較拉三2，五2），但事實上，先前所列出來的祭司和利未人名單，是來自兩個不同階段的。為了各種神學目的而把這些名單濃縮起來敘述，是當時常有的習慣，就是在新約中也有出現（比較太一1-17）。這暗示在歷史進程的複雜事件背後，信心的眼睛能看出神旨意怎樣一步一步地成就。

附註 十二22「波斯王大利烏」：這個從前未出現過的稱謂似是指大利烏一世（聖殿在他任內重建），這稱謂是為了把他與神祕的「瑪代人大利烏」（但五30）分別出來，而他顯然是在「波斯王古列」（但六26）之前。

十二27至十三3　奉獻城牆及其結果

最後，我們來到似是尼希米工作的高潮部分，就是城牆的奉獻；其建造是本書上半部的主題。編者在此把尼希米自己的記載與另一份資料結合起來，以表達眾民合一的慶祝。眾民組成了兩個隊伍（31-36、38、40-42節），從城西的谷門離開耶城後，他們便往相反方向走，每隊繞著城的一半，然後再進城，聯合起來在聖殿舉行讚美敬拜（40節）。第43節強調他們歡樂的程度是前所未有的，這叫我們想起一個聖經真理：對這種喜樂的期待，能在困難的時刻使我們得力量（比較羅五2-5，八18-25；來十二2）。

然而，這故事並不像一般的神仙故事，一個「快樂的結局」並不是本書的結尾。經文隨即（「當日」，十二44，十三1）處理一些我們只看為日常事務而會忘掉的事情，那就是為定時的聖殿崇拜而提供的財政支援（十二44-47），以及按著神的律法來潔淨會眾（十三1-3）。作者似在暗示，沒有這些日常例行的工作，只是一天的歡樂總不能維持下去。雖然叫人留下深刻印象的，往往是成功的高峰，但對於個人和群體生活來說，屬靈進展的真正量度標準，在於他們怎樣把那些被視為「正常」而忽略了的東西轉化過來。此處的敘述形式強調，若沒有這些日常事務的進展，則所有高峰和慶祝活動都會很快就變成晦暗模糊的記憶。

十三4-31　末了的改革

作者似乎以不甚滿意的態度，突出了尼希米記的結語。他沒有轟然地寫出他的結語，卻好像是嗚咽地訴說當時的境況。這最後一章所談及的陋習，正是早期已處理過的問題，但眾民又再回頭犯那些罪，不管改革者怎樣努力去除掉他們的陋習。透過尼希米的獨白，我們才知道當時是尼希米再次作省

長（6-7節），因此這時期可能距本書的主要部分已有15年之久（比較五14），縱然第4、6、15、23節所暗示的時間似乎掩飾了這段間隔。本書作者似是指出自己的失敗，提醒我們無論好的架構和日常例行工作的安排有多重要（如上文所指出的），總沒有一項可以取代人內在陋習的改變、心意的更新。

十二章44節至十三章3節那理想的描述談及了聖殿、崇拜和人事方面適當的關注和保養持守，以及潔淨會眾的問題。第十三章餘下的部分把焦點集中在這兩方面的不足上，4至14節談及前者，第15節以後談及後者〔雖然無可否認，守安息日的問題（15-22節）並不及其餘的事情有那麼緊密的聯繫〕。至於寫作的風格，是一貫地精彩和有力，而大致上，這敘述不需要加上任何評論。至於混婚的情況（23-27節），則需要指出這問題似乎只是地區性而已。他們的兒女說亞實突話（24節），暗示這問題只限於猶大省西面的邊境。基本問題先前已由以斯拉處理好了（尼希米在25節也簡單概述了；比較拉九2、12）。這使尼希米能特別處理個別犯錯的情況。

本章背後存在著對這群體之獨特身分的關注。面對著外來極大的壓力，恐怕他們會妥協，以致所作的見證淡化至變得無效。穩固及貫徹地專注於整個群體的中心，即在神的聖所適當地敬拜祂，是很重要的。

雖然在形式上有所不同，今天的基督教會仍然面對著這些問題。適切地回應的原則仍維持不變：有一個強健的領導中心，並在周圍劃清界線。當群體是穩固和安全，他們便可伸出歡迎和饒恕的手，去接受外面的人。若群體軟弱無力，他們只會跟外來者一同下沉。

H. G. M. Williamson

進深閱讀

F. D. Kidner, *Ezra and Nehemiah*, TOTC (IVP, 1979).

J. G. McConville, *Ezra, Nehemiah and Esther*, DSB (St. Ardrew Press/Westminster/John Knox Press, 1985).

D. J. A. Clines, *Ezra, Nehemiah and Esther*, NCB (Eerdmans, 1984).

H. G. M. Williamson, *Ezra and Nehemiah,* WBC (Word, 1985).

尼希米記 · 第十三章

世紀聖經新釋

以斯帖記

✣ 導 論

像以斯拉和尼希米一樣，以斯帖活在波斯人統治整個亞洲西部和埃及的時代，波斯人在他們龐大的帝國裏，強行了一個具高度組織性的體制。他們那位偉大的帝國建立者古列，曾在主前539年容許被擄的猶太人從巴比倫返回耶路撒冷（拉一1-4），而從那時開始，被擄的人便回國重建家園，繼而重建聖殿，後來在尼希米的帶領下，重建了耶路撒冷的城牆。然而，這些只是少數的人。有許多猶太人仍留在異地，散佈在我們今天稱為伊朗和伊拉克的地區（參第441頁之地圖）。

在以斯帖的時代，波斯王城書珊〔現今伊朗西南部的舒什(Shush)〕在薛西王——在希伯來文稱作亞哈隨魯，於主前486年登基——治下，享受著全盛的時期。他享受著父親大利烏在位時（主前521至486年）所興建的無數華麗宮室。這些建築物遺留的不多，但什葉派回教徒會前往一個據說是埋葬先知但以理的村子去朝聖。十九世紀中葉，在這古城的考古發掘，發現了王宮中一些主要的部分，包括宮殿、後宮，和一章5節提到的「御園的院子」。

以斯帖記講及薛西王的一個寵臣哈曼，他對一個名為末底改的猶太人懷恨在心。為此，他曾設計要殺害波斯帝國中的所有猶太人。那時波斯帝國版圖遼闊，若他的陰謀真的得逞，整個猶太民族就早已被剷除了。神藉著一個猶太女子以斯帖來干預此事，她被王揀選作王后。事情的發展使哈曼成了他自己詭計的受害者，而猶太人則得以逃出生天。他們的敵人已除滅，而末底改則取代了哈曼，成為王的左右手。這樣一個顯著的角色逆轉，為故事編者提供了一個扣人心弦的主題。猶太人的歷史裏有許多悲劇事件，而本書則成為了一個希望的源頭，故此他們在每年的普珥節都紀念書中所記載的事件。歷代以來，猶太人在普珥節公開朗讀此書，使民族盼望不至滅沒。即使在今天，猶太人每當在普珥節的禮儀中提到哈曼的名字，都會握拳、頓足和叫喊，而他們在慶典中也會吃「哈曼的帽子」（一種切成三角形的餅）。因此，一般猶太人對以斯帖記的熟悉程度，比其他舊約書卷為甚，是不足為奇的。

在基督教歷史中的地位

這是一卷常被基督徒忽略的書。在基督教建立初期，本書的希臘文譯本較為人所熟悉。這些譯本加插了一些篇幅，使猶太人對外邦人產生敵意，而維持孤立，然而，基督徒則致力使猶太和外邦背景的信徒融合起來。因此，我們可以理解，基督徒不接受那些希臘文譯本的以斯帖記，是因為本書的目的跟他們的目的相違。

學者常指出，神的名字並沒有在以斯帖記中出現。對於這個省略，即時的反應是質疑本書應否納入聖經中。兩位改革時期偉大的聖經學者馬丁路德和加爾文，對以斯帖記都沒有作出評註，而那些撰寫舊約時代歷史的學者，也很少提及此書。那是因為其中稱為昔日事件之真實報告備受懷疑。那麼，基督徒今天為何仍要研讀此書呢？

實際上，多半基督徒都接受這書，因為它跟其餘65卷書一起組成了聖經。它既然保留在聖經裏，是基督教遺產的一部分，便值得我們去留意。**從歷史角度看，它補足了主前第五世紀，猶太人被擄後分散在各地的圖畫，並且解釋了猶太人在基督教誕生以前所紀念的日子，為何直至今日仍然是猶太人每年都慶祝的節日。**任何人想了解作為我們鄰舍的猶太人之文化，都會願意研讀這份關於普珥節起源的記載。

然而，這些都是教育性而並非個人的原

因驅使我們讀此書；雖然那是重要，卻不一定滿足讀者尋求生命路向和認識神的渴求。鑑於以斯帖記略去了神的名字，我們能否看出本書的神學目的呢？

文學特色

以斯帖記是一位文學家的傑作，他運用寫作的恩賜去表達他深信的道理。開場的那一幕場景生動地描寫了薛西王是一位治理遼闊國土的君王，卻不能管理他的妻子。這裏暗中提出了一個關乎領導和權柄的問題。王委任哈曼作為副手，但哈曼卻因其位高權重而自高自大，這又說明了領導的另一方面。這樣的合作對波斯帝國並沒有好處，因為王把權力交給了他的助手，便對國事不聞不問。作者述說這一切的時候，並沒有暗示他的非難。在猶太人末底改身上，卻顯示了另一種對職責極不相同的看法。他衡量那些在位之人的價值，他曾在一次謀殺王的陰謀中把王拯救了，卻拒絕順服那自尊自大的哈曼。**兩人的對比引起一個問題**（參Fowler，p.496[2]）：**若正義的人沒有權力，正義可以怎樣得勝？**

哈曼與末底改的對比，在兩人各自行出自己選取的策略時，就變得更為顯著。末底改禁食和哀哭，而王與哈曼卻坐下吃喝（三15，四1）。末底改表明了他的信念（四14），而哈曼卻為末底改造了一個木架，使他能安心歡宴（五14）。這樣，一個生死攸關的爭鬥就此展開了。轉捩點在於薛西王一個不能入睡的晚上（六1），他想起末底改的救命之恩，定意要賞賜他。從此刻開始，一個戲劇性的逆轉便開始了。哈曼被迫把尊榮加給末底改，而他其後卻被掛在他為末底改預備的木架上。末底改取代了哈曼的位置，事奉於王的左右，而一個新的詔命也頒佈了。公義忽然得勝了。首5章給猶太人的威脅不能實現，而他們的命運卻在最後5章逆轉；本書的結構因而與其內容信息相配合。

作者有技巧的角色性格描寫，也顯示了他對文學藝術方面的注意。男性和女性的角色都有很仔細的描繪，並且貫徹地按其特性表現。薛西王以他的財富，而不是以他公平的治理來取得臣民的臣服。他享受自己的特權，在沒有三思之下通過一些新的法律，並把他的權柄交給他絕對信任的助手。以斯帖王后在許多方面都與王相反。最初她是服從末底改的指引，但當危險臨近，卻是她主動建議所有猶太人要禁食3日。以斯帖承認有一能力比她大，並得著信心主動去採取行動。她來到王面前，邀請他赴筵席，卻不知道她怎能達到她的目的。她所關心的是同胞的安危和獲得公義的對待。本書結束時，猶太人民都得到拯救，並在末底改的領導下得以昌盛，而讀者則要自己仔細思想這事件的結果。在這事件中有神的眷顧嗎？

末底改和以斯帖均面對一個關乎效忠的衝突，其根源是始自他們的信仰。末底改不能假裝接受哈曼那不講理的領導，以斯帖則為了同胞的緣故而冒著不遵王命的危險。若為了更重大的理由，民事上的違逆是可以接受的。作者經常運用諷刺的手法，使讀者注意薛西王那極盡奢華的筵席、他不加查究就通過律法的愚昧昏庸（一21-22），以及他如何不理政事（三8-11）。作者也用了一些特別的用詞和語句，使讀者留意一些主題。書中的筵席都有悲慘的結果，而禁食（四1-3、16）卻帶來美好的果效，因此，猶太人最終能自己舉行歡宴。這是作者嘗試「首尾呼應」的一個例子。

事實或虛構？

這些富藝術色彩的特徵使人認為本書應歸類為小說，而有些學者則指出故事中有一些似不可信的細節。他們列舉了薛西王180天的筵席（一4），王后拒絕出席（一12），王委派一些非波斯人，像以斯帖和末底改，任國中的高位，以及王容許整個民族被消滅。此外，他們說故事中的人物可以看出是一些角色類型而不是個別的人物。然而，這些判斷都是按著現代的立場而作出的。由於我們缺乏波斯在此時期的文獻，因此不能證實當時發生了甚麼事，也不能按其寫作的環境來理解這段記載。歷史學家已證實作者對波斯王宮和風俗的認識是準確的，而獨立的證據顯示一個名叫瑪爾杜卡的（Marduka，末底改？）曾在書珊掌權，在薛西在位初期任司庫。關於掣籤或「普珥」之使用的證據，也支持這段故事的歷史性。作者記敘中的諷刺和挖苦成分，解釋了本書一些「不可信」的部分。

寫作年代

本書是何時寫成的呢？據我們所知，其他文獻並沒有提及此書，因此我們必須根據內證來判斷。本書的主題，以及在希伯來文中常有波斯用詞的出現，暗示寫作日期是在波斯時期，在薛西統治以後一段時間，而書中提及薛西在位時期，好像是指過去了的日子。作者希望猶太人永不忘記他們怎樣從一次全國性的大屠殺中得到拯救，因此本書設立了一年一度的普珥節，而這節日也得到王的認可和授權。這樣，寫作日期就必然是在薛西王死後和亞達薛西一世在位的早期，即主前460至450年左右。作者顯然是一個可以取得波斯諸王的編年史（六1，十2），並且曾參與波斯國及其帝國事務的猶太人。

在正典中的位置

在聖經中，以斯帖記緊跟著各卷歷史書，並提供了一段歷史，證明猶太人於主前五世紀在亞洲西部生活的情況。在希伯來文正典中，以斯帖記被列於「聖卷」中，並且往往是節期誦讀之「五卷」的最後一卷。以斯帖記是在普珥節誦讀的經文，而普珥節是在猶太年曆第十二個月慶祝的，因此是最後一個節期。這節期甚受歡迎，以致猶太人需要大量的抄本，而早期的譯本，有許多跟希伯來原文不同的異文。七十士譯本可能早於主前第二世紀已譯成，其中有100多節經文是希伯來文抄本所沒有的。補充這些經文大概是為了加強其宗教性，而它們都收集在現存的次經之中。

猶太人在薛西年間得以從死亡中奇妙地得蒙拯救的故事，一直透過一年一度的普珥節來維持猶太人的信心，以面對許多其他的逼迫，甚至是今天的逼迫。猶太人在眾多別的文化中一直得以保存其身分，而即使經歷了大屠殺，他們仍得以存活。神並沒有撇棄祂自古以來的選民，並且繼續向他們施恩。然而，神的計劃是拯救世人，而外邦基督徒亦幸有神的約而得救恩，這約始於亞伯拉罕，並已在基督裏得應驗。以斯帖記應在基督徒和猶太人心中挑起感恩之情，並且提醒基督徒，他們都受了忠心的猶太人領袖如末底改和以斯帖之恩。當基督徒能對昔日猶太人所受的苦感同身受，並代表昔日基督教會對他們嚴重的誤解和受害表示悔意，他們才

有權向猶太人介紹耶穌基督是主，祂是「各樣執政掌權者的元首」（西二10）。

🌡 主 題

以斯帖記是一卷神學性的推論，而不是直接的陳述。它談到禁食，卻不提常與禁食相連的禱告，也沒有提到禱告蒙應允，而那顯然是故事的一部分。此外，當末底改挑戰以斯帖去拯救她的同胞時，他告訴她說，她若不作出行動，猶太人便會「從另一處」得著釋放和拯救，暗示神必然會拯救祂的子民。人縱然為了某些原因，很少表明他的信仰，但他心中乃可藏著對神的信心。

在薛西王的治下，少數民族如猶太人在波斯的生活是受壓的，而根據以斯帖記作者的記述，他們更是危險的。一個王會像薛西那樣隨一時的興致而下令殺害整個民族（三9-11），似乎是不可能的，但一位當代的歷史家希羅多德，肯定薛西對自己宮內的人是殘忍和專橫的，而對外邦人就更不消說了。作者知道要步步為營，惟恐歷史會重演，同胞的性命再面對危難，於是盡量客觀地按事實去報道，而避免提及任何超自然能力的幫助。然而，他在字裏行間卻暗示神正在管理這事件。這事件實際上也說明其旨趣；作者只需要敘述出來。

本書描寫了波斯宮中極盡奢華的生活。薛西王統管127個省，卻不能管理自己的妻子瓦實提。作者結束第一幕時，述說王的命令說：「為丈夫的在家中作主」，可能正是諷刺他。那暗中的問題：權柄根本在哪裏？引來了一個神學的議題。

哈曼充滿了弄權的野心；他起初是成功的，只是猶太人末底改不肯向他跪拜。哈曼欲使用他的特權，加上他對王的影響力，去殲滅不止末底改一人，更是他整個民族。他所需要的是有王指環之印鑑的詔命，這樣他的陰謀便可實行。他只有一項預防措施：要掣籤擇一個吉日，惟恐他的計謀會失敗。作者將命運與猶太人所敬拜的那位之權柄互相較量。

涉及生活各方面，由個人以致一國之君作決定的時候，都會浮現的命定觀念，是十分普遍和歷久不衰的。撒縵以色在位時（主前858至824年）的一顆骰子至今仍存在，叫

人想起波斯人每年的元旦都會掣籤來定出整年的吉日。這顆骰子上面刻著「普珥」，這確定了九章24節中「普珥」一字的意義。這些近東地區的民族不單相信命運，並且會因應命運而行。**當那些相信創造主神的人，住在那些相信命運之人中間時，會有甚麼事情發生呢？以斯帖記的作者期望他的讀者觀察這一點，並加以留意。**

並非每個處境的結果都可直接歸因於神，因為在故事中，每個主角的行動都是自發的。末底改提名他所監護的以斯帖參加選美，盼望她可以被選為新的王后。後來她成了王后，才知道她的身分給她提供機會，把末底改的忠心記錄在王的編年史上，並在王面前數算哈曼的惡行。末底改可能並沒有預見日後有這樣的需要。在以斯帖方面，她要冒著生命危險向王求情，並設計邀請王和哈曼赴她私人的筵席：不止一次，而是兩次。她可能並不知道這事的結果會如何，但她既在行動前已禁食（和禱告），她顯然期望會有機會為同胞申辯。單是人的自發行動不會提供所需要的機會，但神的眷顧加上人的儆醒和合時的行動，便能帶來所盼望的結果。

總而言之，以斯帖記是強烈地支持和說明有關神眷顧的教義，因它看見猶太人在波斯治下的一個危險時期，確實有神的眷佑。末底改的問題：「焉知你得了王后的位分，不是為現今的機會麼？」（四14）是在生死繫於一線的時候發出的，使讀者預期以斯帖的干預會成功，因為在她當選為王后時，已顯出了神的眷顧。當王把杖伸向以斯帖，並接受她的要求時，這印象便得到確定。當事件繼續發展，哈曼被掛在他自己所預備的木架上，而末底改則擢升高位，這戲劇性的逆轉是難以預料的，以致人會以超自然力量之干預去解釋。即使是其他國族的人民，也只能作出同樣的結論（八17），使他們不得不相信，那為其子民伸張公義的神，必定是一位真神。他們因此歸信了祂。

雖然神的眷顧這信念的含義無疑是神祕的，但神的主權包括照顧祂的一切創造，而且還特別看顧那些信靠祂的人。耶穌證明神對整個自然界都細心地照顧（太六26-30），並鼓勵那些跟隨祂的人仰望天父在各方面的供應。那不是說他們並不會遇見災難。耶穌知道自己將要被出賣，受憎嫌，並且被釘死，祂警告門徒說，他們所遭遇的不會比祂少（太十21-25）。痛苦和衝突不會抵消神的眷顧和關懷，因為神宣稱祂連麻雀也照顧的時候，曾說：「就是你們的頭髮也都被數過了」（太十29-31）。在以斯帖記中，猶太人的仇敵被處死，代替他們受死的厄運。耶穌明說，祂來不是要使地上太平，卻是叫地上動刀兵（太十34）。這是一個極不完美的世界，神在整頓當中的事情時，祂的眷顧以公義和愛並存，因此地上要動刀兵。

應用綱要

任何人試圖把聖經對生命的價值觀與一個日漸世俗化的世界相連時，便要一讀以斯帖記。今天仍有人相信命運是不可改變的，這從占星和算命之受歡迎程度可見。本書表明，當命運與神的永恆旨意相違時，就並非不可改變。

大綱

📖 註 釋

一1-22 薛西王廢除王后

一1-3 作者首先介紹了薛西王、他的帝國和他的首都。他那艱澀的波斯名字Khshayarsha在希伯來文中音譯作「亞哈隨魯」，而新國際譯本則採用了希臘文的音譯名字「薛西」，這是世俗歷史中較為人熟知的。他的帝國由巴基斯坦的印度河(Indus River)延伸至蘇丹北部的上尼羅河，由127個省份組成。書珊這個以攔的古代首都由薛西的父親大利烏王重建，作為他其中一個首都城市。「**城**」是位於中央的城堡，地勢比城的周圍高，並設立要塞來保護王。「**在位第三年**」（主前483年）是人民對新王之對抗的結束，因而是鞏固波斯帝國的適當時候，而他的策略是把國中的權貴首領集合在首都之中。

一4-8 薛西王陳列他皇室的財寶有6個月之久。雖然他大量的財富都來自被征服之國，以及徵稅和進貢，卻沒有人質疑他這樣貪得無厭是否合理。由於財富可以變為軍事上的力量，所以使人產生畏懼，但以斯帖記的作者暗中對王的自我權力之擴張作出了批評，他以生動的色彩來描繪王的揮霍無度。那筵席是慶祝活動的高潮，目的是讓民事和軍事上的眾首領相信，他們的精忠能使帝國繁榮安定。薛西王慷慨地款待「所有住書珊城的大小人民」，還有他的隨員、臣僕和外地來的高官。那些用白色和紫色之皇室顏色來裝飾的帳子，加上各種金器銀器，配在白玉石柱和鋪石的地台，使整個場面顯得極之華麗堂皇。有些當時的「金器皿」仍存留至今。還有一些各有不同設計的藝術作品。作者把重點放在供應不絕的酒和各人隨己意暢飲的情景上。

一9-12 作者沒有解釋為何為婦女另外擺設筵席，也沒有解釋王后瓦實提為何拒絕王的命令，不到王的面前來。任何藉口都會被看為不恰當的，因為她沒有權不遵王命。有「七個太監」獲准進入王的後宮，而他們的名字證明本書參考波斯的資料（比較徒八27）。王后大膽無禮地拒絕出席王的筵席，使王非常難堪，因此引起他的怒火。

一13-20 王必須處理這事，而他的7個大臣就負責設定一個刑罰（留意「七」這個數目的重要性，10、14節；比較拉七14）。米母干代表這7位大臣，回答王的問題。他機敏地使這問題普遍化，指出由於王后瓦實提對其他貴胄的婦女有一定影響力，所以當時出席的每一個丈夫，都可能會被妻子藐視，而失去做丈夫的權威。他忠告王下旨把瓦實提廢掉（從此把她王后的名銜除去）。公告天下的王令會恢復王的威信，並確保所有丈夫都得到妻子應有的尊重。同時，王應另選一個比瓦實提好的女子來代替她。這位新任王后怎樣與王相處，就是以下故事要發掘的一個主題。

一21-22 由於眾人一致認為米母干所獻的是良策，所以王詔立刻制定了，並按出席筵席之人的本族，翻譯成各種方言。這位統管127個省的薛西王（1節），竟宣告所有丈夫都應在家中作主，這強烈的對比看似是一個諷刺。薛西王雖然多日以來都在誇示他的財富和權力，但卻為自己的家設定各種限制。經文提到波斯和瑪代的律法不可撤回，但這些律法卻可以在一個王於醉酒醺醺的情況下，任其興之所至就通過了，這也是一個諷刺。

二1-18 以斯帖被選為后

二1-4 王醉後醒來，回想前一晚筵席上所發生的事。無論他對所作的事多麼後悔，他也不能更改自己的法令。雖然他大權在握，這卻是他另一個限制。侍臣建議為他另外尋找一個王后，而他想到所有國中最美貌的女子都雲集在他的後宮，心情才得以恢復。有趣的是，「**希該**」這名字也出現在希羅多德的歷史書中(ix. 34)，是為薛西的一名官員。

二5-11 作者在此把末底改——一個屬便雅憫支派的猶大人——介紹出場。（雖然猶大人這字是出自「猶大國」，但在被擄時期，這字卻成為所有以色列人的普遍稱謂。）末底改的祖先中，有一些著名的人物：「**基士**」是掃羅王的父親（撒上九1），而「**示每**」——掃羅王的親屬——曾激烈地支持掃羅（撒下十六5）。末底改一家在主前597年，約雅斤王被擄至巴比倫時也一同被擄，又可顯示出他家族的重要地位（王下二十四14-16）。末

底改這名字與巴比倫國的國神瑪爾杜克 (Marduk) 有關連。最少有兩個常見的名字是源於瑪爾杜克的，而在這時期的另一份文獻，曾提到一個名瑪爾杜卡的人，他在一個來自書珊的視察團中任司庫。末底改顯然就是這個人。他收養了父母雙亡的姪女「哈大沙」（取名於植物「桃金孃」），又名以斯帖。這個波斯名字的意思是「星」，指桃金孃那些星形的花兒，也許兩個名字在讀音上也相近。她「容貌俊美」，這是神藉她來行出祂旨意的主要因素，而以斯帖的美貌也被看為神的恩賜。

介紹過末底改和以斯帖後，作者便再講述王的諭旨和諭旨的執行。在許多來到書珊城的女子中，經文只提到一個名字，就是以斯帖。在王寵幸以斯帖之前，她已得到希該的「喜悅」。「喜悅」在希伯來文中為 hese 常用來表達神的愛和信實，但在此則用於一個俗務的背景。希該給以斯帖特別的優待，給她最好的侍女和上好的房屋。以斯帖並不因此而感到飄飄然，卻是謹慎地對她的國籍守口如瓶。末底改不像薛西，末底改能管理自己的家。他十分關懷以斯帖，每天都打聽她的消息，看她是否安好，這為他的祕密提供了一個線索。以斯帖盡都聽從末底改，因為她敬愛、尊重他。

二12-18 所有渴望當王后的少女都要花12個月時間來作美容護理，所用的是東方國家著名的香料（比較創三十七25）。薰香、修頭髮、使膚色光潤，和塗香油是美容步驟的一部分。可悲的是，縱然她們得到極之舒適的厚待，但這些少女多半只會與王共宿一宵，然後便住在那些被冷落的妃嬪當中，無所事事地度過餘生。妃嬪的制度是不人道的，並且大大低貶了婦女作為人的價值。

藉著神的眷顧，以斯帖逃過了這種厄運。以斯帖對於自己的裝飾並沒有過分的要求，只是聽從希該的指示去做，而這裏的推論是，以斯帖贏得別人的喜悅，是因她有美好的品格，也有美麗的外貌。薛西在位「第七年」（16節），即王廢瓦實提（一3）的4年後。「提別月」即第十個月，天氣通常又濕又冷。但縱使有這不利的因素，以斯帖仍得王的寵愛。以斯帖深受薛西王的寵愛，以致立她為王后，把王后的冠冕戴在她頭上，又為她設擺筵席，下令全國

放假一天，並大頒賞賜。結果，所有人民都為此而歡樂。

二19-23 末底改揭發一個陰謀

「第二次招聚處女的時候」是一節問題經文，因為前文並沒有提及，可能所指的是第8節那種聚集，且是以斯帖被選為后之後不久。「末底改坐在朝門」是指他可能在以斯帖推薦下，在書珊的司法部得了一個官職，因為「城門口」在傳統上是審訊的地方（例如得四1-10）。在書珊城門口，末底改無意中聽見一些關於皇室的閒言。「辟探」可能是一章10節的比革他，他與提列均是獲得信任的王宮守門員；二人正在設計謀殺薛西王。末底改透過以斯帖把這事奏告王。兩名罪犯被審訊和處死——處以刺刑或絞刑，而這案件則在王面前，正式記錄在史書上。然而，王卻沒有給末底改任何賞賜。

三1-15 哈曼陰謀滅絕猶太人

三1-6 過了些日子（7節），王打算擢升一位貴冑任國中最高位的臣宰。他並沒有揀選那曾救他一命的人，卻揀選了亞甲人哈曼。「亞甲」一名叫人想起基士的兒子掃羅在位時（撒上九1-2），曾在戰場上姑息的亞瑪力王亞甲，而招致先知撒母耳的責備（撒上十五）。當末底改（也是基士的後人）和亞甲人哈曼敵對時，猶太讀者會感到這是該戰爭的重演。這是末底改定意要贏取的一場戰爭。薛西王——似乎並不懂得知人善任——他既要吩咐臣僕向哈曼跪拜，可見哈曼並不甚受同僚讚賞。末底改不贊同王的任命，因而拒絕在哈曼面前卑躬屈膝，但他知道這樣必會招惹麻煩，尤其當在朝門的臣僕向哈曼報告此事。末底改是猶太人這個事實，不會使他不能向在位者表敬意，但忠於神的律法卻給猶太人一個高於人之權限的效忠對象，他們並且傾向作出獨立的判斷。這在尼布甲尼撒（但三12-23）和大利烏王的臣宰（但六5-9）看來，是為不順從。懷著憤怒和報復的心，哈曼開始定下報仇的策略。他不以殺害末底改為滿足，卻設計謀害整個猶太民族，作出了一個反閃族行動的先例。哈曼這樣一個殘忍嗜殺的概念，顯出他是一個全然無恥狂妄的人。

三7-11 波斯朝廷每年的行事曆，都在第一個月以掣籤形式，擇定進行各項事件的吉日。「普珥」一詞意指「籤」，從亞述王撒縵以色三世在位時（主前858至824年）的一個戳記（或一顆骰子）可見其意義，因而肯定了第7節的細節。倚靠命運的態度歷來都存在，而吉兆和凶兆則決定行動應在何時進行。至於哈曼的計謀，吉日是在該年的最後一個月，因為讓他有時間向全國頒佈王的詔令（這詔命早已由哈曼擬定）。哈曼在王面前，很小心地避免提及猶太人，卻是隱晦地指一群與帝國意見不同的民族，有意不守波斯律法。猶太人確實有他們自己的習俗，但耶利米曾明明地吩咐他們要在被擄之地安然居住（耶二十九7），而他們也遵從。哈曼按著王最大的利益來上奏，合理地編造了剷除危害國家安全分子的理由，並加上金錢上的利益來作進一步的誘因。哈曼答應捐出巨款，可見他極之富有，雖然他也打算在殺戮猶太人時，奪取他們的財寶（13節）。

薛西王並沒有興趣調查箇中詳情，因此委派哈曼代行，而他把指環之印交給哈曼，是宣告哈曼有實權按他的意思而行。作者引述他整個名銜：「亞甲族哈米大他的兒子哈曼」，並加上「猶大人的仇敵」，是要對這個狡猾之戰略家的威望，作出隱祕的批評。王對於所提供的金錢和一群不知數目之臣民的被殺毫不關心，但聖經沒有對他的失職和誤信哈曼提出審判。

三12-14 這詔命馬上擬定、抄寫、翻譯，並以王的戒指蓋印，藉著古列王所開創的郵遞方式代送至全國各地。這種郵遞系統是在全國設立驛站，然後由驛馬接力送遞，以確保能迅速傳送消息〔參希羅多德（Herodotus）v.14；viii.98〕。這詔令是重複和具體的。詔命要在各處公告，以致沒有人可辯稱不知道這命令。哈曼對自己的工作感到滿意，並輕鬆地與王暢飲，而書珊城的人則對於背後到底發生了甚麼事大感疑惑。

四1-17　以斯帖答應向王求情

四1-5 末底改因哈曼的詔命感到極之傷痛，因為他拒絕認同哈曼擢升高位，竟使整個猶太民族陷入危難中。猶太人穿麻衣，大聲哀號，使人知道他們的苦況，使他們彼此間得到認同，也使人注意那令人費解的詔命。然而，末底改卻再不能與以斯帖取得聯絡，因為穿麻衣者不可以進入朝門。當以斯帖聽聞他正在穿著喪服，便把合適的衣服送給他穿，以代替他的麻衣，但他卻不接受。以斯帖「甚是憂愁」，正顯出她對末底改真正的愛和關懷。最後她差派所信任的太監「哈他革」去問個究竟。

四6-11 末底改盡他所能地搜集此事的有關細節，並把他所知道的告訴哈他革，包括哈曼答應捐入王庫的銀數。哈他革把一份王詔帶回，讓以斯帖看見事情的原委；哈他革也帶回末底改緊急的請求，就是求以斯帖向王求情。以斯帖的回應反映了一些內情。她並沒有權進入王的內院，而她亦有30天沒有蒙召進去見王了。像其他人一樣，她若沒有蒙召而擅入內院見王，就必被治死，除非王向她伸出金杖。

四12-17 末底改仍給以斯帖命令，並告訴她，雖然她是王后，但也休想逃脫這禍。若她不作出行動，猶太必「從別處」得拯救。末底改無疑指神會保守祂的子民，並且神使以斯帖得王后的位分，是有目的的。**這是本書一個最重要的神學觀點。末底改相信神指引著政治上的事件，也指引著個人的生活，縱使那些掌權的人並不承認祂。**以斯帖要求城中所有猶太人禁食3天，表示她像末底改一樣，相信那位垂聽禱告的神。雖然她沒有提到神的名字。她所需要的是有勇氣去完成使命，為同胞的性命求情，雖然這樣做，她可能會犧牲自己的性命。

五1-8　以斯帖採取行動

五1-4 「第三日」，以斯帖把她的決心付諸行動，並知道書珊城的猶太人都在背後支持她，因而充滿勇氣。3天的禁食讓她擬出一個計策。以斯帖穿上朝服，鎮定而有威儀地進入王宮的內院，對著王的寶座站立。王把他的金杖伸向王后，她就進前來，透露那使她進入內院見他的問題。以斯帖摸一摸杖頭以表示接受。當王請她提出所求，甚至是「國的一半」（那是俗語，不需按字面理解），以斯帖就邀請王與哈曼赴她私人的筵席，那將是一個機會去作出正式的要求。邀請王的寵

臣哈曼赴席，是一個聰明卻大膽的做法。

五5-8 王速速召哈曼進宮，可見以斯帖的邀請是叫他喜悅的。至於以斯帖方面，她要先為這次晚宴作好準備，以期望所安排的蒙王接受。王的心情很輕鬆，稱妻子為「以斯帖」（對比第3節的「王后以斯帖」），並在筵席後，無論她求甚麼東西，都準備給她。即使是這樣，以斯帖也毫不急於去提出請求。她請他們再赴另一次的筵席，然後她就會提出她的請求。

五9-14　哈曼陰謀殺末底改

哈曼的快樂很短暫。他看見末底改輕蔑地不把他看在眼內，原本興高彩烈的心情，就立即變為滿心惱怒，決意要對付末底改。不過，他首先向朋友誇耀他如何事事順心，並且在朝中得到抬舉。哈曼先提到他的財富，也許是有重要的意義。他深信自己位高權重，以致從未想過以斯帖會與他作對。猶太人末底改是他唯一的敵人，使他不能事事滿足。雖然哈曼已確定所有猶太人都難免一死，但他也立即接受了妻子和朋友的建議，特別為末底改立一個木架（比較二23）。哈曼心中盤算王會把末底改判處死刑，這才使他復得喜樂。這木架極高（75呎），是為了配合波斯國中宏偉的建築。

六1-14　王賜末底改尊榮

看見一連串巧合的事件，實在叫人驚歎。這些事沒有一件是有人預知的，而這一切都使猶太人禁食時的禱告得著應允。以斯帖的行動顯得很有計劃，但卻反映出一種超乎世俗的智慧，那是她在禁食時得著的。

六1-3　「那夜王睡不著覺」：這件平常的事成為了一系列事件的轉捩點，因為王聽到使臣念給他聽有關末底改揭發一個刺殺他的陰謀。命運的逆轉始於王要給這個救了他一命的人應有的賞賜。要作出這樣影響深遠的決定，他自然會諮詢他的重臣。

六4-14　哈曼清早抵達王宮，因為他要獲得王的同意去殺害末底改，但在他開聲講述這事之前，王已提出了另一個問題：怎樣厚待一個配得尊榮的臣僕呢？哈曼以為自己就是

這個得到尊榮的人，於是急切地說出他的野心。他希望得到威望和群眾的歡呼喝采，這是王所喜悅尊榮的人所當得的；這人要穿上王的衣服，騎上王的馬，而實際上，是扮演君王，接受皇室的敬禮。

哈曼是全然誤解了王的意思。王並不知道這是哈曼的願望，也不知道命令哈曼使末底改得尊榮，而不是把他吊死，對哈曼來說，是一個痛苦的諷刺。而最可恨的是使他在眾人面前丟臉，因為他所有朋友都知道木架快要高懸在城中，也清楚哈曼謀害末底改的計劃。末底改並沒有被吊死，卻是回到朝門，冷靜面對一切事情，但無疑也因敵人的轉向而感到疑惑。至於哈曼，他感到受屈辱，還得不到妻子的安慰；家中的氣氛已改變了。迷信的人會推斷其中的預兆，因而對他失去信心。事件至此進展得很快。王的太監已來到哈曼門前，召他入宮赴以斯帖的第二次筵席。時間已趕上他了。

七1-10　王把哈曼處死

七1-4　王第三次向「王后以斯帖」發問時，已開始產生一點不安。情況已不像前一次那樣不拘禮節，而以斯帖回答時，也按王宮的禮儀尊稱她的丈夫，並使用朝廷的用語來說話。無論如何，她必須把真相說出來。「將我的性命賜給我──將我的本族賜給我」：這些請求是叫人吃驚的，而也必確保王會最用心去聽。以斯帖暫且不提哈曼的名字，卻指出猶太人「被賣」所付出的實際代價。若被賣為奴，他們尚可容忍，但他們卻是被賣去「剪除殺戮滅絕」，這些是寫在詔書上的用字（三13）。**第4節**最後一句的意義並不能確定，如新國際譯本旁註所指出的，但該旁註亦提供了最有可能的解釋。若猶太人全被殺滅，則王的損失並不是金錢可以彌補的。以斯帖訴諸王利益為重的事，並暗示人民的價值遠超乎所擁有的財產。

七5-10　薛西王即將要接受另一個打擊。他發現設計殺滅王后和她本族之人，就是哈曼。以斯帖邀請哈曼赴筵席的智慧至此變得明顯：他要在場去直接面對他當得的命運，因為他不單是猶太人的仇敵，也是王的仇敵。以斯帖不能確實肯定王若知道她是猶太人後，會有怎樣的反應。王在烈怒中走往御

園去，要找一個冷靜下來的空間，思想該怎樣控制這個失控的處境。哈曼面對這極端的困境，只想到要向王后求情。他忘記了平常的禮儀，竟然過於接近王后，因而進一步激怒薛西。使臣進前來，蒙住哈曼的臉，實際上就是拘捕了他。「哈波拿」（曾在起初的朝臣名單中提及，一10）告訴王，哈曼「為那救王有功的末底改」造了一個木架。薛西王不再需要別人的提示。哈曼竟不知道他為自己的死刑作了準備；這死刑隨即馬上執行了。王的怒氣止息了。因為他已作出了公平的裁決。哈曼所頒佈的詔命曾引起慌亂（三15），而他命運的逆轉，並他最終死在他為敵人準備的木架上，終於使王和眾民得以安心。

八1-17　哈曼的敕令廢除了

八1-2　雖然哈曼已死，但波斯國若要昌盛，則仍有許多事情要做，作者也很小心地在結束的數章中收拾殘局。在古代近東，罪犯的財物會歸還皇室（比較耶洗別在王上二十一7-16之假設），因此，薛西王很輕易便把哈曼的財產賜給王后以斯帖。以斯帖把她與末底改的關係，並她如何蒙受末底改之恩，都告訴了王。當王召末底改進宮，他的意思是要因末底改為國家所作的服務而賜他榮譽。哈曼透過猜啞謎而幻想出來的情景（六7-9）是可笑的。這時末底改得著了有王印鑑的指環，並有國家事務交託於他。哈曼誤用了他的權力，而對王效忠的侍奉卻可寄望於末底改身上，而以斯帖揀選末底改去管理哈曼的產業，則鞏固了這個盼望。末底改接過了猶太人仇敵的地位，也接管了他的財產，諷刺的事似是接二連三地發生。

八3-8　有一個主要的問題仍有待解決：哈曼所頒佈的詔命仍在法令書中，需要取消，使其無效。這詔命是以王的名字發出的，只有王有權作出任何更改，而它已經公告於全國各省了。以斯帖不得已，再次來到王的寶座前，為同胞的性命發出呼求。這次她有足夠膽量在王的腳前俯伏、哭泣，並要求王結束哈曼「害猶太人的惡謀」。以斯帖再一次小心她的言詞，她沒有提及法令的事，因為就如俗語說：「波斯和瑪代人的例，永不更改」（一19），而王也不可因此而丟臉。王為了她

的智慧和勇氣賞賜她，伸出金杖，使她站起來。

即使在此時，以斯帖在說出要求之前，仍向王表示當然的敬意，知道任何決定都必須是王的決定，雖然她現在已極之得到王的喜悅。詔命是以王的名字發出的，但以斯帖力辯說那是出於哈曼的言詞，因此她勸請王「另下旨意廢除哈曼所傳的那旨意」。這是她主力的一擊，她更兩次提到心靈上的痛苦：「我何忍見我本族的人——我同宗的人」，來加強她的說服力。由於以斯帖是代表末底改和她自己發言，所以王回答時也包括他二人在內。首先，薛西王以加諸哈曼的嚴峻之刑罰來證明自己處事公正，然後再「奉王的名」制定另一個法令，雖然措辭方面，也是再一次交給王的副手。以斯帖曾小心地說話，以免提及更改法令的可能性，而王在此則一再重申法令不能廢除。再一次，作者是在譏刺他沒有定見。

八9-14　此處的用字跟三章12至14節——記錄哈曼的敕令——十分相似，只是命令的內容已完全倒轉過來。那些不能改變的法律，和制定法律的大人物就是這樣。哈曼迅即失勢，正如他迅即得勢一樣。他在第一個月所制定的詔命，到了第三月，就經他的仇敵末底改完全倒轉過來；末底改在頒佈這詔命時，在各省各族的文字方言上，更加上猶大人的文字——希伯來文。從王宮御馬中揀選了「快馬」，是為確保消息能迅速地下達。

第11節的首句是毫無疑問的，詔命容許猶太人自己組織起來；問題在於「剪除、殺戮、滅絕」（引述自三章13節哈曼的詔命）的對象是誰。在第三章，對象是所有「猶大人——無論老少婦女孩子」，而末底改的詔令則以「那要攻擊猶太人的一切仇敵」為對象。詔命中容許他們掠奪財物，但也只是限於那特定的日子，那是哈曼視為吉日的日子。猶太人若受到攻擊，他們會施以報復，但哈曼卻有意叫他們全被冷血地殺戮。

八15-17　回到發出詔命的書珊城，那裏的人民都熱烈地歡迎一個新的政府，以及這個政府所代表的一切；這與三章15節中，哈曼的敕令所引起的慌亂形成強烈的對比。末底改以威嚴的大臣裝束示人，並沒有惹來怨

慣，因為他被視為一個值得信賴的朝臣。他的智謀贏得眾民的愛戴（箴十三15），也得到猶太人的支持；猶太人大有理由歡喜快樂，大事慶祝，因為他們不再活在死亡的威脅之下，卻是得蒙恩寵。在末底改的領導下，其他民族的人預期作為猶太人會大有好處，因而「入了猶大籍」；眾民的態度幾乎在一夜之間完全改變過來，而這對猶太人的未來，也是一個很好的兆頭。

九1-19　猶太人公開得勝了

九1-4　亞達月十三日這個重大的日子來到了，「猶大人反倒轄制恨他們的人」。作者把這日所發生之事的結果摘要地說出來，以致讀者沒有一點疑問：受害者已變成了勝利者。事實上，他暗示了多半敵對的力量已瓦解了，因為在群眾和領導階層，末底改都得到了支持。他強調眾人懼怕末底改和猶太人，是暗示了當中有超乎凡人的干預，好像猶太人的命運得著迅速的逆轉，使群眾對神產生了畏懼。眾民漸漸感到末底改不會迅即失勢。他是一個需要認真面對的人，他們因而願意支持他。

九5-10　然而，流血事件不能完全避免，而聖經也記載了死傷的人數。數字無疑比相反的情況少得多；若猶太人是被殺害者，又或他們的公平對待若不是得到廣泛的認同，則死傷的數目肯定不止於此。哈曼顯然仍有一些忠心的追隨者，他們隨時準備支持哈曼眾子的領導。首先要消滅的，是書珊城中有可能形成敵對勢力的核心成員。經文列出哈曼被殺之眾子的名字，是要加強哈曼已全然被擊敗的事實。沒有留下一人去支持他的主張。哈曼的產業仍然完好。作者3次指出：「猶太人卻沒有下手奪取財物」（10、15、16節）。他們效法亞伯拉罕的榜樣，不願因敵人的戰敗而使自己富足（創十四23）。猶太人這種不尋常的自制能力，不會被人忽視，卻會獲得尊重和讚賞。

九11-19　薛西王按事實說死了500人、哈曼的眾子，和各省不知多少人被殺，為的只是給他的王后有機會擴大這次流血事件實在是令人不寒而慄的。以斯帖在此事中證明了自己是一位「鐵娘子」，她要展示哈曼掌權的日子已不復存在，因而要求把哈曼眾子的屍首示眾，並全然除滅書珊城城堡以外其餘與猶太人敵對的勢力。以斯帖為此求王多賜一日，而在這日有300人被殺。在國中其他地方，共有75,000人被猶太人所組織的抗敵戰士擊殺，這暗示哈曼的詔命也有被執行。假設所有127個省都牽涉在此事件中，則每個省約有600人被殺，比書珊城被殺的人還少。這樣，猶太人就「脫離仇敵，得享平安」。他們必須慶祝民族從滅亡中得拯救，因此那可怕的亞達月十三日過去後，王便把十四日定為假日，讓他們一同慶祝。然而，在書珊城中，由於以斯帖額外的要求，所以第十五日才是慶祝的日子。各處的猶太人都設筵歡樂，沒有一人不參與慶祝。這樣，哈曼本想把猶太人剷除，但結果卻使他們連繫得更緊密，而且當他們想起曾共同渡過危險並蒙拯救的時候，他們中間的民族精神也加強了。

九20-32　普珥節的起源

九20-22　一個必須持續下去的節日，要有文書的證明。逾越節、收割節（五旬節）和住棚節都藉著摩西律法（申十六1-17），在猶太人的禮儀日曆中定立了；末底改再加上了普珥節。他宣佈在每年亞達月的十四和十五日，都要為猶太人免除遭滅族的危難和得拯救，而定為感恩的日子，這與以色列人在出埃及時從法老手中得拯救相似（詩一〇六10；路一71）。逾越節和普珥節都是記念他們從憂愁變為喜樂，從哀哭變為歡慶的日子。末底改吩咐眾民在這節日要彼此慷慨款待，並特別提到要賙濟窮人，這些使節日有慷慨寬大施恩的特色。

九23-28　作者仍未解釋的，是普珥這名字的意思，因此，他概述了哈曼的陰謀。那包括了他掣普珥或掣籤的行為，普珥一字並不見於希伯來文中，因此譯詞上加上了引號。考古研究中發現了一顆骰子，上有*pûru*一詞（參導論），其意義因而得以確定，並證明本書作者的準確性。在古代近東地區，以掣籤形式來定出日期的風俗是建立已久的，可是在這事件中，掣籤的結果並不如那「自以為勝利者」所願。採用「**普珥**」一詞，是對命運一個大膽的否定，因為命運並沒有為那相信命運的人帶來正確的答案。猶太人再一次

證主21世紀聖經新釋

證明他們有一種更佳的生活方式。因此，每一個家庭的每一個後裔，都必須每年守這節日，不容許它被廢棄。

九29-32 以斯帖王后的權力加在末底改的權力上：王后以斯帖「寫」第二封信。這時，頒佈全國的法例，需要有文書上的根據。每個省份都要有王詔的正本，上有蓋印，以致沒有人可辯說不知情。「禁食呼求」自四章16節以來都沒有提及過，而在此處出現，提醒了讀者那是本書主題之一，而以斯帖也是藉此得著信心去承擔作領袖的職責。因此，在故事終結重述要點時，也提及禁食，但似乎禁食並不是普珥節原來之禮儀的一部分。重點過分強調了歡宴。然而，沒有禁食，就不會有歡宴。「這事也記錄在書上」，那大概是書珊城的法律年鑑。證明所記錄的事件是有根據的。

十1-3 末底改的成功

本書結束時再提到薛西王，他是本書開首提及的人物。開首時是提到他帝國疆土之遼闊（一1）；這裏則很實際地指出，即使位處最偏遠的地區，也沒有逃避向他進貢。薛西王就是擁有如許的權柄能力，叫眾民按他的旨意去行。在這樣一個政權下，有誰會想到一個猶太人會成為王的左右手？薛西王自己抬舉末底改，使他高升，而環繞這擢升的處境，則寫在「瑪代和波斯王」的年鑑上。（比較第一章的「波斯和瑪代」。由於瑪代帝國之建立早於波斯帝國，因此皇室年鑑應以瑪代帝國的事件開始。）因此，末底改在一個有利的位置，去代表他的同胞，並確保他們得到最大的利益，而在薛西王在位早年，他們卻要仰賴這位暴君的憐憫，惟恐被他滅絕。由於末底改克盡厥職，以致帝國再一次享受正常的生活，而猶太人雖在外邦人的管治下，仍能感到安穩。

讀以斯帖記，可以令我們想起保羅的保證，他說：「神既是公義的，就必將患難報應那加患難給你們的人，也必使你們這受患難的人，與我們同得平安」（帖後一6-7）。在這兩卷書中，所提及的「患難」都是神的子民受迫害，而他們都不能自己去抵抗。歷代以來，激烈的對抗常有出現，而「我們並不是與屬血氣的爭戰」（弗六12）。神有時會以特別的眷顧來干預，正如祂在以斯帖的時代一樣，但無論祂是否公開為信徒伸冤，教會的責任是要站立得穩。保羅藉著教會的增長得到證明。

在基督降世以前的世代，猶太人必須存留下來，才可以產生後來的教會。因此，這卷講述猶太人掙扎求存的以斯帖記，是聖經不可或缺的一部分，對基督徒和對猶太人來說，也是一樣。

Joyce Baldwin

進深閱讀
（參以斯拉記與尼希米記書目）
J.G. Baldwin, *Esther*, TOTC (IVP, 1984)
G.A.F. Knight, *Esther*, TBC (SCM, 1955)

詩歌書的研讀

引　言

在現代的聖經譯本中，超過三分之一的舊約篇幅都編排為詩歌類。詩篇、智慧文學（約伯記、箴言和傳道書），以及大部分的先知書都是詩歌。摩西五經和歷史書中也有好幾首詩詞。這些經文的果效和受歡迎程度顯示詩歌能觸及我們與神關係的中心點。因此，了解聖經中的詩歌，不單是研經技巧的操練，而且是了解這些經文屬靈意義的一種途徑；詩歌所傳達的信息比一般散文所能表達的更深遠。

聖經中的詩歌跟西方詩歌的形式有很大分別，但在以色列四周的文化中，如烏加列和米所波大米，卻可找到類似的詩歌作品。後來的猶太著作沿襲這傳統，例如死海古卷的聖詩（the Hodayot, 1QH）。以下的論述主要集中於舊約詩歌，因為新約詩歌（如路一46-55、68-79）十分罕見，而且它們大部分是從舊約的模式演變而來。

聖經中的詩歌如何構成？

聖經中的詩歌有3種常見的特徵：韻律、平行對句和濃縮意義。這些特徵經常同時出現。此外，偶爾還有些經文，我們並不能確定那是詩歌式的散文還是散文式的詩歌。腓立比書二章5至11節和歌羅西書一章15至20節等經文，可能是早期的基督教詩歌，但也可能由於主題尊貴威嚴，作者便以詩歌的用詞來表達。然而，在大部分的情況下，我們都能分辨一篇文章是詩詞還是散文，即使在英文譯本中也可分辨出來。

節奏與韻律

由於我們並沒有把大衛王朗誦詩篇的聲音收錄下來，所以對於聖經詩歌書之韻律的討論，必須倚靠一些揣測。有些學者認為詩句中的音節數目是重要的；多半則認為詩句中重音節的格式，而不單是音節的長短，更可反映其抑揚頓挫。無論如何，聖經中的詩歌都由差不多相同長度的句子組成。這種格式從接近原文體裁的譯本中可見。從上述的理論來看，詩句一般都有兩個平衡的句子，每個句子有兩個或三個重音（2+2，參詩二十九；或3+3，參賽四十至五十五；伯；箴）。

這種平衡的規則常有例外。許多哀歌都以不平衡的韻律寫成，這等韻律稱為建納（qinah）韻律（源於意指「哀悼／哀歌」的希伯來文）。在這種韻律中，3個重音的句子之後，往往是只有兩個重音的句子（3+2），彷彿作者的哀傷使他沒有氣力再寫出相同長度的句子。例如：

> 「他一鋪一下　網一羅　絆一我一的一腳；
> 使一我一轉回」（哀一13）

然而，這個並非嚴格的規定（本節的其他部分也不依循這模式）。而且我們很難斷定不同用字模式的心理基礎。

若句子或詩句看似太短或太長，過往學者或會改變經文來配合韻律的格式。今天在聖經詩歌研究方面，韻律的重要性已減弱了。我們比較留意自己對昔日的慣例是否無知，並能察覺到詩人有自由去改變他們的寫作風格。

平行對句

聖經詩歌的第二個主要特徵是平行對句，即兩個簡短的句子（A、B）在某方面是相似或平行的。到了近代，學者才重新發現平行對句的重要性。古格爾[James Kugel, *The Idea of Biblical Poetry: Parallelism and Its History* (Yale University Press, 1981)]說拉比們「忘記了」平行對句這回事，他們沒有察覺句子重複的重要性。他們傾向使每個字和每句

都有明顯的不同，例如在申命記三十三章10節：

「他們要將你的典章教訓雅各，
將你的律法教訓以色列。」

他們認為「典章」和「律法」是完全不同的東西（分別為筆錄的和口傳的律法）。事實上，拉比們也不完全是錯誤的，因為不同的句子甚少在意義上是完全相同的。雖然如此，平行對句的理論一般追溯至盧羅伯（Robert Lowth）的兩篇論著，它們原以拉丁文在1753年和1778年發表〔譯作 *Lectures on the Sacred Poetry of the Hebrews* (Buckingham, 1815) 和 *Isaiah: A New Translation with a Preliminary Dissertation and Notes* (Wm Tegg, 1848)〕。我們可形容由兩個基本句子組成的詩句為A/B//，即第一句後稍為停頓（/），而整個詩句結束時則有完全的停頓（//）。詩篇二篇3節就是這樣：

「我—們—要—掙—開 他—們—的—捆—綁，」A/
「脫—去 他—們—的—繩—索。」B//

這些句子也可細分為兩個或3個較小的分子，通常是希伯來文的單字（如用連字號連起來的）。我們可用小楷字母代表這些分子，如a、b、c 有a'、b'、c'作平行。舉例如下（詩一四七8）：

「他用雲遮天」（a、b、c）
「為地降雨」（a'、b'、c'）

盧氏指出了3種主要的平行對句。詩篇二篇3節是「同義平行句」，其中第二句以相類似的用詞重複第一句（a b/a' b'//）。這種平行句發展為「形式平行句」，可見於詩篇二十七篇1節：

「耶和華是我的亮光，是我的拯救；　A
我還怕誰呢？　　　　　　　　　　B
耶和華是我性命的保障；　　　　　A'
我還懼誰呢？」　　　　　　　　　B'

若兩句的內容並不相似，而是相反，則稱為「反義平行句」。可見於箴言十章1節：

「智慧之子，使父親歡樂；
愚昧之子，叫母親擔憂。」

盧氏界定了第三種「綜合平行句」如下：「這種平行句只在結構上有類似的形式，而字與字、句與句之間並沒有相等（同義平行句）或相反（反義平行句）之處；然而，在句型和轉接處，及各個構成部分方面，不同的主題之間有一種相稱和對等……」
例如，詩篇二篇6節既不是同義平行句，也不是反義平行句：

「我已經立我的君
在錫安我的聖山上了。」

我們可用不同方法來改良和擴充盧氏的分類法：

1. **補足平行句**是兩個句子表達了補足的真理或事實：

「耶和華是我的牧者，
我必不致缺乏。」（詩二十三1）

耶和華與詩人（「我」）在信心的關係上，是互補的夥伴。有了牧者，結果就是不致缺乏。

2. **階梯式平行句**是第二個句子只重複第一句的其中一個基本單位，繼而在思想上加以發展（a b/a' c//）：

「神的眾子（天使）啊，要歸給耶和華，
要將榮耀能力歸給耶和華！」（詩二十九1另譯）

分析這詩句的另一種方法是「省略法」（省略其中一個分子）。天使在第一句和第二句中都是對象，只是第二句並沒有題名稱呼他們。階梯式平行句有一種特別的效果，通常為了某個原因而使用。這種平行句常用來作為一些詩歌的開始（詩二十九1；傳一1），或作為結束（傳十二8），也會用作重複句（即疊歌）（詩六十七3、5）。

3. **交錯式平行句**是第二句平行部分的次

序逆轉了（a b/b‘ a‘//）。這樣產生了一種交錯的效果（"chiasmus"一詞源自希臘文字母"chi"，這字母的形狀是一個交叉）：

「因為耶和華知道義人的道路，惡人的道路，卻必滅亡。」（詩一6）

在最低的層次裏，這種寫作技巧使詩歌增加變化和趣味，但它對意義的表達也有幫助。如上述的詩句，交錯的形狀把義人的路和惡人的路作一強烈對比。有時交錯式平行句是用來加強中心的要點。擴大的交錯平行句也在聖經中找到（如a b c c‘ b‘ a‘在摩六4下-6上；a b c b‘ a‘在賽五十五8-9）。

4. **兩極平行句**(Merismus)是使用兩個極端來表達完全的概念（可用a－和a＋來描述）：

「**地的深處**在他手中，
山的高峰也屬他。」（詩九十五4）

世界的完全概念以縱向的兩極來代表（a b+/b- a‘//），下一節的詩句則加上了橫向的層面，包括了海洋和旱地。另一個代表全宇宙的兩極法是「天和地」（創一1）；巴比倫的創造史詩也以此來開始《伊呂馬以利殊》(*Enuma Elish* I, 1)：

「天（＋）上（＋）並沒有名字，
地（-）下（-）也沒有起名。」

近期的發展

盧氏的第三種平行對句（「綜合平行句」）引起了許多討論。「相稱」和「對等」是甚麼意思？難道「綜合平行句」好像一張網，把不屬同義和反義平行句的，全都包在網內？布林（Adele Berlin）的著作有助於澄清[*The Dynamics of Biblical Parallelism* (Indiana University Press, 1985)]。他建議寫作上最少有4個不同的層次，使詩人可以造出平行對句。這4個層次就是聲音（「音韻上的平行句」）、用字（「詞彙上的平行句」）、句子結構（「文法上的平行句」）及意義（「語意上的平行句」）。這4個層次間的互相作用，給予聖經的詩歌極大的彈性和力量，卻沒有捨棄形式和穩定性。

1. **聲音**　在希伯來文聖經中的詩歌，以及不時穿插在散文中的，常有一些發音相近的字詞。這使詩歌產生一種合一性，並有助加強其他層面的意義。聲音的重複可能在字首（頭韻）、字中間（類韻或母韻），或字尾／句尾（腳韻）。在翻譯時，會失卻這種讀音相似的成分；這對箴言來說，尤其是一個嚴重的損失，因為箴言常以簡潔和押韻來造出其效果。在希伯來文裏，箴言十三章24節只由7個字組成，而且押了母韻和腳韻（類似英諺"spare the rod and spoil the child"，意即慈母多敗兒）。新國際譯本用了18個字詞來翻譯此句，和合本更用了21個字詞，而且都沒有押韻：

"He-who-spares the-rod hates his-son, but-he-who-loves-him is-careful to-discipline-him."（新國際譯本）
「不一忍　用一杖一打一兒一子一的，是一恨一惡　他，
疼一愛一兒一子一的，隨一時　　管一教。」（和合本）

幸而音韻所突顯的重點，往往也用了別的方法來表達，但欣賞聖經詩歌的音韻，是學習希伯來文的主要目的！先知常用字音相似的字詞來加強他們的重點（例如賽五7，七9）。

2. **用字**　「詞彙平行句」可見於詩篇二章3節，其中「掙開」和「脫去」、「捆綁」和「繩索」都有類似的意義。在平行句上意義接近的用字稱為配對詞（word-pairs）。這些字詞有時意義接近至不能分辨（同義詞），但在任何一種語言裏，絕對同義的字詞是罕見的，因此我們需要找出兩個詞在意義上的異同之處。

3. **句子結構**　明顯地，詩篇二篇3節的兩個句子是一對絲毫不差的文法平行句（動詞——代名詞——名詞）。其他經節往往在文法上有輕微的差異（如單數／複數、陽性／陰性、完成時態／未完成時態），使句子有所變化，或有時使意義更全面。箴言十章1節裏，

唯一的文法差異在第二句中，這裏以一個名詞（「擔憂」；原文是名詞）取代了一個動詞（「使……歡樂」）。在這情況下，用字和句子結構都相似，藉以突顯出智慧變為愚昧的改變。

4. 意義 詩篇二篇3節中的字詞和句子結構的平行，無可避免地引向最高和最複雜的層次，即「語意上的平行」。兩個句子在意義上相同，表達了列國的君王怎樣計劃背叛以色列的神和彌賽亞。然而，我們在下一部分會看見，完全的語意平行是甚為罕見的。

布林的分析能幫助我們看見盧氏著作的價值和限制。盧氏分類的主要困難是，許多經節似乎未能配合他的分類法。古氏強調聖經中有極多的例外，他反而建議我們應了解兩個句子的關係：「B句由於與A句有關連（引伸、迴響、重申、對比A句），而有一種鮮明的強化性質，而聖經平行句的中心重點，就在於此，過於任何美學上的平行對稱。」（同上引，第51頁）。

概括而言，我們可以說早期的猶太觀點是「A不等於B」，傳統的取向是「A等於B」，而古氏的理論是「A再加上B」。古氏認為平行對句的觀念是不可取的，並且質疑詩歌與散文在本質上是否有分別。然而，他主要是針對「語意上的平行句」，而其他層面的平行句，及詩歌在其他方面的特徵則往往是較明顯的。

奧爾特（Robert Alter）作了一個與古氏相近的提議：「（若）語意上的平行句真的產生，詩句意義的走向通常是加強或深化（如在數字方面的例句）、集中、詳述、具體化，甚至是所謂戲劇化。」[Robert Alter, *The Art of Biblical Poetry* (Basic Books, 1985), p.19]

在類似的研究路線上，卡大衛（David Clines）說句子A通常是一般性或含糊的，但句子B則詳述句子A某個字詞或象徵或聲明的特別意思 ["The Parallelism of Greater Precision: Notes from Isaiah 40 for a Theory of Hebrew Poetry", in *Directions in Biblical Hebrew Poetry,* ed. E.R. Follis (JSOT Press, 1987), pp.77-100]。以賽亞書四十章3節說：

「在曠野預備耶和華的路，
在沙漠地修平我們神的道。」

第二個句子清楚指出「路」是實際的道路，而不是比喻生活的方式，而那路是為神而設的。

顯然作者可以用各種不同的方法由A引往B。奧氏的一些意見如下：

「掃羅殺死**千千**，
大衛殺死**萬萬**。」（撒上十八7）

掃羅完全不喜歡這樣把數字強化。一個名詞，與一個名詞加上形容詞，表明文法上的強化作用（箴四3）：

「我在父親面前為**子**（原文沒有「孝」字），
在母親眼中為**獨一的嬌兒**。」

在耶利米書七章34節，第二個句子準確地詳述了那些人在哪裏及他們是誰：

「我必使**猶大城邑**中
和**耶路撒冷街**上，
歡喜和快樂的聲音、
新郎和新婦的聲音，都止息了。」

當一個毫無修飾的句子加上誇飾法，就產生了戲劇性的效果：

「他們必將臉伏地，**向你下拜**，
並**餂你腳上的塵土**。」（賽四十九23）

一個暗喻或明喻也有相同的效果：

「你必**用鐵杖**打破他們，
你必將他們**如同窯匠的瓦器**摔碎。」（詩二9）

還有一種句子變化的類別是特別重要的。奧氏指出，縱使聖經作者以散文來敘事有超卓的表現，但聖經中沒有一些像《以利亞特》（*Iliad*）或《吉加墨斯史詩》（*Gilgamesh Epic*）的史詩體裁。對於這個使人疑惑的缺欠，奧氏的解釋是（同上引，第39頁）：「詩人所寫下的不是故事（narrative），而是故事性的表達（narrativity）——即是把暗喻作故事性的發展。」一節經文的各個句子並不

證主
21世紀聖經新釋

在於創造一些平行句子，乃在於發展、編排一個故事；那故事並不是詩人的實際體驗，但卻能真實地詮釋他曾有的經歷：

> 「試看惡人因奸惡而劬勞（原文「奸惡成孕」）
> 所懷的是毒害，
> 所生的是虛假。」（詩七14）

在這裏，罪惡緩慢而肯定的產生，可怕地以生產的過程來表達（類似的例子可見於詩七5、14，十八7-15，二十三篇）。

濃縮意義

詩歌可以言簡意賅地述說許多事情。平行對句已包含無限的可能性，而聖經的詩歌中更是充滿了比喻。象徵和比喻的使用十分靈活，可以彼此更正、加強和補充。比喻有時是一般性的，目的是鞏固有關神的基本信念（如耶和華是牧者）。在其他地方，比喻的發展可以是叫人驚訝的（例如詩三十九11：把神比作蟲），或是異常地詳盡（例如伯十四；何十四4-8）。我們不可低估比喻的實際性和神學價值。它們只是一種途徑，讓我們解釋自己的經歷，也是一個藍圖，指引我們的生活。因此，聖經讀者值得花一點時間去了解古代近東的文化，好能掌握這些以生動、圖像化的語言來表達的真理。

聖經中的詩歌使用了比喻，能幫助它有力地向歷代的信徒述說真理。一句箴言或一篇詩篇，是應用在不同情況下的人身上。疾病、敵人和神的遠離，都可以代表那些使神子民苦惱的事情（如詩六）。責杖可能不在手邊（箴十三24），但一句尖銳的話或拘留的懲罰卻隨時可以使用。我們自然地會從一個特別的例子列出一些普遍的原則，然後把一般原則應用在某件獨特的事情上。

在先知的話語裏，我們常發現一些神諭被改編，或在不同的歷史事件裏循環使用（例如賽十三；啟十八）。詩歌有一種開闊的性質，讓讀者擴闊他們的心思去尋找多種解釋。相反地，律法或教義則往往只有單一的意義。

正是這種開闊的性質，使研讀詩歌比研讀敘述性的故事較困難。我們需要自己填補空隙，使詩歌變得合理。我們發掘了詩歌中的隱祕、複雜和生動的意象後，需要把它跟日常生活連繫起來，這樣做可使我們有更多的參與，並向我們發出挑戰，把詩人的世界觀變成我們的世界觀。**這並不表示閱讀詩歌純粹是主觀和任意的。細心分析一首詩歌，應使我們更豐富、更熟習地探究經文起初對作者和聽眾的意義，以及今天對我們的意義。**

詩歌的結構

至此，我們一直集中探討一個詩句或一小部分詩歌的特質。這足以讓我們了解許多箴言語句和獨立的詩歌片斷，但對於較長的詩歌，我們可以看見它們的組織結構是首尾連貫的。在結構方面，我們常可看出一首詩歌分為幾個部分，其中顯出一種意義上或文法上的一致性。一個或多個部分也可用某種方法連繫起來，成為不同的「詩節」（stanzas）。

每一首詩歌有其本身的一致性，但常有的寫作特徵包括：

1. **長句與短句的使用** 大部分詩節包含兩個句子。但詩節也常常只有一個句子，或3個句子。這些情況通常是一個部分的開首（例如耶十12）或結尾（例如耶十四9；創四十九27），而有3個句子的詩節往往把一個部分或整首詩歌帶向高潮（例如詩十六11）。

2. **行首額外音節（Anacrusis）** 有時候一個詩句會在常規以外多了一個成分（連接詞或片語）。這種額外音節常用來連接詩句（例如因為、這樣、禍哉）或引介一個重要的聲明。詩篇一篇1節（作者另譯）就有3個句子，以一個行首額外音節作前言(a)，繼而使用部分的交錯平行句。對於整卷詩篇來說，這樣有分量的開場是適切的：

> 有福的人 （a）
> 不從惡人的計謀 （b c）
> 不站罪人的道路 （c' b'）
> 不坐褻慢人的座位 （c'' b''）

3. **疊歌** 這是間歇性重複的一個詩句，像聖詩各段之間的副歌。在詩篇四十二至四

十三篇裏，副歌重複了3遍，並略述了整首詩的主題：

「我的心哪，你為何憂悶？
為何在我裏面煩躁？
應當仰望神，
因祂笑臉幫助我。
我還要稱讚他。」（詩四十二5、11，四十三5）

這是其中一個原因，使學者肯定這兩篇詩篇原是一篇，並應一起誦讀。

4. **鑰字** 一首詩歌，或其中一個部分，常以重複一些重要字眼來連成一體，如詩篇二十九篇的「言語」，或詩篇九十篇談及時間的不同用字。

5. **首尾句(Inclusio)** 這是指一個字或句子，它在一篇散文或詩歌的開首和結尾都出現（如「我的心哪，你要稱頌耶和華」，詩一〇三1、22）。首尾句把一段文字連繫起來，並向聽眾指出那是一個部分的結尾。在這些重複句中間的內容，常使這些句子的意義更豐富、更充實（如詩八）。

6. **離合體詩〔又稱字母詩(Acrostic)〕** 在離合體詩歌裏，每一詩句或每一組詩句都順序以不同的希伯來字母開始。片語（詩一一一，一一二）、詩句（詩二十五）、兩詩句一組（詩三十七），或3詩句一組（哀二）都可組成離合體詩。最大型的離合體詩是詩篇一一九篇，這詩以8句為一組，共22組（22個希伯來文字母）來組成；而在8句之內，每一句都以相同的字母來開始。這種格式的規限解釋了這篇詩篇為何往往只是鬆散地連繫起來。

7. **多樣化的詩歌風格** 同義平行句是一種平衡的形式，適合作客觀和深思性的表達，但這樣會變得沉悶和抽象。變奏和敘述法能提供有趣和新的洞見，但太多則變得表面化，並且不能給我們充足時間去吸收有關神或我們自己之話語的意義。整體來說，聖經中的詩歌能健全地把故事和詮釋、行動及思想結合起來。

結語

大衛被稱為「以色列的美歌者」（撒下二十三1），我們要感謝他和其他詩人，因為他們在聖經中留下了一些最偉大的詩歌。耶穌常間接或直接引用舊約的詩歌。忽略了詩歌，就是忽略了它對聖經中人性受感動時情懷的表達。本專文目的就是介紹詩歌的技巧和絕妙，聖經的詩人就是以這些來傳達他們在神面前的領受。無可否認，集中於技巧和美感，會使我們看不見最終的實體（林前十三1）。然而，聖經有足夠的見證，證明歷代以來，神的子民都認為只有詩歌，才足以表達我們對神和我們所居住之世界最高、最深的經歷（參傳十二10；西三16）。

Philip Jenson

進深閱讀

R. Alter, *The Art of Biblical Poetry* (Basic Books/T. and T. Clark, 1985).

L. Kugel, *The Idea of Biblical Poetry* (Yale University Press, 1981).

D. L. Petersen and K. H. Richards, *Interpreting Biblical Poetry* (Fortress,1992).

W.G.E. Watson, *Classical Hebrew Poetry: A Guide to its Techniques* (Sheffield Academic Press, 1984).

證主21世紀聖經新釋

約伯記

✤ 導 論

來源

我們不能肯定約伯記的寫作年代，不過，它的成書日期大概不會超越主前第七至第二世紀之間。在這本詩歌書問世之前，可能早已有義人受苦的民間傳說。無辜人受苦的主題，亦可以在源自主前第六世紀的耶利米書和以賽亞書中尋見。因此，約伯的受苦有可能是用來象徵猶太人在被擄時期所要承受的苦難。

本書的作者肯定是以色列人。根據書中的描述，約伯的家鄉在亞拉伯的北部；故事發生在久遠的列祖時代；而約伯本人並不知道神特有的以色列名字──耶和華。然而，作者卻有意指出，約伯的問題其實普遍存在於每個人的心中，縱使他的思想和文學體裁明顯是深受希伯來文化所影響。

按照現代對聖經的研究，約伯記被列為「智慧文學」的類別。智慧書（箴言、約伯記和傳道書）的緣起，究竟有沒有一個共同的社會背景，至今仍未能確定，不過，在神學上，將它們互作比較卻相當有價值。箴言是報應之說的忠實捍衛者。它的基本原則是智慧帶來生命，愚昧招致死亡；義人得賞賜，惡人遭懲罰則是理所當然、放諸四海皆準的定律。傳道書沒有懷疑探求智慧的價值，但它實際上卻在箴言的旁邊打了一個問號。因為它追問死亡臨到時，智慧還有甚麼價值？死亡使一切失去價值，包括智慧在內，而人生的意義不能靠獲得某些終會失去的東西來衡量。傳道者認為，將人生視為一個享樂的機會似乎更佳（傳二4）；因為快樂不是一項累積的財產，至終只會消失，反之，它讓人在人生的歷程中得以享受。約伯記亦用另一種方式來質疑箴言的觀念。按照箴言書的思想，一個像約伯的人簡直是匪夷所思。假如

他真是義人，他應當會找到生命、財富和健康。可是，約伯記所描述的，卻既是義人，又是受苦者。與此同時，它還指出，真誠面對信仰的態度，不是對不幸的事逆來順受，而是要有勇氣去與神爭辯。

🌡 主 題

當我們翻閱這本偉大的著作時，我們都知道它的主題是討論苦難的問題。然而，苦難的問題究竟是指甚麼？在許多人的心目中，它是一個問題：為何會有苦難？苦難從何而來？甚麼原因導致苦難的發生？或是，用較個人的方式來問這個問題：為何這種苦難偏偏要臨到我身上？不過，這種發問的方式，可能正反映出我們現代人對事物尋根究底的執著──好像惟有藉此途徑才能明白真相。

約伯記雖然對苦難的起源作出嚴肅的探究，可是，並沒有提供任何圓滿的答案。真正提出這問題，又提供了部分答案的，是約伯的幾位朋友。他們指出，苦難通常是用作懲罰罪的手段，有時則是作為一種警告，提醒人不可犯罪。全書的整體內容還補充了另外一點，就正如約伯本人的例子一樣，苦難的臨到有時是完全沒有屬地的原因，而是單單為了證明「人事奉神，可以不為任何獎賞」這種想法，是否真實。但是，正因為本書為苦難的起源提供了這些不同的理由，讀者無法透過本書，明白到本身受苦的原因；故此，他們就跟約伯本人所處的光景一樣，永遠無法知曉那臨到自己身上的苦難是從何而來。對他來說，苦難始終是個謎。我們因此可以推論說，本書並沒有將這個質疑苦難本源的疑問，視為探討苦難的首要問題。

苦難帶出了第二個問題：清白無罪的人會否受苦，抑或只是罪有應得的人才遭遇苦難？這正是本書所提出，又雄辯滔滔地作答的

問題。它在回答的過程中，一直堅稱受苦的約伯是一個義人，藉此清楚地否定了苦難是用作懲罰罪惡的觀念。本書不單透過敘述（一1），和約伯本身的見證（例如六30，九15）來肯定約伯是一個清白無罪的人，而且更有神的親口承認（四十二7-8）。當人遭遇苦難的時候，人的天性總是傾向會問：「我做了甚麼錯事，如今要遭此報應？」約伯記承認，苦難有時的確是因為人罪有應得，可是，它對這個問題的主要回應，卻是指出人也許無須自責；苦難臨到人身上未必一定是因為罪有應得。不過，這個問題和它的答案，也並非本書在探討苦難問題時的主要重點。

約伯記所提出的第三個有關苦難的重要問題，是較為個人化的。它就是：我怎能經歷苦難？當我遭遇苦難時，我該怎麼辦？我該抱著甚麼心態去面對苦難？比對這幾個有關我們該如何真正面對苦難的問題，第一個問題（關於苦難的本源）似乎純屬學術性，第二個問題（無罪的人會否遭遇苦難）也不難去回答。第三個卻是一個真正的大難題；它要用整本約伯記來回答。

約伯記在描述約伯對遭逢苦難的反應時，為這問題提供了兩個截然不同卻又相輔相成的答案。第一個答案是在頭兩章以散文寫成的序言中說出。約伯平靜地接受那些臨到他身上的災難是出於神的旨意；他能夠同時為到神所賜予和神要取回的東西（一21），以及為到得福和受禍（二10）而稱頌神。倘若受苦的人能夠認同約伯那種逆來順受的態度，他們就真是有福了。他們如果能夠像約伯那樣，就不會為了使自己漠視現實的苦難而讓自己沉緬於過去；也不會因目前的憂傷積壓心頭而忘卻了過去曾有的福祉；那麼，他們就已經從約伯的經歷中有所得益了。然而，許多遭逢苦難的人卻沒有那麼容易逆來順受；取而代之，他們將會是忍耐的約伯和焦躁的約伯之混合體。

回應「當我遭遇苦難的時候，我該怎麼辦？」這個問題的第二個答案，可以從約伯那穿插在三至三十一章詩中的發言，所反映出的痛苦和混亂思想中尋見。當他再不能對發生在他身上的事情逆來順受，被與神隔絕的感覺緊緊纏繞而充滿痛苦和憤怒，甚至感到自己正遭受神的壓逼時，約伯便做了他必須要做的事。他沒有企圖抑壓自己因為遭遇

的事而對神產生敵意；他指出「我靈愁苦，要發出言語；我心苦惱，要吐露哀情」（七11）。而且，他並不是藉著怨天尤人來宣洩他的憤怒和絕望；他是直接向神訴說自己的痛苦。

約伯針對神而發出的言論有時雖然過於輕率和不公允，但他的抗辯卻是對準了方向；因為他認知到他要理論的對象是神自己。正因為他堅持要向神陳述他的話，最後神便親自向他顯現（三十九至四十一章）。約伯的苦難並沒有因著神給他回應而停止。他發現自己誤會了神，他的怒氣也因為能親自面見神而稍為平伏。而且，儘管約伯在這整卷書中都對神口發怨言，但最終卻使人大感詫異的，是神確實稱讚約伯對祂的議論「說的是」（四十二7-8）。這只能意味著，是約伯在苦難中直接將自己交給神，並且要求神給他作出解釋。

約伯固然是本書的主角，但主角非僅他一人。約伯的幾位朋友在他受苦的時候，為他提供了甚麼幫助呢？其他受苦的人讀到這幾位朋友的說話時，將會獲得甚麼幫助呢？以利法指出，如果你是無罪的，你所受的只是短暫的苦難；他反問道：「無辜的人有誰滅亡？」「正直的人，在何處剪除？」（四7）。倘若約伯基本上是一個敬畏神的人，他便有權相信他不會長久受苦。深信報應之說的比勒達，用約伯兒女的死來引證他的神學，認定他們必然犯了大罪（八4）。由於約伯本人仍然存活，因此，他要為此受罰的罪，應該沒有那麼嚴重，他可以為到自己能倖免一死而稍感欣慰。瑣法認定受苦是罪的結果，同時又相信神是憐憫的，所以，他只能夠假定約伯所受的苦，已較一位公義的神該追討的還少（十一5-6）。以利戶則評價苦難為一種與神溝通的途徑、一個提醒人將來不可犯罪的警告。

沒有任何人在約伯記中指出這幾位朋友所說的是完全錯誤。即使當神斥責他們的時候（四十二7），因為他們「議論我的並不正確」——在約伯的例子中，約伯不是罪人，而他所遭逢的苦難完全不是出於神的懲罰。這幾位朋友對苦難所作的概括言論，換到其他情況便很可能是真確的。但他們在約伯身上所犯的錯誤，是他們只從本身認識的教義中引經據典，而不是憑耳聞目睹的真實證據

去評論約伯。他們知道約伯是一個好人；他們批評他，是因為他們認為他的受苦證明他其實並非好人。約伯記不是要推翻這幾位朋友的想法，它只是想指出，**苦難會臨到罪有應得的人身上，但同時亦會臨到完全無辜的好人身上**。

應用綱要

倘若讀者能理解本書的內容，是為那些陷入約伯同一境況的受苦者而寫（就是那些正在經歷苦難，自己卻完全想不出任何理由的人），那麼，本書要表達的就是：讓約伯那種忍受苦難的態度成為你學效的榜樣（雅五11），直至你不能再堅持為止。但是，當你再無法忍受的時候，讓你的悲憤和焦躁帶領你走到神面前，因為祂就是苦難的終極源頭，而惟有直接面對祂，才能減輕痛苦。

而神在人受苦時，仍有足夠的恩典，叫人從祂那裏得著安慰和幫助。

📄 大綱

📖 註　釋

一1至二13　序幕

這段以散文寫成的序幕共有5幕場景，作者有技巧地安排為：第一、三和五幕（一1-5、13-22，二7-13）發生在地上；第二和四幕（一6-12，二1-6）發生在天上。在地上的約伯和其他人物都不知道天上所發生的事情；惟有我們讀者才獲准知悉約伯為何受苦的祕密。

一1-5　第一幕：約伯和他的正直為人

約伯不是以色列人，他是「東方人」，即是在約但河以東（烏斯就是在以色列東南面的以東）。不過，他所敬拜的是真神，雖然他稱祂為「伊羅欣」（*Elohim*，即「神」），而不是神的特別名稱「耶和華」（*Yahweh*）。約伯是一個「完全」人；這指出他是無可指摘，卻並非表示他完全無罪。他的良善得出的結果，就是他擁有一個理想的家庭：七加三等於十，象徵著完全（在他的家產數目上，也找到同樣的象徵含義）。在列祖的時代，母驢的價值在於供應奶，而牠們所生的驢駒比公驢更加寶貴。但是，有兒有女卻是另一個故事！約伯的兒女各有自己的房子：因為有一位像約伯那樣富有的父親，他們便能夠生活得像個王子。當他們在生日設擺筵席一起慶祝時，約伯記掛的，就是恐怕他們在歡宴之餘做出一些錯事。身為一家之主的約伯便成了家庭的祭司，為了恐防自己的子女不慎說了或做了任何污蔑神的事情而獻上燔祭。整個家庭表現出一片祥和寧靜的景象，但是，這幅極端富裕、安舒和審慎的圖畫，卻暗藏了一股將要破壞這份完美的黑暗力量。

一6-12　第二幕：天上的聚會

對比於這個家庭的單純聚會，天上正舉行的聚會便重要得多了。與會者包括神的侍臣、天使（參賽六1；耶二十三18、22），「撒但」也來到其中（這裏出現的是某個有明確身分的撒但，而並非泛指任何一個撒但）。他本身不是魔鬼，卻是神的一名僕役（其名字的意思是「敵人」，參新國際譯本旁註）。撒但顯然是約伯的敵人，但在這次事件中他卻不是神的敵人，他所做的一切都得到神的同意，而他不能在沒有神的授權下做任何事情。他的一般職責是在地上作神的眼目。

約伯是神可以誇讚的人；舊約中只有極少人能夠獲得「我的僕人」這個尊稱（例如撒下七5；賽四十二1）。撒但並沒有質疑約伯的良善；他所質疑的，是約伯是否為了得神稱義，或為了賞賜，才有正直的表現。

一13-22　第三幕：第一次考驗

在這重要的一幕，4個報信者來到約伯面前，告訴他發生了4個災難。這四個災難（兩個天災、兩個人禍）從四方八面衝著襲擊過來：「示巴人」（15節）來自南方（示巴）；「迦勒底人」（17節）來自北方；還有從西面地中海橫掃過來的風暴而引致的閃電（「神從天上降下火」，16節）；以及從東面曠野吹颳過來的「狂風」（19節）。我們看見約伯被接二連三的災難嚇得目瞪口呆；他驚魂未定，下一個噩耗便緊接而來。

約伯的反應並非埋怨天災或咒罵仇敵（神「收取的」），他並沒有忘記神的賜福（神「賞賜」），也沒有逃避現實（神「收取」），卻同時為到得與失去稱頌神（21節）。這證明耶和華對約伯的信心是合理的。

約伯說他將來離世的時候會歸回「母胎」，大概是指到大地之母，是人類被創造出來的本源。

二1-6　第四幕：天上另一次聚會

耶和華回報約伯的情況，指出他「仍然持守他的純正」，亦即是，他的生活一如過往的正直無過。撒但如今相信約伯能忍受任何外在的困苦，仍保持虔誠，只要他本人的身體沒有受苦；他說，如果他傷及己身，就將變成另一回事。「以皮代皮」（4節）可能表示約伯為了保存自己的體膚無損，便以敬虔

的態度來接受兒女的死；但另一個更可能的解釋是，假如神如今攻擊約伯本人，祂將發現約伯會用咒罵來攻擊祂。

二7-13　第五幕：第二次考驗

當第四幕進展至第五幕的時候，故事迅速邁向高潮。當撒但「從耶和華面前退去」，第四幕便告終；而當他擊打約伯，便揭開了第五幕；在神允准苦難發生，和撒但加害約伯這兩件事之間，是沒有任何時間上的間斷的。

約伯走到城外，坐在爐灰中，進行他的哀悼儀式。為了表達他那種被遺棄和被孤立的感覺，他要自己獨個兒離開社群，將自己與廢物認同。當他坐在爐灰中的時候，全身出了「毒瘡」（7節），他用廢物堆中的碎瓦片來刮身體，藉此紓減疼痛。這些毒瘡顯然是某些皮膚病（參七5，三十30）；但沒有較明顯地呈現如象皮病或痲瘋病等具體癥狀。約伯還出現其他許多病癥，例如消瘦（十九20）、發燒（三十30）、經常發惡夢（七14）和失眠（七4），不過，這些很可能是因他情緒低落而出現的身心性疾病癥狀，而不是皮膚病的影響。其他痛苦的描述可能是比喻性的，例如他抱怨他的骨頭刺他（三十17）和燒焦（三十30）。

約伯的妻子一定感到丈夫令她大受委屈，因為他對神的敬虔，只換來她失去10個兒女、失去社會地位和生計的結果。儘管現在跟丈夫一起會令她感到不安，但她覺得仍有需要忠於他。姑勿論是因著神加諸於約伯身上的禍患而對神產生憎恨，抑或是她逼切渴望丈夫所遭逢的不幸能快些結束，於是，她便力勸約伯去咒罵神（9節），這樣可以使自己早些死掉。約伯並非為到她提議去褻瀆神而責備她，反而是為到她說話像「愚頑的婦人」一樣（參新國際譯本旁註）。他所指的愚頑婦人，大概是指到那些低下階層、不敬虔的婦女，無法明白事情背後的真理。約伯擁有類似貴族的身分，雖然此刻他失去財富，他對真正窮人的生活苦況卻缺乏真實的了解（參三十2-8）。約伯回答妻子說，神可以隨意施「福」加「禍」，就如祂可以賜予和收取（參一21）。這不是聽天由命地順從一位不認識之神的旨意，卻是一種絕對的信心，相信神知道自己所做的是甚麼。作者指出約伯「並不以口犯罪」（10節），並非表示他在

思想上犯罪；他只是想表明約伯的行為否定了撒但的指控，認為只要他的肉身遭受苦楚，他就會犯罪，用他的口咒罵神。

約伯是一個有身分地位的領袖（一3），自然有來自不同地方的朋友，雖然我們不能夠確實識別出他們的身分。他們探望約伯必然是出於善意，這點我們毋容置疑；但奇怪的是，當他們看見他正遭受何等大的痛苦，卻沒有給他任何安慰。他們連一句話也沒有跟他說，一開始便已經像對待死人般待他。他們相信自己正對他表達同情（我們靜靜地聆聽那位苦主，會對他很有幫助），然而，整整「七天七夜」的默然哀悼（13節），卻帶來無可避免的疏離感。正如他們其後的說話將顯示出，他們不能相信約伯要忍受如今的苦難，是完全無辜的。他們理所當然地接納正統神學的教導，認為一切苦難都是人罪有應得的後果。

三1至三十一－40　對話

三1-26　約伯第一次發言，表達自己的痛苦

隨著約伯這段獨白，我們突然發現自己由史詩般偉大和刻意編寫的序幕（一至二章），跳進這篇詩那緊扣人心的激烈辯論中（三1至四十二6）；從苦難的外在描述，進至約伯的內心感受。這段說話由過去（3-10節）講到將來（20-26節），同時，由約伯的個人經驗（3-19節），引伸至全人類的一般經驗（20-22節）。

但是，這段說話並沒有提到苦難的意義，沒有質疑受苦是否罪有應得，也沒有追問苦難的來源。約伯沒有因受苦而自怨自艾，同時也沒有埋怨神。後來會出現這種情緒，但在這裏，我們只見到陷在極度痛苦中的約伯。

三3-10　咒詛自己被懷和出生的日子

人通常是針對將來的事發出咒詛，但約伯在絕望之餘，竟咒詛自己的過去。當然，這個咒詛是完全沒有作用的，因為過去的事已無法改變。他願望自己出生和懷胎的那日（在詩人眼中，這是同一件事）被黑暗滅沒（4-6節上），以致它不入年曆中的數目（6節下）；他希望那咒詛日子的方士將那日變成其中的一個不祥日，讓他的父母不能孕育他，或是

他的母親不能把他生下來（8上、10節上）。第8節古代某些術士顯然相信自己能呼喚海中的巨獸（參詩一〇四26；賽二十七1，和合本：「鱷魚」），和興風作浪的龍，牠們也許會吞吃太陽，帶來日蝕的黑暗。

三11-19　希望自己出母胎而死

約伯的話由絕望變成質疑。由於他出生的日子明顯沒有受過咒詛，他便進一步追問，如果他必須出生，他為何不可以出母胎便死（11節上），或至少可以難產（16節）。死亡現今對他來說比生命更甜美，他還將陰間的平靜和安息，跟他目前那困苦和焦慮的命運互相對比（13-19節）。

第14節近東的君王經常誇讚自己重建了往昔的名城。

三20-26　苦難人生的謎

約伯繼續問一個更闊的問題。現在他不僅問為甚麼，因為他已經出生，他本人還要繼續活下去，可是，為何當人切望死的時候，卻不能立時死去（20-23節）。到了最後幾節經文（24-26節），他再次談及本身的感受。全首詩以縈繞不去的歎息來作結：約伯的生命不像他所願望的，如陰間般的安息，卻是沒有「安逸」、「平靜」和「安息」，有的只是「患難」（26節）。

第23節昔日，神在四面圍上籬笆圍護他（參一10），曾確保了他享福；但如今因為他想死，所以，他只能想到神保存他的性命，是要延長他的受苦；四面的籬笆變成了監牢而非保護的圍牆。第25節約伯從前很恐懼有災禍臨到，正好解釋他極之小心地確保他的家人不沾染罪的原因（一5；參十五20-26）。

四1至五27　以利法第一次發言：「忍耐吧，一切會好轉的」

以利法就像約伯的所有朋友一樣，想支持他熬過苦難，而且，他話語中的安慰也是無人能及的。可是，這裏亦蘊含了一個諷刺，正如其餘幾位朋友的發言一樣；因為作者不接受他們對苦難的教條式看法，認為受苦的人一定是罪有應得的，於是，他將他們的所謂安慰，蓄意形容為殘忍。

以利法第一次開口對約伯說的話，大致上是要指出：我們知道你是一個虔誠人。因此，你毋須洩氣；無辜的人是不會永遠受苦的。你如今要受苦，因為你並不完全，你需要接受一些「懲治」和「管教」（五17）；但它很快就會結束，因為你基本上是個好人（四6）。一言以蔽之，他向約伯所傳達的重點是：「忍耐吧，一切會好轉的。」

四2-6　「你是一個虔誠人」

從以利法頭幾句說話，就可以得知他對約伯確實有著真誠的關心；他是必恭必敬；甚至還帶一點歉意（2節上）。當他提起約伯過往曾經如何安慰那些陷入類似困境的人時（3-4節），絕無語帶譏諷；當他說「但現在禍患臨到你，你便驚惶」時（5節），也只是溫和的責備。約伯那種扶助別人的行為，是真正敬虔的表現，這正是他期望神將會很快便復興他的一個理由。

四7-11　「無辜的人不會滅亡」

以利法描述惡人，卻並非表示約伯是他們當中的一分子。反之，他要讓約伯知道，他沒有理由需要憂慮，因為他不屬於自種禍患，然後要自行收割的惡人（8節；參何十13；加六7）。

四12-21　「不過，即使虔誠人也不完全」

為了支持即使義人也非完全的論據，以利法憶述他夜間的異象（12-16節），並且從中得出結論（17-21節）。以利法認為自己獲得這個默示是相當驚險的。作者也許想讓我們感到，以利法將一般未受過神學教育的人也會視為理所當然的觀點——「必死的人豈能比神公義麼？」（17節）——稱為神的默示，似乎是有點兒可笑。雖然這句話應該翻譯為「必死的人豈能在神的眼中顯為公義（即是完全無罪）？」，但這個觀念仍然是很顯淺和平常的。再者，用在約伯身上也並不很恰當。他並非因為未能達到道德上的完美標準而要遭受某些輕微的痛苦；他是完完全全被摧毀。縱然他沒有被剪除（像第9節的惡人那樣遭滅亡），他的情況在某程度上比惡人更悲慘；因為他切望死，神卻要他繼續存活（三20-23）。

第14節以利法的異夢或異象使他戰兢，因為他醒覺到超自然界的真實存在。第18節即使是神天上的臣僕——祂的使者——也不是絕對可靠的（這裏並非想到那些「壞」天使）；何況那不屬於天使的必死人，在一

天之內便會死掉（20節上）；他們是那麼的微不足道（較之於天使），即使死去也無人理會（20節下），而且，一直得不到以利法和其他幾位朋友所掌握的那種人生智慧（21節）。

五1-7 「人生在世，必遇患難」 以利法難以相信約伯真的想求死（正如他在第三章所講的），他現在假定約伯一定想設法脫離苦難。以利法指出，假如這真是約伯所要尋求的，那麼，他最好就是放棄這種想法，因為沒有任何勢力——即使是天界的靈體——也不能拯救約伯脫離懲罰。人生在世遭遇苦難本是件平常的事（第七節大概應翻譯為：「人為自己種下苦難的禍根」）。

這種因果循環的道理在愚昧人身上特別明顯（2節），他們的「憤怒」和「嫉妒」使他步向滅亡。以利法並非表示約伯是愚昧人，不過，對於他侃侃而談愚昧人的住處會遭到咒詛（3節；參25節），卻對約伯所遭遇的不幸似乎無動於衷，我們也感到費解。他其實想要表達的，就是連一向行義的約伯也不可期望自己能完全避過苦難——患難不是自行產生的（6節），乃是由人一手製造出來的（7節）。

五8-16 「你所能做的，就只有將你的事交託神」 以利法接續先前指出約伯基本上是個虔誠人，所以無需洩氣的論點（四2-6），此刻建議約伯要保持忍耐，他說：假如我是你，就會將我的事情託付神的手中（8節），因為祂能行大事，扭轉人的命運（11-16節）。以利法在這段形容神大能作為的說話中，似乎有點兒被本身的修辭推敲帶到文不對題。他所說的大部分內容完全不適用於約伯身上；唯一有關係的，就是約伯好像那「卑微」和「窮乏」人（11、15節），只能盼望神會戲劇性地改變他目前的困境。

第8節以利法至少提出一項建議是很有道理的：「至於我，我必仰望神」（新國際譯本：「我必向神上訴」）。在幾位朋友的眾多建議中，約伯唯一照著這項做，雖然他不需以利法的鼓勵。他的「事情」包括了他目前的不幸，和較多從法律方面去處理有關他的「案件」，我們將會在約伯其後的發言中多次聽見他將他的案件擺在神面前（參七20-21，十18-22，十三20-23）。**第11-16節**這裏將神的摧毀

性行動（12-14節），包含在祂拯救行動的範圍內（10-11、15節），因此，這幅描述神作為的圖畫，要帶出的主要效果，是讓「貧寒的人有指望」（16節；參路一51-53）。

五17-27 「如果你照做，神將會復興你」 以利法勸勉約伯，只要他肯忍耐，等候神的作為，他將會發現他現在所經歷的苦難是一種管教（17節），而「他擊傷」，他會「用手醫治」（18節）。以利法決心用積極的語調來結束他這次發言。他以為（這亦是一大諷刺）自己讓約伯明白到，他其實是何等有福，是幫了約伯一個大忙！他說：「神所懲治的人是有福的！」（17節），聽起來就好像他有權對約伯說，遭受痛失家人和家業的苦難，是何等有福。

然而，這幅圖畫也不是完全一片好景的：約伯需要滿足某些條件。他「不可輕看全能者的管教」（17節），他又要「聽」以利法的勸告，並且將它應用在自己身上（27節）。從表面上看來，這些條件不難滿足，卻絕不是約伯所能接受的。如果他並不認為他的受苦是一種管教，而是一次殘忍的不公平對待，他又豈能接受神這樣的「管教」？倘若他明白到以利法的勸告是他本人神學反省的結果，而並非真實的生活體驗，他又豈能將他的話應用在自己身上？

六1至七21 約伯第二次發言：「神啊，任憑我吧！」

以利法的話完全不能觸及約伯的問題。因此，約伯對他所講的完全置諸不理。這是本書一個相當典型的特色，縱使不同的人接續發言，但都不能觸及問題的核心；這明顯是本書要指出的教訓：要將神學理論搬到現實生活，是困難重重的。

這篇激烈的言論可以分為3個段落：第一個段落（六1-13）沒有特別發言對象的獨白，它反映出約伯已經離開了第三章的立場。約伯在第三章但願自己從來沒有出生，但由於他已經被生下來，便追問自己為何要被逼活下去。可是，他如今卻渴望立即死去（六8-9）。在第二個段落中（六14-30），約伯向他的朋友發言，抱怨他們欺騙了他，沒有將他期望從他們身上獲得的唯一一件東西給他，就是諒解的同情。到了第三個段落（七

1-21），他突然轉向神。這一刻，他唯一向神求的，就是請祂不要理他，以致他可以在免除痛苦的情況下度過餘生。但其實這段說話的含義遠超過表面的意思，因為他求神離棄他的這個行動，本身正代表他肯面對神。

六1-13　「願神擊殺我！」　在這段說話的開始，約伯其實並不是向神說，而是表達一個空想的願望，希望神讓他的受苦盡快結束。這部分的重要經文是第8至9節：「惟願我得著所求的，願神賜我所切望的；就是願神把我壓碎。」約伯覺得，如果他現在死去，他的痛苦就沒有機會使他變成褻瀆神，那麼，他至少可以為到**「沒有違棄那聖者的言語」**——即誡命——而感到「安慰」。

　　以利法曾經勸約伯要忍耐，然而，約伯卻沒有忍耐所需要的「氣力」（11-13節）。以利法並未清楚認識到在約伯身上是何等沉重的負擔。倘若能將他的苦惱稱一稱，它將要「比海沙更重」（3節）；難怪他的言語「急躁」（又或是「絕望」）。約伯並沒有為到任何事情道歉，也沒有甚麼地方需要認罪。正如他在開場白中指出（一21，二10），他知道他的苦難最終是出於神；在這篇詩中，他則表示他的痛苦是因「全能者的（毒）箭射入我身」，而與他為敵的神的「驚嚇」要擺陣攻擊他（4節）。那使他垮倒的，並不是肉體上的痛苦或精神上的折磨，而是他意識到自己已變成神的敵人。

　　第5-6節　約伯的呼喊是有原因的，正如「野驢」或「牛」亦只有在未飽足的時候才吼叫。約伯的需要未得著滿足——最少以利法可以滿足，他的話極之乏味，他的意見比「蛋青」更難吞下肚（6節）。

　　第11-13節　約伯所產生的軟弱感覺，主要並不是因為肉體或心理上的軟弱。他的心力已經淨盡；他的自我價值亦已經蕩然無存，因為他看不見自己有任何理由要使神如此殘忍地對待他。

六14-30　「你們是靠不住的朋友」　約伯剛抱怨自己已全無氣力（13節），如今卻變成對他的朋友作出痛苦和譏諷的攻擊。他的抑鬱已變成憤怒。他用間接的比喻來開始，那溪水或河道在人有需要的時候，卻總是乾涸。他指責他的朋友沒有以「慈愛」或忠誠

來給他償還友誼的債——那是不顧艱難，仍保持忠誠的友誼和無條件的接納。他們表示了同情和支持，卻以現實作為限度。他們講不出：「不管是對是錯，你終歸是我的朋友」這句話，因為他們認為約伯的受苦，已經毫無疑問地證明他是做了錯事，因而遭到神的懲罰。難道要他們拋開自己親眼看見和知識告訴他們的證據，去支持約伯那個他們認為是錯誤的自義立場？

　　第21節　約伯指出，他的朋友「懼怕」如果他們過於認同他，將會同樣遭到神的審判。他們對他並不像朋友，反而像向他們借錢的人：他們提供了許多意見，卻沒有給他一點兒金錢（22-23節）！**第24節**　約伯要求他的朋友指出，他之所以受苦是因為犯了甚麼罪。除非他們能夠指出，他「便不作聲」。

七1-21　「神啊！為何要讓我繼續存活？」約伯再次提出想死的願望，但這次是夾雜著他覺得人生總括來說是沒有意義和痛苦，並呼求神不要理他，讓他可以在寂靜中死去。

　　第1-10節　約伯在這裏將他本身的絕望投射在人類一般存在的現實上：人一般的命運就像「僱工人的日子」（1節）。他的抑鬱如今不再是為他帶來怒氣，而是慨嘆人生的毫無指望和枯燥乏味。他的「日子比梭更快」（6節），全人類的日子也是如此；「生命不過是一口氣」（7節）是人類共有的命運；「人下陰間也不再上來」（9節）這個事實，也是全人類的寫照。然而，矛盾的是，如此短暫的人生卻使人感到如此厭煩：約伯所盼望的唯一一件事——死亡——似乎是無限期地推遲，因此，他就「像奴僕切慕黑影」（2節）。他唯一知道有改變的，是他傷口結痂的狀況，這天才收了口，第二天又破裂，有膿流出來（5節）。

　　第11-16節　約伯有兩個原因，使他提出神不要理他的驚人要求（16節）。第一個原因，是因為他那悲慘的人生充滿了痛苦（1-5節）；第二個原因，是因為他肯定自己正步向死亡（6-10節）。他再沒有任何東西可以失去。但他仍要抱怨的，是神不單沒有任憑他，反而待他好像是傳說中深海的怪獸——需要被神去制伏的「洋海」或「大魚」（參三十八8-11；賽五十一9）。神把約伯想象為會對祂的宇宙構成任何威脅似的，這簡直是荒

謬可笑，可是，他卻要像那些製造混亂的勢力一樣，遭到神同樣的防守（12節）。

第17-18節 約伯在這裏對詩篇第八篇作挖苦的模仿，再次論到不成比例的主題（12節）。詩篇發出「人算甚麼？」的感喟，是表達一種感恩的讚歎——人相對於整個宇宙來說，明顯是那麼的微不足道，卻仍然獲得全能的神的眷顧。但約伯記的「人算甚麼？」，卻是對神的責備：神「看」人類，不是為了他們的好處，而是要毫不留情地進行檢查、不斷的查察，是令人不解的殘忍和虐待似的折磨。

第19-21節 約伯只是其中一個微不足道的人。假使他真的犯了罪，又豈能對神造成如此嚴重的傷害，以致祂要如此嚴厲的懲罰他？無論如何，約伯遲早都要死。如果神稍為延遲執行懲罰，又會對祂構成甚麼傷害？這並不是說人類的罪只屬於瑣事，而是假使他有罪而需要受苦，那也不應該重要到值得神的關注。設若約伯真的犯了甚麼罪，為何祂不能「不去計較」（已經不是去「赦免」）？我們必須留意，約伯沒有承認犯了任何罪。

八1-22　比勒達第一次發言：「你若是無罪，就不會死」

比勒達就像其他幾位朋友一樣，相信苦難是一種懲罰，而約伯子女的不幸死亡，便證明他們是犯了罪。以利法假定約伯本質上是個義人，雖然他因著某些過錯而暫時遭到神的懲罰，這也是凡人所不能避免的。但比勒達對約伯是否義人這點，卻沒有那麼大的信心。他給約伯的一切鼓勵，全在乎「你若清潔正直」（6節）這個前設的條件。比勒達對約伯並無敵意，但他卻勸約伯捫心自問；因為除非他清潔無罪，他才可以從災難中獲得救拔。

比勒達的說話（8-19節），主要是在有果必有因這個主題上加以發揮；惡人的死亡是說明這個主題的例子。這番言論以比較歡欣的語調作結（20-22節），而他給約伯的信息是：「你若是無罪，就不會死。」

八2-7　「你兒女和你自己的死」　比勒達的基本觀念，是神不會「偏離公平」的（3節）。倘若神要使人受苦，一定是那人罪有應

得。約伯兒女的情況便證明了比勒達的觀點：「你的兒女得罪了他，他使他們受報應」（4節）。相對來說，約伯沒有死，就等於他沒有犯了該死的罪。約伯能做的，就只有在禱告中「尋求神」（5節），他「若清潔正直」，神必會聽他的禱告。在比勒達的觀念中，一切都是簡單直接的：人會因著他不同的表現而有不同的命運。

八8-19　「有果必有因，正如惡人的例子所證明的」　比勒達把立論訴諸傳統（正如以利法在五27所做的一樣），因為他本身的經驗不足以處理約伯受苦的神學問題。他用兩幅自有結論的圖畫（11-13、14-19節），透過大自然的比喻來形容不虔誠者的命運，目的是要指出，當出現懲罰的時候，必然等於有罪。第一幅圖畫，從蒲草植物因沒有水而枯死來證明這點，然後便立即比喻惡人的命運。到了第二幅圖畫，則用蜘蛛網的比喻，來象徵惡人的信心是不長久和不可靠的（14-15節），又用到植物被連根拔起，來比喻不敬虔的人之毀滅。

八20-22　「你仍有盼望」　比勒達以一個充滿盼望的語調作結：「神必不丟棄完全人」（20節）。而他顯然相信約伯可以證明自己是這樣的人。可惜，對約伯的處境來說，比勒達的智慧過於膚淺。而且，這裏還帶出了一個殘忍的諷刺。因為假若約伯依從比勒達的建議去「尋求神」（5節），並運用他的敬虔去使自己脫離苦難，他豈不是在無意之間證明了撒但是對的——約伯敬畏神，只是為了賞賜？

九1至十22　約伯第三次發言，承認自己不能強逼神公平待人

在這兩章經文中，我們進入了另一個層次的深度。當中我們聽到約伯用至目前為止最強烈的措辭來表達自己的無能感（例如九3-4、14-20、30-31），和身陷困境的感覺（九15、20、27-31）。最重要的，是我們看見他認為神表面上對他的一切關顧，並非真的為了他的好處，而是想加速降罪於他。「你待我的這些事，早已藏在你心裏……我若犯罪，你就察看我」（十13-14）。對於約伯在總結他這段發言時，再次表示他寧願從未出生（十18-19；參三3-13），以及要求神在他死前

僅有的短暫日子不要再理他（十20-22；參十七16），一點也不令人感到奇怪。

不過，這段說話也不是純粹重複。因為約伯在這裏亦開始提出他如何可以證明清白的問題——即是終究能公開表明他是義的。他承認要神宣佈他是無罪，是一件相當不可能的事（九2），而到了發言的終結，這種沒有希望得以證明清白的心情，將他丟進黑暗的絕望中（十15-16）。但它已經變成了一個目標，是他如今不會去抗拒的，隨著本書的發展，它對他的吸引將愈趨強烈（參十三13-23，十六18-21，十九23-27，二十三2-14）。

約伯不是說神不公平，雖然他有些說話可以解釋為這個意思（九16、20、22、24、30-31，十15）。反之，他是想指出，人絕不可能逼神做任何事情——即使是按他應得的，證明他確實是清白無罪。他目前的苦況已經成為鄰舍的一個無聲證據，表明他必然是一個可怕的罪人；因為他們就像他的朋友一樣，相信報應的教訓，受苦一定是犯罪的結果。因此，**約伯要求和渴望得到的辯白，並非口頭上宣佈他無罪，而是公開恢復他在社會上的身分，醫治他的疾病和歸還他的產業。**

九2-13　「我不能強逼神證明我清白」　當約伯問「人在神面前怎能成為義呢？」的時候，他的意思並非正如保羅想要表達的——罪人如何能在神面前「稱義」或被稱為義人——卻是說義人如何才能獲神「稱義」或公開證實他無罪。那是因為神就是神，祂不是人；祂有無限的智慧和能力（4節），從祂掌管宇宙一事中便表明出來。**約伯將較多焦點放在神顯出能力的負面例證上——「把山翻倒挪移」、「使地震動」、「封閉眾星」（5-7節）**——不是為了將神描述為製造混亂的神，而是要強調祂有行事的自由，不管是好事還是壞事。神的自由使祂變得不可理解（「行大事不可測度」；10節），**無需要向人負責**（「誰敢問他：『你作甚麼？』」；12節），和不受控制（「神必不收回他的怒氣」；13節）。**第3節**這是一幕法庭的場景，原告提出指控，而辯方則利用問題反駁。用比喻的說法，即使約伯可以帶神到法庭，他也害怕自己不能回答神的反問和論據。

第9節我們不能肯定認出這裏提到的四組

星，但它們顯然屬於天上最閃亮的眾星之一。**第13節「拉哈伯」**（就如「鱷魚」一樣）是傳說中製造混亂的海獸之名字，根據希伯來人的民間傳說（聖經沒有記載），神在創世的時候曾與它爭戰（參二十六12；詩八十九10；賽五十一9）。

九14-24　「即使在法庭，神也不會證明我無罪」　約伯想象帶神到法庭，然後強逼祂公開宣佈約伯「無罪」。但實際上沒有這個可能；因為人又豈能選擇「言語」或與神「辯論」呢？即使人有辦法與神進行法律辯論，他又怎能肯定神真的會聽，因為祂在那一刻正在用暴風打擊約伯（16-17節）？即使約伯自知無罪，他卻清楚感到他可能說過一些不適當的話，因此他「自己的口要定我為有罪」（20節）。

九25-35　「是否要接受審訊？」　此刻獨白變成了對神發言。當約伯開始回想自己不幸的日子（25-26節），他便認識到他的受苦是要經常提醒他，神認為他有罪（27-28節），而且，不管約伯做甚麼來證明自己的無辜，祂仍是繼續定他的罪（29-31節）。那麼，他可以做甚麼呢？他可以嘗試忘記受苦的感覺（27節），或是，他可以嘗試起誓證明自己無辜，而為自己清除罪名（28-31節）。可是，這兩種行動卻難有成功的希望，於是，他又回到與神起訟的念頭（32-35節）。

第32-35節與神在法律面前對質的一個難題，是雙方不能站在同一個層次（32節）。約伯需要一位能夠調停雙方的仲裁者，他能夠給雙方「**按手**」，作為和好的手勢（又或者表示他的權在兩者之上）。但當然，不可能有這樣的一個仲裁者。約伯說：「好吧！讓我親自處理我的訴訟！但我沒有膽量開始這場與神的爭辯，除非祂承諾不會用祂超凡的力量來威嚇我」（34-35節）。到了第十章，約伯把想象中他會在爭辯過程用的說話講了出來（又或是，他的確用了那些話來爭辯）。

十1-22　「我要訴說自己痛苦的哀情」　這段說話就像約伯多次的發言，在結束時直接向神發出懇切的哀求。約伯不滿足於用第三者的角度來談論神，他知道自己的事是與神直接有關的，所以，他必須親自來到神的

面前。這段說話可分為4個部分：它的目的（1-2節）；檢視神這樣對待約伯的動機（3-7節）；將神創造約伯和使他存活的真正與表面目的互相對比（8-17節）；和懇求神讓他脫離祂那令人難受的同在（18-22節）。

第1-2節 約伯試圖將此變成與神作法律上的爭辯。他就像案件中的辯方身分，要求知道對他的指控（2節）。

第3-7節 約伯透過3個問題來推測神這樣對待他的背後動機。是否為神帶來某方面的利益（3節）？神明顯不會因惡待約伯而獲得任何好處。難道神有的只是肉眼，以致祂在對待約伯時表現得很短視（4節）？難道神只餘下很少時間，所以祂要如此逼切地懲罰約伯（5-6節）？

第8-17節 我們在這裏看見一段關於神創造約伯和保存他性命的美麗描述（8-12節）：他如「摶泥一般」被造，倒出他來好像「奶」，使他凝結如同「奶餅」、把他「全體聯絡」、將「生命」賜給他。然而，長久以來，神卻似乎抱有另一個截然不同和極為險惡的目的（13節）：加速降罪於他。約伯不承認自己有罪；他指出，不管他是有罪抑或無罪（15節），神對他的「看顧」一直使他成為祂所攻擊的目標（參七20）。

第18-22節 約伯是為此而出生的嗎？他如今更加倍絕望；他想不出該如何來到神面前，爭取祂為他澄清罪名（九11），他感到自己正受制於一位憤怒的神之股掌之內，不論他清白與否，祂都要使他受苦（十7）。於是，毫不出奇地，約伯又再陷入我們在第三章初次看見的絕望情緒中，而且，還夾雜著七章16節和19節要神離開他的呼求。

十一1-20　瑣法第一次發言：「悔改吧！」

瑣法是3個朋友中，最缺乏同情心的一位。他給約伯的信息很簡單：你之所以受苦，完全是因為神知道你在暗中犯罪（6節），所以，悔改吧（13-14節）！

十一1-6　「神知道你在暗中犯罪」

瑣法是一個講求原則的人，他同意約伯所講，罪是真正的問題。從表面來看，約伯不像罪人，所以，他一定是暗中犯了罪，而被神知道了。約伯自稱自己的信仰「純全」，又在神眼

前「潔淨」（4節），但神所知道的卻是另一回事——而瑣法亦可以通過某種途徑知道——約伯其實是個罪人。約伯的罪孽極深，所以，即使神施予這一切懲罰，祂可能已經忘掉或不追討他的某些罪了（6節）。約伯可能已算是罰得輕了！

十一13-20　「所以，你必須悔改！」

如今，瑣法嘗試用悔改的福氣來勸服約伯。如果說以利法的說話帶有試探性，那麼，瑣法的表達則屬於不由分說。他清楚指出，能否被挽回完全在乎約伯是否徹底悔改：除非約伯聽從他的意見，他才有盼望。約伯必須將他的「心安正」於神；將全副心思集中在神的身上，不停留於悔改的外在標記，他必須禱告（13節），以及棄絕他現今一切的罪行。

結果將會是得回一顆清潔的良心（你必仰起臉）和安全感（你也必堅固；15節）。可是，讀者請注意這裏所包含的諷刺；因為瑣法給約伯的一切建議，正是約伯過去一貫的生活方式（一1）。

十二1至十四22　約伯第四次發言：朋友的「智慧」和神的公義

約伯這段重要的發言，是放在3位朋友都對他說過話的首輪對話之後。它可以分為兩個主要部分：首先，約伯對他的朋友講（十二2至十三18）；接著，他對神講（十三19至十四22）。即使在第一個部分，約伯的思想亦經常出現變動，從他的朋友身上轉移到神那裏。**整段發言的精要是：我不想要「無用的醫生」**（十三4）；「我真要對全能者說話」（十三3）。

十二2至十三19　朋友的智慧與神的智慧相比

約伯這段發言是對3位朋友說，而非單單回應剛才發言完畢的瑣法說的。他不認為他的幾位朋友比他更有智慧（2-12節），並且將他們的智慧與神的智慧對比（13-25節）。他第一次用鄙視的態度來面對他們。他一開始就以諷刺的話說：「你們死亡，智慧也就滅沒了」，但我「並非不及你們」（3節）。他其實是要指出，自己更勝一籌，那是因為他憑他的經歷獲得比他們更高的智慧。他知道一些他們不知道的事情：義人也有可能受苦，

同樣，惡人的惡行也能逃過懲罰（4-6節）。

第7-12節我們在這裏不見約伯對他的朋友發言，其實約伯是以嘲諷的筆調想象他們可能會對他說甚麼。他指出他們對神行事的方式看得過於簡單；他們對罪和懲罰的全部想法是那麼的簡單直接，甚至連走獸也知道。第10至11節那幾句平淡和顯淺的說話，是出於那幾位朋友的口，是他們親口承認「年老的有智慧」（12節）。

第13-25節這首陳述全能者擁有摧毀性能力的詩，展示了約伯剛剛獲得的智慧（3節）。他如今所經歷到的，再不是一個冷靜管治一個井然有序的宇宙之神，卻是一個不合常規的神；祂不能被人理解，也不能被人威嚇。這位神最大的特性，是喜歡不遵守穩定的秩序，要反其道而行。在其他的詩歌（例如以利法在五9-16所用的詩歌），則指出這種反其道而行的目的，是為了帶來救恩和糾正不義。然而，這裏描述神的變亂行為，卻沒有任何道德或造就性的意義。

十三1-3約伯最大的心願，是與神「理論」；他運用了法庭上的用語。但他的主要目的並不是想獲得勝訴，反而是要與神和解。他並非要提出一個訴訟，控告神不公平，沒有為他辯明清白；反之，他是邀請神指控他，以致讓他可以聽清楚究竟神控告他犯了甚麼罪（十三23）。

第4-12節但他仍然有話要對他的朋友說。他繼續用法律術語指出，他們剛才的表現，是代表神作假見證。雖然約伯對神的公義有很多質疑，但他毫不懷疑神要為到他們對他的不公平對待（十三10），和欠缺客觀性而懲罰他們。他們若聽他的分訴（6節），將對他們有利，不過，主要不是聽他對他們所說的話（7-12節），而是他與神爭辯的話（十三13至十四22）。可是，在他開始認真爭辯之前，他想讓他們知道，神不高興查出（9節）他們為了證明自己這樣對待約伯是合理，而說了一些有關罪和懲罰的謊言。任何神學若沒有空間容納約伯的經驗——即義人會受苦——便是一個謊言，而謊言竟關係到神，更是令人震驚。對於有人竟為了真理而運用謊言，約伯透過連串的反問來表達他的驚異（7-9、11節）。

第13-19節最後，約伯想向他的朋友解釋他將要對神講的說話之意義（十三20至十

四22）。他在第七章已經要求神不要再理他，第九至十章也提出了同樣的要求。但他在這裏卻開始踏上一條更險峻的道路，蓄意要求神與他爭辯（22節）。這是危險的（14節），事實上，更是自毀的路（15節）；可是約伯肯定自己有義（18節）。

十三20至十四22 神指控約伯甚麼？ 約伯在這裏對神的說話蘊含了兩個主旨。首先（十三19-27），是要求神公開祂對約伯的指控；第二（十三28至十四22），是相當矛盾的，要求神任憑約伯獨個兒死在寂靜中。我們先前已聽過約伯提出這兩個懇求。

第19-27節約伯首先召喚神與他進行訴訟，為了宣佈證明約伯無罪（19節）。他提出了兩項公平的條件（20節）：第一，神必須把祂的「手縮回」，和第二，祂不要用「驚惶威嚇」他（21節）。惟有這樣，神才可以開始訴訟的過程，又或是，如果祂呼喚，約伯就回答（22節）。約伯用法庭的術語，要求一張列出他罪狀的清單（23節）。他當然不會承認犯過任何罪，但這表示「你所指稱的是我的罪狀」。對約伯來說，神是製造無中生有的麻煩（25節），為了他幼年的錯失而懲罰他（26節），和正如我們先前已經聽過（例如三23），是為了約束和限制他（27節）。

十四1-22這裏的焦點從約伯本人（例如十三20-28），轉移到全人類的一般光景。當然，約伯仍然是講述自己，不過，正如他在前面也試過，他是將本身的感受和經驗投射在全人類的身上（參三20，七1-10）。本章的重點是要指出，人類實在太過微不足道，不值得神的檢視，就約伯的親身經歷一樣。人的一生既是那麼短暫，神不去計較他們的罪惡也是合理的；它們其實不能對世界的秩序構成任何挑戰（4節）。

第7-12節第5節的思想背後，其實是將一棵樹的「指望」，與人盼望死後的生命這兩者之間作出對比。人的生命有限，不能延續。樹可指望生長不息（7節）；但對人而言，則沒有「等到天沒有了」（12節）——就約伯所知，永遠都不會有這個日子。約伯的思想在盼望復活的邊緣顫抖：惟願陰間並不是最後的安息之所，卻是一個沒有出口，而能逃避神檢視和憤怒的隱密處（13節），一個最終能等到「勞役」將要過去的地方（14節；譯

註：和合本的「爭戰」可譯為「勞役」）！惟願神將會高興地從那裏領回人類，不再搜查他們可能觸犯的任何罪過，還把他們的「過犯……封在囊中」（16-17節）。可惜，約伯說，這只是一場空想；他問道：「人若死了，豈能再活呢？」（14節）。不！正如山會崩塌，地上的塵土被水清洗，即使是人類最堅定的盼望，也被死亡這痛苦的現實所侵蝕（18-19節）。人沒有盼望，只等待神的最後「攻擊」（20節），孤獨地被帶進陰間，不再知道地上所發生的事，連自己的兒子得尊榮也不知道（21節）。在這種隔絕的境況中，他只感到「身上疼痛」（22節）。基督徒的復活盼望，可算是以它獨有的方式滿足了約伯顫慄的期望。約伯雖然已有心理準備，要等到來生才能證實自己的清白，但對他的生平而言，在今生發生的事情才至為重要。

在這段說話中出現了一些戲劇性的事件。當約伯要求讓他的痛苦盡快得到解脫，和他一再聲稱沒有希望能與神爭辯之後，他發現自己正做一件危險和不可能的事。約伯如今正式要求神列出他要接受懲罰的罪狀。他一旦發出要求，就不能再收回。約伯來到法庭，並非想懇求人饒他一命，或作任何求情，他只是想討回自己的清白。他完全不相信神的美善，也不甚相信神的公義，但由於他深信自己確實無罪，所以，他肯定自己遲早會獲證實無辜。

當然，這些法律用語都屬於比喻性質。但這並不表示所講的只是點綴的措辭。它是發乎感情的說話，訴說了與神的關係失去和諧的那種感覺。一輩子都過著敬虔生活的約伯，此刻卻發現自己的人生竟然岌岌可危，他需要學習一套全新而更加苦澀的語言，來表達在他那個生存領域裏的不和諧感覺。此刻的言語，必定是衝動和決裂，是抗爭和挫敗。

十五1-35　以利法第二次發言：「當心惡人的命運！」

以利法在這段說話的上半部（2-16節），是直接對約伯說；到了下半部（17-35節），他只是較間接地談到惡人的命運。以利法在下半部所要暗示的，是約伯並非這樣的惡人，所以沒有理由要害怕。故此，他整段說話的用意都是在於鼓勵約伯，跟他第一次發言時的立場一致（四至五章）。

從以利法的觀點來看，約伯犯了兩項錯誤：一是理性上的，一是道德上的。理性上的錯誤是在於不明白一個道理：即使最完全的人，在神的眼中仍然是不潔淨的（14-16節）。約伯錯在自以為比一般人更勝一籌（9節），和抬舉自己的經驗而貶低傳統的神學（4節）。道德上，約伯的錯誤在於沒有用無畏的精神和忍耐的態度去忍受苦難。無論最初他是犯了甚麼錯誤，以致為他帶來應得的苦難，但對比於他現時的表現，則更是錯上加錯，而且愈錯愈大。他說話那樣一面倒，對神表現得如此怨憤，是一種得罪自己（6節），也得罪神（13節）的罪。約伯言辭之間所流露的憤憤不平，正好證明他是在罪中（12-13節）；真正有智慧的人，說話的時候會保持冷靜。以利法並非拒絕約伯這個人，他卻不明白，約伯現在已經不是一個可以講道理的人。約伯是一個充滿傷痛和怒氣的人；勸他忍耐就是要求他不要再誠實地面對。倘若約伯默然忍受痛苦，就等於他接受神給他的審判，除非他背棄自己的誠實，否則他便不能辦到。

十五2-16　約伯的說話既愚昧又有罪

約伯一再表達出「虛空的知識」（2節），這並非智慧人的應有表現。尤有甚者，他要求神證實他的無罪，以及他那種描述神發動摧毀性能力的方式（也許以利法是想到十二13-25），都使他顯得不敬虔（「阻止敬虔的心」；4節）。約伯所講的，便成了錯謬（「你的罪孽」；5節），而非純正的神學。

第7-16節以利法再次指出，約伯的表現不見得有智慧，卻是任由自己的口舌引導他去犯罪。因為他口口聲聲說自己有知識（例如十二3，十三1），他卻不像人類始祖亞當般聰明（關於頭一個智慧人在神的聖山上之描述，可參結二十八12-14）。約伯也不曾在天上神的會中坐席（8節），像那些知道神密旨的先知（耶二十三18、22）；他也沒有他那幾個朋友的智慧，因為他們都比他年紀老邁（10節）。有一點兒不完全不算是羞恥；即使是天使（「眾聖者」）也並不完全（15節）；但由於他不能絕對地完全，所以，約伯必須預期自己會受一點兒苦。**第16節**當以利法說人類是「污穢可憎」的時候，他並非要侮辱

約伯本人；雖然是比較極端，但它只是將全人類與神的潔淨比對之下的一個高度概括性的推斷。

十五17-35 惡人悲慘的一生和可怕的命運 在這幅描繪惡人一生的景象中，第一部分（20-26節）是有關他生活在畏懼死亡的焦慮情緒中，第二部分（27-35節）則談及他最終的命運，就是在日期未到以先他便要死去（31-33節）。以利法一直堅信約伯絕非一個真正的惡人，所以，他這個描述純粹是指出那些事不會發生在約伯身上。約伯並非「一生之日，劬勞痛苦」（20節），他也不像他們心懷「毒害」、「罪孽」和「詭詐」（35節）。因此，他必須指出，他不屬於那「不敬虔之輩」（34節），亦敦促他小心不要與這些惡人一同攻擊神（25節）。當然，這幅圖畫所帶出的兩個要旨，都包含了很多美好的期望。

十六1至十七16 約伯第五次發言：「我是否在未得辯白之前，便要死去？」 這段是直至目前為止，約伯一次最缺乏連貫性的發言。他之前的發言曾經在十二至十四章推到一個高潮，但自此之後，他所說的便再無新意。在這次發言中，我們再次聽見前面已經提過的幾個要旨：他批評他幾個朋友所說的話（十六2-6）；然後，他便自言自語，抱怨神對他的攻擊（十六7-17）；他想象自己有可能作出辯白（十六18-22）；他抱怨他的朋友（十七1-10）；又慨歎自己可能在未被證明清白之前便死去（十七11-16）。這裏的主體一直是約伯本人，而非概括全人類。

十六2-6 這裏的主旨在於「話」，和指出他們的說話沒有能力。這個開頭跟第十二章有點類似，但語氣卻沒有那麼攻擊性，它主要是對朋友那些膚淺的說話感到失望。

十六7-17 當約伯憶及神對他的攻擊，語氣便由一種單純的悲哀感，轉變為一種受盡逼迫的感覺。他把神的攻擊，想象為好像遇到不同種類的敵人：猛獸（9-10節）、叛徒（11節）、摔交運動員（12節）、弓箭手（12下-13上）、和劍客（13下-14節）。它就像一齣電影中的不同硬照，一幕接一幕地迅速替換。

十六18-22 當然，神沒有回應約伯的要求，把指控他的罪狀告訴他（十三23）。約伯在等待的同時，嘗試作第二條主線的理論。他被神無理地攻擊，而他可能因此而喪命。於是，他懇求大地，當他一旦死去，就要為他向神報血仇！**「地啊，不要遮蓋我的血」**（18節），正是無故遭受殺害的亞伯所發出的同一類呼喊（創四10）。當然，地只有在約伯死後才可以作出回應；但即使在此刻——他仍然活命的時候——他有天為他**「見證」**、給他支持，和作他的**「中保」**（19-20節）。這不可能是指到神，因為約伯認為神只是他的敵人（7-14節）。那在天上代表約伯的，是他表明自己無罪的抗議書，連同他要求神必須交代為何攻擊他的原因（十三18-19、22-23）。儘管他不期望在他的有生之年可獲得回應，但有關他清白無罪的事實，卻已經放在天上法庭的記錄裏。一旦他被神謀殺，那將會是最後的一份證據，證明他是不公平的審訊受害者。

十七1-16 約伯深信自己是義人，但他對自己能活著看見被證實無罪卻不抱期望。正如先前那幾次發言一樣，他最後總想到自己的死；因為那是他對自己將來唯一能肯定的事，而他感到死亡離他愈來愈近。這整章說話圍繞著「盼望」與「死亡」的對比。但這些了無盼望的說話之間，卻混雜了一些對他朋友作出的苦澀批評。

第1節 約伯並非真的站在死亡的門口（參十六22），但從心理的角度，他早已靠近死亡的邊緣；他感到自己的墳墓彷彿已經掘好。**第2節** 他因為周圍的人對他的嘲笑，而感到抑鬱。嘲笑正是認為他罪有應得的最具體指控。**第3節** 由於沒有人會為他的無罪作保，所以，他必須要求神接受他為自己作保（「憑據」、「作保」）。**第5節** 這句含糊的句子，似乎是把神形容為一個自誇者，祂招聚祂的朋友來享受筵席，但祂的兒女（在這個例子中，當然是指到約伯）卻正在捱飢抵餓。

第8-10節 這裏是屬於他朋友的觀點。如他們一般正直的人，會對約伯的現況感到驚駭，他們要群起斥責不敬虔之輩（約伯）。

第11-16節 約伯再陷入絕望中，但這並

非因為他對本身無罪這個信念感到動搖而絕望；他是為到自己永遠都無法證明清白，而深感絕望。他還有甚麼可以盼望呢？他已痛失了他的家人，唯一能期望的，就是被埋在地下之後，與變成蟲的家人再次團聚（14節）。倘若這是他的指望，便很難稱之為「盼望」了，是嗎？他並非因為自己罹患絕症而變得那麼抑鬱，而是因為他那個還他清白的要求，沒有任何可能成就的跡象。

十八1-21　比勒達第二次發言：進一步描繪惡人的可怕命運

　　除了開頭提到約伯之外，這段說話全部都是描述惡人的命運。我們可以將它理解為比勒達對約伯將來的預言；但另一個推論似乎更加可能，就是我們應該參照比勒達的第一次發言來理解他這第二次的說話，明白到他正要描繪約伯不屬於的那一種人。他繼續堅持那番為人所熟悉的教訓，不過，由於他的描寫過於極端，非黑即白，令人只感到他這番說話和所講的道理毫無說服力可言。比勒達心目中的世界，是完全可以預測和秩序井然的。他看見在約伯裏面，信仰的教導正與他個人的經驗互相交戰，他認為這樣的人只會撕碎自己。同時，他對於約伯要求一套全新的神學，感到極為困擾：「難道……磐石挪開原處麼？」（4節）。

　　在以利法描述惡人命運的那段說話中（十五20-35），他將焦點放在惡人如何一生都經歷惶恐和不安。如今，比勒達則把注意力放在惡人最後的年日，描述他們如何陷入死亡的網羅（8-10節），從他們所住之處被拉出來，帶到陰間的王面前（14節）。**第13-14節**死亡在古代的神話中被描繪為一位掌管陰間的王。「死亡的長子」是他其中一個後裔——例如疾病；而「驚嚇」是他的部屬，負責將活人拉進他的國度。

　　在比勒達描繪惡人的圖畫中，有幾點類似約伯的經驗（例如13、15、19、20節）。雖然這些共通點都是在壞的方面，它們的目的卻不是要強調約伯是個罪人，反而是想提醒他，他若不改變自己的態度，這些事將發生在他身上（比勒達在八5-7也曾提出過類似的勸告）。這個對惡人命運的描述，約伯可以選擇是否讓它真正發生在他本人身上。

十九1-29　約伯第六次發言，作出憤怒的回應

　　這段說話的開始、中間和結尾部分（2-6、21-22、28-29節），約伯的發言對象都是他的朋友。其餘的部分，便包括了一段抱怨（7-20節），和表達了他的願望、認知和渴求（23-27節）。

十九1-6　「我的朋友、我的敵人：你們該知道一事」

約伯這裏的說話，流露出較少的悲傷，卻有更多的憤怒。他並非表示自己真的感到被他的朋友「壓碎」（2節），而是他開始將他們視為想用論據來「壓碎」他的敵人。他們想要「羞辱」他，可惜卻不成功（3節）。他不承認自己犯過任何罪，同時反駁說，即使他犯了罪，也不是得罪他們，所以他們沒有理由要攻擊他（4節）。假如他們的原意是要與他為敵，指稱他因受苦而有的「羞辱」，正是他犯罪的證據（5節），那麼，他們就該知道，做錯的不是他，而是神冤枉了他（6節）。

十九7-20　「神待我不公」

第7-12節約伯用了令人感到詫異地多的遭受攻擊的景象，來描述神在他身上所做的錯事：一個住在城裏的人遭人搶掠，即使大聲呼叫，亦無人援手（7節）；一個上路的人發現前路受阻，黑夜又追趕他（8節）；一位王子竟遭受一個外邦統治者的屈辱（9節）；一棵植物被人從地上拔出來（10節）；一個人發現他的朋友竟成了他的敵人（11節）；和君王或城市被敵人圍困（12節）。

　　第13-20節第7至12節全部都是肉體遭到暴力對待的景象；這裏卻沒有一個人願意伸出一隻手，甚或願意說一句話。這正是約伯所經歷到的實況；第7至12節則是講出他對這種實況的感受。約伯環視他所認識的人；他的目光由屋內的親人或最熟悉他的人開始（13-14節），瀏覽到他家中的僕人（15-16節），和他的妻子和兄弟（17節），再轉移到屋外鄰居的小孩子（18節），和所有認識他的人（19節）。無論他注視哪裏，他都發現自己被人孤立和疏遠。這種情況是神造成的，雖然並非直接，卻是由於祂使他受苦而間接造成的。因為對所有認識約伯的人來說——無論他們以為自己對他的一切如何瞭如指掌——

他的受苦，正表示他其實是個壞透的罪人。與這樣一個惡人同夥是危險的。經歷了神對他的一切攻擊之後，結果是「我的皮肉緊貼骨頭」（20節）。一般來說，骨頭是人體的的骨架，肉和皮都是「依附」在骨上面；但約伯在情緒上是那麼軟弱，他已陷入一種崩潰的狀態，彷彿他的骨頭本身再沒有任何力量。

十九21-22 「我的朋友們，可憐我吧！」 經過約伯在前面多次攻擊他的朋友，如今他竟然求他們可憐他，似乎是十分奇怪（例如六15-17，十二2-3，十三2）。我們若明白到他不是向他們求一般性的可憐，而只是想求他們不要再用說話來攻擊他，就會覺得較為合理。

十九23-27 約伯的願望、認知和渴求 這幾句出自約伯口中的名言，重點在於強調他願望自己在有生之年（「**在肉體**」，26節），能夠在某個法庭。以控辯雙方的身分，面對面地得見神，親自向神陳明渴望洗清罪名的要求。

約伯不相信神會接納他的懇求來到法庭，因此他願望他那「還我清白」的要求，能以某種長久不變的形式記錄下來，能保留到他死了之後，這樣或許終歸有一天會有平反的可能。然而，這是一個不會實現的願望，他的說話——他的法律要求——能用「鐵筆」寫在「磐石」上（24節），因為唯一可將他的要求作永恆記錄的，是他向天所發出的無罪宣誓（參十六19-20）。

約伯所知道的，是神與他對敵（參六4，十8-14，十三24，十六7-14，十九7-12），他必不再見福樂（七7）、他快將死去（七21，十20，十六22）、他將要被神謀殺（十二15，十六18）等等。但他所「渴求」的，是能夠與神爭辯（十三3、22），盼望能在死前成功證明自己無罪。他的「心腸在他裏面」渴求的正是這點（27節）。他從來不曾相信自己最終能被證明無罪；但他現在卻說「我知道」（25節），儘管是在他死後才能得到清白。

第25-27節 這幾節重要經文應該翻譯為：「但我知道我的辯護者(champion)活著，他末了會在地上起來為我說話，即使我的皮因此已經從我身上脫下。然而，仍在肉體之中要見神——這是我的願望，要親自見祂，要親眼見祂，不像一個陌生人。」約伯所指的「辯護者」（和合本：「**救贖者**」）不可能是神，神只是他的敵人，它必然是他本身證明自己無罪的陳詞，在天上為他作證（十六17）。正如在地上的法庭，最後發言的，是在爭訟中獲勝的那人，所以他相信自己的誓言將擁有最後決定性的發言機會。當然，這只能發生在「我這皮肉滅絕之後」（26節），亦即是他死後。這是約伯預期的結果。但他渴求的，是能夠在仍然存活的時候討回清白。

十九28-29 「我的朋友們，你們為何懼怕？」 這是一種憤怒的語氣，跟他在25至27節所表現出的煩躁相近似。約伯未曾進入信靠神的平和境界，卻強烈地堅持自己的信念——就是為他的正義而戰。他要猛烈抨擊一切懷疑他的人，一點也不令人感到出奇。他的朋友繼續「逼迫」他，意思必然是指控他犯罪，說「惹事的根乃在乎他」，亦即是：他的不幸是他自己一手造成。這全屬謊言，所以，這幾個朋友「當懼怕刀劍」；約伯沒有做過甚麼罪有應得的事，但他那幾個朋友卻有！他們對他作出不公正的指控，這是一種罪；他們將會發現自己「有審判」的危險。

二十1-29 瑣法第二次發言：「你要悔改，否則就要滅亡」

瑣法第二次發言的主題，就像比勒達的第二次發言一樣，主要是講論惡人的悲慘命運（4-28節）。但他卻不像以利法（他所描述的，是不屬於約伯的惡人命運），或是比勒達（他所描述的，是約伯有可能變成的光景），對瑣法而言，這幅圖畫正是約伯的寫照，除非約伯作出徹底的改變，否則便難逃此命運。

二十1-3 對約伯的要求所作的回應 瑣法自稱被約伯弄致「煩躁」；雖然他的說話很平常，他卻表達了自己是站在正確的一方。因為如果約伯是對的話，瑣法所堅持的一切便都錯了。

二十4-11 「惡人要面對何等徹底的毀滅！」 約伯曾經說他的朋友想要羞辱他（十九3），但如今瑣法卻自稱因為聽見約伯對

他的「教導的話」（新國際譯本：「責備的話」），而感到羞辱或「不體面」（3節）。他嘗試訴諸「悟性」（新國際譯本：「理性」）來作出回應，但其實他的論據只是訴諸傳統，正如他緊接著的那句話便將此點充分表明出來（4節）。

這裏基本描述的景象是「不見了」或「消失」（特別是7-9節的內容）。惡人終必滅亡，就如用以生火的燃料（7節上）、不得尋見的夢（8節），或好像某個失蹤的人，家人和朋友都尋不見他（7下、9節）。不管那惡人過往是何等突出或惹人注目，即使他的尊榮高達天上（6節）。這章所描述的惡人，是在社會裏做壞事傷害別人的人，而非特別指到那些在宗教上不敬虔，或本身道德敗壞的人。

二十12-23　「做壞事不會帶來恆久的利益」

這裏是透過「吃東西」來帶出主要的喻意。當中提到口、舌、齶、胃、腸和肚；又提到化酸、吞吃、吐出、吸飲和吃，還有食物、甘甜、油、蜜與奶。但惡人吃進肚裏的一切東西，都不能給他帶來任何長久的好處。他吃的食物不能為他提供營養，而是導致他死亡。其中一個景象是美味的食物卻在胃裏化酸，最後要吐出來（12-15節）。另一個則是化為劇毒的食物（16-19節）。在第三個景象中，惡人因貪心而吃光僅存的食物，最後便只有餓死（20-22節）。

二十24-29　「惡人最終難逃悲慘的命運」

這裏出現了連串景象，就好像置身在噩夢之中，藉此說明惡人不可能逃出最終的悲慘命運。當中有一幕打仗的情景（他要躲避某種武器的攻擊，卻遭到另一種更致命的武器所殺害；24-25節），有一幕法庭的景象（天和地一同作證要判他死刑；27節）。他被神的憤怒所燒毀（26節）；又有洪水把他和他的家業沖走（28節）。

當瑣法來到他發言的尾聲，他的腦海中是否還想著約伯，抑或他為了顧及修辭，而忘記了原意？他當然有留意自己所描繪的戲劇性景象，但他是否認為他能夠用這一切景象來使約伯驚怕？約伯親身經歷的夢魘，就正如瑣法描述的景象般可怖，而他不需要有人來告訴他，他自己就早已知道這是義人預期惡人獲得的必然命運。同樣，他也不用別

人告訴他——雖然瑣法沒有對他說——這裏的景象並非與真實的人生完全一致。

二十一1-34　約伯第七次發言：「惡人亨通，義人受苦」

3位朋友第二輪的全部3次發言中，都是集中以惡人的命運作為主題，而瑣法在剛才的發言中，甚至宣稱惡人只有片刻時間享受犯罪的成果。約伯回應說：「不！惡人『度日諸事亨通』，並且，平安地『轉眼下入陰間』」（13節）。約伯的立場同樣地極端，不過，它卻似乎較接近現實的人生。

二十一2-6　「我的朋友，聽我說」

約伯說他們定要去聽自己對這個題目的看法，因為他們3人已經聯成同一陣線來攻擊他。他們只聽他一次，已是對約伯最好的「安慰」，勝過萬語千言（2節）。無疑他們將會「嗤笑」他（3節）；因為他不是「向人訴冤」，卻是抱怨神，而他已預期自己這樣做，絕不能獲得正直人給予任何同情。倘若他們真的聽到約伯將要說的話（「看著我」；5節），對於他告訴他們宇宙運作的方式，他們將感到非常驚訝，以致「用手摀口」，目瞪口呆。即使是約伯自己，每當想到神竟然讓惡人在祂的世界得以興旺這個事實，也不禁心裏驚惶（6節）。

二十一7-16　「惡人亨通；為甚麼會這樣？」

約伯否定他幾個朋友所說的一切。惡人得享長壽（7節），「眼見兒孫和他們一同堅立」（8節），他們的牲畜不會遭逢意外（10節），他們甚至褻瀆神（14-15節）卻還能存活。約伯殘忍地模仿以利法對義人興旺的描寫（五17-27）。在三節經文之內，約伯分別反駁了瑣法（7節，參二十11），比勒達（8節，參十八19）和以利法（9節，參五24）。約伯並非想要有惡人那種亨通（16節），每一句談及它的話，他都是想指出：「為何容許這種事發生？」（7節）。

二十一17-21　「不敬虔的人甚麼時候會受苦？」

約伯指出，惡人只有很少時間會受苦（7節），與瑣法所講的截然相反（二十5）。他推斷他的朋友會說，「嗯，如果惡人本身不受苦，他們的兒女也會受苦。」但約伯卻回應說：「倘若有報應的原則，就該打

擊那該受的人身上！」

二十一22-26 「行善、行惡都沒有分別」

也許第22節（就像第19節）是另一句沒有標明卻是引自其朋友的說話，他們是暗示約伯在論斷神的智慧和公義。約伯回答說，一個人是好是壞，其實似乎沒有分別；所有人都遭遇相同的命運。他在這裏似乎不是要將惡人的亨通（23-24節），與義人「心中痛苦」（25節）互相對比。反之，他似乎是要指出，正如對在死亡中的人來說，道德上的差別並不能解釋他們所面對的共同命運，同樣，存活時這些差別也無關重要。

二十一27-34 人類的經驗證明約伯是對的

約伯知道他的朋友在描述惡人的命運時，心中想著些甚麼（27節）：惡人受苦——約伯正在受苦——因此，約伯便是惡人。然而，人類共通的經驗卻證明這幾位朋友的信念是錯誤的。約伯說，如果你們去詢問任何一個過路的人，你們將會聽見他們訴說「惡人在禍患的日子得存留」（30節）。他所行的，無人會「當面給他說明」（31節），也無人會為他所做的向他報復。即使他死去，也一如他生前，受千萬人所尊重，他的墳墓甚至有人看守，以防有人盜墓。

二十二1-30 以利法第三次發言：約伯罪大惡極

在第一輪發言的時候，3位朋友都有本身的觀點；到了第二輪，他們均集中描述惡人的命運；如今來到第三輪（二十二1至三十一40），我們很難在他們的發言中看見任何邏輯。以利法明顯違背了他原初的立場，比勒達只講了前言（二十五1-6），而瑣法甚至沒有再發言。也許我們失落了原初抄本的某幾頁，但若按照它現存的內容來看，這幾位朋友似乎再沒有甚麼新的話題。

二十二2-11 「你的罪惡還少麼？」

就某方面而言，以利法在這裏所講的，跟他第一次發言的內容相同（四至五章）：他相信約伯「因手中清潔，必蒙拯救」（30節）。他給他的勸告，是要順服神（21節）。但另一方面，以利法似乎大大地改變了先前的立場：他明顯地指控約伯犯了不可告人的大罪（5

節），主要是不行社會的公義（8-9節）。這是全本約伯記中，對約伯作出最具體、最嚴厲，和最不公平的指控，令人奇怪的是，它不是出自其他幾位朋友，卻是出自以利法的口。現在的以利法不可能說過第四至五章的話，假如他真的相信約伯曾經「無故強取弟兄的物為當頭，剝去貧寒人的衣服」（6節）、對「困乏的人」，「沒有給他水喝」，對「飢餓的人」，「沒有給他食物」（7節）、拒絕「寡婦」和「孤兒」的懇求（9節）。以利法的意思其實是：約伯既然一定是因為某些理由而受苦，又既然無法從約伯所做過的事中找出任何過錯，那麼，他的罪必然是因為他沒有去做當做的事。約伯並沒有奪去貧窮人的衣服，但他必然是沒有把衣服送給窮人，以及類似的行為。神不是因為約伯的義（以利法沒有質疑這點）而「責備」他（4節），而是為到他有應做而不去做的事情而責備他。

二十二12-20 「神能夠看見你暗中的罪」

最初指控約伯暗中犯罪的是瑣法（十一5-6），但如今我們看見以利法警告約伯，神一定是知道約伯犯了他剛才指出的那些應做而不去做的罪。約伯不可妄想能逃避神看穿一切的目光（13節）。惡人也知道無法逃避神的審判；縱使他們的房屋會暫時「以美物充滿」（18節），卻會「未到死期，忽然除滅」（16節），義人看見就歡喜（19-20節）。神會察見他們的罪；約伯的罪也是一樣。

二十二21-30 得救之途

以利法又再說出像第四至五章講過的話。他基本上是站在約伯那邊，希望約伯能與神有和諧的關係。他借用比勒達第一次發言的主旨（參八5-6），勸約伯「歸向全能者」（23節），亦即是認罪悔改，「以全能者為喜樂」（26節），「禱告」和還他的「願」（27節）。那麼，約伯所做的一切便會亨通（28節），他甚至能像過往一樣，將福氣帶給別人（四3-4）。這段說話不像剛才那兩位朋友的發言，它以一種振奮的語調來作結——卻令約伯作出更絕望的回應。

二十三1至二十四25 約伯第八次發言：「神應該定期與人對話」

這段說話包含兩個要旨。第一個是約伯

再次求神證明他無罪，以及他再次感到要來到神面前是一件多麼沒有可能的事（二十三章）。第二個是將無辜窮人的困境，與有錢人的興旺互相對比，神似乎對這種情況完全置諸不理（二十四章）。總而言之，雖然約伯相信自己若能來到神的面前，將可以洗脫罪名，但他卻對獲得這辯白的機會感到絕望，因為神顯然沒有「定期罰惡」，撥亂反正。

二十三2-17 「唉！惟願我能知道在哪裏找到祂」

約伯相信，只要他能來到神面前，有關他洗脫罪名的問題便能夠解決。神不會粗暴地對待他，卻會聽他為自己辯白的陳詞（6節），然後便會宣判他無罪（7節）。然而，沒有路可通往神那裏：祂不在前面，也不在後面；不在左邊，也不在右邊（8-9節）。可是，即使約伯不能尋見神，他卻知道神可以尋見他（「他知道我所行的路」；10節），但如果神決意要試煉他，他將會被煉成精金，證明是清白無罪（10-11節）。但是，神並不是按照公平和法理來行事；「他心裏所願的，就行出來」（13節），約伯正是因此而受苦。他要在黑暗中對抗那位所向無敵和無法接近的對手，不過，他會堅持戰鬥到底（17節）。

二十四1-25 「神為何不定期審判？」

約伯明白到自己並非世上唯一一個被困擾的人。他將目光從自己身上移開，轉到一般人的身上——無論是清白的抑或有罪的——他質疑神為何不定期開庭審訊（1節），以致世上一切不公義的管治方式都可以被清除。

首先，為何無罪的窮人竟要如此長久地忍受不公義的痛苦？窮人的地界遭到挪移（2節；參申十九14），他們的牲畜被人搶奪（2下-3節）；他們遭受侮辱（4節），被逼要拾田間角落裏的穀物（6節），睡覺時沒有足夠的遮蓋（7-8節），勞苦作工卻不得餬口（11節）。這是一幅感人的圖畫；可惜卻明顯不能感動神，因為祂完全沒有關注窮人的哀號（12下）。

其次，為何容讓成功作惡的人繼續不義的行為（13-17節）？那些喜愛黑暗不愛光明的殺人者和姦淫者得以存活，但是，他們的朋友只不過是「幽暗的驚駭」（17節），卻要按理與這些惡人同下陰間。約伯提出這些問題的時候，並不是單單想到自己，而是想到這個由神掌管的世界整體運作的方式。

第18-25節這個部分有些地方顯然不像是約伯的論據，我們需要假設這裏的話其實是出自約伯朋友的口。那是他的朋友指出，罪人就像水面上的泡沫（18節），陰間迅速便將它們抓去（19節），他們不再被人長久記念（20節），不管他們似乎是何等重要，他們很快就如穀穗被割一般被剪除（24節）。或許，這幾節經文原初是屬於比勒達發言的結尾部分（二十五章），又或者，約伯在這裏是引用他朋友的說話（參修訂標準譯本在18節開始加上「你們說」這幾個字，將18至25節理解為朋友的說話）。

二十五1-6 比勒達第三次發言：「人怎能在神面前稱義？」

經文到了這一點似乎有某些地方出了錯。比勒達的發言在開始時沒有了慣常的稱呼，而且只有5節。接著瑣法完全沒有發言，然後便是約伯接連3次的發言（二十六，二十七至二十八，二十九章），他的朋友再沒有任何說話。約伯在這裏發言的某部分經文聽起來又完全不像是出於他的口。**也許，比勒達的發言部分原初是由二十五章2至6節，再加上二十六章5至14節**。如今比勒達的說話內容，與以利法的一些思想相當近似，尤其是那與神相比，世上沒有任何東西是完全潔淨的觀念（4-6節；參四17-19）。比勒達開頭的那幾句有關神的能力，說祂的軍隊無數的話（2-3節），突顯了將人與神分隔的鴻溝。第二十六章5至14節接續了神以大能管治的同一主題，彷彿這幾節經文也是屬於比勒達發言的部分。

二十六1-14 約伯第九次發言：「你的意見對人沒有幫助」

第二十六章似乎只有開頭發言的部分是出於約伯，那裏譏諷比勒達之言對他毫無幫助。倘若比勒達前面的發言真的包括二十六章5至14節那強調神能力的部分，約伯的回應就顯得更為恰當。約伯的意思便可以理解為：你將神的威嚴告訴我，是一件非常好的事，但對於像我這樣一個「無力的人」（2節），知道又有何用處？而你對神的智慧之讚美（7、12節），將如何能幫助一個像我那樣

被假定是沒有智慧的人（3節）？約伯的發言也許該下接第二十七章。

第5-14節 這幾節經文可能真的是比勒達第三次發言的一部分。它們主要是思想神的智慧和能力。神能夠藉著把大地懸在虛空來創造宇宙（7節）。當中提及不同方面的創造，許多都不曾在創世記中記述，例如建造天的柱子（11節），和在水面的周圍劃出界限（10節）。這裏亦有提到其他有關創造的故事，它們所描述的創造，是神戰勝那些造成混亂的怪獸之結果（「拉哈伯」，12節；「快蛇」，13節）。當然，神的創造能力至今仍然持續。祂「將水包在密雲中」（8節），造成天上的雲霞，然後按照不同的周期，將雲鋪在月亮的表面（9節）。但這裏的重點是要指出，這些顯明神偉大的證據，都是肉眼可見和人所共知的，但它們只是神「工作的些微」，傳達了「他大能的雷聲」中的「何等細微的聲音」（14節）。人類沒有希望能明白真正的神，只能夠瞥見祂的一點點。

二十七1至二十八28　約伯第十次發言：神的智慧

我們再次要面對這幾章內容究竟是誰在發言的問題。我們肯定在二十七章2至12節所聽到的，是出於約伯的說話，但第二十七章和二十八章的其餘部分，可能並非出於他的口。他顯然不會重複他朋友說過有關惡人命運的陳腔濫調（二十七13-23）。也許，二十七章13節至二十八章28節原本是屬於瑣法第三次發言，因為我們在這裏找到的主題，包括惡人的命運（二十七13-23）、神智慧的奧祕（二十八1-27）和人有責任行義和不去行惡（二十八28），瑣法都曾經在十一章7至20節談過。

二十七2-12　「我絕對不會背棄我的正直」

神否定了約伯的義（2節），他的朋友也不斷判斷他做錯（5節），但約伯決意堅持自己是義的（6節）。任何人若攻擊約伯的清白，將會遭受約伯的咒詛，將要承受惡人的命運（7-10節）。約伯如今知道很多有關全能者的作為，以致他可以將他從經驗學到的東西指教其他人。然而，他的朋友應該透過聽約伯的說話，已經學到他要指教他們的一切東西（12節）。鑑於他們直至目前為止所聽過的東西，他們的說話竟是如此的「虛妄」（12節），的確叫人感到詫異。

二十七13-23　惡人的命運 經過約伯那段充滿感情的自辯，這部分便顯得相當沉悶。它只包含了我們先前已經讀過有關惡人命運的傳統觀念。這個事實讓我們想到，它不再是約伯的發言，卻可能是出於瑣法的。這裏所描述的惡人命運，是關乎發生在他家庭、財富和本人身上的事。他的兒女註定要被刀劍或瘟疫殺害（14-15節），他的財富會留給其他比他更公義的人（16-19節），而他本人則好像被洪水、旋風或摧毀性的大東風帶走一樣消失了（20-23節）。顯然惡人絕大部分的命運都已發生在約伯身上。這符合瑣法在全書的一貫態度：「神甚至已經不計算你的某些罪」（十一6）。

二十八1-28　「何處可找到智慧？」 這首莊嚴的詩，主題是關乎人不可能獲得的「智慧」。這並非箴言書所教導的實際生活上的智慧，而是一種對這個世界，和讓世界得以運行的秩序全然了解的智慧。這種對「智慧」的運用方式，正是傳道書的作者所理解的，他也強調對「神從始至終的作為，人不能參透」（傳三11，參八17）。對於這首詩是出自約伯的口，似乎是有點兒奇怪，因為當神長篇大論地跟他說了一番道理之後（三十八至四十一章），他才開始接受當中的觀念（參四十二3）。這是另一個原因使我們認為它原本是屬於瑣法發言的一部分。

人與神之間的智慧有著極大的鴻溝，可是，我們無需為了誇大神的智慧而輕看人的智慧。詩的開始是對人正直品格的歌頌（1-11節），然後才繼續指出，即使如此，人還是找不到智慧，只有神才知道智慧的所在（12-27節）。人所擁有的並非「智慧」，乃是對神律法的認識：人的智慧就是懂得敬畏主（28節）。

第1-11節 這裏只選用了有關人智慧的一個例子：他們有能力開採埋藏在地下的礦物。當中提到開採4種金屬（1-2節）。人懂得拿著燈探尋地下的礦洞（3節）。礦工的工作既危險，又孤單：當他降下礦井的時候，他「懸在空中搖來搖去」（4節）。開採的過程出現一個矛盾的景象：地上的農耕工作在平靜

中進行，但在地下，可能要為了開礦而使用激烈的行動來清除障礙物（5、9節）。人類藉著他們的智慧，在地下建造了通道，是雀鳥和野獸不知道的（7-8節），他們使自己成為大地的主人（11節）。

第12-28節那不能靠尋找而發現的「智慧」，顯然是跟人類在科技上的智慧截然不同。詩人沒有立即將他的意思告訴我們，卻製造一個懸疑的高潮，讓我們愈來愈清楚知道人類是無法獲得這種智慧。我們不知道它的所在地（12節），也不知道通往它的道路（13節）；它不能用金或銀或寶石來衡量其價值（15-19節）。世界本身也不知道在哪裏找到它（14節）。甚至是毀滅的超自然能力（陰間）和死亡，也只是風聞其名（22節）。但神清楚明白它（23節）；因為它就是祂本身的智慧，祂在創造的時候便是運用它（24-27節）。有關宇宙和其目的之超自然知識，以及管理它的定律，都是人測不透的。人類所擁有的智慧，是另一種智慧，一種較容易掌握和較實用的智慧。這種要實踐的智慧乃是：「敬畏主」，亦即是真信仰，同時要「遠離惡」（28節），它們就是人類智慧的內容。假定本章是瑣法對約伯的最後一次發言，它的目的是要否定約伯自稱能明白「全能者的作為」（二十七11），並且提議約伯不要尋找智慧，卻要追求公義。

二十九1至三十一40　約伯第十一次發言，回想他的禍患

約伯這段激烈的結語可分為3個部分。在第一個部分，他以一種緬懷過去的心情，來回顧昔日快樂的生活，直至神的手臨到他身上（二十九章）。第二部分，他以一種悲慘的情緒，描述他目前的孤寂和卑微（三十章）。到了第三部分，他以公然反抗的情緒，發出連串的自我咒詛，最後以拼命的呼求被垂聽和得以證明本身的清白來帶進高潮（三十一章）。當中完全沒有理會在場的朋友，也沒有提到神。約伯純粹是講述他自己，而他這樣集中於一個主題，使這段發言成為全書其中一段感人至深的部分。

二十九2-25　「我何等回味往昔的歲月！」 這個懷緬過去的片斷，補充了一些有關約伯生活上的細節，是我們未能在序幕中得知的。它同時傳達了一種過往的人生——那種充滿溫情和高尚人際關係的生活——「俱往矣」的氣氛。那時候，神保守他（2節），他正值「壯年」（4節），他的羊群多不勝數，以致「奶多可洗我的腳」，他的橄欖樹結果纍纍，以致擠壓磐石，「磐石為我出油成河」（6節）。想當年，他是鄉中的領袖或酋長，備受敬重；老年人聚在城門口議論紛紛的時候，他的意見最有分量（7-10節）。想當年，他會幫助那些低下階層的人，就是「困苦人」和「孤兒」（12節）、「將要滅亡的」（13節）、「寡婦」（13節下）、「瞎子」和「瘸子」（15節），和需要法律保護的異鄉人（16節下）。接著在18至20節和21至25節，再次重複他本身的安穩生活，以及他在社會中享有之重要地位和扮演之積極角色這兩個主題。我們注意到，約伯從前的福分不單包括物質上的豐裕和社會上的尊榮，同樣重要的是，他能夠幫助有需要的人（對比於以利法在二十二6-9所提出的指責）。誠然，對比於神，沒有人可以稱為義人（羅三10），可是，假定每個人都會按其本性做盡壞事，又或是假定沒有人是無辜和正義的，這兩個假設也是錯誤的。

三十1-31　「但如今他們戲笑我」 當約伯將他目前的境況與往昔的生活互相比較，兩者之間的懸殊簡直是天淵之別。他從前的生活包含了一個和諧的關係網絡（與神、與同胞和無依無靠的人），但如今，這一切關係都已經遭到破壞。人們現在都輕視他（1-15、24-31節），而神又鄙棄他（16-23節）。但從某方面來看，這些都是同一個經驗；因為他要忍受別人的輕視，完全是神一手造成的。

第1-8節我們發現這裏接連3次出現「但如今」、「現在」（1、9、16節），因為在約伯的人生中，今與昔的對比是非常極端。約伯對於那些藐視他的人，最初似乎表現得相當自大：那些在草叢和荊棘中生活的窮人，都是「愚頑下賤人」（8節）。他們豈不是約伯從前所照顧的人？不錯，正因如此，他才會對他們如今的輕視那麼嗤之以鼻。甚至那些從前受過他恩惠的人也背棄他、輕視他。他們

這種忘恩負義的態度使他非常氣憤。

第9-15節那些從前受過約伯幫助的人，如今都以約伯為嘲笑的對象，他們並且攻擊他（12、14節）。這不是肉體上的傷害，但他們對他的態度，使他自覺像一個被圍困的城（14節）。

第16-23節除了羞辱以外，他如今還要忍受肉身上由一開始就折磨他的痛苦。無論日夜，痛苦就如一頭猛獸般抓緊他（16-17節）。這一切都是神一手造成的（19節），但向祂呼求，祂卻充耳不聞（20節）；因為神像其他人一樣，對他變得殘忍（21節），一定要把他帶進死亡（23節）。

第24-31節雖然他深信呼求也沒有用，但他必須發出求救（24節）。他是值得別人伸手援助的，因為他曾經那麼慷慨地幫助別人（25節），可惜當他「仰望得好處，災禍就到了」（26節）。這段發言的部分在結束時重述他在別人眼中的羞辱，來回應開頭的主題。城中百姓聚集的時候，他受到排斥（28節），要他與野獸為伍（29節）。他的皮膚因生病而變黑（28、30節），而從前生活的音樂亦已變成哀哭（31節）。

三十一1-40　「噢！惟願我有我對頭的狀詞！」　約伯這段發言的最後部分，是以一種「反面認罪」的方式，來否認一切可能的指控。除非他完全確信自己是清白無罪，他才能發出這些自我的咒詛；亦難怪當約伯大膽懇求神聆聽他，和為到他該受的罪來懲罰他的時候，他的話將本章推進高潮（35-37節）。他請求神至少讓他知道祂對他的指控，那麼，他就可以驕傲地拿著狀詞，給予令人信服的答辯。當中所列的各種罪，約伯都視為得罪他鄰舍的罪，惟獨一項（拜偶像的罪，26-28節），便是同時得罪了神。

第1-4節雖然下面（9-12節）也會提到姦淫的罪，約伯在這裏表明他未曾犯過戀慕處女的罪，這是那些像約伯那樣擁有許多僕婢的主人，一項廣為人咎病的習慣。他與「眼睛立約」；罪不僅是外在的行為，更是潛藏在心中的意圖。

第5-8節再一次，罪首先出現在心中（7節）。這裏提到「天平」（6節），和讓穀物失收作為不誠實的懲罰（8節），暗示約伯主要是想到在作買賣交易上的謊言和欺騙（5

節）。

第9-12節在父權社會裏，姦淫是一項嚴重的罪行（羞恥和當罰的罪），因為它踐踏了一個男人的財產擁有權，還會製造繼承產業權的問題。經文反映出當時的社會，將男性犯姦淫視為受了女性的「迷惑」（因此女性也犯了某方面的過錯），而羞辱其妻子便終究成了犯姦淫者的懲罰。我們今天則會強調忠貞的價值，同時要求只懲罰犯罪者。

第13-15節約伯自稱對待僕婢的方式已經比他當時的習俗要求跨前一大步：當時的社會容許他對待僕婢如同自己的財產，但他讓自己的僕婢享有一般人的人權。

第16-23節約伯先前已描述他對窮人、寡婦、孤兒和異鄉客——即是古代社會中典型的低下階層（二十九12-16）——所施予的憐憫。他在這裏甚至指出他把孤兒帶到自己的家中（18節），同時更提出，如果他曾經舉手攻擊孤兒，以為他能逃脫這不義的罪，願懲罰臨到那隻行不義的手，願膀臂從骨的接口折斷（22節）。

第24-28節約伯現在繼續談到更多內心的罪（參1-4節）：暗中貪愛資財（24-25節），敬拜太陽和月亮（26-27節），見仇敵敗落心就歡喜（29-30節），故意看不見別人的需要（31-32節），或任何假冒為善（33-34節）。他表示如果自己犯了以上任何一個過失，願咒詛臨到他。雖然他曾經非常富有，卻宣稱自己從來沒有讓財富變成偶像，取代了神的位置。

第26-27節在約伯所列的罪中，拜偶像是唯一一種宗教上的罪。古時的人敬拜天體的情況十分普遍，但約伯認為這種敬拜，就等於事奉創造物而非創造者。

第29-30節在約伯的時代，仇敵「遭報就歡喜」不算是一件不道德的事。詩人有時也高興見到惡人遭受懲罰（例如詩五十四7，一一八7，一三七8-9），然而，約伯卻遵照律法的精神，要給敵人施加援手（出二十三4-5；參箴二十22，二十四17-18，二十五21-22）。

第31-32節約伯在這裏似乎是在思想自己可能曾經假裝不知道別人的需要。他不單對明顯有需要的人慷慨施贈（16-21節），而且，對於那些只有他知道別人有需要的情況，他也會提供幫助。

第33-34節 約伯不承認有任何偽善的罪。他的意思是：「倘若我曾經犯罪，然後還試圖隱藏它（如亞當的所作所為）」，（參新國際譯本旁註）。

第35-37節 約伯在總結這段非常正式的自證無罪宣誓時，表明「這裏有我所劃的押」，彷彿它是一張正式的文件。他渴望有神指控他的罪狀書，來配合他本身那張自表清白的誓詞。他不會因那指控他的人之「狀詞」而當眾受辱；他非常肯定它將會證明他無罪，以致他會把它「綁在頭上為冠冕」（36節）。他不是以一個罪犯的身分，卻是以一個無辜者的身分來到神面前，要對一切的指控作出清楚的交待（37節）。

第38-40節 約伯在第35至37節的發言總結和高潮之後，還作最後的自我咒詛，似乎有點兒奇怪。他在當中表示，如果他曾經用過逼迫的手段，從土地合法擁有人的手中奪取土地，願降罰於他。

三十二1至三十七24 以利戶的發言
三十二1至三十三33 以利戶的第一次發言：「苦難是神的警告」

大多數學者都認為，以利戶的4次發言，是約伯記後加的部分。奇怪的是，序幕完全沒有提過以利戶，但作者可能是想蓄意留待在後面，出奇不意地介紹他出場。可是，更奇怪的，是在結尾部分雖然提到其他幾位朋友，卻又完全沒有提及以利戶（四十二7-17）。而且，以利戶的發言阻延了神對約伯的回應，那是我們預期在三十一章「約伯的話說完了」（三十一40）之後緊接而來的。到了神確實作出回應的時候（三十八至四十一章），彷彿中間沒有發生過任何事情似的。因此，一般都認為以利戶是後來某位虔誠的作者所編造的人物，該作者既不滿意約伯的幾位朋友無法回應他的爭論，又不滿意神回應的方式沒有帶來明確的結論。

也許，以利戶的說話可以理解為在約伯與他幾位朋友的不同立場之間，提供了一條中間出路。幾位朋友都指出，神是公義的，約伯受苦證明他犯了罪，受苦是神懲罰他犯罪的結果。約伯否認這兩個論點，堅持他的受苦不是犯罪的結果，所以神是不公平的。以利戶對約伯和他幾位朋友的話都不表贊同

（三十二10-12，三十三1-12；參三十二2-3），他指出，苦難是一種管教。他的意思是，苦難未必是一種用以處分已犯的罪的懲罰，反之，它可以是一種預先的警告，阻止人去犯罪。

三十二1-5 以利戶的自我介紹 年輕的以利戶顯然是非常憤怒（「發怒」這個字分別在第2、3、5節出現了4次，經文略去了第2節的其中一次）。他向約伯發怒，因為約伯「看自己比神更加公義」（2節；參新英語譯本）。這種批評，比出現在新國際譯本（譯註：及和合本）的更為嚴重，那裏說他「自以為義，不以神為義」。以利戶的解釋是，按照約伯所宣稱的推論，在與神爭辯中他是站在正確的一方，那麼，就等於神是站在錯誤的一方。約伯絕對沒有說過這句話，不過，這是一個合理的推論。以利戶亦向那3個朋友發怒，因為他們「想不出回答的話來」駁斥約伯（3節），亦即是，他們不能說服約伯接受神沒有做錯。

三十二6-22 以利戶的發言權 這整個部分只有以利戶冗長的自我介紹，和解釋自己為何加入這個對話。以利戶承認自己年輕，而他也對長者的智慧表示尊重（6-7節），但他的勇氣，是源自他相信所有人在被造時，都平等地賦予了獲得智慧的能力（8節）。因此，並非只有老年人才有智慧（9節）。他也不怕陳說他的意見（10節）。那幾位朋友說話的軟弱無力，亦是促使他加入對話的原因（11-12節）。以利戶似乎認為，他們相當折服於約伯的論據，開始認定只有神才能夠駁斥他（13節）。他轉向約伯（15節），表示他已準備好發言（16-17節），因為他的「言語滿懷」（18節），他的思想快要湧出極多的意念（19節），以及要將不滿抒發出來（20節）。最後，他承諾一定不會給任何人留特殊的情面（21節）——尤其是他的話會給約伯帶來最大的刺傷；他甚至不懂得奉承人，所以，約伯最好作好準備，他將會聽見一些逆耳的直言（22節）。

三十三1-33 「神降禍有理」 第1-7節以利戶繼續他冗長的自我介紹。他自言他們擁有的智慧，是生存在世上的每一個人——那

些有「全能者的氣」——都能夠獲得的（4
節；參三十八8）。他邀請約伯回答他（5
節）。這對約伯來說並非一件難事，因為他
——以利戶——不會用神那些大能的手段；
他同樣是一個用土造成的人（6節）。當他說
「我不用威嚴驚嚇你」（7節），他並非是以高
人一等的態度來對待約伯，他只是將本身的
軟弱與神的能力相比，而約伯的苦難是從神
而來的。

第8-13節 約伯曾經指出，神否定了他的
義；祂拒絕接受他是清白的，祂對他尤如敵
人（10-11節），而非一個大公無私的法官。
以利戶想表明約伯沒有道理（12節），但他所
用的方式，不像那幾位朋友那樣指出約伯是
一個有罪的人，而是指出神打發苦難來到，
其實是另有目的，最明顯的目的就是警告人
不可犯罪。透過這種解釋，以利戶認為他既
可堅持神的公義，又可保約伯的清白（參
12、32節）。

第14-18節 以利戶用造惡夢的例子來說明
他對苦難的解釋。這是神用以向人說話的一種
方式，雖然人並不經常明白它（14節）。神藉
著夢來驚嚇人，提醒他們不要行惡，也不要驕
傲（17節）；它是神運用的一種苦難形式，使
人避免受更大的苦和導致死亡（18節）。

第19-28節 神亦使用肉身上的痛苦（21-
22節）來達致同一個目的：去「懲治」或警
告人不要犯罪（19節）。在眾多代求的天使
中，只需有一位天使替受苦的人說一句話
（23-24節），那人就得醫治，他要為到康復而
公開感恩（參詩二十二22-25）。然後，那人
要認罪（27節），縱使它可能只是意圖上的
罪，並未真正犯了罪。

第29-33節 以利戶邀請約伯回答（32
節），又或是繼續聽他說（31、33節）。他再
一次表明，他的用意並非指控約伯是個罪
人，而是想藉著解釋他的受苦是神的管教，
而證明他有理（32節下）。

三十四1-37 以利戶第二次發言：「約伯這樣指控神不公義是錯誤的」

以利戶再沒有直接向約伯說話；他如今
向「智慧人」發言（2節），他們可能是約伯
那幾位朋友（若然如此，以利戶就是以諷刺
的口脗），或是一大群旁觀者。他這次發言的

重點，是要指出神是公正的（10節），約伯對
神做過或不去做的事情之一切批評，都是不
公允的。以利戶現在的話超越了約伯的個別
情況，變成了普遍真理的講論。

第1-9節 以利戶引用了約伯的話：「我是
公義」（5節上，參二十七6），和「神奪去我
的理」（5節下；參二十七2）。他詢問旁觀的
聽眾，他們曾否見過一個像約伯的人，喝朋
友的譏誚如同喝水（7節），同時，又因為指
稱神奪去他的理，以致將自己變成與那些同
樣指控神不義的惡人同夥。根據約伯的說
法，以利戶說他說過「人以神為樂，總是無
益」（9節）這句話，是非常不公允的。約伯
的確說過惡人可以逃避審判（二十一7-34），
和禍患會同樣降在好人和惡人身上（九22-
24），可是，他本人卻一直堅持要有美德，即
使它沒有給他帶來任何益處。

第10-15節 以利戶在這裏指出，神不會
不公平（10-12節），因此，約伯指控神有任
何形式的不公平，都是錯誤的。對以利戶而
言，神的公平是祂作為全能創造者的自然結
果（13-14節）。但這是一個危險的立論，因
為它相當於表示「有能力就等於有公平」。

第16-30節 以利戶繼續指出，宇宙的掌
管者不可能是不公義的。神是公義和大能的
（17節）。他有審斷君王和貴臣的能力（18
節），不必偵察便粉碎他們的權勢（24節），
因為祂早已知道他們的腳步（21節）。祂可以
一夜之間傾倒他們（25節）。祂大能的作為完
全符合祂的公正。祂不會偏待王子或有錢人
（19節），祂按照人的善行來賞賜人（25節），
又為到惡人所行的惡事而擊打他們（26節），
因為他們不遵行祂的律法（27節）和壓逼窮
人（28節）。因此，當人呼求祂，祂卻保持靜
默不給人證明無罪，誰能指責祂和說祂所做
的不公平（29節）？

第31-37節 約伯一直要求證明自己清
白，更是在罪上再加悖逆（37節），因為它將
神說為錯。以利戶如今想象有人因為他的罪
受罰，然後便悔改（31-32節）。按照以利戶
的看法，約伯的神學不容許神赦免這樣一個
悔改的罪人，因為約伯期望所有在神手下受
苦的人，都要求神給他證明清白，拒絕赦免
（33節）。然而，這種說法是對約伯不公平
的，因為約伯並沒有宣稱所有受苦的人都是
無罪的。

三十五1-16　以利戶第三次發言：「約伯不應抱怨，倒應呼求神」

第1-8節以利戶在這裏似乎再次引用他在三十四章9節硬説成是約伯説過的話：「人以神為樂，總是無益」。那不是約伯的看法，約伯也沒有問過：「這與我有甚麼益處？我不犯罪比犯罪有甚麼好處呢？」（3節）。以利戶只是想象這是約伯的問題。但他為約伯回答這個問題，指出人期望憑著行公義而獲得利益，這種想法是錯誤的（7節）。因為神是那麼偉大，祂不大理會地上所發生的事（5節），即使那是惡事（6、8節）。

第9-16節由於約伯抱怨神奪去了他的理（二十七2），以利戶則詢問約伯，為何他還未曾從他的痛苦中獲得救拔。他引用了受欺壓者的例子，他們因「多受欺壓」就哀求（9節）。他們並不一定得到救助。為甚麼不能呢？因為他們的呼求缺少了某些東西。那只是不自覺的呼求，並非向造他們的神發出，祂能扭轉不幸，使人夜間唱歌（10節），祂能將更大的智慧賜給人類，勝於走獸和飛鳥（11節）。他們得不到回應，因為他們忘記了向祂呼求（12節）；這種呼求是虛妄的，神必不垂聽（13節）。以利戶説，約伯的情況也是一樣。他只是抱怨他的受苦，並沒有向神陳明自己（14-16節）。以利戶又再一次失誤；因為約伯已經屢次向神直接陳明自己！

三十六1至三十七24　以利戶第四次發言：頌讚神的能力和智慧

這裏可分為兩個部分。在第一個部分，以利戶再次指出苦難是一種管教；而在第二部分，他稱頌神創造的能力和智慧，正因如此，神才能有資格成為宇宙中道德的掌管者。

三十六2-25　以利戶仍然想代表神説話（2節），和將公義歸給他的創造者（3節），亦即是證明在約伯的案件中並沒有出現審訊不公。由於神遠遠高過人類，以利戶便要從遠處引來智慧（3節）。終歸，這似乎能使他有資格宣稱他擁有全備的知識，這表示絕對正確，而非無所不知！

第5-16節以利戶首先指出有關報應的一般教訓（6節）。他舉出一個例子，思想到義

人受苦的問題，這正是一個非常接近約伯本身境況的主題。遇到這種情況，義人（8節）便因他們的過犯受責備，要他們立即從罪惡中回轉（10節）。因此，苦難是神的一種管教（正如他在三十三15-30説過）。倘若義人對這種警告作出積極的回應，情況便會好轉（11節），否則，他們便遭受惡人的命運，無知無識而死，即是不能從神的管教中學到任何東西。不敬虔的人當遇到苦難的時候，只會發怒，不知向神求助（13節）；他們在年青時便在羞愧中死去（14節）。反之，敬虔的人卻張開耳朵聆聽神藉著困苦教導他們的功課，於是便得到救拔（15-16節）。

第17-25節以利戶希望約伯屬於義人，但卻害怕他其實是屬於那些不能從苦難中學到教訓的人，因而「滿了惡人所受的懲罰」（17節）。單有痛苦的呼求（19節），並不能使約伯得著拯救（參三十五9、12）；他需要向神呼求，而且，約伯在祈求拯救的時候，必須緊記要稱讚神的作為。

三十六26至三十七24　這首讚頌神創造大能和智慧的優美詩歌，出現在這裏的唯一理由，是因為以利戶相信那是神的創造大能，賦予祂有權成為世界道德的審判者（參三十四10-15）。

第27-33節雨水和雷電的奇妙，是在於它們是神審判眾民的一種途徑（31節上）；因為同樣是雨水，卻可以帶來益處（31節下），或帶來摧毀（33節下）。

三十七1-5雷聲不僅是一種自然現象，更是神的聲音，神祕、不能預測和令人畏懼。

第6-13節冬天的風暴使人不能作工，又將野獸封在牠們的穴中（7-8節），不單彰顯出神管治的能力（12節），這些力量使人和野獸都畏懼，而且，更顯出他有智慧能夠運用大自然的力量來達致不同的目的，無論是為糾正抑或為賜福（13節）。

第14-24節夏天出現的現象也顯出神的能力和智慧：暴風的閃電（15節），優美而分佈均勻的雲彩（16節），燥熱的南風（17節），堅硬如銅的穹蒼（18節），和使人睜不開眼睛的猛烈陽光（21節）。神的智慧遠勝約伯，約伯連這些現象如何造成也不知道（15-16、18節），更遑論管理它們。神有可怕的威嚴（22節），是人不可接近的。以利戶諷刺地詢問約

伯，請他指教我們該對神說甚麼（19節），卻在同一行中否定有這種可能，「因為周遭都黑暗，我們不能整理我們的思想」（新英語譯本）。這正是約伯一直否定的立場，他不斷要求神要親自回答他的投訴。而神便在緊接的下一章親自顯現，有力地駁斥以利戶的看法。

三十八1至四十二6　神的發言

神這幾段說話是非常重要的，不僅因它們的內容，更因為它們竟然會出現。重要的是，一直定意呼求神的約伯（即使是出於憤怒和不滿），發現自己最終能與神親自對話，以致他內心的張力得到化解。但這些說話也同時因為當中有某些事情隻字不提，卻又談論到某些東西而值得我們注意。首先令人詫異，卻又意味深長的，是神完全沒有指出約伯犯了任何過錯。那麼，神對約伯顯然沒有甚麼不滿；甚至他那「急躁」的言語（六3），也沒有受到責備。但另一方面，神說話的內容卻又那麼值得我們注意。它們不單沒有為到神對待人的方式作出合理的解釋，而且，整個發言的內容都是論及這個被造世界的自然法則。當神說到宇宙的秩序和野獸的創造，他的用意並非讓約伯認識自然界，當然也不是想運用這些顯明他能力和智慧的證據，來向約伯誇耀（約伯從來沒有對此表示質疑）。反之，神要讓約伯重新思想他所造的世界，是那麼奧祕和複雜。他想約伯明白，自然界的法則跟宇宙的道德法則是可作類比的。當中有很大部分是超乎人的理解，其中一部分甚至是令人討厭、無益和嚇人的，但一切都是出於一位擁有智慧的神之作為，他也是按照本身的計劃來創造我們現存所看見的這個世界。

三十八1至四十2　神第一次發言：「想想創造的奧祕」

神向約伯提出一連串的質問，目的並不是要羞辱他，而是想挑戰他，要他再次思想自己對這個由神創造的世界之認識，以及從新思索它的奧祕。神向約伯指出自然法則的10項特點（三十八4-38），來引證自然界的奧祕，同時，又給他指出九類動物（三十八39至三十九30），來說明神創造生命的奧祕。最後那句話（四十2）提醒我們知道，神與約伯之間的對話，是用一個法律案件的形式來表達（參三十八3），因為這正是約伯的要求（例如三十一35）。然而，對話的目的卻並非確定有罪或無辜，而是以一個受造者的身分去探求人生的真理。

三十八1-3　引言　約伯終於獲得心中所渴望的回應（參三十一35）。當然，約伯所想象的，是一個相對地寧靜的法庭審訊場景，不料神竟然在旋風中說話。旋風亦是一個顯明神啟示的古老象徵（參例：詩十八7-15；鴻一3；亞九14），不過，雖然它很可怕，但對約伯來說，表明神不再打算對他的要求無動於衷。當神說約伯不明白他管治宇宙的計劃時（「我的旨意」；2節），他並非輕視約伯的智慧。神也並非要嘲諷約伯，他只是想鼓勵他，要如勇士（或男人）束腰（按理男人比女人強壯！），並且運用他全部的思考能力去明白他的意思，他在這段說話中只會透過間接的形式將其意思表達出來。

三十八4-38　地和天的現象　**第4-7節**這裏將世界形容為一座有「根基」和「角石」的建築物，按照「準繩」，伴以「眾星」和天使的歌聲來建造。

第8-11節海則形容為「出胎胞」（8節），神又用「雲彩」將它「包裹」（9節）。但它亦是一種帶有威脅性的力量，需要為它定出界限，關上「門和閂」（10節）。

第12-15節即使是「晨光」的出現，也是超乎約伯所能理解（12節）。新英語譯本將這幾節經文中，那兩處不適當地提到「惡人」的字詞（13、15節）略去，相信是正確的，而且，該譯本暗指不同的天體，當晨光破曉的時候，一個接一個出現（15節），這也是正確的翻譯。

第16-18節地底下面是人類完全不認識的另一個創造領域：「**海源**」，就是「大淵的泉源」（創七11），它餵滿大海的水，和死亡之地，它被形容為一座城，當中有城門和「看門者」（17節；參新英語譯本），「死蔭地的雜役」（參耶路撒冷聖經），廣大的地下世界（而不是「地」，18節）。

第19-21節這裏把「光明」和「黑暗」視作有本身居所的存在物，它們到了適當的時候便要回去。約伯不知道如何「帶」它們各自回到「歸家之路」（20節；參新英語譯

本）。

第22-23節 約伯也不知道「雪」和「雹」的倉庫（22節），它們是保留在爭戰的日子使用的（23節；參出九22-26；書十11；賽三十30）。

第24-27節「雨水分道」是來自天上的倉庫（25節），這點令我們想起當洪水的時候，天上的「窗戶」都開了（創七11）。第26至27節帶出了一個新的要點，將會在第三十九章再加以發揮，它就是：創造法則的運作方式，許多時候都不是為了人類的緣故，而是為了神創造的另一些部分，或是單純為了神本身的旨意。這裏提到雨水降在無人居住之地（26節）。

第28-30節「雨」、「露水珠」和「冰」都有其本源，約伯卻不知道是甚麼。

第31-33節「昴星」團的七星是如何結成一起？獵戶座的眾星（「參星」）——一個帶有腰帶（「帶」）和劍的獵人——是如何繫在一起（31節）？不管眾星可能具有甚麼影響力，約伯卻對它們完全沒有影響力，甚至不明白決定它們運行的自然「定例」（33節）。

第34-38節 當神「傾倒天上的瓶」時（37節），約伯不能干預閃電或雨水的來臨。

三十八39至三十九30 動物的創造 我們在這裏看見的，不是那些人類所熟悉，又對人類有用的動物（如羊、驢和駱駝），反而是一些沒有用途、神祕或極不友善的動物。它們同樣是神創造的一部分。苦難也是如此：有些時候，它的確可以讓人明白，但有些時候，它就像某些野獸一樣，對人類來說是難以理解和帶來傷害。然而，它也是神為這個世界所設立的法則的一部分，而祂知道自己為甚麼要創造它。

第39-41節 重點並不在於約伯不能使少壯「獅子」飽足（39節），甚至或是神將獵物供應烏鴉（41節），而是在於神整個創造的領域，完全不需要仰賴人類而存在。

三十九1-4「野山羊」和「母鹿」也完全不受人的干預。牠們不需要人的幫助或任何知識，便能夠生產，牠們的孩子也能夠長大。

第5-8節 神免除野驢替人類服務（5節），使牠的生活雖然艱苦，卻可以自由，而且對人類完全無用。牠的近親——被人馴服的驢

——卻有完全不同的命運，牠要被驅趕經過喧嚷城市的街道（7節）。

第9-12節 那分隔家畜的牛和野牛之間的鴻溝則更大，「野牛」是最威猛的有蹄動物（自主後十七世紀已絕種）。若將它想為對人有用的動物，簡直是荒唐。

第13-18節 有些動物是野生、自由和不能馴服的；另一些——好像「駝鳥」——則只會令人感到好笑。這裏引用了一般人的觀念，視駝鳥為殘忍和粗心大意的父母。事實上，牠們只是在日間留下自己的蛋不顧；到了晚間，雄駝鳥和雌駝鳥都會輪流用自己的身體給鳥窩保暖。神甚至造一些動物，牠們的行為是完全不可理喻的——至少不是用人的標準所能理解。

第19-25節 戰馬並非對人類全無作用，但它擁有的力量和勇氣卻為它披上神祕的色彩。即使是一種與人類如此接近的動物，基本上也是人類完全不能夠明白的。誰能說出是甚麼賦予馬的力量（19節），牠怎能在害怕的時候發出嗤笑（22節），和渴望衝入戰場（25節）？

第26-30節 鷹雀和大鷹只會偶爾讓人類醒覺牠們的存在（30節），牠們一生大部分時間都生活在人類不可觸及的地方（27-28節）。牠們都沒有用處，是食肉和不潔淨的，然而，牠們卻是神所創造，而牠們的自然本能（「智慧」，26節）也是神所賦予的。約伯若能接受這點，那麼，他應該可以同時接受一個事實，就是人類的苦難，至少有一些情況是單純地出於神那無法測度的智慧。

四十1-2 總結 神一直沒有對約伯表現出輕視的態度，或是試圖要反駁他，直至他降服（參三十八3）。反之，在總結第一次發言的時候，祂只是邀請約伯成為訴訟中的對手，向祂作出回應。

四十3-5 約伯第一次回應：他無話可說

約伯沒有表示降服、羞辱或被擊敗。他同意他是「卑賤的」（unworthy），因為他承認自己的知識有限——這正是主發言所要突顯的重點。但到了現在，他沒有甚麼可回答，他的案件仍懸疑未決。神叫他回答，但事實上，約伯卻邀請神繼續發言。約伯用手搗口（4節），因為他現在沒有話想補充。

四十6至四十一34　神第二次發言：「想想創造的大能」

四十6-14　引言　主並非想用祂超然的能力來威嚇約伯，因為約伯一直同意神比他強大（例如九15-19），重點是在於神的公義，而非祂的能力。主的意思是，約伯不能憑自己贏得洗脫罪名。惟有那有能力的（膀臂，9節），像神和實際上掌管宇宙的那位，才有權在道德的領域裏同時作出判決。證明人無罪是神的工作，而約伯要求證明自己無罪，就是試圖作神的工作。

四十15-24　巨獸　這裏接續三十九章的主題，但它不再描述動物的創造，反而展示了兩幅可愛的圖畫，是有關「巨獸」（和合本：「河馬」）——地上最兇猛的動物，和「海中巨獸」（和合本：「鱷魚」）——海中最可怕的生物的。前面的焦點主要是關乎動物創造的神祕；現在的主旨，則是描述神所造的兩種生物之可怕，卻又十分雄偉。這巨獸曾經被認為是鱷魚、野水牛、河馬或某些神祕生物。有關巨獸和海中巨獸的描述，有很多地方是用詩體的誇張手法寫成，但它似乎是基於某些真實的生物。牠們亦是混亂的象徵，神創造牠們的事實，表明神掌管任何可能對祂的宇宙構成威脅的混亂勢力。

巨獸「在神所造的物中為首」（19節），我們可以參考創世記一章21節，那裏第一種提及的動物是「大魚」。牠主要吃草（15節）；牠棲身於河邊的蓮葉和蘆葦下（21節）。對於「諸山給牠出食物」這點（20節），似乎有點兒奇怪，雖然我們知道河馬會爬上斜坡找尋食物。牠的氣力是出名的（16-18節），人類不能征服牠（只有創造牠的能拿刀劍來接近牠，19節），人也不能用繩綁住牠的鼻來捉住牠（24節）。河水泛濫不會使牠驚怕，約但河的水漲到牠喉嚨，牠也不會理會（23節；參耶路撒冷聖經）。甚至是牠的尾巴——雖然又短又細——卻有如香柏樹的力量（17節）。

四十一1-34　海中巨獸　海中巨獸曾經被人認為是海豚、金槍魚或鯨魚，但一般的意見都認為牠是指鱷魚。舊約曾經引用迦南神話中，一隻有7個頭的深海怪獸「羅坦」（Lotan）的典故（例如詩七十四13-14；賽二十七1）。

因此，這裏的海中巨獸，就像陸上巨獸一樣，是混亂的象徵。

第1-11節　海中巨獸對人類完全沒有實際的用途。人不能釣上牠（1節），或馴服牠（2節），或使牠變得溫馴和家中飼養牠（3節）；牠不能為人類服務（4節），或成為寵物來逗兒童開心（5節）。牠不能當作食物（6節），因為甚至沒有人能捉到牠（7節）。有人若不顧危險按手在牠身上，也不會再做第二次（8節）！只要看牠一眼，就足以使充滿盼望的獵人轉身逃跑（9節）。第10至11節可能暗示，如果一個最有膽量的人也會一見到鱷魚就喪膽逃跑，那麼，惟有愚昧人會那麼不顧後果地親自來到神面前。不過，我們最好還是把這幾句話理解為海中巨獸：「沒有人能在爭鬥中面對牠。誰能攻擊牠而不受傷害？天下間沒有一個人」（參耶路撒冷聖經）。

第12-34節　這裏採用的語言非常富有詩意和想象力，我們不可以為是準確的描述。「外衣」是牠堅硬的鱗（13節）；牠的下腹，特別是牠的尾，就如尖瓦片（30節），而牠在水中的活動，的確會「使深淵開滾如鍋」（31節）。但也許牠噴出火（18-21節）這點，就不可以照字面解釋。這首向這個在一切驕傲動物中作王的巨獸致敬的詩（34節），重點是在於指出這生物的可怕和偉大，牠對人類是那麼的討厭和帶有敵意。這是主向約伯發言的最高潮，約伯也沒有錯失了它的重點：苦難是鱷魚，是河馬，可怕而神祕，然而，卻是神創造的一部分，有著其本身可畏的壯麗。

四十二1-6　約伯第二次回應：由不平轉為敬拜

這次發言跟第一次不同（四十2-5），那次其實是拒絕回應，這次則化解了約伯與神的爭論。因為約伯承認神有權去做任何事情——雖然約伯沒有明說——甚至包括使苦難臨到無罪的人身上。因此，當約伯說：「你萬事都能作」（2節），他所指的不是神的全能，而是指神無論做甚麼，都總有一個目的。約伯的受苦對神來說是有意義的，縱使神沒有用任何形式向他解釋或讓他感到合理。約伯的錯誤在於執著於一個能解釋苦難的答案，這種執著等於企圖闖入一個超乎人能夠理解的範圍：「我所說的，是我不明白的，這些

事太奇妙，是我不知道的」（3節）。

約伯在第10至17節獲得神證明他的清白無罪，但對約伯來說，更重要的，是他透過呼求與神辯論，竟然真的能面對面地看見神。神真的打破沉默，向約伯說話，這更勝過任何證實他清白的行動。個人對神的親身經歷（「現在親眼看見你」，5節），超越了痛苦、被孤立和不公平的感覺，它同樣也超越了有關神的學術性理論（「我從前風聞有你」，5節）。

約伯是否「厭惡」自己（6節）？希伯來原文中沒有「自己」這個字，較可能的推論，是約伯厭惡自己向神大聲說出的那些惡言惡語。他「懊悔」甚麼（6節）？他不可能是懊悔某些罪，因為我們從一開始就知道約伯不是個罪人，他只能夠為到他所用過的過激言詞，或自己的無知而懊悔。但或許，我們最好還是把那個譯為「**厭惡**」的字，解釋為「化成」，亦即是「我化成微塵」，這是當受造物面對他的創造者時，所產生的感覺，而同時將「**懊悔**」這個字，理解為「安慰」，亦即是：「雖然我坐在塵土和爐灰中，但我得著安慰」（參二8）。約伯仍然在受苦，仍然坐在爐灰中，但因著他親眼看見神，他的痛苦已經得著解脫，他內心的張力已經得到化解。

四十二7-17　結局

為甚麼約伯的故事不就此完結？那是因為約伯曾經要求神證明他無罪，亦即是，要神公開證明約伯是個義人，他的懲罰並非罪有應得。有些讀者認為，喜劇收場破壞了全本約伯記，因為它似乎支持了有關罪和苦難的老套教義。本書結尾提供了義人興旺的結局，豈不正是約伯3個朋友的神學？錯了，因為那幾位朋友堅持義人必然亨通，惡人必然滅亡。約伯的例子表明沒有「必然」這回事。結尾部分表明神喜歡賜福給忠心服侍祂的人。這是一種額外的獎勵，是出於神的恩典；祂並非一定要這樣做。

四十二7-9　在朋友面前證明清白

這是令人高興卻諷刺的一幕，耶和華向約伯幾位朋友強調，那真正是「我僕人」的

（重複了4次！），是約伯，而非他們；那「議論我是的」（7節），亦是約伯，而非他們。當約伯幾位朋友因愚妄而要遭受懲罰，惟有藉著仍然在苦難中的義人約伯為他們祈禱才可免除的時候，幾乎是滑稽的角色轉移（8-9節）。那幾個曾經感到比約伯優越的人，變成了本身需要獲得赦免的人；而約伯不單在他們面前得以證明清白無罪，更成了他們的辯護者。那幾位朋友論及神的都是必恭必敬的說話，又怎麼會被稱為愚妄呢？唯一的原因是他們完全以第三者的角度來談論神，將神當作一個客觀的談論對象，反之，約伯卻堅持親自向神說話。在遭遇苦難的時候，純粹「談論」神，是愚妄的表現。

四十二10-17　公開證明清白

約伯已經在幾位朋友的眼中證明是清白，但在他的親友和同胞眼中，神證明他無罪的印證，就必然是讓他得回失去的財富。約伯得回雙倍的財富（12節）；也許這是暗示對約伯遭受無辜損失的一種賠償（參出二十二4）。約伯從面見神而得到安慰之後（參6節），現在更從他的親友那裏得著安慰（11節）。餽贈金錢和金環（11節），是尊敬的表示，並非為了送禮來讓他重新富裕起來，因為他已經「比他從前所有的加倍」（10節）。他變得那麼富有，以致有足夠的產業分給他的女兒（通常在沒有男性繼承人的情況下，女兒才可分得產業，民二十七）。結尾的部分是用創世記中族長故事的典型筆法作結：「**年紀老邁，日子滿足而死**」，是神最後的祝福。這幅景象，讓我們再次回到本書開始時那片祥和的田園氣氛。在那個離開我們現今那麼遙遠的古老地方，卻曾經發生過一個屬於每個世代的人間故事。

David J. A. Clines

進深閱讀

D. Atkinson, *The Message of Job,* BST (IVP, 1991).
F.I. Andersen, *Job,* TOTC (IVP, 1976).
N.C. Habel, *The Book of Job,* OTL (SCM, 1985).
J.E. Hartley, *The Book of Job,* NICOT (Eerdmans, 1988).
D.J.A. Clines, *Job 1-20,* WBC (Word, 1989).

詩篇

導論

進入舊約的窗戶

成為舊約教會的一分子會是怎樣呢？他們相信甚麼？他們個人及整體上對神有何經歷？他們的宗教使他們快樂或是成為他們的重擔？對我們而言，他們完全是另一時空的陌生人，還是我們在很久以前的一群弟兄姊妹？當我們從詩篇這窗戶看進去，我們會發現詩篇裏的神確是同一位的，只不過今天在基督裏向我們啟示祂自己。詩篇的主角與我們有著相同的本性，也面對相同的人生遭遇。我們同時發現，他們的神賜他們喜樂，也擔起他們的重擔。

相對他們的委身、禱告生活、熱心、知識和歡樂，我們顯得對禱告躊躇和冷漠。但他們是我們的弟兄姊妹。他們的詩歌顯示，正如新約時代神的恩典激勵人服從神的律法，舊約時代的人服從神的律法，也是源於祂恩典的工作。他們也是一個偉大的歌唱民族。偉大的領袖如摩西（出十五）、底波拉和巴拉（士五）、大衛（撒下一）和希西家（賽三十八），平民百姓如哈拿（撒上二），先知如哈巴谷（哈三）——他們用詩歌記下不朽的時刻。**這些詩篇揭示了一個詩歌洋溢的宗教**。難怪從這樣的人和宗教中產生如此偉大的詩歌集了。

詩篇作為聖經書卷

詩篇乃由多本書結集而成。

1.幾乎可以肯定，篇幅較小、曾經是單行本的詩歌集早已流傳〔例如：九十三至一○○篇（耶路撒冷頌）；一一三至一一八篇（救恩大合唱）；一二○至一三六篇（朝聖之歌）；以及一四六至一五○篇（無盡的哈利路亞）〕。

2.有證據顯示，一份早期的選集以單行本的形式被吸納在詩篇中。不少詩篇都附上「交與伶長」的字眼（例如三十一，四十七，五十一至六十二篇）。是否有一位「聖殿音樂總監」曾編輯自己的一本詩集？如果是真的話，他很重視版權——除了第六十六和六十七篇外，他每次都說明原作者是誰，例如「大衛的詩」、「亞薩的詩」等等，而當他收錄詩篇第八十八篇，他表明這是「可拉後裔的詩歌，就是以斯拉人希幔的訓誨詩」。

3.可拉和亞薩是詩班的指揮（代上六31-33、39及其後經文，十五16及其後經文，十六4-7）。詩篇四十二至四十九、八十四和八十七篇是可拉選集，主題是錫安。五十、七十三至八十三篇則是亞薩的選集，強調神的審判和牧人般的照顧。

4.其他作者零碎地出現：耶杜頓（三十九，六十二，七十七篇）、以探（八十九篇）、希幔（八十八篇，參王上四31）和摩西（九十篇）。大多數詩篇都是奉大衛為作者的（三至三十二，三十四至四十一，五十一至六十五，六十八至七十，一○一，一○三，一○八至一一○，一二二，一三一，一三三，一三八，一三九，一四○至一四五篇）。

5.釋經家們向來對詩篇的標題抱懷疑態度。曾幾何時，學者流行把所有詩篇定為瑪加比時代（主前一世紀）的作品，他們看標題為編者的構想，不值得相信。**近期的接納程度較大，將寫作日期定在被擄前。**然而對於哪篇和多少篇詩篇屬於王國時期，仍有不同的意見。普遍都認同「大衛的詩」意即大衛是作者，可是只有少數人像高達[M.G. Goulder "The Prayers of David: Psalms 51-72", *Studies in the Psalter II*, (JSOTS 102, Sheffield, 1990)]那樣認真地接納大衛為作者。然而沒有重大的理由反對這樣做。當然，**詩篇的標題是在編輯時加上的**（它們的第三人稱就是有力的證據），但是在翻譯七十士譯本

時（主前二或三世紀），很多標題的措辭已經不明其意，亦沒有人確實知道這些編輯工作是多久以前作的。這些標題是馬所拉希伯來文聖經抄本的一部分（在那裏它們是每首詩篇的第一節），而在新約中，主耶穌、彼得和保羅都曾討論過它們的真實性。在反對接納這些標題時，有說標題中提及大衛生平事蹟的說話（三，七，十八篇等等）是編輯上的猜測，因為詩篇與有關的事件只有很小或根本沒有關連。除了古時的編輯是不大可能如此草率行事外，這些批評忽略了一事：詩篇乃默想，而不是敘述事實。在每一個例子中，我們都可辯證，或是在事件的進行中，或是在大衛之後的回憶中，這些感情表達都是可以理解的。

6.「E典詩篇」(Elohistic Psalter)提供了進一步的證據顯示編輯的足跡。在四十二至八十三篇中，「神」出現的次數比「耶和華」出現的次數頻繁，並且「神」(Elohim)這名詞似乎是刻意用來取代神的個人名字（參十四，五十三，四十13-17，七十篇）。我們大可假設這是在整部詩篇彙集成書之前所作的。但是對我們來說，這是各首詩歌久歷多個世紀，逐漸成為這卷聖經——詩篇——的另一個難解之謎。

7.詩篇有時稱為「第二聖殿的詩集」，所指的是被擄歸回之人在主前520年建成的聖殿（參拉五1-2，六15；該一14-15）。毫無疑問，這事件能夠激發人編纂一本新的詩集。正如卡夫曼[Y. Kaufmann, *The Religion of Israel* (George Allen & Unwin, 1961), p.311]所說：「這裏沒有一首詩篇，是我們為瞭解它的意義而必須將寫作日期定在一三七篇——被擄期的詩篇——之後」，所有現存的詩篇在被擄歸回時已存在，並供人選讀。此後，在四十一篇13節，七十二篇18至20節，八十九篇52節和一〇六篇48節的末了加上一段榮耀頌，很可能就是由這時起把全書分成5卷之時。但我們又再面對一個沒法解答的難題：這五分法是否為了以5卷詩篇來配合5本律法書呢？天曉得。

崇拜的詩篇

現代詩篇研究之父是庚克[Hermann Gunkel, *Die Psalmen* (Vandenhoek & Ruprecht, 1926)]。他嘗試將每一篇詩篇與它的實際處境串連起來。他將詩篇按內容分類：(1)讚美詩，諸如詩篇八、十九、二十篇，它們專述神的偉大與屬性。將讚美詩再細分，則得出登基詩篇——慶祝神作王（例如四十七，九十六，九十八篇）和錫安詩篇（例如四十六，八十七篇）；(2)群眾哀歌，諸如七十四，七十九和八十篇；(3)皇室詩篇，以君王為中心（例如二，四十五，一一〇篇）；(4)個人哀歌，這類別數量最多（例如三至七，一四〇至一四三篇）。將個人哀歌再細分，有信心詩篇——詩人流露出對神將施行拯救的確信（十一，十六，二十三篇）；(5)被拯救後的個人感謝詩（例如三十，三十二，一一六篇）。除了這些主要的種類外，一些數量較少的種類是：群眾感謝（例如一二四篇）、智慧（四十九篇）、朝聖（一二〇至一三四篇）和禮儀崇拜詩（十五，二十四篇）。

庚克的分類法並沒有提供一致的準則，類別之間主題差別的特色也不明確。有時候他強調形式和結構，有時候強調內容，但至少他將詩篇的研究從枯燥乏味的日期討論中解脫出來，並且提倡了一種活潑的欣賞方式，藉此了解詩篇的內容和它們的寫作目的。其他人在他分類的取向上加以建立和發展；他的見解影響最深的是：要明白詩篇，首先要理解當代的敬拜形式，即是以色列的聖殿敬拜。

禮儀崇拜面面觀

詩篇很注重神的居所（八十四篇）；它們視「聖山」、「會幕」、「祭壇」（四十三篇）為通到主那裏之管道；它們充滿著內裏的虔敬，並伴隨著外在的行為——也使這些行為變得有意義（一一六13-19）；唯獨當發自正確的心時，獻祭才成為「公義的祭」（四5）。

縱然難解，標題上很多資料都是有關個別詩篇在公共敬拜中的用法。「詩」(psalm)（四，五十五篇等）表示有音樂伴奏，雖然它與「歌」(song)的分野並不清晰。然而，兩者定有不同，因曾共用這兩字（例如三十篇）。「祈禱」（例如十七篇）、「讚美」（一四五篇）及「學習」（六十篇）說出一首詩篇可達致之功能，有點像現代詩歌本的題目分類。

音樂形式也是多姿多彩，包括絲弦的樂器（四篇），吹的樂器（五篇），八調的合奏

〔或可理解為八弦的樂器（六篇）〕；曲調變化多端，如：「慕拉便」（九篇）；「朝鹿」（二十二篇）；「百合花」（四十五篇）；「遠方無聲鴿」（五十六篇）等。「迦特」（八，八十一，八十四篇）意思是「酒榨」，可能是街知巷聞的輕快曲調。

有些字眼雖然意義不明，但或多或少都反映該詩在聖殿崇拜的用途：「流離歌」（七篇；參哈三1）；「金詩」（十六，五十六至六十篇）；「訓誨詩」（三十二篇等）；並「細拉」（三2、4、8等）。金詩原義可能與「遮蓋」的動詞有關，因為仇敵在這類詩篇中出現，「金詩」的標籤可能幫助讀者在需要保護時，選取這些詩篇。「訓誨詩」的確可能指「訓誨」，但為何這些詩篇特別有這個功用便不得而知。「細拉」出現在詩篇本文中，可能指一些分段；敬拜途中唱出詩篇時，「細拉」可能是默想性或音樂性的間奏。但它的字面意思和在音樂中的重要性已不詳了。

自從莫文克的研究結果發表後[S. Mowinckel, *The Psalms in Israel's Worship*（Blackwell, 1962）]，很多人相信住棚節是包括每年對神的王權之慶祝。「耶和華作王了」（九十三1，九十七1，九十九1等）是膜拜儀式中的喝采，再次肯定神的王權遍及全地，並再次肯定來年神子民所承受的福澤。無疑，在後期（亞十四16及其後經文）住棚節跟王權並昌盛連上關係，但在被擄之前的時代，這方面並不明顯。

當耶羅波安要將新建的分裂王國由神殿和大衛王朝中割裂出來時，他製定八月十五日為節期，「像在猶大的節期一樣」。在以色列曆法中，八月根本沒有節期，住棚節是在七月十五日。耶羅波安會否參考此而仿造節期？若然，則住棚節也是與王權有關的節期了。我們須知道，「登基詩篇」（四十七，九十三，九十六至九十九篇）是數個相關主題混合而成：王權、創造並對靈界不穩力量的統治權。因此，我們大有理由把周年慶祝，想象為類似我們今天的「基督昇天日」那樣。另一方面，莊遜[A.R. Johnson, *Sacred Kingship in Ancient Israel*（University of Wales Press, 1967）]和易通[J.H. Eaton, *Kingship and the Psalms*（SCM, 1976）]嘗試從一些詩篇中（例如二，十八，八十九，一〇一，一一〇，

一一八篇）推論出周年性的地上／大衛王朝復興儀式。可是這論點並不為人普遍接受。這理論的廣泛意義是，很多（如非所有）個人哀歌詩篇是君王詩，象徵王被他普世的敵人所挫而投靠主，指望得著解救。最具體的莫如詩篇二十二篇，它的內容圍繞被敵羞辱和神至終戲劇性地介入。四十六篇8節（「你們來看……」）和四十八篇9節（「我們在你的殿中，想念（或譯：戲劇化）你的慈愛」等經文，均被視為戲劇化之膜拜禮儀的典型經文。

同樣地，韋瑟[A. Weiser, *The Psalms*（SCM, 1962）]所說更新聖約的周年慶祝，也沒有獲得廣泛支持。他認為住棚節的主題並非主的作王，而是更新聖約之國家活動。雖然韋瑟發現一首又一首的詩篇論及此點，一般認為他對自己的理論過分熱心；雖然有些詩篇，例如五十和八十一篇明顯有一個以十誡及西乃事件為焦點的儀式作背景，但這不足以作為建立一個重要節期的論據。每7年的宣讀律法（申三十一9及其後經文）足以解釋這些詩篇的背景。

🌡 主 題

當我們思想詩篇在今天教會中的歷久不衰的影響力時，我們只能討論數個重要題目。

一、主

詩篇其中一個顯著特色是：儘管有大量個人見證，給讀者最深刻印象的並非是人，而是神。在這方面，詩篇是舊約的縮影：主是創造者（八，一〇四篇）。然而這並非世界起源的抽象觀念；這是祂今天作為王，統治萬有的根據（二十九，九十六至九十九篇）。祂的統治的公義性質固然顯著（十一，七十五篇），但在神聖王權的偉大樂歌中（一四五篇），公義只是一份三明治中的一層，伴隨著還有神的偉大與恩典。神的良善（三十四篇）跟祂的聖潔是不可分割的（一〇三篇），也與神的憤怒相輝映（三十八篇）。祂的統治遍及全世界（六十七篇），但在以色列中最為顯著（八十七篇），這兩方面的真理，在彌賽亞的「大衛」——以色列及普世君王（二，七十二，一一〇篇）——裏，歸為一體。無論是

對整體子民（八十篇）或是個人（二十三篇），主是牧人，這成為仰望祂的拯救（十六，二十五，三十一篇）和認識祂體察子民之需要（例如三，二十七篇）的信心基礎。同時，詩篇論到神的引導、神的子民個別（例如十，十二篇）或整體（四十四，七十四篇）常遇患難的問題。坦白承認苦難是神子民經歷的一部分，能幫助子民對公義與亨通（例如一篇）的關係，有正確的看法。這類經文並非經歷之描寫，而是信心的宣告（就如當我們在這不信神的父性和全能的世界中確認祂的全能和父性一樣）。因為神是良善的，而且再沒有別神了，所以祂子民的前途是有保證的。

二、君王

詩篇中君王的形象，如非對大衛一脈的君王不符現實地高歌奉承，就必定是一個偉大理想形象和真理鏡子的表達——每朝君王都按此被稱量，直等到會成就一切的那一位來臨。他遇到世人的敵擋（二1-3，一一○1），但作為得勝者（四十五3-5，八十九22及其後），並藉著上主之工作（二6、8，十八46-50，二十一1-13，一一○及其後經文），他建立和統治世界的國度（二8-12，十八43-45，四十五17，七十二8-11，八十九25，一一○5及其後經文），定都於錫安（二6），並以高尚的道德水平為統治方針（四十五4、6，七十二2-4、7，一○一篇）。他的統治是永遠的（二十一4，四十五6，七十二5）、興旺的（七十二7-16）和永不偏離主的（七十二18-19），滿有恩賜、恩典與威嚴（四十五2-7），他也是貧窮人的朋友，是欺壓者之敵人（七十二2、4、12-14）；在他蔭下，義人發旺（七十二7）。他永被紀念（四十五17）；有一永存之名（七十二17）；他也是感恩不斷之對象（七十二15）。在與主的關係上，他是蒙永福之人（四十五2）。他是大衛之約的後嗣（八十九28-37，一三二1及其後經文），也承繼了麥基洗德的祭司職分（一一○4）。他屬於主（八十九18），也忠於主（二十一7，六十三1-8、11）。他是神的兒子（二7，八十九27），坐在祂右邊（一一○1），而他自己就是神（四十五6）。

上述的經文應在註釋部分詳細查考，但無論如何，這幅圖畫的偉大無際是清楚不過

的。這個君王形象的很多方面原則上均可以追溯到拿單在撒母耳記下七章的基礎性曉諭上；但至於這些盼望如何演變成為對一位完美、公義、既人又神、永恆並普世的君王之期望，則無從稽考了。舊觀點不值一哂：當君主體系隨著巴比倫的擄掠而終止，並絲毫沒有復元之徵兆時，彌賽亞盼望就萌生了。君主體系的失敗其實可追溯至大衛自己！在士師記十七章6節，十八章1節，十九章1節，二十一章25節所暗示的光明盼望不曾成就；寫列王紀的史家轉移焦點：由憲制的、道統的和聖約的猶大皇室轉移到隨興而行、目無王法的以色列國宗室中，但那祈盼的君王卻依然無跡可尋。這失敗正是舊約一個最偉大盼望的根源。

三、咒詛

詩篇中對敵人咒詛之烈向來令讀者感到困擾。究竟渴望敵人突然毀滅（三十五8）、死亡（五十五15）、牙齒被敲碎（五十八6）、窮困（一○九10）和家破人亡（一三七9），與基督的心有何共通之處？大約有25篇詩篇屬於這類別，釋經家通常稱它為過時的「舊約道德觀」，神在基督裏的啟示已將之定罪。這種解釋產生了個問題：1.相似的情緒在新約（加一8、9；啟六10，十八20，十九1-3）及主耶穌的教訓（太十一20-23，二十三13-36）裏也存在。如果這是一個問題，這個問題是屬乎全本聖經，而非獨是舊約的。2.舊約也如新約般提倡愛（利十九17-18），說明神憎惡強暴（詩五6），鼓勵人以善報惡（詩七3-5，三十五12-14）及勸止報復（申三十二35；箴二十22）。3.在幾乎每篇含有令我們反感的咒詛詩篇裏，同時伴隨著令我們又羨又忌之美好靈性，如詩篇一三九篇。曾有釋經家在把咒詛詩篇分類為「與福音精神正正相反」的同時，描寫一三九篇9至22節為「在人心裏抗拒邪惡的不滅怒火」[Kirkpatrick, *The Psalms* (Cambridge, 1910)]——因為根本不能說1至18節的作者內心醜惡。

更正面說，我們注意到咒詛詩全是禱告（一三七9除外，參註釋）。沒有任何跡象顯示詩人計劃復仇行動，他們甚至連報復心態也沒有。他們受到傷害之後，只是將事情交託給主，而再無進一步的行動。正如司徒德所寫：「我並不覺得難以想像神的聖民在呼求

神代為報復時，並無帶著任何個人怨恨之情緒。」[*The Canticles and Selected Hymns* (Hodder & Stoughton, 1966), pp.11ff]生活在這個殘酷的世界——當個人仇恨被視為權利，當社會的問題（無論是現實還是想象的）把暴力、恐怖活動、炸彈和虐待合理化時，我們至少應該想一想，就算我們對咒詛詩反感，寫詩咒詛總好過我們今天的實際報復行動。我們根本毋須責備詩人：他們的禱告使我們震驚，皆因它們夠寫實。我們在愜意地看一四三篇11節的同時，對反映現實的下一節經文（12節）卻感到猶疑，就如我們懷著一顆高興的心，為主耶穌再來而祈禱時（帖後一7），對於祈求神降下火焰來消滅不聽從福音的人（帖後一8）則感到不安。如果我們更聖潔——更肯定的是，如果我們大受逼迫——我們會更容易認同，而非譴責這些詩篇。

以下的註釋會專注於每首詩篇之結構，藉此幫助我們更準確瞭解它們的含義。容許我鄭重提醒每一位詩篇研究者（其實對每一位聖經學生也適用）：「媒介本身就是信息」；第一個學習目標應該是明白結構。請看專文：「詩歌書的研讀」。

📖 註　釋

詩篇卷一

第一篇　影響一生的對比

詩篇第一篇是整卷書的引言。這是一篇信心的詩篇（3節下）。詩人閱透世情，深知「凡他所作的，盡都順利」的應許，並非指我們因行善而在今世自動得著回報（參四十二及七十三篇）；相反，我們一方面不斷宣稱信靠全能慈愛的父神，但同時卻經常發現，世事似乎往往和這真理牴觸。所以，**第3節**所宣告的，其實是一個「信念」：全地是屬神的，屬神的人最終定必得福（6節）！此外，這也是一首委身的詩篇：委身於一個與世人有別的生活方式（1節），並委身於神的話上（2節）。事實上，與世人迥異正是本篇的重要主題。

A¹（1節）蒙福的道路
　　B¹（2節）持守神的律法
　　　C¹（3節）長青的果樹
　　　C²（4節）轉瞬即逝的糠秕
　　B²（5節）在神的審判面前站立不住
A²（6節）滅亡的道路

第1節　蒙福的道路：今生的生活「有福」（譯按：在新國際譯本中，「有福」(Blessed)是全首詩的第一個字詞）一詞可有蒙神賜福、快樂滿足和本質上正確的3種含義，視乎文意而定。上述3種含義在本篇均適用。祝福和快樂來自持守一個正直的生活方式。「不從」、「不站」、「不坐」顯示我們的獨特性，須在日常生活中彰顯出來。

第2節　持守神的律法　神的「律法」就如慈愛的父親給予愛兒的訓誨（箴三1）。第1節說明人如何在外在行為上主動順從神的律法；而第2節中的「喜愛……思想……」則代表人內裏對神話語的敬虔態度——一種情理兼備、「晝夜」不斷的敬虔態度。

第3節　長青的果樹　「栽」即自一處移植往另一處，意指神將義人「遷往」一個煥然一新的境況中（八十8；參西二13）。

第4節　轉瞬即逝的糠秕

第5節　在神的審判前站立不住　「審判……會中」。在神審判的日子，屬神的人（「義人」）與偏行己路，沒有活在神啟示之規範下的人，結局將大不相同，成為強烈的對比。

第6節　滅亡的道路：最終的結局「知道」（新國際譯本：「看顧」），代表人與神建立了親密的關係，活在神的保守中。全篇以「滅亡」一字作結，與篇首所提及的「有福」，成了強烈的對比。

第二篇　統管全地的王

本篇可分為4段。詩人首先在第一段（1-3節）指出，世上的「君王」意圖敵擋「耶和華」和祂的「受膏者」；然後在第四段（10-12節）呼籲那些君王省悟，勸喻他們「投靠」並效忠神之「子」，事奉「耶和華」。在首末兩段中間加插了兩段說話：先是神宣告祂已膏立祂的兒子執掌王權（4-6節），然後神子述說神要祂治理全地的應許（7-9節）。**本篇的主題是建基於撒母耳記下第七章中，耶和華對大衛的應許**：美名、作神兒子的特權和不斷的國祚。這首詩可能是用於大衛家每一位君王的登基大典中，祝賀登位者接掌王權，並重申神的應許。但這應許要到偉大的大衛之子降生方才全然應驗（路一31-33）。全世界都拒絕這位君王的統治（路十九14），甚至曾把他置諸死地（徒四25-26；林前二

8）！直至今天，儘管人的態度看來如何溫和及包容，但骨子裏仍然仇視、敵擋及反叛神和基督。大衛王朝歷代以來均在外邦鄰國的敵視中生存，這反映了世界對神的反叛；本篇亦有預言耶穌遭世人棄絕的味道。

第1-3節「謀算虛妄的事」意指在背地裏議論紛紛。這裏的重點是喧鬧不安，多於密謀背叛。誰奪去了世上的平安？答案在第2節：當人拒絕耶和華並祂的受膏者時，世上就不會有真正的平安！與神為敵是墮落人性的中心特質（西一21）。「受膏者」（參撒上十六13，二十四6；賽十一1-9）。「捆綁……繩索」：這是撒但的騙局（創三1-5），要把蒙神賜福的條件說成神惡意限制人享受應有的自由。第4-6節神既沒有與反叛者談判，也沒有迎合他們的要求；祂重申祂的聖旨：祂所揀選的已被「立」，再沒有爭議的餘地！就如創世記第三章，人類始祖的背叛對神的主權沒有半點動搖。「怒……烈怒」分別是令人感受到和已發出來的烈氣。「錫安」是大衛王國所在之地，象徵神在基督裏新造的中心（來十二22-24）。第7-9節強調受膏者的兒子名分，及祂承受「基業」的應許，並授予祂的權能。「我的兒子」象徵神收納有大衛血統的君王為兒子，而父子關係由「今日」（即登基之日）正式開始。當這段經文被引用於解釋耶穌的復活時（徒十三32-37），則代表神將已成的事實明白地公告天下。「你求我」：代表神的兒對對父謙卑順從，有別於叛逆的諸王。祂曾為此受試探（太四8-10），並且得勝（太二十六39）。「鐵杖……瓦器」：神子絕對的權能和諸王的無助，成強烈對比。第10-12節「事奉……親嘴」：不順服神子就不能事奉神！「畏懼……戰兢……快樂」：信心與自以為是大有分別：以嘴親子的人，對祂的聖潔「怒氣」時刻儆醒，也對祂常有合理的「畏懼」。「有福的」（參一1）。「投靠」：「我們沒有其他人可投靠，只有投靠祂！」（Kidner）

第三篇　禱告與信心　迎接新的一天的詩篇

本篇的主旨相當明確：禱告帶來能面對生活的信心（4-6節）。

A¹（1-2節）需要：沒有拯救
　B¹（3節）宣告：神的保護

C（4-6節）禱告帶來信心
　B²（7節）懇求神施行拯救
A²（8節）出路

這篇詩篇是以撒母耳記下十五章13節至十七章24節作為背景的。大衛逃避兒子押沙龍的第一晚，大衛的心情極為沮喪（1-2節），這也是可以理解的。而醫治沮喪的良方，是首先堅定不移地重申神的真理（3節），然後尋求神的協助（4節）。大衛藉此得了一夜安寢（5節），並於翌晨重獲信心（6節）。即如首晚以禱告結束，新的一天也以求「救」開始（7節），因為祂向來敵擋大衛的仇敵。故此，信心的禱告源於過往恩典的經歷，也可產生明天的盼望（8節）。

第1-2節　需要：沒有拯救　「得不著神的幫助」：這對大衛而言，實在是致命一擊。敵視的態度（「敵人」）轉化成行動（「起來」），而眾人皆認為今次神也幫不了他！

第3節　信心宣告：神必保護　「但你」是充滿感情的寫法。要突破第1至2節的灰暗，關鍵在於對神有重新的省悟。「我的榮耀」：儘管人能奪去大衛在地上的一切，卻不能奪去他的神！「抬起頭來」（參撒下十五30）。

第7節　懇求神施行拯救　「耶和華啊，求你起來！」（參民十35）：大衛引用摩西的歌，來宣示他對神的信心。儘管他和隨從似乎在失敗之中，但他們仍在神的照管引導之下前行。「腮骨……牙齒」：擊打面頰代表責難（王上二十二24），而敲碎牙齒象徵使對方失去攻擊能力。

第8節　出路「救恩屬乎耶和華」。

第四篇　禱告、認識、信靠、安息

這是一首晚禱的詩篇（8節），相信是大衛逃避押沙龍追殺（參三篇）的另一個晚上，於惶恐難眠的情況下寫的。儘管謗瀆他尊榮的敵人（2節），及他自己陣營中感到絕望的跟隨者（6節）帶給大衛的壓力仍在，大衛藉這首「禱告」（1節）的詩篇達致「安然」的心境（8節）。但這首詩的最中心主題卻並非禱告，而是認識（3節）及信靠（4-5節）。大衛在想像中，向押沙龍朝中侍立的謗瀆者宣講他所知道的；同時亦向自己陣營中正準備就寢的沮喪者訴說他所信靠的。

第1節真正的禱告是迫切的（「我呼籲的

時候，求你應允我」）、建基於神的公義（「顯我為義的神」）、具體的（「我在困苦中，你曾使我寬廣」）和仰賴神的憐憫（「求你憐恤我，聽我的禱告」）。**第2節**在幻想中向押沙龍的臣宰呼籲，要他們停止謗瀆他君王的「尊榮」，不要再對權力存「虛妄」之想及要棄絕「虛謊」。**第3節「虔誠人」**：一個意義複雜的字，泛指那些愛神的，又蒙神以不變的愛所愛的人（參提後二19上）。**第4-5節**大衛對陣營中已灰心喪志的人忠告：「應當畏懼」，我們毋須否認感到恐懼，正確的處理方法是在黑夜中安靜禱告（第4節的「**心裏思想**」應譯作「心中說話」），以獻「祭」的心〔5節上，包括奉獻（燔祭）、認罪（贖罪祭）、和相交（平安祭）〕和「倚靠」的心（5節下）親近神。**第6節**以適切的禱告回應沮喪。**第7-8節**大衛的見證：禱告帶來的喜樂，勝過世上所能得的，因為平安和穩妥，「獨有……耶和華」可賜。

第五篇　得勝禱告的道德內涵

　　本篇內容很可能是大衛逃避押沙龍的第二個早晨向神默想的詩章（參詩三）。這詩的標題並沒有記錄歷史背景，但第3節說「**早晨你必……早晨我必……**」，這樣輪流出現的禱文，乃是人在義中尋求神的表現，而詩人提到惡人惡事是神所不悅的，反映了忠奸善惡的分界，正合大衛受押沙龍所困的苦境。

A¹（1-3節）在主裏堅定的信心
　B²（4-6節）主不喜悅惡人
　　C（7-8節）為行主的義路而盡心竭力
　B²（9-10節）主斥逐背逆之人
A²（11-12節）在主裏的喜樂

　　這是一篇以敬虔、神聖之禱告為中心的詩，詩人所求的是過公義的生活（7-8節）。大衛引作孽妄言的人作對比（4、5、9節），也點出盼望神垂聽禱告之人當付的代價（1-3節），並指出屬天的保護就在跟前（11-12節）。

　　第1-3節　在主裏堅定的信心，因主必垂聽禱告　1.禱告乃是把難處（「心思」，新國際譯本：「歎息」）化成「言語」（1節）；2.深信把心中的困難道出，必蒙應允。留意其中的屬靈次序（2節）——「垂聽……因為……祈禱」。3.在每日之始、日日如此——「早晨……早晨……」（3節），這裏並非著重

規律性（參賽五十4），而是著重每天都把禱告放在優先的地位。4.要存儆醒之心來等候應允。

　　第4-6、9-10節　主不喜悅惡人，且要斥逐背叛的　這3段都以「因為」一詞來列出原因，例如大衛（1-3節），他深知禱告會蒙答允，「因為」神是不喜悅惡事的神（4-6節），他也求神引領，使自己能行在神正直的路上（8節）；詩人在此是求與惡人有分別，免被主所「逐出」（9-10節）。這是一個禱告者應該承擔的道德責任，這裏包括他的人格操守（4、5節上）、品德（5節下），言行（6節上）、與神與人的關係（6節下）和誠實（9節上）。**第10節**這樣的禱告，求神定虛謊邪惡之人的罪，到底是否合宜呢？其實詩人不過循神一貫的作風（參導論），求祂作祂所承諾作的事——暴露惡人的邪僻，並刑罰惡人，追討罪孽（10節）；使讒妄之人因自己的計謀受害（10節下；參申十九16-19）；詩人不過交給神作裁決，並不是要報私仇（箴二十二22；羅十二19），他關注的是人背叛得罪了神（10節下），並非私人的恩怨。**第7節**聖殿尚未建立，大衛怎麼會提到「居所」和「聖殿」呢？如果參看撒母耳記上一章9和24節，就明白居所、聖殿等稱謂，一般是指神居住的地方，不管是聖殿還是指會幕（撒上二22；撒下七2）。人能存「敬畏」之心，進入至聖所，真是神「豐盛的慈愛」啊！

　　第11-12節　因神護庇而喜樂　「義人」是指向神能坦然，毫無虧欠的人。

第六篇　極大的艱難、無比的應許

　　詩中所述的諸般敵患（7、8、10節），暗示情況正如第三篇一樣危急。詩人疲於逆旅，處處恐懼敵人侵襲，還帶著家眷隨行（撒下十五16、18、22），責任重大，難怪大衛也覺疲乏困倦不已（撒下十六14，十七29），而第2節更點出他可能正是抱病在身。身體、情緒和心靈都陷入低潮，大衛在此記下他內心深處的呼聲。各方的兇險如浪淹至，詩人難以一一防禦（6、7節），但從深處著想，詩人經歷了神的「烈怒」，因此自覺「軟弱」（2節）和震驚（2節的「**發戰**」即震驚）。大衛在消沉中可能想，若沒有跟拔示巴犯姦淫（撒下十一，十二），到他的長子污辱押沙龍的妹妹之時（撒下十三），自己也不至

517

無力施以援手。而他若沒有錯誤地處理押沙龍的問題，縱容了他輕狂的本性（撒下十四，十五），背叛的悲劇也許不會發生。難怪大衛感到神已在怒中離開了他（4節）！

不過千般的悲痛雖然叫人斷腸，但是解脫的出路卻是再簡單不過——求神「可憐」必能得著安慰（2節），並知道「耶和華聽了我的懇求」（9節）。最大的艱難尚且因禱告而釋然，別的難題豈非也可以同樣的原則來得疏導（10節）？

藉著禱告祈求，大衛的恐懼（1-3節）反成了仇敵的「羞愧」（10節，羞愧直譯是恐懼；參2、3節），神垂聽禱告（4、5節），仇敵就紛紛離去（8、9節）。大衛經歷軟弱（6、7節），才體會自己的能力。

附註 第5節常被人引用，說舊約對死後沒有甚麼盼望（參四十九，七十三篇），但大衛在此只不過提到人若偏離神，死後就毫無指望，因為必落在神的震怒中。關於這方面的真理，新約所啟示的自然比舊約來得豐富（太十28）。

第七篇 無虧的良心所帶來的祝福

我們不知古實是誰，卻知道以色列王掃羅為便雅憫人（撒上九1），常有許多便雅憫人在他身旁侍立（撒上二十二7）；亦知道他被讒言煽動，要對付大衛（撒上二十四9，二十六19）。類似如撒母耳記上十八章18至24節記載之情景，足以讓這世上眾多的「古實」有機可乘，以讒言激發掃羅對大衛產生無理性的畏懼。然而大衛深知有關他對掃羅不忠的指控盡皆不實，即使站在神的審判寶座前（6、7、10-13節），他亦可問心無愧（8節下、9節）。這數節亦是全篇的中心點，召喚神的子民，務要保守自己良心無虧（徒二十四16；來十三18；彼前三16）。

A¹（1-2節）向神禱告，尋求保護
　B¹（3-5節）罪及其報應
　　C¹（6-8節上）公義的神
　　　D（8上-9節）無虧的良心
　　C²（10-13節）公義的神
　B²（14-16節）罪及其報應
A²（17節）感恩及讚美

本篇的行文環繞一個熟悉的主題：禱告化解危機並產生對神的讚美。第3至5節和14

至16節表明，罪與其報應相連。大衛此刻願意面對最嚴格的公義審判。罪本身就仿如有意志的回力刀，叫人自食其果（14-16節）。然而罪的報應之所以會歸回犯罪者頭上，全仰賴那位公義（6-8節上）及向惡人發怒（10-13節）的神。祂恆久不變，隨時預備向不悔改的人施行刑罰；而各人亦終有一天要站在祂面前接受審判。深切認識罪的大衛在這樣一位神面前力陳自己無罪：這就是無虧的良心和所帶來的祝福。

第1-2節　向神禱告，尋求保護 「投靠」：拯救尚未出現（17節），但神的保護卻是眼前的事實。「一切追趕我的人」（1節）於第2節變為單數（直譯：「恐怕他」），意指大衛雖有眾多仇敵，但主要的卻是一位，正如本篇標題所示。

第3-5節　罪及其報應：大衛的見證 「交好」（4節）：受友好條約所約束的。非但沒有還以顏色，大衛更曾以善報惡（參太五43-48；羅十二17-21）。在掃羅王圖殺大衛多年後，大衛仍為他奏琴驅魔，並數度效忠服侍他（撒上十八10-13，十九9，二十一1，二十四10、17，二十六18、23）。「使我的榮耀歸於灰塵」（5節）即公開破壞我的名聲。

第6-8節　上公義的神：最後審判 「眾民的會」意指最後的審判。儘管今天神或許會因著祂的慈愛暫時寬容罪惡，但到那日祂必追討。然而大衛對自己的清白無罪充滿信心，甚至要求神現在便施行審判！

第8上-9節　在神面前常存無虧的良心 「公義」（8節）並非指全然無罪、無可指摘，而是指在某項指控上是清白的。「心中的純正」（8節）指大衛的公義並非單單墨守成規，而是全人的趨向。參「心腸肺腑」（9節）：包括思想、意念、感受和反應。

第10-13節　公義的神：拯救者及審判者 神是我的盾牌，是我的保護者。「回頭」（12節），即悔改。儘管面對這樣公義的神（9，11節），悔改使人免去審判。

第14-16節　罪及其報應：必應關係 第14節以「試看！」開始，表明罪和報應是因果定律，絕無例外。

第17節　預先感恩與讚美 無虧的良心使大衛對前景充滿信心。

附註 標題：「流離歌」，參導論。

第八篇　卑微者的神

如果把本篇的第1節下至第2節刪去，剩下的將是一首結構工整、主題一致的詩歌。詩歌以頌讚神的「美名」開始和結束，而在中間有兩個等長的詩節，一詩節講述神俯就卑微，確認人的身分，並給予人類尊貴榮耀（3-5節）；另一詩節則重申祂給予人管理一切受造之物的地位（6-8節）。新約聖經看此段經文為代表主耶穌基督的王權（弗一22；來二5-9）和將來的勝利（林前十五27），這勝利會與祂買贖的子民共享（啟五9-10）。

但甚麼引發詩人產生神俯就卑微，及人統管世界的思想？我們將所刪去的第一詩節放回原位即可得知答案：原來那超乎萬有之上、掌管萬有之神（1節下）定意使用那「嬰孩和吃奶的口」（2節）。到底這節經文應按字面解釋——初生嬰孩使仇敵閉口無言；抑或大衛其實是以此比喻那微小、軟弱、無權無勢的人？我們無從得知，但顯然大衛曾有一些令人回味的「以弱勝強」的經歷，以致當他在晚上（3節）思索這問題時，悟出這個神的法則：在浩瀚無際的宇宙中，人類何其渺小；然而主卻顧念並抬舉人類，叫萬有服在他們的治理下。這真理已在主耶穌基督身上完全成就，並且將來要成就在祂所救贖的子民身上（來二5-9）。這法則顯於神揀選的奧秘上（林前一26-28），亦是每一位信徒可隨時親身經歷得到的（林後十二9-10）。

附註　第1節上「我們的主」，直譯是「我們自主的那一位」（9節同）。**第2節**「建立了能力」：這能力建立在穩妥根基上。「報仇的」可有兩種解釋，一指為討罪而來的復仇者（耶五9）；但這裏卻是指那些為一己利益而行事的人（參四十四16）。

第九、十篇　掙扎中的信心

詩篇第九和第十篇合起來，是一首不完整的字母詩（參專文「詩歌書的研讀」）。其中有4個字母不見了，兩個字母位置調換，並有一個字母出現在詩節的第二個字中。有人曾嘗試把它重組成完整的字母詩，但所失落的字母以6個一組分為3組：九章1至12節，九章13節至十章6節及十章7至18節。主題是「惡人」的逼迫（九6、17、18，十2、3、4、13、15）。第一大段（九1-12）以讚美作開始和結束（1-2、11節），是一段平靜的宣告：惡人雖在四周，但神仍然坐著為王。但到第二段（九13至十6），因著現實生活的兇險動盪，詩人向神呼求「憐恤」（九13）及反擊（九19）。神站在遠處（十1），而惡人卻猖獗（十2-6）。結局雖然明確（九15-16），但未必能使人在眼前困境中得著即時的安慰。第三大段（十7-18）則表明，禱告足以應付眼前困境。惡人（7-10節）以為神不再鑒察，但神並非他們想象中那樣。相反，禱告帶來神的介入，神最終必會全面消滅和審判惡人（11-16節）。神會垂聽禱告，並會為無助者伸冤，而欺壓終必停止（17-18節）。

九1-12　堅定的信心

A¹（1-2節）讚美
　B¹（3-4節）公義的君王
　　C（5-6節）最後審判
　B²（7-10節）公義的君王
A²（11-12節）讚美

惡人最終必被打倒，欺壓終必停止，這不單是我們的安慰，更是我們信心的起點（5-6節）。「耶和華坐著為王」：大衛首先想象在最後審判的日子（3-4節），以過去時態記錄他的「仇敵」如何敗亡，和自己獲宣告無罪的情況。大衛並在7至10節的平行段落中，期盼執掌王權的神在那一天施行審判。

第1-2節　稱謝　「奇妙的作為」是超越人類能力範圍的作為。「因你歡喜快樂」：喜樂的源頭由那些「奇妙的作為」轉移至施行作為者身上。「名」：代表祂自己的本性。儘管生活艱難，萬物的結局仍未臨到，我們仍可因神自己及祂的作為歡欣讚美。

第3-4節　公義的王：傾覆與宣告無罪「一見你的面」：主的臨在已經足夠（啟六16）。

第5-6節　最後審判　神的審判範圍包括人的本性（「名」）、作為（「城邑」）和歷史地位（「名號」）。

第7-10節　公義的王：審判與保護重複第3至4節的「寶座」、「公義」及「判斷」。這幾節將神為屬祂的人伸冤（4節）闡述成大衛一行人等必得平安的聲明。換言之，在最後審判臨到時要顯露的事實（因神屆時坐著為王），今天也是事實（因神時刻皆坐著為王）。**第9-10節**描寫神的本性和我們可

做的事。祂是我們的「高臺」，是高高在上的，顯示我們極度平安穩妥。「沒有離棄」：是以過去完成時態表達神的本性恆久不變——現在不會，永遠也不會。

第11-12節　讚美主作王（和合本：「居」）　最後審判使主的王權最清楚地彰顯（4、7節），但祂今天已是王，管治祂的子民；我們要向「眾民」（新國際譯本：「列國」）傳揚此事。「所行的」：包括祂的創造、救贖和保守。

九13至十6　衝擊中的信心

向神呼求憐恤（九13）及向神追問「為甚麼」（十1），點出這首詩歌第二大段的主題。信心仍然堅定，因為它不是建基於地上變幻無常的福樂，而是建基於仍然坐著為王的神。但地上的衝激確實存在；我們所處身的世界許多時候看來都是由心中無神和敵擋神的人掌管。

A¹（13-14節）現今的需要：危難迫近
　B（15-20節）將來肯定的結局
A²（十1-6）現今的需要：神似乎離我們很遠

第13-14節　現今的需要：危難迫近「把我提拔起來」：強調神作為提拔者的屬性，而不單指神提拔的行動。由堅定的「我要傳揚」（1節）轉變為「好叫我述說」（14節）。兩者皆是指複述的動作。眼前的困境使讚美聲消減。雖然詩人深信神終會有所行動，但如果神現在就採取行動則更好！這實在是一首非常寫實的詩篇！

第15-16節　罪必招報應「陷在……纏住」（15節）：過去完成時態表示肯定語氣。在神的照管下，罪是回力刀。16節用現在時態，顯示惡人現已（在不知不覺中）自食其果。

第17節　惡人被除掉「陰間」：死人所在之地。

第18-20節　神必不忘記雖然將來的審判（15-17節）和拯救（18節）勢在必行，但對眼前困境毫無幫助。因此，詩人需要禱告（13節）。

十1-6　神似乎離我們很遠

詩人的疑問（1節）所表達的，並非一個神學上的客觀現實（參九10），而是詩人的個人感受。許多時候，我們都會失去神與我們同在的感覺，適切的反應不是灰心喪志，而是將問題帶到主跟前。第2-6節道出信心和現實經驗之間的張力：憑著信心，我們深信惡人定必陷入自己的網羅（九15）；但現實往往是「困苦人」陷入網羅（2節），而惡人則繼續把持他們的錯誤價值觀（3節）、實際上的無神論（4節）、繼續不擇手段地享通（5節）和滿足穩妥（6節）。

十7-18　以禱告維繫的信心

第7-11節　困境：惡人言語充滿敵意（7節），常以謀害人為動機（8、9節），毫無憐憫地施暴（10節），並且實際是無神論者（11節）。

第12-16節　對策：向神禱告。基於神的全知、定意，以及對有需要的人的應許（14節），呼求祂介入，捍衛困苦人和真理（12-13節）；並要求神終止惡人的權勢，追究他們的惡（15節）及作最後審判（16節）。

第17-18節　確據：禱告蒙垂聽（17節），神施行全面的拯救（18節）。

全篇禱文的感力萬鈞。「求你起來」（九19，十12）：仿似指責主躲懶，沒有做當做的事。「不要忘記」（十12）：好像暗示神曾經忘記。同樣令人注意的是，除了禱告以外，別無他法。儘管威嚇致命（九13，十8），欺壓者強大（十9），禱告仍足以應付一切，因為耶和華是王（九4、7），祂知我們的需要（十14），而且承諾護蔭（九9、10）、提拔（九13）及幫助（十14）我們。

第十一篇　信心與真理

類似撒母耳記上十八章8節至十九章7節所載的情景，有助我們理解這首詩。大衛每日都有性命危險。本篇共分3部分：

第1-3節　主的保護逃走的建議合情合理：一方面因為有實際的危險（2節），另一方面由於社會極度不穩定，使人難以安然度日。然而大衛不贊成逃亡，堅持走信靠神的道路。「根基」（3節）：社會運作所需的最基本法則規範。由於掃羅精神錯亂，朝令夕改，大衛根本無法避免冒犯掃羅。然而大衛有理由支持他走信靠的道路：「投靠耶和華」（1節）一句語氣有力。由於祂是信實可靠的，投靠祂是最合理不過的生活方式。

第4-6節　主的照管祂從寶座上察看世人（4節）。信靠神的人生並不是一定風調

雨順，相反，主耶和華試驗「義人」（屬祂的人）（5節上），但祂也敵擋「惡人」（5下-6節）。

第7節　主的恩惠　「得見他的面」指蒙神仰面看顧，即蒙神悅納進入祂的同在中。由此可見，信心有3方面：憑信心仰望主的保護（1節），憑信心認定並接受生活的試煉為主的旨意（5節上），及憑信心盼望美好的結局。對義人來說，神的試煉引領他們進到神的同在中（7節）。

第十二篇　口舌之爭

本篇比較兩種「言語」。在大衛身旁所聽到的，盡是謊言、諂媚話及表裏不一的欺詐（2節），然而卻另有一種言語，全然「純正」（6節上）、價值無比（「銀子」，6節中），並且全無瑕疵（「七次」，6節下）。這是信徒經常面對的抉擇：聽信人的話語，導致困惑和迷失，還是信靠神的話語。我們處身的社會，時刻都像第1和2節所描述的光境：缺乏靈性，不可倚靠，沒有誠信。我們需要一個確實的立足點（6節）。

禱告是回應道德價值崩潰和社會解體（12節）的方法（1、3節）。我們一方面祈求個人的拯救（「幫助」，1節），並且要求神對猖獗的歪理施行審判（3-4節）。要求神採取行動淨化社會的禱告是正確的（3節），事實上，主亦承諾參與（5節），代表祂認可這種禱告。

我們應當以信靠主來回應祂的言語。祂的話語全然純淨，祂信守祂的話，承諾幫助有需要的人和對付罪惡（5節）。因此，即使眼前的問題仍然棘手（8節），我們仍堅守信心（7節）。

附註　第1節「虔誠人」，參四章3節。第2節言語的罪（參賽六5；詩三十四12-13；羅三13-14；雅三2-6）。「說謊」：心口不一。第5-8節因為神的應許（5節）建基於祂純淨的言語（6節），所以即使問題仍存在（8節），我們仍可信靠祂（7節）。第5節「困苦人……貧窮人」分別指社會中的弱者和被剝削者。第6節「純淨」：特別指神悅納的純正。第7節「永遠」：或作「噢，永遠的你」。

第十三篇　新舊交替：禱告帶來的心意更新

本篇的寫作背景和九至十二篇相同：大衛四面受敵，但特別提出其中一個敵人（2、3節）。由於大衛沒有在禱告中祈求這人滅亡，故這人可能是掃羅（撒上二十六9）或是押沙龍（撒下十八5）。全篇分為3個詩節，詩節的長度分別是5行、4行和3行（根據新國際譯本）。詩中先是困惱的境況（1、2節），然後化為迫切的禱告（3、4節），最後在心意更新下進入寧靜安息（5、6節）。焦慮和不安被帶到禱告中，最後化為歡呼喜樂。

第1-2節　詩人的困惱有3方面：靈性方面（主是否忘記了我？）、個人方面（內心的掙扎和憂傷），以及環境方面（強敵）。第3-4節就上述的困惱，詩人有3方面的禱告：靈性方面（「看顧」：重新獲得神的喜悅，不再被掩面不顧）（1節）、個人方面（「光明」：更新）、環境方面（「仇敵……敵人」）。真正的禱告是要把各方面的需要帶到主跟前。第5-6節轉變的層面：在靈性方面，掩面不顧（1節）變為神的「慈愛」；在個人方面，心靈的憂傷變為喜樂；而在環境方面，目光由猖獗的仇敵轉到神豐富的供應上：「用厚恩待我」，即全面供應我所需，帶有神決意這樣做的味道。

藉著禱告，將問題帶到主面前，和祂分享，是解決問題的最佳辦法。

第十四篇　百花齊放：無神論與經驗談

「在那裏」（5節）屬助語詞，帶出這首詩篇的場景——無神論者面對面經歷神與祂的子民同在的事實。我們不知這件事實際發生於何時何地。詩人是否以出埃及記十四章10至28節為藍本。詩中所提及的無神論者並非否認神存在，而是認為祂存在與否無關重要。

第1節「愚頑人」：沒有任何道德觀念或社會責任感的人（賽三十二6；參撒上二十五章，特別是25節），他們本質上是「邪惡」的，靈性上是「可憎惡」（神所憎惡的）的，而行為上對「行善」漠不關心。第2節由於他們不「尋求神」，後果自招。第3節他們故意（「偏離正路」）變成「污穢」，把主的子民看成獵物，認為自己不需要神（「不求告」）。對這等人的回應不是爭辯，而是神與祂的子民

同在的事實（5節下），以及神的子民在每樣需要上均以神為「避難所」的親身體驗（6節下）。真靈性是靈性破產的最有效回應。

本篇提到3種呼聲，每一種呼聲之後都有詩人的評語：「愚頑人」（1節上），評語（1節下）；「耶和華」（2-4節），評語（5節）；以色列民（7節上），評語（7節下）。最後的禱文祈求以經發生過一次的（5、6節），可以變為永遠不變的事實（「救恩」），而附帶的評語卻是腳踏實地的：神的子民在今天的環境下便要以神為樂。

第十五篇　主的入幕之賓：我可否和你同住

這首詩的場景好像一個準信徒詢問如何加入神子民行列，而祭司給他回覆，所以這詩經常被稱為「入門詩」。詩中的重點是同住（1節，「寄居……住在」）：怎樣的人才可寄居在祂的「帳幕」（不是聖所）和在祂的家獲得貴賓式的款待？答案是聖潔，因為「非聖潔沒有人能見主」（來十二14）。聖潔包括行為上、言語上和人際關係上的（2-3節），也包括價值觀、品格及財富上的知足（4-5節）。

附註　第1節「寄居」：以賓客身分居住。第2節「行為」：指生活方式；「正直」：即完全/完整；「公義」：即神看為正的。第5節知足的人不以金錢作行事為人的動機，施予而不望回報（路六35），拒絕不義之金錢。「動搖」：即被逐出主的帳幕。

第十六篇　永久的保障

雖然難以確定大衛何以呼求（1節），但9至11節是有關「陰間」，因此背景可能觸及死亡的事，也許曾有疾病和危險的事發生，令大衛油然生出尋求保障與安全的情懷，也想到安穩的保證和經歷。無論如何，本詩的結構正表明了它的中心信息——

A¹（1節）在神裏面的保障：一個懇求
　B（2-4、5、8節）得保障的確據
　　a¹（2節）神是我一切，是我的美福
　　　a²（5節）主是我福分
　　　b¹（3節）喜愛神的聖民
　　　b²（6節）喜悅所得的產業
　　c¹（4節）承諾——反面：拒絕歪謬

c²（7-8節）承諾——正面：堅定不移
A²（9-11節）在神裏的永恆保障：產業
第1節　在神裏面的保障，一個懇求
安全感從神而來，何時尋求祂，何時才開始有安全（1節）。**第2-8節**安全的人有3個明證：首先，他必定以神為樂：（2節）「好處不在你以外」，神是他一切的需要——「基督我主，你是我所求所需」；（5節）「**杯**」也譯作「**分**」（十一6），是指一個人生命的前景，無論順逆。這裏說「**耶和華是我杯中的分**」，指無論哀樂，祂都是無可比，遠超一切的（七十三25-26）。其次，必定喜悅神的子民和國度：（3節）「**聖民**」就是神為自己的緣故，分別出來的一班人；（6節）「**佳美**」和3節的「**喜悅**」同義，這裏的主角就是神命定的「**產業**」。

第三，喜悅主的真理。拒絕別神（4節下），也拒絕它們所自稱的一切（4節下「名號」），大衛只喜愛神的教訓〔（7節）「指教……警戒」〕，在神的光中，主成了他生命恆久的目標〔（8節）「擺在我面前」〕，也體驗主的同在（8節下）。

第9-11節　在神裏面永恆的保障　保障是永恆的：全人能得享平安，從裏（「心」）到外（「身」）都「安然」，即使面臨死亡（「陰間」，死人的去處），也可蒙保守。而陰間之後卻能行到「生命的道路」，「在神面前有滿足的喜樂」（參導論有關「盼望」的部分）。

大衛寫這首詩時，他正要跨越個人的經歷：他並非經常把耶和華擺在面前，他也並非永不搖動。他和同時代的人必定以本詩為遙遠的理想目標。到了新約，我們在主耶穌基督身上卻實在看見這個理想成真，得以實現（徒二24-32），藉著祂，我們也能等候同樣的盼望（羅八11）。

第十七篇　向至高的法院上訴

從撒母耳記上二十三章25節起的一段記述，為這首詩提供了歷史背景。那裏的敘述與本詩吻合：詩人受敵眾包圍，其中還有一個突出的仇敵（12節是單數）。這首詩與十六篇有淵源，也許這裏提及的患難是與前一首所涉及的困難一脈相承的。

這篇詩有3個懇求：求祢「聽」（1節），求祢「側耳聽」（6節），「求你起來」（13

在頭一個呼求（1-5節），詩人基於自己的公義而申辯；第二個呼求（6下-12節），是呼求神對付兇悍的仇敵；第三個呼求是（13-14節）求神行動，有所作為。

第一和第三項的呼求加上詩人個人的附註，以確定語氣和強調式的「我」作主詞（6、15節），二者接連地表達信心，相信神即時會垂聽，並且對神有一個未來的異景（參十六1、9-11）。

第1-5節　向神申訴──基於公義　大衛在此當然不是說自己生平沒有半點的罪惡，他只是指在此段與掃羅的關係破裂的日子，他仍保持清白。他存清潔的良心到神面前（參尼六8-9；徒二十四16）。「聽聞公義……我的呼籲」（1節；參申一16，意即「判斷公義」，叫公義的判決能以申張）。「夜間」（3節）是人的思念模糊，虛假的事橫行之際（參十六7，三十六4）。「嘴唇」是強調人的言語十分重要（4節）。在大衛與掃羅的糾紛之中，屬天的言語已立定大衛為膏立的王。這神聖的宣佈和說話正是大衛的保障，縱使世人嘲弄也不能叫他動搖（撒上二十四3-7，二十六8以下）。大衛良心清潔，皆因他遵從神所啟示的方法，走祂指示的「路徑」，毫不越軌（未曾滑跌）（5節）。

第6節　身處危機仍然禱告，因為曉得神必然應允。這裏的「神」（ēl）字，是所有神名字中最超越的一個。禱告使我們的需要上達至高的神。當然，我們也該知道，除了存清潔的良心來呼求之外，還有別的地位能讓我們向祂禱告，好像困苦貧乏，後者也同樣可作向神切切申訴的根據（八十六1），又如求祂施以屬天赦免（八十六4、5），最後是奉耶穌的名禱告，這也必蒙垂聽（約十六23）。

第6下-12節　大衛向神陳明他的需要父神固然全知道我們的需要，但我們仍當向祂祈求（太六6-13）。耶穌也照樣明白人的需要，所以說「要我為你作甚麼？」（可十51）。**第7節**直譯「使祢的慈愛變得奇妙」，詩人用的形容詞暗示神有超自然的權能，而所用的名詞指出祂的大愛，向著我們恆久不變。**第8節**「瞳人」即瞳孔，人會不自覺地隨時保護自己的眼睛，大衛也等候神，深信屬天的保護也必隨時護庇他。「翅膀」（六十4；參得二12）。**第11節**「我們……我們」：

詩人這樣的敘述，結拿(Kidner)說是因為大衛從來不曾忘記他的同伴。第12節這裏作單數，可作「每一個都像……」或「他像……」（參這篇的導論）。

第13-14節　第三個申訴：求神顯出祂神聖的作為　大衛單單仰望主拔「刀」（指神審判的能力）救護，也仰望神的「手」（為個別信徒而有的行動）。第14節「世人……今生」：只活在今世的價值之下的人，很難得著神的眷顧。第14節下和合本的譯法可能正確，因為這裏若是從神的仇敵（14節上）轉到祂所庇護的人，便會失去跟15節作對比的作用了。神充滿他們的，其實是指他們該受的刑罰，會按著聖經家族相承的原則（出二十5），傳到各人的子孫後代。大衛並不是滿心仇恨，他反對口舌犯罪（1節），他只不過陳明一己的公義，並與神所啟示出來的每一方面的義憤認同。

第15節詩人以強調式的「至於我」，來與他所提過的人和事物作一比較。大衛的仇敵，他們的結局在神的手中。他們充滿了財寶，「心滿意足」（14節），但也累積了審判，但詩人卻以神實在的同在（「形象」「心滿意足」（參十一7）。「醒了」：即復活（參賽二十六19；但十二2；亦參四十九15，七十三23-24，一三九18）。

第十八篇　神在暗處掌管一切

從這首詩的標題來看，可能會誤解詩的內文！在大衛的生平裏，神何曾從高天伸手將他抓住？又幾曾坐基路伯飛行，讓他看見（10節）？風暴（12節）可能是神過去使用來解救人的工具（書十11），但大衛一生似乎未曾遇過。耶和華所發出的風（15節）確曾使紅海分開（出十四21，十五10），但大衛似乎一生都未經歷這樣的場面。他曾從非利士人手中逃脫，免受襲擊（撒上二十三26及其後經文），穿梭於曠野等軍事地帶（撒上二十四1-3），周旋於掃羅王喜怒無常的權術之間，甚至多次亡命天涯（撒上二十七1），但神總以不同的方法來搭救他。

然而觀其生平波折，總難與這首詩的描述吻合，但這個似乎矛盾的地方，正是詩人的著眼點。大衛回首前塵，處處看見神的拯救（正如本詩的標題），他不得不承認是那位曾顯現於西乃山的主（7-8節；參出十九

18），又是那位一再審判埃及（9-12節；參出九13及其後經文，十21及其後經文），領百姓渡紅海的主（15節）——一位聖潔、審判和拯救的主——是祂在大衛一生中帥領保護。詩中描述種種強烈鮮明的形象，背後也說出神藏身於百般的境遇中，且以超自然的能力運行工作。大衛在亞杜蘭洞中得以避難（撒上二十二1），在掃羅狠狠追殺他的旅程中，大衛又與他在野山羊的磐石洞內巧遇（撒上二十四2）。回顧從前種種，詩人吐露心頭感受——耶和華是他的磐石，是他的避難之所（2、46節），祂確是把自己的榮耀藏在大衛一生的際遇背後，並長久坐著為王，為祂的僕人效力，扶助有嘉。

事情仍未停在這裏。大衛危難中的需要，與神拯救的能力，其實緊緊相連：**第3節**「我要求告……我必……被救出來」；**第6節**（直譯）「我不住求告……不停呼求……我求救之聲不斷達到他面前」。**第16節**「他從高天伸手……」，禱告扭轉一切。大衛曾否想過，假若他一直留在風眼之中，不離開掃羅的王宮（撒上十九9-10），逃亡異地，神也一樣可以輕易地保護他免受傷害，那麼他便不致在曠野流浪，度過熬人的歲月？

1至19節的主旨，是要人看見那大能，正待我們以禱告來發放。20至45節是大衛從自己往昔的閱歷中帶出的明確教訓，正如聖經一貫的教導，回顧過去以便更好的展望未來。經文分為4段，分別以「主與我」（20-24、30-34節）和「祢與我」（25-29、35-45節）為分野。從廣義來看，前者說到主如何作工，後者追述主的工作如何在大衛身上施行。其中所表達的屬靈原則，就是主必報答義人（20-24節）。一旦大衛能坦然表白自己公義的生活，主便轉回，使他的黑夜變成白晝（25-29節）。因此我們不要空想，以為主會隨隨便便賜福我們，我們必須主動行在義路上，才會承受祂的賜福（徒五32）。30至34節說「主的道完全」（30節），「使我行為完全」（32節）。大衛分享他的經驗，說出他如何在憂患中藉此得力並得勝（35-45節）。然而在這一切的事上，主叫萬事效力，使我們能以像祂（參羅八28；來十二7-11）。全詩結束時首尾呼應（46-50、1-3節），向這神聖的磐石和救贖主發出羨慕和歡呼。

詩篇十八篇跟撒母耳記下二十二章類

同，詩題涵括極其關鍵的字句——「耶和華的僕人」——表示這首詩歌在撒母耳記下的那段記載成文之後才寫成，而詩題是編輯時加上的，為要獻給大衛（或為了記念他）。

第1-2節（A¹）　要略：與那拯救之神的靈交　第1節「愛」：感情上熱切的愛慕（參王上三26「心裏急痛」），常指神向著祂百姓所發的洶湧大愛（例如一○三13，「憐恤」），在此處，這字用來表達人向神的愛。**第2節**「磐石」：懸崖，峭壁；「巖石……山寨」：最隱密安全之處（九9），以上都是指在高處，仇敵無法達到的地方。「角」：象徵征服的能力，相對於「盾牌」所代表的防禦力量。結拿(Kidner)解釋說，「藉一連串的隱喻，大衛重溫亡命天涯與危中得勝的過程，並探究其含義。」「投靠」，即使有高臺山寨可以藏身，但我們若不主動投靠，也屬枉然。

第3、19節（B¹）　神那隱藏的道路　無論在何種境遇之中（見本篇的導言），神的大能仍為大衛效力，雖然有時神那神聖的榮耀會隱藏起來，使人無法看見。縱然生活常是平淡無波，但神那超自然的同在仍然沒有消減。**第3-6節**這是不住禱告所生的果效。「我要求告……我必……被救出來」（3節）。所用的是永不改變的現在式，表明一個亙古不易的原則。**第4-5節**是極其危急的大難。**第6節**禱告在此正好發揮功效，應付了危機，因為禱告是叫立約的神（「耶和華」），就是那位與我們親近的神（「我的神」），是祂容讓我們得以就祂（「殿」），並且垂聽人的求告（「入了祂的耳中」）。**第7-15節**禱告能把偉大的神呼喚到我們的身邊，祂將以怒氣來回應（7-8節），親自回應（9-12節），並要帶著大能力來回應（13-15節）。請參看導論中有關埃及瘟疫、西乃山及紅海等主題的運用。**第16-19節**一切都因著有一個人是神所喜悅和珍視的——留意「我」如何重複出現。

第20-45節（B²）　神所啟示的法則　**第20-29節**鑰句（20、24節）是「按著我的公義……按我的公義」：這些字句把第一詩節涵蓋其中，然後再推而廣之（慈愛的人……慈愛，完全的人……完全」（25節）。之後在第二詩節中再回到個人獨特的經驗（「我的燈……我的黑暗」，28節）。從這些描述，我們得知神的道德操守，並知道主動行祂所

喜悅的事，才是祝福的緣由。當然這個屬靈原則並非以行善積福來得救恩，大衛既然屬於主，順服主便是福氣的來源，這適用於所有站在蒙救贖的地位之上的人。**第20節「報答」**：「完全滿足我的需要，使我得著美好的回報」。**第21-23節**賞賜是因為人恆久堅定的活在聖潔中，積極方面竭力（「遵守……在我面前……完全人」），消極方面（「未曾離開……未曾丟棄……遠離」）。**第25節「完全」**：無瑕疵。**第27節「困苦」**：神的百姓因高傲人而受壓受害。**第28-29節**主親自保證大衛會繼續蒙保護（「點著我的燈」），並且還會扭轉環境（「照明黑暗」），得以勝過眾人（「衝入敵軍」）和難事（「牆垣」）。**第30-45節**詩歌轉到另一方面的真理，就是主所啟示的法則。祂行事公義（20-29節），獨具慧心：其道「完全」（30節），也「使我行為完全」（32節）。

詩人在這裏穿插於主所作的（30-31、35、39、43節）和大衛得主加力之後所作的（32-34、36-38、40-43節）。換言之，要進入神完全的旨意，必須緊緊回應神對我們的工作（參腓二12-13）。這便解釋了為甚麼在本段（30節）開始時，詩人提到神完全、煉淨的「道」。主啟示祂的旨意，我們便答應呼召順命而行。**第37-45節**本段內容不僅是掃羅事件的憶述，事實上大衛昔日並沒有起來對抗掃羅。所用的時態是現在完成式，突顯他的王位幾經風波後，必定會更圓滿。

第40-50節(A²) 撮要：與拯救的神的靈交 大衛所得的偉大確據，就是他將有榮耀得勝的後裔，只是這應許不是完全應驗在他自己或有他血統的後人身上，而是應驗在比大衛更偉大的子孫身上（腓二9-11）。

第十九篇　3個互相呼應的呼聲

第1-6節　受造物的呼聲：吊詭 藉著空間（1節），時間（2節），地（4節），整個創造「述說」。（1節）神的榮耀（1節下）。**第4節** 「量帶」即既定的軌跡，「太陽」運行（5-6節；參創一16），每日更新重上軌道，以大能大力越過天空，而熱力無往不透。不過奇怪的是，雖然天象**「發出言語」**（2節），卻又**「無言無語」**（3節）。創造的秩序人所共知，卻又像默默無聞：人直覺上聽到這一切的聲音，知道有位榮耀的神造化天地，可是人所能掌握的十分有限——人難以從中明白神——而且令人迷惘的是萬物顯出的迥異：巍巍山嶺說出一點，拍岸的驚濤、震撼大地的火山又透露另一點……。

第7-10節　神話語的呼聲：完美 主並沒有叫人仰觀天地，窮一生摸不著頭腦，東猜西想；神以6方面說出祂的話：**「律法」**（7節）、**「法度」**，就是為主作見證的；**「訓詞」**（8節），為了給人應用在生活的大小事情上；**「命令」**是給人服從的；**「道理」**（9節），人要敬畏它，而**「典章」**乃是帶有權威性的判斷。

神的話語共有9個特點：「全備」、「確定」（7節）；「正直」可靠（8節），且帶有道德的操守；「清潔」；「潔淨」（9節）就是不受污染（參十二6），可蒙神悅納的；「真實」、「全然公義」，「存到永遠」、不變的，一切都是與客觀真理掛鉤，更是「可羨慕」（10節）、「甘甜」的，是充滿內涵，價值無比的，更為人帶來充實的滿足感。

如此便帶來4重的果效：「甦醒」（7節）（三十五17；參得四15；哀一16），為生命帶來更新的力量，那管危機四伏，哀傷凝重。「愚人」有容易受騙（箴七7，十四15，二十二3），又或者毫無立場的意思，但也可領會作「容易受教」（一一六6，一一九30；箴一4）；「能快活人」（8節），舒緩情緒（「心」）；「眼目」是慾望的器官，人的眼目所趨，就是心之所繫。神的言語灌輸又正確、又有意義的價值觀！

第11-14節　罪人的呼聲：祈禱 這一段所描述的，全是一個活在神話語之下，受祂神聖的法度薰陶之人的表現。他自然地受「警戒」（得啟發），並有「大賞」，因為他會順服（11節），且能察覺自己的錯失，也求赦免（12節），在神的話語影響下，他有了新的理想，發出新的祈求——求神叫他「免犯大罪」（13節），從裏到外完整無缺，如同神的話本身那樣的完美（7節），尤其是在言語上蒙祂喜悅（14節）。

詩人可以受造就至此，何況我們呢（7-10節）？受造的萬物可以沉默無聲，但是我們卻不能緘默。順服的生命如何才能持久堅定？只有從「耶和華」——「磐石」——那裏得到，祂是我們的力量和靠山；祂也是恩典無限的「救贖主」，是我們的「近親」，照應我們一切需要（得三13）。

附註 第3節「無言無語」、「無聲音」：造物世界不能發聲，也不能溝通，它只能說明神的存在，但卻不是我們所需要的語言啟示。第11節引進一個應用的實況。第12、13節罪這裏看為「錯失」，不為自己所察覺的「過錯」，但有時是指「任意妄為」地不聽神的話。「大罪」：刻意背叛在上者。第14節「口⋯⋯心」：從外到內。

第二十篇　得勝的禱告，得勝的信心

這首詩切合爭戰的前夕，為出征而獻祭祝禱的詩歌（參撒上七7-9，十三8-9）。詩中有不同的呼求：有向「耶和華」禱告，為「你」（1-4，5節，陽性單數詞）和為「王」（9節上）祈求，也有為「我」和「我們」的祈求（5上，6-8節）；我們也能聽到第三個呼聲——祭司和百姓輪流禱告與回應（1-4、9節）。王默然禱告，祭司與百姓則求主垂聽王的呼求（1、2節）。祭物正被獻上，眾人求神悅納（3節），並求王的心意得以成就（4節）。王對自己和他的軍兵滿懷信心（5節上、下），這從祭司、百姓的代禱告蒙神答應可見一斑（5節）。為此，王以另一個堅定的信心回應，證明禱告（6節）和信靠（7、8節）乃是得勝的途徑。祭司和眾百姓輪流以祈禱結束這個儀式（9節），為王的戰事和為神的應允而祝禱謝恩。

附註 第1節第一行「遭難的日子」文意與最後一行「呼求的時候」相呼應。得著得勝的確據必然經歷患難和禱求。第2節 人的保障是因「耶和華的名」（1、5、7節），這等同於神所有的自我啟示。「從錫安」轉成「從⋯⋯聖天上」（6節）：那位與祂百姓同住的主，要以天上的榮耀權能和豐富來成就這一切。第3節禱告必依神所授權的獻祭方法來進行，對我們來說就是根據加略山的禱告。第7節勝利不是藉地上的資源帶進來，得勝乃是因神啟示祂的一切豐盛，這豐盛的源頭乃是祂自己的「名」。「靠」：以求告神的名來呼籲祂作事。

第二十一篇　爭戰過去：主從前的勝　　　　　　利、未來的得勝

二十篇重申，「我們要因你的救恩誇勝」，現在來到二十一篇，得勝（和合本：

「救恩」）帶進「歡喜」和「榮耀」（1、5節）。可見先前的禱告和信靠已蒙垂顧應允，現在詩人藉這首詩默想這段經歷，他先提到「王必因你的能力歡喜」（1節），跟詩末結束的禱文相呼應——「耶和華啊，願你因自己的能力顯為至高」（13節）。過去與現在種種體驗可見諸2至7節回顧勝利的史實；也從8至12節前瞻了將臨的盼望。王的敘述一直是人所共知的（1-7節用第三身的稱謂）。而2至7節中說明，個人和國家所蒙的祝福（3、4、5節），表明神已答應人的禱告，並且印證了人對祂的信靠（7節）。比較8至12節所講的內容，就是將來那神聖的訊號，就是完全的、超自然的、終極的、徹底的得勝。

第1節 「救恩」：指外面得拯救脫離危難（正如二十篇所講的）。第2節「願」：王的祈禱發自內心。「嘴唇」：心中的想望不僅留於思緒，更化為代禱。第3節「迎接」：動詞，意即「先行到達」，表示神深切想望滿足我們的需要，所以常常預備以諸般的祝福來替我們解困。「冠冕」（參撒下十二30）。第4節「求壽」，表示危難重重，關乎生死存亡；「直到永遠」是象徵的講法，是祝王萬歲無疆的意思，但在皇家詩歌裏，常不自覺地遙指主耶穌那無窮盡的王權。第6節「在你面前」：對比9節中「發怒」，對王來說神的顯現是生命，對仇敵來說卻是死亡。主的同在是生命大能，也是得勝記號。第7節「慈愛必不搖動」：這是經得起考驗的愛。「搖動」指王位不堅定。第8-12節有人認為是說到主因神眷顧，將一直掌權。這裏的意思是，人聽從王的號令，提到主將臨的奏凱得勝，正如人在過去也曾知祂是得勝的源頭（2-7節）。不過世上的眾仇敵仍一心一意同謀反對主和祂的受膏者（參二篇）。詩人大衛的感覺，發而成文，也十分自然，因為神曾應許他在全地掌權作王（參二7-9）。以上的含意與新約的觀點一致（帖後一7-10；啟十九11-21），而同樣值得留意的是其中神聖的真理，就是我們並非只等待將來末後預言的應驗，今天我們便能夠經歷神的大能覆庇。「手」（8節：表示神親自行動）、「顯現」（和合本：「發怒」，這是神個人的同在，9節；參6節），還有「震怒」（個人所感到的憤怒，9節）。這一節指出了主的同在時時刻刻在我們身旁。第13節真誠的喜樂（1節）從禱告

而出，説明「耶和華」將被「高」舉，當他被高舉時，人要「唱詩、歌頌」，以音樂來歌頌神，這些感恩的表現是必然的結果。

第二十二篇　一人被棄絕，眾生樂歡騰

結拿(Kider)説：「沒有基督徒讀這詩篇時，不會想起十字架」，這話實在精彎，因為本篇不是描述病中的情景，而是行刑的苦況。使徒行傳二章30節曾引詩篇十六篇作大衛的預言，這也同樣適用於本篇。有時詩篇的個人受苦經歷喚起這方面的寓意，大衛也沿用這種詩意的發表，指向他那將來要受苦的偉大後裔。

雖然詩歌中有弦外之音，但所描述的苦難除了帶著預言的作用之外，其實於我們也大有用處。我們也可以從中學曉向神呼求（十1-8、11-18），得安慰、得保護，有倚靠的心（9節），以祂為神（10節），並且能對未來充滿信心（22-31節），因為神必顯明他的信實。這些都是我們的心路歷程，包括：被棄、被拒、遭仇視，受痛苦，以至死亡——因祂凡事上受過試探，像我們一樣（來四15）。

第1-10節　受苦中一片迷惘　本段分兩部分：1. 禱告不蒙垂聽（1-5節）。急難中祈求，神長久緘默（1、2節），情況似乎跟神的本性不符（3節），又跟前人的經歷迴異（4、5節）。

第1節主耶穌深知這個呼求是講祂自己的遭遇（太二十七46；可十五34），我們也該如此領會。主是我們的榜樣，身陷至深的苦楚之中，仍不忘信心，知道主仍是「我的」神。當然其中的苦楚只有他一人可完全領略。詩人説（三十七25）未見過義人被棄，但那至聖的義者卻是被「棄」，為我們成了咒詛（加三13）。**第3節**「你是聖潔的，是用以色列的讚美為寶座的」。這個觀念豐富濃縮：神自己是聖潔的（既然如此，祂又為何不向受苦者施援手？），既然他以自己百姓的讚美為寶座，人們讚美祂的大能奇事（那麼何以現在不施展大能呢？）。

2. 信靠神卻沒有好報（6-9節）。詩人提及「祖宗」信靠神，禱告便得解救（4-5節），引出詩人的疑問——似乎一心信靠，但是毫無果效，反而成為眾人嘲笑的對象（6-8節）。然而神令詩人一生投靠祂（9節，「你

就使我有倚靠的心」），神也必然眷念（10節，「你就是我的神」）。

第8節「他把自己交託耶和華」（太二十七43）。**第9-10節**這背後是何種的體驗呢？有些原因使他從一開始便知道自己是「被交在」神手裏。這方面是否反映主耶穌早期的心境（路二49），就是父的家才是祂的歸宿呢？

第11-21節　求神聖的主臨近他　這部分包括兩個求神親近，也求祂救助的禱告（11節上、19-21節上）；先是描述大難中受苦的進程：難處漸近，前後無援（11節），仇敵兇猛（12-13），壓力日增（14-15節），邪惡當道（16-18節）。第二個呼求陳述主的大能大力（19節，新國際譯本譯「救主」為「能力」），但「刀劍」仍威脅生命（20節），叫人受害失喪（「我的生命」，20節）。盡頭更有受苦（「犬類……獅子……野牛」，20-21節）。然後峰迴路轉，情節有戲劇性的轉變（21節下），出人意表的屬天回應忽然臨到：祈禱已蒙應允！縱然從外面來看神不知所縱，正像本章前面的光景，神在審判中收回祂的同在（1節），禱告仍然繼續。從前詩人發出過疑問——「我的神為甚麼離棄我？」（1節），現在答案擺在眼前——「求你不要遠離我」（11節）。

第12-18節　1.這是受苦的圖畫（12、13節），猛獸的描述説出不受人控制的力量攻擊人，像「野牛」般恐武有力，又像「獅子」般狂野兇狠。

2.這是受苦的經歷（14、15節），「如水被倒出……骨頭脱節」（14節），「心」割裂（參書二11；結二十一7），表明身體失去水分，也受天譴（「你」，15節），一切所帶來的是最終的死亡（「塵土」）。

3.這是受苦的傷痛：「惡」勢力漫延，手腳被扎（16節），骨頭都能數過（17節），外衣被人分去，裏衣被拈鬮（18節）。**第16節下**從廣義和狹義來看，本段都是基督受苦的描寫。約翰福音十九章23至24、28節説得很清楚。「他們扎」的翻譯不甚肯定，但七十士譯本支持了希伯來的文本，使上下文和預言應驗各方面都十分吻合。

第21節突然得著神的回應（「你已應允我！」）來得戲劇性。受苦者禱告——「救我脱離獅子的口；使我脱離野牛的角」，但詩人在懇求的過程中忽然發覺神已垂聽，一切隨

即雨過天晴！

第22-31節　普世的節期　宜古宜今詩歌的情節一下子轉向，詩人提到以色列人過節的光景（22-26節），並且引伸到全地（27-31節）：人的祈求蒙應允（24節），「謙卑」受苦的人得以進到神面前（26節），人人獲邀請（29節），神的道也傳到未來的世代（30-31節）。希伯來書二章12節引用本詩22節，引證這是指彌賽亞——也就是藉耶穌的死亡，以色列和全地的人得以參加彌賽亞的筵席（賽二十五6-10上；啟十九9），有份於祂在全地的掌權（太二十八18；腓二9-11），還有是神「公義」的信息（31節；羅一16-17）。第22-28節「從你而來」，主自己就是讚美的來源頭和目標。「願……謙卑人（新國際譯本：貧窮人）」，還願的人要在筵席中請貧窮人來作客，共享平安祭（利七11、16；申十六10-12）。第29節意思是一視同仁，無論貧富（留意「豐肥人」和無助者的比較，29節）都歡迎。唯一有待澄清的是，「塵土」是喻意貧窮（一一三7；參撒上二8），還是指肉身的死亡（三十9；參伯七21）？詩中的思路和次序似乎支持頭一個解釋，15節「死地的塵土」卻暗示後者）第30-31節「主所行的……他所行的」，在21節末了，主已表明他眷顧了受苦的人。因此這裏是讚美的主旨（25節），給予「後裔」的信息是「神的大作為」（徒二11）。

第二十三篇　牧人、良伴和主人

這是一個三重的見證——「我必不至缺乏」（1節），「也不怕遭害」（4節）和「我且要住在」（6節），三層的經歷濃縮全詩，把它分為三部分：羊與牧人（1至3節），客旅與同伴（4節），並客人與主人（5-6節）。按著這個次序，二十三篇教訓我們關於神的護理、人生經歷、神在生命旅途中的保守，和神從今到永遠的供應。

第1-3節這幾節的經歷，重點在於豐裕（「青草地」），安息平安（「水邊」）和復興（「使我的靈魂甦醒」，參十九7）。背後的屬靈原則，就是指出神為我們揀選「義路」，即合乎他心意的道路。「為自己的名」，祂要領人走的，是合符他所啟示的屬性的道路。

第4節與前面羊群喜樂的經歷有所不同（1-3節），朝聖客旅的長途日益艱困。「死蔭

的幽谷」是指最深沉的黑暗，當然，必然包括「死亡的黑暗」。不過這一切的險境引進一種新的閱歷——1至3節的「他」往後成了「你」，表示羊與牧人彼此已日益貼近，之前是牧人走在前頭率領（2節），現在成了「與我同在」身旁的一位。黑暗愈濃，主就愈近！祂還帶來無限的力量，有「杖」有「竿」的護蔭。重複的語法表示完全。「杖」（利二十七32）可能指保護；「竿」可能指「扶持」（出二十一19）。

第5-6節「在……敵人面前……筵席」，（參撒下十七27-29，大衛逃避押沙龍的事件中，他必定曉得神的手藉巴西萊等人幫助了他度過困境。）本詩暗示在敵境和仇敵中（4、5節），神的保守仍不間斷。被油膏抹的頭細說主的恩眷，滿溢的福杯表明從上而來的供給。然而，「恩惠」、「慈愛」不會止息，一生一世相隨。在此生之後，是永活在「耶和華的殿中」。「住在」一詞是傳統上對這希伯來字詞的理解，但直譯應是「我要回到居所」；詩人的意思似乎是：今生的「路」（2、3節），「幽谷」的驚嚇（5節）都已告終，現在可以釋然回家了。

第二十四篇　得進神前

背景可參撒母耳記上五、六章及撒母耳記下六章，就是大衛把約櫃重新帶回錫安。詩在主題上的神學統一性更為重要：我們憑甚麼權利可以進到主的同在裏（3-5節）？祂又憑甚麼來到我們中間（7-10節）？惟有聖潔（4節），我們才可到神面前；神卻因其主權、榮耀、能力與救贖（7-9節），所以大有權利臨到我們之中。

第1-2節詩的開始以主掌管天下作佈局。正因為神是神，所以誰敢擅自闖到神前，憑一己的觀念來見神？「耶和華」在此是強調式，「地和其中所充滿……屬耶和華」！物質的世界和人群聚居的世界（1節）都是神所造（「建立」）和維持的（2節，有繼續維持之意），除他以外，還有誰可以令大地從在浪濤與「大水」的翻騰中出現和站住（創一9-10）？

第3-6節「登」，升到耶和華那裏（出十九3）；「站」，「興起」敬拜（出三十三10），為某事而辯護（一5），為神的事堅守立場（書七12）。登耶和華的山，必須具備個人

的品格、屬靈的操守和社會道德（4節「不懷詭詐」指不存心作虛假的承諾）；這包括行事為人（「手」）和品格（「心」），只對主忠誠（「不向虛妄」），也指與人的關係坦然無私，不為己利而存私心。這樣的人必能蒙「福」（5節），在神面前清白。要知道我們所朝見的神，乃是「救」主，一切不在乎我們如何，而全在於祂存心要來拯救。**第6節「族類」**指一群有共通的特性的人。

第7-10節是撒母耳記下六章12至15節的巡遊圖畫。人要求進神的門，憑藉是「耶和華」救贖了祂的百姓，趕走了祂的仇敵（出三5-15，六6，二十2），「王」全然「榮耀」高昇，神也盡顯祂的能手（8節，「有力有能……戰場」），祂自己滿有權能（10節，「萬軍」，祂有無限的能力，隨時施展大能）。

第二十五篇　每天致勝基本法

本詩形式上是不完整的字母詩。其中有兩個字母缺處；補救方法包括改動希伯來文本的發音；其次是把22節放在結構之外，因它是指以色列人。不完整的結構方式表達人生也常患難打擊而受干擾，不過仍有一定的軌跡可尋。

A¹（1-5節）　信靠、盼望、禱求
　B¹（6-7節）　求赦免
　　C¹（8-10節）　指引罪人
　B²（11節）　禱告和赦宥
　　C²（12-14節）　給敬畏神之人的指引
A²（15-21節）　信靠、盼望、禱求

第1-5節　信靠、盼望、禱求　詩人說四圍受敵，到處是奸惡之徒（2下、3節下；參19節上），然而大衛的反應卻是向神禱告（1、2節上），且專一的祈求（2節），並提醒神是真實的神（3節）。而詩人最切求的，乃是求神以祂的「道」路來指教他（4節），好能有一個受啟發的心（4節「指示」：讓我知道；「教訓」），並且求活出真理（5節，「引導」）。

第1節「仰望」（二十四4），只有主是萬事萬物唯一的答案，惟祂能滿足我們的諸般需用。**第2節**「羞愧」，參3節，失望後的情緒。**第4、5節**要有良好的操守，必須領受神聖的真理（「指示我」），也要存心樂意學習（「教訓」）並遵從（「道……引導」）。

第6-7節　罪孽與赦免：求赦昔日罪污

沒有懺悔與和好，便難以真誠地對神聖的真理和生命作出委身（4、5節）。神若記念祂自己的所是（6節），就必樂意「不要記念」我們往昔的過犯（7節）。**第6節「憐憫」**：同情心，神心中的愛（十八1）；「慈愛」，神以祂的旨意來愛，使祂不能違背自己。這裏用的是眾數名詞，充分表明這愛是有完全的承諾。**第7節「罪愆」**：特別指過失；**「過犯」**指蓄意犯的罪。**「因你」**：按神的慈愛良善。道德上神聖的性情，令神把人的罪一筆勾消。

第8-10節　神聖的教師　一再回想神，使人確信神必聽禱告（4節），而神所啟示的作為，也必完全彰顯祂的大愛。一切都源於神的性情，在人的一面，所需的是「罪人」「謙卑」（9節，那些在神面前謙卑的人）下來，成為守約的人。

第11節　罪孽與赦免：現今的經歷　神既引導謙卑人投靠祂，大衛也就願降至最卑微。罪孽不僅是人過去的歷史（6-7節），更是今天的現實。6至7節中詩人呼求神的憐憫、大愛和恩惠；到第8節提到神道德上良善正直。作者進一步總結，以神的「名」（祂所有的自我啟示）為禱告的憑藉。神的心意（6節）、良善正直（7、8節）都全顯於祂赦免人「重大」的「罪」（人那敗壞墮落的天性）。

第12-14節　神聖的教師　神的祝福臨到任何「敬畏」祂的人（12節的「誰」）。這些祝福包括神的法則向他開啟、得滿足、家族的平安、與神的靈交、並受教能以曉得神人立約的關係。

第15-21節　信靠、盼望、禱求　第15、16節以神作唯一的解答為連繫：只有祂長久眷顧大衛。**第17-19節**詩人詳細解釋自己察覺到的需要，這些需要既有來自內裏的，來自上面的，也有來自外面的。**第20-21節**接連地確定自己的信靠和交託。如此詩人才體驗「時常仰望耶和華」（15-16節），便能得主救離所有禍患的真諦（17-19節），詩人決心要禱告、信靠、堅定行善和仰賴祂。

第22節　更寬更廣的遠景　這一節並不包括在字母詩之內。大衛作王，心胸寬廣，任重道遠，縱然當前急難四起，亦以天下為己任。像處理他自己所顧慮的一樣，他也盡力以禱告把百姓帶到神前。對於百姓，這是

他們的領袖最重要也是不可少的。祈禱乃是最全備的良方——能應付「一切的愁苦」。主必能給人解困的途徑:「救贖」可翻作「付贖價」,就是付出款項,清理債務,釋放被囚的,消除威脅。

第二十六篇　懇求純全清潔的良心

一個清潔的良心,乃是向神求禱的基礎,這並非等於以美德贏取福氣,而是因為主喜悦我們純正地度日。面臨「罪人」(9節)一心除滅他(「流人血」),設計陷害他(10節),大衛仍自知俯仰無愧。詩人種種的自省,正反映攻擊他的人諸多的指控:涉及他的生活行為(「……行」,3節下),他的同伴(4節)和信仰操守(6-8節)。但是大衛的良心仍是清潔的(3節),他的社交生活(4-5節)和靈性生活也是正直的(6-8節)。全詩以「純全」起始,也以「純全」告終(1、11-12節),他甚至求神察看(2節),求神行動(9-10節),一直堅持自己的清白;消極一面,他提及自己在百姓中的生活(4、5節),積極一面他談到自己與神同行的生活(6-8節)。而大衛在具體處境中,既能安然度過,我們也同樣可以滿懷信心地經過各種處境。

第1節「我向來」:生活每一方面都顯出美好的人格。另一節同義的經文(11節)總結全詩,不過1節跟11節在希伯來文的時態上有分別:1節是回顧,11節是前瞻(「我卻要……」)。存著一顆清潔的良心,其中一個特色是對未來充滿憧憬。**第2節**「察看……試驗……熬煉」:3個用詞若有不同之處,那麼頭一個是指純度上的考驗,第二個是指在人生的際遇中受試煉,第三個字詞是指雜質的測驗(精煉)。**第6節**「洗」:洗手是公開表白無辜(申二十一6)。「無辜」:所指並不是作法,而是洗手所代表的精神。「祭壇」:祭司一般要在進入聖所之前行洗濯之禮(出三十17-21)。大衛在此是採用了祭司的標準在自己身上。**第11節**「至於我」(參1節)。「救贖」(參二十五22)。「憐恤」:滿有恩惠、白白、不配得著的屬天眷顧。

第12節「我的腳站」:這是表明在未來的日子仍是滿有保障和安穩的(「我的腳必不搖動」),因為眼前風雨已過;也許另一個可能解釋是,人已立定了心志來過活,有「這是我的立場」的含義。「眾會」,這個字詞的

原文的原文沒有在別處出現過,它是從1節所引申而來,表示本來限於個人靈性上的體驗,如今已影響到公開的聚會,並成為會中集體「稱頌」的內容。

第二十七篇　終極元素——憑禱告彰顯信心

「作惡的」、「仇敵」(2節)、「患難」(5節)、「仇敵」(6、11節)、「敵人」(12節),並本詩所提到長久羨慕住在耶和華的「殿」中(4節;參二十六8),這詩的境況大概與前一首詩雷同。全詩彌漫著信心與把握,因此很可能是詩人在二十六篇自省之後的經歷。但這種信心是對神的信心,不是自義。

A¹　(1-3節)　重申對主的信心

　　B¹　(4-6節)　頭一段的禱告——求在神裏面得保障

　　B²　(7-12節)　第二段的禱告——求在神裏面得保障

A²　(13-14節)　信心獲鼓勵

第1-3節　重申對主的信心　第1節「亮光」:這是比喻的說法,相對於四圍的「黑暗」而言(賽五十11;約八12)。「拯救」:在患難中蒙救拔脫離。「保障」:是我生命平安的藏身處。**第2節**大衛偶遇存心邪惡的人(「作惡的」),他們兇狠殘暴(「吃我肉」,如猛獸吞噬獵物),並充滿敵意(「仇敵」)。正在如此這般的環境中,大衛卻滿有信心(1節),也禱告充足(4-5、7-9節)。「就絆跌仆倒」:強調式,是他們(不是我!)要絆倒。**第3節**把信心和保障的範圍擴大,「我必仍舊」。信心是當仇敵如軍隊般前來開戰時,仍不懼怕半點。

第4-6節　尋求神的自己　不是信心使人得平安,而是那回應人信心的神使人平安。大衛的祈禱(「求」)和心願(「尋求」),是來到神的住處(「住在他的殿中」),且能「瞻仰」祂自己。「求問」(4節),意思可有不同的領會,最有可能是「每早晨都來」,常常得著祂的同在,每日早晨以神來開始。祂的「殿」就是祂的「帳幕」(5節,參新國際譯本撒上一7、9的旁註),也是神在百姓中居住的地方(出二十九42-45)。帳幕看似單薄,卻是「高……磐石」,穩妥無憂,在那裏無限安全,它固若金湯,使人得勝奏凱(「昂

首」、「高過」)。

第7-12 尋求神的賜福 禱告求與神同在（4節），現在轉化發展成尋求那只有神可賜下的福氣。祈禱的根基在於神已發出神聖的邀請（8節）（參新國際譯本旁註：「我心向你說：『當尋求我的面』，你的面，主啊，我正要尋求」）。這就是說太衛開始提醒主，祂曾呼召百姓來尋求祂。「我心」不僅是指我的口，因為大衛極寶貴那屬天的邀請。人祈禱的起點是要與神修好，尋求祂的喜悅（「面」，9節）和接納（「不要丟掉」）。禱告是要尋求神的旨意，並使自己更能行出祂的旨意來，是在現存的環境中遵行神的旨意（11節，「道」、「指教」、「仇敵」）這是最重要的，其次才是求自身的安全（12節；參徒四29）。信心孕育禱告：「幫助我的」，「救我的」（9節）。「我父母離棄我」：即使人間至親的關係都有極限，但主的愛仍舊不變！

第13-14節 信心獲鼓勵 「我若不信……」（直譯：「我信」，原文沒有小點的字）：這是一個宣告和感歎，「幸而我仍然信靠！」若不信靠神，後果不知如何嚴重！**第14節** 自己先得堅固，因信有力，如此才能幫助別人建立信心。

第二十八篇 懇求公義得伸張

本篇詩與二十六和二十七篇相似，暗示大衛仍身處困苦危難之中，例如3至5節；參二十六章9至10節；二十七章2、12節。神的居所從3篇詩篇來看都是卓越顯赫的地方：它是大衛信仰生活的焦點（二十六6-8）；是他與主相交的地方（二十七4-5）；也是得幫助的來源（二十八2）。每一篇的結語都顧及更廣的層面，就是神百姓的福祉（二十六12，二十七14，二十八9）。對大衛而言，艱辛的歲月乃是全心貫注於耶和華，並專心關顧祂子民的日子。到了二十八篇，我們卻能更明亮地看見大衛的處境：若非耶和華出手相救，他的結局只有死路一條（1節），而且會死得如同「惡人」和作孽的人一般（3節），因此大衛所懼怕的不是就此死去，而是「抱愧蒙羞而死」（Kidner）。

全詩中兩次出現「懇求的聲音」（2、6節），把本篇頭尾串連在一起。在第1、2節，詩人求垂聽（1節）之後「呼求」（2節）；到6至9節，「懇求」蒙了垂聽，於是轉為讚美歌頌（6、7節），進一步引向為神「百姓」的代禱（8、9節）。全首詩的中間部分是大衛懇求免受「惡人」同一的命運（3節），求神按著他們所作所行的對待他們（4節），確定（5節）惡人的結局反映神聖公義的報應。

第1節「死」：在神震怒之下死亡（三十4，八十八4），神掩面隱藏（一四三7）（參賽十四15、19；結三十二18、23）。請參第3節。**第2節「至聖所」**：這個詞已習用於所羅門聖殿中的至聖所（王上六16）。大衛向神所在的最中心地方禱告，這是禱告最有效最有能力的基礎。**第3-5節** 大衛與惡人劃清界線（二十六4），竭力逃離他們的兇爪（二十七12），他也同樣不願與作孽的人同蒙羞辱。神報應不爽，大衛既良心清潔（二十六篇），自然與神的聖潔和無疵相近，因此大衛可以大膽祈求神的公義伸張。如果我們認為這首詩的禱文太過激烈，這可能不是我們有修養的緣故，而是我們的良心未夠成熟而已。禱告求惡人敗亡，跟禱告求教會蒙福（9節）同樣合理：我們若要有前者的祈求而不犯罪，我們便需要有更聖潔的生活。

第二十九篇 聖潔榮耀的神

暢讀本篇，讀者大可讓詩中偉大莊嚴的意境浸透洋溢，心領神會其中巍巍的詩意，使我們也不能自已地喊出主的「榮耀」（9節）。不過依一般賞詩的慣例，要揣摩領受詩意，也要留意詩的結構和格式。

A¹（1-2節） 天上的主
  B（3-9節） 風雲雷電中顯威榮
    b¹（3-4節） 大水的狂暴
    b²（5-7節） 北方的風暴
    b³（8-9下） 南方的風暴
    b⁴（9節下） 「榮耀」的呼聲
A²（10-11節） 全地的主

第1-2節 天上的主——天上敬拜的對象 「神的眾子」，地位高超，能力浩大（參伯三十八7），要「將榮耀……歸給耶和華」，因祂的「名」和「聖潔」而屈膝「敬拜」。眾子尊崇祂是神，而祂所啟示出來的屬性和至聖的性情，也受到敬拜。

第3-9節 風雲雷電中顯威榮 大水捲起的風暴、能力和威榮（3-4節），達到北方（利巴嫩，5-7節）；風暴的天威也拍打直達南方（加低斯，8-9節）。凡認識耶和華的，

都要稱說祂的「榮耀」（9節下）。第6節「西連」：黑門山，在利巴嫩的對面，海拔9,000英呎（2,774米），是全巴勒斯坦至高之處。地上最堅固的岩石地，也在風暴中震撼搖動。第8節「加低斯」位處猶大最南端（申一19、46）。可見全地從這端到那端（5、8節）都被風暴所覆，即是全地都被風暴所象徵的「耶和華的聲音」覆蓋。第9節下有些人只看風暴為風暴，但主所啟示的人，卻明白它們是彰顯神某方面的「榮耀」。感性主義者說：「在花園中，我們與主更親近」，但聖經確定的啟示我們，在颶風狂舞之中，我們更近神的心。

第10-11節　全地的主──永世君王的神聖審判　「洪水」：這字詞跟創世記六至九章的「洪水」相同，也是原文聖經唯一相同的「洪水」用語。聖潔的主在天上尊貴無匹（1-2節），祂在全地也統管為王（10節），並審判罪惡。但不是僅此而已（風暴之外的花園也啟示神的本性）。祂的「百姓」活在當受審判的世界中，以祂所賜的「力量」和「平安」的祝福來過活──與神和好，在平安裏與人相交，也得享身心的平康和福祉。

第三十篇　從始至終，全是恩典

標題中的「殿」是指「居所」，可以指大衛的居所（撒下五11）、主的居所（撒下七5；王上六1），也與安提阿古以彼芬尼（主前165年）褻瀆後，為重建及重獻聖殿而用這詩篇有關。在大衛時期，他的居所意義深長，帶著平安之意（6節）。他得著了錫安城，整軍經武（撒下五6-7），國力日增（撒下五10），軍威日壯，家族興盛（撒下五13及其後），甚至非利士人可能也在大衛居所建造的期間被擊潰（撒下五17-25）。假若在大衛如日方中，容易生驕的日子，神憐憫他，讓他得著一場疾病，使他手中的杯未能暢飲，本詩的意境就甚吻合，從中流露出大衛從軟弱中學了功課，使他領會過去是神的恩典保守他平安，也只有神的恩典能繼續保守他到路終。正是在平安穩妥之日（6節），他發出了懇求憐憫之聲（8節）。

第1-5節　危急存亡中：為神垂聽禱告而發出歡呼　看來周圍仍有不少掃羅的餘黨，不滿大衛高升登上王位。他們必然「誇耀」，想望大衛事事不能亨通！然而大衛「呼求」神，蒙「醫治」，得以「存活」。第4-5節大衛呼喚「聖民」（蒙主所愛也愛主的人）起來「歌頌」神，他們如此行並非基於詩人的經歷，乃是本於神啟示了祂自己：神的聖潔性情值得人稱頌（「聖名……怒氣」），因他的「恩典」是一生之久。

第6-7節　可怕的態度──驕橫與自滿　「凡事平順」（6節），其實危機重重，本來對神有把握，但是很可能變成自滿、自信、自義（7節）。屬天的恩典曾令大衛興盛，但一點的雲霧卻足以遮閉祂的臉面，令大衛「驚惶」（懼怕）。

第8-12節　莫大危機──蒙神應允，歌頌歡呼　「求告」、「懇求」都是繼續式的動詞，即不斷懇求的意思。大衛既懼怕失去神的恩眷（9節；參5、7節），他也同樣害怕下在坑中，失去永遠的盼望（參七十三24），但唯一解救保命之道，即是逃避神審判之道，乃是逃到神面前，好祈求恩典向祂頌讚，使祂為我們帶來轉變（11節），並給我們內心的喜樂，得以長久站立在神面前（「我的神……直到永遠」）（12節）。

第三十一篇　壓力重重之日，禱告求存之處

大衛兩次回顧他面臨迫困時（1-8、9-17節下），如何藉信心的禱告和奉獻，得著主的應允，為他行了大事（21-22節），使他能呼喚別人一同「仰望」（23-24節）。因此本詩不只是教導讀者以禱告來應付危機（1-18節），更重要的是加添眾人的信心，叫人明白祈禱的果效（19-24節）。

第1-8節　山寨與網羅　仇敵設下「網羅」（4節），但神是大衛的「山寨」，人能藉信心、忠誠而逃往避難。消解危機的解藥，不離祈禱與誠心尋求神。第2-3節「磐石……保障……巖石」：這是堅固之地，不易被人攻佔，安全至極。「你名」，全詩重點顯於神啟示祂的所是，祂就是「誠實的神」（5節），是詩人無法否認的。

第5節「救贖」能給人一切拯救的幫助（二十五22，二十六11）。第6節誠心的「倚靠」和對神忠誠，二者其實不能分割。第7節信靠和禱告產生信心和把握：因神一早便看「見」了，「知道」了（出二25，三7）。第8節「未曾……使」是完成時態，保證將來也穩

妥無誤。

第9-18節　「你的手」與「他們的手」
詩人至此詳論他受苦的細節：在危機中他耗盡心力（9-10節），被仇敵羞辱，被朋友離棄（11節），不再為人記念（12節），到處是圖謀奸惡（13節）。雖然他四面楚歌，回應卻仍只有一個——兩次投靠神（14、15節），向祂懇求（16、17節）。深知「我終身的事在你手中」，所以深信神必救他脫離敵手（15節）。人活在神的手中，並不表示能免疫逍遙；反而這正是苦難滔滔的起點（約十28-29）。我們不是要免除苦難，而是要在風波中享平安。**第10節「罪孽」**：大衛不能自表清白。雖然有罪，但我們仍要轉向神，信靠祂，祈求、奉獻。我們如此行，不僅因祂的所是和所知（3、7節），也因為我們的所是（10-13節），只要我們發出呼籲，便該信神必應允（17節）。再者，一旦「義人」（與神和好的人）、神的百姓身陷險境，就可以放膽求神擊打眾仇敵（17-18節）。詩篇雖然不是教人報仇雪恨，但它是鼓勵人向神祈求，求祂傾覆不虔不義的人。聖經在這方面有不少指引（利十九18；撒上二十六10-11；箴二十22，二十五21-22；羅十二18-21）。

第19-24節　儆醒與盼望　大衛回首昔日重重的苦況危機，作出結論。投靠神的人必蒙蔭庇（19-20節），在眾民面前站立。神必回應呼求祂的人（21-22節），就是祂的「聖民」，那些蒙祂所愛也愛祂的人。至終仰賴耶和華的，必然堅固，充滿盼望（23-24節）。

附註　**第21節「堅固城」**：像撒母耳記上二十三章7至29節。這裏不是真的指大衛當時的情況，因當時大衛還是清白的（和10節的描寫有別）。這城是比喻（參13節），是指城的每一方面都關閉緊封，無處可逃。**第24節「仰望」**：表示有信心，雖然不知何時會發生何事，但仍滿有信心。

第三十二篇　是哀鳴還是禱告？

如果禱告真的力量無窮，能應付無數難關——包括處理我們在神面前的最大困難：罪惡過犯（1-5節）——禱告豈不也能助我們渡過人生的每一個逆境嗎（6節）？

這正是本詩的主題，以不同的方式，宣告（1、2、6、10節）、見證（3-5、7-9節）和呼求（11節）發表出來。也許這詩是屬於大衛與拔示巴通姦的時期。在3至4節，大衛也實在提到過犯重壓心頭，良心沉重的感覺（5節），這跟撒母耳記下十二章13節所提的相符（「大衛對拿單說：『我得罪耶和華了。』拿單說：『耶和華已經除掉你的罪……』」）。這裏最少證明，認罪禱告能得著即時的赦免。

第1-2節　蒙赦宥者乃為有福　「過……罪……罪」：分別指故意蔑視神明顯的旨意；心中、口中、行動等各種過犯；以及內在墮落的人性。**「心裏……耶和華」**：耶和華不再有餘下的指控，罪人也再沒半點須要隱藏的事。

第3-5節　認罪和赦免取代哀傷　這裏用了3個與1、2節中出現的字眼相同：承認自己的「罪」；出於自己的背叛——神亦直指我們敗壞的根源，他已「赦免」我的「罪惡」。

第6-9節　禱告是每個人的答案　神的回應超過個人和整體在罪方面的問題：遇上危難，人人（「凡」）都能向祂呼求。**第6節**「為此」，意即連罪也能藉禱告來對付。「虔誠人」（「聖民」，三十一23），指那些蒙神所愛，又以愛回應祂的人。**第8-9節**第7節的文意在此實現：人肯存心遵守神的話。「定睛……」：這並不是一種威脅性的講法，好像受人監視一般，而是指一種帶著眷顧的應許。神的教導並非毫無情意的高壓政策，倒是充滿愛和關懷的話語。如此我們的回應也不是被迫的遵從，而是以愛來順服。

第10-11節　不變的愛環繞信靠的人　受主的保護保守，有3方面的特點：一直信靠，與神保持美好的關係（「義人」，11節），加上道德上品格「正直」。但不是說如此便無災無禍（「苦楚」，參6節的「大水泛濫」），不過義人一定被愛懷抱包圍，永不失望。

第三十三篇　不變的愛——顯於創造與揀選

這是一首風格獨特的詩歌，開頭和結尾都是6行詩（1-3、20-22節），而中間部分涵括了4段各8行的詩歌（4-7、8-11、12-15、16-19節）。頭尾兩段的詩節都宣告確定在主裏的歡樂。至於八行詩則有幾對：頭一個對偶集中說到神在創造中的作為，其中滿懷不變的

「慈愛」（5節），並立定了祂在列國中的主權（10節）。第二個對偶著重揀選（12節），以及祂眷顧那些對祂不變的「慈愛」存盼望的人（18節）。本詩很適切地以神永不改變的「慈愛」來結束（22節），因為要一心活在神的世界裏，作神的子民，我們就當與賜生命的聖靈合而為一。

第1-3節　讚美之聲　詩歌、頌詞、感讚（「讚美」）、樂器、喝采歡呼（「聲音洪亮」的呼喊）——所有發自「義人」（與神和好的人）和「正直人」的歡呼之聲，和成「合宜」的回應，達到主的面前。這些人心裏正直，向神有無虧的生活。「新歌」：不是單指著新穎，而更是對神新鮮的認識，更曉得祂的屬性和身份，因此而湧出的新歌。真誠的讚美需要對神有新鮮的感受，這方面也需要喜樂的心情，加上出色的音樂造詣。

第4-11節　神在創造裏的作為　「因為」一詞解釋了讚美的緣由：

　　1.神的話、祂自己和世界的特質（4-5節）；

　　2.神創造的作為（6-7節）；

　　3.因創造主而生出敬畏之心（8-9節）；

　　4.神的主權——有權否定（10節），有權立定（11節）

本段兩部分的詩組（4-7、8-11節）表達一致的主題，就是創造者輕而易舉便掌管萬有——創造物質和個人的世界。祂是「海水」（7節）和「眾民」（10節）的主：「海水」聽令，「眾民」受支配。**第4-5節**要瞭解周遭的世界，必須先認識它的創造者。神的「言語」（就是創天立地的憑藉），乃是「正直」，意即裏外都正直，道德上完全，是無誤的至理。「誠實」：創造中的條理，很多方面對我們仍是謎團。為何有地震？動物為何弱肉強食？無論如何，我們能夠肯定的，就是造物主的性情可靠可信，祂必為自己所造的天地負全責。「慈愛」：彰顯於造物中的條理和規律，也顯於地上萬物的美麗壯觀、榮美、豐盛、四季循環、生生不息等。**第6節**「命……口」：諸天乃是神心意的最佳發表（「命」），也是祂心意的直接產品（「口」）。「氣」：可譯「靈」（即神的靈），主所說的話滿載能力，絕不徒然（參9節，一○四7、30；創一3、6節）。**第7節**「海水」：天地間最不受約束的自然現狀，在此詩人用作顯示

創造者卻能收放自如（九十三3-4）。**第8、10、11節**舊約認為造物主不僅開天闢地，更持續統管萬物，配得其百姓尊崇愛戴。祂直接掌管人間事，是一位有旨意、有目的、人類無法抗衡的主宰。

第12-19節　揀選的神　從受造之物中，創造主揀選了一個國作祂的「產業」（12節）。耶和華從天上察看全地（13-15節），看見世上的供給不能帶給人安全保障（16-17節），地位（「君王」）和武力（「兵」）也是枉然，大「力」或軍器（「馬」）也不能拯「救」人。而大衛比較一己的情況，即使強兵利甲，也不如在神的保護之下來得安全！耶和華的「眼目」和「慈愛」（18節），足以幫助他勝過永遠的（「死亡」）和短暫的（「饑荒」）威脅（19節），使我們心存「敬畏」，向神「仰望」（滿懷希望），因為祂不變的「慈愛」能看顧我們（18節）。

第20-22節　一顆信靠的心　屬神的子民，他們的見證是：1.恆久「等候」（滿懷希望），他們不僅對末後的日子存有期望——就是將來、永遠的指望——他們也在人生的遭遇中有希望，深信「他是我們的幫助，我們的盾牌」（20節）；2.因「倚靠」而有喜樂，這倚靠來自神啟示祂的所是（神的「名」），並源於祂的性情（「聖」），因此神不能背乎自己（21節）；3.依靠禱告（22節）。「慈愛」滲透在神一切的作為之中（5節），也充滿在他的選民中間（18節）。當我們求這大愛「向我們施行」時，就是以一句說話來包含所有的祈求。

第三十四篇　危機應變備忘錄

標題指明撒母耳記上二十一章10至14節為本詩的處境。大衛逃避掃羅，遁往非利士地迦特王那裏。迦特王名叫亞吉，但本詩依他的王族稱謂，稱他作亞比米勒（創二十2，二十一22，二十六8）。可是不久，保護便變成幽禁（撒上二十一13，「落在他們手中」），因為外邦人知道大衛非池中物，遂把他作為頭號人質。大衛惟有裝瘋才得脫身。如果我們只看撒母耳記的史料，便以為是人的狡計成功。但是回想其中的過程，大衛說實情並非如此：逃亡得脫的祕訣，在於他曾「尋求耶和華……困苦人呼求」（4-6節）。聰明才智並不能叫人逍遙，一切皆因神「救我

……救我」（4-6節）。

本詩也是局部的字母詩（參導論）：每缺一個字母，接著的字母便重複兩次。人生的患難不容易分類，事實上很難預計患難來勢和方式。但本篇的故事要告訴讀者應付危機的基本步驟。

全詩分成兩部分：1至10節是從經歷上學會的教訓，以大衛的見證為骨幹，並作結論；11至12節是真理的闡明，講出如何處理人生，面對危機。

第1-2節　一心一意，不斷讚美　「時時」：即使在亞比米勒的監視之下，人的最佳回應是「稱頌」（並非運用巧計）。如此行乃是肯定造他之主的榮耀，袖才是值得「讚美」和「誇耀」的，就是值得我們傾心讚美主。這個信息切合「**謙卑人**」，就是身處人生低谷的人。

第3-6節　為神的榮耀作見證　禱告得著應允，因此蒙拯救「脫離了一切的恐懼」（4節）——這並非只適用於大衛，因為「凡仰望他的，便有光榮」（5節）；他們「必不蒙羞」：仰望神是永不會叫人失望的。大衛有這種體驗也不是特別的事，他是作為「困苦人」來「呼求」神，便蒙「垂聽」（6節）。

第7-10節　所學的功課　只有當人對神的經歷建基於不易的真理之上，這種經歷才有寶貴的價值，才能夠造就別人。那麼大衛又為何能有這樣的經歷呢？因為「**耶和華的使者**」與他同在，搭救他（7節）。這位使者曾向夏甲顯現，向她講到神（創十六1），而他其實也正是神自己（創十六13；參出三2、4，十四19、24，二十三20-21；士六21-22，十三21-22）。耶和華的使者常在重要關頭出現，為要向神的百姓表明心意，而在舊約中，袖的出現同時有出神格在合一中同時有多重位格的事實。大衛的見證也可以是每一個人的見證，因為使者「安營」（住在流動的居所中與百姓同行止），搭救凡「敬畏他的人」。難怪詩人邀請人來「嘗嘗」，來「投靠」（8節），好經歷神叫人一無所缺的應許（9-10節）。

第11-14節　美善生活的祕訣　「我要……教訓」：這裏鎖定了下面的詩意，也是大衛一心想與別人分享的。首先，美好生活的第一個祕訣竟然是「禁止舌頭」（13節），「離惡行善，尋求和睦」（14節）。詩人曾以狡

詐手段，從阿比米勒的宮中逃出來，然而他要在此說，「敬畏耶和華」的人尊重大衛的教導和價值觀。

第15-18節　克勝艱困的秘訣　困難愈大，禱告愈要加多，「義人」的呼求可蒙神救他脫離苦楚（17節）。這裏「義人」與「行惡的人」相對比，可見前者的意思既是指與神和好的人，也是指實際上一心過公義生活的人。如此1.就上下文來說，義人的禱告大有功效：（15節，「呼求」），尤指「求救」；「呼求」（17節），在緊急之時的聲音；2.但是主必「靠近傷心的人」（18節）。「**靠近**」如近親那樣親密的關係，不僅是就近身旁來安慰幫助，乃是如有切膚之痛（利二十一23；得二20，三12）。

第19-22節　蒙拯救的秘訣　這幾節聖經大可以視作「近親」的註解。實質上，「義人」（與神相安，作為公義，19節）並不保證免受災難（「多有苦難」），然而可以確定的是主必靠近這樣的義人，而且要「救他脫離」（19節）和保護（20節）他，與我們並肩拒禦仇敵（21節），袖更願付出任何的代價來幫助我們（「救贖」，22節上，三十一5），作我們的避難所（22節下）。

第三十五篇　回應無端的苦難

本詩自然流暢，發自內心，因此有別於工整有序的詩歌。全詩寫於憂患無窮，仇敵四佈的環境之下。掃羅妄想狂躁的仇恨正如烈火，王的境況悲慘，惹人同情。阿諛之輩奉迎病態的掃羅，更添了大衛的苦楚。正如詩篇三十四篇一樣，禱告是惟一的出路，而在今次的危機之中，答案就從禱告中得到：「困苦人呼求，耶和華便垂聽」（三十四6）。如今，詩人雖然恆切懇求，無奈厄困未除，曙光遲現。禱告的人要把需要告訴神，更要把自己的時間表交給神！

全詩分3段，每段均以雨過天晴之後的讚美作結（9-10、18、27-28節）。每一段都充滿了以下的主題：1.求上天起來介入困境（1、3、17、22-24節上），2.求神起來報應（4-6、8、24上-26節），3.神施報的原因（7、11-16、19-21節）；鑰句是每段的最末，指出苦難來得無緣「無故」（7節），和大衛的行為不相稱（13-14節），其間大衛被怨恨包圍（19-21節）。與同類的詩篇一樣，我們會詫異大衛

禱告的語調如此激昂，反擊仇敵的心情如此
熾烈。但我們應該明白甚麼是純潔的怒氣，
從主耶穌基督身上可以看見（可三5），在眾
聖徒身上也可見一斑（啟六9-10），並請留意
以弗所書四章26節。全詩（正如其他同類的
詩），大衛的言行並不是出於他對加害於他的
惡人、仇人的敵意。就如詩篇三十四篇，漫
長的危機仍是以禱告來應付，一切已全交在
主手中。

　　第1-10節　　無端起禍患──大衛的禱求
此處詩人求神出來作事，干預局勢（1-3
節），接著是求主報應（4-6節），且陳明事端
「無故」而來（7節）。求主復仇的主題於第8
節重複，接著是因神應許拯救的大能而欣喜
歌頌（9、10節）。詩中提到爭戰與兵器（1、
2節），指出神的權能，比敵方的全軍更為強
大。**第1節「相爭」**：法律訴訟。大衛頭一
個申訴，是求神行該行的事。人不能求神作
不義的事。**「相戰」**：大衛雖然處於生死存
亡之勢，仍不願動武。報應是耶和華的事。
第2-3節「大小的盾牌」：指所有可作防禦
的武器。**「槍」**：求主出手攻擊，不只保
護，也求祂看顧「靈魂」，使裏面有確實的信
心。**第4節「蒙羞受辱」**：明明的羞辱，公
開受挫折。**第5節「糠」**：在審判中無助無
力的圖畫。**「使者」**：參三十四篇7節，「耶
和華的使者」在詩篇中只出現於這兩處，為
要拯救（三十四7）和分散（三十五5-6）。**第
7-8節**呼求神施行報應的禱告，多是接著神啟
示祂的旨意。祂啟示出行惡的人要為自己的
惡事受苦（申十九18-19）。就此我們大可溫
和地求神：「願祢的旨意成就」；詩人們傾
向寫出這個旨意的內容！**第10節「誰能像
你？」**，參出埃及記十五章11節；馬太福音七
章18節。

　　第11-18節　　無故的危難中之禱告　12
至16節冗長的序言，大衛哀歎仇敵以惡報
善，因此求神出來處理（17節），並許願神若
拯救，他必在大會中頌讚神恩（18節）。這是
詩中傷感之處：本來以為是朋友的，反轉過
來中傷和嬉笑惱恨自己。本段中耶和華被稱
作「獨一者」（17節，參和合本小字），但是
卻加上「要到幾時」一語。神當然是無可匹
敵的大能者，但禱告的人也己要準備好依從
神主宰安排的時間表。

　　第13節　　「我所求的都歸到自己的懷

中」，詩人似乎用特別的手法表達出他的祈求
未蒙應允。另一個解釋是，「懷」若是指
「心」（傳七9），那麼就是說他的禱告一再徘
徊於內心，意即雖然別人待他的態度很難
受，但詩人仍為他們代求（太五44）。**第16
節「下流人」**：在心思、行動上都是褻瀆神
的，叛教的，好像不信有神存在的人一般。
他們**「嬉笑」**：可能指不虔敬的嘲笑者，聚
集一處向他咬牙。**第17節「主」**：原文是獨
一者（譯按：有異於和合本小字的解釋）。**第
18節**　主喜歡人稱謝祂（路十七15-16）。詩
人許願稱頌神，使全詩前後一氣呵成（9、28
節）。

　　第19-28節　　惡毒危難中的禱告　大衛
的仇敵儘是無理詭詐（19-21節）。神是否仍
要靜默呢（22-24節）？惟有祂能干預（24-26
節），而大衛至誠的朋友們必要同來尊神為大
（27-28節）。本段加上新的強調：主的「公義」
（24節）。正因為神是公義的神，他理應為飽
經憂患的人作點事。**第19節「無理」**（參約
十五25），**「擠眼」**：圖謀惡事的暗號。**第
22節「你已經看見了」**：注意這裏跟21節
（「我們……已經看見了」）的關係。不管人們
如何自辯宣揚，主已知道事情的始末。**「耶
和華」**：自主的一位之意。在17節中，這稱
謂是指出祂有自己的時間表；而這裏的稱謂
表示祂掌管仇敵。**第27節**大衛的敵人可謂多
不勝數，但他不忘記自己也有朋友，這個念
頭是人在受盡攻擊之際、孤單之時的一劑良
藥。有一天，這班良友將因大衛得拯救而率
先發出歡呼之聲。

第三十六篇　一位神，兩種態度

　　這篇詩的結構表達了它的信息內容：
A¹（1節）惡人的哲學
　B¹（2-4節）惡人的畫像
　　C（5-6節）耶和華的真像
　B²（9-11節）認識神的人
A²（12節）惡人的結局
　　這首詩歌指出人可以揀選今天和將來的
命運：關鍵是人如何對神的啟示作出回應。
人若拒絕神，便會隨己意行，過一個毫無意
義的生活。欣然接受並揀選神，生命便成為
一種享受，充滿亮光，供應不絕，蒙祂眷
念。

　　第1節　　惡人的哲學　　「惡人的罪過在

我心裏說」（直譯）。「說」（oracle）字是帶權威性的字眼，通常只用於耶和華的發言，此處的發言者卻是「罪過」。「在我心裏」意即「我直覺上知道」或「我自己曉得」。前者表示真相的確定；後者更具說服力，表明詩人自己並非清白。**第1節**下這裏所講的不是神是否存在的問題，而是有神又如何；那是關乎祂的適切性而不是祂的真實存在性。這種疑問許多人也有，不少信徒也間中抱同樣的態度——這種態度雖非明言，卻存在心裏，並顯於行為上。

第2-4節　惡人的畫像　他們內心所聽到的是自誇自媚，自以為是（2節）；外面來看，他們口中盡是罪孽詭詐（3節），他們的籌算、目標和價值觀都邪惡無比（4節）。**第3-4節**不敬畏神，人生便失去客觀的標準。「**罪孽**」：包含頑皮至背道的所有惡行。「**智慧**」：帶進真實成就的才智和性情。「**憎惡**」：擯棄，發諸內心，也顯於具體的行動。

第5-8節　耶和華的真像　**第5節**「**慈愛**」：不變的愛，出於意志。「**上及**」：並非遙不可及，而是巍巍在上，大過也高過地上任何事物。「**信實**」：啟示性情的一致，祂的應許可信可靠。「**公義……判斷**」：表示聖潔的道德法則和公正的行為。**第7-8節**神宇宙性的慈愛（參5節）、保護（7節）、豐足和喜樂（8節，就如同伊甸園中的河流一般，創二10）。

第9-11節　認識神的人　先是描述，進而成為見證（5-8節）：「**生命**」：相對於2至4節腐敗的生命，這是真實、神聖的生命；「**光**」：令生命充實無憂的事物。「**見**」：指經歷和享受。**第10節**「**認識**」：享受親密相交與合一。「**慈愛……公義**」：神自己的屬性。凡認識祂的，必羨慕渴求得享祂的自己（彼後一3-4）。**第11節**「**腳……手**」：依次象徵征服和個人的權能。我們所在的世界，人人追求佔有和轄制別人。「**趕逐**」：使人無家可歸、無所依傍。

第12節　惡人的結局　「**在那裏**」：詩篇的背後是否有些「作孽之人」傾覆的事件？又或者更可能是大衛戲劇性地指向將來神聖的審判呢？

第三十七篇　個人靈命的矛盾——基本指南

三十七篇差不多是首完整的字母詩（參導論），可作為三十六篇最後幾節的註解。詩人禱求惡人的手腳不能得逞，無論何時要埋伏攻擊人，必然注定失敗。三十七篇的主旨是針對常見在信仰上的張力，似乎作奸犯科的壞人富足亨通，相比之下，義人在世上叫苦連天。這些與神關係良好的人，跟心中無神的人成了強烈對比。此詩有4個等長的段落，其中二、三、四段都以類似的手法來開始：「惡人設謀」（12節）、「惡人借貸」（21節）、「惡人窺探」（32節）。

第1-11節　邪惡滋生：如何回應　詩的佈局，起首是提出人生有幾種取向（1節與3節之比），不過外表看來，還是歪曲的人佔上風（7節），至於好人善人，則多經憂患，時受試探（1節），使人不禁氣憤（8節），懷疑到底溫柔等候神是否真的能承受地土（9-11節）。詩人的反應是默然安靜（1、7、8節），存信心和德行（3、5節），安靜交託，以待事情的終局揭益（7、10、11節）。如此安然的態度，源於詩人知道作惡者時日無多，如轉眼煙雲（2節）；而神給人的祝福，卻是牢靠信實（4-6節），終於會擺平一切（9-11節）。**第3節**「**以他的信實為糧**」：或作「必種植信實」（對神和祂的旨意而言），正如一個牧人般呵護自己的群羊。**第4節**「**所求**」：渴慕，將所想望的化成禱告。**第5節**「**成全**」：採取行動。**第6節**「**你的公義**」：詩人的光景正確；「**你的公平**」：神聖的審判必按你的心願下判決。**第7節**「**默然倚靠**」：靜默安然（在言行上）是因為充滿信心，但亦加上「折騰受苦」的含意，近似如坐針氈的等待。**第9節**「**等候**」：存信心等待**第11節**「**謙卑人**」：指處於人生低谷，但仍冷靜地處之泰然，因為他們深知自己活在神主宰的手中。

第12-20節　邪惡緊迫：別有洞見　1至11節說出生命往往不如人意，不甚公平，現在來到這一段，情況再上一層樓。行為上的無神論者，現在乘勝攻擊義人（12、14節）可怖的威脅日濃，但是，事情不是如一般見識的人所想的那樣差勁：神絕非袖手旁觀的；祂已經表態，早已定好壞人的終局（13節），惡人的詭計會使他們自食其果（15

節），因為他們也是神的仇敵，難免滅亡（20節）。再者，義人有時比惡人更富強（16節）。奸險之徒常受擊打敗亡，神卻始終是義人今日的力量，與義人相近懷褲（18節）。塵世的百苦災劫不能摧毀他們，因為他們自有飽足的源頭（19節）。本段的總意，是勸我們活在這個亮光中，毋須怨艾因環境而來無休止的困難。**第14節**「困苦窮乏人」：分別指最卑賤和受壓榨的人。**第17節**「膀臂」：個人的才幹與長處。**第18節**「完全人」：擁有整全健全人格的人，包括裏裏外外的每一環節。「知道」（參一6）：神親密的扶助與眷顧。

第21-31節　窮憂絕路的奸惡：堅定奉獻　最後一段所啟示的識見，是義人更寶貴的財寶，在此詳細說明。義人慷慨，有別於惡人（21、26節），他們待人恩惠無窮，並不吝惜，因為（22節原有「因為」一詞）義人的前途穩妥，腳步堅定（23節），今日的需用也不絕從神而得（25節；參28、29節）。在這個壓力重重的世界裏，能心境釋然，不憂不慮，背後隱藏著的原因，就是神那甜美的賜福、喜樂、扶持的大愛和情愫，人一旦照神的法則忠心而活，便能體驗其中的美善（27節），領略神的偉大性情（28節），並能口中有智慧，心中有把握（30-31節）。相對於1至11節詩人忠告我們不可效法的惡事，如苦毒、忌恨、憤怒等，我們便明白當世事似乎不公平時，我們的優先次序該如何。**第22節**本節開始應有「因為」。義人得著釋放，能以慷慨待人，原因在於他們對將來充滿盼望，不至憂心。**第23-24節**義人腳步雖然立定，但是並不保證從此便永不跌倒。前路遙遙，處處陷阱，尤幸神保護的手絕不會稍稍放鬆，任憑義人失喪。**第25節**這節可能是詩人多年不斷的經歷，但更可能是24節所講的，應有「長遠來說」的意思。**第26節**「後裔」也包括在傾倒的祝福之中，（參出二十6；箴二十7；徒二39；林前七14）。**第28節**「忠信之人」（和合本：「聖民」）跟「慈愛」有關（三十六5），指那些蒙神所愛又以愛回應神的人。**第31節**「律法」：即教導。

第32-40節　邪惡不能永久：滿有把握在此強調一個原則——主保證義人（那些與祂有美好關係的人）必有後福，惡人則後果嚴重，面臨滅亡的威脅（32-34節）。結果是

存單純的信心，一心仰望「等候」結局，而且專心「遵守他的道」（34節）的人，便必能承受「地土」。從經驗而來的一個特殊事件（35、36節），最終被視為典範（37、38節）。其間，主施行拯救（「得救」），保護、幫助和救援那些「投靠」祂的人（39、40節）。**第34節**「承受土地」（參9、11、22、29、34節）：這個動詞在本篇中一直使用，譯作「佔有」比承受更貼切。耶和華賜百姓土地，可是卻常受阻撓，常遭威脅，時而國家外患頻仍，時而個人的安全受損害、剝削。要求安全保障，安居樂業，一直是人最大的夢想。本篇第一重意義故然在此，但是更深刻、更重要的信息卻是直接指彌賽亞的日子和新天新地。**第37節**「完全人」：指人格健全的人（參18節）。**第38節**「犯法的人」：即背叛的人，存心背棄神明顯旨意的人。

第三十八篇　神聖的震怒，神聖的救恩

頭一節和最後兩節，總括了全詩的主題和驚歎。人得罪「耶和華」，當祂發「烈怒」，祂的「箭」也射來（1、2節），此時我們就當向這一位憤怒的主呼求祂的同在，求祂臨近我們（21節），拯救「幫助」我們（22節）。惟有耶和華的恩惠能救拔我們脫離祂的憤恨。如果曾有一首詩篇警告我們遠離罪孽，陳明它的苦果，本篇正是代表作。犯罪是得罪主，要擔負罪責，讓創傷取代福祉，使消沉滲入我們的生命，令身體受苦，延禍心靈（1-8節）。罪惡過犯招惹憂愁與沮喪，使我們與朋友疏遠隔膜，令仇敵滋生（9-12節）；它使我們無法開脫，無地自容（13-14節）。不過禱告的大門卻仍然大開，我們仍有機會衷心悔改認罪（15-18節）。

第1-12節　墮落之旅　大衛沉迷罪海，日益往下坡走，受盡罪擔的折磨。神好像成了他的冤家，與他過不去（1、2節）；大衛理窮乏力（5-10節），同伴全部離棄他（11節）。**第1-4節**他種種的病癥（3節，參5-8、10、17節）可能反映他為一己的罪惡忑忑不安，但是詩中對他身受的苦楚描述得如此細緻，可見他極可能因犯罪而生病。**第1節**「怒……烈怒」：參上文。**第2節**神怒氣的使者（「箭」）——疾病、苦痛、被棄（11節）、加害（12節）——還有神直接的「手」臨到

大衛了。「射入」：即重重壓下來。第3節「惱怒」：憤慨，烈怒。「肉」：全人；「安寧」：健康，平康，安康。「罪過」：某些特定的過錯。第4節　「罪孽」：心中詭詐和本性敗壞。「擔當不起」：沒頂，如同遇溺的情況。

第5-8節這一段描述肉身上受的折磨，進一步說明了第3節。不是所有的病痛都因罪起，但是不少的確來自犯罪的前因。每次患病其實都是人好好反省的機會。這裏罪與病明顯互為因果。詩人的描述的病癥是從身體到精神的。第5節「發臭流膿」：氣味難聞，膿毒不止。「愚昧」：相應的名詞是「笨蛋」。第6節「拳曲」：痛得痙攣扭曲。第8節「壓傷」：僵硬麻木。「唉哼」：即如怒獅吼叫。「不安」：不平難受。

第9-12節集中講到疾病明顯是出於神的怒氣；這裏的主題是因病被人厭棄，疾病也帶來極大的威脅。雖然禱告不順暢，但是總可以把苦情告訴神。第9節「主」：自主者，如15、22節。「最能顯出主的大權能的，是祂的憐憫和體諒」（公禱書）。第10節其他病癥：心悸、活力衰退，視力模糊。第11節這是極生動的一節。很多時候人愈想親友憐恤，反而愈令人卻步。因為我們面對傷病的人，真不知從何說起，也不知可以怎樣做，又或者我們關心自己，多過眷念難處中的人。其實受苦中的朋友不需要人喋喋不休，也許是誠懇有力的握手示意，也許只是陪伴身旁已能表明心跡。「良朋」：指「我所愛的人」，「密友」（同儕）更親密。「親戚」：指近親（參三十四18），就是有權利以解決親人的難處為己任的人。第12節可惜有些人反而伺機而動，待事態變得更壞的時候便行詭詐謀利。

第13-22節　通天之路　同樣的原則見諸1至12節，不過本篇至此已進入另一個新的階段。祈求免受神烈怒責打的禱告（1、2節），成為第9節說不出來的禱告（9節）。現在環境不見得改善了，但是詩人已能採用一種較積極的心情來對應：以信心來仰望神的應允（15節），他肯坦誠認罪（18節），也求主拯救（22節）。

第13-16節由於不利他的傳言四起，詩人不作半點回應（12-14節），只向神傾吐心意（15-16節）。他告訴「耶和華」（15節，祂是立約的神，是慈愛、拯救和有能力審判的神）他對人默言不語（13、14節），也陳明他的信心和盼望（15節）；他深知「主」（自主者）是「我的神」，必「應允我」（參哀三19-33）。第14節不是不能回話，乃是「沒有回話」。一心靜默不言，是出於詩人的選擇。第15節本節應有「因為」作開始。他定意默然不語（14節），「因為」仰望主，有信心憑禱告而活（15-16節）。「仰望」：因信等候。

第17-20節16節的禱告十分危急，因為快要「跌倒」（17節）。首先詩人表達迫切的心情，原來苦痛已經很長久，無法再熬下去了。其次，痛楚常在他面前，揮之不去（17節）。為此（18節也有「因為」作開始），詩人一直體驗苦楚，也一直因「罪孽」而憂愁（參3、4節）。如此向神認罪不休，使他悲慟的心情激盪。加上仇敵「活潑」，無理的憎恨增多（19節）。不過從前重壓全身的自責倒減輕不少，烏雲漸散，因為他實在誠心悔改認錯了。

第21-22節　立約之神的名字（21節；參1、15節），與人親密的神（21節；參15節），自主的主（22節；參9、15節）出現在詩的結尾。從前曉得祂百姓落在受苦憂傷中的神（出三7，用字和17節相同），祂並沒有改變。這位神曾親切地讓人認識自己，祂忠於這種關係，不棄不離。這位自主的神必定幫助。

第三十九篇　迫切的問題

本篇的情境和第三十八篇相似：在旁觀者面前默然無聲（三十八12、13，三十九2），神對付罪惡（三十八1-3，三十九9-11），唯主是指望（三十八15、21、22，三十九7）。但本篇的焦點和三十八篇有所不同。在第三十八篇中，詩人在疾病中省悟到罪咎，因而需要尋求赦免；而在本篇中，詩人在病中體會到人生的短暫，促使他期盼在這短暫無常的人生終結前能重新得力，重拾光明的日子（13節）。

聖經經常提到人生的短暫和死亡的憂傷，即使「死後有永生」這真理已全面啟示，仍未能除去上述兩點所帶來的感慨。人生的確寶貴；人或許可以看破當中的快樂和情愛，但它們實在是無可取替的。親人離世是「憂上加憂」（腓二27）；即使確定自己有

永生，當我們自己面對死亡時亦難以處之泰然。大衛雖知有日定能和離世的兒子重逢（撒下十二22-23），但仍因喪子哀痛悲傷。而大衛在本篇詩篇為自己在塵世的日子無多而哀痛。

第1-3節　緊張的沉默　懼怕在壓力下講錯說話，詩人因而選擇沉默不語。縱然壓力會升級（2-3節），在「惡人」面前作見證仍然重要（參七十三15）。

第4-6節　迫切的問題　詩人以美化的言語，婉轉地問神：「我是否快要死？」他不能在不信者面前提出這問題，因為他既肯定有永生的福樂擺在前面（四十九15，七十三24），為何還要害怕或恨惡死亡？但這問題很快便過去，大衛轉而面對人生苦短、虛幻無常等人所共知的事實。

第7-11節　神是我的指望　「等」和「指望」是同義詞。大衛曾迫切地問：「我是否快將要死？」但現在他以正確的觀點看將來。或許他正身患絕症（10節，直譯：「我完了」），但他深知他和其他人一樣，有相同的年日，就是神所分配的年日。大衛充滿信心的盼望，無論生命是長或短，他的一生就是神的旨意。**第8節「救……不要使」**：大衛在危機中全然仰賴禱告。要是禱告得不到回應，論斷他的人會洋洋得意（三十八15-16），「愚頑人」（沒有道德及屬靈見識的人）會嘲諷他。**第9節**在神的手中甘願沉默不語（參2節）。**第10-11節**人生年日有限，是因神對罪的審判（參九十5-9），因此大衛不求醫治，只求赦免（8節）。

第12-13節　祈求真光　人生定必有終，此際他期待「力量復原」，人生多點色彩。**第12節**以「禱告」將需要帶到神面前；「呼求」：因為無助；「流淚」：因為迫切。「客旅……寄居」：神叫祂的子民在地上作客旅和寄居的（利二十五23）。「客旅」：尋求庇護的人；「寄居」：沒有業權的住客。主愛憐寄居的（申十19），給他們保護和居留權。

第四十篇　過去等候神……現在仍要等候

在詩篇三十八、三十九篇中，大衛存禱告的誠心（三十八15，三十九7），渡過罪孽帶來的危機與讒害（三十八3、16，三十九

8）。這等候已告一段落（1-3節），詩人忠心信靠主，已得神神肯定（4-5節），他樂意遵行神的美意（6-8節），更公開見證（9-10節）。可是詩人仍舊面對無數禍患和困乏，何等需要神速速的幫助（11-13節），也需要神公然出手，斥退仇敵（14-15節），帶進喜樂（16節）。前景如此，大衛惟有耐性等候神：無論神過去有何作為，未來仍得不住依靠祂，人也是何等急需祂的關注和搭救（17節）。

第1-3節(A¹)　等候神大有所獲　以純全的心等候（存盼望和信心），人必經歷拯救、保守、更新和對公眾的影響（2-3節）。**第1節「耐性等候」**：應指「一心等候」。**第2節「淤泥」**：意思不明確，或指嘈吵／荒棄之地。**第3節「新」**：指新鮮的，因經歷新的憐憫而生出新歌。**「許多」**：最有效的見證是存單純的信心等候神。許多人必「看見」（留意）如此的見證，便「懼怕」起來，敬畏神，使人有信心（「倚靠」）。

第4-5節(B¹)　記錄神從前的作為　人稍微開始投靠神，倚靠祂大能的工作和奇妙的計劃，祝福從接踵而來。**第4節「狂傲……虛假之輩」**（或作「假神」）：兩種態度都不該有：狂傲和以虛假的手段求解脫。**「奇事」**：超自然的事，有神的作為在其中。**「不能向你陳明」**：或作「無人能與你相比！」

第6-13節(C)　最要緊的性情和操守　這裏的3段詩歌（6-8、9-10、11-13節）都連於內在的氣質：順服之心（8節）、見證之心（10節）和戰驚的心（12節）。神的奇事需人回應（5節），人不是僅僅獻上祭物便能討神歡心（6節），惟有堅定地遵神的旨意前行，才會蒙悅納（7-8節）。人只有內在的敬虔仍不足夠，公開的見證和生活（9-10節）也是要緊。不過在過程之中，人不免會問：我是否可以堅持到底，忠勇直至路終呢？世上的危險威脅無法全消，罪惡仍當道，詩人感到心寒（12節），然而11、13節消除了12節的疑慮，告訴人仍然可繼續禱告。

第6節參五十一章16至17節。「不喜悅……要」：大衛得著啟發，曉得要蒙搭救（1-3節），只能竭力全心投靠神，此外沒有別的出路。「開通……耳朵」：參以賽亞書五十章4節（動詞不同），是神賜給人的，使人

能接受啟示。**第7節**「經卷」：某些登基的諭旨（二7；參申十七14-20）或誓言（參一〇一），確立大衛家的王權。大衛隆而重之，把自己的理想確立，而最終只有彌賽亞才能完成這一切的承諾，希伯來書十章5至10節說出禮儀的廢止與盡心遵行律法，二者都完全實現在主耶穌的身上。**第9、10節**接著6至8節，表示對未來的決心。在此，決意公開陳明也就表示決心不再隱瞞。因信而承受福氣（1-5節），總是同時仰望聖潔的生活（6-8節），加上隨時開口見證神（9-10節）。當然，這一切都不能缺少禱告（11、13節），因為人人有自己的軟弱（12節），很容易使我們的宏願與立志歸於虛空。

第14-16節（B²）　尋求神將來的行動　神確實為大衛行事（4-5節）；現在大衛再仰望神臨到整個社群，使一切能夠平安無事。從人而來的是反對和敵意（14-15節），很可能摧毀他美好的打算，而敬虔的人，就是那些跟大衛同受磨煉的人，也需與他一同再享神那新鮮的憐憫。**第14節**「抱慚蒙羞……退後受辱」：同義詞，表示失望和公開受辱。我們既禱告求神退敵（14節），也該禱告求祂幫助愛祂的人（16節）。大衛是個好榜樣，但是效法他禱告的態度，必須存心清潔。

第17節（A²）　仍然等候　詩人自感脆弱無力（「困苦窮乏」，因生活的重擔而受壓傷）。因此，過去大衛享受神的憐憫眷顧，然而我們每一天生活在地上，無時無刻都需要神新鮮的恩典（參來七25）。

第四十一篇　蒙福——理論與經歷

本篇詩提到疾病、罪惡、反對和疏遠，這些主題跟詩篇三十八至四十篇連成一線，反映了一個中心信息——心存惡意，背棄出賣的延長試煉。而實際上本詩是以經歷（11-12節）來測試理論（1-3節）：憐恤軟弱是否能換取神相應的垂顧呢？

第1-3節（A¹）　神的恩惠——理論　在舊約中，顧念弱小的態度，是不可少的（出二十二21，二十三9；利十九10、33；申十18）。箴言十四章21節和十九章17節應許說，凡如此行的都得福氣賞賜（參太五7，十八33）。顧念貧窮的，可以在遭難的日子蒙搭救（1節），在地上享福，得保護，有安息，病中也能得安慰（2-3節）。**第1節**「貧窮」：主要

是指缺乏世上的物質和資源的人，有時也指某方面比人條件較差的人。撒母耳記上三十章13節說到大衛在這方面的態度如何，他強調自己是站在一個蒙神賜福眷顧的地位上，有神處處照顧。**第3節**「你必給他鋪床」：一幅十分美的圖畫，講出神的眷念。

第4節（B¹）　因犯罪而尋求恩典　前面先確定神祝福，是因人肯顧到軟弱貧窮的人，大衛進一步祈求神醫治因罪而來的疾病。「憐恤」：喜悅／恩典。「醫治我」：醫治全人，整個人格。罪人裏面的罪性，如同瘟疫，極其得罪神，「得罪了你」。

第5-9節（C）　仇恨、虛假、讒言、出賣　這兩詩節（5-6、7-9節）把重點點明出來：設計謀害的人，他們大多數是詩人曾經推心置腹的密友。「朋友有否賣你棄你？應當向主去禱求？」。**第8節**「怪病」：直譯「惡（Belial）事」，"Belial"指道德的墮落，社會上越軌的過失，也指信仰上的異端和背道。讀者要從上下文來判定它的意義。此處的含義，最恰當的解釋是一些得罪神，惹祂怒氣的事。

第10節（B²）　因敵人的緣故，詩人尋求恩典　神有憐憫，使人重新得力，大可報仇雪恨，但是詩人堅守原則，認定報應在乎耶和華。對此大衛處處表現得小心翼翼，免得自己越了份。他在列王紀上險些也犯上復仇的罪（二5-6），但也能克制，這裏他有板有眼地寫下詩篇，很難相信他會一面求憐恤，一面想報仇。他可能是以王的身份求神復興他的生命，使他有能力履行作王的職責，好清理地上的污穢（一〇八8）。

第11-12節（A²）　神的恩惠——經歷　大衛已得著了所應許的祝福（參1-3節），他的「仇敵」無法遂其所願，詩人卻表現出「純正」，因此也蒙了神的稱許。

附註　第11節「誇勝」：勝利歡呼。第12節「純正」：不是指無罪的完全，而是指在關顧貧窮的事上算是完全（1節）。第13節是詩篇卷一的一個總結（參七十二18，八十九52，一〇六48及導論）。

詩篇卷二
第四十二、四十三篇　信心之旅

這兩首詩本為一，我們不知它為何被一

分為二。全首詩包含3段長短相若的詩節，由一段平衡的副歌（四十二6、11，四十三5）串連起來。3段詩節的用字亦有關聯，如第一、第二詩節中的「不住的對我說」（3、10節）；和第二、第三詩節中的「哀痛」（四十二9，四十三2）。全篇的主題統一，循序發展：1.四十二篇1至5節（信心中渴慕神）：過去的回憶加深今天的痛楚；詩人以口渴為喻，表達對神的深切渴慕。2.四十二篇6至11節（復興的信心）：以風暴比喻眼前的困境，但詩人憑信心看清此等「波浪洪濤」是神所加給的，祂仍是詩人的「磐石」（9節），祂的慈愛仍然存在（8節）。3.四十三篇1至5節（信心的回應）：以尋找神為喻（3節），表達對將來的肯定。神必將他帶回故土（3-4節）。

　　這首詩的背景有甚多可能性。詩人回想過去在聖殿事奉的日子（四十二4）；他現正處身巴勒斯坦北部（四十二6）；只有神才能把他帶回故土（四十三3）；他正被自以為必勝的仇敵所包圍、奚落（四十二3、9-10）。這首詩可能在任何一個被仇敵放逐的情況下所寫成的（例如王下十四14，二十四14）。

四十二1-5　失落的過去　詩人對神的深切渴慕，寫在叫我們脆弱的信心感到汗顏（1-2節）。他把自己的憂傷與昔日風光的日子一併帶到神面前（2-4節）。**第2節**詩人的問題並無不對，「幾時」、「為何」（9節，四十三2）、「在哪裏」（3、10節）表達了詩人盼望苦難終結，也表達他對苦難的困惑，以及無法在苦難中看到神的同在。但以賽亞書四十二章24節中的「誰？」引導我們向好處想。**第5節**（11節，四十三5同）作者自己對自己說話，提到那位保證他將來的神，以此來處理自己的憂傷，因為正如聖經常常提醒我們，「盼望」是對結果的肯定。新國際譯本和其他譯本一樣，對四十二章5節作出些微修訂，使3段副歌（四十二5、11及四十三5）變得一致。

四十二6-11　不正常的今天　環境越來越危急（7節），但信心已逐漸恢復：神仍是「我的神」（6節）；所經歷的是神的「瀑布」和「波浪洪濤」（7節）；神的愛仍然真實，讚美和禱告仍然繼續（8節）；作者看似控訴的提

問雖得不著答案，但除了宣洩了他的不滿外，不滿轉化成禱告，使他不再顧影自憐。**第6節**「我的神啊」，作者刻意把思緒集中在神身上，藉以在憂傷中保持信心。**第7節**所受的困苦不是來自敵人，而是來自神。它是神的「波浪洪濤」。**第9節**從人的經驗看，作者好像被神遺忘了；但憑信心，作者說神是他的「磐石」。一切取決於作者憑經驗還是憑信心說話。**第11節**直譯「我要讚美祂，祂是我臉上的拯救，是我的神」，使他抬起頭做人（四十三5同）。

四十三1-5　期待的將來　作者繼續為拯救和復興而禱告，以務實的態度平衡現在的困境和將來的盼望。**第1節**「伸冤」：為作者作公義裁決。**第2節**神是作者的「力量」，但作者同時感到被神「丟棄」；對神充滿信心，卻被生活折磨（參四十二9）。**第3、4節**「亮光和真理」比喻拯救者。我們必須面對的現實是：活在神真光之中，愛慕祂的真理方是渡過困境的最好方法，如此方可帶來蒙福的結局。留意詩中作者愈來愈接近神：「聖山……居所……祭壇……神」──一步一步歸回家中！

第四十四篇　人生似乎不公平，神似乎沉睡不聽祈求

　　正如四十二和四十三篇，信心在人世的苦難中受經煉，人往往無法明白為甚麼會禍不單行（17-19節）。四十二、四十三兩篇都是比較個人化的禱告，四十四篇則是從通國宏觀的角度發出的祈禱，可能是國家祈禱日的禱文。

A¹　（1-3節）　　神是歷史的神
　B¹　（4-8節）　　見證：真實信心
　　C　（9-16節）　　哀慟：今日淒涼的光景
　B²　（17-22節）　　見證：修德正身
A²　（23-26節）　　神是未來的神

　　神的道路奇哉。人生的禍患不止，非淺見的人能參透原委，有時不如意的事甚至顯得跟神的心意性情背道而馳。我們所能作的，只有在疑團中奔到神面前禱告。

　　本詩篇是連續合奏的啟應組曲，歌詞互相對答，有時又一同發聲。因獨唱的部分（6節）提到「我的刀」，這詩或者是王領百姓聚集禱告的詩篇。

第1-3節　神是歷史的神：回想諸般祝福　全會眾提說過去，眾口一音：追憶上古，便想到神的作為，也想到自己的國家如何征戰長途，這一切都不是人的功業，而是神策劃的宏圖。第2節「手」：象徵擬人化的行動。在這個出於神的鴻圖大業剛展開之際，擺在百姓面前的是「神所賜給你們的地……」（申四1）；到了得地為業之日，「耶和華將從前向他們列祖起誓所應許的全地，賜給以色列人」（書二十一43；參八十8-11；摩二9、10）。第3節可以肯定的是他們曾為那地爭戰，因為要承受神的應許，人便必須順服祂的命令。但他們卻又知道不是靠「自己的刀劍」得地土，乃是靠祂的「手」（個人化的行動）和「膀臂」（個人化的力量），還有是靠著神的「臉上的光」，是神「喜悅」祂的百姓，也就是說神愛他們，接納他們。

第4-8節　持守真實的信心　王（4、6節）和百姓（5、7節）輪流見證，更曾走在一起（8節），同心稱頌，因他們都認識神（4節），知道靠祂而行（5節），明白地上的權勢能力不足恃（6節）。還有的是他們曉得神救恩的大能功效（7節）。因此詩人的結論是眾人都因神誇耀（8節）。第4節他們不僅是承繼先人的宗教禮儀，他們乃是認真地委身於自己的信仰，竭誠忠貞（以神為「王」），恭敬尊崇（稱祂為「神」）。「你出令」：向作王的神直接呼求。「得勝」：拯救，複數詞，表示各種的拯救方式。第6-7節兩節都以「因為」（原文）作開始。4至5節顯示個人的能力十分有限，不該依靠己力（6節），反而要倚靠作王的神，惟有屬天的能力無窮（7節）。

第9-16節　今日淒涼的光景　詩歌繼續：王的聲音在9、11、13、15節出現，百姓的聲音來自10、12、14節。二者溶合，凝成了最終的哀慟之聲。神的不悅使人失敗；神的態度和行動（11-12節）遇上人的敵意（13-14節）。羞辱已到極點（15-16節）。看來一切都失去意義（9-10節），名聲盡喪（13-14節），剩下的只是羞愧（15-16節）。在9至14節中，每節中第二個動詞表明生命都來自神的手。只有認識神的手，我們才曉得際遇與順逆的意義。有人以為應該分辨何者是神的明文旨意，甚麼是神許可的旨意。可是在舊約卻難作出這樣的分辨。因為神既調動萬有，我們的責任應該是在謎團中投靠祂，受

壓時呼求祂。第12節在人看來，神如此重責祂的子民，似乎不合常理，不近人情，即使神自己也不見得有甚麼好處。「也不賺利」：只得薄利，或一無所獲。

第17-21節　修德正身之道　詩人曾談到個人的信仰自由（4-8節），現在配上了見證，表明心跡和志向（18節），然而換來的是更悲慘的命運（19節）；敬虔的信仰，手潔心清，卻得來終日被殺的噩夢（20-22節）。王在17和20節有所申訴，百姓則在18、21節呼冤。到19、22節是同聲的哀鳴。人在不義不公的世界中難免受困擾，頻遭欺侮（七十三2-14）。可悲的是，人一遇逆境便容易否認那位良善慈愛之神的存在；而王與百姓的反應是來到神的面前，見證神，不再沉默，反倒發出懇求（23-26節）。我們當以此為榜樣，讓難處與憂患驅使我們到神的寶座前去。第17節「約」：在此指各種義務和責任，存順服之心接受加諸我們身上的要求。第19節「野狗」：在戰場和荒地上常見食屍首的惡犬。第22節「為你的緣故」：即「因我們效忠於你的緣故」。

第23-26節　神是掌管未來的神：懇求幫助　至此眾人融為一音，呼求天上的求助。他們求神不要沉睡，要施行數有（23-24節），他們陳說種種缺乏，仰望天恩，因為知道神的慈愛終不斷絕，始終不變（25-26節）。第23節是勇敢壯膽的祈禱。第25節神既是如斯愛我們，我們可以來求所需。第26節「救贖」：付出代價，例如提供自己所有的物資來供應他人所需。「慈愛」：不變的愛，定意的愛；神愛祂所顧念的人。

第四十五篇　王是新郎，王后相隨

本詩確是「美辭」（1節）——「王」實在是王了，而且這是他成婚的大日子！四十五篇有7個段落：

A¹（1節）　詩人為王大發熱心
  B¹（2節）　王的榮美
    C¹（3-5節）　王的行止威儀
      D（6-9節）　王的榮耀
  B²（10-11節）　新娘的優雅秀美
    C²（12-15節）　新娘的衣飾華服
A²（16-17節）　詩人為王祝願

這是一個真實的皇室婚禮，詩人向地上一位君王獻上熱誠的祝賀。然而正如別的皇

室詩篇一樣，它的含意遠比地上的君主所代表的為多，詩意隱含對渴慕已久的彌賽亞的榮耀發出頌讚。本詩也同樣指向基督的新婦，稱述她真正的地位、美麗和貢獻（林後十一2；弗五27；啟十四4，十九7，二十一9）。

第1-2節　詩人為王大發熱心「王」：或作「王啊！」，就是一位有王者風範的王。**第2節「美」**：主要是流露於口中有恩言（路四22；約七46）。「所以」：他的言語證明他已獲神所賜福。

第3-5節　王的行止威儀：統治世界王以武力征討（這裏用的是軍事用語），正如和平之君所作的（賽九4、5、7）。將來歷史的實況會證明，那位真正的大衛將以口中的劍來制伏列國（啟一16，十九11-16），所用的也是福音的兵器（弗六15-17）。「真理」（約十八37）。「謙卑、公義」：在希伯來文，「謙卑、公義」是同格名詞，意即「充滿謙卑的公義」（亞九9；太十一29；林後十1；腓二7-8）。

第6-9節　王所有的榮耀王有7方面的榮耀：1.祂的神聖本質（6節）。不少評論是依文意，而不是考慮上下文的疑點來判定，為的是避免觸及王神聖本質的難處。經文在此十分有力，而這是舊約中有關彌賽亞的謎，就是彌賽亞既是神，祂又怎能敬拜神呢（7節）？這個問題在耶穌的身上得到解答（弗一17；來一8）。2.他的「國權」正直（6、7節）：官方（「國權」）和個人的（「喜愛……恨惡」），王是聖潔的（賽十一3-5）。3.他人性的超越（7節）。外面來看，他是人中俊傑（「勝過同伴」），內裏他更有另一個祕密，就是他被神膏抹（路四18）；4.他滿有香氣（8節；林後二14）；5.他地位超然（8節），外面的種種優勢，說出他坐擁皇室的財富；而裏面所有也叫王喜悅。6.侍候的人也尊貴非凡（9節），地上的君王們欣然為他提供各種的待從。7.王第七項尊榮是他的新婦（9節）。這張清單始於王坐寶座（6節），結束於王后站在他的旁邊，共享寶座的榮耀（9節）。

第10-11節　新娘的優雅秀美，對王傾慕創世記二章24節指出，男女成長主要是為了預備有一天能夠成為丈夫，或是（10節強調了「要聽……要想……要側耳而聽」）妻子。君王女兒雖然尊貴（13節），但有一天必須全然獻給王，以滿足王的愛（「羨慕你」），

並因他是主而「敬拜」他。

第12-15節　新婦入宮她雖然順服王（11節），現在也顯出榮美和尊貴！王的隨從就是她的隨從（12節，參5節），她也同享榮耀和美榮（13節），更重要的是她與王合一（14節），分享他的華宮（15節）。「推羅」的進貢（12節）引出彌賽亞主題（見八十七4；參賽二十三章）。推羅象徵世界，既驕傲又獨立自主，自給自足，財富累積無數。但是終有一天，地上的列王將把所有的財富帶到王的腳前（啟二十一24）。

第16-17節　詩人為王祝福無論過去如何光采榮耀，王仍是指向未來的象徵，而他的子孫也遙指將要統治全地的後人。

第四十六篇　信心與事實

很多人把這篇（四十七和四十八篇也是）與一年一度在聖殿上演的一齣有關主在全地掌王權的劇目連在一起（如耶穌升天節，參四十七5）。這個節日取材於主在地上（於出埃及時）得勝的故事，也仰望最終的高潮——主的日子——臨到（參導論）。還有人指出「來看」（8節）聽起來很像邀請人前來，其實是視察爭戰勝利的圖畫，過於來欣賞一場戲劇表演（參四十八12-13，「周遊……數點……細看」）。類似戰勝西拿基立（賽三十六，三十七章）的勝仗提供了此詩可能的處境：亞述聯軍曾前來攻打錫安，彼此交鋒。

四十六篇包括信心的宣告（1-6節）和印證信心的事實（8-10節）。

第1-6節　1.信神扶助（1、2節）：天地可以改遷崩倒，神仍舊在此施行保護（「避難所」）和「幫助」。2.信神的計劃（3、4節）：山搖地動在詩人眼中都只不過是一道「河」，有一定的河道和限制，使神的城歡喜，這城就是至高者居住的地方。3.信神的主宰與掌權（5、6節）：神在城中，必不動搖。**第1節**是藏身的「避難所」，是患難中的「力量」，是隨時的「幫助」。**第3-4節**第4節乃是第3節的註解——本是匈匈翻騰的大水，帶來摧毀和破壞，但原來這一切波濤在神來看只是一道優美的「河」流。即使全宇宙的大災難震動列國，神也完全控制一切，全是按祂的旨意發生的（5、6節）。至於人間的仇敵，「列國的喧嚷」，也是如此。神一出現發聲，甚麼都要鎔化消滅。**第5節「天一**

亮」：即早晨一來到（參出十四24和王下十九35「早晨」的經文）。**第7節「與我們同在……避難所」**：這句包含在前一節的情景之中（參11節）。因神是我們的避難所（1節），我們可以投奔於祂。神又是在「其中」的神（5節），祂也要來到我們中間。我們因此能歌唱，因祂「與我們同在」，也在我們外面，作我們的「避難所」（險要難攻的高地，絕密之處），使我們欣然投奔祂得著安全。

第8-10節主耶和華止息刀兵，消除威脅：爭戰止息，兵器銷毀。統策全地的聲音出來終止戰事，宣佈休戰（參6、10節上），神更出面擔保（10節下，參四十八12）。詩篇四十六篇邀請人來看仇敵被消除的情景，四十八篇則是合城平安。**第9節「戰車」**：運輸兵器上戰場的工具（撒上十七20），也可用來包圍敵陣。**第10節「要休息」**：放鬆。「我必」譯作「我已」（現在時態）更佳，指神已在主宰管治之下帶來安息。

第四十七篇　一神、一王、一族

耶和華在全地得勝作王（四十六8、9），最終不是要令普世不安，反而要為世人帶來歡樂。四十七篇呼喚全地向這樣一位神歡呼喝采（1節），詩篇在這個高峰向世人表明了神作「君王」的身分（2節有「因為」作開始。）祂作王的憑據，乃是祂曾以權柄（3節）和慈愛（4節）對待以色列，結果是神被高舉，祂的真理得以重申（5節）。以上的次序再次重複出現：呼召人前來歌頌（6節；參1節），神作全地的王（7-8節；參2節），蒙神喜悅的國民（9節；參3-4節），神乃是至高的神（1節；參5節）。

可是，到了第二輪的頌歌，重點卻有所轉移：以色列被神高升揀選（4節），超過「列邦」（3節）。9節中的「列邦」以他們的「君王」作代表，「作亞伯拉罕之神的民」，乃是得著亞伯拉罕之應許，成蒙福的萬民（創十二1-3）。神已「上升」，表示神曾降下，為了得著勝利，使這首詩的背景情況可能類似出埃及（出三8），或者近似神幫助大衛勝過諸仇敵（賽三十一4）。不過本篇一如舊約的榮耀圖畫，仰望更榮耀的神在基督裏臨到，聚集本來四散的子民（約十一52；參賽十九23-25，六十1-3，六十六20），並且守候那更偉大、更實在的最終結局，就是祂來

作全地的王（弗一20-23；腓二9-11）。

第四十八篇　這是我們的神！

蒙釋放，得拯救之後歡欣雀躍，這個興高采烈的主題仍然在詩篇中繼續，所不同的是四十六篇集中提到威脅解除，而四十七篇則說到神因著祂的恩典美意，摧毀了仇敵的權勢。現在來到第四十八篇，詩人歌頌聖城堅固無損，能在危險之中安渡難關（12、13節）。

A¹（1-2節）　　偉大的神和祂喜樂的城邑
　　B¹（3-7節）　　神的偉大——顯於祂的作為
　　B²（8-10節）　　神的偉大——從經歷中體會
A²（11-14節）　　喜樂的城邑有大神居住其中

本篇明顯特為節日的慶典而寫成，以戲劇形式在殿中獻唱（參9節），不過我們也必定會感受到眾王潰敗的經過，而且歷歷在目（3-7節），詩人說出「所看見」（8節）的事，也請人同來察看這受上天保護的城邑（12、13節）。這首詩歌追述昔日的危險，現在又如何蒙受拯救，這種種的體驗，於今天住在真錫安的讀者毫不陌生（來十22），我們不時會同樣經歷前人的苦困與危難，也同樣經歷那永遠同在的神就在身邊。

第1-2節　偉大的神和祂喜樂的城邑　這裏不是說「住在我們神的堅固城中，住在他的聖山上，我們何等有福！」，詩人乃是說，「神在祂的『城』中，在祂的『山』上，祂實在是『大君王』！」**「他的聖山」**：祂住在聖潔中。**「全地」**：亞伯拉罕應許的應驗（四十七9）必使全地喜樂。**「北面」**：原文是"Zaphon"，即巴力的居所。全句直譯：「錫安山是Zaphon的最高山峰」，言下之意，耶和華壓住別的假神，而錫安正是神唯一的居所。

第3-7節　神偉大的作為　神的居所確定和保護隨之而來（3節），這是一個證據：詩人以戰兢疼痛來形容眾王的敗亡（4-5節），又加以颶風的景象。**第3節「避難所」**：至隱密的地方（四十六7）。**第4節「眾王」**（二2）：形象化地刻劃不斷壓迫、敵視神子民的勢力，而這裏更首先指西拿基立（賽十8）的多國聯軍。**第5節「驚奇喪膽」**：表示詫異驚惶，因害怕而逃跑。**第6-7節**形容心中的感受，隨後是一股外來的力量。**「他施的船隻」**：能遠渡公海，這些交

通工具是昔日人類最偉大的海上發明，但是神的風一吹動，它們便歸無於有。

第8-10節　經歷神的偉大　比較「他們見了」（5節）並「所看見的」（8節）：同一的看見，卻有不同的反應！他們因看見而震驚；我們因看見而認識神是我們的保障。**第9節**「我們……想念」：也可以譯作「我們刻劃描繪」（如同在戲劇中的表演），然而「在腦海中構思圖畫」和「凝神默想」的解釋也有不少例證（五十21；參賽十7）。**第10節**「手」象徵擬人化的行動。「**公義**」：在神眼中凡祂看為對的事。

第11-14節　喜樂的城邑與城中偉大的神　這篇詩篇有非常戲劇性的結束：提到這城喜樂並得堅固（11-15節），但接下去便不再提到城——城是神引導祂百姓的見證（14節）。**第11節**「**判斷**」：神斷定何者為對。**第14節**「**直到死時**」是強烈表明神的永恆不變，祂必不離棄我們，而且不僅今日救我們脫離兇惡，甚至一天要救我們脫離死亡。

第四十九篇　神的救贖與永遠的盼望

本篇與四十八篇最後一節關係密切。死亡若臨到，我們是否真的能夠依靠神的引導呢？答案在15節：「神必救贖我的靈魂，脫離陰間的權柄」，這是得勝的答案。詩篇第六篇5節，三十篇9節和八十八篇4至5節，常被引用來證明舊約對死後生命並無盼望，不過請留意這些引起疑問的經文全都是記載同一類人所講的話，這等人是明知自己正在神的震怒中離世，將來也必然與神隔絕。這樣死去的人當然很難有甚麼盼望，可是他們對死亡的態度和評語，並不代表所有人死後都會像他們那樣。他們只代表某一類人的死亡遭遇。

詩篇四十九篇（參七十三篇）把兩方面都列出來：有人死後無盼望（13、14節），有人死後卻滿有盼望（15節）。人死可以像畜類一般（12節），但也可以死得尊貴（20節）。詩人在詩歌的起頭擺出了人人適用的謎語（1-4節），在此他也擺出了答案。詩人在5至12節說他看見死亡臨到眾人。他先是想到在患難之日奸惡之徒活躍（5-6節），而他自我安慰，因為想到財富其實毫無用處（7-9節）：死亡一到，人間的贖命銀錢便不再流通。無論智愚，人人一旦死亡（10節），屬地的財產便只不過是一杯黃土，長留於地（11

節）。第二方面，死亡並非一切的結局（13-19節）：死後還大有文章。世人都靠自己，以此為傲，但這條路引向死亡和腐朽，惟有與神親密相近的人，才能仰望神的救贖與同在（13-15節）。為此，我們無須因為世上種種的不公平而氣憤（16節）；死亡是最公平的，人無論生前如何風光，惡人死後的結局乃是永不見光（17-19節）。

第2節「**上流下流**」：涵蓋全人類之意。**第3節**「**通達**」：20節也用相同的字（「醒悟」），點出死後還有另一個生命，並非地上的權勢和影響力可以左右的；這生命不能憑自己、靠自己而活（13節），只能完全仰賴神的救贖才可享用（15節）。**第4節**「**耳……解**」：說話之失應好好聆聽。要解明生死的謎團，必須專心聆聽神的言語。**第6節**首次（見13節）出現「倚仗」一詞。信靠自己仍是死後蒙福的最大敵人。**第7-9節**「**贖……價值**」：「贖」字強調價錢，「價值」強調滿足需要。可是要賺取永生，根本無價。希伯來文說「自己的弟兄也不能」，就是說即使深愛的人也無法挽回。有時候付出重價便能挽回性命（出二十一30），可是沒有人買得起死亡！**第10節**「**愚頑人**」：指行事掉以輕心的人，這等人輕看生命和生活的責任，自我中心，事事只看眼前的蠅頭小利。「**畜類人**」：屬靈上毫無感覺。**第11節**「**他們心裏思想**」：人以為地上永存的東西，其實卻只不過是自己的墳墓，何等諷刺！他們的眼界只限於今世，以至（直譯）「他們以自己的名字來為地土命名」。**第13節**參6節。**第14節**「**陰間**」：是死人存留的地方。「**正直人**」：可以向神無愧而死的人（民二十三10）；一生不違背神的命令（王上十五5）；敬畏神，完全正直（伯一1）；是神所拯救的人（詩七10）。「**管轄**」：5節是地上原有的關係，現在由神扭轉過來（參路十六22-25）。「**早晨**」（十七15）：指死後的復活。**第15節**「**救贖**」：神會代人付出人間無法交出的代價（7節）。「**陰間**」：它要接收和拘留所有未蒙救贖的人（14節）。「**收納**」：參創世記五章24節；列王記下二章1節；詩篇七十三篇24節：**第20節通篇似乎只針對富人，其實這個真理的原則應用在所有人身上：人失去永恆的福氣，不是因為有財有勢，而是因為缺少了智慧**（參3節）。

證主21世紀聖經新釋

第五十篇　警誡而赦免

這是審判的大日子，神招呼「天下」（1節），特別是召集與祂立約的選民（4、5節），受祂的「審判」（6節）。他們分成兩批：一類人只嚮往宗教儀文（8節），卻沒有感謝、順從與禱告（14、15節）；也有人傳說律法（16節），但無心遵守（17-21節）。全詩以呼籲兩種人都回轉改正，作為結語（22、23節）。詩的中段（7-21節）近似出埃及記的立約模式（出二十四3-8）有獻祭和流血（出二十四4-6），然後再宣讀律法（出二十四7-8）。可見這首詩十分適用於與立約的節日有關的場合，並且也提供讓人自省的機會。

第1-6節　**法庭宣召**　法官、被告和審判的地方都已經公佈（1-2節），然後3把聲音依次序發言：先是神來發聲（在審判中說話，3節），祂就是那位在火中和風中顯現，在西乃山發聲的那位聖潔的神（參出十九16-18）。這個審判要從神的家開始（4節，參彼前四17）。開庭，法官傳召祂的子民（5、6節）。**第1節「大能者，神，耶和華」**：這樣三重的稱謂另一次只出現在約書亞記二十二章22節，約但河外的支派被同胞誤會，以為他們背道，他們就如此稱呼神，重申他們的立場。而這篇詩也是在同一的原則下，用這個特殊的稱謂來查問人的忠誠。**第3節「不閉口」**：神的審判不會毫無解釋便臨到，祂必會讓百姓知道這是出於祂的作為。一切都要公開地進行。**第4節「上天下地」**（參申四26；代上十六31；詩六十九34以下；賽一2；耶二12）。受造的天地成了控訴的見證，它們靜默觀看這奇妙的過程（參6節）。**第5節「祭物」**：這個字的字根包含被「（神）愛」和「獻（給神）」之意。「祭物……立約」（出二十四3及其後經文）。**第6節**諸天如果見證了人類的過失（4節），它們也同樣見證神的「公義」，並且印證了神配來「審判」。

第7-21節　**控訴的內容**　接著法庭的傳召，是兩方面的指控（8-15、16-21節）。**第7節**這裏到處是曾經出現在出埃及記的主題：「我的民」一語使人回想起出埃及記七章16節，即神所揀選的子民；「以色列」是神首生的長子，也是救贖的目標（出四22）；「神」、「你的神」，反映出埃及記二十章2節，也就是救贖之神的稱號。

第8-15節　**禮儀形式主義**　人獻祭（8節）卻忘記其中的意義，以為他們獻上一點便叫神富足了（9-13節），根本未能好好感謝神、順從神，也未有誠心禱告（14、15節）。**第8節**神不能「責備」自己所定的命令，因此就著所獻的物品來說，本來沒有可責備之處。但形式主義者常常只是拘泥外表的細節。**第9-13節**可是他們掉進兩個陷阱裏：以為神真的需要他們的財物（9-11節），亦以為神不能缺少他們所獻之物（12-13節）。他們以為宗教就是人討好神，為神做這做那，其實這是所有宗教所犯上的最嚴重錯誤。**第13節**以色列周圍的異教徒都認為是自己獻上的祭物養活了他們所信的神。同樣，墨守宗教禮義的人，其錯誤也一樣。**第14、15節**真正的信仰卻是存誠心來感謝（因神的恩典、美善……等），存順服的心（要守著與神所立的約），以禱告的態度（凡事靠神，在困難中信祂的供應）一心敬拜祂（把祂該得的尊榮歸給祂）。

第16-21節　**教條上的形式主義**　這些人凡事注重儀文，口頭上照本宣科，傳神律例，口中提神的約（16節），可是生活上與神的準則相距十萬八千里（17-21節），其實心底「恨惡」祂的管教（17節），違背祂的誡命（18節上，第八誡；18節下，第七誡；19節，第九誡），他們在教會中空談理論和教規，行事為人存心違背命令，與人同夥行惡，口吐惡言，毫無親情可言。他們因神沉默不言，便更自以為是，把自己這一套立為典範（21節），好像神也跟他們一般見識，喪德敗行。

第22-23節　**警誡**　神的憐憫仍不斷絕，他們該受刑罰，可是神仍寬容等候，大開恩門（21-23）。**第22節**針對那些有名無實的人（16-21節），他們行事與所信的並不相稱，他們的難處並不是輕忽了律法，而是壓根兒「忘記神」（22節）——忘記了神其實一直在他們身邊，與他們同在，曉得他們的種種惡行，而這位神也是明令他們要像祂的那一位（利十九2）。**第23節**是對拘泥儀文的宗教人士說的——神提醒這些人，真誠的信仰反映於回應神的作為（參14節），生活行動存感恩之心（23節，「按正路而行」）。總括來說，全詩以神下令審判作序幕（1-6節），卻以獻祭得救恩而告終。

第五十一篇　驚歎悔罪

這篇詩的內容與標題，正如手與手套，畫龍點睛。悔罪（1-4節）帶來的功效，是撒母耳記下十二章13節最佳的評註。16節似乎否定了祭物和獻祭可蒙神悅納，但是問題關鍵在於大衛犯了姦淫（撒下十一4）和謀殺（撒下十一14-17），因此在這種情況下即使獻祭也不蒙喜悅。一般人常以為18、19節是後來加上的，為了使這首詩歌更適用於集會，也可以平衡16、17節否定獻祭的講法。但（詩篇不可能自相矛盾）大衛貴為九五之尊，犯罪不可能說僅是私德有虧：他的過犯也動搖整個民眾的生活形態。因此當他自己得著復興之後，便在結語流露他掛慮耶路撒冷的安危與建立之情（18節）。

第1-6節　神與個人的關係：悔改與赦宥　神有「憐恤」，有豐盛的慈愛（創六8）；「慈愛」：不變之愛，莊嚴的承諾；「慈悲」：憐憫的愛（1節）。罪惡就是「過犯」，故意明明背叛神的旨意（1節）；「罪孽」（2節）：人內在的，本於人性的墮落性情；「罪」（2節）：特定的罪行。罪人現在求神「塗抹」他的污穢，凡神能看見的罪污都潔除淨盡。「洗除」：逐一的清理在詩人內在天性裏的罪性，完全清洗。「潔除」：移走因罪惡帶來與神相交的障礙（2節）。

第3-6節　悔改的需要和結果　求潔淨的禱告基於（1、2節）一個簡單的事實——知罪（「知道」）和自覺（「在我面前」，主觀地感到有罪，三十八17；參三十二3-4）。第4節「得罪了你」：無論罪惡帶給自己和別人多少創傷，最關鍵仍是它得罪神（撒下十二13）。「以致」：為要。罪人如果問天怨天，說：「祢既主宰一切，為甚麼不阻止我作惡呢？」主會回答說，「『為要』讓你認清自己的真面目，曉得你滿身罪惡，而我滿有公義。我的心意是要你看見我的所是，認識我是公義的神，是正直的審判者。惟有如此，你才會飛奔到我面前求潔淨。」第5節人有犯罪的本性，固然合符聖經的啟示，不過人並不能以此為犯罪藉口，反而應該驅使人向神痛悔（太二十三34-36）。「罪孽裏生的……懷胎」：這並不能推論說懷孕生產是一件不聖潔的事，反而肯定了一旦懷孕，胎兒便是一個有生命的個體，一個有道德本性的人便成形存在。所以認罪悔改必定包括有生以來

的種種罪行（1-3節），也包括與生俱來、發自人類本性的傾向。第6節人不能自圓其說，人性中一切的罪都沒有藉口可掩飾，因為這些罪惡的事全都違背神的「喜愛」，與祂的「智慧」背道而馳，也招來良心的責備。

第7-15節　悔改的種種表現　**第7節**呼求神來處理。**第8節**罪人被神的憤怒「壓傷」。**第9節**「塗抹」：除罪。「牛漆草」：灑血洗淨的工具，為免去神的怒氣（出十二12、22、23），使人不再被隔離（利十四6），可以淨化污穢（民十九16-19）。大衛自知得罪神以後無祭可獻，獻也無效（16節），但他深知神必要親自來作工。「歡喜快樂」：罪人得蒙恢復，再唱聖所的樂歌（四十二4）；「骨頭」：指全人康復。「掩面」：指神處理祂對罪性的聖潔憤怒；「塗抹」：是指把罪從神的記憶和我的紀錄中完全清洗。

第10-12節真誠的悔過，生出與罪斷絕之心。藉著新造，帶出新的性情，它有恆久不變力量，也帶來出於聖靈，也是出於神那不間斷的喜悅和同在（10-11節）。新的心靈帶來救恩的歡樂，並聖靈/靈裏的恩賜，樂意遵行神的旨意（12節）。掃羅曾失去眼前的利益（撒上十六14），也失去最終救恩的好處（撒上二十八19）。大衛毫無疑問，鑑於前車，他怕自己也重蹈覆轍——而我們也當留心不可讓聖靈憂傷（弗四30），也不可熄滅聖靈的感動（帖前五19），免得雖有救恩，卻失去裏面救恩之樂。**第13-15節**有關神的教導有助悔改（13節），不過教導別人悔過，自己必定要深切嚴肅地體會痛悔的感受，惟有憂傷痛悔者才能唱「公義」之神的樂歌（14節）。這是奇妙的事，神既是公義的，也是稱人為義的那一位（賽四十五21；羅三26）。然而人必須切切祈求，神才會使我們的舌頭高聲祂的公義。

第16-19節　神與整個社群：蒙神喜悅的事物　整個社群得著復興，因為它已經是由一個個悔改的人所組成（16、17節）。他們尋求神的喜悅和保護，神因為人行公義和祂的命令而喜樂（18、19節）。這幾節分享這詩歌的主題，就是神的喜悅、滿足和燔祭。本處未提及贖罪祭，只講到人對神的全然委身（「燔祭」，創二十二2、12），並神與祂子民的相交（當「祭物」與「燔祭」並列時，前者就是指平安祭）。大衛從經驗得知與神和好在

乎「心」（17節）。這是他想告訴人的信息（16節開始有「因為」），這是整個社群更新脫胎的根本原因。「建造……城牆」：比喻法，意思是鞏固全民。「那時」：即罪人痛悔（16、17節），倚賴神來得平安穩妥之時（18節），也是信仰生活重新蒙神悅納之日；「公義的祭」：神所悅納的祭。

第五十二篇　兩棵樹：拔出與發旺

白手興家的多益（撒上二十一至二十二章）利用機會謀取利益，做事不擇手段，「自誇」一己的成就。大衛相對於自滿自足的多益，不作他求，只求神站到他這邊。8、9節是第1節的重點的倒敘：「以作惡自誇」（1節）對應「稱謝」「美好」的名（9節）；神那「常存」的慈愛（1節下），對照8節的「永永遠遠」。詩意是指神的愛充充足足，即使惡人得勢，受生活長久煎熬（1節），對照他的慈愛仍是直到「永遠」（8節）。

A¹（1節）　　各類保障
　B¹（2-4節）　　傷人的舌頭
　　C（5節）　　神的作為
　B²（6-7節）　　得勝的舌頭
A²（8-9節）　　真正的保障

第1節(A¹)　各類保障：人的力勁與神的愛　「自誇」：自滿自信。

第2-4節(B¹)　傷人的舌頭　「舌頭」：常是人品性的指標和試金石。第3節舌頭顯出人格：表明一個人的道德與真理的標準。第4節「詭詐的舌頭」（參2節）：存心誤導。多益透露事實的目的是要帶來最大的傷害。

第5節(C)　神的作為　「也要」，即表示神從個人（「你」）、家族（「帳棚」），以至世界（「地」）層面施行報應。

第6-7節(B²)　得勝的舌頭　「笑」：不是懷恨邪惡地譏笑（伯三十一29；篇二十四17），而是因為看見神伸手伸張公義（6節，「懼怕」），並看見除他以外，再無別的「力量」可以倚靠（7節），因此詩人的反應是樂極而笑。

第8-9節(A²)　真正的保障　發旺的樹與拔出的樹成了對比（5節），前者在神面前人因信而經歷了永遠的愛（8節），口中「稱謝」神（9節，比對1、2節），並且一直「仰望」他的「名」，見證神在「聖民」中間，就

是在那些蒙神所愛，以愛回應他的人（9節）。

第五十三篇　毋庸驚恐

本篇雖然跟十四篇是平行的詩歌，但本篇從同一個真理理解另一件事情。主要的分野在第5節。十四章5節提醒「神在義人的族類之中」，祂會對付仇敵。五十三章5節忠告神的子民，無需因仇敵而惶恐懼怕（4節），因為神要使敵人分「散」。兩首詩篇前後輝映，印證出同一的教訓：當驚恐臨到，敵人滿佈時，神的百姓不用驚怕，反而要害怕的是仇敵。詳細的評註見詩篇十四篇。

第5節　「散開」之前有「因為」一詞。動詞的過去時態表示大衛從實際的事件中引伸出教訓，但是也可表示一個既定的真理。人其實無需恐懼（「無可懼怕」），因為祂會為我們作出反擊。

第五十四篇　拯救的名

西弗人本來住在偏遠的猶大南部，他們加害大衛，想必令他深受傷害，因為子民背叛自己（雖然他們效忠掃羅也是對的）。詩篇中的標題頗多是歷史性的，但主題卻是放諸四海皆準的。大衛在詩中未有提及西弗人，正如在五十二篇他也未提到多益一樣，然而兩篇詩歌都借機記下詩人如何面對困厄：1. 禱告回應（1、2節）。「以你的名」：依照祢所啟示的性情來行事為人。「救……伸冤」：依次指眼前的威脅和核心的問題——大衛被冤枉，誤為惡人。2.回想真理（3-5節）；首先是想到他仇敵的兇殘成性（3節），其次是想到神的性情（4節）；最後，他求神伸冤報仇。「外人」：其實是大衛的猶大支派同胞，可是他們「強暴」如同外人，因為人「眼中無神」，自然毫無誠信，沒有人情。「神」：自主的那一位。「報應……滅絕」：前者指罪惡如回力刀的特性，一種自動報應的機制；後者是神直接的道德性的干預。3.對未來有承諾和承擔（6、7節）。這裏並不是跟神討價還價（祢答應如此為我，我便……），而是因神的美善而發出屬靈的回應。詩人求神以他的「名」來施救（1節），我們也該「稱讚」他「名」（6節）。因「他從一切的急難中，把我救出來」的「他」作「它」，指神的名作出行動。「看見了」：並非傲

視，乃是指觀察出神救他脫離仇敵，且看見仇敵被擊倒。

第五十五篇　真假救法

這裏的次序是「我說（6節）……我要求告（16節）……我要倚靠（23節）」，表示出全詩的節奏和進程。大衛身處極大艱窘之中（1-5節），巴不得從困境中抽身而去（6-8節），但他寧可以無盡的禱告（17節），來面對無休止的反對（10節）。如此他便能因信而心安（23節）。

A¹（1-3節）　因仇敵臨到而禱告
　B（4-21節）　解救之道
　　b¹（4-8節）　一走了之？
　　b²（9-21節）　堅毅禱告
A²（22-23節）　在敵人面前倚靠神

第1-3節　人的盡頭仍有出路——禱告「哀歎不安」（2節）：心緒不寧，六神無主的狀況。「發聲唉哼」：意志消沉。**第3節**「逼迫」：他們所講的話（「聲音」），他們的壓制，他們「加在我身上」（如雪崩般，參22節）的苦難（「罪孽」）他們的「怒氣」。信徒也會經歷這些事，大衛學會把來自人的壓力轉為禱告能力。

第4-8節　想一走了之　第4-5節概括了困難；第6-8節是個十分吸引的出路。**第4節**「疼痛」：折騰。**第5節**「恐懼」：戰慄。我們並不知道大衛身處何種熬煉，但新國際譯本中有5個名詞和3個動詞，顯明他是身陷生死的邊緣。**第6-8節**一走了之是一種出路——如此才能稍得安舒，無憂無慮，無風無浪的在別處逍遙。

第9-21節　最嚴厲的打擊，最穩妥的出路——禱告　第9-11節持續不斷，日以繼夜地受壓力。**第12-14節**最深刻的苦痛，交通被中斷。**第15-19節**晚上、早晨、正午恆切禱告。**第20-21節**至深的傷痛，所立的約遭背棄。

逃避不是上策，呼求神介入困境才是辦法；人天然的逃避傾向不能應付難題，屬靈的禱告才是出路。**第9節**大衛在撒母耳記下十五章31節有相似的禱告，但本篇並非取材或源於前者，因為前者是大衛逃亡的經歷，只不過大衛的逃走未能換得平安。在此「城」內出現危機，而大衛竭力禱告，是我們應付逆境的最好榜樣。**第10節**「罪孽和奸惡」：

指製造麻煩。**第12-14節**在那些反對他的人中（9、10、15、19節），有一位給他的打擊最大，就是他的心腹密友（13節），這位密友也曾是屬靈良伴（14節）。大衛的被出賣是將來更大的出賣的一個預表（太二十六47、48；可十四43-45；路二十二47、18。留意福音書的修辭：「十二個裏的一個」）。

第15節我們若設身處地放在大衛的處境中，也會作出這種激烈的禱告——他的處境危險（4、5節），也對他人危險（9-11節）（參王下二24）。

主耶穌完美無瑕，也宣佈猶大「有禍了」（太二十六24）。這裏的禱告切合神的律法（申十九19），就是求神以其人之道還治其人之身（4節）；這裏也反映神的行動，因為祂所命定的人也曾經受到威嚇（民十六28-33）。可是我們要留意，這個禱告的動機不是關乎對大衛造成的威脅，而是他們大開中門，使自己成為種種邪惡（複數、強調式）的住處。禱告是道德信念的產品。**第16-19節**大衛的禱告是堅決的定意，「我要求告」（16節）是強調式，「至於我……」是堅毅的立志宣言；**「晚上、早晨、晌午」**（17節）：顯示一種持續性的操練，全基於神所作的事——「拯救」（16節）、「聽」（17節）、「救贖」（是我最完全最有效的解決方法，18節）——也基於神的所是——「太古常存」（19節）。

第22-23節　勸勉、信靠、真理、榜樣詩人勸勉別人把一切卸給他所認識的耶和華，因為相信祂必定「撫養」，並阻擋「惡人」。經文指出「你」和主為「義人」（與祂關係良好的）（22節）所作；為「惡人」所作的（23節），並「我」要作的（23節）。**第22節**「卸給」：扔給，是強烈的動作。**「重擔」**：所分配給人的。**「撫養」**：神的應許不是挪去重擔，而是扶持背重擔的人。**「動搖」**：不會跌倒。無論困難多大，多容易叫人滑倒，「義人」總不會倒下。

第五十六篇　恐懼與信心

「我懼怕的時候（3節）……必不懼怕（4節）」。矛盾的地方正好表達出詩人的心境。事情記載在撒母耳記下二十一章10至15節，並在詩篇三十四篇有評註（重點：並非靠撒上二十一12-13記載的聰明才幹，而是靠禱告

帶來出路），在此也是如此——可以想像，大衛在迦特王那裏被軟禁，作為頭號人質。本篇分成6個平衡的部分：大衛雖成為眾矢之的（1-2節），卻是神寶愛保護的對象（9-11節）；以信心應付恐懼（3-4節），從禱告生出信心（7-8節）；大衛受人威嚇（5-6節），反而使他在神面前許願（12-13節）。

第1-2節在危難中向神發出簡單的呼求。對照12、13節，這是人在大患難之中專注於神！這是「倚靠」的果效（3、4節），藉禱告來建立（9-11節）。人的眼目轉向耶穌，「世事漸次變朦朧」。第3-4節「他的話」。信心不是感覺，一廂情願以為會有好結果。信心乃是出於神的確據和可靠應許。在1節，「人」是複數，泛指脆弱的人類，「血氣之輩」，特顯與神的分別（賽三十一3；代下三十二8），這也是軟弱與能力的對比（參11節）。當信心轉向神啟示的話，看法隨即可改變。第5-6節大衛的處境困難重重——掃羅的人馬顛倒他的言論，設計謀害他；非利士人隨時加害（殺害巨人歌利亞的勇士現在虎落平陽，落在迦特王手中！）第7-8節平衡了1、2節：這是求神保護的禱告。第7節應為：「他們豈能逃脫罪孽呢？」「眾民」：眾人。第8節我們一切的愁苦（「眼淚」）都被「記數」，神也必在天上回應。第9-11節「日子」是禱告之日，因為禱告是一切真實信心流露的憑藉，也可帶來更明確的信心：參10、11及3、4節。「人」是神所造的，因此也完全活在神的主宰之下。第12-13節「要害我」（5節）：意即他們處心積慮，心中不斷想如何害我；「向你所許的願在我身上」：世界殘害愈烈，我們的心願愈強——不是向神討價還價，而是屬靈上盡力長進，這是忍耐和經歷拯救的結果。在13節中，「使我……」是神拯救的目的。

第五十七篇 度過疑懼憂愁的黑夜，或在神翅膀的蔭下得保護？

出一個疑問：「神，祢在哪裏？」
大衛「在洞裏」（參撒上二十一章），他卻說要投靠在「你……你翅膀的蔭下」。他逃避掃羅，孤身一人度過（「我躺臥……節），在洞穴中棲身，但他的心境卻如投靠在神的翅膀之下。為此，詩以祈禱開始（1節），以後轉成了歌頌讚美（9、10

節）。他對禱告的信心（2、3節，「我要求告……神……發出」），在此化為持續的頌歌（7、8節）。他雖感覺四面楚歌，敵勢洶洶（4節），但是卻又化成了信心的宣告，知道仇敵注定消滅（6節）。不過對大衛來說，重要的不是自己得救，敵人覆沒，而是神的「崇高」和「榮耀」（5、11節）。

第1節「憐憫」：不配的恩典。第2-3節信心（「我要求告……神……發出」）出自對神的超越有所認識。神乃「至高」，他的旨意永不失敗（「成全諸事」；參腓一6），有不變的「慈愛和誠實」。第5節2、3節高昂的心志，遇上4節的威脅，實在是人生的寫照！屬靈的反應同樣快速：一有威脅，隨即高舉神！第6節回想神的作為（5節），便知道邪惡到頭終有報。第7、8節大衛曾面對仇敵（4節），尋求神的榮耀後，卻勝過敵人（5節）。現在他全心來讚美神，「靈」，直譯：「榮耀」，即表示把最好的給神。「醒起」：曾在危險中睡覺，大衛現在在清晨中，在新一天裏歌頌神（4節）。第9-11節詩人不因一己的得勝而放心，他更把眼光放得更遠大，承擔起普世的責任，因為他被立為一國之君，他的國對列邦身負特殊使命（創十二3）。他雖曾歷劫，但是從中他卻可見證神的「慈愛」與「誠實」。

第五十八篇 唯一的幫助，最深的懇求

「世人」的翻譯不明（新國際譯本：「領袖」）（1節），無論他們是指誰（人類的執法者或天使中受命維持宇宙秩序的），他們全都失職（2節），最後人惟有向神呼冤（6節），求祂介入，全詩以為「義人」（10節）歡樂告終，人也公開認識了公義的神（11節）。中間的部分（3-5、7-9節）提及惡人的本性和命運。本詩篇深刻地講到地上的不義，並掌權的人如何失責。如果我們略而不提詩人嚴厲針對周圍不義之事（6節），並他向神呼求制止在高位中不義之人的經文，那麼我們便是避重就輕，不肯面對這首詩的真實感覺了。

第1-2節 公義蒙塵 「世人」：直譯：「默然不語」，即「你們不張聲，能顯出公義嗎？」即以靜默來取得公義。如果改一個韻母，便成為「大能者」，指地上或空中的掌權者。

第3-5節 惡人的品性 他們「疏遠」

神，「走錯路」；說「謊話」，這些都是天生的，承繼而來的（參五十一5）；他們身攜毒物，如毒蛇「塞耳」，不肯恭聽，也漠不關心（4節；參羅一28-32；多三3）。

第6節　至大的懇求　指控特別是針對言語（1節），所以詩人呼求神來阻止人妄言毒害，禁止傷害人的勢力發展。這是既現實又聖潔的祈禱——好像求神使販賣軍火的製造商破產，或使炸彈狂徒的炸藥在恐怖分子自己的手中引爆，讓他們自食其果。如果人不再顧到自己的行為，不肯聽勸，那麼惟有交給至聖的神來處理。

第7-9節　惡人的結局　4幅圖畫說明他們「變為無有」的情形：如水流走（7節）；射出的弓箭，掉到地上如葉子（7節）；如蝸牛消化，只剩外殼（8節）；如難產，非順產（8節）。**第9節「鍋還未熱」**：表示來得突然。荊棘燒火，未熱而自己先燒燼。**「青的和燒著的」**：意即「活的」和「熱的」，意義不明，可能是比喻神自己；活的神如烈怒，把他們颳去。

第10-11節　公義伸張　**「洗腳」**：勝利的比喻（六十八23）。**「人必說」**：公義獲伸張，也能影響整個社會（申十九18-21）。

第五十九篇　至堅固的保障

全詩分成兩半（1-10、11-17節）。前半部以禱告求釋放開始（1、2節），擴展成祈求普世的審判（5節）；後半部求報應施行，並求神向全地啟示（11、13節下）。每個禱告都有相同背景，就是群犬亂叫的兇惡氣氛（6-7、14-15節），但都轉成了「但你」（8-10）和「但我」（16-17節）。

撒母耳記上十九章10至12節是故事背景，大衛家夜間遇伏，但是故事的記述十分簡單，惟此詩篇便有頗長的抒發，談到其中所受的種種威脅（6、14節）。大衛在逃避掃羅的過程中，他避過掃羅耳目，找著米甲。掃羅不得不小心處理，因為大衛名望甚高。然而他起初也必定想把眼中釘除掉。大衛出走使掃羅心願落空，因此後者就再施埋伏。

全詩的主題一再呈現：在神裏面有至高的保障。**「高處」、「高臺」**（9、16、17節）：仇敵無法攻佔的地方。留意大衛從尋求神作高處（1節），進深到信心的高峰——

「你作過我的高臺」（17節）。

詩人以禱告開始（1-5節）。深信禱告的有效性：他明知敵勢（3節），仍能求神「救我脫離……安置在高處……興起……幫助」。向神的懇求，源於大衛自覺清白（3、4節），他求神施行普世的審判（5節）。即使他被帶到審判的法庭，也毫無懼色，但他的信心不是基於無辜清白，而是基於禱告。

他持守信心（6-10節）。犬類橫行，「晚上轉回」（6節），但大衛看透一切，因此無須驚怕，反而仰望神（9節）；他對前景有信心（10節），知道一定可以熬過波浪，看見（不是幸災樂禍）惡人的結局。

詩人保守忠誠和心志（11-13節）。在11節，大衛提到「我的民」。實際上雖然未成事實，可是在原則上他已經是王。為此，他並不是苦苦求取個人的榮辱，而是求神行動，使國家學到功課，全地認識神在全地掌權（13節）。同樣，他所關心的不是免去罪過而已，更是神會刑罰「罪……咒罵虛謊……驕傲」（12節）。

患難如厚雲密佈，神卻賜大衛一首詩歌。惡犬依舊周遊（14、15節），「但」（16節），作者要歌唱和彈奏（17節）。四圍的惡勢力聽到大衛和米迦早晚敬拜神，必定十分詫異！

第六十篇　展開旌旗

大衛的難處是自己招來的。按撒母耳記下八章3至7節，他擒拿了瑣巴王的兒子哈大底謝的兵馬。哈大底謝本來忙於奪回他的國權，遠赴北方邊境征戰，而大衛趁機撈了一把，攻打南方。但他未取得成果，已收到以東來的情報，大衛便轉戰攻打死海的峽谷，造成大衛進退維谷的局面。此時大衛新建立的王國看來情勢危殆，在1節中可見危機不是來自以東，而是出於神的憤怒（藉以東發出），惟有禱告（「神啊……求你使我們復興」）才能有出路。「地震動」（2節；出十九18；撒上十四15）和「東歪西倒的酒」（3節；參賽五十一17）是神同在而憤怒的圖畫，但此際可以展開禱告的旌旗（4、5節）。此情此景，神在仇敵面前為那地和人民作了應許（6、8節）。惟有神是我們唯一的盼望（9、10節），所以祈禱便是唯一的出路（11節）。詩中的信息不僅為針對一時一地的事：在任何

情景和危機之中——即使是我們自食其果，咎由自取——解救之道仍是不斷重申神的應許，高舉禱告的旌旗。我們只要忠心，祂必報答忠心的人——因祂不能背負自己（提後二13）。

第1節聖經提到「艱難」（3節）時期，常是描寫這是神的手。是哈大底謝的事促使以東開啟第二戰線，但應付困難局面，我們一定要回到問題的核心。大衛即或大有理由，為自己辯解為甚麼要進攻非利士人（撒下八1），他進侵摩押和亞捫（撒下八2、12；參申二9、19）並無合理的原因。攻擊哈大底謝純是投機的行動，是政治和爭霸的決定，難怪神怒氣上升！第4、5節參出埃及記十七章8至16節。摩西舉手如旌旗，求敗仇敵於戰陣！他舉手觸及神的寶座，向祂禱求。無怪乎大衛心中也有這個想法：以東的來犯如同昔日亞瑪力人的攻擊（申二十五17-18）。第6-8節「示劍……疏割谷」：巴勒斯坦和約旦平原一帶的中央地區。「基列……瑪拿西」：約旦河北方。都是指神所應許之地。「以法蓮……猶大」：兩個主要的支派。尊榮（「護衛我頭的……杖」）屬於祂的子民。服苦（「沐浴盆……鞋」）和歸順（「非利士」）屬於他民。第9-11節從「不……同去」到「倚靠神」，表示禱告的性質。展開的旌旗既向著神，也向著仇敵（4、5節）。

第六十一篇　心裏發昏興起禱告

和很多詩篇一樣，六十一篇以禱告開始，以讚美告終。這也是合乎聖經的經歷和次序。因禱告生出信心，一旦得了答應，便以讚美來回應神，是十分正確的。開始時詩人求主垂聽（1節），並追述過去神的保守（2、3節），因為與祂不止息的相交是建立在彼此的關係上（4、5節），也是因為神的王掌權不絕（6、7節）。由於大衛的王位後來未能永遠由子孫接續，他逃避押沙龍的事在詩中便十分合理，然而本詩也告訴我們故事美麗的一面，就是有一保障，有一力量，高高在上，遠超一切的驚嚇。在這保障裏面有平安，充滿溫暖的愛，欣切的眷佑和永遠掌權的王。

附註　第2節「地極」：遙遠得如同高天。「比我更高」：我不能到之處。第4節

「帳幕」：指神的住處，如會幕（出二十九44-46）。「翅膀」（得二12；路十三34）。第5節要尋求進入神的居所背後的原因是（「原是」）：人的誓言（許願、效忠），及神所恩賜的產業（弗一13、14）。第6節大衛按傳統的習慣禱告：願王加添壽數；但神的回應是設立一位真正永恆的君王（路一31-33）。禱告的答案常超過我們所求所想（弗三20）。第8節「歌頌……還……願」：沒有嚴肅的委身和立志，讚美便徒具虛儀。

第六十二篇　以愛運行的大能

人類恐懼憂慮繁多，卻苦無依靠。因此壓力重重，到底幫助從何而來呢？惟有從神而來，這是最上好的幫助。這個真理（1、2節）在本篇有申明，也一再強調（5、6節），並且傳給別人，也有神話語的確據（5-8節）。投靠神並非高談，也非高言大志，而是從深刻的人生體驗得來：世人滿口威嚇攻擊（3、4節），毫無出路，人也無計可施（9、10節）。

第1節與2、4、5、6、9節的原文有「然而」一詞。世事紛擾，「然而」（1節）可以「等候神」；人有千百種提議，「然而」（2節）「惟獨他是我的磐石」；仇敵有千百個失敗原因，「然而」（4節）他們「彼此商議」；他們合謀苦害，「然而」（5節）我「默默無聲」。如果有人認為尚有別的解救，「然而」（6節）「惟獨他是」。有人又會指出某些人可以幫助我，「然而」（9節）人「比空氣還輕」。這裏有一個偉大的真理，就是神正全力保守祂的子民，雖然他們有時飽受欺凌，與實際蒙保守的情況看來十分矛盾。

第2節「高臺」：至隱密安全之處（五十九1、9、16、17）。「必不很動搖」：並無嚴重動搖。這是極寫實的描述：人生難免有時經歷震動，但不會把我們完全打倒。第3-4節罪惡的人類要打倒軟弱的（3節），破毀卑賤的，所行的都充滿詭詐和計謀！神卻不是那樣（賽四十二3），祂的僕人也不會如此（林後四2，十三9）！第5節在大難之中，我們也需要努力行正直的事。第6節「搖動」（參2節）。第7節「榮耀」：人的名譽，正是仇敵要破壞的。第8節「傾心吐意」：人要在神裏面有保護，必須在禱告中進深（腓四6、7）。第9、10節一心一意投靠主，這個命

令也說明不要看人的反應（9節）、他們的道路和財寶（10節）。「下流人……上流人」：表示所有人都一樣。**第11-12節**神有大能（不像人毫無力量，9節）和不變的慈愛（不像人那樣詭計多端，9節）。不但如此，神的大能大愛更是活潑的動力，帶有道德的主宰能力（12節），會「報應」人。因此我們大可以信靠祂，把我們的安危交給祂，且能靠祂抵禦仇敵。

第六十三篇　早晨的渴慕，晚上的默想

大衛經歷「猶大曠野」（標題），因為他逃避押沙龍的追殺（撒下十五23、28，十六2、14，十七16、27-29）。在乾旱赤熱的野地，他渴想的卻是神。**「切切的尋求」**（1節）應作「早早尋求」：他早晨的靜思帶他越過眼前的境遇。渴想神的心情把他全人抓住（新國際譯本：「我的魂渴想你，我的身切慕你」）；他過去曾（2、3節）遇見神的「能力」、「榮耀」和「慈愛」，使他能以讚美開始新的一天；而明天（4、5節）仍要發出頌讚（4、5節），「心……飽足」，「歡樂的嘴唇」。夜幕低垂，躺在「床上」，晚間詩人也默想過去（6，7節），從前種種證明神曾相助，他便高歌，也彼此委身（8節，「我……你，你的右手……我」），得保障（9節），也仰望將來的審判、喜樂和得勝（10、11節）。這篇詩不是講「陌生人摸索神，而是講如同神朋友的人傾慕神，彷彿情人切想能擁抱所愛的」（Kidner）。大衛說神愛他，而他則禱告能多愛神，「願我愛你更深！」

第1節神是個人的神（「我的神」），要把上好的時間（「早早」）給祂，也要把最好的情感（「在乾旱……無水之地」）給祂。**第2節**原文有「所以」作開始，表明這是第1節所提追求之出路。神在過去曾使尋求者得著飽足，今天祂也必定能夠這樣做。**第4節**再有「所以」。地點改變了，現在大衛無法再進聖所，但是神永不改變，祂必顯出能力、榮耀和慈愛——縱然是在沙漠——祂仍要得著讚美。**第9-10節**1至8節的屬靈觀既不是逃避現實，也不是出世主義，而是有血有肉的生活態度。處境艱難，王被迫害，必定要動武和打仗。敵人要消滅大衛，但是至終他們必定自食其果，「必往地底下去」，必要被殺被毀。這是神施的報應，顯明祂的慈愛和能力

（六十二11、12印證了這點）。**第11節**押沙龍威脅大衛的王位（參撒下十五4、10）。大衛在此自稱是「王」，指出神的恩賜和呼召並無後悔（羅十一29）。

第六十四篇　報應在乎神

個人經驗或歷史事件，常有叫人疑惑之處，令人問：到底一位公義、清明的神是否存在？良善的神若真掌管天下，為何擾擾紛紛，善惡難得平衡？惡人惡事是否可任意延續，不受阻攔？本篇詩篇要回應善惡和神施行報應的主題。大衛的仇敵（「作惡」，「作孽之人」）（2節），「磨舌如刀」，「苦毒如箭」，暗中加害，忽然發難（4節）。他們信心十足，毫「不懼怕」，且向神挑戰說：「誰能看見呢？」（5節）。可是他們的毒計正好害人終害己——苦毒言語如毒箭，忽然臨到（7-8節），人儘管詭計多端，奸惡不斷（6節），神是知道的，也必重傷他們，使他們公開受創受辱（8-9節）。神公義的作為，一面報應仇敵惡人，一面也保護人，因此在急難中哀求的呼聲，最後轉成喜樂的歡呼（10節）。

A¹（1-2節）　禱告求保護
　B¹（3-4節）　攻擊來到
　　C¹（5-6節下）　否認有報應
　B²（6節下-8下）　反擊
　　C²（8節下-9）　肯定報應
A²（10節）　因受保護而歡呼

第1-2節　禱告求保護　「哀歎」——不是怨歎，而是分享苦情。

第3-4節　攻擊來到　「懼怕」：畏懼報復。

第5-6節下　否認有報應　「誰能看見？」：觀看並以行動回應。

第6下-8節下　反擊　「深」：心思深，城府深。「但神要……」：人可以設計不為人知，但神全都知道。無論計謀多深，神的箭必定射中惡人。**第8節**上很難翻譯，和合本7、8節的基本意思正確，惡人必受刑，而且是受自己預備的兵器所傷害（3、4節）。

第8下-9節　肯定神會報應（參賽二十六9）。

第10節　因受保護而滿心歡呼　先有喜樂，然後才有出路。神的作為來得突然（7節），但不一定是即時的報應。在等候祂的保護時，凡與祂和好，與祂有正常關係的人，

都得著不是從世上而來的賞賜。

第六十五篇　獎賞之年

每年都有贖罪日和住棚節作全年的高潮，目的是為了除罪（利十六）和為收成感恩（利二十三39；申十六13-15）。但是本篇描寫一個有特殊意義的年頭。禱告明顯地蒙應允（2、5節）；罪孽蒙赦（3節）；神行了奇事（5節），平靜萬民的喧嘩（7節），在全地建立了大名（2、5、8節）；農產也大獲豐收（9-13節）。

歷史上有這樣的一年：亞述人威脅錫安，卻被神傾覆（賽三十六至三十七）。背叛亞述令人陷入絕境（賽三十七3），神卻出面平靜列邦和敵軍（賽三十七36-37），並賜下兩年豐收。一切非靠人力，就是證明神不誤事，在神沒有偶然（賽三十七30）。但在大衛的經歷中，撒母耳記下二十一章1至14節的情景提供另一個處境：3年大饑荒得以結束，不是因他的計劃和判斷（2-9節），而是神聽了禱告（1、14節）。詩篇用3段話來講出這件事。

第1-4節　禱告、贖罪、和好　百姓藉讚美和奉獻，承認神是聽禱告的神；他們可以因贖罪而近神，更得祝福。**第1節「等候讚美」**：直譯「沉默／平靜是讚美」。「平靜」可指「永在那裏的」，即「讚美永遠屬於祢」；整句也可解：在行奇事的神面前肅然靜默，這些奇事超乎人的言語可以表達的。**「所許的願」**（參六十一8）：面對危機時向神許願是一種習俗。**第2節**禱告如蒙答允，他日這位神必定受外邦人所尊崇。申命記四章6至8節把禱告的子民與深受感動的世界連成一起。**第3節「勝了」**：受罪所掌握操控。**「赦免」**：遮蓋、為其贖罪（新國際譯本）；不是藏起來，而是付上代價，償還債項。**第4節**贖罪帶來祝福，藉著神的揀選，使人親近神，並且能在「聖殿」中蒙悅納。

第5-8節　釋放、掌權、啟示　禱告得答應，顯在神「叫人懼怕的奇事」（新國際譯本；和合本：「威嚴」），神也藉此表明祂是「拯救我們的神」，配得全地的信靠。神創造的大能浩翰無邊，平靜列國的波瀾，使各地的人民敬畏祂。**詩篇的筆法，常是從一點引伸到整體，從神一次特別的作為，帶讀者舉目看見更遠更廣的景觀，從廣闊的角度看**見神的主權與大能（參詩六十七）。**第7-8節**「神蹟」降服「萬民」；神的奇事傳揚到「地極」，也令人「懼怕」（參書二8-11）。

第9-13節　眷顧、豐足、供應　受亞述侵佔的那年年底，耕作已完全停頓，但仍然有豐收（參賽三十七30）。這明顯是出於神的「眷顧」（9節），是祂厚賜百物生長（10節），以恩典為年歲的冠冕（11-13節）。**第9節「神的河」**：是祂天上的河流，隨時澆透大地。這是一幅富奇想的圖畫，地上的豐肥原來是來自天上大能恩典，是屬天的出產，不是出於人的聰明。**第11節「年歲」**：也作「美好的年頭」。這年以豐收結束，是過往的恩典的總結。

第六十六篇　祂的恩祐，我的禱求

這首詩歌的韻律節奏，是從「全地」（1節）到「我」（20節），中間是透過「我們」（10節），過程發展卻很難解釋清楚。詩人是否先獻上感恩的祭（13-15節），發出見證（16-20節），然後以一首詩歌來宣示神與世界（1-7節）及子民的關係（8-12節）？又或者是百姓因得蒙祂的拯救，歡喜快樂（12節），而有人（王？）把他們心底的感受抒發成文呢（13-20節）？作詩的背景雖不能肯定，但其信息卻是清楚的。

神在歷史上為祂子民所作的，乃是祂向全人類發出呼召的根基（1-7節）。世人被召喚來觀看，如同昔日觀看神在紅海的作為，然後也同來與神的百姓歡欣快樂，而不是來背叛神（5-7節）。神對部分人（以色列人）所作的奇事，也是向全人類的呼召（參林後五18-19）。

神今日對付祂子民的方法，必須以祂從前待他們的法則來衡量（8-12節）。他們現在所受的大小試煉（10節），全是昔日紅海事件的寫照；他們經過大水，為的是邁進自由的境界（12節）。

我們經歷憂患，也該視這為見證神的途徑。「萬民」要來「稱頌……神」，因神熬煉人，試驗人，使人受傷至深，但最終目的卻是要讓百姓進入豐富自由之地（8-12節）。

人人獻上屬靈的祭（13-15節），作見證（16-19節）和讚美（20節），才有教會的實際的顯出。沒有這些人，教會根本就是空殼。

神是以恩典來對待自己的子民，這顯於

祂的旨意和作為（10-12節，原文有個6個第二身單數動詞）。不過要注意，沒有禱告（17節）和聖潔（18節），便沒有祝福（17節）。神實在是藉人的禱告，把最上好也是預定給我們的奇妙恩賜加給我們（瑪三1；路一13）。

第1-12節　普世讚美　神子民過去和現在的經歷（1-7、8-12節），使人人都要來敬拜，先是為祂啟示的自己（2、4節，「名」）而敬拜，然後是敬拜祂的作為和得勝的大能（3節）。**第5-7節**紅海的體驗（6節）已經是幾個世紀前的往事。因此詩中的呼召——「來看」（5節）乃是富想象力的語言。然而我們的心神一旦倒流到昔日的情景，就必定同樣振奮不已，說：「我們在那裏因祂歡喜」（6節下），彷彿自己親臨對岸，目睹神得勝的「權能」和令人生畏的結局（7節，參出十四30、31），以及背叛神的人的慘況。無論如何，神仍在寶座之上（8-12節），祂的百姓能分享今日新近的經歷：神定意為自己的子民謀福祉（9節），直譯：「祂命定我們得生命」。祂使人嘗苦難，歷創傷（10節），使人受「試驗」，好能提昇品格，使人受「熬煉」，好能成聖潔。我們落入人生的網羅，受百劫的苦楚，都是出於祂的（11-12節）。「網羅」（人生的困局）、「重擔」（壓力和焦慮）、「人坐車軋」（被苦待暴虐）、「水火」（一波未平一波又起）——個人千端萬緒的遭遇，都有父神的手在管理著（約十29；林前十13），就是在神那恩典、權能的手中（12節；林後四16至五1；啟七9-17）。

第13-20節　個人讚美　詩人有個人的經歷，從奉獻（13-15節）、禱告（17節）、「聖潔」（18節），以致禱告蒙答應（19節），他都有所認識，這些經歷成了教會的見證（16節）。急難之日（14節，參10-12節），他口中許願，現在以「燔祭」（13節）——毫無保留的奉獻（創二十二2、12）——還願。不過許願並不是跟神討價還價，而一旦拯救來臨，也不是代表神肯接受人的開價和條件，而僅是祂願垂聽憐憫。真誠的禱告要開聲講出我們的缺乏（17節，「用口求告」），之後也必定轉成讚美（17節，「我的舌頭」）。更重要的，是存清潔的心來懇求（18節）——立定心志不再「注重罪孽」。如此，祈求蒙應允變成讚美（20節），活活地證明「他的慈愛」

不會「轉開我」。

第六十七篇　豐收之歌

這首豐收之歌令人振奮，心神清爽。因為五穀豐盈，詩人獻上感讚：1至3、5至7節應是帶領敬拜者的言辭（第一行）和眾人的回應（第二行）。如此便恰當地分開了插進來的部分（4節，全體一同唱頌？）。這插入的部分是祈求普世都伏在以色列的神之下。

第1節參民數記六章24至26節。以色列是獨一蒙福的國民。**第2節**神的百姓蒙福不是最終目的，他們不僅得享亞倫之福（1節），也得享亞伯拉罕之福（創十二2-3），那是向著全世界發出的福氣。他們先蒙福，為的是把福氣送到全地。**第3-5節**第4節前後都是重複的禱告，表明只有在神作王、作牧人，「萬民」才能得到快樂。**「審判」**：治理（不是「判案」），指這位君王會把一切都理順。「引導」（參七十七20）：作牧人的工作。**第6-7節**豐收一再臨到。慈愛的神配得稱頌，不僅因為祂奇妙地施行拯救（六十五、六十六篇），更在於祂在平常的生活細節中眷顧有加，每年都有憐憫和體諒。因為祝福來臨，詩人更仰望更大的福氣會接踵而來（6節下），然後（7節），豐收既象徵全世界的收聚，詩人也渴望豐收之日包含「地的四極」（7節；啟七9-10）。

第六十八篇　凱旋進行曲——追憶往事，期盼將來

第1節是重複民數記十章35節。詩人回想以色人從西乃進發往迦南（1-3節）的情景。昂然進發的勇士，正是從前在埃及地「被囚」的奴隸（6節）。神領他們出來，在黃沙萬里的沙漠旅程中作他們的「父」和「伸冤者」（4-6節）。他們見了神的面，神使天「降下大雨」在迦南（7-10節），並且「趕散列王」（14節），向欣慰的群眾發命令傳好信息（11-14節）。在迦南境內雖有「神的山」（複數，新國際譯本：「巍峨的山」），神卻揀選了錫安山，得勝高昇（15-18節），因祂就是拯救百姓，消滅仇敵的那一位（19-23節）。得勝的消息從寶座而出，歌樂和擊鼓的童女也把好消息傳開（25節），而歌唱、奏樂來自祂子民中各支派的代表，並且在「會中」稱頌不休（24-27節）。他們禱告，求全地都能伏於

神的權柄之下（28-31節）。他們也有一個異象，就是全地都要來同聲頌讚神（32-35節）。

　　還有，詩人不僅描述巡行，追思古事，他更生動和戲劇性地描寫「巡遊」（和合本：「行走，進入」）。我們可以把這段話，看成是記述大衛把約櫃帶回錫安山的事件（撒下六12-16；代上十六1-28）。

　　第1節「**願神**」：或作「神必」，過往的禱告成為對未來的確信。**第2節**「**煙……蠟**」：依次是指虛幻不實和脆弱短暫。無論敵人對我們是多麼強橫無敵，可是在神看來也是不堪一擊的。「**惡人**」：神雖得勝無敵，祂卻常存道德的考慮，按祂聖潔的性情行事，而不受私心和偏愛所影響（參21節；創十五16）。**第4節**「**修平**」：更好譯作「建築」（參賽四十3）。他們的巡行為神先開道路，使祂可以臨在子民當中。「**行過曠野**」：較新國際譯本的「騰雲駕霧」貼切：穿越曠野的大能者，溫柔地來到處身曠野的百姓中間（申二8，八15）。**第5節**（參十14，一四六9；出二十二22-24；申十18。）**第6節**「**被囚的**」：從為奴之家中被帶出來的人（出二十2）。「悖逆的」（民十四9、22-23，二十六64-65；申二14-16）：神對仇敵是聖潔的神，對祂的子民也一樣是聖潔的，要求他們順服，也施行紀律。**第7-8節**（參士五4-5）在西乃山，神顯為奇妙可畏的神（出十九16-18），但西乃山的神也同樣施展創造的大能，使天「落雨」（申十一10-12）。與「乾燥之地」相比（6節），神降下了大雨，使「產業」「堅固」（9節，新國際譯本：「獲更新」）。不順服與順服的結局何等不同！（徒三19，五32）。**第11節**「**主……信息……大群**」：神如同總司令宣佈勝利，又如出埃及記十五章20至21節和撒母耳記上十八章6節。

　　第12節「**君王**」（書十二7-24）。「**在家等候的婦女**」（參士五28-30）。**第13節**「**安臥羊圈**」：這片語有不同的翻譯：「圍著營火而睡」（新國際譯本），描寫留守大本營的士兵下班；或作「在貨物之間」，像駄重擔之驢受壓太重，以此比喻士兵的勞苦。簡言之，人的疲倦或怠惰並不能影響神的得勝。「**鴿子**」：可指神的子民，白白得著鍍「白銀」、鍍「黃金」的戰利品。如果「鴿子」之前沒有「好像」，13節就只是擄物的詩意說

法。**第14節**「**飄雪……撒們**」：是否指列王被「趕散」如雪紛飛呢？又或者是指神用暴風雪來擊殺他們，取得勝利呢？（參書十11；士五21）又是否因為戰爭過後，到處混亂不堪，留下的殘破雜物又多又厚，如雪堆在戰地上呢？「撒們」（參士九48）：也許這是當時的諺語，至今已不可考其原意。**第15-17節**「**巴珊山**」可能很雄壯，可是無法與錫安相比，因為後者是神所揀選的地方，有神的同在和權柄（16-17節）。「**西乃聖山**」：西乃山曾有神的顯現，極其可畏（出十九章），這裏文意是「西乃山是在聖所中」，而到如今，西乃山一切的威榮與價值，都轉移到錫安（參林前三16，六9；弗二19、22，三16-19）。

　　第18節「**升上高天……人間……供獻**」：在這曠野漫漫的征途告終之際，得勝的主要榮耀地來到錫安。祂已（直譯）「擄掠俘擄」（參士五12），即祂已把擄掠祂的子民的人擄掠過來。「人間，就是在悖逆的人間」的人也要承認神已得勝，要向祂獻上「供獻」。我們也可以譯作：「擄物，就是人——悖逆至極的人！如此神便可以與他們同在」。換句話說，背逆的人已被神得著了，祂擄掠了他們，就是要和他們住在一起！（出二十九46；林後六16）**第19-20節**保羅用18節來講到主耶穌升天的事（弗四8）。他綜合了19至20節關於神對祂子民的慈愛，並修改了詩篇的經文為：「將各樣的恩賜賞給人」。「背負」（賽四十六1-3）。「**死亡……在乎主耶和華**」，可能指「原屬死亡的出路屬於主」。死亡是充滿嫉妒的，它守著大門，困住囚徒，但是連這些門也是屬於主的！**第21-23節**得勝的成果被詩人具體描述出來，但要留意，當主粉碎祂的眾仇敵，把勝利的成果賜給祂的百姓時，一切都是根據公義的手續（21、23節）。我們道德喪亡，根本已無行善的心志，事事只求妥協，連罪的本質是甚麼也認不清楚，對聖潔的神如何看罪也毫無觀念，因此受厲害的報應也可算是罪有應得。「**使……歸，使……回**」：這裏可能是指神的對頭即使想盡方法要逃避，但也無法避免受審判；又或者是說，即使仇敵剝奪祂子民的所有，神仍要一心不變地把他們帶回來，恢復他們的家業。**第24-27節**「**擊鼓**」（出十五20；士十一34；撒下十八6-7）。「**便雅憫**」

等：兩南方支派加上兩北方支派，詩意地指神的全體子民。**第28-31節** 巡行昂然前進，登上錫安山，使巡行的與圍觀的都重溫昔日以色列漫長的征戰史，也重新感受神的恩典與大能。現在集「會」變成禱告的聚會，求神今日也重新彰顯大能（26-28節）與恩惠（29節上，「殿」），使天下歸順神（29-31節）。**「蘆葦中的野獸」**：在尼羅河邊的埃及。**「公牛……牛犢」**：前者象徵權力和領導，後者指順服和從屬，意即列王與列國百姓一視同仁。**「好爭戰」**（30節），大衛新成立的國家受鄰邦虎視，尤其是非利士人，他們常想進犯。此處以大敵埃及小敵非利士，來包括過去和現在的所有仇敵。**「古實」**是離埃及較遠的勢力，表示地上最遙遠的邊疆。**第32-35節** 禱告又變成讚美，因為神必定垂聽人的呼求。如此全地都高舉祂為主，祂的權柄、能力、國度也統轄以色列和全地（33-34節），祂可畏、聖潔、滿有恩慈地住在聖民中（「聖所」）。祂權能無量，當得稱頌（35節）。

第六十九篇　真敬虔的代價、目標和實踐

　　大衛又再面臨生死邊緣，仇敵眾多（1-4節）。敬虔的人在地上蒙羞受辱（6節），受家人輕蔑形同陌路（8節），並且他對信仰的執著和熱誠，也成了笑柄（10-12節），此情此景，詩人難免怨尤疑問，以為神已掩面不看他（17節），他心碎之餘，友伴也不再同行（20節）。四圍傳說他的操守有虧（可能涉及金錢？）（4節），實質上乃是因為他敬畏神（7節），也愛謁神的居所——其實，真正受攻擊的對象還不是大衛，乃是神自己（9節）。本篇詩篇下筆之日，危機仍未見曙光（29節）。

A¹（1-4節）　　禱告傾訴致命的危機
　B¹（5-12節）　　亟待保護的一群
A²（13-18節）　　禱告展示神的性情
　B²（19-29節）　　應受報應的人
A³（29-36節）　　禱告成讚美

　　這篇詩歌的情況與大衛的生平是否吻合，無從考究。但以他的生平來配合本詩，較諸套用其他人物來得適合。大衛曾經想為聖殿大興土木，有鴻圖偉略（代上二十八11-21），也為建聖殿而籌備財物（二十九2-5）。

財富往往惹人嫉忌，還有人會認為國中貧困的人不少，國家也有種種需用，而皇家醉心於建殿的夢想，也削弱了國家的資源分配。來自各方面的指責，說王處理失當，想求的必定是難於應付的事，因此詩中甚至提到有人想將他置諸死地（4節）。本篇是主耶穌在新約引用得最多的詩篇：4節（約十五25）、9節（約二17；羅十五3）、21節（約十九28；參太二十七34、38）、22節（羅十一9及其後經文）、22節（徒一20）。其他經節（12、20節）也十分近似主所經歷的苦待和羞辱（太二十七27-31、39、44；可十四50）。

　　第1-4節　傾訴致命的危機 遇溺、浮沙（參四十3）、大水（2節）等都是比喻現實中的急難。他長久禱告也未見神回應，甚至眼睛也要失明（3節），而「仇敵」「多」如頭髮，無故地謀害他，有人甚至要他償還他沒有欠的債（4節）。

　　第5-12節　亟待保護的一群 「罪愆」：尤指（利五）在某些情況下，要向人賠償的罪過。所以5節是回顧4節的。若神來鑒察大衛，就會看出他的「愚昧」（不智），迫使他賠償給別人。可是他察覺不到自己有甚麼「罪愆」。**第6-12節** 大衛行事好像真的犯了罪一般，自然有被人抨擊的可能。同樣，一切真正信靠神，與神同行的人也可能受苦待（6節）。要知道神的百姓是一體的，一人受攻擊，一定連累他人也吃苦。大衛自己失去了家人的支持（8節）——可以想象情景如下：他們或者以為兄長一朝青雲致富，為何不待兄弟們闊綽一點？而詩人的信仰生活和個人名望，也被公開批判——甚至「坐在城門口」的要人（10-12節；申二十一19；得四1）要判斷他，連醉酒的人也作歌譏諷他。然而一切都毫無根據，詩人不過為信仰熱心（7節上；參撒下六14-21，大衛的熱心也被人誤會），為神的「殿」而奉獻（9節上）。不過他也曉得辱罵主的人，他們的辱罵都轉而落到他們自己的身上（9節上）。

　　第13-18節　禱告展示神的性情 留意來自1至4節同類的比喻（深水、淤泥、大水），另外還有「恨」他的人。現在第1節的一次呼求已成為持續的懇求，以神的「悅納」、「慈愛」和「拯救的誠實」（13節）為起點，結束於「慈愛……美好……豐盛的慈悲」（參王上三26）。**第18節「親近」**（參

「近親」，利二十一2-3，二十五25；得二20)。「救贖」：為近親採取的行動，以近親的安危為己任（利二十五25；得三12；賽四十一14，四十三14；參詩十九14)。「贖回」：付贖金，不論任何代價都付出，以營救親人（三十一5，五十五18)。

第19-28節　應得報應的人　參導論的咒詛詩。19至21節讓我們曉得仇敵的遺害有多深，23至28節說出他們該受的報應。正如一般的代求詩，其原則來自申命記十九章19節。若有人作假見證害弟兄，便要待他如同他想要待的弟兄。現在這個禱告（純是個人祈禱，只向神奉獻立志，並不涉及私人的恩怨）是求神審判。惡人使他疲乏，嘗苦膽毒物（21節）；現在他們的「筵席」自成「網羅」（22節），他們令詩人體力枯竭（3節）；他們必受苦（23節）；他們令大衛經歷的神隱退：如今他們也切實的受苦（24節），失去神的同在；他們使大衛一家疏遠（8節）：現在他們的住處成為荒場（25節）；他們曾誣陷指控大衛（4-5節）；現在他們罪上加罪（27節）；他們辱罵神、人：神也要把他們從生命冊上塗抹掉（28節）。

這是神審判人的可畏原則。我們且慢批評這個禱告。我們也當看見自己也曾落在這樣的苦難之中。要把心自問，特別留意自己的良心是十分敏銳的，許多時候明知甚麼是錯。而我們可以自問，一旦發出這類的禱告，到底是否出於基督的心腸，因為這詩歌其實帶我們面對面看見祂的苦難，並知道祂是以禱告來回應苦難的。這是唯一的出路。但不只如此，主耶穌自己也宣佈過「禍哉」（太二十三13-36）；祂曾說：「你們這被咒詛的人，離開我」（太二十五41）；有一天，人要逃避羔羊的憤怒（啟六15-17）；祂的冊子要展開（啟二十二12）——那日再沒有人可以求赦免，只有按永遠的公義來判斷。換句話說，這是純正的憤怒，藉著一個渴望公義臨到的人物發出，舊約不少經文反映基督這方面的性情。第28節（參出三十二32；但十二1；路十20；腓四3；啟三5，十三8，二十一27）。

第29-36節　禱告變成讚美　「困苦」不止住，「讚美」也不止息。對神的喜悅也帶來鼓舞人心的見證。詩人深信禱告必蒙垂聽，因此詩歌成為所有受造之物的讚美詩，

因為眼前的苦難一旦成為過去，昇平的局面便因「愛他名」之人的緣故，在地上重新出現（36節）。

附註　第31節　「角」、「蹄」：角說出牠的年齡，蹄（利十一3-4）表明牠的「潔淨」：即一顆對主感恩的心，勝似獻上合規格的祭牲。第33節「被囚的人」：參26節。即使敵人以為我們落在他們手裏，我們的捆鎖正是祂的慈繩愛索（弗四1，六20；腓一13）。

第七十篇　求命啊！

六十九篇詳細論述的事，在本篇化成一個迫切坦率的呼求。兩篇詩歌同樣講個人安危受到嚴重威脅（六十九1-4，七十1、2、5），同樣有索命之人來加害神的百姓，因此發出活命的呼求（六十九6，七十4），求得保護，也求神抵禦加害的人（六十九22及其後經文，七十2-3）。本篇用詞精簡，禱文有若電報。如果把本篇跟四十篇13至17節相比，情況完全一樣。四十篇的反覆敘述祈求，在本篇只濃縮為一個求救的禱告。**一般相信詩篇七十篇本來用作公禱和公開的唱頌，但是以後濃縮成為個人在危難中的禱文。時勢變遷，壓力重重，唱頌這首寫成的詩篇，使我們昏亂的心緒能再集中起來，叫我們激盪的情懷不致影響思緒。**

附註　第2-3節「抱愧蒙羞……退後受辱」：希望破滅，公然受辱。第4節不是因仇敵受辱而沾沾自喜，而是身處危機之中一直有喜樂。

第七十一篇　奮力奔跑

1836年，名牧西緬查理斯(Charles Simeon)退休，放下在劍橋聖三一教堂44年的事奉。他的一位朋友發現他仍舊是早晨4時便起來獨自與神交通。朋友好言相勸：「西緬先生，你既然已經退休，是不是可以考慮輕鬆一點呢？」老人家回答：「甚麼？我現在既然看見標竿在目，豈不更應奮力奔跑嗎！？」本篇詩篇中也有一位長者（9、18節），正在全力以赴：他對神經驗日豐（5、6、17節），但仍然有挑戰和艱難（4、13節），仍舊全心全意靠禱告來度日（1-9、12-

13節），常以頌讚為是（8、14、22-24節），把未來的事交託給神（19-21節），渴望繼續傳揚見證神（17-18節）——這真是退休人士最榮耀的榜樣，也是對我們每一個人深具挑戰的圖畫。詩人引述了其他詩篇（1-3節，三十一1-3；4-6節，二十二9-10；12節，二十二11；13節，三十五26；等等），而主題和內容跟六十九和七十篇屬同一類，非常吻合大衛的遭遇——飽受誣告，又有攻擊，而他晚年卻念念不忘神的居所，要為神建造住處。

第1-3節　在保障中禱告　神是避難所（1節），但是投靠祂也要常常更新（3節）。從神的保護中，詩人發出祈求，求祂來施援手和伸冤（1節，「羞愧」，過錯被公開，公開受辱），並「搭救」（2、4節）。第2節「公義」：要得救恩得釋放，絕不能妥協和犧牲神的神聖要求（賽四十五21；羅三21-26）。第3節「磐石」來自三十一篇2節。希伯來文是「在磐石裏的家」。「常」：參6、14節，常常保護，常常讚美，常常盼望。

第4-11節　神終身的眷顧　禱告的動力來自詩人自「年幼」已受主照顧的經歷（5-6節）。這些回憶難以一一記起，但是總給他很大的安慰。現在他年紀老邁，更需要神加添心力，因為仇敵加強反對（9-10節）。第5節「盼望」：在信心中仰望的那位。第7節「怪」：四處都是控訴（參六十九、七十篇的註釋）。然而當他面對加害之人時，他的反應是想起神（4-5節），因此他雖然大有可能清譽受損，可是卻一再記起神是「我的避難所——何等堅固的保障！」本來愁雲慘霧，如今倒變成了讚美（8節）。第10-11節六十九章3節透露，在好一段漫長的日子裏，神默然不語，甚至連大衛也疑惑起來，不知道神是否已掩面不顧他（六十九17）。

第12-16節　禱告　禱告（12-13節，為求神親近，並且求仇敵的工作停止），充滿「盼望」（14節上），越發「讚美」（14下-15節），一切都是出於信心。最需要禱告和尋求神的日子（10-11節），並不一定是我們最想禱告，也有能力禱告的時候。本篇的中心信息，正是在敵勢洶洶，心靈受壓的氣氛之下，恆切、忠心地尋求神（4-5、7-8、9-12節）。第12節「速速」（七十1，5）。第13節「羞愧……受辱蒙羞」：同義詞，指名譽公開受損，失去盼望，大大羞恥。大敵臨頭，

卻以神的利益為念（六十九9），這樣勇敢地向神傾訴，正是我們今天所要恢復的。第15-16節大衛受人攻擊，受人誹謗，卻沒有公開辯護——沒有自圓其說，為一己伸冤。他唯一的題目是神，也只有神自己——他提說神的「公義」（完美的性格，可靠的行動，堅定的目標）、「救恩」（拯救的大能和意願）和「大能的事」（征服的力量）。

第17-21節　一生為人的見證……並求主續施恩惠。對應4至11節「從年幼……到年老」的主題，神的慈愛是一生之久，述說不盡，先是向大衛啟示的真理（「你就教訓」，17節），並祂的「作為」（17節）和「膀臂」（18節，「能力」的直譯），就是出於神影響祂百姓的生活存留的能力。第19-21節詩人提出自己將來想認識和分享的事：神的美妙性情、祂過去的大小作為、莫測的位格（19節；出十五11；彌七18-20）、祂奇妙的供應、不變的旨意（20節）和賞賜（21節）。

第22-24節　讚美回應　本篇以禱告開始（1-3節）；結束時渾然變為讚美（12-16節）。現在只有讚美——讚美神的信實、聖潔、救贖、「公義」和應允禱告（22-24節，參13節）。至此大衛不禁鼓瑟彈琴，口中高歌。第22節「以色列的聖者」：除以賽亞書外，聖經甚少用這稱謂（在以賽亞書出現了約40次）。這名號說出兩件事：神的聖潔，並祂與子民認同。祂以神聖的完全來到，並決意使我們成為祂的，祂也成為我們的。

第七十二篇　欣然賀祂為王！

除了本篇以外，只有一二七篇的標題題及所羅門。兩篇都可能是為他而寫的，即是「獻給所羅門的詩」——大衛為兒子的祈禱（20節）。不過就標題的用詞和全篇的內容，這一篇跟所羅門的時代和他的個性十分吻合。在大衛的譜系中，所羅門最有資格自稱為「王的兒子」（1節）；他也曾接受諸王的來朝（10節；王上十1-13）；貢物貢品財富都運來耶路撒冷（15節；王上十22）。在他治下，國家昇平，國勢大可象徵將來彌賽亞統治全地的威榮。他曾在基遍禱告（王上三6-9），而本詩各方面都合符該禱告中王者的理想。不過作者同時也用上極度誇張的手法，來形容這位地上的人君。詩意當可提醒所羅門身負重任，但惟有彌賽亞能把這偉大的召

命完全實現。這篇詩歌結構嚴謹，分成4詩節：

A¹（1-5節）　眷顧人的君王
　B¹（6-8節）　世界的君王
A²（11-14節）　眷顧人的君王
　B²（15-17節）　普世的祝福

第1-5節　祝福與蒙福的結果：君尊的中保　神賦予王管治之才，結果是公義與眷憐，天地蒙福。在其治下，百姓得拯救，且要「敬畏你，直到萬代」（5節）。**第1節「判斷……公義」**：切實執行公義的治理。**第2節「困苦人」**：挫敗沮喪，謙卑受辱的人。**第3節**（比對創三17-19，並參摩九13）。罪帶來的咒詛得到徹底清理，萬物便更新，流露出美善和福氣。「**平安**」：完全的福氣——與神、與社群和自己的內心和好，充滿平安。**第4節「窮乏」**：受剝削的人。

第6-10節　福澤飄送四境：王與列王　他的治理賢明，公義與報應互相配合，平安洋溢（6-7節），吸引天下歸心（8-10節；參賽二2-4）。**第6節「雨……已割的草地」**：田地必定是芬芳飄逸（林後二14-16）。**第7節「義人要發旺」**：社會風氣健康，到一個地步行事公義也比較容易（比較摩五13），而公義也必帶來獎賞（比較七十三12-13）。**第9-10節**　連最難馴服的勢力（「曠野」）、反對的（「仇敵」）和遙遠的權勢也都臣服。「**他施和海島**」指長程的海上旅程；「**示巴和西巴**」：在阿拉伯南端最遠之處，突出陸路交通的艱巨。海陸兩面的描述，是要表達包括全地之意。

第11-14節　眾民歸心　普世來朝進貢（11節），乃是因為他管轄的高超（12節有「因為」）。釋放囚徒，眷顧無助和可憐的，以及救恩和救贖——如同「甘霖」（6節）。**第12節「窮乏人……困苦人」**：參4及2節。「**呼求**」：參出埃及記二章24節。**第14節「救贖」**：像近親來擔代我們的需要，以我們的需要為祂的需要（參六十九18）。

第15-17節　為王祝禱　提過王的治理和福氣後，這裏遂有一個祝禱，求這一切都快快實現。禱告逐步向外延伸，從王到百姓，以致發旺的天地和全世界。當然，眼前的王與將臨的王，二者之間大有差距。是否得民心，顯於百姓有否為他代禱（15節）；那些殷切期望的人必定會禱告說：「阿們，主耶穌啊，我願你來！」（啟二十二20）。

第18-20節是編者為詩篇第二卷所作的總結（參四十一13）。

詩篇卷三
第七十三篇　「在主裏不是徒然的」

我們「信神，全能的父」，但我們自己或別人的經驗卻叫我們質疑神的全能（因為其他能力似乎也有支配權）、神的父性（因為這人生的實況跟一位愛的神的存在似乎相衝），和對很多人來說，祂的存在：「怎可能有神存在，當……？」詩篇的特點在於它面對人生，而非逃避人生。卷一以一個敬虔者的亨通作開始（一3）；卷二開始卻提到，在真實生活中，善行與賞賜兩者不一定有直接關係，而敬虔人亦不一定亨通（四十二3、5、9-10）；卷三卻以一個不客氣的問題作開始：敬虔是否真有價值？還是浪費時間（13節）？既然其他人盡享歡樂（4、5節），而我們卻盡是倒楣（14節），為甚麼不放棄敬虔，並加入那快樂的大多數人當中（10節）？亞薩留給我們的詩篇，寶貴之處在於其寫實性——面對殘酷的人生時，它的建議是如此實際；提出另類觀點時，又是如此振奮人心。事實上，亞薩回答自己絕望的「實在徒然」時（13節），用了保羅的偉大宣告：「在主裏不是徒然的」（林前十五58）。

本詩篇用了重複手法突出這主題。

A¹（第1節）　真理陳述：神是美善的。
　B¹（第2-14節）　可憐的我！
　　C（第15-20節）　新觀點
　B²（第21-26節）　富有的我！
A²（第27-28節）　真理重新確認：是的，這原是好的！

第1-4節　真理受衝擊　1與13節開始了此詩的兩個段落，兩者都以「實在」開始。真理（1節）與經驗（2-14節）衝突起來。真理說明神恩待祂的子民；經驗是神子民遭遇苦難（14節），而惡人大享亨通（3-5節）。神的美善受挑戰的，並不是祂普遍性之恩慈（一四五9），而是承諾給神的子民的福氣——條件是：信靠和敬畏（三十四8、9）、禱告（八十六5-6，一○七6-9），並這裏（1節）所說的清心。然而，持守道德，竭力維持內裏（13節上），並外在（13節下）之潔淨，只帶來災難與懲治（14節）。難怪這情況激發起一

份不平之心——狂傲人（3節，不懂思索、不會憂慮的人）並「惡人」享受「平安」。他們死時沒有疼痛（4節），也不是死於絕症。他們享受無災無苦的日子（5節）。驕傲是他們性格的標記，而剝削別人（「強暴」）則是他們行為的標記（6節）。他們處處顯示自我放縱，從不放棄所愛慾的（7節）。他們的舌頭（在聖經中品格的量尺）顯露他們的自大——他們自以為有權放鬆道德約束（8節上，「惡意」），剛愎自用（8節下），甚至不把天地萬物放在眼內（9節）。有人跟從他們，願在他們福蔭下共享繁榮（10節，新國際譯本：「所以他們的黨羽歸到這裏，喝盡了水」），甚至認同他們的神觀，認為神是不理世事的（11節）。「惡人」儘管如此可惡，事實反映他們卻是「常享安逸」，財富亦不斷增加（12節）。

第15-20節　新觀點　在人生不公平的困惑中，浮現了3個具有重大意義的原則。1.在任何境況下，宜對神的子民忠誠，維護他們的福祉。2.維持敬拜的生活。由於亞薩不能向神的「眾子」傾訴自己的問題，這會令他們困擾（15節），他惟有獨自掙扎，但問題實在太沉重（16節）。幸而他似乎領悟到毋須獨自一人承擔，只要前赴敬拜（17節上）——往「聖所」去，聖所乃主應許與人相會之處，在其間必可尋見主面。3.放眼永恆：他們的「結局」可悲（17-18節）；他們會發現自己才是傻子（「沉淪」，18節），不但「荒涼」，也驚恐（19節）；至為嚴重的是，在神眼中他們根本毫無價值（20節）。

第21-28節　真理終於得勝　此詩篇的兩個作結的段落，長短不一，而前後都有清晰的標示經文：知道自己是「愚昧無知」並且「如畜類一般」（21、22節）的人，發覺「親近神」，以「主耶和華」為「避難所」，是有益的（27、28節）。在他所有的悲哀之中，他仍然是一個富有的人：他有神——一份穩妥的禮物（23節）；將來（24節上）與永恆（24節下）——一份屬天也是屬地的財富（25節）；越過今生的力量和基業（26節）——一些因神的憤怒而滅亡的人所無法享有的好處和保護（27-28節）；相對15節之沉默而言，是一些可誇之處（28節）。**第21-22節**意譯：「我的心思發酸，感情被刺傷之時，我表現得彷似從未在靈裏學習，彷似我活在

黑暗中，在你面前如同畜生！」（參四十九12、20）。**第23-24節**4倍的財富：與神和好（「我常與你同在」）；神的保守（「你攙著我的右手」）；神對未來的計劃（「引導」）；和**「以後……榮耀」**。在第23和24節上，思路之發展說明24節下的「以後」乃指超越此生。而這「以後」跟17節的「結局」（直譯：「他們的以後」）成一刻意的對照。這帶進25、26節所強調的「天上」與「福分」，後者是永遠屬於詩人的，縱使他的外在（「肉體」）和內在（「心腸」）生命有一天會終結。**第26節**「福分」：利未人亞薩（代上二十四30至二十五1）根據約書亞記十三章14、33節和十八章7節所盡之職。

第七十四篇　黑暗中之聲音

本篇詩篇就如一場噩夢，重提主前587年，即列王紀下二十四至二十五章所記之一件往事。詩人再次看見耶路撒冷被毀（3節），再次聽見敵人滿腔怒吼——發吼之處卻曾是聽神話語之處（4節），並目睹敵人舞弄行毀滅之斧子（5節）。尤其感人的是詩人的描述：（直譯）「現在輪到雕刻的鑲板了——斧子錘子掄起——雕刻鑲板碎了！」（6節），彷彿詩人目睹並跟在破壞者後邊，心底默然呼求：「不要毀壞——請不要毀壞——那些——那些鑲板！」這情景彷彿要持續到永遠（1、10節），然而神的震怒還沒有迹象消去（1節），神沒有說話（9節），也沒有任何迹象顯示，神會為祂的子民作事或記起祂的應許，或維護祂自己的名（19-21節）。

詩人捕捉這很長的一剎那，忍受著狂颷中神的沉默。「黑暗之日不斷臨到我們」；本詩篇告訴我們，苦難並非甚麼新事，而是神子民民的必然經歷——甚至是主自己的經歷（可十五33-34）；它也給我們一根救命柱子——當這洶湧的海潮正把我們沖去時，它是一根緊緊我們的柱子。1.**黑暗的經歷在禱告中獲得處理**——神會「記念」我們多方的需要（1-2節），也「記念」祂自己的名受到辱罵（22-23節）。2.**細訴可怕的黑暗經歷的來龍去脈**（3-11節）：這詩篇並不教導我們：「不去想它吧」，而是教導：「求神與你一同面對吧」（3節），與祂一起面對黑暗。3.**求告神的名**（18-21節）：因祂名的緣故，祂揀選我們，我們也肯定可以告訴祂我們的需要

（「記念你……的會眾」，2節），我們可以直達核心：「你的名，求你記念」（18節）。**4.將焦點集中在神是誰和祂的性情上**（12-17節）。這是本篇詩篇的焦點。

A¹（1-2節）　禱告：祢所忽略之子民
  B¹（3-11節）　禱告：敵人大肆破壞
    C（12-17節）　君王、救主、征服者、創造者
  B²（18-21節）　禱告：敵人大肆褻瀆
A²（22-23節）　禱告：祢所忽略之事工

黑暗被禱告所淹沒，而在黑暗的心臟出現神真理之光。

第1-2節　禱告：祢所忽略之子民　這些經節重溫了神子民的整個歷史，並在每一件重大事情上寫上一個問號：神是否已「丟棄」選民？這疑惑挑戰他們在亞伯拉罕裏作為選民之基本地位（創十八19）；「**所得來……所贖**」：勾起出埃及的救贖事件之回憶（撒下七23）；「**羊**」：指他們在神關顧下的曠野經歷（七七20；參賽六三11）；「**支派……錫安山**」：標誌著他們作為應許之地的人民，而神就住在這人民中間。但在黑暗中這一切似乎都變得毫無價值！

第3-11節　敵人破壞聖殿　**第8節**耶路撒冷陷落時，全地無別的敬拜地方。這裏所指的可能是聖殿，原文用複數來表達聖殿的華美：「……整個偉大之地……」。「**會**」：重點在於與神相遇多於與神相遇的地點；焚燒聖殿就等於焚燒所有與神相會的地點（和所有節期聚會）。**第9節**「**標誌**」：諸如：聖殿的例行供職、經常性的節期、事奉人員……等，這些標誌的存在令他們想起神的同在。

第12-17節　君王、拯救者、征服者、創造者　「你」這個充滿感情的代名詞出現了7次（13-17節）。首4次肯定了神的能力勝過每股敵對勢力；末3次肯定神是世界秩序的設計師。這正正就是詩人經驗所質疑之真理：好戰的敵人造成這世界可怕的混亂！雖然如此，我們當作的是用真理挑戰經驗，屹立在黑暗中，並宣告信仰。

外邦神話看「海」為創造之神的敵人，也將海形容為反抗神勢力（「大魚」、「鱷魚」）的住處。瑪爾杜克——巴比倫之創造神——相傳他打敗了黑暗勢力，之後才創造世界。瑪爾杜克相傳所作的乃是神在歷史中所作的：神「分開」紅海，將「溪河」分開，露出旱地供祂的子民走過，卻留下埃及人的屍體給野獸（14節；出十四至十五）。

第18-23節　禱告：不要忘記　**第20節**「**黑暗之處**」可能是神子民原為逃避巴比倫人，但最終被殺捕之秘密藏身之地；又或是神子民被擄流放遠離耶路撒冷之處。**第22-23節**神被提醒，祂的名被人褻瀆，祂的民被辱罵，祂被勸告為自己所忽略的事情出一分力。

第七十五篇　「地上最高的審判者」

在**第1節**中，我們遇見一個充滿感謝的群體。神藉著祂「奇妙的作為」顯示出祂與祂的子民「相近」（三十四18），正如祂的「名」所宣告的。像祂子民的親屬，神願意肩付祂子民的需要。神的話或許藉著先知（代下二十13-17）臨到他們，向他們詮釋過往的經歷。

第2-5節神說：當所有事物看似動搖的時候，祂仍然堅定不移（3節）。神責備「兇惡人」爭權奪利（4-5節）。**第6-8節**論到神的作為，統治權不在人的手中，是在天上的神手中。祂掌握命運，並且叫「兇惡人」喝他們命定的份。

第9-10節最後，另一把聲音說話。正如一○一篇的莊嚴誓言，說話的是王——他要讚美（9節），並且致力建造一個公義的社會（10節）。

此詩的背景是甚麼呢？是否在大衛經過押沙龍的謀反後復位之時呢（撒下十五至十九）？是否在希西家和他感到詫異的人民，經歷過西拿基立被打敗之後（王下十八至十九）？我們不知道答案。但是，我們對偉大真理的理解，不是建基在事件的本身：轟天動地的事件也不能動搖全能者立定大地根基之手（3節）。「神仍在寶座上」。不管惡人看似多麼強橫，神發聲攻擊他們（4-5節），他們也註定被毀滅（8節）。他們不屬於神，也必歸於無有（徒五38）。神的奇妙作為應該帶來人的稱謝（9節），並且神所宣佈之價值觀（4-5節）也應在地上延續下去（10節）。

附註　第2節「**審判**」（7節同）：伸張正義，解除不公。**第4節**「**角**」象徵強橫的力量。**第5節**「**高舉**」：有與天對抗之意。「**頸項**」：一種驕傲的姿態。**第8節**

「杯」（參六十3；賽五十一17；約十八11）。

保障。

第七十六篇　「獅子已得勝」（啟五5）

第七十六篇進一步探索七十五篇1節所說的「奇妙的作為」。這兩篇詩篇與列王紀下十八至十九章有很密切的關係。就算它們並非源於亞述大軍犯境事件，但一定和某些類似的神聖干預有關。「獅子」的主題被「帳幕」（2節）一詞隱藏了。「帳幕」這個字詞指獅子的洞穴（十9；耶二十五38）。這個意念切合詩篇的故事，並且反照在啟示錄五章的羊羔—獅子主題上。

第1-3節　獅子的洞穴　藉著地名重複，強調（「在猶大……在以色列……在撒冷……在錫安」），縱使敵方的軍力強大（3節，「火箭……盾牌刀劍」），我們得知神的勝利「為人所認識」（1節，直譯：「啟示自己」）。神極其俯就地住在祂子民中間，並以使人畏懼的能力勝過仇敵所有的力量。

第4-10節　獅子的勝利　「野食之山」繼續獅子的主題。牠出外獵食，回來時帶著威嚴的腳步，外被榮耀，完全自信。此勝利有兩方面：1.「勝過人」（5-7節；參王下十九35；賽三十31，三十一4）。人的勇力、各種技能和軍事資源在神的聲音面前只得退讓（5-6節）。祂不需要其他幫助，因無人能在祂面前站立得住（7節）。2.「為人而勝」（8-10節）。敵對的勢力佔據地上，地上已經一片混亂，大地被戰爭的風聲折磨，但當神發聲，地上一切的勢力都要靜默（8節）。這無可抗拒的介入是為了「救地上一切謙卑（被踐踏）的人」（9節）。就是這樣（單憑祂的說話），人的「憤怒」轉成對祂的「讚美」（和合本：「榮美」），所有盈餘的怒氣都掌握在祂至尊的力量中（10節）。

第11-12節　獅子應得的份　主將所有攻擊我們的勢力都削平（3、5-6節），那麼我們應該怎樣報答祂呢？這詩結尾時所說的是「在他四面的人」（11節）——祂的百姓，那些喜愛祂的同在，並且因祂勝利而受惠的人。我們的回應是宣告對主忠誠並且活出這忠誠，帶給祂進貢的禮物去表示忠誠，因為祂是「那可畏的主」〔11節，直譯：「（真正的）畏懼」"The (real) Fear"〕。不單如此，「眾王的心都在他的法則下，受他的管理」（12節）。祂是我們在這險惡的世界上唯一的

第七十七篇　記憶治療

這詩篇記錄了一段強烈但不詳細的受苦經歷。詩人一直維持禱告，直至枯竭，但是始終沒有帶來安慰（1-3節）；最後，煩惱的重壓過大，甚至令他不能禱告（4節）。不能安睡的晚上（4節上）喚起對過去美好時光的回憶（5-6），可是回憶帶來的只是對神不安的疑問（7-9節）。後來，他有一個新的想法（10節）：要記念神古時的作為，尤其是祂自我啟示出來的聖潔和偉大（11-13節）；祂在列邦中彰顯自己的能力（14節），與自己的百姓站在同一陣線上（15節）；神支配並且運用大自然的「力量」（16-18節）；祂那肉眼看不見的同在和祂所興起的僕人領導百姓向前走（19-20節）。這詩篇就這樣突然結束了，就像詩人對自己說：「這就是了！」這是面前的方向——不是去祈求環境改變（1-4節），不是因事物變遷而作出無益的緬懷（5-9節），而是要想起神的工作，並那位在作工的神。

第1-4節　回憶的首次失敗　我們不知道他為了甚麼事情禱告，可是卻知道禱告的目的是要患難止息，要處境改善。他「想念神」（3節）：在禱告中，神停留在他的思想裏，成為那一位能夠干預並且施行改變的。從以上的概覽看，我們可得出清楚的教訓：在逆境中，信徒的反應不應是求神改變環境，而是憑著神所給予的啟示（10-20節），活在逆境中。儘管禱告以逼切的言語說出來，並不斷訴說（2節），可是問題得不到解決。因為禱告實質所表明的，是厭煩並拒絕接受神所給予的環境。是神使祂的兒女不能安睡，帶領他們步入枯竭的境況，直到他們學會這寶貴的一課，就是安竭在已啟示的真理上（4節）。

第5-9節　回憶的第二次失敗　在不眠不休的時刻，思想轉向過去，記憶停留在可歌唱的幸福歲月（5-6節）。但是回憶沒有帶來安慰，它只換來對神和祂處事方法的疑問（7-9節）。有趣的是，這些疑問的措辭好像是為表達神的可靠，它特別引入了5個聖約的不變重點：「施恩……慈愛永無窮盡……應許……開恩……慈悲」。但這裏的重點卻是，疑問是不能帶來安慰的；疑問源於一個不安穩

的心，並且疑問不能解決任何的問題。沉溺過去的日子（6節）是不能補救現況，也不能成為面對將來的處方。

第10-20節　正確回憶的治療效用　思想忽然出現新的轉向：不是想起神是那位解決問題的神（3節），亦不是想起以前曾有的屬靈經驗（6節），而是想起神在古時所作的偉大奇事（11-12節），並祂聖潔的性情所彰顯超越一切的偉大（13節），並且要憶起祂為子民所作的救贖（14-15節）、所彰顯的大能（16-18節）和從上而來的照顧（19-20節）。**第10節**的意思難以翻譯。新國際譯本（並合和本）的翻譯非常符合上下文，尤其是對比第5節與第10節時：「上古之年」（5節）——只有煩惱的回憶；「至高者顯出右手之年代」（10節）——有關一位慈愛的神和祂大能的美好回憶。**第13-20節「潔淨的」**（13節）：基本上這個詞所指的是神的特殊、與別不同、獨特的本質，而不是神道德方面的聖潔。祂行事自主，大有能力，不受外界的限制，按己意在天地間行事。將第13節與出埃及記十五章8至11節作一比較，顯示回憶是集中在出埃及以後神所行的大事上。祂子民前進的步伐可追溯至以下的歷史事件：他們從埃及地被贖出來（14、15節），經過紅海（16節），去到西乃山可怕的密雲遮蓋處（17、18節；出十九），並且在那位人所不能看見的主領導下（19節），並祂的牧人們親手帶領下（20節）向前行。祂強而有力地對抗「列邦」（14節），為了祂的「民」也是如此（15節），神有力地處理每一個逆境（16節），有力地用大能達成祂自己的目的（17-18節），有力地去保護並供應那些在這荒涼曠野中的人（19-20節）。

這詩篇就在這思潮中突然完結。他們永遠不會選擇的環境——紅海的水和「大而可怕的曠野」（申八15）——是神所命定的。事實上，這是那位人所不能看見的神，帶領他們進入這些非常的經歷中（19節），並且在他們中間供應一切（20節）。這是真正的慰藉。這位聖潔的神是完全自主地去作祂所願作的，而我們的平安都在祂的心意中。無論祂帶領我們到哪裏，祂都必定供應我們所需的一切。

第七十八篇　回憶帶來的能力

1至8節之引言為這長而奇妙之詩篇建立了場景。它說出了：1.一個責任：每一代都要將這神聖的傳統傳給下一代（3-4節），此乃是神的旨意（5-6節）；2.傳統的內容有兩個層面：神所作（4節）和所說的（5節）；3.目的是將來世代會「仰望神」（7節，這詞意味一個簡單的信心），將祂的「作為」與「命令」存記於思想裏，避免以往的差錯——因不再委身和善變而產生的叛逆（8節）。然而，4.若是如此，對過去一定要有確實的認識。神以一般說話（「話」，1節）所表達的「訓誨」（律法），解釋了（2節）過去的經歷：「比喻」是富教育性的故事或箴言，這裏用過去一些歷史事件（9-72節）來說明真理。隱藏的事或「謎語」：過往的歷史片斷糾纏不清，像一個謎團或謎語，所以是需要解釋的。

這就是本詩篇的目的：澄清往事之謎，好讓今人得著歷史的教訓。詩人在云云複雜的以色列歷史中看到一個原則，這個原則可以作為生活的有力指引。

他提出了兩個歷史上的回顧（12-39、43-72節），每一段回顧都各有序言（9-11、40-42節）。這兩個序言正是本詩篇之精要。第一個序言說出子民（「以法蓮」）之所以被打敗，是因為他們「忘記」（11節）；第二個序言說明他們屢次悖逆，是因為他們「不追念」（42節）。要是他們沒有忘記，敵人就不會得勝；要是他們仍然追念，他們就會過一個順從的生活。這就是回憶的能力——也是主耶穌離開我們時，為我們設立一個記念性筵席之原因（林前十一23-25）。從回顧歷史，我們可得著真理；回憶可培養過得勝和順服生活的能力。

在任何處境中，無論是外敵的威脅（9-11節），或是內部悖逆的掙扎（40-42節），假若他們能說：「祂已成就救贖，祂也會供應」，就是表示他們能活在敬畏之中，並對祂的愛有適當的體會！對我們來說，也是如此。這是活潑常新的回憶所帶來的力量，伴隨著救贖（12-14、43-53節；祂曾領我們脫離捆綁，進入自由）、供應（15-16、54-55節；在任何境況中，祂可以，也必供應）、審判（17-33、56-64節；那些以祂為父的人，當存敬畏的心度日，彼前一17）與愛〔34-39、65-

72節；當我們轉向祂，祂永不會拒絕我們，因祂知道我們的脆弱（32-39節），祂也總是為著我們的福祉（65-72節）〕。

第9-11節　被擊敗是因為忘記　第40-42節　悖逆是因為不追念　參撒母耳記上三十一章。便雅憫人掃羅（撒上九1-2）與「北方」支派——常被稱為「以法蓮」或以色列——關係密切。其家住基比亞（撒上十26），撒母耳記上九章4節暗示它位於以法蓮山區中。掃羅死後，其餘黨以伊施波設為首，曾自封為王（撒下二8），及後叛逆的押沙龍也輕易取得以色列支派的推戴（撒下十五2、6、10、13）。就這樣，歷史的回顧始自掃羅家之敗落，並從中生出一個疑問：為甚麼有這樣的事發生——「以法蓮的子孫」直譯是「精良的弓箭手」。對神的子民來說，得勝不在於資源多寡，乃在於由追念（11節）所生之忠心與順從（10節）。**第41節**「試探神」，參56節之註釋。

第12-14、43-53節　神的救贖　這些經文以出埃及為主題（12、43、51節），即是那偉大神聖的救贖工作（42節）。12至14節強調過紅海：神的能力勝過每一個逆境；43-53節集中在臨到埃及之災難：神的能力毀滅仇敵的能力。「瑣安」（12、43節）：古埃及之京城。每一段落均以思想神的引領及安穩作結（14、52-53節）。神的能力是與逆境並敵對勢力為敵的，而永遠衛護祂的子民。

第15-16、54-55節　神的供應　首段的歷史回顧由埃及轉移至曠野（15-16節），主題是神的供應（供應走天路的人）。次段的歷史回顧掠過曠野，回想起應許之地的供應（榮歸的供應）。注意54至55節如何始自「自己聖地」，又如何以「他們的帳棚」作結。這是神的原則：將本來屬祂的賜予我們。

第17-33、56-64節　神的審判　子民的歷史充滿著「罪」、悖逆及試探神（17-18、56-58節）。17至18節之重點在於人試探神的信實——在出埃及記十六、十七章裏，以色列人不信神有能力供應食物和水，他們不肯相信，直至神以行動證實；在56至58節，他們試探祂的忍耐，不信祂的聖潔與審判。神在這兩次都發出憤怒（21、31、59、62節）。生命中之悲劇（31、33、61-64節），正如生命中之美善供應（15、16、54、55節），二者是神所作的。**第29-31節**（參出

十六；民十一；詩一〇六15）。他們所求的並非滿足他們需要的食物，也並非發自相信，而是為滿足他們的貪婪，發自一個不信的心。神以烈怒回應他們所求的；賜予，但同時也毀滅。多少時候我們埋怨慾望受到阻撓，卻沒想到是主將對我們有害的東西扣留起來。**第32節**所指的是曠野的一代（民十四28-33）。毋庸置疑，當他們覺察到神的不悅，他們恐懼地等候死亡。**第60-64節**（參撒上四）。

第34-39、65-72節　神的愛　祂知道祂子民的心（34-39節）：詭詐、不信實，但因祂深情的愛（38節，「有憐憫」），祂成就救贖，限制了自己的怒氣，也想念我們的脆弱（39節）；神知道祂子民的需要（65-72節），也主動起來抵擋他們的敵人（65-66節），甚至住在子民中間（68-69節），也為他們興起祂揀選的王來治理他們（70-72節）。**第35節**「磐石」本身象徵不變和穩定，然而在出埃及記十七章5至6節中，這也是一幅拯救、賜生命行動之圖畫（參九十五1）。「救贖主」：至近的親屬——把子民的需要看為自己的需要。**第38節**「赦免」：這個動詞的基本意思是「遮蓋」，但當與罪掛上關係，它從來不單是指轉眼不看，而是帶著「付出足夠的代價去償還債項」的意味。**第65節**這是個異常生動的表達，說明神為祂子民所發之熱心和興奮態度。

第67-72節此段歷史回顧始自掃羅王朝敗亡（參9-11節），而以猶大支派的冒升和大衛蒙神揀選而得位作結（68、70節）。「聖所」已存在的事實（69節），暗示本詩篇屬於所羅門王朝的後期時代，當王偏離神（王上十一1-13）的隱意初露。這解釋了它的突然結束。掃羅王朝不能久存，縱使他有勇武的軍事力量（9節）；大衛家可以長久嗎？本詩篇運用非凡的手法，以大衛得位作結，讓統治者細心玩味——也讓我們細心玩味。無論現在或過去，生命的祕訣始終是信靠與順服，而二者都是可以從追念往事中培養出來的。

第七十九篇　在憤怒之日的禱告與盼望

不是所有人生的困厄都是神憤怒的證據——正如約伯所親身體會的。但先知們的警告預言令以色列人在耶路撒冷陷落時，對巴比倫人（王下二十四至二十五）乃神施懲罰

的工具一點毫不懷疑。這首詩篇寫成之時，聖城已荒廢了一段時間（5節），然而詩中的親身經歷感覺很是強烈，這反映詩人是一位敬虔的耶路撒冷人，他留在猶大地（王下二十五12），為國破家亡而哀傷，期望將來更好的日子（13節）。此詩篇交替徘徊在「他們」（1-3、5-7、10-11節）與「我們」的部分（4、8-9、12-13節）之間。過去在別人身上所發生的（1-3節），也在現今存留的人身上定罪（4節）；過去引致神憤怒的罪（5-7、8節），也是「我們的罪」（9節）。神不會忘記那些輕慢祂的人（10節）和那些受苦的人（11節），而我們——「你的民」——將會再一次獻上讚美（13節）。

第1-5節　持久的審判　首先受傷的是主自己。祂的「聖殿」被污穢（1節）。然而隨著城的擄掠持續，那些委身於主的人（「僕人」，2節），並那些主所愛的人（「聖民」，2節），大量死亡，直至無一人留下履行愛的職務（3節）。情況持續沒有改善，神子民一直被鄙視（4節）。落在永生神的手裏，實在是一件可怕的事（來十31）。

第5-9節　被定罪　一定是某些可怕的事導致如此的審判！非也，只不過是罪而已——**第8節「罪孽」**：墮落和悖逆本性的後果；**第9節「罪」**：「缺點」，某些具體之錯誤。而且，不單是「他們的罪」，彷彿只有在擄掠中被殺和被趕逐至巴比倫的世代當受譴責；也是「我們的罪」（9節）——假如我們沒有一同毀滅，這是由於這位恨惡罪惡之神格外憐憫罷了。**第5-7節**這節不應理解為詩人懷著困惑和不滿而對神的不公抱怨。在人生遇到的所有困厄中，不論是出於神的憤怒，或是出於神無法解釋的至高作為，我們第一個反應應是俯伏並接受，正如5節所暗示。但我們能不為那些殘害我們以自肥，並破壞我們的財產之人的傾覆（7節）而祈禱嗎？「聽憑主怒」（箴二十22；羅十二19）的其中一個積極點乃是，禱告尋求傾覆苦待神子民的勢力。**第8節「不要記念」**（耶三十一34；彌七18-20）。**「先祖」**：在聖經裏，我們從先祖所繼承的罪行，不可視為犯罪之藉口，而永遠是更惡之罪的成因（路十一50）。「慈悲」有同情和熱愛的意思。「快迎著」（路十五20）。**第9節「赦免」**：「找到並付上了完全補償我們罪債之代價。」綜觀第8至9節，這

懇求的基礎主要並非為滿足我們的需要；這是一個以神屬性為基礎的懇求——注意**「你名」**（9節）的強調，即是：祢所啟示的本性。

第10-13節　懷著盼望　第13節之盼望基於兩點：第一，主會為祂自己的名聲發熱心（10、12節）；第二，祂會為祂受驚嚇的子民發熱心（10-11節），因為就算當他們因憤怒擊打而勞苦時，他們仍舊是「你的民，你草場的羊」（13節）。這兩個基礎反映在第5和12節之「羞辱」的對照用法上。

第八十篇　笑臉與蹙眉

懇求神親切接納之聲，貫穿整篇詩篇（1、3、7、19節）。神的笑面（3節，「使你的臉發光」）和祂的蹙眉（16節，「你臉上的怒容」）所作的對比說明這一切。儘管局勢非常危險——敵人得意洋洋（6節），神憤怒（4節）和表面上收回恩典（8，12節）——唯一的補救是祂的微笑，神的恩寵大有能力，同樣地，祂的不悅造成災難。災難已經臨到北面的眾支派——「以法蓮、便雅憫、瑪拿西」——古時的「以法蓮營」（民二18），即那些與「約瑟」連繫的支派。這首詩與七十九篇有不少共通點〔牧者／羊群的主題（1節；七十九13）；神長久的憤怒（4節；七十九5）和敵人的嗤笑（6節，七十九4）〕，暗示在七十九篇從巴比倫的猶大國生還者中，找到了一位來自北國的生還者。結果彼此的信息可以互相呼應。

這詩篇有一個重複出現的副歌部分（3、7、19節）。它的迫切性逐漸增強，從起初呼喊：「神啊」（3節）變為第7節的（直譯）「哦，神阿，哦，全能者阿／哦，全能阿」和第19節的「哦，耶和華阿，哦，神啊，哦，全能啊」。可是，儘管愈來愈迫切，有一件事實維持不變：神臉的轉變具有扭轉性的力量。因為問題不是他們落入了人的手中——這只是可怕的徵狀——問題是他們已經跌出了神的恩寵範圍之外。所以為著我們所有的失敗，我們的補救是要被接納回到一位面帶笑容，與我們和好如初的神身邊。**第14節**可能是另一個副歌，進一步將詩篇分段。這節聖經無疑放在正確的位置，但是在神學上，它的重要性更是無可比擬的。我們不能歸向神（3、7、19節），直至祂首先「回轉」，與我們和好（14節）。這重大的調整必須在祂那

方出現。對於這件事，我們只能懇求。

第1-2節　牧人和王　這是一個與約瑟有關的極古老的主題（創四十八15，四十九22-24）。「坐在二基路伯上」：基路伯的基座遮掩約櫃，是這位看不見的神看不見的寶座，同時亦是主與祂子民的相會處（出二十五18-22）。「發出光來」（五十2），詩人不是要求大能力，而是要求祂的亮光驅散因祂的厭棄所帶來的黑暗。**第3、7、19節「回轉」**：帶領我們回到你身邊。「發光」：詩人唯一的要求是神作出改變；但願蹙眉會變為笑面。

第4-6節　陌生的供應者　**第4節**（直譯）「哦，耶和華啊，哦，神啊，哦，全能啊」，即祂是救贖者（出三14-17，六6），祂是神，並且祂自己就包含所有可能性和能力。新國際譯本把4節譯為：「你向你百姓的禱告發怒氣的煙，要到幾時呢」。「煙」象徵神的聖潔（出十九18）、憤怒（七十四1）和與罪人分離（賽六4-5）。**第5節「你」**（賽四十五7；摩三6）。主使用中間人（6節，七十九1-3；賽十五-15），但也同時是一位偉大的中間人。**第6節**「紛爭」可能是來自敵人分配戰利品時產生的爭執。

第8-13節　葡萄樹的栽培者　正如在畜群中的綿羊一樣，植物界的葡萄樹需要持久的照料。在這主題下，這詩篇描寫救贖、繼承（8-9節）和繁盛（10節）。在大衛和所羅門的統治下，以色列的國土（11節）由地中海（「大海」）伸展至幼發拉底河（「大河」），但其後歷史不斷改變，國土不斷收縮，直至在主前722年撒瑪利亞被亞述滅了，而在主前586年耶路撒冷被巴比倫滅了。以賽亞書五章1至7節啟示了這片不設防的領土衰落的原因：因為它沒有為神結果子，所以沒有能力對抗敵人。

第15-18節　得力助手　拉結在因生產而將近死時（創三十五18），給她的男嬰起名叫便俄尼，「我悲哀的兒子」，但他父親更改為便雅憫，「我右手的兒子」。就是這樣，這篇詩篇的思路完滿地歸回起點：「便雅憫」（2節）在悲哀與失敗中向下沉，但是在信心裏卻宣告，主有位「右邊的人」、「人子」（17節），他是解決方案。因著他，神的面會再露讚許的笑容。非常貼切地，15節繼續發展葡萄樹的主題，因為（創四十九22；另一

個有關約瑟的援引）「兒子」（15節，和合本：「枝子」）可指葡萄樹樹幹（正合和合本的譯法）。這超越了詩人可以知道的，主更確實地看守著祂的葡萄樹——子民，直到時候滿足（加四4），就是當所盼望的兒子一枝子誕生。祂就是「你右邊的人」（17節），我們因祂得著新生命（18節；約十10）和前所未有地接近神（弗二18），並求告祂的「名」。

第八十一篇　被邀請過節

這詩篇所述月中的「節」期（3節），如果不是逾越節（出十二18），就必然是住棚節（利二十三39）。這兩個節期實質上都是記念出埃及的（出十二26-27；利二十三42-43）。住棚節的可能性比較大，因為詩中提及律法和聽從主（8-11、13節；參申三十一9-13），並豐盛的收割（10、16節；參申十六13-15）。這詩篇從神的法則開始，這些法則是百姓必須遵守的（1-5節），接著提到神所行（6-7節）和所說（8-10節）的，最後以祂百姓必須遵從作結束（11-16節），詳述了不服從之惡果（11、12節）和服從（13節）所帶來的勝利及豐足（14-16節）。如此，這詩篇處理聖經中的偉大主題：神的救贖和人的回應。這些從埃及地帶領出來的人民（6節；被王贖回的民，出六6、7，二十四4、5）立刻變成在神話語下的人民，（8-10節；出十九3-6，二十2-19），他們被召是要聆聽並遵守這話語的（8、13節；出二十四6、7；羅一5；來三7-19；彼前一1、2）。

第1-3節　排山倒海般的喝采　會眾、歌手、樂師、號角手（2-3節）——一個全民的讚美，迎接「過節的日期」。

第4-5節　「**律例**」：一個不變的規則；「**典章**」：從主而來的權威性決定；「**證**」：見證祂的所是（即祂是那用救贖大能拯救祂子民出埃及和頒佈聖潔律例的神）。「**攻擊埃及地**」：這節期訂於神攻擊埃及和拯救以色列之日起計算。然而這句片語（直譯：出去走遍）在創世記四十一章45節用來描寫約瑟榮任埃及宰相。出埃及是至高神顯大能的一個例子。

第5、10、16節　這3節是以第一人稱（5節下），每節都作了該段落的總結。後兩節是主的聲音，第一個的意思隱晦，似乎亦是指主的說話。如果屬實，這就直指出埃及記

二章24至25節（「神……知道」）。當主見到祂子民的需要，祂「知道」，也進到一個關懷的關係裏（5節）。祂所救贖和蒙祂啟示話語的人（6-10節），獲邀來享受豐足（10節）；那些服從的人，神應許用神蹟供給他們豐富的飲食（16節）——「蜂蜜」，從前最好的供給只不過是水（出十七6）。

第6-10節 這幾節從被釋放出埃及（6節）追憶到過紅海（7節；出十四10、19、24；詩九十九6、7），進入曠野（7節；出十七1-7），再來到西乃山（8-10節）。主使祂子民得自由（6節），應允他們的禱告，主宰他們要經歷的（7節），並且啟示祂的話（8-10節）。

第7節 「我……試驗你」：可是出埃及記十七章2節說他們試探主！人生的逆境（出十七1）是神給予的試驗（申八2），但是如果我們在面對時，對祂的愛、關懷和拯救的能力有所懷疑，我們就是「試探」祂，表示我們要求祂一定要證明自己，我們才信靠祂。**第8-10節** 基本的責任（8節）：服從；基本的真理（9節）：專一的忠誠；基礎（10節）：主、救贖主。

第11、12節（賽五5-7；羅一24、26、28）。由於不順服，他們進入曠野；若非不順服，他們或許已經在迦南享受著美福了（申一32至二1）。

第13節 參第8節（主的核心要求）、11節（他們的主要過失），和現在（13節）決定得失的主要因素。

第八十二篇 天庭：一個異象與一個禱告

詩人並不常常解釋自己，而我們作為讀者，須要盡所能捕捉他們的暗示。

第1節 開庭 「主審」（和合本：「站」）的原文在相同情景的以賽亞書三章13節同樣出現。最高的審判者進來在「諸神中行審判」——但究竟「諸神」是誰？

第2節 罪名 「諸神」濫用其位，於審判時「徇惡人的情面」，屈枉正直，偏袒惡人。

第3-4節 法律 主控官開始陳述法律上的要求。這是「諸神」應該做的：維護無助的、「貧寒的人和孤兒」的權利，就是那些沒有勢力的人——無論在人事上或經濟上；「困苦」人，就是被踐踏，在眾生中最低層的人；「窮乏」人，即一無所有的人；「貧寒」人，就是那些被強者所剝削的人。法律並不偏袒這些人，而是給予他們合理的維護，並且（4節）他們必須受到保護，脫離那違反法律之人的權勢（「手」）。

第5節 見證人 陳述法律之後（3-4節），主控官傳召證人。第一位證人（5節下）控訴「諸神」缺少智慧：他們無知，沒有知識；他們的決定與行動都缺乏知識和判斷力。第二證人（5節）表示，在這種統治下，人民被領往歧路，就好像活在黑暗裏，沒有目標，沒有方向。第三個證人（5節下）見證了社會結構之崩潰。

第6-7節 刑罰 神或非神，不管他們是甚麼身分（6節），他們要被判死刑，如同所有必死的人一樣（7節）。

第8節 禱告 神施行審判的異象（1節）轉為一個祈禱：祂必會施行審判——審判是普世性的，因為這是祂的權力（8節）。

究竟這一切是甚麼意思？1. 「諸神」可能是撲朔迷離，卻是真實存在的「執政和掌權」者，他們行使邪惡的方法，把弄世事（賽二十四21；但十12-13、20；弗六12）。舊約聖經偶然用「神」/「神的眾子」來形容天使（八5；伯一6）。2.第2至4節所說的職責卻是屬於以色列的審判官的（出二十二22-24，二十三6-7；申一16-17，十17-18，十六18-20）；他們的工作是執行「神的審判」（申一17）。將一件案件帶到「神面前」，或帶到「祭司／審判官面前」，兩者意思實是相同的（出二十一6，二十二8-9；申十七8-13，十九17）。此外，主耶穌曾形容「那些承受神道的人」為神（約十35）。

故此，證據顯示，地上掌權者是這詩篇的主角可能性較大。他們地位顯赫，他們向神負責，向神交代。3.當地上掌權者失職（5節），自己迷失了方向，令人民得不到安慰，造成社會分裂，此時，真神仍然存在，他們要向祂交代（1、6-7節），而我們也投訴有門（8節）。

第八十三篇 敵人四佈，真神護佑

歷代志下二十章有助說明本詩篇，但這裏的情況超過以色列人所曾面對過的任何聯軍。與其嘗試將本詩篇與某些歷史事件相聯，倒不如將它看為一幅神子民在面對敵對

世界時（2-8節），以禱告為力量（1節）的圖畫。他們在神彰顯能力之下（9-15節）作成這篇禱告，並且渴望一個有福的結局——當至高者被普世承認之時（16-18節）。**這詩篇教導說：我們是住在一個恨我們的世界中，它恨我們，因為我們不屬於它（約十五18-25）；我們應有的反應是：沒有其他出路，惟有祈禱；我們安息之處是：已經勝過世界之神的能力裏（9-12節；約十六33；啟一17-18）；我們的盼望是：不單只在逼迫中得著釋放，不單只叫逼迫終結，而是要那些逼迫者悔改（16、18節）。**

第1-4節　祢的百姓　本詩篇以神的子民受威脅開首：敵人決心剪滅他們，使之不能成國，並把他們的名字從記憶中抹去（4節），使之在地上不留一土，在歷史上不留一頁。這是世界所懷的敵視，成就在它對主耶穌的反應及對待上（約一10；徒三13-15）。世界不妥協，我們也不應該妥協（林後六14至七1；雅四4）。**第3節**「隱藏」：隱藏在祕密和穩妥的地方，就是像人收藏貴重物品。**第4節**「剪滅」：一個很沉重的字詞：「塗抹/削除」。

第5-8節　祢自己　不單祂的百姓是眾矢之的，主自己更是聯軍矛頭所指（5節）。祂的確永不丟棄我們（賽四十一10；來十三5）；更確實的是，祂為己名的榮耀發熱心（書七9；賽四十二8；結二十9、14、22、44，三十六22）。**第6節**各民族之聯盟集結在東方。「夏甲人」：夏甲之後裔（代上五10，十一38，二十七31），極可能與亞伯拉罕和夏甲有關。**第7節**「迦巴勒」：有人提過這是一個在外約但的地方。迦巴勒〔一個北巴勒斯坦（腓利基）之港口〕的名字在約書亞記十三章5節、列王紀上五章18節、以西結書二十七章9節出現過。如果這名冊是刻意地由極北開始，東至「亞捫」，南至「亞瑪力」，繞過西面之「非利士」，回到北面的「推羅」，神子民就是被四圍包圍。**第8節**「亞述」可能是前線聯盟幕後的幽暗勢力，就如「這世界的神」（林後四3-4）在每一次教會受逼迫時，都在幕後主使，但這裏的亞述也可能是西乃以北一支亞拉伯部族（參創二十五3、18；民二十四22、24）。「羅得」（創十九36-38；申二9，19）。

第9-12節　祢的地　迦南地被稱為「神的牧場」（12節，和合本：**「神的住處」**），因為在這裏祂要牧養祂的羊群。全地都是祂的，但這片土地特別為祂所珍愛（申十一12），就正如祂對祂的子民一樣（出十九5）。**第9節**一個相似的聯盟（士六1-2）會激發起對「米甸」人之回憶，亦很容易令人聯想起「西西拉」（士四至五）。米甸人竟在區區300人之手下被殺敗，好叫神的大能得尊崇（士七1-7）；西西拉死在一個婦人手下（士四17-22，五24-27、31）。**第11節**（參士七25，八18-21）。

第13-16節　祢的暴風　神控制自然界一切力量，這些力量常常象徵（如在這裏）祂的能力——趕散、毀滅、使之失望（「羞恥」：當盼望落空時）。但祂的道路總是充滿有目的的憐憫，我們的禱告也應該有這樣的態度。有時候，人一定要被帶到一無所有之境（13-15節），才（「好叫」他們）願意來到神那裏（16節）。

第17-18節　祢的名　這段落是本篇的高潮。本詩篇開始時之禱告：「不要靜默」（1節），變成求神顯現之禱告：「使他們知道」（18節），就是那些計劃除滅教會之人（4節）。「你名為」（18節）：這片語有兩方面的含義：「藉祢的名」及「因祢的名」。前者意即藉著告訴他們神的所是和所作，他們歸向祂。後者暗示，因祂的所是，祂必會向他們啟示自己。

第八十四篇　「作個朝聖者」

這詩篇作者渴想神之深（2節）、對神所命定的祭祀之有效性的確信（3節）、他絕對的信心（5-7節）、他對神的全然滿足（10-11節），直教屬靈貧瘠的我們汗顏。

第1-4節　渴想　「我」：人的自我、靈魂、己。「心腸」、「肉體」：人的內在與外在本質。全人被對神的殿和神自己的渴想所焚燒。由雀鳥在神殿中築巢而蒙保守，引伸至所有住在這裏的人蒙保守（4節）；祭壇是罪人與聖潔之神彼此和好的地方。**第3-4節**這兩節的思路是：「雀鳥在牠們的窩中得平安；這是神的祭壇；我們在祂的家中也得平安。」「祭壇」是我們蒙保守之關鍵。

第5-8節　朝聖　祝福並不僅限在殿中，祝福也在朝聖路上，當朝聖者1.靠神的力量而活，2.保守自己的心意堅定（5節；路

九5-53），3.以不動搖之信心面對苦難（6節，參下文），並因此4.力上加力，直至5.他們進到神面前（7節），與神互吐心事（8節）。**第6節「流淚谷」**：桑林；可能是真實的地名（撒下五22-25），這裏倒象徵朝聖路上的乾燥、艱苦一面。叫這谷「變為泉源之地」暗示朝聖者心存確據，知道在這乾燥之地總會尋得水源（比較出十七1-3）——並且肯定，神會把福氣降下，像「秋雨之福，蓋滿了全谷」。

第9-12節 安歇 神殿之延續在乎王並國度之穩定。如此，王是屬靈享受之保證。因此，朝聖者為王祈禱（9節）。對我們來說，耶穌以祂永遠的祭司君王身分，是我們穩妥、被接受和福祉的永遠保證（參來四14-16，七23-25；約壹二1-2）。**第9節「盾牌……受膏者」**：作為「受膏者」，祂是被神所立和賦予能力；作為「盾牌」，祂保護我們。**第10節**原文以「因為」開始，解釋了第9節的祈禱。朝聖者為王祈禱，「因為」想得著聖殿的福氣。**第11節**解釋第10節：與神同住之人生勝過其他生活方式——因為祂是「日頭」，是光之源（二十七1）和生命之始（五十六13），祂是「盾牌」，保護我們脫離一切威脅的；藉著祂的「恩惠」，祂吸引我們，並與我們分享祂的榮耀（彼後一3-4）。但這並非毫無條件的：祂白白所給的「好處」（11節）是給那些「行動」（包括生活方式和背後動機）「正直」（太五48）的人。與此同時，福氣並不是來自他們的己力（12節），而是來自他們的信靠。

第八十五篇 渴望復興

人生的不幸並不一定是因為神對我們有甚麼不滿，然而我們的反應卻總應該包括自省，恐防有罪要認，有錯要改。這就是本詩篇的處境。神的恩惠已過（1-3節）；今天充滿祂的憤怒（4-7節）。這位無名詩人採取與哈巴谷一樣的態度：先知受現況所困惑（哈一1-17），遂站著「觀看，看耶和華對我說甚麼話」（哈二1）；同樣地，詩人在回顧自身的處境後（1-7節），預備自己「要聽神……所說的話」。**本詩篇是一篇先知性的默想詩篇，主題是復興/更新（6節）。**

第1-3節 回想：神施恩的基礎 以往，神是藉著赦免罪（2節）和收回憤怒（3

節）來施恩及救回的（1節）。當他們有所改變——悔改帶來赦免；神也有所改變——放棄憤怒而帶進平安。沒有赦罪和息怒，便沒有復興和更新。**第2節「赦免」**：「擔走」（利十六21-22）。

第4-7節 懇求：結束憤怒，賜救恩為禮物 救恩指釋放——這裏指由神的「惱恨」（4節）和憤怒（一種個人情緒，5節）中得釋放。惟有這樣，才有復興/更新；並從神而來的喜樂（6節）；而這必須透過祂不變的愛和白白的恩典（7節）。在復興/更新的事上，神有絕對的主權。**第4節「使我們回轉」**：即轉向我們——關鍵（3，5節）是神是否與我們和好。

第8-9節 聆聽：應許的話及其條件「我要聽」：我決心要聽——顯示一種委身的態度。渴望復興/更新之人一定要等候神的話語。其他條件是：1.回應祂的愛：「聖民」（8節，神委身去愛的對象——也是委身愛神之人）；2.離棄過去之妄行（8節）；3.活在對神的敬畏中（9節；彼前一17-19）。結果就是「榮耀」——神在祂的榮耀中臨到祂的子民。

第10-13節 盼望：天地之和諧 神眾多的屬性是和諧一致的：祂的「誠實」（10節）並沒有因愛我們而有任何妥協；祂的「公義」（10節；賽四十五21-25；羅三23-26）並沒有因向我們施「平安」而有所妥協。天地是和諧的（11節）：地生出「誠實」的果子（11節；賽四十五8；弗五8-9）；「公義」從高天俯視（11節）。當神賜予，地就回應（12節）：救恩之終極實況包括在新天新地裏伊甸園的重現（賽六十五17-25；彼後三13）。就是這樣，「公義」為神的先驅，行在祂之前（13節；啟二十一3）。

第13節（直譯）「噢！讓他的腳行在路上」——詩篇中與啟示錄二十二章20節的平行經文。

第八十六篇 主權之枕

大衛說了7次（3、4、5、8、9、12、15節）「主啊」，所用的稱謂突顯了神的主權。在個人需要上（1節），在「患難之日」（7節），當「驕傲」和「強橫」人（14節）咄咄迫人時，詩人找到一個可供寢首之枕頭：就是自主的神，祂聽祈禱（3-4節），拯救詩人

（12-13節），並叫詩人的敵人羞愧（17節）。在這篇糾纏式的詩篇裏，直至大衛首次探討他與神的關係（1-6節），並更新他的委身（11-12節）時，他的需要（14節）才顯明出來。在一個更深的層面，內容像他的禱告告訴神和有關神的事——即沉浸在神屬性的思索中，多於告訴神有關自己的事。這反映聖經中一種特別的禱告方式（尼九5-31、32-37；徒四24-28、29-30），也是我們應學效的。

第1-6節　「主啊，請聽」：祂聽禱告　這段經文包含在懇求傾聽的禱告內（1、6節）。「因」：這字出現在第1、2、3、4和5（和合本省掉了第5節的）節裏，陳列了我們禱告的5個基礎：1.無助（1節）：「困苦窮乏」，任人魚肉的小民；2.相愛（2節）：「虔誠」更好的翻譯是「親愛和愛你的」，被愛與去愛；3.堅心信靠（2節），因著「倚靠」（2節），個人關係（「我的神」）產生順服（「僕人」）；4.恆切（「終日」，3節）禱告（3-4節）。「仰望」（二十四4，和合本：「向」）等如將我們一切的渴望單單帶到神面前，並單單倚賴祂的供應；5.祂的所是（5節），「良善」：慷慨供應我們的需要，「饒恕」我們的罪，對人有「豐盛」而不變的「慈愛」。

第7-13節　「主啊，無人像你」：祂是獨一的主　大衛的描述現在更具體了：本段落以第7節：（相信神在「患難之日」必「應允」），和第13節：〔相信神不死的「愛」必會拯「救」（原文是將來時態）〕作首尾呼應，縱使他的敵人把他帶到深坑，並要活在陰間。他開始從最宏觀的角度體悟神的偉大（8-10節）：獨一的神主宰天上每一種權勢（8節），祂並等候全地之歸順（9節）；這領悟也轉至個人的層面（11-12）：獨一的神值得他完全的委身，在他的生活中向外彰顯，在他的心中向內顯明（11節），在讚美裏向上表達（12節）。第11節本節不是說：「指教我如何脫離這些患難」，而是「指教我，當患難仍然猖獗時，如何持守祢的道」。「專心」：使我不要心懷二意；賜我一個以祢偉大之名為目標的專一、恆久之心，不致為威武或利益所搖動。

第14-17節　「主啊，而你……」：有祂足夠　這段經文讓我們得悉大衛被帶進軟弱（1節）與患難（7節）的處境中。從他重複提到神的慈愛、饒恕與憐憫（3、5、6、15、16節），可以推想他正在逃避押沙龍。此時，他正是自食其果。撒母耳記下十六章5至7節顯示部分人如何對待大衛，而撒母耳記下十七章1至4節證實「驕傲」與「強橫」（14節）實非詩人所虛構的。然而「有憐憫有恩典」的神（15節；出三十四5-6）對於軟弱的大衛（16節）和抵擋大衛的敵人（17節）而言，都是足夠有餘的。第17節「憑據」：正如士師記六章36至40節所提到的，當人痛苦至需要一個憑據時，神也有足夠的憐憫，俯就他們的軟弱。

第八十七篇　錫安的兒女

3個舊約的主題濃縮在這篇詩篇中，並解釋了這詩篇一些難以理解的句子：1.「城」的主題（賽二2-4，二十六1-4，五十四至五十五，六十；來十二22-24）。人類第一次嘗試在沒有神的參與下組織這世界，結果建造了一個城（創十一1-9）。聖經描寫神再造之工的圓滿時，以「祂」那將要來臨的普世之城為題（啟二十一1-2、15-27）。2.「血統」主題。當尼希米重建新錫安時，想成為公民的人，必須證明他們有公民權（尼七4及其後、64；參拉二59、62）。這相當於「重生」（約一12-13，三3-8）。3.「冊子」主題（出三十二32；詩五十六8，六十九28；結十三9；但十二1；路十20；腓四3；來十二23；啟三5）。以賽亞書四章3節是重要的「冊子」主題經文，因它把冊子與錫安繫起來。這3個主題形成了八十七篇的內容。它是一篇「錫安」詩篇（1-3節）、「血統」詩篇（4-5節）和「冊子」詩篇（6節）。事實上，在神那將臨的普世之城中，公民權擴展到先前敵對的異教國度（4節）。外邦人的名字已在主的冊子上了（6節）。

A¹（1節）　　祂的根基
　B¹（2節）　　主的愛
　　C¹（3節）　　神的城
　　　D（4節）　　世界之城
　　C²（5節）　　至高者的城
　B²（6節）　　主的冊子
A²（7節）　　我的泉源

第1節與第7節的對比顯示了這詩篇的焦點從主心目中的錫安（1-3節），發展到居住在那裏並享受它的居民（5-7節；參尼七4及

其後經文）。第4節是全篇詩篇的樞軸：這城市將整個世界納入它的範圍裏。主對城的建立和欣賞（1-2節）以「榮耀的事」來表達（3節）。這些是甚麼事？答案是在第4節：它的民來自世界各地，他們認識主，也擁有這城的居留權。錫安是神永遠計劃的終極彰顯。而這些從世界各地到來的民，並沒有減少錫安的獨特性。事實上（5節），他們的到來是「至高者……堅立這城」的非凡方法。然而，一個來自世界各地的群體怎可能擁有這居留權？原因是（6節）主自己已經將他們的出生記錄寫在錫安的冊子上。結果，沒有分門別類了。並且（7節）歌唱的和演奏的——全體歡呼的群眾——一同享受以賽亞（十二3）所謂的「救恩的泉源」（參珥三18）。

附註 第4節 「拉哈伯」：埃及的綽號（賽三十七）。「埃及」、「巴比倫」：兩個強橫的壓迫者；「非利士」、「推羅」：分別是世界軍事和商業中心；「古實」：地球最偏遠的領域。

第八十八篇 靈魂的黑暗處：在忍耐中的信心，在信心中的忍耐

這詩篇的3個段落有詩篇常見的3個特色：每一段都以持久的禱告見證（1-2、9、13節）開始；每一段都經歷黑夜的悲嘆（6、12、18節）；每一段都提及死亡（5、10、15節）。簡單來說，這是一篇「絕望之詩」。認識神是「拯救我的神」（1節）的人，面對死亡時卻沒有盼望（9-12節）。恆切禱告的人發現在痛苦中是沒有出路的。神的憤怒（7節）、朋友的疏遠與使人虛弱而又逃不脫（8節）的憂傷（9節），充滿整個生命。向上看，只有憤怒；向內看，只有驚慌（16節）；向外看，只有威脅而沒有朋友（17-18節）；向前看，只有不能除去的黑暗（18節）。

很多牧者都曾牧養陷入這種情況的信徒。牧者嘗試握著這位親愛的弟兄的手，對方已陷入沒有安慰的痛苦中，並且眼前是沒有確據的永恆。很多信徒或多或少都曾行過沒有陽光的山谷，耶穌和祂的愛、福音和它的保證、天堂和它的獎賞都好像是屬於別人的。這詩篇告訴我們，我們都有可能經歷那不能除去的痛苦。它提醒我們，天國還未完全臨到，我們還是歎息勞苦的受造物（羅八18-23）。它給予我們一個令人眼前一亮的信心例子，這信心堅持生命，並且堅持禱告。在這裏有一位在黑暗中行走，沒有亮光的人，然而他信靠神的名，也倚靠他的神（賽五十10）。

第1-9節上 沒有光的生命 世上究竟有沒有與神「隔絕」的「死人」？其實是有的：他居住在「極深的坑裏……黑暗……深處」（6節），被神的「憤怒」（7節）追迫。當詩人感到他那久病不愈的身軀（15節）接近它的盡頭時（3節），他思索是否要在憤怒下死去？他就是被這感覺折磨著，也是這感覺驅使他去禱告（1-2節；注意第3節的「因為」）。

第9下-12節 沒有盼望之死 人死後，命運已定。在神的憤怒未消滅下死去，乃是進入一個境界：不能期望「奇事」，神超自然的拯救行動；沒有讚美（10節），沒有祂慈愛的經歷可以分享，沒有祂信實的關懷（11節），沒有人能述說祂拯救的奇妙（12節），沒有神公義作為的彰顯。有的只是：「滅亡」（11節）、「幽暗」和神的遺忘（12節；參5節「不再記起」，有關「記起」之意，參出二24），即是神任憑子民自己想辦法，祂不再愛護、關懷和供應。這並非（如一些註釋書錯誤地堅持）反映舊約對死後生命的看法；這裏的神學並非等待新約聖經來作出改正。這詩篇只是描寫詩人所害怕的一種死亡：在神的憤怒下的死亡。當新約處理這主題時，它把這死亡形容得更為可怕。

第13-18節 沒有答案的問題 求救的呼喊（13節）變成求解釋的呼喊（14節），可是答案並沒有出現——正如神在最後都沒有給予約伯解釋，我們同樣糊塗地，但可以理解地，發出相同的問題，並且得到相同的結果。如果真有答案，毫無疑問，這答案與原先要解釋的情況同樣會使人困惑。人生的境遇是祂所命定的，也是祂所造成的。在人生的風浪中，我們遇上祂的波濤（7節），在害怕中遇上祂的驚嚇（16-17節）。神並不解釋祂主權的作為，這作為充滿了無限的智慧、愛、能力和公正，因此，它超出了我們所能掌握和明白的——當所有（18節）都是漆黑一片時，神的主權成了我們可安枕的地方（八十六篇）。

第八十九篇　「他應許豈不為成全麼？」

本詩篇的結構說出了它的主題。它包含了兩段裁剪一樣的段落（1-14、38-51節），兩段中間是核心（15-37節）。52節是詩篇第三卷的一個結語。

第1-14節　神的應許以祂的性情作保證　本段落以3詩節（1-4、5-8、9-12節），和兩節結論性的撮要組成（13-14節）。詩人一開始便歌唱神的「愛」（1節），讚美它是「永遠」（2節）的，並且特別回想神對大衛的應許（3節）——不絕的後裔和穩固的寶座（4節）。皆因主在天為至高（5-8節），在地掌主權（9-12節），這些應許定必堅立。總的來說，主擁有能力和最高權力（13節）；祂王者的尊嚴建立在祂的聖潔上，表現在原則（「公義」）與實踐（「公平」）上；而祂所作的每一件事，都是以「慈愛和誠實」為主導（14節）。

第15-37節　應許之焦點　此段落有6個詩節：1.主所愛之民（15-18節）；2.所愛之王：受膏者大衛（19-21節）獲應許統治列國（22-25節），與神的關係如父子，遠高於世上諸王，享受慈愛的永約，並獲應許後裔不斷絕（26-29節）；3.所愛之王朝：受管教但不被棄絕（30-33節），在不可侵犯的大衛之約內永被堅立（34-37節）。

第38-51節　應許落空：轉為祈禱　本段落以3詩節（38-41、42-45、46-49節）和兩節結束之祈禱（51-52節）組成，與開首的段落互相吻合。然而兩者在主題上卻是互相衝突的：前段是神主權的14個肯定（9-14節），後段是神破壞性行動的14個動詞（38-45節）。聖約被棄，國防設施被毀（38-41節）；敵人勢力日隆，王權倒地（42-45節）；因此曾起誓「從前……慈愛」，如今在哪裏（46-49節）？主啊，「記念」祢的僕人和祢的受膏者（50-51節）。

當偉大的應許變為極大的失望時，我們可以作甚麼？給大衛的應許是簡單直截的。神與他立約（3節），誓言直到永遠（28、34節），然後卻猝然棄約（39節）。更使人惆然的是，神的愛在定義上是不改變的：在1、2、14、24、28、33、49節裏，此字詞（原文都有「愛」字）表達委身的愛、起誓的愛、意志的愛，不單是感情的愛。全首詩篇的首尾被這字詞的複數詞所涵概（1、49節）。這樣的寫法在舊約裏是非比尋常的，因為複數詞僅僅出現10次，單數詞卻逾200次。在本詩篇裏，這複數的「委身不變的愛」（1、49節）反映出兩面的應許，這應許是向所愛的大衛承諾的：憑愛起誓（24節）而得到治理普世的寶座（22-25節）；憑愛起誓（28、33節）而得到延綿不斷的國祚（26-29、30-33節）。

然而，就是這些以愛為基礎的立約應許全然落空。很容易想象，當耶路撒冷陷落後（主前597、586年），末代君王被擄後（王下二十四8-12，二十五6-7），詩人在巴比倫沉思這些事的意義，真誠地面對被統治而非統治人的實況。面對王朝傾覆的實況，詩人並問巴蘭問過的問題：神應許豈不為成全麼？詩人的答案卻奇妙非常。當神的應許似乎落空了，就以樂歌（1、2節）堅固它們，並將一切因應許不能成就而造成的憂傷帶到神面前（46-49、50-51節）。我們必須記著詩人準備自己唱出應許（1-2節）時，他已知道他會記錄應許的落空（38-45節）；他作這哀傷的禱告時，還未見任何醫治的迹象。但他所作的是何等正確，因為（在神的時間表裏）不久後便有一根出於乾地（賽五十三2），大衛一位帶著神性的後裔（賽九6-7）會在得勝（賽九4-5）和公義中（賽十一1-5，三十二1）掌權，直到永遠（路一31-33）。

換句話說，應許並沒有落空，但人對神的時間尺度及神治世之複雜性的認識，遠遠趕不上神的作為。這就是今天的信息：應許永不落空，雖然表面上的延誤造成一些人陷入懷疑中（彼後三4）——而這並不局限於祂再來的偉大應許中，「因為無論神作甚麼應許，這應許在基督裏都是『是』的。」應許不能落空，雖然我們的期望隨時都有可能暫時落空。此時，正如詩人一樣，我們定要化應許為詩歌，化失望為禱告。

第2節節首之「因」字表示第1節是源於第2節的信心宣告：神的話語不能落空；有了這宣告，口裏便充滿歌聲。「永遠」（參2、4、16、28、29、36、37節）。這些經節以多樣化的表達來強調永恆這個主題。這是詩人面對的問題，也是詩人想我們面對的：神作出了永遠的承諾，但這些承諾並無持守，我們如何面對這個情況？

第5-8、9-12節這兩節的要點是：天上地下既沒有能力抵抗主，有甚麼能妨礙祂應

許之成就呢？第9-10節「海」往往是象徵一個混亂的宇宙，在它裏面有很多敵擋的勢力。在異教神話中，這被擬人化為一幕爭戰：創造神瑪爾杜克對抗混沌之獸拉哈伯。這場爭戰發生在創世以前，目的是讓瑪爾杜克有一個已被清理的環境去進行他的工作。在聖經裏，拉哈伯是埃及的渾名（賽三十7）。無人能見證瑪爾杜克所作的（因此需要不可思議的信心來相信之）；瑪爾杜克在傳說中所作的其實就是神在歷史中所作的：當著人的眼前，祂延平埃及，分開紅海（賽五十一9-11），人證確鑿（申一30）。歷史是神學的磐石根基。

第13-14節 「大能……公義……慈愛」：如果我們能否定這3項中的任何一項，苦難問題就可以合乎邏輯地解釋了。我們可以說，神行事有大能和公義，但祂不常有愛；或說，祂是公義和慈愛的，但不常有足夠力量行祂所願行的；或說，祂是有慈愛和能力的，卻不常是公義的。但由於祂時刻都是三者並存，祂的每一個作為都是滿有全能者的大能、聖潔的公義和不變的慈愛，故此我們面對人生時，是靠信心而非靠解釋，靠信靠祂而非信靠自己的邏輯。

第18節本節首應有「因為」這詞。神子民的福氣（15-16節）是基於（17節）主是他們的力量，而這又基於（18節）他們擁有主的君王來管治他們。因此，失去王的管治就等於福氣之終結——福氣不會重現，除非再有王。第19節「力，加在那有能者的身上」或譯：「幫助以對抗有能者」——大衛得神的幫助對抗歌利亞（撒上十七37）。第25節「海……河」：即普世，這兩個類別象徵一種整全性。第26-27節「我的父……長子」來（參二7）。第30-33節（參撒下七1-16）。本詩篇回到給大衛的基礎應許上。第37節「天」：即「雲」。此字只在罕見的情況下以單數出現，否則總是複數。「確實的見證」可以是彩虹（創九12-17），又或是根據第6節，是無與倫比的神自己。

第38-45節縱使這數節經文並無特別提到耶路撒冷淪陷，它們描寫的並非大衛家君王偶然戰事失利。作者不會把偶然失利描寫為背約或將冠冕、寶座撒於地上。沒有其他事件比主前597和586年被擄和亡國更貼切經文的歷史背景。同樣地，46節的長期苦難亦有助這個推斷。

第46-49、50-51節這兩個禱告皆求神「記念」，意思不是說神忘記了，而是（像出二24-25）求祂以嶄新行動來捍衛其子民。第一個祈禱是緊急求援。詩人盼望活著看見形勢逆轉和錫安重建。第二個禱告以神子民的淒涼境況為基礎。滅城滅國的外邦人大肆嘲——如果詩人是在巴比倫，他每日要面對人嘲弄他的信仰，說他竟然信一個全能但又不能救他脫離被擄慘況之神——這傷透了詩人的心。不但如此，詩人可能親眼看見大衛家的末代君王被強迫在被擄之地遊街（「腳蹤」）受辱（51節）。我們很容易認同這兩個祈禱：世界嗤笑主耶穌基督的教會和祂的名，而我們卻依然渴望復興和渴望主那超乎萬名之上的名得著尊崇。

詩篇卷四
第九十篇　保護瀕臨絕種的族類

希伯來聖經的這篇詩篇註明是「摩西的祈禱」。不接受摩西為作者的論據不足。歷史裏沒有比摩西面對冗長而沉悶的曠野飄流日子（民十四34）更貼切。這是一首美麗、感人和寫實的詩歌，論及人的脆弱，也給予出路和盼望。

第1-2節　今世和永恆的居所　這詩篇開始時論到對時間的主觀感覺：「世世代代」，說明了人的角度是以一代一代為單位的。而頭兩節以神永恆的角度來看時間作結，「從亙古到永遠」。在浩瀚無際的時間和永恆當中，我們有一個固定的居所。神就是我們的居所；與祂聯合，我們就得享永恆。摩西下筆時，何等豪邁！

第3-11節　瀕臨絕種的族類　40年之久，摩西悲傷地看著時間像流水般把人帶去（3-6節；民十四23、29；申二14-16）。在這事的背後，他看到神對罪的憤怒是何等可怕（7-11節）。但他寫下的句子適用於全人類：諸行無常（3-6節），神怒磨人（7-11節）。而且，是神令人因生命短暫而感到若有所失，是祂命定（創三19）人要歸於塵土——這是不能擺脫的命運。雖然有些人能活到近千歲（創五），他們都像眾人一樣，要面對死亡。眾人都像早晨的嫩草，也像晚上的枯地（5-6節）。為何如此？為何原本要吃生命樹果子而永遠活著的（創二16，三22），竟變成必須死

在塵土裏呢？答案在第7至9節：「怒氣……憤怒……罪孽（8節）……隱惡（9節）」！摩西是否因為過度憂鬱而説：人生以一聲「歎息」（9節）告終，而日子長久徒添「愁煩」（10節）？當然人生還有其他方面，但當我們抽身客觀地看，普世人類都難逃被罪惡擾害一生的悲哀命運，並且每個人至終都要向一位恨惡罪惡的神交賬。

第12-15節　保護瀕臨絕種的族類　餘下的經文是由6個祈禱所組成。藉著祈禱，我們能面對罪的破壞；藉著祈禱，我們來到所得罪的神面前；藉著祈禱，神成為我們的「居所」（1節）。摩西就是這樣禱告的（例如出十五25，十七4，三十二31-32；民十三至十九）。為求瀕臨絕種的族類得保存，祈禱須有4方面：明白光陰寶貴，故當慎用（12節）；求已與人和好的神賜下憐憫（13節）；以「一生一世」都不改變的「愛」所充滿新的「早」晨，來抗衡生命（5-6節的「早晨」）的衰殘（14節）；仰望神使本來痛苦的人生滿有喜樂（15節）。這就是神作我們永遠居所的四面銅牆：祂是我們的智慧（12節；林前一30）、赦免（13節；賽五十五7）、一生的安穩力量（14節；七十三26）和復興（15節；羅六4-8）。

第16-17節　有份於神的屬性　這篇詩篇完結時，作者首尾呼應地提及「主」（「自主的一位」，1、17節）及子孫們（1、16節）。他開始時肯定我們能進入祂的永恆居所（1節）；結束時他禱告神向子孫們彰顯「榮耀」（16節），而向他彰顯慈愛（「榮美」，17節）。祂不但作我們的居所（1節）；祂也與我們分享自己（16-17節）。我們在人類歷史舞台出現又消失——生命短暫，活在神憤怒之下，但祂叫我們能與祂的性情有分（彼後一2-4），得享祂的榮耀和美麗。

第九十一篇　神的翅膀和守護天使

四圍險阻（3節）；敵人暗算（3、6節）；內心合理或不合理的恐懼，有的反映自己的惡意（5節）；荊棘滿途（12-13節）——生命就是這樣子。幸而，簡單的信靠賦予我們堅強的保護（2節）；從神而來親密的照顧和保護（4節），和一大群天軍看守我們的每一步（11節）。本詩篇的結構正好説明這點：

A¹（1節）　　陳明主題：大有倚靠
　B¹（2節）　　個人見證
　　C¹（3-8節）　再肯定
　B²（9節上）　個人見證
　　C²（9節下-13）　再肯定
A²（14-16節）　確定主題：神是倚靠

這是一篇個人見證的詩篇（2、9節），可是，見證可以是幻想和一廂情願的產物，就算是真的，我的見證未必適用於你。幸好，這篇人的見證是由神的見證前後來包圍的（2、14-16節），而且還有神的話來肯定（3-8、9-13節）。整篇詩篇以非常美麗的詞藻來表達一個基本真理：我們每分每秒都是全然蒙保守的。我們只可臆測這篇詩篇的寫作背景：是否一個煩惱的人向先知討教後，先知應用神的話，也同時榮任神話語的出口？又是否只是一個根據過往經驗而作的思考的紀錄？無論如何，這是一首給每個信徒每天閱讀的詩篇。

第1節　大有倚靠　「至高者」（創十四18-22）：亞伯蘭以驚人的直覺看出麥基洗德的神就是他的神——因祂已以勝利彰顯了自己的至高位格。「全能者」（創十七1，二十八3，三十五11，四十三14，四十八3，四十九25）：這些經文證明全能者（Shaddai）是那位足以彌補我們軟弱的神。

第3-8節　危難的保障　這裏的重點是不請自來的難處。如果把這詩看作我們天色常藍的應許的話，這就大錯特錯了。正如其他的經文（例如羅八28），這裏的應許並非平靜無波的平安，而是在困難中的平安。**第4節**「翎毛」（六十一4；路十三34）。**第8節**簡單的信靠除了帶來保護外，也帶來道德責任。

第9節上　找到倚靠　（直譯）「真的，主啊，祢就是我的避難所！」詩人找到至高者作他的居所。

第9下-13節　人生路上有保障　這段經文強調「在你行的一切道路上」處處有危險。當撒但用這幾節經文試探耶穌時，耶穌的回答説明真正的信靠並非是叫神挪開困難，而是在神裏享安息（太四5-7）。**第12-13節**獅子和蛇分別象徵兇猛的危險和暗中的危險。詩人重複獅子和蛇的象徵，目的是叫我們提防危險的多樣化包裝。

第14-16節　神應許成為倚靠　主有8大應許：拯救（干預行動）、保障（「安置」在

證主21世紀聖經新釋

高處」）、答允禱告、在困難中與我們同行、（從險境中）得釋放、讚許（「尊貴」）、滿足感（「足享」）和「救恩」。留意這些應許如何由初步的拯救行動（「搭救」），發展到全面享受救恩和所有需要得到滿足。想得著應許，必須滿足3個條件：「愛我」（戀戀不捨的愛意）、「知道我的名」（按神所啟示有關祂性情的知識與祂同住）和禱告（「他……求告我」）。

第九十二篇　表明立場的一天

整篇的關鍵是第8節，這是一節描寫神被高舉的有力經文，它可以譯為「你是至高的本身！」由中心向外擴展，首先是神以道德律管治世界（6-7、9節）。有人對此毫無意識——例如第6節的愚妄人；但也有人看到（9節原文有兩個「看啊」）惡人的滅亡（7、9節）。第二就是神子民的高升（4-5、10-11節）。第10節的「高舉」和第8節的「至高」息息相關：神與人分享祂的屬性。我們因祂的作為而快樂（4-5節）和充滿勝利感（10-11節）。最後擴展至對這位神的無盡讚美（1-3節，24小時的讚美；12-15節，終生的讚美）。這兩方面都強調神的所是〔「耶和華」、「至高者」、「名」、「（不變的）慈愛」、「信實」……「耶和華」、「磐石」、「正直」、沒有「不義（偏差）」。同樣地，兩段都是宣告性的：1至3節述說神的所是，12至15節也述說與神親密之人的所是。

本詩篇的標題是「安息日的詩歌」。它與以賽亞書五十八章的平行證實標題無訛：一天的讚美（1-3、14-15節）焦點在於至高的主（8節）；這是認識神的聖潔和黑白對錯的絕對性的一天（6-7、9節）；這是記念神的所作（4-5節），尤其是為我們所作的事（10-11節）的一天。

第1節「名」：代表神有關自己所是的啟示。第2節「美事」：本質上是對的和叫人滿足的事。第4-5節留意這兒和10至11節的平行經文如何描寫真正個人信仰的面貌。這是一篇「我」如何享受主的詩篇（當然也不忘記12至15節的群體性）。「高興……歡呼」：情緒和聲音的表達。「作為……工作」：包括創造、護理和救恩；「心思」，即神在工作背後的籌劃。第6節「畜類」：不屬靈，屬血氣（參四十九11，七十三22；箴

三十2、3）。「愚頑人」：浮淺的人。第7節「茂盛如草」：表面光采，背後卻是短暫。「他們要」：他們注定如此。第9節正向一貫聖經的觀念，「惡人」（7節）成了你的「仇敵」。說到底，所謂神恨惡罪惡，但愛罪人是說不通的；刻意敵擋神的人有神作他們的仇敵。第12節「義人」：與神關係良好之人。「棕樹……香柏樹」：與「草」剛好相反，象徵尊嚴、力量和持久。第13節「栽於」：（直譯）「移植」，園主的刻意作為。「殿……院」：人蒙接納和被准許站在神面前。第15節「顯明」：即愈來愈顯明，時間愈久，愈發增添屬靈的決心。「不義」：偏離正路，正好與「正直」相反。「磐石」：取自出埃及記十七章1至7節的比喻。

第九十三至一○○篇　耶路撒冷的讚美：大君王的頌歌

這一組的詩篇，主題是神的王權。耶和華作「王」（九十三1，九十五3，九十六10，九十七1，九十八6，九十九1）。從這幾點來看，九十四篇和一○○篇起初給人另類的印象，但在九十四篇2節有等同於君王的「審判世界的主」的字眼（參九十六10-13，九十八9）。而一○○篇不僅因為緊隨九十九篇之後，並且和九十五篇有同樣的主題（參九十五6、7、一○○1-3），所以也該留在這個系列之中。令人十分感興趣的是這裏有一組可供住棚節之用的詩歌（參一二○至一三四）。住棚節標誌每年的最後一次收割（出二十三16；申十六13），是全年的高峰節期，也在這期間慶祝神打敗了埃及，在充滿仇敵的世界中眷顧祂的子民（利二十三39-43），所以也是賀祂為王的慶典（亞十四16）。更有可能（參導論）的是這節日已成為一年一度特別為大君王慶祝的時間。無論如何，這8首詩彼此相連，而且成雙成對，共同引出作王的主旨：九十三、九十四篇是讚美神在全地作王；九十五、九十六篇是讚美高過諸神的大君王；九十七、九十八篇是讚美在百姓心中的大君王；九十九、一○○篇是讚美王的性情。

第九十三、九十四篇　信心所在，禱告之處

這是「王」掌權無邊的圖畫（九十三4），祂勝過諸水大浪，執行「審判」的工作

（九十四2），使「作孽的人」受應得的報應。惡人向人誇勝（九十四4-5），而神在平凡的生活中執掌王權（九十四10、12），並仍然等候最終的結局（九十四15、23）。王的威嚴能力（九十三1），其屬靈的實質被驕傲人篡奪偷取，被位上行奸的人損害。百姓卻在平靜、莊嚴之中尊崇祂作王（九十三篇），並且在波折的人生中經歷祂如何治理這世界（九十四篇）。

九十三1-5　頌讚王　頭兩節的宣告帶進3、4節的圖畫，並神子民莊嚴的結果（5節）。1至2節從上而下，從堅定地坐在寶座上的神說起，講到祂如何有力地管理大地；3至4節卻從下而上，從大地的震撼力追述神的高舉。只因祂君臨治理大地，世界才是安全可住的樂土；而即使在風雲變色，時勢洶洶的時候，祂仍然坐著為王。**第1節**強調神的衣服：「穿上……為衣……束腰」。衣服象徵人的品格和存心（例如：書五13-15；賽五十九16-18）。神穿上的是皇室的服裝，因為祂的角色就是君王。詩人並未告訴我們「世界」何以能「堅定」，但這事實是放在「他的管治」和「他的寶座」中間。只要祂掌權，地就能夠安定。**第3-4節**用翻騰的大海來形容造物中摧毀和兇猛危險的力量——包括澎湃的波浪，或是列邦的狂亂（二篇），甚至是（如異教學說所講）靈界的混亂勢力無休止地與創造主之間的爭戰。不過，無論天下多麼混亂，「耶和華在高處大有能力」。**第5節**與2節在結構上互相配合。神在宇宙間永永遠遠坐在永恆的寶座上；神在祂的「殿」中，在祂的百姓中間，也說出不變的法度，發出亙古不易的「聖」潔要求。

九十四1-23　經歷王的作為　加爾文說：「人人都承認神掌權為王，但很少人因真正體驗這這個真理而不怕世上的強權。」如此我們從九十三篇過渡到九十四篇。我們的信心，是牢靠在這堅定不移的主宰之下（九十三篇），不過生活磨人，苦海無邊（4-7節），惡人誇勝（4節），行事害人不淺（5-6節），目中無神的哲學在世橫行（7節），我們雖不一定以為神不再存在，但卻會認為祂不理世事，袖手旁觀，漠不關心。我們受人冤屈反對，但卻並非絕望，因為：1.創造的神全知一切（9節），祂並未放棄祂的寶座，仍以道德的標準管治天下（10節），祂深知每個人最隱藏的動機和生活（11節）。只有「畜類人」和「愚頑人」才會忽略這方面的真理。2.神乃主宰（12-15節）：人生的艱困，是有目的、有教育意義的（12-13節），而生命的根基是在於對神的信實深信不疑（14節），仰望祂的信實將來會帶進公義的社會中，人人活得正直（15節）。3.神是滿有慈愛溫情的神（16-19節）：人活在地上雖然會孤單、飄泊、紛亂，但要知道神就在我們身旁，祂的愛扶持我們，祂的安慰仍然在我們心中。4.神必得勝（20-23節），因為祂是「審判世界的主」（2節），祂絕不會跟世上那些彎曲腐敗的君王妥協。反之，祂今日要作人的避難所和高臺，最終祂也要對每個人執行嚴明的審判。九十四篇作出總結（22節），並以九十三篇神主宰的保護為基調：強調神仍然在主持大局，我們必定可以投靠祂。不過九十四篇有個不易的真理，就是神必「報應」（2節），我們也要有充足的信心，相信祂必定要回報各人（23節，「歸到他們身上」）。信心本於掌權的神（九十三篇），但惟有藉禱告，我們才能在壓力重重的世界中掙扎求存。祈禱是人對神掌權的第一個回應，神若真是詩篇九十三篇裏的神，那麼人生就再沒有一件事比飛奔投靠祂更重要了（九十四1-3）。

第九十五、九十六篇　救恩的喜訊

在九十五篇裏，教會高唱頌歌敬拜神；而九十六篇則既有歌頌，也有傳揚。九十五篇的內容，全是在論到這位作「磐石」的君王和創造主，祂是造物的主宰，也是大牧人，配得人的順服遵從。而到了詩篇九十六篇，教會仍然高歌不絕，不過同時也見證這位獨一的神，因祂配得天地頌讚，並且祂要來審判全宇宙。九十五、九十六篇把神的王權與「萬神」放在一起來較量（九十五3，九十六4-5），指出二者的區別。不過這兩首詩歌並不是偏離一神論，正如保羅在哥林多前書八章5節有關「許多的神」、「許多的主」的說法與一神論並無牴觸一樣。在墮落的世界裏，潛在著很多不同的靈界勢力——甚至在哥林多後書四章4節有位「世界的神」——他們意圖勾引神的百姓。而九十五篇則宣佈神為大神，超乎萬神之上（3節），而外邦神都屬虛無（九十六4-5）。

獨一的神與諸神　這些詩歌是用典型的敘述，引用天地萬物的被造，證明神是獨一的神。「萬神」〔不是'elohim「以羅欣」，而是'elihim（九十六5）〕跟真神比較，不過是冒牌貨。兩個希伯來字就像英文相近寫法的idol和idle一樣，差之毫釐，謬之千里。它們根本就不是甚麼神。相比之下，獨一的真神管治天地宇宙（九十五4-5）。異教人士想，摩洛管理「深處」，巴力掌管「山的高峰」，查馬特（Tiamat）則打理「海洋」，各施各法。但是聖經說，萬事萬物在他的「手」中，萬物也是因他的創造而「屬他」的。

第九十五篇　獨一的神和他的子民

本篇的結構如下：

A¹（1-2節）召人來喜樂敬拜
　B¹（3-5節）申明他的偉大
A²（6節）召人來尊崇並敬拜
　B²（7節）敬拜者的榮譽
A³（7節下）召人來遵命順服
　B³（8-11節）闡釋其中的深意

神是他百姓的1.救主（1節）。這是依出埃及記十七章1至7節的磐石形象，他可靠，有能，是人生的泉源活水，救我們脫離死亡。2.牧人（6-7節）。「造我們的」在此不是指創造天地萬物，而是指得著一群子民來歸他。他們因神的信實而穩妥無比：「我們的神」，不是我們揀選他，而是他揀選了我們。他使我們有分於他的旨意，「草場」（參民十33、34）；並以他的手看顧我們。3.立法者（7-11節）。神向得救的人發出順命的要求（7節），他對自己的律法一絲不苟，若百姓不肯遵從，他就要執行刑罰，對那個「世代」的人施行審判（10節）。人若背悖，必失去賜福（來三12-19）。他們不肯聽神的話，硬著心不肯順從真理，因此失去福祉和安息。第8節特別提到的事件出現在出埃及記十七章1至7節，作為不信的鑑戒。神能處處供應子民各種的需用（出十二至十六），充足有餘，但是在無水的山谷，他們由有信心變成疑惑，正如在新約中法利賽人蒙著眼睛，不理會耶穌所行的事，並一再要求看神蹟！

第九十六篇　獨一的真神和他的福音

本篇結構如下：

A¹（1-2節上）呼召全地前來敬拜
　B¹（2節下-3節）對教會發命令
　　C¹（4-6節）論述獨一的神
A²（7-9節）呼召全地前來敬拜
　B²（10節）對教會發命令
　　C²（11-13節）論述要來的神

享受神救恩的人，也要傳說這大好信息（九十五1），呼喚全地的人來「稱頌他的名」（2節），因神啟示了他自己，所以作出回應，當來到他的面前（「聖潔的妝飾」），藉「供物」來滿足他的要求（7-9節）——要前來回應他的名（8節），在他神聖的同在面前得著保獲（9節），並以敬畏的心，敬拜他。然而福音也該遍及天下（11-13節），「審判」就是「把一切還原」的意思——天地、洋海、自然界和人類社會，一切受造要歸回和恢復。他最終的救恩絕不會遺漏創造的任何一面。

第九十七、九十八篇　可見的公義，喜樂的救恩

這篇詩在不知不覺間，把神的王權和聖潔公義連在一起（九十三5，九十四15、21、23，九十五7，九十六9、13）。現在詩篇來到公義寶座的高峰（九十七2），宣佈公義（九十七10-12），啟示過往歷史上的公義作為（九十八2），並啟示未來的公義作為（九十八9）。本篇並不隱瞞神那公義性情何等令人生畏（九十七2-5），他的命令和要求何其嚴格（九十七10），拜偶像者的命運也一清二楚（九十七7）。但是，詩的調子和氣氛仍是歡樂（九十七1、8）、歌唱和歡呼的（九十八1、4-7）。歡樂與審判，人間的歌頌與天上的公義如何能夠合而為一，混成一體呢？答案是因為救恩已經成就了（九十八1-3）。神有「聖名」（九十七12），這位神呼召他的百姓成聖，他是那位伸出「聖臂」（九十八1），施行救恩的神。

第九十七篇　在神聖潔的要求面前滿有喜樂

全地和錫安同享一樣的喜樂（「快樂……歡喜……喜樂……歡喜」）——現在歡樂的背景，竟然是神公義所發出的可畏殺傷力（2-7節）；歡樂的源頭，竟也是神所發的公義要求（9-12節）：明顯地，詩中的「仇敵」跟神所愛的人分別極大，而毀滅與保守、眾人

可見的榮耀與義人才享受的光明，拜偶像者的結局與義人的喜樂，都是強列的對比。**第2節「密雲」**：西乃山的神（出十九16-19）。**「公義和公平」**都是指聖潔（賽五16）：公義是蘊含在正確原則中的聖潔；公正是蘊含在正確決定和行為中的聖潔。**第3節「烈火」**：神聖潔的能力，要摧毀罪惡（出三3-5，十九16-18、20；參利九24）。西乃山的烈火曾燃起亞倫頭一次熊熊的壇火，從此在祭壇上終不熄滅。神的聖潔因人具體獻上而得著滿足。**第4節「震動」**：在聖潔的神面前，被創造的世界，遠不及罪污染的世界來得戰抖（士六22，十三22；賽六5）。**第7節「偶像」**：即九十六篇5節的「外邦的神」。**第10節「聖民」**（新國際譯本：「信實的人」）：指蒙神愛又愛神的人。**第11節「散佈」**：希伯來文是「播種」，即為了收割而播散出去。每種境遇中都有公義的功課。**第12節「他……的聖名」**：記念他的聖潔（參出三15）。

第九十八篇　安息於成就了的救恩

　　詩篇九十七篇兩難的局面，在此得到解釋。以色列人得著救恩，彰彰明甚，全地都能看見（3節）。本篇由3部分組成，一是「唱」（1節）、「發起大聲」（4節）和「願……發聲」（7節）讚歎救恩成就，也讚美救主（1-3節），帶著普世的歡欣來頌揚在世作王的那一位（4-6節），也讚美再來的主，因他要成就他全盤的公義計劃（7-9節）。神的救恩已經完成（「施行」，2節），被人看見，被人認識了。全地的人也用樂器和歡呼聲，向「耶和華歡樂」──祂是「君王」！海洋大地，山脈河川──宇宙響應，萬民和聲，因為神要來「審判遍地」（9節），使天地復原。**第1節「奇妙」**：超自然的事，如同神的名是「奇妙」〔賽九6；參創十八14（「難成」即「奇妙」）；耶三十二17）。「手……臂」代表個人的直接行動，也表現背後的勇力。**第2節「救恩……公義」**：正如神在審判之時是公義（九十七2-5、6-7），祂拯救之時也是公義的。祂的救恩完完全全滿足公義的要求。**第3節**這裏的次序十分重要：因愛以色列，神來救世人。**第7-9節**留意自然界的配合，跟九十六章11至13節相同。聖經的環境保護意識乃是建基於神愛祂所造的天地萬物（創一31）

而不僅是建基於愛人。最終的結局是當主耶穌回來，新天新地成為神愛的永恆證據（弗一3-10）。

第九十九至一〇〇篇　聖潔、美善的神

　　九十九篇呼籲人來讚美敬拜；一〇〇篇是「普天下」進來，向耶和華讚美的回應。詩人所注重的是神的屬性（參九十三至一〇〇篇的導論），祂是「聖」（九十九3、5、9）、美善、慈愛和信實的（一〇〇5）。而出埃及群體的殊榮（九十五7），現在成了普天下人共享的榮譽（一〇〇3）。

第九十九篇　勸人前來敬拜

　　第1-3節　至聖者的恩慈　九十九篇自成3部分，依3次有關「聖」的經文而劃分（3、5、9節）。頭一部分是神聖的君王威嚴大大彰顯，「萬民……戰抖」，「地……動搖」。雖然祂是「大而可畏」的神，該受敬畏，但祂在「錫安」，住在子民中間，坐在恩典的「二基路伯上」為王，祂的腳放在施恩座上──在那裏祂要向百姓說話（出二十九42-46），並為他們的過犯贖罪（出二十五17-22；利十六15及其後經文）。祂偉大之處，正因為祂是恩典的神。

　　第4-5節　聖者的律法　君王喜愛律法，在其子民中建立律例，並以自己的言行立下榜樣。談到祂的性情，4節原意是：「王的能力喜愛公平」，即是：「神聖君王，大能力，完全彰顯在正義的事上」。「雅各」的名字並非褒詞，神雖然賜他一個新名，也給他一個新的性情（以色列），但雅各仍然是常活在舊的生活方式裏。神頒下的律法，並不是因人而異，祂是在我們失腳軟弱之前，便給我們認識祂完美的旨意。然而我們倒可放心，因為凡活在神律法要求之下的人，也同時活在恩典之中。因此「雅各」被邀請來，在神「腳凳前下拜」，這腳凳正是祂的施恩座。

　　第6-9節　聖者的交通　「摩西」、「亞倫」和「撒母耳」：他們在此不是自享尊榮，而是列在他們所服侍的人當中。詩人用他們來說明人應當如何與神同行：1.禱告並得答允（6節）：神子民的最佳明證，就是他們與神的禱告關係（申四7；詩六十五2，一三八1-3）。這動詞暗示：他們的態度是堅心

求告，而祂也恆常地回覆。2.聆聽和服從（7節）。神的子民要憑超自然的真理而活，這真理就是神的話。3.赦免與管教（8節）。「赦免」（擔）罪，響應利未記十六章22節，及後來的以賽亞書五十三章12節，並約翰福音一章29節。犯錯需要明確的刑罰，因為只赦免而不刑罰會使人放縱；而只管教、刑罰而不赦免，卻叫人絕望。赦免不管教，會溺害孩子們；刑罰而不赦免則使人心碎。這些經文既向我們保證赦免的堅定果效，但我們卻不要對罪惡掉以輕心。

第一○○篇　神的百姓活在神的同在裏

A¹（1-2節）　三重的邀請：「歡呼」、「事奉」、「來」

　B¹（3節）　三重的確定：「神……造……我們」

A²（4節）　三重的邀請：「進入……讚美……感謝」

　B²（5節）　三重神性情的確定：「善……慈愛……信實」

詩人用了3個動詞，描寫我們愈來愈接近神（1-2節）。先是讓我們向神「歡呼」，然後是存敬拜之心進前，最後是在祂的同在裏安息（「來」）。我們存著「樂意」、歡喜的心而行，口中高「歌」，因為我們「曉得」這位神聖的主是「造」我們的，我們也是屬祂的，如同羊屬於牧人一般，受祂呵護。

3個動詞是愈來越愈親密的，如要帶我們到祂那裏：「門」、「院」，然後是真實地認識神，就是稱頌祂的「名」。讚美感激，全因祂的所是（5節）：祂全「善」，對我們長久不變，以「慈愛」來待我們，使我們一生一世經歷祂的全然信實。

第一○一篇　王是真理的鏡子

詩的主角應當是王自己，若非身居要職高位，誰可以滅絕國中的奸惡之徒呢（8節）？新國際譯本正確地反映了詩組的結構：在頭3個詩節（1-2上、2下-3上、3下-4節），王確定了自己的個人操守；接著3節（5-7節），他提出朝中官員也要奉行的守則；結束的一節（8節），他轉到作為司法首長的權責。

第1-4節　個人的委身立志　頭3個詩節在此一一涵蓋了王與神交往的生活，王在家中的生活，並他在私生活中所要有的聖潔。

第1節新國際譯本加上「你的」在「慈愛」之前，是指定詞，意思甚佳。詩人提到神不變的「慈愛」，「公平」乃是真正的智慧，隨時作出明智的抉擇和判斷。王一面唱頌這些神的屬性，似乎樂在其中。**第2節**「完全的道」：完全純正的生活習慣和方式。「你幾時到我這裏來呢？」：向神發出的呼求，是求神來作王的扶助。「在我家中」：指家庭，就是人最易顯露本相的地方，也是有否行「完全的道」最易顯明之處。**第3節**「眼前」：表現欲望的器官，代表人心所求所想的。王立願，即使自己在家中的時候，也要心靈正直。「邪僻」：是「無用」加上「破壞性」，即毫無價值的追求，即使到手也要破壞人。「悖逆人所作的事」：直譯：「背道的活動」。王是求至高的聖潔標準。**第4節**這些標準也是針對人心的（「彎曲的心」），詩人說他對這些事一無所知（「不認識」），也是說他完全不贊成這一切。

第5-7節　宮中的標準　背景是「與我同住」、「伺候我」和「在我眼前」的幾個片語。「家」（7節，參2節）是指朝廷，王是首腦人物，有人為他辦事。1.消極方面，王剔除自私、有野心的人，把要害人的挪走，就是把傲橫、不可靠、寧願出賣真理的人掃清。2.積極方面（6節），他要招攬「誠實」、可信任的人，更要找那些行為完全的人（像他自己那樣的人）。

第8節　社會施政　現在來到「國」和「城」。王，作為大法官，要斷公平、除奸惡。他許願要公平誠實地處理公事。「每日早晨」：這是他每天最優先的事情，和摩西相似（出十八13）。王的臣僕公卿也要信守詩中的要求，沒有人例外，從上而下，公侯到市井，人人都守同樣的法律。

讀者不應該忽略本詩的力量。作官的是有能者居之，他的私生活如何，是他的私事。可是大衛並不是這樣想，他的王者任務，始於自己的家庭和生活細節。他的私德若是有虧，又怎麼能期望他能夠好好地處理公事呢？不過大衛雖然可能這樣想，但是他卻墮落得那麼深，離這標準那麼遠！一室之不治，何以天下國家為？他的眼目是墮落之源（撒下十一2）。公務上不秉行公義，會令公眾不滿，打開了嚴重的背叛之門（撒下十五1-6）。最後，一如其他詩篇講到王時一

樣，詩人表達出一種心情，就是大衛和繼任的人都不完美，因此詩人便呼求，在將來有一位完美的大衛出現。

第一○二篇　所求的被拒，禱告卻蒙垂聽

　　世上沒有不蒙垂聽的禱告。有時禱告的答案是「不」，既簡單又清楚，因為在神全智的光中，我們所求的往往顯得廢話連篇，毫無意思。有時神的答案是「時候未到」，因為我們的時間表跟主的時間表不咬弦。以利亞曾經求死（王上十九4），他大概不曉得神在天上很可能會心微笑，然後說「別再傻氣了，你根本不會死！」也在同樣的原則下，我們來看這詩篇。詩人本來求壽，希望能夠活在地上看見自己所想望的，但神的答案是「不」（23-24節）。詩人憑信心求神應允禱告，但答案是「時候未到」；至於為錫安的祈求，神答：「別傻氣了！只管瞧！」

　　本詩作者身分和寫作時地也難考究。有不少釋經家認為「石頭」、「塵土」（14節）是指巴比倫滅耶路撒冷，而這篇詩是被擄期的作品。但是就我們所知，放逐到巴比倫的人並非囚犯，也不致受死刑（20節）——其實他們的流亡境況不算太差（耶二十九），到最後也只有少數人願意離開那裏（拉一）。所以詩人不似是被放逐的一員，也許他是在亡國之前的一些危機時期中，或是聖城受了破壞，或是眼見同胞被人擄走，生死未卜的時候寫的。無論歷史如何，他是感到可能未到期而死（23-24節），他願見到地上的中心——錫安——的榮美和復興（12、22節）。他為此也發出懇求。詩人正如標題所說，是個「困苦發昏的人」（參6-8節），然而，他總知道有一位神是他「吐露苦情」的對象。

　　詩人開始時求神聽他禱告（1-2節），接著是以「我的年日」（3、11節）為一個段落的首尾經節，並說出本詩的主題。留意全詩的結構：3、11節是年日飛逝；4至5、9至10節（連於「吃飯」一詞）講出他已生無可戀（4-5節），這都是由於神的憤怒（9-10節）；而全詩的核心經節（6-8節）更強調了夜以繼晝的孤單、寂寞，並在仇敵中間被隔離。詩人並未在此悔罪，但說出自己身陷痛楚，是因著神的「憤怒」，使他從被高舉（「拾起來」）而至被「摔下去」受辱。

　　在詩的中間（12-22節），他重點描述神的偉大和祂旨意的榮耀。這也是槓桿式的核心，開始時提到「耶和華」坐寶座到永遠（12節），結束時也以百姓事奉「耶和華」為終結（22節）；13、21節集中講「錫安」，就是神所喜悅，再來時得著讚美的地方。祂的「僕人」正應付破敗了的錫安狹窄的需要，但是神要憐憫、要滿足全地的需要；18、19節同樣提及「耶和華」和「世上」／「地」的主題：全地有待起來尊崇祂（15節），但要等到祂究察全地的需要之後，16、18節印證「耶和華」要建造錫安，要親自在榮耀裏臨在，並建立一群讚美的子民；而人要因祂垂聽禱告而歸榮耀給祂（17節）。

　　神把上好和永不失敗的旨意，藉祂子民的禱告帶到地上。詩意忽然轉變，從人的需要（3-11節）轉到神的榮耀（12-22節），這正是詩篇常見的手法（例如：七十四1-11、12-17）。詩人認為，如今天一樣，要應付生命中的壓力，惟有「舉目仰望耶穌」：更新神給我們的異象（12、22節）、心意（13-16、18-21節），並看見禱告的能力和地位（17節）。

　　詩人也從另一個角度告訴我們：他力量正衰，神使他年日短少。他尚在壯年，但神卻來使他降卑衰殘。因此他起來禱告（24節），直譯「不要把我取去」（參王下二1、11）。神的生命和我們的生命是何等不同！到底年數無窮的神，這位永恆之主，祂能否感受我們所感受的呢？像摩西（申三23、24）一樣，我們不過在神旨意中一閃即逝，但也同樣渴望目睹神旨意的成全。

　　詩人固然有信心，明白神的旨意必是信實可靠。當結局臨到，「你僕人的子孫要長存」，要堅立在祂面前，而永恆的神「永不改變」（27節）。

　　但我們呢？在此永恆者必定同樣微笑說：「別傻氣了，你怎會完全參透呢！」神的僕人在衰殘中所發的疑問——他自己也不明白到底有何深意——神豈不是向祂的兒子發出了同樣的說話（來一10-12）？在神旨意的終局，有詩人意想不到的美妙事情將要發生。詩人當天衰弱、苦痛，受盡了各樣的折磨，但有一天神的兒子要來，親自成為像我們一樣的血肉之軀，背起我們的罪孽，為我們帶進一個不能震動、真實、長存的國度，也就是在天上的錫安山（來二9-18，四15，

五7-8，九11-14，十二22-24、26-27）。詩人有一天若把自己的經歷和說話，在神兒子的光中對照一下，他豈不會為著神曾經拒絕過他的請求，但垂聽了他的禱告而歡喜快樂麼？

第一〇三篇　「你的神是王，你的父掌權」

本篇的特色，是慈父不變的眷顧，並他無窮盡的主權，二者交織在詩中。這詩中心的經文（6-18節）是由神的「公義」和他的屬性——恩典、憐憫、忍耐、恆忍、赦免、父性等，還加上「慈愛」所包圍。神的愛說出他對我們永不改變，永遠關切。本詩開頭（1-5節）是出自親身的體會：為何神的一切恩慈會臨及我呢？相應的結論（19-22節）帶出本詩的中心主題：神要我們以一個全面角度來看屬靈和物質界的現況，並且敬拜獨一的真神，永世的君王。

第1-5節　神親自賜福　第1-2節「稱頌」（參20-22節）的英文是"bless"。當神賜福(bless)予我們，必先察看我們的缺乏，一一來供給。當我們「稱頌」(bless) 神，就是重溫神的尊榮卓越，一一來讚美。「聖名」：我們在數算神的賜福之前，便已稱頌他。他所作的全都從他的「名」而來，他的名說出他的所是，也道出他的本質（「聖」）：神永不會在他啟示的所是之外作工。「恩惠」、豐足與10節的「報應」是對應的動詞，指完全照著該作的來作。**第3節**　「赦免」、「醫治」：雖然不是平行字詞，在撒母耳記下十二章13至23節，赦免是轉瞬之間的，但醫治卻尚未臨到。罪和病的痛苦同樣加諸耶穌的身上（太八16、17），但在今世我們犯罪，即或得蒙赦免，但是我們仍要承受罪所帶來的痛苦後果。而疾病的痛苦仍是難免，這一切都在神主宰之下，直到天國降臨才再沒有奸惡和殘缺，那時所有的缺點才會消失。**第4節**「救贖」：如同近親那樣為我們設想一切。「死亡」：不單是象徵今世危險的寫法，也是指死後或會遇上的恐怖處境（參四十九7-9、13-15）。「仁愛和慈悲」：前者是立志不變的意志的愛；後者是從心發出、出自情感的澎湃的愛。**第5節**「所願的」：翻譯上有困難，可能應譯作「你有生之年」。「鷹」：活潑有力、強壯的寫照（賽四十30）。

第6-18節　神慈愛的性情　本篇的主題在第11節，肯定那強而有力、不變的愛（「何等的大」在創七24譯「浩大」）。詩人一步一步的敘述：1.第6、17至18節申明神的「公義」——不能妥協或轉易的意志，他自己有公義的性情和旨意：他永不會為了遷就人而改變他的聖潔標準。神的公義正是他行事的標記。在人看來，許多過犯從未有糾正，許多欺壓從未得解脫：6節說，在神眼中，事情卻並非如此（創十八25）；出於他的「慈愛」心腸，神要確保遵守神約的人（17-18節），權益得著保障。2.第7至8節和14至16節平衡了神所顯明的「使……知道」和神所「知道」的。6節肯定是正確的，因為神曾向摩西顯明自己（出三十四6），他一心想念我們（「憐憫」），即使我們不配，他仍舊轉向我們（「恩典」），也不永遠懷怒（「不輕易」），並有豐盛的「慈愛」，永不動搖。他因為愛就向我們啟示，知道（14-16節）我們的脆弱和生命短暫。3.第9至10節和12至13節是從積極和消極兩方面來看神對付我們的罪。**第10節**「罪過」：特定的過錯；「罪孽」：罪性。第12節「過犯」：刻意叛逆神的旨意。第9節表示神是審判者（「責備」是法庭用語，即控告），幸而這身分只是暫時的；13節表明他作父親的身分是長久的。這是唯一的一節，把「父親」與動詞「憐恤」一起使用（參母愛的用法，賽四十九15，及它帶出的濃厚感情，王上三26）。

第19-22節　神永遠的寶座　對於一位掌管「萬有」的主，我們應該怎樣回應呢？天使、天界和宇宙界的回應是：「凡事遵他而行」——「他命令」、「他旨意」。我們又如何呢？我們若真心回應神的尊榮（像1-5節所表明的），豈不也需一心遵行他的話？

第一〇四篇　創造頌

齊聲頌讚主，讚他全能偉大，讚他是萬物的君王，這是相對於所有受造之物從神而有的欣欣向榮情景，正是創世記一章與詩篇一〇四篇的最佳寫照。

這篇詩歌把創造的真理化成頌歌，把環境學理論化成奇妙的讚歌。本篇的寫作次序和應創世記一章，我們可以想象，詩人默想創造主起初的奇工，並大大發揮本身的想象力。

這篇詩篇與創世記一章在結構上也十分相似。先有序曲，隨後呼籲人讚美敬拜（1節），結束時也是敬拜和個人的讚美（31-35節）。中間部分以創世記一章為骨幹：2節，參創一3-5；3-4節，參創一6-8；5-13節，參創一9-10；14-18節，參創一11-13；19-24節，參創一14-19；28-26節，參創一20-28；27-30節，參創一29-31。

本篇表達的手法十分有趣，它經常出人意表地把「你」和「他」的格式互換：「你」〔1、6-9、13下（和合本改變了希伯來文，由「你作為」變為「他作為」）、20、24-30節〕；「他」〔2-4（原文每節都以「他」為主詞、10-13上、14-19（原文：「他安置……」）、31-35節〕。這些改動，大部分是在詩歌不著痕迹地從某一段落轉到另一段落的時候。創造主既是「他」，又是「你」。詩人既從受造物中認識神（「他」），也親身體驗祂（「你」）。

另一點有趣的是，本詩的希伯來文動詞，有時完成時態（既定的，已成定局的），有時是未完成（偶然的幹預行動），有時是分詞（代表不變的情況）。完成時態表示神那恆久的偉大和尊榮；創造在歷史上的決定性，已有既定的方式和疆界，其中充滿智慧。而分詞代表了不變的事實：受造之物為創造者作見證；祂互古不變，一直供應和看守。未完成時態則表示神一再工作，為了滿足大地的需要，而且一直為大地帶來變遷、更新，也常常會介入其中，施展大能，掌管宇宙的各股力量。

第1-9節　創造主與被造物：超越、內住、主宰　第1節「稱頌」（參一〇三1）、「至大」等。創造主偉大無匹。「尊榮」和「威嚴」有所不同，前者是祂內在的性情，後者是祂可觀察的威嚴。**第2-4節**衣服常用作形容性格和志向。衣服是「亮光」，因為神就是光（約壹一5），並且神是賜光的（創一3；林後四6）。並且詩篇寫出神被光所包圍，暗示祂從超越無比進而遍及宇宙。祂並非遠離受造之物（自然神論）；祂也非等同宇宙的所有（泛神論），祂乃是內住在祂所造的世界中。天是祂的幔子（2節）；創世記一章7節的「空氣以上的水」，就是「樓閣」（3節）的根基，是眼不能見的。祂也是駕雲彩在我們之上的那位，並行在「風」中（3節）。再

者，看不見的力量，在被造的世界裏要成全祂的旨意，而有形的力量，像溫暖的火或可畏的毀滅之火，也為祂效力。**第5-9節**使創造主與受造物相聯一起：祂縱控造物的狀況（創一2），並以話語使它們進入預設的最終結局。

第10-23節　創造主與受造物：萬物井然有序，生生不息　第10-13節在兩個動詞（「使泉源……澆灌」）之間，指出水為創造出來滋潤生命的。**第13-18節**生長維持生命，植物的生長亦使萬物得著保護。再者，晝夜的更替使人類和走獸可以共存（19-23節）。創造世界的井然有序，使生命獲維持和被享受──造物主直接動手，祂「使泉源湧」、「澆灌」、「使草生長」。

第24-30節　創造主與受造物：造物主是生命、死亡和復興之主　從最微小的海洋生物到可畏難言的海上怪物（「鱷魚」，伯四十一1及其後經文），以及人類不斷的往還──在反映受造物的頻密活動。但是（無論生物自己知不知道），牠們都靠神活著，惟有神供給，牠們才存活，也在祂安排定規下步向死亡。大地生生不息，只因神樂意定意如此，使他們循環不斷。

第31-35節　創造主與受造物：聖潔的造物主，並祂因受造物的喜悅　「榮耀」：祂顯在受造物中的威榮。祂若收回榮耀，宇宙便要消失。只有神能叫宇宙穩妥存留。外表看來，天地堅固牢靠，十分真實地存在，但其實在神眼中和指頭中，它是最脆弱的。如此一位主宰，配得永遠的稱頌。可是輕率的歌唱永不能令神喜悅，我們只得禱告，求神悅納我們微弱的歌聲能討祂歡心。罪人在至聖者面前毫無安全感（35節）。「我的心」感受造物主的偉大之後，豈不要轉向祂，祝頌讚美不休？

第一〇五篇　「不僅在言語上，更在生活中」

聖經沒有一般所謂的敘事詩（以詩體形式說故事的體裁）。像七十五、一〇五、一〇六、一三六等詩篇其實並不是為了敘事，乃是為了表達某些要點，而表達的方式則以一系列膾炙人口的事件為主。詩篇一〇五篇一次過攝述神子民的3個階段：一是列祖時代（創十二至五十），焦點是立約（7-11節），再

而是迦南飄泊的時期（12-18節），以及約瑟在埃及（16-22節）；二是出埃及時期（出一至十二）：以色列人進入埃及（23-25節），摩西和十災（26-36節），以色列離開埃及（37-38節）；第三是在曠野的日子（39-43節，出十三至十九）和進入迦南（44節，約書亞記）。其間的故事雖然橫跨了很長的年日，但是整體上描繪出一幅圖畫：有一位信實、立約又守約的神，祂行事奇妙莫測，卻是處處關心子民，為子民有計劃安排，時時供應他們的種種需要。

第7-11節　應許的神　一如往常，神為子民所作的一切，都以祂宇宙性的作為作背景。祂要向亞伯拉罕守約（創十五18-21），祂就要同時掌管亞摩利人。但不僅如此，祂更是「全地」的主。**第8節**這節有跨越歷史的觸覺，它回顧（「記念」）過往的世代，如同約書亞當日所說：「耶和華應許…的話，一句也沒有落空，都應驗了」（書二十一45，二十三14）。「約」：是自願的委身和立志，不是討價還價式的合約。神既是神，祂就守約眷念祂的子民——亞伯拉罕的後裔。在此，詩人進一步說明約也是「他所吩咐的話……所起的誓」（8-9節）。既是神的諾言，祂必堅守到底。**第9節**「立」：（直譯）「切割」，是立約的正式作法（創十五18）。「與亞伯拉罕」，也是與我們，即亞伯拉罕的後裔（羅四11-12、16、23-25；加三4-9，四28-31），他的事蹟也是我們的故事，他的呼召也是我們的呼召，因我們也承受他的應許。**第10節**「律例」：不變的承諾。**第11節**在多重的應許中（創十七1-7），得地是其中一項，也是對神的信實的一項考驗。本詩篇便是以應許的應驗來結束的（44節）。

第12-15節　神施保護　這幾節包括希伯來書十一章8至10、13節的時代。地是屬於他們的，但他們倒活像「寄居」的客旅和外人（12節）。他們如同遊牧民族，由一個時期進到另一個時期（13節），最後他們所能真正擁有的，便是墳墓（創二十三）。神是何等奇妙莫測！神應許給他們土地！結果讓他們一無所有！可是他們一直都有受保護，即使仇敵倡盛橫行之日，他們仍有神的保護（創十二10-20，二十1-18，二十六1-11），即使他們受地上強權的壓迫（創十四）。**第15節**「受膏」：在地位和功用上分別出來為神使用。

「**先知**」（參創二十7）：亞伯拉罕是聖經中頭一個稱為先知的人。

第16-22節　神正期待　神管理大地（7節），還命定世上的萬事（16節）。我們無法曉得神全盤大計；事事看來很難解釋。但是謎團雖在，不知事情是何如此如此發生，不知為何有缺乏之時（16節）；甚至不能再肯定祂仍坐在寶座上（「他命……降在……全行斷絕」），祂卻為我們的將來早有安排，為叫我們得供應（「在他們以先打發一個人」，17節）。我們雖然從約瑟身上看見神預備的供應，但仍無法參透其中的玄機。而16節更公開地顯示神旨意的深奧。這一節的故事也能在個人身上發生：約瑟是屬神的人，被神在祂預計的時間內使用（創四十五5-8，五十20），為何他要如此受苦（18節）？神會說：「不是你們可以知道的」（正如主耶穌在另一次事件中曾如此說，參徒一7）。我們今日所能知的，是要神按著祂的智慧作工，並成就祂自己的話語（19節），為此祂安排了一個埃及君主來接待、餵養祂困乏中的子民。

第23-38節　救贖的神　留意本段有很長的記述，請到以色列進入（23節）和離開（38節）埃及。他們的進入埃及與罪無關，只是因著神的主宰、命令和應許（創四十六3-4）；他們遭當地人欺壓，也不是由於犯罪。一切都是出於神（25節）！如此我們又再看見神的主權。祂的判斷不同我們的判斷，（賽五十五8）。祂的道路非同我們的道路（羅十一33-36）！祂領他們經過水火（25節），然後顯出祂救贖的大能大力。祂預備了一個人（26節），有足夠的能力擊潰仇敵（27-36節），帶來榮耀的釋放（37-38節）。

28至36節的結構值得留意。敘述由第九災說起，再提到整體的情況（28節下是一個說明，在災禍的結尾，埃及人已經喪膽，不敢再反口）。之後再追憶帶進最後階段之前的過程（29-35節）：頭一災（29節；出七14及其後經文）、第二災（30節；出八1及其後經文）、第四災及第三災（31節；出八20及其後經文，八16及其後經文）、第七災（32-33節；出九13及其後經文）、第八災（34-35節；出十1及其後經文），然後是事件的高潮，即是第十災（36節；出十一，十二）。**第37節**（出十一2、3）。**第38節**（出十二30-33）。

第39-42節　供應的神　本段既重溫史實，也是這首詩歌的總結。神藉天路的長途，從物質供應上啟示出祂的所是。祂全力引導（39節；出十三21、22）和保守（出十四19），回應禱告（即使是怨言）；祂賜食物（40節；出十六12-13、14及其後經文）和食水（41節；出十七1-7）。但是這一切，都為了守住與亞伯拉罕立的約（42節，參8節，「他記念……話」；9節）——何等一位信實、守約的神！

　　我們該怎樣回應這位守約、保守、供給、拯救和主宰一切的主呢？這裏有的是歡樂的感恩和高歌（1-2節）：發聲榮耀祂，因祂啟示了自己（「名」），也要尋求祂的同在來（3-4節，「尋求…尋求」，不是為尋找失去的，而是一再的回到神曾出現的地方），抓住祂的作為，記念祂（5節），並向全地宣揚祂（1節）：用舌頭讚美和見證，以心尋求，以心思來記念祂。

　　還有，43至44節成為結論，回應了本詩讚美的序言。那些親身經歷神作為的人，該何等歡樂。神厚待他們，以賜地來守約（44節），正如400年前或更早的時候所應許亞伯拉罕的（創十五7-16）。神所要的是建立一群順服祂話的子民（45節）。否則讚美不過是宗教噪音罷了（摩五23-24）。

第一○六篇　「一首悅祢耳的歌」

　　本篇重溫以色列史，從出埃及（6-12節；出十四），到進曠野（13-18節；民十一4-34，十六），然後是西乃山（19-23節；出三十二1-6、9-14），來到迦南邊境（24-27節；民十四），巴力毗珥和米利巴水事件（28-33節；民二十五1-15，二十2-13），最後是進入美地（34-38節；士一21、27-36，三3、5等等）。

　　這是一個可悲的犯罪故事（6節），人總是無知善忘（7、21節），一時感動（12-13節），自我陶醉與沉溺（14節），不滿神的安排（16節），拜偶像（19節），不順服（24-25節），失去應繼承的產業，不忠（28節），惹神憤怒（32節），又常常妥協（34-35節），信仰腐敗（37-39節）。但更強調的是神救恩的能力（8-11節），祂樂意施憐憫（23、30節），在公義審判的同時施與白白恩典（40-43節），愛聽人在危難中的呼求（44節），也

熱衷於守約和施慈愛（45節）。這就是我們的歷史的教訓：我們失信，神卻信實無比。

　　第1-5節　讚美與禱告　詩以讚美禱告開始，以禱告（47節）和讚美（48節）結束。歷史告訴我們，愛永不失敗，永不失望，永不止息（1節），是一位如此不變的神（48節），使祂的子民讚美——雖然他們曉得沒有人間的舌頭能讚得完全。禱告是普世皆可的，神不會忽略任何人，而百姓縱使分散天涯，祂也不會遺忘。詩的首尾以蒙福為主旨（3、48節），雖然希伯來字不同。順服就是蒙福的途徑（3節）。可是我們的歷史卻滿了背道。無論如何，有一位神配得我們讚美（參一○三1的註釋）：一位忠信、聽祈禱、釋放人、救人的神。為此前面雖然提過長長的清單，細數我們的失敗（6-39節），我們這些「眾民」應快樂地說：「阿們！你們要讚美耶和華！」（48節）

　　第6-12節　人的善忘，神的救恩　「我們與我們的祖宗一同犯罪」（6節）。說我們同犯一樣的罪，未免有點不公平，但人是和列祖一樣有罪的性情，今古如一。因為我們的本相都是一樣的邪惡，生活一樣卑下，對神的作為一樣是瞎眼，忘記祂的「慈愛」（7節，直譯：「祂因不變的愛而作的萬千作為」），一樣充滿了不忠和背逆（出十四10-12），不明真理，信心虛浮。可是主「因自己的名」仍不放棄（8-11節），這是祂的性情，祂要為我們應付環境，阻擋仇敵，帶給我們完全的救恩（出十四13-14、30-31），並引發一個可惜是短暫的讚美（參13節）。

　　第13-18節　自我放縱，私慾煩惱　他們既不記念神過去的作為，也不求問關於未來的事（13節），結果成了自己私慾的獵物：先是厭煩神的供應（14節；民十一4-6，參約六35及其後），其次，因為不滿掌權的，結果害了全個社群（16節；民十六3）。神每次都大大不悅，審判隨即來到。有時禱告也會僵化成任性的執意而行，此時，公義的神便給予我們堅持要擁有的，但這卻是審判（15節）。同樣，神有時堅持給了我們祂認為我們需要的，縱使這並非我們想要的。摩西和亞倫曾是百姓的最佳榜樣（16節）。**第13節**是與神同住的正路，活在救恩的光中（參8-12節），並按神的指教來面對未來。

　　第19-23節　虛假的宗教：摩西作中保

第19-20節 （羅一21-28）。凡人創立的宗教只是按今世屬地的樣式，為要賺得救恩而努力，把永生神取代了，也忘記了獨一真神拯救的大能。即使如此，主仍接納，仍然代求，仍作中保（來七25）。

第24-27節 話與聲音 這是本篇的關鍵主題。

A¹（1-4節）讚美禱告

　B¹（6-12節）人的善忘；神的救恩

　　C¹（13-18節）不滿神的主宰供應

　　　D¹（19-23節）虛假的信仰：摩西

　　　　E（24-27節）話與言語

　　　D²（28-33節）假信仰：非尼哈

　　C²（34-38節）對王不滿：神的記念

　B²（39-46節）人的叛逆：神的記念

A²（47-85節）禱告與讚美

　　詩的中心部分十分戲劇化，帶出一個無需再解釋的真理──拒絕神的話是至大的罪。「他們…不信他的話」（24節）；「他們……不聽耶和華的聲音」（25節）。能得著神的言語實在榮幸，忽視神的話則是大罪：神的言語就是神活潑的聲音。

第28-33節 虛假信仰：非尼哈作中保 非尼哈也想像摩西（23節）一樣作中保，叫神怒氣消減。然而摩西有自我犧牲的禱告（出三十二31-32），他的表現可以預表那位將來完美的中保。這位完美的中保使憤怒變成了恩典，因祂為我們背負罪孽，為我們成了咒詛（加三13），為我們成為罪（林後五21）。但如果摩西因禱告而預表主耶穌，非尼哈則因被稱為「義」、作中保，而預表主耶穌，亦預指以賽亞書的「我的義僕」（賽五十三11；來七26）。

　　在這段內第二個事件（32-33節），使之前的事進一步清楚。「他們又與巴力毘珥連合……又叫耶和華發怒」。他們情況一如過往（出十七），因為缺水（民二十3及其後），於是爆發反摩西的情緒，對脫離埃及為奴也表示遺憾，寧願死去也不願過神要他們過的生活。難怪摩西也受不了！出埃及記二章11至12節的那位舊摩西仍在謙和的摩西（民十二3）背後。摩西為魯莽的不順服行為付上極重的代價（民二十12）。不順服神的話是很大的罪（參24-27節）。**第27節**（參利二十六33；申二十八64）。

第34-38節 對神不滿 再一次人性中不順服的性情紛紛湧出來（34節）。神下令「滅絕」，乃是公義的行動（如創十五16），因為神老早有了400年的觀察期。刑罰來得不獨裁，也不急燥，反而是聖潔的神嚴明的法律制裁。其次，這階段是神的子民惟一蒙保守與世俗隔離之路。不肯作分別為聖的人，就是妥協（35-39節）──這是不變的真理**第35節**（士三5、6）。**第36節**（士二12及其後經文）。**第37節**（王下十六3）。**第38節**因為創造本身便是聖的，因此有可能被「污穢」──這是對褻瀆者的警誡（創三18；利十八25）。

第39-46節 人的背叛，神的記念 這幾節反映神性情中的張力，事情記在士師記。在公義的憤怒中，祂要百姓清除罪污，免得被仇敵所控制。但不是人回轉行公義才使神動心，而是他們的可憐與神要對自己的話保持信實。

第47-48節 禱告和讚美 「從外邦中招聚我們」：可能本詩篇是在巴比倫，即被擄時的作品，可是卻包括了大衛抬約櫃到耶路撒冷並慶祝（代上十五，十六）的歷史。在詩篇裏，「外邦」是百姓被分散之地，是網羅，也是轄制聖民的勢力。自從入迦南那日起，沒有一個時期不是如此。這詩篇是教會在世的歌，被世界所迷惑、擄去，因妥協而失去身分，此時惟有懇求一個更好的日子來到，讚美神在百姓反覆之際，仍是「從亙古直到永遠」不變的那一位。

詩篇卷五
第一○七篇　人人也可以祈禱

　　這詩篇的特色之一，就是經常重複──例如形容不同的惡劣處境（4-5、10、17-18、23-26節）；求神救助，向神祈禱（6、13、19、28節）；神的回應（6-7、13-14、19-20、28-29節）；向神感恩（8、15、21、31節）。這些人是誰？我們很容易聯想到以色列人被擄至巴比倫。但從第3節看來，這群人似乎又包括了世上所有的人。有人覺得這是以色列歷史的回顧：從曠野到迦南（4-9節）；從埃及和巴比倫到應許之地（10-16節）；在被擄中從「死」（17-22節）和「風浪」（23-32節）到生命與平安。但我們依然察覺到這詩篇的語調是普世性的。我們或會問誰是從「西」來的呢？在希伯來文聖經中，第3節是

「從海來」，不是「從南來」（可理解為「從海外來」）。

另外，我們可以注意到第4、10、17、23節中，看似是4組不同的人。但希伯來文聖經顯示這是從4個角度描寫同一群人——就是神的子民，在危險中得到神的救贖（2節）和愛（1、8、15、21、31、43節）。我們應從這個角度去理解這篇詩篇。詩人是在默想被擄前的一個朝聖節期（出二十三14-19）。他看見各地的朝聖者，想起神對亞伯拉罕的應許（創十二1-3，十八18，二十二18，二十八14；詩四十七9），現今集中在大衛家（七十二8-11），就是從列國中招聚人來。縱然這應許尚未實現（啟七9-17），每一個屬神的人都可以享受屬於招聚之民的特權，歌頌救贖的愛（1-2、8、15、21、23節），也須常常思想這事。

一〇七1-3節　救贖的愛　整篇詩篇所述說的「愛」，乃主委身、不變、決意的愛。祂不會放棄祂所揀選的人。這份「愛」在救贖中彰顯（2節），祂彷如「至近的親屬」，把祂受欺之子民的需要，看為自己切身的需要；並且背負祂的子民所有的重擔，又救他們脫離危險。

一〇七4-32節　4幅圖畫　第一與第四幅圖畫成為對照，述說脫離在世生活所遇到的危險：第一幅是地上（4-9節），第四幅是海上（23-32節）。而第二幅（10-16節）及第三幅（17-22節）則著眼於屬靈的問題——敵對神（11、17節）、生命的捆綁（10節）和自我毀滅（17節），即是罪使我們與神為敵，使我們得不著神應許的自由，並敗壞我們的本質。這4幅圖畫表達出無論在何境況，神必以救贖和不變的愛，回應求告祂的人（6、13、19、28節）。神在地上的子民，任何時候都得著神的保護，在不同的境況中受著外在或內在的打擊時，也要常常仰賴禱告。

第4-9節　迷失在世界裏：帶我們歸家的愛　蒙救贖者常不知道應往哪裏去，他們渴望找到安息穩妥的家園（4節）。例如亞伯拉罕，他嘗過漂泊的帳棚生活，非常渴望「那座有根基的城，就是神所經營所建造的」（來十一9-10）。我們也常常處於不能支持下去的境況中（5節）。但我們可以禱告（6節）。回顧過往，我們原以為是崎嶇之路的，後來發現是神所指引的直路（7節），就是將來到了天家回顧今生時，更是如此。彷彿是迂迴曲折、錯綜複雜的迷宮，那日就會變成不偏左右的直路，引領人由信主進入榮耀的階段。這是藉神那超然的工作（「奇事」，8節）所成就的〔祂今天已是如此，何況將來呢（啟七16-17）〕。

第10-16節　被狹小的世界桎梏：使我們自由的愛　在伊甸園中（創三），蛇使人以為神的話是束縛人，是刻意剝削人的自由。當亞當和夏娃發現只有藉著緊緊遵行神的吩咐才得到自由時，已經太遲了（參一一九45）。不聽神的話就帶來捆綁。這解釋了我們的境況（10-11節）。有關第12節，可參創世記三章16至19節。因神的憐憫，祂多次保護我們脫離自招的苦況。但神有時也因著同樣的慈愛，挪開祂的阻隔，容許我們一嘗自己所種的苦果。即使如此，我們可以禱告（13節），那時，我們會發現——今天只是部分，他朝則是全然（腓三20-21）神以恩典回應禱告，祂會釋放我們（14-16節）。

第17-22節　在罪惡的世界中受破壞：使我們完整的愛　罪在我們的天性裏是一股自我毀滅的力量，使我們降至卑微（17節），亦使我們臨近死門（18節）——今天自毀前途和明天永遠失喪的雙重打擊。在第11節，「違背」反映了反叛者的頑梗；在第17節原文是同一個字詞，這裏則代表刻意的剛硬。縱然如此，我們仍然可以禱告（19節）。禱告是罪的毒素的解藥，是醫治的道（20節）。正如我們的苦境乃源於拒絕神的話（11節），那麼，藉著讓神的話再進入我們的生命中，我們便能重拾屬靈的完整（20節）。

第23-32節　在一個敵對的世界中被壓傷：使我們得平安的愛　海上航行正好用來表達我們此生的經歷：縱然風和日麗，我們處理日常大小事務（25節），可是天有不測之風雲，風暴驚破我們的美夢，一下子打亂了我們的人生計劃，頓時失去安全感。在這不受控制的環境裏，我們感到無助（25-27節）。每一次的風暴都教導我們信心的功課，因為事非偶然，也非撒但的計謀；這是神所造的風暴（25節），神在祂認為適當的時候，會叫這風暴停止（29節）。每一次的風暴也喚起人祈禱（28節上），即使面對最大的阻力

禱告都能攻破。禱告就是進入平安的門（29-30節）。第21至22節的感恩對象是神，我們奉上祭品，象徵我們滿心的感激，並我們的奉獻。在第31至32節裏，感恩使我們成為崇拜群體中的一員。

第33-43節　引導、眷顧的愛　這些經文描述了兩幅全然不同的圖畫（33-34、35-36節），它們以相反次序和兩種不同的人生境遇（37-38、39-40節），來表達全篇詩篇以「正直人看見」的真理（42節）和「有智慧的」所留心的事（43節）作結。所看見的圖畫分別是肥沃的土地變為貧瘠（33-34節），而貧瘠的土地變成足以維生及提供保障（35-36節)。這的確常有發生：當事情順利，人便可享有令人羨慕的富足（37-38節）；但當失意，就是當災害與痛苦接踵而來時（39節），君王也無計可施（40節）；但富足再次臨到，貧窮的便得到安定的生活（41節）。到底在這一切經驗中，「正直人」（那些神看為正並立志過正直生活的人）看到了甚麼呢？首先，在每一件事情中，神不是旁觀者，祂參與其中操控一切。是祂使這兩種境遇交替發生。人生中最實際的莫如與這位操控一切的保持良好關係。其次，祂的引導是合乎道德的。如果一片肥美之地成為荒涼，原因是罪被審判（34節）；因此，正直人當選擇聖潔的路。第三，富足來臨，並非因為人有甚麼可誇之處，乃完全是因為神憐憫困苦的人（41節）。因此，真正的智慧（43節）就是常常定睛在神的「慈愛」上（原文是複數），就是那不變、大能的愛。這愛藉著祈禱，能滿足各種需要。

第一〇八篇　需要之時的良方

雖然這篇詩篇是由另外兩篇詩篇的段落組成（1-5節，五十七7-11、6-13，六十5-12），但它並非綴合而已。就算我們對五十七及六十篇一無所知（可讀這兩篇詩篇作參考），一〇八篇也有其存在的價值。以東的犯境在以色列歷史上是長久以來的問題（參摩一11），我們也可以肯定，六十篇所記載的以東危機，並不是大衛一生所遇上的最後一次。在相似的危機裏，大衛把舊有的詩歌稍稍修改，應用在新的處境上。這首詩歌可以分為3段，段落中緊密相扣。第一段（1-5節）以禱告結束，第二段（6-9節）以禱告開始。

第一個禱告集中於神那永恆不變的「愛」（4節），第二個禱告則以「你所親愛的人」開始。第二段結束時提及「以東」（9節），第三段開始時又提到「以東」（10-13節）。

每一段也有一個禱告：首先，是願神得榮耀（5節）；第二，是求神的拯救（6節）；第三，為著可能遇到的危機（12節）。這正是聖經有關禱告的次序，亦是詩篇首要的教導。禱告是源於有關神的真理，因此，在每一段落中，詩人都提出有關神的不同真理：1.神的「愛」（4節）是恆久不變的——以所能觀察的自然界中最高的實體比擬祂的「誠實」：「穹蒼」，但愛「大過」它，言下之意，神對我們委身的愛是至高的實體。因此，當遇上危機，我們可以有堅定不移的信心；我們以開聲和公眾讚美，並且禱告，深知道祂在這情況必會顯出祂真實的本質（1-5節）。2.神的應許在危機中依然有效（7-9節）。主早已承諾要治服以東。基於應許的禱告是有十足把握的（6節）。3.對於應付危機，神的力量絕對綽綽有餘（10、13節），並且神會答允禱告；祂會回來看顧和幫助祂的子民（11-12節）。

第一〇九篇　神聖的憤怒

第一〇九篇可算是咒詛詩中最直率的一篇（參導論），因此引來不佳的「輿論」。很多釋經家也認為這詩篇缺乏了基督教的理想，與福音精神相違背。有人更把6至19節看為是敵人對詩人的咒詛，而非詩人的說話。詩篇不需要清楚交代說話的是誰，但上述的解釋困難重重：1.由眾敵人（2-5節）轉到單數的敵人（6-19節），在第五十五篇已有先例。2.在第20節，詩人重演6至19節的情懷。同時，6至19節在原則上可以找到平行經文。3.使徒行傳一章16至20節確認本詩篇的默示，也把第8節連於猶大身上。正如在其他的詩篇中，大衛的經歷常預表耶穌——終極、真實和聖潔的咒詛。

那麼，這篇詩篇是否有違新約的精神及理想呢？詩人並沒有否定愛：1.第4至5節由始至終，表現出詩人愛他的敵人；原文的現在時態顯示，即使在現今的敵意中，他的愛仍未止息。非但不應以為這裏有違愛的原則（太五44），我們反而得重新思想究竟甚麼是愛。主是否不再愛那些要面對「羔羊的憤怒」

的敵人呢（啟六16）？2.詩人並沒有報復的行動或者意念。在第4節中，他說「我是祈禱」（直譯），意思是他全人浸透在禱告中。這樣的人又怎會報復呢？面對著傷害和敵意，他只是單單的藉著禱告交託給神——完美地表達羅馬書十二章19節。就算他的禱告在言詞和思想上真是不當，他的處理方法比現代的恐怖分子、縱火犯或商場上之競爭者的方法可取。3.但是，他的禱告是否真的不當呢？我們感到不安，不是因為他的禱告行動，而是他的禱告內容和詞彙。當我們被人的敵視打岔了安靜的生活，我們就會向神禱告說：「主啊，求祢幫助我按照耶穌的教導去愛我的仇敵。以及，求祢⋯⋯為我處置他們。」詩人比我們來得更現實：除了按照祂啟示的方法外，神還會如何「處置」惡人呢？作假見證害人的，他們會自食其果（申十九16-19；參2、6節）；不順服的人不得存留在地上（申四1；參8節）；罪人的後代會遭患難（出三十四7；參9-12節）。若我們用一般的禱告遁到非現實的世界裏，而詩人卻敢於表達聖經的寫實一面，那我們確實要清楚知道自己所做的是甚麼。

話得說回來，我們避免咒詛或禱告，其實也無可厚非，正如保羅提醒我們（弗四26），發怒近於犯罪。麥肯治(J.L. McKenzie, *American Ecclesiastical Review, III*, 1944, pp.81-96)說：「這首咒詛詩不是我們的學習榜樣，不是因為它不夠完美，相反，是因它極高超，以致我們仿效時產生危險。」

第1-5節　求神行動　第1節在經歷這段可怕的日子中，詩人的靈性可嘉：他仍舊讚美（1節）和祈禱（4節），又嚴守「禁食」（24節），並堅持參與公眾崇拜（30節）。這些常是我們這等靈性低落的人在遭遇壓力時所棄的。還有，當面對誹謗、謊言、敵視和攻擊（3節，「攻打」），詩人仍愛他的敵人（4-5節），不以敵人不公平的對待回報對方。

第6-19節　求神顯公義這段分為兩部份：1.第6至15節對稱地由5段所組成：第一段（6-7節）要求地上法庭裁定有罪；最後一段（14-15節）是在神面前要求不要赦免；第二段（8-9節）與第四段（12-13節）說到個人和後代的失喪；中間的一段至為可怕（10-11節）：我們犯罪，牽連甚廣，無論是禍是福，我們的孩子是與我們共同面對報應的

（箴二十7）。上面已經提過，這種禱告吻合聖經的教導：這就是在可畏和聖潔的神管治下的人生。**第6節**「惡人」：與第2節的「惡人」是同一個字詞。**第7節**「祈禱⋯⋯成為罪」：就是禱告也不能救他。**第14節**按照聖經（參太二十三29-35），我們祖宗的罪不是我們犯罪的藉口，反而使我們落在過去累積的罪惡之下。然而，我們不是被命運控制的（結十八），但除非我們悔改，並且棄絕罪，否則我們就要承繼罪的惡果。

2.第16至19節直指敵人本身：從不表現仁慈的，怎能要求別人對自己仁慈呢（12節）？他的心、他的意志（「福樂」），以及他的行事為人（「衣服⋯⋯衣服」）都被他的劣行所沾染，全人從裏至外受轄制，就如以「腰帶」束縛著一般，而他必吃回這些劣行的果子。

第20-31節　求神幫助在任何境況中，信神的人與神的關係絕不一樣。無論敵人如何不可勝數，如何惡毒，無論環境如何惡劣，「主耶和華」永不偏離自己的「名」和「慈愛」（21節）。**第22節**「困苦窮乏」最能用以表達我們面對敵人更強的力量時的苦況。這詞同時也能形容在神面前的謙虛及順服祂的旨意。**第27節**詩人的意願不單是解決問題，而是藉問題得解決來顯明神的作為及公開顯明屬靈的實況（31節）。

第一一○篇　「必在位上作祭司」（亞六13）

麥基洗德——一個帶有濃厚神祕色彩的名字。他無聲無息地進入了聖經記載中。亞伯蘭剛征服了地上的王（創十四14-15），但當撒冷王麥基洗德來到，亞伯蘭認同他超越的祭司身分，把戰利品的十分之一獻上（創十四20）。亞伯蘭更確認麥基洗德的「至高神」不是別的，乃是耶和華自己（創十四22）。在約書亞記十章1節，耶路撒冷王是亞多尼洗德，他的名字在形式和含義上（「公義王」）與麥基洗德完全一樣，反映出在耶路撒冷一直以來都實行王兼祭司制度。若是這樣，當大衛在耶路撒冷登基（撒下五6-9），他就坐在麥基洗德的位上，承繼亞伯拉罕所認可的祭司君王身分。這就是詩篇一一○篇的背景。

當大衛默想他的祭司君王身分時，彌賽

亞漸漸成為焦點：大衛仰望那位完美的祭司君王；大衛只是那實體的影兒。希伯來書（六20至七28）藉著麥基洗德表明主耶穌是真正的祭司，縱然祂並不是亞倫的後代；祂成就了由大衛一直追溯至亞伯拉罕的真理。耶穌事實上是真正的麥基洗德：亞伯蘭遇見的是其原型，大衛是其預表，撒迦利亞是其預言者。

這詩篇由兩個平行的段落所組成：君王（1-3節）及祭司（4-7節）。兩段都以神的應許開始，宣告主角的君王／祭司位分，宣告他的統管從錫安開始，並臨及萬國。神子民的甘心奉獻與列國的覆滅成為對比。王兼祭司當有無窮精力，又在合宜的日子屢獲更新。

標題和第1節（參可十二36-37）主耶穌確認這詩篇的作者是大衛，他受聖靈感動而寫，而且透露主耶穌的彌賽亞身分。大衛王是向著一位比他還大的君王（來一3、13）「說」：「耶和華對我主我王說話」（參書五14）。「仇敵⋯⋯腳凳」，例子可參考約書亞記十章24節（來十12-13）。**第2節「從錫安山⋯⋯在⋯⋯中」**：雖然已在錫安登位（來十13，十二22-24），列王仍在他的「仇敵」名單上，仍要稍候他們完全歸順。因此這詩篇說明大衛當時的境況，以及我們今天的境況（參腓二9-11；來二8-9）。**「掌權」**：一個相當強烈的字詞，即絕對「管轄」。**第3節**（直譯）「祢的民是甘心祭」，是對這位君王唯一適當的回應。**「妝飾」**：所指的可以是王的子民穿上的聖潔服飾，但更可能是指王穿上他的聖潔為妝飾（參九十六9；代上十六29；代下二十21）。

「清晨」：詩人可能引用古代神話（賽十四12），象徵這位君王超自然的源頭：可能是圖象化地指出朝露之始。**「甘露」**：給予生命（賽二十六19；何十四5），神的活力保持王「無窮之生命大能」（來七16），不知不覺地出現（撒下十七12）。**第5節**與第1節剛好相反：神站於王祭司的「右邊」，在他所有的行動上加上能力（參賽九7；約十四10），保護他（詩一二一5），並恩待他（賽四十五1）。地位上的權力與統治世界的能力相稱。**第6節**這幅圖畫怎樣與「和平的君」（賽四十五1），以及新約中的耶穌協調呢？首先，它與王的隱喻吻合，武力征服是帝國擴展的途徑。今天，就是以天國的福音使各國歸順（徒十五

13-18；林後四6）。但終有一天，那身穿血染衣服的祭牲會君臨天下，成為萬王之王，而且得著最終的勝利（啟十九11-21）。**第7節**大衛回憶當日追趕敵人時，在比梭溪旁所發生的事（撒上三十10）。因此，終極的王在還未征服所有敵人前，決不鬆懈或寬容。**「抬起頭來」**：參同義片語（詩八十三2；士八28；伯十15；亞一21），表達出以極強的信心去制服各方反對的勢力。

第一一一至一一二篇　一對字母詩

這兩篇詩篇在形式及主題上是一對的。兩篇也是字母詩（參導論）。一一一篇1節下的主題是耶和華，祂以行動和說話啟示自己：一一二篇的主題是祂的子民，在品格和德行上酷似神的一個典型的「人」。對應的節數表達出相關的觀念：「稱謝」的心與「敬畏」的心（分別是一一一及一一二1下）；「正直的人」在順服中得著喜樂（1下）；偉「大」的「耶和華」，「強盛」的子民（2節）；主的威榮並其子民的豐富（3節）等。某些地方更有直接的關聯：神和祂的子民擁有永恆的公義（3節）；神「堅定」的準則與祂子民「確定」的心，是同一個字詞（8節）；神向倚靠祂的子民施行拯救，祂的子民也樂善好施（9節）。正如我們常說「有其父必有其子」，根據聖經，別人應可在我們身上看見神。在這兩篇詩篇中，「永遠」／「永恆」的意識非常突出：神的公義、聖約、法則和讚美是永遠的；同樣，祂子民的公義、保障和存留也是永遠的。因為神的公義是永遠的，祂的子民遂可以從世界的相對主義中分別出來，持守並遵行神所啟示的道德價值觀。

第一一一篇　神的作為及話語

第1節所提到的讚美和道德上的實踐（「正直」），與第10節的「敬畏」、順服並讚美神是對應的。在這兩節之間的第2至9節，詩人以確定神偉大的作為開始（2-3節），接著述說祂所行過的事（4-9節）。最初（4節）與最後（9節）的作為，是祂以自己的名字啟示自己。**第4節**「祂為自己的奇妙作為，立下紀念」（直譯；參出三15）。祂列出祂要祂的子民所認識祂的特質。祂樂意贈予他們不配得的恩典，又因著他們而心裏激動（「有憐

惘」；參王上三26）。祂救贖他們（9節），「救贖」的重點在於付上贖價：祂付出釋放他們的贖價，以及把他們領入祂的「約」中。因著祂「記念他的約」，祂便在曠野養育他們，領他們到應許之地，賜他們可靠的律法，使他們活在其中（5-7節）。不配得的恩典和神的愛，使他們得救贖接受神的約，並日常的需要獲得細心照顧，神的力量勝過他們所有的仇敵，並且他們可以活在祂的話語中。

第一一二篇　神子民的品德與操守

這詩篇有清楚的題目：頭4節屬於第一類，其他6節屬於另一類：1.**第1-2節**個人與家庭：每個人因內心敬畏神，表現出樂意的順服（1節）。獨特的祝福會臨到這種品德與操守——孩子得到認可（2節上；參箴二十7），而這祝福又世世代代延續下去（2節下）。2.**第3-4節**幸運與不幸。「公義」是兩面的：一方面與神關係良好，另一方面不斷地持守生活上的公義。這樣的人雖然不能避免人生中的黑暗面，但卻是富足有餘的（3節上；參一3，七十三23-26）。當黑夜來臨，他們以信心等待必臨的黎明。在黑暗延續時，他們仍持守「正直」和「公義」的品格，對人仍然有「恩典」及「憐憫」（參一一一4）。3.**第5-6節**慷慨和保障。正如在黑暗中總會出現光明，「事情順利」是必然的——但我們得注意詩人仍強調那堅定不移的特質——一個喜歡「施恩」的靈（5節上；與4下及一一一4下中的「恩惠」是同一個字詞），能自由地施予（「借貸」），並生活公正，就是透過正確的決定應用公義的原則。4.**第7-8節**威脅與信靠。義人的一生不是花香常漫。當「兇惡的信息」傳來（不是4節下的黑暗，而是8節下的人的敵視），也無損平安。由於信靠神，所以「心」仍「堅定」；這不是短暫的情緒，而是一個堅持的態度，直至威脅消失。**「看見敵人遭報」**：「直看著敵人」（直譯），可能是「見他最後一面」的意思，不過，這絕無幸災樂禍的意味。5.**第9-10節**品格、行為和命運。兩節都有其表達次序：在與神和好及行為純正的生命裏顯出的慷慨，令人得著尊榮（9節；羅二10）；仇恨和惡毒使人自毀（10節），最終歸於「滅絕」。

第一一三至一一八篇　出埃及的哈利詩：救恩大合唱

任何有關主耶穌基督的事對基督徒都是非常有價值和吸引的。因為，這一組詩篇極有可能是耶穌過最後的逾越節時用的，因此人對這組詩篇大感興趣，並且其重要性也因而大增。在最後的逾越節，又是第一次的主餐，耶穌和祂的門徒在餐前很可能是唱詩篇一一三和一一四篇，而餐後唱一一五至一一八篇（太二十六30）。雖然每首詩篇也有自己獨立的文學特色，它們組合起來就被統稱為「出埃及的哈利詩/讚美詩」，可謂出埃及記六章6至7節的詩歌註釋了。

一一三篇以神的性情為本——神有至高的尊榮，按這本質，祂會提昇貧苦窮乏人。一一四篇莊嚴地記錄了出埃及的事跡，描寫創造主如何控制受造的世界，目的是使祂的子民得福。一一五及一一六篇是彼此平衡的，分別講及群體與個人在靈裏死亡（一一五篇）和肉身死（一一六篇）中得著拯救。一一七篇是把出埃及事件的意義延伸至整個世界——為以色列人所作的，同樣是為世上所有人。最後，一一八篇帶我們參與偉大的巡行行列，進入祂的門和祂的同在之處。

第一一三篇　被高舉而又抬舉人的主

本篇的主題是那位全宇宙的超然的神——比天地還高，超越時間、空間和列國的祂如何提拔貧窮人，鼓勵傷心的。思路由神統管萬有的主權，漸進至神臨到萬有的良善。

第1-3節　寶貴的名字　神的「名」（祂所啟示的；出三15）激起「敬畏……人」（新國際譯本：「僕人」）的讚美，這名是配得全宇宙無盡的歡呼喝采的。「名」教導我們以讚美來回應啟示，而「僕人」說出讚美是建基於奉獻的生活的。

第4-6節　被高舉的主　在第1至3節的3次提到神的「名」，和在第4至6節的3重讚美很是吻合：「高過諸天……坐在至高……謙卑（即俯身）觀看……天上」。祂是高過所有人和地方，至高無可比擬，即使是高天，祂也要俯身去看。祂在萬有中是最「榮耀」的，祂比一切尊貴的還尊貴，祂的無所不知是包羅萬有的。

第7-9節　至高的分享　神自己是「超乎萬民」的（4節）；祂「抬舉」「貧寒

人」；「坐在至高之處」的（5節），也使「貧乏人」與祂「同坐」——從灰塵裏帶到寶座上，獲得全然的滿足。祂在人無助之時扶助他們（「貧寒……窮乏」），祂不計較他們的卑微，逆轉他們的命運。這一切就是出埃及事件的核心真相——神控制地上一切的力量（出四22-23，十四30-31）；祂關心祂的子民的需要（出二24-25，三7）；祂回應那些失去兒子的母親絕望的哭號（出一22）！這些啟示是永久的：神昨日如何，今日也如何。

第一一四篇　自主的神：超乎萬有之上，貫乎萬有之中，住在萬有之內

一一三篇的信息，並不是一廂情願的想法，因為從一一四篇中，我們可看到神超越所有國度（1節），認同邊緣人（2節），主宰受造物（3-7節），又供應那些有需要的人（8節）。出埃及的事實強化了啟示的內容。

第1-2節　救贖與內住　神救贖並與人同住；祂將子民從世界中分別出來，是為了歸給祂自己。經文超越了純粹地理上的認知——神的「聖所」（神的住處）位於「猶大」，而「猶大」也是指祂的子民，是這群子民成了神的住處（弗二19-22）。經祂拯救的人也被祂塑造：他們成為「雅各」，以「以色列」的身分作祂的居所（創三十二27-28）。

第3-4節　創造與完工　出埃及的過程充滿了奇妙的事：紅海（出十四21及其後經文）、約但河（書三14及其後經文）及西乃山（出十九16及其後經文）。兩次過海/河，一次是出埃及，另一次是進迦南。這證明神做事貫徹始終；祂起意就必成就——創造主至高的自主能力，必叫一切人所不能克服的障礙在祂面前傾倒。

第5-8節　憐憫與供應　一連串的問題把我們推向高峰：「神的面」足以成就救恩。因祂的憐憫，祂與弱者，甚至那可鄙如「雅各」的，認同。這位開始了，就必完成祂善工的主（參3-4節的註釋；腓一6），就是子民在旅途上的日常飲食，也供給照顧（出十七1-7）。

第一一五篇　神——得福也賜福

我們只能估計這詩篇的寫作背景。在第2節，詩人問那經典的問題：「你不顧你的名嗎？」（1節；書七9）；這是否暗示神的子民在那嘲弄的世界中，正受某種威脅呢？或者

更可能的是，他們剛剛打完仗，故此王或軍隊配受讚美。那些敵人，滿了偶像，也許正嘲弄這群相信一位看不見的神的人。也許更可能的是，這詩篇是幻想性的，主題是迦南地的生活：靠著神，他們在這激烈的戰爭中得勝了，證明外邦人所供奉的是死的偶像，也證明神是可靠的（1節），祂主宰所有安排（16節）。本詩篇的結構說明這一切：

A¹（1-3節）讚美只歸與那至高的天上的神
　B¹（4-8節）偶像和那些拜偶像的
　B²（9-15）神和那些信靠神的
A²（16-18節）讚美只歸與那至高的天上的神

這詩篇的形式是一種對唱形式的敬拜詩歌（參拉三10-11）。9節上、10節上、11節上和9節下、10節下、11節下豈不像兩班詩班彼此對唱？12節上是否全會眾的宣告？12下至13節是否兩個詩班的同聲回應呢？也許圍繞這樣的核心，第1至3節和16至18節是由全會眾讀出，4至8節和14至15節則是敬拜領袖的宣告，他陳述偶像的無能，並宣告神對以色列的祝福。的而且確，這詩篇無論在崇拜的過程，或是在神學上，都是極富動力的。

第4-8節這是舊約的偶像及拜偶像者的典型觀點。一方面，偶像是假的，並沒有真實的屬靈力量和背後的實體；偶像並非看不見的「神」；偶像只是人手所造的物（4-7節；賽四十18-20，四十一5-7）。然而，偶像會毀掉那些拜偶像者（8節；賽四十四6-20）。而且，偶像不能說話（「口」），無道德感（參五十三2），不會回應祈禱（「聽」），不會因祭物而饒恕人（「聞」；創八21），不會關心（摸的「手」；九十五7），沒有動作（「走」）或思想（「出聲」，低聲細語表示沉思）。**第11節**「敬畏耶和華」：在後期，「敬畏神的人」成了一個專有名詞，形容改入猶太教者。在這兒則描述9至10節兩個概括性的組別——全體以色列民和祭司。信靠與崇敬——前者的單純和親密與後者的又敬又畏相輔相成，它們是神子民的兩大特質。**第17節**這詩篇的背後隱藏著一個危機，而解救的應許已啟示出來（1節）。若沒有神的干預及勝利，死亡會臨到眾人身上。因此，在第18節，可找到更多的原因要頌揚神。我們若解讀第17節作為代表舊約對死後狀態的看法，一如我們解讀八十八篇10至12節，我們便大錯特錯了。八十八篇所描述的是，死在神的憤怒下

——沒有盼望的死。但此回,第18節展望「直到永遠」的讚美。故此,若非神的拯救(17節),便沒有這首無盡的讚美詩了(18節)。

第一一六篇　信心與自由

由於人的不誠實(1節)和缺乏辨別是非的能力(6節),詩人面對要命的威脅(3、8、15節)。但在這處境中,詩人禱告(1-4節)。神垂聽禱告(1-2節),祂是「恩惠」(贈予不配得的人)、「公義」(永不偏離對祂的子民的諾言與應許)和有「憐憫」的(因子民的苦境而受感動)(5節),並且切切地關心祂所愛的人的生命安危(15節)。因此,救恩臨到(4-6節),神從死亡(8節)與捆綁中(16節)拯救他們,並且有豐富的供應(7、12節)。因此,子民立下誓約,並且持守:要愛神(1節)和向神禱告(2節);在休息(7節)和行走時(9節);個人因救恩而快樂(13節),並且公開認信(14、18節)。最重要的是,以信心面對危機,這是一切更新的開始(8-11節),也是這篇詩篇的轉捩點。
A¹(1-2節)在困苦的日子呼喚神
　B¹(3-4節)以禱告面對環境
　　C¹(5-7節)完全的供應與安息
　　　D(8-11節)信心;使一切更新
　　C²(12-14節)完全的供應與回應
　B²(15-16節)神處理環境
A²(17-19節)在拯救的日子呼喚神

留意第1至2節及17至19節均有「要求告」;第3至4節及15至16節則用「死亡……纏繞……死亡……綁索」和「耶和華啊」;第5至7節和12至14節則以「厚恩」作連接。以上種種也如探照燈般照亮8至11節——信心為核心。關鍵字眼「我信」(10節)位於享受新生命(8-9節)與忍受舊生命(10-11節)的中間。正如昔日極大的哭號引發神施行出埃及的拯救(出二23-24),信心的禱告仍是神今天給予屬祂的人的最大力量。

第3、6、11、15節「死亡」與「陰間」被刻劃成嗜血成性,尋找可吞吃的人的一種力量(3節)。還有其他的威脅:生活上所遇的困難(3節)、個人的短處(6節,「愚人」就是愚蠢和沒有洞悉力的人)和人的不可靠(11節)。然而最悲哀的,莫過於意想不到地離開世界(15節)。在神眼中,死亡是非常嚴肅的事,所以不是輕易臨到人的。祂「聖民」(祂所愛的人)的死亡,好像是祂所贈予的「寶貴」珍珠,因為死亡意味著神接祂所愛的回家。這樣說來,死亡實在是神在地上所賜予的最大的祝福。第10節「我因信」:即是我有信心。「所以」:面對沮喪的人而感到不滿並不是沒有信心的表現,反而是有信心的表現。但更好的翻譯卻是:「我有信心,縱使我非常失意,甚至是絕望。」第13節我們以更多享受神的良善來回報祂。「杯」:救恩,全備的救恩。第16節「僕人……兒子……解開」:一個3重的關係:受約束的服侍(「僕人」),承接上代的服侍(出二十一4)和那些原已獲釋放,卻因愛他的主人而甘心留下作僕人的服侍(出二十一5-6)。第17-19節公開作見證的味道發揮得淋漓盡致——當我們把之前非常個人化的經歷與此對照,這點就更形突出。在困難中所起的「願」並不是一種討價還價,而是盼望在經歷中獲益的強烈欲望的明證,證明當事人決心成為一個更好和更忠於神的人。

第一一七篇　一神、一世界、一喜樂

在羅馬書十五章11節中,保羅用這詩篇作為耶穌是彌賽亞的證據。在啟示錄七章9節,這篇詩篇獲得成就。一一七篇直指神計劃的核心,也指向世界的所有角落。從出埃及事件開始,藉著某些律例,非以色列人能成為立約群體的一分子,這反映了亞伯拉罕之福的應許(出十二48-49)。同樣,在所羅門的禱告中,他為自己民族禱告後,也順理成章地想到外邦人,他為後者向以色列的神祈禱,並求神垂聽這類外邦人的禱告(王上八41-43)。還有,神的救贖,在向以色列人施行的同時,也於全世界施行。這真理在詩篇中(例如九十六至九十八篇)是非常明顯的。

這裏是一神論的簡潔宣告(「萬國啊……耶和華」);全世界也在一位神裏合一(第2節的「我們」包括了「萬國」、「萬民」和以色列人);而神是平等對待所有人的(祂的不變、委身的「愛」,以及祂永恆的「誠實」);真正的信仰是以讚美、喜樂回應一位如此可愛、信實的獨一的神。第2節神所施的「大」慈愛,是大能的、掌管一切的愛。「我們」:如果這是專指以色列人,那麼它即是

暗示凡是以色列的，也自動成為全世界的。但這處所指的，如之前所說，其實是「普世的以色列」——亞伯拉罕的所有子孫（四十七9；羅四11-12；加六16）。

第一一八篇　公義之門

神帶領以色列人出埃及的目的，不是單單為解放，而是為救贖和叫那些從前作奴隸的，現在能成為「我的子民」。這就是一一八篇以象徵手法表達出來的。整個過程是朝向聖殿的「門」（19節），再經過這個門進入祭壇（27節）。朝聖行列巡行時，群眾和一個人進行啟應式的對話。第1及29節是會眾的話；第2至4節則是會眾和敬拜領袖的對話；剩餘的節數則是會眾向一個人的回應，這個人經歷苦難（5-7節）、列國的敵對（10-14節）和神的懲治（17-18節），直至他有權進入「義門」（19節）。沿途他率領接受他的人（6-7節；8-9節），這些人奉神的名讚美他的勝利（10-14節；15-16節）。

19節之後，語氣改變了：由談論神，變為直接向神說話；說話的人也改變了：那（祭司般的）守門的述說了進門的條件（20節），聖殿中的同仁也歡迎那進門的為「房角石」（22節），宣告「這是主所定的日子」（24節），並祝福他，說他是「奉耶和華名來的」（26節），最後邀請全會眾也一同來到祭壇前參與筵席（27節）。

這詩篇給人一種很真實的感覺，也許是在聖殿的一個節期（逾越節？），又或者是以王為主角的慶典，他以個人經歷形式表達全民的經歷：在極度痛苦中（5節）；面對世界的攻擊（10節）；由生命被威脅（17節）到看見亮光，並享受神的同在。然而，這詩篇比記念神的憐憫有更深遠的元素，超過全會眾或所有王所曾經歷的，也超過他們能力所能及的。「列國」曾幾何時包圍、威脅，最後遭反擊呢？誰能進入「義門」，如「房角石」般受迎迓呢？誰是奉主名來的呢（22、26節）？

這詩篇既是回憶性又是展望性的。它展望一位將會來臨的人，有關他的一切細節會於將來實現。最終，新約會提出答案，但答案源於舊約提出的問題。由此看來，新約的彌賽亞思想並不是（不自然地）嫁接自舊約的，而是由舊約（自然的）衍生出來的。

第1-4節　宣召與回應　一三六篇道出了這宣召的含義：這處簡潔地記錄了神的所有偉大作為（參耶三十三11）。**第2-4節**參一一五篇9至11節的註釋。

第5-7、8-9節　極度痛苦、禱告、信心、信靠　在沒有介紹的情況下出現了一把聲音（5-7節）。這處的「急難」（參一一六3）原文有冠詞，突顯了極度的困苦。這個字詞本身表現出「壓力／壓迫」，與禱告蒙應允所得的自由剛剛相反。**「寬闊」**：詩人的經驗產生了面對未來——面對別人的敵對（6節，五十六11；來十三6），或對事情的結果——的信心。**第7節**「看見……遭報」（參一一二8）。**第8-9節**隨行的會眾回應這見證，確認信心的效力宏大。

第10-14、15-16節　敵人包圍，可靠的名字，大能的右手　主角述說更多的「急難」（5節）：他被「萬民」重重包圍，雖然人數多如蜂子，但靠著「耶和華的名」的大能（10-12節），這些人會像燃燒的荊棘，迅速被踩滅（12節）。然而，危機是實在的，只有靠神的干預（13節）、祂給予的力量和釋放的救恩（14節），才能得勝。**第15-16節**這兩節配合8至9節，只有與神和好（「義人」）的人，才能得著「歡呼」、「救恩」。**「手」**：象徵力量；**「右手」**：更強的力量。會眾從主角的得勝經歷中，看見神作為的最強表達。

第17-21節　神的懲治，公義，入城　當主角述說第三個見證時（17-18節），他已到了聖殿的門（19節）。這是「義門」（這些門只有義人才能進入），主角要求開門讓他進去。看門的人宣告（20節）進入義門的條件；當主角進入之後（21節），他便為著神回應他的禱告和拯救他而感恩。**第17節**原本的安排是與第6至7節配合的：說話者聲稱他自己，而非他的敵人，是最終的勝利者。但若我們按主耶穌的一生來看詩篇，那意思應是：死亡得不到最後的勝利（約十18）。**第18節**（賽五十三5、6、10）。在人類敵擋的背後，主角看到神的手（徒二23）。**第19節**請注意這要求的個人性（「給我敞開」），主角已滿足「義」的標準（賽五十三11；約十六10；約壹二1）。

第22-23、24-25、26-29節　石頭，日子，奉耶和華名來的　若我們能聽到那對唱

的聲音，我們會更加明白這幾節是可等的生動。聖殿的祭司稱主角為「石頭」，那同來的人便回應（22-23節）；祭司大聲宣告這「日子」，群眾便禱告盼望得享那日子的祝福（24-25節）；祭司向主角和群眾（26節，「你們」）祝福，群眾又回應；祭司邀請群眾參加筵席（27節）；主角（28節）與群眾（29節）一同敬拜。「石頭」是彌賽亞象徵之一（參賽二十八16；亞三9）。在馬太福音二十一章42至44節中，耶穌將第26節與以賽亞書八章14節連在一起（參彼前二6-8；羅九33）。這經文可能是一種諺語的說法，形容一個令眾人大跌眼鏡的事件：誰會想到作奴隸的會成為被神揀選的子民，甚至成為人類歷史和命運的關鍵民族？又或者這是描寫大衛後裔被列國打敗，後來得著神的幫助以至「復活」的一個片段？誰會料到這樣卑微的人反成為神計劃中極為重要的人物？但在耶穌身上這預言的成就是何等徹底！有誰是這樣的被教會和國家所棄絕鄙視？有誰受壓於全世界反對的聲音（徒四27）？還有誰真的被帶進死亡的灰塵之中而又得坐天上最高的寶座，超過一切的執政掌權的和所有名號？除了神自己還有誰呢（23節；賽五十三10；徒二23；腓二9-11）？

第24節「日子」：遇到極大的壓力，事事也不如意時向神禱告，對神有信心的日子（5-7節）；面對並戰勝世上各種勢力的日子（10-12節）；面對一個敵人（13節，「你」；約十二31）而可以唱歌、得勝的日子（13-14節）；當從死亡的威脅和神的懲治中活過來（17-18節），成為義人，得以進門與神同在的日子（19-21節）；當被棄的石頭成為房角頭塊石頭的日子（22節）。那是何等特別的一日！

第27節的希伯來文非常模糊。「牽到壇角」可能指「預備過節」，但無論如何，意思應是：「來吧！一同分享神拯救的成果筵席吧！」最後的逾越節和第一個聖餐就是如此。**第28節**這是耶穌在祂完全得勝、榮耀的人性裏說的。祂回到祂的父，即我們的父，祂的神，即我們的神那裏去（約二十17）——我們還能找到比第29節更佳的回應嗎？

第一一九篇　神話語中的金科玉律

這首堪稱字母詩（「離合體詩」，請參閱專文「詩歌書的研讀」）是擁有最高藝術典範的詩篇，其主題與其技巧可謂互相爭輝。我們不知道它的寫作時期，所以，當它提到主的「話」，或祂的「命令」、「訓詞」和「應許」時，我們便不能講出它原意是包含多少已寫成的資料。今日，我們能擁有整本成文的聖經，得以誦讀這篇詩，可說是我們的榮幸；昔日，詩人讚頌神的話是神百姓生命的中心——無論這些話是透過哪種途徑臨到，以及用甚麼形式存在。詩人的職事可說是他的榮幸。我們的神是一位會說話的神，造成祂的百姓與世上其他民族與別不同的原因，正是他們擁有祂啟示的話語。

這篇詩用了9個主要的字詞來指「神的話」（在全詩176節經文中，幾乎每一節都有提到「神的話」）。這9個字詞可以分成5組：1.出自神口中的話。「話」（希伯來文是 dābār，9、16、17、25、28、42、43、49、57、65、74、81、89、101、105、107、114、130、139、147、160、161、169節）和「話/應許的話」（希伯來文是 'imrāh，11、38、41、50、58、67、76、82、103、116、123、133、140、148、154、158、162、170、172節），都是源於說話的動詞。這話是神親自說出的——不管是直接的，正如祂對亞伯拉罕說話（創十七1），抑或間接地向摩西及其他眾先知，或藉著他們說的話（例如出三5，十九9；摩一1、3）。

2.認定這話是表明神心思的兩個字詞：「典章」（和合本又譯作「判語」，希伯來是 mišpāt，7、13、20、30、39、43、52、62、75、84、91、102、106、108、120、132、137、149、156、160、164、175節）是出自一個動詞，意思是「作出審判」，判別甚麼是對，甚麼是錯；「法度」（希伯來文是 'ēdāh，2、14、22、24、31、36、46、59、79、88；希伯來文的另一個字是 'ēdut，95、99、111、119、125、129、138、144、152、157、167、168節）則是來自「作見證」的動詞：神用祂的話為自己、為祂的屬性和祂的真理「作見證」。

3.神話語的長存價值，則是用「律例」一詞來表達（希伯來文是 hōq，5、8、12、16、23、26、33、48、54、64、68、71、80、83、112、117、118、124、135、145、155、171節）。它是源於「銘刻」的動詞，指

到某些永遠「刻在石上」的東西。

4.這話的權威和背後的愛，都揉合在「律法」一詞中（希伯來文torāh，1、18、29、34、44、51、53、55、61、70、72、77、85、92、97、109、113、126、136、142、150、153、163、165、174節）。雖然這個字在運用時帶有施加權威的含意，但它最根本的意思是「教導」，特別是指（箴三1）一位審慎的父親給予愛兒的教誨。

5.最後，神的話是讓人應用在實際生活中。它是「命令」（希伯來文是miswāh，6、10、19、21、32、35、47、48、60、66、73、86、96、98、115、127、131、143、151、166、172、176節）。「命令」是單純表示「遵行吩咐」，它在實際應用上有別於另一個字「訓詞」（希伯來文是piqqud，4、15、27、40、45、56、63、69、78、87、93、94、100、104、110、128、134、141、159、168、173節），它是指把神的話應用在生活的細節上，而「道」這個字詞（希伯來文是derek，3、15、37節），用今天的字眼，則可解作「生活方式」。

貫串這些字詞的，是一些慣常強調的主題，例如：喜愛神的話（16、30、54、70、127、140、159、167節），決意遵守（17、34、40、100、106、129節），遇到困難時，堅定持守神的話（51、61、83、87、95、109、110、143、157、161節）。重視神的話是求神施慈悲（77節）和拯救（153節）的基礎；神就如祂的話語一般美善（41、59、65、76、116、154、170節）。全篇詩是一個取之不盡的寶庫。整篇詩實質上是一篇禱告詩，因為它由始至終都是以主作為訴說的對象，同時，它是出自一個充滿軟弱和失敗的人發乎真心的傾吐，無論我們有多大的雄心壯志，決心在思想和生活上以遵從主的話為最首要的事，但至終我們仍是「如亡羊走迷了路」，需要那位大牧人的看顧（176節）。

雖然偶有3句為一組（48、176節），但整體來說，全篇詩都是順序以一個希伯來字母開始，每組以8句寫成。然而，正如希伯來詩歌的慣常寫作方法，形式只是次要的，思想才是最主要，每組字母的段落都是一句經過細心推敲而寫成的句子。

第1-8節　第一個字母"Aleph"：最重要的「但願」　全篇詩每一個段落的典型開頭，都是斷言遵從神的話就是生命的鑰匙。出現在第5節的重要呼求，正是本段落的中心要點。那些恆常貫徹和全心全意去遵行神話語的人，會得雙倍的祝「福」（1-3節）——因為那是神的話，而神的心意是要我懇懃遵守（4節）。但願我能做到（5節）——因只有如此，才不會產生羞愧（6節），反而能發出稱頌（7節）。在神的幫助下，我必遵從（8節）。第1-4節是客觀的事實。神感到滿意，是人得福的條件（1-2節）；一個人的生命，對主的「律法」完全知（「一心尋求」）行（「遵行」）合一，才算是「完全」人；「不作」是指「定意不做」。「你」（4節）是帶有強調的語氣，是表示「你親自」。第5-8節則是主觀的：個人的心願、期望和決心。「堅定」是「立場堅定」。「羞愧」是發現人生一敗塗地。「你的律例」（8節）是加強語氣，與第4節的「你」互相呼應。

第9-16節　第二個字母"Beth"：藏在心中　第一組字母表達了心願（5節），但實踐的具體途徑，則是專心渴慕神的話和主自己（10、12節）。當中以一個「少年人」作為例子，他的生命經常出現各種的壓力，要破壞他的純潔。一個人能否保持生命的純潔，就在乎意志是憑甚麼引導（10節），心中想著甚麼和腦中記著甚麼（11節），口中藏著甚麼話語（13節），甚麼事情令他快樂（14、16節），以及他思想的內容（15、16節）。一個人的生命是有諸內而形於外（「行為」），他的內心要專心尋求神的話，稱頌主和留心祂的教訓（12節）。第9節「用甚麼」是一個實際的問題。問的是一個有關行為的問題（9節），但答案卻是針對內心（10-16節）。第10節內「心」刻意「尋求」神的引導，並向神提出明確的祈求。第11節把神的「話」藏在「心」裏，正是對付「罪」的靈丹妙藥。第13節這節經文開始時是人張開自己的「嘴唇」，卻是以神的「口」來作結：一個人無論是對自己發出的內在言語，或是對別人所講的話，口中都必須充滿神所講的言語。第15節直到目前為止，主要的動詞都一直反映了「決心達到的理想」（「我定意去尋求……去藏……去傳揚……去喜悅」）。如今則以禱告來表達出類似的思想：「啊，容讓我去默想……去看重」。我們的委身必項沉浸在禱告中。第16節最後一個在平靜中所下的決定，是有關

適當地運用情緒和記憶力（16節）。

第17-24節　第三個字母"Gimel"：倚靠主的人　這裏的經文是一對一對地連在一起的：17至18節（神用行動來幫助人遵守祂的話）是與21至22節（神用行動來責罰不遵從的人和賞賜遵從的人）互相配對的；19至20節（詩人自言是在地上作寄居的）則是與23至24節（詩人成為被斥責的對象）配成一對的。我們的熱切不能自動使我們獲得聖潔的生活（9節）；同樣地，這段 Gimel 的詩句亦指出，周遭的環境也不會輕易放過我們。此乃一個寄居之地（19節）；社會中還有許多人偏離主的話（21節）；我們會遭遇到個人——甚至是出自政府的攻擊。

我們如何在地上活出神的生命？首先（17-18節），是求神施行祂的作為。「用厚恩」即「充足的供應」。「開」：在詩人所禱求的「充足供應」中，特別明確提出其中一項：明白神話語中一切奇妙的能力。第二（19-20節），就是認清客觀的現實和保持正確的優先次序。「作寄居」：雖然這種作客旅的人生會遇到種種困難，但我們所要尋求的，不是地上的安舒、物質的富足，甚或是歸家的盼望，反而是一心追求認識神的話語。第三（21-22節），等同於前述的反面：尋求神供應（17-20節）的同時，人要遵從神的話來避免惹怒神。第四（23-24節），無論要付上甚麼代價（甚至受到具影響力的人所非議），仍然讓主的話掌管思想、情緒，亦聽從主的實際指引來釐定人生的方向。

第25-32節　第四個字母"Daleth"：遭遇困苦之際，正是懇切禱告之時　上面描述客旅寄居異地，確是真實境況的寫照。屈辱（25節）、困倦（28節）、引誘（29節）、失望（31節），都是人生的真實面貌。有些事情使我們心灰力竭（25節，「我的性命幾乎歸於塵土」），人生的連番波折令我們感到吃不消（28節，「我的心因愁苦而消化」）。然而，更重要的，是遭遇困苦之際，正是懇切禱告之時。

這8節經文包含了7個禱告。祈求復興（「救活」，25節）、在認識神的話語上有進步（26-27節）、所需的力量（28節）、恩典，求神向不配得的人開恩（29節），和希望有一個好結果（31節）。困苦之際，亦是作出特別委身之時，要集中思想祂奇妙的話語（27節），

要揀選和專心尋求祂的真理（30節），要以順服的態度來面對困苦（31節，「我持守你的法度」），要盡自己的努力（32節，「我就往你命令的道上直奔」）。不過，困苦的時刻亦是安靜的時間，因為神永遠忠於自己的說話（25下、28下、29下，更好的翻譯是「照你的律法」）。

第33-40節　第五個字母"He"：內裏更新，心無二意　倚靠神的心在接著的8節經文中繼續提出了9項請求。然而，這裏提出可能會妨礙人直奔主道（32節）的威脅，並非來自敵對的環境（Gimel），或人生的困境（Daleth），而是那顆任性的心——雖然願意遵從（34節），卻很容易為了滿足私慾而偏離（36節），趨向那些吸引眼目的東西（37節）。因此，內心本身也有一股張力：忠心可能被悖逆所取代。疏解的途徑就只有禱告：惟有主能夠指教我們「遵守」（33節），使我們心無雜念（34節），引導我們尋求真正的喜樂（35節），保守我們不追求無價值的東西（36-37節），救我們遠離「羞辱」（39節），和使生命的泉源湧流不息（40節）。這段落可分為3部分：33至35節，完全委身，一心遵行神的話；36至37節，內心偏離的危險，內心的掙扎；38至40節，神的信實看顧和供應。

第41-48節　第六個字母"Waw"：穩步向前　這組經文中的每一節都是用「然後」（and）作為開始（和合本全部略去）。這不單是一種寫作技巧，讓"Waw"這個字母可派上用場（它作為一個前綴詞時，便解作「然後」），它同時更是這段落的重點：有些事情是依次發生的。前幾段所處理的問題，包括過聖潔生活的困難（Beth），在一個寄居的世界裏的困難（Gimel），充滿壓力（Daleth），和內心的掙扎（He）。有一點比其他一切更重要的，就是主應許祂的「慈愛」和「救恩」不斷絕（41節）——祂的「愛」體察我們，顧念我們，補足我們，而且永不變遷，而在我們每當需要的時候，祂都會立時賜下「救恩」。因此，連接41節的「然後」，其重要性就彷彿是說「然後這當然也是一樣」。隨之而來的就是「有關救恩的事情」（42-48節）。**第42-43節**同樣以言語的見證作為主題：凡認識主的慈愛和救恩的人，都會述說它。祂的話甚至能回答別人帶有敵意的質詢（42節），然而（43節），我們必須在神的許可下運用祂

的話，因此，我們必須隨時敏感於自己是否倚靠神的真理。**第44-46節**「我要」本身帶有「我承諾我要」的味道。見證需要有遵從神話語的生命來拱托（44節），那是一種因著遵從而展示真正自由的生命（45節）。憑著此基礎，即使在「君王」面前作見證，也毋須尷尬或害怕會蒙羞（46節）。**第47-48節**「愛」慕神的話語是這兩節經文的連接點，因為口之願意述說神的話（42、43節），和人之願意身體力行地活出神的話（44-46節），必然是出於一顆愛神話語的心。

第49-56節 第七個字母"Zayin"：守住主的話 許多事情會促使我們產生一個反應：「為何我們仍然心裏憂悶？」──它們包括患難（50節），遭人侮慢（51節），或眼見所有人都似乎漠不關心（53節）。在這些時候，詩人仍然將他的生命專注在主的話語上，深知神的應許會帶來復興（50節，「救活」），遭遇困逼的時刻正是要堅定持守主教訓的時候（51節），祂的「典章」能帶來安慰（52節），在面對人生的黑暗境況時，更要決心遵守（55節），和恆常守住（56節，「守」的直譯是「保持完好無損」）神所交付的話語。**第49-50節**這是給人盼望和安慰的話語。那「應許的話」是出自主的口，因此，它能給人帶來「盼望」，也能使人重新得力（50節，「救活」）。**第51-52節**即使面對譏誚者，仍抓緊神的話：以矢志不移的堅定立場來面對恣無忌憚的壓逼，結果是反得「安慰」。**第53-54節**這是哀傷的話和成為詩歌的話。世人各自持有不同的標準，這世界只是一個寄居的地方（54節，「在世寄居」，參看19節）。凡此種種壓力，並沒有使他變成與世人同一個模樣，反而使他奮力反抗，加倍珍惜神話語的喜樂。**第55-56節**要守住神的話。上一段（Waw）可能給人一個印象，就是生命是無盡的勝利，而這一段（Zayin）則嘗試作出平衡：人必須以堅定的決心，經常抓緊神的話，才能守住神話語所帶來的「自由」（45節）、勇氣（46節）和喜悅（47-48節）。

第57-64節 第八個字母"Heth"：井然有序的人生 這段的開始和結尾都提到「耶和華」，祂是我們的福分，祂那信實的慈愛亦充滿我們一生。我們該如何回應這位萬有的主（57-60節），我們的生活又該如何反映出與這位慈愛遍滿大地之主的關係（61-64

節）？我們就像利未支派（書十三14、33，十八7），他們單單仰賴主的供給。我們的回應可分為4方面：遵守誓言（57節）；一心尋求祂的恩惠和我們不配得的恩典（58節）；認真反省，作自我的更新（59節）；和迅速遵從（60節）。總括而言，我們要謹守祂的話，信靠祂的應許，並依從祂的法度。在外面我們有敵人要面對（61節），有活動要安排（62節），有朋友可交往（63節），因為無論在任何境況中──不管是含敵意的，是個人的，抑或是群體性的──祂那無窮盡的慈愛都無所不在。因此，任何情況都可以用來取悅祂──在患難中緊守祂的話語；妥善安排每天的生活，預留時間享受神的話語（62節）；與那些遵行神話語的人作伴（63節）。

第65-72節 第九個字母"Teth"：肆業於主的門下 在上一段（Heth），我們要因著主的本質而重整自己的生命；到了這段，重點則轉移到主要重新校正我們人生的方向。我們在苦難中學習（67、70節），主是我們的老師，而我們的畢業獎狀就是祂珍貴的話語。**第65-67節**苦難帶來出人意表的好處。主一直照祂的話善待祂的僕人（65節）；僕人因此要求學習更多（66節），對主的命令充滿信心，縱使他要受教於苦難的門下。**第68-70節**一顆堅定和喜樂的心靈會帶來好處。我們來吧！不管所遇到的是甚麼，因為主本為善，祂所行的也只有善。我們因此已作好準備，要受教於祂，一心信靠祂的話語，全力抗拒「謊言」（參56節），並且藉著喜愛祂的律法，培養自己的心有真正判別是非的能力（70節）。**第71-72節**在苦難中學習所帶來的益處。我們在苦難中學到祂的律例（亦即是祂話語的目的，是要求我們遵守），同時，還認識到祂的「律例」是何等寶貴（亦即是，祂話語的目的，是要作我們的訓誨）。留意這段突出了「美善」的觀念：主所做的事情（65節）、主的屬性（68節）和祂藉著苦難所賜給我們的東西（71-72節）。

第73-80節 第十個字母"Yodh"：使苦難成為見證 詩人本身在苦難中獲益良多（根據上一段"Teth"所講的），但如今，我們看見他期望透過自己在苦難中的生活見證，使所得的好處能同時感動其他人。從人而來的痛苦根源再次出現（78節；參69節），但他祈求自己能忍受他們的敵視，以致那些「敬

畏你的人」能藉著他那堅定的盼望（74節），和藉著與他相交（79節），而經歷喜樂。這段的開始、中間和結尾，都是祈求個人的好處；然後進而為別人和美好的榜樣能產生積極的影響力祈禱；此外，它還將兩個施加苦難的源頭——信實的主和敵對的人——平衡起來。**第73節**「建立我」：意思就是：「你把我造成現在的我，又把我放置在這個特定的時空中」。「製造我」牽涉主模塑我們性格的一切力量。人生的壓力正是造陶的匠人那雙無形的「手」。**「悟性」**：詩人祈求得到的並非教導，而是「判別能力」——能夠明辨真理之核心的能力。這段主要集中在內心對神話語的欣賞：判別和學習（73節），對將來有信心（74節），知識（75節），安慰（76節），喜愛（77節），默想（78節），和無愧的心（80節，「心……完全」），亦即是說，一個人內心的每一種功能都是完完全全地緊扣在神的話語上。這是他在面對苦難（75節），和遭受無理傷害時（78節）所發出的禱告、目標和委身！

第81-88節　第十一個字母"Kaph"：忍耐的極限　苦難仍然持續。詩人的敵人依然不變（85節；參69、78節），苦難無理地臨到（86節；參69、78節），而他已經到了忍耐的極限。**第81-84節**表達了逼切的懇求，求主改變現狀；**第85-88節**求主幫助和復興（88節，「救活」）。整段都是一個禱告，詩人用了不同的話在主面前發出懇求，向主道明人生的實況和需要：這是我們要學習的基本功課，就是當我們到了忍耐的極限，還有一個稱為「禱告」的地方可容納我們。許多時候，禱告在苦難中總是首當其衝地第一個應聲倒地，然而，它事實上是苦難中最可靠的治療方法。苦難通常是漫長的——暈倒（81節，和合本沒有譯出此字）、「失明」（82節）、「幾時」（84節）——但到了忍耐的極限，還有一處名叫「盼望」（81-82節），和一處叫做「順服」的地方（83、87節）。苦難帶來極大的痛苦。它可以是來自我們的敵人，可以是完全無理的，但我們必須憑著遵守神的律法（88節），來對抗他們的不守律法（85節）。神那信實可靠的話，始終是我們現今生活的準則（83、87、88節）和我們將來的盼望（81-82節）。

第89-96節　第十二個字母"Lamedh"：

神的話語永無窮盡　在希伯來文中，「永遠」（89節）亦可譯作「永不」（93節），這兩個意思便將這段分成兩部分：主的話和謹守主的話都同樣是「直到永遠」。詩人的思想從天上的話（89節），轉移到個人享受的神的話（92節），然後由個人喜愛神的話（93節），再轉移到神「寬廣」的話（96節）。「你的話」（89節）顯示它是出於主的屬性和旨意——是固定在天上的。但主在地上也是一樣（90節）。祂的「誠實」和貫徹始終延續至世世代代（「萬物」）的人類，讓世人所住的「地」獲得一種穩定性。事實上，正是因著祂這種長久不變的本質，祂今天仍與昔日一樣，而在祂的絕對主權安排下，「萬物」——無論是好的還是壞的——都要遵行祂的旨意（91節）。在個人的層面也是一樣。永存的話語將耐力賜給喜愛它的人。這自然會帶來委身，因為那使人免於滅絕的話，同樣會帶來復興（93節，「救活」）。這種對主的話的委身，便成為屬主的人的標記（94節）。即使在仍舊面對別人敵意攻擊的期間（95節，參69、78、85節），還可以在揣摩主的「法度」中熬過（「法度」是指有關祂本質和要求的話語）。這是人生的態度，因為「在一切有限的事物中，我們看見其限制，但你的命令卻意味著真正的自由」（96節；參45節）。

第97-104節　第十三個字母"Mem"：甘甜的話語　這段的主要內容是包含在兩句感歎的說話中：97節，「我何等愛慕」是喜愛神話語的主觀感覺；103節，「何等甘美」是神話語令人愉悅的客觀事實。104節是一個概括性的總結。我們從經中知道（97-100節），那令人愉悅的話語能增進智慧：因為一個「愛慕」神話語的人，會長時間默想神的話；他所得著的智慧，會超越一切的威嚇（98節），也勝過人間的智慧（99節）和傳統（100節）。此外，令人愉悅的話能引導人生的方向（101-103節）：它教導人要逃避甚麼，和要做甚麼。那是主親自的教導，它的本質就是甘甜。總括而言（104節），這是達致思想通達（能「明白」、領悟和分辨真理）、可靠情緒（「恨」）和正確人生（「道」）的途徑。請留意其次序：恆久持續的默想（97-99節）變成了遵從（100節），神話語的能力改變了我們的生活。因著承認神話語的權威（102節），便使人自覺要遵守（101節），更逐

漸發現它的甘甜（103節）。

第105-112節 第十四個字母"Nun"：切合實際的話 出現在前幾段的無情現實，在這裏只是含糊地稱之為「受苦」（107節）和「惡人」的網羅（110節）。這是論及神話語的經文的背景。神話語的目的，是讓人在一個真實的世界裏，在真實的生活中得以應用。正如其他段落一樣，這段亦有一個清楚界定的架構：

A¹（105-106節）指引人生的話，嚴肅的回應：光和起誓。

B¹（107-108節）在人生的困苦中，主手握祂的話，這話使人復興，這話教導人。

B²（109-110節）在人生的困苦中，主的話在人的手中，人要牢記和遵從。

A²（111-112節）一個喜樂的回應，指引人生的話：產業和方向。

第105節「燈……光」：也許，燈是用來照明面前一步，而光則可以照明前面整條路。**第106節「起誓」**：定意委身的觀念很強烈地在這一段表達出來。109、110節所用的動詞均表達了決心：「我定意不忘記……不偏離。」我們千萬不要期望自己能偶然間變得專心尋求神的話！**第107節「救活」**即重新開始。**第108節「口中的讚美」**是出於自願的奉獻，發乎內心的敬拜。**第109-110節**將人生道途上必然遇到的危險，與因著別人敵意攻擊而遭遇的危險並列出來。因此，這裏包含了每一種可能出現的危險：滿佈陷阱的人生路途都是在神話語之下和之中得著保守。**第111-112節**喜樂的心必須與「受引導的心」（112節，直譯是「我已經調控/引導我的心去遵行你的律例」）連接起來。喜樂而沒有遵從只是輕浮的表現；遵從而沒有喜樂則會淪為枯乾乾的道德主義。

第113-120節 第十五個字母"Samekh"：專一不妥協 詩人與那些心懷二意、犯罪、偏離正路和作惡的人對立。導致這種分歧的可見因素是所愛的話語（113、119節）、所遵守的話語（115節；參56節）、「藏身之處」和「仰望」的依據（114節），以及看重的事情（117節，直譯是「我要/願我能把目光定睛在……」）。然而，內裏實質的分別是在於主：因為仰望主的話就是藏身在主裏（114

節）；主的話就是「我神的命令」（115節）；敬畏主的話與敬畏主自己是分不開的（120節）。

反之，沒有立場和作惡的人在拒絕主的話時，也遭到主的拒絕（118節）：他們與話對立，就是與主對立。本段(Samekh)便藉此將上一段(Nun)強調委身的主題再加以發揮。這種委身並非可有可無或可談判條件的，而是與主同住的必需元素。這段的結構非常清晰地表達出它的信息：

A¹（113-114節）愛和庇蔭

B¹（115節）清楚的決裂

C¹（116節）祈求主的扶持

C²（117節）祈求主的扶持

B²（118節）神的棄絕

A²（119-120節）愛和懼怕

因此，這段是談及一個人的內心（113節）、盼望（114節）和行為（115節）；按照應許生命得著扶持（116節），得著拯救（117節）；以及一個有判斷準則的神：棄絕的原因（118節）；不同的反應：愛（119節）和真正的敬畏（120節）。

第121-128節 第十六個字母"Ayin"：應付危難時的方案 主的僕人明白到，儘管他決意要在世上作光，那些欺壓人的驕傲人會愈來愈佔上風——他還能抵抗多久（123節）？神的真理被人廢棄，而「底線」是只要神有行動就夠了（126節）。「行動」（126節，和合本譯作「降罰」）跟「行」（121）是同一個動詞，彷彿是要表示：「我的一切努力都失敗了，你來接管吧！」因此，126節是121至125節所築起的高潮，但它亦成為兩節祈求（124-125節）和兩節表示擁護（127-128節）的經文之間的一個轉捩點。表示「我已無能為力」（121-123節）和「你必須行動」（126節）絕非是選擇放棄那麼簡單。主的僕人從為自己的平安發出禱告這個正常祈求，轉變為祈求認識和領悟神的真理（125節）。此外，堅稱神需要行動的要求，本身亦帶有一個後果（127節上，「所以」）：愛主的話如我們最重要的財寶（127節），接納它是正確無誤的（128節上，直譯是「你在每一件事上的訓令」），和恨惡一切假道（128節下）。我們在這篇詩篇裏是否認識到主會在甚麼情況下賜下復興？答案就是禱告、認識和喜愛祂的真理，並恨惡假道。

第129-136節　第十七個字母"Pe"：兩倍燈絲的光　在上一段（Ayin），疲乏的雙眼只能看見一片黑暗。如今，一道面向光明的門打開，主話語的光出現（130節），然後，在本段完結之前，更變成了主的光（135節）。然而，情況依然不變：他一方面深深欣賞主話語的奇妙（129節），另一方面卻為到主的話語遭人藐視而深感哀傷（136節）。在這兩點之間的內容包括：

A¹（130節）主話語的光

　B¹（131-132節）神的憐憫，滿足對主話語的切慕

　B²（133-134節）神的救贖，帶來自由

A²（135節）主的臉光

第129節「奇妙」一詞的意義與「超自然」近似。「謹守」：護衛、保藏、保持完好無損（參56節）。對於獨一無二的東西，我們要小心看守。**第130節**「解開」：直譯是「門，打開」。意思可能是當話語像門一樣打開，主的光就照進來。這是主話語擁有超自然本質的一部分。「愚人」：一個人若孤單一人，便會缺乏指引的原則。**第131-132節**渴慕主的話和愛主是相輔相成。惟有藉著「憐憫」（神賜恩給不配得的人），飢餓的靈魂才得到主話語的餵養。**第133節**「轄制」：若然受轄制，遵守主話語的自由便被限制或剝奪。**第134節**「救」：救贖，付上贖價，帶有無論任何代價都願意付上的意思。

第137-144節　第十八個字母"Tsadhe"：公義的主，公義的話　怎麼當主的話發出亮光，主就有臉光（130、135節）？這一段的答案是：因為主一直永恆不變和天衣無縫地藉著他的話語將自己顯明和啟示出來：他是「公義」的（137節），而他的話也是「公義」的（144節）；他的「法度」（138節）是憑公義命定，而（142節）他的「公義永遠長存」。兩者的配合簡直是天衣無縫。**第137-138節**主的話語顯明了主自己。「判語」：是表明他想法的判決；「法度」：是他「作見證」，顯明他自己的內容；「命定」：顯明他的旨意。因此，「公義」的他頒佈「公義」的命令。他和他的話語是渾然為一的。**第139-140節**主的話迷住了主的僕人。當他面對敵人時，他首先關心的是主話語的威望；當他面對那「極其精煉」的話語時，他便滿心喜愛。**第141-142節**這話語佔據了他的心

思。較之於能夠清楚記得主的話語，地位（「微小」）和名譽（「被人藐視」）都變得無關重要。永恆公義的主已經發出他的言語，而他的話本身就是真理。還有甚麼個人的考慮比這更重要？**第143-144節**這話語帶來生命。「患難愁苦」的遭遇（143節）會剝奪人生的快樂，但主的話語卻能將不同性質的喜樂帶給人。結果，得著「悟性」便成為禱告的目標，因為這種識透的能力可以帶領人進入真正的人生。

第145-152節　第十九個字母"Qoph"：同在的感覺　這段可分為兩半，分別回應了雅各書四章8節上：「你們親近神」（145-148節），和8節下「神就必親近你們」（149-152節）。145和146節是以「我……呼籲」這幾個字連接起來；第147至148節的原文則用同一個動詞開始：「我……呼求……我將眼睜開……」，祈禱和默想聖經便整整用了24小時。在第149節，禱告不單只停留在人祈求的層面，更是要靠著主的慈愛；150至151節則對比了兩種「臨近」，152節用永存的話之真理來作整段的完結。**第145-148節**親近主：1. 禱告與遵從是不可分割的。人若沒有認真的道德委身，祈求只是一種滿足自我的手段；2. 禱告與自我否定是不能分割的：並非我們表達得愈逼切，禱告就愈有效，真誠的禱告必須包含願意犧牲自己的利益；3. 禱告與神的話是不可分割的。若沒有他的話，我們便不知道我們可以願望甚麼或祈求甚麼。**第149-152節**主臨近：愈接近人生禍患的威嚇，主就愈近。「相近」是「近親」的意思。主曾起誓要成為我們的至親，他在我們最無助的時候，便一力承擔我們的需要。因此，他的相近是與他不變的「慈愛」一脈相連──誓言忠於所愛；而我們相信他是我們至親的把握，是建基在於他那證明自己本質和行事原則的「法度」上。此外，由於主和他的話語是互相等同（參"Pe"、"Tsadhe"），他的話語就是他使人生命更新的媒介（149節，「救活」）。

第153-160節　第二十個字母"Resh"：3件可靠的事　不忘記主話語的詩人是可靠的（153節）；主是可靠的（154、156、159節）；不改變的話是可靠的（160節）。然而，人卻並非一定可靠。人生充滿了「苦難」，惡人和背信的人（「奸惡人」）不斷出

現。人的生命需要藉著主的愛、應許和判決作不斷的更新。再三祈求復興便成了這段的核心要旨。

第153-154節 (A¹) 看顧我的需要，為我辨屈：詩人遭到無理的指控。「**搭救**」（類似151節的「相近」）是屬於近親的詞彙：那位「搭救者」認同祂那位遇上麻煩的親戚，為他償還一切債項，承擔他一切需要。即使置身在這個苦惱的境況，詩人仍然忠於主的話。**第155節** (B¹)「**惡人**」：那些遠離神話語的人，不能期望從神那裡獲得拯救。**第156-157節** (C) 慈悲很大，敵人很多。「慈悲」是主豐盛的愛。「大」跟「多」是同一個字。祂的慈愛迅速臨到我們，並足夠應付所有威嚇。**第158節** (B²) 奸惡的人：他們是絕不可靠的人，他們完全不遵守主的話。**第159-160節** (A²) 看看我的愛：從那些不理會主話語的人身上得到教訓（158節），他們不能期望自己獲得拯救（155節），詩人一再肯定自己喜愛主的話語，和確認主的話語是永恆的真理。

第161-168節　第二十一個字母"Sin"和"Shin"：寶貴的話語，不變的生命　如果我們依照第一個字母"Sin"和"Shin"的編排，這段可分為3個部分：161至163節、164至166節和167至168節。它們分別談論到不變的心（它所畏懼的，它所珍貴的，它所喜愛的）、不變的生命（充滿讚美；不被絆倒；願意順服），和不變的遵行者（因著喜愛而遵守，為了討神喜悅而遵行）。每一部分都出現了「愛」：不變的心保守自己要愛主的教訓（163節），也令自己恨惡虛假；不變的生命因著愛主的教訓（165節）而享受「平安」（完整的感覺；與神和與人和好，內心平安；圓滿的人生）；不變的遵行者是因著喜愛主的法度（167節），而產生遵從的決心。人若定意堅守原則——在壓力之下，乃保持愛慕主的心——必會得著豐盛的平安；但它亦會面對道德上的衝突，因為要保持不變將無可避免地要面對很多衝擊。抉擇是在於喜愛甚麼和恨惡甚麼；直至主親自行動之前，這戰爭需要以忍耐去堅持。然而，惟有遵從才是愛的標記，我們亦只有藉著遵從才得著主的喜悅（168節）。

第169-176節　第二十二個字母"Taw"：走迷卻遵從　**第169-170節**　這裏以「你面前」來連接上一節，兩個祈禱均是求主垂聽，和求主按照祂的話語，在他的內在賜「悟性」和外在（「搭救」）作出行動。**第171-172節** 當中提到的「嘴」和「舌頭」將兩節連接起來，兩節均是因為主的回應，得著話語的教訓和認識到它的內容而發出禱告。**第173-174節** 祈求和切望神的行動，祈求的基礎是已經對主的話語作出應有的回應（「揀選……喜愛」）。**第175-176節** 焦點放在個人的需要上，自覺體衰氣弱和有走迷的傾向。回復生命力和重新振作的祕訣，是在於緊守和不忘記主的話。

這4節經文（169-172節，可以用「主啊！請聽！」作為標題）的重點，是放在詩人所發出的聲音，而禱告和讚美的主題則環繞著神已經發出的話語，詩人已領受這話語作為教訓和命令。最後4節經文（173-176節，可以用「主啊！請作出行動！」作為標題），則是見證的聲音（「我揀選……：切慕……走迷……不忘記」），是出自意志、情感、生命本身和專注於神話語的思想/記憶。這4節經文中的每一組都是以「命令」（172、176節）作結。作為一段總結的段落，真是合適不過！

第一二〇至一三六篇　朝聖者的讚美詩

也許這是在整卷詩篇中最可愛的一組詩歌。第一二〇至一三四篇被稱為「上行之詩」，編者沒有給予這名稱任何解釋，我們也不能完全掌握簡中的意思。「上行」原文亦作「梯級/臺階」（出二十26；王上十19；參王下二十9；摩九6）；或作從巴比倫「上來的行程；甚至是思想的浮現（結十一5）。「臺階」一詞在猶太人的傳統裏，引發他們想象利未人的詩班在希律時代的聖殿中，一邊唱歌一邊拾級而上，由女院直往以色列院，然而這傳統説法卻沒有聲稱這詩班僅僅或主要頌唱這些詩歌。在尼希米記三章15節和十二章17節中出現的「臺階」，令人推想這些詩歌是在節日中巡行往聖殿的人所唱的，這種理解更為合理。錫安——耶路撒冷——聖殿的主題也支持這解釋。

有人擴大這解釋，把這組詩篇與從巴比倫被擄歸回的路程拉上關係。若單單以以斯拉記中有一次使用這字詞，便認為這是從巴比倫歸回故土的專有名詞，就太欠説服力

了。但這理論與被擄歸回的意境的確頗為吻合；這組詩篇某些枝節，也很配合被擄歸回的題材。

這組詩篇可能是結集成所謂「朝聖者的讚美詩」——一本特別為結伴同行的朝聖者，在每年往錫安的朝聖節日中歌唱所用的詩歌集（出二十三17；參撒上一3；路二41）。這組詩篇當然適用於這些場合。每首詩篇也當然有其本身的出處，而且在編入「上行之詩」選集前已被人應用。但現在已很難追查根源，即使做得到，用途也不大。朝聖者的讚美詩是經過很巧妙的編纂，而每一篇詩篇在今天處境下的意思才是最重要的。

「上行之詩」以5組詩篇組成，每組各有3篇詩篇，另外加上一三五篇及一三六篇。頭4組（一二〇至一三一篇）有以下的特點：每組的第一首詩篇描寫痛苦的處境；每組的第二首則強調神的能力，祂保守/釋放/建立/給予希望；而每組的第三首則以安全保障為主題：在錫安（一二二，一二五，一二八篇）；在神裏面（一三一篇）。朝向錫安的方向感與作為朝聖者之讚美詩的性質非常吻合。整套詩集以朝聖者定睛於目標為重點。第一三二至一三四篇是到達時的詩篇——在錫安的方舟，在錫安的團契、在錫安的祝福。朝聖者從一個敵視（一二〇篇）、黑暗（「基達」，一二〇5，意思是「黑」）的世界起程，最終進入一個迥然不同的「夜間」（一三四篇），擁有神殿的保障和神的祝福。

第一二〇至一二二篇　第一組三部曲：當困難來到時

不同道的人（一二〇篇）與危機四伏的處境（一二一篇）威脅著朝聖者，但在耶路撒冷的城垣內可找到平安（一二二篇)。

第一二〇篇　眾敵圍繞下的禱告

第1節的詞組次序是：「我在急難中求告耶和華，他就應允我。」這是此詩篇給我們的圖畫：在困難中禱告，在神的保護下站穩。沒有理由相信第3和4節是對著敵人說的。正如箴言二十章22節和羅馬書十二章19節所教導的，要將苦難帶到神面前，而且心裏確信將來要發生的事：由「勇士」射出的「利箭」（4節）必能射中目標：惡人自有惡報；在利箭背後有「炭火」，就是恨惡罪的神帶著報應的公義。但這一切交神定奪和處置的途中，詩人仍要住在沒有平安的世界裏（5-7節）。「米設」位於偏遠的北方（創十2），「基達」（耶二10）在以攔亞拉伯曠野，兩地距離太遠，詩人無可能住在這兩處地方。這裏隱喻詩人離家鄉很遠，住在危險的世界中。即使在這世界裏，詩人願與人和睦（因他本性是如此：7節直譯「我是和睦」；參一〇九4），他也想與人分享，但世界始終兇險。

第一二一篇　不知危險，只知保障

很多不同的境況，也會促使人發出有關保障的問題。然而，今次的背景卻是朝聖者憂慮地凝望著那些提供庇護的山嶺；又或者渴望地凝望著遙遠的錫安山：我何時才可離開這些險境，來到目的地的山（一二五2）呢？但（2節），「耶和華」是「造天地的」：在祂創造的世界中，所有的危機和路程也是由祂掌管的。接著，此詩篇6次提到「保護」（「蔭庇」原文也是同一個字）。詩人不知道面前是甚麼危險，但卻肯定他有保障。**第3-4節**神決不會讓自己所救贖的（出六6）兒子「以色列」（出四22）在回家時失掉的！**第5-6節**在各種真實的威脅（「太陽」）或想像的威脅（「月亮」），神也會與你同行（「在你右邊」）。**第7-8節**神永遠（「從今時直到永遠」）處理「一切的災害」，保障個人安全（「你的性命」），並伴隨著的個人和大小事務（「你出你入」）。創造主同時是救贖者及同行者。

第一二二篇　城中的家庭

試想象朝聖者抵達耶路撒冷城的第一個晚上：（2節直譯）「我們的腳真的站在你門內了！」在家的美妙相對於遠方之地（一二〇5）；與「弟兄」結伴相對於受敵人狙擊（一二〇2、7）。到了耶路撒冷（2節），看到耶城（3節）和它的憲制（4-5節），詩人也滿足了。這就自然產生為神子民、他們的相交和聖城自身的保障禱告。以賽亞書二十六章1至4節教導我們，即使生命受到威脅，我們因著信，已經住在「堅固的城」中（來十二22；參弗二6）。因此，古代的朝聖者，雖然仍身處危險的路途上，但看自己的腳步早已踏足於耶路撒冷的街道上，因而放聲高歌。耶城的合一是最重要的（3-5節）：城的外形是「連絡整齊」的。不同的「支派」也是「耶和華」的，他們順服

（「常例」），以讚美為目的，得以享受神的自我啟示（「名」）。他們在一個由神設立王的地方，所有問題都獲公正解決（5節，「審判」）。他們要禱告，因為他們的耶路撒冷屬於這個世界；我們的耶路撒冷卻跟他們的不同（來十一10）。然而，神要我們喜樂、合一和禱告的呼召是不變的。

第一二三至一二五篇　第二組三部曲：當用盡所有辦法時

人的蔑視（一二三篇）與敵意（一二四篇）反映了神的子民完全依靠神；信靠神的，要像錫安山那樣堅固（一二五篇）。一二○篇的主題是懇求神對付敵人：一二三篇則求神照料軟弱的；一二一篇論到環境上的危險：一二四篇則描寫來自人的暴力；在一二二篇中，錫安象徵平安：在一二五篇，錫安象徵力量。

第一二三篇　天上的主

地上的教會被「藐視」（3節），被「譏誚」，又被「驕傲人」和「安逸人」（4節）圍繞。當我們熬不下去時，我們可以怎樣呢（3節）？眼睛象徵渴望、需要並期盼；仰望神便說出祂坐在高天，有無限的供應並有主宰世界的權柄。「僕人」仰望地上的主人不確實的供應。我們卻仰望「耶和華」，祂啟示自己的名字。並且，當我們在埃及為奴時，祂為我們行了奇事。但三重的「憐憫」（對沒有功勞的人所發的恩典，2-3節）是不會失誤的。只是我們要堅決仰望祂，告訴祂我們的需要，等候祂在所定的時間中為我們成就（「直到」，2節）。

第一二四篇　主在我旁

4幅表達危險的圖畫把這題目說得很清楚：地震（3節下；民十六30）及洪水（4節上）是最嚴峻的威脅，要從這些威脅中獲救，談何容易——但神卻做得到！食肉猛獸（6節）和「捕鳥人」（7節）乃是來自動物界和人類的威脅。我們不單只未受損害，就連那威脅本身也要遭毀壞（7節下）。只有神——完全、至高並掌管全世界的神——能夠成就這事；這位神就是那曾應允祂的子民，永遠站在子民那邊的「耶和華」（1-2節）。

第一二五篇　在四圍安營的主

這是一幅相

信神的群體，藉著信心而找到保障的圖畫（1、2節）；這個受威脅的群體，靜心等候神來除去邪惡勢力（3節）；在這群體中，有好人與壞人（4-5節）。**第1-2節**　信心使我們成為不動搖的錫安；「眾山」的環繞就是神的環繞的象徵。**第3節**這信心包括了相信神的全球性管治和護理。暴虐或不完美的政權的長短，是按著神子民的忍耐力而調教的。這種情況不會過於神子民所能忍受的地步，不會使他被迫「作惡」，違反神的誡命（羅十三1）。**第4-5節**在信心受到周遭環境的考驗時，我們會禱告——禱告並不是為針對惡人（5節）神自會處理他們——反而是為真心跟隨神的人（4節），即神的以色列（5節），也即是認信團體中的個別真正子民。

第一二六至一二八篇　第三個三部曲：當面對失敗的威脅

主的百姓仍然活在世上，「流淚」（一二六5）是正常生活的一部分。但一二七篇卻展示了圖畫的另一面：神使人在勞碌的生活中得以安歇（1-2節），而一二六篇結尾的流淚，亦變成一二七篇5節的快樂圖畫（「有福」）。一二八篇彌漫著一片歡樂（1節「有福」，2節「享福」），是神賜予和保證的（4-5節）。因此，主題與頭兩篇「回到錫安」有微妙的差別。事實上，在某種意義上，這3篇組合由錫安開始（一二六篇），亦以該處為終結。但它在開始的時候，是渴求得著福氣，因為收割尚未來臨，但到結束的時候，福氣已經臨到。換言之，這是一次心靈，而非雙腳的朝聖之旅：渴求更大的福氣，超過我們如今已享受得到的（一二六篇）；渴求更大的平安，超過我們如今已經歷得到的（一二七篇）。

第一二六篇　經歷的張力

在以斯拉記一至六章最初出現的狂喜，以及在生活無情的打擊下逐漸減退的熱情，都在這篇詩中充分地表明出來。事實永遠都是一樣：無論我們想到出埃及、從巴比倫歸回，甚或是基督的救贖工作——救贖的工作雖已成就，人卻仍然有待拯救！喜樂似成過去，現在只有眼淚。除非主如今就像昔日一樣，作出徹底和戲劇性的拯救行動！所以，我們祈求「南地的河水」（4節）突然迅速泛濫，改變乾旱的河

道，使裂開的土地變成花園！可是，在神的護理下，隨著祂大能的作為（1-3節），取而代之的是一片豐收的景象（5-6節）。只有經過辛勞的播種，等到穀物成熟收割，才會出現「喜樂之歌」（和合本：「歡呼」）。這就是我們在神對萬事的完美計劃中的福分（參腓一9-11；雅五7、8；啟十四14-16）。

第一二七篇　在勞碌中安歇　一二六篇是否道出了人生的全部？歡笑已成過去，歌聲則屬於將來，現在有的就只有眼淚！一二七篇涵蓋了人類活動的3個範圍和潛在的憂慮——房屋、城（1節）和家庭（3-5節）——並且斷言，若沒有主，我們所做的也是枉然。1至2節似乎是表示：「放手！把一切都交給神吧！」，然後去享受悠閒的生活。然而，按照聖經的觀點，安歇的相反詞並非工作，而是不安；所以，加上3至5節便是為了糾正這種錯誤的思想。為人父母、懷孕和生產是神造人時所命定的旨意。然而，聖經卻同時強調，生育或不生育卻非任憑人意來決定，乃是出於神的主權（創二十九31，三十2）。兒女並非我們努力的成果，而是神賜予的禮物（3節）。建造房屋和看守城池也是同樣道理（1-2節）。人必須在盡情享受人生的快樂之餘，盡力履行本身的責任，與此同時卻毫無憂慮地倚靠那位在背後成就萬事的神。快樂地工作、勞碌地工作——卻無憂無慮地安歇（2節下）。

第一二八篇　超越失敗　這裏的「有福」（1節）揉合了「在神的賜福下」和「得著個人的滿足/快樂」這兩個觀念。這篇詩保證人在兩方面的生活中可獲得這種經驗：1.個人當前的（2-4節）：工作順利，享受婚姻和家庭的快樂；2.團體未來的（5-6節）：一生一世的、群體性和家族性的。獲得這一切的祕訣全在乎個人：**第1節**的「凡」是單數，指「每一個人」；**第4節**的「人」，也是指到個人。**第1節**有「敬畏」主的心，和遵行祂的「道」而「行」的生活方式。**第2節**「吃」所描述的不單是一幅物質豐富的圖畫，更是瀰漫著一片祥和、平安的氣氛（參耶三十一5）。**第3節**「葡萄樹」：在婚姻的關係裏，是象徵彼此的吸引和性愛的快樂（參歌七8）。「**葡萄樹……橄欖栽子**」：兩者在一起

象徵了神豐富的賜福（參申八8）。詩篇一二六篇呼求神的賜福；一二七篇強調福氣並非來自勞碌，而是因著信靠；一二八篇成全了一二六篇的願望，並且印證了一二七篇的立場：「有福（1節）……享福（2節）……蒙福（4節）……賜福（5節）」——原文是兩個不同的字，每個重複兩次來表示肯定。

第一二九至一三一篇　第四個三部曲：當面對罪的威脅

第四個組合完全不像前面的3個，在這個組合中，只有第一首詩提到錫安（一二九5）。這個組合與第三個組合最明顯的近似之處，是它們中間的那篇詩篇：一二一和一二四篇主要是細說外在環境和人為的壓逼，而一二九和一三〇篇則強調分別是由於憂慮和罪而產生的內在、個人壓力。這一個組合的詩篇同樣是刻劃內心的朝聖之旅。在一二九篇，詩人感謝公義的主，因為以色列得著拯救（1-4節），而不敬虔的敵人大可交由神處置（5-8節）；然而（一三〇篇），這樣一位公義的神，豈不是同樣對以色列構成威脅？因為沒有一個罪人能在祂面前站立（一三〇3）。但祂亦是一位赦罪（4節）、慈愛和救贖（7節）的神。因此，在一三一篇，詩人可以在主裏得著內心的平安和盼望。

第一二九篇　公義　過往的事實（1-4節）教導詩人如何面對目前和將來的問題（5-8節）。這篇詩幾乎可以把它的寫作日期定在以色列歷史中任何一個充滿禍患的時期。可是，雖然曾經歷多方面的威脅（1節，「屢次苦害我」，參一二三3的「已到極處」），但歷史的教訓卻很淺顯：即使最猛烈的攻擊（3節），也不能佔盡上風，因為「耶和華是公義的」（4節），亦即是說，主曾向祂的百姓啟示自己（出三15，六6），表明祂是他們的救贖者，會征服他們的仇敵，而祂絕對不會離開此準則。敵人施諸的枷鎖，主會親自砍斷（4節）。而這並非虛構歷史！那使以色列人為奴的埃及王國，如今在哪裏呢？——還有非利士、亞述或巴比倫呢？5至8節的動詞一方面亦可以作為禱告，另一方面可以成為預言。如果是禱告，這是關乎如何面對生活；如果是預言，則是關乎如何面對將來。那「恨惡錫安」的，將會轉瞬即逝（6節），功敗垂成

（7節），別人會對之視如陌路，甚至不能擠身在蒙福的群體之中（8節，參得二4）。

第一三〇篇　赦免　公義是這組3部曲的獨特主題。誠然，假如公義的神站在祂百姓那邊，攻擊他們的仇敵便絕不能得逞（一二九篇）；但是，神若來到祂百姓中間，與他們站在同一陣線，祂公義的同在豈不也會同時暴露和定他們的罪？這篇詩的鑰字清楚表明了本身的意思：本詩從來自隔離和疏遠的「深處」發出呼「求」，求神施予「憐憫」（和合本並無翻譯此詞），就是人不配得的恩典（1-2節）。然後，它繼而作出肯定：「與你在一起（亦即分不開的同伴）的是赦免，是真正的赦免！」（3-4節直譯）。接著是等候（5-6節）。這個「等候」的動詞確實是帶有懷著信心期待的含義，然而，等候的重點始終是表示我們已無能為力：赦免是出於神主權的決定和行動。到了第7至8節，詩人從關注個人轉移到向全國的呼籲：他們都有盼望（「仰望」）——是確切、肯定和充滿信心的盼望；因為主還有另外兩種不可分割的屬性：「慈愛」和「豐盛的救恩」——神已有豐富的資源和充足的準備去付出任何贖價，為了「救贖」我們脫離「一切的罪孽」（8節）。

第一三一篇　平靜　在一三〇篇，詩人基於主的屬性來勸勉人當「仰望」，而在一三一篇3節，詩人則是基於本身的真實體驗而有感而發。他已取了卑微的位置（1節）；他的內心也平靜安穩——像一個已過了只有本能需要和煩躁嬰兒期的孩子，現在只要靠在母親的懷中便已滿足。究竟詩人有過甚麼人生體驗，使他能放下自滿的驕傲，變成謙卑和平靜，以致能寫出這篇優美的詩篇？我們不得而知，不過，最後它發出「當仰望耶和華」的呼籲，這使它與一三〇篇相連起來，使它成為一個罪人得蒙赦免的見證：因著神的憐憫而謙卑下來，因為與天上的神和好而得著內心的平安。

第一三二至一三四篇　第五個三部曲：當目標已達成

這3篇詩全都以錫安為中心。朝聖的旅程已成過去；現已安抵目的地。不過，這3篇詩之間亦有不同的轉變過程：由城和君王是出於神揀選和建立的客觀事實（一三二篇），變成在主的大家庭中享受主所命定的美好相交（一三三篇），再變成真正站立在主的面前（一三四篇）。這是朝聖旅程的總站：主與我們同在（一三二篇），教會享受美好的團契（一三三篇），主的僕人在聖所中（一三四篇）。

第一三二篇　主在錫安：祂的揀選　這篇結構優美的詩篇是默想撒母耳記下七章的作品。根據那裏的記載，大衛原本計劃為主建造殿宇，卻發現主竟然反過來建議大衛為自己建立家室，因此，大衛在此所起的誓言（2-5節），便與主的誓言（10-11節）互相對稱。兩者之間都有相同的模式：祈求（1、10節）、陳述（2、11節）、說話（出於大衛，3-5節；出於主，11-12節）、進一步的陳述（6、13節）和最後的說話（勸勉，7-9節；應許，14-18節）。由此，人的計劃和願望（1-9節），便與神的計劃和肯定（10-18節）相互平衡及配合。大衛在起誓之後（1-5節），會盡力去實踐所承諾的（6-9節）；而主在起誓之後（10-12節），亦定意去成就所起的誓（13-18節）。我們可以想像，在被擄之前的眾民，在其中一個週年的節期中，為到大衛熱心建造聖所，以及主承諾依祂的旨意成就此事而歡欣歌唱。

　　第1節「苦難」：將約櫃運到錫安的過程，並非沒有經過失望和苦難（撒下六5-9），而且還要作出準備、付出代價和承擔損失（撒下六12-23）。這個字詞亦帶有「羞辱／深深的羞辱」的含義，可以指大衛不獲許親自建殿（撒下七5、13；王上五3；代上二十二8，二十八3）。第2節這些誓言完全沒有記在歷史當中。這篇詩可能是用作補充的資料，或借助詩篇的體裁來特別刻劃大衛，描寫他為著尊榮神，而計劃建都於錫安和興建聖殿的一片熱誠。「大能者」（創四十九24；賽四十九26，六十16；參賽一24）強調「能力」。第3-5節將私生活和個人的安舒看為次要，放在最首要的事情之後。「帳幕」：一個舒適／寬敞的居所，亦出現在7節。第6節「以法他」的意思不詳，但它總是與伯利恆相提並論的（創三十五16；得四11；瑪五2）。「基列耶琳」是約櫃被搶之後送回，暫時存放的地方（撒上七1-2）。第7節「居所……

腳凳」：會幕（聖殿）的重要性，是在乎它乃神居住在祂百姓中間的居所（出二十九43及其後；王上八10-11、13、27）。在會幕（放置約櫃的地方），尤其是施恩座（或蔽罪座；出二十五17-22；利十六13-14），正是聖潔的神碰觸大地的地方。

第8節「興起」（民十35）。「你有能力的」（書三11；撒上五章）。**第9節**「披上」：參16節，象徵屬性、能力、承諾，亦即是使他們的稱義。「聖民」：神以不變的愛去愛他們，他們也以愛去回應神。**第10-18節**全詩4次直接提到「大衛」的名字（1、10、11、17節），並有7次是暗指到他。主過往一直為錫安和大衛家系所行的一切事，都是出於祂原初所起的誓（11節），和神對其應許的信實不變。祂在誓言中明確表明揀選錫安（13節；來十二22）；主住在祂的城中（14節；結四十八35；啟二十一2-3）；祂賜福氣——包括物質上（15節）和屬靈上（16節）；以及最終的目標就是彌賽亞的來臨和祂的得勝（17-18節）。

第一三三篇　錫安之家：神的賜福　這篇詩開始時描述一個客觀的情景，進而提出一個雙重的比較（2、3節，「這好比……又好比」），最後以一個肯定的祝福作結（3節下）。**第1節**強調了合一：「和睦」、「同居」！這是「善」（客觀的）和「美」（主觀的）。但還有更重要的：它促使在天上的主以無比慷慨的豐盛來作出回應，就是主把祂的百姓分別為聖，使他們成為祭司（參出二十九7，三十25；利八12），成就了對他們所宣示的旨意（出十九6）。此外，消除分裂（王上十二19），以及使以色列（北國）的主要山脈「黑門」山，與猶大（南國）的「錫安山」一同獲得神所賜予的甘霖（出十六13、14；賽二十六19；何十四5），本身已是神蹟。因此，「在那裏」（加強語氣，表示第1節是對的），「有主所命定的福，就是永遠的生命」。

第一三四篇　在錫安敬拜：與神相交　朝聖的旅程在「基達」開始（一二○5）；以主的聖所作為終站；朝聖者在那裏「稱頌耶和華」（2節），而主亦賜福他們（3節）。當祂賜福我們的時候，祂會重新檢視我們的需要，並滿足我們；當我們稱頌祂的時候，我們會重新思想祂的偉大，並敬拜祂。當朝聖者最終抵達朝聖的目的地，雙腳不僅站在耶路撒冷，更是站在主的聖所，那將會是何等的喜樂！當「數之不盡的人群，從地之涯，海之角湧進天國的珍珠之門」——而大祭司親自呼召他們要「稱頌耶和華」（1-2節），和宣佈主賜福他們時（3節），那將會是何等的喜樂。**第1節**「站」：被接納和安穩。「夜間」：可能是指到祭司和利未人在晚上在聖所當值，或是指朝聖者盡忠地守夜，又或是（最合理的解釋）在逾越節的晚上守夜（出十二42）——「在以馬內利的地上，願榮耀歸予神的羔羊」。

第一三五、一三六篇　神揀選的民　這兩篇詩篇與一二○至一三四篇一同被納入「朝聖稱頌詩」之中，是非常適合的。對剛剛到達目的地的朝聖者來說，還有甚麼比得上一首追溯從埃及到迦南地——最偉大和最開創先河的朝聖之旅——的腳蹤的詩歌？一三五篇為到神揀選所帶來的各樣好處而歡喜快樂（一三五4）。一三六篇則採用大致相同的素材，追述主相同屬性和能力，以及主本著祂那永恆的屬性——「他的慈愛永遠長存」——而賜給祂百姓相同的好處。

第一三五篇　以色列蒙揀選對百姓的意義
這篇詩篇的結構如下：
A¹（1-4節）讚美揀選的神
　B¹（5-7節）偉大的主，握有創造的主權（7方面的偉大）
　　C（8-14）主的作為；
　　C¹（8-9節）拯救
　　C²（10-12節）賞賜
　　C³（13-14節）伸冤
　B²（15-18節）無生命和帶來死亡的偶像（偶像的7方面）
A²（19-21節）讚美同住的神
　　第1-4節這裏題到的「站」（即事奉）的「僕人」和「善……美好」等形容詞，是用在主的身上，與一三三章1節和一三四章2節互相連接。詩人不斷呼籲人去讚美，以及7次提及神的名，是因著神揀選了「雅各……以色列」「歸自己」（出十九5；申七6，十四2，二十六18；瑪三17）。其含義亦可參看歷代志上

二十九章3節的世俗例子。

第5-7節群體性的讚美只有在每一分子都積極投入時才真正有價值。朝聖者一同敬拜，但個人的認信仍是必要的：「就我而言，我確實知道……」（直譯）。異教散播諸神充滿全宇宙的思想，尤其是「在海中」和「在……深處」（6節）。詩篇的熱門命題是：只有一位真神，祂是獨一的創造者，萬物毫無例外地按祂旨意而行（6節），祂甚至掌管氣候的每種變化（7節）。詩人提到「萬神」，並非因為它們是客觀地存在，而是因為它們吸引了眾多受迷惑的人熱心敬拜（賽四十四6-20；參九十五3的註釋）。

第8-14節這裏涵蓋了整段出埃及的時期：由離開埃及那一刻開始（8節），到在摩西帶領下的最終勝利（11節；民二十一21及其後；申二20及其後，三1及其後），然後在約書亞帶領下得地為業（12節），甚至由於主不會改變（13節），能以面對未可知的將來，祂將會一直以行動和在感情上與他們同在。「伸冤」表示「為祂的百姓申辯理由」，「後悔」即「感到難過」。

第15-18節（參一一五4-8。）留意這段被「引用」的資料如何經過細心編排，新的背景下發揮其重要的作用。正如上面的大綱指出，詩人將異常活躍的神（5-7節），對比人手所造、其「工作」就只有散佈死亡之腐朽的偶像（18節）。

第19-21節除了第21節尾的那個動詞是跟1至3節所用的一樣，應該譯為「讚美」之外，19至21節其餘的都該譯作「稱頌」（這正是和合本的翻譯；參一三四2-3的註釋）。至於哪些是屬於主的百姓，參看一一五篇9至11節，一一八篇2至4節。要「稱頌」主，特別是因為主「住在耶路撒冷」（21節）。主揀選祂的百姓，是為了使他們作自己的子民（4節），讓祂住在他們中間（參弗二18-22；林後六16）。

第一三六篇　以色列蒙揀選的根源乃在於主

最重要的事實不是主的身分（1-3節），或是祂創造的奇工（4-9節）與歷史（10-22節），甚至不是祂對以色列的顧念（23-25節），而是祂的本質──「他的慈愛永遠長存」。當詩人來到這個重點，並一再重申，有關神的一切便回復其重要性。祂的身分使人敬畏；祂的創造奇工使人驚歎；祂在歷史中彰顯的能力使人心歸順；祂的恩慈顧念使人充滿感恩。然而，當我們明白到，這一切偉大的表現，是源於主不變的愛，以致願意藉著憐憫和恩慈的供應來彰顯祂的能力，那麼，我們才感到主確實是配得人去讚美、稱頌和以愛去回應的。否則，這位美善、至高無上的造物者、歷史的主、賜福給古時人類的神，如果祂並沒有用同樣不變的愛來帶領我們進入祂溫暖的懷抱裏，並看顧我們，這樣的一位神又與我們有何相干呢？

因此，我們可以與舊約的眾先賢一同追溯我們從埃及到迦南那曠古鑠今朝聖之旅，並且與他們同聲歌唱：「因他的慈愛永遠長存」。任何力量都不足以抵擋祂（1-3節；羅八31-39；林前八5、6；弗一19-22）；我們得著平安，因為我們居住在祂主宰的世界裏（4-9節）；我們同樣經歷救贖（10-15節；約一29；林前五7；彼前一18-21），不論在任何境況，都享受到主的供應（16節；腓四12-13、19），藉著祂的得勝，進入我們的產業（17-22節；西一12-14），為到祂甘願紆尊降貴地揀選我們而充滿讚歎（23-24節；林前一26-31），同時，吃我們每天的飲食，心存感激地仰望那雙餵養我們的手（25節），「因他的慈愛永遠長存」。

第一三七篇　主那與別不同的歌

由於1至3節的時態最自然的理解是過去時態，而這3節都有「在那裏」（和合本1、2節略去此字詞），因此，詩人此刻應該正是回想往事發生的情景。他是被擄歸回的一分子，此詩是憶述他昔日的被擄。

第1-4節　未唱出的歌　對滿懷哀傷的被擄者來說，記憶是痛苦的（參7節），喜樂已成為過去（2節），因為擄掠的人要他們唱歌和作樂（3節）。但主的歌是用來陳說真理和用以敬拜，而非音樂會的一個節目。而且，這正是應該哭泣的時間。人生並無永無止境的喜樂。此外，邀請他們去唱歌的背後動機其實是想他們落地生根──你們如今是巴比倫人了！但他們不能忘記，也不願歸附。他們是在「外邦」（4節）。

第5-6節　家是心所屬的地方　如今，事情變得個人化。每一個人都要抉擇本身所屬的國籍，然後按此決定而生活──在思想

上（「忘記……記念」），在行為上（「手」）和在心靈上（「喜樂」）。他住在巴比倫，家卻在耶路撒冷（腓三20）。

第7-9節　主那與別不同的歌　然而，他們會唱一首歌，而且，當他們離開那絲毫無損的巴比倫，回到一片頹垣敗瓦的耶路撒冷時，他們還會再唱它。1.將以東人留給主（7節），直譯是「記念以東人」（參一三二1：「記念大衛」），這是一個向法官申訴的法定語句。當耶路撒冷飽受摧毀的時候（俄10-14節），以東人故意參與破壞和幸災樂禍。詩人並沒有提出任何具體要求；亦沒有構思或策劃任何報復行動。一切都交在作為審判者的神面前。2.8至9節，巴比倫亦面對公正的裁決，同時。從聖經的啟示看，巴比倫「將要被滅」（耶五十一56有3個動詞與8-9節的相同）。出現在第8和9節的「有福」，必須按照上文下理來理解：它在大部分情況應解作「有福的/神所賜福的」（三十二1）；它亦經常被用來表示「快樂/個人的滿足」（一1）；有時，從它的基本含意「正直」引伸出來，它可以解釋為「公義/行義」（箴十四21；詩一〇六3）。

詩人並沒有求神如何對付巴比倫，卻指出（有誰能夠反駁他？），當巴比倫照他所待耶路撒冷的方式同樣遭報，那就是公義。那位全地的審判者（創十八25）將會成就此事（羅二5-6）。**第8節**這節認為巴比倫照它所待耶路撒冷的行為遭報就是公義（「你待我們的」）。他們看見的毀滅，便是證明這世界是由一位聖潔的神憑公義掌管的證據；公義審判將會是巴比倫所得的分。**第9節**這節記錄了巴比倫人殘酷的「公義」（參王下八12；賽十三16節），他們所做的，將會照樣報應在他們身上。詩人是否表示他想這樣成就呢？不，他只是把一定發生的事講出來。這是我們在神所管治的世界的運作方式。

第一三八篇　新的視野、新的眼睛

這是以一次獨立事件，便使我們看見整幅全新景象的一個例子；我們重新認識主的屬性（1-3節）、世界的將來（4-6節）和個人的安全感（7-8節）。至於事件本身，我們只知道那是一次禱告蒙應允的經驗，以致讓大衛獲得新的活力，使他要在所謂的「諸神」面前，唱歌讚美主。他感到他此刻對神有全

新的認識（2節）。他知道任何「患難」或「仇敵」（7節）都不能擊倒他，或妨礙他去明白主的旨意（8節，「關乎我的事」）。

也許，那是指到發生在撒母耳記下五章17至21節的事。當時大衛作王不久，即遭到非利士人挑釁攻擊，大衛求問主之後，第一次交鋒便報捷，而非利人的「諸神」都成為砲灰。不過，這也是一次因禱告蒙應允的簡單體驗。禱告是主以全新的層面啟示祂自己的地方（2節），是一個人更新自我（3節）、更新其世界觀（4節）和信靠神（7-8節）的地方。

第2節「聖殿」：在撒母耳記上一章9節是指在示羅的會幕。在大衛的時代，會幕是放在基遍（代下一3），不過，這裏所指的可能是天上的聖殿（參十八6）。**第4-6節「都要」**是肯定的語氣。「言語」是要表明主的「榮耀」，特別是指到主降卑，與「低微的人」認同。這個真理透過主應允禱告，開啟了大衛從全新的角度認識主的名，讓他的內心得著改變。他深信真理會勝過世界，而他靠著真理便能充滿信心地面對將來。

第一三九篇　不逃避、不遺憾、不妥協

這篇詩篇肯定會教人認識主的無所不知（1-6節）、無所不在（7-12節）、創造大能（13-18節）和聖潔（19-24節），然而，這種抽象的認知卻絕非它的核心信息。因為對於詩人來說，神的無所不知，是指到祂完全知透我；神的無所不在，是指到無論我到哪裏，祂都與我同在；神的創造大能，是指到祂擁有我全人的絕對主權；而神的聖潔，是指到神的心意是要我像祂。這篇詩篇的作者，並非一個想盡辦法要躲避神的人，或是一個要遠離祂視線的罪人，而是一個知道自己無法逃避，卻對這真理毫不感到遺憾的人。

全篇詩篇非常完整，13節的「因為」（和合本沒有翻譯此字詞）使13至18節成為1至6節和7至12節的解釋，而第1節和23節採用相同的字詞，將全詩結合起來。這表示詩人與出現在19至24節的惡人之間的張力，必然是引發此篇詩的背景。某些道德爭議，嚴重惡行（19節）和蠻橫行為（20-21節），使大衛不單只要選擇本身的立場（19-24節），還要重新在神裏尋求祂的蔭庇和安全感（1-18節）。詩中出現亞蘭文的痕跡和後期文字的其

他線索，暗示它的寫作日期是晚於大衛的時代。但是，這些線索不足以成為支持較晚寫作日期的理據。它的神學並沒有反映特定的日期，而說它出於大衛的心聲和體驗也最適合不過。

第1-6節　神是無所不知的：由內心的思想到外顯的行為　在這幾節經文中，隨處都可以找到「知道」的動詞。**第1節**的一般性陳述，適用於人的外顯行為和內心思想（2節），生活的每個舉動和生活方式（3節，「所行的」），以及沒有表達出來的思想（4節）。人的生活完完全全在神的範圍之內——「前後」和「在……上」（5節，「你……按手在我身上」）——這幅景象顯示了完全的保護和安慰，約十27-30）。

第7-12節　神是自有永有的：由永恆至此時此刻　「靈」是神動感的同在；「面」是祂親自的同在。「**往哪裏……往哪裏……？**」暗示主是無處不在，這點會在8至12節繼續探討：永恆的層面，上面和下面（8節，「陰間」）；空間的層面（9-10節）——「倘若我能夠去到遠至東邊的盡頭，與晨光一同騰雲昇起，跨越全地，然後繼續西往超越海洋的極限……」；時間的層面（11-12節）：11節提出了一個可能性，就是在黑暗中尋找深沉的「遮蔽」（這個動詞的含義在解釋上出現困難），以致「亮光」變成「黑夜」。可是，甚至這樣的黑暗也不會對主構成任何問題（直譯：「對你來說，過於黑暗」），反之（12節），黑暗卻「如白晝發亮」；事實上，「黑暗和光明，在你看來都是一樣」，同時，我們不可能失去那隻引導和扶持的「手」。

第13-18節　神是萬物的創造者：由受孕至復活　主怎麼能夠深知我和環繞我？因為從受孕和懷孕，直至有生之年，繼而進到在永恆中的「復甦」，祂都是我的創造者和擁有者。**第13節**「**造**」：這個動詞表示「獲得一分產業」——例如：購買（創二十五10；出十五16）；而套用在主和創造物的關係上，則是指「享受受造物為產業」（創十四19、22）。「**肺腑**」：感情的部位，使人成為感性的生物。**第15節**「**形體**」：骨架，有身體的生物。**第16節**「**未成形的體質**」：胚胎。每一個胚胎都是人，是神所創造的產業，神已計劃他前面的一生，在天上已命定此生命要活在地上。**第17節**「**寶貴……何等**

眾多」，亦即是1至12節的整個思想範圍，尤其是人類被造的奇妙可畏（13-16節）。但並非只此而已：人還有永恆！「睡醒」，參十七篇15節。

第19-24節　神是聖潔的：由將來的審判至現今的見證　這幾節經文分為3對：**第19-20節**與主認同。由於祂將會按著祂設定的時間殺戮惡人，所以，我現在便要離開他們。**第21-22節**站在主那邊。他們恨祂；我恨他們。**第23-24節**討主的喜悅。神鑒察我，知道我的「心思」，引導我的「道路」，藉此消除罪惡和指示方向。若有人認為呼求神審判惡人是偏離了耶穌在路加福音二十三章24節的教訓，其實是忘記了耶穌在馬太福音七章23節，二十五章41節、46節上和啟示錄六章15節及甚後的教訓——聖經中有關神發怒的經文。也許，如果我們有1至18節的靈性，我們便能夠判斷19至24的道德。事實上，如果我們有詩人一樣的，道德熱情（21節）和毫無保留的委身（23-24節），我們便會發覺沒有其他更合適的措辭。倘若這幾節經文使我們感到震驚，問題多數是出於我們。假使我們像昔日的大衛那樣生活在威脅之下，我們就能對他的說話作出較合理的評價。不過，大衛比我們所受的苦深得多，而他亦比我們更加聖潔。站在神那邊，必須要完全認同祂所啟示的屬性和行事方式。

第一四〇至一四五篇　由禱告進至讚美

詩篇一四符至一四五篇形成一組相連起來的大衛詩篇。一四二篇所描述的，是大衛為了躲避掃羅而四處逃竄的悲慘經歷，除了一四五篇的偉大字母讚美詩外，本組其餘的詩篇（正如第十八篇）也可屬這個時期。一四〇至一四三篇都是禱告詩：遇到任何形式的苦難（參個別的標題）時的第一個反應，就是「將它帶到主的面前」。

第一四〇篇　中傷

這篇詩包含了兩個祈禱（1-5、8-11節），禱告之後都緊接著一個肯定（6-7、12-13節）。第一個禱告是祈求主的保護，第二個是祈求降災；第一個肯定是確信神會親自拯救和看顧，第二個則肯定神會在社會彰顯祂的公義。兩個禱告均特別提到傷害人的「強暴」（1、4、11節），和言語上的中傷（3、11

節）。此外，詩人同樣將一個人敵害另一個人，跟一群人敵害另一群人的思想混合起來。對大衛來說，在面對掃羅那種屬於病態的妒恨攻擊的連串日子中，這一切都是真實的。留意1至5節如何形容從思想刺激「舌頭」（3節），再由舌頭搧動雙「手」（4節）。根據聖經的典型看法，舌頭不單只會帶來傷害（「尖利」），而且還會致命（「蛇……虺蛇……毒氣」）。**第7節**「遮蔽」是屬於完成時態，代表這是一個固定的習慣。大衛轉為根據過往經驗所教導的而發出敬拜。**第8-11節**再次帶出有關「咒詛」人的問題。然而，罪有應得、自作自受乃啟示的真理（8、9、11節），火和水都是神用以審判惡人的典型方法（10節）。當大衛在禱告中將一切交給主——把一切放在祂的面前，在禱告中安息，不作任何報復的構想——他便用言語清楚表明，伸冤在神，祂必報應。**第12節**「困苦人……窮乏人」，是指到那些被周遭強橫的人壓榨和逼迫的人。

第一四一篇　挑釁

對比於一四○篇的惡意指控，這裏關注的是小心言語（3節），禱告的重要性（1、2節），以及當苦難過去，只留下「甘甜」（而非不平）的說話的事實（6節）。然而，這篇詩篇事實上是一篇持續性的禱文，是一個信主之人正確運用舌頭的好例子。

第1-4節　有效的禱告　大衛期望神悅納他的禱告，視它如每天的獻祭（出二十九38-42，三十8）。然而，一個人對神真心祈禱，他對人也要謹慎說話，這樣才互相吻合（3節；雅三10-12）。**第4節**我們的祈禱必須心口如一。「吃他們的美食」，意即試圖以妥協或歸附惡人來化解所面對的壓力。「吃他們的美食」可能是照字面解釋，即與他們一起共膳、相交，或比諭作「喜歡那些他們所喜歡的事」。

第5-6節　持續的祈禱　在1至4節，詩人默然接受不信神者的敵擋。他那顆謙卑和堅定的心，進一步開放去接納那些原先以為會體諒，實際上卻施加責備的人。第5節是一個對比，表面看來，那些「義人」似乎是因為詩人的逆來順受而責備他，他們可能力勸詩人作出回應或還擊。但詩人拒絕這樣作：只有「當他們的審判官被扔在巖下，他們才

聽見我說的甘甜的話」（6節直譯）。在此之前，詩人會單單禱告。當代的苦難包括腐敗的司法人員（參撒上八1-3）。審判官被處決的時候（參代下二十五12），就代表逼害的結束。在那天，他的沉默會完結，但開聲講的並非是洋洋得意或報復的說話，而是「甘甜」的說話。

第7-10節　投靠的祈禱　大衛跟那些與他一同受苦的同伴瀕臨崩潰的邊緣，就正如已死和被埋葬（7節），「然而」（新國際譯本，8節），還有1.盼望（「眼目仰望」），2.掌權的主（「主耶和華」），3.避難所（「投靠」），祈求得著生命（「不……孤苦」）、平安（9節），惡人應有此報地傾覆，和安然渡過苦難（10節）。

第一四二篇　孤單

有關這標題，可參看詩篇五十七篇。環顧自己被敵人圍困（一四○9），又被朋友誤解（一四一5），大衛慨歎人都離棄他（4節），然而卻發現神沒有離棄自己（5節）。這篇詩的3個段落（1-3上、3下-5、6-7節）都包含相同的主題：1.個人的痛苦：發昏，沒有朋友，山窮水盡；2.祈禱：描述自己的境況，肯定自己的信心，發出呼求；3.主：體諒，保護，供應，拯救。

第1-3節上一顆瀕臨崩潰的心靈，向充滿恩典的神發聲懇求。雖然主知道我們的需要（太六32），祂仍吩咐我們要祈求（太七7-8）。「我發聲……我發聲」亦即是陳明細節，把我們那顆發昏的心傳召到那位「知道」（顧念；參一6）我們的主面前。**第3下-5節**在面對危險和孤單的時候，向賜平安和豐足的神呼求。「福分」：養生的供應（書十八7；參十九9）。「在……地」：此時此地。**第6-7節**在完全無助的時候，向完全滿足我們需要的神呼求。「因為你是用厚恩待我」：直譯是「因你為我做了圓滿的工作」，擊退仇敵，解除捆鎖，幫人再發讚美和重建關係。

第一四三篇　結束

詩人在7至12節提出了11項懇求，把全篇詩推進高潮。需要越大，祈禱就越逼切。像一隻被追捕的野獸，詩人也同樣被追趕，被按在地上和被囚禁（3節；參一四二篇的標題），詩人此時也深感絕望（4節）。忍耐力盡

失；難道主已經棄絕他？難道真的走投無路？全詩的轉捩點是第7節的逼切懇求：

A¹　（1-2節）關係
　　B¹　（3-4節）危難
　　　　C¹　（5-6節）信靠
　　　　　　D　（7節）逼切
　　　　C²　（8節）信靠
　　B²　（9-10節）危難
A²　（11-12節）關係

　　第1-2節（關係）主的屬性；**第3-4節**（危難）人心靈的軟弱；**第5-6節**（信靠）主過往的工作；**第7節**（逼切）唯有主能；**第8節**（信靠）主今天的慈愛；**第9-10節**（危難）神的靈的引導；**第11-12節**（關係）主的屬性。

　　第2節在掃羅追殺大衛的整件事中，大衛雖然無辜，但由於不斷受壓逼，仍不免會想到：我是否得罪了主？並非一切苦難都與罪有關，但每當我們遭遇苦難的時候，都應該迅速自我省察，這是害怕得罪主的正確反應。**第5-6節**回憶的功效：我們若憶起自己的從前，往往只會帶來傷感，甚至會產生自憐；但回想主昔日的工作，卻會使我們發出信心的祈禱。「**渴想你**」：神子民默然無聲的需要，在神眼是頂重要的。**第7節**出路是在神裏面：大衛並非祈求要除去或消滅仇敵，而是只求主在恩典中仰臉看他。這就是他全部的需要——只要主望他一眼！**第8-10節**他渴望的是神本身，而非單單患難的完結。神的恩典可以使人有能力去順服。「你的靈本為善」（尼九20）。**第11-12節**這是詛咒式祈禱的例子：我們看見第11節後大可放心，知道我們可以作這種禱告；11節那些看似「溫和」的措辭，其實包含了12節的「嚴峻」要求，因為這是主處理不義誣告的方法（申十九16-19）。在某些情況（大衛的情況就是一例），要得拯救就不能不消滅某些人，祈求前者就等於祈求後者。

第一四四篇　曙光漸露

　　儘管一四四、一四五篇可以聯同一四六至一五〇篇，成為總結全部詩篇的一系列讚歌，但是，它們其實與一四〇至一四三篇有較大關連，一方面是因為它們的標題同樣是大衛的詩，另一方面是因為一四四篇與十八篇之間有特殊關係（例如：1節，十八34；2

節，十八2、47節；5節，十八9；6節，十八14節）。正如十八篇欣喜地標誌著掃羅逼迫的終結，一四四篇也同樣繼一四〇至一四三篇的深沉黑夜之後，展現出期待已久的曙光。

　　第1-4節　過往的救恩　最終得以作王的大衛（2節，「我的百姓」），將一切功勞歸給主，並驚歎主以何等的慈愛對待一個微不足道的人。「**磐石**」（1節）是不會改變的（申三十二4；撒下二十二47-49），是避難所（三十一2、3），是保存性命的（出十七6；九十五1）。「**教導**」（1節）：主不單只掌管戰爭的結果，祂還關心每個細節，甚至是手和指頭——每個士兵的功用和技能。爭戰是屬於祂的——卻不能沒有祂的百姓忠心作戰（申七1、2；弗六10及其後）。「**我慈愛的神**」：直譯是「我不變的愛」——神的屬性變成了祂的一個名稱。「**山寨……高臺……盾牌**」：山寨表示堅固的包圍保障，高臺是不可接近的安全保障，盾牌則是在備受攻擊的那一刻的保護。正面來說，惟獨神是救主（1-2節）；反面來說，人永遠不配得救恩，也永不能自救（3-4節）。

　　第5-11節　現在的拯救　十八章9至17節用了這個意象（5-6節）來形容主為拯救大衛脫離掃羅的手所做過的事情。如今是為到當前的險境發出祈求。敵人仍然存在，大衛仍需拯救。雖已起誓讚美，但只要危難一日未消除，便要繼續祈禱。過往所蒙的憐憫並沒有生出「全交給主」的陳腔濫調心態，產生的反而是「把它帶到主面前」的逼切感。「**使……下垂**」（5節，新國際譯本：「**分開**」）：如幕簾被分開，讓裏面的人出來（賽四十22）。「**降臨……冒煙**」（出十九18）。「**大水**」（7節）：象徵無法抵擋的威脅（一二四4）。「**外邦人**」（7節）：諸如大衛作王後所受的外敵威脅（撒下五17及其後，十1及其後）。「**右手**」（8節）是用來起誓的（一〇六26）。

　　第12-15節　將來的順境　還有甚麼比這篇詩更吻合大衛剛作王的境況？它既有剛獲得勝利的讚美（1-5節），又有繼續面對威脅的祈禱（6-11節），更有前瞻性的句子！當詩人為到家庭、經濟和國家祈求神賜福的時候（15節），他的聲調是充滿信心的。「**像樹栽子長大**」（12節）：有堅固的根基，強壯的身軀。「**殿角石**」（12節）：這個字詞結

合了力量、安穩和美麗的意象，同時，它們使本身所屬的「建築物」得以穩固：婦女、妻子和母親在一個井然有序的社會裏發揮她們的功用。**「馱著滿馱」**（14上），亦即是放滿收割穀物的手拉車。**第14節**既無需出去應戰，又無需發動侵略戰爭，因此便沒有為陣亡者所發出哀哭聲。「遇見這光景的百姓」，確實是「有福」的！

第一四五篇　神榮耀的字母詩

這是一篇字母離合詩。在希伯來文抄本裏，並沒有由字母"*nun (n)*"作開頭的那一行。一般都假定它是遺失了，對於新國際譯本引用其他資料把"*nun*"那一行加進去的做法（新國際譯本的19節下，參旁註，和合本並無作此修訂），大多數人都表示贊同。究竟是否需要這樣做，我們不能肯定，也不覺得明顯有此需要。要明白某些譯本為何要加上這句，比了解它何竟會失落容易得多。希伯來詩歌的顯著特性是形式為次，意思為主，我們至少要考慮本詩是否刻意略去這一個字母，藉此表示即使有神的啟示，人的思想仍然無法完全領悟神的榮耀。此詩的頭和尾（1-2、21節），都表達了詩人要頌揚主榮耀的決心。詩人在開始的時候，不停地發出個人的頌讚，但到了第21節，惟有「凡有血氣的」都一齊讚美，才足以稱頌這樣的一位神。詩的每個分段用開頭的幾個字詞，來呼應此頭尾的讚美：「耶和華本為大」（3-7節），「耶和華有恩惠」（8-16節），「耶和華……無不公義」（17-20節）。倘若在第13節加上"*nun*"那行，則會出現另一個新的分段：「耶和華是信實的」（13下-16節）。不過，按照原初的分段，主的屬性是互相交織的，因為神的屬性是絕對不會出現矛盾的：祂的偉大包括祂的美善和公義（3、7節）。祂的恩慈包含祂的偉大（8、11-13節），而祂的公義也包含祂的慈愛（17-19節）。

第3-7節神的偉大是無法測度、令人敬畏、美善和值得信賴的。留意詩人將一般人和他個人對主的屬性和作為之見證交織起來。祂的作為是充滿「大能」——即帶有能力；「奇妙」——具超自然的本質；和「可畏」——使看見的人產生敬畏。

第8-16節主的恩惠和慈悲被直接宣告出來（8-9節），藉著祂的善待百姓顯明出來；神的本質亦藉祂百姓的見證彰顯（10-16節）。祂一方面善待祂立約的百姓（8節；出三十四6-7），一方面又善待萬民（9節）。為此，「一切」——但特別是祂的「聖民」——都當稱頌祂（10節）。他們同樣是屬於見證的群體，要見證祂的「大能」（11節），祂作王統治之榮耀（12節），祂話語的信實（13節），祂扶持的恩典（14節），和祂的供應（15-16節）。**第9節**「慈悲」（參一〇三13）。**第10節「聖民」**：主起誓去愛的對象，他們也願意以愛去回應祂（約壹四19），也以同樣的愛去彼此相愛（約壹四11）。

第17-20節在主裏，公義與慈愛並行。祂一切所作的事情，本質上都是合符道德的（17節），而人亦必須具備道德的素質，才能得著祂神聖的飽足（18-20節）。祂雖然公義，卻與呼求祂的人「相近」。與此同時，公義的祂亦會檢視他們的真誠（18節）、他們的敬畏（19節）和他們的愛（20節）。祂的公義實質上是恩典的公義——慈愛、成就心願、拯救、保護，但同時亦是聖潔的公義。

第一四六至一五〇篇　無盡的哈利路亞

詩篇以「這人便為有福」（一1，根據希伯來文的句子結構）開始；而以5篇接續而重覆「你們要讚美耶和華」的詩作結。這幾篇詩的內容再沒有提到個人的需要，再沒有懇求，再沒有歷史的典故，一切都集中在神的身上，全是讚美。然而，讚美亦有漸進的層次。它以個人開始（一四六1），繼而包括群體（一四七1、12），再擴展至天與地（一四八1、7）。不過，若然全世界都要為到主對以色列的作為發出讚美（一四八13-14），那麼，他們亦需要為到一個民族委身於召命而齊聲讚美（一四九篇），直至凡有氣息的都讚美主（一五〇6）。

第一四六篇　個人的讚美

開頭的呼籲跟結尾的一樣是複數，但隨即便變為單數（2節）：主是配得全人（「心」）和一生稱頌的。**第3-4節**反面引證這真理：人所有信靠的對象——不論是顯赫的抑或是平凡的——都沒有實質的能力，也不持久或值得信賴。**第5-10節**但對比之下，我們有的不單是「神」，這位神更證明有能力去拯救人（「雅各的神」），藉著祂的自我啟示，使人認

識祂是救主（「耶和華」，出六6、7）和個人的主（「他神」）。祂是一位全能的神，且信實不變（6節）；在社會的層面，祂對人施予憐憫（7節），在個人的層面，祂伸張公義（8、9節），祂同情困逼人的苦況——祂總是給人隨時的幫助！祂確實配得稱頌！

第一四七篇　群體的讚美

全詩的段落以第1、7和12節作分段。每段都稱主為創造者：**第1-6節**留意祂對宇宙的細緻認識，並與之呼應的，是祂對百姓當中每個有需要的人所表現之關心，以及在祂每個行動的背後，都有道德的判斷。**第7-11節**指出祂給予大地眾生的豐富供應，至於對人方面，祂是按照道德的原則行事，期望人能敬畏祂和仰望祂。**第12-20節**指出祂的話是掌管造物秩序的，也是祂的百姓獨特的標記。

第2節說明祂是如何令人增加喜悅：祂關心百姓整體的安危和處境，也關心個人外在和內心的需要（3節）。「**被趕散的人**」：不一定是指到被擄至巴比倫的人，而是任何被拆散的情況，意思甚至可能廣泛至「被騷擾」。**第4節**（參賽四十26）。按照舊約的觀念，創造者不僅創造萬物，更同時是維持、管理和引導萬物達致它指定的目標的神。而且，**第5節**萬物的秩序顯示了祂的權能和知識。**第6節**「**謙卑人**」：處於人生低谷的人。**第8-9節**創造者還負責氣候轉變、萬物生長和供應食物的過程。這些並非自動化或按照本身意志運作的過程，而是神在造物的秩序中積極活動的結果。

第10-11節「**力**」：是特別指到武力和軍力。「**馬**」和「**腿**」可能是暗示騎兵和步兵，是列國公認帶有力量和身份的象徵。然而，惟有當主站在我們那一方，我們才成為最有實力的兵團（11節），而祂所尋找的，是敬畏和「盼望」（滿懷信心地等候神因著不變的愛而有所行動）等屬靈素質。**第12-20節**正如7至11節是根據1至6節來說明得到神賜福的條件（將10-11節與第6節比較），同樣地，12至20節是建基於7至11節：11節的敬畏和耐心信靠，需要有神啟示的話作為基礎（19-20節）。這是人生的穩固基礎，因為（15-18節）神是依據祂的話來運作世界，無論是以嚴厲（16-17節）或溫和（18節）的方式。15至18

節的前後是13至14節和19至20節，這3節的總意是：主是祂百姓所需的的一切保障和滿足（13-14節）；他們因著有祂的話（19節），而成為獨特的民（20節；申四5-8）。

第一四八篇　創造的讚美

除了個人（一四六篇）和群體（一四七篇）的頌讚之外，整個受造世界也要向其創造者發出讚美：天（1節）和地（7節）都要響應。每個讚美的要求都建基於一個解釋（5-6、13-14節），兩者都有相同的引子。天上的讚美乃是基於神的創造、維持和管理一切受造物之事實（5-6節）。地上的讚美乃因主的威榮，和祂使百姓享有的獨特身分（13-14節）。1至6節的讚美次序，是由天上的眾生開始（2節），降至各等天體（3-4節）；7至14節的讚美次序，則是由最深之處開始（7節），然後到非生物（8-9節），再到動物（10節）和人類的國度（11-12節）。有些東西本身可變成敬拜的對象（「眾使者」，2節；「星宿」，3節），有些東西又似乎經常與神井然有序的管理相違（8節）——這一切都只為了祂的榮耀而存在。事實上，狂風只能「成就他命」（8節）。

第4節「**天上的水**」：雲層。**第7-10節**不能發聲的創造如何能「讚美」？它們各按各職，服從祂的命，完成各自指定的功能，這就是讚美了，正如（6節）星宿的「讚美」，就是按照神所命的去放光。**第13節**詩人不單只呼召大地去「讚美神」——亦即是回應一位超自然的個體，而是去「讚美……名」——亦即是回應祂所啟示自己的本質。全地怎能讚美它們所不認識的對象？**第14節**的暗示（參一四九篇）可以解決這個問題，這裏提出一群特別的百姓存在於地上，是全地讚美主的另一個基礎：祂的百姓是讓全世界得以認識主的途徑。「**獨有**」：「眾」這個字總共出現了10次（2、3、7、9、10、11、14節，和合本有時譯「一切」，有時略而不譯），將所有被造之物包羅起來，然而只有一個「獨有」！**第14節**「**角**」：力量的象徵。主鞏固祂在地上的百姓。「**百姓……聖民……相近**」：這是愈來愈親密的描述：祂從眾民中揀選祂的百姓，讓他們成為祂以不變的愛去愛的對象，也把他們當作祂的至親。

第一四九篇　王國的讚美

回應一四八篇13節的暗示，一四九篇說明主對以色列的計劃，是要把全世界引到祂的統治之下——帶進以色列的福氣中。在一四六至一五〇的幾篇詩中，只有一四九篇2節形容主是「王」，「君王」（8節）都要順服祂。因此，這篇詩篇的王權比喻很是激烈，包括了用軍事力量來擴展王國。然而（參賽四十五14-25，六十1-22；弗六10-17；啟一16），它只是比喻，正如（賽九4、5、7節）軍事行動是比喻平安國度的擴展，又正如使徒行傳十五章14至18節所引用的阿摩司書景象，是以外邦人歸順大衛來比喻福音的傳開。序幕（1節）引入一位拯救的主，眾民都因祂而歡喜（2-4節），為到祂統治世界而高興（讚美的百姓獲得安息和勝利），接著是一段跋言（5-9節）。

第1-2節「**聖民**」：在主的愛中安穩（參5、9節）；「**以色列**」：蒙揀選的（賽四十一8）兒子（出四22），被救贖的（出六6-7）；「**錫安**」：在大衛統治下被建立。**第4節**讚美的原因：神「喜愛」，主欣然接納祂的百姓；「**救恩**」：百姓經歷到與「厄困」——無論是來自神、人或環境因素——相反的體驗。「**謙卑人**」：遭受困逼，無力自救的人。**第5-6節**這裏故意用「床」和「刀」作對比。神並非呼召大衛的百姓要在戰爭中取勝。「**床**」可能是暗示在彌賽亞的筵席中坐席（賽二十五6-10）；而「**刀**」則表示原則上已獲得勝利。但無論對他們或對我們而言，這是指到屬靈上的「征討」（林後十5），是各各他的勝利（啟十二11）。**第7節**「**報復**」：在拯救的日子裏黑暗的一面（賽六十一2，六十三4；腓一28；帖後一7-10；啟十四14-19，二十15）。**第8節**（參賽四十五14-25）。一幅生動的圖畫，屬於王／國度的比喻範圍內，表示歸順傳信息的使者就等於接受其信息（林後八5）。**第9節**「**所紀錄的審**

判」，亦即是：審判是依據神所記錄在祂冊子上的。

第一五〇篇　一起讚美！

此刻，詩篇已順序帶領全世界（一四九5-9）歸順主（賽四十五23；腓二11），而凡蒙救贖的都將發出頌揚的歌聲（啟五8-14，七9-10）。

第1-2節　神配得的讚美　從天上「聖所」的至高處，降到「穹蒼」（祂「顯能力的」地方），再降至地上讓人看見的「大能的作為」（統管的能力），主顯出祂「至大之極」（和合本：「極美的大德」），祂的偉大超越一切。「聖所」可以譯作「祂的聖潔」，但意義是一樣的。其觀念可以藉主吩咐設立的地上聖所加以說明：是聖潔的神居住的地方，也是祂的百姓要獻上贖罪祭才能接近的地方。這是偉大的主至高之處。詩人並沒有對「大能的作為」加以解釋，但由於「他顯能力的穹蒼」暗示創造的事實，祂的「作為」必然是指祂為著百姓，在救贖、護理和管教中所做的事情。

第3-6節　人類的讚美　各式人等（6節）各種樂器（3-5節），高聲呼叫——舊約喜悅的高潮已到，同時，此刻我們預先體驗到將來那響徹天庭，直至永恆的高歌之聲：「願榮耀歸於聖父、聖子和聖靈！」

J.A. Motyer

進深閱讀

J. Day, *Psalms* (Sheffield Academic Press, 1990).
K. Seybold, *Introducing the Psalms,* (T and T Clark, 1990).
F.D. Kidner, *Psalms,* 2 vols, TOTC (IVP, 1975).
A.F. Kirkpatrick, *The Book of Psalms,* CBSC (Cambridge, 1910).
W.A. VanGemeren, *Psalms,* EBC (Zondervan, 1991).
P.C. Craigie, *Psalms 1-50,* WBC (Word, 1983).
M. Tate, *Psalms 51-100,* WBC (Word, 1991).
L.C. Allen, *Psalms 101-150,* WBC (Word, 1983).

箴言

導論

體裁和內容

箴言訓誡和格言，都與先知書和其他書卷中的詩歌有相同的特徵——但它們比舊約中任何詩歌更有規則，一般來說，每一個詩句都包含一個思想單元，若不是一個實際的句子，並由兩個「半句」組成，下半句會補足、完成或對照上半句，而其意思通常是互相交織或互相依賴的。因此，十章1節所暗示的，是智慧的兒子能使父母喜樂，而愚昧的兒子則使父母憂愁。這些平衡的半句一般各有3個字，因而有3個重點；希伯來文中常使用複合字，而英文譯本縱然不能譯作3個複合字，但讀者也能從句子中看出主要的鑰字，從而知道重點是甚麼（譯按：在中文譯本中也相仿）。一章2至4節是上述各種特徵的一個好例子。

箴言的內容可能反映當時社會的3種背景：家庭生活、宮廷學院和神學院。首先，教師常以父母教導子女的態度向聆聽者訓誨。雖然這種態度可能有喻意成分，但背後可能意味家庭自然是教和學的地方，人在當中學習生命、智慧和義行（比較二十二6）。箴言的材料第一個可能背景是家庭和宗族生活。

其次，在其他中東文化裏，智慧的教導是在王的贊助下收集起來，用作訓練貴族在廷內工作的資源。箴言的內容主要不在這方面；箴言大體上是與人民的生活有關。但在一些結集的標題上有所羅門和其他君王的名字，而一些箴言也關乎王的職務和國家事務，可見訓練人民為君王服務的宮廷學院，可能也是使用和收集箴言的一個背景。

第三，箴言的材料有時反映一些神學性的問題，如創造和啟示（參三19-20，八22-31，三十2-6），也有一些關於實際生活的現實問題。這些資料的背景可能是神學家、解經家或文士在受訓學院的討論，也可能是西拉（Sirach）邀請那些願意明白神的道之人前來「訓誨的殿堂」所聽的道（《傳道經》五十一23）。

作者和寫作年代

關於箴言的作者或寫作年代，我們所知的甚少。最古老的材料是正如上述指出，是在一般家庭生活中搜集而得的。這些材料的來源可能遠遠早於所羅門的時代，甚至是在以色列存在於巴勒斯坦地之前，雖然它會隨著家庭生活的持續，繼續發展和累積起來。關乎朝廷生活的教訓大概屬於大衛至被擄的時期。（至於所羅門與這部分材料的關係，請參看一1的註釋。）那較神學性的資料則來自第二聖殿時期；它在我們研讀本書大部分實際的問題時，提供了文學背景（一至九和三十至三十一章）。

主題

箴言以兩種主要形式給人生提供理論上和實踐上的教導。第一至九章主要是鼓勵人過道德的生活（參一8-19）。這些訓誡都是以詩句寫成，但詩體的形式為副，傳達信息為主，而詩句多半是拙劣的。這部分有兩個著重點，一是要專心按智者的教導而行，一是避免與婦人行淫。這兩個主題是互相關連的：在性關係上隨便放縱是極端愚昧的。

到了第十章，文章的氣氛改變了。寫作形式主要是一句一句的格言或諺語，以某種方式互相連繫著，但每個格言本身都是完整的。這部分的主題較廣泛，變化較多。在重複的題目中，有關乎智慧與性關係的，也有公義的本質、言語的運用、在社群中各種關係、工作、財富，以及如何作君王（十七1-5

是一個好例子）。

　　本書最後的三分之一（二十二17至三十一31）由另外5份材料組成，它們在內容和形式上都是混合或多樣化的。其中有更多單句的格言，組成較長的單元，而最後是一首由22個詩句組成的詩歌。

　　箴言從經驗，甚至是從科學的路向去探究人生。它探究生命本身，為了直接討論我們該怎樣看人生（關乎人生意義的重大問題，和我們對友誼、婚姻和家庭等實際問題的理解），以及怎樣基於那種理解去活出我們的人生。它認為智慧就是按著事物實際的本質去思想和生活。愚昧是忽略事物實際的本質去思想和生活。

　　嘗試去收集和有系統地陳述智慧的教導，先要假設我們並不僅限於從自己的經驗去學習；我們也從別人的經驗去學習。以色列那些智慧的導師從他們自己和從其他人的經歷中，為我們提供各種洞見，可幫助我們明白已有之經驗，並幫助我們在將來作智慧的事。

　　從神學角度去看，箴言是從神的普通啟示開始；這啟示是人人都可認識到的，因為他們都是按著神的形象被造，並且住在神的世界中。正由於本書知道神是真實的，人是按著神的形象造的，以及人住在神的世界中，所以它也假設人經歷生命時，道德和信心是生命的一部分。

應用綱要

　　基督徒一直容許自己受人類智慧和經驗所影響。箴言亦鼓勵我們這樣做。至於怎樣去做和避免不做甚麼，箴言也為我們提供了指引。它假設真實世界中存著關乎信心和道德信念的事情，並從狹義的角度把我們的經驗與這些事情的背景作出對照；它把學習、宗教和倫理學放在一起。例如，它堅持教育、輔導和營商原則，是與宗教和倫理息息相關的，而不是互不關連的。因此，對於我們從這世界所學到的東西，它會肯定，也會否定，或是有所保留地認同。而其中的原則，正是我們待人處世所要學習的。

📖 註　釋

一1-7　引言

這幾節經文是本書的自序，說明其性質和目的。本書的整體內容可以用「箴言」或「格言」來形容，當中主要包含兩種頗不相同的表達形式，我們在導論中已經指出的。這顯出箴言一字，在應用上比英文的格言（proverb）較廣和較多樣化。在英文中，箴言是一種比較的方法。然而，聖經對此字的應用則較廣泛。在不同的經文裏，它可指一個預言（民二十三7）、一個作為教訓的實例（申二十八37）、一句格言（撒上十12）、一段詩歌形式的談話（伯二十七1），以及其他說話的方式。因此，它所指的，是比一句直接的說話更深刻、更有力和更激發人心的表達。

第6節形容本書的內容為譬喻和智慧人的言詞及謎語。這使我們留意到箴言教訓的另外兩種特徵。它往往採用故弄玄虛而不是直話直說的方式；要聆聽者自行思想。它也反映一個實況，就是本書處理的，往往是一些深奧的問題。

「所羅門的箴言」這題目引介出整卷書，但那並不表示所羅門是書中所有材料的作者（參二十四23，二十五1，三十1，三十一1）。它反而是指出整卷書是收集真正所羅門式智慧之權威。因為所羅門在聖經中是智慧的偉大化身（參王上三至四）。書中所包含的，是他所教導和體現的那種智慧。我們不知道書中某些部分是否他的作品。實際上，對於本書各部分是甚麼時候寫成，我們一無

所知（除了那是在主前2000年至200年間寫成之外！），但這方面的資料對書中意義影響不大。本書內容是關乎人類日常生活的問題，是超越時空限制的。

第1節形容所羅門為以色列王大衛的兒子（比較傳一1）。傳道書一直以所羅門為其楷模，因為作為一位君王，他享有一個獨特的身分去說出傳道書一章12節至二章11節的話。同樣地，箴言一至九章的訓誨可能也以所羅門為心目中的楷模；這幾章箴言所述說的原則，是一個像所羅門那樣有智慧的君王應賴以生活的原則。請留意當中的反語！

引言繼而說出本書的目的，並同時給我們提供了一些關乎智慧的專門用語。

在第2節，智慧本身首先是指到實際的知識或聰明，好去作成一些事（參三十24-28），雖然關乎更深的神學問題時，智慧便成為一種較抽象的訓誨（參八22-31）。「訓誨」或「指導」（與第8節的用字相同）提醒我們，智慧並非不用付代價或毫無痛苦就可得到的；要得智慧，就要順服（比較三11，六23，十三1、24）。因此，「責備」（一23、25、30）常伴隨著管教或「訓誨」（參三11，五12，六23，十17）。「分辨通達的言語」是指到能辨別事情背後動機，或看透其含義的分析能力，並且運用這種能力去區別不同的事物，作出各種決定（比較6節）。

智慧跟「正直生活」（3節）連繫起來，再次顯出它與實際生活的關係；這詞有正面的含義。第4節的「靈明」是另一個跟「智慧」不同的用字，意思是「機靈」，能夠使別人按你的心意去做，而你自己卻不會上當（參二十二3；創三1，有負面的含義）。知識可以指認識一些事實和一些人，但它卻同時包含接受和委身——它把理論和實踐連繫起來了（參一22、29，三6）。因此，「認識神」（二5）與順服神的關係，比個人經歷神的關係更為密切。「謀略」指一個人在進行具體行動時足智多謀，他知道怎樣把事作成，而不會因困難而放棄；在負面的意義上，那是指設詭計（十二2）。

在第5節「學問」一詞來自動詞「去拿」，暗示抓著一些東西時要付出的努力，及智慧所要求的開明態度。這字詞在七章21節有關引誘的經文中譯作「巧言」。「智謀」源於一個解作繩子的字詞，暗示在生命的暴風

雨中繼續前行的技巧（參二十四6）。

本書的引言也明確指出其特定受眾。「**愚人**」（4節）是未受過教育的年輕人，他們有無知、易受騙、易被引誘的危險——並且還喜愛這樣（參10節——「引誘」是一個相關的動詞，暗指人使那容易受騙的人墮落；也參看一22、32，十四15）。但箴言所教導的，並不是智慧人和聰明人成長後便拋棄的東西（5節）。「**聰明人**」一詞跟第2節「分辨通達的言語」這句話有關（參該處的註釋。）智慧人和聰明人知道大部分人往往需要實行古老的真理，多於發現新的教訓。

相反地，人若不願意學習，或過於自滿；又或背棄古老的基本真理，他們便會變得愚妄（7節；參一32，十二15，十七12，二十七3、22）。

另一個有關的特定受眾出現在第22節：他們就是「**褻慢人**」。這詞指那些喜歡張開嘴巴而不打開耳朵的人；他們已經知道所有的事，不需要聽取任何人的意見。他們傲慢、不受教，也不受人歡迎（比較九7-8，十三1，十五12，二十一24）。

最後，這段引言指出與智慧為伴的東西，藉以清楚說明，學習和實際作決定並不是單獨運作的。首先，他們與道德相合（3下）。關注仁義、公平、正直，是眾先知的特徵。這3項在二章9節和八章6節、20節將再次出現。

其次，他們與信仰相連（7節；比較本部分訓誨之末的九10，和本書之末的三十一30）。「**敬畏耶和華**」指尊敬和畏懼，並表現於順服（比較29節，及上文有關「知識」的註釋）；這句話並非指害怕神。耶和華是主，是那位特別向以色列人啟示的神。箴言並沒有談及以色列信仰的細節，而是藉著使用神這獨特的以色列名字，暗指這是書中之信仰。當中那關乎智慧的常理，是以這信仰為架構的常識。「**知識的開端**」指其「基礎」，因為那是任何時刻都不可或缺的。箴言假定你並不能看見這世界的意義，或活出一個圓滿而成功的生活，除非你看見神在生活背後掌權和參與其中，並以尊敬和謙卑的態度，尋求神指示你去認識人生。

一8至九18　有關智慧的訓誨
一8-19　警誡人勿與殺人黨同流
　　第一個是典型的訓誨。它首先要人專心

留意（8節），當中假定父親和母親是一起帶領家人進入生命和與神的正常關係中（比較六20，十1）。這勸導附著一個應許（9節），是加在2至7節的應許之上，應許智慧不但有益，而且賞心悅目。「**訓誨**」是一個與智慧有關的字（參一1-7之註釋），但「**法則**」則是指「律法」（字面義作「指引」），暗示智慧書和律法書的文體和內容是相輔相成的（比較二1-2中，「命令」與「智慧」並列）。這在第二十八章更為清晰。

跟著經文便提出關乎某方面行為的主要勸導：第10節概述那可能會發生的事，以及人要怎樣作出回應，第11-14節和第15節引伸了這方面的其中兩部分。引誘是迎合年輕人追求刺激、暴力、金錢、權力和朋輩認同的本性。

第16-19節指出這訓誡的理由。這部分明顯是運用推論：它是以權威性，而不是極權的態度來教導。暗殺行兇是愚蠢的行為。殺人黨好流人血（11節），但他們卻是趕忙去流自己的血（18節）。他們的愚昧，使他們大難臨頭也看不見（17節）。第16節暗示的意思，大概也相仿。「**罪惡**」一詞在第33節和別處譯作「災禍」，而這譯法也能表達這裏的意思：他們喜歡製造災禍——傷害自己；他們急速流人的血——是他們自己的血。他們曾嘲笑別人的無知；現在施教者卻嘲笑他們的無知。

　　附註　第12節「**陰間**」(Sheol)與坑：比較二十七章20節，三十章15至16節詩篇四十九篇；傳道書九章及以賽亞書五章14節。人死後，身體會葬在家族的墓塚中；陰間在非實體的意義上等同於墳墓，是人在非肉體方面的歸宿。但陰間張開著貪婪之口的意象，是借用了以色列鄰國那死亡之神狂熱地把人吞噬的神話。

一20-33　智慧呼籲愚昧、愚頑和自滿者要避免遭災
　　第20-21節把智慧人格化，以一位女先知的身分，在城中眾人聚集的地方宣講，這是以色列人所熟悉的情景。第22-33節記錄了她所說的話，進一步利用先知傳道、遭棄絕（比較賽六十五），到了眾民要詢問她時，她卻不回答的景象（參23-24、28節）。先知

的意象表達了智慧如何迫切地呼籲那些處於水深火熱中的人。她說話的態度彷彿是為時太晚了，就正如眾先知的態度一樣，為了在真的太遲之前，能使眾民震驚，因而作出回應。

本段的開始（22節）和結尾（32-33節），概述了她的哀嘆、警告和應許。這裏顯出「喜愛」和「恨惡」（22節）是意志和感情的投入，如箴言和聖經其他書卷中所常見的。

第23-25節加強了哀嘆：眾民沒有作出回應，並且不領受智慧的豐富供應。他們不願意聽取責備和勸誠——從正反兩面互相補足。

第26-28節則加強了警告，這是先知通常在責備之後所做的：眾民受急難和驚恐的威脅和打擊。這幾節經文以誇張的手法來提出這點，為了喚醒眾人的理智。

第29-31節重複了23至25和26至28節的模式。它們哀嘆眾人故意拒絕行義，又不肯使用他們所擁有的自由去敬畏和順從神（29節；比較22、32節如何強調人的責任和選擇）。它們亦警告說，人類這些決定如何會自招惡果，就正如我們吃得過飽時那種膩煩的感覺（31節）。

將智慧比喻為一位先知，可指出智慧是為神說話，並且她說的話也是從神而來（參八章）。她的教導是來自經驗，但不只是人類的意見。神參與在人類的活動中，人由此要尋求辨別那生活本身可以教導他們的真理。道德智慧教導說，妨礙洞察力增長的主要障礙是道德上的，就是不願意去聽取那逆耳的忠言和真理。她又教導說，你一旦在道德上願意按著智慧所洞察的真理去活，它們就會將你引往成功和安穩的生活。真正的安穩在這裏：將「安逸」與真正的「安然」和「安靜」作出對比（32-33節）。其他災禍也會臨到，並非只因神降下災禍，也由於這是愚昧行為的自然惡果（31-32節）。這些就是箴言特有的應許；但應許卻並非經常成就這事實，正是約伯記和傳道書出現的原因。

二1-22　應許那留心領受智慧教導的必得著道德的益處

隨著一章8至19節那像父母般的勸勉，和一章20至33節那像先知般的警告，本段採取了另一種形式，就是觀察與應許。本段並沒有任何命令句：如一章20至33節是先知的警告，本段則是一些「若」的句子及其應許。因此，這許多應許的本身實在是一個隱藏著的挑戰。「路」的比喻貫穿了整章聖經。

第1-4節勸勉人要專心求智慧，所用的是「若」，比一章8節那直接的挑戰更巧妙。但這個仍是「法則」，如在律法之中（參一8），並且是一個極之重要的追尋，其中包括4種形式的努力。它包括訓練記憶（1節）；敞開心靈（2節；參四21）。它還要有強烈的自發能力（3節），像智慧本身那樣認真的尋求（比較一20-21）。它要求極大的努力，正如挖掘金礦一樣（4節）：提到寶藏的尋求和保存（比較1節），已暗示尋求的東西帶有應許。尋求知識在某方面來看是很直接的事，但也需要極大的努力。

像一章9節一樣，第5-11節繼而詳述專心所得到的應許。當人尋求神，並因神擁有打開這寶藏的鑰匙而順服於祂，這種知識的尋索便達到目標。要得著知識需要付出極大的努力（1-4節），但你若尋到它，你便得如獲至寶！尋找神便是尋找安穩生活的鑰匙，因為安穩生活的祕訣也是一種知識。這是由於真正的知識具有道德的層面；知識以一種正直的生活來表達自己，而尋找神就是尋找那位擁有正直知識者。

第9-11節這個平行的句子進一步解釋了第5至8節：第9節和10節的「也必」承接了第5節和6節中相同的用字，而第11節的應許也跟7至8節的應許相仿。那些想獲得智慧的學生想知道怎樣生活，而聖經也應許他們必會尋找得到（9節）。

在第12至22節裏、5至11節的應許先是普遍地應用在正直的行為上——或應用在直路上，因為作者在12至15節以彎曲的路來象徵作惡的行為。智慧能保護你免受說謊者的欺騙（12-15節；他們是與一10-19那些殺人黨的同夥），他們厚著臉地稱黑為白，稱白為黑，甚至顯得頗為有理。

第16-19節專論淫婦和作惡的人。這幾節經文可能只是直接地談及姦淫的問題；箴言當然十分強調婚姻上的忠誠。但淫婦和任性的妻子在第一至九章是一個很重要的課題（參五章，六20至七27，二十二14，二十三26-28，二十九3），因而重點似乎不止於此。也許婚姻上的不忠是用來比喻對神的不忠，

正如在舊約中常見的；在這裏，作者所關注的，是人對智慧的忠誠，表達了對神的忠誠。而在用字上，它也不是一般用來指淫婦的詞彙；這裏的用詞是指「外邦的婦人」和「外人」。這可能暗示那些婦人是敬拜外邦偶像、服膺外邦智慧的人。他們會迷惑那些與他們有關係的人，使他們親自接受外邦偶像和外邦智慧——引誘他們在宗教和性關係上走入歧途。因此，催促他們認真追尋智慧（那包含尊崇耶和華）和抗拒其他婦女的引誘（她們會引你纏上別的偶像），就如一個錢幣的兩面，在同一件事上有兩方面。這解釋很合乎後來一些涉及「淫婦」的經文，雖然第17節這裏最可能的含義是一個以色列婦人離棄了她的丈夫，是她曾在以色列的神面前與他立約起誓的人。

像一章10至19節一樣，本段描述錯謬的行為時，清楚指出它在道德上的錯誤（12-17節），但它的警告其實是強調錯誤的行為會帶來個人的災難（18-22節）。在性關係上犯罪是錯誤的行為，但這裏更指出那是愚蠢的。現今世上的人以愛為名來美化性開放的態度；通常只有在事後，人才發現他們為了一時的歡愉而需付上極大的痛苦和損失。箴言認為姦淫與殺人的下場都是一樣：參一章16至19節，及一章12節對陰間的描述。

三1-12　關乎對神之態度的勸告

像一章8至19節一樣，本部分包含一個基本的引言，勸人因著所帶來的利益而專心謹守（1-2節）；然後是在一個特定主題上作一系列的直接勸告，及附帶的應許（3-12節）。

對比一章8節和二章1節（參註釋），第1節只用了律法的詞彙（法則和誡命）。這使我們留意到，第3至12節的勸告，比其他部分的勸告是較直接地關乎宗教方面的；它與申命記的關連可見於下文。第3-12節是談及有關智慧的警告，而不是讚美它：人若不敬畏神，就不會得著智慧。但首先，第2節的引言作出的應許，是關乎智慧教導之價值。其中談到要加給人的是「**平安**」，那是關乎今生的平安、喜樂、圓滿、豐盛的一個廣義聖經概念（參17節）。

作者繼而勸我們持守5種態度。**首先，我們要在信仰上持之以恆**（3-4節；比較申六8，十一18）。「**慈愛**」和「**誠實**」是舊約聖經經常組合起來的重要字詞，指作出和持守委身的承諾。這些特質本屬於神，並構成人類回應神和回應別人的目標（例如十四22，十六6，二十28；詩二十五10，四十10-11）。

其次，我們在心思上要仰賴神（5-6節）。「**仰賴**」和「**倚靠**」指一種實際的經驗，就是感到自己完全無助、要完全倚賴某在一件物件或某一個人身上。

第三，我們要謙卑順服（7-8節）。「**自以為有智慧**」不單是為到本身擁有的智慧而驕傲，並且因而自滿，感到沒有需要求問神（這無疑是一個尋找智慧的人非常容易陷入的誘惑）。

第四，我們要慷慨奉獻和施予（9-10節；比較申二十六）。

第五，我們在所經歷的苦難上要順服（11-12節；比較申八5）。

我們應存有這些態度，因為它們會帶給我們恩寵（4節）、指引（6節）、健康（8節）和財富（10節），並且，我們所順服的，是我們慈愛的天父（12節）。至於這些應許所引起的問題，參十章11節至十一章11節的註釋。

三13-20　智慧的祝福

聖經一貫地提醒我們，神要賜給我們各樣的福氣，讓我們在世上有豐富的生命。聖經也以各種意想不到的方法把這信息傳達給我們（比較林前九22）。傳講真理，原來有許多種方式！在這裏（14-18節），聖經把智慧人格化為一個婦人。她會在書中多次出現，並且常透過少女的魅力或已婚婦人的成熟風韻體現出來。與她相反的人物——愚昧——則體現為糊塗的少女或一個失德之已婚婦人的不負責任行為（參四1-9，七1-27，八1-36，九1-18）。以下會稱她們為智慧的婦人和愚昧的婦人。

「**生命樹**」（18節；比較十一30，十三12，十五14）在箴言中是一個比喻，類似「生命的泉源」（如十11，十三14），用以描述一些賦予人生命的東西。它並沒有創世記二至三章中的神學含義。先前提及的生與死似是指到一般的實際意義（如一18-19，二18-19），但在舊約中，「生命」常指生命的豐盛（活力、健康、福氣、豐富、圓滿）、而「死亡」則是失去生命的豐盛。箴言中提到的生與死，需按上文下理來決定是否帶有這些含義（參三22，

第19-20節出乎意料之外地加插了極之重要的一句話。要這樣認真地運用智慧的終極原因，是因為神在創造天地時已這樣做。（耶和華一詞放在句子開頭，是用來突顯祂的重要性。）第八章會詳述這個觀念的兩部分。

三21-35　呼籲人作正確合理的判斷，並與鄰舍和睦

這部分的內容比較鬆散，它們可能是屬於不同的來源，但這段教訓仍依循相類似的結構。它一開始便勸人要留心謹守智慧（21節），附隨著智慧的是一連串應許：生命（參18節之註釋）、尊榮、安穩、平靜、信心，全都基於神的保守（22-26節）。

隨之而來是關乎某些具體行為的勸告，而這次是集中談論睦鄰（27-31節）。它進一步應許會有在神裏面的信心、在家中經歷神的賜福、有神的恩典，並且在群體中得著尊榮（32-35節是一連串相對的論述）。這裏的假設是，通曉事理與跟鄰舍和睦實際上是彼此相連的——因為當人認識到神使世界運作的方法（32-35節），若再做損人利己的事（27節），實非明智之舉（21節）。

四1-9　呼籲人尋求智慧和因智慧而得的應許

本段力勸我們要留心智慧，像三章13至20節一樣把智慧看成為一個人，但同時又像別的經文那樣以應許得著智慧的益處來提出其教導。讀者被指示要去專心、懂得實踐、作出回應、委身實行、貫徹始終、願意犧牲和積極熱心（留意重複的「得」字）。這種自發動力應許我們得生命、平安和尊榮。

這裏開始著重家庭式的教導（1-4節）。父母管教的態度，由過分專制以致完全放縱之間的參差程度都有，但箴言卻使用第三種方法，就是作出堅定的教導，但總是在神的權威之下（雖然這樣也有操縱人的危險！）。

那充滿魅力的智慧婦人（8-9節），相對於以「淫婦」（如二16-19）出現的的愚昧婦人，提供了一個正面的形象。那能使用她女性特質去達到目標的靈巧婦人，可以給丈夫提出賢慧的忠告，使他免於愚昧的行徑。賢慧的婦人確是無價之寶（7節）。

四10-19　呼籲人勿走惡人的路

這裏再次呼籲人要留心，繼而引入有關生命和平安的相關應許（10-13節）。它帶出一個警告，叫人避免那些藉奸惡和強暴而得吃喝睡覺之人的行徑（14-17節），再附以有關光的應許和幽暗的警告（18-19節）。

四20-27　呼籲人保守自己的心和生命

再一次，作者呼籲人切切的留心聽取教訓，以得著生命和健康的應許（20-22節）。這又引出一個要保守全人的勸告，全人包括：心思、言語、目光和行為（23-27節）。人的內心要正直，因為一切都由心發出；但外在的行為也不是只隨心所想而行出來。我們也須留心說正直的話，眼目要正直，行為也要正直。

五1-23　呼籲人忠於婚姻

本章開首呼籲人留心訓誨的勸勉，及其慣常的應許，表達得比平常更輕鬆（1-2節）。作者有系統地探討一個主題，然後很快便轉往他真正關心的題目，就是要拒絕淫婦的引誘，卻要喜悅戀慕妻子（3-20節）（參二16-19的註釋）。19至20節作了一個概述，其中把兩種不同形式魅力並列出來；正如15至18節引出第19節，第3至14節也為第20節提供了基礎。

本章以一個提醒作結，那是關乎智慧之教導的一般道德性原則，即神會審判（21節），而那審判是經由事件發生所帶來的自然結果（22節）。這警告將最大的壞處放在最後。「走差了路」（23節）這動詞在19和20節譯作「戀慕」：愛戀另一個婦人，而並非自己妻子，就是完全被愚昧所蒙蔽。

因此，從一方面來看，擁有另一個婦人所給予的愛，可能很吸引（3節），但婚外情卻肯定是以極可怕的痛苦告終（4-5節：含義可能是她的愛不會長久，縱使得以持續，也必然產生痛苦）。你必須預計她會拒絕面對這事實（6節）。因此，你要遠離她，而不是冒險去與她搭上（7-8節；參太五28）。否則，結果只會是金錢上的損失、心靈受創、後悔、孤單和羞恥（9-14節）。

但你有另一個選擇：學習「如何終身跟同一個人造愛」。讓她使你的眼目、身體和全人都得著滿足（15-19節）。

叫人驚訝的是，箴言的勸告正適用於今天在基督徒中間姦淫已變得普遍的文化裏，他們說服自己（正如這裏的導師所面對的）去相信，在他們的情況下，那是最好的。箴言這個勸告唯一可能會引起的問題，是那只從男性的角度去表達。另一方面，此處所描述的婦人也未必應該承受全部的譴責：也許她有一段極不愉快的婚姻；在絕望之餘，她想逃避婚姻，這也可以理解的。那麼，男人就要更加當心她對感情的渴求。另一方面，男人也會對本身的婚姻生活感到極不愉快而設法逃避，而女人也要小心這種男性，因為他們的壓力與女性相同。

六1-19　呼籲不要怠惰，並批評那些散佈紛爭者

在第1-5節，那人似乎是替一個不履行責任的「外人」，作「朋友」的保證人。「外人」一詞通常指「陌生人」（五10、17，二十16，二十七13），因此，那人可能是為一個已失蹤的陌生人承擔作保證人的責任。無論如何，若希望能自然解決這困境，是愚蠢的想法。你要馬上脫離這種纏繞，即使那是一件丟臉的事，要主動去求你的朋友憐憫（參十一15，十七18，二十二26-27，看如何避免這種纏繞；及二十16，二十七13，看你若是那位朋友，如何採取主動。）雖然人要對窮困的家族成員，或甚至社群的成員存憐憫之心，但絕不可以魯莽，不顧自己的經濟能力——並最終因而失去個人的自由。

在第6-11節，作者以嘲諷的態度，也許不存希望地勸諭那個懶惰的人（參二十四30-34的註釋），從螞蟻身上學習智慧（參三十24-28，看另一個從動物世界所得的教訓）。

那「布散分爭的人」是第12至15節及16至19節所談及的。第12至14節的描述以這句話為高潮。在運用數字上，如16至19節一樣，凡7樣的東西都是同等重要，有重要的意義，但16至19節的真正重點，當然是在最後的一個（比較三十18-19、29-31）。這裏有兩個教訓：人要為此付上代價（15節），並且神特別厭惡這種行為（16節）。這裏用眼、舌、心和腳，對比四章23至27節的勸告。

六20-35　呼籲人勿犯姦淫

我們又再看見那熟悉的說理形式，開始時呼籲人專心謹守（20-21節），並附以應許（22-23節）。繼而不知不覺地轉為勸導人勿犯姦淫，要小心諂媚的話和吸引的外貌（24-25節；參二16-19及五章的註釋）。其後是詳述箇中原因，這部分佔了本段的大半篇幅（26-35節）。作者把重點放在金錢的代價上，以在眾人面前的恥辱，而被傷害之丈夫的怒氣，更不用說了。在在都表明付上這樣高昂的代價去發展婚外情，是不值得的。

論點藉3項比較來表明。首先，你可以把發生婚外情與去見一個妓女作比較——對存著浪漫態度去看這事的人來說，那只是羞辱（26節）。那婦人可能被稱為娼妓（雖然她實際上並非娼妓），或是她被人比作一個娼妓，因為人會為她付上更高昂的代價；事實上，那是要付上一切。第二，發生婚外情，就好像玩火一樣；你不能避免燒傷（27-29節）。這幾節採用了相關語，因為在希伯來文中，「火」與「妻子」兩字十分相似。第三，發生婚外情就好像偷竊一樣（30-35節）：因為「飢餓」，所以拿取別人的東西。若是普通的盜竊，你只需要賠償；但偷了別人的妻子，就不是那麼簡單。這裏視婚姻為「財產」是理所當然的，因為人正是這樣看婚姻，雖然那丈夫的反應也許暗示他感到那樣的淫行比侵佔他的財產影響更甚。

七1-27　呼籲人抵抗婚外情的引誘

關乎性關係的最後一段，雖然作者只是略略提過其獎賞（2上），仍是以叫人留心謹守的常見呼籲來開始（1-4節）。這段訓誡很快便進入其特別的論題，就是遠離「淫婦」（5節；並參二16-19，五章，六20-35的註釋）。雖然作者也以警告的態度，提到不聽導師之言的後果，並與第2節那關乎「生命」的扼要應許，形成有力的對比（參三10的註釋），但也沒有平常那麼顯著說明遠離她的原因（參22-23、26-27節）。

作者放膽提出現今已不流行的反覆背誦學習法。但那並非只是反覆地背誦：它觸及人內在的心靈。雖然神要把律法寫在人的心上（耶三十一33），但也不表示我們無需背誦——事實上，神這樣做是使人能履行自己的責任（比較結十八31）。這種內在的態度在第4節以另一種方法表達出來：稱別人為你的姊妹，實際上是求她嫁給你（參歌四9-12），因

此，作者是要我們給智慧一個地位，而這樣做，是跟故事中「無知的」少年人對待那婦人的態度不相稱的。

本故事把焦點集中在那婦人引誘人的方法上，並以生動的文筆栩栩如生地描繪出來（6-21節）。導師從窗帘後面觀看（6-7節），表明智慧怎樣漸漸從別人和自己的觀察與經驗，去學習各種功課。我們可從不同的角度看這故事。雖然第10至12節的意思可能只是說她穿著得性感，有心尋求性的奇遇，那婦人也許是趁丈夫外出工作的機會去賣淫。也許她信仰外邦宗教，而與異性造愛是她宗教責任的一部分，如14至18節所暗指的（至於14節，比較利七15-16）。又或許兩人已經相愛；她特別是要等候他，而他則故意向她家走來，希望她丈夫不在家。導師不著意哪些才是本故事的實況，因它並非論點所在。無論那是怎樣的一種婚外情，總是一件愚蠢的事。她的魅力使這年輕人以為自己得到愛情，卻原來是一條死亡的路。正如上述所提，這幅誘人的景象也需從婦女的角度去看，以致她也可以抗拒一個已婚男子的誘惑。

八1-36　智慧在真理和生命方面的教誨

智慧再一次站在公眾面前（1-3節）。她像那任性的婦人一樣，使別人注意她，但她所提出的，卻有所不同。她的話語較像以賽亞書五十五章那充滿鼓勵的邀請，而不像被擄前之先知那種對質性的指責（比較一20-33）；這篇訓誡採用了另一種形式，以圖象傳達這論點。

智慧婦人在第4至36節說話，是基於3個理由，來鼓勵人留心聽取教訓。**首先是她所說的，都是真理和公正的事**（4-11節）。這裏把一章1至7節所提到的智慧與是非觀念連繫，更有系統地列出來：請留意對與錯和聰明與愚昧的詞語不斷堆積起來。這就是本段教訓珍貴之處（10-11節）。同時，她所說的一切，都與說謊話的人和不忠的婦人形成強烈對比。

第二個要留心的原因，是她所說的都有實際的價值（12-21節），人可以運用權力和製造財富。一章1至7節的另一種連繫——智慧與宗教的連繫——也可在此看到（13節），

但焦點仍在智慧與對錯的關係上。作者假設權力是按正直的方法行使（參13、15節），而財富是那關注公義和公平之人所得的恩賜（18-21節）。智慧是王的主要謀士。我們在這裏更能了解智慧該是怎樣的，並有時對一個像所羅門的王來說，該是怎樣的。

第三個根據把論點帶至另一個層面：**智慧在創世之始便與神一起工作**（22-31節）。我們還可以想到比這更有力的理據，叫人聽她嗎？我們要在智慧的門外等候（32-36節）。

因此，神從太初開始，在創造世界之先，已經有智慧（22-26節）。神在進行創造時，使用了智慧——心思、才智、常識（27-31節）。我們對創造認識愈多，就愈看見智慧的可貴。

在宗教裏，擬人化的智慧，可能曾用來描寫許多神祇，而箴言則按「非神話化」的意思來使用那些術語。箴言的語氣也勸勉以色列人不要在敬拜耶和華之餘，再敬拜一位女神（比較耶四十四17）：要尊崇的真正女神（只是寓意方面）是智慧。在基督徒時代，人從字面義去理解這種擬人法，並看智慧為神不同的一個真實人物，而可以明白基督與神之關係。這是約翰福音一章1至4節和歌羅西書一章15至17節的根據。

「尋得」一詞（12節）在箴言中一般指「得著」（例如一5，四5、7），而智慧在此的用詞也採取這含義。人若認為智慧是擬人化的（參上文），便會在22節選取「生出」的翻譯（參新國際譯本旁註）；我們從這觀點去理解基督就更為適切，因為祂像一個人生出，而不是像一件物件被得著。**第24節**也有一字解作**「生出」**。這與舊約的希臘文譯本不同，因為希臘文譯本採取了「被造」的譯法。在關乎基督位格的爭論中，這翻譯方便了亞流派，因為他們可用以證明他們的觀點，即基督是被創造的存在體。

在**第30節**，一個譯作**「工師」**的字詞，在舊約中只在這裏出現過。「小孩」（標準譯本旁註）或「寵兒」（新英語譯本）的翻譯較切合30至31節的上下文，那裏的重點在於創造工作像歡樂的遊戲，而不是艱苦辛勞。若那是正確的，第22至36節便是指智慧的出生，再經歷女孩階段的戲要，而發展、成長至成人階段。

九1-18　智慧和愚蒙所發出的相同邀請

最後的一段訓誨有一個十分平衡的結構：智慧設筵請客，愚蒙仿效她的語氣，也出去請客，而在兩段之間，是一份從觀察所得的雋語集，重申了所有訓誨的整體含義。

智慧最後的邀請（1-6節），再次叫人想起以賽亞書五十五章。她在這裏放下了先知的角色，而擔當起主人家來，所以是她的使女，而不是她自己去呼召人。箴言採取了許多不同的形式來描繪智慧：「她像女神一樣叫人驚詫，像小孩一樣好玩，像母親的懷抱一像溫柔舒適，像先知一樣向人發出挑戰，像擺滿食物的桌子一樣叫人得飽足，像隱藏在百合花中的愛人一樣充滿神祕感」（Camp）。

她辛勤忘我地準備筵席：食物是豐富的，酒是上好的（用香料調和），陳設是華麗的（1節；「七根柱子」的意義留待臆測）。但**第4-6節**也許含有諷刺成分，因「無知人」必定會藐視、拒絕她的邀請。

因此，**第7-12節**的插曲以一句頗為認命的話來開始。經驗告訴我們，導師勸勉人，多是失敗的，因此他們最好（有智慧地）按實際情況去接受此事（7-8節）。但作為導師，有更快樂的經驗（9節）。那評語叫人想起這些訓誨的引言（參一5；至於倫理問題的引言，也參一3），進而重申箴言的座右銘（10節；比較一7），並附以智慧常用的應許（11節），並對個人責任常見的強調（12節）。

這插段給愚蒙有時間去模仿智慧的筵席。如智慧是以先知的形象出現，愚蒙則以淫婦的形象出現。**第13-18節**應與七章10至27節比較，而「**偷來的水**」則與五章15至16節比較：不正當的性行為，往往看來比正當守規矩的性行為更刺激。愚蒙也使人與任性的婦人有相同的命運（18節）。這樣，本段把生與死的抉擇擺在我們面前後，便戲劇性地結束了。

十1至二十二16　所羅門的箴言

箴言第二個主要部分由許多格言組成。這部分是較為狹義的「箴言」，其特徵與許多單句的格言相似，而談論的課題很廣泛。這些格言至少是按3個基礎來搜集和編排的。

首先，這些格言可分為4大類：

1.有關生活的觀察心得（例如十4、12、26）。

2.有關智慧的觀察心得（例如十1、5、8）。

3.有關公義的觀察心得（例如十2、6、7）。

4.有關神參與人之生活的觀察心得（例如十3、22、27）。

正如上列的例證所表明的，這幾類雖有重疊之處，但這粗略的劃分是有用的。上述列出各種箴言的次序，也表明了不同的階段——第一種箴言是有關生活的觀察心得，而這些箴言後來擴展至談論智慧，再談論道德操守，繼而是神學。事實可能是這樣，但這4大類都同樣是古代人類思想的課題。

這4種分類是一個基礎，把這些箴言彙集在箴言十至二十二章裏。例如，雖然十至十一章有著4類格言，但它們特別集中於有關公義和罪惡的格言。

第二，這些箴言可以按著所處理的題目來分類：例如在十章1至22節中，有許多箴言都是關乎人對財富和話語之使用。這劃分貫串了上述所提到的分類。它提供了另一個影響著箴言編排的原則。這樣，十章2至5節的格言全都關乎財富，但它們也表明了上述的4類格言。

連繫著這些格言的第三個基礎，純粹是口語上的——這些格言相連，只因為它們用了相同的鑰字或鑰句，而兩句經文的含義可能是不同的。第十至十一章也提供了許多例子：如十章6節和7節都提到義人的祝福；十章6節下和11節下是相同的；十章11節和12節都用了「遮掩」這個動詞（譯按：在原文中，11節的「蒙蔽」跟12節的「遮掩」是相同的）。正如最後的例子所表明的，這些連繫有時在譯本中並不明顯；以下的評論會使讀者留意其中一些例子。

作者使用這種語文上的連繫，可能有幾個原因：1.可能為了幫助記憶；2.可能為了顯出這種文字緊扣相連的趣味和風雅；3.也可能為了使人感到此等連繫反映了內在實質的一致性，那根本是源於那位獨一的神。

雖然第十至二十二章在大致上和許多細節上的編排，反映了這3個基礎，但有個別的格言似乎跟上文下理是毫無關連的。可能這幾章經文是把在內容上無特定題旨的早期格言集合起來，而有些組合則根據其中一句或兩句的內容而編排在這裏，繼而把其他談論著不同題目的格言也一併放在這裏。又或許我們仍未找

出這些編排的「線索」。

以下的劃分是根據哪一種格言或哪一些題目，在不同地方顯得較為主要。有時這些劃分是重疊的，來幫助我們從多於一種連繫去思考那些經文。

十1-22　關乎財富和言語的箴言

十1-4　引言　「所羅門的箴言」這一句在一章1節已經出現（參註釋）。這可能指出，本章曾是十章1節至二十二章16節組成之獨立文集的開首，但現在有一至九章放在前面。

十章1節下半節是一個簡介，像訓誨部分各章開首的簡介一樣（例如一8）。這種簡介叫人留意其後所介紹的智慧——但本章只是間接地作出介紹。**第2-3節**介紹了箴言一個常見的題目，但在此以義人、惡人和神在這些事情中的參與為背景。**第4節**提供一個較直接的評語，卻沒有明顯地提到智慧、道德或宗教。

第1至4節包含所有4類主要的箴言。這幾節經文展開了1至22節的文集，並闡明箴言怎樣談到生命和智慧地過活，以及了解生命和尋求智慧是永不可與道德和宗教分割的（比較一1-7）。

十2-6、15、17、22　財富　這些箴言說明富足是勤奮（4節）、智慧（5節）、公義（6、16節）和神參與（22節）的結果。懶惰只會帶來貧窮和羞恥（4-5節），不義之財也是一樣（2節）。內在的必然性和神的參與都使事情這樣發生（2-3、22節）。同時，文中也認可貧窮、富裕，及其不可避免的結果（15節）。

箴言的教導常提出兩個相反的問題。第一個問題是，它似乎在教導一個今世的「致富福音」或一個不平衡的「基督徒工作倫理觀」。箴言實際上應許的是一個好收成，這使義人無需擔憂——生活所需得到充足的供應，而不是奢侈品（豪華房車不是生活的必需品！）。耶穌對聖經的應許再加以肯定，祂指出人若先追求神的國和神的義，物質上的需要必得著滿足（太六33）。此外，箴言呼籲人在智慧和敬虔中努力工作，而關注群體生活的發展，更是整卷箴言都提及的。因此箴言勸導人不要成為以自我為中心的工作狂。

第二個問題是——這樣是否有效？——我們會在十章23節至十一章11節討論這個問

題。

附註　**第2節**「不義之財」是惡人所得的賞財。因此，惡人與義人在第2、3、6節都作出了對照。**第5節**「智慧」跟一章3節的「智慧」一詞相同（參一1-7的註釋）。**第16節**上「義人的勤勞致生」，清楚顯示「致生」一詞把16節與17節連繫起來。

十6-14、18、21、31-32　言語　箴言中有關言語的格言有一個特色，就是「言語愈少愈好」（19節）。聆聽是智慧的象徵和得智慧的途徑；多言多語則相反（8、10節）。然而，智慧人和義人的話是寶貴的，能表達愛，能解除邪惡的勢力，並令人喜悅（11-12、20、21、32節）。饒舌之人或惡人的言語，為自己和別人帶來煩惱（6、11、13-14、21、31節），尤其當他們從怨恨中發出話語，而引致紛爭和欺騙（12、18節）。即使死後，人們對義人和惡人的評語仍有很大對比（7節）。

附註　**第6節**本節提到「口」，表示這句箴言特別警告人不要口出惡言（如欺騙）。**第7節**義人的說話是一個祝福（譯按：和合本譯作「被稱讚」，所指的並不是「會接受祝福」（例如6節；比較十一26），而是「會作為一個蒙福的榜樣，可供人在祈福的禱告中效法」（參修訂英語譯本；創十二2）。**第8節**「口裏愚妄的」跟「愚妄人」（參一1-7的註釋）的用字不同，但所指的是同一個人。**第9節**在主題上，本節屬於十章23節至十一章8節，但在詩體形式上，則顯然跟第8和第10節相關。**第11節**另一種譯法（參新國際譯本旁註）在此處較合理。根據新國際譯本的翻譯，**第11節**上大概指他為自己帶來生命。**第12節**惡能蒙蔽暴行（11節），愛能遮掩過錯——同一個動詞用來表達兩個十分不同的意思。**第13節**明哲人說話行事都有智慧；愚昧人則不然。

十23至十一31　行義與行惡，並關乎言語及財富的箴言

十23-27　引言　第23至27節與1至4節相似：開始時再次含蓄地邀請人尋求智慧，不要尋求愚昧，接著是其他3種主要格言的例子，這3種格言在此看似一個整體。它們再次邀請我

們珍惜智慧（23節），卻強調智慧與行義的關連（24-25節），而行義是十章23節至十一章11節的主題。**第26節**再提供第三種格言的例子，那是關乎生命的直接評語。**第27節**在神參與人類事務的背景下談論這些話題。因此，本部分的開首再次把生命、智慧、道德和敬虔串連起來。

十28至十一11　行義與行惡　「義（人）」在本部分出現了13次，「惡（人）」則出現了12次，這樣集中地談論義與惡，是聖經其他地方不及的。兩詞在十至十三章其他地方，還分別出現了21次，進一步談論本部分的主題，即義與惡的本質和報應。

「義人」的本質是正直、端正、純全、守紀和公平。這與「**正直**」（例如十一3、6、11）有密切關係，而這詞語更正確的意思是「率直」（比較十一5）。這兩個意思也跟「誠實」有密切關聯；本詞的字面義是「完全」。這詞也出現在十一章3節和5節；也參十章9節──並留意本詞跟彎曲的對比。

義表現於誠實、公正、憐憫（即使對動物亦然）和按真理而行（十2，十二5、10，十三5）。表現於言語，則是有智慧、有價值、使人滋潤暢快和得著生命（十11、20-21、31）。行義為國家帶來祝福（十一11，十四34）。箴言應許我們，義人會得著拯救、福祉、滿足、成就、昌盛、喜樂、安穩、方向、生命之豐盛，並神與人的喜悅為回報。

相反，惡按著其本質，代表不正確、紛亂、彎曲和錯誤的事。它可以構成「彎曲道」（十9，十一20）。它可以包含反叛或過錯（十12，十19，十二13）。它可以暗示不能達到我們期望的標準（十三6）。它可描繪為偏離正路（十17）。它可以是一件設計害人的事（十23，十二2）。它可指給人和自己帶來煩惱的事（十29）。它可指到把事物顛倒（十31-32；參十一3中譯作「奸詐」的另一個詞語）。它可包含奸詐或乖僻（十一3、6）。它暗指不敬畏神或褻瀆神，是故意不行宗教的道（十一9）。

在實質上，惡是以不誠實、欺詐、愛流人血、殘忍和貪婪來表達自己（十2，十二5-6、11-12）。行惡的結果是羞恥和帶來對社群的破壞，他們因而以惡人之死為樂（十一11-12，十三5）。它的本質既與義的本質相反，

它的結果也與義的結果相反：被遺棄、敗壞、惹麻煩、墮落、落入網羅、憤怒、飢餓、滅亡、希望破滅、暴力蔓延、無人紀念、充滿恐懼、命不長久、痛失家園，而所擁有的，盡都化為泡影。

現代讀者對於箴言充滿信心地斷言行義必然得益的觀點，常常感到疑惑。「公義能救人脫離死亡」（十一4）似乎並不正確。關於這個難題，以下有幾個意見。首先，正如**箴言的其他方面**，這顯然是一個經驗之談（比較詩三十七25）；它不單是神學教義或定論。對此存疑的現代讀者，也許要多留意在他們個人的經歷中，義人得到回報的證據。

其次，若箴言中斷言的情況，較難在我們的社會中實現，那就可能反映了現今世界的邪惡（例如世上資源的分配並不公平）。箴言也許反映一個較著重人以合乎道德的方法去經營業務和與人相處的社會。因此，我們要努力對抗不公平，不只是因為看見我們因自己的惡行而處於危機中。

第三，箴言有時把一些現象普遍化；但也有例外的情況。本書知道生命是複雜的，不是一些格言可以道盡（比較十三23，三十1-4）。其他智慧書，尤其是約伯記和傳道書，則較集中指出這些普遍化的情況常常不能實現。因此，概括性的句子和例外的情況，都需要留意。

第四，箴言集中於普遍的情況，是有其神學上的考慮。從神學的角度看，宇宙最終必以公平、公義運行。否則，全地的審判者便不能正確地安排各事。

第五，聖經其他部分對於現世生活中的不公平，則以預見未來有公義公平來把問題解決。箴言中這些產生困難的主張，需要從上下文去看，但不要因而奪去這些主張的價值。它們組成了聖經的重要見證，深信神是現世的主宰。聖經的信心不只是死後渺茫的盼望。

附註　十26至於對「懶惰人」的解釋，參二十四章30至34節；也可比較本章第4節。**第26節**上表示他是使人發怒的。雖然在內容上，本節與上下文不符，但在形式上，則與第25節一致（譯按：在原文中，兩節經文皆有「像」或「正如」的用字，在中文和合本未能表達出來）。**十一1**繼續採用十章32節的

表達形式：「義人的嘴，能令人喜悅……公平的法碼，為他所喜悅。」至於神所憎惡的與神所喜悅的事，參十五章8節。**第2節**這裏處延續十章31至32節的思想，即智慧或義人的言語也與謙遜相連；惡人或愚人的言語，則帶著驕傲和羞恥。**第4節**「發怒的日子」是災難的日子，有可怕的事情發生，好像有人降下烈怒一樣。這句話沒有暗示這事件實際上是源於神的憤怒（比較伯二十一30）。「死亡」同樣是突如其來，貿然降臨的。**第7節** 這句話最好也解作忽然的死亡，是一件意料之外的事。

十一9-14　在群體中的言語　此處再斷言言語有賜生命或破壞生命的能力（參十9-14），而本段特別提到在群體中的言語：留意文中提及鄰舍、城和民。作者在這裏談到有理由發出歡呼喧鬧（10節），也有另一個理由，保證可以閉口不言（13節）。

　　　附註　第9節「得救」一詞與第8節相連；這詞跟第8節的「得脫離患難」相同。第9節下暗示本節是談到破壞誓言或作假見證，而不是說長道短。第11節「祝福」似是指他們口裏說出，而不是他們所接受的（從第11節下之平行句來判斷）。

十一15-31　財富　箴言察覺到一句看似單純或實際的格言，需要有另一句格言來補充，並使事情變得複雜。財富可能似是從強暴，而不是從施予恩惠而來；施予只帶來尊榮，而不是金錢（16節）。然而，財富也從慷慨施贈一己所有而來（24-26節），而若要得真實的財富，人就要行義（18-19、21、23、27、29、30-31節）；神確證這事實（20節）。運用財富先要仔細地考慮，不要把錢財浪費在同情別人卻要冒險的事情上，例如作中保，或為一個不認識的人作借貸的擔保人（15節）。但運用財富時也要存仁愛的心，在上下文是指我們要慷慨，但也要對自己有利（17節），並且不要過於信靠自己的財富（28節）。在某些處境中，某項真理是適用的；但在別的處境中，則需要別的考慮。

　　　附註　第16節新國際譯本在本節加上「但是……只有」（參修訂標準譯本）；

「尊榮」和「貲財」並不是相對的，卻是相屬的（三16，八18），而在原文中，並沒有「男子」一詞。因此，此處的論點可能是「得財富和尊榮有兩種途徑，一是透過恩惠（那是婦女的特徵），一是透過進取精神」。**第20節**關乎神所「憎惡」和「喜悅」的事，請參十五章8節之註釋。**第22節**是關乎財富的討論，重點在財富從有價值的東西開始。**第25節**「好施捨的」字面意思是「一個有福的人」；比較第26節下。**第29節**在經文中，**「擾害」**指努力要得著財富，而態度是貪婪或吝嗇的。**第30節**若從另一角度去理解第30節下，整體來說意思會更好，即「智慧人得著人的靈魂」。那麼，整句的概念就是：義人對別人的生命產生影響，而智慧人則使人歸服智慧。

十二1-28　再談言語和工作
十二1-4　引言　第1至4節也像十章1至4節和23至27節，把4類箴言集合起來，作為本章的引言。這些箴言再次含蓄地挑戰聽者去尋求智慧，而不要尋求愚昧（1節），並且斷言神會參與人的事務（2節），說明義人和惡人會得到報應（3節），並寫下對於生命的觀察所得（4節）。雙關語的使用把「丈夫的」（4節）與「不能」（3節），以及「惡人」和「計謀」（5節）連起來。

十二 5-8、13-23、25-26　言語的對與錯
第十二章餘下經文的主題也是言語的運用，並特別把善言和惡語作出對比。善言是公義、正直、智慧、精明、誠實、勸人和睦、裁決中充滿恩慈的話、拯救、稱讚、獲益、醫治、喜樂、辨別善惡、鼓勵和神喜悅的。另一方面，惡語是邪惡、彎曲、愚昧、說謊、狠毒、輕率、放縱或說欺詐的話、傷害別人、為一己帶來恥辱和煩惱，並叫神憎惡。聽勸和忍辱，才是聰明，反之則不然（15-16節）；但也要謹慎與人的交往（26節）。

　　　附註　第5節「計謀」一詞在一章5節中譯作「智謀」（參註釋）。第6節指惡人不知不覺地設下埋伏，要流他們的血（比較一18）。
十二9-12、24、26-28　工作及其回報　要吃得飽足、在社會上有地位，便要付出努

力，並且生活正直，不可虛偽（9節）、不顧惜牲畜（10節）、追隨虛浮（11節）、跟隨別人的惡謀（12節），或甚麼也不做（24節）──甚至獵得之物，也不去烤煮（27節）！也可比較第14節下。

十三1-25　慾望、財富和智慧

十三1　引言　第1節與前面各部分之開首語相似，這句話是催促聆聽者留心本章有關智慧的訓誨（比較十1）。然而，其風格跟先前各段的引言不同。善人與惡人已愈來愈不顯著，而在本章，幾乎一點也看不見神的參與，但這在後來各章卻愈來愈明顯。本章的焦點在於智慧本身（參13-20節）。

十三2-12、18-25　慾望與財富　在關於財富的問題背後，藏著人性的奧祕，即人的外表並非常常都是可信的（7節），並且慾望的滿足或破滅，會對人產生深切的影響（12、19節）。在追求財富方面，也包含一些奧祕。它實際是一種含糊不清的成就，它既能解決問題，也帶來窮人不會遇到的問題（8節）。

這裏指出慾望得著滿足或破滅的路徑。其中一個要訣在於人能否明智地使用言語，並能保持緘默（2-3節），另一個在於人能否殷勤作工（4節）。第5至6節、9節、21至22節和25節提醒聽者，道德的考慮隱藏在這些因素中，而**第11節**更具體地指出這一點。**第23節**承認在理論上操控此事的道德之律，並非常常有效；當中也向人發出挑戰，不要讓不公平之事貌視這些道德之律。

附註　**第2節**在經文中，「強暴」是他們自己遭受的，那是一個諷刺（比較一18）。**第3節**「生命」一詞指自己或個人（參8節），但也指慾望，而慾望的含義似是貫串整章的含義：參第2節（渴望；譯按：和合本沒有譯出這字）、4節（羨慕）、19節（所欲的）、25節（心靈；譯按：和合本沒有譯出這字）。**第9節**作者把人與房子相比，房子有光就好像人有生命（比較伯十八5-6）。**第10節**「驕傲」指自大和不受教的言語（比較二十一23-24）。

十三13-20　智慧　在這些關乎追求財富的箴言之中，第13至20節提醒我們，**智慧也是追求財富的基礎**（參10、24節，特別是18節）。

以開放的態度接受勸告和懲戒，並信服從智者學到的智慧，就能有精明的行為，能得益處，並得滿足、喜悅、尊榮和生命──反之亦然。

附註　**第17節**提醒人小心選擇「使者」：忠心的使者能解決困境；奸惡的使者則使情況更壞。**第19節**「惡事」可能指「煩惱」或「厄運」（20、21節的「虧損」和「禍患」，原文與此字詞相同）。本節的意思是，他們不會離開那帶來禍患的路，而轉向那引到成就的路。

十四1至十五1　智慧、內心及群體生活

十四1-4　引言　本章開始時，再一次向人發出挑戰，要尋求智慧和逃避愚妄（1節）。因此，這裏的兩個人物是擬人化的智慧和愚妄，正如九章1節和13節（也比較二十四3-4），而1節下的要點指出，我們若不留心，便會讓愚昧把智慧所建的房子拆毀（比較3節）。作者也再一次叫人留意對與錯，並我們對神的態度。不可離開神和道德去理解智慧（2節）。在本章中，4類常見的箴言因有第4節那關乎生活的觀察而不致缺一。這一節的含義是，農夫若要有收成，便要忍受家裏一點兒凌亂。

十四1-9、15-18　智慧與愚昧　消極地說，愚昧是破壞性的（1節），是自毀性的（3節），是永遠愚昧下去的（6、18、24節），是自我表現（7節）、自欺（8節）、頑固（9節）、易受騙（15節）、狂傲自恃（16節）、不受歡迎（17節）、性情暴躁的（29節），並且是自加己身的（33節）。

附註　**第9節**愚昧人與人交惡時，並不關心要改善關係；正直的人則會為雙方的好處設想。

十四10-15　內在心靈　「心」一字在本段中重複出現：參第10節、13-14節、30和33節。上述例子顯示，在聖經的用語中，「心」並不單是情之所在，也是整個人的中心部分，所以它聯於心思和意志（思想和抉擇），也聯於感受（這在聖經中常與心腸相聯，例如二

十三16)。心也聯於理解和智慧（二2、10，三5）、順服（三1）、記憶（四4，六21，七3）和設謀（六14、18）。在六章32節、七章7節、九章4和16節，心譯作「判斷力」，在七章10節作「心思、意圖」，在八章5節作「心裏明白」。英譯本若譯作「心」，我們通常可以「心靈」來代替之。這樣，在四章21、23節，作者便是催促我們以智慧的教導充滿我們的心靈，並要照顧我們的心靈，因為那是我們作決定的主要中樞（比較羅十二2；弗四23；來八10；彼前一13；太十五18-19）。

附註 第10節意思是在人最深的感受和經歷中，人是獨自承受的。第11節比較第1節。第13節那是因為人的笑聲中往往隱藏著痛苦（或因為每個人心中都有某種痛苦——那是大多數譯本採納的翻譯），而他們的喜樂從來不是定論。第15節「是話都信」——相信任何關乎未來的勸告或應許（比較15節下）。

十四19至十五1　在社會中的生活 帝王、君王、邦國、人民、鄰舍、朋友等字眼，至此仍很少在箴言中出現；這些字詞一起在這裏出現（19-21、28、34-35節），是為一些如以富貴繁榮為主題的箴言（23-24節），提供一個社群的背景。使用財富貲財，是要解決鄰舍的困苦（21節），而非採取一般人對待窮乏人的態度（20節）。第19和32節指出，是一件關乎道德和自己利益的事。此外，第31節在此加上宗教的動機，而第26-27節更循此方向加以發揮，並應許我們，不用懼怕任何風險。

第34節稱「公義」為邦國興盛的主要因素，但可能從未有人嘗試這樣做，反而與它相反之行動所引致的結果卻證實了（34下）。對於這樣一個社會，慈愛和誠信是一個理想的基礎，而第22節為這方面的計劃者提供了一個處方（此處的「謀」字沒有負面意思）。法律上的公正在這方面也是十分重要的（25節）。

領袖跟人民同等重要；第28節指出在社會中作領袖的壓力。那解釋了為王作工是頗為冒險的，人需要知道怎樣智慧地處理君臣間的關係（十四35至十五1——而十五1的「怒」是接續前一節的話題，但在原文中的用字卻不相同）。在第十六章，君王是一個主要

的話題，但在其間我們需要更多思想神。

十五2至十六19　神與智慧、君王和內心的關係

十五2-7　引言 作者再一次對比智慧與愚昧，並鼓勵人尋求智慧（比較5、7節），藉以展開另一個箴言的結集，並且肯定神會參與人的生活，並附以一些有關生活，以及義人與惡人的觀察（3-4、6節）。十五章2節至十六章19節整體上包含許多箴言，把神帶進人類生活的方程式中。本部分位於十章1節與二十二章16節中間，是全卷書的中心，因而把神放在這卷教導智慧之書的中央是特別富意義的。

十五8-19　內在心靈和神的眼睛 關於神的眼目的4處經文（8、9、11、16節），與暗指人心的6處經文（7、11、13、14和15節；也比較21、28、30和32節，十六1、5和9節——比較十四10-15註釋）互相交織著。兩者在十五章11節同時出現。

第11節的話，跟本段談及神所憎惡和喜悅的事相關（8、9節；比較26節，十六5，十一1、20，十二22，十七15，二十10、23）。這些都關乎人的誠實或動機，或言語及其實意之間的關係。這些或可在人眼前隱瞞——卻瞞不了神的眼目，這是箴言說的。神看見了便憎惡，而這樣也許能對人暗中行惡產生一些抑制作用。

箴言也提出其他有關人內心和外在生活的一些關連和差異。愚昧的思想和言語是相連的（7節）。我們在屬靈的事上，表裏也要一致（8節），甚至在我們的感受和表現上，也要如此（13節）。但內在生命的豐富，或可補償外在承受的壓力（15-16節），而張開的口（多言多語）和打開的心（心求知識），也許是不能相容的（14節）。

附註 第11節「陰間和滅亡」（Sheol and Abaddon，參一12之註釋）即使是陰間，也在神的能力控制之內（比較詩一三九8）。第16-17節這兩節經文互相平衡，好像十五章15至26節一樣。敬畏神而得的平安，使貧窮變得微不足道；人與人之間彼此相愛，也產生這效果。第18-19節似是這番話的延續，第18節延伸了第17節，第19節則警告人

不要懶惰！

十五20-33　智慧與敬神　第20-24節像是一個關乎智慧的新段落或討論之引言（20節其實是重複了第十章的引言），「喜樂」在此是一個不斷重複的主題：領悟智慧的喜樂（20節），運用智慧的喜樂（23節），以及逃避智慧所得到虛假的喜樂（21節）。但重點不久就落在神參與世人事務的主題上，而那正是十五章2節至十六章5節整體的重點。正如第11節把7至19節的兩個主題合併，在本段末，第33節也把20至33節的兩個主題合併。

人是關注智慧和尊榮的（33節）：20至24節若表達了對智慧的關注，25至29節則反映對尊榮的關注，而前者比後者更積極。這些經文確定神對傲慢人和窮人的態度與行動，而那又構成富人得報應的基礎。

第30-32節漸漸為第33節作準備，去宣告得智慧和尊榮的祕訣，在於尊崇神或謙卑。在這段經文中，謙卑是在神面前的態度，而不只是人的一種德行。第30至33節的次序指出好信息能使我們成熟，而批評的話亦然，但沒有別的比聽從神的責備，更能使我們邁向成熟。

「信息」（30節）、「聽從」（31-32節）是相關的，因此31至32節顯出，把消極的句子與好信息並列，同樣可以給人生命和建立人。「智慧」（32節）一詞與「心」（30節）相同，並已強調了這一點。而「管教」（32節）一詞，也再次在第33節出現（作「訓誨」），以致第33節明顯地把神與30至33節的教導相連起來。

十六1-19　神和人的主權　在箴言此段中，神在1至11節出現了9次，而君王在10至15節出現了5次。

君王在傳統君主制度下之地位（也可應用於其他不同形式的政治領導），是有兩方面的。首先，他在言語和行為上，有最終的權力（10、14-15節）。第二，他屬行公平和公義（10、12-13節）。在以色列和別的地方，後者跟前者一樣，在君主制度的觀念中，被視為重要的，雖然公平、公義也可看作不單是道德問題，而是有關個人利益的（12節）。在有關王權的箴言中，第8節和16至19節在公平、智慧、正直、謙卑方面的評語，也應用

在某位特定的王身上。

當有關該君王的評語是放在神在世上的活動中，情況更是這樣。第10-11節把這兩點交織起來，免得它們被分開，而關乎神的評論也是這樣，因為焦點同樣是集中於主權和公平之上。神的參與決定了可以怎樣有效地解釋計劃（1節）、怎樣衡量人所行的（2節）、計劃有多成功（3節），並且顯然是負面的因素怎樣配合於計劃中（4節）。神的參與也決定怎樣避免驕傲（5節）、遠離惡事（6節）、建立有效的外交政策（7節）、使計劃得以實行（9節），並交易上有公平的準則（11節）。

從人的角度看，維持公平的交易是王的責任。因此，**第11節**特別清楚指出，本段整體是主張王的地位是隸屬於神的。這信息對第一聖殿時期的以色列人來說是重要的，因為當時他們有君王治理，而這些君王要反映出神的管治——正如現今世界的政府一樣。這信息對第二聖殿時期的以色列人也是重要，因為他們當時正受外邦君王統治，而這裏說這些君王也是在神的管治下——這對今天受外來勢力控制的人民，是一個鼓勵。

附註　**第6節**「惡事」此處似是指災禍（跟第4節的「禍患」相同）；遠離惡事而轉向正路和轉向神，使人得以避免自己的罪孽帶來的災難。**第10節**「必不」在新國際譯本中作「不應」，但「必不」似較準確；這句話跟12至13節的話平行。**第12-15節**王所「憎惡」和「喜悅」的事，與神所憎惡和喜悅的事相比（參十五8，兩個詞語也在那裏出現；並參該經文的註釋）。**第17節**「惡事」解作「災難」，參第6節。

十六20至二十二16　生命、公義、智慧與神

在這「所羅門的箴言」的結集（十1至二十二16）之下半部，某些類型的格言和題目又顯著地在不同部分出現，而許多箴言是與本段其他箴言有語文上的連繫。然而，整體而言，這些箴言不像上半部那樣容易劃分，而它們如此編排的原因，往往不及上半部那樣清晰。這裏有3組智慧的箴言，關於義和惡的箴言在結尾部分，而一些小段的箴言則論及神。關於生活之觀察的箴言，在此佔最

多。

十六20-30　智慧的祝福　第20-23節解釋智慧的祝福，使學習的人渴想研讀本書餘下的教訓。第24-30節跟20至23節有語文上的聯繫，而它們也在這方面彼此相連，以致20至30節形成一條連鎖。這些連鎖在新國際譯本中可見；此外，「口」與「口腹」是相同的字（23、26節）；「嘴」等於「嘴唇」（23、27、30節）；而「得好處」的字面義是「找到好處」（比較29節）。這樣，這些箴言便一同應許智慧（敬畏神的智慧）會帶來好處、好名聲、影響力、滿足感、醫治、引導和豐富的生命，而它們又警告人不要愚昧乖僻，因為這會引人進入紛爭、懲罰、禍患和死亡中。**第26節**的目的也許是要加上激勵：學生的胃口，也應成為刺激他們的動力。第21節下與23節下的意思是，吸引人的說話，能「增長學問」：參一章7節之註釋。

十六31至十八1　各種關係的動力　本部分的觀察重點主要在於家庭和社群中的各種關係。有兩方面反映三代同堂之家庭的特別地位和榮譽：祖父母是社群中的長者，還有父母和兒女（十六31，十七6）。對這3組人和他們彼此關係的肯定，對現代已發展的國家來說，是一個特別的信息。**十七17**指出兄弟姊妹和朋友，在一般情況下，彼此的關係在生活中佔了一定的重要性，而在面臨危機的時候，更是如此，即使**第18節**暗示需要謹慎處理鄰舍關係。但與眾寡合的人，是在各人身上造成損失的（十八1）。

在第十七章中，許多箴言都是關乎在家裏和別處的和諧關係與衝突。**十七1**肯定家庭的和諧比一切都重要。因此**第2節**警告人不要相爭，尤其在金錢的問題上（雖然第8節承認金錢對人的影響），而**第21-22節**和**25節**指出這等愚昧的事，會為父母帶來痛苦。

第4節指出人所說的話往往是煩惱的起因（比較十六28，十七27-28）。**第9節**勸告我們要藉著遮掩過錯來建立愛和友誼，而非談及這些過錯，但意思並非不要向人說責備的話（10節）。同樣地，第14和19節勸我們不要引起或喜愛爭競（比較十六32，十七11-13），但第15節和20節警告我們不要因而妥協或自欺欺人。

「紛爭」是箴言中重複出現的主題。在教會和不同群體中，總有一些愛生事的人。原因可能是出於憤怒（十五18，二十九22）、嘲弄（二十二10）、醉酒（二十三29-35）、說閒話（二十六20）、貪心（二十八25）或只是出於乖僻的性情（十六28）。結果可能產生不斷的衝突（二十六21）、永久破裂的關係（十八19）或無法抵擋的禍患（十七14）。最佳的解決辦法是遠離爭執（十七14），或以類似抽籤的方法來定奪事情（十八18）。換句話說，輕微的錯誤決定帶來的破壞，遠不及偏執地繼續爭鬧不休所引致的傷害。

十七章16節和24至28節的箴言談及智慧，但不只是屬世的智慧。十六章33節和十七章3至5節明顯地把神加在這方程式上。這幾節經文確定神是家庭命運的最後裁決者，對於這種愚昧的家庭紛爭，祂給予最後的考驗，而祂最終會受到人的羞辱。

附註　第7節再評論人所說的話，延續第4節的論點。第19節「喜愛」和「自取」二詞把19節和9節連繫起來，而「自取」在第9節譯作「尋求」。第19節下的意象並不清晰。但該行動表達了一種驕傲的態度。**十八1**「尋求」是在十七章9節和19節已出現的動詞，而「與眾寡合」則連於十七章9節的「離間」一詞。

十七24至十八8　愚昧的本質和代價　愚昧的話題在這一組箴言中很顯著。愚昧的興趣是離亂的（十七24），它不能保持安靜寡言（十七27-28；比較十八8），它堅持己見、自作主張（十八1），並且愛說話，不愛聆聽（十八2）。因此，它為家人帶來煩惱（十七25），為那些受其決定影響的人帶來損失（十八1），並為自己帶來痛苦（十八6-7）。另一方面，有些經文指出人在有需要的時候，必須敢言和起來伸張正義（十七26，十八5）。

附註　十八4雖然十八章4節上和二十章5節上也許暗指人有內在的智慧之源，但箴言其他地方卻沒有這樣說。因此，新國際譯本的「但是」是假設人的模棱兩可與智慧的清澈明晰之間的對比。

十八9-21　關乎力量和權力的事　本部分談

及堅城的力量和另外兩件同樣有力的東西。一是財富（11節；16節指出財富另一方面的力量，即它與在高位之人的關係）。但第10節已保證神會保護義人，因而使這句關乎財富有堅固力量（假設）的話更加貼切。它支持對驕傲、尊榮和謙卑的另一種理解（12節）。第13和15節連於那對驕傲的評價上，而第9節則暗示，即使不作工的人，也運用另一種形式的力量。

人的心可以自制，但不能持久（14節）。神那保護的力量提供了解決方法。另一件像堅城一樣堅固的東西，就是人受傷的感覺，這種傷害有時發生在兄弟之間（19節）。第18節提供了一個很實際的方法，解決這種強頑對敵的紛爭。在箴言中，只有十六章33節再提及抽籤，因此在第18節，我們大可認為神有控制抽籤的主權。

十八22至十九10　貧窮　貧窮顯然是一件壞事；例如，它意味著你常常要哀求憐憫（十八23）。貧窮甚至令家人把你趕出家門（十九7）。生活貧困，必使尋求與你作伴的人減少（十九4、6-7）。在本段經文中，十九章5節也許暗指貧窮使法庭不願以公平待你，卻保證作假見證的人必會受罰（比較十九9）。

有甚麼話可用來鼓勵貧窮人呢？他們要記著幾個事實。首先，哀求憐憫的貧窮人（十八23）已是神施恩的對象。而祂施恩的方法是賜他賢妻（十八22）。其次，有一個親密的朋友，可能比認識許多人更好，而他可能比家中最親的人更忠誠（十八24）。第三，貧窮而誠實，總比彎曲和行為愚昧好；愚昧人為他自取的禍患埋怨神（十九1-3），而對愚昧人來說，貧窮是更合宜的（十九10）。第四，尋找智慧時，你成了自己最好的朋友（十九8）。窮人得到別人施恩，神是知道的，並會報答那人（十九17）。因此，聖經鼓勵人向別人施恩。貧窮的人總比說謊的人好，因為「人要從別人身上尋找的，是忠貞的愛」（十九22，新耶路撒冷聖經）。

附註　第24節「朋友」一詞出現於十九章4節、6至7節。十八章24節的「朋友」更為有力，是一個由「愛」字組成的詞語（比較十九8「愛惜」）。「弟兄」在十九章7節可解作親戚。

十九11-19，二十2-3　衝突　這部分重拾十六章31節至十八章1節的主題。權力和怒氣的結合顯然是可怕的（十九12；比較二十2）。家中的吵鬧可能成為局外人的娛樂，但它也是致命的（十九13），而真正的榮耀是能避免爭鬧（二十3）。因此智慧是能「不輕易發怒」（十九11）；神的恩賜就是家中沒有爭鬧（十九14）。

「暴怒的人」的性情可能已根深蒂固，並注定要遭災難（十九19）。但人怎也不可忽略家裏的管教，因為那樣只會引往「死亡」的路（十九18）。「懶惰」本身可能令人像死了一樣「沉睡」，並且要捱受「飢餓」（十九15）；輕忽智慧可能引致死亡（十九16）。

十九20至二十5　智慧　十九章20節評論智慧和愚昧的利益與危機（比較25、27節與26、29節）。智慧的畫像有好幾幅。智慧跟好酒是相矛盾的（二十1）；學術群體中往往都有頗多嗜酒之人！它以懶惰人的懈怠作例解，而懶惰人是箴言最愛描繪的對象（參二十四30-34註釋）、智慧能使人充分了解人心所隱藏的、可能浮現的欺詐（二十5；參十八4之註釋）。

聖經繼而提醒我們，神參與人的事，意思是，單有人的智慧並不足夠，若要成功，敬畏神跟運用知識同樣重要（十九21、23）。人與人的關係（十九22）和作事公平（十九28，此處提到人譏笑公平，跟25、29節論愚昧人為「愛譏笑的人」相連），也同樣重要。

附註　第17、22節參十八章22節至十九章10節之註釋。二十2-3參十九章11至19節之註釋。

二十5-19　外表和真理　公義可以定義為個人正直的生活（7節），但要尋找一個榜樣，確實不容易（6、9節）。坦誠的心並不常見（5節），正如在交易上所見的（14節），而我們很難看穿人的託辭（15節）。

第5節指智慧是識穿這種託辭的祕訣。第8節實際地指出要謹慎地運用權力。第11節暗示我們要從人的行為去觀察他真正的為人。第12節視能看的眼是神的恩賜，而第10節則加上一個警告，指神嫌惡以詭詐來營商。

第16-19節是相連的，16、17和19節以3種方法來使用同一個動詞，而其意思分別是「作保」、「甘甜」和「結交」；第19節補充第18節的意思。這幾節藉第17節連繫本部分的主題，當中對欺詐下了評語。

附註 第13節「眼要睜開」即要做醒，這是本節與上下文連繫之處（參8、12節）。

二十20至二十一4 　神的主權與人的權力
本部分更深入提到神。我們被人冒犯了，便要靠賴神（二十22）。在那處境下，我們可以再次得到保證，神是喜悅誠實和公正的（二十23，二十一3），神引導有權勢者的腳步（二十24；此處的「人」，不是普通的用字），神了解人如何工作（二十27），並且神的評核才是最後的判決（二十一2）。二十章25節提到一個例子，指人有時甚至不了解自己。

王有責任「簸散惡人」（二十26），而他所施行的刑罰，也能洗淨人內心的罪（二十30）。但這兩句話說明神在王身上的主權（參二十一1）：只有神能參透人的內心（二十27）。關乎第一句話的另一個評語是，王需要專注於正面的、建立國位的事，而不只是因人犯錯而施加刑罰（二十28）。

年輕人和老年人都有他們的榮耀：體力和經驗（二十29）。年輕人不可藐視或詐騙老年人（二十20-21：「咒罵」和「（祝）福」是這兩節的首尾字詞）。

二十一2-29 　義與惡
在箴言十至二十二章接近尾聲時，又有另一組關乎義與惡的箴言，跟本部分的開首平行。從神的角度作出兩句評論後（2-3節），作者便專注於論及惡。惡人行事驕傲（4節），行強暴和彎曲（7-8節），無憐恤之心，切望別人滅亡（10節；「禍」在12節譯作「滅亡」），他狂傲自大（24節），他獻上卻是虛偽的（27節），並且厚顏無恥（29節）。

渴望是到處可見的一個主題，尤其是渴望致富，那可以透過正確或錯誤、聰明或愚昧的方法去得著（5-6、13、17、20、25-26），但對於它的力量，我們也得現實一點（14節）。

行惡的人必自食其果。強暴的人被人以強暴掃除（7節）。義人對抗那些性情與他相反的人（12節）。無憐憫的人不會得到憐恤（13節）。偏離正路的人最終必會迷失（16節）。當這事發生，就好像惡人代替了義人，而義人則得以脫離患難（18節，十一8的說法更深刻）。那些信靠愚昧的人，必被智慧顯露出來（22節）。作假見證危害別人生命的人，最終必喪掉生命（28節）。

對於義人，這裏有一些顯著的正面評語。只有神被稱為「那義者」（12節；譯按：和合本譯作「義人」），這給箴言十至二十二章整體所談論的義帶來新的亮光：其中所有談及義的箴言都源於神的本質，這裏有公義而產生的喜樂（15節），是神的審判的一個例子——這是常見的表達——是舊約中的好消息。這裏標誌著神公平的管治（並與第17節，本節的「宴樂」先前譯作「喜樂」）。公義、忠誠、生命和尊榮都在一起了（21節）。

附註 第9、19節參十六章31節至十八章1節之註釋。

二十一30至二十二16 　智慧、財富與神
箴言十章1節至二十二章16節最後的一段格言，混合了典型的智慧箴言，以及許多把神放進方程式中的箴言。這些格言因而確定人類數智慧與努力的重要（二十二3、6、10、15；典型的智慧箴言出現在二十二5、8、11、13、14），但也指出，離開了神的旨意，這一切都顯得沒有意義（二十一30-31），而他們若要實行原則，便需要神的參與（二十二12）。這些箴言對財富和貧窮的討論是實際的（二十二7），但指出並非只在乎人的各種考慮（二十二1、9——「蒙福」在此指別人的稱讚），也要留意富人和窮人在神眼中有何相同之處（二十二2），並確定對神的態度在貧富的問題上是極之重要的（二十二4）。敬畏神確實是智慧的基礎。

二十二17至三十一31 　另外5份文集
箴言最後的三分之一部分是由另外五份獨立的文集組成，這些文集有不同種類，但都以智慧為主題：兩份是智者的箴言（二十二17至二十四22和二十四23-24），一份是希西家的人所謄錄類似的文集（二十五至二十九章），一份是亞古珥的箴言（三十章），以及一份是利慕伊勒王的箴言（三十一章）。

二十二17至二十四22　30句勸世箴言

這兩章聖經的教訓重拾第一至九章的重點，勸勉讀者採納或避免某些行為模式。十章1節至二十二章16節中常見的、關乎生命的箴言則不再出現，而大部分話題或思想都不會只有一節經文，而是好幾節經文來表達。這種詳述的形式可提供聽者應要聽從的原因。新國際譯本把30句箴言分別列出，我們可從而看見它們是怎樣劃分。

這30句箴言跟一份有30章的埃及作品《亞曼尼摩比之教訓》（*Teaching of Amenemope*）十分相似。這份作品的寫作年代似乎在所羅門之前，而學者一般認為箴言是根據或參考亞曼尼摩比寫成的，而不是亞曼尼摩比參考箴言而寫。**這種從其他民族去學習智慧，反映一個神學觀念，就是以色列的神是萬族的神，是所有人的神。因此，其他民族察透有關生命的真理，而神的子民也可從中獲益，是不足為奇的。**這30句箴言鼓勵我們運用常識去事奉神。在對神的事奉中，我們並非常常要有「從神而來的話」，去指示我們需要做甚麼！

《亞曼尼摩比之教訓》目的是為參與公眾服務的人提供指引。這30句箴言對這些人也有許多勸勉。

首先，這些人要留意智慧人的洞見（二十二17-21，其中「回覆那打發你來的人」反映他們是擔當中介者的工作；參二十三12、13-16、22-25，二十四3-7、13-14）。他們要避免在愚昧人身上浪費時間，因為愚昧人不會聽從（二十三9）。他們要留意美好的榜樣（二十二29），並避免受損友的影響——例如那些鹵莽、暴躁而不冷靜的人，這在埃及人的智慧中相當重要（二十二24-25）；或有反叛傾向的人（二十四21-22）。

第二，他們要像一般人從智者學習智慧一樣，記得神是參與他們的生活和工作的，並要從中細察事情的結果（二十二19、23，二十三11、17，二十四12、18、21）。

第三，他們要謹記工作上的道德要求，以及權力怎樣容易被濫用（二十二22-23、28，二十三10-11，二十四8-9、15-16）。但他們也要小心反過來的情況所引致的危險，不要縱容那陷於經濟困境的人（二十二26-27）。而他們的責任，不單在於言語和行為上，也伸延至思想上（二十四17）。

第四，他們要謹記放縱所帶來的危險。這會使他們忘記他們要處理的真正問題和他們的身分，忘記財富的虛幻無常，並憑表面價值去接受人的友誼，其實卻要反省，那人為何這樣慷慨呢（二十三1-9——**第9節**的意思是，當真理漸漸顯明，他們便不明白所說的甘美言語）。這會使他們嫉妒罪人短暫的成就（二十三17-18，二十四1-2、19-20），忘記他們的任性會浪費多少東西，並使他們落在何等惡劣的處境（二十三19-21，那是指放縱與怠惰的關係，是智者愛談的一個題目；二十三29-25，其中「調和的酒」是以蜜糖等東西攙入的酒，等同於我們的雞尾酒）。這會使他們不能抗拒婚外情的引誘（二十三26-28）。面對壓力的時候，他們就看見自己的本相（二十四10）。

二十四23-34　其他勸世箴言

這些箴言是在30句勸世良言以外的雜記。這裏包括兩句短評，一句關於我們要欣賞言語正直的人（26節），一是關於我們在「建造房屋」之前，必先有足夠食物可吃（27節）。第二句可能只有字面的含義，但這句子也可指建立一個家庭；這類箴言可以有許多不同的應用。

有兩句較長的箴言談到審判者（不是描專職的法官，而是民中長者要承擔的責任，23-25節）和見證人（28-29節；這兩節經文似乎是一起的，因而每一句都有助我們看見另一句的含義）在法庭內的行為。

最長的一句箴言，是箴言最愛描繪的其中一個人物（或說最不喜愛的一個人物）——懶惰的人（30-34節）；那是一篇描繪得十分細膩的文章。他是靠不住的（十26，十八9），他不能完成交付給他的責任（十三4，二十一25）。他常被各種問題困擾（十五19）、捱飢抵餓（十九15，二十4）、常假借藉口（二十二13，二十六13），從來沒有完成一件工作（十二27，十九24，二十六15），要受貧窮之苦（十二24），並且為人頑固（二十六14、16）。六章6至11節、十九章24節及二十六章13至16節是另外一些值得留意的描繪。箴言也把懶惰人跟勤勞的人作出對比（十二24、27，十三4，十六26，二十一5）。勤力作工是一種美德，這樣做能使人得智慧和成功的人生；因此，懶惰的後果剛剛相反。

二十五1至二十九27　在希西家朝廷中謄錄的箴言

第二十五至二十九章跟十章1節至二十二章16節平行，因為這部分多半由一句的箴言組成，而有些部分的編排是以語言上的聯繫為基礎，尤其是第二十五章——例如第5節和6節中的「王面前」；第8節和9節的「鄰舍」（譯按：第8節「被他羞辱」的「他」，原文作「鄰舍」；第10節和12節的「聽見的人」和「順從的人」在希伯來文中出於同一字根）。第二十五章的箴言是一對一對的（參新國際譯本的分段），而第二十六章則集合成較大的篇幅。有時候，連繫之處在於箴言的形式——例如二十五章13和14節都以氣候來作比較。

本箴言集的上半部充滿生動的明喻和暗喻，使人讀來津津有味。原文比譯文更活潑深刻，因為「好像」和「是」，或「就如」和「這樣」等字眼，並不是常常都表達出來（這些字眼出現在二十五13，二十六1、2、8、18，二十七8，但在別處卻沒有出現）。因此，二十五章14節只作：「無雨的風雲」、「空誇贈送禮物的」。結果是要聽見這箴言的人自己思想其中意義；它的意思並沒有明明白白地擺在他面前。

二十五1　引言　上半部的30句箴言有埃及的背景，這下一個文集子據說是在希西家王的時候編成的，這時期是猶大跟埃及最密切接觸的時候，以賽亞書三十至三十一章警告猶大勿按人的智慧，以為埃及是最好的盟國，而不倚靠神。希西家時期的教師把箴言二十五至二十九章的材料保存下來，鼓勵人從積極的角度看人的智慧，但他們也像先前各章的編者一樣，警告人不要忽略了神。

二十五2-7　君王　這文集既出於朝廷，我們自然會預期它開首的箴言——3對格言——是與君王有關的。神的事含有奧祕；第三十章會進一步談論這一點。這種認知是重要的，因為箴言似乎常暗示神學是十分直接明晰的。箴言並沒有持這觀點。相反地，君王所關注的今世之事，是他能完全掌握明察的（2節）。另一方面，君王的心像神的心一樣測不透（3節）。君王若要合乎他職責的要求，便要這樣，而文中更忠告君王若要保持他的權力和尊榮，便要隱藏他一些感受和政策。

這樣，當他受到阿諛奉承的時候，他就得運用他的權力（4-5節），而文中也勸導朝臣在君王面前應有之操守（6-7節；路十四7-11的觀念似是源於本箴言）。

二十五8-28　衝突　像第十至二十二章的某些部分一樣，本部分箴言的主題是衝突的性質，以及避免或解決衝突的方法。不要衝動地介入公開的爭競，雖然你有權這樣做，而你若私下解決，也不要透露你的密事；兩種做法的結果，都會給你帶來羞辱（8-10節）。不要失去自制能力，否則你會發覺自己已失去一切（28節）。不要退縮，以致不敢憑愛心說誠實話和抵擋惡事（比較26節——但本節放在這裏，是因為其意象跟第25節是相對的），但要留意應怎樣行出來（11-12節；第11節跟其他比較的形式相同）。

我們現在轉而談論人與上司的關係。若上司感到疲倦，隨時會爆發怒氣，忠誠可靠的態度能使他們振作精神，因而對自己也是有利的（13節；若與第25節比較，可見「冰雪的涼氣」是指即使在夏天，也有從黑門山溶雪而來的冰水，而並非指夏天的降雪）。人若要說出與上司相反的意見，他必需留心所用的言詞。言詞恰當，就能擊破他抗拒的態度（15節）。

縱使不是在壓力之下，我們也需要保持鄰舍間的和諧。因此，不要久坐，惹人嫌厭（16-17節；16節上的意象在27節又再出現），不要說謊或出賣別人的信任（18-19、23節），並且不要（縱使是無意的）因你的遲鈍，而增加你鄰舍的痛苦（20節）。我們同時也要記著，別答應一些過於你能勝任的事（14節）。

鄰舍可以分為朋友和敵人，而「仇敵」也可能是他的鄰舍。愛鄰舍的命令（利十九18），所指的大概是朋友，也包括仇敵；因此，耶穌吩咐人去愛仇敵，只是更清楚地說出這個命令。相同的原則，也應用在使存敵意的鄰舍悔改（22節上是一些悔改的表記，大概是象徵性的）。然而，教師們在此雖是勸勉人重建社群中的和諧，他們訴諸的卻是較自私的本性。他們的論點是，愛你的仇敵／鄰舍，可能是達成你的盼望——結束別人對你的敵意——之最佳方法，同時也是神所認

可的一個策略。保羅也肯定他們的處理方法（羅十二20）。

家中的衝突可能是最痛苦和最難處理的（24節）。

附註 第23節以色列地的雨水，不是來自北方，而是來自地中海——西方（比較路十二54）。也許箴言的來源，是從一個雨水來自北方的地方而來；這也許再次顯示埃及文化對箴言的影響。

二十六1-12 愚昧人 這裏並沒有給愚昧下定義，卻有栩栩如生的描繪。理論上，愚昧人也可欣賞智慧，或許也可靠背誦來學習，但不懂得應用它（7節）。他們就像一些學了很多知識，卻不能應用出來的學生：像一個身懷利器，卻不曉得如何使用的人（9節——除非本節的論點是他們只是意外地獲得知識）。他們也不能從錯誤中汲取教訓（11節）。

在定義上，愚昧人並不會從這些箴言去學習。那麼，智慧人要從中學些甚麼？他們要記著，把尊榮給愚昧人，是可笑地絕不相宜的（1、8節——「石子包在機弦裏」，是要射出去，而不是包在那裏）。他們要使用一些適切的方法來訓練愚昧人（3節）。他們若要成就一些事，就要避免任用愚昧人（6、10節；第10節指有些事會達成，但不知道是甚麼）。他們要避免自以為比愚昧人優越，那只會證明他們並非如此（12節，這是本部分結尾時的一根刺）。

第4節和**第5節**提出了一個極之矛盾的勸勉，那是關乎怎樣回答愚昧人愚妄的問題。那在乎你是嚴肅而認真地看愚昧人的問題，還是忘掉它，因而按著愚昧人處理問題的愚妄方法去行。生活是複雜的，一個簡單的答案不能應用在每一個處境中。智慧人能看見哪些智慧應用在哪個境況中。

附註 第2節本節放在這裏，並不是因為它的主題跟第1節相連，而是兩節在形式上相似：兩者都是與自然現象作比較，而在兩節中，都有「如此」、「這樣」等字眼，而這幾章經文中的比較並非常是這樣。由於言語是很有力的，尤其是禱告或祝福和咒詛，人可能害怕咒詛會無可避免地成就；這節箴言應

許說，情況並非這樣。

二十六13-16 懶惰 這是4幅描繪懶惰人的諷刺畫，有他們叫人難以相信的藉口、他們的僵立不動（樞紐會在原處轉動，卻不會移開，但人卻不是如此！）、他們的閒懶和他們毫無道理的自欺。（參二十四30-34的註釋。）

二十六17至二十七22 友誼 二十六章17至22節的題目是爭競（參17、20-21節）。這些爭競可能源於性格的弱點、好爭競的性情（21節），但其中一個原因是過分的戲耍，這是愚蠢的行為（18-19節）。停止爭競的一個方法是停止惡意的傳言（20節）。我們最好還是不要嘗試排解別人的爭執（17節）。

二十六章23至28節中相關的題目是人際關係中的欺詐（參24、26、28節）。這裏警告人，一些友善的言語，跟其背後的心思可能有一段距離。聰明人常常在心裏對人說的話有所保留，不相信其中的意思只是耳所聽到的那麼簡單，而他們也開始認識那欺詐的人（23-26節上）。這幾節箴言應許，欺騙人的，將要付上在公眾面前蒙羞和個人內心痛苦的代價（26下-28節）。

二十七章1至22節由一些獨立的格言組成，其中多談及良好的關係。在開始時，**第1-2節**勸人留意兩種形式的自誇（在原文中，「自誇」跟「誇獎」是相同的）；在這段經文裏，重點在於自誇，及它在人與人的關係中所包含的意義（比較21和18節，看得讚譽的實際意思）。這些箴言繼而作出警告，是關乎愚昧所帶來的苦況（3節；比較11-12、22節），嫉妒的破壞力甚至超越暴怒（4節），及貪心引致的破壞性（20節）。

這部分的箴言轉而談論友誼，從消極的角度開始，卻肯定朋友真誠責備的價值，相對於不作批評和隱藏的愛（5節），或以表面的愛來遮掩的恨意（6節）。根據第9節——談及友誼的甘甜，**第7節**指出人因為缺乏朋友，便很容易受虛假的友情所欺騙，如第6節上所描述的。產生友誼的過程可能是很不愉快的（17節，「朋友」原文作「鄰舍」），及在第19節，意思或許是我們藉著認識別人，而發現自己。**第15-16節**在上下文也屬於第9節，因為第9節的「香料」就是第16節的「油」。**第16節**把第15節那熟悉的感慨擴展開來，因而

形成一個尖銳的論點：愛就像香氣一樣；當愛失落了，其香氣亦散失了。

較積極的是，友誼的甜美和喜樂在於它帶來的正面勸導，可救我們脫離自己的謀算（9節），並在於我們在急難中，怎樣倚靠朋友，而毋須走遠路去尋求家人的支持（10節）——最好不要遠離家鄉，到處飄流（8節）。因此，友情是需要保守的（14節）；但誇耀友情可能只有反效果！

鄰舍之誼或睦鄰是箴言中反覆出現的主題。這對社會的安康有重大益處，尤其是當人需要幫助的時候（十四21，二十七10）——雖然鄰舍也可造成傷害（參十六29，二十五18，二十九5）。因此，人需要謹慎那些或會破壞鄰舍之誼的行動：先顧自己的利益，而不去行善或善待別人（三27、28；比較十四20，二十一10）；在財務上犯錯時，不能作出相應的行動（六1-5）；出賣鄰舍對你的信任（三29）；為了短暫的利益而與人相爭（三30-31）；與鄰舍之妻發生越軌行為（六29）；用言語傷害鄰舍（十一9），公然藐視他們（十一12）；不智地為他們作擔保（十七18）；在法庭內說謊陷害他們（二十四28）；草率地訴諸法律（二十五8）；洩漏他們的祕密（二十五9-10）；或許更可笑的是，以為他們的招呼是理所當然的（二十五17）；拿他們來開玩笑（二十六18-19）；或在大清早對他們表現得太熱情（二十七14）。

附註 二十七13關於本節的內容，參六章1至5節的註釋。但本節在此是連於第2節（第2節的「別人」和「外人」，在第13節譯作「生人」和「外女」）；此處警告我們，縱然人的言語（2節）使我們相信他，但我們卻不可太容易受騙。

二十七23-27　保護長期的資產 有些貲財看來是很吸引的，但不能持久（24節）。因此，人必須保護長期的資產如牛群、羊群，牠們能給你提供衣服、金錢和食物（26-27節），你要小心料理牠們（23節），並且正確地安排種植，好為牠們提供食物（25節）——時機若把握得準確，農夫一年可以有兩次收成。

二十八1-18　公義、智慧與宗教 我們已看見，在先前的部分（二十五至二十七章）是一些生動的圖畫。它們很少提到義與惡，或提到神。在二十八至二十九章，重點又倒轉過來，我們又重談道德和神學的問題。其中多處提及神（5節）、義（8節）、惡（10節）、犯錯／犯罪（5節）、公平（3節）、道德上的惡（2節）、誠信／無可指摘（2節）、乖僻（2節）、正直（3節）和其他這類的事。

因此，這幾章聖經重複講論較早前關乎道德和智慧的信念。義行與惡行會得到相應的報償（二十八1、10、18），而縱使不是這樣，人也要離惡行善（6節）。智慧是國家穩定的祕訣（2節），相反地，君王連他最基本的職責也不能做到（3節：雨水本可滋潤農田，但也可以對它造成傷害）。暴君對人民的危害，有如發狂的野獸（15節），而他缺乏辨別能力，對自己也是危險（16-17節）。因此，人們知道義人得志就是佳音，惡人興起就是惡訊（12節；比較28節，二十九2）。

這幾章聖經也提到「妥拉」(torah)。一般來說，「妥拉」是指教訓或指引；是智者（例如一8，十三14）或先知（例如賽八16）的教訓或指引。但在箴言二十八章4節、7節、9節和二十九章18節這些有關道德和神學的箴言中，以色列人看「妥拉」為摩西的教訓。

在箴言裏，智者所教導的理解和辨別能力，是指日常的個人素養和常識技巧（例如十13，十九25）。這是理解二十八章2節、11節、16節、22節和二十九章19節中「聰明」和「知識」的自然取向。然而，在二十八章5節，領悟或辨別能力，是在於尋求神，而不作行惡的人，而在第7節，那智慧之子並不只是一個聽從父親的人，也指是遵守妥拉（律法）的人（比較二十九7，其中「就不得而知」的字面意思為「不明白知識」）。

這幾節談到從宗教和道德角度去明白知識，也給讀者提供了一個新的背景，去明白在別處出現的這些字詞。縱然它們在某些經文中，驟看似是只有一般的含義（參二十八2、11，二十九19），但其實卻有屬靈和道德的寓意。

尤其值得留意「妥拉」、惡人、壞人、公義和尋求神，怎樣在二十八章4至5節連在一起，指出人若違棄律法、不尋求神，這個道德世界就會顛倒過來。在**第6-7節**，行為純

正、乖僻、「妥拉」和智慧又連在一起，而此處的主題是財產：第6節有富足和窮乏，第7節有浪費的賞財，而第8節則有積蓄過多的利潤。同樣，「妥拉」、祈禱、正直和完全也在第9-10節連在一起，而在第13-14節，則有罪過、認罪、憐恤、敬畏和心存剛硬（此處其實並沒有談及神，但新國際譯本則加上「主／耶和華」一詞）。

附註　第17節「背負」一詞跟第16節的「暴虐」源於相同的字根；因而此處暗指那施行暴虐的，不久也受到暴虐對待。

二十八19-27　興盛　勤勞是興盛的祕訣（19節）。但自私自利地追求財富，或甚至生存，不容忍任何妥協，是錯誤的、盲目的和愚蠢的（20-24節）。如在1至18節一樣，從宗教角度去作出評論，能使這智慧的教導有一個新的背景（25節）：追求豐裕容易使人與人割裂；而要付上這代價是最愚蠢不過的，因為人所得到豐裕與否，是在乎他有否倚靠神。自以為是的人同樣是最愚蠢不過的（26節）。看似矛盾的是，在多重意義上，施予是得著的祕訣（27節）。過犯／罪、倚靠、神、愚昧和智慧在第24-26節，又再一次顯著地放在一起。此處的「智慧」也有屬靈和道德上的含義。智慧和信靠神是相輔相成的，而兩者卻與信靠自己是相反的。

二十八28至二十九27　權力和公義　此處再次闡釋義與惡的本質和後果，尤其在於它們對社會及其領袖的影響。義人而非惡人興起和掌權，是社會最大的利益（二十八28，二十九2）；實際上，這也是惡人的利益（1節）。君王公平地治理國家，國就得以穩定（4節），而他自己的治權也得以堅定（14節）。假裝博學多聞、自高自大的人，只會增加社會的壓力，而不是使社會更加和諧（8-9節），而一旦知道君王不鼓勵人說真話，王的臣僕就會願意遵他而行（12節），人人都說謊話。他要知道尊榮和卑下很容易會逆轉過來（23節）。因此，作領袖的特別要關懷窮乏人（7節）。這種公義與智慧相連，並且帶來喜樂（3、5、15節），它知道自制的意思（11節），準備受管教（17、19、21節），並且嫌惡惡行（27節）。

作領袖的要與惡人對抗，惡人不關懷窮人（7節），並且憎惡和攻擊正直的人（10、27節），他們把所想和所感受的，全然爆發出來（11、20、22節），並且以諂媚的話掩飾自己（5節），卻要為此承擔後果，付上代價（6、16、24節）。

像智慧和道德的其他方面一樣，此處也以信心為背景，所論的關乎領導和群體生活的智慧及道德。作者提醒我們，神是窮人和欺壓者的創造主，對窮人來說，這是再次的保證，對欺壓者來說，則是一個挑戰（13節）；而在神學上，是給予君王之應許的基礎，那就是公平對待窮人，能使國位堅立（14節）。

社會的穩定則在於虛心接受啟示和遵守律法（18節）。「異象」是指先知在神的旨意和計劃方面的教導（比較賽一1）。「沒有異象（或默示）」的意思大概是「神的啟示被忽略」（當然，只有默示存在，並不能防止人擺脫約束，正如先知的工作所顯明的）。這句話在智慧書中是無與倫比的。它使「妥拉」和先知書成為祝福和社會秩序的鑰匙（在18節下，我們最好以「民」為動詞的主語，如在18節上一樣──即「遵守律法，民便有福」）。

以上的註釋鼓勵我們看第19節的「明白」為一種屬靈的辨識（參二十八1-18之註釋）。本節末指出這屬靈辨識實際並不存在。〔（他）也不留意〕的字面意思是「並沒有回應」，以致這句話使18至19節的結尾跟「沒有異象」平衡。〕人的引誘是使民以君王為敬畏和信靠的對象，但其實神才是人敬畏和信靠的真正對象，並且是這福祉的最終源頭（26-27節）。

附註　第3節「使……喜樂」是第2節之「喜樂」的另一種形式──這動詞放在此處，使本節暗示智慧像公義一樣，也可以是民喜樂的原因。第24節那共犯不能上前來作見證，因而也承受與犯罪者同等的罪（比較利五1）。

三十1-33　亞古珥的箴言

三十1-9　引言　我們對亞古珥、雅基、以鐵或烏甲（1節）一無所知，而他們可能是一些外邦人（比較三十一1及其註釋）。但這種神祕感正切合亞古珥所承認的奧祕（2-4節）。我們已留意到，箴言似乎常教導一些關於生

命和神行事的通則，然而這兩方面的實際情況都比那些通則更神祕。在這裏，箴言清楚知道這一點。**第2-3節**可能暗指問題在於亞古珥缺乏智慧聰明；**第4節**清楚顯出他這個開場白的諷刺之處。他只是唯一的人，肯公開承認自己對神之事的奧祕是無知的。

然而，接著有另一個諷刺；第1節已描述他的箴言是一個神諭（譯按：和合本譯作「真言」），這是指先知從神而得之話語的一個標準用詞（比較如賽十三1「默示」；但默示一詞也可看為創二十五14提到的一個亞拉伯國家瑪撒）。**第5-6節**延續這個諷刺。雖然亞古珥說，無論他或是其他人，都不能把天上的知識帶到地上來，但他也暗示世上有神的言語，那是煉淨和可靠的，並且要我們接受而不加以干預。

亞古珥以禱告來結束這段引言，他祈求遠離虛謊，但也更明顯地祈求脫離富裕和貧窮這兩個極端，因為他看見兩者的缺乏和障礙。他提醒我們，箴言常談論的富人和窮人，並不是指這兩群人，而在兩者之間，包括了每一個人。大多數人屬於中間的一群，而這正是亞古珥想望的位置。他嚴肅地承認關乎生命和神的奧祕（留意他用了神的以色列名字——耶和華），就像傳道書所作的一樣（參傳七16-18）。

三十10-17　自作主張　這裏有3個單元彼此相關，「咒詛」是第10節和較長的第11至14節之間連接的動詞。**第10節**警告人不要干預別人的事，恐怕會帶來反效果；「他」可能指主人，也可能指僕人。然後在**第11-14節**，每一節描述一組人，其自大頑梗受到斥責。這類清單常以高潮來結束，而第14節就比其他3節長了兩倍。第11至14節在其高峰又回過來連於第7至9節關乎貧窮的主題——雖然本節的「困苦」和「窮乏」跟7至9節的用字不同。**第15節**上沿這主題發展下去；而螞蟥的吸盤好像象徵人類貪婪的本性，而**15下-16節**再繼續那主題。**第17節**帶我們返回開始時的第10節。

三十18-33　各有4樣東西　第15節下至16節那「三樣或四樣」格言，開始了18至33節中，以比較形式表達的一些格言（參六16-19之註釋）。第一組格言（18-19節）的高潮也是清單的最後一項：男與女交合的道有著**第18-19節**上那3樣東西的奧祕。**第20節**的格言是獨立的，從其主題看來，加在這裏是適切的，但它是從一個相反的角度來描述此事。

第二、三組數字格言中（21-23、24-28節）並沒有高潮。此處描述了4類人，他們都享受到出乎意料的成功，他們也都同樣叫人厭煩。這格言帶有幽默感，像本章的其他格言一樣。**第23節**上大概是指一個「嫁不出去」的婦人，但終於抓著了一個男人；**第23節**下也許指一個有了孩子的婢女，而她的主母卻是不育的。其後再描述4種動物；牠們雖各有限制，卻成就了大事，因而全都彰顯了本身的大智慧。人應從牠們身上學習。

第四組格言則有高潮。這裏描述的動物也是要說明人類的一種實況——君王威武的權力，這在結束時明確地描寫出來。這君王不單比作獅子，也比作獵狗和公山羊，這也許是一個諷刺；君王是被放在他的位置上；**第32-33節**隨即警告我們不要把自己吹捧至越了本位的位置。「搖」、「扭」、「激動」在希伯來文是相同的。

三十一1-31　利慕伊勒王的箴言

三十一1　引言　像亞古珥一樣，除了利慕伊勒王這名字外，我們對此人一無所知。不過，他若是一個王，就一定不是以色列王。像亞古珥的話一樣，他的話也要當作神諭來讀。

三十一2-9　3個勸勉　利慕伊勒的母親勸勉兒子不要親近別的婦女（2-3節），但這一段在風格上，則與一至九章頗不相同。她的**「許願」**可能是她向神求子，並與利慕伊勒的出生有關之諸言（比較撒上一11、27-28）。她又勸勉利慕伊勒禁戒酗酒，那是別人消愁的方式，而在他的情況下，酗酒可令他忘記為困苦人伸冤的責任（4-7節）。跟著是清晰地呼籲他履行作王的責任（8-9節）。

三十一10-31　完全的婦人　學者常把10至31節跟利慕伊勒的箴言分開。然而，箴言中各個獨立的單元都有一個題目，而第10節並沒有這樣的題目，表示本部分應被視為利慕伊勒箴言的一部分。利慕伊勒的箴言既來自他的母親（1節），本書這最後的部分便可能

是一個婦人述說婦人應有的責任。這是一首有22個詩句的離合體裁，每一句以一個希伯來文字母來開始；這種詩歌形式暗示已對其主題作出了全面的探究。因此，其中描寫的次序是按詩歌形式而不是按邏輯編排的。

「才德的婦人」是開首句。這裏描繪她履行她的責任，為家人提供食物和衣服，並且參與管理家庭以外的財務和生意，她也照顧貧苦的人，並作出智慧的教導。賢婦的畫像中這個要素，暗指她作為箴言最後一位權威的教師（像第1節中利慕伊勒的母親），可與開首數章的智慧婦人相比（比較三13-18，九1-6相應的表達法）。在箴言中，婦人與男人一同履行教導職責（例如一8，六20），實現了創世記一至二章中部分的異象，即男人和女人一同反映出神的形象，並蒙召去代表神管理這個世界，此處亦邀請所有人——不論男女——在世界實踐這個異象。

利慕伊勒的母親（作為太后，她可能發揮著極大的政治權力）鼓勵那完全的婦人在一個父系的社會中，盡量履行，並嘗試擴展婦人的職責。男性一般很自然會去博取名聲和成就；女性則可能只滿足於在生活中故作端莊，而社會人士往往對她們的期望也只限於此，但這樣，女性便看不見神也賦予她們潛能，去出人頭地。當然，聖經對於女性的異象還有別的方面（例如雅歌所表達的），但此處鼓勵婦女要達致的目標，也是那整體異象的一個重要層面。

這位有才幹的婦人贏得丈夫、兒女和社會的稱讚，正是因為在她生產豐饒、滿有成就的生命背後，有她向神的委身（30節）。

John Goldingay

進深閱讀

F.D. Kidner, *Proverbs,* TOTC (IVP, 1964).

K.L. Aitken, *Proverbs,* DSB (St Andrew Press / Westminster / John Knox Press, 1986).

D.A Hubbard, *Proverbs,* CC (Word, 1989).

W. McKane, *Proverbs,* OTL (SCM, 1970).

C.V. Camp, *Wisdom and the Feminine in the Book of Proverbs* (JSOT Press, 1985).

✥ 導 論

悲觀與信心的對比

在古代近東的智慧文學中，有一種寫作風格，我們可能稱之為「悲觀文學」。傳道書是在聖經中這種文學的僅有例子，但其淵源至少可追溯至主前2000年的埃及和米所波大米。

然而，傳道書的「悲觀」卻並不一樣。因為其他「悲觀主義者」的著作，總是沉鬱、感性、毫無盼望可言。在《悲觀主義的對話》(*Dialogue of Pessimism*)一書中（主前十四世紀的巴比倫人著作），認為自殺是處理人生問題的唯一答案。在《吉加墨斯史詩》(*Epic of Gilgamesh*)中，太陽神沙馬士(Shamash)直率地指出：「你想追尋的那種人生，是你永遠也找不到的。」雖然傳道書與古時的悲觀主義互相呼應，但它的內容卻有另一條脈絡，突顯出它的不同，因為它同時表達了獲得喜樂和信心的可能性，也相信神的美善。

在傳道書一章2節、七章27節和十二章8節的諺語中，均出現「傳道者說」這幾個字。根據十二章9至14節對傳道者的描述，明顯是陳說另一個人的教訓。「傳道者」的希伯來文是*Qoheleth*，是一個假名（雖然在它的結構中是常見的稱謂）。它的意思大概是「傳道者」。其動詞的字根表示「往集會去」，在其他地方通常是指到集會中發表演說（參新國際譯本的旁註，它有另一個解釋：「集會的領袖」）。它使人「感到」可以意譯為「傳道者陛下！」。那麼，誰是這位「傳道者」？一章1節以及第一和二章的描述，清楚表明這人就是所羅門（雖然「大衛的兒子，在耶路撒冷作王」的，可以指到大衛家系的任何一位君王），卻沒有說出「所羅門」的名字。它不像雅歌一章1節和箴言一章1節那樣直言是出於所羅門的。編者陳述的是王的教訓，而這教導是由所羅門開始的，但編者卻沒有宣稱他所陳說的正是所羅門本人的話。**因此，傳統認為書中的教導是屬於所羅門的，但編輯的工作則屬於較後期。**

那麼，編輯的工作是在何時展開呢？我們可以透過3種不同路線的取向，來尋找這個問題的答案，不過，我們將發現當中兩種取向是徒勞無功的。第一種取向是尋找本書中的歷史資料。這包括嘗試確認出四章13至16節和九章13至16節所提到的事件，可惜結果並不令人滿意。第二種取向認為傳道書是借重希臘思想為基礎，所以，是源自希臘時代（即主前第三世紀或其後）。這兩種探究的路線都不能清楚有力地表明任何事實。在本書找不出有哪處是明確引用希臘思想。悲觀主義的淵源，可追溯至傳道書面世日期之前的數百年。希臘的懷疑主義，可追源至美索不達米亞的文化。第三種取向，同時也是最有可能為傳道書找出成書日期的，就是歸究當中的用語。不過，這種方法也是困難重重。它並不像舊約的其他任何一卷書，精確地採用相同的希伯來文寫成。**它用了兩個波斯文字，表示我們如今這卷傳道書的成書日期，是自波斯帝國興起，並管治以色列的時期（主前第六世紀）。但它還有一些特點，可能屬於更早期。書中提到神的殿（五1），排除了還未有聖殿的時期（主前586至516年）。我們初步認為傳道書的成書日期可能是主前第五世紀，但有系統地詳盡研究過其運用的語言後，則有證據顯示它是屬於更早時期。**還有另一個可能性，就是對其用語作出詳盡研究後，發現當中無論是早期和後期的特徵，均有同樣充分的證據作為支持（這表示它是一本早期的作品，其後經過不斷的修訂）。我們依據這些線索可得出一些發展的端倪，但至今仍未能達致任何共識。

在正典中的位置

從我們所能追溯的最遠古時代，傳道書就已經列入「正典」（即在信徒群體中被視為權威的著作）。雖然在主後100年的雅麥尼亞(Jamnia)議會中，拉比之間曾為本書的權威性引起了爭論，但最終仍同意它的權威。在昆蘭發現的傳道書抄本，顯示在更早時期已有類似的看法。

結構

在一至三章可以尋索到一條討論的主線。到了第四至十章，各段的聯繫變得較為鬆散；我們可以找到同類的諺語，但無法為各段的次序找到任何更嚴格的邏輯和理據。第十一至十二章則別樹一格，當中的語氣流露著作者的諄諄勸告。

🌡 主 題

傳道書有3個特點：

1.它將現實分為兩個範疇，屬天和屬地，並用以指出甚麼是「在日光之下」或「在天上」，以及甚麼是「在地上」；例如，「神在天上，你在地下」（五2）。

2.它將肉眼所見與信心之間作出區分。傳道者說：「我見日光之下……」（一14），但接著便表示：「我卻看明……」（二14）。當他採用「見」這個動詞時，他是指到人生的困苦。當他勸人要喜樂時，並不是與他所「見」的有關，而是因為他無論看見甚麼，他仍然相信神。

3.它帶領我們面對生命的悲苦，然而，卻不斷地勸勉我們要有信心和喜樂。

那麼，傳道書的寫作目的和中心信息又是甚麼呢？

它是要給許多古老思想所抒發的那股縈繞不息的悲觀論調，提供一個答案。但與此同時，它沒有忽視這個世界已墮落的事實，盲目投下膚淺的「信心」。因此，它是一本傳福音的小冊子，既呼籲世俗的人去面對他們那種世俗主義的真正含義；同時，也是對現實主義者的一個提醒，呼召忠心的以色列人要正視今生的「虛空」和「變幻無常」。它並不支持世俗主義（以神的存在對今世的生活並沒有實際作用，作為生活的態度）和脫離現實的樂觀主義（期望能運用信心來改變生

命的實況）。消極方面，它提醒我們「信心」往往與「眼見」有明顯的差異，但信心卻並沒有提供一條捷徑，讓我們可以完全明白神的道路。積極方面，它呼籲我們要過一個充滿信心和喜樂的人生。韋特（J.S. Wright, *Ecclesiastes, The Expositor's Bible Commentary*, vol.5, Zondervan, 1992）在總結傳道書時這樣說：「神握有開啟一切奧祕的鑰匙——但祂不會給你。你既然沒有鑰匙，就必須相信祂會為你打開一重又一重的門。」

應用綱要

傳道書啟示了信徒向人生學習的一個積極態度。作者主動去「見」、「看」日光下的一切事物，積極地探討、思考、反省。這些「以信為本」的探索和體驗之成果，累積成為其智慧人生的素質，也是信徒進入豐盛生命及生活的途徑。

而認定神是我們的創造主，我們是受造物，就當在祂面前俯伏敬拜，可幫助我們存一個絕對順服的心，從神手中接受祂在我們生命裏的每一個安排。

📄 大 綱

註 釋

一1至三22 探求

在標題之後（一1），便是對人生問題的連串探求（一2至二23）。結果卻是一幅失敗和絕望的圖畫（二23）。然後出現了一個轉振點，在二章24節至三章22節所描述的人生實況並沒有任何改變，但作者卻將神的美善帶進圖畫裏，帶來一個較為令人滿意（但問題還沒有減少）的效果。

一1 標題

「傳道者」的希伯來字是 *Qohelet*，本身是一個希伯來的分詞。有關此字詞的解釋，請參看導論。

一2至二23 悲觀主義者的問題：虛空

一2-11 一些基本事實 第2節「虛空」這個字的原意，包含了轉瞬即逝、變幻無常、充滿瑕疵、徒勞無功的意思。第3節人找不到真正的進步。「益處」這個詞語，是古代的商業用語。它指到可觀的成就，有實質的證據顯示做了某些有價值的事情。「勞碌」可以指到身體上所付出的勞力（參二4-8；詩一二七1），或是指到精神或情緒上的負擔（參二23；詩二十五18）。這正是傳道者「在日光之下」所見到的景象。鑑於「在日光之下」出現的頻密程度，以及在五章2節所作的明確劃分，這句片語顯然是十分重要的。它在不同的古代文化中均有出現過，是指到「地」，對比於至高的神所顯示自己的「天」。「在地下」、「在天下」和「在日光之下」都是同義詞。有關這方面的探討，可參看導論。傳道者顯然將他的目光局限於他目前要探視的世界當中有限的資源。第4節一代接一代的人都無法改變人類的基本處境，全世界的人都體現到「虛空」的問題。羅馬書八章20節同樣提出了這點，也許正是引用了傳道書的典故（保羅所用的希臘字，正與傳一2的希臘文譯本相同）。第5-7節大自然也沒有與時並進。它在天上（5節）、地上（6節）和海上（7節）都是匆忙往返不息，但它的勤勞不息卻沒有為人類的基本處境帶來任何改變。第8節「厭煩」含有「精疲力竭」的意思。它暗示大自然的作息已使它日益耗盡，又或是指到人類被它的不停流轉弄得疲憊不堪。第9-10節

我們來到歷史面前。事情的發生（已有的事）和人的作為（已行的事），都是不斷重複。第11節「記念」在這裏可能指到因回憶而引起的行動。我們現在的人生，並非經過我們學習過往的事之後才出現的。人沒有從已過的世代學到甚麼。

一12-18 智慧的不足 面對著一章2至11節所展示的問題，智慧是否處理人生沒有「益處」（一2）的答案呢？第12節現在所陳說的，正是所羅門的傳統智慧。第13節上「尋求、查究」表示了全面和深入。「天下」是讓我們知道所查究的有限範圍。第13下-15節接著便得出了3個結論。1.探求意義，是神命定人要做的事。「勞苦」帶有「強制性行為」的含義。2.結果卻令人失望。「捕風」表示努力去追求那永遠得不到的東西。「在日光之下」的人類無法解決他們的問題。3.人生中有不能解釋的轉變和欠缺。「彎曲的」同時指到人生（參一3-4上）和環境（參一4下）。七章13節和29節指出了彎曲的由來，這裏卻沒有提及。人生和環境都有「缺欠」，出現有違常理的情況，或對所發生的事情不明所以，都會使人生顯得變幻無常。在第16-18節出現的「狂妄和愚昧」，表示傳道者在心中保留了不選擇智慧，而選擇其他的可能性。這成了二章1至11節的預告。他的結論是，嘗試去化解人生問題的努力，只會將人所看見的問題放大，卻不能帶來任何答案。要對答案作進一步的深入了解，就要等待基督的來臨。

二1-11 追求享樂的不足 傳道者指出智慧的不足後，便又指出它另一個極端的不足。我們看見他的決定（1節上）、他的結論（1下-2節）、過程的詳細始末（3-10節）和結論的重申（11節）。

「嬉笑」（2節）通常是指到虛浮的玩樂，「喜樂」的一般用法則表示較有心思。一切的喜樂均不能化解傳道者的問題。「愚昧」意味著不理會審判。「有何功效呢？」這一個沒有答案的問題，讓我們明白到即使最大的喜樂也不能化解人生的變幻無常。

第3-10節列出了傳道者的努力。當中包括各種消遣和娛樂。「僕婢」、「牛群羊群」顯示了極大的財富。第9節讓我們知道他的威

望,而且仍保留他的客觀性。不論是身外(「眼所見」,10節),或心內(「使內心快樂」,10節)之物,都沒有保留不去享受。結果只是帶來半分成就感(10節下)。

他最終的結論(11節),與他從探求智慧而得的結論並無分別(參二11,比對一17-18)。重複的詞彙(「虛空」、「捕風」、「毫無益處」)顯露他內心那份痛苦的失望。

二12-23 眾人的命運已定 傳道者道出了人生的問題(一2-11),並兩個無效的補救方法(一12-18,二1-11)之後,便留下了一個問題:在智慧和追求享樂這兩者之間,有沒有一樣是較為可取的?從某方面來看,智慧勝於追求享樂。但從另一方面來看,兩者都是一樣,都不能處理死亡的問題。

第12節下的字面意思是:「王之後還會出現甚麼樣的人,做王曾經做過的事?」〔詳見M.A. Eaton, *Ecclesiastes*, TOTC,(IVP, 1983)p. 68〕。新國際譯本的大意相同,意思是:「將來的王能否在探求人生的事上比我做得更好?」將來的王也要面對相同的問題,傳道者可以提供甚麼意見呢?王最需要的是智慧(參王上三5-28;箴八14-16)。「愚昧人」因信口胡言和蓄意犯罪而惡名昭著;對他來說,行惡就是一件樂事(參箴九13-18)。

第13-14節上為剛才的問題提出了答案。智慧是難能可貴的。「光明」是用來比喻明瞭、知識、生活的技能。**第14下-16節**則換了另一個角度。經文提到的那「**一件事**」就是死亡,無論是智慧人抑或愚昧人都同樣要面對(14節下)。這個無可避免的命運,將智慧人和愚昧人放在同一個等次。兩者皆無法擊敗這位「最後的敵人」(15節)。第16節的意思跟一章16節一樣,不過,前者的焦點是放在個人身上。人的記憶力過於短暫,一切的努力都顯得沒有永久的價值(參九15)。

在**第17-23節**,傳道者思想「在日光之下」的人生。死亡使智慧停頓,結果使人生變得好像了無意義。**第17節**「我所以……」是一個合理的譯法,但這句片語亦可以表示「臨到我」,有時是用以表達令人困擾的事情(參賽一14)。**第18節**恨惡生命之後,便是恨惡一切「勞碌」,這個字詞有時是指到為爭取知識而付上的一切努力(一13),但這裏的重

點則較多放在日常的工作上。**第19節**另一件令人氣忿的事,是人可能會破壞上一代勞碌所建立的功績(繼所羅門之後的羅波安,便是一個例子;王上十一41至十二24)。**第20節**到目前為止,傳道者的反思只能帶領他進入絕望的深淵。它的希伯來文可以翻譯為:「他讓他的心陷入絕望」。**第21節**前人的勞苦,卻讓另一個人得益,這是不公平的。儘管有智慧(實際的知識)、知識(資訊)和靈巧(從智慧和知識而來的成果),但任何東西都不能迴避死亡或確保長久,惟有福音才能給予人答案:「你們的勞苦,在主裏面不是徒然的」(林前十五58)。**第22節**「勞碌」(工作、努力)和「憂慮」(情感和理性上的掙扎)帶來甚麼呢?答案在第23節。「憂慮」和「愁煩」可以指到精神和肉體方面,連在「夜間」也因這兩方面的不安而難以入睡。

二24至三22 取代悲觀主義的另一個選擇:歸向神

在一章2節至二章23節這個部分中,除了一章13節提到神之外,便完全沒有牽涉到神。先前所談論的,都是屬於地上的事(一3、13-14,二3、11、17-20、22),只有輕輕提過人對人生失望的因由是在於神。但如今,神是世界的掌管者、美物的創造者、對不義的審判者。虛無主義和絕望變成了喜樂、美善、神的恩惠、人生的安穩和目標。

二24-26 厚賜百物的神 **第24節**上人要享受神美好的供應。「吃喝」表示了神的心意是要給予各人的供應和滿足。**第24下-25節**我們所享受到的美滿人生,都是出於神的手。**第26節**從神而來的三種福氣有智慧(生活的技能)、知識(認識事實、明瞭和經驗)和喜樂。「罪人」的生活不是要討神喜悅;在七章20節則有不同的用途。對罪人的審判也是出於神的。「所收聚的、所堆積的」,在希伯來文中並沒有指明是財富;傳道者所指的是所有東西。但擁有權只落入義人的手中。這點並不容易看見。但我們可以從迦南人的各城落入以色列人手中,看見「罪人為義人積存資財」(箴十三22)。至於今生的現況似乎與此相反,基督徒對永恆的看法會使它變得較易理解,但對於傳道者來說,則必然要有完全的信心。那些像出埃及記十二章

35至36節的事件，可能提昇了他的信心。

三1-8　時間是由神掌管　這段經文的目的，是要我們認識神的主權，除了可以使我們恢復信心，更可以提醒我們認真而審慎地面對人生。它之所以能使我們恢復信心，是因為神在掌管；而它要我們認真面對人生，是因為神的掌管始終是人所不能識透的。**第1節**人生是有意義的，因為有神在看管它的變遷（參詩三十一15：「我終身的事在你手中」）。「**定時**」表示「時機」或「時期」；「**萬務**」可以譯為「目標」，準確地指出人想做的事情。**第2-8節**在我們的生命中可以親身體驗到神對時間的掌管。**第2節**上指出了人生死有時（因此也包括了人生歷程中的一切）。接著的三對（2下-3節）則與建立和摧毀的行為有關（當中的動詞廣泛地用作比喻）。之後是有關情感的部分，包括有隱密的（哭……哭）和外顯的（哀慟……跳舞）。「**拋擲**」和「**堆聚**」石頭大概是指到在戰爭中破壞農田，以及為了耕作而開墾土地（與王下三25相反；在賽六十二10，撿去石頭是為了迎接拯救者）。**第5節**下是指到仇敵和朋友、個人和群體。接著**第6-7節**上是有關支配事物或達致目標的雄心：對所想望的事情努力尋求或放棄渴求，對所擁有的東西繼續保守或予以捨棄。**第7下-8節**是指到說話（靜默……言語）和關係，涉及個人的（喜愛……恨惡）和國家的（爭戰……和好）。

三9-15　喜樂和滿足　第9-11節是發人深省的。**第9節**的問題提醒我們，人人都渴望得到益處，可惜要得到它卻並不容易。**第10節**再次提出神使人渴求人生的意義。**第11節**讓我們再次醒覺到自己所能明白的確實有限。**第12-15節**則較為肯定，而且用兩次「我知道」來分為兩個部分（11-13、14-15節）。

在**第9節**，再次提出一章3節提過的問題（只略去了「在日光之下」這句片語）。而且，**第10節**（重複一13節下）又再次指出是神使人渴求意義，但現在的觀點是有所不同。**第11節**神所分配的時間是「美好」的，令人愉悅。「永生安置在世人心裏」是指到那遠比幻變時序更大更廣的空間。（第1節的「定時」和「萬務」跟此處的「永生」互相對比）。人類有一個容納永恆事物的空間，那些

事物超越了當下的境況。可是，它不能使人明白神和祂的道路；人仍然無法明白神「從始至終」的作為。

神所賜的生命是我們享受到的最大特權（12-13節），也是神的計劃，由神去維持，（或是從另一個角度去看）也由神去審判。**第12節**傳道者提議人去享樂。此節的重點是叫人享受美好、愉快的人生。**第13節**獲得生活所需和喜樂，皆是出於神的恩賜。**第14節**在地上找不到安全感，地上的一切全屬虛空（一2、4）。神的作為證明是永存和有實效的。因此，這使人對神和神的道路產生敬畏的心（參五7，十二13）。**第15節**的字詞曾經在一章9節11節用過，但如今它卻反映出一個樂觀的看法。過去的事會重複發生；現在的事也會在將來出現。當中所展示的圖畫沒有任何改變，但不像一章2至11節，我們所擁有的並不使人悲觀；神親自確保世界的進程得以持續。在新國際譯本中，**第15節**下表示神是掌管時代進程的審判者，將來終有一天要叫過去作出交代。另一個翻譯是神「要尋回那些匆忙過去的事」，亦即神看顧這個匆忙地環繞其軌跡轉動的世界（參Eaton, *Ecclesiates*, p. 83）。

三16-22　神的審判　神既是掌管者，那麼，三章1至15節便暗示人很自會想到世上不公義的事情。我們在這段中看見一個客觀的事實、兩個評語和一個結論（16、17、18-21、22節）。**第16節**指出了問題：不公義。**第17節**嘗試從將來神必審判的角度來思想不公義。所有人（義人和惡人）都要受審判。這審判是要評核人內心的動機（美國譯本的「動機」包含了思想）和行為。**第18-21節**作出第二個觀察。重點是要指出神藉著不公義的事，來顯明人若沒有祂，就不過像獸一樣（18節）；獸和人在死亡上極為相似（19-20節）；只有少數人明白人和獸死後會有何差別（21節）。**第22節**是一個結論：面對生命無常的方法，就是靠著神的美善而活。

四1至十20　面對現實
　　這部分包含不同類別的格言。我們看見人生的苦難和困惑；人需要同伴，但現實卻看見人是孤單的，還有貧窮與富裕、逆境、智慧的有限和愚昧的衝擊。一切皆是問題，但傳道

者卻堅稱神是存在的，而且袖是非常值得人去依靠。基督徒的人生也經常充滿問題，傳道者的說話遠遠超過研究古籍的價值。

四1至五7　人生的困苦和人生的良伴

我們在這裏有5組經文（四1-3、4-6、7-8、9-12、13-16），每組均以某種形式談到孤單、缺少朋友，或缺乏別人的幫助（1節：「無人安慰」；4節：爭競破壞人際關係；8節：「有人孤單無二」；9-12節：「兩個人總比一個人好」；13-16節：孤立的王）。五章1至7節似乎與上文有些脫節；它旨在重申神的真實。

四1-3　受欺壓時無人安慰

人遭欺壓是一個事實（「看哪」，1節），是人世間其中一個苦況（「在日光之下」，1節），令人苦惱的是那些有權有勢的欺壓者。經文沒有提供任何出路（雖然二26和三22暗示了線索）。它使人不禁質疑：我們該如何面對現實？

四4-6　嫉妒和它的別些選擇

倘若欺壓損害了人際關係（1-3節），那麼，嫉妒所帶來的傷害更難以察覺（4-6節）。為了超前別人，我們便要付上極大的努力。第5節與第4節相反。人若厭棄競爭，帶來的危險就是完全的退縮。但這只會摧毀他的生命。安享（6節）勝於爭競（4節）和怠惰（5節）。「一把」表示有限的數目，比有「兩把」更容易掌握。有一把會使人「得享安靜」；有兩把卻使人陷入失落和沮喪（「捕風」）。

四7-8　為誰而語？

一個無親無故的人，卻滿有成就和財富。他提出了第8節的問題，但沒有得到任何答案，問題仍然懸在半空；這是人生其中一件憾事。

四9-12　人需要朋友

第9節說出了重點；第10-12節上提出了例證；第12節下重述整件事。深坑（10節）、寒夜（11節）和強盜（12節上）是古代出遠門的人經常遇見的，這表示人在遭遇意外（10節）、缺欠（11節）和厄運（12節上）時需要朋友。將朋友的數目由兩人增加到3人（9、12節上），是意味深長的：愈多朋友就愈好。

四13-16　被人孤立的領神

第14節出現了幾個意義含糊的代名詞，表示這段經文可以有幾種不同的方式去理解。新國際譯本的解釋大概是正確的。第13節提到的那位年老的王，過去本是有智慧的，但如今已失去他的智慧。「貧窮」這個詞語是指到他最初是謙虛的。「少年人」的年齡，可介乎少年期至四十歲之間。第14節的「他」是指王。有一個少年人興起，他贏得所有人和一切事物，先前那王變得眾叛親離（15節的含義）。老年人被孤立帶來了年輕人的成功。那位少年人獲得短暫的成功（15節）。但他得到的擁戴也並不長久。歷史又一再重演。這個故事得出兩個放諸四海皆準的真理：眾叛親離是人類其中一個痛苦的經驗，並且新一代不能解決上一代的問題（參一9-11）。

五1-7　來到神面前

倘若四章1至16節的主題確是人需要良伴，討論卻突然終止，沒有提出任何實質的答案。代之是我們現在卻要面對神。四章1至16節會使讀者腦海中勾起一個問題：神不是那個答案嗎？不過，我們來到神的面前要以正確的態度。

「神的殿」（1節）就是聖殿，它是一座象徵著神的聖潔的建築物，進入的人必須先獻祭。愚昧人不知道他那樣來到神面前是冒犯神。第2節草率禱告的人，未曾醒悟到神與人之間有著極大的差別。「天上」是神榮耀的居所；敬拜神的人必須緊記，他不是以平等的身分來到神的面前。

第3節過多的責任會帶來反效果。它們會使人難以安睡，亦可能使人說出冒失的話。第4-5節許願（提出懇求時的附帶承諾，或是表示感恩的自發性承諾）可能包括效忠的承諾、主動獻祭或奉獻嬰兒。許願卻不還願會觸怒神。「使者」（6節）可能是祭司，或是祭司所派的一個人。「夢」（7節）所指的必然是某些類似白日夢的東西，或是人以隨便、輕率、不認真的態度來靠近神。這與冒失開口祈禱都是「虛幻」（令人灰心的、扭曲的）世界的標記。敬畏神是糾正此態度的良方（參三14，十二13）。

五8至六12　貧窮與富足

我們在這段會見到「窮人」（五8）、「銀子」（五10）、「貨物」和「吃的」都「增添」

（五11），並有「富足的人」（五12）、「財主」（五13-14）和「資財豐富」（五19，六2）。

五8-9　窮人在官僚制度下受欺壓　傳道者思想到在官僚制度下所出現的拖延和推搪，使窮人生活在欺壓之下的那份灰心無奈。窮人沒有條件去等，而在層層疊疊的官僚架構中，公義已蕩然無存。經文沒有提出任何補救方法；這正是人性的真實寫照。

第8節中文和合本譯為「因有一位高過居高位的鑒察」，看起來好像官員之間在互相猜疑（參撒上十九11的動詞）。佳音譯本譯為「每個官員都有上頭來保護他」，較為胳合上下文的意思。最後那句片語所指的不是神或王，而是指到一層疊一層的當權者。

第9節有許多不同的解釋。根據新國際譯本的翻譯，其意思是：儘管官僚制度產生拖延，但換來一個穩定的國家仍然是值得的；即使王也需要它。另一個可能的譯法是：「但地的益處可歸給眾人，就是有王治理耕地」。官僚欺壓所造成的傷害，並未能壓倒社會穩定的重要性。

五10-12　錢財和它的弊處　錢財的價值是有限的：它不能滿足那些貪得無厭的人（10節），它會吸引那些倚賴別人的人（11節），它會擾亂人內心的安寧（12節）。「銀子」（10節）是用來作交易的，「豐富」是指到貨財；「豐滿」（12節）可以指到財富或體形（新美國標準譯本譯為「肚滿腸肥」）。

五13-17　愛財和失財　我們將目光轉移，見到那些曾經富裕，卻又變得一無所有的人。我們看見資財能積存（13節），卻又會失去（14節上）。富人不能將任何東西傳給下一代（14節下），或是帶走任何東西（15節）。

第16-17節財富那麼容易從人的指縫溜走，也是人生中一件令人沮喪的事（16節上）；到了最後，人幾乎只能帶走（希伯來文在這裏加強了語氣）他最初所帶來的──赤身而去。

五18-20　出路的反思　當傳道者訴説了人生的種種不快，使人快要感到吃不消的時候，他又提醒我們重新思想一章2節至三章22節。他所關心的，是我們以一個充滿信心的人生

觀和一個喜樂的心，來面對人生的不快。他在這裏提醒我們，我們可以建立一種在勞碌中享受的人生態度，而不再是與生命一同損耗。「吃喝」表示有朋友作伴，有喜樂和滿足，包括屬靈上的喜樂（參申十四26）。第19節資財可以帶來痛苦（參14節），但倘若這是喜樂生命的其中一部分，是神所賜的，那麼，我們終歸可以盡情地享受。第20節與二章23節的苦惱人生形成了鮮明的對比，證明傳道者正在衡量兩種人生態度。「使他思念」的希伯來文與前面出現過的「勞碌」是相關的。「勞碌」會使人受挫；但從神手中接受生命的「勞碌」，亦可以成為另一種人生觀。

六1-6　財富和它的不可靠　財富不能保證人能好好享福（1-2節）。人的一生可以盡享榮華富貴，可是，最後卻含憾而終，也沒有後人為他的死哀哭（3節）。寧願從未活過，也勝過一輩子在不滿足中生活（4-6節上）。死亡是無可避免的（6節）。

六7-9　永不滿足的慾望　人的勞碌不單是為了享樂，更是為了生計，希望在人生中找到滿足。但人的「心意卻不知足」（不僅要滿足「口腹」，所指的不單是身體方面的慾望）。第8節這兩個問題都預期獲得否定的答案。無論是智慧，抑或窮人的曲意逢迎，也不能改善命運。第9節可以理解為一個忠告，勸人要知足。但再從9節下推論，其意念大概是窮人雖然可以看見很多，但這種由眼目所帶來的慾望，只會徒增挫敗。

六10-12　一個絕境　「名」代表了特性。世界（先前所有的）、人和神（那比自己力大的），全都具備固有的特性。在一章2至3節所提出的問題，永遠都不會消失。第12節人所需要的，是一些能足夠每天所需（日子……就如影兒經過），卻又持續一生的東西（人一生……）；是一些能處理人生之變幻無常（虛空），又能為人提供有價值之經驗和意義的東西（有益）。這裏的兩個問題暗示一般人都未能發現這樣的一條出路，而別人卻難以在這方面提供任何幫忙。很少人會在此刻找到答案；對未來也難有任何實質的肯定。這部分來到了一個絕境。惟有五章18至20節曾帶來一點的幫助。

七1至八1　受苦和犯罪

　　在這部分，我們首先會看到受苦可能帶來的益處（1-6節），接著就是受苦的危險（7-10節）。人是不可缺少智慧的（11-12節）；生命掌握在神的手中（13-14節）。到了下半部分，我們會從扭曲的人生（13節），一直追溯到扭曲的人類（29節）。當中有陳述事實和鼓勵行動，提出有關罪惡之本源、罪之普遍性和嚴重性等基本問題。

七1-6　受苦的益處　兩組比較是並排而出（1節），可以翻譯為：「正如美好的名譽是勝過……因此，人死的日子也勝過……」。正如內在的品格比身上的香氣重要，同樣地，從喪禮所學到的道理，比從生日宴會所學到的更有益。喪禮可以驅使我們思想人生，但宴會卻通常不能。從這方面來看，哀傷是對心靈有益的（3節），它能幫助我們作最深入的思想，對人生作出最正確的價值判斷。**第4節**上表示智慧人能夠從死亡這個絕對的事實中學到一些道理，反之（4節下），愚昧人卻對屬靈事物不以為意，只沉迷於宴會的享樂中。**第6節**愚昧人的笑聲就像突然爆發的火焰，閃爍一陣火光，卻迅速消逝。

七7-10　4種危險　有4個障礙會妨礙人得到智慧，它們是1.賄賂（7節）；2.缺乏耐性（8節）；3.惱怒（9節）和4.眷戀過去（10節）。「終局」（8節）有「結局」的含義（參箴十四12）。考驗的日子會帶來最終的成果。「懷中」（9節）指到內心的東西。倘若人繼續心懷怒氣，惱怒就會進入他的性格中，成為性格的一部分。

七11-12　要有智慧　在以色列國，「**產業**」主要是指到田地。此處將產業的觀念屬靈化。智慧如土地一樣，都是屬於神的，神將它們賜給祂的百姓。智慧與財富一樣，都能對人產生保護作用，不過，智慧給人更深一層的保障。

七13-14　在神察看下的生命　**第13節**是回應一章15節。我們經歷人生的扭曲，並非出於「命運」，而是因著神的命定。**第14節**順境逆境都有其目的。順境能帶給人喜樂；而逆境則使人認識到受造之物都「服在虛空之下」

（羅八20）。人生的起伏驅使我們不斷倚靠神。我們還未置身於天堂之中。

七15-18　命途多險　人生中的「虛空之日」（15節），是被一章2至11節所提及的問題牽引著的生活。拿伯（王上二十一13）和耶洗別（王上十八至十九，二十一）的生平，正是第15節的例證。當人面對不公義，通常會傾向變得自義（16節的重點，可以譯為「扮演義人」），或是屈服於罪（17節）。**第17節**的最後一句可以譯為「可以同時逃避兩者」，它所指的正是第15至16節。

七19-22　要得智慧　現在適宜勸人尋求智慧。智慧可以勝過一群資深領袖的意見（19節）。從人的罪性來看（20節）——尤其是出於言語的罪（21節），智慧是絕對不可以缺少的。**第22節**提醒我們，我們本身的經驗應該足以使我們察覺到，別人的說話未必一定是真的。

七23-24　智慧難尋　人需要有智慧（19-22節），可是，智慧卻難尋。**第24節**回顧一章12至18節的問題。「誰能測透呢？」是一個反問。一般來說，答案將會是：無人。

七25-29　人的罪性　隨著我們認識到人對掌握智慧的有限，我們進一步思想人的本性和實況（25節）。「**萬事的理由**」（25、27節）是一個數學上的片語，即「數目的總數」。傳道者分別對女性（26、28節）和男性（29節）下了結論。他害怕某一類女性（26節）。她的性格（「心」）有捕獵者的本能。她的殷勤給人帶來壓力（「手是鎖鍊」）。只有蒙神恩賜的人才能躲避她（參二26）。**第28節**不是一句概括性的話；它只是針對智慧的問題（參提前二14；多二2-6），而且只是適用在某類女性身上。在希伯來原文中，並沒有「正直」這個字詞。我們應該比對九章9節來參考另一個觀點。**第29節**所提出的結論，是關乎全人類的；而在傳道者的時代，幾乎全由男性主導。這裏的「只有一件事」，可以讓我們認清一點，就是人類的災難究竟從何而來。神創造的人類是正直而非中立的。但儘管人原初擁有正直的本性，罪卻進入了人的生命。它是顛倒是非（「**巧計**」是指到用欺騙的方式來

處理預期臨到的事情）、任意而行和普遍存在於所有人的生命中。

八1　誰是智慧人？　這節經文延續第七章的主題。這個能夠為人生的變幻無常找出答案的人，究竟在哪裏？臉上的光是指到為人和善有禮（參申二十八50；但八23）。

八2至九10　權力和公義

當傳道者描述了人生中有關權力（2-9節）、不公義（10-15節）、困惑（16-17節）和荒謬（九1-6）的真實面貌之後，他便提出一個幫助我們在這人生謎團中站穩陣腳的立足點（九7-10）。

八2-9　王的權力　百姓要起誓對王效忠，當中有神親自的見證和認可。第3-4節傳道者提醒人不要擅離本身的職守。「急躁離開王的面」可能表示不滿和不忠（參何十一2的片語。）「固執」亦可表示「執意」。絕不可以用輕慢的態度來挑戰王的權力。第5節生活在獨裁政權下的人，就應當留意神所賜的機會（所用的字詞令人想起三1-8），並依循正當的情理。約拿單、拿單和以斯帖都是這方面的例子（撒上十九4-6；撒下十二1-14；帖七2-4）。第6-7節人生的苦難給人帶來灰心失意和迷惑困擾，這正是傳道書的主題，同時也因人對未來的無知而變得更加沉重。第8節指出所有權力都有4方面的限制。首先，沒有人能禁錮別人的心靈（新國際譯本的旁註正切合上下文的意思）。第二，死亡是由神掌管的。第三，在與死亡的爭戰中，任何權力都不足以施行拯救。「戰爭」是比喻垂死的掙扎。第四，任何手段——無論是如何的殘忍——也不能在這方面給予拯救。新國際譯本將第三和第四點接連起來（「正……所以……」），但其實這兩句片語可以分開解釋。在法律、秩序，以及政府的管治都似乎遭到破壞的情況下，這項「要遵守王的命令」之吩咐就更加適切了。

八9-11　人生的不公義　傳道者再次指出自己所觀察到的事物（「我見」），並作出判斷（「專心查考」），擴闊視野範圍（「這一切……」），卻有一個局限（「日光之下」）。葬禮在以色列人中是一項榮譽；將榮譽歸給惡人

是不合情理的。他們能入土為安，又獲得別人稱讚，似乎是極不公平的。我們很容易會想起許多例子。第11節審判遲遲未臨到，使人產生誤解：神不採取行動，似乎是漠不關心，而並非長久忍耐。

八12-13　出於信心的答案　惡人雖然罪大惡極（「作惡百次」），又享長壽，但人若從信心的角度來看此事，便會說出「我準知道」。（第9節的「我都見過」是所有人都能夠看見的事；但第12節的「我準知道」卻並非所有人都能明白的觀點。）從某個角度來看，惡人「享長久的年日」（12節），可是，從另一個角度再看，惡人「不得長久的年日，這年日好像影兒」。當中的矛盾暗示惡人在死後不再興旺，反之義人在死後卻仍然有某種形式的興旺。

八14-15　重述問題，反思出路　有些時候，行為和報應是完全脫離因果關係的。倘若第14節將問題推演得更尖銳化，那麼，第15節則喚起讀者重新記起傳道者在二章23至24節和五章18至20節所提供的出路，那就是接受神所賜的，並將自己交在神的手中。

八16至九1　人生變幻莫測　人生的變幻莫測使人晝夜不安（16節；參二23）。因此（17節），我們必須安於自己是不能測透一切的。無論如何努力、勤懇，並有多麼豐富的智慧，都不能替人找出答案。第1節下的重點，是要指出沒有人能預知自己的遭遇將會怎樣。（這裏所指的遭遇是控制在其他人手中，而非在神的手裏。）

九2-3　眾人同一遭遇　義人在人生際遇或面對死亡的事實上，都未必比惡人優勝。那「怕起誓的」這幾個字可以譯為「非避免起誓的」，所指的就是那些避免起誓向神效忠的人。「狂妄」這詞在其他地方的用法，是暗示一種亂七八糟、沒有原則的生活方式。

九4-6　活著就有盼望　今生是重要的，死亡會帶來一個決定性的改變。「死了的人毫無所知」這句話，使人想起約伯記十四章21至22節和列王紀下二十章20節也有類似的話。我們不能肯定死者是否睡著了，卻可以肯定

死者與今生再無接觸。在生的人也會逐漸忘記離世的人。此生是人獲得回報的地方。**第6節**提到一些人生的經歷也將會終止。

九7-10 信心的出路 先前所提出的忠告（二24-26，三12-13、22，五18-20），如今成了行動的呼籲。喜樂的基礎是得神的悅納。人獲得喜樂，乃是神的恩賜（參三13）；在這個背景下，神悅納人的作為。舒適的衣服（在炎熱的氣候穿潔白的衣服）、柔潤的肌膚（塗上膏油以防爆裂）、有愛妻為伴（9節），都是實際生活的喜樂。這裏所指的婚姻，是以愛情為基礎，一生終老的一夫一妻制關係。**第10節**為了享受人生的快樂（7節）、舒適（8節）、和伴侶的關係（9節），我們就要承擔起人生的責任。「你手所當做的」是指到環境所容許，而本身又有能力去作的事情。人要以積極、幹勁和實際的態度來過活。死亡就是一切機會的完結。

九11至十20 智慧與愚昧

這部分的每一組經文，都在某些方面與智慧和愚昧有關。

九11-12 時間和機會 **第11節**列出了5項成就，但兩個因素限制了人的成功：時間（重溫三1-8，它提到人生際遇在神的手中），以及突發的事情（從人的角度看就是時機）。人生的失意或死亡（禍患可以是兩者之一），都是難以逆料，卻又無法抗拒的（正如所指的「惡網」和「網羅」）。

九13-16 智慧不被認可 傳道者回想起一件事，是尊貴（大君王）與卑微（小城），以及剛強（營壘）與軟弱（小城）之間的爭持。我們不知道整件事的詳細始末，但它似乎是類似士師記九章50至55節，以及撒母耳記下二十章15至22節所記載的事件。**第15節**的最後一句，可以解釋為那窮人救了那城後，卻沒有人記念他。不過，它也可以有另一個解釋，就是「他憑他的智慧，其實是有能力拯救那城的。」這個解釋更能銜接第16節的意思：「人因著那貧窮人的卑微身分而藐視他，他的智慧言語也無人跟從。」但這並非教導我們要棄智慧如敝屣，反之，是要我們把持智慧到底，將結果交在神的手中。

九17至十1 智慧遭阻撓 貧窮人的說話若沒有人肯聽（16節），那麼，掌權者很容易讓自己的說話被人聽見（17節）。掌權者的喊聲可蓋過智慧。而且，智慧也很容易被人推翻（17節），因為一個微小的過錯，已可使愚昧的臭氣蓋過智慧的芬芳（十1）。

十2-3 愚昧 餘下的部分，將會思想人生命中隱藏的一面，對比於看得見的臉（七3）、手（七26）和肉體（十一10）。由於左撇子被視為能力稍遜（參士三15，二十16），因此，心居右便等同於日常生活有正直、靈巧和聰明的表現。一個人的心若居左，就等同於他在「人生的漩渦」中表現得笨拙和無能（箴四23）。這種無能將會顯出來（3節）。

十4-7 愚昧人立在高位 人不可因掌權者的憤怒而離開自己的崗位（無論是出於害怕抑或心懷不平）。**第4節**上發出忠告的原因，列在接著的經文裏（4下-7節）。國家領導者可能是愚昧人（5節），而這種在身分和影響力上陰差陽錯的顛倒，將會對智慧構成阻撓（6-7節）。有才幹的人（富足人）可能缺乏機會；有機會的人（王子），卻可能缺少才幹。

十8-11 愚昧人的行為 報復的行動必會自招其損。**第8節**的比喻可能暗示出於惡意的行動（參耶十八18-22）。其他較有建設性的行動（開石、砍木），亦可能因缺乏應有的能力（9節），或可能因為「當時的機會」帶來不幸，而埋沒了才能（九11）。**第10節**告訴我們，思想所帶來的成就，會勝過從暴力而來的成果。但是，**第11節**又提醒我們，避免步入另一個極端，一個原本有能力處理一件棘手事情（「以法術捉蛇」）的人，可能因為身手不夠敏捷而失敗。人的粗心大意可能會使他天賦的才幹完全不能夠發揮出來。

十12-15 愚昧人的說話和勞碌 說話能考驗智慧。「恩言」是和善、合宜、有益和吸引人的說話。愚昧人的說話吞滅自己、損害他的名聲（參3節），並妨礙他行善。「起頭」（13節）可能有「來源」的含義。愚昧的說話，是源自愚昧人的內心（參第2節）。它的「末尾」（包含「結局」的觀念，正如七8）是「狂妄」——顛倒是非的非理性表現。**第14節**

指出這種人驕傲自大；無論他怎樣多言，他都不能控制未來。**第15節**從言語轉移到「勞碌」。大城市一定很容易找得到，但愚昧人卻連明顯的進城之路也找不到。那些拒絕接受神那完備智慧的人，總是迷失了人生的方向。

十16-20　愚昧人處理國事的表現　傳道者從國家的層面來對比帶來禍患之道（「就有禍了！」16節）和帶來有福之道（「就有福了！」17節）。有福之道的首要條件是有一位成熟的領袖。「孩童」是表示不成熟。在列王紀上三章7節，記載了所羅門自認不夠成熟，需要神賜予智慧。「貴冑之子」（希伯來文是「自由人所生的兒子」）是那些擁有社會地位，以致有膽去行各樣事的人。**第二個條件就是懂得自律**。在早上大吃大喝，表示為人自我中心和自我放縱。傳道者一方面仍思想國家大事（留意20節），但另一方面，卻在**第18節**從國家的層面轉到較為個人的層面。愚昧人的懶惰為他帶來不斷衰敗的審判（18節）。傳道者雖然並不鄙視歡笑、酒和金錢，但**第19節**的重點，是要提醒人不可將享受人生作為唯一的人生觀。這裏所強調的希伯來文字詞排列次序，是要指出懶惰人生的缺欠：「麵包」……酒……錢，就是人生的全部。**第20節**用一句忠告作結（回應第4節的主題），鼓勵讀者在面對國家整體出現懶散、不成熟或放縱的生活時，仍要保持平靜。「空中的馬必傳揚這聲音」（20節；亦即是「我聽見它散播謠言」）這句諺語，可以在不同的文化背景中找到，包括古代的赫人以致後期的希臘人。

　　一切有關智慧和愚昧的教訓，都提醒我們要再次回到二章24節至三章22節，同時，認識到我們要從神的手中領受每天的生命。

十一1至十二8　抉擇的呼召

　　相比於傳道書的其他部分，這個段落是明顯地不斷鼓勵讀者作出行動。這個要求一直帶領讀者進入十二章1至7節那個激發人心和不絕迴響的高潮，當中只用了一句一氣呵成的長句子。經文重複出現「未曾臨近之先」、「不要等到」（譯註：新國際譯本分別在十二1、2、6出現了"before"），是要指出死亡的事實，並我們需要趕快作出回應。

十一1-6　信心的歷程

　　十一章1至6節所談及的一切事，可用「信心」這個詞總括起來。用船運載貨物，可能出現長時間的延誤，因此，任何涉及航海運輸的生意往來，都要付上相當程度的信心（王上十22）。「糧食」含有「貨物、食用」的意思，正如在申命記八章3節的含義。**第2節**傳道者建議人抓緊不同的機會。由七加至八，是表示要嘗試每人現有的渠道，然後還要加增一個。其背景可能是指到要樂善好施，「分給」窮人。又或是接續上一節那個經商的比喻，表示商人所經營的眾多項目。儘管我們不知道將來，卻應掌握現在，作出行動。**第3節**無論是灰色的人生觀（雲滿了雨），抑或是不能預測的事情（樹倒下），也不應妨礙我們對人生的熱忱。即使我們能預測事情的發生，也不能作出任何干預（例如雲和雨）。我們也不能準確地推測事情會怎樣發生：樹要倒下，但將倒在何處？便是一個例子。接著是提醒人不可拖延（4節），並用「不知道」來作為拖延的藉口（5節）。**第6節**然後，傳道者勸人要努力撒種。這裏提出的箴言，不單是與耕作有關，而是涉及對整個人生的態度。

十一7-10　喜樂的人生

　　人生的美善本乎光。一個人能「見日光」，就等於仍然活著。**第8-9節**人活著就應當快樂。這喜樂包括了內在的（行你心所願行的）和外在的（看你眼所愛看的）。但旋即補充了一句提醒：「黑暗的日子」，明顯是指到災難和審判的日子；而「一生……都是虛空的」則是要讓我們醒覺到人生仍然是充滿了令人困惑的問題，人只有努力才能得到喜樂。人一切的作為，將來都要接受審判。原文在「審判」一詞之前加上定冠詞"the"，就是具體地指到將來的一件事情。當人追求喜樂的時候，必須緊記此點。**第10節**我們要盡力抗拒那些纏繞我們心思意念的問題。

十二1-8　抉擇的逼切性

　　人的指望不單是追求喜樂的人生，還要認識他的創造主。由**第1節**的嘆息：「我毫無喜樂」開始，便是一句長長的希伯來句子（編按：原文是以此嘆息引出第2節），當中生動地描述了人步入晚年和死亡的境況。它所用的比喻有很多不同的解釋，以下是一個可

能的取向：亮光漸趨微弱（2節上）是表示喜樂會逐漸消逝。「雲彩反回」（2節下）是指到隨著年事漸老，困難亦日漸增多。「看守房屋的」是指到上肢，「有力的」是指下肢，「推磨的」是指牙齒，「從窗戶往外看的」是指眼睛（3節）。第4節分別描述聽覺逐漸不靈，影響對外界事物的接觸，以及帶來不能熟睡的苦況。第5節（暫時棄用比喻）是指畏高。「杏樹開花」是指頭髮變白。「蚱蜢」是形容其突兀的步勢。「人所願的也都廢掉」表示性慾減退。最後，隨之而來的便是死亡（永遠的家）和哀悼。第6節是兩幅死亡的圖畫。第一幅是一個繫著「銀鏈」的「金罐」，銀鏈象徵人的離世。第二幅是一個吊入「井」中的「瓶子」；是指死亡來臨的時候，水輪破爛，瓶子直墮井底而破，象徵生命的泉源不再湧流。

第7節再沒有用比喻。死亡使身體歸於塵土。「靈」（負責任的態度和智慧人生的原則）有一個獨特的歸宿。傳道者是指向死後的生命。

十二9-14　結語

將傳道者與「眾人」作出對比，是要表明傳道者是備受尊重的人物。「默想、考查和陳說」是指思考、研究和整理。傳道者的工作有兩個特點（10節），就是他的文學技巧（「可喜悅的言語」），和他做學問的誠實及正直態度（憑正直寫的誠實話）。「刺棍」和「釘」是指到他的教導驅使人作出行動，而且使人牢記心中。「牧者」就是神；傳道書自證是出於神的默示（11節）。關乎智慧的，還有兩點值得我們小心提防：就是那些不是出於神的智慧，以及出於人野心追求的學問（12節）。傳道者在總結全篇信息時，特別提醒我們要敬畏神，這是他寫本書的總意（13節），還有人人要面對的審判（14節）。這審判將包括所有人和所有事——無論是公開或隱藏，是善事還是惡事。

Michael A. Eaton

進深閱讀

D. Tidball, *That＇s Life! Realism and Hope for Today from Ecclesiastes* (IVP/UK, 1989).

F. D. Kidner, *The Message of Ecclesiastes,* BST (IVP, 1976).

J. S. Wright, *Ecclesiastes,* EBC (Zondervan, 1991).

M. A. Eaton, *Ecclesiastes,* TOTC (IVP, 1983).

證主 21 世紀聖經新釋

✤ 導 論

作者

本書自稱由所羅門所寫，而我們也沒有足夠理由去否定這説法。書中有好幾次提及他的名字（一1、5，三7、9、11，八11-12），而一章9節提及「駿馬」尤其值得注意，因為馬匹是由所羅門從埃及引入的。然而，有些學者基於語文上和個人方面的理由，指出雅歌作者另有其人。由於所羅門一生中有妻妾千人，他們懷疑他能否寫出這樣專一的愛情。然而，神可以使用一些最沒有可能做到的人，去完成祂的工作。**若本書確實由所羅門所寫，則寫作日期約是主前965年。**

書中人物

本註釋（及新國際譯本）認為書中有兩個主要的角色：所羅門和書拉密女。有人認為書中有3位主角，即：所羅門、書拉密女，和書拉密女的丈夫；書拉密女雖有所羅門王追求，但她仍忠於自己的丈夫。第一種看法似比第二種看法較為直接。

寫作形式

有些人認為本書是匯集一些情歌而成，這些情歌原是互不相關的，只是後來給串連起來。這看法似乎並不正確，因為書中似有一種真正的、非捏造的連貫性。本書開始時講述書拉密女在王宮首數天的生活（一1-14），然後是一幅愉快的郊遊景象（一15至二17）。跟著，書拉密女獨自在思念她的未婚夫（三1-5），想象婚禮當天（三6-11）和新婚夜（四1至五1）的情景。

其後，兩人關係出現了隔膜（五2至六3），但結果卻是和好如初（六4-13）。作者跟著描述王臥室裏一個美麗的景象（七1-10），

並進一步描述一些在郊野的景象（七11至八14）。把本書看成一個順序發生的故事，比視之為一些互不相關的情歌，似乎更有意思。我們要留意故事中並沒有婚前性行為；從現代人的角度看，這是一件重要的事實。

🌡 主 題

1. 如本書標題：「歌中的雅歌」（一1）所暗示的，它自稱在歷來描寫婚姻之愛情的詩歌中，是最優美的一首詩歌。它比所有其他的情詩更優勝，因此我們必須細心玩味此詩。

2. 本書不用平凡的散文體裁寫成，卻以詩句來描寫愛情。現代人多著重造愛的知識和技巧，很容易把婚姻中的關係降格；雅歌的重點則與此有天淵之別。

3. 神是關心人肉體需要的。畢竟，我們是由祂創造的；祂讓人能享受性愛。由於這是人生活中的一個重要部分，因此祂以整卷書來談及這一方面。然而，為了保持平衡，本書只是聖經66卷中唯一一卷談及肉體愛情的。

4. 談論人的肉體並不是錯誤的（參四1-5，五10-16，六5-7，七1-5）。今天我們大概不會使用像本書一樣的語言，因為本書是在某一個文化背景下寫成的。對於書中某些描述，我們也許會感到奇怪，但要留意，這些描述所表達的是感覺，也是身體實際的形狀。

5. 我們必須知道神為造愛所設定的時間。在一切準備就緒之前，人不可以激動愛情（二7，三5，八4）。世人說，任何時間，任何地方都可以造愛。神卻說，要在我的時間和我的地方。

6. 家庭的管教是十分重要的（八8-10）。書拉密女的兄長們教她要作一堵「牆」，防止

閒人入侵，而不要作一扇「門」。因門可讓任何人進入，對她的生命造成危害。這管教證明是成功的。

7.若以為配偶要理所當然地付出愛，那是危險的（五2-8）。對於那些沒有向配偶所表達的愛意作出回應的人，這裏有一個適切的警告，這數節也描述了其後所產生的悔意。

8.婚姻中的愛情要專一（四12）。在肉體方面來說，雙方都應像一個鎖上的圈子，一個封了口的泉源。兩人的生命，都是屬於配偶的一個私人葡萄園（八12）。雙方都不應在市場上公開自己。

9.那些極其細微的事物也可以破壞一個健康的關係（二15）。配偶雙方都必須小心提防那些破壞婚姻初期關係的「小狐狸」。真愛是不能熄滅的，也是無價的（八6-8）。對於那些設法熄滅愛情之火的東西，沒有人是免疫的，但真愛卻可避免，因為真愛的源頭是在神心中，永遠不能熄滅。同樣地，沒有任何物質可以用來交換愛。

10.若以本書為例解，可找到其中談及許多基督與祂所愛的教會之間一些美麗的事情。其中提及的，包括基督之愛的力量（八7）；祂樂於垂聽教會的禱告（八13）；渴慕祂同在的感覺（八14）；邀請基督同行（二13）；祂叩門而人不作出回應的危險（五2-8；比較啟三20）

應用綱要

婚姻是神所設立的，要我們享受婚姻中無比的愛。故對婚姻的忠貞是不可或缺的。神關心我們肉體的需要。祂也關心我們在愛中的關係；這不單是對祂的愛，也包括我們彼此的愛。

📄 大　綱

📖 註　釋

一1至二7　王在宮中與書拉密女會面
一1　標題

這標題說出了兩件事：第一，本書由所羅門所作；第二，世上沒有別的情歌像這雅歌。因此，我們必須珍愛此歌，並按著其中的教訓而活。

一2-8　耶路撒冷的眾女子與書拉密女

第2-4節作者一開始便談及肉體方面的愛。書拉密女渴望王與她親嘴。親嘴接吻是一種神所賜的愛意表達。這是嘴唇的功用之一。酒可以使人肉體得到舒暢，但卻不可與親吻相比，因為親吻是愛人全然委身的一種表示。同樣地，香氣能刺激人的感覺，但任何香水都比不上你配偶的名字。香氣也可以有一些聯想作用；它會叫你想起某一個人。宮中其他的女子也喜歡所羅門王，因為他有一種吸引人的個性。（若別人承認你配偶有良好的特質，那是一個好見證。）「願你吸引我」（或作「帶我與你同去」）是真愛的另一個表達。她的切望是能與他獨處。若有其他女子在圍繞著，她怎能徹底地享受他的愛情呢？請留意她希望王帶她往那裏去：到一個很私人的地方去，那就是他的內室。他們在那裏可以不受騷擾地表達愛意，徹底地享受彼此的愛情。「我們必因你歡喜快樂」其中的「你」就是所羅門王。這景象就好像一群

女孩子圍繞著現今的明星一樣。她們為他而瘋狂，但卻與書拉密女的愛情不一樣。她與她的愛人有一種獨特的、排他的關係；這關係只屬於他們二人。沒有人可以同時親吻兩個人，因此，親嘴應只是一個人與他妻子間的一種愛的表達。其他人可以承認和羨慕這份愛，但卻不能，也不應分享這份愛。因此，信徒也被基督吸引，因為祂有美麗的個性，有犧牲的愛。

第5-8節與宮中的仕女比較之下，書拉密女自覺自己的皮膚被太陽晒得十分黝黑。她的皮膚就像「基達」的遊牧民族，用黑山羊毛織成的「帳棚」，或是所羅門營內黑色的「幔子」。她黝黑的皮膚十分突出，以致別的女子都好奇地凝望著她，她卻要求她們不要「輕看」她。而事實上，她黝黑的皮膚正好象徵了她的美德。她日復一日地在烈日當空之下，辛勤地工作。她受到兄長（可能是同父異母的）欺侮，要在她家的葡萄園做苦工，而忽略了保護自己的皮膚。她要求眾女子不要因她的膚色而批評她，因為美麗並不在乎外表。她在那被太陽曬黑的皮膚之下，有一個可愛的性格；這是現今所有女孩子的榜樣。

第7節她從自己轉而想及她的愛人。有一件事她最想做到的，就是與愛人在一起。她用了簡單而美麗的語句來形容他：「我心所愛的」。其後她會更細緻地描述他，但現在，這一句話已足夠表達一切。以上是一種關係的描述。因此，基督徒可以向基督說：「你是我心所愛的」。她問道：「我為何要像一個蒙著臉的人呢？」一個蒙著臉的女人，表示她行為放蕩，甚至可能是一名妓女。因此她說，她不想自己看似一個這樣的女人，到處閒蕩，尋找下一個客人。因此，她要求與愛人在特定的地點和時間（晌午）相見。

第8節宮中的女子回應她的問題時，似乎是說她必須去尋找他——跟隨羊群的腳蹤，便可找到牧羊人。整個段落的主題，是談及書拉密女的個性和切望。她全然是一個可愛的人，因為縱使艱辛的工作傷了她的身體，她也不會懼怕。此外，她唯一切望的，就是與她的愛人相見。

一9至二7　王與書拉密女交談
一9-11　所羅門王說話　**第9節**所羅門對馬

匹很有認識——他擁有的馬匹多不勝數（王上四26，十26）！在某些文化中，女士們若給比作一匹馬，她們也許不覺得那是奉承的話，但對書拉密女來說，這句話卻意義重大。我們必須知道，按照東方的文化，其中相比的並不是外表的形象，而是某些感覺和精神。在她們的文化裏，「**駿馬**」代表優雅、美麗和尊貴。在拉動戰車的馬隊中，這駿馬顯得十分獨特。王也稱呼女子為「**我的佳偶**」，意思是「我的愛人朋友」。這用語在書中經常出現（一15，二2、10、13，四1、7，五2，六4）。

第10節王從駿馬上的裝飾，想到他愛人身上的飾物。書拉密女一直是一個貧窮的鄉村女孩，她不但意識到自己黝黑的皮膚，也知道自己並沒有任何珠寶飾物。但王會把情況改變過來。他既有家財萬貫，自可用新娘應有的裝飾來為她打扮。同樣地，我們天上富有的新郎基督，會以優雅和真誠作為裝飾，為教會這位新婦好好打扮一番。祂現在甚至已開始為羔羊的偉大婚筵作準備。

一12-14　書拉密女的回答　新娘再次說話，而這次談及的是她的「香味」。香氣在造愛時可以發揮一定的作用，即使在動物世界中亦然。香味可以刺激味覺以外的感官，但此處要代達的思想不止於此。「香味」是王給她強烈之吸引力的象徵。正如我們喜愛聞那芳香的氣味，她也這樣呼吸他的愛和力量。他是無可抗拒的。基督徒蒙召要發出基督的香氣（林後二14-16）。

一15　所羅門王說話　王對她的美貌讚不絕口。此外，夫婦二人現正四目交投，這是調情造愛的一個重要部分。目光的接觸可使二人進入對方的生命裏。「鴿子」表示溫柔、純潔和單純。

一16至二2　沙崙的玫瑰　**第16-17節**新娘子以更親密的話回應所羅門王。她先借用他的用字「美麗」，後再加上「可愛」。再者，他們一起躺臥在草地上，預演完婚的一幕。他們以大自然為家。「我們以青草為床榻」意思是他們以草地為床。

二1書拉密女現已脫離了起初的害羞和難為情。王對她的愛使她有一個新的自我形

象。她看自己為一朵美麗的鮮花。真正被愛，能使你對自己的看法帶來改變，這是一件十分美麗的事情。作為信徒，我們是基督不息的愛的對象，而我們在祂眼中是美麗的。**第2節**王對她的想法作出回應和加以引伸。其他女子與她相比，就好像荊棘一樣。這對宮中的使女來說，可能有點難受，但那卻是他指出書拉密女之獨特的方法。

二3-7　書拉密女想及她那無可比擬的愛人
第3節若她是「谷中的百合花」，他便是一棵「蘋果樹」，給她遮蔭和提供食物，因為她需要安穩和力量。在年輕的日子，她常在烈日之中汗流浹背（一6），但現在與他一起，她便享受到保護。而在保護以外，他更給她甜蜜和歡愉。她享受愛人愛的保護，就好像在炎熱的日子，得嘗爽脆多汁的蘋果一樣。

第4節「筵宴所」字面義是「酒之屋」，也許意指「愛之屋」。氣氛在此變得更親暱。她正進入極度喜悅和快樂的經驗中。那面旗幟正是焦點所在，並在此說出，她並不介意全世界都知道她與王彼此的愛。

第5-6節「因愛成病」指她既渴望他的愛，卻又因被愛的快樂而軟弱無力，需要扶持。她繼而想象自己在他的懷抱中。這是一種要求。此處的圖畫是二人躺臥著，而他的臂彎在她的頭以下，承托著她，並且無疑地在注視著她的雙目。讀者再次明顯可見，本書並不羞於談及肉體坦率的表達。

第7節本節指出真愛之關係中一個最基本的原則。那就是純正、真實，和正確的時間。是罪使肉體的愛在不正確的時間、不正確的地方，和不正確的人身上表達。神給萬事萬物都定下時間。我們罪惡的世界是以錯誤和罪惡的方法激動和喚醒愛情。同樣地，在另一個範疇裏，佈道家和傳道者可以用欺騙和操縱的方法，帶來未到時候的「悔改」（參林後四2）。

二8至三5　愛人的探訪與書拉密女夜間的尋找
二8-17　愛人的探訪
第8-9節雖然人不應錯誤地激動愛情。但真愛裏卻有一種衝動。到了適當的時候，愛人會「翻山越嶺」而來。他急於見她，不能再等。她作出了適當的回應，向所有願意聽

見的人說，他正以「羚羊」的速度跑來。他到達了，便「從窗戶往裏觀看」，渴望看見她，渴望與她談話。

第10-13節他們要盡情地向對方表達彼此的愛，這是一年之中最美好的時光了。這天，真真正正的春天。當他翻山越嶺來看她時，他的腳步裏顯然有著春天的氣息。她看他走近，並帶著充滿愛的眼神從窗外看她時，她心裏也有著綿綿的春意。春天正是愛情的季情。百花綻放，百鳥爭鳴，果樹也長出果子，而春花的香氣，也使人有點坪然心動。無怪乎春天常使人聯想起愛。因為春天是充滿新生命和生命力的時刻。基督徒豈不應渴望他們與基督之間的關係，像永恆的春天嗎？信徒應該從內裏湧流出活水的江河來。我們的生命與主的關係，應不斷開花結果，並以悅人的香氣來表達。

最錦上添花的，莫如她愛人的邀請。她的愛人邀請她同去，只有他們兩人，他們彼此使愛情圓滿。為了加強其語氣，這句邀請的話連說了兩遍（10、13節）。

第14-15節所羅門王的說話，帶有積極和消極兩方面。積極方面，他要求書拉密女完全開放自己。白鴿的特性是躲在「磐石穴中」，以致不讓人看見或聽見牠們。他要求她整個人向他毫無保留地開放。同樣地，我們也必須向基督完全開放自己。消極方面，他要求必須擒拿和處置任何損害他們關係的東西（「小狐狸」），無論它們是多麼的細小。他們彼此間的愛，必須是純潔和毫無摻雜的。愛情的花朵已美麗地綻放，若有甚麼東西將它損毀，真教人難以忍受！

第16-17節高潮即將來到。高潮以一句表明彼此相屬的話來開始，那完全可以理解和美麗的。他們只屬於對方，在婚姻關係中，他們絕不會屬於另一個人。這是神所設立的婚姻模式，人在這種彼此相屬的關係中得到真正的安全感。「他在百合花中牧放」可能指她像「谷中的百合花」般向他綻放。他在心愛的人身上找到他的草原。她在本段中最後一個要求是兩人能整夜依偎在一起——直至天亮，朝陽使黑影飛去。他們心靈完全的相屬，在此透過身體表達出來。

三1-5　夜間的尋求
第1-3節本段看似一個夢（或一場惡

夢？），因開始的第一句便說：「我夜間躺臥在床上」。那是一種因懼怕而產生的夢。她與他已連成一體，以致她難以忍受若他不在身邊，而這恐懼化成了一個惡夢。不過，這惡夢卻有一個美好的結局。過去一些聖徒曾引用本段來形容人「心靈中的黑夜」，那是人覺得沒有了神的同在，因而失去歸屬感和安全感，而發出的痛苦呼喊（參詩四十二）。在首4節經文中，她用了4次「我心所愛的」來形容她的愛人。她感到她失去了自己的一部分，而在極度渴想他之下，她決定親自去尋找他。她盡力去尋找他，走遍城中每一個角落——「在街市上，在寬闊處」，向她所遇見的每一個人，詢問他的下落。惟有出於極深的愛才會這樣做，就好像父母遺失了年幼的孩子一樣。

第4節尋找得到喜樂的回報。這樣的喜樂以一個像是永不再分開的擁抱來表達。這就是說：「請你不要再離開我」。但她為何把他領往她「母家」去呢？因為那是她從前的家，是她感到安全安穩的地方，她的母親曾在那裏把愛傾注在她身上。經過徹夜找尋的陌生感覺之後，她需要一個極之熟悉的地方。年輕的新娘子總是會常常返回娘家。

三6至五1 王的迎親行列和情歌
三6-11 另類的迎親行列
從**第11節**可見這是所羅門迎親的行列——「在他婚筵的日子」。那是一個何等壯觀的行列！我們首先從遠處看見這行列。馬蹄揚起的沙塵像一根「煙柱」。經文跟著指出，那並非別人，就是所羅門王，而這裏的歌表達了一種充滿喜悅的驚喜。請每個人都來「看」。在今天的婚禮中，每一對眼睛都注視著新娘子步進禮堂，但在本段經文中，每一對眼睛卻注視著所羅門，看他率領著堂皇的隊伍到來迎娶他的新婦。壯麗輝煌的行列正好配合這個場合。所羅門不會在這樣的一個大日子裏吝嗇些甚麼。一個伴郎當然不足夠——他有60個，他們都穿著得華麗莊嚴，像以色列中尊貴的「勇士」一樣。也許王想告訴新娘子，他會為她永遠保護她，因為每一位勇士都「腰間佩刀」。**第9-10節**形容婚禮用的華轎。同樣地，這是一輛最好的轎子。那是用最上乘的材料定製而造成的。王一到達（11節），宮中所有女士都被召集來看他戴著

特別為婚禮而設的「冠冕」。冠冕通常由王的母親給他戴上（參王上一9-31，二13-25。他結婚的日子給形容為他「心中喜樂的時候」，那是何等適切！並非每一個新郎都可以負擔這樣華麗的排場，但每個丈夫都應該把最好的給予妻子，反之亦然。真愛能使人把最好的給予別人。愛能使人的性格不斷改善。

四1至五1 王在新婚夜的情歌
四1-7 新婦美麗的身體
所羅門向書拉密女唱的這首快樂的情歌，是根據"wasf"這種詩歌的體裁，今天在敘利亞人的婚禮中仍然採用。這詩歌提醒我們，我們的被造不單奇妙可畏，而且是美麗的。身體是那位奇妙創造主的傑作。對戀人來說，這種互相欣賞，是造愛之前的最後一個前奏。這對夫婦現正在隱密的閨房中，全然地和合法地向對方坦露自己。王不能控制自己，要說出他所看見的，因為愛是完全的，既愛靈魂，也愛肉體。談及她的身體是他愛的表達。基督徒並非超塵出世的，以致他們不能欣賞人的軀體，甚至不能談及人的身體。聖經所責備的是肉慾，而不是肉體或言語上的愛。

第1節王稱讚新娘子身體的美麗之後，便開始詳細地描述不同的部分。把她的「腿」與「鴿子」相比，這並不在於形狀，而是在於其明亮和溫柔。她黑色的「頭髮」，從頭頂一直至肩膊，好像一群黑「山羊」從山上下來。**第2節**她張開的口，露出了數目與形狀均完美整齊的「牙齒」。她的牙齒潔白光亮，好像剛剪毛的羊一樣。「雙生」表示上排與下排完全對稱，沒有一點罅縫。**第3節**她的「唇」極之紅潤。「**朱紅線**」可能指她的唇是薄的，但似乎並非這樣；又可能指她的唇很分明，像用紅線勾劃出來一樣。（留意一些女士如何小心地塗上唇膏，以免產生不規則的線條或塗得不均勻。）她的「太陽」（作「面頰」更佳）漂亮地染上了「石榴」的紅褐色，也許更因這興奮的時刻而面泛紅霞。**第4節**「**大衛的高臺**」表示力量。這並非指她的頸很粗，而是指她有皇室的舉止。許多盾牌的裝飾是，在這概念上加上了力量和剛毅。**第5節**把「小鹿」跟「兩乳」比較，同樣不在於形狀，而在於感覺。兩者都是在撫弄時叫人感到陶醉和暢快的。

第6節所羅門王明言他正想擁抱、撫弄和

跟這美麗的新婦造愛,直至天亮,「直等到天起涼風,日影飛去的時候」,這正對應了她在二章17節的要求。適合的時間終於來到了。愛情已被激動和喚醒(參二7)。神所安排的時間使事情不會出錯。**第7節**最後,王明言他的新婦是完美的。我們不必把本段視為戀人應學效的榜樣。要說出這樣的話語,至少會令到有些人感到有點兒尷尬。但經文指出,這樣把愛的感受說出來並不會不合宜;神不單容許前戲,也容許造愛之前的蜜語;人——尤其是男人——並不是野獸,不應在不考慮配偶的感受下衝動行事;妻子並不是洩慾的工具,而根據上述各點,可見神使萬物在祂所定的時間裏顯得美麗。

四8-15　邀請與回應　所羅門王從欣賞新婦的身體,轉而描述他們彼此的關係。那是一首極之優美的詩歌,唱出了應許與愛的歡愉和他們完婚的極度喜樂(五1)。其中多借用一個美麗的園子來形容。這園子充滿各種花卉,它們所散發的香氣極之誘人。此處首次使用「新婦」一詞。

第8節這歌開始時,新郎請新婦不要想及別的地方和別的事情,以致她的心可以完全給予他。你若心神恍惚,就不能真正地享受魚水之歡。也許她害怕,這是新娘子在初夜常有的感覺。但閨房裏並沒有「獅子」或「豹子」,只有他懷中的安全穩妥。這裏並非一個荒蕪的郊野,只是一個關鎖的園子。**第9節**此外,他又向她保證,他已經完全被她的愛情所俘擄。他不再屬於自己,他也不想屬於自己。他滿足於心被俘擄(林前七4是此處的迴響)。只要她看他一眼,他便覺要昏倒下來。那是一種興奮的無助感。

第10-11節這兩節經文談及兩種肌膚的接觸:愛撫和接吻。此處譯作「愛情」的字可指以肉體表達的愛情,即性交。以西結書十六章8節便是這樣使用此字,而此處上下文也暗示這種含意。她主動撫摸他時,他感到極之愉快。那種感覺,比任何他所認識的肉體感覺更愉快滿足。他們的親吻(11節)也是熱烈和親暱的(「你的舌下」)。也許這也是指一片流奶與蜜的新土地,是她身體的「土地」。正如神為以色列人預備了應許地,現在祂也只為所羅門王預備了書拉密女。

第12-15節在這4節美麗的經文中,作者把新婦與園子作一比較。**第12節「關鎖的園」**指他們這份排他的關係。只有他可以進入園子,因為園子向其他人是不開放的,而這樣做法是絕對正確的。她親自把園子鎖起來,並向外界展示一個「閒人免進」的牌子。同時,她也像一個「泉源」,但只有王可飲於這泉源。對於他,她就像一個源源不絕的泉源,湧溢出愛的生命力。**第13-14節「你園內所種的」**表達了她擁有各種不同的美麗個性。她生命的園子裏有各種果樹,和芬芳的花草樹木。他在園子裏徘徊,並停留在不同的地方,享受她誘人之個性的每一方面。**第15節「泉源」**的觀念引伸至「從利巴嫩流下來的溪水」。雖然她的愛仍是他獨有的,但這愛卻是愈來愈廣闊。他幾乎不能找到一幅大得可以毫無遺漏地描繪這份愛的圖畫。

第16節因為他曾邀請她(8節),所以,現在她邀請他用最可能的方法進入她生命的園子裏。園子向其他人是封閉的,但向他絕不是封閉的。她邀請他到園子裏來吃她。他可以隨意隨處摘取果子和吃果子;若他想要的話,全部摘去也可以。整幅圖畫所表達的,是請他完全地擁有她。

五1　一整夜過去了,那是他們婚後共同度過的第一個晚上。他已接受了她那熱情洋溢的愛的邀請。這是一句措辭嚴謹的句子。他們經過一夜的纏綿後,現在滿足地躺在彼此的臂彎裏。本段以宮中仕女們鼓勵和贊同的話來結束。

五2至六3　錯失的良機
五2-8　以為是理所當然的
　　對比於三章1至5節,此處似是實情過於似是夢境。無論如何,這幾節經文充滿了戲劇性的事件,並帶出一個關乎夫妻關係的重要教訓。丈夫很晚才下班回家,他頭髮都沾滿了「露水」。毫無疑問地,他正切切期待享受家的舒適、妻子的體貼,並想到蜷睡在床上有多好。但在屋內卻是一個不同的故事,他的妻子已作了睡前的沐浴,現已脫去外衣,睡在床上。當丈夫敲門時,她正朦朧地入睡。他以美麗而充滿愛意的話呼喚她(也許他在回家途中已排練好了),並用了4個不同的字來叫喚她,而且每一個名字都有「我的」:我的妹子,我的佳偶,我的鴿子,我

的完全人。每一個名字都是親暱和親密的，並且一個比一個更親切，背景是為一次美麗的歸家而設的，但結果卻不然，至少仍未是一個美麗的景象。書拉密女考慮的卻是別的事情。此時身體舒適的感覺比迎接丈夫更重要。她已費力地洗淨了雙腳，怎能再把腳沾污呢？而她就是不願再把衣服穿上。

不久，她改變了主意，但卻為時已晚；他已經離開了。她無法接受這事實。她很失望，並拼命地叫喊，但四周只是寂寥一片。她走到城中的街道上尋找他，但卻被巡邏守夜的人打傷。最後，她懇求耶路撒冷的婦女，一見到她丈夫便告訴她，並把她的憂慮告訴他。

也許這事是在結了婚一段時間後才發生的，並首次顯示她視丈夫的愛為理所當然的。新婚的喜悅已稍為減退，縱使那冷漠只出現了片刻。這就是破壞一個新關係的「小狐狸」（二15）。這是給她的一個警告，幸好她立即作出回應。在心底裏，她確實是愛他，因為她的心因他而悸動（4節）。這是一個給我們所有人的教訓，既關乎我們彼此間的關係，也關乎我們與基督 —— 我們天上的新郎 —— 的關係。祂若來到我們面前，告訴我們一些愉快的事，但我們卻懶得理睬，那麼，祂的心會是多麼傷痛。身體的舒適或類似的東西，已取代了我們對祂的愛。

第4節描寫得很感人，反映了愛人者的內心世界。他心裏並沒有怨忿，而只有極度的失望。他所作的是把門柄塗滿「沒藥」，這象徵了他仍然愛她。當沒藥滴在她手上時，她高興地發現這事實。

五9至六3　書拉密女向耶路撒冷眾女子描述她的愛人

五9　書拉密女的朋友在本節中說話　她們發問了一個好問題，因這問題使她說出她對丈夫的欣賞。她較早前的態度表示出她的忘恩；現在眾人叫她說出他對於她是何等重要。她作出了何等美好的回答！這回答詳盡而滿有詩意地描述了她深深愛慕欣賞她的丈夫。

五10-16　在這部分，我們必須記得所使用的意象不一定關乎外形。作者要表達的是一些感覺和印象。第10節是一個開場白。書拉密女扼要地描述她的愛人是獨特、無人可比

的。「白而且紅」的「白」是源於希伯來人「照耀、閃耀」一詞。他的面容散發出他個性的光彩。第11節「至精的金子」可指他體形和舉止的尊貴，或指他被太陽曬黑了的面孔，兩旁垂著烏黑而捲曲的長髮。第12節他的勇力結合著溫柔。正如白鴿是一種極之馴良的雀鳥，他的目光也充滿著熱情和親切。他那雙白眼球像鴿子一樣閃爍著光芒。第13節「他的兩腮」（即他的鬍子）塗滿香屑。與他親嘴就像呼吸著那無法抗拒的香氣——「滴下沒藥汁」。第14節若此處「兩手」指手掌而不是手臂，則是指他的每一根手指都像金管，且加上了華麗的裝飾。此處以力量和美麗來形容他的肚腹。他身上沒有贅肉；他健碩而有魄力。第15節他的雙腿比作「白玉石粒」，也是暗示他的力量。兩腿在壓力下也不會容易彎曲，卻能常常支持著她。「精金座」是他的雙腳。他整個形態就像莊嚴宏偉的「利巴嫩」山，或像樹中之王——香柏樹。第16節「他全然可愛」這句話，正適合用以概括他的全人，並作為第10節的平行句。

六1-3　第1節「你的良人往何處去了？」是書拉密女被問及的第二個問；這問題像第一個問題一樣重要。這使她想及她暫時拒絕他時，他會作何反應？按著她對良人的認識，他最可能會做的是甚麼事？第2節她馬上就想到了。他不會心中不滿，不會發怒；他必定是作工去了，因為在這樣的情況下，工作是一個祝福。但此外，他正在為她採摘花兒。他既曾稱她為「谷中的百合花」，便為她採摘「百合花」，作為一份愛的禮物。他沒有被激怒，只是深深地感到失望。對於她的拒絕，他作出了一個基督徒式的回應，以愛來回應傷害（羅十二17-21）。第3節除此以外，她肯定地知道，他們仍是全然地彼此相屬。暫時的挫折絕不會導致無可避免的分裂。他們已向對方作出終身的誓言。

六4至八14　越發加增的愛
六4至八4　書拉密女結束在宮中的日子

六4-10　更多的稱讚　這7節經文再一次對書拉密女加以描述。所羅門看見她時，並不因她的行為而責備她，卻是對她加以稱讚。

雅歌·第六章

661

此處的形式跟前文一樣，以一句概述的句子
來開始。她美麗而高貴，是一種高雅的結
合。

第4節「**得撒**」意指「容貌悅人、態度
優雅」，是從耶羅波安至暗利執政時期的北國
首都（王上十六23），且是一個美麗的城市。
「威武如展開旌旗的軍隊」是書拉密女那給人
深刻印象的個性。**第5節**上當她抬頭看著他
時，他感到驚亂。也許她為了自己所作的而
傷心痛哭起來。

第5下-7節此處或多或少是四章1至2節的
重複。女性總不會因為聽到相同的讚美而感
到厭煩。她不會說：「噢！你從前已說過
了」，因此他再次稱讚她長長的秀髮、整齊雪
白的牙齒，和粉紅的兩頰。他說出相同的話
時，是否叫她回想到新婚那一夜？**第8-9節**不
過，他也按著這場合中，加上新的讚美。她
獲得保證，現在仍然沒有人像她：「我的完
全人，只有這一個」。他還可以說些甚麼呢？
他已完全寬恕她；他給她完全的保證，指他
對她的愛並沒有一點改變。**第10節**作者加上
喜悅的一筆，就是宮中的使女對王的感情作
出迴響：「晨光、月亮、日頭」和眾星都表
達出光輝與光華。也許因著他愛心的饒恕，
她整個人再次燃亮起來，此處跟第五章黑夜
的背景，也形成了強烈的對比。

六11-13　核桃園　這兩節經文很難翻譯，
尤其是第12節的希伯來文並不清楚。此處說
話的大概就是書拉密女。她下到核桃園去，
相信她所愛的人正在那裏，而她欣喜地發現
他們的關係又再回復像春天的明朗。忽然
間，她置身於王的車上，那無疑是車隊中帶
頭的一輛，而她發覺自己在眾人面前，正與
王肩並肩地馳騁。這是公開地表示他們已全
然和好。他們又再次在一起，一個新的春季
已開始。所有花兒正盛開，而「小狐狸」不
能再摧毀那盛開著的花（二15）。

第13節在她聘馳的時候，宮中的仕女們
都呼喚她，她們想看看她與愛人和好之後，
那充滿喜悅的面容。在第13節的下半句，王
對宮中的女子參與他們嬉戲表示喜悅。他說
那就像觀看一場充滿活力之舞蹈那樣精彩。

七1-9上　最親密的描繪　這段經文是王給
他愛人作出的最後一次美麗的讚賞。這是他

們和好過程的高峰，可與他們結婚的初夜作
一比較（第四章）。我們可以留意幾件事。首
先，親密的性關係可以看為主為完全的和解
而設的。第二，此處的描述比新婚夜更親
密。他第一次談到她的大腿和肚臍。第三，
也許他想使她想起他們初夜緊緊相偎時的情
境，因此他強調一切並沒有改變。這描述是
從腳到頭。他說：「從腳掌到頭頂，你都是
美麗無雙的。」

第1節在看者眼中，即使是雙足，也可以
是美麗的，那些傳福音者的腳更是如此（賽
五十二7）。巧匠手所作成的珠寶可用以形容
她那近乎完美的美麗。她的雙腳修長而美
麗，走起路來滿有貴氣。**第2節**她整個腰腹部
分好像美饌配以名酒那麼滋味。他情不自禁
地要盡情享受。似乎這時期的東方人並不喜
歡身型纖瘦的女性！**第3節**兩乳與小鹿的比較
在於觸摸時的感覺；兩者都是嬌弱細緻的。
第4節她的頸項如「象牙臺」一樣強壯和高
貴。這予人一種滿有自信的印象；她常把頭
高抬起，不會垂頭喪氣。「**希實本的水池**」
無疑是清澈而平靜的，而她的雙眼也是這
樣。凝望著她的明眸能使人精神一振。「**朝
大馬色的利巴嫩塔**」指防禦的力量。以大馬
色為首都的敘利亞，是以色列長期的敵人。
美麗在不同地方和不同時代有不同的定義或
潮流，也許在當時來，人認為突出鼻子是漂
亮的。

第5節迦密山以其美麗與高貴著稱。她的
面容是她最美麗的地方。在詩詞中，被女性
的頭髮迷住是常有的描述，而同樣地「王的
心因這下垂的髮綹繫住了」。**第6節**她身上每
一個優美的部分都稱為「可悅的」，不但本身
是可悅的，而且因為這身體給王這樣歡暢喜
樂的感覺。（那就像捧著一盒巧克力糖逐一
品嘗，而且比這樣的品嘗更暢快。）

第7-9節她的身量舉止予人的感覺好像一
棵「棕樹」：修長而高貴。從棕樹上突出來
的是它美味的果子——她的「兩乳」。他說，
他要溫柔地愛撫她的兩乳：我要抓住這些果
子。他要從她的兩乳移動至她的嘴唇，在果
子之上加上美酒。「口」（字面義是「腭」）
指一種最親密的接吻。書拉密女插嘴邀請他
去進行他渴望去做的事。她說：「盡情地吻
我吧。」高潮之後，他們在彼此懷中睡著
了。「**睡覺人的嘴**」指他們深深地熟睡，那

是一對真正之戀人滿足的熟睡。

七9下至八4　愛人審慎的回應　書拉密女採用她丈夫所用的「酒」的比喻，並告訴他說，她希望滿足他所有的慾望，而不止是他們熱烈的接吻。「流入嘴中」顯出那是怎樣的熱烈。**第10節**本節再次概述他們的關係（參二16與六3）。這句顯出他們在彼此間得著最大的安全感。然而，這次她加上「**他也戀慕我**」這句話。就是因為他熱切地渴望與她親近，所以她得到這種安全感。同樣地，我們是在基督不死的愛中找到我們的安全感。神親自應許說：「我要以你們為我的百姓，我也要作你們的神。」（出六7）

第11節現在，書拉密女首次在這段關係中採取主動，她建議到郊外再享受一日一夜的愛情。在這樣穩固的關係中，妻子不會有丈夫認為她豪放大膽的危險。**第12節**談及春天的日子，但之前不也是談及春季嗎？是否因為他們的關係極好，以致天天都是春天呢？那不就是基督與教會理想的關係嗎？那裏應花兒常開，也有常結果子的應許（參約七38，十五1-11）。**第13節**「**風茄**」這種植物不單有一種誘人的氣味，而且還（被視為）有一種催情的物質。她實際是說：「讓我們尋找一個適當的地點去造愛。」然而，不止如此，她也事先作了周詳的準備，貯存了一些新陳佳美的果子。這給我們帶來兩種使人欣喜的想法，是關乎我們與基督及我們彼此間愛的關係的。首先，那表示一種古老、熟悉和已有充足驗證的表達愛的方法，但也探討一些仍未為人知的方法。其次，真正的愛常包括有細心的前瞻。這反映出神的心，祂為那些愛祂的人貯存起美好的東西（約十四3；彼前一4）。

八1-4妻子在此因她所愛的，自己唱起歌來。在古代以色列中，女性不會在公眾地方表示她們的愛，即使是夫婦之間的愛也不可以。因此她希望自己是丈夫的妹妹，以致每次她想吻他時，也可以這樣做，即使在市場上，也不會被人蔑視。但她也知道自制和「合於社會習俗之事」的重要性。這是她從自己母親那裏學到的。她沒有忘記她滿有智慧而美好的教養，難怪她願意帶丈夫回自己的老家，那是她成長的地方。父母有責任把戀愛的事教導兒女，縱使他們當時或許不能完

全明白。**第3節**她再次預想到他們下一次在一起的歡愉，到時他們會在熱烈的愛中相擁在一起，不是站著而是躺臥著，因為他的左手在她「頭下」。這種想象是愛情的一部分。這跟空想、幻想很不相同，幻想是容讓心思想及和停留在錯誤的肉體關係中。**第4節**重複了二章7節和三章5節的句子。

八5-14　真愛的本質

此處以一個問題來引出對真愛的描述。夫婦二人這時正愉快地在郊野漫步，那是他們常去的地方，當時書拉密女正依偎著她丈夫強壯的身體。作者問：「這人是誰？」這問題就留待書拉密女來回答。她首先把我們帶回她與丈夫彼此傳達愛意的時空，那是她丈夫出生的地方。那裏是那第一次出生的地方，而這次出生是源於他父母的愛，現在有第二次的出生，因他的真愛為書拉密女而生。「**叫醒**」一詞與第4節的「叫醒或激動」有關。惟有她能真正喚醒他。當時的時間與場合都是合宜的；他們在此並沒有犯上性方面的罪。這些原則仍要指引著兩性每次的結合。

第6-7節現再進一步界定何謂真愛，而當中有好幾個重要的教訓。「**戳記**」是擁有權柄的標記，是任何人都可以看得見的。她希望所有人都清楚看見，她是全然由他所擁有的，而且絕不會屬於其他人（參提後二19）。那戳記是在兩個地方：在他心中（他情感的處所）和在他臂上（他身體力量的象徵）。他會全然擁有她、愛她和保護她。此外，真愛是「如死之堅強」，因兩者都是不能抗拒的。因此，基督的愛也是所向無敵的。保羅發覺基督的愛使他無法抗拒（林後五14）。真愛中有一種「嫉恨」，那是神之妒忌（忌邪）的反映（參出二十5；林後十一2）。若丈夫與另一個女人有染，妻子絕對有權吃醋嫉恨。嫉恨能傷害人，而且是極深的傷害，因此它可以「如陰間之殘忍」。此外，真愛有如「**烈焰**」一樣不能熄滅（比較出三2）。「**是耶和華的烈焰**」即是有大能的火焰。真愛源於神，因為神是愛。因此，這種愛有一種超凡的能力，靠人的力量是無法熄滅的。人類曾在加略山上嘗試熄滅這樣的愛，但他們的努力是徒然的。罪、死、陰間、撒但，及人類各種反叛等等罪，並不能熄滅基督對世人的愛。

最後，真愛並不能用金錢來衡量。縱使所付出的價錢極其高昂，但卻只會遭真愛藐視。福音邀請人來，而不用金錢去購買（賽五十五1）。

第8-10節這是一個重要的段落，主題是在合宜的時間才表達肉體的愛。這主題在書中並不是一個新的話題，但現從另一個不同的途徑來表達。此處談及一個盡忠關愛的家庭，保護他們年幼的妹妹，免得她在無知的情況下失去貞操。從她年幼開始，即她發育仍未完成（「她的兩乳尚未長成」），她年長的兄弟便教導她，鼓勵她為未來的丈夫守身如玉。**「人來提親的日子」**指到了她適婚的年齡。直至那時為止，她有兩個選擇：她可以是一堵「牆」，抵擋所有虛假之愛的追求；她也可以是一扇「門」，容許任何人通過她的防衛，因而在神所安排的時間之前，便已失去貞操。這一切都與書中「不要激動愛，等他情願」這個多次重複的句子連結起來。她若能自制，她的兄長會以裝飾獎勵她。她若放棄自己，使家人失望，她的兄長會加強對她的保護，「用香柏木板圍護他」。**第10節**指出她怎樣正面回應兄長們的教導。現在她身體和心智都已成熟（「我兩乳像其上的樓」），而她仍保持是一堵「牆」。**「得平安」**意指她在與丈夫獨有的關係中找到真正的完全、完整。**「平安」**一詞可譯作「滿足」、「完全」。神知道惟有當我們在這方面和其餘各方面順從祂，我們才會得到真正的健康。

第11-12節作者延續那「愛不能換取」

的思想。這兩節經文是一個比喻。所羅門在哈力哈們擁有一個葡萄園，他把葡萄園以1,000舍客勒銀子的價錢租出，而租戶可賺取200舍客勒的利潤。相反地，代表書拉密女之生命的葡萄園並不會出租。沒有人能入侵她的產業，而且她是無價的：「我自己的葡萄園在我面前」。

第13-14節這首獨特的詩歌有一個美麗的結尾。首先，所羅門要求聽他愛人的「聲音」。也許她正與朋友交談，發出一些叫嚷的聲音。王不想聽見別的聲響，而只想聽見她一個人的聲音（參二14）。我們可比較一下，在世人的吵鬧聲中，天父說：「這是我的愛子，你們要聽他」（可九7）。其次，書拉密女要求她的愛人再來與她親熱（參二17）。在這些要求中，我們聽見基督這位天上之新郎的心聲，就是祂樂於聆聽祂新婚的禱告；還有教會的心願是與主保持親密的相交：「阿們。主耶穌啊，我願你來」（啟二十二20）。

John A. Balchin

進深閱讀

T. Gledhill, *The message of the Song of Songs*, BST (IVP, 1994).

R. Davidson, *Ecclesiastes and the Song of Solomon*, DSB (St Andrew Press/Westminster/John Knox Press, 1986).

G. Lloyd Carr, *The Song of Solomon*, TOTC (TVP, 1984).

D.F. Kinlaw, *The Song of Songs*, EBC (Zondervan, 1991).

先知年表

舊約聖經餘下的部分是先知的預言。先知書的編排並非按其歷史次序。以下的圖表列出各先知書可能的寫作年代,我們讀先知書時,應把這些年份記在心上。

先　　知	事奉年期	在位君王	王朝
早期沒有著作的先知	*主前*		
撒母耳	1050-1000	掃羅、大衛	統一王國
以利亞	870-852	亞哈、亞哈謝	以色列
以利沙	852-795	約蘭—約阿施	以色列
米該雅	853	亞哈	以色列
王國時期有著作的先知			
約珥	810-750	約阿施—烏西雅	猶大
阿摩司	760	耶羅波安二世	以色列
約拿	760	耶羅波安二世	以色列
何西阿	760-722	耶羅波安二世—何細亞	以色列
		(主前722年撒瑪利亞陷落)	
以賽亞	740-700	烏西雅—希西家	猶大
彌迦	740-687	約坦—希西家	猶大
西番雅	640-610	約西亞	猶大
那鴻	630-612	約西亞—被擄	猶大
哈巴谷	600	約雅敬	猶大
		(主前587年耶路撒冷陷落)	
被擄後有著作的先知			
但以理	604-535		
以西結	592-570		
俄巴底亞	? 587		
哈該	? 520		
撒迦利亞	? 520		
瑪拉基	? 450		

(按歷史時期排列)

以賽亞書

✧ 導 論

歷史背景

以賽亞生於他本國歷史的關鍵時期，正是主前八世紀中葉之後。當時有好幾位寫作的先知出現，例如阿摩司、何西阿、彌迦及以賽亞自己；而另一方面，以色列的大半──北方的10個支派──也於此時傾覆（參先知年表）。

在主前740年，烏西雅王崩（六1），結束了猶大和以色列50年的偏安生涯。這種安靖快要過去。餘下的半個多世紀成了性好侵略的亞述諸王的天下，例如提革拉毘種安靖快要過去列色三世（主前745至727年）、撒縵以色五世（主前726至722年）、撒珥根二世（主前721至705年）和西拿基立（主前705至681年）。他們的野心不僅是為了財富，而是要建立帝國。為求達到目的，他們把征服國連根拔起，把全體國民遷徙異地；遇有背叛，則施以迅速和可怕的報復。

在主前735年，耶路撒冷也感受到他們進侵的衝擊。當時，以色列和敘利亞聯軍進逼亞哈斯王，要他參與反亞述的聯盟。以賽亞與王的對話（第七章），透示了當時的真正問題：選擇信靠神抑或參與聯盟？王決定把賭注全放在亞述身上，而不願倚靠神；結果他被神棄絕，神也預言將有一完全的君王──以馬內利，從已傾倒的大衛王朝中興起。

以色列叛逆的代價，先是於主前734年失去了北部地區（「加利利」，九1），繼而在主前722年，國家覆亡。至於猶大，其北部邊界，本與以色列接連；以色列現已變成亞述行省，亞述對猶大虎視耽耽（參王下十七24）。在這種環境下，猶大不敢輕舉妄動。

但繼亞哈斯作王的希西家，是一位熱切愛國者（其年代表可參王下十八1）；他的信心及憤於國家疲弱，促使他立志興邦安國。

以賽亞大部分的精力，都花於規勸他不要參與反亞述的陰謀（參十四28-32，十八1-7，二十1-6）。結果，這種爭執引致先知與一班親埃及黨人激烈的衝突，二十八至三十一章似乎暗示此事。後來，希西家反叛亞述（三十六、三十七章），招致西拿基立於主前701年兵臨城下；儘管有神蹟解救了耶路撒冷，這猶大小國也瀕臨亡國的邊緣。

以賽亞跟希西家的爭持並非為了辯論政見，也不是只為了眼前的境況。他與王最後的爭論，突出了這兩位信心英雄的分歧。在三十九章5至7節中，以賽亞遙望被擄於巴比倫之事，認為這是王不願順服的結果；王的反應卻是如釋重負，他說：「因為在我的年日中，必有太平和穩固的景況。」對於一位君王而言，這種觀念大概不難理解；但對先知而言，卻是太不可思議。故此，這預言在本書的最後段落中成就了。

四十至五十五章記載的事件，因有古列的名字而清楚非常（四十四28，四十五1）。這帶領我們馬上進入第六世紀的環境中。古列是波斯南部之安珊(Anshan)王，於主前550年掌管了瑪代帝國，至主前547年，其權力伸展至小亞細亞大部分地區。他遂與巴比倫帝國對立（猶大已於主前587年，耶路撒冷陷落後，成了巴比倫的俘虜）。巴比倫帝國其時已勢孤力弱，拿波尼度王又不在京城（只留其子伯沙撒攝政），他也與祭司們不和。至主前539年，古列擊敗巴比倫軍；他的軍隊在毫無抵抗下，進入巴比倫城。古列的行動應驗了以賽亞書四十四章28節的預言，他遣送猶太人（及其他國民）回國，又批准他們重建聖殿（拉一2-4，六2-5）。他在「古列圓柱碑」（現存於大英博物館）上的銘文，說明了這是他的一貫政策，以求得到各國神明的庇助（參四十一25）。

有相當數量的猶太人回國，不久卻與那

在以色列地居住的人發生衝突，他們不肯協助重建聖殿（拉四3）。重建工程停頓了將近20年，直至主前520年，哈該和撒迦利亞鼓勵人民重新動工。很多釋經家，視此背景，即緊張形勢及耶路撒冷和聖殿的重建，為五十六至六十六章經文的背景。但在本註釋中，連繫那最後篇章的主線，並非其歷史背景，而是它們的主題。那裏的主題已不是環繞巴比倫，而是選民的家鄉，一方面是指那仍不完全的故土，同時也指向新天新地，那天上的耶路撒冷。

作者
傳統及新約聖經的看法

直至近代以前，以賽亞書都普遍被視為一本完整的著作，是出自主前八世紀一位同名的先知的手筆。整本著作都抄在一卷軸中，這是昆蘭卷軸及路加福音四章17節的提示（選讀之經文出自以賽亞書後半部）。本書的統一性也顯見於《傳道經》四十八章22至25節（寫於新約時期以前約200年）。新約聖經對此看法十分一致，參約翰福音十二章37至41節；羅馬書九章27至29節，十章20至21節。

現代的評鑑理論

除了中世紀的猶太學者伊便尼以斯拉（Ibn Ezra）的質疑以外（他另有言論贊成傳統的看法），認為以賽亞書是出自多個作者的看法，只在近兩個世紀才出現。這看法最簡單，也最為人接受的主張，就是以一至三十九章為以賽亞的著作，而四十至六十六章則出自一位於第六世紀，被擄至巴比倫的佚名的先知的手。後者本為以賽亞書作續篇，慢慢地這續篇成了以賽亞書的附錄，由於作者佚名，終於溶合為以賽亞書的一部分。

這看法及其分支的主要根據，首先是所謂「預言的類比」（analogy of prophecy），意指先知常針對當代的人說話（而四十五至六十六章的聽眾主要是被擄之人）；其次，是由於四十至六十六章獨特的風格、詞彙及神學重點。下文將對此加以闡釋。

但事實上，沒有一位學者能以簡單的形式持守這個理論，因為它的原則要求人走得更遠。若把一至三十九章照樣的分析（這部分被視為以賽亞所著），可顯示一個滙集的結

構，即先知於第八世紀宣講的一連串神論，另加上後來他的門徒於不同時間的補充記錄（例如：十三、十四章是來自第六世紀被擄去巴比倫的人；二十四至二十七章則可能來自第四世紀，波斯帝國的末年）。這些補充記錄，加上許多較短的記述，可達致一至三十九章250節經文之多（約佔三分之一篇幅）；而其中一些較長的插入記錄，又可分析為不同時期的編輯成品。

四十至六十六章通常分為兩個主要部分：第二以賽亞（四十至五十五章，屬被擄時期，約為主前545年）；第三以賽亞（五十六至六十六章，屬被擄後，約為主前520年）。前者一般被視為一份完整作品，出自以賽亞一位不知名的偉大門徒；但後者卻被認為是出自第二以賽亞不同學派的跟隨者，他們嘗試把老師的思想向下一代詮釋。註釋家對於這段落包含的不同歷史背景及不同派別（例如道德主義、制度主義、愛國主義、普世主義），意見紛紜，故此對第三以賽亞有不同的分析。但在這11章經文中，可找到至少4個不同的來源。

我們必須明白，這些理論提出的一大堆作者及補述者，並非捏造。只要接受了把本書分割的原則，決不能止於簡單的二分法；原則必須一致應用（遂帶來上述的結果），或完全不用。儘管把本書二分的理論看似簡明、吸引，不過，單一作者論以外的選擇，絕不能是二位作者，而是多位作者。

話說回來，最近這些評鑑學者的重點，卻在強調這些不同作品的統一性。那些補記者被認為是同一學派的門徒，埋首於以賽亞的思想，並嘗試學習他的精神，向新一代說預言。故此，按這看法，以賽亞的教訓，在他死後，仍在後代萌發新枝；他的名字也很適切地冠在這批師承於他之教訓的著作之上。

對多重作者論的評估

單一作者論有十分穩固的傳統，故辯正的責任在主張分割本書的人身上。而他們的主要論據並非牢不可破。

1. 「預言的類比」——無疑，若四十至六十六章是以賽亞所著，他對一遙遠世代關注的深度和闊度，確是匪夷所思的。但首先，若否定任何超越已知類比的事發生，則

是把類比原理置於理性之上；並與這些篇章論述的創新的神（四十三18），不能一致。其次，這種分割理論誇張了這些篇章的區別。一至三十九章包含不少論述可見的未來的話，評鑑學者把其中大部分歸為後期編者之作，他們也是基於「預言的類比」（其實是斷章取義）。再者，有些預言（例如四十至六十六章）似乎作者是身歷其境，例如九章2至6節之「新生嬰孩的宣告」就是使用完成時態；五章13至16節記述被擄及審判的異象的經文也是。其實，耶利米的作法更徹底，他慶賀巴比倫覆滅的熱烈程度，令人以為他身在被擄時期的末期，他甚至催促猶太人趕快逃脫（耶五十8，五十一45；參賽四十八20）。但同時，他又不允許他同時代的人，逃脫巴比倫的轄制，因他們在不同時期，有不同的角色（參耶二十九4-14）。

尤有進者，十三章1節至十四章23節（標明是亞摩斯之子以賽亞的默示）中所見的巴比倫，正如四十至六十六章一樣，並非以賽亞時期的一個難以駕馭的亞述省分，而是一個快要傾倒的世界霸權；它的傾倒也意味著以色列人被擄的結束。我們還要加上二十一章1至10節的異象，聽見巴比倫的傾覆，使以賽亞十分震愕。

基於上述的討論，四十至六十六章涉及被擄巴比倫，以及有關的教訓和事後發展，可能出乎讀者意料之外，卻仍在以賽亞的視野之內。對他來說，些事情的發生正是在神的長遠計劃中，兩個相互對立的勢力——巴比倫和以色列——互動的結果；同時也是他職事的成全。

也許應該補充一點，即使最為特殊的預言，即早於古列出現之前一個半世紀，便說出他的名字（四十四28，四十五1），也並非無前例的（參有關約西亞的預言，時間距離更是雙倍；王上十三2）。另一方面，說預言的能力正是唯獨耶和華是神的明證（參四十一21-23、26-29，四十四7-8、25-28，四十六10-11，四十八3-8。注意：四十八8指摘以色列的耳聾，而不是神的緘默，使他們忽視在被擄結束時發生的新事）。

2. 四十至六十六章獨特的風格——設若這些篇章的處境和聽眾，跟一至三十九章的相類，那麼，這論據才會有效。這些篇章是以賽亞晚年的文字作品，並非是宣講記

錄，目的是要安慰，而非為了警告，且對象是未來的世代。這是很大的不同。這些預言似乎不可能產生（參上文討論），但我們不能兩面都否定。因為假若處境改變，方法及對象都不同（設定以賽亞為作者），思想及表達方式竟沒有大分別，這豈不是更令人錯愕嗎？

當然，假若全書都出自以賽亞手筆，一至三十九章理應間中可找到四十至六十六章的影子，後者的主題也可在前者藏有伏線。事實確是這樣：神在歷史中的主權（四十至六十六章的主題），可見於三十七章26節對西拿基立的宣告之中（主前701年）；其語調及用語，前後一概無異：「你豈沒有聽見？」（參四十28）；「早先所作的」（參四十一4）；「古時」（參四十五21，四十六10）；「所立的」（參四十六11）；「現在藉你」（參四十八3）。二十二章11節也用類同的語言表達這主題。至於那未來更偉大的「出埃及」事件，三十五章跟四十至六十六章的描述不僅互相呼應，更幾乎在每一節中使用了一至三十九章的特別用語。再者，有關最後之和諧境況的異象，十一章6至9節跟六十五章25節也是互相關連。這些例子雖不太多，卻是顯著的指標。

3. 詞彙——以賽亞早期的任務是譴責，故他用了下列的詞彙，如：「荊棘蒺藜」、「懲罰」、「風暴」、「餘民」；但他後期的信息是保證，他的使命變成強調神主動地「創造」、「揀選」和「救贖」。祂的計劃是包括那遠方的「海島」、「地極」及「凡有血氣的」；很自然的，先知呼籲人「讚美」、「歡欣」和「歌唱」。甚至那些輔助性用詞，也反映主題的變易；因在後面的篇章中，充滿使人感受溫暖的詞語。

不過，在提及不同詞彙的同時，不能不指出有相當數量的用語，是常見於以賽亞書前後部分，卻又罕見於舊約其他書卷的。「以色列的聖者」（在一至三十九章有12次，在四十至六十六章有13次）就是最好的例子；另有幾個有關神的不同名稱，例如：「定這事的」是使用屬格代名詞（二十二11，二十九16，四十四2）；「以色列的大能者」（一24，四十九26，六十16）。有一些罕用語詞是描述以色列的，例如：「瞎子」（二十九18，三十五5，四十二16-18）、「聾子」（二

十九18，三十五5，四十二18，四十三8)、
「離棄耶和華的」(一28，六十五11)、「耶和
華救贖的民」(三十五10，五十一11)、「我
手的工作」(二十九23，六十21)。(這些例
子取自R. Margalioth, *The Indivisible Isaiah,*
1964。) 由於這大量的以賽亞式用語，產生
了以賽亞的門徒在歷代把以賽亞的思想傳遞
下去的理論 (其實支持的證據極少)。更簡單
的解釋是本書根本出自一個人的手筆。

4.神學——本書的兩大部分，是面對不
同的處境，並蘊藏相輔相成的信息。莫特雅
(J.A. Motyer)指出 ('The "Servant Songs" in
the Unity of Isaiah', *TSF Bulletin,* Spring
1957, pp. 3-7)，一至三十九章的預言宣告歷
史上一個災難性的刑罰，但由於這些篇章也
同時提及教義和應許，引致很大的神學問
題。故此，四十至六十六章不僅是全書的完
結，更是前述問題解決之方法。若缺少了後
面這些篇章，一至三十九章將會留下一個不
解的矛盾。誠言：「若一個先知在歷史中受
靈感，宣告神的真理……他也不難受靈感，
解決這些啟示引致的神學問題……」。

總結：多重作者論 (雙重作者論的必然
結果)，引起的問題並不少於它可解決的。
(它也引起其他舊約書卷的問題，就是被擄前
的先知似乎也有使用本書的材料；這一點在
此不能論述了。) 這理論使以賽亞成了一件
殘缺不全的作品的作者；它將使所有先知書
作者的身分受到質疑；它認為本書是經過歷
代的「以賽亞學派」及其他尊敬先知的團
體，集體編著而成；他們可自由地擴充或糾
正他們老師的作品，但是在不久的將來，卻
另有一班人，誠惶誠恐地一字不易的把這些
書卷抄寫；這種對比豈不叫人驚異嗎？但其
實這個「以賽亞學派」只是出於推論。我們
也要注意早期一貫接受以賽亞書統一性的傳
統，並且新約聖經也明顯贊同這看法。

當然，我們可以爭論新約聖經並非就此
問題作出宣告，而只是引述以賽亞書；這也
是許多全心接納新約聖經之權威的人的意
見。但是，新約經文中的以賽亞，最直接的
了解是指舊約的以賽亞先知。若採納別的解
釋，將可發展至永無止境，永無定論的境
地。這對信心並無好處。這樣，我們必須尋
找一個更嚴密、更完整一貫的方案。

🌡 主　題

以賽亞書首要的信息是神的拯救。在亞
哈斯王的時代，敘利亞與北國以色列聯軍攻
打耶路撒冷，以賽亞宣講神將會拯救他們脫
離這困境之後，又有一股比前更浩大、更可
怕及殘酷的亞述軍隊，在西拿基立的率領下
入侵猶大；以賽亞安慰希西家及耶路撒冷的
居民要信靠仰望神，不必懼怕，因神必拯救
他們。

除了上述兩次發生在以賽亞時代神的拯
救外，先知也預言主不久將有一次更偉大的
拯救，情況是以色列人雖然被巴比倫人擄
去，但至終他們仍能自由回歸祖國。最後，
以賽亞更預言將來末世時，有一次最後，也
是最龐大，前所未有及永不再有的拯救，就
是一個新天新地、新耶路撒冷的建立 (十五
至六十六章)。

以賽亞書另一重要主題是神的偉大。作
者在第四十章把這主題描繪得淋漓盡致。在
這章的12至14節，以賽亞以10條問題來突顯
神，前5條強調神的力量是宇宙無比的，後5
條確定神的智慧是世上無匹的。

應用綱要

信靠神是以賽亞傳遞的一個重要信息。
他從不同的政治、社會和個人的危機情況
中，認定信靠神是唯一的出路。對於處身二
十一世紀的信徒，可能也正面臨不同的衝擊
及考驗，須效法以賽亞信靠那位全知、全能
的神。

📋 大　綱

以賽亞書

📖 註　釋

一1-31　危機處境

一1　先知的時代背景

「以賽亞」意思是「耶和華（是）救恩」，與這位「傳福音的先知」十分相配。這裏列出的王表，顯示他作先知不少於40年，約從主前740年開始，即烏西雅的末年（參六1），直至「希西家」在位時，耶路撒冷被圍困事件（主前701年）之後不久；希西家作王直至主前687或686年。

一2-4　大控訴

向「天」「地」呼籲使人憶起摩西臨別的訓誨（申三十19），「兒女」一詞加強了個人的感情。從第2下-3節所記述耶和華直接的說話（「我……我……我的……」），以及第4節明確的評論，我們可清楚看見危機的中心：神的家正與神分離。（第3節原文本無「卻」字，直接的表達更加強意義。第4節上之「行惡的種類」可譯作「（神的）種，行惡的人！」，跟第2節下之諷刺異曲同工。）「以色列的聖者」這稱號是以賽亞書獨有的，一至三十九章共出現12次，四十至六十六章共出現13次。在別的書卷，只出現兩次。這稱號與撒拉弗的呼喊互相響應（六3），又同時拉近了「聖潔」的距離，因神委身在以色列中間。何西阿書十一章9節在較早時也表達了這思想。

一5-19　猶大的禍患

不論這段說話是否以賽亞較後期宣講的神論，被放置在書前是為了加強信息的逼切

性，抑或這是以賽亞早於瞬息間對異象的一瞥（第7節下「既被」的及8節下的「好像」亦有意，因先知似乎在描述只有他看見的景物），這段說話強調了先知蒙召時所領受的某些主題。試比較5節上描述之頑梗，與六章9至10節的話；7節描述的禍患，與六章11至12節的話；9節提及之「稍留餘種」，與六章13節的話。這裏是「餘民」主題的最早線索，逐漸在先知預言中顯明（參十20-22）。

第5-6節並非描述一個病人，而是一個在生活中充滿苦難的人，仍在自討苦吃。第5節上已把重點說明，第6節下的象徵是受擊打的傷痕；比較這裏的「青腫」跟五十三章5節的「鞭傷」。這些象徵語言所代表的真相見於7至8節，猶大地受外邦人踐躪，僅存耶路撒冷（「錫安」）逃脫。這顯然是指西拿基立攻擊後的情景，該戰役記於列王紀下十八章13節，其帶來的結果可見於以賽亞書三十七章30至32節，至於有關的統計數字則見於「泰勒柱碑」（Taylor Prism），西拿基立自稱攻佔了46座有城牆的城鎮，並無數的村莊，以及俘擄了20萬人。「草棚」是農夫或守望者的小屋，收割後的遺蹟。這就是榮耀的錫安的境況，差點與所多瑪般被剪除（9節）。

一10-20　宗教的敗壞及其潔淨

猶大被視為「所多瑪」，這不僅是控訴，也是宣判。所多瑪作為一個災難點，跟龐貝或廣島一樣，有其代表的意義；這正是第9節所說的。所多瑪的壞名獨播，直至以賽亞在第10節說的話。他的話有以西結（結十六48）及主耶穌（太十一23）的支持；主是按人所得的機遇來衡量他的罪。在先知對所有宗教不虔的譴責中（參撒上十五22；耶七21-23；何六6；摩五21-24；彌六6-8），這段說話是最強烈及歷久不衰的。它的激烈是無匹的，甚至阿摩司的話也瞠乎其後；其形式及內容相得益彰。首先，祭祀不被接納，繼而是獻祭者（11-12節）。神的語調從不喜悅轉成厭惡，到最後更提出可怕的指控：「你們的手都滿了殺人的血」（15節）。

先知從責備轉而命令他們，這是當頭棒喝，要他們棄掉邪惡（16節），力求向善（17節）。這是完全的悔改，要求每一個人都切實悔改（參但四27；太三8；路十九8）。但這些嚴格的要求是為了隨即宣告那白白的救恩的

賞賜。

這極大的賞賜的引言（18節），竟如2-4節的大控訴一樣，含有法庭的口脗：「你們來，我們彼此辯論」，意即我們來辯論我們的案件（參伯二十三7）。神要與人坦率的對話；但同時，祂可改變那不能改變的，抹去那不能抹除的（「硃紅」和「丹顏」不僅顏色顯耀，更是不易褪色）；故此，「你們要洗濯，自潔」（16節上）原是嘲諷的話。第19-20節再次使我們想起申命記三十章15至20節之生與死的抉擇（參2節）；這段說話幾可稱為辯論的典範。

一21-31　神的悲痛及決心
一21-23　失去的貞潔　正如一首喪禮輓歌（「英雄何竟在陣上仆倒！」，撒下一25；參賽十四12之「何竟」；哀一1），主題是已消逝的榮耀；甚至連所用的隱喻，也從嚴重的漸變成輕微的（妻子……銀子……酒）。這裏悲痛的是道德上的敗落，卻不是為大衛或所羅門皇朝之財富，純是為了他們不公正的生活。23節濃縮地說出他們怎樣因靈性上的叛逆，形成社會上的不公；這在2至17節有所詳述。

一24-26　煉淨的火　神取用22節的隱喻，進一步說明祂慈愛火熱的一面，以及祂審判恩慈的一面。神並非漠不關心，祂的愛視他們的「渣滓」如「我的敵人」（參六十二1；啟三19）。

一27-31　毀滅的火　神在錫安，介於朋友和仇敵，「蒙救贖」者和「敗亡」者的角色之間；祂分別的並非猶太人和外邦人，卻是「歸正的人」（直譯：「『轉回』的人」和「叛逆的」人。對後者而言，火就是他們的結局，並非新的開始。解釋「橡樹」和「園子」（29-30節）的鑰匙是在31節；它們代表人的力量和組織，當誘惑人去信靠他們，意指「有權勢的」和「他的工作」；很吸引人，卻是靠不住的（參摩二9）。（我們不一定要把橡樹和園子看作偶像或生殖崇拜禮儀的暗示，例如：「阿多尼斯的園子」的枯萎，重演了神明每年的死亡；儘管這裏有可能暗示那不尋常的隱喻。）這裏的警告含有現代意義，人的技能往往是他毀滅的原因；「火星」

（31節）可釀成大火災。

二1至四6　屬神及屬人的耶路撒冷
此段的標題顯示這些預言可能曾自成單元流傳，後來才編入本書中。預言的內容反覆於耶路撒冷最後的榮耀和她目前的慘況。

二2-5　神的城
這裏跟幾乎完全相同的彌迦書四章1至5節，使我們看見錫安真正超越之處，就是耶和華在她裏面（參詩六十八15-16，眾山帶著嫉妒的眼光來看錫安）；這也是教會唯一的榮耀。她的角色是要吸引人來（2節下、3節上），不是強制他們；他們的需要是神公正的真理和治理（3下、4節上；參四十二4），這是那穩固的核心。那好像田園詩歌的結束（4節下），不能跟開始的話割離；否則我們只餘下如約珥書三章9至10節描述的苦澀景況。故此，這裏跟彌迦書一樣，異象是為了呼籲（5節），不是夢想有一天會發生普世性運動，而是要求在此時此地作出回應。

也許主耶穌看見外邦人歸正的首個徵兆，引發祂說出被舉起的預言（使用同一個動詞，含義更豐，這是七十士譯本用以翻譯二2下的詞語），吸引萬人歸向祂時（約十二32），心中想到這段預言。

二6-9　瑪門的城
猶大充滿迷信（6節）、與外邦聯盟（6節下）、財富（7節上）、軍備（7節下）、偶像（8節），使她在列國之中，閃閃生輝；當時大概是約坦或亞哈斯在位的日子，以賽亞事奉的早期，就是在烏西雅的富饒及希西家的改革之間的時候。表面上很熱鬧，那地卻是荒涼的；她擁有一切，卻沒有神（6節上）。

有關「非利士人」以觀兆著稱之事（6節），可參撒母耳記上六章2至6節；列王紀下一章2至4節。至於第7節描述的物質主義，可參申命記十七章16至17節。「偶像」一詞是以賽亞常用的，也許是由於它跟「無用」這形容詞相似（參伯十三4）。「卑賤人……尊貴人」（9節）原文只是「人」（詩四十九2譯作「上流下流」），這裏似不必添加意義；正如11節及17節一樣，總意是指所有的人。

二10-22　耶和華的驚嚇

　　這裏重複的驚嚇（10下、19下、21下、11、17節），以及描述之景象的闊大，使這篇詩產生極大的威力。它顯示了以賽亞所見耶和華的異象：「坐在高高的寶座上」（六1），也表明了倚靠世上力量的最終結局，這是以賽亞預言常見的主題。「必有萬軍耶和華降罰的一個日子」（12節）這事實，使以賽亞的傳講有如保羅般，促使人產生向前看的力量（參徒十七31）；這是教會常出落的要素。這裏明顯是指末日的境況，而非別的危機光景。二十四至二十七章將會更仔細的論述末日的啟示。

　　這裏臚列的高聳事物包括了自然界中長年使我們讚歎的景象（13-14節）、穩固的防禦工事（15節）、技術及文化上的成就（16節，參下文），更包括了人自己和人為的宗教（17-18節）。但結局更令人驚歎，那種紛亂的境況（有如啟六15-17的描述），顯明了神現今的忍耐，祂可以隨時使我們屈折逃難，拋棄祂早已吩咐我們丟棄的事物（20節）。

　　「他施」（16節；參新國際譯本旁註）也許意指一處提煉廠，那裏的船隻是為了運載煉製好的成品。不過，他施也可指遠在西班牙的他施，這些船隻是遠航船（參二十三6）。「美物」一詞很罕用（新國際譯本：「船隻」），似乎仍是描繪船隻，指出它們的美麗（「可愛」），而非它們的大小。22節不見載於七十士譯本，它卻有第5節同樣的重要功能，把異象轉化為行動。這裏以「鼻孔……氣息」表達人的生命脆弱；也作為下一章很合適的前奏。

三1-15　城的敗落

　　這裏描寫的境況一如前述般可憐、普遍和無法抗衡的。這裏描寫國家的解體，資源匱乏，人民無理想可言。匱乏的情景包含兩方面：一是物質方面（「糧」和「水」，1節；「衣服」，7節），其二是領袖（2-4節）。這預言的應驗，無疑地開始可見於亞述人來搶掠及驅逐百姓之後（參一5-9），真正的應驗卻在一世紀後，尼布甲尼撒把猶大的精英全擄往巴比倫（參王下二十四14），只餘下一個極端軟弱、無力的政府。

　　這裏列出的領袖（2-3節），使我們可一窺以賽亞時代之社會狀況，他們的尊貴人中

包括了一些神棍（「占卜的」、「妙行法術的」）。這群領袖的失政，更帶來了惡果；首先是這班領袖毫無效用，引致一片混亂（4-5節），最後更完全崩潰，無法挽回（6-8節）。**第4節**的「**孩童**」和「**嬰孩**」大概是比喻，好像第12節的「孩童」和「婦女」；但「**敗落的事**」（6節；新國際譯本：「一片廢墟」）可能是真實的寫照。儘管以賽亞曾確保耶路撒冷不會陷入西拿基立之手（例如三十七33-35），先知卻如彌迦一樣，清楚知道在最後的榮耀以前（參二2-4），必先有毀滅（例如二十二4-5，三十二14，三十九6；參彌三12，四1-8）。先知的教訓中並沒有說神不管怎樣，都會保存耶路撒冷。

　　第6-7節預言他們徹底的敗落，隨後再指出他們現今的虛有其表。他們的口舌言行（8、9節）得罪了神，祂是榮耀的唯一本源（參8節下）；也使人無可信任。這些不信的人任意妄為之後，他們周圍只剩下他們一手造成的荒涼。**第13-15節**指摘當時那些不仁不義的人，他們促使全國走向滅亡。這裏的描述已十分明朗，第五章將有更露骨的記述。

三16至四1　華服變麻衣

　　這裏無情地暴露他們如何經歷悲慘的劇變。開始時描述他們的炫耀行為，與15節的背景何等不協調。這裏列出的21件裝飾（18-23節）幾已包括一切，充滿他們的心思，卻是全不可靠的。隨後是可怕的劇變（三24至四1）；而**第25-26節**描述之個人的命運，可象徵全城；這象徵同時用在巴比倫和耶路撒冷身上（參四十七1-3，五十二2）。

　　也許這裏描述瑣碎的事物似與我們無關，但每一個世代，包括男女兩性，都有自己喜好的事物。從這些篇章中，我們看見世上榮華的空虛，將在神的榮耀面前變成羞辱。後面的段落將透露神的榮美。

四2-6　將來的榮耀

　　本段的意義在指出救恩將在審判之後出現。以色列的榮耀將如毀滅後的新綠，火煉後的純淨，如出埃及的日子，神顯現的榮耀。

　　「**苗**」（2節）是指新綠，與「**地的出產**」相應。其意是指以色列必須再生，從她的根源

再長新綠；神的審判已除去她一切的榮耀，只有少數餘民。這裏指的是那再生的群體；後來更預言將有一人是這再生中的表表者（參耶二十三5；亞三8，六12；賽十一1）。

新國際譯本（譯按：以及和合本）隱藏了3節的個人性（直譯：「那位膽在……，留在……，就是住……」。新以色列的每一個人都是聖潔的，每一個人的名字都在生命冊上（參出三十二32-33；瑪三16；啟二十12-15）。第5節描寫這班會眾，跟一章13節的態度十分不同，並有神的「榮耀」籠罩著他們。這榮耀遮蓋全山，不僅是聖所，因一切都成了聖潔。聖詩「美哉錫安」中的一節是基於5、6節的經文寫成，正確地看見神的同在的榮耀遮蓋及環繞著教會（參6節，二十五4-5）。

五1-30 苦澀的葡萄

這自成一個單元的篇章跟它的前文有不少相同之處（有關葡萄園的隱喻，參三14；至於使高傲者降卑，參二9，五15），它也指斥我們早已見過的一些社會性罪行。這篇章把本書極長的序言帶進高潮。

五1-7 葡萄園的比喻

這是一篇精彩的短文。它的開始像一首情歌，引起人的好奇和想象。「葡萄園」就像雅歌中封閉的園子（例如歌四12-15），象徵一個新娘和她的美麗，為新郎而受保護。聽眾卻突然被邀請判別是非（3-4節）——有如大衛在拿單面前（撒下十二1-7），他們也同意對自己的控訴（參太二十一40-43）。最後，直接的指控有若一句警語，使人印象深刻（7節）。這裏使用了雙重的同音字技巧：「公平」和「暴虐」；「公義」和「冤聲」；在原文，每對的發音都非常接近。

這個比喻說明了罪的不合理及無可推諉，我們嘗試尋找葡萄失敗的原因，卻找不著。只有人類是如此反覆。

五8-23 六禍

在這裏，「猶大的野葡萄」（G.A. Smith的話）清楚的表明出來。這些災禍接二連三的發生，愈來愈快速，使人有愈來愈激烈的感覺，正如一章12至17節之高潮中激烈的呼籲。這裏列舉的只是例子，並非全部，特別與以賽亞著重提及人的高傲及其傾覆有關；

故此它們主要是那些在高位及有力人士的罪惡。

這些指摘也把那些犯罪的人描繪清楚。他們都是重要人物，讓人觀看；他們的所為表明他們是巧取豪奪者（8-10節）、享樂主義者（11-12節、參22-23節）及嘲笑神的人；他們的眼裏只有錢財（18-23節）。

五8-10 巧取豪奪者 拿伯以他的生命來維護的土地法律（參利二十五23；王上二十一3），已毫無作用。但他們對空地的貪求將諷刺地實現。「罷特」是一個容量單位，相等於「伊法」，約為八加侖（36公升）；「賀梅珥」是罷特的10倍（參結四十五11）。所以，收割所得遠比所撒的種為少。

五11-17 享樂主義者 拒絕思想，即不肯面對神的事實（12節下、13節上），是先知所咒詛的（耶八7；何四6；摩六1-7）；其表現形式可以是空洞的宗教（一3、10-17）、詭辯（五20-21）、邪術（八19-20），或如這裏描述的愚蠢的逃避。這些追求肉慾之人的審判，正如那些愛好裝飾的婦女一樣（三16至四1），將失去他們生存的唯一盼望（13節下），並且成了被吞噬的對象（14節）。「陰間」原文是"Sheol"（參十四9、15，三十八10、18）。

五18-23 嘲笑神的人 希伯來人常用同一個詞彙代表一件事物及其結果，故第18節可解作他們自討刑罰，他們自招報復（參創四13之原文；亞十四19）。下一節似乎肯定了這意義。從另一個角度來看，這比喻是故意如此奇特，因這些嘲笑的人顛倒是非，不僅是朝向罪惡，更是倒向罪惡，明確的犯罪。在歷代之中，都有這些一無畏懼的思想家，褻瀆神（19節）、歪曲真理（20節）、自以為無所不知（21節）。第22節則形容他們為酗酒的人，第23節則說他們只顧目前利益，只看見金錢。

五24-30 神差來消滅他們的人

第24-25節兩次重複「所以」，表明審判無法避免，是合理的結局（24節），也是神刑罰的怒氣（25節）。「伸出」的手可再見於九章12節、17節、21節及十章4節；這裏首先提

及有如風暴前的密雲,把本章的審判跟其後的刑罰連合起來。最後的幾節描述敵人的準確和殘暴,有如機器和野獸合體,正是指亞述而言。但這當日最大的勢力,也在耶和華的召喚底下(26節)。這幾章的結束沒有留下甚麼盼望給那些叛徒。

六1-13 先知蒙召

至此我們才首見先知蒙召的記載,因一開始的悔改呼籲太急切,同時前面數章的仔細描述,顯明了促使以賽亞認罪的因由(5節),以及百姓不聽從先知的背景(9-10節)。在這異象中,可察見本書主要關切的重點:神的聖潔及尊榮;祂宣佈的榮耀及其要求的潔淨;悔改的人蒙赦罪及從以色列之餘種中再生。

「烏西雅王」於以賽亞蒙召後去世,正如一章1節所說。他的死亡除了是一個日期以外,也提醒我們他是患痲瘋病而死,因他「心高氣傲」,干犯了神的聖潔(代下二十六16;參賽二17)。這裏提到「寶座」、「聖殿」(1節)、「大君王」(5節),某些人想到這是一個慶賀神登上寶座的節期,但這並無明說;這異象的意義在於顯明人類的一切當權者都要向神俯伏。

「撒拉弗」意即「烈焰者」,這形容詞也用於民數記二十一章6節、8節及以賽亞書十四章29節,三十章6節提及的蛇。這些有翅膀的撒拉弗像人的形狀(他的「手」和「腳」,2節、6節),但描述的重點仍是神的聖潔,在祂的面前,甚至那光明的和無罪的都要顯驚,不配去看祂,也不配被祂看見,只可以迅速的服侍祂(2節),不斷的讚美祂(3節)。他們簡單的輪唱(3節),有若雷鳴般(參4節)宣告神的本性、名稱和能力(「萬軍」即祂指揮天上地下一切的軍隊或資源),另一行則宣告祂治理的範圍和特性。「榮光」就是祂外顯的聖潔;「全地」,不僅是以色列,都是祂所造的。這句語暗示有關審判和救恩的巨大意義,可見於十一章9節,四十章5節;民數記十四章21至23節;哈巴谷書二章14節。注意1、3及4節以不同的描述,表達「充滿」的重點。

根基震動、黑暗和煙雲的景象使人想起西乃山(出十九16-18),以及審判的徵兆(參來十二18-29對此之評論,並注意太五8與

此的關係)。以賽亞信息中的一部分是他以一個蒙赦免的人的身分說話,他與那些聽他傳講生與死之信息的人一樣,是罪人。另外的特點是審判有潔淨的功效。火一般的使者及燒著的「紅炭」可預表救恩(參一25-26,四4),但他們從祭壇出來,所說的話含有代贖意味(「赦免」一詞之原文是「代贖」之意)。「紅炭」代表了祭壇,罪的刑罰由一代罪者承擔了。這象徵物沾在以賽亞嘴上(正當此際需要為神說話),確保他得著赦免。

以賽亞的喊叫:「我在這裏,請差遣我!」是非常特別的。首先,這與他先前的沮喪(5節)相反,也跟摩西或耶利米的謙讓不同。其次,這人聲竟在天庭中被聽見(參王上二十二19-23;啟五1-14)。神使人硬心的命令,曾於新約中被引述6次(例如太十三14-15;徒二十八26-27),應該包括11-13節的結論在內,說明審判是為了清除障礙,使新生出現。以賽亞履行了他對瞎子和聾子的使命,對真理毫無保留。神在這裏告訴先知,他的事奉極具關鍵性的意義。有罪的以色列若再拒絕真理,將使他們難逃神的刑罰。先知的困惑是罪人唯一的救法,就是他們拒絕的真理,而拒絕真理將使他們被定罪。新生的徵兆(參十一1;伯十四7-9)不是於七十士譯本,13節下被略去;但昆蘭卷軸中的以賽亞書都有此句。以賽亞提及敬虔的餘民(例如十20-23)與他的使命並沒有衝突。故此,這異象的結束是帶有希望的。現今不再提及「行惡的種類」(一4),而是「聖潔的種類」的留存;這應許結合了第3節提到之「聖潔」,以及創世記三章15節,二十二章18節;加拉太書三章16節重複提到的得勝的「種子」(和合本:「後裔」)。

七1至十二6 風暴與太陽:亞述和以馬內利

這幾章經文被稱為「以馬內利篇」,主要是基於七章14節及八章8節應許之嬰孩,而九章1至7節及十一章1至10節則描述他的本性和治權,對照當時面臨的威脅(十一11-16)。這個預言是針對當前的危機,但也涉及末日(九1),以及全地(十一9-10,十二4-5)。

七1-17 以賽亞與亞哈斯王對質
七1-9 呼籲國民信靠神 　　當時是主前735

年，由於以色列和敘利亞聯合起來，強逼猶大一起反叛亞述，引致情勢緊張。猶大拒絕合作，他們就以大軍壓境，要以他們的心腹：「他比勒的兒子」（6節），來取代猶大王。

以賽亞在這危急關頭的干預，十分重要。他的兒子「施亞雅述」（餘民歸回之意），是神的審判和拯救的活生生的兆頭（參一27，八18）。先知和王相會的地方，有一天將見證王採取的立場是一條死路（三十六2）。先知勸王「要謹慎安靜，不要……害怕」，先知終生一直這樣的規勸人，要信靠神，不可耍弄陰謀（參9節下，八12-13，二十八16，三十15）。先知的勸告很有理由，敘利亞和以色列不過是兩個「冒煙的火把頭」，不久將熄滅。敘利亞於主前732年被擊倒，以色列則於主前734年失去北部地區，並於主前722年亡國；她的國民經過多次的遷徙，直至以撒哈頓王之時（參斯四2），已是四分五裂。最後（主前669年），他們「不再成為國民」（8節）。

第7下-9節上主要是指出猶大是在獨一的神的治理下，而她的敵人只是在人的權下。先知於**第9節下**勸告人信靠神，是他講道的重點；他使用一句類似標語的話，可意譯五章7節為「懷疑神，不可活！」或「無信不立！」

七10-17　以馬內利的記號　神容許亞哈斯要求任何的憑證，顯見這個信心的勸告是要求他在意志上降服（參約七17）。亞哈斯已立定心意拒絕了勸告，也是根本上拒絕神。在他的宗教，信心毫無地位（王下十六3-4、10-20）。在他那圓滑的宗教口吻後面（12節；參申六16），早已有一個打擊敵人的計劃，就是要與最大的敵人結盟（王下十六7-10）。亞述會是怎樣的一位盟友，先知在17節已說明，又在18至25節著意解釋。

神要自己設一個記號，不僅為亞哈斯，更是為了廣大的人類（「你們」，13、14節，包括大衛的整個王國），不只是為了表現能力，也是有豐富的含義。這裏描述的細節部分是為了保證（15、16節），部分是為了警告（17節）。「**奶油與蜂蜜**」是象徵豐盛（參22節；出三8），但也可象徵無人居住（22節下）及無人耕種的地（參23-25節）。不過，這裏的主要

記號是以馬內利。他是誰並沒有說明，九章6至7節及十一章1至5節將續有透露。暫時這樣子已足夠；王要召喚一隊軍隊援助，神卻期待一個嬰孩的誕生（參創十七19）。

這記號跟當前危機的關係引起很多爭論。這記號是直指基督（參太一22-23），但似乎距亞哈斯遙不可及；這記號是關涉「大衛家」的安危（6節、13節；參上段），而那將要來之王的異象令人大得安慰。參三十七章30節；出埃及記三章12節；羅馬書四章11節，可見那些記號是為了鞏固信心，不是要除滅信心。另也可參看八章1至4節。但神可能使用將近發生的事來啟示將來的景象。某些註釋家認為這記號有當前的意義：

1. 這裏指出時間（嬰孩出生後數年，到他可分別善惡的年紀，16節）；

2. 那名字（「神與我們同在」）可能是當時一位母親會受感而給兒子這個名字，跟「以迦博」相反（撒上四21）；

3. 若這是宣告一位王子的誕生，則可視為盼望的預告。（但無論如何，這嬰兒不會是希西家，他已早於數年前誕生。）這些可能性並沒有彼此產生衝突，也不會跟基督降生的預言衝突。

「**童女**」（14節）一詞有七十士譯本的支持，正如馬太福音一章23節的引述。這希伯來字曾形容為一位待嫁的新娘子（創二十四43），以及年輕的米利暗（出二8）；這字雖沒有說明童貞，卻隱含其中，是指婚前的女孩。在新約記錄這應許的實現以前，它的含義並不為人注意，大概為上述其他可能性淹蓋。〔更詳盡的討論，可參E.J. Young, *Studies in Isaiah* (IVP, 1954), pp.143-198〕。至於動詞（「必有」，「懷孕」）的時態不能提供甚麼資料，因希伯來文的分詞並不區分現在或將來時態。「**到**」（15節）有「除非……否則」或「為了」之意。

七18至八22　闡釋選擇
七18-25　敵人的進攻及事後情形　第18-20節的兩個隱喻，不僅生動地形容了敵人的攻掠，更明說是出於神的責打（十5-11將會詳述）。「外賃的剃頭刀」（20節），可比較以西結書二十九章18至20節。諷刺的是，亞哈斯以為是他賃來的。**第21-25節**是形容應許地已變成叢林的可悲情景，因以色列人已不住

在其中；它的有餘（22節）顯見其人跡稀少；其荒野的景況顯見其沒落。這警告也適用於一個沒落的教會，它承繼了不少遺產，卻不能維持其使命。

八1-4 瑪黑珥沙拉勒哈施罷斯的記號

以馬內利的記號（七14-17），雖有關將來的事，但也對目前要發生的事提出保證。只要一位名為以馬內利的嬰兒誕生，在他尚未能警覺之時，目前的威脅將要解除。但這嬰兒誕生的時間沒有透露。現今另有一個新記號，只為了對應目前的情況及其陰暗的一面。這嬰兒的出生一如常人，而他的名字「擄掠速臨，搶奪快到」，則以他作為一個見證（參八18），見證神的預言說敵人逼近門前（4節；參七16），以及亞述的下一個受害者，就是猶大（參七17）。神使用見證人（2節）是十分引人注目的，也肯定了這定名之事早在事件發生以前（可參三十7-8之宣佈。）

八5-8 神暖流的水及亞述翻騰的洪流

由於「西羅亞」（參約九7）是水道的意思（這裏是指明渠，而非像後來開鑿的希西家水道），這大概是由於先知與王之會晤（七3），引發這個指向神暗中幫助的比喻。猶大招虎驅狼，結果被捲進洪流；她所危害的土地，是屬於「以馬內利」的。「直到頸項」（8節）一語表示危機，也表示盼望；因以馬內利之故，災難將受到抑制（參十24-27）。

八9-15 神是避難所或毀滅者

這些大膽的話是先知回應以馬內利的應許（「神與我們同在」，10節下）及神的吩咐（「以大能的手，指教我」，11節），要百姓改變他們的思想，包括他們對事物的態度及他們的情緒（12節），只要尊神為聖（參羅十二2心意更新的勸勉）。「同謀背叛」可能是指七章2節提及被逼聯盟之事；也可能是指亞哈斯欲與亞述結盟。若是後者，以賽亞的意思是「沒有真實可靠的盟友」，即不可信靠亞述或懼怕敘利亞，只要信靠和畏懼神。

第12下-13節上曾在彼得前書三章14至15節中引述，那裏把基督等同於「萬軍之耶和華」；耶穌自己在路加福音二十章18節上（參羅九33；彼前二7-8），引述以賽亞書八章14至15節的話時，已有同樣的表示。另參下

文二十八章16節。這裏把神的真實十分具體地表露出來，祂可滿足一切，也勝過一切。

八16-22 光明的失去

本段是指以色列拒絕真光（19-22節），失去了神的訓誨及福分（16-17節）。他們只有「預兆」（18節），可望的只有「黑暗」。

但第16-18節也含有極大的應許。「我門徒」一詞引介了神的子民的新定義，以及他們與神的關係（參約六45；這是六9-10中的例外者）。以賽亞的信心（17節）可代表這群人，18節描述的一小群可見於希伯來書二章13節，可代表以基督為主的教會；這是一個模範教會——受教、有信心、充滿盼望、與眾不同。有關以賽亞之子作為「預兆和奇蹟」，可參七章3節，八章1-4節。第16-22節的講者顯然是耶和華（16節）和先知（17-22節）；第16節的命令式動詞是單數的，除先知以外，似沒有別人可指。另一個可能性是以馬內利（參8節下；來二13），不過，第18節應是指以賽亞作記號的兒子。

跟這敬虔的一群相反的，記在19至22節。他們求問「交鬼的」，卻沒有請教先知；聽信胡言亂語，卻不領受教訓，並以死人作活人的指引。故此，他們「必不得見晨光」。有關此等行為的禁令，請參申命記十八章9至12節。

九1-7 彌賽亞國度的曙光

希伯來聖經把第1節歸入上一章，但馬太福音四章15至16節的引述，卻把這節算為本段的開始。特別提出「西布倫」和「拿弗他利」，因它們在以賽亞與亞哈斯會晤後數月間，即為亞述侵佔（參七1-9）。故以色列首先淪陷之地將首先看見榮耀（1節下）——這重要的預言卻不為人聽從（參約一46，七52）。第1-5節描述的釋放和喜樂，顯示戰爭已消除，也預備我們去迎見釋放我們的人。他們不是看見基甸（參4節），而是一位「嬰孩」（6節），這早已在七章14節及八章8節預言的以馬內利中透露了。

七章14節著重祂的誕生，十一章1至16節側重於祂的王國，而九章6至7節主要強調祂的位格。別的經文確定了前三個名稱暗示其神性；例如：「奇妙」當解作「超自然」（參士十三18）；而二十八章29節更提及耶和華

的「謀略奇妙」。有人嘗試把「全能的神」淡化為「像神的英雄」（參結三十二21，但那裏的名稱是眾數），但十章21節使用同樣的名稱，與「耶和華以色列的聖者」並列（十20）。「永在的父」用來作嬰兒的名字的確特別，在聖經裏也無相同的片語。「父」代表了一位完美的統治者，看待百姓有如父親對待愛兒。「和平」的希伯來原文可包括豐富及平安之意。**第7節**再提及「君」（和「政權」有關）及「平安」，明確地指出這王是出於大衛家（參十一1）。有關第7節的末句，可參以西結書三十六章22節及撒迦利亞書八章2節。

九8至十4 覆蓋撒瑪利亞的陰影

神的手伸出要擊打他們（參五25），這可重複見於九章12節、17節、21節及十章4節。雖然本段主要是針對北國（9、21節），最後一小段（十1-4）大概可包括猶大，如在五章24-25節。

九8-12 審判膽大妄為的人

對現實一笑置之（10節）也許可使心靈平靜，但也是對其暗示的徵兆不肯面對。審判已不可遏止。「利汛的敵人」（11節）主要是亞述（參七1-9）；12節描述的壓力可能是因亞述於主前732年進攻大馬色及撒瑪利亞於主前722年淪亡。

九13-17 審判放縱的人

審判將臨到領袖們（參雅三1），也不放過聽從他們的人（17節）。在領袖之中，先知們特別惹神厭惡，被神責備（15節）。

九18-21 審判不齊心的人

罪帶來雙重的毀壞，首先使整個社會變成叢林，然後把它用火焚燒。這刑罰雖是自招，卻也是神所加諸的（19節上、21節下）。

十1-4 審判不公義的人

政府公然的罪行（1節），使這一連串的審判達致高潮。第3節的質問顯示他們一生所得將會失去；這一切都在律法中。

十5-34 神砍伐猶大的斧子

這裏處理一個重點，就是神對歷史的掌管，延及普世，自然也包括祂的選民。第9-11節似乎把這神諭的日期定於撒瑪利亞陷落之後（主前722年）；但以賽亞早在這事件以前，已完全確定此事（參八4），這是不容忽略的。

十5-19 神的工具——亞述

知道惡人的行動是由神支配，使我們可正確地了解惡人的成功；他們表面上似乎踐踏了公正，卻至終成全了正義（6-7節）；他們並無可誇之處（15節），至終也必受到責罰（12節）。他們的誇誇其談，只顯出其空洞，這可見於亞述的思想：10-11節的自滿，13節上的驕傲，13節下及14節的盜賊心態。**第9節**提到的大城（參三十六19），表明敵人的無可抗拒；這次序是按希伯來人的看法，從幼發拉底河的迦基米施，到鄰近的撒瑪利亞。可參28至31節描述之較為地區性的旋風式進攻。

這裏的兩個隱喻：「使肥壯人變為瘦弱」（新國際譯本：「消蝕性傳染病」）及森林大「火」在16至19節中融合使用；前者似乎是實在的說出神對付亞述軍隊的手段（參王下十九35），而後者則重申以賽亞屢次提到神使高傲者降卑的懲罰（參33-34節，二12-13）。

十20-23 歸正的餘民

這段經文表明了「施亞雅述」（「剩下的歸回」，參七3）的隱意。一方面，只有少數人可於刑罰中倖存，從被擄中歸回（22-23節，參十一11）；另一方面，「歸回全能的神」（21節）暗示了悔改。神尋找悔改的人；他們的信心不像亞哈斯（王下十六7），他們信靠神，不倚靠人（20-21節）。這就是真以色列，他們並非亞伯拉罕全部的後代（參22節上引述創二十二17；羅四16；加三7-9）。保羅不僅引述這段經文（羅九27-28），並詳論「照著揀選的恩典，還有所留的餘數」（羅十一5），正是神對待以色列及普世的要義。

有關「全能的神」（21節），可參九章6節的註釋。這裏重複的提到毀滅的命「定」（22-23節），同時也要留意本章記述神的作為：4節說「他的手仍伸不縮」（參九12），12節、15節指出神的公正，2節、22節下又指出神關切公正的事，20至21節則預見美好的結局。

十24-34 侵略者被阻

這裏一再地呼籲人信

靠神。首先,重述祂過去的慈愛(24-27節),其次,預言亞述的威脅將突然被除去(28-34節)。這裏描述亞述的進攻從北而來,已來到耶路撒冷近郊10至20哩(16至32千米)處。西拿基立的行軍路線實際是從拉吉而來(參三十六2),即耶路撒冷西南方;故這神諭的目的不是要提供資料,只是作為警告,生動地描寫北方的敵人將要席捲耶路撒冷;然後突然地描述這強大如大樹的敵人,遭到砍伐(33-34節)——這是一個獨特的審判隱喻(參二12-13,六13,十18-19)。這結局戲劇性地加強了以賽亞的勸勉:「不要怕他」(24節)。這是先知在整個危機中常用的警語(參七4,八12-13)。

十一1至十二6 彌賽亞國度

我們又回到以馬內利的主題,皇室沒落的命運(十一1)顯明了給亞哈斯之記號陰暗的一面(七13-25),其餘卻是光明的。

十一1-5 完美的王

大樹雖倒,仍有生機,跟象徵亞述之森林完全被焚作一對比(十33-34)。六章13節之樹墩是指以色列,藉餘民得以再生(參四2);在這裏卻是指大衛家,而它的再生端賴一人。

第1-3節下 「靈」(2節)加上他是皇室後裔,使他有資格坐上王位,正如士師及早期的君王一樣(參士三10,六34;撒上十10,十六13)。故可以說,他是集所羅門、基甸和大衛於一身,但神的靈並非間竭性的在他身上,而是常住在(2節上)他身上,並且是豐豐滿滿的。這裏提及的恩賜可分作3組:「智慧」和「聰明」是為了治理(參王上三9-12),「謀略」和「能力」是為了爭戰(參九6,二十八6,三十六5),「知識」和「敬畏耶和華」使他可作屬靈的領袖(參撒下二十三2)。**第3節上**提到「樂」,說明「敬畏耶和華」是他甘心樂意的態度。

第3下-5節描述他行使這些恩賜,使他成了子民的領導、保護者及榜樣。4節下已顯示他是神所立的,下文將更清楚地說明。

十一6-9 重得樂園

這幅平和的景象正好表達了「和平之君」(九6)的稱號。和平是很難求的,它是在審判之後(參4節下),並要從公義中產生(參5節),正如三十二章17節

所說明的。它的核心是「認識耶和華的知識」(9節;參耶三十一34)所表達的關係。這是一幅使人難忘的圖畫,表達出和好、和諧和完全的信靠。基督的治理在人的性格中產生這樣的改變,至終將改變整個創造(參羅八19-25)。這裏的描述是否會按字面應驗,則是另一回事。似乎最好的解釋是視之為「新天新地」(六十五17、25)的表達,屆時不同種類不會為敵,弱者不再為強者的獵物,而是玩伴(9節下;參哈二14)。

十一10-16 歸回的大隊

第10節的話,在第12節發出迴響,突破了種族的藩籬,並強調了天下間只有一名可拯救我們(參徒四12)。這位王是「根」,也是後裔(參1節),是皇室之後(參啟二十二13、16)。注意第10節及12節上描述列國的主動反應(參二3,四十二4,五十一5)。同時,並非所有人都歸向他,而這段經文及別的經文,都清楚指出這些與他為敵的人,結局必是滅亡(14節、參4節)。消除「嫉妒」(參九20-21)正是6至9節情景的另一種描述,使神的子民不會自相攻擊,而使力量用於正途(14節;參雅四1、7)。

更偉大的「出埃及」的主題(15-16節),在後面的篇章中將有更詳盡的發揮(例如三十五1-10,四十八20-21);「從亞述來的大道」在十九章23至25節將會有更豐富的解釋。

十二1-6 救恩之歌

在提及出埃及之後(十一16),很自然地會想到摩西之歌(參2節下及出十五2上,另5節上及出十五21上米利暗的回應)。

前文九章12節、17節等一連串籠罩以色列的「怒氣」,終於收回了,這詩歌慶賀不再與神不和(1節)、懼怕(2節)及缺欠(3節)。這裏又提出以賽亞之教導的特色:默然「倚靠」神(2節),在被擄之後有神的安慰(1節,參四十1,六十六13)。但神自己才是這詩歌的中心:神與歌者的關係(1-2節);神的作為把祂顯明(4-5節),還有祂的名字,也就是祂的自我宣告〔注意第2節不常見的組合:「耶和華,耶和華」(新國際譯本;和合本:「主耶和華」,強調了祂在出三14-15中宣告的祂的名字;還有以賽亞特別的名稱「以色列聖者」,6節)〕;最重要的,是神

的權能出現:「乃為至大」(6節)。

十三1至二十三18　對列國的預言

儘管某些細節曖昧不清,這些篇章教導了一個基本而重要的真理:神的國乃在普世。這不僅是一句口號,分析來說,正如本段落所作的,這主權並非有名無實,而是確實和嚴厲的。

這些神諭是在不同時候宣告的(參十四28,二十1)。它們合在一起,成了二十四至二十七章有關普世之異象的前奏,也成了一至十二章預言亞述危機及二十八至三十九章危機來臨的中段。

十三1至十四23　巴比倫

這裏清楚記錄:「亞摩斯的兒子以賽亞」(十三1,參一1)預言「巴比倫」是他們的大敵,這是一至兩個世紀後發生的事;這記錄對於四十至六十六章的作者問題有重要的提示(參導論)。

艾倫臣(S. Erlandsson)對此提出異議[*The Burden of Babylon* (Lund, 1970)],他指出「巴比倫」不過是以賽亞時代的一個城市,尚未成為帝國,而這裏提到它的覆滅是在主前689年,由它的霸主亞述造成。但是,這看法只能解決這裏45節經文中直接跟巴比倫有關的6節經文;又以十四章1至2節論到以色列從被擄之地歸回之事,與被擄巴比倫無干;並且把十四章4至23節的嘲弄對象認為亞述的西拿基立,因他也稱為巴比倫王。這理論很是動聽,但很難叫人明白為何以賽亞時代的巴比倫城,可引致這關涉普世的論述,除非這巴比倫是與被擄及以色列第二次之「出埃及」經歷有關。最重要的,十三章的論述,把巴比倫視為已經毀滅(十三19-22),若把十四章視為嘲弄亞述,則使這個解釋為強加之意,不能使人信服。

十三1-16　耶和華的日子

這詩歌一開始就描寫戰爭的場面,有各種旗幟、吶喊,卻原來這是神的審判(4-5節)。「我所挑出來的人」(3節;直譯:「獻給我的人」,他們作為神工具,可以是有意識或無意識的。這詞在這裏並無道德含義。

「巴比倫」是本章的焦點(1、19節),但它也代表更大的東西,因這裏所用的希伯來字:「地」(5、9、13節;原文是不同字,可解作國家、土地等),也有「世界」之意(11節)這是一個普世性的災難,新約也以此描述末日的情景(參10、13節,比較太二十四29)。

十三17-22　巴比倫的傾覆

「瑪代人」(17節),是古列建立的瑪代波斯帝國的主要夥伴,他們被命定於主前539年,在古列的率領下,攻陷巴比倫。他們的勇武(17-18節)推翻了巴比倫帝國,卻在攻佔巴比倫城時,不費吹灰之力。這是巴比倫之國的開始。第19-22節預見此城的沒落,此事在主前4世紀末,西流基尼加鐸(Seleucus Nicator)放棄此城,另於40哩外(64千米)興建新都西流基(Seleucia),就完全應驗了。直至主後二世紀,該地更完全荒廢了。第21-22節的動物(參十四23,三十四11-15,三十五7)不是全部可辨認,但顯然都是惡獸,於祭儀上是不潔的。故此,第21節的「野山羊」大概應譯作「鬼魔」("satyrs",希臘神話中一種半人半羊的好色神靈,參利十七7),因山羊在祭儀上是潔淨的。「列國的榮耀」(19節)與「鬼魔的住處和各樣污穢之靈的巢穴」(啟十八2)的對比,在這不敬虔的世界傾倒時,再次出現;啟示錄十八章把這邪惡的世界稱為巴比倫,這世上的榮華正是撒但欲用以收買耶穌的(太四8-9)。

十四1-2　時勢逆轉

本段是四十至六十六章,尤其是五十六至六十六章的伏線。其主題是以色列的權柄。正如在四十章,這事的起點是神的恩典,在這裏用表達情緒的用語來描述〔比對神的「憐恤」(1節)與十三18的「不顧惜」〕,也提到神的決意(「揀選」)。在短短兩節中,描述了外邦人將來與以色列兩方面之關係,顯示他們歸向以色列,或作他們的僕人。第1節提到「寄居的」也都融入社群之中(參五十六3-8)。

第2節則提到不同程度的關係,從互相為友(2節上)到奴役外邦人(2節下),這在下文再有討論(例如六十六18-21,六十10-16)。

十四3-23　嘲諷巴比倫王

神把這番嘲諷敵人的話賜予受害者(3-4節上)。至於「巴比倫王」的身分,顯然不是無用的拿布尼度,即巴比倫的末代皇帝(由伯沙撒攝政),而是

代表整個王朝、整個帝國。另參下文12-21節。

這首諷歌的兩段（4下-11、12-21節），分別有序和跋（3-4上、22-23節），都在一開始就講出主題（4節下及12節），以對比方式提出詢問：「何竟！」（參一21的註釋，四十七章）。

第一個主題是「欺壓者」被打倒；他真正的墓誌銘是普世因他去世而無可言喻的感到舒坦（7節）。神稱呼這班嚮往權力的人為「首領」（直譯：「公山羊」9節），這名稱的貶意，與他們的悲慘下場相配。11節描述之床榻，殘酷地顯露這群享樂主義者的最終收場。「陰間」代表死人的境界，並非審判的地獄，新約使用"Gehenna"（即欣嫩子谷）代表後者。「陰魂」（9節）一詞的字源不能確定。本段及二十六章14節和詩篇八十八篇10節的詩體式描述，提示了一種存活被消除的狀況；但舊約有更進一步的描述，就是身體的復活（參二十六19；但十二2）。

「明亮之星」的墜落是第二個主題，這裏是指他的野心。有人以為這裏是講述撒但的叛逆（聯同結二十八章），不過這解釋可能性不大。這裏提及的驕傲和傾倒頂多只可說與撒但類似（參路十18；提前三6）；同時，聖經提及他的傾倒時，總是指他王國的傾倒，而並非最早從尊榮中墜落之事（參啟十二9-12）。

有人以為這詩歌是基於現存的傳說寫成，這傳說提及一顆明星，比眾星更明亮，後來墜落地上（迦南語中有跟「明亮之星」、「早晨」、「至上者」相同的用語，另也有類似在北方「聚會的山」上的天庭）。但這些傳說，若真的存在，至今未有發現。不過，有關天上的風雲，卻可能與「巴比倫」有關（即巴別，創十一章）。其中的一個諷刺是他要「與至上者同等」（14節），這是自高，跟基督的自願降卑相反（參腓二5-11）。第16-21節強烈地描述這虛假的光榮的醜陋和短暫。

「坑中極深之處」（15節），與他們渴想到達的「聚會的山上，在北方的極處」（13節）相比，使我們可略窺陰間內不同的境況，這在新約有較清晰的説明（參路十六26）。

十四24-27　亞述

這段短文再確定了十章5至34節的話，即猶大將受到的威脅。神的宣告：「我怎樣思想……」（24節），使用了十章7節上提到亞述的謀算時的用語（「打算」）。敵人在他表面的勝利中被打倒，「在我地上」，這是神的策略的特色（參徒四27-28）。有關神的「手已經伸出」（26-27節）一點，可參九章12節及十章24至27節。

十四28-32　非利士

第28-32節把這神諭扯到現實的境況。親亞述的亞哈斯已死；亞述也陷入難關（29節上）；現今有一非利士使者（32節上）來到錫安，提出背叛的計劃──這也常在希西家心中盤算。若這事發生在主前727年，亞述王提革拉毘列色三世去世之時，第29節上的話就更為切題了；不過，這事似更可能發生在主前716至715年。這對希西家而言，就如第七章的亞哈斯，面對同樣的試驗。當時，非利士人也不可輕易得罪（參代下二十八18-19）。

神的回答包括3方面：第一，將有更凶險的事從亞述而來（29節）；第二，非利士人已注定滅亡（30下-31節）；第三，真正的平安來自耶和華（30上、32節）。這常是以賽亞的信息：信靠神，不要倚靠人的謀算。

十五1至十六14　摩押

這段宣講的特點，一方面表現相知甚深及濃烈的悲憫，另一方面想舒緩刑罰，卻又無可挽回；耶利米書四十八章曾引述，並加以擴展。摩押跟以色列有親屬關係（參創十九36-37），尤其跟大衛家的關係密切（參得四17；撒上二十二3-4）；但他們與以色列的信仰毫無關涉，並在舊約的記載中，常帶給以色列不良的影響（參民二十五章），也是以色列的頑敵（參王下三4-27）。

十五1-9　戰敗與逃亡　「亞珥」（1節）的地點不能確定；該字可讀作「城市」，若然，則可能是「基珥」的另稱，即吉珥哈列設（參十六7、11）；那是摩押的重要防城（現代之基拉克），位於南方。基珥的陷落，表明一切都失去了；他們往南逃至以東的瑣珥（5節），顯示來攻的敵人是從北方南下，這裏列

出的城鎮（大多在王的大道上；參民二十一21-30）均以基珥為支柱。**第5節**的悲哀，再見於十六章7、9、11節。對戰爭的悲憫（參耶四19-21）及對敵人的慷慨（參出二十三4-5；箴二十五21-22），在舊約中並不罕見，卻很少像這裏的慘痛的結合。逃難的人抓緊他們的財物（7節；參路十二21），顯然正預備橫過邊界。「**柳樹河**」可能是摩押和以東交界處的希西河。儘管神有憐憫，但刑罰是從祂而來，並且必須加重（參太二十三37-38）。

十六1-5　摩押可向錫安仰望

摩押被勸告「躲進巖石中」（「**西拉**」的原意；參王下十四7；即以東的堡壘，現稱彼特拉），好像歸巢的鳥（參耶四十八28）。但神已攪動鳥窩（2節），要他尋找更好的避難所，作錫安的屬民。羊羔是這牧羊之地常用的貢物（參王下三4）。

但**第2節**的悲情比任何貢物更能打動人，第3至4節上可能是難民的呼求，或是耶和華吩咐錫安去歡迎他們（修訂標準譯本沒有「求你」二字）。這呼求或吩咐，今天也對我們說話，要我們用思想（「**謀略**」）、良知（「**公平**」）和我們的資源（「**隱密處**」），幫助失意的人（「**被趕散的人**」原文可作「我趕散的人」，4節上；參修訂譯本）。這裏提到錫安為避難所及匯聚處（參十四32，二3-4），引進了下文4下至5節，以賽亞又一次看見一位完美的王來臨。論及祂治理時的4種德行（5節）中，特別注意祂「速行公義」，跟五十九章7節的「奔跑行惡」相對，及哈巴谷書一章4節的情況相反。

十六6-14　摩押的驕傲和傾覆

摩押人致命的安逸，於耶利米書四十八章11節中之隱喻表達得淋漓盡致：「常享安逸，如酒在渣滓上澄清，沒有從這器皿倒在那器皿裏」。酒是摩押主要的出產，這宣諭也常常提及，包括其副產品（7節）、出口（8節下）及慶典（10節）；這一切都不足恃。

第12節之「朝見」及「疲乏」在希伯來文是諧音字，十分諷刺；末後一句表明一切異教的宗教都毫無作用，正如主耶穌在馬太福音六章7節所說的。「**照雇工的年數**」（14節）意即希望時間短促（新國際譯本：「好

像一個僱工在計算」），像一個毫無工作意願的工人，不耐煩地計算時間。

十七1-14　大馬色及北國以色列

這段神諭明顯是出於以賽亞事奉的早期，當時敘利亞和北國以色列的關係密切（參第七章），兩國尚未受到攻擊。這裏簡單地預言大馬色的命運，而以色列才是指摘的主要對象；他與外邦並列，一起受到神的責備，其選民的尊嚴已蕩然無存。

第3下-4節的說話，使人回想在以利的日子，神的榮耀離以色列而去的光景（參撒上四21），指出他們的榮美正在消逝；第5節形容有計劃的搶掠。但神的計劃要揀選一小撮歸向祂的人，他們敬拜「造他們的主」（7節），而不是他們手所做的，這事必然成全（參代下三十10-11）。「他們的堅固城」（9節）是迦南人遺留下來的，到以賽亞之日仍存在。這悲慘的遭遇是以色列自招的（10-11節），他們忘記神，糟蹋神的恩典。「**異樣的栽子**」（新國際譯本：「進口的葡萄樹」），可望有很快的收成，代表以色列與外邦之大馬色合作，對付猶大和亞述，結果自取滅亡（參七5-8）。第12-14節概述如七章8節、八章4節等提到的保證，與此最相近的經文是詩篇四十六篇。

十八1-7　古實

「**古實**」即現今之蘇丹，但以賽亞把「河外」之地也包括在內（「**河**」大概是指艾巴拉河(Atbara)及藍尼羅河(Blue Nile)），那就是現今的埃塞俄比亞。「**刷刷響聲**」是指昆蟲振翅的聲音。這裏一切的描述都是表達本章提到的人民來自遠方，他們「高大光滑」，極其可畏（2節下）——當時古實控制了埃及。但他們也像其他國民一樣（參十四28-32），都在神的指揮之下（「你們去」，2節上；和合本加上「先知說」反增混亂）。神無需要弄陰謀，祂只要等候時機，靜靜的工作，有如季候運作（4節）。敵人將會登上猶大的「山」嶺（3節，參十四25），卻在看似得勝之時被砍倒，有如禾稼在收割前夕受到破壞（5-6節）。

最後一節似乎超越當前亞述的危機，這危機把各國使團帶到耶路撒冷。以賽亞從一個新的角度來看這些旅客，他們有一天將會

到錫安來，以臣屬之禮貢獻禮物（希伯來原文顯示，他們自己就是禮物）。這一點早在二章3節及十一章10節提及，並將在六十至六十二章更詳細地討論。詩篇六十八篇31至35節及八十七篇4節也歡欣地提及此事。

十九1-25　埃及

這篇神諭強烈地宣告神責打為要醫治的真理（參22節）。開始是傾倒，隨後卻是舊約前所未有對外邦得更新的應許。也許埃及在這裏可代表兩方面：一是以色列常仰賴的國家（參二十5），二是代表神的世界一部分，是祂所關切，在祂的國中有份，現今的地位及種族之分將不復存在。

十九1-15　埃及被征服　「耶和華乘駕快雲」

（1節）暗示此段落是以詩體形式來表達真理，當中說明埃及的一切均無效用。她的宗教信仰首先崩潰，她的勇氣（1節）、合一（2節）及世上的智慧（3節），都一一被打倒。她也將失去自由（4節）。「殘忍主」可能是指轄制他們的一位古實國王，例如：以賽亞時代的提哈卡；或是指後來的侵略者，波斯人或希臘人；也可能是指一位本國的暴君。這裏的重點是指出他們從敗落的境況，轉而飽受暴虐，至於那位國主是誰，並不重要。然後，神對付他們賴以生存的尼羅河，他們的生產逐一消失。最後，他們成了無政府狀態（11-15節），這個2,000年來自誇訓練有素的大國竟至如斯地步。可比較12節與列王紀上四章30節。「瑣安」和「挪弗」（13節）是埃及的都城。瑣安（可能是尼羅河三角洲之坦尼斯），被記念為曾受大逼迫之地（參詩七十八43）。可比較15節與九章14至15節。

十九16-25　埃及歸正　這裏5次說：「到那日」，是指耶和華的日子（例如二11-12）。以賽亞預見外邦人歸主，在這裏藉以色列自古以來的敵人作象徵（參三十2-5）。這過程從開始是畏懼（16-17節），繼而順服（18節），然後有神賜予的途徑（19-22節；「壇」和「祭物」），再後是相交（23節）及完全的接納（24-25節）。

若這5「城」（18節）真的存在，我們現今已不能確定。更可能的是這不過表示數目之少，也可能是引用約書亞記十章的往事，

當時首先征服了5個迦南城市，然後是全面的勝利。「滅亡城」（18節下）或作「太陽城」（參新國際本旁註），若是後者，則是指安城，後稱希流坡利。不管這是甚麼城，重點是指一個異教重點被征服了。約在主前170年，一位已撤職的大祭司安尼亞四世（Onias IV），在埃及的利昂托普利（Leontoplis）建造一座神廟，並以19節的話來支持他的行動。但這節經文的意思，似乎只是作為象徵；過去不潔之地出現了聖地。那裏立的一根「柱」（參雅各於伯特利的做法），標明那是神的土地（創二十八13、18）。

第23-25節也向「亞述」伸出歡迎之手（亞述與埃及並提，在別處常有不好的含義；參何七11，九3），這裏描述外邦人歸入神的國，是聖經中最為獨特的。以色列只能與他們共享平等地位（「三國一律」，24節），原屬以色列獨有的稱號，也要與她過去的敵人分享。（有關「我的百姓」一點，可比較何二23；彼前二10；「我手的工作」，則參二十九23；「我的產業」，參申三十二9。）

二十1-6　亞實突危機

撒珥根的一段銘文填補了這幅圖畫的內容。這非利士人城市亞實突反叛亞述，結果其君主被廢。另一位首領耶瑪拉（Yamani）繼續鬥爭，並求得埃及和古實的支持，他也向猶大求助。以賽亞大力反對，後來證明他是對的；因埃及沒有出兵，亞實突陷落，而耶瑪拉逃往古實，卻被捉拿，交給亞述處置。

「他珥探」是「最高指揮官」的亞述語。當時是主前711年，叛變於主前713年發動。以賽亞「露身」（其意是只披上麻布，有若奴隸），神指出這是反叛亞述人的命運。

由於猶大未遭亞述懲罰，似乎他們聽了先知的勸告。史密夫（G.A. Smith）指出這個象徵性行動（參八18）使全國領略其信恩。以賽亞的受苦和羞辱，贏得了百姓的安全。

二十一1-10　海旁曠野——巴比倫

這神諭跟下一個一樣，有強烈的異象性質，並使用象徵性的標題。至第9節才明確說出主題是巴比倫的傾倒。「海旁曠野」（1節）似是把兩幅大自然景象合併起來，表達難以控制及不斷侵蝕之意；這意義在耶利米書五十一章42至43節更加清楚。不過，這希伯來

字可單指「眾沙漠」，或作「毀滅者」。

這段並不連貫，卻異常生動的描寫（2-7節），是講述波斯人和瑪代人的攻擊（「以攔」是波斯的屬地，巴比倫人卻毫無準備，正在舉行盛筵（5節），就如但以理書五章的記載。但以賽亞的反應是最令人注目的。3至4節描述他的痛苦，跟耶利米相似（耶四19-26）；儘管這逼害人的城，使人「嘆息」之地（2節）的傾覆，是他一直「羨慕」（或渴望）的（4節）。而這種相反的反應，使我們可了解後面的篇章的著述，看巴比倫一方面是監牢，另一方面也是家園（尤其對被擄的人而言）。若以賽亞要「安慰」（四十1）後來世代的人，有如他們當中的一員，那麼，這裏表達的感情就向我們作出預示；這是他預言的內裏的一面。注意先知表達兩種意識。他超脫於作為「守望的」自我（6節），必須報告他的所見所聞（參哈二1-3）。這種客觀性多次被強調（6、7、10節）。

第8節上的「他像獅子吼叫」（跟前文並不協調），新國際譯本參照昆蘭抄本改作「守望者呼喊」，較為合理。先知日夜守望，終看見神應許的馬隊，知道這將是巴比倫的末日。啟示錄十八章2節引用這裏的「傾倒了！傾倒了！」，並以巴比倫象徵不信神的世界。最後的呼籲說：「我被打的禾稼，我場上的穀」，不僅表達了苦難，也指出以色列長期受苦的目的。

二十一11-12　度瑪
這裏所指的地方是以東，至於選用「度瑪」（參創二十五14）這名稱，大概是為了其不吉的含義：「寂靜」。這裏提出的問題是：「早晨何時到來？」——反映在苦難中的心境。得到的回答卻是一個警告：任何放鬆都只是暫時的（參箴四18-19）。12節下所用的三個命令式動詞：「問」，「回頭」，「再來」，可按其字面意義了解，但也可更深入地體會神的呼籲：「尋求、悔改、朝見」。但我們可根據三十四章5至17節及俄巴底亞書的經文，瞭解以東的回應。

二十一13-17　亞拉伯
早期譯本把第13節中的第二個「亞拉伯」讀作「夜間」（兩字的輔音字母相同）。若然，則可能是一個雙重象徵（參1節，二十二

1和二十二1的象徵性標題）。這神諭的特別意義在於警告那些最不受約束、難以接觸的部落，亞述的長臂，在神的命令下，也會伸展到他們那裏。遠在南邊的提瑪和底但，需要救助在外圍的兄弟部落基達。這可能是指亞拉伯的商旅誤闖進戰區，結果財物盡失而回，並遭受飢餓之苦。但是，撒珥根記錄他在主前715年攻打亞拉伯之事，似更符合這裏所說的；這些亞拉伯部落曾受直接的攻擊。可比較16至17節與十六章14節。

二十二1-25　耶路撒冷
二十二1-14　「異象谷」
這個象徵性的名稱（參二十一1、11、13的註釋），代表了先知工作的基地，他在那裏論到列邦，但這地方也不能免除審判。「谷」從第5節借用過來，可能是指耶路撒冷在群峰圍繞之下（參詩一二五2），或是指耶城裏某一個地區（參珥三12、14）。

這裏強烈對比這城的歡樂與將來的陰暗（2節上、13節）。我們不能確定以賽亞所說的歡慶正在進行（也許在西拿基立退兵之後，三十七37），又或者這是指過去的事，正如一章21節的哀悼。無論如何，只有以賽亞看見這種逃避現實的表現在何時結束。這種逃避主義可總結各時代的情形（13節下；參林前十五32）。

先知的眼光遠大（參二十一1-10），預告一個世紀後，耶路撒冷的陷落（主前586年）；很多人因飢餓致死（2節下；參哀四9），他們的官長也逃跑（3節；參王下二十五4-5），房屋被拆以鞏固城牆（10節；參耶三十三4）。這裏提到「以攔」和「吉珥」（6節）的戰士，卻不見於別處；吉珥是在亞述帝國境內（參王下十六9），這些僱傭兵團大概是亞述留給尼布甲尼撒的。

有關「林庫內的軍器」（8節），可參列王紀上十章17節；至於水源（9、11節），可參在以賽亞的時候，亞哈斯和希西家所作的準備（七3；王下二十20）。「兩道城牆」（11節）大概是指「圍繞南部及東部山頭的城牆交匯處，有一道延伸的城牆把兩個水池包起來」〔格雷(J. Gray)〕。

耶路撒冷搖擺不定，一時行動主義（9-11節），一時逃避現實（12-14節）；前者源於不肯信靠神（11節下），後者則源於拒絕悔

改。11節下的話及三十七章26節是四十至六十六章的伏線，在那裏多次描述神的工作和判定（「作這事……定這事」），並指出這是從古就有（參四十三7，四十四2、24）。這也是支持單一作者論的線索（參導論）。

二十二15-25　家宰舍伯那

這位高官將會與以利亞敬再度出場（20節，三十六3，三十七2）。他可能是親埃及派的領袖（參三十至三十一章），嘲笑以賽亞的傳講；不過，這裏指出他被定罪只是因他的高傲和誇耀。神給他的信息是充滿嘲弄的，從「家宰」（15節）到成了「你這主人家的羞辱」（18節）。這神諭也暴露了人追求名聲、權力、地位（「墳墓」和「榮耀的車」，16節、18節），這一切都是虛有其表的。在西羅亞發現了一塊很大的墓誌銘，提及一位掌管王宮的官員（參15節），可能是指舍伯那；可惜一個樺眼把名字破壞了。

「以利亞敬」與舍伯那形成強烈對照，當他們在三十六章3節再度出場時，以利亞敬似已獲升職，在舍伯那之上。神稱他為「我僕人」（20節，比較15節的「家宰」）；而對百姓來說，他是他們的「父」（21節）。但是，他的沒落（24-25節）將因他錯誤運用家長權力，不懂得拒絕他家中攀附他權勢的人。不論他的動機如何，這是職權濫用的，神的應許也不能替他遮蓋錯誤。有關23-25節的結果，可參撒母耳記上二章30節；耶利米書二十二章24節；啟示錄二章1、5節。

「大衛家的鑰匙」（22節）也和問責性有關。鑰匙是很重要的，可插在腰帶，或掛在肩上。第22節的話（參九6）強調了這是神託付的責任，所作的是為王的利益。「開」和「關」表示他有決斷權，王以外的任何人都不能推翻。彼得（太十六19）和教會（太十八18）的任命也是根據這背景，神也警告不可濫用這權柄。至於終極的權柄，卻握在基督手中（啟三7-8）。

二十三1-18　推羅

推羅接觸到的地區，比巴比倫所征服的地區還遠；她的商人去到印度洋（參王上十22）及英倫海峽。啟示錄十七及十八章把舊約中有關推羅和巴比倫的神諭綜合起來（參十四章；結二十七），以代表這誘惑人（參17節）及逼害人的世界，與神的城對立。

二十三1-14　推羅傾倒的原因及影響

這裏描述噩耗傳至她停泊在居比路（塞浦路斯）的船隻，居比路是她最接近的殖民地（1節；參二16有關「他施」之註釋）；這些船隻頓時無家可歸。這裏又形容大海變成無子，因再無人航海（4節）；埃及也因此大感失望（5節）；推羅的人民（「沿海的居民」，6節）分散至各海島，遠至他施，或鄰近的居比路（12節）。

第8節是指推羅到處建立殖民地，發展貿易；第10節可能是描述一個遠方的殖民地因推羅的傾覆，得享自由。第11節的「迦南」是指推羅和西頓的本源，該名稱也可涵蓋整個巴勒斯坦。第8節之「商家」一詞，跟迦南有密切關係，顯示了她所在地區及專長的關係。

在第13節，指出推羅傾覆的人為因素是巴比倫，而非亞述；這兩國都曾侵佔推羅。（後來的佔領者為希臘人、撒拉森人、十字軍等。）不過，其根本的原因在8至9節：「是誰定的呢？是萬軍之耶和華所定的」。神要審判的是「高傲」（9節），這也是本書的主題之一（參二10-22的註釋）。

二十三15-18　推羅的更新

在歷史上，推羅每次遭受毀滅後（直至中世紀為止），相隔一段時間，總能捲上重來。「七十年」似乎只是一個代表一個世代的整數，好比猶大被擄70年。不過，這裏以「被忘記的妓女」（15-17節）比喻推羅，則使這種更新變成可悲和敗壞。物質常是充滿誘惑的，儘管第18節指出這些貨財會用於正途。啟示錄十八章3節及二十一章24節也指出這兩方面的重點。

二十四1至二十七13　神的最後勝利

上文對各國逐一宣判之後，現今則對普世講話。這四章常被稱為「以賽亞啟示錄」，揭示超自然界及地上敵人的傾覆（二十四21-22，二十七1），還有死亡的消滅（二十五8）。其中也包含了在舊約中有關身體復活的兩個清楚預言的其中一個（二十六19）。但這個廣角的景象，仍是基於以賽亞對耶路撒冷、猶大、摩押（二十五10-12），以及對埃及和亞述（二十七12-13）等國近距及中距景況的描寫。儘管神的審判使人震驚，啟示中的主調卻是喜樂，並在預言中的詩歌裏不斷

湧現出來。

二十四1-23　天地受審判

二十四1-13　人類的混亂　這段描述藉著重複、押韻及雙關語等技巧，顯得格外有力。「**翻轉大地**」在耶路撒冷聖經譯作「摺起表面」。審判的原因（注意第6節的「所以」）是百姓藐視律例和責任。「**永約**」究竟是否指創世記九章9至11節賜給所有生物的應許，不能完全確定，因它可簡單地指「最恆久的作為」（但18節下是暗指洪水）。自7節至13節描寫毫無喜樂的情況，可作希伯來書十一章25節所說「罪中之樂」那令人震慄的批註。「荒涼的城」（10節；參創一2）則見證了罪產生的倒退作用，使神創造的秩序倒退至一片混沌。唯一的盼望在於「所剩」（13節）、「剩下的人」（6節）；這正如十七章6節及所謂「餘民」應許（例如十20-23）的預言。

二十四14-16　最終的讚美及現今的苦難　歌唱似是來自分散的餘民（參13節），在福音的亮光下，可知他們包括猶太人及歸主的外邦人（參約十一52）。「**在東方**」（15節）原文是「在光中」；這翻譯是對比**第14節**的「**從海那裏**」（即在西方）。不過，這裏描述的歡呼只是預言將來；先知瞬即引領我們回到目前的困難中（16節下；參十七4-6同樣的隱喻）。

二十四17-23　宇宙性的審判　第17節所用的3個名詞，在原文的字形十分相近，似再三的加強審判的殘酷。有關**第18節**上描寫走投無路的境況，可比較阿摩司書五章19節。（至於18節的背景，可參第5節。）「**高處的眾軍**」（21節）在某些經文可解作天上的星宿（參四十26）；但這裏是與「地上的列王」相對，他們都受到「懲罰」，被囚在獄中（參彼後二4）；故此，他們顯然是指「天空屬靈氣的惡魔」（弗六12）。舊約中提到他們的，最清楚莫過於但以理書十章2-21節；也可參詩篇八十二篇。在新約，可參羅馬書八章38至39節；歌羅西書二章15節；啟示錄十二章7至12節。但在最後，只見神的榮耀（23節）。「日頭」、「月亮」失去光輝，因在神的榮光淹蓋之下；神將完全彰顯祂的王權。這與啟示錄二十一章22至27節是基本相同的異象。

二十五1-12　大拯救

二十五1-5　暴政強權的結束　這篇頌歌是突然而發（不像第9節，二十六1-21，二十七2-11）；它再三提及「強暴」（3、4、5節），顯示了百姓所受的逼害，同時也相對地表明了那些軟弱、飽受逼害的人的欣喜。這篇詩可說是舊約的榮主頌。神的作為的兩個特點（「奇妙的事」和「古時所定的」），早已隱含於那應許之王的名稱中（九6），並會在二十八章29節重現。神的計劃是「古時所定的」，這也是以賽亞一向喜歡強調的（參二十二11）。這頌歌不僅慶賀那將來的勝利〔敵人的防禦傾倒（2節），神被尊崇（3節），敵人的吵鬧平息（5節），更指出在苦難深重之時，神已是人的避難所（4節）。「暴風」和「炎熱」代表大自然中禍害最烈者，象徵苦難的深重。

二十五6-8　黑暗和死亡的結束　「**筵席**」（6節）的擺設是一個正面的形容，在其餘主要是消除災禍的描述中較為突出。這個形容包含了成就（這是一個慶祝）、豐盛（6節下），以及共同喜慶等意（注意6-8節中用了五次「所有」，和合本作「萬民」、「萬國」、「各人」、「普天下」）。我們的主在把象徵祂的流血的杯傳給門徒時，也透露了將來的歡慶的筵席（參太二十六29）。「帕子」（7節下）可指悲哀（8節）或墮落人類的眼瞎（參林後三15）；兩者都很適宜。「直到永遠」（8節上）是十分直接的翻譯（參二十八28），但其字根含有勝利（參林前十五54）或超越之意，故可翻作「榮耀」（撒上十五29，和合本：「大能者」）或「強勝」（代上二十九11）。不論如何翻譯，這應許可說是舊約和新約的高峰，在一節經文中（參啟二十一4），預言了仇敵最後的消滅，神的子民的眼淚得以抹乾。

二十五9-12　高傲的結果　第9節可歸前段，也可屬於本段。但**第10節**的原文本有連接詞：「因為」，把第9節連於下文似較適合。「等候」一詞表示極度的期望（參二十六8，三十三2，四十31）。

　　這裏一直在描述普世的境況，卻突如其來的提到「摩押」（參三十四5之以東），它是作為高傲的化身（11節下；參十六6），也許

更代表小人物的驕傲。「糞池」象徵高傲的人在最後的審判中，淪落至何等羞辱的地步（參十四14-15、19的先後次序）。

二十六1至二十七1　危難後的勝利

二十六1-6　永恆的城　終於，我們自己的城出現了，與敵擋它的城相對。後者有一個新的形容詞：「高」（5節），上文曾形容它是「堅固的」（二十五2）及「強暴之國的城」（二十五3）。我們的城是「堅固的」（不是由於暴力，而是由於永生神的拯救（1節下），祂是「永久的磐石」。故此，我們要享受這個人和肉眼不能見的保護，就必須對神有個人的信心（2節）和倚靠（3-4節）。這幾節經文的邏輯鮮明，也十分優美，全是基於神的作為。「堅心」倚賴祂的，必可得「十分平安」。我們要永遠的「倚靠」祂（4節），因神的信實如磐石般不改變，祂是「永遠」的神。耶穌也清楚指出，神是永活的，祂的應許不會失效（太二十二31-32）。

二十六7-18　等候的長夜　本段所說的「等候」，一方面是為了邪惡被糾正（9-11節）或毀滅（11下、13-15節），但更重要的是等候神（「等候你……羨慕你」，8-9節）。「修平義人的路」（7節）應作「顧念義人的路」（參箴五6），因這條路不是容易走的。宣告神的「名」（8節）在公共崇拜中可使人受感動（參詩三十四3，六十八4）。**第13節**的末句正是引用此意，並嘲諷那些奪取神榮耀的暴君。**第14節**明顯指出他們是世上的君王，不是指假神而言（參十四9有關「陰魂」的註釋）。這裏的預言十分肯定，甚至採用過去時態的動詞（「預言完成時態」）。**第16-18節**表達了他們的失敗及沮喪（也十分適用於今天的教會），顯示了他們對神的渴慕。在第二首「僕人之歌」（四十九4）中，也表現同樣的渴求。在兩處經文，同樣看見神的回答，使他們的處境提升至新的層面，這正是下一段落的主題。

二十六19至二十七1　復活及最後的審判　耶和華現在回答7至18節的問題。**第19節**的話雖細節不明朗，但已清楚應許身體的復活。另一處與此呼應的經文是但以理書十二章2節，補充了兩點：不義之人的復活，以及永遠的生命或羞辱。「我的屍首」是指神的僕人儘管死了，屍首仍是屬神的。「地也要交出（新國際譯本：生出）死人來」（19節下）與18節下相對（新國際譯本：「我們未曾生出世上的居民」），兩處使用同一動詞：「生出」。

第20節的描述，有如昔日耶和華把挪亞關在方舟中，也像以色列人在埃及時躲在家中避過滅命的天使一樣（出十二22）。這裏描述的審判（21節，二十七1）有如二十四章21節，是包括一切的；那裏「高處的眾軍」與這裏的「鱷魚」互相呼應（參啟十二7-9的龍和祂的使者）。這裏所用之罕見形容詞：「快行」、「曲行」，正是古迦南的巴力詩歌中用來形容「海怪」的，在故事中，巴力殺了「海中的大魚」。這裏借用迦南的神話來表達神的真理，也藉這表達瓦解異教信仰。這裏跟五十一章9至10節的上下文意都是描述神的審判，並非像迦南神話所說，創造的神必須先把敵對的眾神除去，方可重造一個有秩序的世界。

二十七2-13　神的子民

二十七2-6　豐產的葡萄園　這裏描述的殷勤照顧（2-4節）及結果纍纍（6節），必須對照第五章形容之失收及被遺棄的葡萄園。**第4-5節**的意義隱晦，但似是說神的憤怒不再針對祂的葡萄園，而只是對付「荊棘蒺藜」（意指袖子民的敵人）；在五章6節，它們曾毀掉葡萄園；但神的心意也不想毀滅他們，而希望與他們和好。這使普世蒙福的「果實」（6節），在五章7節指出是公平和公義。注意這裏的提醒，正如三十七章31節，不論在道德上或植物的生命，「扎根」是結果的先決條件。

二十七7-11　強權無用　這段落對比以色列因遭受困難而得著建立（7-9節），而暴君將被災禍毀滅（10-11節）。

第8節開首的字意義難明，「相爭」（仿照七十士譯本）似是出於臆測。別的意見有「刑罰」，或「驅逐」，按餘下句子之意是指他們被擄之事。棄掉偶像（9節）是他們享受神之救贖的條件（「所以」，也是之後的結果（「果效」）（參箴十六6）。若被擄是得救贖的踏腳石，則被擄是有它的作用。「堅固

城」（10-11節）顯然是屬於敵人的（參二十五2）。第10下-11節的描述若與2至3節豐產的葡萄園比較，其意更顯。第11節下的話，可與四十四章18至19節，四十五章6至7節比較。

二十七12-13 收成歸家

這裏描述的收成，可以是果園或農田的收成，因「打樹」一詞可形容打穀（二十八27）或打橄欖樹（申二十四20），將他們「一一的收集」。重點是神將逐一收集祂真正的子民，沒有一個失落（參四十26-27）。那時，剩下歸回的以色列人好像被篩過一樣（參十20-23）。那些分散四處的，會聽見號聲呼籲他們歸回（13節）。新約已顯示福音的雙重效果：篩出及拯救（林前一23-24），並不分猶太人和外邦人。故此，這兩節經文說出神最後的勝利。祂並非征服或重新創造，而只是集合子民，帶他們回家。這正是救恩的核心（參啟七9及其後經文）。

二十八1至三十一9 亞述危機：靠神或靠人？

二十八1-29 對譏誚者的挑戰

二十八章向耶路撒冷的統治者發出挑戰，要他們面對歷史、道德及神作為的真相。7至13節似保存了一段火爆的爭辯。事件的背景是猶大與埃及密謀，引致希西家反叛亞述，亞述便於主前701年派軍懲罰猶大；事件的經過記於三十六至三十七章，但預言常於這些段落以外發出。

二十八1-6 以法蓮的酒徒

這預言顯屬較早期，在撒瑪利亞於主前721年陷落以前。至於這預言在本段的作用，可參7至13節。第1-4節描述這在山上富裕的城外表的美麗，卻形容它像在酒徒額上的花冠（1節下）。這比喻指出其不協調，並瞬即消逝（4節上）。第2節的「冰雹」再次強調這美麗不能久存（暗指亞述），同樣的暗喻見於17節；而第4節下之「初熟無花果」的暗喻也有同樣的用意。以賽亞在單一段落中，摘要地表達了阿摩司對這貪愛享樂、沉醉於酒精的城市的警告（參摩二12，四1，六6）。真正的「華冕」將會加在真以色列人——「餘剩之民」的頭上（5節，參十20-23的註釋）。「公平之靈」和

「力量」（6節，參十一2的註釋）是「耶和華」自己，並在祂的僕人中間。

二十八7-13 領袖成了酒徒

「就是這地的人」把上下文連絡起來。昏醉的以法蓮在愁苦之中，現今猶大重蹈覆轍，自宗教領袖以下，各人都是如此。「祭司和先知」嘔吐狼藉的描述如此生動，有人以為是指以賽亞跟他們的一次真實會晤的情況。

若是如此，則第9-10節可能是他們譏誚的話（其中的「他」是指以賽亞），而第13節是先知以同樣的話咒詛他們。第10節的原文是重複的聲音（表示諸如此類的意思）；可參J.B. Phillips的翻譯：「我們是剛斷奶嗎……我們豈不知道律法是律法是律法，豈不認識條例是條例是條例……？……是的，主要藉異邦人的口舌，向這子民說話。」換言之，蔑視神的話者將從亞述得到報應（11節）；那些本要拯救他們的話將使他們遭毀滅（12-13節）。第12節所記不被接受的信息，三十章15節是其典型的代表作；另參七章9節下。保羅於哥林多前書十四章21節引用第11節，根據這裏的上下文，是指神用外邦人的舌頭責備不信的教會（參C. Hodge之哥林多前書註釋）。

二十八14-22 穩固根基與謊言的避難所

這段落跟八章11至15節一樣，把「結盟」與「房角石」作對比，不過這裏更指摘百姓罔顧一切。「與死亡立約」、「與陰間結盟」，可能是指求告陰間的神，例如交鬼（參八19）；或可能是指與埃及立約。但是，更可能只是他們的狂妄自誇，如15節下所指的「謊言」和「虛假」；神指出他們的自誇只是與死亡和陰間立約。他們自以為有萬全之策，他們的盟友可確保他們的安全。但神知道他們真正的仇敵及他們所謂的盟友。這「房角石」的應許，跟八章14節的話，曾在新約中引述（參羅九33；彼前二6；詩一一八22）。在八章14節，房角石明顯是象徵主自己；但在這裏，主自己奠下房角石。這兩方面的說法都在基督身上應驗，新約已說明白了。羅馬書九章32至33節解釋了這有關信心的宣告（參七9）：「信靠的人必不著急」。「著急」意味焦慮和混亂。

在豐富的暗喻中，第2節曾用過的風暴和

洪水，在此象徵亞述；「準繩」和「線鉈」（17節）使人想到三十章13至14節及阿摩司書七章7至8節描述的結局。「床榻」和「被窩」的窄小（20節）說明了到時各種物資的缺乏。有關「毘拉心山」和「基遍谷」（21節），可參歷代志上十四章11節及16節。神曾掃除大衛的仇敵，現今將掃除大衛的王國。有關這「奇異」的逆轉，下一段將有說明。馬丁路德卻因此深得安慰，因審判是基督「非常」、「奇異」的工作，而救恩卻是祂「正常」的工作。

二十八23-29　農夫的操作：一個比喻　農夫轉換操作和不同的處理方式，似乎隨意為之，卻是十分適切；這使我們反省神的行事，神就是農夫的老師（26、29節）。神奇異的作為（參21節）是適切的，因應不同的時候（24節）、不同的種類（25節）和不同的品質（27-28節）。有關「用杖打」一語（27節），可參二十七章12節。這比喻也教導我們不可只用一種方法去處理一切的事。注意「謀略」與「奇妙」的配合（29節），正如九章6節中那嬰孩的名字，以及二十五章1節的描述。

二十九1-8　「亞利伊勒」最後關頭的獲救

第8節末句指出「亞利伊勒」就是錫安，而在以西結書四十三章15節，這詞的意思是指「壇上的供台」；故摩弗(Moffat)的譯本作「神自己的供台和祭壇」（強調耶路撒冷的崇高召命）。第1節下提及節期似乎肯定了這意義；但第2節下的話卻以這比喻暗指屠殺，正如第3節所描述的；第3節上的話與這城過去的榮耀相對（參1節上：「大衛安營的城」）。

這裏應許神蹟性的拯救（5-8節），於主前701年有過部分的應驗（參三十七33-37）。不過，「列國」的聚集（7-8節）及「圍困」城之描述（3節，參三十七33），還有第6節預言的特殊記號，都提示著另有一場更大的爭戰（參亞十四1-21）。列國的失望，於7至8節有生動的描寫。在歷史上，這世界也曾無數次地企圖把教會吞滅，卻始終失敗。

二十九9-24　以色列內在的黑暗：加深與驅散

二十九9-12　沒有異象的人民　「你們的眼就是先知」（10節）一語顯示了以色列是本段神諭的主角；這神諭把箴言二十九章18節和撒母耳記上三章1-14節的教訓，更詳盡的申說。神的旨意被封閉這狀況，詩篇七十四篇9節也有提及。第9節的「眼瞎」（和合本：「宴樂」）是反身動詞，表明這眼瞎是出於神的審判：自甘犯罪必招來它本身的懲罰。比較六章9至10節及三十章10至11節。

二十九13-14　毫無實意的宗教　耶穌引第13節為法利賽人的真實寫照（可七6-7）。第14節是這種表現的正常結果；沒有深度，聰明反被聰明誤（參羅一22；林前一19）。

二十九15-16　蔑視創造主　人的陰謀和狂妄（參三十1）會在不經意中流露出來，如抗拒不受歡迎的真理（參三十9-11）。耶利米（耶二26）和以西結（結八12）在他們的日子，也看見百姓同樣的胡作非為。「窰匠」的例子（16節）在四十五章9節和六十四章8節中再度出現，保羅也在羅馬書九章20至21節中使用。

二十九17-21　大轉變　向神心懷不軌之荒謬（15節），將在祂的工作完成之時顯露無遺。那時，美好的事將更為優越（17節），有缺憾的和不公的事都將變為美好（18-21節）。第17節的動詞表達得十分清楚：「利巴嫩」（未經開發，正如三十二15所說的曠野）將「變為」肥田；而現今的肥田，與將來肥沃的土地比較，將「看如」樹林。

二十九22-24　頌讚神的子民　第22下-23節上肯定是指個別的「雅各」（原文是用單數，參六十三16）。他不再為他後裔的行為羞愧。神的子民都尊神為聖，這正是主禱文中首要的祈求（「願人都尊你的名為聖」）；這一點在以西結書三十六章23節及其上下文，和以弗所書一章4、6節，有進一步的發展，我們現今可預嘗將來的完全。

三十1至三十一9　埃及和亞述

三十1-5　埃及的影子　神在二十八章14至22節所指斥的虛幻避難所，終於被點名了。10年前，以賽亞已提醒猶大不要對亞述打埃及牌（二十章）；現今他們卻意志堅決，猶大

已派出使團。「使臣」（4節）似乎是法老派來的，「哈內斯」可能在「瑣安」（即坦尼斯，鄰近以色列邊境的重鎮）附近，而並非在尼羅河上游50哩（80千米）之城市。

三十6-8　坐而不動的盟友　以賽亞視這旅程的艱辛、危險（6節上），可代表他們整個計劃的情形；而第6節下記述的珍寶，跟荒野的南地十分不配，意在指出他們白費力氣和資源。「拉哈伯」（7節）是代表埃及（參詩八十七4，八十九10）。其意是高傲或強橫，跟五十一章9節之「大魚」有關，這在以西結書二十九章3節也用作代表埃及。這「坐而不動的拉哈伯」（7節下）成了極度嘲諷的綽號，要在耶路撒冷周圍佈告（8節）；這稱號的尖銳，與先前隱晦的名字前後映照（參八1）。

三十9-14　破裂的高牆　真理和正直（10節）在一個群體中的重要性，有如堅固和準確對一座建築物的重要（13節）。這是有關神之審判的邏輯最清楚的陳言之一；可比較以西結書十三章10至16節之比喻：用未泡透的灰抹牆；阿摩司書七章7至8節之準繩的比喻；哈巴谷書二章9至11節之比喻：強暴人之房屋的響聲。

三十15-17　不信的代價　第15節可作為以賽亞的獨特信息的標誌（參七1-9）。「歸回」是指歸向神（參十21）；「安息」和「平靜」正與第16節之瘋狂行動的相反（參二十八16）；「安穩」（新國際譯本：「信靠」）則表示對神完全的信賴。17節的警告正是把利未記二十六章8節（參申三十二30）的應許逆轉。

三十18-26　儲藏的美物　埃及和亞述的勢力在神的榮耀顯彰時，逐漸消逝；這裏首先描述神子民的經驗（18-22節），繼而是描述他們周圍事物的轉變（23-26節）。注意神的等候和人的等候之關係（18上的「等候」是18節下之「等候」的加強語意詞），祂必興起作我們公平的裁判（18節中，參五15-16）。第20-21節所描述的親密關係是指在新約（參耶三十一33-34）中的關係，卻並非最後的榮耀，因它並不排除「艱難」及偏離的可能性，儘管這些都是極有限度的（21節）。「教師」（20節）是複數詞，但動詞卻是單數；故這複數是代表神的完全或尊貴；同時，這名

詞也跟律法（「妥拉」，意指道德教訓）一詞有關。在我們偏離（「向左」，「向右」）的時候，祂的聲音在我們後面提醒我們（21節）；我們跟從的時候卻用不著。23至26節使用顯明的字詞，描述新的創造如何比舊的超越（參六十19-22，六十五17-25）。

三十27-33　煉淨的火　這幾節經文一方面是關於眼前的境況：亞述的攻擊（31節），也同時是關於末世。有一天，這無神的勢力將被洪水淹沒（如八8描述之猶大）；又被神的嚼環控制（例如三十七29描述之亞述），走向滅亡。但對神的子民而言，那將是釋放的時刻（29節）；每一個刑罰都值得「擊鼓」慶賀（32節），像昔日米利暗一樣（參出十五20）；不過，這些敵擋神之人的墳墓不再是江海，而是「陀斐特」，即火坑，是最後毀滅之處，新約稱之為地獄。耶利米書七章31至32節解釋了這名的由來。這裏提到的「王」，大概是指摩洛（參王下二十三10），該名稱也是王的意思。

三十一1-5　有人靠馬……　以賽亞指出「血肉」（3節）的能力有限，這跟他同時代的人看法相異（參三十15-16）——我們的看法也往往與先知迥異。這是先知思想的要點，後來被戲劇化地顯明（參三十六8-9的嘲諷及三十七36-38的結果）。第2節之「災禍」很貼切的表達了原來「邪惡」一詞（參四十五7；摩三6）。咆哮的「獅子」及搧翅的「雀鳥」這兩個比喻，都是表達不受人的干擾之意；也可能象徵神作為保護者難以匹敵及溫柔兩方面的性情（參申三十二11）。

三十一6-9　亞述被驅　亞述受神擊打之事記在三十七章36節。但以賽亞更關注回轉悔改（「歸向」），過於得解救；注意他對當前的處境一針見血的批判（6節，參二十九15；何九9）。比較第7節與二章20節，三十22節。至於「火在錫安」（9節）的含義，可參三十三章14節。

三十二1至三十五10　救恩及黑暗的前奏

三十二1-8　義人的國度
這是第四段關於那將來之王的神諭（參

七14，九6-7，十一1-5），要顯出他最大的勝
利，在於他才能的發揮（是耶和華的靈所
賜，十一2，參三十二15），也在於他的臣民
的品格，從上至下，皆是如此。（這段經文
可這樣翻譯：「若一位王以公義治理……那
麼……」。但我們熟悉的翻譯的結構較為簡
單，也跟以賽亞自七章14節以來的教導連
貫。）

在「首領」這複數詞之後，第2節上的
「一人」應作「每一人」（參新國際譯本）。這
些掌握權力的人，按照神的心意運用權力
（比較2節與二十五4-5及二十六4）。人民也能
運用他們的眼和耳（3節；對比三十10-11和
四十二20），並發現新的能力（4節）。更重要
的是，真理取代了邪惡。有關第5節，可參路
加福音二十二章25至27節，因神不喜悅虛
名。第6-8節不是預言，而是把第5節的話論
述。

三十二9-20　和平無坦途

第9-13節安逸的婦女（參三16-26）只是
當時那逃避現實之社會的一個極端例子（參
二十二13，二十八15）。若「再過一年多」
（10節上）的翻譯正確，則這段神諭大概是在
希西家謀反亞述之時，結果引致主前701年的
兵臨城下。不過，這句子也可解作一段長時
期之後。無論如何，第14節的災禍及第15-
20節的榮耀，都超乎以賽亞生平中發生的
事。現今的世代，自五旬節以來（參15節），
可能是這裏描述自地上的耶路撒冷解放出來
的神的子民的部分畫像（14、19節）。

這首詩歌要說明的基本原則，就是神不
會把「平安」賜給一個敗壞的社會；我們必
須清除地面，重新植上「公義」，才可收取平
安的果子（16-17節）。為此，聖靈的應許
（15節）是不可缺少的；這正是1至2節描述之
彌賽亞恩賜的祕訣。有關15節下，可參二十
九章17節。這一幅安穩於有水灌溉之地的圖
畫（20節），表明了神將要作的「新事」。

三十三1-24　渴望自由

這章經文有如詩篇，其中不斷轉變著情
緒和講者，似乎是在國家急難之時，為公眾
祝禱之用（比較10至12節神之回應與詩六十
6-8，以及13-19節之對話與詩二十四3-6）。

三十三1-9　渴望平反　在這段落中，斥責
（1節）、祈求（2-4節）、讚美（5-6節）及哀悼
（7-9節），迅速的交替出現。第1節所指「毀
滅人的」，也許是代表所有作盡惡事，卻不知
已為自己積蓄了報應的人。第2-4節是向神的
祈求，將使人有超越的眼光。我們不單仰望
神至終的審判（3-4節），祂大能的手（2節）
也可滿足每日所需（參五十4）是與第4節相
對。第5-6節描述真實的喜樂及永恆的珍寶，
這都總結於「敬畏耶和華」——天上的主與
地上僕人的關係正是那珍寶，而不僅是進入
珍寶的鑰匙。第7節可比較三十六章2至3節、
22節。第8節提到「大路荒涼」，使人回憶起
底波拉以前的苦況（參士五6）；她的勝利使
人民脫離苦境。

三十三10-16　神的回應　神干預的行動不僅
限於仇敵身上（10-12節），也會燒盡錫安的
邪惡（13-16節）。第14節「吞滅的火」不僅
指神對罪不能容忍；從另一角度而言，也可
指罪人的自我焚燒（11-12節），這都是由於
他們虛妄的追求（11節上），以及過分的野心
（11節下）。有關這自我毀滅的主題，可參一
章31節及三十章13節的暗喻。

第14-16節的話使人想起詩篇十五篇及
二十四篇3至6節。有人提出這些話是基於進
入聖所的條件（例如出十九14-15）中，有關
道德的內容。第15節注意所包含的清教徒主
義思想：強烈地譴責不良的習慣、言詞、思
想及感受。這節經文似是充滿負面意義，卻
是要澄清「清心」之意，也為17節鋪路。

三十三17-24　神應許的福　第17節上的應
許，加上15節末句的話（比較太五8；對比六
5的失望），是本段的關鍵。其他的方面都是
基於此（寬廣的田野，17節下，使得解圍城
之困的居民喜悅地遠眺；而寧靖的「錫安」
再成為朝聖之地，20節），往日之暴力及侮辱
已成追憶，更使人對現今的境況滿懷熱望
（18-19節）；人的眼目都轉向主，靠祂得
力，奉祂為主（21-22節）。「設律法的」、
「審判我們的」、「王」這些充滿權威的名
銜，常是使猶大及我們感覺不敢親近的，卻
將是這安穩境況的鞏固基礎。

這裏描述一個擁有比尼羅河或底格里斯
河（參彌三7-8）更優越之防衛的城（21節）

——因在那河上，仇敵的船艦都不能使用——這描述引出了23節的暗喻，指出不法之人（可能是外邦人或「錫安中的罪人」，參14節）的混亂。但這只是一個插曲；本段是以神豐富、醫治及寬赦的恩典作結束（23下-24節）。

三十四1-17　普世的審判

正如二十四至二十七章突出於指摘本地的神諭以外，提及最後的審判和拯救；三十四及三十五章也同樣把目前的亞述危機撇下。另一個相同點是，在這些關乎宇宙的事件中，如第4節的描述，可在啟示錄六章13至14節找到迴響；而以東，也如二十五章10至12節之摩押，被挑出來代表反對錫安的人，那將是錫安得釋放之年（參8節及三十五4）；將有審判使整個境況突然到了終局。5至7節描述這場籠罩全境的雷暴，至第5節則降於「以東」之地，因聖經中常用以東象徵不敬虔的人（參來十二16）和逼害人的（參俄10-14），以及反對和敵擋教會的人。第5-7節的暗喻正是那擺設盛筵之殘酷情景的不同版本（參二十五6），焦點放在盛筵背後那屠宰的場面；又以現行的比喻表示所有人，從年輕的新貴及領袖們（7節上），以至最微小和卑下的（6節），都必滅亡（參六十三1-6）。

第8-17節描述的荒涼使人想起所多瑪和巴比倫，尤其是第9-10節提及「燒著的硫磺」，以及11至15節令人可怖的廢墟（參十三19-22）。第11節下使用「空虛」和「混沌」二詞（參創一2），跟耶利米書四章23節一樣，表示把創造的工作推翻。這裏又提到「準繩」和「線鉈」，使人不寒而慄地感受到這毀壞的準確無誤；這種感受與16至17節的呼應，把各廢墟分與適合的怪物，有前後呼應之妙。第14節「野山羊」可參十三章21節的註釋。「夜間的怪物」可能是指某種沙漠生物或鬼魔。值得注意的是，這裏描述的審判，是比滅絕更糟的狀況；那末後的狀況跟先前的狀況比較，是更為不好、可厭及永久的狀況（17節下）。

三十五1-10　曠野開花

本章也許可看成是一個綠洲，介乎三十四章之荒地異象，以及三十六至三十九章之戰爭、病患及愚蠢之歷史兩者之間；使人更覺其可貴。

本段的主題是關於那將來的「出埃及」，這是比先前更大的事件。1至2節描述沙漠曠野佈滿春天的野花（可能是番江花或水仙花，而不是和合本的「玫瑰」），又有大樹的遮蔭（「利巴嫩的榮耀」），這是因為主將要經過此地的消息（3-6節），而祂來的原因可見於第4節（參10節）：就是要叫祂的子民回家。希伯來書十二章12節把這裏的第3節看成基督徒的盼望；福音書中的醫治宣告了第5-6節的新時代已經出現，而第4節下的完全應驗卻尚待未來（參六十一2；路四19-21；帖後一7-10）。

若開始的幾節經文間接地描述了神來臨的景象，如曠野開花、盼望的迸發及醫治的神蹟（1-6節上），那麼，第6下-10節則是描述祂的子民歸回的旅程。沙漠生出河溪和草地、道路太平，最後更看見朝聖的人，一路歌唱的回到錫安。

這預言達致一高潮，並早已超越以賽亞的當時當地，顯露出四十至六十六章的風格和思想（參五十一11中引用本段的第10節），以抒情詩的手法描繪新的出埃及、神自己的來臨、錫安重新有人居住，以及蒙救贖者永恆的喜樂。

三十六1至三十九8　希西家的大考驗

在這四章中，以賽亞事奉時代之政治形勢突趨險惡，其中更涉及希西家王的兩次考驗，測試他的信心及正直，並帶來深遠的影響。

除了希西家的詩歌只記錄於三十八章9至20節之外，這幾章經文幾乎與列王紀下十八至二十章字字相同。

三十六1至三十七38　亞述大軍壓境

這事件的細節，可參列王紀下十八章13節至十九章37節的註釋。以賽亞省略了列王紀下十八章14至16節及17節上部分。

三十六1-22　在本章中，亞述使者的說辭（4-10節、13-20節），真是極盡顛覆的能事。他技巧地引用事實，使他的譏諷無可辯駁〔例如：埃及的背信（6節）、諸神的無能（19節）〕；他使用嘲笑（8節）、威脅（12節下）及哄騙（16-17節），又歪曲神學——扭轉希西家改革的意義（7節），從以賽亞的講道中斷

章取義（10節；參十6、12），並從假宗教中歸結使人沮喪的結論（18-20節）。希西家王吩咐：「不要回答他」（21節），因為敵人不是要爭辯真理，只是要得著勝利。

三十七1-38　三十七章的記述（更詳細的記錄可參列王紀下十九章），可說是一個回應恐嚇的典範。希西家的堅持並非出於盲目的樂觀主義；從他「披上麻布」一事可知（1節）。他要求以賽亞代求（4節），顯示了他信心的由來；而他的「**生產**」暗喻（3節），顯出他是有遠見的人，他指望的不是那陳舊的一套，而是要有革新（三十六7正是他勇敢改革的證明）。他提及「餘剩的民」（4節）也證明他有聽以賽亞的講道（參十20-23）。面對西拿基立的神經戰（9-13節），希西家可用智慧去解除或屈從於恐嚇之下。他把敵人的信在耶和華面前展開（14節），向神祈求，坦率他對神陳言。有如詩篇的作者一樣，他坦言其處境（19節），向神表白其願望（20節）。

在以賽亞的回覆中（5-7、21-35節），他並沒有表示對那些想法錯誤的人怨恨（比較二十八14-15，三十1-5；有關「以利亞敬」及「舍伯那」，2節；可參二十二15-25）。**第22-29節**的凱歌，正好回應西拿基立的挑戰：「你到底倚靠誰？」（三十六5）；先知的回話是：「你辱罵誰？」（23節），並嘲諷他不知道自己一生功業的背後因素（26節；注意先知強調「神古時所立的」，參二十二11）。

整個故事顯示，假若我們瞭解真相，歷代以來人所自誇的成就，其背後都有神的主權。

三十八1-22　希西家患病

有關三十八章1至8節及21至22節的評論，可另參列王紀下二十章1至11節的註釋。

三十八9-20　希西家的哀歌　這首哀歌跟約伯的呼喊相似（參伯七章），也好像某些詩篇（例如詩八十八篇），特別是那些從哀悼轉為讚美的內容。本段最後的話，從單數變成眾數，顯示這首詩歌成了公用詩歌（參詩二十五22，五十一18-19）。

第10節「**陰間**」（參18節及十四19的註釋）是代表一個城市或牢獄；而18節則代表一個群體；五章14節卻代表一隻吞滅人的怪獸，**第12節**重點是在於織布的人的最後行動；而約伯記七章6節卻是強調梭的快速。

第13-15節上希西家好像約伯一樣的慌亂，神本可以作他的倚靠，但他以為他的困境是出於自己（15節上）。這困惑更增他椎心之痛，但同時也促使他順服神獨一和完美的旨意。請看17至20節。

第15下-16節這兩節經文的意義不大明朗，各譯本之間也有差異。15節下的動詞含有巡遊之意（參詩四十二4），在這裏大概是「我帶著敬畏地行走」之意。16節之「在乎此」是指甚麼，不能確定；由於原文的含糊，顯見抄本有損毀。不過，15節似是指在管教中接受神的旨意（參詩一一九50、67、71）。

第17-20節神的愛如今明顯展露，首先希西家確知這一切「本為使我得平安」，並且，（直譯）「我在坑中時，你不愛我」，最後，17節末更宣告神的赦免。**第18節**的「**陰間**」和「**死亡**」是同義詞，這也是舊約常見的用法；其重點是要表達死亡的陰暗意義：死人不能稱頌神，他們失去權力和地位，成了歷史，歸於塵土。另一方面，從第17節的話中，可見希西家原先面對死亡時，並無赦罪的確據，第18節更透露了他對死後的看法：沒有感恩和喜樂。但在舊約中，對這方面有不少正面的描述，例如：被神「取去」（創五24；王下二9；詩四十九15）；「與神同在」（詩七十三23，另參詩一三九18及十七15；比較賽二十六19「復活……興起……醒起」及但十二2）。不過，舊約中並沒有把這些教導組合起來。希西家可以在神豐盛的應許中（參王下二十4-6），歡欣稱頌（19-20節）。他還要繼續不斷地發現神充沛的恩典（林前二9）。

三十九1-8　巴比倫的使者

這段經文較詳細的評論，可參列王紀下二十章12至19節的註釋。

希西家的信心雖經得起最沉重的打擊，卻在諂媚的誘惑下溶化了（參3-4節記述他得意的神情）；與世界為友又增添了一個受害者。米羅達巴拉但此舉其實是要慫恿希西家一起向亞述叛變。但聖經沒有明言，只責備希西家炫耀財富。

不忠的代價十分沉重（5-7節）。希西家為了禍患的延遲而慶幸（8節），以賽亞卻有

證主21世紀聖經新釋

不同的感受。明顯地，他心裏負著這個擔子，故當神向他說話時，他的心靈早已去到巴比倫（6-7節）；並因他可以向未來的世代發出心裏的信息（參四十2）。

四十1至四十八22　在巴比倫度過的黑夜

無論我們怎樣看四十至四十八章跟前面的三十九章之間的關係（參導論），一進到四十章1節，我們自然發覺已脫離了希西家的世代，進入了三十九章5至8節所預告的處境，那是希西家慶幸可以逃脫的境況。這裏沒有交待其中相隔的一個半世紀；一開始，我們就已進到這尚在未來的災禍的末期——被擄時期的結束。在四十至四十八章中，已可嗅到釋放的氣氛；不斷出現「新出埃及」的應許，神親自的領導他們；有一位新的霸主興起，那就是古列，他將推翻巴比倫；並有一個新的主題展開，揭示了作僕人及外邦人之光的召命之榮耀。上述的一切以意境高超、令人歡欣振奮的詞彙表達出來，其風格是前所未見的（例如三十五1-10，三十七26-27）；在本書餘下的篇章中將不斷看見這獨特的文體。

四十1-11　久候的耶和華

四十1-2　溫柔之聲　「安慰」之情，有如母親安慰嬰兒（六十六13），第2節進一步的發揮；「說安慰的話」直譯是「向心裏說話」，這片語常用於提出確據或要把人奪回的文意中（例如創五十21；士十九3；撒下十九7；何二14）。「我的百姓」及「耶路撒冷」在這幾章中顯著是被分隔了，直至這母城接回她的子女（參五十四章）。

「為自己的一切罪……加倍受罰」可解作罪的眾多（例如六十一7；亞九12）；或如和合本及大多數解經家的看法，強調所受的刑罰（例如利二十六18、43；啟十八6）。前者更可使我們感到這幾章經文中隱含的恩典；而後者卻非暗示配得救恩，而是指出耶路撒冷所受的懲罰已超過她該受的。但是，「加倍」有時可解作「相稱的」或「等量的」。

四十3-5　開路先鋒的呼喊　這一條偉大的巡遊路線（兩旁站滿所有人，5節），使一切異教的節期巡遊顯得渺少。「曠野」有雙重的重點，一方面藉以表示一切阻礙都要為著王的巡遊而除去（4節，參三十五章）；另一方面也提醒人回想第一次的出埃及。何西阿書二章14節則以曠野為悔改和更新之地；施洗約翰更以充滿先知象徵意義的舉動，居於曠野（參太三1-3）。但神的蒞臨（參太三13-17）及祂促成的「出埃及」（參路九31），將以人意想不到的形式出現。

四十6-8　傳道者的話　第6節介紹了先知及他的責任（譯註：「有一個說」，新國際譯本作「我說」。「凡有血氣的」承接第5節的相同片語，但處境則強調神大大的臨在。第8節若缺少了第8節的結語，本段則只是如約伯記十四章1至12節的想望；但有了這偉大的結語，則再次肯定以賽亞永不言倦地對信心的傳講（例如七9，三十一3）。這句子的意義將會在彼得前書一章23至25節完全的披露；那裏說明神的「話」就是福音，這不僅是顯出我們的脆弱，而且是醫治這脆弱的良藥（參約壹二17）。

四十9-11　呼喊者的信息　第9節「報好信息的」在原文是一個單字，希臘文的同義詞是「傳福音者」（evangelist，並非專用名字）。它是個陰性字，與「錫安」一樣；故錫安在此是報信者。在四十一章27節及五十二章7節，錫安則是聆聽者。

四十12-31　無可比擬的神

這一首超卓的詩歌，對照出我們渺少的觀念和軟弱的信心；它好像神向約伯的挑戰（伯三十八至四十一章），指出神是創造主（12-20節）及世界的主宰（21-26節），普世在祂面前都顯得微小。本段的要旨是在31節，指出：人的幻想（18節）和疑惑（27節）都要讓路予謙卑的等候神。這也是全書一直在強調的（參二十六8，七1-9）。

四十12-20　創造主　這裏描述物質（12節）、心思（13-14節）及生物（15-17節）在他們的創造主面前。這並非說他們毫不重要，而是說他們的價值只在於創造他們的神（參箴八22-31；羅十一34）。創造主無需我們的教導，也不像我們缺少能力。從神的觀點

來看，我們對神的看法（18-20節）十分無稽。拜偶像者的殷勤努力很可悲，這可詳見於四十四章9至20節和四十六章1至7節；他們的眼瞎則在羅馬書一章18至23節中講論。

四十21-26 主宰 這裏的比喻並非科學的真理，只是詩意的表達（如22節下之「幔子」，參詩一○二26，一○四2）。**第23-24節**描述有權位之人的無常，更使6至8節之真理，適切地形容了被擄者的境況。而**第26節**從眾星的運轉中引出一個教導：神的管理；這思想在末段進一步講述。

四十27-31 隨時的幫助 **第27節**我們不要以為神的超越使他不能關顧我們；他是不可能失敗的（28節），在他沒有難成的事。**第29-31節**講述神如何賜給人能力，祕訣是「等候神」（參二十五9的註釋）。這裏再提到人的軟弱（30節），是要叫人信靠神，使人得著超越的能力。「**從新得力**」直譯是「改換力量」，好像人換上新衣，或把舊的東西換成新的。本段最後的3個隱喻，是講述如何勝過一件不可能的事，以及勝過兩種天然的軟弱，最後並帶著不斷的意味而結束。

四十一1-29 神與歷史

四十一1-7 神對列國的挑戰 **第1節**一開始就發出「靜默」的呼籲，假想一個法庭在開始審訊，神要面對列國，並提出一個問題彼此辯論。（「**從新得力**」一語可能是無意間重複了四十31，但也可能暗示雙方的對質是十分可怕的。）

第2節指出辯論的問題是「**從東方興起一人**」，四十四章28節指明是古列。是「**憑公義召他來的**」，意思是為了神公義的審判和拯救。（在這些篇章中，「公義」一詞都帶有這動感的意義，又常與「救恩」並用，例如四十五8，五十六10）。「**來到腳前**」就是跟隨的意思（參士四10），因真正的發令者是人所不認識的耶和華（參四十五2、4）。

第4-7節 王者的宣告，清楚地說明古列的來臨將使人驚恐。政治家們嘗試鼓舞人的勇氣（5-6節），工匠們造出一些穩固的偶像；但第4節指出這一切事都不離創造主耶和華自古定下和作成的計劃的範圍內。這將在四十四章24節至四十五章8節的一段詳述。

四十一8-20 給神的僕人的確據 「**惟你**」一語及之後一連串的人名，給人帶來意外的溫暖。**第10下-20節**一連串的應許中，使用的動詞都是將來時態，但講述的事情是基於過往及現在的事實：神和他們的關係（8、10節上）及確定的揀選和呼召（9節）。「僕人」的特色將在未來數章中顯明，越發強調其捨己的精神，直至五十三章的高潮。在這裏，只是指出主人的保護，從不同方面作僕人的保證：神會賜下力量（10節）、使仇敵四散（11-13節）、勝過障礙（14-16節；參太二十一21），以及供應不斷（17-20節）。神的稱號：「以色列的聖者」（14、16、20節，參一2-4）、「你的救贖主」（14節，即保護你的近親；參利二十五25）和「雅各的君」（21節），好比在這些確據上面蓋印保證。

上述的一切對當時備受威嚇（例如10-11節）和自卑（例如14節）的以色列來說，正好是領受神恩的起點。**第15-16節**「**打糧的器具**」卻正好相反，十分堅硬，用厚板和燧石製成；這器具在割下的禾稻上拉拽，可把穀粒扯下，隨即揚穀，把糠秕吹走（16節）。這隱喻涉及規模之大，跟從巴比倫回歸之人「看那日之事為小」比較，似不相稱；但它並沒有過分誇張神的子民在往昔或未來對世界的影響。

四十一21-29 神再次的挑戰 這裏又重複1至7節的語氣，不過現在是針對假神（參23節）。**第22節**指控他們甚至不能註釋事情（「先前的……事」），故更不能預言事情的發生（參26-27節的註釋）。他們既如此無能（23節下），唯一的結論是他們是虛假的（24、29節）；而「**可憎惡的**」（24節）一詞顯示這責罵十分嚴厲。這詞一般是用在異教禮儀或偶像身上（例如四十四19）；這裏轉用在敬拜偶像的人身上，表示選擇虛謊為效忠對像是何等敗壞的行為。這方面在羅馬書一章18至32節續有討論。

第25-29節 重提2至4節的話題，並加上一些細節。**第25節**提到「北方」（參2節之「東方」），更準確地把古列的進侵描述出來；古列的國土，從波斯灣橫跨至裏海和黑海。「**求告我名**」一語必須和四十五章4節對觀；意即古列雖提說耶和華的名（參拉一2-3），卻沒有真正的歸向神。他的銘文也間接地證

實了這一點，他運用外交語氣，把他的勝利歸諸他征服之人民的神（例如巴比倫的「瑪爾杜克」，吾珥的「月神」等）。

第26-29節 由於他們強調預測未來，這幾節經文觸及了異教世界的敏感地方，因占卜是主要的一環（參四十七13）；呂底亞的克利薩斯(Croesus)為了對抗古列，因著模棱兩可的特爾斐神諭而付出沈重的代價（神諭說他將毀滅一個大帝國，於是他與古列爭戰，結果毀滅了他自己的帝國。）有關預言的可能性，及這些篇章的作者身分的討論，可參導論。

四十二1-17　外邦人之光
四十二1-9　第一首「僕人之歌」
四十至四十一章中有如狂風暴雨般的講論突然靜止，有人把隨後的篇章比擬列王紀上十九章12節之「微小的聲音」。在這些篇章中，有四、五段經文靜靜地描繪出一位僕人，怎樣為他人而生。在四十九章1至13節、五十章4至9節及五十二章13節至五十三章12節，描繪他的受苦逐漸加深；而在六十一章1至4節，則欣悅地列舉他帶來的福樂。

在這一連串僕人之歌中，到最後描述他是為眾人成了代罪羔羊；而在這段經文，第1節介紹他是「我的僕人」及「我所揀選」，更與四十一章8至10節之「以色列」有緊密連繫。這裏提到賜下「靈」及帶來「公理」（1、3、4節），也是十一章1至5節及三十二章1至8節提及之大衛君王的特色（參照太三17記述耶穌受洗時，如何把本段與詩二7描述之君王揉合在一起）。故此，這裏已開始突出以色列中的一個人。本章之末（18-25節）更強烈地加強這一點。

第2-7節 這位僕人是溫柔的，他不到處喧嚷（2節），對軟弱和有缺欠的人以憐憫為懷（3節）；他也不「灰心」、不「喪膽」（4節），這也對照前一節之「壓傷」及「將殘」（3節；原文相同）。馬太福音十二章17至21節也引用這段描述；他的使命是普世性的（4節下）。「作外邦人的光」（6節）是對耶穌最早期的稱謂之一（參路二32），也是教會早期的名稱之一（參徒十三47）。教會雖也參與叫「瞎子」開眼、叫「被囚」的釋放之使命（7節；參提後二24-26描述的「主的僕人」），卻只有教會的頭可被稱為神的「約」（參和合本小字），在

祂裏面（參太二十六28）把耶和華和祂的「眾民」合在一起（6節，參四十九8）。

第8-9節 這兩節經文把僕人之歌與四十至四十一章的主題起來連繫，因耶和華為祂真正的「榮耀」而生的嫉妒，主要表現於祂的光照普世。這是祂計劃中的下一個階段，即這裏宣告的「新事」，這新事早在「起初」已略有眉目（四十一26-27；參創十二1-3）。

四十二10-12　普世頌主　歌唱的湧現也是這些篇章的特色之一（參四十四23，四十九13，五十二9），正如在二十四至二十七章中一樣，而在主題及用語上，頗類似詩篇九十三篇及九十五至一百篇。第10節上可以與詩篇九十六篇1節及九十八篇1節比較；而第10節下可與詩篇一○七篇23至24節比較。這裏提到大自然和列國，都為了上述的釋放，向神歌頌。第11節提到以色列的仇敵「基達」（參詩一二○5-7）和以東的「西拉」（，上次提及時是帶審判的語氣，參二十一16-17，十六1），顯示了神的恩典是何等廣闊。

四十二13-17　耶和華熱心行事　這裏使用的比喻：「像戰士」（13節）及「像產難的婦人」（14節），使我們看見神的恩典並沒有軟化了神的態度。相反，祂對邪惡的憤怒（13節）及急切對付的態度（14節；參路十二50），對於受罪惡傷害的人來說，也是很大的激勵，就如神的憐憫（16節上）及恆切不變的態度一樣。救恩只有通過審判才會臨到，不肯悔改的人將不會蒙恩（17節）。參六十三章1至6節，這嚴酷的審判正是五十三章的補充。

四十二18至四十八22　易變之僕與不變之耶和華

在這些篇章中，不斷看見神的恩典及祂子民執意叛逆的交替出現；這些子民決意自行毀滅，但神仍堅決要恩待他們，這可見於四十三章21節。

四十二18-25　瞎子領瞎子　這段落跟前面的義僕（1-9節）、等候訓誨的世界（10-12節）及熱心的救贖主（13-17節），正好相反。另一方面，卻適切而生動地描述了教會未能達成其召命的情況。在以賽亞首見異象的過程

中，視而不見，聽而不聞（參18-20節），是
一個危險的訊號（參六10-13）；在這裏則已
是致命的一擊。這無能傳訊者的失敗（參撒
下十八29）是以色列的失敗，他們且是故意
的。他們本是約的承繼人（19節下；參下文
註釋）；他們本有能力（20節）及資訊（21
節），去認識神的旨意；而且仍不斷提醒要留
心「聽」從（23節）。即使他們現今身處的苦
境，也是為了教導，而不是為了毀滅（25節
下）；但可惜他們沒有學會功課。

附註 第19節「與我和我的」是不錯
的翻譯（修訂譯本；參詩七4）。這裏用的是
被動語態，故可譯為「那被帶進與我關係良
好的」。

四十三1-21 豐盛的恩典 「但現在」（1
節；和合本省略了「但」字）一語是這些篇
章的特色，說明了神的愛雖不斷地遭受拒
絕，仍再三主動地賜給人。同樣的片語可見
於四十四章1節，四十九章6節，五十二章5
節，六十四章8節。

第1-7節 這幾節經文明確地向以色列保
證，就如基督向教會保證一般，地獄的門不能
勝過她。火與水、列邦與地域，都不能傷害
人；「凡」（7節）屬〔神〕的」（1節）都將安
全歸回（參四十26）。這裏列舉使他們歸於神
的不同原因，例如：創造、救贖、呼召（1
節）、愛（4節）、認養（6節），以及祂名的尊
榮（7節）。神與以色列之間的獨特關係也顯明
於以人為贖價的大膽描繪（3-4節、參14
節）；意指一些大國將傾覆，好為以色列開
路。箴言二十一章18節也有同樣的講法；但另
一方面，列國從以色列獲得的，遠多於他們失
去的（參四十二1-9）；而以色列最終的贖價
必是一位十分不同的代罪者（參五十三5-6）。

第8-13節 在這裏，以色列再次面對自己
的罪（8節，參四十二18-20）；這裏指出他
們蒙召，作神的「僕人」和蒙「揀選」的
（10節），使他們明白自己的指示（「便可以知
道……信服……明白」），也可以指示普世。他
們的歷史可以為耶和華作證（10-12節）；有
一天，「**我的見證**」這名稱將可完全的實至
名歸（參徒一8）。但目前的以色列只是被動
和勉強的跟隨神。這裏爭辯的背景是在四十
一章1至4節、21至23節；而爭辯的重點是：

除了耶和華，再無別神，過往如是，現今及
將來也如是（10下、11、13節）。

第14-21節 「巴比倫」這名字自三十九
章7節以後，首次被提及；儘管14節的原文有
不明朗之處，本段的主題明顯是應許一次更
大的出埃及；神在曠野的神蹟（19-20節）將
超越在紅海所行（16-18節）。這應許是基於
神的約（注意14-15節提到之關係及20下-21節
之揀選）。

這應許的真正應驗，當不限於主前六至
五世紀期間，從巴比倫的歸回；儘管那也是
應驗的一部分。這應許是由神的兒子在耶路
撒冷成就的救贖（路九31；參林前十4、
11），如此才可符合這裏及相關經文的用語。
另參三十五章及四十章3至5節的註釋。

四十三22-28 神恩被蔑 第22-26節以色列
對神恩的反應竟是冷漠不耐。沒有別的拒絕
方式比這更糟；神也藉此比較，這宗教有否
成了他們的重擔（23下-24節上），或是向背
重擔的主（24下-25節，參四十六3-4）作感恩
的敬意（23節上）。神願意公開辨明祂的案件
（26節，參四十一1）。

第27節 「你的始祖」大概是指雅各。以
色列人其實無可誇耀，不論是他們的祖先或
屬靈領袖（「師傅」）。**第28節** 這最後的話十
分嚴屬，因「**咒詛**」一詞是用在如耶利哥或
亞瑪力人身上，這徹底毀滅的審判並無妥協
餘地。這是有關審判的最重用詞。

四十四1-28 永活的神及祂偉大的計劃 第
1-5節一個看似死路一條的境況又重現生機：
「但現在」（參四十三1的註釋），這裏再次肯
定忤逆的以色列的召命：「我的僕人」和「我
所揀選的」（1節、又於第2節重複）；並且
親密地稱他為「**耶書崙**」（「正直」之意，參
申三十三5，另比較申三十二15；參四十二19
的註釋），又應許將有更大的事臨到。聖靈的
澆灌（3節）使人可一窺新約（參耶三十一
31-34；結三十六26-27；珥二28-29）；而**第5
節**向神歸屬的描述，是罕見地預言外邦人的
歸正，如在詩篇八十七篇4至6節（那裏描述
神徵召他們）。這些以色列的新一代（「後
裔」，3節）成了神活水江河的指標，就如河邊
的樹木顯示了河道一樣（3-4節）。使徒行傳就
勾劃了這生命河流「乾旱之地」的部分情景。

第6-8節 這幾節經文代表了這些篇章的要素，強調了神是以色列的「救贖主」（6節，參四十一14），強調以色列的一神主義（6節下、8節下）、預言的確實（7節下），以及確定將有一個很不同的以色列（8節）。

第9-20節 本段從另一方面來傳講相同的信息，又不留情面的指斥拜偶像的愚昧。這也是這些篇章常提及的題目（參四十18-20，四十五20，四十六1-7）。敬拜神賜予的（9節；參14節）及人手造的，都同樣的無稽和褻瀆神（參羅一25）。人之所以不能看見這真相（古今依然），是由於不肯面對它（18-20節；參羅一21）。

第21-28節 我們現今又回到真神那積極及歡欣的啟示。第21節 這裏一開始要他們「記念」，大概是指那些以色列可見證的事（參8節），以及上述異教的愚昧（四十六8有同樣的呼籲）。神一再宣稱可控制及預言歷史，現在藉26至28節的應許，又一次的確定了。有關耶路撒冷及一位解救者的好消息（四十一2、25-29）本來是隱藏的，現今突然揭露了；「古列」及他命令重建耶路撒冷這預言，將必應驗（參拉一1-4）。這預言的精細度，只有列王紀上十三章2節可比，那裏預言約西亞於300年後出現。第27節 這裏提到「深淵」，也使人想到出埃及事件，提醒人神有能力施行這些新的神蹟。第28節 「我的牧人」這名稱只是表達神使用這君王，作成祂的計劃（參四十五4及四十一25的註釋）。

四十五1-25 全地的神 第1-8節 這幾節經文提到神絕對的主權（7節）、祂向普世啟示自己（6節）及祂為義人伸冤的旨意（8節），然後講到祂對古列的控制。

第1-3節 「所膏的」一詞正是彌賽亞名字的本意；但在舊約裏，這詞可作一般用途，主要用於神膏立的君王上（例如掃羅，撒上二十四6）。在這裏是要強調古列受神指派及裝備，好完成一個任務，而他的一切勝利只是前奏。第1下-3節上 的每一片語都突顯出這些勝利；例如：「暗中的寶物」是收藏於最隱密之地，也是最貴重之物。（古列征服了克羅伊斯及巴比倫，獲得了無可估計的財富。）第4節 但釋放以色列此舉雖為古列一生的高潮（參13節），不過在世人評價他一生的功業時，卻把它看成一段小插曲；人的

評價多麼錯誤（參五十五8）。古列對耶和華的宣認（參拉一2-4），正如他宣認其他神明一樣，只是表面的（參四十一25的註釋）；雖承認神的存在及力量（3節），卻沒有相應的個人知識（4節）。

第7節 「光……暗……平安……災禍」，這是典型的希伯來語表達法，以相反的一對詞語代表「世界的全部」（參詩四十九1-2）。「災禍」直譯是「邪惡」，不過這詞的含義廣泛，故不可據此指以賽亞稱神為邪惡的創造者（參伯二10；摩三6；羅十一36）。有些人以為這節是攻擊拜火教的二元論，這學說相信善惡二神互相爭持。但本節也同樣是攻擊多神主義，就是這些篇章主要的目的。況且並沒有明確的證據指出古列是拜火教徒，儘管他的後繼者信奉該教。

第9-13節 這段把焦點從古列轉向充滿埋怨的以色列（11節的眾數主詞及13節以第三身提及古列，均可顯示這轉向），先知指摘以色列竟懷疑神的工作（參二十九16）。新國際譯本把第11節原來的諷刺語氣表達得十分正確（「你們質問我有關將來的事，並我的兒女？有關我手的工作，你們竟吩咐我？」），反映神是十分憤怒地發問。第12節 這裏使用天上的萬象作為教材，類似情況可見於四十章26至31節。第13節 的論述可參四十四章28節。

第14-25節 這裏預見外邦人的大量湧入，這異象遠超過目前的解救。六十至六十二章對這主題將有更詳盡的討論。這裏首先是向以色列發言（14-19節），繼而呼籲萬民承認耶和華，有一天他們必會如此作，並因此與他們現今鄙視的民族同得救恩（20-25節）。

第14節 這裏提到「埃及」等名字，以及「鎖鍊」和下跪等細節，都是使用當時人熟悉的得勝景象，來描繪神的勝利。在實際應驗之時，這一切將會更進一步，正如20至25節描述的一樣。本節提到的外邦人是從來未曾包括在以色列的版圖上。他們的降服像戰犯一樣完全，但實際上，他們是出於真誠的歸正（14下-16節），並使他們得救（22、24節）。

第15節 「自隱的神」一語可能是悔改者認信的一部分，宣認看不見的神，而棄絕可見的偶像。但這更可能是以色列指出神是無

可測度的。18至19節對此有所回應,指出神偉大的創造工作,並曾清楚的啟示自己。第18節的「荒涼」及第19節的「徒然」,跟創世記一章2節的「空虛」同一字詞。第18節中指出創造的目的(「是要給人居住」),神把荒涼之地轉為可居之地。同樣,以色列也將可達到榮耀的結局。

第22-25節 末後的幾節很值得重視,第一是其中描述的普世性及誠心的悔改;第二是新約聖經曾引用23至24節,在腓立比書二章10至11節直指基督(又在羅十四9、11,間接地指基督)。可參彼得前書三章14至15節如何引用以賽亞書八章12節下及13節上。

四十六1-13 巴比倫無助之神

這段落與整幅圖畫焦點是一致的(參四十四28及四十五1,清楚的提到古列,以及四十七1-15提到巴比倫及其傾覆),現今又提到個別的神祇。**第1節** 「彼勒」(意即「主」;參巴力)的名稱是從一古老神祇恩里勒(Enlil),轉移至巴比倫的守護神瑪爾杜克身上,他的兒子「尼波」(拿布)是知識之神。他們的名字是伯沙撒、尼布甲尼撒名字的組成部分。這兩位神常被抬起,參與巡遊行列,但在這裏描繪的是逃亡的景象。他們巨大、沉重的身軀使馱他們的牲畜也吃不消。這裏將這些偶像加給人的重擔,以及他們要求人捐獻金錢和力氣(6-7節),和耶和華對人一生的照顧(3-4節)作出比較,把這些篇章中對偶像的一連串攻擊帶至高潮。同時,這些篇章中的預言成分(參四十一23),也在10節上有明確的陳明。至於未來侵略者的兩項重點:掠奪成性及早經命定,則明列於11節上(參四十一2、25,四十四28,四十五1-7)。

第12-13節 「公義」一詞有多種層次的意義,基本上,它是「正確」、「對」的意義。故此,它也包含了正直、公正和糾正的意義。在這幾章中,糾正的意義似最為強烈,有時是隱含於勝利的描述中(參四十一2的註釋);但始終其道德層次沒有失去(參四十八1,五十三11,五十八2)。在這裏,這含義更率先於12節出現,而其較次要的意義——拯救,則在13節,與「救恩」並排。

四十七1-15 巴比倫滅亡

這是一首輓歌,有其獨特一貫的節奏(參一21-31,十四4-23)。

這是巴比倫應得的命運,再沒有施恩的餘地,因她也對人毫無憐憫(6節;參雅二13)。不過,這裏的描述也不是毫無憐恤的。我們一方面看見正義的勝利,另一方面也看見罪人的結局。塵埃、勞苦、赤體、羞辱、緘默和黑暗(1-5節)——這些受咒詛的象徵,再加上這裏描述他們恆切渴望(7-11節)的無知自大的歡樂(8節),更增苦澀。我們可看見她的心消沉,因一切可倚靠的事物(「符咒」、「邪術」)都失敗了。她的老盟友都棄她而去,「各奔各鄉」(15節),這些都是只可共安樂,不可共患難的朋友。

很多記錄證明巴比倫廣行邪術,可見於第9、12至13節;以西結書二十一章21節更生動地描寫尼布甲尼撒施行的一些邪術。

四十八1-22 愛不值得愛的人

第1-8節 這裏把注意力從巴比倫轉到以色列身上,並非為了稱讚他們。他們的口掛著「耶和華」和「聖城」(1-2節),跟他們一貫的拜偶像行為毫不相配(5節);他們只是頑硬的偽君子(1、4、8節)。這樣的虛偽,比四十章27節的不信和四十三章22節的厭煩,更加不如;這卻是四十二章18-20節指出之罪預期的結果。從前曾以神的命定指斥外邦(參四十一21-24),現今卻用以指斥神的子民,這些頑梗的不信者(3-8節)。請參導論。

第9-22節 這一切卻是要顯明神的忍耐,不是由於人的功勞(9節),神的作為是建設性的(10節;參以下附註)及堅決的(11節)。儘管祂率直的指摘,祂仍堅持祂的選召(12節)和祂的愛(參14節),並發出呼籲:「從巴比倫出來」(20節)。這將會在下面篇章中重複(參四十九9,五十二11,五十五12,六十二10)。神的話並沒有誇張,任性的人將付出很高的代價:「沒有平安」(18、22節),心靈及社會的平安都失去。**第22節** 簡單而可怕的話重複出現於五十七章21節,而本書將以更嚴厲的語氣作結。

附註 第10節出現翻譯上的問題。「像」的原文是「以」(with),這只是一個字母,兩者極易混淆,原文也可作「以……的代價」和合本及新國際譯本均把原文修改為「像」。而在第10節下,死海古卷的以賽亞書支持新

國際譯本的「試驗」，但「揀選」是標準抄本的正常意思法。第14節下「耶和華所愛的人」較近原文（正是和合本的譯法）。第16節這節的末句使人驚詫地突然改變了主詞：不再是耶和華，而是祂所「差遣」的人，「靈」也被差派。這可能是指先知，但更有意義的是指四十九章1節、五十章4節和六十一章1節的「我」，換言之，就是那僕人，也是耶穌所瞭解自己的身分。這節經文對三一神也遙遠地透露了一點亮光。

四十九1至五十五13 救贖的曙光
四十九1-13 第二首「僕人之歌」

這段落的範圍眾說紛紜，一般認為是1至6節。不過，5至8節的每一節，都是神重溫祂僕人的使命；而第8節，回應了四十二章6節，更是不可剔除的。

在四十二章，兩段描述「我的僕人」的話似不能相容（四十二1-4、18-21）；明顯地，以色列並不匹配這位「僕人」的描述。未來的篇章將可疏解這矛盾；不是由於這僕人被解僱或改進，而是很明顯地有一位真僕人出現，祂的使命首先是針對以色列。

這段經文顯然是出於僕人清潔的良心。他沒有為四十八章1至6節的罪及四十二章18至20節的瞎眼而懺悔；只是說他為了神的時候受訓（1-3節，參四十八16）。他要對付以色列的冷漠，而非同流合污（4節）；他雖被稱為「以色列」（3節），他的工場卻先是以色列（5節），然後才是普世（6節）。

以色列被差往以色列——這表面的矛盾，是舊約對新約的一個有力預言；真以色列的「餘民」也不能完全符合1至13節的期望。我們必須把這裏提到的神的「光」、「救恩」（6節）及「約」（8節小字），看成在基督裏完滿的應驗；祂是教會的元首，教會正是神的以色列（徒十三47；加六16）。至於四十二章1至4節提出藉服侍以攻勝的主題，現今開始引出受苦和被拒的描述（4、7節），這將會在第三首及第四首僕人之歌中，越發明顯及重要。

第8節本節上半部曾被保羅引用於哥林多後書六章2節，並指出現已應驗（參耶穌在路四18-21引用賽六十一1、2）。有關「眾民的中保（約）」，請參四十二章6節的註釋。第9-13節這裏描述的「被捆綁的人」是分散於普

世的以色列人，不僅是在巴比倫（比較12節及22節）。不過，因為啟示錄七章17節隱用了第10節，我們可看這是外邦人離開本地，往他們的新家園（參四十四5）。第12節「秦國」（參新國際譯本旁註）對古代的抄經者及譯經者顯然都是一個謎，有人建議是波斯、南部、或「亞斯旺」（Aswan）。更有些學者認為是中國（希臘文的「中國」乃由「秦」的字根衍化出來）。無論如何，我們較妥當的解釋是第12節預見了遠方之民也要悔改歸主，希尼就是一個例子。

四十九14-23 耶路撒冷的安慰

第14節廢棄的錫安是這幾章中的一個特點，她被擬人化為一個喪失丈夫、兒女的婦人。第15-16節神提出一個典型的回答。首先，她不是被遺棄，因神不能忘掉她。其次，她前面將有更好的日子，她的新家庭將會增長，超過她所能容納（19-20節）。新約聖經引用這些應許，並非指現在的耶路撒冷，而是指天上的耶路撒冷（加四25-27；參賽五十四1），意指在天上地下的普世教會。錫安不錯曾在主前六至五世紀期間重建，但這裏的預言遠超過那重建的規模。第22-23節提及向他們臣服的人，可參照四十五章14節。至於所謂「等候我的」，可參二十五章9節。

四十九24至五十3 被擄之人的安慰

這裏反映了兩方面的憂慮：神拯救的能力，以及祂的意願。前者的答案可見於神對歷史（四十九25-26）及大自然（五十2-3）的主權；後者的答案則把神和以色列的性格作出比較（五十1），祂不像以色列人般善變，祂也沒有外在的壓力（「我〔的〕債主」）。以色列的罪使她與神隔絕（參五十九1-2）。耶和華的態度正如何西阿書三章1至3節所示，祂仍愛犯了錯的妻子，要帶她回家。

五十4-9 第三首「僕人之歌」

第一首僕人之歌展示了祂的忍耐（四十二1-9），第二首則指出祂的勞苦（四十九4、7）；在這裏卻描述僕人面對怨恨和罪惡。讀者會感到這跟十字架只是一步之差。現今甚至不再提起如四十九章4節片刻的沮喪；僕人

已定意去學習（4節），並捨去自己（6節），他的心意已決，並身體力行。**第4節**「**受教者**」原文是複數，強調袍接受常人接受的訓練（參來五8）；「**每早晨**」則表示一生之久都聽從神的旨意（參王上八59）。故此，袍話語的權柄及適切，正是偉大先知的至高表現。

袍的苦難儘管沒有解釋（解釋要等到五十三章），但已帶來結果，這也是一切苦難的好處。**第5節**對神而言，袍獻上自己作甘心祭。**第6節**對人而言，袍甘心獻上，作貴重的禮物，不是被逼，也沒有怨憤（「我任他打……我由他拔……我並不掩面」）。**第7-9節**就袍的內心而言，袍在恥辱和隔離中，表明袍惟獨信靠神。在羅馬書八章31至39節，保羅唱出基督徒的版本，神的義使控訴者無言；神的幫助（7上、9節上）則更清楚地被說明為神的愛（羅八35、37、39）。

五十10-11　歌的結語

這兩節仍抓緊剛說過有關信心的話，作為有關讀者們生死的轉捩點。**第10節**對神效忠顯然也同時是向僕人效忠，袍的話同樣有約束力，袍的信心是一個典範（參7-9節）。這是袍的身分的一個指示：袍是一個真人，也是門徒的主。**第11節**這節或是形容逼害人的（參6節及詩一一八12），更可能是形容跟第10節相反的自滿的人。末句可能是泛指罪惡帶來痛苦的結果，也可能是預指新有關死後的刑罰的教導。

五十一1-8　信心的勉勵

信心是從聽道而來（羅十17），在這裏就有3次「**聽**」的呼籲（1節；「側耳」，4、7節）。它們肯定了五十章10節的勉勵，要人毫不猶豫的信靠。這裏首先呼籲人回顧以色列卑微的開始，看看神如何從「獨自一人」建立（1-2節）。然後前瞻神應許的結局，有關今世（4-5節）和來世（6節）。最後，要他們以上述的訓誨來看現今的屈辱（7-8節）。有關人的短暫，對照神的永恆的思想，在僕人之歌中（五十9）也有迴響。**第6節**「**如此死亡**」在原文可作「像蠛蟲死亡」（參和合本小字），後者比較有力這種集體單數名詞的運用可能來自出埃及記八章16至17節。

五十一9至五十二12　盼望的開始

急速的重複：「興起！興起！」帶起了一陣催迫感。人的呼求引出了神的保證及挑戰：神重複說「惟有我」（12節），又吩咐耶路撒冷：「興起，興起」（17節，五十二1），最後又叫他們「離開罷，離開罷」（從巴比倫；五十二11）。

五十一9-11　勝過出埃及　第9-10節「拉哈伯」、「大魚」、「海」等，對非以色列人來說，會使他們想到創造神話中，與諸神為敵的各種破壞勢力（參二十七1的註釋）；但這裏是用出埃及事件中的象徵，正如第10節所說明的。在三十章7節（參附註），已見「拉哈伯」是埃及的渾號。類似的象徵也用於最後的審判，請參二十七章1節的註釋。**第11節**以賽亞呼求神再次施展出埃及的大能，重提先前曾說過的應許；這節與三十五章10節幾乎完全相同。

五十一12-16　受壓逼者得安慰　第12-14節神自己（「惟有我」）是安慰的根源，因他是「創造你的」，而受造物是變幻短暫的；他也是立約的神（15-16節）（「你的神……我的百姓」），選召以色列是袍一連串行動（「諸天……地基……錫安」）中，最重要的一件。「**錫安**」在第16節末用來代表百姓。**第16節**上使人想起對僕人的命令（四十九2）；事實上，作神的「話」的傳揚者是以色列主要的召命。

五十一17-25　形勢逆轉　這段所用的「你」字，原文是女性單數，擬人化地代表了那作母親的城（參16節的註釋）。其中所用不同的隱喻中，「杯」的易手（17、22節），表達了本段的主要信息。至於她所受的痛苦和虐待，18及23節生動地形容為她無人引領及屈身受辱，又如網羅中的羊（20節）。「各市口」（20節）堆滿死者，對耶利米哀歌的描述很有影響（參哀二11-12、19、21）。

五十二1-10　平安的佳訊　第1-2節神的呼召：「興起，興起」，正好回應以色列在五十一章9節的祈求，也是最好的回答。另可比較耶穌在馬可福音九章22至23節的回答。**第3-5節**正如五十章1節指出，欺壓以色列的人無權

控制她,更不能向神要求甚麼;他們只是神的工具(他們也得罪了神),不是祂的債主。彼得前書一章18至19節將會給3節下加上新的意義,而這裏主要的重點則是神至高的救恩,也是為「我的名……我的名」的緣故,(5-6節;參結三十六21;羅二24)。**第7-10節**這幾節經文感人地描述那佳訊的來臨(參撒下十八19-33),並指出在那經驗中的3項因素。第一是報訊者,他的榮耀是在於他的信息(參羅十15);第二是「守望之人」,他們「盼望……得救贖」(路二38),否則人們將忽略信息;第三是行動本身,而這裏當然是指耶和華的行動(8下-10節),是近處的行動(直譯:「眼對眼」,即面對面,參民十四14)。9至10節的歡呼好像詩篇(參詩九十八3-4;賽四十二10-12的註釋)。

五十二11-12 脫離巴比倫 這裏描述的像是祭司的巡遊,不像出埃及記十二章33節般的出走。以斯拉記一章5至11節及七章7至10節記述的回歸,正有這種意味。以斯拉本人深信神將護送他們回去(拉八22),結果他也沒有失望。但在離開巴比倫這事件背後,啟示錄十八章4節預言一個更大的遷移,就是教會被救離這世界的束縛和刑罰,「免得與他一同有罪,受他所受的災殃」。

五十二13至五十三12 第四首「僕人之歌」

從歸回的凱旋中,我們現今轉向一個孤寂的人物,他為促成歸回而付上了代價。**這裏是全書的中心,是論到罪與公義、恩典與審判的中心。**

這首詩歌十分對稱,分為5段,每段3節。它的始與終都提到僕人的高舉(第一及第五段);夾於其間的是講及他被拒絕的事(第二及第四段);中間的一段(4-6節)則說明了他的痛苦包含重要的救贖意義。神與人已和好,一起參與講述(注意本段開始及結束部分的「我」,以及五十三1-6的「我們」)。

五十二13-15 祂面前的喜樂 這裏的話好像是神對五十章7至9節勇敢的宣告的認可,那是講到僕人的高舉,同時也可用來形容神自己(比較六1:「高高的」,五十七15:

「至高至上」;另參五16,五十五9)。有「許多人」本與祂為敵,現讓路給許多受感動、蒙光照的人(14-15節,五十三11-12有更深入的描述)。**第15節**「洗淨」可作「驚愕」(參修訂標準譯本及七十士譯本),後者似乎在文意上更銜接,他們驚愕——緘默——受勸服。但「洗淨」的譯法雖然文法上有問題,但同樣能銜接上下文,並含有潔淨禮儀之意(參彼前一2),也許更包含立約之意(參出二十四6、8;儘管用的是不同的字詞)。

五十三1-3 人的輕蔑 神的信息和人的看法之間存有很大的隔閡;神所「顯露」的(參1節;羅十16-17、21)跟人所嚮往(2節)及尊重的(3節)是相反的。可比較馬太福音二十七章39至44節描述對卑微的耶穌的嘲諷,以及哥林多前書一章23節講到人對傳揚十架道理的態度。「痛苦」及「憂患」二詞(3節)於第4節重複,直譯是「痛楚」和「疾病」,讀者可意會為描述一位病人或心中痛苦的人(參耶十五18)。不過,這句子也可作別解,即描述醫生的甘願獻身,就是獻身於解決痛苦和病患之中。這大概是馬太福音八章17節徵引以賽亞書五十三章4節的意義。

五十三4-6 甘美的轉換 這絕對是中心的一段,在這裏,僕人的羞辱有了突破性的描述。**第4節**上逆轉的字序,突出了角色的交換;而帶著加重語氣的代名詞:「他」和「我們」,顯示了我們對他的誤解:「他擔當……他背負;我們卻以為……」。**第4-5節**經文的含義在這幾節中越發明顯:他承擔的痛苦原是我們的(4節);那是罪的刑罰(5節上);那是救恩的代價(5節下)。不過其中仍有使人莫測高深之處,神的道路總高過我們的道路(五十五9):「他的鞭傷」(參一6)是我們得醫治的原因。**第6節**這節經文可能是對罪和救贖最一針見血的描述:一方面揭示了人本性中的叛逆、頑梗,使人與神及人與人之間產生隔閡;另一方面也指出神把我們的刑罰轉到一位代罪者身上。「罪孽都歸在他身上」一句可參照:創世記四章13節及利未記五章1、17節(「他要擔當他的罪孽」,即他的刑罰);利未記十章17節及十六章22節(刑罰落在別人身上)。注意這節在希伯來文的開始和結束都是「我們」,反映神的恩典完

完全全的解決了罪的問題。

五十三7-9　甘受欺壓　僕人的緘默（對比另一位「柔順的羊羔」的呼喊，耶十一19，十二3）是由於愛心和信心，正如耶穌所表現的（彼前二23-24），不是由於軟弱或膽怯。新國際譯本在第8節的旁註譯作：「他被帶離逮捕和審訊」，故這節很自然地使我們想到耶穌的審訊及後來的發展（參第9節的註釋）。

　　第8節「**同世的人**」在新國際譯本作「後裔」，跟七十士譯本相合（徒八33徵引本節：「誰能述說他的世代？」）。但希伯來文本則指「同世的人」，這譯法也較好（譯按：這正是和合本的翻譯）。比較第1節之「有誰信呢？」

　　第9節「**財主**」的謎直至馬太福音二十七章57、60節，才告水落石出；這預言使那些質疑預言細節可應驗的人，大感尷尬。古代譯本及抄本都表示「財主」是複數字；然而較後期的版本曾修正七十士譯本，把該字從複數改成單數，以符合原文的標準版本。

五十三10-12　冠以尊榮　在這節中，神為僕人完全的昭雪。我們再看不見欺壓者，這裏揭示，「耶和華」（第10節的加重語氣；比較徒四28）及僕人（12節：「他將命傾倒」）才是這一切事情背後最終的促成者。再者，這裏的每一節中，都清楚暗示僕人的復活及得勝，其中提到救贖的事情，尤勝於4至6節。

　　第10節「**贖罪祭**」是為了補償或滿足一個要求。本節的希伯來文可解作「他的靈魂」（即僕人自己）或「耶和華」獻上贖罪祭；而第12節則清楚說出是僕人自己將命傾倒。**第11-12節**這裏列舉祂的救贖工作包括稱義、承擔罪孽、與罪人認同（「被列在罪犯之中」；參路二十二37）及「代求」。這裏也描述僕人為祭司，也為祭物；為族長（10節下），也為君王。最後，這裏提到僕人為「許多人……多人……」（12節中「位大的」為同一字）受苦，回應了本段開始時的應許（參五十二14-15：「許多人……多國民」）。

五十四1-17　城將如多子之母

　　本章描述的豐富、平安及保障，是源自上述的被棄和死亡；上文自五十二章13節截斷了歸回故土的信息。用基督徒的詞彙來

說，在五十三章的加略山之後，是五十四章的教會成長，以及五十五章的福音廣傳。

五十四1-10　妻子和母親　保羅把這段經文跟撒拉和夏甲的故事連在一起（參加四27），並從此段經文看見真正的教會及從天上生的成員（參四十九14-23的註釋）。往普世擴張的應許（3節；參四十九19），以及暗示舊的架構將要面臨的變化（2節），都會在使徒時代出現。有關犯錯的妻的隱喻，可參五十章1節；在這裏，卻罕有地對她表示憐憫，不是為她的罪過，而是為了她被離棄的痛苦（6節），並溫柔地表達復合之意（7-8節）；這永恆的愛是無條件的，也是她不配得的（參10節的「憐恤」），正如創世記九章11節及（對基督徒來說）馬太福音十六章18節所應許的。

五十四11-17　以寶石建造的城市　第2節的帳幕及已遭毀壞的耶路撒冷，在這幅描繪教會之榮美及力量的圖畫面前，都大形失色；這裏的描繪將在啟示錄二十一章10至27節有更詳盡的發揮。但有關她的含義卻在13至15節直接說了出來；**第14節**指出她的「公義」及**第15-17節**描述她無法被攻取，都是植根於她在神面前的受教（13節；參耶三十一34），這也是新約的記號。這是神之城真正的力量，<mark>神沒有應許我們免受攻擊，卻賜給我們無可抗拒的真理為武器</mark>（17節；參路二十一15）。

五十五1-13　無窮的恩典

　　本段向乾渴者發出的呼籲，是無可比擬的，甚至超越新約的記載。本章有兩個高潮，第一個在1至5節，另一個更高，在6至13節。

五十五1-5　貧乏、豐富、使命　**第1-3節**這裏4次呼籲人「來」，其廣泛性可比人的需要（1-2節強調人的乾渴，就如傳一3和約四13所表達的），也可單指向個人（第1節中，單數和複數交錯使用）。聖經的結束也對此作出迴響（啟二十二17），耶穌在約翰福音六章35節也同樣呼籲人來（「到我這裏來」相對於這裏的「來……吃」）。這裏一方面說「不用銀錢」，另一方面又說「買了」；這矛盾的話突

顯了一個兩面的事實：必然擁有及惟獨恩典（比較來四16提到之不疑惑者及不配者的結合）。

第3-5節 這幾節把上述的呼籲，轉移到完全是個人的層面，涉及人的心思和意志，並要聽者立「約」，分擔彌賽亞的普世性使命。在四十至六十六章中，只有這裏提及「大衛」的名字，但已足夠讓我們把七章14節的彌賽亞君王與四十二章1節的僕人連在一起，祂是萬國所等待的。（有人提出撒下七12-16賜給大衛的應許，在此已由君王身上，轉到百姓身上；但3節下指出大衛的應許是永恆的。而大衛在詩十八43-45、49，看見列國的臣服是耶和華的見證，在此更進一步地啟示列國將來的悔改：比較第5節與亞八20-23及九9-10。）

五十五6-13 罪、寬恕、榮耀 第6-9節 人一方面是乾渴，需要滿足（1-5節），但也是「惡」，需要救恩。神的呼籲及尋找（1-5節），必須有罪人的回應。第7節是描述悔改、轉變心思（比較新約「悔改」的原文）、意志、習慣（「道路」）及計劃（「意念」）的希伯來文可包含的意義。這呼籲是消極的（「離棄」），也是積極的（「歸向」）；是個人的（「歸向耶和華」），也有特殊的目的（為求「憐恤」）。這呼籲十分逼切，因時間有限（6節），也因這應許的寬廣（7節）。

第10-11節 8至9節的宣告不僅是回顧第7節，也是前瞻10至13節，並叫我們因小信而羞愧。神的意念更為廣遠，也更為豐沛，也比我們的意念更高超。神的工作比擬「雨」和「雪」，暗示那是緩慢和沉靜的工作，在合宜的時候才使大地改變。這裏所指是祂的命令（參四十四26，四十五23），而不是祂的呼籲或教導，那是可以為人所拒絕的（四十八18-19；可比較來六4-8中，跟第10節相似的比喻）。

第12-13節 這裏宣告了祂的諭令，也包含了解放的喜樂（12節上）、耶和華來臨的喜樂（比較12節上與五十二12；12節下與詩九十六12-13）及舊日的荒廢蒙醫治的喜樂（比較13節上與七23-25及創三18）。注意耶和華的「名」（13節下）是解放者。

五十六1至六十六24 錫安的榮耀與羞恥

四十至五十五章綜論了被擄巴比倫之事，主要是論以色列人歸回，顯明了神的救贖。至於本書末後的部分，則注目於以色列地；一方面論述它的腐敗（五十六9至五十九15上）及荒廢（六十三7至六十四12）；另一方面，也論到在神的拯救下，它成了至榮美之地，世界的中心（六十至六十二章）。末後的兩章（六十五至六十六章）跟這段的序言（五十六1-8）一樣，表達了神歡迎外邦人進入祂的聖山及祂永恆的國度，另外也說明了永遠被排除於這些榮耀以外的危險。

五十六1-8 歡迎被丟棄的人

第1-2節 在四十至五十五章中令人歡欣的高潮過後，這裏提出了公平和公義的要求，也是救恩帶來的表現。「公義」包含兩方面的意義：「公平」和「救恩」。神的公義不僅判定過錯，更是用行動來改正過錯（參羅三21-26；賽四十六12-13）。

第3-8節 這幾節經文把四十至五十五章中的宣教異象，更實在地表達出來；其中特別提到「太監」及「外邦人」。律法中有條例禁止前者參加聖會（申二十三1），本意是出於愛心（使以色列人禁絕這種傷害身體的殘忍行為）；現今更體諒這些人的殘缺，賜給他們「更美」的賞賜（5節），不再排斥他們，接納他們到「殿中」；又補償他們無後之憾，賜給他們「永遠的名」。對待「外邦人」，不再由於他們的出身，而根據他們的態度；其實神早已是這樣對待路得，儘管有申命記二十三章3節的命令。但第7節下的話對聖殿的管事人員來說，實在難於接受（參可十一17；徒二十一28）。至於第8節，可比較約翰福音十章16節；可見主耶穌對這些篇章十分熟悉。

這裏重提「安息日」的重要（2、4、6節），原因可見於第4節，遵守安息日是愛神（參五十八13）及忠於聖約的記號（參出三十一13），而並非單為守日而守日。

五十六9至五十九15上 錫安的羞恥

五十六9-12 看守的人貪睡 跟這裏相反的情況，可參五十二章8節及六十二章6節。第10-11節上所指的啞吧狗、貪睡狗、貪吃

狗，都是描述那些屬靈領袖（「看守的人」，參結三17）；「牧人」在舊約常代表領袖。這裏的次序也很有意思：沒有遠象（10節上；參撒上三1）就沒有信息（10節中），只會逃避（10節下）及滿足自己（11節上）。「牧人」跟群羊一樣，各人「偏行己路」（11節下，參五十三6）。更糟的是，他們彼此吞吃，好酒（11下-12節），罔顧職責，已是無可救藥。

五十七1-13　離經背道　看守的人疏於職守（五十六9-12），罪惡就泛濫。這裏所指大概是希西家之逆子瑪拿西時代，逼害無辜者（王下二十一16），跟第1節相符；而焚燒自己兒女的行徑（王下二十一6），跟這裏描述敬拜摩洛的情形一致（5下、9節）。

第2節本節的思想近似啟示錄十四章13節。第5節這裏所說的「慾火」是指迦南宗教中的生殖敬拜禮儀，在耶利米事奉的早期也十分猖獗（參耶二20-25）。（有關第5節下，可參上文首段。）從這種淫穢的邪教，很自然地轉到以色列由妻子變成妓女的比喻。在第6-13節（「你」是女性代名詞），其中所用的隱喻如：「床榻」、「記念」（即淫窟的招牌）、「香料」等，跟實際的行為交錯，例如：宗教方面的「獻了供物」和「石頭」（即偶像），政治方面的「使者」等。至於第9節上是指宗教或政治，則不能確定；希伯來文是「王」（可指外邦君王，參三十2-5），音譯是「摩洛」（參上文首段）。

在第10節描述的頑固及第11-13節描述的迷惑和希望幻滅之中，仍可見神的憐憫。整段經文十分適切地可與何西阿書一至三章及路加福音十三章34至35節一起讀。

五十七14-21　豐盛恩典　重複的詞句如：「修築修築」、「平安康泰」，是四十至六十六章的特色之一（另參四十1，五十二1，六十五1）。這裏生動地描述神為救主的主題，也是特色之一。第14節描繪祂是一位發號施令的解放者。在第15節，「至高」及「謙卑」兩詞，使我們聯想到馬太福音十一章28-30節及約翰福音一章14節。第16節似回應創世記六章3節，表明了神的忍耐，而第17-18節說明了祂決意去改造那些不配和沒有出息的人。第19節這裏把神的恩典更具體的表達

了，同樣的話也出現在以弗所書二章17節，表達了保羅向外邦人所傳的福音。第20-21節「惡人」的命運常見指出，這裏比四十八章22節更清楚，都是由於他們拒絕救恩。因為他們的選擇，隔斷了第19節的「平安康泰」，他們「必不得平安」（21節）。

五十八1-14　虛偽與真相　神向這些儀文主義者喊叫（1節），跟先前的控訴有關（五十七1-13），就如羅馬書二章與一章的關係一樣；其重點主要是有關福音書及雅各書的教訓。從反面的指責（1-5節），注意這裏把嚴謹的宗教儀節（2、5節）及社會暴行（3下-4節）連在一起；歷代的敬虔人士似乎都有這毛病（參太二十三；雅四1-3），神對此十分噁心（參一15）。從積極方面的教導，這裏指出禁食的意義在於社會改革（6節）、仁慈關顧（7節），以及棄絕「指摘人的指頭」（9節）；這是預嘗了主耶穌對律法的建設性解釋。

第9節「那時你求告……」的應許，是回應第3節中提及不蒙垂聽的禱告（參雅四3、8-10），而第9下-12節的豐富意義正表達了馬太福音七章2節的原則：「你們用甚麼量器量給人，也必用甚麼量器量給你們。」第11節「澆灌的園子」的美麗比喻再見於耶利米書三十一章12節。第10-12節一連串的隱喻很值得細讀。第13-14節這裏說明了神對安息日的要求，以及指出這日子帶來的喜樂，不僅只是行善。若禁食是向鄰舍表現關愛，則安息日首先要向神表示我們的愛（如上述的經文及耶穌所強調的，這愛必須延及別人）。這意味著要有忘我的表現（13節上），以及自律，不行瑣事（13節下）。只有具備這樣精神的人，神才會放心賜他們大事（14節）。

五十九1-15上　與神隔絕　這段經文可說是五十八章負面的描寫。這裏同樣提出了禱告不蒙垂聽的問題，也有類似的回答（1-2節）。但五十八章描述了真正的公義及它帶來的福氣，而五十九章則描述罪（3-8節）及它怎樣消滅一切的價值（9-15節；比較兩章的第10節）。結局就是混亂，人的生命〔用霍布斯(Hobbes)的話來說〕是「孤獨、貧乏、卑污、粗野和短暫的」。

第2節這節經文解釋了神為何毫無所動，

因為神已被隔絕了；這裏並非說神厭惡他們（例如一15），卻指出這是罪的結果。**第3-8節**這些經節所描述的混亂證明了一點，罪惡使社會解體，人也不能與神相交。**第5-6節**「毒蛇蛋」和「蜘蛛網」生動地說明了惡人的壞影響，甚至人在除去這些時，反促進了罪惡（5節下；例如禁制淫穢藝術的行動）；其次，也指出了倚靠他們的政策或諾言的虛幻（6節），有如蛛絲的柔弱。

第7-8節保羅在羅馬書三章15至17節，徵引這些經節，以建立他討論普世都犯了罪的高潮。**第9節**「因此」一詞引出了選擇罪惡的漸次結果。**第10節**在白日摸索而行也是耶穌當代的人招致的審判（參約三19），他們為此受苦（參約十二35-40）。**第14節**這裏用了4次擬人法，而「誠實在街上仆倒」（這常是混亂時代首見的現象）可能是啟示錄十一章7至8節所用比喻的由來。**第15節**上最使人震驚的是正直人成了受害人；這情況比諸阿摩司書五章13節更糟，不僅公正受到歪曲，連公眾輿論也是如此。

五十九15下-21　孤獨的拯救者 （參六十三1-6）

神的拯救是唯一可以把錫安的羞辱轉為榮耀的方法（參五十六1至六十六24全段的引言）。

第16-17節耶和華十分關注此事，祂「詫異」（參六十三5）。祂獨自的驚怒，可比擬路加福音十九章41及45節所記述，耶穌獨自的悲苦和憤怒。第17節提到的鎧甲和衣服，再肯定了第16節下的話。無人幫助神與罪惡爭戰，只憑著祂對罪惡純正及強烈的憤慨。「公義」似含有動態，申張正義的意思，也有靜態，即正直的意思（參四十六12-13）。故這裏描述神的鎧甲，照亮了以弗所書六章13至17節；這軍裝祂自己也在使用，不僅是賜給我們。

這熱心是出於正義。**第18節**充滿報復的話：「……施報……報復……報應」（參羅十二19），神的報復為歸向祂的人開出一條通往國度的路徑。**第19-21節**人的出身不會使人失去歸向神的資格，重要的是屬靈的境況（19節上、20節下；參太八10-12）；這裏所指的「約」必是「新約」，立約的人不僅都認識耶和華（耶三十一34），更為神說話，成了

先知的國度（參民十一29；珥二28）。

六十1至六十二12　錫安的榮耀

這些閃耀著榮光的篇章，描述了超越那舊秩序的福樂，甚至有些地方超越了基督教會的時代。但這裏使用的語言仍是有關舊約的儀文和現實的耶路撒冷的，故需把它們轉為形容「天上的耶路撒冷」（參加四26）。此外，啟示錄二十一章頗多徵引第六十章，以描述那從天上降下的，滿有榮光的聖城；而對那異象的解釋（有多過一種的可能見解），必會影響對本段預言的了解。本註釋採取的解釋是以分散的以色列人歸回耶路撒冷一事，作為一個更偉大運動的模式，就是普世悔改歸正的人湧進教會；同時，這異象常瞻望結局，那終極榮耀的境況。

六十1-9　列國的指南　本章中的「你」或「你的」都是女性單數詞，指的是母城錫安（參四十九14-23，五十一17-23，五十四1-10）。她的「眾子」和「眾女」（4節）是指各國的人民，不僅是分散的以色列人（參詩八十七3-6；加四26）。故此，「萬國」（3節）和「眾海島」（9節）不僅是歸回群眾經過的路途，他們也是群眾中的一大部分，來「就你（錫安）……的光輝」（3節），並「等候」耶和華（9節），如「鴿子向窗戶飛回」（8節）。請另參10至16節的註釋。「黃金乳香」（6節）使基督徒讀者想到這群朝向錫安的人的先驅者，他們的行動記載於馬太福音第二章；他們的行動是危機四伏的，而他們的禮物中包括了沒藥（參可十五23；約十九39），預指了在前面的苦難。

有關這段，尤其是6至9節的背景和象徵（第7節更是了解全章的鑰節），可參看六十章1節至六十二章12節註釋的引言。**第7節**中的祭祀用語，使我們不可能單純地按字面理解這段預言，因新約聖經強調我們不能回到以「羊……壇」和「殿」為中心的敬拜，那些只是「將來美事的影兒」（來十1，十三10-16；約四21-26）。有關「他施」，請參二章16節。

六十10-16　得勝的喜樂　這段所指的外邦人並非自願悔改歸正的人，而是非自願地臣服的人；他們是被征服，不是被贏取的。聖經中常提到這些人（參路十九27；啟二十七7-

9)。藉著這些勝利的隱喻——外邦人的勞役（10節）、免受攻擊（11節上；參啟二十一25-26）、外國的進貢（11節下）等，神應許祂國的勝利及祂子民永遠的快樂（15節）。本段表面的帝國主義，主要是表明反對神權柄的必自取滅亡（12節），謙卑的人必承受地土。

六十17-22 完全的榮光　「金子」代替「銅」是神奇妙的轉換（參六十一3、7），鮮明地對比於人的墮落和貶值（參王上十四26-28的代用品和哀四1-2的哀傷）。本段充滿這些新的榮耀的描寫，它們必定是指最後的完全境況，到時，所有人民「都成為義人」，毋需監督去管理他們，公義與和平就是他們的約束（17節下）；他們的保障就是神的「拯救」（參五十九17），以及對神的「讚美」——完全的信靠。這榮耀的中心，就是神的同在，可見於19至20節。啟示錄二十一章23節及二十二章5節確定了這異象不僅超越舊約時代，更超越了基督教會時代；這是使用今世的形容（參22節），表達那將來的榮耀；六十五章17-25節將再提及這新創造。

六十一1-4 耶和華受膏者之歌　儘管本段沒有使用「耶和華的僕人」這名稱（例如五十4-9），這裏的「我」不可能是另一位新的講者。我們的主在本段，也如同在別處一樣，很清楚祂的使命（參路四17-21，七22）。我們也可注意到，在這位有耶和華的「靈」（參十一2，四十二1）的受「膏」者身上，揉合了很多形容是與那位僕人及彌賽亞君王有關的。

這個充滿喜樂的任務，很適當地成了早前詩歌中提及的勞苦的延續（參四十二1）；勞苦的果效在五十三章10至12節已有透露。主耶穌在祂開始事奉時已引述這段經文，因祂在受洗和受試探中，已接受了受苦僕人的角色，當然也包括了十字架。這些都是祂「受苦的益處」；祂行的神蹟也表示了同樣的信息。

這段信息仍以被擄為背景，涉及巴比倫（1節下）及毀壞了的耶路撒冷（3節）。對最早的聽眾來說，這應許跟早先被擄的警告（三十九6），同樣的可以作字面理解；而藉著耶穌（參路四21）的八福及別處所宣告的福

氣，那些受逼害的、「悲哀的」（參摩六6），都能蒙恩。「**被擄的得釋放**」也要作靈意理解，這甚至施洗約翰也要學習（他在路七19的問題可能是由於主在路四18的宣告）。留意這裏使用「**樹**」和「**荒涼之城**」的隱喻，來代表緩慢的成長和恆忍的重建。

耶穌在引述時，刻意地遺漏了「報仇的日子」一句（路四19-20），顯示還有最後的階段尚待成全（參太二十五31-46；徒十七31；帖後一6-8）。故此，在不同的上下文背景中，這預言分別顯出其花蕾、花朵，而同時隱含其完滿的結果。請參看六十三章4節的註釋。

六十一5-9 加倍的補償　這段經文有時被人看為不如十九章24至25節、四十五章22節及六十六章18至21節等宣教精神般豁達，因這裏似乎把外邦人貶抑於永久的奴役之中。其實是把這隱喻誤解了。這裏比喻以色列為祭司，由外邦人服侍（5-6節），先前搶奪他們的現在反使他們富足（7-8節）；**其真相是神的子民**（並非以色列的國民，參彼前二10；啟七9），**沉冤得雪，現可享受君王和祭司的產業**（參彼前二9；啟一6），**而人的驕傲將會降卑，他的勢力也被剝奪**。有關外邦人被征服之事，可參六十章10至16節；至於外邦人歸主之事，可參十九章16至24節及六十章1至9節。　**第7節**有關「加倍的產業」，可參四十章2節。

六十一10-11 蒙恩者之歌　與這湧溢的喜樂有關，請參十二章1至6節及二十四至二十七章的詩歌。留意這裏所用兩個與公義有關的隱喻：第一個是「袍」子，最好的註解是路加福音十五章22節的「上好的袍子」，充滿喜樂，卻又是完全不配的。第二個是發芽、種植的收成，種子的生命表露於其生長和外形之中。前一個隱喻形容公義是從外加上的（參羅三22），後者則強調公義是從內裏生出的（參羅八10）。兩者都指出這是神的恩賜。有關其含義，可參四十六章12至13節的註釋。

六十二1-5 錫安如美麗的新婦　這段是同一系列的詩歌中的另一首（自四十九章14節起，至六十六章7至16節終），描寫錫安如一

個婦人，期待她的丈夫和家庭重逢。這裏的重點是在神那一方面：祂堅決的心意（1節上）；祂對錫安期望之高（1節下）和廣（2節）；祂使錫安完美也使自己自豪（3節）；祂使被逐的歸回，也是祂的喜樂（4節上）；還有那中心的奧祕——這並非出於一般的博愛，而是熱切的愛（4下、5節下）。

第4節這裏所用的4個名稱，後面兩個延傳至基督教的詞彙中（「我所喜悅的」和「有夫之婦」）；這兩者排在一起，說明了聖經之信仰與迦南異教的分別；以神為夫的隱喻是要表達忠貞之意（參五十1的註釋）及「喜悅」之情，而迦南人以巴力為夫則只為求生殖之福（參何二12-13）。**第5節**錫安的「眾民」也許混淆了我們的了解，但其實它的用意是加強上文的信息，指出那些敬虔的人是生於那公義的母城，也與母城相結合；母城的復興固然是神的喜樂，也是他們的喜樂。

六十二6-12 願那大日速臨

那歸回的大日的描述，是發自內裏，也發自外圍；發自那在期待中的耶路撒冷（6-9、11下-12節），也發自那在遠方的流徙者（10-11節上）。每一個背景都描寫了人適切的預備，以迎接神決定性的時刻。**第6-8節**神首先使某些人，與祂同樣的對錫安關切（比較6-7節與第1節）；呼籲那些「守望的」（參五十六9-12）和記念錫安的人（「呼籲耶和華的」，參六十三7），竭力的呼求（參路十一8，十八7），祂也賜給他們明顯的應許（7-8節）。**第10節**另一方面，祂呼籲那些在捆綁中的人，要求釋放，並作遠方「萬民」的引導；神將會從列國中把錫安的居民帶回，也把列國一起帶來。有關他們的身分，請看六十章1至9節的註釋。**第12節**留意最後這蒙救贖的群體的四重名字（參第2節應許的新名）；並留意這組篇章的高潮，也是處於困境中神的教會的應許。

六十三1-6 孤獨的報復者

本段跟五十九章15下至21節是一對的（比較第5節與五十九16）。兩者都提及審判和後來的拯救，而本段使用戲劇化的對話（參詩二十四7-10），突顯了「報仇之日」（4節），這主題在六十一章2節，跟復興的主題揉合在一起。這兩個行動是相關的，就如得

勝（不免流血）跟釋放（帶來喜樂平安）一樣。新約聖經也認許這次序，故有啟示錄十九章11至16節的詩歌，那裏描寫耶穌為戰士。但在兩約中，神都先預備了一個避難所，可避過祂的審判（參二十七5）。

第1-2節在三十四章6節，「以東」和「波斯拉」早已用作象徵不肯悔改的世人。現在再用以東（「紅」的意思）及波斯拉（串法近似「採葡萄者」）這兩個名字作聯想。「憑公義說話」（1節）一語指神必定成全祂所宣告的（參四十五23，五十五11）。留意「以大能施行拯救」一語，即使在這段講審判的話中，這仍是主要的關切。**第3節**「我獨自踹酒酢」一語，可能使基督徒想到各各他，但它的含義（參啟十九15）是指只有神關心及有能力，去施行審判。

六十三7至六十四12 錫安的呼求

六十至六十二章的榮耀及六十三章1至6節的決定性行動，激動了先知發出聖經中最動人的代求，他回顧了神往昔的良善，又指出百姓現今的危難。

六十三7-14 神先前的憐憫

第7節以賽亞在這裏是向人作提醒的工作（參六十二6），他決定要「題起」。**第8節**他利用父親期望兒女的隱喻，再拾起本書開始時的主題（一2、4）；而在**第9節**，他隨意的引述出埃及記（參出三7，三十三14，十九4）。**第10-14節**這裏的詞彙跟詩篇七十八篇相似，例如：「悖逆」、「擔憂」（參詩七十八40），以及引領牲畜到草場的比喻（13-14節；參詩七十八52-53）。不過，他使用這些詞彙時帶有一種新的動力（參9節上），並且對「聖靈」在子民中作主這方面，有新的強調（10-11、14節）。在第10至14節，其中所指是以色列人在曠野飄流後的叛逆行為，他們為此受責打（10節），卻沒有被棄絕。耶和華為了往日的憐憫，仍會領導他們（比較13下-14節，與詩七十八72，大衛在那裏繼續摩西的工作）。

六十三15至六十四12 神被遺棄的家庭

在這懇求中，3次的說「你是我們的父」（六十三16，六十四8），使這祈求有特殊的力量，好像被隔離的感覺跟被接納的感覺互相爭持。

與神隔離的徵象部分是外在的：仇敵把神聖的東西踐踏（六十三18，六十四10-11），但更嚴重的是內裏的象徵：靈裏的剛硬（六十三17）、罪惡的災害（六十四5下-6；精采地形容罪的力量，使人上癮、使人污穢及使人離散），並有一種普遍的懶散感覺（六十四7），這種情況是人力不能改變的。

在這一切之中可見神的審判，祂「止住了」干預（六十三15），使人心剛硬（六十三17，參六10），並使他們「因罪孽消化」（六十四7）。他們靈裏的境況不可怪罪於神，而是因他們放縱行邪。

但另一方面，神是我們的父，這恆常的關係是我們可倚靠的（參上文本段開始時的論述）；這遠比人的忠信更為可靠（比較六十三16與四十九15；詩二十七10）和恆久不變的（「從萬古以來」，六十三16）。再者，祂為「等候他的人」施展大能，證明了祂的關愛（六十四4；參八17，三十18）；但這些為何不能更新呢（六十四1-5上）？（新約聖經指出神為我們所作的是超過人所能想象，參林前二9-10。）此外，我們的父又被稱為「窰匠」（六十四8），一位知道一切的窰匠，也管理一切。這種順服信靠的精神跟四十五章9至10節十分不同。這種精神使這個以讚美為開始的禱告（六十三7），成了所有從苦難深處呼求之人的模範。

但它結束時引起了一個問題。神的回答將會顯明有多少民眾會響應先知的呼求。

六十五1至六十六24　最終的區分

這末後的篇章並非草草的作結，而是嚴緊的對比光明和黑暗，消除一切特權的遮掩。這段結束的話有如啟示錄及審判的比喻，有深入的洞察，使以賽亞蒙召的異象（六章）的含義徹底地顯露。

六十五1-16　歸屬主的及被撤棄的　第1-2節原本的希伯來文可作羅馬書十章20至21節的支持，第1節是指著外邦人說的，而第2節是指著以色列人說的。但在新國際譯本中，「沒有稱為我名下的」（即外邦人）改作「沒有求告我名的」（也可以包括以色列人），則變成模棱兩可。這譯法也可找到一些古抄本支持，但未經修改的原文（即和合本所根據的）則明顯地指外邦人，回應了六十三章19

節下，以色列人輕視的話，而不僅是六十四章7節的迴響。

外邦人將會被引進，而背道的猶太教卻遭撤棄（1-7節）；但8至10節重新肯定對敬虔以色列人的「餘民」應許（參十20-23的註釋）。神把人區分的界線明顯不是猶太人和外邦人，而是尋道者與背道者（10下-11節上），他們將分別蒙恩或受咒詛（13-16節）。

第3-7節有關這些被禁止的禮儀，可參五十七章3至10節。先前的背道主要是淫穢的行為；現在的背道是惹神憤怒的，置神的祭壇於不顧（3下、7節下；參申十二2-7）、涉及邪術（4節上；參申十八11）、無視於禁吃某些肉類的命令（4節下；參六十六17；申十四3、8），並自認這些背道行徑是神聖的，有符咒的力量（5節上）。他們對神的羞辱，莫過於11節。

第8節這裏以在一串壞葡萄中尋出好葡萄的比喻，把餘民的主題連於第五章的被破壞的葡萄園的信息中；這裏也許是使用一首有關葡萄酒的詩歌來帶出這重點，因**「不要毀壞」**似是詩篇五十七至五十九篇的詩題。**第10節**有關「亞割谷」的歷史，參約書亞記七章26節及何西阿書二章15節。**第11-12節****「時運」**及**「天命」**是敍利亞及別的地區敬拜的偶像。留意第12節上的嘲諷：「我要命定你們……」。有關「筵席」及「盛滿酒」等語，可參哥林多前書十章21至22節，保羅在那裏質問：「我們可惹主的憤恨麼？」（參3節），顯示保羅當時也許想到本章的話。

第13-16節這裏開始的韻味像一首哀歌（參十四3-23），而這裏所用鮮明的對比使人想到福音書（參太二十五31-46；路六20-26；約三36）。**「真實的神」**（16節）一名直譯是「阿們的神」，意即肯定和信實；可比較耶穌的用語：「我實實在在的」（原文是「阿們，阿們」）；還有祂在啟示錄三章14節的名號（另參林後一18-20）。

六十五17-25　新天新地　

這新天地仍以舊的用語來形容，只是沒有舊時的痛苦；這裏似無意暗示全然的嶄新。故這裏都是熟悉的背景：耶路撒冷、基本的滿足（享受自己手所作的工）。本段描述了一些最重要的事：醫治舊時的病患（17節下）、喜樂（18-19節）、生命（20節；參下文）、保障（21-23節上）、與

神相交（23下-24節），並一切被造物和諧共處（25節）。

「百歲」（20節）之意是指在新天地中，一個世紀也算為短促，那時的規模是無可衡量的。

這裏引起了一個問題，究竟本段的應許是要按字面的意義來應驗，抑或只是利用今世的類比來描述那最後的景況。假如這裏所說都按字面意義去應驗，那將會是千禧年的境況，也就是啟示錄二十章的字面意思：復活的聖徒將出現，跟仍在世的人同活，直至最後的審判。不過這解釋有一個疑難：這新的創造（17-18節）在這裏是先於這些福樂，但在啟示錄二十一章1節，卻是在這些福樂之後。為此，**似乎應把本段作為比喻(analogy)解**，其中所暗指的罪人（20節；參新國際譯本旁註）及蛇（25節），只不過是用來形容審判和得勝的應許說。惡人不再亨通，強者也不再欺侮弱者，試探人的將被裁判（參25節與創三14-15），這都在那完美的世界來臨之時。這些福樂於此以一個地方的圖像形式來表達，是為了興起人的盼望，而不是為引發人的好奇，最後要留意，這裏也暗引十一章6至9節，指出這一切的成全，不是出於一個直接的創造命令，而是藉著彌賽亞君王的工作。

六十六1-5 神悅納及憎惡的敬拜 這裏並非如某些人所說，是指責聖殿之重建，因這本是神的吩咐（該一2-11）。其實，這裏是斥責教會主義(ecclesiasticism)者在神周圍築起圍牆（1-2節上；參撒下七6-7；徒七48-50、54）。**第2節下**留意神清楚的要求我們有痛悔的態度，正如路加福音十八章13節，因人不單渺少，更是有罪的。請另參五十七章15節。

教會主義也引致虛假（3節）及不容異己（5節）的行為。**第3節**希伯來文直譯是：「宰牛、殺人」等等，它的意思可以是指（如大多數譯本的翻釋），徒有正確的儀式就和無故殺人及拜偶像無異（參一13；耶七21）；又或是指守禮儀的同時，暴虐及褻瀆的行為也同時真的發生。**第5節**排除異己之事在約翰福音九章24及34節幾乎逐按字面地發生。這是宗教逼害及神學紛爭的最早期記載之一，也是教會歷史中黑暗一頁。

六十六6-17 最後的干預 儘管本段及下段所用的詞彙仍是舊約時代的用語，如：「殿」（6節）、「車」（20節）、月朔和安息日（23節），但它們明顯是有關末世的。**第7-9節**強調了這事件的嶄新，也嘲諷了歷史進程的緩慢：「民豈能一時而產」這句子，可對比於哥林多前書十五章51至52節：「在一霎時，眨眼之間……我們也要改變」。**第9節**有力地回應了希西家在三十七章3節，向以賽亞發出的信息。

第10-14節這幾節描述的繁茂的家庭景況，總結了以錫安為妻子和母親的詩歌（參四十九14-23的註釋），現今集中在錫安的兒女（參加四26）。留意母城錫安並非財富和舒適的主要來源，只是間接的；一切都是從主而來，祂的愛好像母親愛兒女一樣（13節）；儘管祂透過蒙救贖的群體施出祂的恩賜。這節經文的最後兩句說明這幫助於何時及何處來到：「我……在耶路撒冷」。與神直接的交通及在教會的全面參與，在這裏連在一起。在約翰福音十六章22節，主耶穌給予**第14節上**很強烈的個人意義。

第15-16節「火」與「刀」是神每一次的厲害的干預行動中都出現的（參太十34），但這將是最後的一次（參24節；帖後一7-10）。這審判雖說關乎「一切有血氣的人」，主要的對象是背道的人（17節；比較六十五3-7；利十一7、29）。他們知道光，卻拒絕了光。**第17節**「其中一個人」也許是那些行邪術禮儀的領袖（參結八11提及雅撒尼亞「站在其中」）。

六十六18-24 列國聚集 從千禧年的觀點，在主的再來前，會出現福音普傳、以色列人全體歸回及耶路撒冷成了全世界的首都和朝聖的中心。另一個可能是把這最後的一段經文看為基督第一次來臨及再來之間的一段描述。**第18節**陳明了祂向普世的心意，而**第19-21節**則說明祂如何施行此計劃：那「神蹟」（基督被釘死和復活，太十二38-40）；餘生者，或蒙拯救的餘民，被差往列國（19節）；招聚祂的子民到「耶路撒冷」（20節），外邦人被接納在猶太人中間（21節）。按此看法，耶路撒冷並非按字面解（比較加四25-26）。**第22-24節**是形容（以舊約的詞彙）最後的榮耀和永刑的境況。

在**第19節**，那些名稱代表了以色列國土在最遠外圍的地點。**第20-21節**從遠方分散的以色列人將被帶回耶路撒冷，好像外邦人向神獻「供物」。這詞彙含有雙重的意義，在利未記二章是指素祭，但也表示臣屬向其主子的貢獻。這些外邦人也被悅納，不僅是像「潔淨的器皿」，把以色列人載回；他們也是「祭司」為「利未人」。（文法上，**「從他們中間」**可以是指歸回的以色列人，但這種反高潮的文意卻不大可能。）保羅在羅馬書十五章15至16節，提出了與此象徵異曲同功的話。

第22節有關「新天新地」，請參六十五章17節。**第23節**「月朔」和「安息日」不再適用於基督徒（參西二16），故這些「影兒」不可能再重現。它們在這裏是代表其實質意義，就是滿有喜樂地向創造主獻上整個生命。

第23節可參但以理書十二章2節及馬可福音九章48節。在會堂中，在讀了24節之後會再讀23節，使這預言結束得較溫和。但這是真實的結束，正如史密夫佐治(G.A. Smith)所說：「這是顯而易見的，若聽見這偉大預言的人，聽見了它美妙的聲音和所有的福音，仍選擇拜偶像，吃豬肉，至死不悟，對這樣真確的神及這樣偉大的恩典，仍毫無反應，這結語是必然的結局。」

「當趁耶和華可尋找的時候尋找他」（五十五6）。

Derek Kidner

進深閱讀

G.W. Grogan, *Isaiah,* EBC (Zondervan, 1990).

J.N. Oswalt, *The Book of Isaiah,* NICOT, vol.1(chs. 1-39) (Eerdmans, 1986); vol.2 (chs.40-66) (Eerdmans, 1998).

J.A. Motyer, *The Prophecy of Isaiah* (IVP, 1993).

耶利米書

導論

作者與寫作背景

約西亞（主前640至609年）、約哈斯（主前609年）、約雅敬（主前609至597年）、約雅斤（主前597年）和西底家（主前597至587年）作猶大王的時候，耶利米向猶大國說預言。本書在開始時告訴我們（一2），耶利米在主前627年開始工作，他一生的事奉有40年之久，正是猶大國的末年。耶利米也是被擄時期的先知之一，與以西結同時期（參本書第665頁）。

耶利米與以西結是上個世紀或更早期的偉大先知（以賽亞、何西阿、阿摩司、彌迦）的繼承人。那些早期先知於兩個王國還存在的時候工作，兩國就是以色列（北國）和猶人（南國）。但是，以色列不聽從阿摩司及其他先知的警告，結果在主前722年被強大的亞述國（「我〔神〕怒氣的棍」，賽十5）所滅。至於耶利米時代的猶大國，雖然被亞述國攻擊之後得以倖存（參王下十八至二十），卻已變成弱小和被遺棄的餘民。她還可以存留多久呢？這答案就在乎國民是否聽從神藉耶利米所說的話了。

耶利米開始領受神話語的時候，亞述國已不再像以前那樣強大了。亞述國當時正在衰落（這也是其他王國的命運），以致約西亞王能夠重奪失去百多年的北國以色列昔日的領土（王下二十三15-20）。在主前612年，亞述國的首都尼尼微被當時的新霸主巴比倫所陷，於是巴比倫便成了神子民的新威脅。耶利米形容她是一支「從北方而來」的軍隊（耶六22）。正如上個世紀一樣，神對祂子民的計劃是與歷史和政治事件連在一起的，祂掌管這一切。祂親自帶領這些敵人前來攻擊祂那失信的子民（耶五15）。

寫作形式和結構

耶利米書是一卷很長的書卷，包括了不同的資料，其中有耶利米說的話，形式有詩章式神諭或言論（例如耶二至六）；也有講章式的格調（例如耶七1-15），在大多數譯本中排列成散文的形式（包括新國際譯本）；還有一些篇章記載了有關耶利米的事蹟，可以假定是由他人所寫（例如耶二十六）。所有詩章式神諭均載於耶利米書一至二十章。大致上，這類個別的言論均沒有註明日期和說話的場景。但在講章和記敘的部分，則有較多有關時間與地點的資料。但無論如何，本書不是一本傳記，它記載耶利米的事蹟，只是為了要更有效地宣講他的信息。

我們對本書的形成所知甚少，它的內容不是依循一個固定的編年史形式，所以很難把它們接連在一起。本書可能是在不同的階段逐漸形成，這是耶利米書三十六章向我們透露的。在那裏提及首卷耶利米書被約雅敬王所毀；耶利米便另抄一卷書卷，它的內容較首卷長（耶三十六32）。這可解釋為何希臘文舊約（七十士譯本）中所包含的耶利米書較現今聖經的版本為短。先知似乎與他的助手文士巴錄共同完成此書，因此巴錄可能有份參與製作我們今天所知道的版本。

主題

先知們時常向君王進言，因為他們有特殊的責任要維持百姓的宗教生活。在這一方面，耶利米的事蹟很令人注目，因為他開始工作的時候，約西亞王正在猶大進行宗教改革。列王紀下二十至二十三章詳細記載他的努力，並且將此事連於在聖殿重獲「律法書」（大概是申命記）；這書可能是在瑪拿西王（參王下二十二8）漫長和腐敗的統治時期失落的。當時是主前621年，在耶利米蒙召後的

第五年。約西亞的改革可能在主前628年已經開始，正如在歷代志下三十四章3至7節所暗示的。令人驚奇的是耶利米對猶大國的嚴厲批評，竟在一個正直和忠心的王統治期間發出；這可能表示他認為改革並沒有使百姓產生神所要求的深刻改變，所以他呼召人要有完全的內心的改變（耶四4）。

但無論如何，耶利米批評所有猶大國的領袖，指控他們沒有根據聖約的標準去教導真理和作百姓的領袖，這本是他們的責任。君王（二十二章）、先知（耶二十三9-40）和祭司（耶二7）都一律受到攻擊（約西亞王除外，參耶二十二15-16）。耶利米的譴責因他的身分顯得更為尖銳，因為他本人是先知也是祭司（耶一1）。其實那立約的子民已到了非常敗壞的地步（耶九3-6），這也是耶利米宣講信息的因由。

信息本身流傳了一段長時間，並且緊貼著背景那戲劇性的改變，而似乎經歷了數個明顯的階段。第一，耶利米呼籲百姓悔罪，免致他們在巴比倫手下受苦（耶三12）。但在其他時候，他卻宣佈神會容讓巴比倫去刑罰猶大，因為悔改的時限已過去了；神的責罰現今是無可避免了（耶二十一1-10）。可是，這第二階段卻與第三階段的信息緊接在一起，就是指出那責打只是為了要挽回他們。在神的恩慈下，被擄巴比倫對於那些肯接受刑罰的人（二十一9，二十四4-7），將會是一個逃出生天的途徑。在這個最後的階段中，猶大人認知神的應許，包括那新約的盼望（三十一31-34）。至此，那曾經一度被以色列人輕視的聖約，在神的恩慈下再次重新建立起來。

耶利米是十分投入他的信息之中，並受其影響。他明顯的為此受苦，例如：他放棄了正常的社交和家庭生活（十五17，十六2），曾多次被人謀害（十一18-23，十八18），並因此被監禁和鞭打（二十1-6，三十七15-16，三十八6）。他的內心也受到衝擊，因著他知道百姓必會受難（四19-21，十19-22），而深切地感到痛苦；另一方面，他又感受到神對他周圍的罪惡所發出的憤怒（八21至九3），因此他經受了兩方面的壓力，這使他幾乎忍受不了。

因他蒙召作先知所帶來的痛苦，深切地表現在幾段詩文中，這部分通常稱為「懺悔錄」（十一18-23，十二1-6，十五10-21，十七12-18，十八19-23，二十7-18）。在詩中，他向神發出悲苦的埋怨，但每一次，神都向他再次保證那最後的拯救（十五19-21）。

應用綱要

要將耶利米的信息與基督徒的個人生命扯上關係，不是一件直接的事情，神刑罰祂古時的子民與個別基督徒的生命有甚麼關連呢？耶利米在當時政治和戰爭威脅的情況下，向國人傳講救恩，他們把它理解為國土的恢復；但這些事情與基督教的福音又有甚麼關係呢？

這問題的第一個答案與基督的工作有關，耶利米的中心信息就是神要藉著刑罰把救恩帶給祂的百姓。這個原則預示了基督的十字架，祂為了挽救犯罪的人類，在十架上承擔了世人犯罪的後果。

耶利米有關新約的預言（耶三十至三十三）也是指向基督。它首先指出神信實地復興那古代的猶大百姓，使他們歸回故土，而終極卻是指向基督，祂親自活出一個忠信「以色列人」的生命樣式，並且賜聖靈給那些在祂裏面的人，使他們可以活出這忠信的生命。

可是，如果耶利米書主要是預言基督為祂的子民所作的大事，那麼本書還有哪些方面可以作為基督徒生活上的指引呢？答案仍是肯定的。在這方面，我們要知道基督教的福音不單是關注個人的事情，它也關注作為一個團體的教會；此外，我們可以假定神對待祂的百姓，是貫徹如一的。那即是說：首先對猶大發出的審判和救恩信息，均可以應用在教會團體上。像古時神的百姓一般，教會也需要留心不要自滿自足，不要以為她可免除神的責罰（參啟二至三）。教會（或某些人）可能會經歷責罰，並由此而認識到神至終的復興。

其次，耶利米特別強調負責任之領袖的需要，並警告神的百姓，腐敗是會蔓延的。他指斥那些宗教人士的迷信，也許是迷信於宗教本身。他指出若教會的生命變得卑下，這腐敗的特質是會代代相傳的（耶四十四9）。這種情況在教會以外，也可以應用在社會方面，由此可以解釋仇恨和偏見如何一直在社會中傳遞，甚至達數世紀之久。本書的

預言也揭露了犯罪的心理和人性強烈地傾向犯罪（耶三6-10）。對西底家王的描述，使人看見人性在善與惡之間長久以來的躊躇不定。

最後，本書也描述了救恩之樂，主要記在三十至三十三章之內。這些詩章本身充滿靈感，它們被編插在有關罪和刑罰的預言中間，很獨特地強調神的愛和憐憫，因為神最深切盼望的，是要賜給祂的受造者生命和福分。

📄 大綱

耶利米書

註釋

一1-19　耶利米蒙召

耶利米是祭司之子，他出生的地點亞拿突城是專賜予祭司家庭居住的（耶一1；參書二十一18）；它靠近耶路撒冷，祭司們只要走一段很短的路程便可到達耶京，以履行他們的職務。按照慣例，耶利米在當值的日子也要履行祭司的職務。

但他的期待卻因蒙召作先知而受到阻礙。「耶和華的話」臨到他（2節）這片語，在舊約中是指先知蒙召的典型說法（參何一1；珥一1；結一3；彌一1）；它表示先知的使命不是出自先知本人，而是神選召他達成祂的目的。祂的旨意一旦向耶利米顯明，耶利米便要完全降服，他的一生便因此而深受影響。

耶利米對蒙召的第一個反應是極不願意（6節；參摩西的反應，出四10-13），他只是一個年輕人（翻譯為「年幼」的那字應譯作「青年人」，耶利米在當時可能約20歲）。在一個崇敬長者智慧的社會中，他極可能感到不能「說話」，就是缺乏領導的資格，或是為整個國家闡釋國事的資格。但耶和華似乎已預料到他的反應，祂甚至在他未出生之前已認識和選召他（5節）。這是一個有關神預知的罕異陳言，尤其是關乎祂對一個人的呼召。這樣的陳言使到所有人為的資格變為次要，人的願望、渴求也屬次要。神呼召耶利米時，將手放在他身上，以致他沒有其他選擇而只有聽命和服從。他固然是因這目的而被帶到世上來，但是，他仍得作出選擇和順從，並在他整個事奉神的過程中貫徹始終。

神對耶利米說的話不單成了祂的保證，也宣告了他在百姓中的工作是有效的。在這方面來說，它似乎適用於所有知道神的呼召，卻感到無力付諸實行的人（不單是聖工人員或其他在教會任職的人）；它也警告教會中人不要表面化地評估神的恩賜和別人的事奉。

神再次向耶利米保證祂會保護他，使他得以脫離那些反對和憎恨他的人。耶利米作為神的代言人，他擁有神的權柄，甚至在邦國之上（10節）。耶利米的信息證實對一些國家是重要的，這不單指猶大和巴比倫（參四十六至五十一章）。神審判和救恩的宣告必定

成全。

神讓耶利米看見異象，以致他能確信神對他的呼召是真實可信的。在第一個異象裏，他看見一棵「杏樹枝」，這異象的意義在於希伯來文中兩個相似的字，即「杏樹枝」和「留意」。第二個異象是一個「燒開的鍋」，這表示它是一個審判的信息，審判是藉著北方來的民族之手（14節），那時還未説明是巴比倫。那複數的名詞（「列國眾族」，15-16節）是含糊的，耶利米在起初的時候，未必知道巴比倫便是那敵人。外國的君王在耶路撒冷的城門口各安座位（15節），暗示他們和他們的神將在那裏統治。這看來是耶和華失信於祂的百姓，但先知將會指出為甚麼他們一定要受到如此凌辱。

神審判百姓的罪基本上是因為他們毀了與神所立的約，因為他們離棄神而選擇別神（16節）。這便是將立約的根基毀滅了，正如在西乃山第一次立約時，那些百姓所作的一樣（出三十二）。在本書中，這會是一個常常出現的主題。

最後，神吩咐耶利米要堅強站立（17節）。正如他的國家會遇上敵人，他也是如此；他的敵人在眾民中間，包括那些有勢力的人（18節），但耶和華比他們更有能力，並且會保護他（19節）。神的應許會一再複述和實現（參十一18-23）。

二1至四4　神控訴祂的子民
二1-8　被遺棄的愛

第二章的內容包含了先知控訴猶大的要點。在文章的開首，耶和華提及以色列人的早期歷史，就是神帶領他們出埃及為奴之地，在西乃山與他們立約，使他們成為祂的子民的歷史（出十九至二十四）。「曠野」（2節下）的日子被形容為他們對神忠心的日子。在那不毛之地，他們必須凡事信靠神；神保護他們脱離仇敵之手（3節下；參出十七8-13）。（以色列人在曠野也沒有時常保持忠心，參出三十二。但耶利米特別提及曠野是以色列人與神真正相交的地方，正如何西阿先知所説的，何二14-15。）

突顯昔日以色列人的忠心，好與耶利米時代的猶大百姓的敗壞作對比。現在耶和華責問他們（4節），聖約需要雙方面的委身，耶和華曾答允給予她們土地和祝福，但同時亦要求她們對神忠誠。祂現在用嘲諷的口脗問他們是否祂有甚麼不是之處，致使他們離棄祂（5節）。罪惡不單涉及今天的一代，更遠及他們的列祖。

沒有罪比拜偶像更叫百姓的心遠離神。這是違抗了第一條最基要的誡命（出二十3）。在神所賜的迦南地，他們敬拜巴力，就是迦南人所敬拜的神。（第5節「虛無的神」在希伯來文中與巴力這名字是雙關語，指出巴力的無能和虛無。）百姓把他們的信心完全轉移至巴力假神身上，領袖也放棄了他們對神和百姓的特殊責任，只專心服侍別神（8節）。他們這樣做就是以惡報善，忘卻了神曾帶領他們經過那危險的曠野，進入這豐裕之地（6-7節；參申八7-10）。神稱那地為祂的「產業」（7節下），重點不在乎他們如何得著那地，而是指出那地是永遠屬於神的（參利二十五23）。但祂的百姓因著犯罪而使那地變為可憎，他們因著行那些惡事而敗壞了自己，這些惡行原是神起初定意要從這地剗除的（利十八19-30）。

二9-28　控訴

事實上，猶大是失信的一方，所以耶和華在這裏詳細解釋祂的控訴。神指控它離棄真神而敬拜偶像，「他們的榮耀」是神的一個名字（11節），這使人想起以色列人在曠野飄流中，神向他們顯現的情況（出四十34-35）。在第10-12節，強調了他們離棄神是不合理的。

離棄神而轉向無能的偶像是一種自欺的行為，以色列和猶大的歷史已將此顯明出來了。「獅子」（15節）似乎是指亞述國，他們於主前722年毀滅了北國（參18節和導論）。過去失敗的情況，可見於現今從埃及而來的威嚇。第16節可能指約西亞王於主前609年，在米吉多死於法老尼哥手上一事（王下二十三29）。所以與那些帝國結盟會帶來甚麼希望呢（18節）？過去曾嘗試把這政策在與亞述國（參王下十六7）的關係上施行，但結果證明是無效的（賽七）。現今在猶大的一些人想要倚靠埃及以抵禦巴比倫（二十四8），同樣是徒勞無功的，結果只會招致刑罰（19節）。

耶利米繼續用隱喻來描繪「虛謊」的主題。猶大成了奴僕，她本應服侍耶和華（14

節）；她本來是祂的新娘，卻變成了妓女（20節；參三1）；她本是上等的葡萄樹，卻變成了野葡萄樹（21節；參賽五1-4）。虛假的事情往往是真理的模倣和嘲弄，它答應一切真理所能給予的。生命若倚賴虛假的意念和宗教，總有一天這一切都要被清算；猶大的愚昧也將被揭露出來，正如賊被捉拿時蒙羞一樣（26節）。當危機來臨，猶大可能會在絕望中回轉歸向神（27下），但這也是虛假的，是試圖利用神，是拜偶像的。

二29-37　判罪

這裏仍繼續上述的主題，指出是猶大而不是耶和華對聖約不忠（31-32節）。這裏除了控訴他們在信仰上的罪外（33節），還加上社會上的不公義（34節），這是先知時常傳講的題目（比較摩五10-15）。然而耶和華不能受欺騙，沒有任何壁壘足以攔阻神（36下），祂必然刑罰那背道的子民（35下、37節）。

三1至四4　猶大可以歸向神嗎？

整個段落主要是論到猶大需要在真道上回轉歸向神。但有一個問題，就是這屢次毀約的百姓，神仍會回轉愛他們嗎？這便是三章1至5節所談論的要點。

在第1-5節，將神與以色列人的分離，與人的離婚比較。申命記二十四章1至4節所記載的離婚律法，是禁止離婚後再婚的婦人，與她的前夫復合。現在耶和華視猶大為正式與祂離婚的妻子，因為她與情夫相親，就是那些迦南地的神祇（1節下），因此按照這離婚法的規定，她永遠不能與耶和華復合。這裏強烈地譴責猶大的淫行（1-5節），因她自願敬拜別神。她在各地作這事（2節上），甚至把那地玷污了（參二7下）。即使她歸向耶和華，也不過是虛假的表現（4-5節）。

離婚的討論在第6-10節中繼續進行，昔日的北國以色列成了與神隔絕的例子（王下十七）。到了耶利米的時候，這事已成了歷史事實。所以，以色列人的命運是猶大的一個警告（比較王下十七18-19），但她仍不在意。

爭論在第11-14節中進一步展開，其實猶大比昔日的以色列更壞（11節）。現在耶利米向北國（向北方）宣揚悔改的信息。這只是一個嘲諷的手法，因為北國已經不再存在

了；他特意指出耶和華常對真正悔改的人施慈愛。在第14節的信息中，再向猶大呼籲。但猶大是一個「背道的」百姓，這字詞與「回轉」一詞有關，表示這百姓常「轉離」神而不「回轉歸向」祂。這個回轉和悔改的呼籲臨到那心中執意違抗的百姓身上。

第15-18節突然轉換了另一個場景，耶利米展望救恩的日子，那時神將救贖祂那願意忠心的子民。耶和華會將祂的百姓帶回錫安（即耶路撒冷和猶大）。這景象預示了新約的來臨，這在耶利米書三十至三十三章有更詳細的描寫。本段落表示耶利米向猶大傳悔改的信息是徒勞無功的，他們將來的希望建基於別的，就是神拯救工作的新行動。

「合我心的牧者」（15節）是公義的領袖，而不是現今在猶大的腐敗首領（參二十三1-4）。在新約的日子，人不再為約櫃的失去而悲哀，因為那時人倚靠內在的真理過於外表的記號（參三十一33）。最後基督將會來臨，祂將改變人的心和賜能力給祂的百姓；祂也成了永遠成全神與以色列所立聖約的那一位。

回到現時的情況，耶和華為猶大的詭詐而悲嘆，並使用不同的隱喻去形容她與神的關係（以色列是神的「兒子」，參出四22-23；比較賽一2；何西阿先知也曾使用以上的隱喻；參何二2，十一1-2）。除了神的悲嘆外，以色列也在哭泣，他們似乎知道他們在假道上的敗落（21節）。

本章最後的段落再次呼籲人悔改，期望在新約中的最後醫治（「我要醫治…」）。但得到的回應只是形式上的悔改（22下-25節），一如在第10節所描寫的虛謊一般；故此在四章1至4節，神再度發出呼籲，但至終刑罰必臨。不過這裏提及的悔罪與第21節互相呼應，其中提到他們承認拜偶像的虛無。

第四章的起頭與本段落的信息相連，因為它同樣提及悔改或回轉。首先（四1-2）提醒猶大（被稱為以色列）要帶領列國歸向耶和華的使命。這便是神在古時呼召和揀選亞伯拉罕的目的（創十二1-3），但是他們的忠誠卻出了問題。第二方面，神警告百姓不要依靠表面的禮儀，例如守割禮；相反的，他們必需更深刻的表明他們歸向神，就是全人的委身，無論個人和全體都要全心信靠祂。這裏用開墾荒地的比喻，就是預示這未

來的光景。

悔改的呼召，是教會需要不斷聆聽的信息，但悔改的表現往往會很狡猾地變得虛假，我們真是需要神的憐憫。

四5至六30　對猶大審判的描寫
四5-31　敵人臨近

本章餘下的部分想像性和感性地描寫那將要來對付猶大的刑罰。全文都是耶利米的說話，但他是代神發言，其中有些是神自己直接的說話（例如6下）。新國際譯本嘗試分別先知和神二者的說話，但不容易貫徹地做到。但無論如何，二者所講的都是真實的，誰在說話並不影響其意義。

在第5-9節，耶利米描繪因敵人來臨所帶來的痛苦。號角是作戰的警報，農民可逃至城中求保護，在那裏可防禦敵軍。對錫安發出的記號大概是警報（5-6節）；那殘暴的敵人如同獅子（比較二15）一般，已經出發，進行毀滅性的征伐。但先知仍未指出這敵人是巴比倫國；「從北方來到」這片語並沒有清楚的提示，因為任何敵人（除埃及和猶大的近鄰以外），都會發現從那方向發動攻擊是最理想的。神在這裏向全民發出呼籲（8節），祂雖然揭發了那些假領袖（9節），但其他人也逃不了他們的責任。

耶利米並非對祂傳講的信息漠不關心，第10節描述他的內心感受（十五18）。他在失望中控告神欺哄百姓，責怪神容讓假先知使百姓相信平安的信息（比較六13-14）。但神對他的回答是祂的審判必定來臨。

第13-18節再次生動地繼續描繪危險來臨的景象，如同一個守望的人一直在觀察敵軍的臨近（13節）。在第15-16節，消息先從以色列的北方但發出，當敵軍接近時，消息傳至在中央山區的以法蓮，然後傳至耶路撒冷。這些信息可能是要呼籲猶大悔改（14節），以免遭受災難；但耶利米已感到災難的無可避免和切膚之痛了（18節）。

現在耶利米更開放地表達他的痛苦（19-22節），不是真的「心臟病發」（19節），而是指心靈的痛苦。這裏他對百姓在未來的苦況感同身受。打仗的聲音使他充滿驚恐（19節下），猶大的家亦即是他的家（20節下）。

第22節可能是耶利米或耶和華在說話，這表示耶利米不單與百姓認同，也與神認

同。雖然那刑罰是難以忍受的，但它必會發生。第19-22節是認識耶利米本人十分重要的經節，他與神和百姓同受苦難，使他成了他們之間的中介，在這方面他預表了耶穌基督為世人的救恩而承受苦難。

猶大在聖約上的失敗果然影響整個世界（比較四2）。耶利米描繪了一個創造次序被顛倒的世界，其間的用詞（23-26節）與創世記第一章極相似。如果神與祂的選民所立的約失敗的話，這世界便沒有希望了。這就是為何基督的生命要被看為聖約的應驗，並作了外邦人的光（比較賽四十二6）。

本章的最後部分描寫敵軍踐踏百姓，百姓便四處覓地逃難。最後的兩個比喻成了一個強烈的對比、第一個比喻形容耶路撒冷如同一個妓女（30節），希望從情夫那裏得著好處，這裏所說「戀愛你的」是巴比倫，但這個誘惑巴比倫的希望必定幻滅。這種虛偽的愛情必不能使他們逃脫死亡。第二個比喻描繪一個母親在敵人的屠殺下生產（31節）。幻象已破滅，他們要面對可怕的現實；新生命的誕生已被死亡所包圍。本章結束時有如人在喘著最後一口氣。

可是，這裏也暗示這並不是最後的結局（27節），本書後面的部分將會出現希望。在耶利米的經驗中，死亡中仍存在著希望；這只有透過神在基督裏向我們啟示祂自己，才有發生的可能。

五1-31　刑罰虛謊的猶大

本章的主題是對全然虛謊之民的刑罰。開始時，神要尋找一個追求真理的人（1節），好為了這人赦免這百姓。這情形使我們記起亞伯拉罕為所多瑪的代求（創十八22-33）。可是，連一個追求真理的人也沒有，猶大是全然敗壞的。但另一方面，耶利米本人豈不是那誠心尋求真理的人麼？我們在前面已留意到他作為中保的身分（四19-22），往後我們將會看見他的確有一個特殊的身分，在末後的日子中拯救他的百姓。

這裏繼續描述百姓全然敗壞的境況（3-6節）。他們違背真理（3節），這是全國人民的情況（4節），尤其是那些領袖們（5節）。第4節的意思並非讓一般人民以此為藉口，這兩節經文表示這兩種人都不能逃避罪責。雖然領袖的罪更大，因為他們有特殊的責任；但

所有人都要一同面對當得的刑罰（6節）。

現在耶和華要辯正祂刑罰的計劃（7-13節）；祂有權施行刑罰，是基於一個基本假定，這是屬於立約的規定。聖約基本上是一個盟約，假如弱國一方不守盟約，那強國便有權刑罰她。在神與以色列立的約中，神也有權施行刑罰，而不需要其他理由，祂是生命的賜予者，祂也有權把它收回。但這裏祂解釋為何刑罰是公平的（9節），這裏再次使用妓女的比喻（8節），神控告他們的虛假，尤其是先知們的不是（11-13節）。這虛謊是如此的嚴重，甚至涉及神本身，以為祂對罪惡漠不關心（12節）。這種關乎神的假教訓是不可寬恕的。

另一個段落談論那強大的敵人，雖然巴比倫的名字仍未出現（14-19節）。它的重點是說明神的刑罰，是要應驗祂的話（14節）；這刑罰會毀壞一切美好的事物。**第17節**包括了神對以色列人一切的祝福（比較申十七13），巴比倫的來臨是神要收回這些祝福，並使聖約中的咒詛實現出來（參申二十八15-68）。那將要來的災難包括了一段被擄時期（19節）；這是刑罰的結果，但是從中亦露出希望曙光，這在耶利米傳講審判的信息時，常常提到（18節，參四27，五10）。

現今耶和華要說明祂是以色列人一切好處的唯一來源。百姓不懼怕祂（22節），但真正的敬拜應對神充滿敬畏，因為我們敬拜的是一位全能的神。我們敬拜神，第一是因為祂是創造主（22節），第二是因為祂曾賜予生命和好處給祂的百姓。這便是**第24-25節**要表達的，這方面也與第17節的意思緊密相連。

耶利米再一次轉移他的重點，論到那些有勢力的人欺壓弱小者（26-28節；比較二34）。那些富足的人不單剝削窮人，他們甚至屈枉法紀，以求達到目的（28節；參出二十三6-8）。這種對公義的蔑視也是一種虛謊的行為，因為與神立約的**真理**不單是在言語上，它更是一種正直的關係，不僅是與神的關係，也包括了在聖約中，子民之間的關係。真理不是局限於意念上，而應在行動上表現出來。在新約中更是有力地說明這一點，因為「信心沒有行為是死的」（雅二26；參羅十二）。真理的最高表現是在耶穌的身上（約十四6）。真理的確是話語，但這話語成了

肉身，表現在人際關係上；在人性的自私中便不可能有真理的存在。

本章結束時再重複辯正神對祂百姓的刑罰（29節）；在此亦再一次提及他們的虛謊，指斥先知和祭司們的假教訓，以及全民的甘願跟從（30節）。

今天，我們這在基督裏已被接納的教會，再沒有甚麼事情能使我們與神的愛隔絕（羅八38-39），既是這樣，這些可怕的話，對我們又有何意義呢。但無論如何，如果我們硬心不聽從神的話，將招致極大的損失，故我們實在需要十分儆醒。

六1-30　「煉而又煉，終歸徒然」

本章再回到第四章所描述的痛苦景象，這裏提及的地點離耶路撒冷不遠（便雅憫在北方，提哥亞在南邊，伯哈基琳未能確定）。耶路撒冷被描繪為一個婦人（「錫安女子」），她注重她的美貌，但不久將受到攻擊者的凌辱（這是3節上所暗示的，其中提及「**敵人**」一詞，大概是指巴比倫的統治者），這景象與四章30節十分相似。**第4-5節**中說話的人，便是那些攻擊他們的巴比倫人。

本章的其餘部分可分為不同的神諭，**第一個**（6-8節）主題是猶大以暴力欺壓弱小（參五26-28），神稱他們為有病患的。遵守聖約的百姓在每一方面都是健全的，毀約者的生命在各方面都將受到影響。這個比喻在本書中常常出現。

在第二個神諭（7-15節）提及被拾取的餘民，但這裏的描述並不如其他地方的描述般存有希望（四27，五10；比較賽十七4-6，拾穗是一個審判的行動）。整段經文的語調都是如此（10-15節）。百姓的敗壞是全面的，影響社會的每一方面（參五3-5），所以神的刑罰也是全面的，正如**第11-12節**所描寫的可怕景象。在**第13節**中，全民再受責備，然後特別指出先知和祭司的不是。**第14節**是針對假領袖最重要的控訴，他們完全將真理顛倒，以致使別人相信謊言，以為神不會刑罰罪惡。就是這類謊言使整個社會蒙受損害——包括它的罪和因此而來的痛苦——無法醫治的。他們是頑固的，甚至是不悔罪的（15節下）。

第三個神諭是以耶和華吩咐人要尋找古道來開始（16-20節）。古道就是神所命令的

生活方式，它早於神在西乃之約中揭示自己及誡命時已吩咐了（出十九至二十四）。行在祂的道中便有生命（申三十16）。但這裏的請求只是為了引出百姓不肯讓步的態度。他們不肯行在古道中，也不聽從守望之人的警告，就是那些真正的先知們警告他們的話（16-17節）。於是神呼籲見證人（這與視聖約為盟約的觀念相符，參申三十19，三十二1）見證他們的遭遇是他們因犯罪而自討刑罰（19節）。最後，祂不喜悅他們的敬拜，因為它們徒具形式，又缺乏真心；這是猶大另一方面的虛假表現。他們的惡行，不僅見於敬拜假神，也顯於他們虛假的敬拜上，這題目常在先知書中出現（賽一；摩五21-25；彌六6-8）。

一個很短的神諭（21節），再提及那將要來的災難的全面性，將影響每一個人的至親和朋友。

然後，耶和華轉而描述那要來之軍隊的兇殘和勇武。第24節描述百姓的苦惱和驚恐，使人想起耶利米本人的感受（四19）。驚恐充滿了他們，因為他們知道無法逃脫將來的苦難。

本章最後的話是向耶利米本人說的。所用的比喻是一個熬煉銀子的景象，先是熔解礦石，然後將銀跟混在一起的鉛分別出來，熬煉的過程會因不同的原因而失敗，以致煉不出純銀，結果那銀子被丟棄了。以色列人也是如此，雖然神對他們百般照顧和幫助，要她成為一個真誠的立約子民，但他們至終也被神所丟棄。

七1至八3　虛偽的敬拜和信靠
七1-15　聖殿講章

所謂「聖殿講章」的主題是指責對表面宗教的錯謬信任。這是耶利米的主要信息，也可以假定是與二十六章1至6節相同的講章，只是形式不同。在那裏更註明是在約雅敬王早年之時宣講的；當時耶利米顯然仍在傳講悔罪的信息。

聖殿是猶大國生活的中心，耶利米站在進入殿院的一個門口；在那裏有很多人進出（2節），大概是來參加每年舉行的大節期（出二十三14-17）。因此，這篇講章是對當時的官方宗教和民眾的信仰發出一個明顯的挑戰。這是一個極有勇氣的行動（正如在二十

六章所記述的）。

講章的主要內容是在第3-11節，耶利米叫人悔改，指出他們在極度危險之中，但他們仍可以有回轉的機會（3節）。他譏諷當時宗教禮儀中空洞的話（4節），並指出真正的信仰應包括了行為和宗教的禮儀（5-6節；比較五20-28）。正直行為的基礎在於他們熟知的神的律法，這是在聖約中所包含的；第9節暗示十誡中的一些規條（出二十2-17），指出他們在宗教上（跟從別神）和社會上的罪行。因著猶大百姓現今所過的生活，他們在神面前所持的信心實在是建立在十分不穩的根基上。

主要的問題是他們錯誤地信靠他們所擁有的聖殿和其中的宗教禮儀。甚至依賴了迦南人的宗教觀念，以為擁有以上的東西便可以確保神的同在和保護。耶利米指出他們的愚昧，並提出了一個先前慘痛的例子（12-15節）。示羅的會幕早在耶路撒冷以先，一直是全以色列人的中央聖所，但如今卻沒有了，它已為非利士人所毀滅。如果示羅也如此淪落的話，耶路撒冷可以倖免嗎？照樣，在今天沒有一個教會的建立，可以被看為是神聖不可侵犯的，我們都必需經常保持對神的忠心。

七16-29　無藥可救？

聖殿講章結束時，神對耶利米說：「不要為這百姓祈禱」（16節）。這是不祥的預兆，因為先知其中一項工作便是為百姓代求（參創二十7；出三十二9-14）。神對耶利米這樣的吩咐不只一次（十一14，十四11；參十五1）。這是耶和華顯示祂對這百姓的忍耐已到極限的一種方式。（百姓繼續不聽神的呼籲，不肯悔改，結果引致審判的來臨。）

下文介紹了一些拜偶像的習俗，提及百姓獻飲食給迦南女神。

那些餅可能是作成女神的形狀；預備獻祭之事動員整個家庭，表示百姓完全的敗壞。他們的罪終結出惡果（19節）。

耶和華宣告祂的憤怒將轉向祂的百姓，並且數陳他們過去歷代以來一直對神的頑梗。本段落與上文的聖殿講章一樣，批評他們虛假的禮儀（22節）。希伯來文在這裏表示神並沒有因他們的獻祭而感動，甚至指出祂的本意不是要他們獻上祭物。結束時本段落

描述一個哀哭的景象，表示百姓的末日將臨（29節；比較十六6；彌一16）。

七30-八3　神所憎惡之物

聖殿本身已被玷污，百姓在其中設立了拜假神的勾當。約西亞王進行改革時（參導論），瑪拿西王敬拜的亞述諸神（王下二十一7）被搗毀了，但現在類似的偶像又重新出現，這大概是在約雅敬王的時候設立的（31節）。再者，將兒女獻為祭的事在陀斐特（直譯為「焚燒的地方」）發生，地點在京城西南方的欣嫩子谷。這在以色列中間是被禁止的事，在古時那獻長子的事已被獻牲畜所取代（出十三2）。因著百姓跟從敬拜假神，引致這可怕的結果（參申十二31下）。

殺戮無辜的事將諷刺地被神的刑罰所替代（32節）；在古代的世界中，死後不得埋葬是一個很大的咒詛（33節；參申二十八26）。並且，除了那些在戰爭上死亡的以外、那些已被埋葬的屍首也被暴屍荒野，這是一個極大的羞辱；這將會發生在君王和一般百姓的身上，他們的屍首暴露在他們所敬拜的天上眾星之下（參王下二十一3-5）。

八4至十25　為背道的錫安哭泣
八4-22　沒有真正的醫治

本段開始時，簡短的省思（4-7節）有關「回轉」或「悔改」的事情（這些用詞在原文上都是同一個字詞，參三章）。神責備猶大時常轉離神（5節下），卻沒有悔改轉向神。這情況的不合常理可以藉著觀察自然界的秩序和習慣來說明（4、7節；比較賽一3）。這類觀察是智慧文學的特色（例如傳三1-8）。若根據自然界的例子，很難想象神的百姓竟不曉得神的要求。

耶利米繼續講論智慧的題目，並批評那些自以為有智慧的人（8節），他們可能自以為擁有成文的律法和負有解釋的責任；他們可能是一群祭司（參10節），而不是新約時代那一批特別的文士階級。但在第8-11節中，耶利米指出他們本應負責在猶大教導正確的教訓，但他們自己卻在教訓上失敗，卻仍自誇有這教導的身分。教導是基於律法書，包括了摩西之約中的律法和有關的指示。每個家庭的家長都要履行教導的責任（參出十三14-16），祭司更負有特別的責任（申三十一9-

13）。錯謬地解釋律法是故意的疏忽，好滿足那些教師們自身的利益（10節下）。那些教導神話語的人負有重大的責任，他們引致道德危機是難辭其咎的，也逃不了神特別的審判（參路十七2；提前一7；10-12節與六12-15十分相似，參那裏的註釋）。第13節再提醒他們誤導真理必引致嚴重的後果。

在控訴之中，另一個段落（14-17節）描述敵人的臨近和他們帶來的痛苦（比較四5-6、13-15）。第15節記述那些受到假先知和教師們欺騙的人所說的話。

本章最後的段落（18-22節）是耶利米的說話，但他的話語中包含他與神和百姓的對話。開始時耶利米表示他因神的緣故而受苦（參四19），部分原因是因為百姓所受的痛苦（18-19節上）。第19節的上半節是百姓的說話，他們驚惶於戰敗之中。神曾賜給大衛王的應許（撒下七11下-16），保證祂的同在和主必永遠勝過仇敵（詩二）。百姓相信他們擁有神無條件的保證（參七1-15）這種信念使他們說出這樣的話。耶和華在第19節的下半節仍用同樣的控訴回答他們。第20節記述百姓的哀哭，原因可能是旱災的起頭，這是在第十四章講論的題目。最後的兩節經文是耶利米的說話，再次表達他因百姓而悲苦。基列（在約但河以東）以出產芳香的植物而聞名，這些植物並可作醫療之用。但百姓的損傷需要更高明的醫治。

九1-11　全然虛謊的百姓

第3節的結語顯示本章的起頭是耶和華的話語，但這裏給我們的第一個印象是耶利米在說話（第2節提及到曠野去渡宿和逃難會是對耶利米更合宜的描寫）。我們曾經多次看見先知為他的百姓而悲苦，這裏也表示神也同樣的悲苦，這也是耶利米中保角色的另一個作用。

神和祂的先知悲苦的原因是百姓的虛謊，他們決意不行真理的表現在第2-3節中描述出來（虛謊暗示了不忠，正如行淫一樣）。在第4-8節，虛謊的描繪得到証實，這裏用了一連串的詞彙去形容虛謊（欺騙、讒謗、說謊）。說謊已成了一種習慣（5節下），他們甚麼事都可以做出來；他們之間不能建立任何關係，即使親屬關係也破裂，因為他們之間沒有誠實（4-5節）。這情形剛好與因聖約而

建立的社會相反，神本來的目的是要他們完全正直，並因此得蒙賜福。但現實卻顯出他們現今是活在極度敗壞的社會中，神對猶大的心意完全被破壞。聖約既不能在現實中存在，結果就只有將它結束（9節）。神的「鍛鍊」是難有任何成功的希望了（比較六29）。

第10節可以是耶利米或是耶和華在哀哭，也許兩者皆是。山嶺和草場會變為荒場，影響飛鳥和牲畜；至終這情形也在耶路撒冷和各城發生，這災難是全面性的。

九12-26　為百姓必然受罰而哀哭

在上文（八8-9）的講述中，揭露了單憑擁有律法而自誇的假智慧。現今耶利米提出一個諷刺性的問題（12節）：**「誰是智慧人可以明白這事？遍地為何滅亡？」**〔這問題的背景可能是指尼布甲尼撒第一次攻擊耶路撒冷之後（王下二十四1、10-11）。〕這問題引出了耶和華的回答，指出百姓在神的律法中擁有他們所需要的一切智慧，但他們故意忽視，結果引致被擄（16節）。

猶大的終局已經確定，她只有為她的命運而哀哭。那些善哭的婦女是職業的哀哭者；這裏無意說她們的哀哭是假裝的，相反，這哀哭是真實的，以致她們有足夠的理由去延續她們的職業（20節）。**第21節**可怕的景象把死亡擬人化，可能是根據迦南人的神話，這是具有極度諷刺意味的，因為先知常批評百姓向迦南人的神效忠。在**第21-22節**中，死亡被形容在每一個地方出現，不管室內、室外和每一個看得見的地方。

第23-24節明顯是另一段獨立的內容，陳述好的事情（如智慧、勇力或財富）不是來自的天然資源，而是單從神而來。**第24節**下描述的素質是神在聖經中展示的。慈愛是首要的，這忠誠的愛使神與他的百姓連在一起，並決意去愛顧他們。公平和公義是祂熱切的心意，為了那些與祂立約之子民的權利，也為了使立約子民之間有公義的準則。耶和華說祂喜悅這些事的時候（24節），也表示這些素質應表現在那立約的夥伴身上。

最後的段落指出，某些國家將會在指定的時候因巴比倫而受苦（比較二十七3，四十六2）。這裏也說明割禮在古代東方是一個廣行的習俗。猶大沒有在心中受割禮，就是沒有明白割禮是立約的記號（創十七10）；這

樣，他們與萬民有何分別，單是外表的記號是毫無用處的（比較四4）。

十1-25　沒有可與耶和華相比

第1-16節對偶像崇拜作出嚴厲的攻擊，可能是對被擄的百姓說話，他們大概被巴比倫偉大的廟宇和偶像所懾服，並且可能以為巴比倫的神明比耶和華更具能力。但其實耶和華才是擁有真正能力的神，百姓不應為虛無的偶像驚惶（2、5節）。先知譏諷那些人跪拜由商人運來和匠人鑄造的偶像是多麼的沒有意義（4-5、8-9、14節）；敬拜人手製造之物或神所造之物（第2節的**「天氣」**就是**「眾星」**），卻不敬拜永活的神，是何等愚昧。萬國的智慧也靠不住（7下）。（那些**「智慧人」**大概如但以理書中所記述的占星家和術士。）不論這些外邦神和文明是多麼的感人，它們都會顯為虛假和沒有效用（11、15節）。**第11節**是一節獨立的亞蘭文語句，亞蘭文是巴比倫帝國的官方語言；這裏似乎是向巴比倫的領袖和神明直接說話，對他們公然地加以蔑視。

相反地，當這位創造萬物的神說話的時候，整個大地都受影響（12-13節）。祂才是我們真正需要懼怕的（7節），不過這種出於真正對神敬拜的懼怕，不同於那些外邦偶像施諸膜拜者的恐懼。神被形容為雅各的份，百姓也相對地被稱為祂的產業，這表示了雙方相屬的關係，應要互愛和互相關懷。（同樣的意思出現在申四20和申命記其他地方，這是立約關係上的一個重要表現。）這是神對祂子民常存的心意，但人類因愚昧而寄望於別的倚靠，結果是帶來失望和毀滅。

隨後是另一個指出他們將被強敵擄掠的預言（17-18節）；之後又見耶利米的說話（19-25節），再表示了他為將要來的災難而感痛苦。他再次使用損傷和病患的用語（參四19-21），這些用語曾用在猶大的身上（六7，參八15、22）。同樣地，耶利米的痛苦也同是猶大的痛苦。他的兒女（20節）不可能真是他所親生的兒女，因為他被命令不可生養兒女（十六2）。他的痛苦也包括了他對領袖（牧人）的失敗的憤怒。故此，他的經驗在這方面也代表了百姓的真實處境和體會。

第23-25節的禱告也是藉耶利米之口表達了百姓的祈求（注意這禱文與詩七十九6-7

相似之處，當時百姓祈求神救他們脫離仇敵，這仇敵可能也是指巴比倫）。這祈禱包含了願意接受改正或懲治之意——這裏似乎暗示了刑罰果然發生，並且神應許他們在被擄後可得新生命（比較二十四5-7）。耶利米也可能在此為自己求神的改正，他正如所有敬虔的人一樣知道自己的短缺。後來，耶和華曾兩次責罰他（十二5，十五19）。

十一1至十三27　被毀的約
十一1-17　耶利米揭露百姓的悖逆

這裏使用立約的用語比本書其他方更為明顯。這約（2-3節）是神與百姓在西乃山上所訂立的（出十九至二十四），而且這約是經常被宣讀和更新（申三十一9-13）。這裏記載的說話可能是在一次聖約更新的場合中說出的，或許在約西亞王執政期間（王下二十三1-3），或是稍後的時候。這約首先指出神從埃及拯救祂的百姓，並賜迦南地予他們（4節上；比較申四20）；其次是神的命令（4上；比較申十一1）；最後是起誓（5節上；比較申一8）。這約應許與神的關係能繼續維持（4下——這是一個典型的慣用語，參利二十六12）和神的賜福（5節下；比較出三8）。這約更以祝福和咒詛的話作保證，故有3節下和8節下所描述的咒詛（參申二十七15-26，二十八15-68；比較二十八1-14所記載的賜福）。基於以上所述，可以肯定耶利米傳講的內容是當時一個已確立的傳統。**第1-5節**是呼籲人悔改，**第6-8節**是對百姓的判決，因聖約的破毀，必招致咒詛的臨到的。

第9-13節詳細解釋為甚麼斧子已經放在猶大的樹根上。「陰謀」的意思是指猶大和耶路撒冷已同意棄絕耶和華，這已是歷代以來屢見不鮮的事。現在末日將臨，他們不單不轉向神，反而變本加厲的追隨偶像，結果也是虛空。**第13節**暗示了南地的多神主義的情況（參二28），宗教上一片雜亂。他們將「榮耀」（二11）代之以恥辱（13節下），這是何等愚昧！

那不能推翻的判罪在這裏以詩章的形式再次提出（14-17節，參七16）。「**我所親愛的**」指的是猶大（參十二7），但這是譏諷的話——神所親愛的，在神的家中沒有份。她的獻祭掩飾著她內心的虛假。橄欖本來是象徵她的豐盛，卻將被火焚燒。

耶利米的說話告訴我們許多關於神與祂的百姓之間的關係，並且警告人忽視這關係的危險。

十一18至十二6　「懺悔錄」

耶利米有數次的禱告，通常被稱為是他的「懺悔錄」，其中透露出他內心的痛苦（參導論）。這裏記載的是第一次，或許更準確地說是起初的兩次（十一18-23，十二1-6）。它的內容是耶利米向神抱怨他所受的痛苦，這是因他蒙召為先知的緣故。這裏明顯提到別人要設謀殺害他，完全出乎他意料之外（19節；比較詩四十四11）， 這事情竟出自他自己家鄉裏的人（21節），使他更感可怕。祭司們可能因耶利米身為祭司（一1），卻批評聖殿一事（七1-15）而惱恨他。這先知在他自己的家鄉中真的不受歡迎（路四24）。耶利米的禱告是要求神為他伸冤，過於報復他的仇人（20下）。但總而言之，他盼望真理和公義的得勝，已顯得不耐煩了（參詩七9）。耶和華再次向他保證（22-23節），用一章17至19節的話去安慰他。

第二次的懺悔錄（十二1-4）提及耶利米的痛苦和一切無辜人的苦難。它在開始時的說話跟詩篇七十三篇所說的很相似。主題就是無辜的人受苦難，而惡人卻昌盛。這是對神的控訴，因為祂沒有制止事情的發生，甚至是祂促使此事發生的（2上）。耶利米在此表示他在作先知時感受到的孤獨（參十五17），並且也因他所傳講的神的審判沒有來臨而感到挫折。（由他在主前627年蒙召，到耶路撒冷在主前586年最後的陷落，其間相隔了40年之久）。**第3節**與十一章20節相似，這是一個對耶和華的禱告，求神顯明祂自己的公義，這思想是接續十二章1節。耶利米多次暗示旱災的來臨，這災難是一個記號，顯示百姓犯罪的後果（4節上）。但他們仍不肯聽從，也否認這是神的審判（4節下），這正是百姓虛謊表現的一個寫照。

耶和華在**第5節**的答話表示耶利米已經軟弱動搖，但神向他保證他要肩負更大的事情。這經驗是他蒙召的一部分，他也必須繼續相信神。耶和華警告他不要放棄，也不要信任那些與他相近的人（6節），因為他們也是奸詐的。向神忠心的人往往只能信賴神的信實。

十二7-13　神與祂的「家」

　　耶利米的家族出賣他的時候，耶和華自己知道那些靠近祂的人也出賣祂（7-13節）。祂自己的「家」猶大反對祂（8節），神也因此與他為敵（7-8節下）。這裏用了數個比喻來說明神與百姓之間緊密的關係：「我的家」（和合本譯作「殿宇」）、「我的產業」（參二7）、「我心裏所親愛的」、「我的葡萄園」、「我的田園」（和合本譯作「我的分」）。神既然用這些詞句形容祂的百姓，祂本應盡力照顧和保護他們，但結果卻相反！本來是豐盛的她變成了一個荒場；「許多牧人」（就是外邦的君王，10節）將會到來施行毀滅。這是耶和華自己的作為（12節下），祂的咒詛使這地不能再出土產（13節）。

　　今天，人信賴市場的貿易和盲目尋求經濟上的富裕，與昔日猶大的敬拜偶像可作對比。

十二14-17　對列國的計劃

　　耶利米蒙召作先知不單是為了猶大，也為了列國（一10），祂要向他們傳講刑罰和重建的信息。這裏首先宣告神用來責罰猶大的列國，將來亦會被審判，被遷離本地（「拔出」，比較一10）。值得注意的是，一如猶大在受罰被擄之後仍有一線的希望（三14-18），同樣地，希望也臨到列國。如果列國敬拜真神，他們也會同樣成為神的百姓和得到好處。這是耶利米書中一個不尋常的信息，卻是舊約啟示的一部分，指出救恩至終必臨到列國（比較賽十九23-25，四十5）。

十三1-27　審判的表徵

　　先知們不單傳講神賜給他們的話語，他們有時也要作出一些表徵性的行動，其目的是說明那些話語的真實性。它們不單是一些視覺教具，它們也如同神的話語一般，帶有耶和華的權柄。（比較十八，十九章記載在窰匠之家的兩個表徵；另參賽二十1-6。）神的啟示用言語和行動兩方面來表達，它的目的是給它雙重權柄和效用。本章記載的5個表徵是：一根腰帶、皮酒袋（和合本譯作「酒罈」）、群眾、在生產中的婦人和碎稭；全都是猶大被棄絕的表徵。

　　那根縛在耶利米身上的腰帶代表了神與祂百姓的親密關係（11節）。這腰帶被拋棄在伯拉河任其腐壞，它的意思是指出百姓因自己的力量而驕傲，結果卻使他們蒙羞（7、9節）。「伯拉河」大概是離開先知的家鄉亞拿突城不遠之處（比較書十八23之「巴拉」，與這裏的「伯拉」，在原文是同一字。）但「伯拉」這名字也可指幼發拉底河，那麼這表徵便與米所波大米的王國連上了關係。這可能是指猶大接納了亞述國的宗教，也可能是指被擄巴比倫的威脅。（其實被擄是復興的過程，而非毀滅，參二十四5-7。）第6節的「多日」可能指以色列和猶大長久以來的持續犯罪（參10節）。這罪便無可避免地成了被毀滅的原因。

　　耶利米奇怪的說話（12節）可能是為了吸引人的注意，他說了一句極普通的話使人感到驚訝；又或者這是一個凶兆，因為他知道百姓所過的好日子快到盡頭。針對百姓譏諷的答話（12節上），耶利米指出百姓們將酩酊大醉。以酒醉形容百姓在審判之下的混亂，亦見於其他地方（二十五15-16）。首當其衝的是百姓的領袖，不單是一個君王，而是眾君王都會被敵人制服（比較二十二18-19、24-27；王下二十四1-4、8-17，二十五）。

　　本章的餘下部分包括了3段不同的說話。第15-17節是對猶大整體說的話，這神諭借用了一些熟知的隱喻如光與暗，來形容救恩與審判（比較賽九1-2；摩五18）。在古代世界，黑暗是一個有力的隱喻，因為當時人工造成的光是有限的，黑暗自然地代表了害怕和死亡。這些話可能是在耶利米仍希望百姓悔改之時宣告的。這些說話與那些指出災難已無可避免的神諭列在一起，是要強調機會不會長存。耶利米為百姓的災難而哭泣，這可見於前文（比較九1）。

　　第二個神諭是對王和王的母親而發，他們是約雅斤和尼護施他（王下二十四8）。在古以色列中，太后可能甚具影響力（比較王上二19）。這神諭指出他們將從他們的寶座上被推倒，他們的皇族地位也不保；全地都受到毀壞，甚至蔓延至南方。就是猶大南方的邊界，離開巴比倫軍隊最遠的所在。

　　最後的神諭（20-27節）是以猶大為單獨的對象，如同對一個婦人說話（在文法上，地點往往是陰性詞，大概是取自詩歌中常以女性比擬地點的作法）。這次的說話似乎也以

領袖們為對象（20下、21節上）。猶大一向依賴的盟國，現今卻諷刺地成為他們的轄制（21節上：比較四30）。

這女性化的比喻繼續發展。首先，因敵人侵略所帶來的困苦如同生產的痛苦（21節下）；其次，其殘暴的情形尤如一個婦人被人強暴一樣（22下、26-27節），無疑地這也是一個真實的寫照；再者，這裏再引用賣淫的隱喻去形容百姓的不忠（27節；比較二20）。這比喻也具有真實的一面，因為這是迦南人敬拜儀式的一部分。我們如果試圖去尋找這些女性比喻的一致性或系統的話，將會被誤導，因為這一切不過是詩歌式的自由發揮而已。最後的一個意象是禮儀上的不潔（「你不肯潔淨，還要到幾時呢？」），這是因見猶大在宗教上所犯的罪而造成的。這是一個譏諷性的問題，**第23節**已指出猶大是不可能改變的了。

十四1至十五21　饑荒、刀劍，和瘟疫

十四1-10　荒旱

在古以色列時代，水源的供應是一件要務。從山巖中鑿出並填好襯層的巨大池子（3節），雨季時可以用來盛載雨水和歇止山洪，在荒旱的時候便作解災之用（二13提及的**「破裂的池子」**是因為內側的襯層已破壞的緣故）。這次的荒旱明顯地十分的嚴重，並蔓延甚廣。這種災害帶來的困苦（4-6節），在今天不幸地仍屢見不鮮。

由於水源對生命是那麼的重要，它的供應也代表了一種聖約的福祉，反之便是一個極大的咒詛（申二十八12、24）。一般來說，旱災可能被看為是一種自然災難，**但從猶大與神立約的關係上看，此事卻視為神對他們的刑罰**。這旱災的準確日期不詳，它大概是接近巴比倫入侵的時期，因為**第12節**同時提及饑荒和刀劍。

描述荒旱後，緊接著是悔罪和向耶和華的呼求，正如詩篇中的一些所謂「哀求詩」（例如詩十一）。耶和華應該採取行動以顯出祂的能力（7節）；自從出埃及以來，祂一直是以色列人的救主，並且最後更稱為以色列的神（十四8）。這祈禱可能是耶利米為他的百姓代求，神嚴苛的回答（10節），正與祂禁止耶利米為百姓禱告的命令相符（參百姓們於

三22-25的虛假認罪）。「**這百姓**」一詞是對上文第9節的駁斥，神故意不稱他們為「我的百姓」（九7）。

十四11-22　祈求已太遲！

禁止祈禱的命令（11節；參七16，十一14）在上下文中，表示現今的饑荒和其他審判不會被撤回。反之，**第11-16節**的圖畫更被擴大為刀劍、饑荒和瘟疫，這三重災難包含了人類困苦的全面情況。申命記二十八章15至68節所記載的咒詛基本上是這些災害的不同說法。

顯然有一些先知隨便地對百姓保證，說他們的苦難不是出於聖約的咒詛。單憑先知的職分（比較王上二十二5-8）並不保證他擁有神的說話（王上二十二24）！如果神沒有給予信息，人卻妄稱自己有權柄說預言，這是極嚴重的罪。假先知會使百姓與他們一同滅亡（15下-16節）。

第17-18節兩次藉耶利米的口和經驗表達耶和華的痛苦。雖然祂親自審判他們，但耶和華對百姓的苦痛並不是漠不關心的。祂與猶大同哀哭（1節；參九1）。

隨後的祈禱（19-22節）含有一些詩篇中的素材（例如詩七十四，七十九）——抗議神嚴厲責罰祂的百姓、認罪、求神因聖約和祂名的榮耀作出行動。這禱文還不可能由百姓發出，神也已經拒絕了耶利米為百姓的代求（十四11）。但這祈禱是出於耶利米這位忠心的以色列人，它仍可能帶來恩典的應許（參下文十五19-21）。

十五1-9　憐憫已太遲！

十四章19至22節記載了耶利米的祈禱之後，跟著神再一次宣告代求的無效，如今神已決定要施行刑罰了（1節）。摩西和撒母耳兩位先知都需為百姓代求（出三十二11-13；撒上十二23）。在**第2節**列出的災難與十四章12節提及的三重災難稍有分別；當然這些苦難並非不可以共存的。這一切的總結就是被擄。**第3節**接續形容被侵略和戰敗境況的可怕。為了趕逐那不信的百姓離開那地，神似乎已使用了祂全部的受造之物，這地本是祂賜給他們的。

提及瑪拿西的事情使人想起列王紀下二十三章26節猶大的罪惡是歷代積累下來，但

這裏特別指出瑪拿西，他拜偶像的罪，得罪耶和華，是最惡劣的一位王（參王下二十一）。

與禁止為百姓祈禱的命令相呼應，**第5-9節**表達了神的決定。**第5節**與**第6節**的意義大致相同，就是對猶大施行憐恤已嫌太遲。猶大已明顯地表現了她配不上聖約（6上、7節下）。她成了「背道的百姓」，竭力遠離耶和華，而不去靠近祂（參三11-14）。死亡遍佈的情況與給予亞伯拉罕無數後裔的應許成了一個直接的對比（8上；參創二十二17）。「生過七子的婦人」（9節）本被認為是最幸福的，但她的快樂轉變為極度的痛苦。

十五10-21　懺悔錄──神愛的回應

耶利米再次表達他因蒙召而來的苦痛。**第10-21節**可分為神向耶利米兩次的呼籲（第11節回答了第10節的問題，第19至21節回答了15至18節）。他後悔他的誕生（10節，參二十14-18），等於懷疑神給他個人的保證（一17-19）。因此耶和華重申那應許的內容，甚至指出耶利米的敵人將在災禍中向他央求；這在猶大最後的日子中，西底家向他求問的事上應驗了（例如三十七3）。

第12-14節繼續向耶利米發出保證，指出審判百姓的事已經決定（這消息對他而言是好壞參半的）。那從北方而來，不能折斷的鐵大概是指那無可匹敵的巴比倫，這是相對於猶大而言的；但這點亦使人記起那給予耶利米本人的應許，就是他如同鐵柱一般與他的敵人對抗（一18）。**第13-14節**針對猶大的神諭也是向耶利米的肯定，耶和華一定會實現祂審判百姓的話。

現在耶利米再次想到他自己的仇敵（15-18節），他的話語與百姓期望從巴比倫獲得解救的呼籲，在內容上有些相同。這裏提到「傷痕」需要醫治（18節），八章22節也同樣應用於百姓身上。在十四章9節百姓說他們是「稱為你名下的人」，耶利米也有同樣的宣稱（16節）。以前耶利米曾控告神欺哄百姓（差派假先知，四10），現今他說神欺騙他（18節）。因此，先知被遺棄的經歷可與百姓的感受相比。

故此，耶和華再向耶利米保證（19-21節），也是對百姓的再次保證。19節上與三十一章18節下的以法蓮（百姓另一個名稱）

獻上的祈禱極相似，接著便在下文中立即得到回答。因此，在劫難的預言中，耶利米自己的經驗變成了全民最後得救的應許。

這便是中保角色的意義。因此，在某一方面而言，耶利米是為了祂的百姓而受苦；他因著先知工作而犧牲自己，情況與基督相似。他的祈求和痛苦是真正屬靈領袖最重要的記號（也是常被人忽視的）。

十六1至十七27　被擄的景象和救恩
十六1-21　預言被擄

耶利米曾經使用表徵來加強他的信息（十三1-11），現今他整個生命都變成了一個表徵（1-4節）。在古以色列中，獨身並不普遍，所以他的獨身和沒有子女是令人矚目的事情。其實這是耶和華藉此作為一個表徵，說明猶大的一切正常生活都會停頓。生育兒女受到死亡臨近的威脅（4節，參四31）。家庭本是祝福，因為它在社會中有重要的地位和為人傳宗接代（申二十五5-6；詩一二七3-5，一二八3-6），但現今卻變成了咒詛。

耶利米亦被禁止參加喪禮，這是意味著死亡在猶大廣泛地蔓延，以致這些哭喪禮儀變得不可能（5-7節）。**第5節**下所用的詞句明顯地提及聖約被取消了。「祝福」在原文是「平安」（*shalom*），是指完全美善的境況；「慈愛」（*hesed*）是指忠誠的愛，特別用在立約的關係上；憐憫或憐恤是神的特性，**祂的慈愛比立約的委身更加深切**（例如詩五十一1；賽五十四7），但這一切都被撤銷。再次地，「這百姓」含義深刻地取代了「我的百姓」這名字。

第8-9節所說的與1至4節十分相似，耶利米可能再複述某些要點。百姓的問題（10節）顯示他們沒有聽見神的信息。在耶利米的回答中，他再次指出百姓歷代以來一再犯罪（比較十一7-10），但是今天這一代的罪孽更甚於他們的列祖。故此，**因他們犯罪的緣故，審判將臨到他們**（12節）。沒有任何藉口可使他們倖免。

本章把審判和希望的神諭並列，我們應該說這些神諭不一定是按照著今天所出現的次序宣講的。耶利米在他後來的日子中，可能將這些互相對比的神諭放在一起，藉此表明憐恤緊隨著審判的模式。**第14-15節**的神諭緊隨在1至13節之後，這是出人意料的。它

的意思是在適當的時候，神會再一次施行憐憫。祂現今中止了聖約上的謊言，並不表示祂改變了。未來的救恩（脫離巴比倫？）將會十分奇妙，它甚至取代了出埃及的事件，成了猶大宣認神為救主的中心事件（比較賽四十三14-19）。

第16-18節繼續發出審判的警告，它用了獵人和漁夫的隱喻去形容猶大被瓜分的兇暴情況。他們因犯罪而加倍受罰，類似以賽亞書四十章2節的描述，在那裏也提及同樣的情形。

最後是描述救恩將會臨到列國，在將來，列國會來到猶大尋找真神；同樣的描述也出現在以賽亞書二章2至4節，彌迦書四章1至2節（參哈二14）。在基督裏，這預言應驗了，祂拆除了猶太人和外邦人之間的阻隔（加三28），並且教會也向外邦人傳講福音。

十七1-13　信靠人的幫助抑或信靠神

第一個神諭（1-4節）譏諷猶大誤用了他們的律法和宗教。他們的罪銘刻在他們的心上，尤如律法刻在土板上一般；這是一個尖銳的嘲諷，指出他們是根深蒂固的慣於違反屬於他們的律法（就是十誡和其他的律法）。他們的獻祭也顯出他們的罪惡。他們的子女本應學習耶和華的法則（申六7），卻被教導去敬拜別神（2節；比較申十二2-3對這事情的禁止）。這一代從他們的列祖接受了偶像的崇拜，現在也傳給他們的子女。教養子女行在神的道中的重要性，再沒有比這裏的描述更為深切。

「我的山」是指錫安，是神所居住的聖殿（參八19）。第3-4節重述了十五章13至14節的內容，之後是一個對比（極似詩篇第一篇所說的），指出一個人倚靠人的力量去獲得好處，而另一個人卻信賴神，並說明二者的分別（5-8節）。其中一人受到咒詛，另一人卻得到賜福，這是聖約的規定（比較申二十八）。聖約中有一個似非而是卻永恒不變的真理：自私地依靠自己能力去尋求保障的人必定失敗；反之，人若信靠神和順從神，甚至犧牲了自己的利益，結果得著生命（參太十39）。這個似非而是的道理是明白聖約至為重要的一點。儘管耶利米強調「今生」的事情和昌盛，但那基於與神立約的信仰卻永不可斤斤計較或只求自己的利益。

這兩種倚靠態度的對比帶出了耶和華試驗人心的觀念（10節；比較九7）。在舊約中，人的心是性格的根本所在，包括了他的思想和意志。第10節下半節不是說人可以靠行為得救，它是強調耶和華實在知道一個人的性格。第11節用一幅圖畫生動地描述不公義的謬誤，這其實是一種自我的欺騙行為（五26-28談及真理要用行動表現出來）。第12-13節的感嘆也是因自我欺騙的表現而發出。不但個人如是，所有百姓也可能在欺騙自己，他們沒有看見耶和華才是平安穩妥的真正根源（12-13節）。這裏的讚美（12節）是出自耶利米的。

十七14-18　懺悔錄

耶利米第四次的懺悔錄是根據本章的主題而發揮的。真正的醫治是從耶和華而來的（14節）。耶利米在這裏代表那信靠耶和華的人（7節）。他雖然被人譏諷，仍忠於他的託付（15-16節）。他的仇敵在猶大地都要受到神的咒詛（18節；比較第5節）。本書中一個重要的主題於此被提出來：在猶大中是否有一個人「行公義和求誠實」（參五1）？耶利米自己便是那人，他可以期望耶和華的救恩；甚至可以代替百姓承受這一切的事情（參十五19-21），但他們的刑罰卻不是他願意接受的（16節）。要獨自對神忠心是十分困難的，但因著一人的忠心，卻可以帶來極大的好處。

十七19-27　遵守安息日

安息日的誡命（出二十8-11；參摩八5）是禁止人在七日的一日作工，這日要敬拜神，並表徵著人因信靠祂而得著祝福。在這一日放下謀生的事情，是一個信心的行為。用今天的用語來說，這表示人固定地付出時間去敬拜神和休息，甚至犧牲了個人的成就。這裏描繪了在安息日中的繁忙商業活動，無疑地特別是在城門口的地方，其中更可能牽涉君王和一般百姓（19節）。遵守安息日可以成為猶大屬靈情況的氣壓計。因而這裏用上了嚴厲的警告，要人去遵守這誡命。更新大衛王朝的應許將會在其他的地方再被提及（二十三5-6）。

十八1至十九13　兩次毀瓶和懺悔錄

十八1-18　毀瓶重造

這兩次毀瓶的表徵（並十九1-14）是完全不同的。在這次事件中，耶利米進到窰匠家中觀察他的工作。那窰匠不喜歡他正在製造的器皿，便用這塊同樣的泥另作別的。然後耶和華宣告說：祂也像那窰匠一樣，祂可以自由地改變祂對猶大的心意（6節）。這原則在**第7-10節**有進一步的發揮，且可應用在任何國家之上。然而那重點卻在**第11節**，**雖然耶和華已定意要審判祂的百姓，但他們仍有機會悔改，並使災禍轉離**。遲來的悔改仍被神所接受，原則亦可見於耶穌的生命和工作中（路十五11-32，二十三40-43）。耶和華呼籲他們悔改的要求是真實的，雖然祂知道他們並不理會祂（12節）。**他們被審判，是他們自己選擇的結果**。這一點在耶利米的傳道中是十分清楚的。為甚麼耶和華需要重造他們？這是因為他們心硬的原故（13-18節）。此處用上了自然界的恆久性作比方：利巴嫩山嶺上的雪經常流下涼水。這恆久的現象正好與猶大的不信相反，同時亦表示她的不合常理（15節，同樣的辯論請看八4-7），進而顯出其極大的愚昧。那「古道」（15節；參六16）是安全的，「仄徑」是危險的。他們所招致的毀滅將使百姓成了被諷刺的對象，這是一個戰敗國常遇見的命運（參二十五9，五十一37，後者是對巴比倫而言的）。本段緊接著第5至12節的叫人悔改的呼召，這表示那呼籲是落空的。

十八19-23　懺悔錄

耶利米第五次的懺悔錄也如第一次一樣（十一18-23），當時有人要用計謀陷害他，顯然是出於那些領袖（18節）。這裏提及的3類人，使我們知道當時那些領導人物的角色（在這裏的「**智慧人**」是指王的謀士，如撒下十六23提及的亞希多弗）。耶利米被人陷害的原因，明顯是因為他對他們的批評（二8，八8-11）。這裏沒有明說那殺害他的計謀，很可能是他們控告他出賣國家（參三十七13），這控告可置耶利米於死地。

這懺悔錄幾乎完全是祈求神審判他的仇敵。耶利米所作的善事就是他把真相告訴他們，並為他們代求（20節）。這禱告的中心部分（21-22節）可被看為是耶利米對神的順

從，就是讓神隨意刑罰百姓，這刑罰十分可怕，但這是他們自己選擇的結果。**第23節**的動機也許值得商權，但其中所表達的情感，是與神宣告的計劃和祂禁止先知為百姓祈禱的命令相符的。

十九1-13　毀瓶不再重造

神吩咐耶利米再回到那窰匠之家（1節），這地方可能靠近哈珥西門，就是欣嫩子谷的進口處，是在京城的西南方。那裏稱為哈珥西（原文是瓦片之意），大概是因為窰匠們在那裏丟棄那些損壞和不能賣出的貨物。那一大堆廢物碎片不能再被重造，這是耶利米所描繪的一幅強而有力的圖畫，這門口的四周大概擠滿了那些作買賣的人。

這一次，耶利米不像上一次只是觀察窰匠製造瓦瓶，神吩咐他買一個瓦瓶來作一個表徵。這表徵的進行要小心地預備，並由社會上有地位的人（包括任聖職的和一般百姓）作見證（1節）。耶利米一定是受到當時某些知名人士的尊敬，以致他可以安排這樣的事情（參二十六17-19、24）。

在作那表徵之前，耶利米宣告猶大一定會被毀滅（3-9節）。這番對猶大君王和長老的講詞表示這話語所象徵的意義和嚴肅性（3節，參十七20）。**他們被定罪，是由於拜偶像，尤其是敬拜巴力和天上的萬象**（參八2；王下二十一5）。**這樣的敬拜是可憎惡的，因為它是不人道**（5節，參七31；王下二十一6）**和出賣神的**。神曾賜給他們生命，並與他們立約（4-5節下）。這刑罰不單嚴屬，而且是公開的（3節；參王下二十一12）。百姓被辱是因為他們本來的使命是要在列國中見證神，但這成了一件何等諷刺的事情（5-6節主要是重複七31-32所說的）！**第7-9節**恐怖地講述被圍困和戰後的情形。主前586年，耶路撒冷被圍困的時候，顯然有吃人肉的事（參哀二20）。

然後耶利米做出那表徵，打碎那已經作成和乾透了的瓦瓶，以致它無法再被重造（10-11節，參十八4）。這兩個相連的表徵作了最好的說明，就是悔改的機會已過，現今已時機不再，耶和華不會再改變祂定意對猶大的責罰，這表徵也如十三章1至11節的一樣，加強了信息的力量。那將子女獻為祭的陀斐特（七31）曾在約西亞王的改革中（王下二十三10）

被污穢了（就是使它不再適宜作獻祭之用）；同樣的命運將臨到耶路撒冷。

十九14至二十18　耶利米自詛生辰
十九14至二十6　耶利米在聖殿中

無疑地，在欣嫩子谷所作的表徵是為了使用陀斐特作為一個毀滅的象徵；現在耶利米上到聖殿去，再次在那裏發出警告（十九4-5；比較七1-15）。

緊接下來的結果（1-6節），表示先知在社會的高層中產生了何等大的騷動。某些領袖願意與耶利米走在一起（參十九1），其餘的領袖卻不願意如此。巴施戶珥似乎是擔任聖殿的護衛任務，負責保持聖殿範圍的良好秩序，他很可能便是那種反對耶利米的人物。在這裏我們看見先知在肉身受苦的第一次記錄，正如神曾經警告過他的（一19）。耶和華曾應許說他不會被他的仇敵所勝，但沒有說他不會因此而受苦。同樣地，基督徒也因著基督的復活而得著保證，至終可獲勝利，但他們不能免於苦難和別人的敵對。

耶利米從枷鎖中獲釋後，便向巴施戶珥發出神諭，這神諭是先前曾向祭司和領袖們說過的（4-6節）。巴施戶珥重新被命名為瑪歌珥米撒畢（「四面驚嚇」的意思），因為他拒絕聽從神的話，這種態度便引致了猶大可怕的命運。諷刺地，他本以為自己是在護衛著制度和傳統，其實他所作的卻適得其反；他所保衛的聖殿和其中的禮儀和財富，不久將會不再存在；祭司制度在異地中也變得無關重要。任何一個制度，無論它是如何美善，都不能成為事情的目的；一個制度的完美，是因它指向神的國度。

二十7-18　最後的懺悔錄

在描述耶利米被苦待的記載之後，隨即記載他的痛苦，這是因著他的先知工作而引起的。本段落其實可分為兩個部分，就是7至13節和14至18節。第一部分（7-13節）如同一首哀詩，在其中詩人向耶和華提出抗議，並且得到神的保證或回答（例如詩十三）。

這抗議的措辭十分強烈。雖然神曾承諾保護耶利米，但耶利米仍感覺到自己受到不公平對待，常常面對危險，或甚至以為自己受騙了（7節上），而他在先知工作中所付出的犧牲都歸於徒然。他也感覺到無力抗拒只

能順命傳講滅亡的信息，以致他被孤立（7下-9節）。第10節描繪了他被人孤立的可憐境況：「四面驚嚇」是他給予巴施戶珥的名字（二十3），但在這裏大概是被人反用在他的身上的一個充滿譏諷的名字。「朋友」一詞也是諷刺性的，他們在等候他的滑跌並且一蹶不振。

這種孤立感可能是基督徒的普遍經歷，但這一切只是一種迷惑，因為根本上，神是要祂的忠心僕人得著好處（羅八28-30）。耶利米在後來也認識這一點（11-12節），確知神是公義的，祂必以公正對待他，因此他毫不猶疑地向神表達他的感受。第12節的呼求正如另一次懺悔錄中的情況（十一20）。有關讚美的呼喊，請參詩篇一四六篇1至2節及一四七篇1節。

很奇怪，耶利米在痛苦中回復過來之後，接著又表達出他深切的失望（14-18節）。自詛其生辰（參伯三3-19）是對神的旨意強烈的否認，不管那是關乎個人的或是關乎周圍世界的事情。在十五章10節提及的思想在這裏更盡情地發揮出來，甚至那報喜訊的人也被咒詛。最後他提到他正在忍受的困難能帶來甚麼好處（18節），同時這些苦難也將降在百姓身上。

耶利米的問題跟信心有關，即使最偉大的聖徒，也會因困惑而感到煩惱。這問題不僅是在人的思想內默默掙扎，而往往在切身的事情上，要求人不住地付上代價地順從神。信心和疑惑可以不規律地交錯發生，正如二十章7至12節和13至18節所顯示出來的。

在某一個角度而言，二十章18節結束了本書的第一部分。耶利米堅持傳講審判的信息帶來了甚麼結果呢？他個人的答案似是否定的，但在適當的時候，耶和華將向他顯示相反的情形。

二十一1至二十四10　救恩藉被擄而來
二十一1-14　從巴比倫得不著解救

先知的預言已來到一個重要的關頭，至今我們甚少有日期的標示，說明某事情在甚麼時候發生。但現在我們已來到猶大最後一位君王統治的時候，當時尼布甲尼撒王已攻打猶大一次（王下二十四15-20；耶三十七1-2）。本書的預言並不嚴謹地按照年代的先後

次序而編排，在這裏它論到最後的時刻，目的是要指出猶大的悔改與否已不再是問題的中心，更重要的是她要如何回應神的審判。這裏也不再需要問那仇敵是誰；在西底家的時候，巴比倫是他們的敵人已是明顯的事實。

在西底家在位的最後一段日子中，尤其是巴比倫的威脅日趨緊迫的時候，西底家經常諮詢耶利米的意見（這裏的巴施戶珥是王所差派的使者，打耶利米的是另一人，雖然他們有相同的名字，參耶二十2）。他希望先知會帶來拯救的信息（2節），猶如昔日在亞述國當權的時候，以賽亞先知所作的一樣，當時耶路撒冷奇妙地獲得解救（王下十九32-36）。

但耶利米的信息是一貫的，他宣告他們不會獲得解救，卻要接受刑罰。那回覆王的答案是可怕的（4-6節），與猶大為敵的，不單是巴比倫，更是神自己。這與昔日神為祂的百姓而戰剛好相反，那時祂驅逐在迦南地的原住民，這裏甚至用上了同樣的措辭（比較申一29-30，四34，五15，七19）。審判的預言現今已是極度的明確：西底家本人將會成為受害者（參五十二8-11），尼布甲尼撒是神刑罰的工具。這裏說出在神的憤怒中，巴比倫如何被神所使用（7節；比較十三14）。

這個命令是最後的了，但他們仍有一個選擇（8-10節）。猶大的百姓可以接受神的審判，或試圖去反抗和逃避。「生命的路和死亡的路」本來的意思是指遵守或拒絕聖約的抉擇（申三十15、19），現在卻重新用來形容接受或拒絕刑罰。昔日神曾經趕逐列國離開應許之地，使以色列人居住其中，但現今祂要領外邦人前來，並驅逐猶大。他們一定要接受這個刑罰，這是他們唯一的希望。在神責罰的另一面，仍常存著恩慈。

最後的神諭（11-14節）再提起皇家（大衛家）的責任（12節上），就是要施行公平（諷刺地，西底家的名意是「耶和華是公義的」）。這裏所特用的詞句是要表示猶大王（尤其是西底家）失敗了。他們以神同在的保證（撒下七11下-16）來炫耀自己的力量（13節下）。這種濫用神的愛的行為，違反了神的約，猶大的命運成了一個警告，提醒一切輕忽神恩典的人。

二十二1-30　無用的君王

以上的神諭引進了下列一連串責備君王的神諭，這些君王都是耶利米作先知預言的時候在位的。第一個段落（2-3節）闡述了二十一章12節上所說的，並且將它廣泛地應用在眾君王身上（由於這裏沒有提及任何君王的名字，雖然這些說話大概是向某位君王而說的）。那些沒有地位的人（3節）是特別需要公平保護的（參撒下八15大衛王公平的作為；比較申十四29）。第4節的說話是重申撒母耳記下七章11節下至16節的應許（亦比較耶十七25在那裏用上了類似的話），但這裏特別強調君王的責任。

另一個神諭（6-7節）評論猶大的富裕，尤其是君王的宮殿。基列是肥沃的地方，象徵神的賜福（比較八22）。利巴嫩亦水源充足，並以它的香柏樹而聞名，不少香柏木用來建造聖殿（王上五6-10）和宮殿（王上七2）。現今，先知指出猶大的財富並不安穩，主要是在於賞賜的神；他們已忘記了神的恩賜。

公開宣佈猶大傾覆的原因（8-9節）是先知預言的主題之一（參十八16）。這是宣揚神的信實的一個方式，儘管猶大沒有對神忠心。

在第10-30節，是神針對每一位君王所說的話（他們的日期請參導論）。這些話大概是在不同的時候說的，可能是在某君王在位或剛去世的時候。這些說話被收集起來，構成討論眾君王失敗的主題（這些王都在西底家之前，而他是二十一章的主角）。

第10-12節講述約西亞（死人）和他的兒子約哈斯（在這裏稱為沙龍），後者在位的時間甚短，後來被擄至埃及（王下二十三30-34）。他的被擄可能是對猶大的一個預兆，因而先知要猶大人哭號。

第13-19節談論約雅敬，他被批評為一個不義的人，並且只顧為自己積聚財富。他為神所不悅，與他的父親約西亞的情形相反（15下-16節）。約西亞是符合大衛王朝理想的人物，耶利米在此近乎讚揚他的改革工作（王下二十二至二十三）。但這裏沒有提說他的改革事蹟，這改革並不足以挽回那已偏離正道的王朝和它最後的傾覆。約雅敬接續約西亞作王已證明這事。約雅敬被指摘為耶利米所斥責之罪行的始作俑者（比較六13，七

6，二十六20-23）。他要受的刑罰是他不會有一個正常葬禮或哭喪禮儀。「我的哥哥……我的姐姐……」大概是哭喪者彼此的稱謂。更糟的是他不會得著安葬。雖然他是被巴比倫人強逼離開國位，但記錄上並沒有記載他的死或埋葬（王下二十四2-6；比較耶十六5-6）。

現在另一個神諭指向耶路撒冷（20-23節用了第二人身單數用詞）。向盟國（亞述和埃及；參二36）徒然求助的事情是在北方和南方的山嶺上發生（20節）。耶路撒冷恆久以來的不忠（21節；參七25-26）使她一切的倚靠都被除去（22節的「**牧人**」是指她的領袖）。這神諭是針對第23節的君王而說的，利巴嫩在這裏是比喻君王之宮殿（王上七2）。

這裏列出的君王到約雅斤為止（在希伯來文聖經和一些英文譯本是哥尼雅），他在父親約雅敬下台後繼位（王下二十四6）。他屬於耶和華的記號（帶印的戒指象徵大衛之約）也不能使他免於永遠地流徙他鄉（24-27節）。

最後的話是談論整個大衛王朝的命運，在這神諭中，約雅斤受到指責。他的被趕逐代表了整體人民要被驅逐離開那屬於他們的土地。**第29節**記述耶和華為了祂的土地被人蹂躪而悲哀（比較二7，十二4）。這最後的一節經文描寫了一個王朝的結束，雖然約雅斤有生養子女，但沒有一人能在猶大作王（代上三17-18）。

二十三1-8　新的大衛王

起首的兩節經文重複對假牧人的裁判（參二十二22下）。但現在耶利米更談及被擄之後的事情（3-8節）。神的百姓將會有一個較好的未來，神自己會成為他們的牧人（3節），祂會設立忠心的領袖牧養他們（4節）。並且，歷史上的大衛王朝雖已終結，但一個新的大衛王將會興起；一位好像大衛的君王，他的名字「耶和華我們的義」在希伯來文近似西底家的名字，但他是一位名實相符的君王。耶利米在這裏預見大衛的後嗣彌賽亞，他的降生會帶來以色列的救恩（太一1；路二29-35）。但耶利米在目前所盼望的，就是猶大的百姓能回歸故土，這將成為神與祂百姓之間在關係上的新標記（7-8節；參十六14-15）。這便是那更大的救恩來臨的預兆。

二十三9-40　論假先知

正如二十二章收集了先知對君王的評論，本段是針對那些沒有聽見神的說話並誤導猶大的假先知（比較五31，六13-14）。耶利米所受的痛苦，部分是因為別人濫用了神的說話（9節）。他從前論及一般百姓的說話，現在他特別用來控告那些先知們。他們的不忠如同行淫一般（參五7-8，九2），他們也可能是真的行淫（14節）。他們自認是神的使者，但生活卻使人大失所望（參五26-28）。先知和祭司狼狽為奸，罪惡充斥在國民的生活中（11節；比較結八5-18），使耶路撒冷與那惡名遠播的所多瑪、蛾摩拉無異（創十九1-29）。從這些要負責任的領袖身上，罪惡蔓延如同癌症一般（15節）。但罪惡至終要承受它自己的惡果（12節；比較詩七十三18）。

下文的重點是控訴整個先知群體（16-24節），指出他們並沒有站在耶和華的會中（18節）。相反，他們唯一的權柄就是倚靠自己的想象力（16節下）。所以他們的信息自然是錯誤的，傳講平安卻沒有平安（17節下）。在昔日以賽亞的時候，先知們宣告平安是正確的事情（王下十九32-36）。因此這些假先知可能在模倣以賽亞的信息。耶利米指出他們並非傳講真的信息，因為他們沒有從神而來的命令。他們其實並不明白神的旨意，再者，假先知們的虛假逃不過神的眼目（23-24節）。

耶利米繼續談論先知們騙人的事情（25-32節），將真實的能力與虛假的無能作一比較。他攻擊那些先知將神的話貶低，他們到處尋覓神的話，其實卻在欺哄自己，每個人都聲言得著了神的話語，但當神的說話真正來到的時候，他們卻因混亂而無法聽見！這時候的信息是神的審判（33節下），任何人說別的事情將會被罰（34節）。要在基督的教會中，以及對一個不信的世界傳講神的說話，是極重大的責任，正如昔日的先知般，我們要傳講神完全的道理，萬不可因著自私的目的或為了逢迎他人而修改神的話。

二十四1-10　兩筐無花果

本段的預言（耶二十一至二十四）開始時，先談及西底家，然後回顧他以前的4位君王（耶二十二），現在又回到西底家的身上。

在約雅斤被擄之後（主前597年，王下二十四8-17），他成了尼布甲尼撒在猶大的傀儡君王。現在這個異象的發生可能是在西底家在位的末年，巴比倫的軍隊又再次迫近。

異象是耶和華與祂的先知溝通的方法之一（比較一11、13；摩七1）。好和壞的無花果是暗示好和壞的收成，因而也代表著聖約的祝福與咒詛，這異象是耶利米一個重要的信息。

正如二十一章所說，被擄的事必然發生，問題是百姓該如何回應神施行刑罰的決定。那些好的無花果代表那些接受巴比倫的入侵和被擄的人（5節）。耶和華現在向這些人再次應許給予他們生命，其中用了耶利米書所慣用的建造和種植的話（一10，十八7-10）。在拔出和拆毀的刑罰之後，神賜予他們生命。因此猶大的生命與耶穌的死而復活成了對比，教會也如是，她在基督裏死而再活（羅六1-4）。這種經過刑罰之後出現救恩的模式，是深藏在神對這世界的聖經啟示之內。

再者，這新生命包含著新的素質：第7節的用語包含著名的聖約（「他們要作我的子民，我要作他們的神」；利二十六12）。但這裏有一件新的事情發生，就是耶和華賜他們認識祂的心，因此他們至終可以順從神，這是他們從前不願意作的（四4）。這不是說人的意志被除滅或壓抑，這是指他們會被引導去跟從神。在聖經的解釋中，這事情最終會藉著基督的內住和聖靈的賜予而發生（羅八1-17便是談論這方面的事情）。在耶利米書中，這些說話揭示了新約的教訓（參三十一31-34）。

那些壞的無花果是那些拒絕耶和華刑罰的人，雖然他們實際上不能避免這刑罰，但他們卻在心裏加以拒絕。西底家就是代表了那些人，他們希望藉著與埃及結盟以抵禦巴比倫的威脅。這種與埃及的胡混象徵了對神的反叛（比較申十七16）。這種情形一直持續至耶利米故事的終結，表示不管事情發展如何，某些人始終不肯聽從神的話。

二十五1-38　神審判列國
二十五1-14　巴比倫的末日

約雅敬第四年，也是耶利米工作的第二十三年（其中包括的時日；比較一2），即主前605年。在那一年，尼布甲尼撒率領巴比倫軍，在幼發拉底河上游的迦基米施戰役中，打敗了埃及的軍隊，控制了敘利亞和巴勒斯坦。根據但以理書一章1節的記載，那一年，猶大中也有些人被擄。從那時開始，巴比倫便顯明是那令人畏懼的國家了。

這時耶利米回顧往事。他過去一直堅持傳講審判的信息，正如那些發出審判警告的先知一樣（4節）。這信息（4-6節是其內容摘要）是呼籲人悔改，並給予人機會可以繼續維持立約的關係，和在那地生活（參耶利米在七3-7所記載的聖殿講章）。此處提出這信息，則顯明了百姓還未聽從（3、7節；參七25-26）。

審判的話語（8-11節）也是以一個摘要的形式出現，回應先前的說話（9節下；參二十四9、10，十六9）。但巴比倫的崛起給他們一個新的焦點和不祥的預兆。不單是猶大，而且列國都要在巴比倫的手下受苦（9、11節）。這裏更傳出一個可怕的消息：猶大（和列國）將會被擄到巴比倫70年（12節）。那被擄去的一代將永遠不能重見他們的家園。

但這壞消息也不是完全沒有希望的，因為巴比倫的勢力終會完結，被擄也是如此。尼布甲尼撒能成為神的僕人（9節），這是因為他是神刑罰的工具，但他本人的自私和殘暴，將引致神向他施行報復和刑罰（12、14節）。耶利米在這裏便成了預言巴比倫敗亡的先知，故此他果然成了「列國的先知」（一15）。

巴比倫在主前539年陷於瑪代波斯帝國的古列王手中（參代下三十六20-23）。70年可以從主前605年算起，那時是先知發預言和尼布甲尼撒首次擄走猶大人民之時，直到主前539年為止，或稍後一點，當被擄的人剛開始回國的時候；另一個算法是從主前586年，聖殿被毀時算起，直至主前516年，聖殿重建之時。

二十五15-38　神憤怒的杯

約在耶利米書的中間部分，先知宣告審判列國的信息。這類神諭也在其他先知書中出現，論及耶和華的主權在列國之上，並警惕他們對神的責任（例如賽十三至二十；摩一1至二3）。（耶利米論列國的預言是記在四十六至五十一章，但在舊約的古希臘文譯本卻將它們編排在書的中間部分，這可能是原

飲憤怒之杯的表徵大概是以象徵手法表達出來。醉酒被形容為神的審判，請參十三章12至14節。對這些國家的審判，在第四十六至五十一章中有更詳盡的討論。這裏特別提及巴比倫（這裏是用「示沙克」這暗語）作了毀滅的事情之後，最後才喝那杯（26節）。另一件重要的事情是指出不單是猶大被罰（29節），猶大雖然身負著神的名字（參七12），她的國難並不表示耶和華的軟弱，這一切只證明了神掌管著整個世界。最後兩個審判的神諭（30-31、32-38節），使用了耶利米在傳道時所慣用的名詞，它們大致上也是責罰列國的說話。那曾經一度用來代表敵國（二15）的獅子，現在卻用來代表耶和華（38節；參摩三8）。

二十六1至二十九32　耶利米成了宣講救恩的先知

二十六1-24　耶利米倖免於死

現在又回到聖殿的情景中，這時是約雅敬在位的早年。第2-6節所記錄的講章其實是七章1至15節聖殿講章的摘要，同樣指出猶大必需聽從神的話和不要盲目地以為擁有一個制度，就可作為保障。這裏將這信息重複記載，為了要引出不同的人對先知所傳神的話語的不同反應。

耶利米被一班以祭司和先知為首的人拘捕（8節），他們惱恨他，因他批評他們的敬拜和制度，眾民也支持此事。他們控告耶利米是假先知，這是死罪（申十八20）。但困難之處是如何去分辨先知的真偽，其中一個方法就是看他的預言有否應驗（申十八21-22），但這方法可能需時很久仍未能確定（這正是耶利米的情形）。他會否因他所傳的信息而被判罪呢？這案情的決定可能是依據古時的先知預言的內容，有先知曾預言耶路撒冷會免於災禍（賽三十一4-5，三十七33-35）。

審訊隨即進行，祭司和先知們向猶大的首領控告耶利米（10-11節）。眾民與首領們站在一起聆聽審訊，當時不穩定的情況很容易引起許多在猶大的人對先知的不了解，並且使到群眾容易受唆擺。耶利米在他的自辯中，肯定自己確是神的先知和重複他叫人悔改的呼籲，其中更隱含了京城和聖殿所要面對的威脅（12-15節）。

首領和眾民要決定耶利米的真偽（16節），他們的決定得到猶大一些長老的支持，他們記得彌迦先知曾經傳講類似的信息去攻擊耶路撒冷的罪惡（彌三8-12）。如果彌迦傳這樣的信息是對的話，耶利米所作的亦應如是；如果百姓沒有悔改，像希西家王所作的一樣，那麼災禍便真的會來臨。

先知烏利亞的悲慘遭遇（20-23節）表示耶利米並非孤單地作他的傳道事工。他沒有像耶利米一般的幸運，得到一些勢力人士的庇護（參24節），因此他成了約雅敬王和那些忠於王的人之受害者。我們的記敘不單像現今的傳記般敘述耶利米的故事，它更講述在猶大的人對神話語的反應。約雅敬是被定罪的，因為他斷然和強蠻地拒絕神的話（比較耶三十六）。

要知道神在說甚麼是很複雜的問題，**其中一個指標就是那教師的委身**（耶利米和烏利亞都願意犧牲），雖然這不是一個絕對的條件；**另一個指標是那信息與我們對神的認知是否相符。若要分辨真偽，沒有其他事情可以取代研習、累積經驗和禱告**。常犯的毛病是隨從大眾（在教會內亦如是），而沒有努力地尋求真理，這反成了尋求真理的障礙。

二十七1-22　服侍尼布甲尼撒

記敘又再回到西底家在位的境況，這是主前594或593年（參二十八1），西底家正與列國的使臣同謀反叛巴比倫（3節），並可能與埃及結盟。這正是耶利米曾經警告過西底家的（二十一1-10，二十四章）。那軛的表徵（2節）是特別用來代表奴役的，這是神要降在列國和那些不聽從耶和華的百姓身上的刑罰。

耶利米再次發揮了他作為列國的先知之權柄，在責問列國的時候，他描述耶和華的力量（5節；參申四34），表示祂是全地的創造主，因此祂有權叫君王臣服於祂（4-7節）。最後，這點會在比倫也被神所刑罰一事中顯明出來（7節；參二十五12；但四25）。

臣服於巴比倫的命令首先加在猶大身上，這裏也加在列國之上，尤其是在那些密謀反叛的使臣中。**三重災禍，即刀劍、饑荒和瘟疫**（8節；參十四12），代表了可怕的刑罰，將會降在那些拒絕這呼籲的人身上。列國也有他們的假先知，他們支持這些聯盟

並在沒有平安的時候說穩妥的話（9-10節）。不單猶大需要尋求真理或聽從耶和華的話，同樣今天也不是單單基督徒才需要聽從神。

耶利米給西底家的信息（12-15節）並不陌生（比較二十一1-10）。但在現今的情況下，西底家受到某些先知的大力支持，他們決議要實行對抗巴比倫的政策，因此耶利米的反對行動便使形勢更形緊張了。

最後的段落揭示了假先知的信息內容，背景是被擄之事已發生。約雅斤王已被擄至巴比倫，所羅門聖殿中的財寶，已被敵人掠去，這象徵了巴比倫神祇們的得勝。這些假先知現今說這些財寶不久將會帶回來，他們所說的愈來愈顯得與實況不相符，但他們仍堅持這意見。其實在聖殿中剩下的財寶也要被掠去（19節；比較五十二17；王上七15-37）。

這些失去的財寶對猶大的百姓來說是無比重要的，他們看這些財物如同他們自己，因他們知道這些東西與他們有密切的關係。聖殿和其中的裝飾都是神所賜的，但如果它們成了他們所渴望的（參七4），那它們必須被拿走。被擄的一個重要意義，就是聖殿被奪去；與此同時，它也提供了一個使人再認真地尋找神的機會。這是神選擇以這方法去更新祂的百姓的原因。有時神必須讓祂的百姓知道，他們是靠賴這些外在的事物，而不是信靠神。

二十八1-17　耶利米的信息得以證實

耶利米對假先知的指責，現今遇上了正面的衝突。當時耶利米仍負著軛，這軛是巴比倫將要奴役別國的表徵（二十七2）。哈拿尼雅故意反對他（1節下），並向他的表徵發出挑戰（2節）。然後哈拿尼雅發出耶利米所反對的宣諭（2-4節；比較二十七16），應許巴比倫的壓力快要解脫。這便相等於否認神在審判祂的百姓，故此這事引起了神的憤怒。

二十六章提出的問題是如何分辨真、假先知。哈拿尼雅被稱為先知（1節下），他也使用了先知的宣告方式，自稱奉耶和華的名而說話（2節上；假如他奉別神的名字說話，他便會立即被人棄絕；比較申十三1-5，十八20）。耶利米在開始的時候沒有能力去證明自己是對的，而哈拿尼雅是誇誤的。他只

說他希望哈拿尼雅是正確的（6節）。但他堅持他從神而得的說話，並提出自己的挑戰（9節）。他的挑戰是訴諸判別先知的準則，若先知的話應驗，他便證明自己是真先知（申十八21-22）。但哈拿尼雅沒有因此而被阻止，他折斷了耶利米頸項上的軛，用這事作為一個最有力的象徵（參十三1），並聲言他知道神的旨意。那一天他似乎得勝了，而耶利米也退避離開（11節）。

現在耶和華給予耶利米一個戲劇性的昭雪。他透過耶利米向哈拿尼雅發出可怕的判決，好顯出耶利米所說的話是真實的。耶利米回到他的對頭那裏，再次宣告猶大必伏在巴比倫的軛下，而且換上了鐵軛（12-14節；比較二十七6）。再者，這信息藉另一個預言來加增力量，就是預言哈拿尼雅必會在那一年內去世。如果耶利米審判的信息需要較長時間才能證明其真實，則這個預言便是對此事一個即時和有力的證明。

哈拿尼雅死亡是因為他是一個假先知（申十八20），他攔阻百姓看見他們真正的危險。他的死也為耶利米作了一個昭雪。如果以前曾有藉口不聽從他的話，現在已經沒有了。

這個嚴肅的故事是一個意義深遠的警告，警惕那些隨意表示自己從耶和華得著特別信息的人。它也提醒那些將要作教師的，必須首先作個謙卑的學生，並且時常如此。

二十九1-14　「在巴比倫建造房屋」

如果在猶大的人希望巴比倫首次入侵的影響能快快終結，那麼那些被擄的人更盼望這樣。現在耶利米寄信給他們（這裏附帶顯示了兩地之間的溝通是可能的；在它們之間的商道常有交通往來。沙番的家庭再次出現，幫助耶利米，參3節，二十六24）。在巴比倫的猶太人也分成不同階級（主要是較上層的階層；參王下二十四14），他們中間也有思想上的掙扎，先知們在唆擺說他們不久便會回國（8-9節）。

這信的內容似乎是壞的消息，但也包含了極大的鼓舞。壞消息是被擄將不會是短暫的，耶利米重複他的信息說它會延續70年之久（10節；比較二十五11）。但在如已死的被擄生活之中，卻播下了新生命的種子。這信

開始將先知至今仍然看似黯淡的信息轉變過來。在過去，他自己沒有結婚，並以此為一個表徵，表示結婚和生子的事將會在猶大止息（十六2）；但現在被擄的人可以回復正常的生活（6節）。百姓可以再次生兒養女，不再像他以前的信息所談的，預言他們將被滅絕（四7）。

正當一切計劃都似乎沒有果效的時候，耶和華再次為祂的百姓訂下計劃（11節）。從前那似是要將聖約終結的行動，其實是要帶來生命，但那時只見其表面的情況而已。這故事很巧妙地顯示了耶和華所想的，與人的計劃之分別（箴十六9；賽五十五8）。那以為是沒有希望的事情，真實是庸俗之愛的終結而已；但在神裏面，永遠都有一個真實的將來。人向神順服和充滿喜樂，不再因人性的自私而攔阻人與神的溝通。

這未來也不是尋求一些所謂「屬靈」的虛幻境界，而是存在於日常生活中；故此這裏提到結婚和建造房屋的事，並且在適當的時候，他們會回歸（14節）。那翻譯為「使你們被擄的人歸回」的片語有更深的含義，其中暗示著生活全面的恢復。在以下數章中，這意思將再度出現。

二十九15-32　在巴比倫的先知

在被擄的人中也有先知，耶利米反對他們，並且扼要地使用他先前的一個審判信息來回答他們。他再次提及那些壞無花果的異象，這是用來斥責那些拒絕被擄的人（17節；比較二十四8-10）。雖然西底家仍坐在耶路撒冷的寶座上，或聖殿仍然屹立，但這些被擄的人不要相信那虛假的希望。

書信中繼續用審判的話，特別針對一些先知如哈拿尼雅（耶二十八）。他竟然宣告耶利米的說話不可信。亞哈和西底家（不是作猶大王的那位）因他們的邪淫生活顯露他們的虛假（20-23節）。若依據耶利米對哈拿尼雅所說的預言的應驗（二十八17），他在這裏對他們的預言真是一個凶兆（22節）。尼希蘭人示瑪雅在遠方向耶利米發出直接反對的聲音，他在寫給一位祭司的信中反對耶利米的話。他的大膽妄為也將受到神憤怒的審判（24-32節）。

三十1至三十三26　新約的應許
三十1-24　損傷得著醫治

以下3章聖經記載猶大經歷被擄的刑罰後，必得拯救的應許，其實也包括了以色列。這裏的中心主題便是那新約（三十一31-34）。焦點集中在將從巴比倫回來的被擄之人。但神這個拯救行動，更深遠地指向在基督的教會中所創造的一批新子民（參三十一章註釋之後的附註）。

從審判轉移到救恩是一件令人欣喜的事情，更令人注意的是耶利米曾經長久以來反對那些過早應許救恩的人，但現在耶利米本人成了一個「救恩的先知」。但耶利米和哈拿尼雅之間有一個分別，就是前者堅決認為刑罰必需先來，而且刑罰本身成了復興的一部分。

吩咐將預言記錄下來的命令（2節），見證了這是一件在進行的事情（參三十六章）。這裏顯示了一個信息的轉捩點，耶利米書三十至三十三章的主題已在三十章1至3節中突顯出來，就是**神的百姓要與神完全恢復他們立約的關係**（3節；參二十九14）。

耶利米書三十章表達的形式是先提出一些審判的預言，然後用拯救的應許予以回應。故此**第5-7節**提及先前（和其他的）審判的宣告（5節；參二十3、10，三十6；比較四19、31）。耶和華的日子（7節）曾被阿摩司用作指向將來的災難（摩五18）。

與痛苦的事情相反，就是拯救之日的來臨（8節），到時軛將被折斷（不同於二十八10-14），神的百姓將會在真正的大衛王統治下真誠地事奉祂（9節；比較二十三5-6）。以色列（或雅各）會完全的復興，成為新的模樣，神與祂的百姓同在的應許是在聖約上最首要的事情（11節；比較出三12），也是他們不用懼怕的原因（賽四十三2）。**第11節**的下半節談及被擄的懲治。

新段落的開首，再次提及審判的預言（12-15節），這裏全用上損傷和疾病的隱喻（比較八11、22）。那些盟友在原文是「你所親愛的」，使人想起那妓女的隱喻（33節；比較二十二20-22）。耶和華親自（二9、29）向猶大提出法律上的起訴（13節上）。

跟著是兩個回應的救恩神諭（16-17、18-24節）。第一個神諭開始時用了「故此」一詞（新國際譯本作「但是」）。這詞語用在**第15**

證主21世紀聖經新釋

節下半節之後是令人驚詫的。這表示耶和華要拯救以色列或猶大的計劃，是完全基於祂恩慈的決定。壓迫百姓的敵人將被打敗（比較二十五12），真正的醫治最後將會來臨（17節），這有別於假先知們所提供的無效和虛謊的救法（參八11、15）。

第二個神諭描繪一群快樂和興盛的百姓（19-20節），與在刑罰中的缺乏和可憐境況作對比（四29下，十六9）。這裏更想象到祖國的人口再繁盛起來，這不單發生在巴比倫的被擄之人中，正如二十九章6節所說的，因此祖國重新建造房屋（18節）、城市和城堡（大概是18節下的意思）。他們再次有自己的君王統治他們（21節），這代表了他們從壓迫中得著釋放。這一切顯示立約的更新，並藉著第22節的公式表達出來（比較利二十六12）。

最後的兩節經文是重複二十三章19至20節的話。這重複是故意的，為要表示從前所提及的時候現在已經來到。百姓將會明白神計劃的那日子已經臨近了。

三十一1-26　餘民歸回

這章經文包含多幅百姓歸回的圖畫，在記述開始時，都有一個略有差異的立約公式（1節；比較三十22），和一個有關審判之後得著更新的聲明（2節）。

處女的意象只曾用在諷刺的意義上（十八13-15），但這裏（4節）卻與先前的「妓女」（二20）作一對比。在新約中，過去的罪污已被洗淨，而且這新生命可以被描繪為樸實和充滿喜樂的。以色列被形容為處女一事也引進一幅充滿色彩的圖畫，在畫中年輕的女子出來跳舞，那場合大概是在一個節期之中（參士二十一20-21）。農夫將收割農作物，並在合宜的時候在耶路撒冷的敬拜中頌讚神的豐富（6節下）。**這一切都因著神的愛並沒有在審判中終止，祂的愛不會止息。這是一種特別的愛（「慈愛」），是神賜給祂的百姓的（3節）。**

百姓從被擄中歸回（7-9節），他們是餘民（參六9），但數目眾多，其中也有一些殘弱人士，他們雖然哭泣，卻是喜樂的，耶和華是他們的父親，帶他們走在平坦的路上。以色列是在萬國中為首的（7節），她不再只是神藉著尼布甲尼撒所責罰的列國之一（二十七8）。她享有這特殊的地位是因著她被神揀選領受祂的愛（參申七7-8）。

繼而是一個對列國發出的神諭（10-14節），一群喜樂的百姓得到她的牧人的牧養（參二十三3），她得到的祝福可以描繪成一幅圖畫：其中充滿了五穀、新酒和油，這是豐富的基本象徵（參申七13），還有一個園子和跳舞（如同第4節所說的）。整個社區用對比的方式來形容，其中包括男子和女子、年少的和年老的、祭司和百姓（13-14節）。這一切都為要向列國作見證，說明神對祂的百姓的忠誠，並能夠按照祂所應許的賜福他們。當神要救贖他們的時候，沒有國家可以壓制他們（11節；比較羅八31）。

那強烈的女性意象繼續下去（15-22節），拉結為她的兒女哭泣。拉結是雅各較年輕的妻子，是約瑟的母親（創三十五24），是北方支派以法蓮和瑪拿西的先祖。她的哭泣代表著以色列的痛苦，尤其是代表所有母親失去兒女之痛苦；**北方的支派被擄至亞述，南方的支派被擄至巴比倫。**這哭泣獲得了復興的回應（16-17節），以法蓮（代表全以色列）被描繪成真正地悔改（不同於過往的虛假悔改；比較三22下-25），他們的回轉歸向神，也使神向他們轉回（18節）。但在過去，他們是轉離神的（三22上）。神已成就了這一切，祂的憐憫最終勝過祂的審判（20節；參何十一8）。

下面跟著有一個呼籲（21-22節），表示在這新秩序中，耶和華仍然要求祂的百姓忠心。最後的一句話（22節下）的意義是含糊的，它可能是用一個母親保護她的男孩的意象，是對拉結為她的兒女哭泣的一個快樂的回應。這些安心的百姓同時亦是敬拜神的人（23-25節）。

到目前為止，在本章中的這些神諭似乎是耶利米在夢中得到的（26節）。

三十一27-40　新約

在新約之前有一個序言（27-30節），它是回答那被擄時期中的一個諺語，就是那一代的人埋怨他們是為了上一代而受苦（比較結十八2）。但其實**耶和華是要每一個世代的人向祂交代，祂是單獨和公平地處理每一個人的。**

新約的觀念其實已包含在三十至三十一章的預言之內，但至此才詳加透露（31-34

節）。這新約是關乎以色列和猶大的，更新之意是回到亞伯拉罕和摩西的時代，而不是單單回到猶大陷落以前的時候；這約是再一次訂立的，「新」是意味著「更新」的意思。

但這約將與先前世代所毀的前約不同（32節）。它將寫在百姓的心上，而不是在石版上，像那十誡一樣（33節；比較出二十四12）。換句話說，這約將給予人溫馨、喜樂，而不是一個冰冷的規條，這本來是律法原有的理想（比較申十16，三十6），但現在可以實現了。因為耶和華會用祂的方法，使祂的百姓喜愛和有能力去遵守祂的律法（「我會寫……」）。

這裏提及新約的兩個特性（34節）：第一，百姓不需要別人鼓勵他們去認識神，因為他們所有人都認識神。這種知識不單是知道神的位格和方式，這知識是個人的，並且包含意志的委身。這是一種對神的知識的回應，是自我的完全委身。第二，神將會用新鮮的和明確的方法去赦免百姓的罪惡（參來十一1-17）。

以下兩個段落是用來肯定以上所說的。第一個說明那新約是永久的（35-37節）；第二個指出因這新約的緣故，耶路撒冷城將會被重建（38-40節）。

附註 耶利米書三十一章31至34節的預告，與歷史中的以色列國和猶大國有密切的關係。它首先是指出她們從巴比倫的被擄中歸回。這方面在三十一章38至40節描寫的京城重建很清楚地表達出來。其實在三十至三十一章的內容，都是指向這意思。因此，那新約的預言最先是在主前539年及其後的一些年日應驗，那時神將被擄的人帶回來。

但是這預言的意義不僅如此。預言包括的「以色列」，在耶利米的時代已經不復存在，這表示了預言是意味著有更深一層的應驗，而不是單指猶大國民的歸回。那古舊的約最後在一個新的情況下得著應驗，就是藉著神的幫助，叫祂的百姓可以有能力與神重新立約。

在新約聖經的時代，它教訓我們那新約預言的應驗，在耶穌基督的身上成就（林前十一25；來八7-13，九15）。這表示神的約最後是在那些「在基督裏」的人身上成就。那種新的赦免是可能的，因為祂曾一次過為罪獻祭，從此便使一切的祭祀變成過時了（來十15-18）。**這約是不會終結的，因為基督使它成為完全的。祂那新的子民也蒙召要向神忠心，並且祂賜給他們聖靈使他們得著力量。**

因此在這裏有一個對比，就是神如何將古代的猶大從巴比倫帶回來，和祂如何對待在基督裏的普世教會。古代的以色列和猶大是對應今天的教會，這教會便是基督的身體，祂呼召萬人歸向祂。

三十二1-15　耶利米購田

現今又回到西底家在位時的一幕情景，當時猶大被圍困，耶利米被囚在獄中。那充滿盼望的預言繼續在這種背景下發出。當時的情形是西底家拒絕神對他說的話，這些話甚至重新在西底家的口中複述，可見他對這些話語的熟悉程度（3-5節；比較二十一3-7）。

審判的話現今只是新希望的序言，或是一個記號，就是去購置一塊田地。這裏沒有清楚交代哈拿篾賣地的原因，大概是他已經年老和沒有兒子，故此他要求耶利米保留那塊地在他的家族中（8節）。我們不知道耶利米是否只是付出了款項的差額，這裏所記載的程序大概是當時的一般手續。這事的公開進行有一個新的重要的意義，因為這買賣是作為一個記號（14-15節）。

這交易所表示的，是將來在適當的時候，猶大重新恢復正常的生活（15節）。這是一個有力的記號，這田地的擁有權表示他可以擁有整塊地土。在當時猶大被圍困和一切都將失去的背景下，置地的意義顯得十分強烈，耶利米所作的並不是一件微小的事情。透過這個記號，先前指出猶大一切正常活動都將止息的預言，都被倒轉過來了（耶十六）。

三十二16-44　在神有難成的事嗎？

在圍城中購地的怪異事情促使耶利米向神禱告。祈禱開始時，他提出一個肯定的事實，就是「在你沒有難成的事」（17節）。他繼而讚美神的能力彰顯在創造中（17節）、在審判的事情上（18-19節）、在拯救以色列人出埃及並賜地予他們之事上（20-22節；比較申二十六8），和最後因他們的罪而刑罰他們

（23節）。然而這祈禱實質上帶出一個問題：這記號有甚麼意義呢？

耶和華回答耶利米（26-44節）時，祂再提出這問題「到底在他有難成的事嗎？」（27節）。開始時，神重複一些類似審判的說話，巴比倫人將會毀壞這城（28-29節），這是因為以色列和猶大持續地犯罪，行拜偶像的事（30-35節；參七18、30-32，十九13）。但這些說話只是引介出以下拯救的應許。它的意思就是救恩要從毀滅中產生，這是極之困難的事情，但這卻是祂計劃要作的。

應許的說話在第36節開始，那些長久以來的威嚇如刀劍、饑荒和瘟疫（十四12）已經來到門前，但現在審判要變成拯救。雖然百姓被驅逐，但他們會歸回，不但回歸故土，而且與神立約（38節）。這是一個不折不扣的新約（31-34節），他們將對神忠心，並且永遠不會終止（39-41節）。那「**使他們有敬畏我的心**」的話是應用了那新約的應許：「我要將我的律法放在他們裏面」，意思是耶和華自己應許會採取主動作成這事。這神蹟對耶和華來說並不是難成的。

最後的數節經文（42-44節）再談及耶利米購田地一事，人將會再在猶大購田，耶利米看似是愚昧的行動，**並不是沒有意義的，它其實充滿了希望和應許**。

三十三1-13　歡喜和快樂的聲音

在所謂「安慰之書」的最後一章經文中，也像前文的三十和三十二章，其中也有提及審判的話及拯救的回應。耶和華給耶利米的話提及祂在創造中的能力（2節；參十2），這與先知所處的情形成了對比。先知仍被囚在一個被圍攻的城的牢中（參三十二2）。神向他們啟示他們「不能找得到的事情」（3節，和合本譯作「難的事」），這意思與「在耶和華沒有難成的事」（三十二17）類似，同樣是作出一個救恩的應許（參賽四十八6有類似的話）。審判的話再被提起（4-5節），為的是要出人意料地引入下面的應許（6-9節）。從審判轉移到應許是突然的（第6節在希伯來文中沒有「然而」這詞語）。這次序顯示神的工作方式，**祂在極黑暗和絕望中帶給人救恩和福祉**。

類似的形式在三十三章10至11節和12至13節中出現，**第10節**是四章23至26節的回

應，但這裏卻以一幅生命的圖畫來加以回應（11節；與七34和十六9的情形相反）。在以色列的全地上，荒蕪將被平安和穩妥所代替（13節提及的地方包括了猶大的全境，而便雅憫更是越過了猶大的北方的邊界）。

三十三14-26　永恆的約

本章的最後部分將二十三章5至6節提及的一個新大衛王國的應許加以發揮，這便是**第15-16節**所討論的。這片段和以下部分所用的語言使人想起那首先給予大衛的應許（撒下七12-16；參王上二4）。那應許似乎已失敗，因為歷史上屬於大衛的王朝已終結，正如耶利米所說的（比較二十二30）。現今這應許再被肯定（17節），祭司的制度也得到神同樣的應許（18節）。祭司在摩西的約中（出二十八至二十九）有一個不能取代的角色，他們甚至擁有一個他們自己與耶和華之間所立的約（民二十五12-13；撒上二30、35）。

本章餘下的篇幅用上最有力的詞句去肯定那新約的恆久性（19-22、23-26節）。神復興祂的百姓之後，便會緊守祂古時的應許，就是賜給亞伯拉罕的應許，神會使他的後裔成為國家（26節；參創十二2）。有些人曾說耶和華已經棄絕祂的百姓（24節），但神會證明他們的錯誤。

一個永久王國的應許與七章1至15節的講章內容相對立。那時耶利米曾清楚地表示百姓不可將制度和國家作為倚靠。新約使二者之分別立見。在三十三章所預見的亡國就是指著新約說的，正如我們以上曾提及新約時代的情形。不錯，這裏是用上了那古代立約的詞語，例如君王和祭司等，但它們只是一些媒介，用來確保神至終會徹底忠於祂的應許。這些應許本來是為了整個世界的救恩而設的（創十二3），最終將會按照這些目標而應驗。

三十四1至三十六32　耶利米的信息不被接納
三十四1-22　釋放奴僕

記敘又回到圍城的日子，耶利米又再向西底家進言（1-5節）。這信息的內容基本上與以往的一樣沒有改變（比較二十一3-7，三十二3-5），這裏所增添的（4-5節）是給予君王一個緩和刑罰的希望。在過往的預言中，

從沒有說明他個人的命運，但這裏卻說出他不會死於戰役中，人必為他舉哀（這情況有異於約雅敬的命運，參二十二18；但亦參五十二11）。城陷的緊迫情況在**第6-7節**中表明出來，當時除了耶路撒冷以外，只剩下兩個城市仍在與侵略者對抗。猶大的大部分城市已經失陷。

下面有關釋放奴僕的事件引發了另一個指摘西底家的神諭。這事件本身使我們看見猶大在困境時的生活情況。在以色列中，畜奴在明確制定的情況下是一個被接納的制度。這些情況在十章14節中暗示出來，它們是記載在出埃及記二十一章2至11節，利未記二十五章39至55節和申命記十五章12至18節。畜奴本是一個仁慈的制度，讓那些因農作物失收和負債而陷入困境的人，可以有機會重新獨立。這需要那些富裕的人的無私表現，但在實際生活中，這制度已被濫用了。

在圍城緊逼的關頭，西底家宣告要釋放奴僕，這事也得到奴僕主人的同意（9-10節）。對王來說，在圍城的時候他顯得躊躇和軟弱，釋奴這事大可使他從許多的錯誤中作出一些矯正，特別是趁著還有機會的時候。可是，這王令可能引起了群眾的憤怒，結果是那些主人將他們的奴僕抓回來（11節）。這行動是不合理性的，尤其在這個一切都快要失去的情況下。但這是一個明證，指出人的眼瞎，並顯明了他們拒絕神的旨意和刑罰，這是一個極端的例子，是耶利米所一直批評的（參二十一9）。

這硬心的行動引來了更多審判的宣告，自由的觀念（一度給予奴僕卻又收回了）被諷刺性地使用，就是神使百姓們自由地受別人的刑罰（17節）。其實這正是他們單方面向神宣告他們的自由的結果，這幻覺帶給他們的是毀滅。

在**第18-20節**中提及一個儀式，講述以獻牲畜為祭，作為立約的嚴肅表徵。從劈開的祭中間經過，可能是表示一種自我的咒詛，意即「如果我沒有守這約，願這事（大概是死亡）臨到我」（比較創十五17；王上十九2）。這種儀式可能是跟釋奴一事有關，是西底家在立約時舉行的。現在耶和華便簡單地說：「願這事成就」。

本章結束時，描繪了一幅我們所熟悉的情景，就是城市和全地的死亡（21-22節）。

三十五1-19　忠心的利甲族人

下面兩章經文回到約雅敬在位的時候，可見，這些記敘發展是以主題為中心，而不是接著事情發生的先後次序。這裏的主題是講述人抗拒耶和華的約和巴比倫人快要來臨的危險。**第11節**提及的危險是指著巴比倫人在主前605年的入侵說的。

耶利米利用利甲族人作為一個忠心的榜樣，藉此反映猶大的不忠。大部分有關利甲族人的事情都已經記在本章之內，他們的先祖約拿達在早兩個世紀以前，曾協助以色列王耶戶，消除了在北國以色列境內的巴力敬拜（王下十15、23）。但如果在歷代志上二章55節所提及的是同一位利甲的話，這家庭便是猶大的一個氏族（參代上二3）；其根源可以溯源至古時的遊牧民族基尼人，他們曾友善對待那在曠野流蕩的以色列人（撒上十五6）。約拿達顯然為他的族人立了一條生活的條例，其中牽涉遊牧民族的特點和要求人禁戒喝酒（6-7節）。到底利甲族是否全屬約拿達的後裔，或他們只是一個團體，甚至可能是屬於一群同業，這點我們就不甚清楚了。

但利甲族人的起源和組成並不是要討論的中心，重要的是他們忠心地遵守條例。這裏沒有明確說出這些條例的好壞；其中強調的是利甲族人的忠心守約。神吩咐耶利米用這事情作為一個預言的表徵，在利甲族人面前設擺酒宴和邀請他們喝酒，儘管事前是知道他們會遵守這禁戒的條例（2節）。這事件發生在聖殿中一個房間內，故此可能有些重要的聖殿官員目睹整個過程。耶利米再一次向國家的權貴進言。

利甲族人立時地拒絕了（6節），耶利米便宣告那表徵的意義（12-16節）。對猶大的斥責同樣是用上了類似的話（15節；比較二十五4-6）。但這裏與利甲族人的事件作一對比，使信息更為有力。隨著斥責的是審判的說話（17節；參十一11），最後記述神應許利甲族人的宗族會歷久長存（18-19節）。這應許原屬於大衛王朝的（19下；參王上二4），這是要諷刺猶大王，因為王朝的延續現正因王的失敗而受到了威脅。

三十六1-32　約雅敬不接納耶利米的話

約雅敬在位時，耶利米和那些權貴發生

衝突，他們對耶利米的聖殿講章產生強烈的反感（耶二十六）。本章的記載便是接續那事件，並轉回到官方拒絕先知的話的主題上。耶利米明顯地是被禁止進入聖殿（5節）。無疑地，這是那些謀害他的人和那些支持他的人所達成的協議。這禁令是十分嚴重的，因為它不單禁止耶利米在官員中的活動，而且使他不能在重要的場合到聖殿去與群眾會面。

因此，耶和華命令耶利米將祂說過的一切話寫在一個書卷上（2節），以致他們可以在耶利米不在的時候讀出來。（耶利米所記下的，包括了那些驚訝的官員的提問，以及巴錄的回答。）巴錄本是先知的書記，但現在的轉變使他必須代表先知發言。這時是一個擁擠的禁食日子，巴錄所作的看來就是重複耶利米當日宣講聖殿講章的情形，向人發出挑戰的信息（6-10節，二十六2-6；比較七1-15）。因此，巴錄所作的需要有同樣的委身和勇氣，正如他的主人一樣。再次地，沙番一家也在此事中出現，為耶利米的說話爭取聆訊的機會（10節；比較二十六24）。

宣讀耶利米的說話所產生的即時後果是顯著的，因為透過沙番一家的行動，某些領導層的官員也受到影響。這書卷記錄的內容可能促進了其影響力，其中的記載大概是集合了許多不同的說話（15-18節）。

那些官員在驚愕中決定要第三次宣讀那書卷，這次是在王的面前。但王和他的親屬的反應卻截然不同於那些將書卷帶給他的官員。此處特別強調了他對先知的話的漠視，他的態度使人驚奇（24節；比較16節）！他並且用火焚燒書卷，使到以利拿單、基瑪利雅和第革雅大大吃驚，認為這是褻瀆的行動。但這行動對王來說，不單表示對書卷的蔑視，更可能是一種迷信的行為，企圖要毀滅那話語的能力。

王的行動亦造成了另一個對比，就是他父親約西亞王在從前也曾聽見人向他宣讀那在聖殿中發現的律法書（王下二十二8-13）。在那次的事件中，沙番本人也剛巧在其中擔任一個重要角色。

要毀滅神話語的嘗試是枉然的，神於是吩咐耶利米再寫另一書卷（28節），並特別加上審判約雅敬的說話，這是因著他的不敬虔而引來的。這審判的話明確地表示神棄絕了

那由大衛傳遞給所羅門王國的應許（30節；比較王上二4）；而且它也重複了以前說過的預言，就是王必得不到安葬（30下；參二十二19）。

這新的書卷包含了其他的說話，是第一卷所沒有的（32節），它的內容大概是包括了耶利米後來的傳道事工，並且這事也見證了耶利米的說話開始被記錄和收集下來。

三十七1至三十九18　猶大最後的日子

三十七1-10　從埃及得解救？

現在，事件迅速發展，猶大和耶路撒冷最後陷入巴比倫手中的時候漸近。從現在開始所描述的場合，便是西底家在位時較晚期的日子，西底家王是巴比倫立的王（王下二十四17-18）。目前的問題是到底王要否聽從耶利米的宣告，認為耶路撒冷一定會陷落，如果他們投降的話，便會減輕一些災禍的發生。第2節所指的信息已經在二十一章1至10節中首先被提及，就是西底家不要幻想從埃及可以得到有效的幫助。

王雖然經常不肯全面聽從耶利米的信息，但無論如何，他卻常去求問先知，極度盼望能得到一些保證。他懇求耶利米履行他作為一個先知的職責，為國家代禱（3節），但這事早已被神所禁止（七16），這是因為猶大的硬心。西底家希望神的說話是錯誤的，因為他只能接受一些他所願意看見的後果。

現今巴比倫的圍城暫時放緩，因為埃及出兵是希望從她的舊敵人收回一些領土（1-5節）。因此人便很自然地信賴埃及，這個虛假的盼望是耶利米一直警告的。西底家所盼望的看來有某些的根據，但根本的情形卻沒有轉變（6-10節）。那唯一決定的因素便是耶和華決意要刑罰猶大。一些表面的現象很容易誘使人去相信那些虛假的盼望。

三十七11-21　耶利米被囚

囚禁耶利米是他的仇敵在絕境中的一個最後行動，甚至在這危難的關頭，希望藉此使他閉口不言，他們至死不悟地抗拒他的話。當巴比倫撤軍的時候，先知趁著這個軍情暫緩的機會，回到他的家鄉亞拿突城（12節），大概是要與他同鄉的人討論地業的問題。耶利米買下哈拿篾的田地（三十二1-

15），可能便是這次旅程帶來的結果。

　　他在城門口被捉拿，誣告他離城向巴比倫人投降（13節）。這控訴的藉口是因為他先前曾經叫人投降藉此得以存活（二十一9）；但這些指控是捏造的。他的反駁是：**「這不是真的！」**（14節）在原文中他是說：「這是謊話！」他用上「謊話」一詞，是他曾經用來形容百姓的整個情況（參五2）。他的被捕暗示這是因為百姓拒絕他的信息的結果，而不是找著任何他有賣國行為的證據，但到底他被囚了。

　　即使如此，西底家繼續向他尋求保證。先知拒絕了王的請求，並且指出那些假先知現已明顯地證明是虛假的（19節）。但王仍是不聽他，不過他卻使先知在因禁中獲得較好的待遇（20-21節）。

三十八1-13　耶利米身陷井中

　　當猶大因巴比倫而陷入極危險的境況時，耶利米也因他個人的仇敵而陷於險境。宮中一些官員強烈反對他，面對著這些有勢力的人，因著他們的權力鬥爭，耶利米的性命堪虞（比較二十一1記載瑪基雅的兒子巴施戶珥擔任一個較中立的角色）。那些官員們引述耶利米在猶大最後一段日子所傳講的信息（2-3節；比較二十一7-10），他們要求將耶利米治死（比較二十六11）。他被控賣國，正如三十七章所提及的。西底家似乎無力反對這些官員（5節），因此，他為要保持其勢力，便故意不聽耶利米的說話。這是一件多麼可憐和諷刺的事情，其實他並沒有真正可以運用的權力。

　　耶利米顯然會死在淤泥的井中，但是一個服侍王的外國人，他是埃塞俄比亞人（古實人）以伯米勒（原文意思為「王的僕人」），他催促王採取行動。當王坐在城門口審訊案件的時候（7-10節），他向王發出請求。皇室中人明顯地是意見分歧的，王本人又猶疑不決。耶利米於是被帶到那較安全的護衛兵的院中（11-13節），他的仇敵對這事的反應如何，這裏沒有交待。

三十八14-28　與西底家最後的會面

　　西底家與耶利米的最後一次會面是在祕密進行（第14節提及**「殿中第三門」**，沒有在其他地方提過，我們可以推測這是一個幽靜的地方，大概是王所專用的）。這事情不單反映了王在他的宮殿中沒有安全感，更顯示了耶利米對王的惱怒，因為後者經常向他詢問，但又不接納那唯一真正的答案（15節）。無疑地，先知本人正忍受著長久以來別人對他的逼害，並且他也對自己的未來沒有把握，這事情連王也看出來了（16節）。

　　這次耶利米說的話給了西底家一些安慰，其中雖然沒有改變他一貫的信息，卻向王保證，如果他順從巴比倫人，他自己本人便可以倖免於難，甚至神會保護他脫離敵對他的猶大人（17-20節；19節透露了在當時猶大社會中複雜的張力）。這是有關個人的保證，牽涉王的家庭；但如果王不聽從神的話，後果便會相反，他和他的家庭便會因此而受苦（21-23節）。王失去妃嬪，在戰爭中是一種特別的羞辱。

　　西底家雖然在他最後的日子中的行動顯示他內心的苦惱，但他沒有對耶利米的話作出回應。以後在三十九章更顯出他在知道甚麼是對的事情上仍猶豫不定，結果帶來十分大的災害。

　　耶利米害怕再回到約拿單的房子（比較三十七15；這裏不是指耶利米會再被陷入井中，因為王已經制止了別人對耶利米的殺害），他獲准回到護衛兵的院中，他便一直留在那裏，直至城破之日（28節）。

三十九1-18　耶路撒冷陷落

　　雖然巴比倫的入侵拖延了一段時間，而且也受到至少一次的阻攔，但耶利米一直以來所談論的災禍現今果然來到（1-2節；比較三十七5）。其間所包括的時間為主前588年1月至587年7月之間（比較五十二4；王下二十五1）。當時西底家和他朝廷的勢力已名存實亡，當巴比倫人進入京城，並特意用一個象徵性的方法表示他們完全控制了那城（3節）。猶大國的國運便在殘暴中畫上休止符，結果這位傀儡君王在屈辱中潛逃，卻難逃耶利米所預言有關他的刑罰，而且一點也沒有減緩（5-7節；參三十八17-23）。

　　耶利米預言西底家的命運是悲慘的。他真的親眼看見了巴比倫王（三十二4，三十四3），但後來卻被殘忍地挖掉了眼睛（7節），他本人並沒有在這次戰爭中死亡，但可以推測這是發生在戰後的時間中，人並且為他舉行葬禮

（三十四5），但在他的心中卻鮮有平安了。

　　將一個前任的君王置於桎梏之中，再加上殺了他的眾子（他們是可能的繼承人）和他的臣僕，這是巴比倫為要確保她的統治權而必須施行的嚴厲政治手段，同時也是表示了猶大剩餘的頑抗勢力的終結。在過去，這些與神立約之民的心中實在是存著虛假的態度，他們從來就沒有真誠地讓神統治他們，結果他們也沒有享受到祂的保護。

　　耶利米的傳道工作一直以來不單是針對那些領導階層，也涉及所有的百姓。雖然那些領袖要負上更重的責任，但一般百姓也不能免除因他們對神不忠而該受的指責。因此，當神刑罰的時候，全民都受到影響（8-9節）。我們在這裏沒有清楚的資料記錄有關當時在被擄的群眾中間的對立情況，其中包括一些在早期已投降的百姓（他們聽信了耶利米的話），以及那些一直堅持到底的人（9節）。到最後只有那些最貧窮的人被留下來（10節），而猶大卻自此不再是一個獨立的王國了。

　　尼布甲尼撒對耶利米特別的盼咐可能使人感到驚奇（11-12節）。但我們不要以為先知在他被捕之前，已經跟巴比倫人有任何聯絡。他所傳講的信息並不需要與敵人勾結，神所宣告的旨意絕對用不著使用這種手段成事。相反地，那征服猶大的勢力其實是早有充足的準備，去對待那些在猶大中接納他們的入侵和統治的人。耶利米贊成投降的事可能透過已被擄的猶太人為尼布甲尼撒所知悉，巴比倫王對耶利米所做的事情的了解（或先知本人真正所做的事情！）當然不同於先知的實在情況，但在神的護佑下，王對耶利米的仁慈待遇卻使他可以仍然留在那些在猶大的人中間，使他可以繼續在他們中間工作（11-14節）。

　　現在耶和華有特別的說話關乎以伯米勒，就是當耶利米被陷井中時救他免死的那一位（15-18節；比較三十八7-13）。在那可怕的日子中，他會倖免於難和脫離他的仇敵，這些人無疑地也是敵對耶利米的（那些在災難中倖存的人）。

　　耶路撒冷最後的日子和她的陷落，不單證實了神對祂犯罪子民的憤怒，也顯示了祂仁慈的護佑。在這一大堆混亂的事件中，祂保守了先知和其他忠心的僕人的性命。甚至在最嚴厲的刑罰中，神至終的目的仍然是為了祂子民的好處。

四十1至四十五5　餘民逃奔埃及
四十1-12　基大利為省長

　　以下的段落是詳細解釋在三十九章13至14節的簡單記載，這裏較詳盡地記述耶利米被交給基大利的經過。巴比倫的護衛長尼布撒拉旦將先知從被擄的猶大人中釋放出來（1節），並顯示了他曉得先知的信息，他可能更尊重耶利米作為一個先知，可以認識神的心意（2-3節）。耶利米獲准可以選擇往巴比倫或留在猶大。若按照他過往所主張的，他經常勸誡人要向巴比倫降服，這可能意味他會前往巴比倫。但現在巴比倫已統治猶大，所以那些猶太人即或留在猶大，他們仍可以說是身陷巴比倫之中。耶利米去見基大利，他是尼布甲尼撒立為省長的一位猶太人，他遵照尼布撒拉旦的命令，顯出他依從巴比倫的權柄。基大利本人屬於沙番的家族，後者曾經支持耶利米（二十六24）。巴比倫的情報可能知道基大利也有歸順征服者的意願的。

　　基大利作為省長統治猶大（主要集中在米斯巴這一個地方，而不是在反叛的耶路撒冷），帶給猶大一個短暫的復甦和生機。那些留下來的猶太人所面對的問題是顯明的：他們聚集在基大利那裏暗示著他們對巴比倫的順從，正如耶和華藉著耶利米說過的話（9-10節）。這樣順從神將會使這地重新回復到一個正常的豐富的生活（10節）。這消息在猶大傳播得非常迅速，那些被分散的猶太人便曉得這災難之後帶來了新的開始。於是他們也陸續歸回家園，並且奇怪地盼望著國家的重建，正如耶利米所預言的（二十九14）。全地也再結果子，象徵再次蒙受立約的福氣，（10-12節）。餘民回想到四章27節和五章12節說的話，耶和華仍要在這小小的團體中施展作為。

四十13至四十一18　基大利被殺

　　但好的結局仍然未曾來到，基大利的一些戰士聽聞亞捫人的王要尋索基大利的性命。巴利斯與基大利作對可能源於他對巴比倫的敵視（比較二十七3），因此基大利變成了反抗巴比倫勢力的被害者。這抗拒巴比倫的趨勢沒有因著尼布甲尼撒入侵耶路撒冷而改變。巴利斯在猶大勢力的代表人是以實瑪

利，他本人有王族血統（1節），他可能更圖謀進一步反叛巴比倫。當基大利的一些戰士知悉這些圖謀時，省長本人卻無知地不信其事（14節）。加利亞的兒子約哈難顯然是戰士群中的首領，他本希望採取決定性的行動，以保存這一個團體，但結果卻使他與耶利米發生了衝突。

那謀殺基大利的陰謀發生後，接著又出現另一事件，打擊了那些在試煉中等候神回應的人。這裏發生的罪惡是十分徹底的，巴比倫的兵丁也遭殺害，這表示他們是決意要在這地方搗毀巴比倫的政策（2-3節）。

謀殺事件之後接著出現一件有趣的事情（4-9節），因為它見證了在聖殿的舊址上仍繼續進行著的敬拜，就是在聖殿被毀後仍有朝聖團。七月（1節）是住棚節的日子，朝聖的事便在這時候舉行的。他們顯然是來自以前北國的屬土，他們仍然忠心於律法的要求，要在每年的大節期中到耶京朝見神（出二十三14-17）。這大概是在約西亞王的改革後制定的（王下二十二至二十三）。

以實瑪利的惡行，加上了殺害這些朝聖者；他狡猾的欺騙他們，好在暗中殺害他們。他為了獲得財寶（8節），暫緩殺害他們。他作了這殘暴的罪行，便擄掠了一些人，並逃至亞捫人那裏去（10節）。

以實瑪利所作之事的後果是可悲和羞辱的，他逃脫了約哈難之手和放棄了他的人質（11-15節）。但因著他打亂了當時猶大社區中的生活情況，當時在基大利的統治下，生活正開始出現生機，卻因此事而受到災難性的損害：米斯巴被荒廢了，隨著服膺巴比倫的政策也因此而中斷。百姓們的改變是因著遇見這危險的事而得不到巴比倫的庇護；再者，他們更害怕巴比倫的報復（18節）。但無論如何，百姓們正面對著在耶路撒冷未淪陷前的同樣問題，就是從埃及而來的虛假應許，以為埃及會救他們脫離巴比倫的手。現在百姓的心思和行動都再一次轉到這個方向上（16-18節）。

四十二1-21　「不要逃奔埃及！」

當約哈難和百姓向耶利米求問耶和華有關這個新的情況時（1-3節），顯然他們是已經踏上往埃及的路了。但耶利米仍然認真地接受他們的請求和答允為此事而求問耶和

華。對他而言，現今的情況也是新的。他過去曾警告君王關於巴比倫人的入侵，但這事已屬過去；對於這些餘民，他需要接受從耶和華而來的一些新啟示。他願意禱告（4節）表示那舊的禁令（七16）已被解除。百姓們宣稱他們願意聽從的回答是漂亮的，但他們的承諾經得起考驗嗎？

從耶和華來的話沒有即時來到，這是耶利米不能強求的（7節）。當神的話來臨時，它的措辭一如往昔（10節；參一10，十八7-10），也使用了耶利米過去預言時的信息。它包括了勸誡人要順從巴比倫，並因百姓害怕報復而向他們保證（11節；比較四十一18）。話語中也表示耶和華因耶路撒冷和猶大被毀而悲哀（10節）。這在先知的預言中並不是一個新的信息（參九1-3），但現在它是對審判之事作一個回顧，而不是膽望它的來臨。現今耶和華對百姓的心意是要賜福他們，正如在三十至三十二章中所說過的應許。

但這預言也和以往的一般，它要求百姓的回應。百姓必須願意留在此地，並相信神能夠實踐應許。但是如果他們不信從神，他們的未來將如過往一般的黑暗，與神本來要賜下的福氣成了一個對比。信靠埃及一如以往是抗拒神的行為（8節），因為它代表了不信。如果百姓揀選他們要去的地方，他們會再一次在他們以為安全的地方踏上死亡之路（箴十六25；路九23-24）。**第16節**說明了此事的諷刺：他們若留在原地，可免於巴比倫的殺戮，若前往埃及卻會受到殺害。埃及會被證明是一個無用的盟友（參二十二20、22），過往對猶大的審判會臨到埃及，延續那同樣的刑罰（17-18節；參七20，十四12，二十四9，二十五18）。

耶利米在結束他從耶和華所得的話時，談及猶大的餘民（19節），他警告他們，他認為神的救恩至終不會臨到這些餘民；雖然他們的鄭重聲明（5-6節；新國際譯本在四十二章20節更好的翻譯是「你們在心中圖謀錯誤的事」），其實他們已決意前往埃及。先知便宣告審判會臨到他們，雖然耶利米預見他們的抉擇，他們的選擇仍是真實的，並且也成了審判的真正因由。

四十三1-13　前往埃及

到目前為止，因著最近發生的聖殿被

毀，耶利米所說的話的真實性是活生生地顯示出來了。但再一次地，他仍被別人控告他在說謊。**真理的知識從來就不為猶大所接受，百姓一直被人誤導，那些人自以為知道真理，卻利用自己的權柄去撒謊（二十三16-18）。**約哈難和其他的人沒有公然拒絕神的旨意，但他們表示他們知道得更準確。這當然是一種自欺的行為，他們並沒有神的權柄。人很容易會受到引誘，用自我的方法去解釋神的旨意，尤其是當他極之盼望事情會按照他所相信的成全，這種試探是實在和很常見的。忠心的巴錄於是變成了新領導者手下的代罪羔羊（3節）。

逃亡埃及的事隨著發生（4-7節），這代表了神恩慈地開始復興他的百姓和賜福給全地的工作受到破壞（12節）。這是一個確定了的意向，定意要放棄那地，其中包括了皇室中的餘種（6節；比較四十一10），也包括了耶利米，他是最不願意遷移的人，他曾經多次反對逃奔埃及。

即或在埃及，神仍藉著耶利米向百姓說話，這顯示了他的恩慈和忍耐（而且他仍要求他們悔改，參四十四7）。但現在的說話是一個審判，雖然在埃及，神對他背道的子民的刑罰仍藉著尼布甲尼撒的手而繼續。百姓們本欲救自己脫離巴比倫，但其實他們反將自己置於巴比倫的刀兵之下。耶利米在這裏預言性的表徵，是意味著巴比倫戰勝埃及，是無可避免的（這事果然在主前568至567年發生；比較結二十九17-20）。對埃及審判的話一如以往對猶大的一般（11節；比較十五2）。尼布甲尼撒的勝利顯明了埃及宗教的軟弱（13節）。

四十四1-14　最後的呼籲

第1節的經文給了我們一個印象，以為那是一個已經安定下來的猶太人社區，其實這些新近的移民可能是加入了那些在先前已經存在著的猶太人群體。神透過耶利米再次向他們說話，並且首先記述**近日在猶大的敗亡是因著他們長久以來不順從神的緣故。**他們所犯的罪也如往昔一樣，拜偶像的事是對神的抗拒，這裏描寫的用詞也相仿（3-6節；比較一16，十一17）。這些回憶成了一個例證教訓他們，耶和華一如他的話語般實在。

這警誡的目的是要勸在埃及的餘民歸向

神（7-10節）。他們顯然在繼續敬拜別神（8節），所以這番話是指出他們現今對神的背叛，而不是根據過往他們或他們的先祖的行為，儘管他們一直是背離神的（9節）。現今，他們所拜的可能是埃及的神明（8節），但無論是繼續過往的風俗或嘗試一些新的東西，那罪都是一樣的。刑罰必會來到，並且當列國的人看見神子民的命運的時候，那羞辱是免不了的（8下；參二十四9，二十五18）。但這不是神所願意的事，他盼望百姓能避免那刑罰（8節上）。

但審判的話接續而來（11-14節），這反映了百姓定意不聽從神新的呼籲。這事情的要點不單是說出神預知人的反應，它其實是提出當神的刑罰降臨時，**往往是因著人對他故意的抗拒，而不是事前已經預定和無可改變的。**在埃及的百姓繼續顯示他們是該受神的憤怒的。經文中（7、12、14節）重複地出現「餘民」這一名詞，這表示神的旨意在未來要繼續在他的子民中間，但不會應驗在埃及這一群體中。這更與耶利米在西底家的日子所說的話相符（二十四8-10）。但值得注意的是即使如此，神仍然給人機會去補救和在最後向他真誠地回應。

四十四15-30　「我們必不聽從！」

敬拜天后（迦南人的亞斯他錄或巴比倫的伊施塔爾）的風俗仍然繼續進行，這是耶利米在約雅敬的時候一直譴責的事（七18）。那時也像現今一般，全家都參與其中（15、19節）。他們一直沒有看清他們的實況，現在竟然用一個錯謬的論據，指出過去他們是因敬拜天后而昌盛（17下-18節）。但耶利米指出正是這種敬拜而招致災禍（20-23節）。百姓的思想剛愎、歪曲，使他們不願意看見真理。

耶利米對在埃及的百姓的最後神諭諷刺地將他們交與他們所選擇的命運。**他們對神的拒絕帶給他們所期望的，就是神棄絕他們**（26節）。神會執行他的旨意去刑罰他們，正如他決意賜福那些忍受巴比倫的被擄和全心回轉歸向他的人（27節；與二十四6相反；亦比較一12）。神的話一定要應驗，沒有別的權柄可與它相比（28節）。

這裏暗示少許剩下的猶太人會從埃及歸回（14、28節），它的用意是表示神不會在他們中間實行他的計劃。整個逃奔埃及的大膽

行為是在神的震怒底下，因為他們是試圖靠己力拯救自己，他們將會看見這個可怕的後果（29、30節）。

四十五1-5　給巴錄的話

這個給予巴錄的神諭是當他協助耶利米預備書卷的那一年頒下的，這書卷後來在約雅敬王面前誦讀（三十六1）。這裏所記載的事情是發生在書卷寫作和誦讀期間（1節），其中記述巴錄因著他的負擔而提出抗議（3節）。我們到此為止沒有聽聞此事，而這事的記載並不依循著年代的次序。巴錄很可能也忍受著耶利米的痛苦和挫折。在這裏，神對他說的話，與神在耶利米的懺悔錄對耶利米說的有相同的地方（十二5-6，十五19-21），其中包括責備和勸勉的話。這話語的前題指出那將要來的神的審判將降在猶大全地（4節；比較一10）。在這一個降卑的日子中，所有人的自負都變得全無價值。因此巴錄受到警告要放棄他的野心，但他得到在災難中得以存活的保證（5節）。類似的鼓勵說話，也曾對另一位忠心支持耶利米的人說的，這人便是以伯米勒（三十九16-18）。

四十六1至五十一―64　審判列國的神諭

耶利米作為列國的先知（一5），他向猶大鄰近的國家宣告特別的預言。審判其他國家的神諭在先知書中是一個普遍的特色（參賽十三至二十三；摩一至二；結二十五至三十二）。耶利米神諭的大意是巴比倫的入侵是神對列國的審判，但至終巴比倫也會受罰，而猶大終能脫離她的逼迫。這方面在二十五章15至19節已有提及，但現在是更詳盡的在先知最後的預言中宣告出來。

四十六1-28　審判埃及

埃及充滿驕傲，因為它在預言中象徵給人虛假的希望和信靠之地。第一個神諭（3-12節）顯然是指著在主前605年，巴比倫在幼發拉底河上遊迦基米施的地方打敗埃及之事（2節）。它描繪埃及的軍隊準備作戰（3-4節），驕傲地自埃及出發，以為她的力量強大，好像尼羅河漲發時的情形（7-8節）。但這裏的語調是諷刺性的，因為充足準備的軍隊不久便落在惶恐之中（5節；比較六25；那

曾用來攻擊猶大的說話現在用來攻擊埃及）。從尼羅河來的勢力，再加上從非洲和希臘來的僱傭兵（9節），在幼發拉底河上戰敗（6節）。這巨大兵力的崩潰是出自神的作為，在祂報仇的日子，埃及的失敗尤如被獻祭的祭物（10節）。她本欲征服別人和增加勢力，但結果她的損傷極大，甚至那些從外地來的天然資源都不足以治療她（11節；比較八22）。

第二個神諭（14-26節）是警告巴比倫將入侵埃及境內（比較四十四29-30；參二16和四十四1有關所提及的名字的所在）。在戰敗的混亂之中，那些僱傭兵逃回自己的國家（16節）。第17節的說話是使用讀者合弗拉的名字，以它為一個雙關語，並且暗示他們在與巴比倫交戰上的計算錯誤。埃及的遭遇甚慘，甚至有人被擄，使人想起猶大的命運（19節；比較二15，四7，九12）。他泊和迦密是高聳和多產的象徵，在此處是比喻巴比倫軍隊的優越（18節）。埃及的僱傭兵逃走後，她便落入可恥的潰敗中，無助地面對敵人的殺戮，好像一個被蝗蟲侵食的森林（21-24節）。刑罰臨到埃及的神明和君王，也臨到那些依賴他們的人，也包括那些逃亡的猶太人（25節）。

應許埃及復興的話是不尋常的（26節下），但這並非沒有前例可援（參賽十九23-25）。**神不單是刑罰人，祂也施行拯救，至終甚至拯救整個世界。**

審判埃及的神諭之後是一些安慰散布各方的猶大的說話（27-28節）。在神審判列國的時候，祂將會復興他們。這些說話是複述三十章10至11節所說的，在那裏記載關乎猶大復興的長篇預言。

四十七1-7　審判非利士

非利士人強盛的時期早在大衛王朝未興起以先，那時距離耶利米有數世紀之久。這裏記述埃及攻擊他們，可能是在埃及與巴比倫在迦基米施交戰的時候（1節）。迦薩是在沿岸的平原，正是軍隊的南北通道要衝。在耶利米的時候，列國遇上突如其來的巨變，使到該地區的許多地方發生可怕的遭遇。埃及雖然不能戰勝巴比倫，卻可以蹂躪弱小的非利士國（2節；參四十六7-8）。這裏對痛苦的描寫是極之殘暴的（3-7節）。

迦薩的災禍是由於這特殊的歷史背景和

因由，從非利士冗長的歷史看這事，她的刑罰被看為她犯罪的緣故。這是神的刑罰，她的末日來到了（4上、7節）。這是神行使祂的權柄在歷史之中，即使這些事情似乎可以單憑人為和從政治的角度去解釋它們。

四十八1-47　審判摩押

摩押是以色列人的一個世仇（士三12-14；王下三4-27）。她是西底家的盟國之一，企圖合謀對抗尼布甲尼撒（二十七3）。但其實她出兵協助巴比倫與西底家為敵（王下二十四2）。本處的神諭記述的事情大概是發生在主前582年，尼布甲尼撒平服摩押的背叛。

本章中常出現的地名是在摩押境內的各地，在死海的東邊。有一些地方是在約書亞征服迦南的時候，由耶和華劃分給流便支派的（民三十二3、37-38；書十三15-19）。這裏雖然沒有明說這是摩押受罰的因由，卻可能暗示這是迦南地聖戰的成全。

神諭在開始時（1-6節），描述一個國家在忍受著被侵略的痛苦，正如猶大曾因巴比倫而受苦一樣（比較四19-31）。隨之便用諷刺的口脗來描繪錯誤信賴的後果，就是被擄的恥辱和敵人得勝。戰敗國的神明，它便是摩押人所敬拜的基抹，是所羅門離開耶和華時曾經敬拜過的（王上十一7、33）。用這種方法來顯示被戰敗之神明的軟弱是古代戰爭中一件常有的事。那「行毀滅的」（8節）大概是指巴比倫。第10節所提及的咒詛是借用了在聖戰中的語言，因為它要求全然的毀滅（比較撒上十五3、11）。摩押被巴比倫毀滅是出自耶和華對她的刑罰。

開始時，摩押被描述在自滿之中突遭巨變（所用的意象為成熟的酒突然被倒出來；11-12節），繼而她在驕傲中被降卑（14-17節）。令人注目的是耶和華在這裏自稱為「君王」（同樣出現在四十六18），為要強調惟有祂有權處置人類的事件，而非摩押王或尼布甲尼撒，後者不過是祂的僕人（二十五9）。隨後有更多毀壞的事情發生（18節；比較十四1-12對猶大的形容），描述中包括了全地（19-25節）。此處指出摩押的驕傲是她特別的罪惡，尤其是對以色列人的態度（26-30節）。摩押因驕傲而墮落（28節）。在她的苦痛中，先知為她哭泣，正如他為他的百姓悲哀一樣（31-32節；參九10；亦比較四十八33

和十六9）。摩押最後也像猶大一般，成了人譏諷的對象（39節；參二十四9）。

最後的神諭（40-47節）重複一些重要的主題，那「鷹」是指尼布甲尼撒（40節）。無法逃脫的刑罰的圖畫（44節），使人想起阿摩司書五章19節的辯論。最後的恥辱是被擄（46節），第45-46節是引用一個古代的神諭，它首先記述希實本國王西宏被征服的事蹟（民二十一28-29），這事情將要再次出現。

在談及審判之後，最後是救恩的來臨（47節；比較四十六26下），其中所用的語言是引用在安慰之書中有關猶大復興的描述（二十九14，三十3等）。**審判的神也是恩慈的主，祂的恩慈不單在一個國家裏彰顯，它甚至會恩及祂的仇敵。**

四十九1-39　一些簡短的神諭

四十九1-6　審判亞捫　亞捫也像摩押一樣，是以色列人遠古的仇敵（士十一4-33），她曾出兵協助尼布甲尼撒（王下二十四2），但最後加入聯盟，反對巴比倫（二十七3）。亞捫人的罪行是他們對以色列人歷來的仇恨，他們奉瑪勒堪神（或米勒公）的名字侵佔以色列人的土地（1-2節）。這種侵奪以色列土地的舉動是冒犯了以色列人的神，因祂曾將這地賜給祂的百姓，並且祂的名字也一併繫在其中。

再一次，這國民可憐地被侵略和被擄掠，國神也被羞辱（3節）（希實本是一個位在邊界上的城鎮，可能在不同的時期分別隸屬摩押和亞捫；3節，比較四十八2）。耶利米所慣用的主題也在這裏出現，指出亞捫人虛謊地信賴自己的力量和財富，因而招來審判（4-5節）。但亞捫也像埃及和摩押一樣（四十六26下，四十八47），後來得到復興。

四十九7-22　審判以東　以東本與以色列人的親屬，以東是雅各的兄弟以掃的後代（8節；比較創二十五29-30）。但因著過往的歷史和在耶利米的時候，以東人對以色列人的仇視，使雙方的關係破裂。以東協助巴比倫攻打猶大，便是引致俄巴底亞書中譴責她的神諭的由來。

以東在死海的南端，顯然以她的智慧而聞名（約伯的「安慰者」之一以利法便是從

以東的一個鎮提幔而來；伯四1），但她的智慧卻不能扭轉那將要來和不可避免的災害，她在山上的洞穴也不能保護她（10節）。他們中間軟弱的人要靠賴耶和華的憐憫（11節）。那杯（12節）是憤怒的杯，各國的人都要喝（二十五15）。**第12節**是一種修辭法，強調以東該受這刑罰。波斯拉（13節）是在耶利米的時候以東的京城（不同於四十八24在摩押的波斯拉）。

在這藏匿之地，卻沒有能逃脫審判的隱密之處（14-16節；參俄1-4）。有些毀滅的景象曾經用來形容猶大的情形（18-19節；參十6，二十三14）。那鷹無疑地是再一次指著尼布甲尼撒而言（參四十八40）。

四十九23-27　審判大馬色　大馬色代表敘利亞，她是以色列人另一個古代的仇敵；一些在以色列以北較少的邦國如哈馬和亞珥拔也包括在內。耶利米講論她們的傾覆和悲慘下場，對我們是耳熟能詳的，這些國家在耶利米之前是興盛的，先知可能是使用一些舊的神諭去形容她們，對大馬色前任君王使哈達的譴責已經成了一個固定的成語（參摩一4）。

四十九28-33　審判基達和夏瑣　這神諭是關乎在以色列東邊的阿拉伯遊牧民族，他們是古代的米甸人和亞瑪力人的後代（士六3；比較創二十五13）。神諭中提及驚嚇和擄掠人口的事（比較六25，九11）。這些遊牧民族住在無城牆保護的城鎮中，無助地受到侵略，這顯明了他們虛假的信心。

四十九35-39　審判以攔　以攔是在巴比倫東邊一個重要的勢力，但在尼布甲尼撒的時候被征服了。這裏提及的「四風」（36節）是為了表達耶和華的能力遍佈全地（結三十七9；但八8；亞六1-8）。巴比倫凌駕在以攔之上，並被神使用去審判猶大和列國，這一切都在神的控制底下。但到末後，以攔也將得到復興（四十九39；比較四十八47）。

五十1至五十一64　審判巴比倫

　　審判列國的神諭在結束時，是連串冗長的審判巴比倫的神諭。巴比倫這個毀滅者充斥在全書之中，她在書中佔了重要的地位，這是因為她是神憤怒的工具，用來對付祂不

信的子民。但現在這些審判卻指向她自己，這是預言中一個主要的邏輯，就是那毀滅者至終也被毀滅。她戰勝列國的能力並不是耶和華在歷史中最後的作為。我們已經知道祂會再次將救恩和福祉賜給祂的百姓（三十至三十三章）。在神的公義審判中，巴比倫的末日必定來到（參二十五11-12、17-26）。

五十2-17　從北方來的強敵　米羅達是巴比倫的至高神，是創造史詩中的英雄。以賽亞書四十六章1節提及波勒，他本來是另一位神明，但後來顯然被視為同一位神。對巴比倫的譴責透切地從她的神明開始，雖然猶大被擄到異地和被統治，但這些神明並沒有證明他們比耶和華優勝；相反地，他們的軟弱在現今顯露出來（比較四十八7）。

對猶大而言，巴比倫曾是從北方來的仇敵（一14，六1）。現今時移勢易了（3、9節；亦參五十一27-28）。**沒有任何勢力擁有管理全地的絕對權柄，只有耶和華才有。**

當巴比倫傾倒時，猶大便可以自由去悔改歸向她的神。這回轉在大體上是被視為以色列人的復興。他們將尋找錫安，但不再像以往般虛假地信賴一個地方（七1-15），他們是尋找神在真理中向他們啟示祂自己（參賽二2-4），並且他們會在那裏更新那古時的聖約（5節；比較三十一31-34）。關乎猶大的罪惡和刑罰現在用過去的時態說出來（6-7節；參賽四十一1-2），被擄歸回的應許也因著神的命令而更顯真實（8節）。

巴比倫首要的罪行是她輕蔑神的子民和祂的地（11節）。當耶和華為祂施行的刑罰而悲哀時，巴比倫卻在歡呼和搶掠。因著這緣故，耶和華對抗巴比倫的行動含有特殊的復仇意義（15節）。神將使她的驕傲變為羞辱，她的財富和繁華要變成荒場，在過往慣用於他人的刑罰現今反要降在她身上（12-15節）。不單猶大，甚至其他受苦的國家如今也可以自由地回國（16節）。

神諭的第一部分結束時，反映以色列百姓的**兩次被擄**（17節），第一次是在主前722年北國落入亞述的手中，繼後是敗於巴比倫，這一切都是神的作為。這故事結束時提及祂百姓的復興。

五十18-32　以色列和猶大　復興的事再次

被視為發生在歷史的以色列人身上（20節）。這圖畫從字面的意義轉移到象徵的層面上，因為北國以色列已不再是一個實體的國家。這個被擄後得以復興的事情，雖然它本身是一個真實的救恩，但它也是一個投影，其實體是藉著那十字架上受死的那位猶太人，神在猶大的全地上帶來全人類的救恩。

與巴比倫的爭戰生動地被描繪出來（21-24節），這是耶和華的聖戰，祂自己要親自作戰，毀滅的事有點像獻祭（25-28節）。再一次地，報仇的觀念被提出來，這回直接地連繫到聖殿（28節）。毀壞聖殿一事是極度褻瀆神和對神不敬的行為，雖然此事是神自己降旨，要刑罰祂的百姓。但這是向神的管理發出一個挑戰，這行動出自一個傲慢的國家（29-32節）。因此祂對巴比倫施行審判，為要向列國顯明祂才是萬有的主宰。當時候來到，勝利將以聖殿的重建表明出來。

五十33-46 「他們的救贖主大有能力」 歷史被逆轉，在先前的時候，耶和華指控祂的百姓猶大所犯的罪，但現今祂卻為他們辯白（34節的「冤」在原文與二9的「爭辯」為同一詞語）。在此祂扮演他們的救贖主的角色（34節）。這名稱來自古以色列的俗例，根據這一俗例，一個寡婦和孤兒可以被另一個家庭的成員所收養（參得四）。當救贖主這一名稱用在神自己身上的時候，祂是強調祂與百姓之間的關係。救贖是個人性的，並要付出很大的代價，為要使被救贖者與救贖者緊密地結合。這個在舊約背景中的習俗，便是耶穌基督拯救人類脫離罪惡的根源。

最後，神為了祂的百姓而施行審判，祂是根據祂在三十至三十三章中復興的應許而遵守祂的信實。

巴比倫的傾倒繼續被描繪下去。有很多以前用來描寫猶大被罰的主題現在用在巴比倫的身上，並且加上一些諷刺的味道。這些主題例如是刀劍（35-37節；參十四12）、乾旱（38節；參十四1）、被擄（39-40節；參四29）、從北方來的仇敵（41-43節；參六22-24，這是一個實質上重複的記述）。最後數節經文（44-46節）重複四十九章19至21節的說話（審判以來），但現在巴比倫成了那被擄掠的。她的墜落是神對整個世界計劃中的一部分（46節）。

五十一1-10 神為錫安辯白 耶和華對抗祂先前的特使巴比倫，這事顯出祂並沒有完全和永遠地放棄祂立約的百姓。祂沒有「丟棄」他們（第5節的原文意思為「使她們成為一個寡婦」），便是祂救贖他們的另一個表達方式（五十34）。巴比倫曾經使全地經歷神的憤怒（7節；參二十五15）；現在她自己卻不能被醫治（9節；這正好與三十17神應許治癒以色列或猶大成了一個對比）。耶和華已經為錫安施行審判（10節代表人和地兩方面，這裏的說話是那些歸回的人說的）。祂已經拯救祂的百姓，並使他們獲得公義的昭雪。這用語預示了後來使徒保羅所說的「因信稱義」──就是那些不配的人因著神的恩典而得著救恩。

五十一11-24 報復巴比倫 報復的事現在變成了一個主要的題旨，這事再次被題說是因為巴比倫毀壞聖殿，侮慢神（11節；比較五十28）。那本來是一度豐裕和有能力的，現今卻被審判（13節；比較二十五12）。瑪代（11節）是古代世界中的一個新勢力，她就在尼布甲尼撒廣闊的帝國傾倒時興起。古列的來臨一事已由以賽亞透露出來（賽四十五1），他是瑪代的君王，並在波斯取得勢力，他又為波斯帝國預備了道路。在聖經故事中，這些表面上不能克服的帝國的更換，其本身是證明了人類力量的軟弱，同時也顯出了神「軟弱」的力量（參但二31-45；林前一25）。

耶利米攻擊那些拜偶像的宗教，他將耶和華真實創造的能力，與那些假神的軟弱作一對比（15-19節）。這些說話在以前用來攻擊猶大（十12-16），現在卻轉用在巴比倫身上。

在最後這段落中，巴比倫的武力被神用作手中的器具一事再被提出來，她是因著神的委任而存在的（20-23節）。但在**第24節**的附錄中才顯明她在末後的結局。

五十一25-32 列國攻擊巴比倫 列國攻擊巴比倫是一件帶著諷刺和意想不到的事，因為巴比倫在過去曾征服猶大和許多國家，而且這是神所命令的（二十七4-8）。現今瑪代被描繪成帶領著列國（28節），正如巴比倫曾經領導她的屬國一般（參王下二十四2；27節中的情況成了四十六23的一個相反的描述）。

巴比倫如今在最後的關頭和絕望的痛苦之中，她變得衰竭和沮喪，她本來擁有的城牆和水源是她龐大的抵禦力量，但現今面對著敵人的攻勢和殘暴的策略，這一切都變得不濟事（29-32節）。

五十一33-34　猶大的勝利　在巴比倫勢力之下受苦的猶大百姓（34-35節）所說的話，使我們想起詩篇一三七篇，其中記有她對欺壓她的人一些可怕禱告。但這裏跟著有耶和華的說話，再一次預言這帝國的傾倒。因為神為他們伸冤（36節；參五十34），這裏也如上一個段落中所提及的，這城市擁有充足的水源（36節），因為它坐落在幼發拉底河邊。這位於米所波大米，就是所謂的「兩河流域」，但依賴天然的資源和好處並不能救他們逃脫神的審判。

「示沙克」（41節）是巴比倫名字的暗語（參二十五26）。「彼勒」（44節）是國中的一位神明（參賽四十六1），它雖然有過往的成就，但至終勝不過耶和華神。

五十一45-58　「從巴比倫出來！」　在審判巴比倫的神諭中的最後部分，是命令被擄的人要逃脫出來。現今的機會已來到了（45-46節），這逃亡的事情並不是神所命定，不可以抗拒的行動，這事其實需要百姓的信心、順服和勇氣；因為在眾多的謠傳中，常傳聞這城的傾倒並給人帶來希望，但不久之後希望又被粉碎，這情形很可能會使神的百姓感到氣餒（一個類似的呼籲亦出現在賽五十五6）。故此，神在此因他們的害怕而給他們一個重新的保證（47-48節）。

巴比倫的受罰主要是因為他們對神的百姓行惡（49節）。再次提及這痛苦的事情，特別集中在聖殿被毀一事上（51節），目的是指出神應許的成就，甚至連巴比倫的神明也被降卑。從前巴比倫帶給別國許多的痛苦，在將來她會受到完全的報應（56-57節）。

五十一59-64　一個預言性的表徵　審判巴比倫的神諭在結束的時候，記述了一個信息和表徵；日期是在西底家王在位的時候。他曾經訪問巴比倫，這大概解釋了她崛起的因由（二十七3）。西萊雅是巴錄的兄弟（比較三十二12），他依循耶利米的吩咐，要用一個

表徵來宣佈巴比倫的滅亡。書卷上的話可能包括部分或全部有關審判巴比倫的神諭。這神諭記在耶利米書五十至五十一章，並沒有日期註明。

附註　在新約中的「巴比倫」　耶和華對巴比倫的審判的重要性比較拯救古代的猶大一事更為意義深遠。巴比倫象徵著這世上反對神統治的勢力，啟示錄十七至十八章中所描述的巴比倫，便是根源於舊約中關乎巴比倫之審判的神諭。在那裏提及的「巴比倫」，首先是指逼害早期教會的羅馬帝國，並延伸至所有與神和祂的百姓為敵的。審判巴比倫，是指出在一切罪惡和壓迫底下，每一個基督徒都獲勉勵要站穩，並且相信神在祂安排的時候，會戰勝這些邪惡的力量。

五十二1-34　耶路撒冷陷落
本書的最後一章與列王紀下二十四章18節至二十五章30節的記載相似，這裏的記載很可能是取自後者的資料。耶利米其實早已提及京城的淪陷（三十九18），以及淪陷後在猶大發生的事情（四十至四十四章）。這些事件在列王紀中只簡單地記述（王下二十五2-26），而在本章則沒有提及，因為這些資料在前面已交代過。這一章經文放在本書後面，大概是為了作為前面的神諭一個合宜的總結。

本處的記錄與列王紀略有出入，王的官員被殺和他本人的被囚（11-12節），是記載在本處。這顯示本書特別關注西底家的事情。尼布撒拉旦入侵耶路撒冷的日期也有不同（12節說是在第十日；王下二十五8的記載為第七日），這可以推測為文士抄寫的錯誤；類似的差距也出現在22和25節的地方（比較王下二十五17、19）。第28-30節記載被擄的人數比列王紀下二十四章14和16節所算的為少，可能這些數目是包括那些成年的男丁。

最後的事件是記述尼布甲尼撒死後，約雅斤王從囚牢中被釋放出來；這事件被看為象徵被擄的事快要終結。這看法是可能的，但這事件本身卻不是一個確定盼望的指標。

耶利米書提出的盼望更為重要，它指出人的希望是在於那位歷史的主。祂刑罰罪惡，但也應許救恩；祂應許一個新約（三十一31-34），並且在祂的兒子耶穌基督裏成就

這一切（來十11-18）。

Gordon McConville

進深閱讀

F.D. Kidner, *The Message of Jeremiah*, BST (IVP, 1971).

J. Guest, *Jeremiah, Lamentations,* CC (Word, 1988).
J.A. Thompson, *The Book of Jeremiah,* NICOT (Eerdmans, 1980).
J.G. McConville, *Judgment and Promise, An Interpretation of the Book of Jeremiah* (Apollos/Eisenbrauns, 1993).
J. Bright, *Jeremiah,* AB (Doubleday, 1965).

耶利米哀歌

✵ 導 論

作者與寫作年代

自從出現希臘文舊約聖經或稱為七十士譯本（譯於基督降生之前約一個世紀）開始，耶利米哀歌便被公認是出自耶利米的手筆。英文聖經譯本（和合本亦然）傲效七十士譯本，將本書列入先知書的部分。耶利米本人固然編寫哀歌，我們在他的先知書中，對此已有所知（例如耶十一18-20，二十7-13）。本書亦與他的先知書有許多類似的措辭（例如耶十四17和哀三48-51）。此外，歷代志下三十五章25節也告訴我們，耶利米為約西亞王作哀歌。

雖然不可單以這些證據下此結論，但這兩卷書確有很多重要的聯繫。耶利米書是記述猶大末後的歷史，直到主前586年耶路撒冷淪陷和聖殿落入巴比倫王尼布甲尼撒之手；耶利米哀歌記述的背景，似乎也是緊接著這些可怕事件之後的時期，因為書中提到被擄、失去君王和聖殿被毀的事情（例如一3、10，二2、7）。

形式和結構

本書的5章經文是5首獨立的詩章，它們的形式常被稱為「哀歌」（詩篇中也有許多篇是哀歌）。它們的內容是對不幸的遭遇發出抗議和抱怨，並且加上懺悔和求神拯救他們。因為這些哀歌的作者知道神是信實的，故此，他們時常表示，他們相信神至終必定拯救他們。其中一個哀歌的例子是在詩篇七十四篇，它（也如耶利米哀歌一般）明顯地是出自被擄的時期。耶利米哀歌全書，都有以上提及的各類特色。

本書也有某些特殊的風格，它的音步（"meter"，就是詩章的排列形式）是哀歌的典型格式（Qinah）。每首詩（除第五章外）屬字母詩（acrostic）體裁，就是每一節經文都按照希伯來文字母表的次序，以一個字母為起頭。正如希伯來字母有22個之多，許多在舊約中的字母詩也含有22節經文或句子（例如哀一、二、四；詩三十四）。本書第三章略有不同，因為它是每3節用同一個字母，故此全章共有66節經文。

這些字母詩的文學技巧似乎與詩中所表達的濃厚感情不相符。但詩章本是一種藝術，這並不會阻礙真正情感的流露。相反地，詩人的嚴謹可以視為他們對神的奉獻。它也是對所需的規限和守則一種貢獻，以致可完美地表達其主題。這種文學技巧還有進一步的作用，就是暗示它會透徹、全面地處理一個主題（即運用全部的字母）。

🌡 主 題

要綜合耶利米哀歌的寫作目的不是一件容易的事。就神學的角度而言，一般人都接納災難是神所降的審判，這是因為百姓犯罪的緣故。這是根據那古代的聖約，其中規定百姓若不順從神和不信，便會帶來「咒詛」（申二十八15-68）。與之相反的便是「祝福」，這是給予那些忠心和順從的人（申二十八1-14）。先知們的審判信息也是基於此。因此，從某方面來說，本書其實為神的行動作了辯護，並且表示猶大被擄並不是因為他們的神比其他的神明軟弱；相反地，猶大的仇敵得勝，其實是出於耶和華。

可是，本書表白了百姓對此災難感到難以接受的心情，隨著耶路撒冷的被毀，百姓們忍受可怕的苦難：多人的被殺和其餘大多數人的被擄。儘管這苦難是公正的，仍叫人難以接受。這刑罰豈不是殘酷和過分麼（二20-22）？神對待自己百姓如同仇敵一般，這是合宜嗎（二4-5）？詩章中放懷地表達百姓

的痛苦和昏亂，至今當人們感到紛擾及被遺棄，這些話仍有其分量。

但在這些詩章中，最令人激動的，卻是在他們驚駭的苦痛中，他們仍然表達了在神裡面的盼望（三22-26）；這位神仍是一位慈愛和憐憫人的神。這些經文在本書的中心部分出現，它似乎是道出了有關神最重要的事；它出現在極大的危難之中，因而這是一個十分不尋常的信心宣言。在其他的段落中也反映一個信念，就是苦難將會完結（四22）。

耶利米哀歌的內容還不止於此，因為它提及一人因著眾人而受苦難（參三49-66）。其中最為意味深長的，是猶太人在被擄中所受的苦難，預示了耶穌基督為全人類代死——最彰顯了神的審判和祂拯救的愛。這解釋驅使我們留意在那些陷入苦難的國家或身邊受苦的人身上，尋找神審判的具體例子。

應用綱要

對現代的基督徒讀者而言，耶利米哀歌似乎是一卷特別難以應用的書卷，不論是因著促成該書寫成的背景事件（在「舊的約」底下發生的事件），或是因著它多談及審判的事。對於那些認識耶穌基督救恩的人，本書有甚麼信息呢？

我們可以提出幾個可能的答案。第一，本書的信息適合那些感到孤單，甚至覺得被神遺棄的人，包括基督徒在內。在這方面，就好像詩篇中稱為「哀歌」所描述的情況。把真實的情感表露出來是好的，並且得到神的恩慈在他們中間作保證。

第二，耶利米哀歌可以幫助讀者與那些正在經歷極大苦難的人認同。我們從大眾傳媒中看見這世界時常充滿著災難、戰爭和饑荒，我們很自然會質疑神到底在哪裡？尤其是當我們的基督徒弟兄姊妹牽涉在這些可怕的事件中，我們更會發出質疑。我們不單問「為甚麼？」，我們更對他們的痛苦感同身受。耶利米哀歌幫助我們去表達我們的苦痛，不單是為了我們自己，也是為著別人的痛苦。

我們在本書中觀察到的嚴謹風格也可以幫助我們。它暗示使用本書應該是一個嚴謹的行動，我們要作出一個極嚴肅的決定，以致可以面對難以接受的困難。神的說話能在

這方面發揮功效，它不單可以指教我們的心思，也可以成為我們表達的媒介，用來表達我們內心極深的感受，在這過程中教導我們的心思和意念。

悔罪的觀念不很容易配合在這主題上。猶大的百姓知道他們被擄，是因為他們不順從他們的先祖與神所訂立的約。我們卻不能按此處理一切痛苦的問題。但無論如何，我們也可以憑信與我們的先祖認同，簡單地承認人的罪惡，我們在其中都有份，是世界苦難的根源。因此，在質問和抗議之餘，也可以有悔罪。我們甚至可以發出讚美，因為我們是向一位公義的神求告。祂的公義不單只發出審判，更是表現在祂的恩慈之中。故此，我們必須在對耶穌基督認識的亮光下使用本書，祂藉著祂的死和復活向我們啟示，使我們知道神救贖祂的世界，並且有一天會抹去每一個人的眼淚。

註 釋

一1-22　耶路撒冷的痛苦
一1-7　耶路撒冷失其恩寵

這段的中心思想是說耶路撒冷曾為耶和華所疼愛，如今卻失去了祂的恩寵。這城象徵神與祂的百姓的特殊關係。在摩西之約的前提下，神曾向大衛王許下一個特殊的承諾，應許他和他的後裔將統治耶路撒冷（撒下七11-16；詩二）。大衛曾使這城和國家成為大城大國（希伯來文翻譯為「大」的詞語在**第1節**中其實出現了兩次，但有一次譯為「滿有」）；所羅門更進一步建成了那輝煌的殿宇（王上五至八）。現在這城市已成了一片頹垣廢堆。以前曾戰勝仇敵，現今卻只有戰敗；一度是繁盛之都，現今卻變成荒場。在主前586年，耶路撒冷的命運變成了人類驕傲自滿，落得愚昧下場的象徵。

在耶利米哀歌中，此城常被擬人化地被形容為一個婦人。「錫安的女子」（一6）這詞句清楚地表明這一點（錫安在耶利米哀歌中是耶路撒冷的另稱）。女性化的描繪也見於寡婦和皇后兩者的對比（一1）。她「所親愛的」使人回想猶大對耶和華的不忠，她敬拜別國的神，並與別國建立政治的聯盟（參耶三1）。這女性化的描寫也反映在婦女們所受的痛苦中，道出了整體百姓所受的苦難，即包括「處女」（一4）和「母親」（一5下）。

被擄的主題首先在這些經文中提出來（一3、5）。「錫安的路徑」（一4）是那些朝聖者每年到來慶祝大節期走過的道路（參詩八十四5；修訂標準譯本）。在猶大中有許多「宗教」，卻尋不著真誠的心靈，這令神厭倦了（參賽一11-17）。故此，神審判百姓的一個作用，便是要停止這虛假的宗教。

一8-17　耶和華向耶路撒冷發出怒氣

耶路撒冷受苦是由於她犯罪的結果這觀念，首先在第5節中提出來，現在再循此繼續發展下去。「不潔」和「污穢」（一8-9）喚起了禮儀上不潔的觀念，這裏指出因著犯罪而使百姓與神隔絕。本處所用的意象顯示敵人入侵時，所行的兇暴和凌辱人的事（一8），並且褻瀆聖殿（一10）。圍城和侵略的悲慘境況因著缺糧而變得更壞了（一11）。

這詩章到目前為止，仍是詩人在談論耶路撒冷，儘管那擬人化的京城曾兩度開口說話（一9、11）。現今這京城為自己說話（一12-16）。她向耶和華的呼求（一9、11），轉而變成向那些見證她受苦的人發出請求，因為是耶和華將苦難降在她身上。「**耶和華在他發烈怒的日子**」在別處稱為「耶和華的日子」（摩五18）。這觀念的背景是指著耶和華為以色列人向她的仇敵發動聖戰（例如申二24-25）。作者在這裏表示驚訝，因為神竟將祂的憤怒轉向祂自己的百姓。這意味祂的百姓也不可把神的恩典視為理所當然，並忽視祂立約的命令；儘管這方面的試探是經常出現的。

在這一切痛苦之中，竟無一人安慰她（一16-17；參一9）。這時一幅極為悲慘的圖畫，透露對「彌賽亞」的渴求——祂最後將拯救神的百姓脫離罪惡和痛苦。在被擄之後將得到「安慰」的觀念，也出現在以賽亞書四十章1節。這事情將會在耶穌基督裏得著應驗，而且會顯明在普世之中。

一18-22　向耶和華發出呼求

最後的一段經文承認耶和華的刑罰是公義的（一18），但立刻便轉而向祂呼求，因為京城的悲慘情況太可怕了（一20）。人們的幻想破滅，因為她曾與別國結交，以為它們會幫助她（一19）。他們現今承認自己的罪，知道這一切是出於神的刑罰，並確認惟獨神才有真正的權能。再一次地、無人安慰她；這只有神，而不是她的盟國，可以安慰他們，但現在還未到時候。這詩章在結束的時候發出一個請求，就是不要讓猶大單獨忍受神的憤怒；在祂憤怒的日子（一21；參一12），願她的仇敵也同樣遭報！

二1-22　耶和華的怒氣
二1-10　主如仇敵

正如上一首詩章一般，這裏在開始時描述耶路撒冷從恩典中墜落。「錫安的女子」、「以色列的華美」和「他的腳凳」全都是用來形容那京城（雖然嚴格來說，「**腳凳**」是指約櫃；詩一三二7；參詩九十九5）。當祂說「他不記念自己的腳凳」的時候，意思是神不再遵守祂立約的應許（參哀一1-7）。

耶和華向祂的百姓發怒，這在**第2-5節**中說明；祂不單「忘記」祂的約，祂甚至與祂

的百姓作對，如同仇敵一般（參上文一8-
17）。祂不單收回祂的右手（二3；參出六6；
申四34），祂更向他們「張弓」。這裏用隱喻
來形容耶和華與祂的百姓為敵，是引用戰爭
中的可怕情景。本段落中使用了雅各、以色
列和猶大的名字，描述尼布甲尼撒在猶大全
地中的毀滅，這些百姓其實是先前以色列人
所剩餘之民。

詩人將他的視野收窄，將注意力從整個
國家集中到聖殿之上（「自己的帳幕」，「他
的聚會之處」；參出二十五22），以及其中的
祭司、獻祭和每年的節期（二6-7）。「錫安
忘記她的聖節」一語回想到猶大在過去忽視
真實的敬拜，因而耶和華挪去她外表虛假的
敬拜。忽視真實的敬拜就是忽視神，猶如違
反了第一條誡命般嚴重（出二十3）。

最後，詩人轉而針對京城作為權力中心
的地位；君王和首領被擄，這城已不再是一
個國邦（二9）。先知和祭司們忽略了他們教
導神的律法和代神發言的責任。更大的責任
帶來了更重的處分（參路十二48）。

二11-19　淚流成河

詩人的感情現在全然流露出來，他因著
百姓所受的痛苦而悲傷，這使我們想起耶利
米（參耶四1-9）；還有那些描寫毀壞情況的
生動圖畫（參耶四31）。在他的愁苦中，他向
百姓講話，並十分盼望去安慰他們（參一
2）。當他記起那些該負責任的領袖沒有帶領
百姓順從神的時候，他的愁苦變成了憤怒
（二14；參耶五12-13，二十三9-40）。這結果
帶來了全國性的災難和羞辱。猶大的鄰國也
看見了這一度充滿自豪的城市，現今的慘淡
下場（他們譏諷的話其實是引用詩四十八2和
五十2，那裏描述耶路撒冷的輝煌和華美）。

但這些結局其實是神的刑罰，是基於聖
約的「咒詛」（參導論）。詩人轉回哭泣的主
題（二18），並提醒百姓向神哭求。

二20-22　向神請求

最後的請求（緊隨二19），可能是出自百
姓（第22節的「我」指的是京城）或詩人的
口（但無論如何，詩人在後來的事件中，強
烈地將自己與百姓視為一體）。這請求是抗議
那些過度嚴厲的刑罰。這是轉向希望的一個
指標；儘管當時仍未出現甚麼保證的話，但

祈禱本身就是一個轉向神的表示，承認祂是
唯一拯救的源頭。

三1-66　神的憐憫

第三首詩大部分出自詩人的口，他談及
他在耶和華手中所受的苦難，使我們想到約
伯（例如伯十九21）、某些詩篇（詩八十八
7、15），而最重要的是耶利米（例如耶十五
17-18）。但這個人的呼聲清楚地表達了整個
團體的痛苦，並且整個團體的聲音有時也會
出現（三22、40-47）。那論到神的憐憫的著
名經節位於本詩的中央，目的是要表明它的
重要性。

三1-21　「他把我圍住」

這詩一開始便描述人類各種困苦的景
象。黑暗在聖經中特別是用來形容迷失的情
況（參賽九2），疾病幾與死亡無異（三6），
它是虛幻、不真實的生命（參伯三11-19；賽
十四18-20）。

肉體上的痛苦引來更深的挫折感，幾近
絕望的邊緣（三7-9；參詩八十八）。詩篇的
作者更時常經歷到神不垂聽禱告（例如詩十
1，十三1，二十二2）。這圖畫繼而變得更加
暴力，提到旅行的人在古道上遭遇埋伏和在
戰場上的兇險（三10-12）。

現在，耶和華加在詩人身上的痛苦被描
寫為他自己的百姓對他的逼害（三13-15）。
耶利米也招來了他自己的鄉人極度的仇視
（耶二十7；參十一18-23）。正如先知一般，
詩人在他的百姓手下受苦，提示他們在敵人
的手中遭難。詩人的絕望達到了高潮（三16-
18），他表示他失去了平安，這平安是一種幸
福的境況，是神和他的百姓關係正常的記
號。

但詩人在這種境況中的時候，他的思想
轉向希望（正如那些詩篇的作者們一般；例
如詩四十二及四十三）。他回想往昔之時，想
起神從前的好處。這種回憶在屬靈的生命中
是至為重要的。

三22-30　「他的憐憫不至斷絕」

本詩章的中心部分是舊約聖經中一個著
名的信心表白。詩人的心思已經開始轉離目
前的慘事（三21），他現在想到一些關於神的
永恆真理。「愛」（三22）常翻譯為「慈

證主21世紀聖經新釋

愛」，這是神最大的特性。這字在原文是複數，目的是要強調這是一種恆久的愛和它的永不失效。審判不是神的最後判語，因為祂的憐憫勝過了它，即或神的心是痛苦的。這痛苦在何西阿書十一章8節中表達得很清楚，更在耶穌死在十字架時至為明顯——這是神對罪惡最大的審判，以及祂對人類至終的自我犧牲的愛。

因著愛和憐憫是神的主要特性，它們是常新的，可以隨時受考驗並讓人再三地曉得（三23）。為這緣故，那些曾受苦的人可以信靠祂，祂會再接納他們，使他們復興。神是信實的，或者說，祂的愛是不改變的。因此，詩人可以滿足地說神是他的分（參詩七十三26，譯作「福分」），不論其境況如何。

既然神是如此，尋找祂就是最好的。但這樣做可能要付上代價，正如27至30節所暗示的（再次使人想起耶利米的一生）。我們可能要堅忍苦難之後，才能曉得神的美善。

三31-39　「他並不甘心使人受苦」

上文的思想引進如今更全面剖析苦難並不是神最後判語的觀念。在困苦之後，神的愛和憐憫便彰顯出來，因為祂並不甘心使人受苦（三33；參何六1）。為這緣故，神不會容忍不公義的苦難——即如那些有時是出於人為的痛苦（三34-36；參伯八3）。但如果災難是因罪惡而來的話，則並無不公之處（三37-39）。在這種情況下，神會使人受苦，雖然祂不喜悅苦難。

現代的讀者要明白這些思想的時候，一定要很小心。其要點是審判和救恩之間的關係，就是拯救在審判之後。這種次序的例子可以見諸基督的死和後來復活的事上。我們千萬別引用舊約中的審判預言作錯誤的推斷，以為某些特殊的苦難是加諸受苦者身上特別的審判。

三40-48　「讓我們歸向耶和華」

40至47節突然轉變為一個複數的聲音，其講者不再埋怨而向神懺悔。這裏的向神回轉（就是40節提及的悔改）可能不是真誠的（參耶三22-25，十四7-9）。他們把得著神的赦免視為理所當然的權利（三42）。百姓們繼而埋怨耶和華不聽他們的禱告，以致他們受痛苦（三43-47）。這暗示神是不公義的——這話

在上文已宣佈為不確的。本段的最後一節經文又恢復為詩人的聲音，他的哀哭，不單是為了百姓的痛，大概也是為了他們沒有知識的緣故。

三49-66　「你救贖了我的命」

本詩的餘下部分是詩人回答百姓在上文所發的怨言。再一次地，他個人所受的逼害用來代表百姓在敵人手下忍受的苦難。這哀歌更進一步期望神會垂聽他的哀求（三50-60、64-66）。如果詩人可以期盼耶和華的解救，大概百姓們也可以有同樣的希望。

被投入牢穴中（三53；參詩八十八6）、大水漲淹，並求耶和華幫助（三54-55；參詩十八3-6）等，在哀歌中是常見的，但此處的描寫使人想到耶利米的特別經歷。他也是被人丟入牢穴中（耶三十八6）；他知道人要謀害他（三60；參耶十一19，十八18）；他求耶和華向他的仇敵報復（三64-66；參耶十一20，十八19-23）。

在第22至30節中所應許百姓要得的解救，當然也包括了那代表百姓受苦的人。其實詩人（或先知）所受的苦難與百姓們所受的息息相關，甚至當他在百姓的手下受苦時亦是如此。這裏所描寫的，與那「受苦的僕人」的詩歌有許多明顯相似之處（賽五十二13至五十三12）。這詩歌預示了耶穌基督所受的羞辱和苦害，這些痛苦是祂要來拯救的百姓所加給祂的，他們竟然苦害這位向他們顯示神至深之愛的基督。

四1-22　被圍困的可怕
四1-10　蒙羞的百姓

正如黃金和寶石這些一度是猶大百姓所寶貴的東西，現今已變得毫無價值（四1）。同樣地，百姓們一度是神所珍貴的產業（出十九5），現在卻被視為普通和無用（四2）。更糟的是，他們因受苦而變得殘忍起來，甚至那經常被人用來形容為最富憐憫心腸的母親，也變得冷漠無情，如野獸一般（四3-4；鴕鳥顯然因著牠忽略牠的雛鳥而在此被用作例子；參伯三十九13-18）。

奢華優雅的生活已來到尾聲（四5；參摩西1-3，六1），猶大的敗壞生活將落得如此下場。（第6節的「刑罰」可解作猶大的「罪孽」，如和合本所譯的，同時亦指因此而生的

和不能避免的後果。）將耶路撒冷和所多瑪（四6）作比較，是特別令人感到震驚的，因所多瑪的罪行已是眾所周知，而神降予她的刑罰是公平的（參創十九1-29）。

領袖們的命運被特別提出來（四6-7），因著他們所擁有的財富和美好的外貌，他們掩飾了自己的不義。最後的圖畫描繪猶大被圍困時的可憐景象，其中描繪他們因饑荒而臨近死亡的邊緣，並且再次提出上文提及的事情，就是描寫那些變成殘忍的母親，其可怕的程度比先前更甚（四9-10；參申二十八53-37）。

四11-22 「你的刑罰受足了」

現在注意力集中在耶和華的憤怒上（四11）。這裏告訴我們，不單是猶大的百姓，而且別國的人（四12）都一致認為耶路撒冷是牢不可破；即使強大的敵人如西拿基立，雖擁有龐大的軍隊，終也戲劇化地失敗了（王下十八13至十九37）。但在他們考慮中，卻沒有把耶和華秉行公義的因素計算在內，這原是聖約上的一部分（四13）。

現在繼續探討下去的，是有關虛假信仰的主題。宗教領袖們在此事上要負特別大的責任，他們促使此事發生，因此他們要承受更多的指摘。在往後的數節經文中，詩人批判他們（在某方面與耶利米所說的相似；參耶二十三9-40）。百姓們被擄和分散在列國時，這些領袖們更特別遭受擯棄（四15），並且喪失了他們本來享有的尊榮（四16）。

虛假的信仰也使他們與別國聯合起來（四17），這意味著他們接納別國的神明，沒有單信靠耶和華。對別國的倚賴卻很快地轉為被這些國家殘暴地攻擊（四18-19）。信賴外敵的危險其實已在猶大王亞哈斯的政策中表露無遺。他與他那一代的人轉去信賴亞述國，直到他的繼承者希西家在位時，才揭露亞述國其實是一個虛假的盟友（王下十六7-19，十八13-16）。

關乎虛假信仰的最後一個課題是君王本人，他是耶和華的受膏者（四20）；因著百姓們相信神在古時給予大衛的應許，他們便以為這是一個無條件的保證，誤以為他們不會受到仇敵的侵略。

神要結束猶大國的重要目的，便是向他們顯示只有祂才是百姓信靠的正確的對象。

耶利米哀歌指出虛假信仰的錯謬，不管信賴任何組織，甚至教會，以獲得救恩，都是不對的。

本章中最後的說話是充滿了希望的。雖然猶大的敵人因著耶路撒冷的淪陷可以短暫地歡欣，但刑罰的日子也會臨到他們；當中包括以東和列國（參耶二十五15、20，四十九7-22；俄巴底亞書）。到了施恩的新日子，猶大的刑罰將會終止（四22；參賽四十二）。

五1-22 「耶和華啊，求你記念」

最後的這首詩與前面的各詩章有別，它的形式（參導論）和觀點皆與上文不同，明顯地反映出在這時候被困之事已過了一段時日。但因著戰敗的緣故，他們過著一種悲慘的生活。這圖畫顯示的可憐困境正與聖約所應許的生活相反。

土地本是耶和華的產業（五2；參申四21），現今卻由外邦人所管治。昔日，耶和華曾經將列國逐出，為要將它給予以色列人（這是約書亞記的主題）。寡婦和孤兒是可憐的人，神曾經將他們托負給以色列人，要他們特別照顧（申十四28-29）；但現今所有的百姓都如他們一樣的可憐，沒有權利去享受土地的福祉，也因著仇敵和逼害者的緣故而失去平安（五4-5；參申八7-10，十二9）。百姓若信靠和聽從耶和華，本應可以享有自由和得到滿足的。舊約那命人信靠神的要求，是古今如是從來不曾間斷的。

百姓表示他們的苦難是因著他們列祖犯罪的緣故（五7），這事情使我們想起出埃及記二十章5節。這事最好被看為是一種暗示，指出百姓繼續不斷的犯罪和違背神，而不是表示他們自己不需要為他們目前的命運而付上責任（參五16；耶三十一29-30；結十八）。

悲慘的圖畫繼續下去（五11-16）：婦女毫無抵抗地被踐踏（她們因此變成一群被遺棄的人）；青年人要幹卑微的工作；老年人不受尊敬和喪失了他們處理社會事務的權利（五14上）；沒有享樂和戀愛（五14下、15）；在他們的回憶中，縈繞著領袖被殘害的情景（五12；參申二十一22-23記載在這命運下所受的凌辱）。錫安山在荒涼之中。這一切極有力地描繪沒有神的悲慘和混亂生活。

詩歌結束時，再次肯定神才是真正的君

王（19-22節）。這些經文以哀歌的形式表達出來，但它的內容包括了讚美、申辯和祈求。**第21節**所記載的是一個積極的祈禱，其中包含的，不單是與神全面地恢復關係，而且更提及土地的復得和百姓回轉歸向神的重新委身（參耶三十一18）。最後一節經文保證，這詩章不是以自滿作為結束。但無論如何，這詩也正如整卷書的內容一樣，它的真正要義是向神發出懇求。回轉歸向耶和華才是唯一的希望。耶利米哀歌一貫地將這意義表達出來，它揭露百姓虛假的信仰所帶給他們可怕的刑罰。此外，它也在那感人肺腑的三章22至30節中，歌頌神的慈愛和憐憫。這便是那些永存的事，更成了基督徒的盼望，這一切已經在耶穌基督的生、死和復活中，向他們顯明了。但即或是在基督裏，教會也要確實的知道，只有在信靠和順服中才能找到真正的平安。

Gordon McConville

進深閱讀

參耶利米書書目
D.R. Hillers, *Lamentations* (Doubleday, 1972).
I.W. Provan, *Lamentations,* NCB (Eerdmans/Marshall Pickering, 1991)

✧ 導 論

歷史背景

以西結書寫於以色列歷史中最重要的關口。書中的宣講（oracles）始於主前593年，直至主前571年，概括了22年的時期（參第665頁的圖表）。期間，耶路撒冷遭圍困，終至毀滅。聖殿被焚，猶大王朝宣告終結。猶大人民遭戰火蹂躪，很多人更擄徙至異地。

從人的觀點看來，這個時期的動盪是由於當時中東不穩定的政治情況。巴勒斯坦是中東的一個小部分，恆常地受到整個地區的勢力調整的影響。埃及的勢力漸衰，亞述也開始沒落，而巴比倫則日漸強盛。北國以色列已於主前721年為亞述所滅。猶大則反覆取悅於埃及與巴比倫之間。主前601至600年間，約雅敬意圖反叛巴比倫，尼布甲尼撒遂派軍圍困耶路撒冷，並於主前597年攻克聖城。城中約有一萬人被擄走（參王下二十四14）；被擄的人中有一位祭司，名叫以西結。

先知以西結

我們對以西結所知只限於以西結書，但資料亦很有限。以西結是一位祭司（一3），也是一位先知。他的祭司身分可見於他對禮儀潔淨的關注（四14），以及他對聖殿的看重（四十至四十八章）。他已婚，但他的妻子於他事奉期間去世（二十四15-18）。以西結與他同時代的先知耶利米明顯的分別是，他於巴比倫作先知。以西結早期的宣講大多是關於在耶路撒冷和猶大發生的事。這個事實，加上這部分的宣講涉及的細節，引致一些釋經家以為以西結曾於巴勒斯坦作先知一段時間，不過，書中並無直接的證據支持這論點。身為俘虜之一，並向其他被擄的猶大人宣講，以西結無疑會關切家鄉面對的災難。他的聽眾自然也想知道自己國家的命運。故此，我們可推論在猶大發生的事，在先知的事奉中必定佔了相當重的分量。對於一位被擄至巴比倫的先知，故土的近況是他必須掌握的。

作為一位先知，以西結需要把他的領受傳給百姓。他有時不僅使用語言，有好幾次他更用動作來表達，並使用實物教材。這些喻意性行動包括用繩索自綁（四1-8）、剃頭髮並用刀砍碎部分頭髮（五1-2）、蒙臉並鑿牆而過（十二3-7）、恐懼顫抖（十二18）、不為他的亡妻舉哀（二十四16-24）。難怪有人懷疑他的神經是否失常。但是，正由於他的行動奇特，有時他的宣講也令人費解，故此能吸引眾人注意他的信息。似乎在他作先知期間，他曾一度失去說話的能力，直至耶路撒冷陷落以後才恢復（三十三21-22）。

撇開他的奇特行動，以西結是備受尊崇的一位先知，在他開始作先知，並見異象的頭18個月，百姓中的長老都來向他請示（八1，參十四1，二十1，三十三30-31）。不過，眾人雖然尊重他，卻似乎不是常常聽從他（三十三30-33）。尊崇一位道德或屬靈領袖不難，但要實踐他的要求卻非輕易。耶穌基督就是最好的例子（太七24-29）。

以西結並非隨波逐流之輩。他不是在一個豐裕的社會中過著舒適的生活。他屬於一個弱小群體，由於戰敗被迫離鄉別井。他信奉的宗教並不普及，在一個繁雜、多元的社會中掙扎求存。他被擄至的大國擁有多神，而他卻堅持只有一位神。他堅毅地宣告，唯一的真神至終會拯救祂的子民，不管其他各國有何舉動。

全書結構

以西結書常被評為意義暗晦、經文抄本

含混，不過，以西結書的結構異常清晰。書中集錄了52篇宣講，包括了神啟示的信息和異象，經由以西結描述出來。而這些宣講的背景，則語焉不詳。不過，每段宣講都以下列的句語開始：「耶和華的話臨到我」或「耶和華的手在我身上」。

這兩句話並非交替互用，每句話各自提示後面的預言的性質。第一句話是最常用的，它提示從神而來的說話，通常是關於以色列人的。第二句話是用作提示一個特殊經歷，會影響先知的軀體，先知所見的異象都以這句話作提示，先知在異象中感覺身體被提起和挪移。

這些宣講是按題材編排，並非全按年代次序。每篇宣講都是獨立的。有時，各宣講之間會分隔數年時間。整體來說，本書的結構顯示作者具有清晰的結構思想。書中固定句語的重複使用，以及經文中很多對稱的結構，更加深了這種印象。

書中的題材可區分為開始的32章論到災禍的警告，而後面的16章則為盼望的應許。書中信息的轉捩點是耶路撒冷的陷落，見於三十三章21至22節。本書奠下了所謂「啟示文學」的基礎，啟示錄一書更明顯受本書強烈的影響，其中不少象徵十分類似以西結書所用的（參「次經與啟示文學」專文）。

主題

整體來說，以西結書開始是一段警告災禍將臨的話，繼而是一段復興的應許。這些災禍必會降臨，而復興的應許也必兌現。神的子民忍受困苦，至終必得拯救。以色列人必歸回神和重返應許之地。他們將作祂的子民，祂也必作他們的神。

在先知的宣講中也包括其他主題。以不同形式出現有關人的責任之主題。臨到以色列的毀滅是由於以色列轉離神；以色列拜偶像，故受到懲罰。不過，他們被定罪不純是由於整體的原因，個人的受罰不單是由於祖先的罪（參十八章）也是由於自己所犯的罪；書中對這問題有更進一步的闡明。人被稱義不是由於他累積的義行比他的罪行多（今天不少人抱持這種態度），而在於個人心中產生根本和恆久的改變（參十八30-32）。

另一個重要主題就是神與祂子民的關係。書中常見的一句話，就是某件預告的事成全，「好使他們知道」神是他們的主。災禍不僅是為了刑罰，也是引導百姓認識神的一種途徑。這種特殊的關係在書中屢見強調。神將招聚和保護百姓，正如牧人照顧群羊一樣。神預告將有一位牧人來看顧並管治他們（三十四1-31，三十六24-28）。

神和以色列人之間的特殊緊密關係，並不意味其餘列國不在祂的權柄和管治之下。以西結向列國的宣講，清楚表明神絕不是一個地方性的神明，僅管治耶路撒冷及她周圍的山嶺。外邦也可成為神的工具，甚至用來刑罰以色列人。

以西結書描述的形象是令人不安的。以西結的宣講是針對以色列史中一段最黑暗的時期。在他作先知期間，他的同胞將被分散，耶路撒冷和聖殿都會被毀滅。然而，本書結束時，卻洋溢著盼望。在末時，那牧人將來招聚群羊。

研讀方法

以西結書有些經文確實難以註解，在應用上更是難以落實。即使古代的拉比，也因本書的內容而躊躇良久。在研讀本書時，有幾點值得注意。第一，要記得本書是由數段獨立的宣講組成，這是很重要的。這些獨立的宣講可根據這句話辨認出來：「耶和華的話臨到我」或「耶和華的手在我身上」。這些宣講是按主題歸類，並非按嚴格的年代次序，篇幅也有長有短，從幾節經文到幾章的都有。根據載有日期的宣講，我們知道個別宣講之間，有時會相隔數年時間，故此，最好是選出一段宣講，獨立地研讀它。

第二，以西結書傾半是按詩體的公式而寫。書中有些主題和語句是重複出現的。某一句話在某段落中似覺奧祕難明，在另一段落中卻較為清晰。所以，首先從一些較易明白的段落開始著手，對書中的概念和用語有了基本的掌握，這在研讀上會很有幫助。因此，最好在開始時，避開前面的幾章。書中較長的宣講，如一章1節至三章15節，八章1節至十一章25節，三十八章1節至三十九章29節，四十章至四十八章，可以留在最後才研讀。我們建議讀者從十二章讀起。

第三，要記得聯繫眾宣講之間的一些普

遍性主題。 四至二十四章包含耶路撒冷將被尼布甲尼撒毀滅的警告。二十五至三十二章包含對以色列周圍列國的警告，因它們在以色列危困時，探取不正當的態度。三十三至四十八章包含在耶路撒冷陷落後，對以色列人宣告充滿盼望的信息。

應用綱要

以色列人當時面對的政治情況，顯然與現今的情況很不同。不過，撇開這些特殊的政治因素，我們仍看見一個受著相同和令人困擾之問題纏絆著的複雜社會。這些問題包括：對前景的迷茫、國際間的動盪、宗教上的多元化、公共機構的腐化、對騷亂的盲從附和等。現代社會同樣有它的偶像、假先知、腐敗的聖所、腐化的機構及民族的偏見。這些問題名稱可能不同，但以西結書的話仍適用於它們身上。

若把發生於 2,000 多年以前的事，過分明確仔細地應用於今天，尤其是在地名相同的地方（如以色列），會有其危險性。可是，社會的普遍性問題在今天仍無二致，故以西結書的原則仍可應用。

📑 大 綱

以西結書

註　釋

一1至三21　以西結受差遣
一1至三15　以西結蒙召

以西結書簡單的引言，開始了本書一連串的宣講。首先的宣講是一個異象，以「耶和華的手在我身上」作為引句。

雖然沒有明文指出，這篇宣講其實是神授命以西結為先知的記載。這異象十分強烈，先知見了異象之後，數天煩悶不已（三15）。在異象中，他看見一位光彩耀目的人物，坐在藍寶石的寶座上，寶座以下有四活物。他聽見聲音告訴他將被差遣，向被擄的以色列人宣告主的說話，也警告他，這班以色列人十分悖逆，但不管如何，他必須照樣宣告。

異象中大部分的內容都未經解釋，尤其是那戰車的形象和輪子等。整個異象所象徵的是神的威榮。那可怖活物的臉孔代表了生物中的最高代表——人、獅子（萬獸之王）、牛（牲畜中為首的）、鷹（鳥中之首）。他們行走如電，旁邊又有佈滿眼睛的輪子。但這些威嚴可怖的活物只是寶座旁的侍從，他們站在寶座之下。若侍從已是這麼威嚴可怖，何況王哩！

以西結受命往以色列人中，他傳講的信息充滿警告和災禍的預言，但他感覺這些信息甘甜（三1-4）。這經歷改變了以西結的一生。儘管百姓是多麼的剛硬悖逆，神將賜他力量去宣告信息。他實在需要神的加力，因他的任務十分艱鉅。

以西結的蒙召，不是出於他的推想、思考，或是考慮長遠的好處，而是由於他看見神的威嚴可畏。我們若想到發命令的是神，這些命令將會較易遵行。

一1-3布西之子以西結看見了從神而至的異象。第4-14節他看見一朵巨大、光彩耀目的雲彩；雲彩中間發出光輝，有如在熔爐中的金屬。在發光如火的中心，他又看見4活物。他們有人的形狀，卻各有4個臉孔及兩對翅膀。這4個臉孔分別是：人、獅、牛和鷹的臉。4活物奔走如電。第15-21節4活物旁邊各有一個圓形如輪子的閃耀物體。輪子緊隨著活物，活物翅膀的響聲十分巨大。第22-28節在這輛戰車上面，好像放置了一塊發亮的水晶。在水晶上面，好像有一個藍寶石的寶座，其上有一位璀璨、不能接近的人物。那光彩好像天虹，那是耶和華的榮耀。

二1-8有一把聲音告訴以西結，他被差往以色列人中，他們是剛硬的人，經常悖逆神。不管他們是否聽從，以西結都要向他們發出宣講。他毋須懼怕，也不可違背神的吩咐。

二9至三3神把一卷充滿哀悼、悲傷的書卷，遞給以西結，並命他吞吃這書卷。以西結吃了，覺得其甜如蜜。三4-11神警告以西結，以色列人必不聽從。神會賜他堅強的力量完成任務。他受命馬上往被擄的同胞那裏去，向他們宣告神的信息。第12-15節神把先知送回被擄的人中，他呆呆悶悶地坐了7天。

附註　一1「三十年」：書中並無說明這年份是指甚麼。一個可能的解釋是指先知的年齡。「迦巴魯河」是幼發拉底河上的一條運河，位於巴比倫城的東南面。第2節「被擄後第五年」：即主前593年。第5節「四活物」是神寶座旁的侍從，第十章稱他們為「基路伯」。第15節「輪」：古代的註釋者都認為這經文描述一輛戰車。這些輪子的構造

使它們可任意往各方奔馳。**第16節**「水蒼玉」是一種石頭。**第22節**「穹蒼」：創世記一章6至8節也使用同一個字詞（「天」）。這裏的意思是表達一個堅實的臺，把寶座和戰車分隔起來。**第28節**「形像」：以西結的措辭小心地表達他並非直接看見神。

二1「人子」：這稱呼在本書出現了超過90次，意思是指出以西結不過是人。**第10節**書卷通常只寫一面，兩面都寫上可能表示這信息的完備或完整。

三1「吃書卷」：以西結要吸收他領受的信息。他不僅傳遞神的信息，神的話也是為他而發。**第11節**「被擄的子民」：以西結當前的聽眾就是與他一同被擄至巴比倫的百姓。**第14節**「心中甚苦，靈性憤激」：這種激蕩的情緒大概是因以色列人的剛硬而引起（參三5-8）。**第15節**「提勒亞畢」：「提勒」即土丘之意。這名稱與現代的「特拉維夫」相同，但兩地相距甚遠。

三16-21　守望者的責任

以西結花了數天時間，才從異象的震動中復原過來。他隨即收到另一個較簡短的信息。這一次把他的責任列出，也警告他失職帶來的刑罰（參三十三1-9）。蒙召作神僕人的權利，也同時帶給我們重要的責任。忠心地履行這些責任比工作的成功與否，更為重要。

三17以西結要作以色列的「守望者」，向他們宣告神的信息。**第18-20節**他若沒有及時向人發出神的警告，他將要為那人的命運負上責任。**第19-21節**儘管聽的人忽視信息，他只要忠心宣告，便是盡了責任。

附註　**第17節**「守望的人」：守望者的責任就是為了城的安危，經常守望。

三22至二十四27　預告耶路撒冷將被毀滅

三22至五17　象徵性行動：預言耶路撒冷被圍

以西結首批預言性行動，真是勝似萬語千言。他要傳給耶路撒冷人民的，是一個令人不安的信息：他們將被圍困。再者，這圍困是長期的，以致糧食短缺。三分之一的人民將死於饑荒或疾病；三分之一將死於圍城

的戰鬥；餘下的人大部分將被擄走，只有少數留下。

以西結使用了一個令人矚目的方法來傳達這可怖的信息。他要以行動來象徵圍城的事。似乎在這時他失去了說話的能力，只有當他要宣告神諭時，才能夠說話（三26-27）。這暫時性失語的情況，一直延續至耶路撒冷陷落的消息傳到他耳中為止（三22；參二十四27）。他日後還有不少象徵性的行動（十二1-16、17-20，二十四15-27），而這首項行動必定使他為人傳誦一時，視他為以色列奇言特行的先知中的一位。

我們可能覺得以西結傳遞信息的方法是極為出位，甚或認為是滑稽可笑、使人尷尬的。不過，最重要的是有效地傳遞信息，保持講者形象卻是次要。

三22-23以西結受命去到平原，他去到以後，就看見神的榮耀，他便俯伏在地。**第24-27節**神吩咐他回去，把自己關在房子裏。神也告訴他將會不能說話——除了傳講神的信息時。

四1-8神吩咐他造一個模型，代表耶路撒冷受圍困的情況。他要被繩索捆綁，向左側臥390日，以承擔以色列的罪。然後他要向右側臥40日，承擔以色列的罪。每日代表1年。**第9-17節**在那390天內，他只能靠少量的糧食度日，象徵耶路撒冷將會面對糧食短缺。他不願吃污穢的食物，但以色列人被擄至外邦時，同樣的污穢是無可避免的。

五1-4神吩咐他剃下鬚髮。他那象徵圍城的行動完結時，他要在城中燒去他剃下的三分之一鬚髮；另外三分之一要在城外，用刀砍碎；餘下的三分之一則讓它們隨風飄散。他要取出數根，藏在衣襟裏，又從中取出一些用火燒去。**第5-17節**耶路撒冷違背了神的律法，因此，神透過先知要向他們宣告：「……看哪！〔耶路撒冷〕，我與你反對……在你中間，施行審判……因你一切可憎的事，可厭的物……你的民三分之一，必遭瘟疫而死，在你中間必因饑荒消滅；三分之一必在你四圍倒在刀下；我必將三分之一散四方，並要拔刀追趕他們……這樣我向他們發的憤怒止息了……那時他們就知道我是耶和華……你就在四圍列國中成為警戒。」（五8-15）

附註 三23「神的榮耀」：正如以西結在一章28節所見的。**第25節**「人必用繩索捆綁你」：（參四章8節）以西結表達這預言的過程時，是被繩索捆綁的。

四1「磚」或「泥板」，可作書寫用的軟泥板。**第3節**「鐵鏊」：可代表圍城行動的強硬。**第5節**「390日」：有人嘗試以此比擬被擄的年期：猶大被擄一代之久（約40年），即主前586至536年；以色列則被擄達150年，即主前734至580年（七十士譯本作190年，即兩國被擄年期的總和）。這並非一個圓滿的解釋。也許較理想的解釋是看這些日子代表深度，而非長度——以色列的不忠甚於猶大10倍。**第10-11節**以西結的糧食只得200克（8安士）麥子，0.6公升（1品脫）食水。這少量的食物象徵糧食短缺（四17）。

五1剃頭是哀傷的表記。**第17節**這裏提到的4種刑罰：瘟疫、饑荒、野獸和流血（戰爭）在本書中多次出現。

六1-14 指斥以色列敬拜偶像

這一段宣講表面上是針對以色列的群山，但實質是指責在這些山上的聖所或「高處」（high places）。「高處」是源自迦南人的一個露天敬拜場所。有一些以色列人利用這些場所來敬拜耶和華，但保留了不少異教拜偶像的行徑。先知的警告是那將臨到耶路撒冷的毀滅，也會打擊周圍的地區。那些在高處敬拜的人不能因他們的偶像得救。不過，那將要臨到的事件不僅是作為刑罰，**「他們就知道我是耶和華」**這句話，在宣講中重複出現（六7、10、13、14）。那些在高處敬拜的人將會知道哪些神是假的，哪一位是真的。

在高處進行的偶像敬拜是以色列一個長久的問題（參王上十二28-33；王下十七9-11）。以西結後來也指摘以色列從鄰邦習染的「較新」的罪行，他的部分宣講仍針對這些古老的問題。錯誤的行為，即使在某個社會中已成了歷代的傳統，終歸是錯誤的。

第1-7節神透過先知向以色列的眾山說預言：「我必使刀劍臨到你們，也必毀滅你們的丘壇。被殺的人必倒在你們中間，你們就知道我是耶和華。」**第8-10節**「我必使你們有剩下脫離刀劍的人。他們必在所擄到的各國中記念我。他們因行一切可憎的惡事，必

厭惡自己。他們必知道我是耶和華。」**第11-14節**「你當拍手頓足，說：『哀哉！以色列家行這一切可憎的惡事，他們必倒在刀劍、饑荒、瘟疫之下。他們被殺的人，倒在他們祭壇四圍的偶像中；我必使他們的地極其荒涼，他們就知道我是耶和華。』」

附註 六11「哀哉！」：很多註釋家認為這感歎詞包含了譏諷和嘲笑在內。**第14節**「從曠野到第伯拉他」：意指遍及全地。

七1-27 警告以色列將臨的災禍

這段宣講的迫切感是十分顯明的。這裏預告以色列地將要遭遇的災難，快要臨到。再沒有時間給人改變思想。戰爭已臨近，耶路撒冷將要被圍，它的地土被棄置、荒涼。

第1-9節神透過先知向以色列地宣告：「現在你的結局已經臨到，我眼必不顧惜你，必按你所行的報應你，你就知道擊打你的是我耶和華。」**第10-14節**「時候到了！」**第15-22節**刀劍、瘟疫和饑荒等著毀滅他們。劫後餘生的人充滿羞辱和絕望；他們的財富不能幫助他們，都被劫掠而去。**第23-27節**「我必使列國中最惡的人來佔據他們的房屋。君要悲哀，王要披淒涼為衣……我必按他們應得的，審判他們。他們就知道我是耶和華。」

附註 **第10節**「杖已經開花，驕傲已經發芽」：強暴和驕傲將看見自己的結果。**第12節**「買主不可歡喜」：平常的貿易活動在那將臨的危機面前，是何等愚蠢。**第15節**「在外有刀劍，在內有瘟疫」：那些在城外的人將被敵人所殺，那些在城內的人卻要受圍城之苦，飽嘗饑荒、瘟疫。**第19節**「金銀」：圍城之危日重，金錢也不能換取糧食。**第23節**「製造鎖鍊」：把人捆綁、擄去的鎖鍊。

八1至十一25 耶路撒冷拜偶像情況及其刑罰

在異象中，以西結發覺自己被帶到耶路撒冷的聖殿中。他在那裏看見了以色列的宗教可悲的情況。聖殿竟被用作異教崇拜的場所。神的懲罰要要臨到他們。以西結在那裏再次看見神威榮的寶座和可怖的活物，正如

他在最先的異象中見到的一樣。那些在城中密謀不公正之事的人將受到報應。但先知的預言結束時，帶給他們一個應許：被擄的人將歸回這地。

宗教的混合主義是一條容易走的路。它的信徒只要投機討好，使各神明都高興。但以色列的神是忌邪的神。除祂以外，再沒有別神配受人的敬拜和事奉。在我們這個多元信仰的社會中，很需要強調這個真理，這真理也常受到誤解。我們的妥協，在神面前的可憎程度，實不亞於這段宣講描述的異教崇拜。

八1-4以西結在異象中被帶到耶路撒冷的聖殿。他在那裏看見耶和華的榮耀，正如他在平原上所見的一樣。然後，他看見在殿中進行的各樣偶像敬拜的例子。他看見豎立在祭壇門的偶像（八5-6）；又看見70個長老敬拜刻在牆上的動物形象（八7-13）；又看見婦女為搭模斯神哭泣（八14-15）；又看見25位首領敬拜日頭（八16-18）。

九1-6上神命一人在耶路撒冷所有深切懊悔這一切行徑的人的額上，畫上一個記號。那人出去執行任務。神又命另外6人，殺盡耶路撒冷中額上沒有記號的人。**第6下-7節**他們先從聖殿中的長老開始。**第8-10節**因著以色列猶大地極嚴重的殘暴不公，以西結雖求神寬待，卻被拒絕了。**第11節**那出去在人額上畫記號的人完成了任務。

十1-6神又命那人在基路伯中間取火炭，撒在耶路撒冷上面。**第7-8節**其中一位基路伯把火炭遞給他。**第9-22節**4位基路伯旁邊都有輪子。這些基路伯和輪子正如以西結曾經見過的。**十一1-4**以西結被帶到殿的東門，神指示他看見25個人，正在密謀奸惡之事。以西結受命向他們宣講。

十一5-12神知道他們的心思。他們在城中殺了多人，但他們將要被趕出，並受到外邦人的懲罰，因他們沒有遵守神的律法。**第13-15節**在宣講之中，那班人之中的比拿雅的兒子毗拉提死了。以西結在恐懼中求問神，以色列的餘民是否全遭殺戮。神告訴他，那些住在耶路撒冷的人，以為被擄的人不配再承受以色列地。神要他告訴他們：「雖然你們被擄至遠方，我們與你們同在。我將召聚你們回到以色列地。那些歸回的人將除去其中的偶像。他們將獲賜一顆新心，好

遵行神的律法。他們要作我的子民，我要作他們的神。那些敬拜事奉偶像的人，必自食其果」（編註：作者意譯自十一18-21）。

第22-25節神的榮耀移至耶路撒冷城東的一座山上。然後，以西結在異象中被送回巴比倫被擄的以色列人中間。他把所見的一切告訴他們。

附註　八1「**第六年**」：即主前592年。「**長老**」：離先知見異象後14個月，連以色列的長老也要來向先知求問（參十四1，二十1）。**第2節**「**人的形狀**」（和合本作「**火的形狀**」）：先知在這裏和以後的經文中，對於所見的像人的形狀，形容得很是含糊。他很小心地強調他所見的是他當時的觀感，而不是那位神的使者真實的外在形象。**第3節**「**北門**」：以西結在異象中被帶到耶路撒冷的聖殿。「**惹動忌邪的**」：可能是專司生殖的女神亞舍拉的像。這偶像跟本章後來提及的偶像不同，是放在公眾可注目的地方。這是一種煽動力量，誘使經過的人去跟從她，也引起虔誠的以色列人的憎惡，而至終她惹動神忌邪的心。**第4節**「**神的榮耀**」：儘管聖殿中有惡行，神的榮耀仍在那裏。**第7-12節**以西結現在看見在暗中進行的偶像敬拜。**第10節**「**畫著**」：意指雕刻。**第11節**「**七十個長老**」：代表了以色列眾長老的大多數。**第14節**「**搭模斯**」：也稱為杜模斯，這是一個巴比倫的神祇，敬拜禮儀中包括為他降至陰間而哀哭。**第16節**這是對聖殿更大的羞辱，敬拜日頭的行動竟在祭壇前面進行。**第17節**「**他們手拿枝條舉向鼻前**」：大概是敬拜日頭的一種禮儀。

九1-11這段經文與其他描述最後審判的啟示文學經文，極為相似。**第3節**神的榮耀開始離開聖殿。這信息十分明確。神對祂的子民的寬容是恆久的，卻非永恆的。我們若堅持敬拜偶像，祂必須離開我們。**第4節**「**畫記號**」：「記號」在希伯來文是 *taw* 這個字母，即希伯來文字母表上最後一個字母，這字母最古老的字形看似「Ｘ」。這記號是用作分辨那些虔誠的以色列人。

十1「**藍寶石的形狀**」：這跟以西結最初所見的一樣（參一26）。**第2節**「**基路伯**」：第一章描述的4活物現今指明為基路伯。這4活物被描述站在神的寶座下面，或是

支托著寶座。這裏描述他們是神的侍從，跟出埃及記描述他們在約櫃的施恩座上的情況可互相呼應（出二十五18-22），也跟舊約其他經文形容神是「坐在二基路伯之上」的描述吻合（撒上四4；撒下六2；王下十九15；代上十三6；詩八十1；參詩十八10）。基路伯的形象在不同經文的描述會有不同，如在四十一章18-20節，描述基路伯有兩個臉孔。**第14節「基路伯的臉」**：這跟一章10節所說「牛的臉」不同。這可能是筆誤（參十22）。

十一3「蓋房屋的時候尚未臨近」：這句話的翻譯不能確定，但這節經文的意義，大概是指那些圖謀犯罪的人在觀看時代的徵兆，他們的結論是：他們將成為耶路撒冷社會中的優秀分子。他們是精英，不是渣滓（參十一7、11）。**第13節「我說預言的時候」**：即仍在異象之中。**第19節「石心」、「肉心」**：這主題在以後重提（參三十六26）。**第23節**神的榮耀終於離城而去。

十二1-16　象徵性行動：預言被擄

在這段及隨後的宣講中，以西結以行動表達他的部分信息。儘管他的預言是有關耶路撒冷將要淪陷，但他的信息主要是為了在巴比倫被擄的同胞而發。他的信息有兩個主要成分：耶路撒冷人將要被擄；他們的王（西底家）企圖逃跑，卻被捉住（參王下二十五4；耶三十九4）。在這宣講中，以西結把自己的眼睛蓋住，也暗示了西底家的命運（十二6、12、13）。西底家結果被捉住，眼睛被剜出（王下二十五7）。

以西結用行動，把這段及隨後的宣講的灰暗信息表達出來。這種表達信息的方法，是針對那些除此之外，不會留心的人。有時他們要因著驚奇，才會留意。對今天的基督徒來說，這也許可激發我們檢討傳福音的方法。新的方法可能比傳統的方法更有效。

第1-6節神對以西結說：「你的同胞十分悖逆，他們只願看見他們所願見的，只願聽他們肯聽的（2節）。所以，你要在他們面前，用這些行動使他們明白。在日間，你要預備好一切遷徙遠行需要的東西。然後，離開你所在的地方，去到別處（3-4節）。在晚上，你要在牆上鑿洞，並穿洞而出，把行李背在肩頭上。你並要蒙著臉，藉此我要使你作巴比倫人的一個預兆（5-6節）。」

第7-14節以西結遵命行事。第二天他收到第二部分的信息；他要在以色列人前來向他求問時，把這信息告訴他們（7-10節）。他要向他們解釋，他所行的一切是要作他們的預兆（11節）。他要向他們宣告，這些行動是有關耶路撒冷的君王及整個巴比倫。他們將要被擄徙至遠方。猶大王將要在夜間倉惶逃走，在牆上穿洞而出。他將要被拿並帶到巴比倫，在那裏被殺（11-13節）。跟從他的人將被分散於異地。有小部分人將可留存，向後人述說他們的惡行。這樣，「他們就知道我是耶和華」（14-16節）。

附註　第5節「挖通了牆」：「牆」是指家裏的牆，不是城牆。這些用泥磚搭建的牆是可以挖通的。這行動顯示逃亡時何等蒼惶。**第16節「刀劍、饑荒、瘟疫」**：這是在以西結書中常見的3災。戰爭的毀滅引致饑荒和疾病。

十二17-20　象徵性行動——以色列將恐懼顫抖

以西結的驚惶，把耶路撒冷及周圍地區將要受到攻擊的恐怖情況，表現出來。神吩咐他在飲食時要顫抖。他宣告那些在耶路撒冷和以色列居住的人，要在恐慌中進食，為著到處可見的暴力行為而震驚。城鎮、鄉村都一片荒涼。這樣，他們就知道神是耶和華。

附註　第19節「吃飯必憂慮」：參四章16節，兩處經文的重點都是食物的短缺（參四9-17）。

十二21-25　預言將應驗

以西結並非唯一向百姓聲稱他有從神而來的信息的人（參十三1-23）。百姓根據過去的經驗，可以說這些預言也將不會應驗，因過去已有不少預言被證實是虛假的。以西結警告他們這一次將會不同。

當人面對使他不安的真理時，總會用一些常見的藉口來推搪。在這裏可以看見其中之一：「這是永不會發生的」。另一種藉口可見於隨後的宣講：「這事雖然發生，卻不會長久」。神透過以西結要向以色列宣告：「預言落空的日子已經過去；每一個異象不久都

要應驗。我所宣告的事不會遲延，你們在世的日子將會看見它們的成就。」

附註　第22節「俗語」：預言的彷彿落空竟成了人所共知的笑柄，甚至成為俗語。

十二26-28　不久將應驗

也許由於上述的宣講，有些人改變了他們對以西結的預言的態度。他們開始接受以西結的警告可能成真，但始終認為是指著遙遠的將來說的。今天也是一樣，我們都很容易把問題傳給下一代，而不肯自己面對。我們心裏說：「在我們的世代以後，洪水將臨。」

神向以西結說：「以色列人以為你的預言是關於遙遠的將來。」（27節）但神要宣告：「我的話一點也不會遲延，我宣告的事將會應驗。」（28節）

附註　第27節「異象」：參七章26節、十二章22節。

十三1-23　指斥假先知

這段宣講指斥兩類假先知。第一類假先知以為他們真的可以預言將來，並期望他們的預言可以應驗。他們的信息是民眾喜歡聽的（10節）。儘管他們態度真誠，信息充滿安慰，神卻沒有差遣他們。他們說話的虛假將會暴露出來。只有真誠是不足夠的，你可以對自己錯誤的觀念抱著十分誠懇的態度，但他依然是錯的。

第二類假先知的情況更糟。這是指假的女先知，她們為了圖利而說預言（19節）。聖經一向指摘為了經濟利益而從事宗教活動。再者，她們使用法術大概是控制人的巫術（18、20、21節）。她們的行徑引致不公，甚至死亡（十三19）。但奇怪地，這些女巫的刑罰遠較第一類的假先知為輕。她們將失去控制人的力量，並不再作假預言。也許她們的職業是由於經濟需要，而不是出於惡念。

第1-15節　神透過以西結要向假先知宣告：「你們有禍了！你們沒有在以色列有需要時幫助他們。你們的異象是虛假的，但你們仍愚蠢地希望它們會應驗（1-7節）。因著你們虛假的異象，我耶和華要與你們為敵（8節）。你們在我百姓的會中無份，也不列在以

色列家的名冊上，你們不得進入以色列地（9節）。你們給了我的百姓虛偽的安慰、虛假的安全感（10-12節）。這安全感將會幻滅。你們也將隨著逝去。這樣，你們就知道我是耶和華（13-15節）。」

第16-21節　以西結也要向那些女先知宣告：「你們使用巫術謀利，你們的謊言帶來了不公的行為（18、19節）。我要與你們的巫術行徑為敵，把它們除去。我要破除你們對人的控制。這樣，你們就知道我是耶和華（20、21節）。」

第22-23節　「你們使正直人灰心，並鼓吹不公。你們的行為終會被停止，你們就知道我是耶和華。」（22、23節）

附註　第4節「荒場中的狐狸」：這些先知不但沒有幫助百姓重建他們的生活，反而好像專食腐肉的野獸，以這班餘民為他們的獵物。**第9節**他們的刑罰包括三方面，結果是從以色列人的社會中被排斥：他們不准參加以色列人的會議，即失去作領袖的身分；他們的名字從族譜中革除，失去作以色列成年男子的一切權利；他們更不准返回以色列地。**第10節「未泡透的灰」**：外表雖好看，但底層的真貌卻乏善可陳。**第18節「他們為眾人的膀臂縫靠枕，給高矮之人作下垂的頭巾」**：這些女先知如何施展巫術已不可知，但她們的目的是要迷惑和控制人。**第19節「兩把大麥、幾塊餅」**：她們的所作所為只是為了這小小的代價。

十四1-11　指斥偶像崇拜

以西結既身為先知，被擄的以色列人自然要向他求問從神而來的信息。先知的地位頗高，連以色列的長者也來向他求問神的諭旨（參二十1-3）。

在這次事件中，神告訴以西結那些長老是心懷二意的。他們敬拜耶和華，又敬拜別神。以西結傳遞的信息十分直接：他們需要悔改，轉離偶像。任何人試圖敬拜偶像，又去求問神的先知，必然受罰。若有先知回答他們的求問，也必受罰（參二十1-44所載相同的主題）。

經文沒有指出這些長老不信以色列的神。他們的問題是同時敬拜別神。人不可同時服侍兩位主人（太六24）。僕人只可以有一位

主人。在今天的多元主義背景下，人都以為應多有選擇，不妨接受多神。但當我們對信仰有所體悟時，便發覺這是不能與其他宗教並存的。例如：若基督是通向神的真正道路（約十四6-7），我們不會去注視其他道路。

神告訴以西結有關長老的事：「這些人敬拜偶像，我怎能讓他們求問呢？」（2-3節）。神透過以西結要向他們宣告：「你們要悔改，離開偶像。若有以色列人，或住在以色列之中的外邦人，一方面敬拜偶像，然後又藉先知向我求問，我將這樣直接的回應他說：你將要作為眾人的鑑戒，從眾民中被剪除。這樣，你們就知道我是耶和華（4-8節）。若有先知向這些人發預言，是我任那先知受迷惑的，他也必從以色列中被剪除。他和那些求問他的人同樣有罪。這樣，以色列人不再偏離正路。他們要作我的子民，我要作他們的神（9-11節）。」

附註　第7節「外人」：這禁令也加諸非以色列人身上。第9節「迷惑」：若先知的行為與他的呼召相配，他將會聽見神的聲音（正如以西結一樣），告訴他不要回答這樣的求問。若先知的行為不檢，神會任由他受迷惑，發出預言，以致他會嘗受惡果。

十四12-23　以色列的刑罰不會因少數義人而扭轉

以西結的宣講中，有幾次是涉及罪和責任的問題（三16-21，十八1-32，三十三1-20）。本段宣講的重點是一個群體不能倚靠他們中間的少數義人，妄想可脫離他們罪的刑罰。一個腐敗的社會不能因他們中間的幾位聖人，妄想可逃避責任。同樣，雖有敬虔的祖先，也不能挽回一個敗壞家族的惡行（十四16、18、20）。以西結警告耶路撒冷不要犯這樣的錯誤。她的報應將臨，儘管部分人將獲救。

這宣講預言將有「四種可怕的刑罰」蹂躪全地，即：饑荒（13-14節）、野獸（15-16節）、刀劍（17-18節）和瘟疫（19-20節）。這些災難是彼此相關的。一場毀滅性的戰爭將帶來饑荒、疾病和肉食動物。不少人爭論，究竟現代的災難與神的刑罰有沒有直接的關係？以西結的信息指出：某些自然災難是神的懲罰。要注意以西結的任務不是要威嚇，

而是警告，好使人轉離他們的惡行。

耶和華對以西結說：「若我因一國的不忠，用饑荒懲罰她，她國中可免刑罰的義人只能自己倖免（13、14節）。若野獸來蹂躪遍地，或戰爭要摧毀全國，或瘟疫傳遍全地，國中的義人僅可自免。即使他們的兒女也不能因他們得救（15-20節）。這將會是耶路撒冷的遭遇，儘管部分的人將可獲救（21-22節）。」

附註　第14節「挪亞、但以理、約伯」：提出這3位聖經人物，是因他們出眾的公義。「但以理」原文的拼法與平常的不同（參二十八3），可能是指烏加利文獻中的一位英雄。大多數註釋者認為舊約聖經中的但以理，當時還沒有建立他的聲譽。第21節「四樣大災」：和啟示錄六章8節所說的雷同。

十五1-8　耶路撒冷如無用的葡萄枝

在舊約裏，葡萄樹通常被視作豐產、有價值的植物，也常用作比喻以色列——神的選民（參賽五章）。但在這段宣講中，神指出葡萄樹枝是毫無用處的。若樹枝經火燒過，就更無價值。耶路撒冷人正好像葡萄枝，在他們被圍困以前（主前597年），他們已是沒有甚麼優點；在此之後，也沒有多少改善。

懲罰不一定使人悔改。心靈的改變才是使人的行為改變的唯一方法。

神問以西結：葡萄樹枝有甚麼用處？若經火燒，這已成焦炭的殘餘，更有何用（2-5節）？神的意思是耶路撒冷人將如葡萄枝，他們已經過火的災劫，卻仍要再遭劫難（6-7節）。他們就知道我是耶和華因他們的不忠，使全地荒涼（8節）。

附註　第7節「火卻要燒滅他們」：將有另一次的圍城戰爭。

十六1-63　耶路撒冷如不忠、淫亂的妻子

以色列被形容為一個極端荒淫的妻子，與埃及人、亞述人和巴比倫人行淫。她的報應將藉她所追求的愛侶的手，臨到她身上。

這比喻對現代人來說，似有點過分，但這是很恰當的描述。以色列在與各國接觸時，早已吸收了外國的宗教、信仰和風俗。

他們與異邦社會相交時，接觸到很多異教信念。其中包括了獻兒童為祭及偶像崇拜（20、21節）；而另一個嚴重的罪行是在偶像崇拜中的性罪行。這些在敬拜禮儀中的性放縱，不僅是參與的人享樂，而是與豐收盛產的信念有關，這包括了土地的豐收，也意味著糧食和生存。無論如何，在這些異教敬拜中，肯定包含了人的慾念和雜交。

本章指摘的行徑，包括與偶像（17節）及廟妓（16、24、25、31節）行淫。這種在「高處」（16節）敬拜時的淫行，似乎已蔓延至耶路撒冷的街上公然地進行（24-25節）。

本章另一個特別之處，是以所多瑪和撒瑪利亞為耶路撒冷的姊妹城（46-47節）。但這裏指出所多瑪的罪是她的高傲，以及對貧困無助者毫無憐憫。而耶路撒冷卻被指摘比那兩個姊妹城更熱衷於淫行。還有，所多瑪和撒瑪利亞都將可復興，使耶路撒冷羞愧（53-55節）。但她仍有盼望。在耶路撒冷陷落、受罰之後，那位原先在她出生時拯救了她（4-7節），又與她共結婚盟（8節），使她穿著華麗的服飾的，將再次記念他向她所許的諾言（59-62節）。

神對祂子民的愛常比作夫妻之愛，但世上為夫的也會拋棄、憎惡一個淫蕩、不忠的妻子，神因著忍耐和公義，卻始終不忘祂對子民的應許，儘管他們偏離正路。

昔日追求豐產的心態，在今天可見於以經濟發達為人生主要目標的表現。尋求物質和霸佔市場已取代了巴力敬拜，但同樣都是偶像崇拜。

第1-34節神授命以西結指摘耶路撒冷：「你出生時，本遭拋棄（2-5節），由於我的憐憫，你才得以生存。你長大後，我要你為妻，並賜你許多珍寶、羅衣（6-14節）。你的美麗出眾，誰知你竟據此行淫。你沉迷於異教淫亂的禮儀及種種偶像敬拜行為。你已忘卻我為你所做一切（15-22節）。你有禍了！你的淫行不斷增加。你公然與周圍列國行淫，甚至以賄賂引誘他們前來（23-24節）。」

第35-42節因你的淫亂及敬奉異教，我將在你的愛侶面前使你受辱，懲治你。他們會轉而搶奪你，用石頭把你打死。這樣，你才會停止淫行，我的怒氣才可止息。

第44-58節你的全家都同樣的敗壞。你的姊妹——撒瑪利亞和所多瑪，都是一丘之貉；但你比她們更加敗壞。我將會使撒瑪利亞和所多瑪得以復興，好使你的羞辱增加。現今你已受到鄰國的嘲諷。

第59-63節儘管你已毀棄與我的盟約，我卻仍守約不忘記你，並要與你另立永約。這樣，你將會因思念自己的所作所為而羞愧。

附註 十六3「亞摩利人……赫人」：耶路撒冷遠在以色列人佔領之前早已建立。**第4節「撒鹽在你身上」**：這大概是一種消毒方法。這節經文的意思是指這新生嬰兒完全被忽略。**第5-6節**這嬰兒被棄於野，在血泊中掙扎。這情況在古代社會中並不罕見。**第8節「用衣襟搭在你身上」**：這行動代表收納她為妻（參得三9）。**第9節「洗淨你身上的血」**：這幾節經文表示耶路撒冷的情況完全改變。她出生時，被人丟棄，未經洗淨，赤身露體，躺在血中。現今，她已被迎聘為妻，身上的血污已洗淨，並身穿美衣。**第15-19節**她竟用她作新婦時所得的美衣、香膏，充作行淫的工具。**第27節「減少你應用的糧食」**（新國際譯本：「削減你的國土」）這意象的實況可見於一次歷史事件中：在主前701年，西拿基立把耶路撒冷的部分地區給予非利士人。**第35-42節**耶路撒冷的刑罰將如妓女一樣——羞辱和毀滅。**第60-63節**儘管耶路撒冷仍將為過去的行為羞愧，神仍應許與她另立永約。

十七1-24 一個政治性的比喻寓言：大鷹、香柏樹梢和葡萄樹

本章分作3段：3至10節——大鷹和葡萄樹的比喻；11至21節——比喻的解釋；22至24節——應許性的比喻。

這比喻是有關當時的政治情況。第一隻鷹是尼布甲尼撒，第二隻是法老。利巴嫩的香柏樹代表耶路撒冷的皇室，樹梢代表最尊貴的人。「**以色列地的枝子**」（新國際譯本：「以色列地的種子」）：指一皇室成員，即西底家，他是巴比倫王安置在耶路撒冷的管治者。他卻不再是香柏樹，而成了「蔓延矮小的葡萄樹」，意表他的能力受到局限。但是，西底家企圖藉賴埃及的幫助，以反抗尼布甲尼撒。這行動結果失敗。

這比喻說明：政治範圍也不能脫離神的

管治以外。西底家曾奉神的名與尼布甲尼撒立約。即使尼布甲尼撒是一個殘暴的外邦君王，但西底家仍有本分要遵從他自己的誓言。

第1-8節 以西結要向以色列人說比喻：「有一隻雄偉的鷹從利巴嫩的香柏樹上，把樹梢叼去，種植在一個以貿易著名的城市中（2-4節）。牠也取了一些種子，種在一肥美地上。種子萌芽，並長成一枝葉茂密的葡萄樹，起初葡萄樹的枝子是向著鷹生長（5-6節），但有第二隻鷹出現時，葡萄樹的枝子卻改向而生（7-8節）。」

第9-21節 「耶和華神詢問：『這葡萄樹還能生存嗎？它豈不被拔出，以致枯萎嗎？』」（9-10節）你們豈不知道這比喻的意義嗎？巴比倫王把耶路撒冷的王和貴族，擄去巴比倫（11-12節）。他又使耶路撒冷的一位皇室成員與他立誓，他把以色列國中的精英擄走，使以色列國勢衰頹，好在他控制之下（13、14節）。但是，那以色列王反叛，謀求埃及的軍事支援。他會成功嗎？不！他將死於巴比倫。埃及不能幫助他。他將會因違反誓言而受罰（15-21節）。

第22-24節 「我耶和華將把香柏樹梢的嫩枝，種在以色列的山上。它將長成一苗壯的香柏樹。旁人看見就知道這是我所作成的。」（22-24節）

附註 第11-14節 巴比倫人行使他們一貫的政策，使以色列變成他們的傀儡。他們擄走眾皇室成員，只留下當中力量微弱的——西底家——來治理，他被迫與巴比倫人簽約，保證以色列會效忠巴比倫。以色列國中所有才能之士都被擄走。這樣，他們將難以組織反叛力量。第16節 「死在巴比倫」：列王紀下二十五章1至7節記述耶路撒冷被圍，西底家終於被尼布甲尼撒擒獲。西底家被剜目及鎖往巴比倫。第22-24節：另一個滿有盼望的信息：將有一位新王蒞臨，開展一個新的國度。

十八1-32　個人的責任

這篇宣講是要打破民眾的一個錯誤觀念，他們以為人的命運是受父母的罪行或善行所左右。這觀念更成了一句俗語，見於第2節。這觀念會引致兩個結果；先知的宣講以兩個例子來說明：1.一個犯罪的兒子不會因

他父親的義行得免刑罰（5-13節）；2.一個正義的兒子不會因他父親的罪行而受罰（14-18節）。第4節申明了這原則：「犯罪的他必死亡。」以西結也駁斥累積善行可抵銷罪行、以致得救的觀念。若犯罪的人轉離惡行，將可存活。若行義的人轉而行惡，將會受罰（21-28節）。顯然民眾認為這宣講有欠公允（29節）。

第2-4節 耶和華的宣告與流行的俗語相反，犯罪的人將必受罰。第5-9節 若義人秉公行義，將可存活。第10-13節 若義人的兒子兇暴、污穢、欺壓別人，這兒子將因自己的罪滅亡。第14-18節 若有一兒子不從父親的惡行，秉行公義，他將不會因父親的罪而受罰。他將可存活。第19-20節 兒子不用承擔父親的罪，反之亦然。第21-22節 若有罪人離罪行義，他也可以存活。第24節 若有一義人離義行惡，他將要滅亡。第25-29節 不管以色列人怎麼說，這教訓是公平的。第30-31節 每一個人將按自己的行為受審判。所以，我們要悔改，求神賜下新心和新靈。神不喜悅任何人的死亡（23、32節）。

附註 第2節（參耶三十一29）：耶利米也曾宣告這俗語將不再流行。這俗語以為人要因先祖的罪受苦。第6-9節 這裏列舉了部分罪行，另見於11至13節及15至17節。第19節 在先知宣講的時代，這是一個問題。對於活在當時的中東文化的人來說，繼承和家庭觀念十分重要，這和今天趨向個人主義的社會很不同。今天，我們不會為著不幸的際遇埋怨先祖，卻會為此埋怨社會。無論如何，我們總試圖把責任推給別人。

十九1-14　哀悼以色列眾王

本章以比喻的形式，哀悼大衛王朝的沒落。一隻母獅（以色列）生下了幾隻小獅子（眾王），她們都長成雄壯的獅子。但是，有一位王被擄去埃及，另一位也被捕獲，被帶到巴比倫（主前597，參王下二十五1-7）。

從第10節開始，比喻變成以葡萄樹比作以色列。這葡萄樹本來十分苗壯，卻被拔出，移植沙漠（指巴比倫）。它的枝幹被火燒毀，果子也燒去。再無粗壯的枝幹存留。這意指巴比倫人把以色列的王擄去。西底家的反叛（葡萄枝上的火）引致巴比倫嚴厲的報

復，使大衛王朝終結。

這哀悼申明往昔的光榮不能保障未來。正如西方的文明是奠基於基督教的遺產，但現今已失去那真實的信仰，徒有遺產也無補於事。

第1-9節 以西結要哀悼以色列眾王：「你們的皇族中曾興起一隻雄壯、吃人的獅子，列國聽聞他，就把他捕獲，用鈎子拘禁到埃及去（2-4節）。另一隻獅子也壯大起來，可把人吞噬。他威嚇各城鎮，使全地恐懼。列國的人到來，把他網住，帶到巴比倫王那裏，囚禁他（5-9節）。」第10-14節「你們的皇族本像一繁茂的葡萄樹，枝幹茂密。現被連根拔起，東風使它枯萎，它的枝幹被燒毀。它被移植至沙漠。它再無枝幹可作權杖。」

附註 第12節「東風」：代表巴比倫人。

二十1-44 以色列頑固的叛逆

正如十四章1至11節記述的情況，以色列人的幾位長老來請教以西結。神再次向以西結指出這班訪客心懷二主。先知發表了一段頗長的宣講，憶述以色列歷史中偶像崇拜的惡蹟。

他們來請教以西結，顯示這些長老沒有完全棄絕神。但他們的信仰顯然大受衝擊。被擄的以色列人在這個龐大而複雜的社會中，只屬少數。巴比倫的宗教信仰多神。無疑，巴比倫的富強——包括他們宏偉的建築——可能在一部分被擄的人看來，似乎證明巴比倫的神是值得他們信從的。他們很容易便受巴比倫的生活所同化（參但以理書第一章的註釋）。

以西結的宣講，很適切地以憶述以色列人在埃及受奴役之事作開始。警告、叛逆、拯救這樣的循環重複多次。以色列人即使受到傷害，仍甘願跟從別國的宗教（24、32節）。神給他們的警告中，也含有應許。以色列人將從他們散居的各國中再被招聚，他們卻要憎厭自己的所作所為。

這宣講說明了神歷代以來對待祂子民的恆久忍耐。即使他們頑梗悖逆，祂仍信守承諾。

第1-17節 以色列人的一些長老來向以西

結請教。神吩咐先知向他們宣告：「我不容許你們向我求問（2、3節）。我在埃及揀選以色列，向他們顯現的時候，我應許要把他們帶出埃及，到一富足之地（5、6節）。我要他們丟棄埃及的偶像，他們卻不肯。我為了自己的名的緣故，沒有刑罰他們，卻把他們帶離埃及（7-10節）。在沙漠中，我更向他們曉諭我的律法（11、12節）。他們在沙漠中再次悖逆，不顧我的警告；我仍沒有毀滅他們（13-17節）。」

第18-26節「我同樣地警告他們的兒女（18-20節），即使他們悖逆，我仍沒有毀滅他們（21-22節）。我在沙漠中警告他們，他們的悖逆將使他們被擄徙至各地（23、24節）。我任憑他們在不公的法則和無法忍受的政令下過活（25節）。我容讓他們被異教惡行，如獻長子為祭，玷污自己。我這樣作，是要使他們恐慌中知道我就是耶和華（26節）。」

第27-38節「你們的先祖在各高處和茂密的樹下敬拜偶像，以此羞辱我（27-28節）。你們是否要像他們一樣的玷污自己呢（30節）？我不容許你們求問我（31節）。你們想跟列國一樣，敬拜木頭、石頭，這是不可能的事（32節）。我要審判、懲治你們，叛逆我的人將從你們中間剪除。這樣，你們就知道我是耶和華（33-38節）。」

第39-44節「以色列啊，你們仍事奉偶像，但不久你們要轉向我。以色列全家要在我的聖山上敬拜我（39、41節）。當我把你們帶回以色列地，你們就知道我是耶和華（42節）。當你們回想往日的行為，就會憎厭自己。我為了自己的名這樣對待你們，你們就知道我是耶和華（43-44節）。」

附註 第1節「第七年」：即主前591年。「求問」：參八章1節，十四章1節。第9節「為我名的緣故」：神的名代表了祂整個位格，不僅是祂的聲譽。第25節「任他們」：神任由他們偏行己路，即使是不義的行為（如獻孩童為祭）。第29節「巴麻」：先知使用一對諧音字來諷刺他們，「巴麻」意即高處，而第一音節相同的「巴音」則指角落。第37節「從杖下經過」：這意象是指羊群在牧人監察的眼下經過（參利二十七32；耶三十三13）。

二十45-49　火的刑罰

這宣講是一系列4個預言的第一個，警告將臨到以色列地的災禍。這4個預言一個比一個清晰。

正如以西結其他的宣講一樣（如：十二26-28），他的信息為人故意忽視。他的話被看為比喻，眾人聽見他嚴厲的表徵，卻奢望事實並非如此嚴重。我們常極想知道未來，卻又希望能滿足自己所欲，若與自己的願望相違，即使有最明顯的表象，我們也故意曲解。

第46-49節以西結要向南方及南方的森林宣告（46節）：「耶和華說祂將要向你舉火。這火是不會熄滅的。每個人的臉孔都被燒焦。他們就知道是我耶和華點火的」（參47-48節）。以西結的聽眾只當他在說謎語（49節）。

附註　第46節「南方」是指耶路撒冷和猶大。第47節「從南到北」：事實上，這預言警告災禍將遍及全地。第49節似乎以西結缺乏絕對的公信力，他預言的災禍被視為「象徵」而已。

二十一1-7　刀的刑罰

在第二個預言中，意象的意義更為清晰。這裏提及刀——戰爭的表徵，清楚地顯示那將臨的災禍與戰爭有關。以西結的信息常強調個人的責任和獎賞（參三16-21，三十三1-20），故這裏指出那將臨的災禍同時影響義人和惡人，是頗惹人注目的。義人沒有免除苦難的保障。那些自稱有神保守，可免一切災害的人，也許他們的信心真的很大，但他們肯定是忽略了聖經中很多的警告。

以西結要向耶路撒冷宣告：「耶和華要與你為敵，祂要拔出刀來，砍殺好人與壞人。」（2-4節）。

神也對以西結說：「你要哀哭、憂傷。人問你為何如此的時候，告訴他們這是因為有可怕的消息臨到（6-7節）。災難定必臨到。」

附註　第3節「刀」：這表徵也見於以下兩個宣講。第6節「嘆息」：以西結除宣告外，還有象徵性的行動（這是他第七個象徵性行動）。

二十一8-17　刀已磨利

在第三個宣講中，先知的話很具詩意，似是一篇開戰前的祝頌。宣講中一再指出刀已磨利及重申此刀之任務。

「戰爭是神的刑罰」這主題，在以西結時代比今天更不受歡迎。以色列人仍抱一線希望，就是神的憤怒終於會止息。

第9-11節一柄磨利的刀已準備好。12節這刀要對付以色列人和他們的君主。第14-16節這刀將一再的攻擊。第17節然後神的憤怒將止息。這是耶和華的話。

附註　第10、12、13節「杖…首領」前兩個宣講沒有提及一件事——耶路撒冷的領袖將是刑罰的目標。下一個宣講將有詳述。

二十一18-32　巴比倫王的刀

這系列的最後一個宣講更清楚地說明將要發生的事。巴比倫王（尼布甲尼撒）將發動一次軍事行動，攻取巴比倫帝國以西的土地。在他的行程中，他將停下察看預兆，看看應攻打哪城：耶路撒冷或拉巴。預兆是指向耶路撒冷。於是，尼布甲尼撒將圍攻耶路撒冷；以色列的領袖將被俘擄。

亞捫人也不能脫難，因他們受罰的日子也將臨到。旁人甚至忘記他們曾經存在。

這宣講可分作3段：18-23節——尼布甲尼撒的行動；24至27節——對以色列宣告的信息；28至32節——對亞捫宣告的信息。

這預言使我們不會輕率地妄下結論，認為誰應該受罰及為何受罰，表面看來，兇惡的尼布甲尼撒更應該受神的刑罰，而以色列可以緩刑。但以西結在神的啟示下，預言尼布甲尼撒要成為神的工具，刑罰以色列的罪。

第19-20節　神吩咐以西結繪製一地圖，顯示巴比倫王前來的路線。在一個分岔路口，他要製造一個路標，一邊指向拉巴，一邊指向耶路撒冷。第21-23節巴比倫將在這路口停下，求問上天的指示。結果是指向耶路撒冷，於是他揮軍圍城。第24-27節耶和華對以色列的領袖宣告的話是：「因你們的罪行暴露（24節），你的百姓將要被擄。而你們這班邪惡的領袖，將被推翻（25-27節）。」第28-32節以西結也要對亞捫人宣告：「你的時候已到。儘管有人虛報平安的預言，你

將在本處被毀滅（28-31節）。你將被世人遺忘。這是耶和華說的（32節）。」

附註 第20節拉巴（現代之安曼）——亞捫的首都。後面也有一段預言以亞捫為中心（參二十五1-7）。第21節「察看犧牲的肝」：這是巴比倫人的「祭牲剖肝占卜術」，察看祭牲的肝臟的特徵，以預告未來的方法。第23節「曾起誓」：耶路撒冷的領袖曾被迫起誓，效忠巴比倫，現今卻背叛（參十七11-13）。第26節「除掉冠」：意味王朝的沒落。第28、29節亞捫人以為脫離災劫，顯然他們聽見虛假的預言，更使他們自以為安全。

二十二1-16 耶路撒冷的罪

這宣講集中指斥耶路撒冷的罪，指出她的罪促使她的結局速臨。這裏列舉的罪行，從社會性到宗教性的都有：流人血（3、9節）、拜偶像（3、4節）、濫用權力（6節）、惡待不同的人（7節）、不守安息日（8節）、信奉異教（9節）、淫穢和亂倫（10－11節）、受賄和強奪（12節）、漠視神（12節）。他們的刑罰將是被擄徙至各地。

神透過以西結要指摘耶路撒冷一切可憎的罪（2節），向她宣告：你這城市，充滿流人血的罪和拜偶像的不潔。你的作為使你的結局加速臨到。你將成了列國中的笑談（3-5節）。在你中間有各種的敗壞，我要使這一切停止（6-13節）。你將被分散於列國中，這樣你就知道我是耶和華（14-16節）。」

附註 第2節「可憎的事」：這是以西結書中常見的話，代表使人在敬拜上不潔的行為（參10節）。第9節「在山上吃過祭偶像之物」：吃了獻與在高處的偶像的祭物（參十八6，六3）。第10節「不潔淨」：以西結身為祭司，自必關切敬拜上的潔淨與不潔。這裏舉出的許多罪都曾在律法上特別提出（參利十八、二十）。第16節「褻瀆」：以色列所受的刑罰也被稱褻瀆或不潔。

二十二17-22 以色列被熔煉

以色列所受的刑罰好比熔爐中的火，所有渣滓都被熔去。

現代對戰爭或刑罰的觀念，通常會包括報復或恢復的概念。在這段宣講煉淨的概念。這國家的敗壞過於根深蒂固，不是輕微的社會改革可以變更的。要把一切除去，才可以有一個新的開始。

神告訴以西結，以色列好像銀渣滓（18節），祂要向以色列家宣告：「所以我要把你招聚到耶路撒冷，好像人把銀和渣滓都放在熔爐中。我火熱的怒氣要熔化你，就像熔煉的過程一樣。你就知道是我把怒氣傾倒在你的身上（參19-22節）。」

附註 二十二19「聚集你們在耶路撒冷中」：這節和第20節都顯示耶路撒冷將受圍困。

二十二23-31 國中的不義——各階層的腐敗

以色列社會中的腐敗，超越各個階層，也有不同形式的表現。

一個社會的腐敗，可以超越個人層面，而成為社會制度的一部分（不管是宗教或非宗教的）。很多行為被接受只因為這都是例行的事，或已為各階層接受，但這並不表示這些行為是對的。有時，賄賂成了每天商業活動的一部分。對社會中的貧弱成員不公平的待遇也是很普遍的事。面對這樣的腐敗情況，個人常感到無助和無奈。

神透過以西結向以色列地宣告：「你是乾燥的（24節）：你的領袖欺壓人民（25節），你的祭司污瀆我的律法（26節），你的官員殺人奪財（27節），你的先知說假預言（28節），你的人民搶奪、欺壓貧弱的人（29節）。我尋找一個可以為以色列堵塞破口的人，卻找不著。因此，我要把憤怒傾倒在這地的民眾身上（30-31節）。」

附註 第30節「重修牆垣」：沒有一個人配為人民的緣故，向神代求。

二十三1-49 阿荷拉和阿荷利巴：淫亂的姊妹

本章的主題與第十六章很是相似：耶路撒冷和她的姊妹撒瑪利亞行淫，彷傚周圍列國，尤其是埃及、亞述和巴比倫的行徑。他們必須承受自己所為的結果。這兩章經文的分別在於重點不同。經文描述以色列的愛侶

——亞述人和巴比倫人——穿著戰士的服飾（5、14、15節），顯示了以色列與亞述和巴比倫在軍事和政治上的聯繫。他們都要向她報復；報復行動就是軍事攻擊和搶掠（24-26、46-47節）。

以色列的政治盟友並沒有受到指摘。他們引入的異教信仰，在社會和宗教各層次，滲透了以色列的文化，而且為以色列人所歡演迎。

神並非以一個中立、漠不關心的態度，來看以色列人的罪。神是以一個丈夫的悲憤心情，來看一個不忠的妻子，這是神對以色列人的罪的態度（參十六章）。

第1-10節耶和華對以西結說：「這裏有兩位姊妹：阿荷拉，即撒瑪利亞，以及阿荷利巴，即耶路撒冷。她們幼年在埃及時，已行淫亂（3、4節）。她們是我的妻子，但阿荷拉喜愛亞述人，與他們行淫（5-8節）。最後，我把她交給亞述人，他們把她的一切剝奪，並殺了她（9-10節）。」**第11-21節**「阿荷利巴比她的姊姊更壞。她也喜受亞述人，後又轉而追求巴比倫人。巴比倫人把她玷污後，她懷著憤恨離開他們。同樣，我也轉離了她（正如我離開她的姊妹一樣），因她的淫行愈發熾烈。她竟又懷念往日在埃及的荒淫（11-21節）。」**第22-35節**神向阿荷利巴宣告：「我要煽動你的舊愛侶來對付你。巴比倫人和亞述人將要圍攻、懲罰你。我要向你發洩我的怒氣，禁止你的淫蕩（22-27節）。我要把你交在你的舊愛侶手中，就是你現今憎厭的（28節）。他們將羞辱你（29-30節）。你好像你的姊姊撒瑪利亞一樣，將被荒棄（31-34節）。因你轉背向我，你必須承擔你的罪孽（35節）。」**第36-49節**以西結一一指斥阿荷拉和阿荷利巴的罪行：淫亂、流人血、異教淫穢的禮儀、獻孩童為祭、廢棄神的聖所和安息日（36-39節）。她們引誘外地人（40-42節），更導致淫亂的妓女行為和流人血的罪（43-45節）。以西結必須宣告：「她們要被置於死地，使全國的淫蕩之風止住（46-49節）。這樣，你們就知道主是耶和華。」

附註 第4節「阿荷拉」及「阿荷利巴」這兩個名字，似乎都與希伯來語「帳幕」一文有關。儘管不少註釋家認為這暗示異教敬拜（例如在帳幕中的神龕），但這兩個名字大

概只是指出以色列人的遊牧民族本源。「**歸於我**」：雖然經文並沒有清楚說明這兩姊妹是耶和華的新婦，但這節及第5節已暗示了這個關係（參十六8、9）。以色列的淫行無疑也是通姦。第5-10節撒瑪利亞對亞述的迷戀，導致她的沒落。撒瑪利亞於主前722至721年，為亞述所滅。第14節「**迦勒底人**」：這名稱後期變成巴比倫人的同義詞，但起先迦勒底人與南巴比倫人是不同的民族（參23節）。第23節「**比割人**」：東巴比倫的一個地區。至於書亞和哥亞，則未能確定。第24節「**大眾**」：以西結書常用此詞表示一大群要來毀滅、掠奪的人（參46-47節）。第36-39節這裏列舉了一些以色列人學自外邦異教的行徑。第42節「**酒徒**」（新國際譯本：「西巴人」）：大概是一個通稱，指一班隨隨便便的人，居無定處，也來佔這兩姊妹的便宜。

二十四1-14 鍋的比喻：耶路撒冷被圍

這段宣講是本書的一個轉捩點。在此以前，以西結的預言一直都是警告災禍將臨。但現今，預言已開始應驗。再沒有轉變的餘地。耶路撒冷被圍困的日子已臨到。這宣講的日期很準確：主前588年1月15日。這正是尼布甲尼撒開始圍城的日子。18個月後，巴比倫人將攻陷耶路撒冷，並放火焚城。這城市將要毀滅。耶路撒冷在12年內兩度被圍。以西結就是在12年前圍城之役被擄走的。

本段宣講的信息是用比喻形式表達。耶路撒冷好比一隻鍋，人民即鍋中的食物。這鍋經火燒後，仍有銹跡存留，意指經過第一次被擄後，以色列人的污穢仍在。這便需要第二次的火燒（第二次圍困），才可以把污跡除去，即懲治人民的罪。這裏再次以淨化來形容刑罰。

神對以西結說：「要記下這日子，因今天是尼布甲尼撒圍困耶路撒冷的日子。」（2節）。他要向眾人宣告：「把水和肉塊放進鍋中，在火上煮。鍋裏的銹未能除掉，這銹好比耶路撒冷的罪污（3-7節，13節）。把鍋放在火上再煮，把骨頭煮爛。把鍋燒紅，好把銹除去（9-12節）。耶路撒冷，現今你的刑罰必不可免（13-14節）。」

附註 第6節「**長銹**」鍋中的湯汁蒸發

後，會留下斑跡在鍋的裏面。「不必為它拈鬮」：若這句子的翻譯無誤，其意大概是指鍋中之物，即人民，將被隨意抽選擄去。第12節這節經文似意味即使經過再次的燒煮，鍋裏的斑跡仍未脫去。這節經文也可能是一個結論：「這鍋用盡一切努力，仍無濟於事」（參新國際譯本）。

二十四15-27 以西結妻子之死及先知哀痛的意義

神告訴以西結他的妻子將要離世，此預告必使他十分痛心。先知這痛苦的遭遇，也借用來表達有關耶路撒冷和聖殿的命運的信息。即使在哀傷的時刻，以西結仍要當神的先知。

信徒面對個人危機時的舉止，往往比千言萬語更有力地打動人心。當然，一個人的哀痛得不著適當的安慰，對他會有很不良的影響。神的命令只是向以西結而發，不是一個通則。

第15-24節神告訴以西結，他的妻子將要去世，而他卻不可為她舉哀（16-17節）。民眾來問他為何這樣做的時候，他要把神的話告訴他們：「我將要捨棄我的城市。你們留在城中的親人必倒在刀下。但你們不能為他們照常的舉辦喪事，就好像以西結的情形一樣。這樣，你們就知道我是耶和華」（20-24節）。第25-27節神再對以西結說：「當耶路撒冷陷落後，有一個難民會跑來告訴你。在那日，你將不再啞口；這樣，他們就知道我是耶和華。」

附註 第17節這裏提到一部分的喪事禮儀（參二十七30-32）。第27節「你必開口說話」：以西結聽見耶路撒冷陷落的消息後，他間歇性的口啞將會復原。他復原的經過記在三十三章21-22節，連這事件也成為給予民眾的表徵。

二十五1-17 譴責列國的預言

本段落包括了一連串的宣講，譴責以色列周圍的列國（二十五至三十二章）。其中以埃及和推羅所佔的篇幅最多，但一開始先集中在以色列鄰近的國家：亞捫、摩押、以東和非利士。這些國家看以色列的沒落為可慶賀的事（亞捫）和嘲諷的對象（摩押）。他們更趁機報復猶大（以東及非利士）。以西結警告他們將受到報應。

先知的宣講先提到亞捫，她是在以色列的東面；然後順時鐘方向，按次是摩押、以東和非利士。

以色列這些鄰國的態度實在可惡，但我們在鄰居遭遇困難時，也常犯上同樣的毛病。此外，我們再次看見神是全地的神，列國的命運及個人的命運，至終都在祂的控制之下。

亞捫 亞捫人為著以色列和猶大的毀滅而歡慶，因此，他們必被來自東方的民族攻克和搶掠（1-5節）。因為他們幸災樂禍，他們必被毀滅（6-7節）。

摩押 因摩押人蔑視猶大，他們也將被來自東方的民族攻克（8-11節）。

以東 因以東趁機向猶大報復，他們必在以色列人手下遭毀滅。

非利士 因非利士人趁機向猶大報復，基利提人及其餘沿海的民族將會被滅。

附註 第4節「東方人」：指沙漠的遊牧民族。第5節「拉巴」：亞捫的首都（參二十一20）。第8節「西珥」：以東的別稱。第16節「基利提人」：與非利士人有密切關係的民族。

二十六1至二十八19 譴責推羅的預言

按面積而言，推羅只是一個小地方。但從商業的角度來看，推羅卻十分重要，對古代近東的政治，有很大的影響力。

在古代，推羅是現代的黎巴嫩以南一個重要的海港，大概是在貝魯特和海法港中間。推羅有兩個港口，其中一個是在離岸不遠的小島上。以西結書好幾次提到推羅與海的關係。先知使用航海的用語來形容推羅的勢力和她的沒落。推羅的實力主要來自她的航運事業。

推羅的財富來自貿易，她的商人在古代來往頻繁，經營各種類的貨物。她的人民擅長於貿易，這種才幹帶來極大的財富。

推羅的歷史悠久而顯要。主前1850年的埃及咒語書中已提到推羅。據希羅多德說，字母文字是經由腓尼基人，連同推羅王加瑪斯，傳入希臘的。推羅也在主前825至815

年，建立迦太基這個殖民地。

推羅與以色列的關係一直都帶有貿易成分。希蘭王曾供應大衛建造耶路撒冷宮殿的材料（撒下五11；代上十四1）。他也供應所羅門建造聖殿的材料，並與所羅門立約。大概一個世紀以後，亞哈王娶推羅公主耶洗別為妻（王上十六31）。耶洗則把推羅的神巴力傳至以色列。

在以西結以前，推羅一度興盛繁榮。但以西結、耶利米（耶二十五22，二十七1-11）和撒迦利亞（亞九2-7），都預言推羅將受到巴比倫人的攻擊。尼布甲尼撒圍攻推羅之役（約主前587-574），顯然是一場惡戰（結二十九18）。推羅城終於承認巴比倫的主權。

譴責推羅和埃及的宣講，對於以民族自豪的國家很有教育意義。大多數人對於自己國家的成就，都會感到自豪，並支持這樣的成就。在推羅的例子中，我們看見他們對於自己製造的商業成就，深感驕傲。她賺取的財富使她自以為了不起。她為了維護這種超越的地位，甚至不惜不擇手段。以色列的沒落只被她視為另一個發展貿易的機會。

推羅的態度受到譴責，但其實這種態度今天仍很普遍。我們不能以國家的物質繁榮，作為衡量成就的唯一因素。

二十六1-21　譴責其自滿自足

在這篇宣講中，先知譴責推羅看耶路撒冷的傾覆為增加她財富的機會。尼布甲尼撒將率領巴比倫人來圍攻她，使她沒落。幸災樂禍的心態，是很普遍又難於察覺的，不論是否基督徒，都要注意。

第1-21節神向以西結啟示：「推羅說耶路撒冷的毀滅，將使她繁榮。」（1-2節）因此，神透過以西結，要向推羅宣告：「多國將要搶掠你，摧毀你的房舍。這樣，你們就知道我是耶和華（3-6節）。尼布甲尼撒將毀壞你的城市，周圍攻擊你，你將永不再重建（7-14節）。沿海的民族將因你的覆亡而震驚，為你的倒下而哀悼（15-18節）。你將被拉下坑中，不得復回（19-21節）。」

附註　第1節「十一年」：即主前587或586年。**第2節**推羅看耶路撒冷的沒落為貿易發展的機會。巴勒斯坦的地利，使她成為連接歐、亞、非3洲公路網的中心。**第3-5節**描

述推羅境況的比喻，都跟海上活動有關。**第6節**「城邑的居民」（新國際譯本：「在大陸上的房舍」）：推羅已把她的管治範圍，擴充至她在大陸及小島上的海港以外。**第7-14節**這是以西結書首次提到尼布甲尼撒的名字。據歷史記載，他圍攻推羅達13年之久。這場戰役對驍勇善戰的巴比倫軍，也十分艱苦（參二十九18）。推羅終於屈服，承認巴比倫的霸權。**第15節**「海島」：其他在地中海沿岸的城邦，大概都是推羅在貿易上的夥伴。**第19節**這裏描述的是一個小島沉沒在波濤之中。**第20節**「我要叫你下入陰府」：「陰府」（原文作「坑」）是指墳墓或陰間，即死亡之地。

二十七1-36　一首哀歌

這段宣講是一首哀歌。推羅被形容為一艘製作華美的商船。她的貿易夥伴就是供應她木材和商品的人。經文中列舉的國家和貨品，使我們清楚瞭解推羅為甚麼能以商貿聞名於天下。她的聯繫網絡遍及整個地中海岸、北非、小亞細亞及中東。她僱用外國人在工業和國防上。但這艘高貴的船艦將要沉沒，推羅將要傾覆。

一個歷史悠久、龐大的商業組織一旦破產關閉時，不僅她本身的僱員要失業，數以千百計的小工廠、供應商及各種服務人員都受到影響。經濟衰退，甚至崩潰，就是一些現代國家受懲罰的例子。

第1-36節以西結要向推羅宣告：「你以美麗自誇（3-4節）。你是以精緻材料構造（5-7節）。你僱用多國的人為你建造、工作和防衛（8-11節）。你在遠近，有多個重要商業夥伴，你的貨品質高、繁多（12-25節）。但在你下沉之日，這一切將全數消失（26-27節）。你的鄰居和夥伴都會為此震驚（28-36節）。你將不復存在（36節）。」

附註　第3節「我是全然美麗的」：推羅的財富使她可以裝飾華貴，使她極為自豪（參二十八12）。**第5-6節**她所用的木材是最好的。「示尼珥」：黑門山的亞摩利名（參申三9）。**第7節**「以利沙島」：大概是指居比路（塞浦路斯）。**第8節**「西頓和亞發」：這是在推羅北部的兩個城市。**第9節**「迦巴勒」：比布羅斯港，這是腓尼基人一個重要

的港口。這些勞工都為推羅服務，可見推羅的經濟實力。**第10節「弗人」**：即利比亞人。這裏提到的3個國家分隔頗遠，顯示推羅從古代世界的各處招募催傭兵，西巴利比亞（弗），北至路德，東巴波斯。**第11節**亞發人也為推羅盪槳（8節）。「希勒」（和合本：「**軍隊**」）和「甘瑪特」（和合本作：「**勇士**」）：這兩地已不能確定。希勒可能是在基利家的地區，甘瑪特則可能在加帕多家一帶。（這兩個地區都在小亞細亞東部。）**第12節**這裏列出的推羅的貿易夥伴大概是按著她們的地理位置，從地中海西邊的他施，一直到亞拉伯沙漠和米所波大米。**第16節「亞蘭」**：大概是指「以東」。**第23節「伊甸」**：並非伊個甸園，兩個詞在希伯來原文的拼法有別。這裏提到的伊甸是在美索不達米亞。**第26節「東風」**可能不僅指海上的風暴（參詩四十八7），而是代表巴比倫的威脅，因巴比倫是在推羅的東面。**第30-31節**這裏列出了7個傳統的哀悼記號：放聲痛哭、把塵土撒在頭上、在灰塵中打滾、剃光頭、穿麻布、號咷痛哭、唱哀歌。

二十八1-10 譴責其狂傲自大

經濟發達的成就會使人驕傲，第5節指出了整個過程：營商的智慧帶來財富，財富則帶來驕傲。推羅王更自以為是神。先知的預言警告高傲的刑罰就是降卑及歸於無有。古往今來，因驕傲而沒落的例子真是數不勝數。

以西結要向推羅王宣告：「你自以為是神，其實你並不是（1-2節）。你的聰明和在商業上的敏銳（3-5節上），帶給你極大的經濟收獲，同時也使你自高自大（5節下）。因為你的自大，你將會在外邦人的手下卑賤而死。他們來攻擊你的時候，你將和普通人一樣被殺害，你並不是神（7-10節）。」

附註 **第2節「海中」**：推羅城的領土包括一個海島（參上文）。**第3節「但以理」**：參十四章14、20節附註。**第7節「外邦人……列國中的強暴人」**：意指巴比倫人。**第10節**：推羅人是行割禮的民族，故「**與未受割禮的人一樣**」而死，意即一種羞辱。

二十八11-19 被趕出「樂園」

這首哀歌述說推羅王的興衰，也代表了推羅城邦的興衰。這裏使用的意象跟伊甸園的敘述有很多相關之處。但這段經文絕不是創世記記載的平行敘述。在以西結書中，常見各種隱喻混合使用，或經改動、調整，以適切先知的預言。這種詩體性的語文是要突出張推羅沒落的幅度，該幅度大得好比被趕出樂園。

為推羅王而作的哀歌如下：「你曾是智慧和美麗的代表（12節），居於樂園，佩帶華美珍飾（13-14節），品行高尚（15節）。但你那不斷擴張的貿易，帶來強暴欺壓的惡行。你的美麗使你高傲自大，腐蝕了你的思想。你眾多的欺詐行為，褻瀆了聖所。因此，你被逐出樂園，卑下可憐（16-18節）。旁觀的人都因你震驚不已（19節）」。

附註 **第13節**這裏列出的寶石似與祭司胸牌上的寶石相似（出二十八17-20），但異教神祇有時也披上鑲滿珠寶的衣袍。這裏的重點只是說明推羅王的財富。**第14-16節**這裏提到基路伯的意義不甚清楚，也視乎我們採用哪個原文抄本。可解作推羅王被提升至基路伯的地位（新國際譯本），或解作有一基路伯被指派作他的保護天使。兩種解法都意味著他的地位升高。「**發光如火的寶石**」：原文直譯是「火之石」（stones of fire），可能就是指13節列出的寶石；另一可能是形容神的山上某種耀目或發光的特點。**第15節「完全」**：令人想起伊甸園敘故事的典型。**第18-19節**：主角由推羅城轉到推羅王。

二十八20-26 譴責西頓的預言：「就知道我是耶和華」

西頓鄰近推羅，也同樣受到應得的懲罰。這段短短的宣講有一個明顯的特點，就是常用「人就知道我是主耶和華」這句子。預言中也提及神子民的復興（25-26節），這主題在下文將有更詳盡的論述。

以西結將向西頓宣告：「我要對付你，西頓；但我也要藉著你得榮耀。我向你施行審判時，人就知道我是耶和華（22節）。我使你受苦害的時候，人就知道我是耶和華（23節）。以色列的惡鄰盡都除滅時，他們就知道我是耶和華（24節）。我從萬民中招聚以色列時，我將向列國顯為聖。以色列將在他們的

土地上安居，這樣他們就知道我是耶和華他們的神（25-26節）」。

附註 第25節「我僕人雅各」：參三十七章25節。

二十九1至三十二32 有關埃及的宣講

以西結書中有7段針對埃及的宣講，比任何其他國家都多。問題是：為甚麼一位居於巴比倫的猶大先知，要去理會一個在數百公里以外的國家。我們看看那個時期的歷史，以及以西結的宣講的年代次序，就會找到答案。

在以西結的時代，埃及這個超級大國已在衰退之中。在她的全盛時期，她的權力範圍遍及地中海東岸，包括巴勒斯坦及現代之黎巴嫩和西敘利亞。在巴比倫人取代亞述人的地位，成為中東軍政的霸主時，埃及企圖與亞述聯手，阻擋巴比倫人的擴展。在這場權力鬥爭之中，中東地區較小的城邦，例如耶路撒冷、猶大，必須謹慎地選定她們的立場。

在以西結發表他的宣講前後，埃及與巴比倫衝突的年表如下（所有年份為主前）：

605年：巴比倫人於迦基米施擊敗埃及人（參耶四十六2），繼而揮軍南下（迦基米施在敘利亞西北部）。雙方續有小型衝突。

601年：巴比倫與埃及軍隊再度交戰，雙方死傷慘重。

597年：尼布甲尼撒攻克耶路撒冷，埃及按兵不動。尼布甲尼撒立西底家為猶大王。

589年：西底家背叛巴比倫。

588年（1月）：巴比倫軍圍困耶路撒冷。

588年：圍城之危暫解，因巴比倫人調派軍隊阻擋埃及的救援部隊（西底家向埃及求助）。但埃及軍被擊退，巴比倫軍再度圍城。

587年（7月）：耶路撒冷城牆被攻破。城市及聖殿被焚。猶大亡國，土地荒涼。

以西結書中譴責埃及的宣講，除一個以外，都註明日期。書中共提及13個日期，近一半是在針對埃及的宣講之中，若按年份次序排列，各宣講的日期如下：

587年（1月）：二十九1-16；**587年（4月）**：三十20-26；**587年（6月）**：三十一1-18；**586/585年**：三十二17-32；**585年（3月）**：三十二1-16；**571年（4月）**：二十九17-21。

三十章1至19節的宣講並無日期，但內容與其他宣講相同。

埃及像推羅一樣，頗以自己的國家為傲。若以推羅為新貴，則埃及為古老世家。埃及的驕傲在於她承繼的遺產，並以為可永久擁有這些遺產。埃及是一個大國，資源相當豐富（尤其是尼羅河）。她有輝煌的帝國歷史，龐大的軍隊，她的影響遍及整個中東。但是，她過往的輝煌歷史不能救她，她將要降卑。同樣，現今我們也不應讓往昔的光榮，蒙蔽我們的眼睛，以致看不見我們今天真正的需要。我們會以為發生在別人身上的問題和災難，永不會發生在我們身上。這種自滿自得的心態是虛幻的。

二十九1-16 埃及的沒落

我們比較這些宣講的日期及當時的史實，就會知道這些宣講的背景，是猶大反覆於埃及和巴比倫兩大強國之中。猶大於亡國前的20年間，不管甘願或被迫，總是依附於某個強國勢力之下。

以西結書譴責埃及的一連串宣講中，開始時正值耶路撒冷最黑暗的時刻。埃及的援軍不能消解巴比倫軍的圍困。以西結早已預言耶路撒冷將會陷落。他現今要向這試圖拯救猶大的大國發出噩訊。他的宣講大體的意思是：埃及將倒於巴比倫腳下，不再成為大國。

耶路撒冷已被圍困一年之久。埃及軍的援救失利，只能使巴比倫軍暫時轉向，耶路撒冷人稍為鬆一口氣。以西結的宣講反映了耶路撒冷人當時的悲苦，他們已知道埃及的援救失敗。埃及好比一根蘆葦枝（6節），不能成為以色列人的倚靠（16節）。軍事或經濟的力量，長遠來說，是不能永作倚靠的。

以西結的宣講指出埃及將被擊敗，遭受毀滅。她會恢復過來，卻無法重振昔日雄風（14-15節）。

耶和華的話對法老說：「法老，因你的高傲，你將變成卑微。這樣，全埃及將知道我是耶和華（3-6節）。由於你不能成為以色

列的倚靠，你將會受戰爭的摧殘。這樣，埃及就知道我是耶和華（6-8節）。因為你的高傲，埃及將變成荒涼，人民分散各地（9-12節）。但不久，埃及人將回到上埃及，他們的國成為卑微。埃及將作為以色列的一個鑑戒。這樣，他們就知道我是耶和華（13-16節）。」

附註 第1節：這日期即主前587年1月。第3節「**大魚**」：可能是鱷魚，或一種類似Leviathan的生物（參賽二十七）。第6-7節「**蘆葦的枝**」：參以賽亞書三十六章6節。埃及好比蘆葦枝，易斷，並刺傷倚仗它的人；埃及對以色列的援救也是如此，徒增耶路撒冷人的失望。第10節「**從密奪到亞斯旺**」（和合本只作「**從色弗尼塔**」）：意指埃及全地（從南到北）。「**古實**」：埃及以南的國家（衣索匹亞）。

二十九17-21　尼布甲尼撒的賞賜

這宣講的日期（主前571年4月）顯示這是有關埃及的宣講中最後的一個。

耶和華告訴以西結：「尼布甲尼撒向推羅發動猛烈的攻擊，卻徒勞無功」（18節），因此神透過他宣告：「埃及將要作尼布甲尼撒的賞賜，他必掠奪埃及，作他軍隊的酬勞。我已把埃及賜給他，作他所行之事的賞賜（19-20節）。」

神又對以西結說：「我必重建以色列的力量，也必開你（以西結）的口。這樣，他們就知道我是耶和華（21節）。

附註 第18節「**以致頭部都光禿**」：士兵的軍裝磨損了士兵的身體（到今天這仍是常見的現象）。第21節「**角**」：象徵力量。以色列人將恢復力量。「**得以開口**」：先知的啞口將可消除（參三26，三十三22）。

三十1-19　埃及的凶日

這宣講並無日期，不過它的主題跟之前587年的宣講相似，就是埃及和她的盟友將陷於尼布甲尼撒的手中。

第2-9節戰禍將臨到埃及，她和邊鄰及盟友，將成荒涼之地。第10-12節埃及的軍隊將被尼布甲尼撒率領的巴比倫人摧毀。她的土地將被踐踏。第13-19節埃及將無領袖，

她的偶像被毀，她的城市盡都滅沒。

附註 第5節這裏列出的國家和民族都是埃及的盟友。「**古實**」：埃及以南的地區。「**弗人**」：即利比亞。「**同盟之地的人**」：可能是指居於埃及的猶太僱傭兵。第6節「**從密奪到亞斯旺**」（和合本作「**從色弗尼塔起**」）：參二十九章10節。第15-18節這裏列出的埃及城市和地區，顯示毀滅的廣泛程度。

三十20-26　法老的膀臂被打斷

這宣講標示的日期（主前587年4月），正是耶路撒冷的居民被巴比倫人圍困已逾一年的日子。這宣講指出猶大人指望埃及再度出擊巴比倫人，以解救耶路撒冷的想法，將成泡影。埃及人已在之前588年被巴比倫人擊退（21節：「我已打折埃及王法老的膀臂」）。他們仍會再受打擊（22節：「我……必將他有力的膀臂和已打折的膀臂，全行打斷」）。

耶和華對以西結說：「法老的勢力已經消退（21節），並且還要消退。埃及人將被擄往。埃及將要傾倒，而尼布甲尼撒及巴比倫人將愈發壯大。這樣，他們就知道我是耶和華（22-25節）。埃及人被分散時，他們就知道我是耶和華（26節）」。

附註 第26節「**我必將埃及人分散在列國**」：這節經文是描述埃及的遠征軍隊被擊敗，四散潰逃，而不是指埃及本國的崩潰。

三十一1-18　埃及的鑑戒：被砍斷的香柏樹

埃及的榮耀及她的傾倒，在這裏以一棵挺拔的香柏樹被砍斷的比喻來說明。

耶和華要以西結向埃及宣告：「你的偉大可比擬一棵苗壯的香柏樹（2-3節）。這香柏樹的水源充沛（3-4節）。它高過眾樹，遮蓋廣闊的範圍（5節）。鳥獸都倚賴它的遮蔭和保護（6節）。它極其華美（7節），一時無兩（8節），受到其他樹木的妒忌（9節）。由於它挺拔出眾，並因此倨傲，它必交給一大君王治理（10-11節）。它將被砍倒，那些倚賴它的都四散而去（12節）。再沒有別的樹木可誇耀它的偉大（14節）。它被毀之日是許多人的黑暗日子（15-16節）。那些倚賴它保障

的也遭同一命運（17節）。你和你的軍隊也必同樣傾倒（18節）」。

附註 第3節「亞述王」：若把原文稍加修改，「亞述」可變成「柏樹」，如此，則可譯作：「想想柏樹，利巴嫩的香柏樹」。這修改使這比喻更直接，而其意義不改。第10節：驕傲使香柏樹被砍倒。這當然是暗指埃及。第12節「列邦中強暴的」：這片語曾用於巴比倫（三十11）。第18節「在未受割禮的人中，與被殺的人一同躺臥」：埃及人也奉行割禮，並且十分重視葬禮，故此，這個預言必使他們十分不安。

三十二1-16 哀悼法老

埃及再被警告，將被巴比倫人傾覆。

向法老的哀悼如下：「你好像海中的大魚，被網起，並會在陸地上腐爛（2-4節）。你的殘骸將餵飽很多野獸（4-6節）。這事發生時，全地一片黑暗（7-8節）。多國因此戰慄（9-10節）。耶和華說：『巴比倫這戰爭機器將把你推倒（11-12節），埃及將一片荒涼』（13-15節）」。

附註 第2節「大魚」：參二十九章3-5節同樣比喻的附註。

三十二17-32 埃及將下到陰間

這篇悼言複述兩個在前面的宣講中曾提及的主題：（1）埃及將與其他在戰場上被殺的列國一同躺臥；（2）埃及與未受割禮的人同一命運（參三十一18）。

以西結使用詩意的比喻，形容埃及的死亡。埃及被形容為躺於墓地，周圍都是在戰爭中滅亡的列國。這比喻並非死後生命的神學描述狀況。這樣的形容貼切地描述埃及的墜落。

耶和華要以西結向埃及哀悼，因她正墜落陰間。她將與未受割禮的人聚首一堂。其他各國早在那裏，如：亞述（22-23節）、以攔（24-25節）、米設和土巴（26-27節）、以東（29節）、北方眾王（30節）、西頓人（30節）。法老和他的群眾都將與他們在一起（28、32節）。

這段悼言也有如一個現代警鐘，許多政權，或大或小，在過去的世紀建立。然而，歷史告訴我們，這些政權盛極而衰，都是循著這條舊路而逝去。我們自以為穩如磐石的保障，竟如幻象。只有在神裏面，才有永恆的保障，其餘一切盡是水月鏡花。

附註 第24節「以攔」：巴比倫以東的一個國家。第26節「米設和土巴」：小亞細亞地區的國家（參二十七13）。第27節「頭枕刀劍」：這些人埋葬時並沒有享受正式的軍人葬禮，只是被隨便的埋在戰場上。

三十三1-20 責任的範圍

這宣講的開始，與三章16-21節的內容相似。以西結要作以色列的守望者。這工作有它的責任和刑罰。（宣講中卻無提及有何賞賜。）以西結要向以色列人複述這任務的性質。

這宣講繼而指斥以色列所犯的兩方面。第一、宿命論（10-11節）。他們認為自己已深陷於罪惡之中，甚至神也樂於看著他們從此墮落（換言之，既然神也這樣看他們，他們便毋須改變自己了）。這觀念受到嚴斥：神不喜悅惡人之死，主要在於他們肯不肯改變他們的行為。

第二、他們自以為儲備了大量功德（參十八21-32），而以為這些功德可抵消他們的惡行。這種想法一方面推論那些一生為惡的人將毫無盼望，因他們沒有足夠的功德去抵消惡行。另一方面，那些自以為有足夠功德的人，可以隨意犯罪，只要不超過分量便可以。這觀念自然也受到斥責。不管人犯了甚麼罪，只要他真誠悔改，必得赦免。惡行卻不能以過往的功德來抵消。

第1-6節以西結要向他的同胞宣告：「若一個國家正受到戰爭的威脅，某人受命作守望，警告敵人的攻擊（2節）。當攻擊臨近，守望者響起警報，事後若有任何傷亡，責任由國民自負（3-5節）。但若攻擊臨到，卻不聞警號，則國民傷亡的責任就要追究守望者了（6節）。」第7-9節以西結已受命作以色列人的守望者。他要向他們宣告神的警告（7節）。若他沒有向任何人傳達神的警告，則這人遭受惡果的責任必向他追討。若他已發出警告，則可救自己免除責任（8-9節）。第10-20節神透過以西結進一步向以色列人宣告：「你們說你們被罪的重擔壓得要死。其實我並

不喜悅惡人的死（10-11節）。若一個義人轉離義行，作奸犯科，他從前所行的一切義行都不能救他，他將因他的罪而死（12-13節）。若一個壞人轉離罪行，秉公行義，他過去的罪行將不被記念，他可以存活（14-16節）。以色列啊，你們埋怨我的原則不公正，其實是你們歪曲了正義。你們每一個人都要按自己的行為受審（17-20節）。」

附註 第2節「守望的」：參三章16至21節附註。

三十三21-22 以西結不再口啞

這裏記述的事件十分獨特，以西結今次領受預言的經歷（「耶和華的靈降在我身上」），並非是見異象或聽見神諭，而是恢復了說話的能力，就是在祂開始先知事奉時失去的（三26-27）。

這事件的時間性十分重要。翌日，消息傳來，耶路撒冷已經淪陷。以西結的警告應驗了。

附註 第21節「十二年」：耶路撒冷是於主前587年被攻破。有部分版本及抄本則作「十一年」。若這異文是正確的，而這年份又是指西底家在位之年，則耶路撒冷的淪陷跟報訊者向以西結報告的時間距離，約為6個月。參以斯拉記七章9節，那裏指出從巴比倫到耶路撒冷的直接行程，需時4個月。

三十三23-33 以色列不法的業權

圍困已經過去，耶路撒冷已被攻破，猶大國土一片荒涼。多人被殺，餘下的人或是被擄，或是逃亡。然而，國中仍有倖存者。

災禍不一定引出人性中的優點。於主前597年，耶路撒冷首次被圍之後，城中一批倖存者卻沾沾自喜，密謀佔奪高位（十一2-12）。而在第二次被圍之後，國中大部分人口被擄。剩下來的人不僅沒有轉向神，竟仍然拜偶像。尤有甚者，他們霸佔鄰居的財產和土地，更玷污人妻（24-26節）。以西結的宣講警告他們，因他們的惡行，猶大將會繼續荒涼。

在宣講結束時，以西結也受到警告，這也是眾多傳道者需要提防的。民眾喜歡聽他，卻沒有把所聽的行出來。傳道者可能廣受歡迎，卻並不一定表示他的話會被聽從。

損失也像災禍一樣，不一定引出人性中的優點。困迫的境況有時會激發非常的行動，對此我們必須存理解的態度。但是，也有像這宣講描述的情況，混亂和禍害竟成了一些貪婪、無恥之人的機會。

第23-29節耶和華對以西結說：「那些留在已遭毀壞的以色列地的人，自以為是那地的主人（24－25節）。你要向他們宣告：『主耶和華如此說：你們所行異教和殘暴的作為——這地豈可作你們的產業？（25-26節）因你們所行的一切，這地將必荒涼。這樣，你們就知道我是耶和華（27-29節）。』」第30-33節耶和華又對以西結說：「你的同胞將以你為話題。他們聚集來聽你的話，卻只是口中答應。你好像是供他們娛樂的人。不過，當你的宣告應驗時，他們就知道有一位先知在他們中間了。」

附註 第24節「亞伯拉罕獨自一人」：他們的推理是，若亞伯拉罕一人能承受這地，那麼，他們的人數眾多，就更沒有問題。第33節真先知的記號就是他的預言會實現。

三十四至四十八35 復興的預言

三十四至四十八章的預言，主題跟先前的預言完全不同。一至三十三章的宣講主要是警告災難將臨到以色列人或他們的鄰國；而三十四至四十八章的重點卻是復興與盼望。耶路撒冷與聖殿已經被毀，人民被擄徒，但他們仍有盼望。

現代讀者感到這些末後的篇章很難解釋，部分原因是其中的比喻令人費解，加上有解經者試圖找出某些現代事件，以符合經文中的預言。我們須緊記這些預言的性質，基本上跟前面的預言相同。後面部分的預言中的一些內容特點，也可見於前面部分，例如：新約的應許（十六60）、歸回故土（二十八25）、數字的象徵性用法（四5-6，十四21，二十九13）、以一國的領袖代表其本國（二十九1-6，三十一2-18）。另有些經文似乎刻意地曖昧或象徵化，如：大衛興歌革；或是指向末時，如：「大衛必作他們的王，直到永遠」（三十七25）。這些經文使釋經家稱以西結書為雛型的啟示文學（proto-Apocaly ptic）作品。

對我們來說，這些意象可能過於遙遠，難以捉摸。但它們肯定使人聯想起被擄的猶太人慘況。聖殿的仔細描述（四十至四十八章），可能使我們感到茫然，但對那些熟悉聖殿並曾在其中敬拜的人，這些描述引起了不可忘懷的追憶。滿谷枯骨（三十七章）、四散的羊群（三十四章）、破毀房屋及荒涼一片（三十五，三十六章）、滿地棄械（三十九章）、野獸吞吃死去的軍士（三十九章）等等的意象，都是有關戰爭的意象。這些意象描述了一個遭戰爭蹂躪的地方，死人暴屍荒野，屍骸腐爛，兵器銹蝕。對那些目睹以色列戰敗的人，這些意象是何等真實的慘痛。這些預言首先是針對以西結時代的以色列人。這些內容和用語都是他們認識和理解的。這些預言的實現並非在於一次的事件，而是一個過程。它們的目的是要帶給這些絕望的人希望，並引導失去生存意義的人。這些預言開始應驗之日，正是他們蒙解救之時，神的子民不管面對的災難何等深重，他們必不會被撇棄。

這並不是說這些預言對我們今天毫無意義。正如前文曾提及，邦國的傾覆及戰爭的毀壞，今天仍是電視熒光幕上常見的素材，就如以西結的預言所描述的。而同樣地，同一位神仍向我們保證將來有復興的盼望。

三十四1-31　斥責以色列的牧人

聖經中多次把神的子民比喻作羊群。在這篇宣講中，牧人（即以色列的掌權者）因為他們的自利，不顧百姓，而受到斥責。另外，某些羊欺霸自肥，意指某些人欺壓貧弱者，以建立自己的財勢。以西結警告他們，公正必再伸張。

先知的警告轉為未來的應許（21-24節）。耶和華不僅拯救祂的羊，更立祂的僕人大衛作他們的牧人，並與他們立下平安的約。正如在其他宣講一樣，這裏所用的名字也是象徵性的。這裏提及大衛，並非說古時的大衛王將要復活，再度作王。其重點是指那位將來的王擁有如大衛的素質——合神心意，並勝過以色列的敵人。三十七章24至26節也提及大衛，說他的統治是永遠的。那裏也提及耶和華與祂的子民所立之永遠平安的約，這主題與三十四章25至30節所說的一不

謀而合。

這兩段經文顯然並非指向以色列不久的將來，而是前瞻更遠的未來。神將與祂的子民立平安的約，並設牧人管治他們。

這宣講帶來一個盼望的應許。即使神的子民被驅散，受壓迫，有一天他們的冤屈必得昭雪。新約讀者看那日為耶穌基督再來之日，耶穌再來的應許已因祂第一次臨世、死亡和復活得著確定。

第1-31節神透過以西結向以色列的牧人宣告：「以色列的牧人，你們有禍了！你們沒有看顧群羊。牠們四散在全地。你們只求自己的利益（2、5-8節）。我要與你們為敵。這些牧人要為群羊的遭遇負責，他們將被革除職務。他們不再牧放群羊（10節）。我將救回四散的羊，我要把牠們從列國中召回，帶領牠們回到以色列美好的草場。我必親自牧養牠們，作公正的牧人（11-15節）。我要在群羊中作仲裁。某些羊因欺霸自肥。群羊再不會受到掠奪（17-22節）。我將設立我的僕人大衛作他們唯一的牧人。我要作他們的神，大衛將作他們的王（23-24節）。我要跟他們立平安的約，他們必平安地住在沃地。他們將從奴役中獲解救。這樣，他們就知道我是他們的神，與他們同在，他們是我的子民（25-31節）」。

附註　第13節「我必領出…召集…」：三十四至四十八章特別強調復興的應許。其實，類似的應許也見於前面的宣講：十一章17節，十六章60節，二十章34、42節，二十八章25節。**第25節「平安的約」**：即神曾應許的新約（參耶三十一31-34）。

三十五1至三十六15　對山的預言：警告以東、鼓勵以色列

我們要注意三十五章和三十六章1至15節合成了一個宣講。整段之中一貫的意象是山嶺。以東的山，即西珥山，將成為荒涼（三十五7、14），而以色列的山卻生長繁茂（三十六8-9），人口眾多（三十六10-12）。

以東是以色列的鄰國，自古為敵。這兩個民族的血源接近，卻一直互相敵對。以東地靠於以色列的東疆，沿死海向南伸展，以東的山嶺西珥山，俯視著以色列的東部。以

色列人遭受災害時，以東人可從旁俯視。

以東多方面受到指責。首先，她在以色列極需援助時出賣了以色列（三十五5）。其次，以東人因以色列的毀滅幸災樂禍（三十五12、15，三十六5）。第三，他們趁著混亂，乘機奪取以色列一些土地（三十五12，三十六2、5）。鄰居間的世仇往往難於消解。因為所敵視的鄰居遇上不幸而高興，甚或趁機取利，是常見的事。但我們必須抱持公正的態度，儘管這樣做並不容易。

以東可象徵神的子民與「世界」無休止的敵對。由於大衛是攻克及控制以東的王（參三十四21-24及撒下八12-14的註釋），大衛也象徵以色列的勝利，故以東的淪落象徵一個新局面的開始。「大衛」的重現使我們想到彌賽亞的來臨及創建的新局面，即耶穌基督宣講的天國。

三十五1-15神透過以西結斥責以東：「我要與你為敵。我使你變成荒涼之地時，你就知道我是耶和華（3-4節）。你長久以來敵視以色列，甚至在他們國亡之時，出賣了他們（5節）。殺人之血將追上你，你將成為曠野之地。這樣，你們就知道我是耶和華（6-9節）。你們以為可以趁以色列和猶大荒涼無人之時，奪取他們的土地。你也向我誇口。由於你喜悅以色列變成曠野，故你們也將變成曠野（10-15節）。這樣，你們就知道我是耶和華（4、9、15節）。」

三十六1-15神透過以西結向以色列的山嶺如此宣告：「你的敵人以為可以佔奪你的土地及所有（1-4節）。你受到各國的嘲諷，但你鄰近的各國也必受到嘲諷（5-7節）。你將會興盛繁榮，人口眾多。這樣，你們就知道我是耶和華。我的子民將承受以色列地為業（8-12節）。以色列的山嶺不再吞吃它的子民（12-15節）」。

附註 三十五10「二國」：即以色列和猶大。三十六2「永久的山岡」：以色列和猶大的土地，大多處於死海和地中海之間的山地上。**第12-13節「你使他們喪子……你是吞吃人的」**：這裏指山嶺與人民的滅亡有關。這描述是一種詩歌形式，指出不少人在山區的戰鬥中喪生。

三十六16-38　以色列的復興

這篇宣講可以說是以西結書的核心，它的信息是全書的撮要。以色列因流人血和拜偶像的罪，得罪了神（18節）。她的刑罰是流徙、分散於列國中（19節）。但耶和華不會把他們丟棄，他們將可返回故國（24節）。祂將潔淨他們，改變他們，他們也將跟從祂（25-28節）。以色列地及人民將再次興盛（29-38節）。周圍列國將知道這是耶和華的作為（36節）。

耶和華把祂的子民從流徙中領回的原因，也有清楚的說明。這並非以色列人有甚麼好處或出於他們的意願。唯一的原因是神自己的意願，免使祂的名被褻瀆。以色列人流徙的事實，可能使別的人以為他們的神沒有能力和或不願意看顧他們。這誤解會破壞神的名聲，因此，神將使祂的子民復興（20-23節）。

這宣講帶給我們所有人盼望。神施行拯救，並非由於我們有何價值，而是由於祂恩典的豐盛。

神對以西結說：「以色列人居於本國時，他們的罪污穢了國土。因此我把他們分散於各國中。但他們的四散使我的名受了褻瀆，引起了我的關注（16-21節）。所以，神有話對以色列說：『為了我名的緣故，我要透過你們向列國顯出我的聖潔。這樣，他們就知道我是耶和華（22-23節）。我要把你們帶回本國，並潔淨你們。你們的石心要變成肉心，我要把我的靈放在你們裏面，使你遵從我的律法。以色列將再繁盛，你們將為昔日的行為厭惡自己，羞愧不已。我並不是為你們而作這些事（24-32節）。我潔淨你們一切的罪時，以色列的城鎮將重建，地土也再度有人耕作。周圍列國就知道是我恢復了這一切（33-36節）。以色列人將如羊群無數，這樣，他們就知道我是耶和華（37-38節）。』」

附註 第25節「我必用清水灑在你們身上」：這是一種潔淨禮儀的舉動。**第26節「肉心」**：這裏所用「肉」（即「肉體」），不可與聖經別處的用法混淆；「肉體」在聖經別處常含有敗壞之意。在這裏，「肉心」是與「石心」相對，意指以色列人那如石般的剛硬和冰冷，將以充滿溫暖、活力的心靈所代替。

三十七1-14 滿谷枯骨

耶路撒冷陷落以後，以色列人四散，意志消沉。這宣講的信息簡明：以色列已逝之國有一天將復活，人民得以返回故國。枯骨成了生氣勃勃的軍旅。同樣的大轉變有一天也會臨到以色列。

這異象歷代以來帶給多人極大的盼望。神的大能可以改變最無望的生命和境況。

第1-11節 以西結看見一個異象，他被帶至一個滿了枯骨的山谷中。耶和華吩咐他向枯骨說預言，告訴它們將長肉生皮，恢復生機。以西結遵命說預言，枯骨就分別連繫起來。長肉、出筋、生皮，但它們仍沒有生命（1-8節）。先知再受命吩咐風吹在這些軀體上。先知說話的時候，氣息就進入這些軀體中，他們都活過來了，並成了極大的軍隊（9-10節）。耶和華向先知解說：「這些枯骨代表以色列，他們以為一切盼望都絕了」（11節）。**第12-14節** 以西結要向所有以色列人宣告：「我要把你們從墳墓中領出來，回到以色列地。這樣，你們就知道我是耶和華（12-13節）。我要把我的靈放在你們裏面，並把你們安置在你們的土地上。這樣，你們就知道我是耶和華，我說了，也必成全（14節）。」

附註　第1節「耶和華的靈（原文作「手」）」：這用語表明以西結將要經歷一次強烈的異象，非同於平常的言語信息。**第5、14節**「氣息」：希伯來原文也可解作「靈」或「〔神的〕靈」。

三十七15-28 以色列的合一

自300年前，所羅門逝世後，以色列人即分裂為南北二國。如前文所述，以色列人將可復興，他們甚至可恢復合一。

他們將共有一位君王，就是「我僕人大衛」（參三十四1-31中對此稱謂的註釋）。這位新王被稱為「大衛」，意味著他具有如大衛般的品性，是猶大皇室的嫡系，可承繼王位，並且合乎神的應許。神預言以色列的未來，將是過往歷史的理想化版本。神的大能可醫治歷史上最深的傷痕。

第15-23節 神吩咐以西結：「取兩根木枝，在其中一根寫上：『為猶大和他的同伴』，在另一根寫上：『為以色列和他的同伴』。把兩根木枝合成一根（16-17節）。若有人問你這舉動的意義，你就代我說：『我耶和華把以色列和猶大這兩根木枝合起來，成為一根』（18-19節）。把木枝向他們顯示（20節），並代我宣告：『我要把以色列從各國中招聚，回到他們的土地上，他們將有一位君王，並永不再分裂。他們不再玷污自己，我將潔淨他們。他們要作我的子民，我要作他們的神（21-23節）。』」

第24-28節「我的僕人大衛將永遠作他們的王。他們將遵守我的法則。他們和他們的後裔將永居於他們的故土（24-25節）。我要與他們訂立永遠的約。他們的人數將增多（26節）。我的聖所將永遠安置在他們中間。我要作他們的神，他們要作我的子民。這樣，列國將知道是我耶和華使以色列聖潔，因為我的聖所將永遠與他們同在（27-28節）。」

附註　第16節「以法蓮」這名稱比以色列更明確，因為「以法蓮」是指北國，而「以色列」則可指南北二國的人民。**第26節**「我的聖所」：有關聖所的應許將在四十至四十八章中詳述。

三十八1至三十九29 預言以色列敵國的結局

我們不能肯定歷史上曾有一統治者名叫歌革。他治理的地方——瑪各、米設和土巴，大概是在小亞細亞和黑海一帶地區（參三十八1的附註）。這些地區是當時中東世界可達到的最偏遠地方。歌革及他的國可能是象徵與神的子民為敵的世人。（啟示錄提及歌革和瑪各時也是此意；參啟二十8）。照此看法，這宣講則成了一個警告，即使以色列人已從擄徒中歸回，仍將會面對與他們為敵的強大勢力。但這些勢力將被消除，遭受極大的毀滅。

這篇宣講之意象的強烈程度——龐大的軍隊及無數被殺的人，使一些解經者認為這是預言一場特殊的最後之戰。不過，若我們把這篇宣講比較其他宣講，如針對埃及的（三十二1-16）和針對推羅的宣講（二十八11-19），我們可發現相類似的豐富的象徵手法。

這篇宣講的含義是指出神的子民在未來的日子，將經歷邪惡的龐大勢力的攻擊。這命運似乎無可改變，但神的大能將保祐祂的

子民。敵人將被消滅。最後的勝利仍有待於將來，但予敵人致命的一擊已於加略山上的十字架發出了。

三十八1-23耶和華吩咐以西結向歌革宣告：「歌革啊，我要與你為敵。你和你的同盟將被毀滅（2-5節）。要作好準備，因在未來的年日，你將率大隊人馬進攻以色列地（7-9節）。當那時，你將計劃掠奪豐富、和平之地（10-13節）。你和無數的盟友將從極北方而來。我將引領你前來，以致列國都認識我（14-16節）。我在過去曾藉我的僕人眾先知提及你（17節）。你攻擊以色列時，將發生可怕的地震，並有強烈的風暴。我使用這些來懲治你，使我的名傳遍於列國中。這樣，他們就知道我是耶和華（18-23節）。」

三十九1-16「我在以色列的山上，將把你的武器從你手中打落。你在那裏倒下，成了飛鳥和野獸的食物（1-5節）。我必使我聖潔的名顯於以色列。列國必知道我是耶和華，以色列的聖者。這一切事都必發生（6-8節）。以色列人使用地上的武器作柴薪，達7年之久（8-10節）。歌革的葬身之地被稱為「哈們歌革谷」。以色列人要用7個月的時間，把他們的屍首埋葬，並清洗全地（11-16節）」。第17-29節神透過以西結也要向飛鳥和野獸宣告：「準備參與這盛大的祭祀吧！你們要來吃這軍隊的肉，喝他們的血，直到你們喝醉了（17-20節）。列國將看見我的作為。以色列將知道我是耶和華他們的神，列國也將知道以色列被擄是因為他們自己的罪（21-24節）。我將把以色列從被擄中救回，顯明我的聖潔。這樣，他們就知道我是耶和華他們的神。我要把我的靈傾倒在他們身上（25-29節）。」

附註 三十八1「采設」和「土巴」大概是在小亞細亞（參6節）。「瑪各」一名於創世記十章2節及歷代志上一章5節列於雅弗眾子名單上，故可能是一個民族的名稱。「瑪各」可能解「歌革之地」。第5節「古實」：即上埃及。「弗人」：即利比亞。第6節「歌篾」：小亞細亞一個地區。「陀迦瑪族」：即現代的亞美尼亞。我們也可注意創世記十章2節列出的雅弗的眾子包括了歌篾、瑪各、土巴和未設。第12節「世界中間的民」：指耶路撒冷（參五5）。第17節「我

在古時……所説的，就是你嗎？」：這問題也顯示歌革是一個象徵。經文的含義是説以色列早已被警告將有此事發生。

三十九9「七年」：「七」這數字（正如三十九12之「七個月」），象徵完全之意。第12節「葬埋他們，為要潔淨全地」：任何人觸摸死屍都被看為不潔（民十九11）。第18節「巴珊」：加利利以東的地區，以優質的牲畜和橡樹聞名。第25-29節這段落並非意味將有另一次招聚以色列人之舉，只可看為是總結了神對祂的子民的心意。

四十1至四十八35 新聖殿和新國土的異象

這最後的宣講是全書最長的一篇。書中有一系列的宣講是以「耶和華的靈（原文作手）臨到我」作開始，這宣講也是其中之一。故此，這是以西結親身經歷的異象之一，他發覺自己在異象中被轉移到別的地方去。

這異象的日期是在主前573年4月間（四十1）。耶路撒冷及聖殿於12年前已經廢棄。以色列人或四散於國外，或在一片頹垣的本國過貧窮的生活。皇室血裔不復存在。他們昔日的生活似乎無可能復現。

正在此時，以西結經歷了這個異象。這異象混合了理想和現實的情況。他被領到一所新聖殿中，並到處觀看。他看見神的榮耀進入聖殿，並聽見耶和華宣告祂將永居於此。他看見祭壇，並聽見有關君王、祭司、祭祀及節期的禮儀。他看見一條奇異的河從殿中湧流，愈流愈廣，使地肥沃，甚至死海也重現生機。全地的疆界及分配也有清楚説明。宣講以一個勝利的口脗結束：「這城的名字必稱為耶和華的所在。」（四十八35）

我們必須謹記這段經文所記是一個異象。這異象並非純粹啟示一些新的教導，或是預言將要發生的事（儘管有些人相信聖殿有一天會建造起來）。這更是提醒以色列人他們的宗教信仰現況及該有的情況。

這異象的文字從描述性轉為規範性，又從象徵性轉為末世啟示性。在詳盡記載聖殿的尺寸和有關祭司的條例之間，加插了耶和華的榮耀回到聖殿的描述。而在有關獻祭的條例和土地分配的細則之間，加插了一段聖殿活水的描述，這活水從聖殿的門檻流出，

流向死海，使死海重現生機。

這種象徵與細節的混合記載，必定使以色列人回憶過去，並促使他們更決心改變現況。以色列人必須丟棄外邦人的神，轉回他們列祖的宗教信仰中，他們才可以抓緊這個嶄新的耶路撒冷的應許。

新聖殿的描述

四十1-4以西結在異象中，被帶至一高山。有一個人帶著量尺，並指示以西結將所看見的一切轉告以色列人。**第5-16節**那人量度了聖殿的外牆，然後往東面的入口（即正門），並量度了東門的一切設施。**第17-27節**他帶以西結從東門進入外院。在北面和南面另有兩道通入外院的門。這兩道門的尺寸跟東門一樣。**第28-37節**從外院可進到內院，同樣有南門、東門和北門。這3門的尺寸跟外3門一樣。**第38-43節**這內3門旁邊設有小室，在那裏洗淨祭牲。另有桌子和宰殺祭牲的器具。**第44-47節**另有兩個房間，供看管聖殿和祭壇的祭司使用。

四十48至四十一4在內院，建有聖殿和祭壇。祭壇設於聖殿前面。那人帶以西結來到聖殿的廊子，並量度廊子的尺寸。然後，他帶以西結進到聖所，又量度了聖所的門。他再進到至聖所，並加以量度。**第5-26節**他又量度了聖所的牆及接鄰的建築物。聖所是建於一提升了的平臺上，地面是木板。在牆上和門上刻有基路伯和棕樹。在聖所中有一木製的壇桌。

四十二1-20在聖所的兩旁，向著內院，各有一排祭司的房間。祭司要在這些房間內吃至聖的祭物；這些房間是聖的。

四十三1-11那人帶以西結到東門。以西結看見神的榮耀從東而來，充滿了聖殿。神對以西結說：「這是我立寶座之處，我要在這裏與以色列永遠同在。他們不再褻瀆我的聖名。他們要轉離罪惡，我便與他們永遠同住。你要向以色列描述這聖殿。若他們為罪羞愧，你就要告訴他們聖殿的一切細節，以及一切規例。你要記下這一切，使他們遵照而行。」

聖殿敬拜的條例：祭司和君王的職責

四十三13-27這裏記下了祭壇的尺寸，又描述了如何使祭壇分別為聖。

四十四1-4東門要保持關閉。以西結被帶到聖殿前面，他看見神的榮耀充滿了聖殿。**第5-9節**外邦人不得進入聖所，以色列人不可再犯此例。**第10-16節**曾經拜偶像的利未人仍可在聖所事奉，但只有撒督家族的祭司方可到神前獻祭。**第17-37節**這裏記下了有關祭司儀表和品行的規則。

四十五1-9祭司要居於神分配給他們的土地。君王也有分配給他的土地，他不可再佔奪以色列人的土地。

四十五10至四十六15以色列人要使用準確的秤。這裏也記下了祭物的分量和祭牲的數目，並祭司、君王和百姓在聖日、節期中的規矩。

四十六16-18君王只能把他自己的土地賜給後裔。**第19-24節**這裏描述了祭司煮食的地方和廚房。

聖殿以外的土地

四十七1-12以西結看見一條河流，從聖殿流向死海。死海的水因這河水而變活，並有極多的魚。河的兩旁長滿了果樹，惟有沼地仍為鹽地。

四十七13-23以西結又看見了以色列各支派的土地疆界。

四十八1-29此外，也有土地劃歸撒督的子孫和利未人；另外，城和郊野的土地也有規定。**第30-34節**城共有12道門，每邊3道。每道門都按十二支派的名稱命名。**第35節**城的名字稱為「耶和華的所在」。

附註　四十2「神的異象」：這名稱也用於其他異象（一1、八3）。**第3節「麻繩」**：這是一種量尺（參四十七3）。**四十6至四十三17**以西結參觀了新聖殿，然而只站在至聖所以外，原因是只有大祭司方可進入至聖所（利十六章；參來九7）。**四十三2**在這異象中，神的榮耀回到聖殿中。在前面的異象（十一22-23），神的榮耀曾離開聖殿。這裏的描述意味著神回到祂的子民中間。**四十三10-11**這兩節經文道出了四十至四十八章的意義：以色列人要默想這聖殿的設計，若他們為了昔日的行為羞愧，先知就要鼓勵他們遵從各項法則和規例。經文沒有清楚說明他們要按這裏的設計重建聖殿。**四十三19、四十四15「撒督」**：他是大衛時期的祭司（撒下

十五24-29）。撒督子孫以外的祭司要為了過去的叛逆受罰，不准參與較重要的祭司工作。**四十五1至四十八29**這裏描述了土地的重新分配。**四十七10「隱基底」**：死海西岸一個小鎮。**「隱以革蓮」**可能在隱基底以北。**四十八35「耶和華的所在」**：本書最後的一句話，代表了新耶路撒冷的名字，以及神的子民璀璨的盼望。神不僅住在聖殿及耶路撒冷，袖更藉著袖的靈，永遠住在每一位真誠敬拜袖的人心中。

L. John McGregor

進深閱讀

H.L. Ellison, *Ezekiel: the Man and His Message* (Paternoster, 1956).

J.B. Taylor, *Ezekiel*, TOTC (IVP, 1969).

A.B. Davidson, *The Book of the Prophet Ezekiel*, CBSC (Cambridge, 1906).

J.W. Wevers, *Ezekiel*, NCB (Eerdmans, 1969).

導 論

但以理書是講述一個年輕以色列人的故事;他在巴比倫王尼布甲尼撒稱霸天下的日子(主前605至562年)從耶路撒冷被擄走。他的一生在被擄之地度過,面對眾多敵對勢力,他卻仍保持對神的忠貞。像昔日的約瑟(創三十七至五十),他蒙神賜予解夢和異象的能力(但一17)。他在外國朝廷中位極人臣,並蒙神恩賜得睹遠象,看見神在歷史中的未來計劃。

本書的下半部(七2至十二13)包含一連串的異象,主要是以第三身的形式記述;但全書整體而言,是以自傳的形式表達。在英文及中文聖經中,本書被列為先知書之一;但在希伯來文聖經,本書則編入聖卷之列。按此背景,本書是要說明一個活在敵對勢力環伺下的人,仍忠於神的約所表現的氣質及如何蒙福(一至六章),並且揭示神的約民將捲入的衝突及如何蒙神的保佑(七至十二章)。

文學體裁

很明顯,但以理書與舊約聖經大部分的歷史和預言文體有所不同。它不同於歷史書,因書中充滿異象;它不同於預言,因它的異象往往是超現實的,例如一個由大像象徵的世界,如何被一塊天外來「石」擊碎;又各種怪獸起來互相攻擊。

這類素材雖也見於某些先知書中(如:結一),但明顯地,但以理書是屬於另一類的文學類型。從某一個意義來說,本書給予讀者的感動,跟瞭解本書的細節同樣的重要。理論上,我們可以理解後者,卻未必能同時感受本書意圖帶給讀者的感動。

根據這個觀點,但以理書往往被分類為啟示文學,好像啟示錄一書(參本書「次經與啟示文學」一文)。不過,我們不應據此而過於挑剔但以理書的風格。就如現代的西方的小說體裁(通常追溯至十八世紀初期),並非一夜之間形式俱備,特點俱全的。啟示文學的特點,就是它的信息包括了一個超越性的宇宙秩序「啟示」(希臘文*apokalypsis*),並且顯示這宇宙秩序與歷史的關係,以及如何達致終局。這類著作既是啟示,故除了要求讀者觀看外,還要求他們聆聽和理解。

內容結構

但以理書分為兩部分,是用兩種語言寫成,即希伯來文(一1至二4上,八1至十二13)及亞蘭文(二4下至七28)。一至六章是自傳式的,七至十二章則為啟示文學文體。不過,由於書中亞蘭文的部分(二4至七28)包括了前後兩段,本書的結構似有更微妙的意義。有人認為這亞蘭文的部分對非希伯來人似有特殊意義(亞蘭文是當時的國際語言)。再者,這顯示本書的前後兩段並非截然分開,這亞蘭文的部分把二者連起來,也透示出二至七章是全書的的核心。若然,則第一章可作為開場的引言,而八至十二章是詳述前文已提及的世界局勢。這亞蘭文部分包括了自傳及異象兩部分,也可作為本書之統一性的主要論據。

在這核心部分(二至七章),也可看見舊約敘述文常用的一種格式。第二和第七章描述4個與神國為敵的帝國;第三和第六章記載神的奇妙拯救;第四和第五章描述神對世上統治者的審判。故此,第二、三、四章的主題以逆向的次序,重現於第五、六、七章。這種互相對照的手法,使熟悉這格式的讀者更為注目,也增加閱讀的興趣。

現代的讀者一般都習慣閱讀按年代順序寫作的書籍。即使以回憶錄的形式寫作,其主題也都按一定的時間順序發展。但以理書卻不跟從這形式。第一至六章的歷史背景是

順年代次序的，但貫徹全書的啟示則以一種演進平行的形式表現，涵蓋同一時期的事件。這種文學體裁好像一道螺旋樓梯，一而再的環繞同一地點，卻帶我們到更高的角度觀看，看得更清楚，更全面。同樣地，本書的材料論及同一主題多過一次，每一次都有更圓滿的進展。同樣的格式可見於馬可福音十三章記述之耶穌的教訓，以及啟示錄全書中。

作者和寫作年代

儘管但以理書的一半是以自傳形式寫成，其中卻沒有清楚說明作者是誰。近代的舊約學者普遍（並非全部）接受本書並非在主前六世紀寫成，而是成於主前二世紀安提阿古四世之時（參八9-14、23-27，十一4-35）。這見解首先為第三世紀反對基督教之新柏拉圖主義者白菲（Porphyry）倡議。

根據這見解，第一至六章的故事無疑是源於猶太人的傳統。但以理被譽為一個英雄人物，在各種壓迫之下仍忠於神的律法。至於異象，大都是解釋過去了的歷史，而並非對將來超然的啟示。但以理書並不是一部歷史書，作者在自傳和異象中以不同的方式去解說和應用其他經文，使主前二世紀的猶太人得著力量和鼓舞。例如：但以理書的經歷就是以約瑟為模式（一個俘虜在異邦升至高位，卻仍對神忠誠）；但以理在第九章的祈禱看來是基於尼希米的禱告；至於部分的異象也被視為對一些經文巧妙的釋義（十一33，十二3被視為賽五十二13至五十三12的釋義）。作者是在主前160至150年間著成本書，當時神的子民正受著安提阿古四世嚴厲的迫害，渴望知道：人生還有何意義？對神忠誠的價值何在？苦難是否永存不息？神是否仍在掌權？祂的子民是否將會得勝？十二章6節的問題（「到幾時呢？」）就好像神的子民呼喊的迴響。那隱祕的預言包含了答案：情況不會永遠這樣。

這見解也意味著但以理書的日期比任何舊約書卷可以更準確釐定。作者知道聖殿受到褻瀆之事（可肯定是發生於主前167年12月；參十一31），以及猶大馬加比（Judas Maccabeus）於主前166年英勇抗暴的義行（十一33-35）；不過他看來不知道安提阿古四世（Antiochus）於主前164年死亡之事（十一40-45被視為一個真實但錯誤的預言）。釋經家認為

不管本書是於較早期寫成或經過修訂，其最後的版本可確定是於主前165至164年間完成。這論據也支持確認第二及第七章的第四國是希臘。

所以，根據釋經家的看法，但以理書是一本充滿教育意義傳奇及充滿動感異象的書卷，是主前二世紀一本極有能力的抗暴文獻。由於它的寫作方式，當時的讀者不會把它誤以為過去的歷史，也不會視之為未來的預言；他們捧讀本書，自會受其信息的激勵，重新得力，就如今天的讀者閱讀莎士比亞之《哈姆雷特》（Hamlet）或陀思妥也夫斯基之《卡拉馬佐夫兄弟》（The Brothers Karamazov），而大受感動。

為求確證這見解，學者們嘗試從本書中尋求證據，例如：三章5節列出的樂器中使用了希臘名稱；第四章記述尼布甲尼撒的瘋病缺乏確鑿證據，第五、六章提及的瑪代王大利烏無從查究；安提阿古四世結局之描述並無足夠史料。對上述種種，本註釋只作簡短論述，更詳盡的論據，可參考以下兩本書籍：1. J.G. Baldwin, *Daniel, An Introduction and Commentary* (IVP, 1978); 2. E.J. Young, *Daniel* (Eerdmans, 1949)。

上述的見解，先前只為自由派學者接受，近年也為較保守的學者贊同。他們指出，本書的記述顯示原作者並不以其中的故事為真實的歷史，而那些異象也明顯是對過去事件的釋義，而非對未來的啟示。例如十一章4節至十二章3節這段落，看似預言，但當時的讀者不會把它看作真正的預言。為了加強其神學立場，他們指出若神願意的話，當然可以在火中把某些人拯救出來，使某些人死亡，也可以詳細地預言未來的事件；不過，聖經中的神並不作這些事。

在過去一個世紀，這見解可謂掩蓋了保守派的看法；不過，這見解也有相當多問題，這裏只略提數點。

1. 假如本書的性質是那麼明顯地屬於虛構，我們應該在本書註釋的傳統中，很早就找到線索，甚至比白菲的攻擊更早和獨立地產生；但這些卻付諸闕如。若本書「明顯」是傳說，則很難理解在本書註釋的傳統中，學者明顯一直不斷地看本書的歷史和異象為神學根據和自傳資料。

2. 新約的作者也看但以理書為歷史著

作。耶穌視但以理為一位先知（太二十四15），故此，他書中的內容也是真正對未來的預言。希伯來書的作者在列舉一連串歷史事件和人物時，其中提及但以理書中兩件事（來十一33-34）。我們很難否定耶穌和新約的作者都看但以理書是真實的歷史和預言。若我們予以否定，並把但以理書定為後期成書，則基督作為聖經的主，祂的知識和權柄將受到質疑。此外，新約作者於但以理書寫作後兩世紀，竟不能辨別該書是否出於虛構，真是令人驚訝，就如今天有人閱讀《咆哮山莊》（*Wuthering Heights*），而認為是真實的歷史一樣。

3. 一本為人所知的明顯虛構作品竟可以感動讀者對神忠心至死，這看法在神學和心理學上都大有問題。根據認為主前第二世紀成書的理論，這並非只是一個可能的後果，而是本書實際的功能。但這就如同以作者的虛構想象（非神的真啟示和真作為）來證明神的能力、知識和智慧，並要求讀者因這些虛構想象而信靠神。我們先不去爭議「神可以行這些神蹟，並仔細地預言未來，但祂沒有如此行」這樣的講法；假如要接受上述的理論，對於神能作或願意作這些事的信念，我們從本書中就找不著根據。在這一點上，保羅引據另一個神蹟的邏輯可資參考（參林前十五15-17）。

4. 本書記述一些事件的特色，表明其源於巴比倫，並作者熟知巴比倫的生活，這是一個主前第二世紀巴勒斯坦的希伯來人難以做到的。這些特色包括：運用巴比倫計算年代的方式（一1）；熟知巴比倫人喜愛6這數目及其倍數（三1）；暗示伯沙撒王的攝政身分（五7）；引用波斯人懲罰犯人親屬的慣例（六24）。甚至提到巴比倫王宮中的「粉牆」（五5），也引人觸目，因考古發現巴比倫宮殿中的牆壁都塗上白色灰水。

5. 主前第二世紀成書的理論，假設但以理書寫於主前165至164年，書中預言安提阿古四世沒落的嘗試是失敗了。本書既被賦予舊約正典的權威，我們很難解釋本書的錯誤為何沒有改正；又或本書既有錯誤，何以被接納為正典。

本註釋採取的立場，是跟從長久以來基督教會的觀點，即認定但以理書是寫於主前第六世紀的巴比倫。這並不是說書中的歷史內容毫無問題，也不是說接受書中預言和神蹟是輕易的事。書中的歷史內容仍需學者的研究；至於後者，則涉及我們對神的觀點。但以理書部分的信息是說神能夠行奇事，遠超祂的受造物所能行的（二10-11）。每一個要詮釋本書的人，都面臨一個挑戰，去信靠一位熄滅火焰及關閉獅子之口的神（來十一33-34），甚或信靠一位叫死人復活的神（十二2；參可十二18-27。另參看第665頁的圖表）。

🌡 主 題

但以理生活的背景可以用被擄巴比倫的猶大人發出的一個問題總結起來，那問題記載於詩篇一三七篇4節：「我們怎能在外邦唱耶和華的歌呢？」但以理書全書，無論是自傳或異象的部分，都教導我們，對神的子民來說，這世界永遠是「外邦」之地（參約十七16；腓三20上）。神的子民在這世上是「寄居的」（彼前一1、17），周圍是充滿惡意、要毀滅我們的仇敵（彼前五8-9）。不過，我們仍可以像但以理一樣，過一種使神得著稱頌和尊榮的生活。他正是詩篇第一篇之教訓的具體化身。

這樣充滿信心的生命（參來十一33-34），是在對神的認識（但十一32下）、對神的委身（但一8，三17-18，六6-10），以及在禱告中與神的相交上（二17-18，六10，九3，十2-3、12）培養出來的。這信心是基於認識神掌管人一切的事務（二19-20，三17，四34-35），以及祂正在建立祂的國度（二44-45，四34，六26，七14）。我們的時代都在祂手中（一2，五26），因地上的事與天上並非毫不相干（十12-14、20）。神向我們顯露祂自己和祂的計劃，使祂的子民可認識祂，並倚靠祂的話（一17下，二19、28-30、47）。這認識使神的子民可抗拒壓力，知道他們有份於成全神的國（七22、26-27，十二2-3）。

應用綱要

在充滿罪惡的世代中，怎樣才可以保持對神的忠貞呢？但以理書給我們的答案是：做一個有智慧的人。而一個有智慧的人必能真正認識和相信神，知道在最絕望的逆境中，神仍然掌權，故可面對各樣挑戰和逼迫，矢志不渝。

📖 註 釋

一1-21 神的掌權及祂僕人的忠誠

一1-2 行事在人，成事在神

　　但以理故事的兩句引言，提供了這故事的歷史及神學背景。「巴比倫王尼布甲尼撒來到耶路撒冷，將城圍困。」尼布甲尼撒曾數次攻打巴勒斯坦。這裏提及的圍困，發生於主前605年，即約雅敬在位第三年（按巴比倫的計算法；耶二十五1記述同一事件，卻採用猶太計算法，從君王登基前的新年算起）。我們要注意這段歷史的橫面記載，夾有其縱面或神學角度的記載：「主將猶大王約雅敬……交付他手」。這馬上把我們引進全書的主線：

　　1. 巴比倫對耶路撒冷，世界的城對神的城（奧古斯丁語）；這對立在聖經中直至在啟示錄中達到高潮（參啟十四8，十七5，十八2-24）。這對立的根源可追溯至創世記三章15節的宣告。

　　2. 不管歷史如何發展，神仍在至高處掌權。耶路撒冷陷落之時，神的預言也告應驗（例如賽三十九6-7；耶二十一3-10，二十五1-11），神按聖約施行的審判（正如先知曾多次警告的）展開了（參申二十八36-37、47-49、52-58）。被擄是對約雅敬的審判（代下三十六5-7），但腐朽其實早已開始（王下二十四1）。從表面來看，尼布甲尼撒成大贏家，神的名蒙羞（把神殿中的器皿「收入他神的廟裏」，表明異邦神明拿布勝過了耶和華）。但事實上，所有事情都在神的掌握之中（參賽

四十五7;弗一11下）。尼布甲尼撒最後也承認這點（四35）。在但以理身上，約瑟的故事獲得重演（創四十五4-7，五十20）。

一3-7　在巴比倫的改造

在巴比倫，部分以色列人被選召接受精英教育。這幾位被選者都是天生的領袖（「宗室和貴冑」），才智過人。他們要接受再教育，並可享受王宮的生活。這樣做有幾個目的，包括：宗教上的改造（語言、文字和食物都含有宗教和文化的意義）和收買人才（同一時間減弱在以色列人中生產未來領袖的能力，並在教育過程完成後，為巴比倫社會注入一股新力量；5下）。

他們接受的教育無疑將包括：占星學、占卜及其他「藝術」。這些少年人一開始（早在第三章的事件以先），就需要抓緊以賽亞書三章1至3節的應許。

改造過程之始，就是改名。這幾位猶大少年的名字都有宗教意義：「但以理」意即「神是我的審判官」，「哈拿尼雅」意即「耶和華的恩慈」，「米沙利」意即「誰可以像神？」，「亞撒利雅」意即「耶和華幫助」。至於他們的巴比倫新名，似乎是原名的故意變形（提醒讀者這些名字有違真理），因有外邦神明的名字藏在其間（例如：彼爾、拿布、阿古）。這些改造意味著身分的改變（不再是神的兒女）和命運的改變（屬於巴比倫，而非耶路撒冷）；當局盼望常用新名，他們便會潛移默化。

一8-21　通過首次考驗

前文逐點提出對神忠誠的攔阻後，作者現今記述神如何執行祂至高的計劃，加力給祂忠心的子民，勝過各種攔阻。神掌管列國（1-2節），也同樣掌管個人的生命。參：「主……交付」（2節），「神使但以理在太監長眼前蒙恩惠」（9節），「神……賜給」（17節）。

但以理相信若享用「王的飲食」，他將會「玷污自己」（8節；參結四9-14）。他的理由可能並非純為遵守利未記的食物條例，因條例上只禁戒不潔食物，卻沒有提及酒；也不是因那些食物曾祭過偶像（除非素菜不用於拜祭）。故此，他的決定可能只是反映他希望在能力範圍內，不被巴比倫的文化所同化（以及在靈性上受異族模造）。至於他的再教

育和新名，他對此是無能為力的。所以，作者的記述顯出了但以理的智慧，知道在何時應予以抗拒。

但以理被引介為一個忠心的模範，這可見於他令人欽羨的生命：他表達抗拒時態度和藹（「求太監長」，8節；「求你試試」，12節），以及他的行為如何得到太監長的恩待、同情（9節），以及委辦的同意（14節）。

但以理和他的同伴吃素菜，喝白水，身體卻出奇的俊美。這顯然也是神的作為。人可以供應飲食，只有神可以使人健康。10天的考驗（14節）決定了他們終生的食譜（15-16節）。

此外，神也賜給但以理和他的同伴特殊的恩賜（17-19節）。智慧的增長和真正的成就並不一定要在屬靈上妥協；敬虔的人也可以掌握及使用不敬虔之輩的學識。神使世上的智慧變成愚拙，又使祂的子民的軟弱顯得格外堅強（林前一19-25；參賽四十四24-26）。但以理的生平和品格，不僅被刻意地描述得與約瑟相似，更反映了將臨的彌賽亞（賽十一2-3）。

釋經家以為本章的結語（21節）與十章1節互相矛盾。但這結語並非為標示但以理的死期，它更含有神學意義，並非僅作紀年。古列之元年（主前538年）亦即猶太人開始重返故土之時（代下三十六22-24）。這結語的重點是：但以理可活著看見尼布甲尼撒的作為被扭轉。巴比倫王久已不在人世，但神的僕人仍活著，神的子民重新建立。至此，我們可轉入描述神的子民面對衝突的記載，以及神的國最後勝利的異象。

二1-49　神的掌權制服列國
二1-13　尼布甲尼撒煩惱的夢

第二章記述的事件發生在尼布甲尼撒任內第二年（主前604年；參一1-2）。

在古代近東，君王被認為可從神明領受信息。尼布甲尼撒的異夢尤其引人關注，因當時他正野心勃勃地擴張領土。（他在迦基米施和哈馬口大勝埃及軍，牢牢地掌握了敘利亞一帶；他正計劃於來年發動更多軍事行動。）他的夢使他煩惱不安（1節）。故此，他宣召眾臣僕；這些臣僕的職銜顯示了巴比倫科學和宗教的特質（例如「行邪術的」，參申十八10-12；瑪三5）。

我們無法確定尼布甲尼撒對他的夢還記得多少（3節）。某些說話似乎暗示他至少還記得大概（例如9節）。這個夢使他十分煩惱，甚至以死刑迫令眾謀士提出準確的解釋（5節）。所以，若他的謀士能講出他們原本一無所知的夢境，他才可確定他們的解釋準確。眾謀士的回應很合理（4、7節），也可見他們的焦急（10-11節）；這似乎是作者故意顯出王的邪惡，以及他的朝臣智慧有限。

「**亞蘭的言語**」（4節）標示了本書的文字開始從希伯來文改為亞蘭文，直至七章28節為止（參導論）。

尼布甲尼撒王任性地（卻絕非首次）以酷刑恐嚇群臣（5節），以及他對謀臣的懷疑（9節），表現出儘管他擁有偉大的成就，他並沒有安全感。他的命令（12節）包括了要滅絕不在場的但以理和他的同伴，這時記述開始進入高潮。

二14-23 但以理得啟示

但以理堅強和通情達理的性格再次表露無遺（參一8、12），這可見於他如何機智地回應執行命令的護衛長，以及他如何求得王的寬限（16節）。我們有時需要禮貌地容忍，有時則須要直率地指斥（參五17-28；可六18）。

但以理一生最大的特點莫過於他的祈禱（18節；參六10，九3-23，十12）。在這裏，他和同伴祈求神施憐憫（18節），因神國的未來及其在巴比倫的見證，有賴於他們幾個人的生存。但以理深信他可以進到某些境界，是那些巴比倫術士無法企及的（11節）。神是自顯者，也是啟示者（22-23節上），這成了但以理祈求的基礎。祂是智慧和能力的主（20節），掌管歷史（21節上），並常與祂的子民溝通（22節；參徒四24-30）。聖經沒有解釋「這奧祕的事」如何「向但以理顯明」（19節）。

二24-49 異夢的解釋

但以理再回到王前，這次已準備好詳細地放膽解說，我們可比較王之謀臣的無能與但以理在天上之「顧問」的智慧。

尼布甲尼撒夢見一個大像，像人的形狀，用不同的金屬製成（金、銀、銅、鐵和泥）。在夢中，一塊非人手鑿出的石頭擊打並摧毀了大像（注意34下-35節上對詩二9下的迴響）。這塊石頭有兩個特點：一是「**非人手鑿出**」（34節），即源出於神；二是它「**變成一座大山，充滿天下**」（35節），即它的影響遍及全世界。

這異夢是預指將來要發生的事（28節）。由於「**金頭**」特指尼布甲尼撒的王國（38節），我們可假設其他部分也代表別的國度。這些王國當時並沒有向但以理和他的同伴顯明（參八19-21）。若按其出現的次序（及八19-21的資料），則銀的「**胸膛**」和「**臂**」（32節）是代表瑪代波斯（本書視其為一國，崛起於主前539年——古列即位之年；參五28，八20）。銅的「**肚腹**」和「**腰**」（32節）代表希臘帝國，必掌管天下（39節）。其後則是羅馬帝國（有些保守派學者則以腿和腳代表亞歷山大大帝的繼承者）。

至於那塊「**大石**」，則常被認為是代表基督；而這塊大石的「**充滿天下**」，是代表神的國的增長。路加福音一章33節和二十章18節也許是暗示上述的解釋。此外，也要注意的，是這塊大石打碎了代表各國的大像。所以，**這異夢的信息，就是人所建立的王國興衰更迭，最終神的手會把它們毀滅，並建立自己的國，存到永遠**。

評鑑學者卻認為瑪代波斯在歷史上並非一國，而認為經文所指的4國是巴比倫、瑪代、波斯、希臘，並且認為但以理的解夢只是事後孔明（參導論）。

但以理解夢後的結果記在下文（46-49節）。尼布甲尼撒賞賜但以理極大的尊榮，並稱頌他的神。王也封賜但以理的同伴，這交代了他們在第三章的地位；而第三章的事件，也反映了尼布甲尼撒對神的稱頌只是虛有其表而已。

三1-30 神的掌權顯於烈火的試煉
三1-18 拜偶像或殉道

但以理書的作者，顯然有意要我們看見尼布甲尼撒的夢和他在杜拉平原竪立的大像的關連（1節）。這大像也許是代表王自己（參二38：「你就是那金頭」）。若比較那夢中的大像（二31-33），尼布甲尼撒建造的大像全是精金（大概是鑲上金片），這顯示他聽了但以理的解夢後所表現的狂妄自大（二44-

45)。注意：經文提了7次「尼布甲尼撒造了（或立了）」大像（1、2、3、5、7、12、14節）。神把「國度、權柄、能力、尊榮」（二37）賜給他，他卻妄行自用。因此可見他在二章47節對神的稱頌是何等膚淺。

這大像不成比例的尺寸（高90呎，寬9呎）顯示那大像可能包括一個堅固的底板。

這段記敘有兩個特點，使它的信息更形突出。第一，經文重複的提到當時的景象和音響（2-3節記述景象；5、7、10節記述音響）。「琴瑟、笙」看來原是希臘樂器，可見希臘文化的普及。讀者似身歷其境。當時充滿宗教氣氛，無疑給在場的人奇異的影響。但那3位希伯來人知道神所悅納、合乎聖經的敬拜，不在於外表，而在於對真理的順服（參約四24；羅十二1-2）。第二，世上的城和神的城的衝突非常顯著。只有選擇拜偶像或是死亡（4-6節）。出埃及記二十章4至6節的禁令面臨挑戰，按神的形象受造的人（創一26-27；弗四24；西三10；參太二十二20-21），竟跪拜人自己造的形象。當時，沙德拉、米煞和亞伯尼歌的信心光耀奪目，比那火窟中的火焰更明亮（來十一34）。他們強烈地表明對神話語的忠誠（林後四11、13下、18）。

尼布甲尼撒顯然相信每一個人都可以收買，沒有人敢抗拒他的命令。這次的考驗比起第一、二章的經歷更為嚴峻（前面的考驗似乎只是熱身）。他們對神的忠誠和勇氣被術士刻意和惡毒地轉達王前（「這些人不理你」）。不過，他們的傳達也是真實的：「不事奉你的神，也不敬拜你所立的金像」（12節；參出二十3-4、23）。

尼布甲尼撒早已認識這3位希伯來人（一18-20，二49），也知道他們將如何回答他的問題（14節）；他現今是向他們的神和他們的勇氣挑戰（15節）。他沒有考慮他們兩項特點：他們對神的能力的認識（17節），以及他們對神話語的委身（18節）。他們的信心使他們充滿盼望（17節；參一12-13，二16），毫不猶疑（18節）；他們的表現反映了亞伯拉罕的榜樣（參羅四20）和約伯的見證（伯十三15上）。

三19-30　「火焰也不著在你身上」

巴比倫王與耶路撒冷人的對立達到頂點。巴比倫本已「沖沖大怒」（13節；參19節），現更因他們的決心而「變了臉色」（19

節）。他下令把火窟的熱度加至頂點（這大概是「比尋常更加七倍」之意），選派最強壯的士兵捆綁他們（20節），把他們捆綁得十分牢固（23節）。火窟的熱度使抬他們3人的士兵都被燒死（22節）。這些細節使讀者意會這3位希伯來人已無生存機會，而作者描述他們的衣服（21節），是要我們注意將要發生出人意料的事。在王大怒、士兵燒死之際，這3位希伯來人仍好整以暇（請看：作者刻意描述他們的褲子、內袍、外衣和別的衣服，21節）。跟這世上的國比較，神的國「只在乎公義、和平，並聖靈中的喜樂」（羅十四17）。那3位希伯來人在火窟中的行動（「並沒有捆綁，在火中遊行」，25節），更表明神國的勝利。

顯然那火窟分為兩層，在上層的人可觀看火刑的執行。尼布甲尼撒看見那3人仍然生存，並有第四位好像神子，與他們一起（24-25節），他就改變態度（26節；參15下）。他現今承認是他們的神奇妙的干預，使他們得救。這事件正應驗了以賽亞書四十三章1至4節的話：「你不要害怕……我必與你同在……你從火中經過，必不被燒，火焰也不著在你身上。」早期的基督徒釋經家認為那第四人是神的兒子或耶和華的使者（參28節），後人也多如此說。不過，這裏的重點是說明神的完全保護，這可見於他們連火燒的氣味也沒有的事實（27節）。詩篇三十四篇19至20節最終應驗在基督身上（參約十九26），但在這裏先有一個預嘗的應驗。

第三章開始時，尼布甲尼撒的命令帶著威脅——要摧毀神的國；結束時的命令，卻要求世上列國（「無論何方、何國、何族的人」，29節）尊重神的國，否則將被滅。這段記敘宣揚了神國的勝利，描述了王的蒙羞（28下，比較二47），但作者也使我們看見尼布甲尼撒的信並不真誠。他不過是因神蹟而震撼（參徒八9-23）；他的反應是抬舉那3位希伯來人（30節），卻沒有接受他們的信仰（28節）。他的蒙羞確使他的觀點有了改變，卻沒有軟化他的心（參29節，並比較約拿在蒙羞後的認信，拿二8）。

四1-37　神的掌權使尼布甲尼撒降服
四1-18　大樹的夢

第四章記敘的開始與結尾像是詩歌的體裁（1-18、34-37節；可能是在但以理的指引

下寫成）。這篇記敍的主題是尼布甲尼撒的降卑，以第三身的方式記敍，藉此強調在事件發生中，巴比倫王不能評價自己的經歷。**第3節**對神的稱頌是後面描述神的作為的伏線。

尼布甲尼撒的權勢被形容為如日方中：「安居在宮中，平順在殿內」（四4）。這節經文與2至3節相反，全沒有提及神的良善和偉大，因此引發讀者期待：將有重大的逆轉（參路十二16-19）。

尼布甲尼撒做了一個可怖的夢。儘管有第一至三章的經歷，以及二章47節和三章28至29節向神的認信，他仍首先尋求術士的解答（箴二十六11；彼後二22），卻發覺他們無能為力（四7）。但以理的出場（四8）把光明帶進黑暗（參太五14；腓二14-16）。

夢境的主角是一棵大樹，明顯是代表一個世界霸權，普世都在它的控制和蔭庇之下（10-12節；參二37-38）。上天向它宣佈一道命令：它要被砍下，只剩樹墩（15節上）。這帝國又被擬人化（「使他⋯⋯使他⋯⋯」15節下、16節），這個「他」將被降服，像野獸般生活，「讓天露滴濕」（15節下）。這夢中景象使尼布甲尼撒驚惶（5節），也使那些皇帝專用的術士惆悵（7節）。惟有但以理可以幫助解答。

注意：尼布甲尼撒按照他自己的宗教認識，直覺地形容但以理的靈性（「因你裏頭有聖神的靈」），18節下）。他先前的認信並沒有使他離開多神主義。聖經的記載說明他有了宗教的認同，卻非聖經所言的悔改歸正（參8節）。

四19-27　審判的警告

但以理的疑惑和恐懼（19節），並非由於不能解釋夢境，而是由於夢的含義。他很在意別人的感受（例如他在解夢之前，先以古代近東宮庭慣用的前言作開場白，19節下）。但以理不因王的蒙羞而歡喜，他的態度反映了神的心腸和彌賽亞的心懷（結十八23；太二十三37）。在但以理恆常的禱告中，無疑尼布甲尼撒也是他常記念的名字（參六10）。

他隨即便開始解夢（24-26節）。神的定旨為要施行審判。這是針對尼布甲尼撒（24節），要顯明神至高的主權（25、27節）。這審判是公義和恩慈的：這可怕的懲罰臨到尼

布甲尼撒身上，使他形同野獸是十分合宜的，因他對待神的百姓，也如同一頭野獸（他對受欺壓者也常加迫害，27節；在舊約，這常是心靈轉變的一種重要指標，賽一17，五十八6）。再者，這刑罰的作用是要使王降卑，以致悔改，並使盼望重燃，仰望那位使人傾覆，又使人興起的神。

神的審判不是隨隨便便的，而總是合乎道德公正的。這可見於但以理對王的勸諫。神的審判既是由於王惡意違反祂的道德律，那麼，王的悔改、守法，也許可帶來神的恩典（參篇二十八13；賽五十八9-10；拿四2）。即使惡人也可從神得著憐憫；但他們也要向人施憐憫，才可表明他們渴望從神得著憐憫（參太六12，十八21-35）。

四28-37　降服並蒙醫治

神的旨意必定成全。神給予尼布甲尼撒一年時間悔改（29節），但他仍然自高（30節）：「這大巴比倫不是我用大能大力建為京都，要顯我威嚴的榮耀麼？」（參賽十三19）。他的成就的確可觀，包括許多重要的建設工程，其中一項是空中花園——這是古代世界七大奇觀之一，為的是取悅其瑪代妻子阿美蒂絲(Amytis)，使她有回到故鄉之感。他的刻意擴展勢力，自以為是瑪爾杜克神賦予他普世的王權，卻沒有想到詩篇一二七篇1節的話。

神的審判（在31-32節宣告）將使王徹底蒙羞。他的「國位」（31節）和「聰明」（34節）都立即離開他（33節）。第34節說他的「聰明復歸」，意味著在神的審判之下，他患上了精神病（今稱變狼狂妄症。神的話在他的心智上帶來極大的震撼（參耶二十五15-16）。他一度自以為是超人（三1-6、30），卻變成連常人也不如；他豎立自己的像，使人膜拜如神，他不以人的生命為按神的形象而造（創一26-27），也虧缺了神的榮耀（參羅三23）。現今他像野獸般生活，正是自食其果（加六7-8）。

尼布甲尼撒先前的悔改可能已蒙了神的憐憫（27節）。現今，神使他降卑，仍有復原的可能（32節）。但他的恩赦並非隨便可得，他必須謙卑求告（「我尼布甲尼撒舉目望天」，34節），並向神敬拜和認信，宣稱惟獨神是全能的（35節）。王的認信中首次包含神

立約的作為（「存到萬代」，34節；參出二十5-6；詩一〇三17-18），也承認神的真實和公義（37節）。祂對付驕傲的人，恩待謙卑的人（37節；參彼前五5）。在尼布甲尼撒身上，詩篇十八篇25至27節的話可找到很好的實例。

不少解經家都懷疑尼布甲尼撒是否真的悔改歸正。假若這只是一時的表現，難怪一般的歷史記錄未見提及此事。

有一份文獻，名為《拿波尼度的禱告》（*The Prayer of Nabonidus*），是近年從昆蘭洞穴中發現的。評鑑學者據此認為，但以理書第四章的故事是源於拿波尼度王患病的故事（他於主前556至539年在位）。這篇禱文記述了神使拿波尼度患病7年。拿波尼度講出神如何賜他一個希伯來俘虜，向他解釋他患病的意義，並寫下一則神的旨意，要他敬拜至高神。這文獻跟但以理書第四章有重要的分別，但也有可能（楊以德也持此議）這文獻的作者把尼布甲尼撒和拿波尼度混淆了。奇怪的是，很多評鑑學者都不由自主地傾向於假設別的文獻比舊約的記述更具歷史真確性。

五1-30　神的掌權除滅伯沙撒
五1-9　粉牆上的字

但以理書的記述，即使是歷史部分，都不應視為有次序的記錄巴比倫歷史。它的記述是經過選擇的，主要是描述光明與黑暗兩個國度之間的衝突。看見神如此奇妙地干預世上的事務，讀者面對目前的屬靈鬥爭時應得到激勵。

嚴格來說，新巴比倫王國的末代皇帝是拿波尼度（主前556至539年在位）；但有10年之久，他隱居於提曼，立了他的兒子伯沙烏撒〔即伯沙撒，意即彼爾（神）保護王〕作攝政王。注意：伯沙撒於五章7節、16節和29節，提升但以理位列國中第三位，意味著當時國中有兩位王。（參創四十一40，約瑟獲賜第二位。）伯沙撒可能是尼布甲尼撒的孫兒（2、11、18節的「父」可譯作「祖」，22節的「兒子」可譯作「孫子」）。

第1-4節的描述已經隱伏了神的審判。在宴會中，各人不停地喝酒（3節）；王的良心已經麻木，毫無敬畏神的心：「他吩咐人將……從耶路撒冷殿中所掠的金銀器皿拿來」（2節）。他們毫無顧忌地褻瀆神（4節）。忽

然，神審判的記號出現，使他們從縱情聲色中驚醒過來（參賽四十七10-11）。所有人的目光都定在伯沙撒身上〔他與眾人「對面喝酒」（1節），可能也含有公開顯露他的富足之意〕。讀者此時一定會想到箴言十八章12節的話：「敗壞之先，人心驕傲」，快得闡明了。

神的干預十分戲劇性，也使伯沙撒十分震驚。他當時大概已處於半醉的狀態，突然間有一隻手出現，在粉牆上寫字，使他立時清醒，也使他的驕傲狂妄變為驚懼、悽慘（6節）。他即時的反應是向這世上的哲士求助，他們卻無能為力（參二2，四6）。聖經沒有解釋為何他們不能解釋牆上的文字。有幾個可能性：1.字母的形狀不清晰；2.這些文字似屬一種暗語；3.不能理解文字的真正意義。世上的智慧不能認識神，也不能認識祂的啟示（林前一21，二14）。

五10-17　但以理再顯智慧

這裏的記述使人想起創世記四十一章1至16節，但以理的名字再次在皇室中出現。太后的說話幾乎是一個公開的譴責，她指出伯沙撒與尼布甲尼撒的分別（尼布甲尼撒已去世20年）。她向伯沙撒介紹但以理的智慧，她似乎頗為敬重但以理，因她同時使用但以理的巴比倫名字和希伯來名字，也提及他的特殊才能（12節；參賽十一2-3）。顯然，但以理已不如過去在巴比倫的社會中，擔當重要的角色。伯沙撒大概也犯了羅波安的毛病（王上十二7-8）。

伯沙撒的說話（13-16節）似乎顯示他仍受酒精影響，不甚清醒。他重複地提及但以理的出身和年紀（應有80高齡了）說：「你是被擄之猶大人中的但以理……就是我父王從猶大擄來的麼？」（13節）這種話就像一個醉酒的人胡言亂語侮辱他人。膊

五18-31　神的天秤稱量王

但以理尖銳的回答（17-24節），跟他與尼布甲尼撒對應的態度截然不同（二16，四19；另參八1-4註釋），卻與彼得在使徒行傳八章18至20節的說話相仿。他的說話類似舊約聖經中幾段類似訴訟的話（參何十二2-6；彌六1-8）。首先，他說明伯沙撒的罪的歷史背景（18-21節）。他敘述的細節指出神曾啟示祂的本性和作為，這都是伯沙撒應該知道

並遵奉而行的。基於此，他進一步指責伯沙撒（在新國際譯本中的22-23節，「你」或「你的」這代名詞共出現15次）。伯沙撒認識神，卻不榮耀祂，也不感謝祂（羅一21）。

神的信息中所用3個不同的字（25節），都與重量有關（「彌尼」即彌拿，「提客勒」即舍客勒，「烏法珥新」即分子）。但以理以這些字的基本觀念，即衡量或估值，再加上相關語的角度來解釋。「彌尼」衍生於「計算」、「委派」這動詞；「提客勒」的動詞意即「稱量」、「估值」；「烏法珥新」（「毗勒斯」是單數字）即股份之意。伯沙撒的王國已被稱量、估值，它將被瑪代和波斯人（跟「毗勒斯一詞」形似）瓜分。

伯沙撒仍遵守諾言。假如但以理的預言應驗，那麼，他在國中便位列第三（29節）；若他的預言不靈，則他的生命將不會長久。當晚，伯沙撒的末日就已經臨到（30節；參篇二十九1）。

但以理沒有進一步的解釋，因他關注的是神審判的事實，而非審判的細節。希羅多德（Herodotus）和贊諾芬（Xenophon）兩位歷史學家，都記錄了巴比倫是在一個晚宴舉行之際被攻陷的；敵人把幼發拉底河暫時截斷，從河牀中走進城中。贊諾芬（記述了古列的進攻）也記載了波斯人殺死那位年輕、放蕩的巴比倫王。

這段記述有一個重大困難。但以理記述「瑪代人大利烏……取了迦勒底國」（31節）。但聖經別處，都記載波斯人古列釋放神的子民離開巴比倫（代下三十六22-23；拉一1-8）。因此，評鑑學者都認為「瑪代人大利烏」這名字是故意虛構的，或是一個錯誤的歷史資料，把大利烏一世（主前522-486年在位的波斯王）與古列混淆了；古列當時約為62歲（31節）。至於保守派學者則把「瑪代人大利烏」視作波斯王古列的巴比倫皇室稱號〔詳見J. Baldwin, *Daniel*, TOTC (IVP, 1978), pp. 23-28〕。

六1-28　神的掌權統管野獸
六1-9　大利烏受蒙騙
大利烏的統治帶給巴比倫政府180度的轉變，他設立了120位總督（1節），這些總督又隸屬於受命於王的一個核心政治局（第8節暗示還有其他層次的官員）。

這種多層次的安排（「免得王受虧損」，2節）充分說明了政治生涯中的誘惑，以及高官位並不等同高品德。但以理（已屆80高齡）再次顯露他那神賜的突出智慧；他的升職卻引起同事和下層的嫉妒（4節）。

眾大臣的陰謀在人類歷史中屢見不鮮，這種政治鬥爭、消滅對手的手段，已成了常規。從這件事也可反映世人如何合力對付耶和華的受膏者（參詩二1-2；太十六1；路二十三12；徒四25-27）。

但以理的同事不能從他的工作中找到把柄，並無藉口除掉他（4節；參約十四30）。儘管他的同事嫉恨他，卻無法不承認他的正直。他們知道打倒但以理的唯一希望，就是利用但以理眾所周知的屬靈表現：他順從神過於順從任何人（5節；參徒四19）；這將成為他在政治上的弱點。他們也利用王在靈性上的弱點，作為他們玩弄政治手段的機會（6-7節）。瑪代和波斯的法例不能更改（8節；參斯一19），這情況並非只見於古代近東，對極權主義的嚮往也非僅是大利烏的誘惑（7節）。波斯法令成文的重要性可參以斯帖記八章8節的記述。

六10-17　順從神過於順從人
這陰謀是顯而易見的，卻帶給但以理一個微妙的試探：他只要暫時不開口禱告（7節）。況且他已是80高齡，無人會期待這樣一位老人會有英勇的行為。

然而，但以理獨特的個性使他確信：為了個人利益而不順從神的話，終久必招致損失（參腓三7-8）。

這段敘述的重點，是但以理禱告所表現的虔誠，也描述了有關他禱告生活的細節，使他成了我們禱告的榜樣（參二17-18，九3-19，十2-3、12）。他習慣在閣樓（樓上，10節）祈禱，樓上的「窗戶開向耶路撒冷」。他知道神是無所不在的，故他在巴比倫的禱告也必蒙垂聽；他向著耶路撒冷的方向禱告，那裏曾安放神的約櫃，顯明祂住在耶路撒冷（注意但以理在第九章的禱告環繞立約的關係）。但以理禱告如常，引起了別人的閒話（10節下）；經文還特別提到他禱告時不忘感恩，儘管當時他面對嚴重的危機；另外，他的舉止（「雙膝跪在他神面前」，10節），表明他的懇切（11節）。

證主21世紀聖經新釋

這班狡猾的陰謀者把但以理和大利烏都玩弄於掌上（11-12節）。使但以理成為王唯一完全信賴之大臣，是因為他對立約之神的信靠，在他敵人手中卻被極端歪曲。他對神的倚靠被誣為叛逆（13節）。大利烏現今發現自己被愚弄，但他不能改變法令（14節），但以理也不能自救（17節）。請留意這段敘述的一個鮮明對比：那些陰謀家和王都在熱切地謀算（3-9、14節），但以理卻只是如常生活，顯出一貫的忠誠；在第21節以前，我們見到但以理只向神祈求，而沒有跟其他人說話。

六18-28　憑信心蒙神保護

但以理因信蒙神能力保護（來十一33；彼前一5），並不是受保護免除危險，而是在危險之中受到保護。王大感驚訝和寬慰，因見天使保護了神的見證人但以理（參22節；詩九十一9-16）。但以理憑著信心（23節），預嘗了來世的能力（來六5），連獅子也被馴服（賽十一7）。正如其他舊約的神蹟一樣，這神蹟是預示基督復活的偉大神蹟（參17節；太二十七60-66），而基督的復活也指向最後的復活和復興（林前十五20-28；參詩二4-8）。在一個似乎「封閉的範圍」內（17節），神顯明祂不可能被排除在外；即使信徒在陰間下榻，祂也在那裏（詩一三九8）！結果，但以理最終受到保護和解救，正如他3位同伴一樣（23節下；參三27；約十九31-36）。

與一般人的假設相反，舊約中令人驚奇的神蹟其實並不多見。這裏記述的神蹟，正如舊約中幾段神蹟湧現的時期（出埃及時期、進迦南時期、以利亞和以利沙時期、先知職事建立時期），都是出現於神的國的關鍵時刻。但以理書中的神蹟，正如別處的神蹟一樣，不僅是違反自然或超乎自然，更重要的，是它們抗衡邪惡和黑暗的權勢。它們是「來世權能」的流露，那時一切邪惡盡都消除。

第24節記載一則慘淡的收場。當然，我們不會以為所有政府官員都因參與陰謀而被獅子咬死。根據希羅多德的著述，這種牽涉全家的刑罰是根據波斯律法的。敘述本身並沒有提出任何道德教訓（參斯八1-10），不過，這事件的信息十分清晰：人若攔阻神國

的發展，無疑是一個冒險的行動；敵擋神的，終必被鏟除。這敘述再次使人想起詩篇第二篇（參詩二9-12）。

王下令為著但以理的釋放而歡慶（也許在但以理的指引下進行），並在讚美神的頌辭中稱頌神為「活神」（26節，即活躍地干預歷史發展），祂是至高的、拯救人的神。但以理本人正說明了敬虔生活的最基本原則（參詩篇第一篇，尤其是第2-3節）。假如大利烏確實是古列的話，第28節的「和」應譯作「即」（參新國際譯本旁註）。

七1-28　神的掌權統管4獸（4國）
七1-14　四獸一人

第七章一方面引出了本書的第二部分，同時也是兩部分的連繫。它一方面引進一個新段落，內容是但以理啟示性的異象；另一方面，它又帶我們回到伯沙撒在位時期（參第五章），並結束了亞蘭文的部分。故此，讀者應留意歷史和啟示之間的重要連繫。按內容看，本章的異象和尼布甲尼撒在第二章的異夢相近。不過，第二章之異夢的重點，在於描述幾個先後與神的國敵對的強大王國，最後終為神的國勝過；而本章之異象的重點，在於以神國的永恆對比出這些王國（以各種野獸代表）的敗壞和短暫。

正如其他的啟示文學一樣，這些啟示以景象為主（留意敘述中強調「看見」，2、4、6、7、9、11、13節）。理解這些異象的歷史意義固然重要，但這些啟示以景象的形式出現，強調了感官反應的重要，不下於理性的分析。它們不僅是傳達一些論點，也是要引起震撼。

這異象顯於伯沙撒王在位元年（參五1註釋）。無疑，但以理對皇室的熟悉，使他可預測不久之將來（五17暗示他已預測到伯沙撒的王位不保）。

現今，神使他看見一個「大海」的異象（也許是地中海，但更可能只是代表邪惡和不穩定之世界的一幅景象）。這大海陡然翻騰，不是由於從海中冒出的野獸，而是由於「天的四風」（2節）；這表明了即使在最可畏的事件背後，仍看見神的作為。這一點在隨後的經文中更為強調：經文是使用被動式用詞描述各獸。這些野獸明顯是代表各個帝國：像獅子的獸的翅膀「被拔去」，從地上「得立

起來，又得了人心」（4節；可能是描述尼布甲尼撒的經歷）；像熊的獸聽見「吩咐」：「起來吞吃多肉」（5節）；像豹的獸「獲得」治理的權柄（6節）。這些帝國雖施行極權統治，但終極來說，人永遠無法真正自治。信徒可以從這些君王的作為背後，看見真正治理的是神自己。這些野獸和尼布甲尼撒之異夢的密切關係，顯示它們都代表同樣的帝國（據上文的解釋，即：巴比倫、瑪代波斯和希臘）。有趣的是，別處也曾把尼布甲尼撒比作獅子（耶四7；參耶四十九19，五十44）和鷹（結十七3、11-12）。請比較第4節和四章33至34節。以一隻4頭、有翅膀的豹，來形容亞歷山大大帝，是最適切不過的（在他死後，希臘帝國瞬即分裂為4個小國）。

這些野獸可畏的形狀，比起第四獸的形狀和牠的兇暴，就相形見絀。前3獸的形狀像獅、鷹、熊和豹，而第四獸卻無任何動物可以比擬。但以理正迷惑於這獸頭上的10角時（7-8節），卻發現另有一新角長出；這新角顯然代表一個人物，是一個十分自大的人物（8節）。

但以理正觀看的時候，有3幅景象出現在他眼前。這好比一幅織錦的不同部分，合起來就帶給人一個強烈的觀感。

第一個景象是神的寶座（9-10節）。跟先前的景象迥然不同，這幅景象顯出秩序、平靜和至高的權柄。經文並沒有清楚陳明這景象跟第二幅景象（11-12節）的連繫；不過，字裏行間已暗示第四獸和其他野獸的毀滅，是出於神的審判（10節；「他坐著要行審判，案卷都展開了」，顯示神將要發出宣判）。在那亙古常在者面前，這世上的王國都是短暫的。祂聖潔和公義的形象，藉著潔白如雪和明亮如火表現出來（9節；參詩五十3-4）。第三幅景象又回到神的寶座，有一位像人子的被帶到亙古常在者面前（13節），並從祂手中領取治理普世的權柄。這位人物與先前的獸迥然不同，他是一個人。他可在聖潔的神面前站立。在這裏，尼布甲尼撒夢中的大石變成一個人（二35、44-45），這個人更顯出神真正的形象（創一26-28）；這位彌賽亞將是與神一同作王的（參詩二8，八4-8，七十二1-11、17；來二5-9，十二28）。

七15-28　發動戰爭的小角

但以理獲得一些線索解釋這些景象。那

些獸代表不同的王國。這異象的目的是要向他保證，「至高者的聖民，必得國享受」（18節）。我們不要以為那「人子」（13節）跟「至高者的聖民」是指同一人，不錯，他們之間在某些方面是有關係的，這在基督來臨時將可顯明（例如啟一7）。基督作王即確保他的聖徒將可分享他的勝利（啟二十6）。

儘管但以理確知神的國得勝，但他仍因第四獸的可怖形狀而困惑，究竟牠代表甚麼？那10角（尤其是那小角）又代表甚麼呢（19節；參8節）？他得到的解釋無疑使異象的意義較明朗，卻並非完全清晰。無怪乎眾釋經者對此段經文各有不同的解釋。故此，我們解釋這段經文時不可固執己見。

那小角出現於最後一個王國，我們如何辨認它，端在乎我們如何解釋整個異象（及第二章尼布甲尼撒的夢）。我們要特別注意第25節提及小角的3個特性：它褻瀆神，逼迫神的子民，並自以為神（因「改變節期」是神的特權，參二21）。

那些以為但以理書是專為主前第二世紀的讀者而寫的學者，通常都以第四獸（即第四國）為希臘，並以那小角為安提阿古四世。但是，若從新約的角度來看這段經文，不可能否認那「人子」（13節）已在基督身上應驗（參可十三26；徒七56；啟一13，十四14）。

這個從事後回顧的解釋，認為第四獸是應驗在羅馬帝國身上應驗。大概最好的解釋是以那些角（7、8、24節）為羅馬統治精神的延續，而從中興起的小角，就是那不法之人——末後的敵基督（20-21、25節；參帖後二4-12；約壹四3下）。他逼迫聖徒「一載」（25節，或作「一個時期」），他的權勢獲得鞏固和加強（「二載」，或作「多個時期」），卻突然被破滅（「半載」，或作「半個時期」）。人子既獲得普世的治權，就與他的眾民一同作王至永遠（14、26-27節）。

但以理因這異象，身心備受打擊。那些有不尋常屬靈經歷的人，可從但以理學習一個重要的功課——「將那事存記在心」（28節）。

八1-27　神的掌權永恆不息

但以理在異象中，對於他自己也牽涉其中的鬥爭，有了更全面的認識。這場鬥爭並

不僅限於他個人的經歷；他的經歷只是宇宙性的爭戰——世上的國與神建立的國之間的對抗——的一部分。

但以理看見第二個異象時，使他想起第一個異象（1節）。這一次，他看見自己處身在波斯國首都書珊的烏萊河畔。他的異象包含兩個主要的景象（1-4、5-12節），隨後的兩段啟示（13-14節，聖者的話；15-16節，加百列的話；參九21和路一19、26）。由於這些景象和啟示是互相關連的，但以理書第八章就把這些相關的段落一起討論。

八1-4、15-20　雙角的公羊

在第一個異象中的雙角公羊（3節）代表瑪代和波斯的王（20節）；較長的角無疑代表波斯。但以理看見牠用頭衝撞，向四方擴張疆土。事實上，波斯帝國向西擴展至巴比倫、敘利亞及小亞細亞，向北擴展至亞美尼亞及裏海，向南擴展至非洲。但以理所見的（在伯沙撒王在位第三年），跟他在伯沙撒王沒落時的勇敢陳辭（參五18-31），是很一致的。可以說，他早已看見發生於巴比倫帝國之兇事的預兆。作為一個信靠神的人，他逐漸明白那只是一個更大真相的指標。除了至高者的王國以外，那些針對列國之兇事早已兆頭頻頻（參二44）。

八5-8、21-22　獨角山羊

但以理尚在深思第一個景象之時，仍未知道解釋，他又看見一隻山羊，頭上有非常的角（5節）。這山羊有3個特徵：跑得異常快；強力而粗暴地制服綿羊（6-7節）；牠的大角突然折斷，而從角根長出4個角（8節），有一角另長出一小角（9節）。

這山羊代表希臘帝國（21節）。那大角的意象正應驗在亞歷山大大帝身上。他在21至26歲的幾年內，在幾次決定性戰役中（主前334至331年），擊敗波斯，成了世界霸主。但他在33歲時，突然逝世（8節）；他的帝國分裂為4個區域，分由那4角代表（22節）。從其中一角又長出另一角（9節），帶出了整個異象的高潮。

八9-14、23-27　生長強大的小角

從其中一角長出的小角，漸漸強大，四處擴張，進到巴勒斯坦（「榮美之地」，9

節；參申八7-9；耶三19）。這小角自高自大（參賽八12-15），自以為神，並禁止敬拜的事（11-12節）。但以理所見的情景將延續2,300日（14節；參創一5、8、13等）。這個消息由聖者（13節）向但以理傳達，表明了一個事實：不管事件如何可怖，都已為神所知，並在祂的計劃之中（參一2）。故此，這小角的興盛，並不是「因自己的能力」（24節），它的滅亡，也「非因人手」（25節）。

亞歷山大的帝國一分為四，其一是敘利亞，由西流基王朝之首西流基尼加鐸統治；於主前175年，安提阿古四世冒起為王。他自稱為提阿斯安提阿古伊彼芬尼（意即顯赫的神——安提阿古）；但別人則稱他為伊比曼尼（即瘋漢）。他施行擴張政策，征服巴勒斯坦（「榮美之他」，9節），使耶路撒冷血流成河。他禁止早晚的祭祀（11節；參出二十九38-43），並以豬隻獻於祭壇，大大的褻瀆神；後又在聖殿立丟斯像，在壇上獻人為祭。他禁行割禮，蔑視安息日（參11、12節）。

經文強調但以理明白這異象，這是很值得注意的（5上、15-16節）。他的明白不僅是預知歷史，更是看見邪惡的性質和工作，如何摧毀生命、敵視敬虔（24節；特別是摧毀神子民的敬拜，11節；參徒二十29、31），以及邪惡的虛謊和驕傲（25節）。由於這次的啟示，但以理學習了重要的功課：人不要自以為萬無一失（25節：「坦然無備」；參林前十12；加六1）；神最後必毀滅一切與祂為敵的人（25節；參詩二8-12，四十六8-10；啟十一15-18）。

記敘的焦點是在那小角，而綿羊和山羊代表的帝國只是次要的，這提醒了我們，**聖經的觀點獨特，是以神的立約子民，而非偉大的帝國，為歷史之鑰。這些帝國和它們的統治者的重要性，取決於他們怎樣對待神的子民**（9-12節；參太二十五31-46）。

有節經文指出了但以理之異象的應驗時間：「惱怒臨完必有的事，因為這是關乎末後的定期」（19節）；「關乎後來許多的日子」（26節）。「末後」最好解作異象涉及之歷史最末段（而不是世界的盡末）。

如同在七章28節，第八章末所記載但以理的反應很有教育意義。神的子民即將捲入的嚴峻鬥爭使他十分驚恐，卻沒有使他癱

癥。即使他身在一個不虔不義的環境中，依然做好日常的工作（27節；參彼後三11）。

九1-27　神的掌權成為預言和祈禱的基礎

九1-3　但以理查考聖經

加百列進一步啟示但以理（21節；參八16）。作者很仔細和鄭重地交代了這個啟示的日期：「大利烏元年」（1節）。當時，但以理正進行屬靈操陳，他正在默想耶利米的預言，其中提到耶路撒冷荒涼的年數（2節），將持續70年（參耶二十五11-12，二十九10）。但以理隨後的祈禱顯然深受耶利米書二十五章的屬靈影響。正如聖經其他地方記述的代求一樣，但以理懇切的代求是基於兩方面的動機：當時的需要和神在約上的應許。有人也許會問，既然神早已應許，但以理又何需祈求呢？但以理明白到，神使用祈禱作為祂樂意履行諾言的途徑。但以理從裏到外，都表達出他真誠的悔改和代求（3節）。這裏描述的大概是但以理私下靈修的部分情況，他的舉動並非違反馬太福音六章16至18節的精神；那裏所論的，是關乎在公眾面前禁食祈禱時的臉容，有些人故意臉帶愁容，期待別人的稱讚，而忽略了神的悅納。

九4-19　祈求神記念祂的約

但以理的祈禱受著他對神本性的認識所主導，尤其是指神本性中公義的一面。神的公義就是祂絕對的正直，與祂完全的榮耀一致。在神與祂子民的關係上，祂忠於跟他們所立的約。在雙方立約的關係上，祂應許作他們的神，也以他們為祂的子民。祂也應許說，假若他們以忠誠回應祂的愛，必可享福；但若他們的態度是不信、不敬、不順從，將受刑罰（參申二十七，二十八）。值得注意的是，在全卷但以理書，只有本章使用了神立約的名字——耶和華（2、4、10、13、14、20節；參出三13-15）。

這些原則就是神在舊約中，跟子民相處的基礎，這時也浮現在但以理的祈禱中。神一直容忍那些悖逆的子民，並差派先知呼籲他們回轉，守約敬神（5-6節）。他們被擄，是不顧神的警告的後果，也應驗了約上預言的咒詛（7節；參申二十八58、63-64；耶十八15-17）。但以理可謂神子民中至忠誠的代表，以真誠懺悔的態度，感同身受地看他們的罪為自己的罪（「我們」一詞在5-10節中重複了8次）。在這方面，但以理的心反映了神的心（參賽六十三8上、9上）；他們都是祂的子民（參20節）。至終的解救方法要等到神的兒子降臨，祂要承擔祂子民的罪，看為己罪（參賽五十三4-6、10-12；林後五21）。但恩赦的盼望並不減輕他們嚴峻的狀況。但以理在形容和承認猶大的罪時，幾乎已用盡了舊約的詞彙（罪、過失、作孽、悖逆、轉離、不聽、不忠、過犯、不從；5-11節）；他也指出了他們犯罪的結果（蒙羞及分散；7節）。這樣的懲罰是神以立約之公義，報應祂子民的罪。神遵守了祂的諾言（7、11-14節）。

但以理為他國民的苦況祈求時，他並沒有求神放下祂的公義。相反地，這正是他們唯一的盼望。正如在出埃及時一樣，神為了祂自己的榮耀，彰顯祂立約的公義，向受壓迫者施憐憫，向惡人施審判（參出三7-10、20，六6）。神藉耶利米宣告之應許，激勵但以理呼求神維護祂榮耀的名，因祂與祂的子民和耶路撒冷城有不可分割的關係（16節）。他代求的目的是為了神名字的榮耀；他代求的基礎是神約中有關復興方面的應許；他代求的動力是神在往昔的拯救行動中，所彰顯的公義憐憫（15-19節）。

九20-27　七十個七

天使向但以理啟示的時間，正是「獻晚祭的時候」（21節；約為下午3、4時）。這可見但以理的生活是以神的城為中心，儘管他已離開耶路撒冷約70年之久（參六10）。加百列迅速飛來，回應但以理的祈禱，帶來神進一步的啟示，使但以理的眼光，超越耶利米預言的70年，進至「七十個七」的時期（24節）。在神計劃的眾山嶺中，但以理現在的目光要集中於更遠的山峰。

這如謎一般的啟示，首先列出了神在這「七十個七」時期中，命定要成全的6件事情（24節）。開始的69個七，將引致「受膏者」（25節）來臨；這時期又分為兩段不平均的時期：7個七和62個七。這個劃分可說是全書其中一個最令人困惑之處。有可能這開始的「七」，是指向聖殿完成的時間。至於**第26節**和**第27節**，有可能是一個漸進的平行描述：

第26節是形容最後一「七」的全景，而第27節則形容其細節。

對這段經文的解釋，眾說紛紜，要視乎解釋者對預言應驗的觀點。認為但以理書寫於主前第二世紀的評鑑學者，看這段時期始於主前六世紀，至安提阿古伊彼芬尼之時（以490年為整數，直解或誤解了「七十個七」）。不過，從新約的觀點，我們實難否定「**受膏君**」（25節）是應驗在耶穌基督身上，祂的來臨帶來贖罪，並止住罪孽（24節）。部分保守派的釋經家，舉出不同的年代計算方法，以顯示490年剛好是指向基督的死。對此仍無一致的意見，有關最後一七的仔細註釋也無定論。

假如以基督為中心的分析大致是正確的話，那69個七可代表猶太人復國至基督來臨，展開祂的國的一段時期。儘管仍有難處，**第26節**提到「那受膏者必被剪除（「剪除」這動詞也可用於立約），一無所有」（參新國際譯本旁註），跟以賽亞書五十三章8節相似，也表示了那受膏者完全的孤單（參太二十六31，二十七46）。**第27節**則可指「一王」（26節）的境況，應驗在提多維斯帕先的身上，他在主後70年玷污了聖殿，並毀滅了耶路撒冷（參太二十四3-25）。另一個解法，則以第27節上指基督在「一七」，即為未來的所有世代（參林前十一25-26），確立了神的約；第27節的其餘部分則描述耶路撒冷被玷污。

但以理在這70年，一直渴望神的城和聖殿的復興（16-19節）。現今將見成事之際，神又使他看見在救恩歷史中，更遙遠、更崇高的峰頂。即使在人手重建的城市中，一座新的聖殿也可以被摧毀；故此，但以理定睛在最後的聖殿上（參約二19），那是永不會被玷污的（啟二十一22-27）。

十1至十二4　神的掌權控制歷史
十1-3　但以理的悲傷

但以理最後一個異象的記敘，收錄在第十章至本書末了。他見異象的時間是在「古列第三年」（1節），在逾越節和無酵節期間，當時他在希底結河邊（4節）。在以色列人出埃及的周年紀念時，一個出埃及的新版本在古列元年開始上演（拉一），不過卻遭遇重重阻礙（拉三12至四5）。終於聖殿重建的工程

也中斷了（拉四24）。這些阻礙極可能是但以理悲傷多日的原因（2節）。第1節則說明了以下異象的性質。

十4-9　一個榮耀的異象

但以理的異象（7節）使他失去氣力（8節）。雖然只有他看見形象，但他的同伴似乎也聽見「如大眾的聲音」（6節），並因此逃跑（7節）。但以理看見的人穿著如祭司的細麻衣（5節；參出二十八42；利六10，十六4），全身閃耀出光輝和美麗，但以理用盡了各種貴金屬、寶石等，描述他的形狀（5-7節）。記敘中沒有說明這人是誰，對他的形容超過但以理先前所見的其他天外來客（八15-16，九20-21），卻明顯與聖經別處對神和基督顯現的描述相仿（例如結一26-28；啟一12-15）。這異象是為了強調神立約的恩典（祭司衣袍），以及祂神聖的能力和榮耀（耀目的光明）。神自己就是這信息的本源，也是真理的保證人（參1節）。

十10至十一1　靈界中的惡勢力

但以理所見異象的第一部分逐漸淡去，他也沉睡了。然後，有另一個人向他說話（11節），告訴他神已聽了他的祈求（2節的暗示）；在他一開始祈求，神就立即回應（12節）。但神的使者受到「**波斯國的魔君**」（顯然並非凡人；13節）攔阻，直到米迦勒來幫助他。天使長米迦勒（參猶9）是神的子民主要的護衛者（「你們的大君」，21節；參十二1），幫助他們抵抗黑暗的勢力（參啟十二7-9）。

這裏清楚地告訴我們，在人類歷史的抗爭背後，也有靈界的衝突（弗六12）。但以理的代求使他也捲入這衝突中。靈界的勢力企圖阻撓他獲得有關未來的啟示（從而明白神的計劃）。從中也暗示了以下的啟示，將可堅固但以理，以及神所有的子民（14節）。

我們不能確定「有一位像人的」（16節）是第三個人物，還是指第5節或第10節的人（20-21節似乎是指第10節的人）。這種模糊是由於這啟示的異象性質，也由於但以理當時的精神狀況（15-17節）。無論如何，但以理因那人的觸摸，得著鼓勵和力量，他可以領受啟示（18-19節）。那天使不久將返回波斯，繼續他的任務（1節），與靈界的魔君爭

戰（20節）。從人的角度看來，目前是波斯，不久將為希臘（20節），左右神子民的命運。

但以理的問題在**第20節**有部分的答案，使他知道有天使保護神的子民（參王下六15-23）。但首先他須知道寫在神「真確書」上的事（21節），即神的計劃向他揭示。

十一2-45　北方王和南方王

這段啟示十分仔細，以致很多學者認為這是主前第二世紀一位作者的寫作技巧。根據這觀點，第21至35節的細節顯示作者對此有親身的認識。至於第40至45節，則是預測未來的事，不過作者的預言結果是錯了。所以，接受這看法的學者，把但以理書的寫作日期定於主前165或164年（有關這觀點的評論，請參導論）。

在本章中，但以理過去看見的一幅幅景象，現今以歷史演變的方式表現出來。這些事件要表達的觀點就是，神立約賜給祂子民的「榮美之地」（16節），跟那在南、北興起的王有密切關係（11-12節）。跟一般的歷史記述不同（巴勒斯坦只被視為南北雙方中間的一片土地），聖經的啟示看神子民的國是歷史的中心，也是歷史之鑰。

十一2-4　不久的將來

天使描述不久將發生的歷史。波斯帝國不斷擴大，直至一位擁有強大力量的人物出現——他的王國卻於他死後分裂（4節）。

古列（十1）之後的第四任波斯國王是薛西斯（主前486至465年）。他徵收重稅，發展軍備，要征服希臘（2節）卻於主前480年，於撒拉米戰役(Salamis)中被擊敗。啟示中提到一位「**勇敢的王**」，他的國未能傳給後嗣，卻分裂為四（3-4節）；這事在亞歷山大大帝身上應驗（但以理早已知道在波斯之後希臘會稱霸；十20），他的兩個兒子都被刺殺。他成了那折斷了的角（八22）。

十一5-45　南北交戰

不同派系的學者對這段經文的解釋相當一致，均認為這個異象跟下列一段歷史相符。

亞歷山大的帝國一分為四之後（4節），多利買一世成了埃及的統治者（「**南方的王**」；5節），創立多利買王朝，始自主前304年（他自封為王之時），直至主前30年。另一方面，西流基一世（「**北方的王**」）控制了敘利亞，創立西流基王朝；兩個王朝國祚大致相同。這兩個王朝各自發展，朝中各有權力鬥爭，又彼此爭霸。

兩個王朝曾互相結盟，安提阿古二世（西流基一世之孫）與百尼基（多利買二世的女兒）結合。但只帶來短暫的和平，不久，即見多利買三世自南向北進攻（7-8節），以及西流基二世的反攻（9節），後者的兩個兒子西流基三世和安提阿古三世也相繼興兵，直攻至巴勒斯坦南邊的拉腓亞（10節）。

雙方的爭持延至多利買四世的時期，他是一個生活放蕩的人。聖經稱他是自高的人（12節；參18節），敏感的聖經讀者必已預測他將傾覆（二21上）。他曾於拉腓亞大敗敵人，可惜他的後繼者保不住勝利；終於，多利買五世以4歲稚齡登基時，安提阿古三世率軍征服了南朝（13-16節）。安提阿古三世也是高傲之人，故也招致神的審判（16節；參19節）。**第14節**可能是指猶太的奮銳黨人企圖援助敘利亞軍，對抗埃及，因猶太人當時受埃及管治；可惜不成功。

為了進一步擴張，安提阿古三世安排女兒克麗佩脫拉與年幼的多利買五世結合（17節），但他的計劃也不能成功。安提阿古向西征伐，卻敗於羅馬軍下，被迫退回。自此，他消失於歷史舞臺，並於兩年內喪生（19節）。

西流基四世繼任為敘利亞王，他繼承了一個龐大的帝國，但這帝國卻因長年征戰而國庫空虛。他增加稅收以充國庫（20節），卻不久即為本章餘下篇幅之主角，一個「**卑鄙的人**」（21節），他的兄弟安提阿古四世（伊彼芬尼），繼其位為王。

安提阿古四世在主前175年藉兩次政變而登基。他使用各種手段，陰謀詐騙層出不窮（21、23節），推行希臘化政策不遺餘力。這政策使他與奉行敬虔主義的猶太人發生正面衝突。記敘中再指出虛假的安全感十分危險（24節；參八25），神寬容人的敵對行動已到時限（「這都是暫時的」；24節）。

安提阿古為阻止埃及進攻巴勒斯坦，就搶先出兵攻打多利買六世，運用陰謀來打敗敵人（24、25節）。他被勝利衝昏了頭腦（27節），在巴勒斯坦發生騷亂時，他返回敘利亞。經文再次指出神在歷史中的定期（27

節），以及壓迫神子民的人邪惡的本質（28節）。

安提阿古於主前168年再度出兵埃及，使多利買王朝同意他共管埃及。但這次他受到羅馬最後通牒的屈辱，黯然離去（參30節）。事後，他把憤恨轉嫁於神及祂子民身上（30節）。他招募傾向希臘化的猶太人（30-32節），結果引致耶路撒冷居民慘被屠殺，城中財物盡被掠奪、破壞。聖殿被污，日常的供獻被禁；殿中立起丟斯的祭壇，又在聖殿的祭壇上獻異教的祭（「**設立那行毀壞可憎的**」，31節；參太二十四15）。

猶太人中有不少背道的（30、32節），也有不少忠心至死的（33節）。就在這背景中，著名的馬加比革命產生了。在這一切反抗運動中，不論是精神上的或政治性的，忠於神的人都會得到扶助（34節）。

但以理書最難解的一段可能是十一章36至45節。這段的描述似乎超過我們對安提阿古所知的一切褻瀆行為（故此，很多釋經家都認為這段是作者的預言，卻未被言中；但我們可據此判定本書的定稿日期）。不過，十二章1至3節似乎是指一切歷史的終結。這樣，**第35節**也可能是指神的子民在安提阿古時期，以及在後來的歷史中，將會有的經歷。但是，對於**第36節**的「王」，卻有不同解釋〔例如羅馬帝國（加爾文）、羅馬教皇、敵基督〕。

預言意義的準確解釋，往往要看其在歷史中的應驗。無論如何，我們從這裏至少可看見對敵基督的描述（約壹二18），他如同一個極權的王（參三15，四30，八25，十一3、12、16），更自以為神（36-37節；參三5），充滿不虔不義。經文中提及「**婦女所羨慕的神**」（37節），頗為費解，有人以為是指搭模斯——一個異教神明，女神伊斯他爾為他悲哭（參結八13-14，以西結看見這可憎的事）。不過，這句話也可解作婦女的愛情，意指這位王完全罔顧人的感情（參提後三2-4），或是不理神起初創造時定下的男女關係。

第40-45節描述最後的衝突。有些釋經家認為這些事將會準確地在這裏提及的地方發生，但筆者以為最好還是把這些地方看為以當代的地理概念來表達將來的衝突而已。「**以東、摩押和亞捫**」（41節）代表神子民的世仇。北方王的世仇及他們的盟友都為他所滅（43節）。不過，他的結局將是悲慘收場（44-45節）。

若這裏描述的真是歷史的最後一幕，我們要注意這是用古代世界的語言來描述。預言是預告未來的事，但也同時使用當時的語言，向當代的人說話。

即使這裏是描述不敬虔的極端表現，歷史的結局也不可能由「戰車、馬兵」導致（40節）。我們不可忘記整段經文的目的，是強調不論一個國家的統治者如何目中無神，「然而到了他的結局，必無人幫助他」（45節）。

十二1-4　末後的事

天使應許但以理，神的子民必受到米迦勒的保護，脫離黑暗勢力的摧殘（參十13、21）。但這正如但以理和他的同伴一樣，他們沒有避過試煉，卻要在「大艱難」中得到保護（1節；參提後三1-9）。神的計劃（參「冊上」，1節）不會失敗，祂保佑祂的子民，使他們「必能得著所預備，到了到末世要顯現的救恩」，（彼前一5）。**第2節**指出將有復活，死亡的咒詛或被消除（「永生」，2節；比對「睡在塵埃中」，參創二7、17，三19），或被確定（「受羞辱永遠被憎惡的」）。「智慧人」（參十一25）忠於神的話，儘管曾受苦難和羞辱，將會得到尊榮（3節）。這充滿盼望和安慰的信息將會使一切信徒得著堅固。為此，但以理要封閉此書（4節），不是要守為祕密，卻是為了保存，為那些尋求神的話的人好好收藏起來；但另有一些人，「來往奔跑，知識就必增長」（4節；參摩八12）。

十二5-13　神的掌權與祂僕人的安息

本書的結語再次以但以理為中心（參十2-18）。他看見另外「**兩個人**」，大概是作為見證人（申十九15），站在河的各一邊。其中一位說出了但以理心中的疑問，這也是神的子民在受苦中常有的問題：「這奇異的事，到哪時才應驗呢？」（參八13；啟六10）。那從天上來的人物（參十5-6）舉起雙手，表示他要說的話的嚴肅性和可靠性。正如前述，「**一載、二載、半載**」（參七25）代表一個大概時期和一段延長的時期，讓讀者知道神確知祂的時間表，並為這些時間設下了上限。

神的子民毫無保障時，神就會伸手干預（7節）。

但以理仍覺費解，故欲進一步尋求這些事的「結局」（8節）。這裏有一個教訓（對但以理及所有釋經家亦然），天使告訴但以理，這異象的揭開須等至它在歷史上應驗之時。那時，智慧人和惡人將會清楚區分（10節）。智慧人手執但以理書，看見發生的事，自會明白這些事件的真正意義。惡人卻只會混亂、慌張。

天使提出一個最後的解釋（基於十一31）。從「設立那行毀壞可憎的」時候起（11節），「大患難」（1節）將持續約3年半，然後再延長一個半月（11-12節）。這可能是那最後的「一載、二載、半載」的縮影（十一7），與安提阿古伊彼芬尼施加的苦難有關。

可是，它也似乎是指向末日，這3年半是那70個七的最後階段，前文（九24-27）只提及69個七，並最後一個七的前3年半的應驗。

本書最後的話是對但以理很適切的應許。他也必須堅持到底，然後將可安息。他的工作果效將隨著他，直至復活的日子（13節；參啟十四13）。

Sinclair B. Ferguson

進深閱讀

S.B. Ferguson, *Daniel,* CC (Word, 1988).

R.S. Wallace, *The Message of Daniel,* BST(IVP, 1979).

J.G. Baldwin, *Daniel,* TOTC (IVP, 1978).

G.L. Archer, *Daniel,* EBC (Zondervan, 1985).

E.J. Young, *The Prophecy of Daniel* (Eerdmans, 1949; Geneva Series, Banner of Truth, 1972).

證主 21 世紀聖經新釋